CW00687251

Le THÉ

DICT

ANA

Le THÉSAURUS

DICTIONNAIRE DES ANALOGIES

sous la direction
de Daniel Péchoin

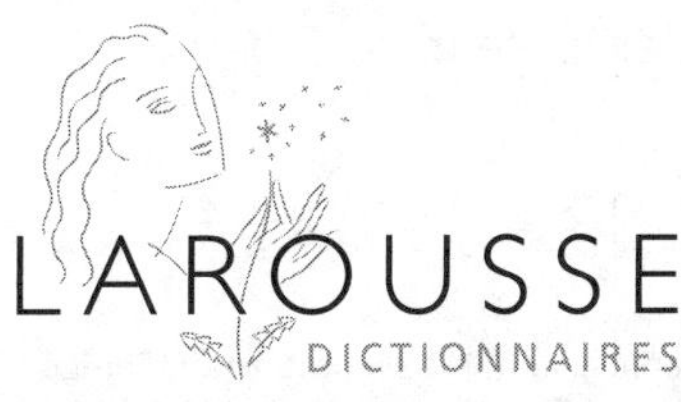

21, rue du Montparnasse 75283 Paris Cedex 06

Pour la présente édition :

Direction du département Dictionnaires et Encyclopédies	Carine Girac-Marinier
Direction éditoriale	Claude Nimmo
Fabrication	Marlène Delbeken

Pour l'édition de 2009 :

Rédaction et édition	Bruno Durand *avec la collaboration d'*Anne-Françoise Robinson *et de* Christine Ouvrard
Direction artistique	Uli Meindl
Maquette	Jérôme Faucheux, Uli Meindl
Informatique éditoriale et composition	Ivo Kulev, Marie-Noëlle Tilliette

Pour les éditions précédentes :

Rédaction	Anne-Marie Brun, Agnès Delahaye-Walter, Sylvie Duverger, Hélène Houssemaine-Florent, Christine Lavergne-Jost, Agnès Leblanc-Khairallah, Patricia Maire, Dorine Morel, Patrick Werly
Secrétariat	France Ertz, Nathalie Perrier
Informatique éditoriale	Gabino Alonso

21, rue du Montparnasse

75283 Paris Cedex 06, France

www.larousse.fr

ISBN : 978-2-03-590388-4

PRÉFACE

Qu'est-ce qu'une analogie ?

Ce mot, apparu au début du XVe siècle, nous vient par le latin du grec *analogia*, qui signifie « correspondance ». Il désigne « le rapport qui existe entre deux ou plusieurs choses présentant certains caractères communs » (*Grand Dictionnaire de la langue française*, Larousse, 1971).

Sur le plan linguistique, un dictionnaire des analogies vise à mettre en relation les mots appartenant au même champ sémantique. Si cette approche de la langue est très présente dans la culture anglo-saxonne, ce type de dictionnaires n'apparaît en France qu'en 1862, à l'initiative du lexicographe Jean-Baptiste Boissière (1806-1885) à qui l'on doit la formule « des mots par les idées et des idées par les mots ».

À quoi sert le *Dictionnaire des analogies* ?

Il s'agit de dépasser l'arbitraire de l'ordre alphabétique, en regroupant les mots en fonction de leur voisinage sémantique, donc de pouvoir retrouver des mots oubliés, découvrir des mots inconnus et explorer exhaustivement le champ notionnel choisi.

C'est pourquoi le *Dictionnaire des analogies* ne se réduit pas à la simple synonymie : un synonyme ne peut appartenir qu'à la même catégorie grammaticale, ou à une locution équivalente. Cet ouvrage propose bien d'autres pistes :

- 873 mots-clés classés par ordre alphabétique, d'*abondance* à *zoologie*, des plus concrets (arbres, mammifères, métallurgie) aux plus abstraits (imagination, loyauté, paradis) ;
- l'ensemble des catégories grammaticales concernant le vocabulaire du même sujet (noms, verbes, adjectifs, adverbes, prépositions, conjonctions, interjections, préfixes et suffixes), visuellement regroupé dans un article ;

- des proverbes, des expressions, des allusions bibliques ou historiques, des citations littéraires, des slogans politiques ou publicitaires ;
- des renvois à des notions plus lointaines, telles des planètes de plus en plus éloignées de leur étoile, du « noyau » ;
- un index de 125 000 entrées renvoyant aux articles.

À qui s'adresse ce dictionnaire ?

Aux enseignants, aux lycéens et aux étudiants, aux professionnels de la communication (journalistes, rédacteurs, publicitaires...), aux amoureux de la langue et de sa richesse, à tous ceux qui aiment appeler les choses par leur nom en évitant les répétitions et les plates approximations, c'est-à-dire à tous les usagers de la langue française.

Affinité, air de famille, association, communauté, corrélation, correspondance, dérivation, équivalence, extension, filiation, identité, liaison, lien, parenté, proximité, rapport, relation, réminiscence, ressemblance, similitude, voisinage..., tel est le domaine de l'analogie.

MODE D'EMPLOI

Le *Dictionnaire des analogies* est organisé en 873 articles classés par ordre alphabétique, dont la liste détaillée figure p. X à XIV.

Chacun de ces articles se trouve lui-même divisé en paragraphes numérotés de 1 à *n*. Ces paragraphes sont ordonnés selon les catégories grammaticales, qui se succèdent toujours dans le même ordre : noms, verbes, adjectifs, adverbes et, s'il y a lieu, prépositions, conjonctions, interjections et affixes (préfixes et suffixes).

Les paragraphes regroupent les mots par familles de sens. À l'intérieur de chaque paragraphe, des tirets ou des points-virgules signalent les regroupements de sens voisins, le tiret correspondant à une division forte et le point-virgule à une division faible.

Dans chaque série, les mots sont classés par ordre alphabétique, sauf si une raison précise a dicté un choix différent : c'est le cas, par exemple, des noms des planètes du Système solaire (49.7), pour lesquels un classement par ordre d'éloignement croissant du Soleil a paru plus pertinent que l'ordre alphabétique.

Dans chaque paragraphe, les caractères gras mettent en évidence les mots les plus usités, ou de sens très général, ou encore ceux qui se distinguent par une valeur stylistique particulière.

Par ailleurs, certains mots sont suivis de numéros qui renvoient à d'autres articles, indiquant ainsi les cheminements que le lecteur est invité à emprunter pour enrichir sa recherche. Ces renvois permettent de passer d'une famille de notions à une autre, proche ou plus lointaine, et établissent entre les différentes parties de l'ouvrage des interconnexions et des passerelles facilitant l'association d'idées et la recherche de l'expression la plus juste.

Comment consulter le *Dictionnaire des analogies ?*

Dans la double page suivante, le lecteur trouvera des exemples-types d'articles illustrant le fonctionnement de l'ouvrage. L'index est sans doute la voie d'accès qui paraîtra au premier abord la plus simple.

Cependant, lorsque l'on sera familiarisé avec le *Dictionnaire des analogies*, la lecture directe des thèmes et notions en tête d'ouvrage permettra de sélectionner rapidement le ou les grands domaines que l'on souhaite explorer.

TRAITEMENT D'UN ARTICLE STANDARD

Numéro d'article

Titre de l'article
Il indique la notion traitée.

304 FAMILLE

N. 1 **Famille** ; cellule familiale, famille nucléaire [SOCIOL.], famille recomposée. – **Foyer** ; feu [vx], domestique *(le domestique)* [vx], maisonnée. – Belle-famille ; famille naturelle **314.**

2 Famille monogamique, polygamique, polyandrique **491.** – Famille royale, grande famille. – Famille tuyau de poêle [vulg.].

Niveaux de langue
Ils sont indiqués entre crochets.

Numéro de paragraphe
Les paragraphes regroupent les mots par familles de sens.

3 **Parents** *(les parents),*, tuteurs légaux **59** ; vieux *(les vieux)* [fam.]. – Parents adoptifs, parents spirituels ; marraine, parrain. – Tuteur datif, tuteur de fait, tuteur testamentaire ; tuteur ad hoc, subrogé tuteur [DR.]. – Chef de famille, chef de clan, soutien de famille ; **mère de famille 506,** mère au foyer ; **père de famille 609.** – **Proches** *(les proches),* siens *(les siens).*

4 **Enfant** 270 ; enfant légitime, enfant naturel ; enfant adoptif, pupille. – Enfant unique, enfant gâté. – **Jumeaux** ; besson ; triplés, quadruplés, quintuplés ; siamois *(frère siamois, sœur siamoise).* – Premier-né, aîné ; cadet, puîné ; dernier-né, benjamin, tardillon [fam.]. – Fils ; fils de famille, fils à papa ; fils prodigue [allus. biblique]. – Fille ; fille de famille, fille à papa.

Renvoi à l'article 270
Les renvois invitent le lecteur à passer d'une famille de notions à une autre, favorisant ainsi l'association d'idées et la recherche de l'expression la plus juste.

Mots principaux
Ils sont mis en valeur en caractères gras.

5 **Frère** ; demi-frère, frère consanguin (opposé à frère utérin), frère de lait ; fam. : frangin, frérot. – **Sœur** ; demi-sœur, sœur utérine (opposé à sœur consanguine), sœur de lait ; fam. : frangine, sœurette.

7 **Famille nombreuse** ; couvée, nichée ; marmaille. – Fam. : séquelle, smala, tribu [fig. et péj.] ; clan.

8 **Foyer 481** ; bercail, chez-soi *(un chez-soi),* home [anglic.], *home, sweet home !*

9 **Air de famille,** ressemblance **719.** – **Atavisme,** hérédité **361** ; parenté. – Bon chien chasse de race [prov.].

Rubriques
Les vocabulaires spécialisés sont regroupés sous une même rubrique.

10 ANTIQ. ROM. : **dieux domestiques** ; dieux lares **236,** pénates – Esprit ou génie familier.

Catégories grammaticales
Les paragraphes sont ordonnés selon les catégories grammaticales (ordre : nom, verbe, adjectif, adverbe).

V. 12 **Fonder une famille,** fonder un foyer. – Élever (un enfant) ; former, éduquer **253.** – Mener une vie de famille ; vivre en famille.

Adj. 13 **Familial,** familier [vx ou litt.], des familles, patriarcal ; **parental,** tutoral ; générationnel. – Pupillaire. – Clanique, tribal. – Chargé de famille, chargé d'âmes.

Adv. 16 **Familialement,** familièrement [litt.], patriarcalement [litt.].

TRAITEMENT D'UN ARTICLE ENCYCLOPÉDIQUE

Les articles encyclopédiques épuisent la matière attachée à une classe d'êtres ou d'objets. Cette matière est organisée en sous-ensembles dont les éléments sont classés soit alphabétiquement, soit thématiquement.

330 FRUITS

Le fruit caractérisé dans la langue.

N. 1 **Fruit** ; fruit capsulaire, fruit déguisé, fruit déhiscent (opposé à indéhiscent). – Fruits primeurs ; fruits rouges, petits fruits [helvét.]. – Fruit sec ; fruit confit, pâte de fruits **799.**

Le fruit décrit par la botanique.

2 **Grain 345** ou caryopse, graine, granule, pépin, semence. – Acinus [BOT.], akène, **baie,** diakène, follicule, momie. – Cône, disamare, drupe, noix, nucule, pépon, pyxide, samare, silicule, silique, sycone, syncarpe.

Tous les noms des différentes parties des fruits sont présentés en colonnes et par ordre alphabétique.

3 **PARTIES DES FRUITS**

aile	intine
arille	kapok
barbe	locule
brou	loge
carpelle	noyau

Tous les fruits appartenant à une même famille sont donnés dans l'ordre alphabétique.

9 **Agrume** ; bigarade, cédrat, **citron,** citron vert, clémentine, lime ou limette, mandarine, navel, **orange,** pamplemousse, pomelo (ou : grape-fruit, grapefruit), sanguine, tangelo, tangerine.

Toutes les variétés d'une même espèce sont données dans l'ordre alphabétique.

14 **Raisin** ; alphonse lavallée, malaga, meunier, muscat, pinot, raisin de Corinthe, raisin de Smyrne ; raisin de table.

Adjectifs pour décrire l'aspect et le goût des fruits.

24 Vert **857** ; blet, **mûr** ; passerillé, sec. – Fruité, fruiteux [litt.] ; cotonneux, fondant, juteux, pulpeux.

Préfixes et suffixes entrant dans la composition de mots désignant les fruits.

Aff. 26 Carpo-, fructi-, frugi- ; -carpe.

L'INDEX

L'index présente la totalité des mots, expressions et locutions contenus dans l'ouvrage.

L'article 598 est consacré à la notion de « passé ». — **passé 598**

n.m.

pas de danse 176.16

Classement par sens ou par domaines spécialisés. — t. de grammaire 346.6 — *Comme terme de grammaire, le mot « passé » est traité à l'article 346, paragraphe 6.*

passé antérieur 33.5 ; 346.6

passé historique 346.6

appartenir au passé 28.8

Classement par catégories grammaticales. — adj.

accompli 5.20 ; 315.22 ; 647.28

historique 363.16

désuet 206.10

jauni 159.26 ; 444.9

Les expressions sont en italique. — *passé de mode* 206.8 — *L'expression « passé de mode » se trouve à l'article 206, paragraphe 8.*

THÈMES ET NOTIONS

A

B

C

D

E

F

G

H

I

J

L

M

N

O

782 Son grave
783 Sortie
784 Sottise
785 Souci
786 Soulagement
787 Soumission
788 Sous-entendu
789 Sous-estimation
790 Soustraction
791 Soutien
792 Sports
793 Stimulation
794 Stridence
795 Structure
796 Substance
797 Substitution
798 Succès
799 Sucrerie
800 Supériorité
801 Supplice
802 Supposition
803 Surdité
804 Surestimation
805 Surprise
806 Suspension
807 Système
808 Systèmes politiques

T

809 Télécommunications
810 Tempérance
811 Temps
812 Tentative
813 Terre
814 Tête
815 Textes sacrés
816 Textile
817 Théâtre
818 Théologie
819 Timidité
820 Tir
821 Tissus vivants
822 Titres
823 Totalité
824 Toucher
825 Toxicomanie
826 Traction
827 Tragique
828 Trahison
829 Transports
830 Transports maritimes et fluviaux
831 Transports par air
832 Transports par rail
833 Transports par route
834 Travaux publics
835 Tribunal
836 Tristesse
837 Trois
838 Tromperie
839 Troubles de la parole
840 Troubles de la vision
841 Tumeur

U

842 Un
843 Uniformité
844 Unité
845 Urbanisme
846 Usage
847 Utilité

V

848 Vaisselle
849 Valeurs mobilières
850 Variation
851 Veille
852 Vent
853 Ventre
854 Vérité
855 Verre
856 Vers
857 Vert
858 Vertu
859 Vêtement
860 Vice
861 Victoire
862 Vie
863 Vieillesse
864 Vigueur
865 Violence
866 Violet
867 Visibilité
868 Vision
869 Vol
870 Volonté
871 Voyage

Z

872 Zéro
873 Zoologie

ABRÉVIATIONS

abrév. abréviation
absolt absolument
abusivt abusivement
adj. adjectif
adv. adverbe ; adverbial ; adverbialement
aff. affixe *(préfixes et suffixes)*
all. allemand
allus. allusion
amér. américain ; américanisme
anc. ancien ; anciennement *(mot qui n'est ni vieux ni vieilli mais qui désigne une réalité aujourd'hui disparue ou devenue rare)*
angl. anglais
anglic. anglicisme
appos. apposition
ar. arabe
arg. argot
auj. aujourd'hui
belg. belgicisme
canad. mot du français du Canada
cf. confer ; voir aussi ; se reporter à
chin. chinois
conj. conjonction
cour. courant
dial. dialecte ; dialectal
didact. didactique *(mot employé le plus fréquemment dans des situations de communication impliquant la transmission d'un savoir)*
ellipt. elliptique ; elliptiquement
empl. emploi ; employé
enfant. enfantin *(mot employé surtout par les enfants, ou par les adultes pour parler aux enfants)*
esp. espagnol
euph. euphémisme *(mot employé pour en éviter un autre jugé trop direct ou malsonnant)*
f. féminin (*voir aussi* fém.)
fam. familier ; familièrement (*mot réservé à la communication entre proches et généralement évité dans les situations formelles, notamment celles qui mettent en jeu des relations hiérarchiques. Voir* très fam.)
fém. féminin (*voir aussi* f.)
fig. figuré ; au figuré
fr. français
gr. grec ; grecque
hébr. hébreu
helvét. helvétisme
impers. impersonnel *(verbe)*
impropr. impropre ; improprement
ind. indicatif *(mode)*
inf. infinitif
int. interjection
intr. intransitivement ; intransitif (*voir aussi* v.i.)
inv. invariable
iron. ironique ; ironiquement
ital. italien
jap. japonais
lang. langue ; langage
lat. latin
litt. littéraire *(mot employé surtout par les écrivains dans le registre élevé)*
littéralt littéralement
loc. locution
m., masc. masculin
méton. métonymie
mod. moderne
n. nom (*voir aussi* n.f. *et* n.m.)
n.f. nom féminin
n.m. nom masculin
notamm. notamment
p. participe ; page
par plais. par plaisanterie ; emploi plaisant (*voir aussi* plais.)
péj. péjoratif
pl. pluriel
plais. emploi plaisant (*voir aussi* par plais.)
pop. populaire *(mot employé surtout par les locuteurs appartenant aux couches sociales les moins cultivées, sauf effet de style)*
prép. préposition
pron. pronom ; pronominal
prov. proverbe
qqch quelque chose
qqn quelqu'un
qqs quelques
recomm. recommandation ; recommandé
région. régional ; régionalisme
REM. remarque
s. siècle
sanskr. sanskrit
sout. soutenu *(mot appartenant au registre soutenu)*
souv. souvent
spécialt spécialement
symb. symbole
trad. traduction
très fam. très familier ; très familièrement (*mot*

en principe proscrit dans les situations formelles et généralement réservé à la communication entre intimes. Voir fam.)

v. verbe
v.i. verbe intransitif
vieilli *(mot qui tend à sortir de l'usage mais qui reste compris de la plupart des locuteurs natifs)*
v.pr. verbe pronominal
v.t. verbe transitif
v.t. ind. verbe transitif indirect
vulg. vulgaire ; vulgairement *(mot renvoyant à une réalité frappée de tabou, le plus souvent d'ordre sexuel ou excrémentiel, et qu'il est considéré comme malséant d'employer en public)*
vx vieux *(mot qui n'est plus compris ni employé, sauf dans une intention délibérée d'archaïsme)*
+ suivi de
→ voir, se reporter à

RUBRIQUES

ADMIN. administration
AÉRON. aéronautique
AGRIC. agriculture
ALCH. alchimie
ALGÈBRE *terme particulier au vocabulaire de l'algèbre*
ALPIN. alpinisme
ANAT. anatomie
ANTHROP. anthropologie
ANTIQ. antiquité
ARCHÉOL. archéologie
ARCHIT. architecture
ARITHM. arithmétique
ARM. armement
ARTILL. artillerie
ARTS *terme particulier au vocabulaire des arts*
ASTRON. astronomie
ASTRONAUT. astronautique
AVIAT. aviation
BÂT. bâtiment
BIBL. biblique
BIJOUT. bijouterie
BIOCHIM. biochimie
BIOL. biologie
BOT. botanique
BOURSE *terme particulier au vocabulaire de la Bourse*
BOXE *terme particulier au vocabulaire de la boxe*
BX-A. beaux-arts
CATHOL. catholique ; catholicisme
CH. DE F. chemin de fer
CHASSE *terme particulier au vocabulaire de la chasse*
CHIM. chimie
CHIR. chirurgie
CHORÉGR. chorégraphie
CIN. cinéma
COMM. commerce
COMPTAB. comptabilité
COUT. couture
CUIS. cuisine
CYBERN. cybernétique
DANSE *terme particulier au vocabulaire de la danse*
DÉMOGR. démographie
DR. droit
ÉCOL. écologie
ÉCON. économie
ÉLECTR. électricité
ÉLECTRON. électronique
EMBRYOL. embryologie
ÉQUIT. équitation

ESCR.	escrime
ÉTHOL.	éthologie
FAUC.	fauconnerie
FÉOD.	féodalité
FIN.	finances
FORTIF.	fortifications
GÉNÉT.	génétique
GÉOGR.	géographie
GÉOL.	géologie
GÉOM.	géométrie
GRAMM.	grammaire
HÉRALD.	héraldique
HIST.	histoire
HORTIC.	horticulture
ICONOGR.	iconographie
IMPRIM.	imprimerie
INFORM.	informatique
JEUX	*terme particulier au vocabulaire des jeux*
LING.	linguistique
LITTÉR.	littérature
LITURGIE	*terme particulier à la liturgie, au vocabulaire liturgique*
LOG.	logique
MAR.	marine
MATH.	mathématiques
MÉCAN.	mécanique
MÉD.	médecine
MÉDIÉV.	médiéval
MENUIS.	menuiserie
MÉTALL.	métallurgie
MÉTÉOR.	météorologie
MÉTR.	métrique
MÉTROL.	métrologie
MIL.	militaire
MIN.	mines
MINÉR., MINÉRAL.	minéralogie
MONN.	monnaie
MUS.	musique
MYTH.	mythologie
NAVIG.	navigation
NEUROBIOL.	neurobiologie
NUMISM.	numismatique
OCÉANOGR.	océanographie
OPT.	optique
ORFÈVR.	orfèvrerie
PATHOL.	pathologie
PÊCHE	*terme particulier au vocabulaire de la pêche*
PÉDIATRIE	*terme particulier au vocabulaire de la pédiatrie*
PEINT.	peinture
PÉTR.	industrie du pétrole
PHARM.	pharmacie
PHILOS.	philosophie
PHON.	phonétique
PHOT.	photographie
PHYS.	physique
PHYSIOL.	physiologie
POÉT.	poétique
POLIT.	politique
PSYCHAN.	psychanalyse
PSYCHIATRIE	*terme particulier au vocabulaire de la psychiatrie*
PSYCHOL.	psychologie
REL.	reliure
RELIG.	religion
RHÉT.	rhétorique
ROM.	romain ; romaine
SC.	sciences
SCOL.	scolaire
SEXOL.	sexologie
SPÉLÉOL.	spéléologie
SPORTS	*terme particulier au vocabulaire des sports*
STAT.	statistique
SYLVIC.	sylviculture
TECHN.	technique
TEXT.	textile
THÉÂTRE	*terme particulier au vocabulaire du théâtre*
THÉOL.	théologie
TR. PUBL.	travaux publics
TURF	*terme particulier au vocabulaire hippique*
TYPOGR.	typographie
URBANISME	*terme particulier au vocabulaire de l'urbanisme*
VÉN.	vénerie
VERR.	verrerie
VITIC.	viticulture
ZOOL.	zoologie
ZOOTECHN.	zootechnie

1 ABONDANCE

N. 1 **Abondance** ; masse, quantité **678,** multiplicité **540** ; foisonnement, luxuriance, profusion ; réplétion [vx]. – **Aisance,** fortune, richesse **408,** opulence.

2 **Surabondance** ; excès **294,** exubérance, pléthore. – Luxe, superflu, surcharge. – Gaspillage, prodigalité [litt.].

3 Avalanche, débauche, déluge, flot, orgie, mer, mine, pluie, torrent ; arsenal.

4 **Âge d'or** ; eldorado, paradis, pays de cocagne, terre promise. – Corne d'abondance.

5 Grenier d'abondance [vx].

6 ÉCON. : théorie de l'abondance ; société d'abondance. – Abondance d'un isotope [PHYS.] ; abondance d'un élément (dans une étoile) [ASTRON.].

7 Abondanciste *(un abondanciste)* [ÉCON.].

V. 8 **Abonder,** foisonner ; fourmiller, grouiller, pulluler. – Abonder de [vx], abonder en, regorger ; être plein de. – Couler à flots, déborder, inonder [fig.], pleuvoir [fig.].

9 **Nager dans l'opulence,** ne manquer de rien.

10 **Combler de,** couvrir de ; prodiguer **661.** – Répandre, verser à torrents. – Remplir ; bonder [didact. ou rare], bourrer [fam.].

11 Abondance de biens ne nuit pas [loc. prov.].

Adj. 12 **Abondant,** profus [litt.] ; foisonnant, luxuriant ; opulent. – Exubérant, prolixe **665.**

13 Ample, charnu, étoffé ; dense **187,** dru, fourni, touffu. – Copieux, plantureux, **riche.**

14 **Fertile.** – Inépuisable, intarissable.

15 Excessif, **pléthorique,** surabondant.

16 **Comble,** plein ; archicomble, archiplein.

Adv. 17 **Abondamment,** en abondance. – **Beaucoup,** en quantité. – Copieusement, plantureusement, profusément. – Amplement, considérablement, grandement, largement.

18 À foison, à profusion, à revendre [fam.]. – À satiété.

19 À discrétion, **à plaisir,** à souhait, à volonté, *ad libitum* (lat., « à volonté ») ; à l'envi, à satiété ; fam. : à gogo, à la pelle, à tire-larigot ; en veux-tu, en voilà. – À torrents, à verse *(pleuvoir à torrents, à verse).*

20 **À pleines mains** ; à poignées.

21 Tout son soûl [fam.]. – D'abondance de cœur [allus. bibl.] **145.** – À bouche que veux-tu [vx].

22 D'abondance *(parler d'abondance).*

Aff. 23 Pléo-.

2 ABSENCE

N. 1 **Absence.** – Carence, défaut, faute [vx], **manque 488,** pénurie ; vacance. – Disparition **228,** évanouissement.

2 **Absentéisme 389** ; taux d'absentéisme.

3 DR. : défaillance, défaut de comparution, non-comparution **835** ; présomption d'absence. – Absence illégale [MIL.].

4 **Congé** ; congé pour études, congé de maladie **482** ; congés payés ; vacances. – Autorisation d'absence.

5 Absent *(un absent).* – Non comparant [DR.]. – *Deus absconditus* (lat., « dieu caché »).

6 Défaillance, distraction, **inattention 394.**

V. 7 Faire défaut ou faire faute, **manquer** ; briller par son absence. – Être porté absent ou manquant, manquer à l'appel. – **Faire l'école buissonnière** ; faire la bleue, sécher [arg. scol.]. – Jouer les filles de l'air [allus. litt.].

8 Avoir faute de [vx], **manquer de.**

9 Prov. et loc. prov. – Les absents ont toujours tort. – Quand le chat n'est pas là les souris dansent. – Qui va à la chasse perd sa place.

Adj. 10 **Absent,** parti, sorti **783.** – Absentéiste. – Introuvable, invisible. – Disparu ; défunt **534,** feu *(feu Monsieur X.).* – Carentiel (ou carenciel) ; DR. : défaillant ; contumax. – *In absentia* (métaphore *in absentia*) [RHÉT., lat.].

Adv. 11 Par contumace, **par défaut,** par procuration.

Prép. 12 En l'absence de, à défaut de, faute de ; **sans.** – Faute de grives on mange des merles [prov.].

Conj. 13 Sans que ; faute de quoi, sans quoi **239.**

Aff. 14 A-, an- ; in-, im- ; il-, ir- ; sans-.

3 ABUS

N. 1 **Abus,** exagération, excès **294,** immodération, mésusage [litt.], outrance ; *abusus non tollit usum* (lat., « l'abus n'exclut pas l'usage »).

2 DR. – **Abus d'autorité** ou **de pouvoir.** – Concussion, déprédation, dol, exaction, forfaiture **485,** malversation, passe-droit, péculat, prévarication, usurpation, trafic d'influence. – **Abus de confiance 284,** captation. – Illégalité ; infraction, injustice **413,** violation.

3 Prépotence [vx ou litt.], tyrannie, violence **865.**

4 **Abus de langage** ; impropriété, incorrection ; hypercorrection [LING.].

5 **Abuseur** [rare], captateur, fourbe **838,** malversateur, prévaricateur, suborneur. – Exploiteur ; exacteur [vx], profiteur, spoliateur.

6 Dupe **64,** jocrisse [sout.].

V. 7 **Abuser de,** mésuser de [litt.]. – **Abuser** [absolt], *uti, non abuti* (lat., « user, ne pas abuser » ou « usez, n'abusez pas »), exagérer **294.8.**

8 **Abuser de,** corrompre, suborner.

9 **Abuser de,** se jouer de, profiter de ; empiéter sur, usurper sur [litt.]. – Exploiter, tromper.

10 Excéder [litt.] ; outrepasser, transgresser, usurper. – Aller trop loin, pousser le bouchon un peu loin ou trop loin [loc. fam.] ; fam. : c'est un peu fort ou fort de café, il y a de l'abus.

11 **Abuser de** ; séduire, suborner, violer **763.**

Adj. 12 **Abusif,** démesuré, excessif, immodéré, injustifié.

13 DR. – **Abusif,** captatif, captatoire ; dolosif. – Illégal **245,** inique **413,** léonin, usurpatoire.

14 **Mensonger** ; fallacieux, trompeur **838.**

15 **Abusif,** impropre, incorrect, vicieux ; hypercorrect [LING.].

16 **Abusif** ; accapareur, captatif, possessif.

Adv. 17 **Abusivement,** exagérément, outrageusement, à outrance.

18 DR. – Captieusement [rare], dolosivement, illégalement.

19 Fallacieusement, trompeusement **838.**

20 **Abusivement,** improprement, incorrectement.

4 ACCIDENT

N. 1 **Accident.** – Apparence [PHILOS.], attribut, prédicat [LOG.] **346.** – Phénoménalité **492.1.**

2 **Phénomène** ; épiphénomène ; circonstance **122,** évènement **290,** fait **297.3,** occurrence.

3 Éventualité **291, possibilité 646.** – Contingence, **hasard 358.**

V. 4 Advenir, survenir ; apparaître. – Se faire jour, se manifester, se produire.

Adj. 5 PHILOS. – **Accidentel** ; extrinsèque. – Attributif **346,** prédicatif [LOG.] **620.** – Phénoménal, phénoménique, phénoménologique ; épiphénoménal. – Évènementiel, factuel ; **contingent** ; **accessoire,** incident, **secondaire** ; circonstanciel, conditionnel, **relatif.** – Aléatoire ; casuel, éventuel.

Adv. 6 **Accidentellement** (opposé à substantiellement) ; extrinsèquement. – Factuellement, phénoménalement [PHILOS.]. – **Accessoirement,** incidemment, **secondairement** ; conditionnellement ; relativement. – Aléatoirement, casuellement, **éventuellement,** fortuitement.

5 ACCOMPLISSEMENT

N. 1 **Accomplissement,** action **7,** exécution, opération, réalisation ; effectuation [rare]. – Mise à exécution, mise en œuvre.

2 **Accomplissement,** perpétration [DR. ou litt.]. – Procédé, procédure, processus. – Les tenants et les aboutissants.

3 **Accomplissement,** consommation ; célébration, exercice *(dans l'exercice de ses fonctions).*

– Obéissance **564,** observance, observation, pratique. – Actes, actions, pratiques.

4 **Accomplissement,** contentement, exaucement, satisfaction **745.** – Concrétisation, matérialisation ; concrétion [fig., litt.]. – Effectif *(l'effectif)* ; concret, matériel. – Produit, réalisation, terminaison, travail. – Résultat, résultats ; performance, succès **798.**

5 **Accomplissement,** confection, création, établissement, fabrication, fondation, instauration, institution. – Mise en ondes, mise en scène ; enregistrement. – Complétion [PÉTR.].

6 **Aboutissement,** accomplissement, achèvement, conclusion, dénouement, épilogue, **fin 315.** – Fait accompli ; mission accomplie. – Accompli [LING.]. – Complétion [PHILOS.].

7 Achèvement, apogée, couronnement, faîte, fin, **perfection,** sommet.

8 Exécution, facture, faire *(le faire)* [litt.] ; genre, manière, marque, style, touche ; fig. : griffe, main, patte, sceau.

9 Aptitude **646.3,** capacité, compétence, **efficacité** ; effectualité [rare] ; efficience [anglic.]. – PHILOS. : cause efficiente ou, vx, effectrice, efficience.

10 Acteur, agent **15,** exécutant, exécuteur [vx], praticien, producteur ; technicien. – Fabricant. – Interprète. – Réalisateur.

V. 11 **Accomplir,** effectuer, faire, opérer, pratiquer. – Commettre, perpétrer. – Mettre à exécution ; passer à l'exécution.

12 **Accomplir,** confectionner, créer, exécuter, fabriquer, façonner, produire, réaliser.

13 **Accomplir,** exécuter, exercer, faire, pratiquer, réaliser. – Remplir une fonction, tenir un rôle.

14 **Accomplir,** célébrer, exécuter, procéder à. – Observer ; obéir à, satisfaire à. – S'acquitter de, se conformer à, se plier à.

15 **Accomplir,** assouvir, combler, contenter, exaucer, satisfaire. – Concrétiser, matérialiser, réaliser ; donner corps à. – Tenir une promesse.

16 **Accomplir,** achever, clore, clôturer, compléter, conclure, consommer, finir **315.12.** – Conduire à son terme, mener à terme ; mener à bien, mener à bonne fin ; venir à bout de.

17 Accomplir, parachever, **parfaire.** – Donner la touche finale à, mettre la dernière main à.

18 **S'accomplir,** se concrétiser, s'effectuer, se matérialiser, se réaliser. – Arriver, avoir lieu, se passer, se produire. – Aboutir, prendre forme, se terminer.

19 **S'accomplir,** s'épanouir.

Adj. 20 **Accompli,** achevé, clos, complet, conclu, consommé, fini, passé, révolu, terminé. – **Effectif,** effectué, exécuté, réalisé ; concret, matériel, palpable, positif.

21 **Exécutable,** faisable, possible, réalisable.

22 **Accompli,** développé, épanoui, fait, mûr **495.** – Achevé, consommé, irrévocable, irréversible.

23 **Accompli,** complet, fieffé, fini, invétéré, parfait [iron.].

Adv. 24 À fond, à plein. – Entièrement, totalement ; de A à Z, de bout en bout, de fond en comble ; in extenso.

25 **Effectivement** ; en effet, en réalité. – **Concrètement,** matériellement, positivement, pratiquement.

Aff. 26 Téléo-, télo- ; -télie.

6 ACCORD

N. 1 **Accord,** concordance, **harmonie 143** ; accordance [litt.]. – Accointances, affinité, points communs ; cousinage [rare], **entente,** intelligence. – Amitié, **amour 27** ; compassion **625** ; symbiose [fig.], sympathie ; synergie. – Communion, concorde, fraternité, paix **589,** solidarité ; unisson.

2 Accommodement, arrangement, arrangement à l'amiable. – Rapprochement. – Raccommodement, **réconciliation** ; compromis **141,** conciliation. – Accordailles ou accords [vx], fiançailles, mariage **491.**

3 **Accord** ; **acceptation,** acquiescement, approbation ; adhésion, assentiment. – **Consensus,** *consensus omnium* (lat., « l'accord de tous »), unanimité ; front commun. – Collusion, complicité, connivence.

4 Autorisation, autorité [vx], consentement, **permission 58.**

5 Accord commercial, agréation ou agréage [COMM.], marché. – Accord d'agrément, *gentleman's agreement* [angl.] ; accord-cadre ; accord de principe ; préaccord. – Alliance, concordat, **contrat,** convention, louage [DR.], pacte, traité.

6 Bon à tirer ou B. À. T. [IMPRIM.] ; imprimatur [RELIG.] ; visa.

7 Conformité **147,** correspondance. – Concordisme [THÉOL.]. – Harmonisation.

V. 8 **Accorder** ; mettre d'accord. – **Se mettre d'accord,** tomber d'accord ; accorder ses violons ou ses flûtes [fam.] ; traiter de gré à gré. – Arriver à une entente, **s'entendre sur qqch.**

9 S'accommoder, **s'accorder,** s'arranger. – S'allier, se lier, se rapprocher, s'unir **725** ; faire la paix, fraterniser, pactiser. – Se raccommoder, se raccorder, **se réconcilier.** – Faire cause commune ; ne faire entendre qu'une seule voix.

10 Partager une opinion ou un avis ; être du même avis que qqn, **être sur la même longueur d'onde** [fam.] ; abonder dans le sens de qqn, aller dans le même sens que qqn ou dans le sens de qqn.

11 **S'aimer 27,** sympathiser ; communier, compatir **625.6,** être de tout cœur avec qqn. – Faire bon ménage, vivre en bonne intelligence ; se sentir en harmonie avec qqn. – Cousiner ; marcher la main dans la main, se donner la main, s'entendre comme larrons en foire [fam.], être comme cul et chemise [très fam.].

12 **Accorder** (qqch) ; donner son accord, donner le feu vert. – **Accepter,** acquiescer, agréer, approuver ; bien vouloir, consentir ; convenir, demeurer d'accord. – Taper dans la main, toper.

13 Concorder, correspondre **690** ; s'adapter, s'ajuster.

Adj. 14 Conciliatoire [didact.], consensuel, **harmonieux,** idyllique **27** ; en accord, fraternel, solidaire, unanime. – Complice, de connivence, de mèche [fam.] ; du même bord.

15 Conventionné.

Adv. 16 D'accord (fam., d'acc.) ; oui ; fam. : ça marche, ça roule ; anglic., fam. : no problem, O. K. ; all right.

17 Unanimement. – À l'unanimité, à l'unisson, en chœur, **ensemble.** – **Harmonieusement.** – De gré à gré.

7 ACTION

N. 1 **Action,** activité. – Dynamisme, énergie ; ardeur **276,** enthousiasme, vivacité. – Initiative ; entregent, ressort ; affairement, allant, animation, diligence. – Efficacité ; doigté, habileté **10.** – Pragmatisme.

2 **Champ d'action,** sphère d'activité ; domaine, rayon.

3 **Agent 15.1,** cause **92** ; force agissante ; fig. : bras, cheville ouvrière, ferment. – Ascendant *(avoir de l'ascendant sur qqn),* influence **407.** – Entremise, intercession, intervention, rôle. – **Activation** ; réactivation.

4 **Action,** activité ; praxis. – Mise en route ou en train ; création, exécution, fabrication, réalisation ; achèvement, accomplissement.

5 **Réaction 687** ; effet ; portée, produit, rendement. – Métamorphose **104** ; conversion, mue, transformation. – Correction ; amélioration, amendement ; progression.

6 **Acte,** entreprise, fait, œuvre, opération. – Passage à l'acte [PSYCHOL.]. – PHILOS. : actualisation ou actuation.

7 **Activité,** besogne, labeur, tâche ; devoir, fonction, métier **266,** occupation, ouvrage, pratique, profession. – Démarche, entreprise, geste, intervention, mouvement. – Association **352.1,** collaboration. – Interventionnisme.

8 **Faits et gestes** ; comportement, conduite. – **Bonne action 76** ; B. A. [fam., d'abord argot des scouts] ; action d'éclat, exploit, prouesse. – **Agissements 316,** combine, intrigue, machination, manœuvre, menée.

9 **Agent,** auteur, créateur ; acteur, contributeur, intervenant ; inventeur, promoteur [fig.] ; actant [LITTÉR.] ; opérateur. – **Femme d'action, homme d'action.** – Agent, employé, exécutant, factotum. – Associé, collaborateur, participant. – Agitateur. – Interventionniste. – Pratiquant.

V. 10 **Agir,** intervenir ; avoir de l'initiative, faire acte de. – Opérer, procéder. – S'activer, s'affairer, s'occuper, travailler ; se démener **255,** se dépenser ; mettre de l'huile de coude (ou : de bras, de poignet) [fam.] ; abattre de la besogne ; mener à bien ou à bonne fin **5.** – Procéder avec méthode **511.9.**

11 **Accomplir,** effectuer, exécuter, faire, réaliser. – **Entreprendre 279,** se lancer dans, mettre en branle ou en mouvement ; mettre en action ou en œuvre ; se mettre à l'œuvre. – **Accomplir** ; commettre.

12 **Agir sur,** soumettre à l'action de ; s'employer à, faire subir. – **Façonner,** manier, travailler ; changer **104,** métamorphoser, modifier, transformer ; améliorer, amender, corriger. – **Influer sur 407** ; déterminer, engendrer. – Faire de l'effet, faire sensation, frapper [fig.]. – **Activer** ; réactiver.

Adj. 13 **Actif,** débrouillard [fam.], entreprenant ; ardent, empressé, énergique, enthousiaste ; impulsif. – Dégourdi [fam.], déluré [fam.] ; fringant, infatigable, pétulant, remuant, sémillant, vif, zélé.

14 **Agissant** ; actif ; capable, compétent, efficace, énergique, puissant, sûr. – Efficient, opérant, souverain *(un remède souverain).* – Influent ; modificateur, transformateur ; déclencheur. – Intervenant ; interventionniste. – Empirique, expérimental ; pragmatique.

15 **Affairé,** occupé, employé à ; embesogné [vx], pris.

16 **Actif,** en activité ; pratiquant.

Adv. 17 **Activement,** diligemment ; efficacement.

Aff. 18 -ation, -ement.

8 ADDITION

N. 1 **Addition** ; additionnement [rare], adjonction, **ajout.** – Majoration.

2 **Accumulation,** amoncellement, empilement, entassement ; accroissement, amplification. – Capitalisation [fig.], cumul.

3 **Additif,** adjuvant ; produit d'addition, adduit [CHIM.] ; composé d'addition [CHIM.]. – **Complément,** supplément **9** ; addenda, additif, annexe, appendice **469.**

4 Compte, montant, **somme 587,** total. – Inventaire.

5 Additionneur [INFORM.] ; additionneuse [vieilli]. – Plus *(ajouter un plus devant un chiffre).*

6 Didact. – Additivité. – Complémentarité, supplémentarité.

V. 7 **Additionner,** sommer [MATH.], totaliser ; faire la somme de, faire le total de ; faire l'addition. – Poser, retenir. – Adjoindre, **ajouter** ; mettre, verser au chapitre de. – Majorer.

8 Allonger, couper. – Amplifier, broder, renchérir ; **compléter.**

9 **S'élever à,** monter à, se monter à. – Faire *(deux et deux font quatre).*

Adj. 10 **Additionnel,** ajouté ; **complémentaire,** supplémentaire. – Additif. – Additionnable [sout.].

Adv. 11 Additivement [didact.].

12 **Plus.** – **Aussi,** également. – De même, en outre, bien plus, **de plus,** en plus, de surcroît ; qui plus est ; par-dessus le marché [fam.]. – Non seulement... mais encore ; encore.

Prép. 13 Plus *(deux plus deux).*

Conj. 14 **Et.** – D'autant plus que ; sans compter que.

9 ADJONCTION

N. 1 **Adjonction** ; addition **8,** admixtion [didact.]. – Accession [DR.]. – **Augmentation 56,** extension ; élargissement, grossissement. – Fusionnement **501.1,** incorporation, intégration **423.** – Rattachement, réunion **725** ; annexion.

2 **Jonction,** raccordement ; attachement. – Aboutement [rare] ; aboutage [MAR.]. – Affixation ; préfixation, suffixation.

3 **Ajout,** supplément ; ajouté *(un ajouté)* [vieilli], ajoutement [rare] ; RÉGION. : ajouture, ajoute. – Addenda ; annexe, appendice ; note ; prière d'insérer. – Codicille [DR.]. – **Complément** ; allonge [vx], rallonge.

4 **Adjonction** *(une adjonction, des adjonctions)* ; embellissement, fioriture ; ajoutage [litt.] ; péj. : glose, paraphrase.

5 Adjonction symbolique [ALGÈBR.]. – Adjonctions budgétaires ou cavaliers budgétaires [FIN.].

6 About [TECHN.] ; joint, raccord.

7 **Additif** ; adjuvant [didact.].

8 Valeur ajoutée [FIN.] ; taxe sur la valeur ajoutée ou T. V. A.

9 Adjuvat [MÉD.].

10 Additivité [didact.].

11 **Adjoint** *(un adjoint),* aide **19,** adjuteur [rare] ; coadjuteur [RELIG.]. – Auxiliaire, collaborateur ; suppléant.

V. 12 **Adjoindre** ; additionner, ajouter ; accroître, augmenter ; compléter ; inclure, insérer, intercaler. – Renforcer ; agrémenter, enrichir, illustrer, ornementer, orner, sertir. – Greffer.

13 Adjoindre à ; apposer. – Accoler, apparier [litt.] ; associer. – **Annexer.**

14 Allonger, étayer, étoffer. – Étendre, grossir ; exagérer. – **Y ajouter du sien** ; en rajouter [fam.].

15 **Joindre** ; assembler ; abouter [rare]. – Joindre le geste à la parole ; joindre les mains. – Fusionner ; unir, réunir.

16 **S'adjoindre qqn, s'attacher qqn,** s'annexer qqn ou qqch ; s'attribuer qqch. – **Se joindre à** ; s'allier, s'associer ; accéder [vx] ; s'annexer à. – S'ajouter ; **se greffer.**

17 Être adjoint [ALG.].

Adj. 18 **Adjoint,** ajouté ; inséré, intercalé. – Accolé, attaché ; annexé. – Joint, lié.

19 **Additionnel,** complémentaire, supplémentaire ; codicillaire [DR.].

20 **Adjuvant** ; additif ; ampliatif [DR.]. – Adjonctif ou jonctif [GRAMM.]. – Adhésif. – Jointif.

Adv. 21 **Additivement** [didact.].

22 De plus, en plus ; en outre, et aussi ; bien plus. – Par-dessus le marché [fam.].

Aff. 23 Ad- ; syn-, sym-, syl- ; -syndèse.

10 ADRESSE

N. 1 **Adresse,** artifice [vx], dextérité, entregent, habileté.

2 **Agilité,** aisance, facilité **302.** – Prestesse, rapidité **684.** – Souplesse.

3 Aptitude, capacité, compétence, habilité [vx], industrie [litt.]. – Art, **métier,** savoir-faire, technique ; maestria, maîtrise, talent. – Brio, virtuosité.

4 Délicatesse, finesse **316,** subtilité. – Légèreté, **précision** ; justesse.

5 **Doigté 479,** sûreté de main ; coup de main, tour de main, coup de patte. – Finesse de touche.

6 Finesses (ou, fam. : ficelles, trucs) du métier.

7 Jeu d'adresse. – Tour d'adresse. – Escamotage, manipulation, tour de passe-passe [fam.] ; jonglerie **123.** – **Prestidigitation.**

8 Aigle, phénix. – Expert, spécialiste ; maestro, **virtuose 81.**

9 **Illusionniste,** magicien 477, prestidigitateur.

V. 10 **Avoir de l'adresse** ; avoir de la technique ; n'être pas manchot [fam.] ; avoir le pouce rond [fam.]. – Il est à tout faire [vx].

11 **Avoir du métier** ; savoir s'y prendre ; fam. : s'y connaître, s'y entendre ; toucher sa bille [fam.].

12 Fam. : savoir y faire ; avoir le chic ou le truc pour. – Avoir l'art et la manière.

13 Être de première force, être expert ; **exceller 800.16.** – Tirer l'échelle après soi [vx].

14 **Avoir la main,** avoir la main légère, avoir la main sûre.

15 **Avoir des doigts de fée,** avoir de l'esprit au bout des doigts, avoir des mains en or ; être orfèvre.

16 **Savoir se tirer d'affaire,** avoir du vice dans la toupie [vx] ; savoir bien mener sa barque ; savoir se retourner, savoir retomber sur ses pieds [fam.] ; savoir saisir la balle au bond ou au vol.

Adj. 17 **Adroit,** adroit de ses mains ; adextre [vx]. – Habile, industrieux [litt.].

18 Adroit comme un singe, agile ; **alerte,** leste, preste, prompt. – Délié, souple.

19 Habile à [vx], propre à ; apte, capable.

20 **Entraîné,** éprouvé, exercé, expérimenté **649,** rompu à ; chevronné, ferré sur, fort en. – Émérite, expert, passé maître dans l'art de.

21 **Magistral.**

Adv. 22 **Adroitement,** dextrement [litt. et vx], habilement ; en deux coups six trous [fam.]. – **De main de maître** ; magistralement.

23 Agilement ; en souplesse.

11 ADVERSITÉ

N. 1 **Adversité** ; complication, complications ; contrariété ; **déboires** ; désagrément **785** ; épreuves ; inconvénients ; **problèmes** ; rigueurs du sort [vx ou litt.] ; tribulation [vx], tribulations [mod., litt.] ; vicissitudes. – Océan de misères, vie de chien ; mélasse [fam.] ; mouscaille [arg.].

2 Accident, avatar [abusif], contretemps, écueil, empêchement **572.4,** heurt, incident, **mésaventure,** revers, revers de fortune ; vx : disgrâce, malencontre, méchef. – **Coup dur,** coup de massue ; fam. : pépin **272,** tuile ; avaro [pop.]. – Fâcheuses ou tristes circonstances ; mauvaise passe ; temps difficiles. – Fortune de mer [DR. MAR.].

3 Fatalité, infortune, **malchance,** malédiction ; coup du sort, destin ou fortune contraire, mauvaise fortune, sort contraire ou défavorable ; cruauté du sort ; guignon [litt.] ; mauvaise étoile. – Fam. : déveine, guigne, manque de bol (ou : de pot, de veine), poisse. – Arg. : cerise, pommade, purée, scoumoune.

4 Calamité **827,** fléau, plaie [fig.].

5 Chute, déchéance, déclin, naufrage.

6 Abattement, anéantissement, chagrin **836,** désolation, détresse, douleur **243,** effondrement, **malheur,** peine, prostration. – **Deuil 534.**

7 Misère, pauvreté **603.**

8 Défaveur, hostilité, inimitié **410.** – **Préjudice,** tort ; désavantage, détriment, dommage. – **Conflit** ; opposition.

9 Malédiction, maléfice ; ensorcellement, **mauvais œil,** mauvais sort.

10 Marasme, stagnation. – Débâcle, **dépression** [ÉCON.].

11 **Adversaire,** ennemi **146.** – Compétiteur, concurrent, opposant, rival.

12 **Oiseau de malheur** ; oiseau de mauvais augure. – Porte-malheur.

13 **Infortuné,** malchanceux, malheureux. – Épave, pauvre diable, pauvre hère ; fam. : déveinard [vx], guignard.

14 **Déshérité,** miséreux.

V. 15 **Contrarier,** déranger, entraver ; aller à l'encontre de, entrer en conflit avec, faire barrage à, se jeter à la traverse de [vx], se mettre en travers du chemin de.

16 **Nuire à** ; faire du tort à, porter préjudice à, préjudicier à [vx ou litt.] ; causer des ennuis à **272** ; vouloir du mal à ; fam. : faire un croc-en-jambe (ou : un croche-patte, un croche-pied) à. – Mettre dans de beaux draps, mettre dans le pétrin. – **Faire le malheur de.** – Ne pas faire de cadeau à. – S'acharner sur ; fam. : faire passer un mauvais quart d'heure, mener la vie dure, en faire voir des vertes et des pas mûres.

17 **Chagriner 836,** désespérer ; atterrer, bouleverser, frapper [fig.], terrasser.

18 **Défavoriser,** désavantager ; **porter malheur** ; fam. : porter la guigne, porter la poisse. – Ensorceler, jeter un mauvais sort à, jeter le mauvais œil à.

19 **Avoir tout le monde contre soi** ; être en conflit avec, se heurter à. – Essuyer un revers, essuyer des revers.

20 **Pâtir** ; être en butte à l'adversité ; traverser une mauvaise période ou des moments difficiles ; avoir connu des jours meilleurs ; être dans une mauvaise passe, être en posture difficile. – Fam. : être dans de beaux draps, dans la mélasse, dans le pétrin ; passer un mauvais quart d'heure, en voir de dures, en voir de toutes les couleurs, en voir des vertes et des pas mûres. – Être aux abois, être à bout, être au bout du rouleau. – **Être frappé de plein fouet** [fig.]. – Avoir tout perdu, être au fond de l'abîme.

21 **Être né sous une mauvaise étoile** ; être abandonné du ciel ; arg. : être en plein travers, porter le noir [JEUX]. – Tirer le mauvais numéro ; jouer de malheur, porter sa croix. – Un malheur ne vient jamais seul [prov.].

22 **Se décourager,** se laisser aller, baisser les bras. – **Broyer du noir.**

23 **Décliner,** se dégrader, se détériorer **482.** – Descendre la pente, sombrer, tomber dans la misère.

Adj. 24 **Adverse,** ennemi, opposant. – **Inamical 410,** malveillant.

25 **Fatal,** fatidique, funeste. – Dommageable, **malfaisant,** nocif, nuisible, préjudiciable ; désavantageux ; fam. : damné, fichu, maudit, sacré, sale, satané.

26 **Atterrant,** attristant, dur, pénible, rude, tragique **827.** – Détestable, exécrable, fâcheux, haïssable, **malencontreux,** regrettable, sinistre.

27 **Infortuné** ; défavorisé, **malchanceux,** né sous une mauvaise étoile ; mal loti, mal partagé, poursuivi par le sort ; fam. :déveinard [vx], guignard. – **Malheureux** ; affligé, assommé, attristé, chagriné, démoli, déprimé, éprouvé, pitoyable, terrassé ; malheureux comme les pierres. – Contrarié, ennuyé, fâché, **mécontent 192.**

28 Indigent, **misérable,** miséreux.

Adv. 29 **Malheureusement** ; désavantageusement, fâcheusement, funestement, malencontreusement, tragiquement ; par malencontre [vx], par malheur ; pour comble de malheur.

30 Catastrophiquement, désastreusement.

31 **Hostilement** ; défavorablement, inamicalement. – Nuisiblement [rare].

32 Lamentablement, **misérablement.**

Int. 33 *Vae victis !* (lat., « malheur aux vaincus »).

12 AFFECTATION

N. 1 **Affectation** ; afféterie ou affèterie. – Apprêt, **pose** ; recherche, sophistication. – Mignardise, mièvrerie. – Pédanterie, pédantisme **347,** snobisme ; bégueulerie. – Gongorisme [LITTÉR.], préciosité.

2 Comédie, simulation **373** ; exagération, ostentation **581.** – Momerie [litt. et vx], pharisaïsme, tartuferie.

3 Cérémonies **98,** embarras, façons, **manières 163** ; chichi. – Airs, airs de duchesse, grands airs ; contorsion, grimaces, minauderie, mines, simagrées ; bouche en cul-de-poule.

4 Façonnier *(un façonnier)* [vx], gnangnan *(un gnangnan)* [fam.], grimacier *(un grimacier),* minaudier *(un minaudier),* poseur *(un poseur).* – Pédant ; dandy, **snob.** – Cabotin, cabot, histrion ; fat. – Mijaurée, pecque [vx] **731,** pimbêche, sainte-nitouche.

5 Jeune beau ; **minet** [péj.]. – Anglic. : play-girl [rare], play-boy ; milord [fam., vx]. – HIST. : dameret, damoiseau, **galant,** mignon, muguet. – Péj. : freluquet, godelureau. – Gandin [litt.], incroyable [HIST.] **445,** merveilleux [anc.] ; mirliflore, muscadin, petit-maître ; péj. : cocodès [vx], gommeux ; petit crevé.

6 Coq ; **vieux beau,** roquentin [vieilli].

7 **Élégante** *(une élégante).* – HIST. : biche, lionne ; lorette.

V. 8 **Poser** ; affecter de grands airs, faire l'important. – Se pavaner, plastronner, prendre de grands airs ; se piquer de. – Viser à l'effet, chercher l'effet.

9 Afficher, faire montre ou parade de ; étaler, exhiber. – Affecter de, se donner pour.

10 Faire la fine bouche ou la petite bouche, **faire des embarras** ou **des façons,** faire le renchéri [vieilli], faire la sucrée ou la sainte sucrée [vieilli], faire la chattemite [vieilli] ; façonner [vx], grimacer, minauder ; se gourmer [sout.]. – Faire des grâces.

11 Se composer, s'étudier ; se donner des airs.

Adj. 12 **Affecté,** simulé ; de commande. – Contraint, forcé, outré ; artificiel, factice, faux, feint, surfait.

13 Affété [vx], apprêté, arrangé, composé, étudié, **recherché** ; alambiqué, contourné, entortillé, sophistiqué. – Doucereux, emmiellé [vx], mielleux, mignard. – Cérémonieux **98,** collet monté, maniéré, précieux ; **poseur,** prétentieux ; pédantesque.

14 Compassé, empesé, **guindé,** pincé. – Emprunté, gêné.

Adv. 15 Ostentatoirement [rare].

13 AFFIRMATION

N. 1 **Affirmation** ; allégation, assertion, déclaration ; proposition affirmative. – Affirmative *(une affirmative)* ; oui *(un oui).* – **Accord 6,** approbation.

2 Assurance, attestation, confirmation. – Insistance, protestation. – Jugement **450** ; principe, proposition, théorème, thèse ; dogme ; profession de foi. – GRAMM. : forme affirmative ; verbe d'affirmation.

3 Annonce, **proclamation,** publication ; manifeste *(un manifeste)* ; décret. – Dires *(les dires de qqn)* ; aveu, déposition ; confession [litt.], profession *(profession de foi)* ; **serment.**

4 PSYCHOL. : affirmation de soi ou assertivité.

5 Affirmateur *(un affirmateur)* [litt.] ; **affirmant** [DR.].

V. 6 **Affirmer** ; alléguer, avancer, **déclarer, dire 595,** prétendre **655** ; se prononcer ; asserter [sout. ou LOG.] ; réaffirmer. – Soutenir, soutenir mordicus [fam.] ; réaffirmer ; décréter, dogmatiser. – **Annoncer,** proclamer, proclamer haut et fort, professer. – Avouer, déposer [DR.].

7 **Acquiescer** ; approuver. – Répondre par l'affirmative.

8 **Confirmer** ; assurer, attester, corroborer ; certifier **99,** garantir ; **jurer,** jurer ses grands dieux que. – Maintenir, persister et signer.

9 **S'affirmer.**

Adj. 10 **Affirmatif,** positif ; approbatif. – Assertif, **déclaratif,** énonciatif ; thétique [didact.] ; catégorique, dogmatique, péremptoire, tranchant. – Rare : affirmant ; affirmable.

Adv. 11 **Affirmativement,** positivement. – Catégoriquement ; dogmatiquement, ex cathedra [lat.], *ex professo* [lat.].

12 **Oui** ; ouais [fam.] ; région. : oui bien, oui-da, voui, ouiche ; affirmatif [TECHN. ou fam.] ; *yes* [angl.]. – **Bien sûr,** certes, évidemment.

13 Indéniablement ; **absolument,** précisément.

14 ÂGE

N. 1 **Âge** ; temps **811.** – Âge biologique, âge légal, âge mental. – **Âge chronologique 247** ; GÉOL. : âge absolu, âge relatif.

2 **Classe** ou **groupe d'âge.** – Génération ; pyramide des âges.

3 **Âges de la vie** ; fig. : aube, matin, crépuscule, soir ; printemps, automne, hiver **738.** – Cours de la vie **293.2.**

4 An, année ; litt. : printemps ; très fam. : balai, berge.

5 **Aîné 304,** cadet, dernier-né, **premier-né,** puîné. – Doyen d'âge, président d'âge.

6 Bénéfice de l'âge. – Défaut d'âge ; dispense d'âge.

7 **Époque,** ère **337.21,** période ; âge d'or. – **Âge du monde** ; les quatre âges (âge d'or, âge d'argent, âge d'airain, âge de fer) [MYTH.] **363.6.**

V. 8 Avoir tel âge *(avoir vingt ans, la trentaine, la soixantaine)* ; aller sur *(aller sur dix-sept ans),* friser *(friser la cinquantaine).* – Paraître son âge, faire son âge (aussi : plus ou moins que son âge) ;

accuser, porter son âge. – N'avoir pas d'âge – Avancer en âge, prendre de l'âge. – Avoir passé l'âge, devancer l'âge [vx], être mûr avant l'âge. – Se rajeunir, se vieillir.

Adj. 9 Accompli *(vingt ans accomplis),* révolu, sonné ; bien compté, bien sonné *(la soixantaine bien comptée, bien sonnée).*

Adv. 10 D'un autre âge, entre deux âges **495.** – Dans la fleur de l'âge **445,** dans la force de l'âge.

Prép. 11 À l'âge de ; d'âge à, en âge de.

15 AGENT

N. 1 **Agent.** – **Facteur,** moteur, ressort. Cause efficiente.

2 Catalyseur, effecteur [didact.], réactif ; ferment, levain, principe actif, principe à l'œuvre. – Bras, levier **496,** nerf, puissance ; **force 322,** vertu. – Actionneur [TECHN.]. – Actant [GRAMM.].

3 Agent + n. de domaine d'activité ou agent + adj. – Agent chimique, agent mécanique, agent naturel. – Agent économique.

4 Auteur, opérateur [vx] ; bras [fig.], main [fig.], **instrument.** – Acteur, animateur ; artisan [fig.], ouvrier [fig.]. – Âme, cheville ouvrière, élément moteur, locomotive [fig., fam.], noyau actif. – Leader [anglic.], **meneur** ; fauteur de + n. (vx, sauf dans la loc. fauteur de troubles).

5 GRAMM. – Complément d'agent. – Ergatif.

V. 6 **Agir** 7, opérer. – Appliquer, mettre à exécution, **mettre en pratique** ; passer à l'acte, passer aux actes. – Agir sur ; activer, donner l'impulsion à, exciter, **provoquer, stimuler** ; mouvoir, faire aller ou marcher. – Inciter **793,** pousser à.

7 Entreprendre **279,** exécuter, **faire** ; effectuer. – Fomenter, forger, manigancer, ourdir. – Se battre pour, s'employer à, s'occuper à, œuvrer à, **travailler à** ; collaborer, coopérer, participer **596** ; mettre la main à la pâte, y mettre du sien, pousser à la roue. – Faire en sorte que. – Abattre de la besogne, se donner du mal, ne pas chômer, **faire effort.** – S'agiter, se démener, se dépenser, se remuer ; fam. : se décarcasser, se défoncer, se donner à fond.

Adj. 8 **Actif, efficace,** énergique ; sur la brèche, à l'œuvre. – Causant [vx] ; opératif [THÉOL., vx]. – Exécutif.

Adv. 9 Activement, **efficacement,** énergiquement.

Prép. 10 De, **par.**

Aff. 11 -aire, -ant, -eur, -ier, -iste.

16 AGGRAVATION

N. 1 **Aggravation,** aggravement [rare], dégénération [vx], dégradation, empirement [rare] ; fig. : dégénérescence, pourrissement. – Exacerbation.

2 Abaissement [vx], **affaiblissement,** déclin, dépérissement ; consomption, étiolement. – Fig. : déliquescence, détérioration, le début de la fin [fam.]. – Déconfiture, décrépitude, délabrement, ruine.

3 **Complication** ; rechute, récidive. – État stationnaire.

4 Incurabilité.

V. 5 **S'aggraver,** se compliquer, s'empirer [rare], s'envenimer. – Dégénérer, prendre une mauvaise tournure ; fam. : devenir vilain, ne pas s'arranger *(ça ne s'arrange pas).* – Empirer, redoubler ; s'exacerber.

6 **Aller mal** ; aller de plus en plus mal, aller de mal en pis, aller en empirant. – Être sur la mauvaise pente. – **Rechuter,** replonger [fam.].

7 Être à ramasser à la petite cuillère [fam.], être au trente-sixième dessous, être dans un état désespéré, n'être plus que l'ombre de soi-même, se traîner.

8 Baisser, décliner, **dépérir, faiblir,** péricliter ; perdre des forces, perdre la santé. – S'affaiblir, **s'étioler,** se consumer, se décomposer **205.**

Adj. 9 **Pire,** pis [vieilli].

10 Déclinant, pourrissant ; dégénérescent, **déliquescent.** – Sur la mauvaise pente ; fam. : en déroute, mal barré. – Incurable.

11 Récidivant, récurrent ; dégénératif [didact.]. – Aggravant.

Adv. 12 De mal en pis, de pire en pire, de pis en pis, **de plus en plus mal.**

17 AGITATION

N. 1 **Agitation** ; mouvement. – Animation, excitation ; trémulation [MÉD.]. – Oscillation **579** ; frémissement, **tremblement,** trépidation, vibration.

2 PHYS. – Agitation brownienne (ou : agitation moléculaire, mouvement brownien) ; agitation magnétique ; agitation thermique. – Énergie cinétique.

3 Trouble [vx ou litt.] ; bouleversement, dérangement, **déséquilibre,** désordre **201.** – Bouillonnement, ébullition, effervescence, **grouillement** ; remous, tourbillonnement, tur-

bulence [SC.]. – Secousse **115.** – Activité [GÉOL.] ; suractivité [didact.].

4 Agitation psychomotrice [PSYCHIATRIE] ; excitation **549.**

5 Activation [didact.]. – **Secouage,** secouement [sout.]. – Excitation par choc ou par impulsion [ÉLECTRON.].

6 CHIM. : activateur, agitateur. – Secoueur [AGRIC.]. – Actionneur [TECHN.].

V. 7 **Agiter,** bouger, **remuer.** – Fam. : **brimbaler** (ou : brimballer, bringuebaler ou brinquebaler) **579.** – Balancer, ballotter, brandir, brasser ; secouer. – Brasser de l'air [fam.].

8 Troubler ; bouleverser, déranger, **déséquilibrer.** – Exciter.

9 **Actionner** ; mettre en action, mettre en branle, mettre en mouvement **538.** – Activer ; suractiver [didact.].

10 **Bouger, remuer** ; osciller, trembler, trépider, vibrer.

11 S'agiter, se déchaîner, s'exciter ; **grouiller,** vibrionner [sout.]. – S'affairer.

Adj. 12 **Agité** ; frémissant, houleux ; **tremblant,** trépidant. – SC. : actif, suractif ; suractivé.

13 Bougé, tremblé.

14 Agitable [rare] ; excitable.

15 Agitant [rare ou MÉD.] ; excitant. – Dérangeant.

Adv. 16 *Agitato* (MUS., ital., « agité »). – Activement **7.**

18 AGRICULTURE

N. 1 **Agriculture,** exploitation. – **Culture** ; monoculture, polyculture ; arboriculture **36,** horticulture, culture maraîchère, oléiculture, sylviculture, viticulture ; serriculture ; agro-industrie. – Agrologie ; agronomie. – Agrochimie. – Agroalimentaire. – Agrobiologie **251.10.**

2 Culture alterne ou rotation de culture. – Assolement, sole. – Jachère.

3 Parcellement, remembrement.

4 Façon culturale, **travaux des champs,** travaux ou opérations agricoles ; jardinage. – Ameublissement, assainissement, assèchement, dessèchement ; buttage, colmatage. – **Défrichage** ou défrichement ; débroussement, essartement ou essartage ; épierrement ou épierrage ; décuscutage, désherbage, échardonnage. – Ensemencement, **plantation** ; emblavage, semailles, semis ; marcottage, repiquage. – Hivernage, labour, **labourage,** parage, sous-solage ; bêchage, binage, décavaillonnage, défoncement, émottage ou émottement. – Hersage, raclage, râtelage, ratissage ; émondage, sarclage, serfouissage ou serfouage ; écimage, éclaircissage, essimplage ; effanage. – Mise en jachère. – **Fertilisation** ; compostage, déchaumage, écobuage, épandage, marnage, plâtrage, soufrage, sulfatage ; fumage ou fumaison, fumigation ; irrigation. – Arrachage, cueillette, coupe, fauchage (ou : fauchaison, fauche), fenaison, levée, métivage [vx], **moisson,** ramassage, récolte ; glandée, olivaison, vendange. – Fanage ou fenaison, rouissage. – Bottelage ; engrangement, ensilage. – Battage, dépiquage ou dépicage, égrenage, vannage.

5 Billon, corade, dérayure, enrayure, enrue, labour ou raie de labour ; labour en billons, labour en planches, labour à plat ; rayon, **sillon.**

6 Grain **345, graine,** plant, semence.

7 Chaulage, compost, **engrais,** fumure, terrade [vx]. – Fumier, lisier, purin ; limon, tangue, terreau. – Goémon, varech ; maërl. – Pesticide.

8 Barge, botte, gerbier, glane, javelle, meule, pailler. – Grangée. – **Récolte** ; andain, fauchée.

9 Fenil, gerbier, **grange,** grenier *(grenier à blé),* hangar à récolte, herbier, magasin, pailler, silo.

10 **Champ,** plaine à blé, plantation ; ouche [région.], potager, verger **330.** – Aspergerie, chènevière ou cannebière, garancière [vx], houblonnière, luzernière, rizière, tréflière ; cotonnerie, linière. – **Vigne,** vignoble. – **Verger** ; amandaie, cerisaie, figuerie, fraisière, melonnière, mûreraie, noiseraie, oliveraie ou olivaie, pignade, pinède, pommeraie, prunelaie ; bananeraie, orangerie. – Caféière, cannaie, câprière, poivrière, safranière, vanillerie.

11 Guéret ; emblave, emblavure. – Brûlis, **chaume.** – Jachère. – Mouillère, mouillerie, noue. – Essart ; novale. – Mouillère ; ségala. – Oche.

12 Exploitation agricole, **ferme 481,** hacienda, mas, métairie, ranch ; chais, château. – Brasserie, cidrerie, distillerie ; confiturerie, féculerie, huilerie, meunerie, sucrerie, vinaigrerie.

13 Affermage, amodiation, faire-valoir, fermage, métayage, propriété. – HIST. : tenure ; accensement, bordage ; alleu ou franc-alleu.

14 HIST. : agrier, champart.

15 Appareils et outils agricoles. – Araire [anc.], charrue, défonceuse, herse, sous-soleuse, tombe-

reau, tourne-oreille, trisoc, versoir. – Bêche, binette, écovue, étrèpe [région.], houe, hoyau, serfouette ; sarclette, sarcloir. – Faucard, fauchard, fauchet, faucille, **faux,** faucheuse, fléau, serpe. – Cisailles, sécateur, serpe, serpette ; échenilloir ; taille-haie. – Asse ou aissette, cognée, hache, hachette, hachoir, herminette, merlin. – Fourche, râteau, ratissoire. – **Tracteur** ; botteleuse, débroussailleuse, déchaumeuse, décolleteuse, défonceuse, démarieuse, écrémeuse, écroûteuse, effaneuse, égreneuse, faneuse, faucheuse, laboureuse, lieuse, **moissonneuse,** moissonneuse-batteuse, moissonneuse-lieuse, presse à fourrage, semeuse, trieuse. – Égrappoir, égrenoir, fouloir. – Engrangeur, ensileuse. – Épandeur ; fumigateur.

16 **Agriculteur,** cultivateur, exploitant agricole ; planteur, laboureur, récolteur, saigneur. – Amodiataire, **fermier,** granger [vx], métayer, ouvrier agricole ; aoûteron, brassier, journalier **480** ; colon. – Faucheur, faneur, moissonneur, sarcleur, vanneur ; vendangeur. – Arboriculteur, jardinier, horticulteur, maraîcher, sylviculteur, vigneron, viticulteur ; bouilleur, distillateur. – Agronome ; agromane [vx].

17 Campagnard, contadin [rare], homme des champs, **paysan** ; vx : Jacques, manant, vilain. – Fellah, moujik. – Péj. : bouseux, cambrousier, cambroussard, croquant, cul-terreux, glaiseux, pedzouille, péquenot ou péquenaud, pétrousquin.

18 Paysannat, paysannerie ; ruralité.

19 Vx : paysannerie, vilénie.

V. 20 **Cultiver** ; jardiner. – Ameublir, mouver, retourner ; bêcher, biner, binoter, herser, houer, piocher, serfouir ; râteler, ratisser. – Jachérer, **labourer, sous-soler** ; quatarger, retercer. – Billonner, biloquer, décavaillonner, défoncer, effondrer, enrayer, rayonner, sombrer. – Assoler, dessoler.

21 **Défricher,** sarcler ; émotter, épierrer, essoucher. – Décuscuter, débroussailler, **désherber,** échardonner, sarcler ; écimer, éclaircir, émonder ; essimpler. – Étaupiner. – Amender, chauler, écobuer, engraisser, **fertiliser** ; fumer, glaiser, marner, nourrir, plâtrer. – Terreauter, terrer.

22 Ensemencer, emblaver, planter, **semer.** – Marcotter, repiquer.

23 **Moissonner, récolter** ; faucarder, faucher ; cueillir, ramasser ; gauler, grappiller, vendanger. – Effaner, égrener. – Déchaumer, faner, javeler, rouir.

24 Botteler. – Engranger, ensiler.

Adj. 25 **Agricole** ; arboricole, horticole, sylvicole, viticole. – Agrologique ; agronomique ; agrochimique. – **Agraire.** – Aratoire.

26 **Agreste,** champêtre, rural ; bucolique, pastoral ; rustique. – Paysan.

27 Arable, cultivable, labourable. – Récoltable.

28 Agrarien. – Allodial [FÉOD.].

Aff. 29 Agri-, agro- ; -culteur, -culture.

19 AIDE

N. 1 **Aide,** appui, assistance, renfort, secours, soutien ; épaulement [rare]. – Confort [vx]. – Service ; bons offices **125.**

2 **Concours,** contribution ; coopération, participation **596.** – Intervention, recommandation.

3 Protection **671,** soin ; **secours.** – Assistance à personne en danger.

4 Entraide ; copinage [fam. et péj.]. – Coup d'épaule, **coup de main,** coup de pouce ; coup de piston ou piston [fam.]. – Poussette [CYCLISME].

5 Guide ; moyen. – Fil d'Ariane [allus. myth.]. – Fam. : filon, tuyau **136.**

6 Aide publique (opposé à aide privée). – Aide ou assistance judiciaire [DR.]. – Aide sociale, assistance sociale ; aide médicale, assistance psychiatrique ou mentale. – Assistance technique *(assistance culturelle, économique et technique internationale)* ; aide militaire. – Société d'encouragement.

7 **Aides,** subsides ; allocation, bourse, prêt, subvention **241.**

8 Aides [HIST.] ; contributions, impôts.

9 Bienfaisance **336.** – Aumône, charité ; œuvres *(bonnes œuvres).*

10 Conception assistée par ordinateur (C. A. O.). – Publication assistée par ordinateur (P. A. O.).

11 Assistanat. – Bénévolat.

12 Fam. : saint-bernard, terre-neuve. – **Protecteur** ; mécène ; secoureur [vx]. – Sauveteur ; secouriste.

13 **Aide.** – Aide de camp. – Aide ou travailleuse familiale.

14 **Assistant** ; assistante sociale, assistante médico-sociale, assistante visiteuse. – Assistant à la réa-

lisation, assistant à la mise en scène. – Assistant de laboratoire, assistant de recherche.

15 Acolyte, **complice** ; allié. – Adjoint **596, auxiliaire,** bras droit, second ; sous-aide [vx]. – Bénévole *(un bénévole).*

16 Aides [ÉQUIT.].

17 Assisté *(un assisté).*

V. 18 **Aider,** aider à qqn [vieilli] ; adjuver [litt. et rare] ; assister. – Épauler, seconder, soutenir ; donner un coup de main **479,** prêter la main, prêter main-forte. – Suppléer.

19 Concourir, prêter son concours ; **contribuer,** participer. – Faciliter, favoriser, servir ; pousser à la roue [vx]. – Encourager **268,** pousser ; faire planche [vx]. – **Avantager** ; appuyer, intervenir en faveur de, parrainer, recommander ; pistonner [fam.]. – Rendre service, obliger [sout.].

20 **Prendre soin de** ; consoler, soulager **786** ; protéger. – Réconforter, donner ou tendre la main, prêter l'épaule ; tenir la tête.

21 **Guider** ; conduire la main ou les pas de qqn. – Éclairer la lanterne de qqn ; mettre sur la voie ; mettre sur les rails. – Donner un tuyau [fam.].

22 Venir en aide à ; **venir à la rescousse** [fam.] ; dépanner [fam.] ; faire qqch pour qqn, tendre la perche à qqn. – **Secourir** ; porter secours, prêter ou tendre une main secourable ; tirer une épine du pied [fam.] ; tirer d'affaire ou d'embarras ; remettre à flot, remettre en selle ; renflouer. – Mettre à qqn le pied à l'étrier. – Délivrer, libérer, sauver.

23 **Prêter assistance** ; assister qqn de qqch [litt.]. – Favoriser qqn de [vieilli ou litt.], gratifier de ; donner **241.** – Entretenir ; pourvoir à l'entretien de qqn ; subvenir aux besoins de qqn ; se charger de qqn, assumer la charge de qqn.

24 Appeler à l'aide ou au secours. – Se faire aider, mettre qqn à contribution.

25 S'aider, **s'entraider** ; faire cause commune ; se serrer les coudes. – Naviguer de conserve.

Adj. 26 **Secourable** ; complaisant [sout.], obligeant ; empressé, serviable.

27 Bénévole. – Caritatif.

28 **De grand secours** ; avantageux, bénéfique, favorable, opportun, propice, prospère [vx].

29 Aidé, favorisé.

Adv. 30 Bénéfiquement, favorablement.

31 Avec l'aide de Dieu, Dieu aidant.

Prép. 32 À l'aide de, à la faveur de, au moyen de ; avec le concours de. – Grâce à.

Int. 33 À l'aide ! Au secours ! – Dieu vous soit en aide ! Que Dieu vous aide ! Dieu vous assiste ! [vx].

Aff. 34 Aide- + n. *(aide-mémoire, aide-ouïe)* ; aide- + n. *(aide-maçon, aide-cuisinier, aide-comptable, aide-major, etc.).*

20 AIR

N. 1 **Air** ; atmosphère, **espace,** espaces célestes, infini *(l'infini)* [litt.]. – Azur, ciel **49,** cieux, empyrée [litt.], **éther,** firmament [litt.]. – **Gaz 335** *(oxygène, azote, gaz rares).* – Brise, souffle, **vent 852.**

2 **Atmosphère 127,** atmosphère terrestre ; *(basse, haute, moyenne atmosphère),* troposphère, stratosphère, mésosphère, thermosphère ; homosphère, hétérosphère, tropopause ; ionosphère, magnétosphère [MÉTÉOR.]. – Circulation atmosphérique, courant atmosphérique ; couche atmosphérique, front, masse d'air, **pression atmosphérique** ; zone de hautes pressions, de basses pressions.

3 Appel d'air, colonne d'air, couche d'air, courant d'air, coussin d'air, trou d'air. – Air comprimé, air conditionné, air liquide.

4 **Air libre** ; dehors *(le dehors),* extérieur *(l'extérieur)* **300.** – Air de la campagne, bon air, grand air, plein air. – Bouffée *(bouffée d'air pur, de vent),* **souffle** ; exhalaison, haleine, soupir.

5 Air du temps ; ambiance, atmosphère, climat ; environnement.

6 Oxydation, oxygénation [CHIM., vx]. – **Respiration 718** ; aspiration, inspiration ; expiration, insufflation, gonflement. – Oxygénation. – Aération, ventilation, V.M.C. *(ventilation mécanique contrôlée).*

7 Atmosphère **509,** bar *(centibar, millibar),* barye, pascal (symb. Pa), pièze.

8 Aérobiologie, aérologie, pneumatique *(la pneumatique).* – Aéronomie ; aérographie. – Aéraulique ; ventilation, conditionnement d'air, dépoussiérage, séchage, transport pneumatique. – Aérodynamique *(l'aérodynamique),* aérostatique *(l'aérostatique)* ; aéroélectronique *(l'aéroélectronique),* aéronautique *(l'aéronautique)* **831,** astronautique **48.** – Baptême de l'air.

9 **Météorologie.**

10 Aéromancie. – Pneumatologie [didact.].

11 Aéronaute **48.** – Aéromancien **235.**

V. 12 **Aérer,** donner de l'air, ventiler ; oxygéner [CHIM.]. – S'aérer, s'oxygéner [fam.], changer d'air.

13 Décoller, fendre l'air, prendre l'air, prendre son envol ; s'envoler. – **Planer,** survoler, **voler,** voleter, **voltiger.** – Jouer les filles de l'air [all. litt.].

14 **Respirer** ; aspirer, inhaler, inspirer ; expirer, gonfler, insuffler, **souffler,** soupirer.

15 Loc. cour. – Brasser de l'air (aussi : remuer) [fam.]. – Ne pas manquer d'air [fam.]. – Vivre de l'air du temps.

16 **Brûler** ; oxyder, peroxyder [CHIM.], suroxyder.

Adj. 17 **Aérien,** éthéré, **léger 457.** – Aériforme [CHIM. ANC.], aérosol (inv.), **fluide.** – Aérifère [PHYSIOL.], aérobie (opposé à anaérobie) [BIOL.] ; aéré, oxygéné.

18 **Aéraulique, aérodynamique,** aéromobile [MIL.], aérostatique, pneumatique [PHYS.]. – Aérologique, atmosphérique, **météorologique.**

19 Didact. – Aéromancien. – Pneumatologique [didact.].

Adv. 20 **Aériennement** ; par air, par voie aérienne, par la voie des airs. – À l'air, à l'air libre, au plein air, en plein air, **de plein air,** à l'extérieur **300,** dehors ; en l'air.

21 ARM. : air-air, air-mer, air-sol, air-surface, sol-air **182.**

Int. 22 De l'air ! **272.**

Aff. 23 Aér-, aéro- ; atmo- ; pneumo-, pneumato- ; -pnée.

21 ALARME

N. 1 **Alarme, alerte** ; **avertissement 63,** menace **175.** – **Signal,** signe **765** ; symptôme.

2 **Alarmes** [vx] ; souv. au pl. : angoisse, anxiété **785,** crainte, effroi, frayeur, **inquiétude, peur 619,** souci. – **Danger.**

3 Attention **52,** éveil, **vigilance.** – Réaction d'alarme [ÉTHOL.].

4 MIL. : alarme générale ou générale *(la générale).* – **Alerte à** *(alerte à la bombe, alerte au feu).* – Fausse alarme, fausse alerte. – Cote d'alerte.

5 Cri d'alarme. – **Signal d'alarme,** sonnette d'alarme, système d'alarme ; sirène, tocsin ; réveille-matin. – TECHN. : avertisseur, autoalarme ou auto-alarme, autoprotection, borne d'alarme, détecteur d'incendie, téléalarme.

6 **Alarmisme** ; pessimisme **615.**

7 **Alarmiste** *(un alarmiste)* ; pessimiste *(un pessimiste).*

8 Guetteur ; garde, gardien, sentinelle, vigie, vigile. – Contrôleur [AÉRON. MIL.].

V. 9 **Alarmer, donner l'alarme,** donner l'alerte, sonner l'alarme. – **Alerter,** avertir, prévenir. – Tirer le signal ou la sonnette d'alarme [fig.] ; attirer l'attention sur, signaler à l'attention ; appeler à la prudence. – Crier gare, crier sauve qui peut ; battre la générale.

10 Guetter, surveiller **52.** – Ouvrir l'œil [fam.], **prendre garde.**

11 **Inquiéter** ; affoler, angoisser, apeurer, effrayer, paniquer ; **démoraliser.** – Jouer les Cassandre [allus. litt.]. – Préoccuper, **soucier 785,** tourmenter, tracasser. – **Menacer.**

12 **Alarmer** [litt.] ; **émouvoir,** éveiller, mettre en émoi.

13 S'alarmer [sout.], s'inquiéter ; s'affoler. – Fam. : s'en faire ; se faire de la bile, des cheveux, du mouron ; être aux cent coups. – Prendre au tragique.

Adj. 14 **Alarmant** ; affolant, angoissant, **inquiétant, menaçant** ; dangereux.

15 **Alarmiste,** pessimiste ; démoralisant.

16 D'alarme *(pistolet d'alarme, sifflet d'alarme)* ; d'alerte *(cri d'alerte, signal d'alerte).* – En état d'alerte.

Int. 17 Aux armes ! – **Alerte ! Attention !** – À l'aide ! Au secours ! Au feu ! Sauve qui peut !

22 ALGUES

N. 1 **Algue** ; algue d'eau douce, algue marine ; herbe marine, phytoplancton **251.** – Goémon ; varech.

2 Aérocyste ou sac aérifère, crampon, flotteur ; **thalle** ; filament, ruban. – Conceptacle, microsporange ; archégone. – Cénocyte ou cœnocyte, gamétange. – Fucoxanthine ou phycophéine, phycoérythrine, phycocyanine ; alginate, algine, leucosine ; salin.

3 **Chlorophycées** (ou algues vertes) : acétabulaire, desmidiales, zygnémales ; cladophorées, confervacées, conjuguées ou zygophycées, protococcacées, siphonées, siphonocladées, volvocacées. – **Phéophycées** (ou phycoïdées, algues brunes) : fucales, laminariales ; cryptomonadées, cryptophycées, diatomées, dictyotées, eugléniens, fucacées, péridiniées, phéosporées. – **Floridées** (ou rhodophycées, algues rouges) :

céramiales ; bangiacées, cryptonémiacées, gigartinacées, némaliacées, rhodyméniacées. – **Xantophycées** (ou algues jaunes) ; chrysophycées ou chrysomonadales. – **Cyanophycées** (ou schizophycées, algues bleues, cyanobactéries) [anc.].

4 ESPÈCES D'ALGUES

acetabularia	mougeotia
alaria	nemalion
anabæna	nitella
asparagopsis	nostoc ou crachat-de-lune
bryopsis	œdogonium
carragheen	oscillaire
caulerpe	pediastrum
chlamydomonas	pleurococcus
chlorelle	porphyra
chondrus	prochloron
cladophora	protococcus
coccolithophore	rivularia
codium	sargasse
coralline	spirogyre
cystoseire	spiruline
diatomite	stromatolite
dictyota	tripoli
diplopore	ulothrix
fucus	ulve
gelidium	varech
girvanelle	vauchérie
goémon	volvox
haematococcus	xanthelle
himanthalia	zoochlorelle
kelp	zooxanthelle
laminaire	zygnéma
lithothamnium	
macrocystis	

5 Nori [jap.].

6 Algologie [vieilli]. – **Algoculture** ; sudate. – Thalassothérapie.

7 Algologue [vieilli]. – Goémonier.

Adj. 8 Algacé, **algal** ; algueux ; alginique. – Algologique [vieilli], **phycologique.**

Aff. 9 Algo-, phyco- ; -phycée ; -coccus.

23 ALTÉRITÉ

N. 1 **Altérité** ; différence **216,** dissemblance **229,** inégalité **402** ; dualité, hétérogénéité. – **Discordance,** divergence, incohérence ; incompatibilité.

2 Désunion, disjonction, **division,** opposition **572** ; éloignement. – **Désaccord 194,** différend, rupture, schisme. – Autonomie ; hétérodoxie ; marginalité.

3 Démarcation, frontière, **séparation** ; fig. : cloison, fossé *(le fossé des générations),* mur *(le mur de la haine).* – Distinction, distinguo.

4 **Changement 104,** modification, révolution ; métamorphose, **transformation.** – Didact. : transfiguration, transmutation, transsubstantiation **818** ; travestissement.

5 Alternance. – Autres temps, autres mœurs [loc. prov.].

6 Altération, avarie, dégradation, **détérioration.** – Décomposition, désagrégation, dislocation **205.**

7 L'autre, un autre, **autrui.** – « L'Enfer c'est les autres » (Sartre). – L'Autre ; **étranger** ; adversaire, ennemi **146.** – *Alter ego* (lat., « un autre moi-même »). – « Je est un autre » (Rimbaud).

8 L'un... l'autre ; l'un et l'autre ; l'un ou l'autre ; ni l'un ni l'autre.

V. 9 Altérer, corrompre, dégrader, **détériorer,** flétrir, gâter. – Affaiblir, atténuer, diminuer **220.** – Agrandir **56,** renforcer.

10 **Changer 104,** modifier. – Convertir, métamorphoser, transfigurer, **transformer,** transmuer.

11 Départager, **différencier,** dissocier, **distinguer** ; isoler, séparer. – Classer, distribuer, trier.

12 Contraster, détonner, **différer** ; s'opposer ; ressortir, trancher. – Se particulariser, se singulariser. – Fam. : c'est une autre affaire, c'est une autre chanson, **c'est une autre histoire,** c'est une autre paire de manches.

Adj. 13 **Autre,** différent, distinct ; dissemblable. – Inégal ; inférieur, supérieur. – Contraire, inverse, **opposé** ; adverse, antagonique [didact.], antagoniste.

14 Caractéristique, **particulier,** typique ; distinctif. – Indépendant ; éloigné, tranché, séparé ; **à part.** – Discordant, disparate, divergent.

15 Altéré, **changé,** modifié, transformé. – Altérable, attaquable, corruptible, **fragile,** instable, variable.

Adv. 16 **Autrement,** tout autrement ; différemment, inégalement ; contrairement, inversement. – Autrement dit.

Conj. 17 D'un côté... d'un autre côté, **d'une part... d'autre part.**

Prép. 18 **Au contraire de,** à la différence de, à l'encontre de [litt.], à l'inverse de, à l'opposé de.

Aff. 19 Allo-, alter- ; di-, hétéro-.

24 AMBIGUÏTÉ

N. 1 **Ambiguïté** ; amphibologie, double entente, **double sens, équivoque** *(une équivoque).* – **Ambivalence 25,** duplicité [vx], indétermination **395,** obscurité.

2 Malentendu, **quiproquo 283** ; fausse situation. – Confusion **432,** doute, incertitude.

3 **Calembour,** équivoque *(une équivoque)* [vieilli], **jeu de mots** ; à-peu-près ; rime équivoque ou équivoquée, vers holorime ; charade, rébus. – LING. : faux ami, mot-valise **535.**

4 Amphigouri **411** ; ambages [vx], circonlocution(s) ; entortillage, subtilité **316.** – Allusion ; paradoxe [LOG.]. – Réponse de Normand.

5 **Homonymie,** homophonie, polysémie **753.** – Ironie.

6 Ambigu *(un ambigu)* [litt.] ; mélange. – Ambigu ou ambigu comique [LITTÉR.].

7 MÉD. : ambigu *(un ambigu)* [vieilli], hermaphrodite **25.8,** transsexuel.

V. 8 Manquer de clarté ; avoir l'air mais pas la chanson [fam.] **25.9** ; faire des allusions, parler à mots couverts ou à demi-mot, parler par allusions, parler par énigmes. – **Entretenir l'ambiguïté,** laisser planer le doute ou un doute, rester dans le vague ou le flou ; ne pas s'engager, ne pas se prononcer ; brouiller, embrouiller **217,** entortiller ; brouiller les cartes.

9 Jouer double jeu, jouer sur tous les tableaux. – Biaiser [fam.] **316,** louvoyer ; tergiverser **395** ; tourner autour du pot [fam.] **438.**

10 **Équivoquer** ; faire des calembours, jouer sur les mots.

11 Être dans une situation fausse, être assis entre deux chaises ou, fam., avoir le cul entre deux chaises.

12 Désambiguïser, lever une ambiguïté **425.**

Adj. 13 **Ambigu,** amphibolique, amphibologique, **équivoque** ; à double entente, **à double sens.** – Amphigourique **411, confus,** énigmatique **751,** fumeux [fam.], **obscur.**

14 **Ambigu, ambivalent 25,** double, duplice [litt.], **équivoque,** hybride, pluriel. – Imprécis, incertain **395, indéfini,** indéterminé, mal défini, mal déterminé, vague ; entre le zist et le zest **438,** mi-figue mi-raisin, ni chair ni poisson ; nègre blanc. – Contradictoire, paradoxal. – Subtil **316.**

15 **Ambigu, douteux, équivoque,** faux, inquiétant, interlope, louche, oblique [vx], **suspect 581.**

16 MÉTR. : équivoque ou équivoqué, holorime, homophone.

Adv. 17 Ambigument ; **confusément,** obscurément ; rare : énigmatiquement, équivoquement ; à demi-mot **535,** à mots couverts, par allusions, par énigmes. – De diverses façons, de plusieurs façons.

18 Fam. – Comme ci comme ça, couci-couça, oui et non, peut-être bien que oui peut-être bien que non **438.**

25 AMBIVALENCE

N. 1 **Ambivalence** ; ambiguïté, amphibologie [didact.] ; dualisme, dualité ; contradiction. – Dialectique [PHILOS.].

2 Duplicité, **fausseté,** perfidie, traîtrise. – **Inconstance 850,** instabilité, variabilité, versatilité. – Schizophrénie **321.**

3 Contrevérité, mensonge, mystification, **tromperie 838** ; double jeu, faux-semblant, hypocrisie, imposture. – Palinodie [litt.], **retournement,** rétractation, revirement, volte-face.

4 **Ambiguïté** *(une ambiguïté).* – Double sens, équivoque *(une équivoque)* ; allusion. – Allégorie, figure, parabole, **symbole** ; sens figuré. – Palinodie.

5 Mélange **842.** – Ambigu comique [THÉÂTRE., anc.]. ambigu *(un ambigu)* [CUIS., vx] **703.**

6 Bisexualité ; hermaphrodisme.

7 Agent double, falsificateur, faussaire, imposteur, Judas *(un Judas),* **traître.** – **Hypocrite** ; double nature ; faux-cul [très fam.]. – Inconstant *(un inconstant),* opportuniste *(un opportuniste)* ; caméléon, girouette.

8 **Hybride** ; bâtard. – Androgyne, hermaphrodite **763** ; bisexuel.

V. 9 Paraître, **sembler.** – En avoir l'air mais pas la chanson [fam., plais.].

10 Affecter, feindre ; prétendre. – Contrefaire, imiter. – Faire celui qui + v. *(faire celui qui ignore),* faire le + n. *(faire l'ignorant)* ; faire semblant ; faire comme si ; faire mine de. – Donner le change, mystifier, **tromper.**

11 **Se contredire** ; donner ou faire entendre deux sons de cloche, tenir un double langage ; souffler le chaud et le froid ; faire deux poids deux mesures.

12 **Changer d'avis,** se dédire, se raviser, se rétracter. – Aller du blanc au noir, chanter la palinodie ; **retourner sa veste,** tourner casaque.

13 **Jouer double jeu,** mener une double vie ; servir Dieu et Mammon [fam.].

14 **Jouer sur les deux tableaux** ; ne pas mettre tous ses œufs dans le même panier ; ménager la chèvre et le chou ; vouloir le beurre et l'argent du beurre (aussi : l'omelette et les œufs).

15 Ne pas savoir si c'est du lard ou du cochon [fam.]. – Être entre le zist et le zest [vx], **hésiter 438.**

Adj. 16 **Ambivalent** ; ambigu, amphibologique [didact.], double, **équivoque** ; contradictoire **572.** – Douteux, indécis **395** ; énigmatique, mystérieux. – À double entente, à double face, **à double sens.** – À double tranchant.

17 Dissimulé, duplice [litt.], **hypocrite,** sournois. – Changeant, inconstant, infidèle, instable. – Mitigé ; ni chair ni poisson, **mi-figue, mi-raisin.**

18 Bisexuel ; bisexué. – Fam. : à voile et à vapeur ; bic et bouc ; jazz tango.

Adv. 19 À demi, **à moitié** ; entre les deux [fam.], ni l'un ni l'autre.

20 Apparemment, peut-être. – Prétendument, soi-disant.

21 Mine de rien, sans en avoir l'air ; **hypocritement,** sournoisement. – Contradictoirement.

Aff. 22 Ambi-, amphi-, bi-, di-, dupli-.

26 AMITIÉ

N. 1 **Amitié,** camaraderie, compagnonnage [cour.] **137,** confraternité, fraternité. – Affection **160,** attachement, estime, sentiment, **sympathie** [cour.], tendresse. – Goût, inclination ; affinité, affinités électives [allus. litt., Goethe] **53.**

2 Accord, concorde **6,** entente, harmonie, **bonne intelligence.** – Alliance, association, intimité, union ; accointance, liaison.

3 Amicale *(l'amicale des anciens élèves).*

4 Didact. – *Philia* (gr., « amitié ») opposé à *erôs* (gr.,« amour ») [ANTIQ. GR.]. – Amicalité [rare].

5 Amitié particulière ; homosexualité **763.**

6 Ami de + n. *(un ami du peuple, les amis de la nature).* – **Ami** ; ami d'enfance, ami intime, ami de la maison, camarade, **compagnon 137,** condisciple, copain ; couple ou paire d'amis ; très fam. : poteau ou pote, vieille branche ; arg. : aminche, camaro ; arg. scol. : binôme, coturne ou cothurne. – **Familier,** frère [fig.], intime, proche ; confident. – **Alter ego.** – Ami de tout le monde, ami du genre humain (lat. : *amicus humani generis)* ; ami de cour [vieilli]. – Allié, amé [vx], partisan.

V. 7 Faire amitié avec qqn [vx], contracter (ou : lier, nouer) amitié, fraterniser, jurer amitié ; fam. : copiner, faire ami ami ou copain copain. – Prendre amitié pour qqn [sout.], prendre qqn en amitié ; avoir à la bonne [fam.], **se prendre d'amitié.** – Gagner l'amitié de qqn ; se concilier l'amitié de qqn. – Fam. et péj. : s'aboucher avec qqn, s'acointer ou être accointé avec qqn **137,** s'acoquiner avec qqn. – S'enticher **27.** – Conserver (ou : cultiver, entretenir) l'amitié de qqn, conserver son amitié ou son affection à qqn.

8 Amicoter [fam.], être bien avec (ou : en bonne intelligence, en bons termes) ; cousiner. – Être dans les bonnes grâces de, être dans les papiers ou dans les petits papiers de. – Être au diapason ou à l'unisson. – Les amis de mes amis sont mes amis [prov. et loc., cour.]. – C'est saint Roch et son chien [prov.].

9 **Affectionner,** éprouver de l'affection pour ; avoir une préférence ou un faible pour, préférer ; chouchouter [fam.]. – Estimer.

10 Prov. : Les petits cadeaux entretiennent l'amitié. – Au besoin, on connaît l'ami ou c'est dans le besoin qu'on reconnaît ses amis **603** ; Ami jusqu'à la bourse ; Ami au prêter, ennemi au rendre ; Mieux vaut donner à un ennemi qu'emprunter à un ami ; Les bons comptes font les bons amis.

Adj. 11 **Amical,** amiteux [vx] ; affectueux, chaleureux, cordial ; sympathique. – Affectionné [surtout dans les formules épistolaires : « votre affectionné X »].

12 Fam. : **à tu et à toi,** copains comme cochons, comme cul et chemise. – Comme l'ombre et le corps.

Adv. 13 **Amicalement,** amiteusement [vx], chaleureusement, cordialement. – **En toute amitié** ; à la vie à la mort.

Aff. 14 Phil-, philo- ; -phile ; -philie.

27 AMOUR

N. 1 **Amour** ; affection, amitié [vx] **26,** tendresse, sentiment [absolt] ; adoration, dévotion, passion ; sout. : dilection, inclination, penchant, préférence ; fam. : béguin, pépin. – **Attachement,** lien ; liaison, union. – Ardeur, feu, fièvre, **flamme.** – Amativité [vx] ; inflammabilité [litt.]. – Passionisme [litt., rare].

2 Amour-propre, amour de soi. – Altruisme **336,** amour du prochain. – Amour mystique ou spirituel ; adoration, piété **320.**

3 Amour courtois **163,** fine amor [vx ou LITTÉR.]. – Amour platonique. – Amour de concupiscence (opposé à amour de bienveillance) [THÉOL.].

4 Adultère, inceste. – Amour grec, homosexualité **763.**

5 Histoire d'amour, roman d'amour ; coup de foudre, engouement. – Cour d'amour ; conquête, séduction. – Déclaration d'amour, serment d'amour. – Lettre d'amour, poulet [vx]. – Chagrin ou peine d'amour.

6 Acte sexuel ou, vieilli, acte d'amour **763,** caresse **91,** étreinte, étreinte amoureuse. – Ébats ; déduit [vx ou poét.]. – Saison des amours.

7 Possessivité ; captativité [didact.]. – Jalousie **442.**

8 Adorateur, **amoureux, amant** [vx], chevalier servant, galant, galantin, godelureau [fam.], sigisbée [litt.], soupirant. – Coureur [fam.], don Juan [allus. litt.], dragueur, suborneur. – Épouseur [litt.], **prétendant.**

9 Ami ; bon ami [vieilli], petit ami, copain [fam.] ; amiète ou amiette [HIST.]. – Fiancé, promis **666** ; mari **491,** femme. – Amant [cour.], maîtresse ; tourtereau.

10 La Carte du Tendre [LITTÉR.].

11 **Aventure,** liaison ; amourette, **flirt,** intrigue, passade, toquade ; fam. : béguin, passionnette. – Galanterie [litt.].

12 Plaisirs des sens, **sensualité, volupté** ; érotisme. – Vieilli : appétit charnel, concupiscence. – Débauche, lascivité, luxure ; aiguillon de la chair [vieilli] **199,** démon de la chair ; démon de midi. – Mal d'aimer.

13 Aimé, **amour,** adoré, bien-aimé, cher, chéri. – Précédé du possessif, en appellatif : amour *(mon amour* ou, vx, *m'amour),* ange *(mon ange),* beau (ou bel), belle, bellot, joli, mignon, poupée, etc. ; bijou, chou [fam.] ; âme, cœur ; fam. : lapin (*mon lapin,* ou : agneau, biche, caille, chat, moineau, oiseau, poule, poulet, poulot, rat, raton, etc.) ; prince, roi, trésor.

14 Un amour, un amour de + n.

15 MYTH. et litt. – Astarté, Aphrodite, Vénus. – Cupidon, Éros ; Amour, l'Amour. – Les flèches de l'Amour. – Putto [ital., BX-A.]. – Embarquement pour Cythère.

V. 16 **Aimer,** aimer d'amour, amourer [rare], chérir ; **adorer,** aimer éperdument ou à la folie, idolâtrer. – Avoir un faible ou du goût pour qqn ; avoir (ou : éprouver, ressentir) de l'amour pour qqn ; porter dans son cœur. – Brûler (ou : frémir, languir, mourir, soupirer) d'amour. – **Filer le parfait amour** ; roucouler [fam.] ; vivre d'amour et d'eau fraîche. – Être transi ; languir, mourir d'amour.

17 Concevoir de l'amour pour qqn [vieilli], tomber amoureux. – S'amourer [rare], s'énamourer ou s'enamourer, s'engouer, **s'éprendre** ; s'embraser, s'enflammer. – Fam. : s'amouracher, s'attacher à, se coiffer, s'embéguiner, s'enticher, se toquer de.

18 Boire (ou : dévorer, manger) des yeux, caresser ou couver des yeux, n'avoir d'yeux que pour. – Avoir qqn dans le sang ou dans la peau ; fam. : en tenir pour, en pincer pour.

19 Amouracher, enflammer, ensorceler, envoûter, inspirer de l'amour, **séduire,** tourner la tête [fam.] ; fam. : embéguiner, enjuponner ; faire battre les cœurs, faire des ravages dans les cœurs.

20 Conter fleurette [vieilli], être en coquetterie avec [vx], **faire la cour** ou, vx, l'amour, faire le joli cœur, faire les yeux doux, faire du rambin [arg.], flirter, marivauder [litt.], mugueter [vx] ; déclarer sa flamme, faire sa déclaration, offrir son cœur.

21 Effeuiller la marguerite (en énonçant : *je t'aime un peu, beaucoup, passionnément, à la folie, pas du tout*).

22 Courailler, courir [fam.], courir le guilledou ou, spécialt, la prétentaine. – Faire ses farces [vx] ; jeter sa gamme. – Avoir le diable au corps.

23 Accorder ses faveurs, céder.

24 **Faire l'amour 763.** – Connaître [vx].

25 Prov. : **l'amour est aveugle** ; froides mains, chaudes amours ; heureux au jeu, malheureux en amour ; la jalousie est la sœur de l'amour ; l'amour fait passer le temps, et le temps fait passer l'amour.

Adj. 26 **Amoureux, épris** ; affolé, enivré, entiché, féru [vx], fou, ivre, transporté ; fam. : chipé, mordu, pincé ; vx : assoti, sot de ; arg. : grinche, mordu, morgané, pépin, toqué.

27 **Aimant. – Ardent,** chaud, passionné ; idyllique. – Didact. : possessif ; captatif. – Lascif,

luxurieux, sensuel, voluptueux. – Fam. : amoureuse comme une chatte, amoureux des onze mille vierges, amoureux d'une chèvre ou d'une chienne coiffée. – Porté sur la chose.

28 Abandonné, langoureux. – Languissant. – Attendrissant.

29 Aimé, cher, chéri.

30 Érotique ; sexuel.

Adv. 31 **Amoureusement** ; tendrement ; passionnément. – Admirativement. – Amoroso (ital., « amoureusement ») [MUS.].

Prép. 32 **Pour l'amour de.**

Aff. 33 **Phil-,** philo- ; -phile ; -philie.

28 ANCIENNETÉ

N. 1 **Ancienneté** ; antiquité, archaïsme, caducité, vétusté, **vieillesse 863.**

2 **Vieillissement** ; déclin, décrépitude, délabrement, désuétude **206,** usure. – Litt., fig. : couchant ; glaces de l'âge.

3 Maturation **495.** – Patine. – Expérience ; ancienneté dans la fonction, dans la maison.

4 **Ancien** *(un ancien)* ; aïeul, **ancêtre.** – Les Anciens ; querelle des Anciens et des Modernes [allus. litt.]. – **Vieillard, vieux** *(un vieux, les vieux)* **863.** – Senior, vétéran. – Fam. : vieux briscard, vieux renard, vieux routier ou vieux routard ; vieux de la vieille ; vieille branche. – La vieille garde [allus. hist.]. – Le vieil homme (opposé à l'homme nouveau) [RELIG.].

5 **Ancien** *(de l'ancien),* antique *(l'antique),* déjà-vu *(du déjà-vu),* réchauffé *(du réchauffé).* – **Antiquité** *(une antiquité)* ; monument, relique, vestige du passé ; péj., fam. : antiquaille, antiquaillerie, **vieillerie.**

6 Antiquaire **519,** brocanteur. – Brocante. – Antiquomanie ou anticomanie.

V. 7 Vieillir **863** ; envieillir [vx] ; avancer en âge, prendre de l'âge. – Mûrir ; décliner.

8 Dater ; **ne pas dater d'hier** ; dater de Mathusalem. – Avoir fait son temps. – Appartenir au passé ; remonter au déluge ; se perdre dans la nuit des temps. – Cour., fam. : ça ne nous rajeunit pas.

9 Faire vieillir ou vieillir (un vin, un alcool) ; affiner.

Adj. 10 **Ancien,** caduc, vétuste, vieux **863** ; fam. : vieux comme le monde, vieux comme le port de Rouen, vieux comme les chemins (aussi : vieux comme les rues, vieux comme les maisons) ; d'un autre âge, hors d'âge. – Invétéré. – Haut [en loc. : *haut Moyen Âge, haute Antiquité, etc.*].

11 Ancien, **antique,** archaïque ; historique ; primitif ; ancestral ; séculaire, millénaire. – Immémorial. – D'autrefois, **de tradition** ; de vieille race, de vieille roche, de vieille souche ; de la vieille école. – **Démodé 206,** désuet, vieillot. – **Obsolète,** obsolescent.

12 **Âgé** ; d'un certain âge ; d'un âge avancé, d'un âge vénérable ; chargé d'années, chargé d'ans. – En déclin ; sénescent.

13 Défraîchi, fané, flétri. – Patiné, lustré. – **Usé** ; usagé ; hors d'usage. – Élimé ; usé jusqu'à la corde ; mangé (ou, fam., bouffé) aux mites. – Branlant ; délabré, en ruine, croulant. – Rouillé, vermoulu. – Bon pour la casse.

14 **Expérimenté** ; chevronné, confirmé.

15 Antiquisant, archaïsant.

16 Conservateur, traditionaliste **164.**

Adv. 17 Anciennement, antiquement [rare], **autrefois 598** ; dans des temps reculés.

18 Immémorialement [litt.] ; de mémoire d'homme, depuis la nuit des temps, **depuis longtemps,** de toute antiquité.

19 **À l'ancienne,** à l'ancienne mode ; à l'antique.

Aff. 20 Archéo- ; paléo- ; proto-.

29 ANGE

N. 1 **Ange.** – Esprit aérien, esprit céleste ; intelligence. – Messager de Dieu, ministre du ciel ; armée, légions, milices célestes.

2 Angélité [rare]. – Angélologie [didact.].

3 Angélophanie.

4 Chute des anges ; chute de l'Ange.

5 **Hiérarchie des anges** ; chœur. – Séraphin, chérubin, trône ; domination, vertu, puissance ; principauté, archange, ange.

6 Ange blanc, ange du ciel, ange de lumière, **bon ange.** – **Ange gardien** ou ange protecteur, ange tutélaire. – Démon [vx] **186.**

7 Michel, Raphaël, Uriel. – Ange de l'Annonciation ; Gabriel.

8 Salutation angélique **657.**

9 Culte de dulie (opposé à culte de latrie) **215.17.**

10 Angélologie [didact.].

V. 11 Angéliser [rare] **380.10.**

Adj. 12 **Angélique** ; archangélique, séraphique.

13 Angélisé.

Adv. 14 Angéliquement.

30 ANGULARITÉ

N. 1 **Angularité** ; inclinaison, obliquité **158.** – **Figure angulaire 338.**

2 GÉOM. : **angle aigu,** angle droit, angle obtus, angle plat, angle rectiligne. – Angle rentrant, angle saillant. – Angle au centre, angle alterne, angle externe, angle interne. – **Angle complémentaire,** angle correspondant, angle supplémentaire, angle symétrique. – **Arête** ; intersection.

3 **Angle d'incidence,** angle de réflexion, angle de réfraction ; angle de projection. – OPT. : angle de champ **574, angle optique.** – Angle visuel [ANAT.]. – ASTRON. : angle horaire, **azimut.** – PHYS. : **distance angulaire,** écart angulaire, secteur angulaire, sinus ; cosécante, cotangente. – Cosinus, degré angulaire.

4 TECHN. : **angle de mire,** angle de tir, angle de transport. – Angle de chute, angle de hausse, angle de niveau. – **Angle de route,** angle de vol. – Angle d'attaque, angle de coupe, angle de dépouille. – Angle mort.

5 **Goniométrie,** trigonométrie.

6 MÉTROL. : **grade,** radian ; **minute d'angle,** seconde d'angle.

7 **Coin** ; carne [vx, TECHN.], corne, saillant, saillie ; pointe. – Coude, **encoignure,** rentrant ; anglet, brisis, brisure, noue [TECHN.]. – ARCHIT. : **pierre angulaire** ; pierre d'angle, écoinçon ; **besace d'angle,** retour, retour d'équerre ; angle de défense, angle de flanc ou flanquant [FORTIF.] ; pan coupé.

8 **Biais 158,** biseau, chanfrein [ARCHIT.]. – Hypoténuse [GÉOM.].

V. 9 **Angler** [TECHN.], tailler à angles vifs. – **Faire l'angle avec** ou faire l'angle de. – Adoucir ou arrondir les angles [fig.].

Adj. 10 **Angulaire,** grand-angulaire ; cornier. – Anglé [TECHN.]. – **Anguleux.**

Adv. 11 **Angulairement** [didact.]. – Anguleusement. – À angle droit, à angle vif, **en angle** ; en besace, en retour d'équerre [ARCHIT.].

12 **Sous un certain angle** ; d'un certain point de vue, sous un certain aspect.

Prép. 13 À l'angle de, **au coin de.** – Sous l'angle de.

Aff. 14 Goni-, **gonio-** ; sphén-, sphéno-.

15 **-gone,** -gonal, -gonite, -grade.

31 ANNULATION

N. 1 **Annulation** ; abolition, **destruction 205,** invalidation, oblitération [cour.], résiliation, **suppression,** suspension.

2 DR. : abrogation, cassation, dissolution, infirmation, rédhibition, rescision, résolution, révocation. – Déchéance ; forclusion [DR.], péremption d'instance [DR.].

3 Annulement [MAR.]. – Biffure, deleatur (IMPRIM., lat., « qu'il soit effacé »), **effacement,** rature ; élision [PHON.]. – Élagage, éradication, **exclusion 295,** radiation, retranchement [litt.].

4 Annulabilité, dissolubilité [POLIT., DR.]. – DR. : clause rédhibitoire, clause résolutoire, empêchement dirimant, vice de forme ; clause commissoire ; mainlevée. – Contre-lettre [DR.], contre-passation [COMM.] ; **contrordre,** révocation.

5 Abolisseur *(un abolisseur)* [didact.] ; abolitionniste. – Abolitionnisme.

V. 6 **Annuler** ; abolir, abroger, **annuler,** infirmer, oblitérer [cour.], reporter, résilier, révoquer, **supprimer,** suspendre ; lever une consigne (aussi : une défense, une interdiction, etc.). – DR. : canceller [vx], casser, dénoncer, dissoudre, forclore, invalider, périmer, rescinder, résoudre. – Déclarer nul et non avenu, **frapper de nullité,** prononcer la nullité de, rendre caduc, rendre nul.

7 Reprendre sa parole, retirer sa promesse, rompre un engagement ; se dédire, se déjuger, se désavouer, **se rétracter.** – Dénoncer un traité (ou un accord, une convention, etc.).

8 Démentir [DR.], désavouer.

9 Contremander [litt.], **décommander,** déprogrammer, désinviter.

10 Liquider, **régler** ; éteindre. – Décharger, **dispenser,** épargner, éviter, exempter, exonérer. – Éradiquer, radier, rayer de la liste.

11 Barrer, biffer, caviarder, couper, déléaturer [IMPRIM.], **effacer,** expurger, gommer, passer un trait sur, raturer, sabrer [fig.].

Adj. 12 **Annulé** ; caduc, forclos [DR.], invalide [didact.]. – **Nul, nul et non avenu** [DR.], sans effet, sans valeur ; entaché de nullité.

13 **Annulable,** abrogeable [DR.], attaquable, dissoluble, rescindable [DR.], rescisible [DR., rare], résiliable [DR.].

14 Résoluble, **supprimable** ; amortissable. – Délébile [rare].

15 **Annulateur,** annulatif [DR.], infirmatif, rédhibitoire [DR.], rescindant [DR.], rescisoire [DR.].

32 ANORMALITÉ

N. 1 **Anormalité.** – Irrégularité, non-conformité **556.** – Particularité, singularité.

2 Étrangeté, singularité ; exception. – Aberration, aberrance ; absurdité **557.**

3 Anormal *(l'anormal)* ; paranormal *(le paranormal),* surnaturel *(le surnaturel).* – Bizarre *(le bizarre),* étrange *(l'étrange),* insolite *(l'insolite)* ; fantastique *(le fantastique),* merveilleux *(le merveilleux).*

4 **Anomalie,** défaut, défectuosité **500,** imperfection, vice ; aberrance [didact.], aberration. – DR. : anomie, vice de forme. – INFORM. : bug [anglic.], virus. – GRAMM. : anomalie ou anomalia (opposé à analogie), barbarisme, impropriété, incorrection, solécisme ; errata, erratum, faute. – MÉD. : difformité, monstruosité, malformation **484,** tare, vice de conformation. – TECHN. : défaut de fabrication, malfaçon, raté ; crapaud, loup, loupé.

5 Bizarrerie ; extravagance *(une extravagance)* [vieilli]. – Vieilli : merveille, phénomène, prodige.

6 Altération, **désordre 201,** dysfonctionnement, perturbation, trouble. – Déviation, **écart** ; errements.

7 Pathologie **482,** psychopathologie. – Tératologie.

8 Anormal *(un anormal)* ; monstre **484.** – Déséquilibré *(un déséquilibré)* **321.**

V. 9 Contrevenir à **200,** déroger à ; faire exception à la règle, sortir de la norme ; outrepasser ; dépasser ou passer la mesure (ou : les limites, les bornes). – **S'écarter de la norme,** s'écarter de la règle.

10 Dégénérer, muter. – Aberrer [rare], dévier, errer [litt., rare.]. – Dysfonctionner [SC., TECHN.].

11 Affolir [litt., rare], extravaguer.

12 **Altérer 23,** dénaturer, pervertir, vicier.

Adj. 13 **Anormal** ; aberrant, irrégulier, singulier. – Exceptionnel, **extraordinaire,** phénoménal ; hors du commun. – Inaccoutumé, inhabituel, inusité [rare].

14 **Particulier,** spécial. – Bizarre, bizarroïde [fam.], insolite. – Absurde ; invraisemblable. – Inexplicable.

15 Miraculeux, mystérieux, prodigieux. – Paranormal, surnaturel.

16 Fautif, incorrect, inexact **283** ; LING. : agrammatical, anomal.

17 Difforme, malformé. – Monstrueux ; tératologique.

Adv. 18 **Anormalement.** – Extraordinairement. – Irrégulièrement. – Illogiquement.

19 Bizarrement, étrangement, insolitement [rare], mystérieusement, surnaturellement.

20 Fautivement, improprement, incorrectement.

Prép. 21 Au-delà, **hors** ; au-delà de, hors de.

Aff. 22 Patho-, térato-.

33 ANTÉRIORITÉ

N. 1 **Antériorité** ; antécédence [rare], préexistence, primitivité, **priorité.** – Ancienneté **28,** aînesse.

2 Précocité, prématurité [didact.].

3 **Avant** *(l'avant)* ; début *(le début)* **134.**

4 Devant *(le devant)* **211** ; proue ; façade. – **Front,** tête ; tête de colonne, tête de ligne, tête de pont. – Entrée.

5 Antécédent [GRAMM.] **346** ; prédéterminant [LING.]. – Prolepse [LITTÉR.]. – Futur antérieur, passé antérieur. – Antécédents [PSYCHOL.]. – Prémisse [LOG.].

6 **Annonce,** avant-goût, préfiguration [litt.]. – Fig. : hors-d'œuvre [fig.], primeur *(la primeur de qqch, d'une nouvelle).*

7 Aîné, premier-né ; ancêtre, doyen, père **609.** – Premier homme. – Antécesseur [rare], **devancier,** précurseur, prédécesseur. – Éclaireur, fourrier ; messager. – Avant-garde *(une avant-garde ; les avant-gardes).*

8 **Anticipation 332.** – Antéposition [LING.] ; préfixation [GRAMM.].

9 Préemption [DR.].

V. 10 Préexister **297.**

11 **Précéder,** préparer. – Éclairer [MIL.], frayer le chemin, ouvrir la marche ou la route ; ouvrir une voie [ALP.]. – Avoir la primeur de ; étrenner. – Ouvrir le bal. – Être aux premières loges.

12 **Dépasser,** devancer, distancer, semer [fam.] ; gagner de vitesse, prendre l'avantage, prendre le pas sur. – Prévenir [litt.].

13 Passer avant les autres ; préempter [DR.].

14 Anticiper, préfixer [vx]. – Antidater, **avancer.**

15 **Annoncer,** préfigurer, présager ; prédire, **prévoir.**

16 Préfixer [LING.].

Adj. 17 **Antérieur** ; antécédent [didact.], **précédent** ; préalable, préliminaire.

18 Préexistant ; préexistentiel [didact.].

19 Anticipatoire [didact.], hâtif, **précoce,** prématuré ; de primeur. – Avant-coureur, avant-courrier, préfigurateur [rare] ; de pointe ; préparatoire.

20 De la première heure ; *ex ante* [lat., ÉCON., « d'avant, du début ».] ; inné, **premier,** primaire, primitif ; *princeps* (lat., « premier ») *(édition princeps).*

21 Aîné.

22 Ancien ; d'antan, antenais [rare] ; archaïque ; antéhistorique [didact.], **préhistorique,** protohistorique.

23 Ci-devant ; précité, susdit, susnommé.

Adv. 24 Antécédemment [vieilli], antérieurement, au préalable, **avant,** préalablement, précédemment, préliminairement [rare]. – À l'avance, d'avance, en avance, par avance ; avant la lettre, avant l'heure.

25 **Tôt.** – Avant terme ; précocement, prématurément.

26 Auparavant **598** ; **dernièrement,** récemment. – Tout à l'heure ; hier, la veille, avant-hier, l'avant-veille.

27 Avant tout, avant toute chose, **d'abord,** en premier lieu, en premier, **premièrement,** *primo* (lat., « premièrement »), tout d'abord ; au premier chef, primordialement [rare], **surtout.** – En priorité, prioritairement.

28 A priori ; à première vue.

29 **Devant,** en avant ; ci-dessus **204,** *supra* [didact., lat.].

Prép. 30 **Avant,** avant de ; devant que ou devant que de + inf. [vx]. – En avant de, **devant,** à la pointe de, à la tête de **133,** en tête de.

Conj. 31 **Avant que,** devant que [vx].

Int. 32 À vous (à toi, etc.) l'honneur ! – Après toi ! Après vous !

Aff. 33 Avant-.

34 Anté-, antéro- [ANAT., MÉD.], **pré-,** pro-.

35 Premier-, primo- ; protéro-, proto-.

34 APPARITION

N. 1 **Apparition** ; avènement [vieilli], naissance **544,** survenance [litt.], venue.

2 **Manifestation** ; éclosion ; émergence **783,** éruption [fig.], irruption, jaillissement, surgissement. – Point ou pointe du jour ; lever *(lever d'un astre).* – Parution, matérialisation **492** ; réalisation **7.** – Actualisation [PHILOS.].

3 Arrivée **45, entrée,** venue ; passage. – Come-back.

4 THÉOL. : angélophanie **29,** épiphanie **310,** théophanie.

5 Mise au monde ; création ; publication.

6 Arrivant *(les arrivants et les partants),* arrivé *(un arrivé de fraîche date)* **45,** venu *(un nouveau venu).* – Passant ; fig. : comète, courant d'air **471,** flèche, météore, rapide *(c'est un rapide)* **684.**

V. 7 **Apparaître, paraître** ; réapparaître, reparaître ; transparaître. – Avoir lieu, arriver, survenir. – Émerger, percer, poindre, pointer, sortir, venir à jour ; éclater, éclater au grand jour, fuser, jaillir, surgir. – Fig. : naître, prendre corps ; éclore, fleurir, germer, sourdre. – **Se déclarer, se déclencher,** se faire jour, se former, se lever, se manifester, **se montrer.** – S'actualiser [PHILOS.].

8 Se faire voir, s'offrir à la vue ; se dégager, se détacher, se distinguer ; se découper, se dessiner, se profiler.

9 **Faire une apparition,** passer en coup de vent ; ne faire que passer. – Faire son apparition ou son entrée.

10 **Apparoir** *(il appert que, faire apparoir de)* [didact.] ; s'avérer *(il s'avère que).* – Apparaître sous son vrai jour, se dévoiler, se révéler **179,** se trahir. – Déchirer le voile, lever le secret ; lever le masque.

Adj. 11 Émergent, éruptif **258.** – Actualisable [didact.].

Aff. 12 -phanie.

35 APPRENTISSAGE

N. 1 **Apprentissage.** – Acquisition [PSYCHOL.], assimilation ; autonomisation [SC. ÉDUC.] ; initiation. – Instruction ; étude, **exercice** ; formation **274,** préparation ; propédeutique. – Épreuve, essai, expérience [litt.] ; expérimentation **812.**

2 **Commencement** ; balbutiement, débuts, entrée dans le monde ; introduction, présentation. – Bizutage [arg. scol.]. – Apprentissage, stage. – RELIG. : catéchèse ; juvénat, noviciat, probation.

3 **Apprenti** *(un apprenti)* ; apprenant [didact.], élève **682** ; stagiaire ; arpète [arg.], cousette [fam.], marmiton, mitron [vx], mousse, rapin [fam. et vx]. – **Débutant,** écolier [fam.], néophyte, nouveau, novice ; fam. : béjaune, bizut, bleu. – Débutante, deb *(une deb ; le Bal des debs).* – RELIG. : catéchumène ; prosélyte.

V. 4 **Apprendre** ; apprendre l'abc (ou le b.a.-ba). – Faire ses classes ; s'initier, s'instruire. – Mémoriser, retenir ; assimiler, digérer [fam.] **503.** – Fam. : absorber, avaler, ingurgiter ; farcir sa tête de ; se fourrer dans la tête [fam.]. – Répéter **704** ; rabâcher ; repasser, réviser.

5 **S'entraîner,** s'exercer, se faire la main. – S'assouplir, se dégourdir, se dégrossir ; se faire les dents. – S'accoutumer, se faire à, se familiariser. – Prendre du métier ; prendre le coup de main.

6 **Découvrir 179,** faire l'expérience de. – Commencer, **débuter.** – Mettre le pied à l'étrier ; se mettre à + n.

36 ARBORICULTURE

N. 1 **Arboriculture** ; foresterie, sylviculture ; ligniculture.

2 Afforestation [rare], boisement **37,** reboisement.

3 Déboisement, déforestation, essartage ou essartement ; coupe ; coupe d'abri, coupe d'ensemencement ; coupe à blanc ou blanc étoc, coupe claire, coupe sombre ; expurgation. – Éclaircie, éclaircissage, rajeunissement ; éborgnage ou ébourgeonnage. – Recepage ou recépage. – Essouchage (ou : dessouchage, essouchement).

4 Ente [vx], greffe. – **Bouturage,** marcottage, provignage. – Placage.

5 **Taille,** taillis ; taille en buisson, taille à deux ou à trois yeux, taille en gobelet. – Élagage, émondage, rognage. – Ébranchage ou ébranchement, écimage ou éhoupage, étêtage ou étêtement ; rapprochement.

6 Balivage. – Ceinturage, souchetage.

7 Décortication. – Écorçage ou décorticage ; démasclage. – Cernage ou cernement.

8 **Bûcheronnage** ; abattage. – Débitage, déroulage, écorçage, équarrissage, sciage **505,** tronçonnage ; dédoublage, délignage, fendage, refente. – Écorçage. – Lamellation ; planchéiage.

9 Schlittage.

10 Saignée, scarification. – Blanchis (ou : flache, flachis, miroir).

11 Arbre d'émonde, arbre de repeuplée, **baliveau,** étalon, réserve, semencier, sujet ou porte-greffe ; dard, élève ; sauvageon. – Basse tige, demi-tige, haute tige ou filardeau, marmenteau [DR.] ; arbre cormier ; bonsaï. – Buissonnier, cordon, fuseau, gobelet ; tige. – Arbre franc.

12 Hautin, tuteur.

13 Bois debout, bois sur pied.

14 Abattis, arrachis ; rompis, ventis. – Bris, chablis, rompis ; volis.

15 Encrouage, gélivure ; gerce, roulure. – Exfoliation.

16 **Plantation.** – Bétulaie, boulaie ou bouleraie, buissaie ou buissière [région.], charmille [rare], charmeraie ou, vx, charmoie, châtaigneraie, chênaie, coudraie ou coudrette, frênaie, hêtraie, ormaie, oseraie, palmeraie, peupleraie, pinède, platanaie, ronceraie, roseraie, sapinière, saulaie, tremblaie ; pré-verger, **verger 330.** – Arboretum, pépinière.

17 Gaulis, peuplement. – Bas-perchis, futaie, perchis. – Boqueteau, bouquet, **haie 443,** massif, **taillis** ; contre-espalier, espalier, quinconce.

18 Cognée, coin, ébuard, fendeuse, hache, scie.

19 **Sylviculteur** ; arboriculteur, osiériste, pépiniériste. – Garde forestier ; **bûcheron** ; élagueur, émondeur.

V. 20 **Boiser,** complanter ; planter. – Plomber un arbre. – Praliner.

21 Affranchir, bouturer, coucher des branches ou marcotter, enter, greffer, provigner. – Receper.

22 **Tailler 220.13,** égauler, élaguer, émonder, monder (ou : décortiquer, écorcer) ; ébrancher, écimer ou éhouper, étêter. – Former, mouler, rabattre ; palissader. – Palisser ; dépalisser. – Nanifier ou naniser.

23 Soucheter ; ceinturer, cerner, flacher.

24 Dessoucher ou essoucher.

25 Asseoir ou régler une coupe. – Affouager [DR.].

26 Bûcheronner. – Dégauchir, dégraisser, égobler. – Billonner, **débiter,** dérouler, désaubiérer, papilloter, tronçonner ; blanchir. – Corroyer, équarrir, raboter, racler. – Débillarder. – Tirer d'épaisseur, tirer de largeur.

Adj. 27 Équienne, inéquienne.

28 Estant.

29 Topiaire.

37 ARBRES

N. 1 **Arbre. – Arbre à feuilles caduques, arbre à feuilles persistantes** ou pérennes, arbre feuillu ou feuillu *(un feuillu).* – Arbre fruitier, conifère, résineux *(un résineux)* ; arbre exotique, arbre indigène ; arbre forestier, arbre de lisière ou tronce. – Arbre d'assiette ; essence d'ombre (opposé à essence de lumière) ; plein-vent ou arbre de plein-vent. – Bonsaï. – **Arborescence** ; arborisation ; forme arborescente.

2 Arbre de haut jet, arbre de haute futaie, coupellier ; arbre de basse futaie. – Arbre parasol. – Brin, **pousse.**

3 Arbre couronné ; bois charmé ; bois vif.

4 Arbre ou sapin de Noël ; arbre de la Liberté **462** ; arbre de mai ou mai ; arbre à palabres. – RELIG. : arbre de Jessé, arbre de la science du bien et du mal, hôm ou arbre de vie. – Divinités sylvicoles ou némorales **236.**

5 Apex **637, cime,** cimier ou houppier, couronne, faîte, sommité. – Contrefort, empattement. – Racine. – Accru, **bouture,** cépée ou trochée, plançon ou plantard, recrû, rejet, repousse, scion, surgeon. – Chandelier, fût, grume, stipe, **tronc,** tronçon. – Bouchot, chicot, culée, **souche.**

6 **Bois 74,** xylème [didact.] ; aubier, cambium, cerne, cœur, duramen ou bois parfait, moelle, surbille. – Broussin ou **loupe** ; madrure, ronce ; cul-de-singe, nœud, œil-de-perdrix, rosette. – Cascarille, **écorce,** écusson, liber, œil latent, liège. – Pleurs, sève.

7 **Copeau,** ételle ; pelan ou plan. – Brisées, émondes, feuillard.

8 Bouquet de mai, brachyblaste (opposé à auxiblaste), brindille, dard, écot, gourmand, **rameau.** – **Branchage,** charpente, ramure, ramée [litt.]. – Billonnette, **branche,** branche charpentière, branchette, broutille [vx], chiffonne, coursonne, greffon, lambourde, mère branche ; moignon. – Embranchement, **fourche,** fourchet, ramification **171.** – Bourse, forcine ; pneumatophore.

9 Chevelure, couvert, **feuillage,** feuillée, frondaison. – Aiguille, **feuille,** palme. – Bourgeon, chaton ; pérule.

10 **Fruit 330** ; cône, pigne ou pignon, pomme de pin.

11 Familles. – Abiétacée ou pinacée, acéracée, aurantiacée ou rutacée, bétulacée, bombacacée, burséracée, célastracée, cupressacée, cupulifère ou fagacée, diptérocarpacée, ébénacée, juglandacée, lépidodendracée, méliacée, oléacée, palmacée ou arécacée, rhizophoracée, salicacée, santalacée, sterculiacée, taxacée, tiliacée, ulmacée, winteranacée. – Cycadale, fagale, santalale. – Agrume, aspidosperma, citrus, dalbergia, gommier, phœnix ou phénix.

12 **Essence** ou espèce.

13 EUROPE

ARBRES FRUITIERS

abricotier
albergier
avelinier
brugnonier
cerisier
cognassier
cormier ou sorbier domestique
coudrier
doucin
griottier
guignier
mahaleb
merisier
noisetier
noyer
paradis
pêcher
poirier
pommier
prunus ou prunier
putiet ou merisier à grappes

14 ARBRES D'ORNEMENT

davidia ou arbre aux mouchoirs
flamboyant
gymnocladus
kœlreutérie
myrobolan
paulownia
sumac
zelkowa

15 FEUILLUS

acacia ou arbre à la gomme
acacia franc
amarinier
aune ou aulne
aulne glutineux ou vergne
bouleau
cercis ou arbre de Judée
charme
châtaignier
chêne
chêne kermès
chêne-liège
chêne pédonculé
chêne vert ou yeuse
chêne zéen
érable
érable plane ou plane
érable sycomore ou faux platane
eucalyptus

frêne ou arbre à la manne
grisard ou peuplier gris
hêtre (région. : fau, fayard, foyard)
hièble ou yèble
marronnier
marronnier d'Inde
marsault
négondo ou negundo
orme
ormeau
orne
peuplier
peuplier blanc ou, région., ypréau
platane ou arbre du soleil
quercitron ou chêne tinctorial
robinier ou faux acacia
saule
séquoia ou wellingtonia
sureau
tauzin
tilleul
tremble
vélani

16 CONIFÈRES

alvier (ou : auvier, arol, cembro)
callitris
cryptomeria
cyprès
cyprès chauve ou taxodium
cyprès de Lawson
épicéa
fitzroya
keteleeria
laricio ou pin noir d'Autriche
mélèze
pin
pin colonaire ou arancaria
pin pignon
sapin
sapinette
spruce
thuya (ou arbre de vie, arbre de paradis)

17 MÉDITERRANÉE

albizzia
amandier
avocatier
azédarach ou arbre à chapelet
caprifiguier
caroubier
cèdre
dattier ou **palmier-dattier**
dioon
diospyros
dragonnier
figuier
fustet ou arbre à perruque
grenadier
jujubier
kentia
mollé ou faux poivrier
olivier
palmier

AGRUMES

bergamotier
bigaradier
cédratier
citronnier
clémentinier
mandarinier
oranger
pamplemoussier
pomelo

18 AFRIQUE

abura ou bahia
acajou
alone ou kondroti
antiaris
arganier
avodiré
azobé
balsamier ou baumier
bananier
baobab ou arbre de mille ans
baphia
bété
bilinga
bossé
boswellia
bubinga
butyrospermum ou arbre à beurre
cailcedrat ou acajou du Sénégal
carapa
cèdre
cocotier
colatier ou kolatier
copalier
dabéma
dibétou
dourian ou durian
ebiara
erythrophleum
framiré
funtumia
hévéa
ilomba
iroko
kapokier
karité
koto
limba
lophira
makoré ou douka
manglier
manguier
manilkara
neem
niangon
niaouli
obéché
ocotea
okoumé
ongokea
ozigo
palétuvier
panga-panga ou wengé
papayer ou arbre à melons
pentaclethra
pentadesma
protea ou arbre d'argent
ravenala ou arbre du voyageur
ravensara
ricinodendron
sapelli
sipo
sycomore ou figuier des pharaons
tamarinier
tarrietia
tchitola
treculia
xylopia
yohimbehe
zebrano ou zingana

PALMIERS

borassus
doum
hyphaene
latanier
lodoicea
raphia
rônier

19 AMÉRIQUE

alerce
andira
araucaria
assacu ou sablier
baboen (ou virola yayamadou)
bacovier
balata
bertholletia
brosimum (ou arbre à lait, arbre à la vache)
bursera
calebassier
canalete
canella
carya
caryocar
caryodendron
castanheiro
catalpa
chicot du Canada
cocobolo
coumarouna
courbaril
douglas ou pin d'Orégon
espenille
frangipanier
fromager
gaïac ou gayac
galipéa
greenheart
haematoxylon
hancornia
hickory
ipé
jacapucayo
jacaranda
lagetta
lecythis
libocèdre
linaloé
liquidambar
maclura
mahogani ou acajou de Cuba
mammea
mancenillier (ou arbre-poison, arbre de mort)
marupa ou simarouba
mimusops

pacanier (ou pécan, noyer d'Amérique)
palissandre
pau marfim
pavier
pernambouc
peroba
persea
persimmon
phytéléphas ou arbre à ivoire
pimenta
prosopis
quapalier
quebracho
quillaja
quinquina
sapotier ou sapotillier
sapucaia
sassafras
satiné
savonnier
sebestier
sidéroxylon
strychnos
theobroma ou cacaoyer
thevetia
zamia
zapatero

PALMIERS

acrocomia
bactris
brahea
céroxylon ou arbre à cire
copernicia
éléis ou elæis
euterpe
jubea
washingtonia

20 ASIE

afzelia
ailante
alstonia
amboine ou padouk
amherstia
anacardier
bancoulier
banian
bassia ou arbre à beurre
bibacier ou bibassier
bruguiera
camphrier
canarium
cannellier
cèdre
cycas
deodar
dillénia
dryobalanops
ébénier
févier
ginkgo (ou arbre aux quarante écus, arbre du ciel)
gmelina
hévéa
hydnocarpus
illipé
irvingia
jacquier ou jaquier
jambosier
katsura
kauri ou kaori
keruing
letchi (ou litchi, lychee)
maïdou
mangoustanier
mengkulang
meranti
merbau
mersawa
mésua ou arbre de fer
métaséquoia
moringa
ostrya
palaquium
palétuvier
pasania
pentacme
phellodendron
pipal
pistachier
pseudolarix
pterocarya
sagoutier
sal
santal
sciadopitys
shikimi
shorea
sophora
strophantus
teck ou tek
tsuga
tulipier
tupelo ou nyssa
vomiquier

PALMIERS

aréquier ou arec
caryota
metroxylon
rhapis
rotang
sabal
trachycarpus

21 PACIFIQUE

agathis ou dammara
aglaia
badamier
casuarina
cocotier
litsea
longanier
maba
macadamia
pituri
ramin
schleichera
silky-oak ou gravillea
terminalia

PALMIERS

abaca
arenga
livistona

22 Bocage, **bois** *(un bois),* boisement **36, forêt,** forêt-cathédrale, forêt vierge, jungle, mangrove, savane, savane arborée, savane boisée, savane-parc, sylve [litt.], taïga. – Bordure 77, clairière, lisière, orée, pré-bois, sous-bois. – Boqueteau, bosquet.

23 Débourrement ; **feuillaison,** foliation ; nouaison ou nouure. – Duraminisation. – **Chute des feuilles,** défeuillaison, défoliation.

V. 24 **S'arboriser,** se ramifier. – Se couvrir de feuilles ; porter des fruits **330** ; prendre racine. – Rejeter, reprendre, surgeonner. – Se duraminiser. – Jaunir, sécher ; s'effeuiller, se défeuiller, se dépouiller.

Adj. 25 **Arborescent,** dendroïde. – Fastigié, fourchu, tortillard, d'une seule venue ; pleureur. – Foliacé. – Chevelu, feuillu, frondescent, frondifère, touffu ; caducifolié ; branchu, rameux ; ligneux, noueux. – Chenu ; flacheux ; fougueux. – Encroué ; excru. – Franc de pied.

26 Arboré, boisé ; **forestier.**

27 TYPE DE FEUILLES

acéreuse
aciculaire
acinaciforme
acuminée
aérienne
ailée
alterne
amphigastre
amplexicaule
articulée
auriculée
axillaire
bifide
bifoliolée
bullée
bulleuse
caulinaire
charnue
ciliée
circinée
composée
connée
convolutée
cordiforme
coupée
crénelée
crépue
cunéiforme
cuspidée
décurrente
décussée
dentée
dentelée
digitée
distique
embrassante
énervée
engainante

ensiforme ou gladiée
entière
éparse
épineuse
étalée
falciforme
fendue
fistuleuse
flabelliforme
foliolée
gibbeuse
hastée
imbriquée
imparipennée
incisée
involutée
laciniée
lancéolée
ligulée
linéaire
linguiforme
lobée
lyrée
multifide
oblongue
obovale
ovale
palmatinervée
palmilobée
palmiséquée
palmée
palmifide
panachée
parallélinervée
partagée
pectinée
pédalée
pennatilobée
pennatiséquée
peltée
pennée ou pinnée
penninervée
pétiolée
quinquéfide
radicale
raméale
réfléchie
réniforme
roncinée
sagittée
sessile
simple
sinuée
squamiforme
stimuleuse
stipulée
submergée
tridentée
trifide
tristique
uninervée
vaginante
verticillée
vrillée

28 Arboricole, lignicole ; sylvicole ; dendrophile.

Aff. 29 Arbor-, dendro-, sylv-, xylo-.

38 ARBUSTES

N. 1 **Arbuste** ; arbrisseau, **buisson,** sous-arbrisseau. – Épine **637.**

2 Épinaie, **fourré,** futaie, **haie 443** ou haie vive, hallier ; roncier. – Brande, mort-bois, **sous-bois,** sous-étage. – **Broussaille, brousse,** bush [angl.], chaparral, fruticée, garrigue **750,** maquis, matorral [esp.], scrub [angl.].

3 FAMILLES

ampélidacée
anacardiacée ou thérébinthacée
anonacée
aquifoliacée ou ilicacée
araliacée ou hédéracée
berbéridacée
bignoniacée
buxacée
capparidacée
caprifoliacée
coriariacée
cornacée
éricacée
hippocastanacée
lauracée
loganiacée
magnoliacée
ménispermacée
monimiacée
moracée
pipéracée
protéacée
rhamnacée
ribésiacée
sapotacée
tamaricacée
ternstrœmiacée
vitacée ou ampélidacée
zygophyllacée
magnoliale
calophyllum

4 EUROPE

actinidia
ajonc ou genêt épineux
alaterne ou nerprun
amélanchier
ampélopsis
arbousier ou arbre aux fraises
argousier ou hippophaé
aubépine
aubour ou cytise
aucuba
azalée
azérolier
baguenaudier
bétel
bourdaine
bruyère
camérisier
canéficier
canneberge
cassier ou casse
clématite
cornouiller
églantier
éphédra
épine-vinette ou berbéris
fortunella ou kumquat
fragon ou petit houx
framboisier
fusain ou bonnet de prêtre
garcinia
gaultheria ou palommier
genêt
genévrier
groseillier
houx
laurier
laurier du Portugal
myrica ou cirier
néflier
obier
paliure
panax
parkinsonia
périploca
redoul ou coriaria
ronce
spirée
vigne
viorne
vitex ou gattilier

5 ARBUSTES ORNEMENTAUX

andromède
broussonetia ou arbre à papier
buis
buisson-ardent
buplèvre
camarine
camélia ou camellia
chèvrefeuille
chimonanthe
chionanthus
coronille
cotoneaster ou arbre de Moïse
forsythia
fuchsia
glycine
hamamélis
if
isoplexis
jasmin
kerria
laurier-rose
leucothoé
lilas ou syringa
magnolia
mahonia
micocoulier ou fabrecoulier
philodendron
pittosporum
poncirus
rhododendron
rosier
seringa
skimmia
staphylier
tamaris
troène
vigne vierge
yucca

6 MÉDITERRANÉE

abélie
adénocarpe
anagyre ou bois puant
câprier
chinois
ciste
cneorum
fatsia
grevillea
hysope

lentisque
lippia
myrte
réglisse
sabine
turbith blanc ou séné de Provence

7 AMÉRIQUE

actinidia
asiminier
bignonia ou bignone
bougainvillée ou bougainvillier
calycanthe (ou beurreria, arbre aux anémones)
ceanothus
cestreau
coca ou cocaier
coccoloba ou raisinier
collétie
cyphomandra
diervilla
eugénia
gonolobus
goyavier
guayule
hortensia
icaquier
jaborandi
jojoba
kalmia
lucuma
malpighia
maqui
maté
mombin
mûrier
myroxylon
paullinia
piscidia
rocouyer
symphorine
vigne
viorne

8 ASIE

abrus
alhagi
badiane
butéa ou arbre à laque
deutzia
diervilla
halimodendron
hortensia
hoya
ketmie
mesua
mûrier
paliure
sophora
sorbaria
thé ou **théier**
vigne
viorne

9 TROPIQUES

albizzia
aliboufier ou styrax
anone
artabotrys
avicennia
barringtonia
bauhinia ou arbre de Saint-Thomas
buddleia
caféier
callistémon
cinnamome
clérodendron
cotonnier
drimys
érythrine
erythroxylon
flacourtia
gardénia
gastrolobium
gnetum
gomphia
herminiera
hibiscus
inga
ixora
julibrissin ou arbre de soie
justicia
kawa
lagerstrœmia
landolphia
lyciet
macaranga
melaleuca
mélastoma
melia
margousier ou arbre saint
métrosidéros
micocoulier ou fabrecoulier
miconia
murraya
muscadier
myrte
nauclea
népenthès
nothofagus
osteomeles
pandanus ou arbre impudique
pavetta
phytolacca
qat ou khat
quisqualis
rauwolfia
strychnos
uréna

V. 10 Buissonner.

Adj. 11 **Buissonneux** ; arbustif, suffrutescent. – Épineux.

39 ARCHITECTURE

N. 1 **Architecture** ; architectonique, architectonographie [VX] ; scénographie ; urbanisme **845.** – Travaux publics **834.**

2 Architectonie, architecture *(une architecture),* ordonnance.

3 Fig. : architecture, **charpente,** ossature, squelette.

4 Coupe, dessin, élévation, épure, lavis, **plan,** plan de situation, projet, sciographie. – Axonométrie.

5 **Construction 150,** édification. – Appareillage ; **appareil** ou opus, appareil cyclopéen ou pélasgique, appareil polygonal, appareil réglé ou isodome, opus incertum, opus reticulatum. – Modénature. – Modulor, nombre d'or. – Ordres architecturaux ; ordre ionique, ordre dorique, ordre corinthien ; ordre composite.

6 **Bâtiment,** bâtisse, construction *(une construction),* édifice, immeuble. – Barre – Bâtiment à hauteur, immeuble de grande hauteur ou I. G. H., immeuble miroir ; tour.

7 **Temple** ; mosquée, synagogue. – Cathédrale, chapelle, église **465** ; reposoir.

8 **Maison 481,** résidence.

9 Îlot de maisons, **pâté de maisons 845.** – Complexe ; cité, **grand ensemble,** zone ; lotissement.

10 **Hangar,** jasse. – Édicule, kiosque ; halle. – Nymphée [ANTIQ.]. – Aiguille ; obélisque.

11 Campanile ; **clocher,** clocheton, flèche, lanterne, lanternon, minaret ; cimborio, **coupole,** dôme. – Beffroi, donjon, **tour,** tour-lanterne, tourelle.

12 **Façade,** frontispice [VX]. – Entrée ; narthex, **porche,** portail, porte, portique, propylée, pylône [ANTIQ.]. – Parvis, perron ; colonnade, péristyle. – **Fenêtre,** orbevoie (opposé à claire-voie) ; meneau, trumeau ou entrefenêtre. – Architrave, entablement ; console, corniche, frise, triglyphe.

– Fronteau, **fronton,** tympan ; enfeu, niche ; rosace.

13 **Balcon,** encorbellement, oriel ; avant-solier ; tribune ; balustrade, balustre. – Auvent, marquise, préau ; pignon, pinacle ; belvédère, mirador [esp.] ; **terrasse,** terrasson, toiture-terrasse ; véranda.

14 **Colonne** ; colonne égyptienne, colonne perse ; colonne corinthienne, colonne dorique, colonne ionique ; colonne toscane ; colonne composite ; colonne engagée ; colonne historique. – Ante, pédicule, **pilastre, pilier,** pilier fasciculé, pilier à ondulation ; colonnette, culée d'arc-boutant, dosseret.

15 Colonne. – Stylobate ; **base,** bosel ou tore, plinthe, scotie, socle. – **Fût,** cannelure, entasis, méplat, tambour, tronçon ; contracture. – **Chapiteau,** astragale, volute, abaque ou tailloir, dé, escape ou scape ; feuille d'acanthe. – Entrecolonnement.

16 Mégastructure, **structure,** substructure ; pierre angulaire ; membre ; module. – Fondations, fondement, **gros œuvre,** mur, muraille ; aile, arrière-corps, avant-corps, **corps,** corps central ou principal, corps de logis ; rotonde.

17 **Cour,** courette, coursive, patio ; dalle ; pavement. – Déambulatoire, **galerie,** promenoir. – Douve, saut-de-loup.

18 **Arc,** arcade, arcature, arceau, arche, **ogive** ou arc ogif. – Arcade à ordonnance ; arc-boutant, arc-doubleau ; **contrefort** ; formeret. – Arc triangulaire, **arc en plein cintre,** arc surhaussé, arc surbaissé, arc bombé, arc déprimé, arc outrepassé, arc elliptique, arc brisé, arc angulaire tronqué, arc lancéolé, arc en fronton, arc en mitre, arc en ogive, arc flamboyant, arc Tudor, arc trilobé, arc en doucine, arc infléchi, arc en accolade, arc rampant, arc zigzagué.

19 **Voûte,** voûte en arc-de-cloître, **voûte d'arête,** voûte en canon ou canonnière, voûte en chaînette, voûte domicale ou bombée, voûte en éventail ; cul-de-four ou, vx, conque ; croisée d'ogives.

20 Calotte, **cintre,** claveau ou voussoir, clef pendante, **clef de voûte,** contre-clef, corde, extrados, imposte, intrados, ouverture, pendentif (ou : canton, voûtain), piédroit ou pied-droit, socle, sommet, sommier, voussure. – Créneau ; merlon.

21 ORNEMENTS ARCHITECTURAUX

accolade
acrotère
agrafe
amortissement
anglet
antéfixe
apophyge (ou : apophyse congé)
archivolte
bague
bandes lombardes ou lésènes
bandelette
bec-de-corbin
bossage
boule d'amortissement
bucrane
congélation
corbeau
culot
échine
écille
enroulement
frette
gargouille
gorge
gousse
goutte ou larme
gradilles
mascaron
mauresque
métope
modillon
nervure
orle ou filet
patère
renard
rostres
rudenture ou roseau
trèfle
trompe
trompillon
trophée

22 Architecture organique, fonctionnalisme, historicisme, palladianisme, style international ou mouvement moderne, style jésuite, style perpendiculaire.

23 **Architecte,** architectonographe, scénographe ; **maître d'œuvre** ou de l'œuvre ; géomètre, ingénieur ; architecte urbaniste, architecte voyer. – Bâtisseur, **constructeur 150,** édificateur, entrepreneur.

V. 24 Architecturer [litt.] ; appareiller, disposer, **ordonner.** – Bâtir, **construire 150,** édifier.

25 Arc-bouter **280.11,** contrebuter, voûter. – Parqueter, planchéier ; plafonner. – Moulurer.

Adj. 26 **Architectural** ; architectonique, architectonographique [vx]. – Axonométrique. – Colonnaire, ogival ; palatial, pavillonnaire. – Monumental.

27 Prostyle ; monostyle [vx], distyle, tétrastyle, hexastyle, octostyle, décastyle, dodécastyle. – Nervé ou nervuré ; rustique ; turriforme.

28 Fonctionnaliste, high-tech, historiciste ; churrigueresque, palladien ; gothique, néogothique ; néoroman, préroman, roman.

Adv. 29 Architecturalement [rare] ; architectoniquement.

40 ARGENT

N. 1 **Argent** (symb. Ag) ; argent natif, argent sec [vx], métal blanc ; argentopyrite [MINÉR.]. – Argent blanc ; monnaie d'argent [vx], **pièce d'argent** ; encaisse argent d'une banque (opposé à encaisse or) **575.**

2 Argent allemand, argent anglais ; **argent fin,** argent fumé, vieil argent ; électrum [ANTIQ.] ;

argent doré, vermeil. – Argentan ou argenton, étain, maillechort, ruolz.

3 Argenture. – Brocart ; fil d'argent ; papier d'aluminium ou, fam., papier alu, papier d'argent.

4 **Argent colloïdal,** collargol, électrargol, protargol ; sel d'argent ; azotate, bromure d'argent, chlorure d'argent, fulminate d'argent, halogénure, nitrate d'argent ; blanc d'argent ou céruse ; mercure, **vif-argent** [vieilli].

5 Argent *(l'argent d'une chevelure).* – L'astre au front d'argent (la Lune) [litt.].

6 **Argentage** ou argenture, argentation ; étamage, galvanoplastie, métallochromie, nickelage ; revêtement électrolytique [TECHN.].

V. 7 **Argenter,** chromer, étamer, nickeler. – Faire l'argenterie ; aviver, brunir, planer, polir.

Adj. 8 **Argenté** ; gris, gris argent, gris fer, gris métallisé, vieil argent. – Désargenté, oxydé, terne, terni.

9 **Argenteux, argentifère,** argentique, argentiste. – Argentin.

Aff. 10 Argento-.

41 ARMÉE

N. 1 **Armée.** – Souv. au pl. : arme, force, force armée. – Troupe *(la troupe, les troupes)* ; le rang ; les hommes. – Armée permanente ; armée de métier ; active *(officier d'active).* – La grande muette ; la soldatesque [péj.].

2 Armes. – Armée de terre ; armée de l'air ; marine ; aéronavale *(l'aéronavale)* ; gendarmerie **641** ; forces nucléaires ; forces d'O. – Génie ; transports ; soutiens. – Renseignement ; litt. : armée des ombres, armée secrète.

3 Armée de terre. – Anc. : armes à pied, armes montées. – Auj. : forces terrestres ; **infanterie, cavalerie, artillerie** ; train, circulation ; blindés, transmissions, matériel. – Infanterie coloniale (fam. : les marsouins ; arg. : la Marsouille). – Légion étrangère.

4 Marine. – Armée de mer. – **Flotte** ; forces maritimes, forces navales ; marine de guerre.

5 Armée de l'air. – Aviation **831,** aviation militaire ; **forces aériennes.**

6 Services. – Approvisionnements, intendance [anc.], ravitaillement. – Service de santé. – Génie, transmissions.

7 Commissariat de l'air, Commissariat de l'armée de terre, Commissariat de la marine. – Amirauté *(l'Amirauté)* [Royaume-Uni]. – **Commission** ; commission locale d'aptitude, commission de réforme, commission consultative des unités.

8 Contingent *(le contingent)* ; réserve active. – **Formation,** unité de combat ; bataillon, compagnie, corps d'armée, division, escadre, escadron, escouade [anc.], peloton, régiment. – ANTIQ. : hipparchie, légion.

9 **Garde.** – Milice. – Relève de la garde. – Garde descendante, garde montante.

10 **Appelé** *(un appelé),* engagé, mobilisé. – Cadre de réserve, réserviste, réserviste volontaire. – Anc. : légionnaire ; mercenaire ; milicien. – **Garde** *(un garde)* **641.** – Planton. – Gendarme ; sapeur-pompier (ou : pompier, soldat du feu). – Recruteur [anc.].

11 **Combattant** (opposé à non-combattant), **soldat.** – Homme de troupe ; fam. : bidasse, troufion ; vieilli : poilu, troubade, troupier. – **Conscrit, recrue** ou, fam., bleu ; arg. : bleubite, bleusaille.

12 **Fantassin** ; arg. : biffin, bigorneau, grifton, griffe ; tirailleur ; zouave ; chasseur alpin ; porte-drapeau, porte-enseigne ou enseigne, porte-étendard, porte-fanion. – **Artilleur.** – Soldat, officier du train ; arg. : trainglot ou tringlot. – **Éclaireur,** guetteur **207,** tirailleur. – Embusqué *(un embusqué).* – Soldat de l'infanterie de marine ; marsouin. – Marin ; mataf ou matav [arg.]. – Aviateur ; parachutiste ou, fam., para. – HIST. : **cavalier,** chevau-léger, dragon, grenadier à cheval, **hussard,** lancier, spahi.

13 **Espion** ; agent de liaison, agent de renseignements, **agent secret,** agent spécial ; barbouze [arg.], sous-marin [fam.] ; contre-espion. – Agent double, taupe. – Contact, traitant. – La cinquième colonne [fam.].

14 **Gradé** *(un gradé).* – Officier ; arg. : bœuf, officemar ou off ; sous-officier ; arg. : sous-bite, sous-off. – Aide de camp. – Commissaire. – Commodore.

15 **Général,** général d'armée, général de corps d'armée, général de division, général de brigade. – **Colonel** ; lieutenant-colonel ; commandant ; chef de bataillon ou d'escadron. – **Capitaine** (arg. : capiston ou capistron, piston, pitaine). – **Lieutenant,** sous-lieutenant, enseigne de vaisseau [MAR.], aspirant, major. – Adjudant-chef, **adjudant** (arg. : adjupète, juteux). – Sergent-chef, maréchal des logis-chef. – Sergent ou, arg., serre-patte ; maréchal des logis ou, arg., margis. – Caporal-chef ; brigadier-chef ; **ca-**

poral (arg. : cabot, caperlot, nabo) ; brigadier ; quartier-maître [MAR.].

16 **Commandement** *(le commandement)* **133.** – Chef des armées ; commandant, commandant en chef, commandant en second ; chef d'état major.

17 Amiral de France ; Maréchal de France ; Maréchal d'Empire [HIST.].

18 Conscription. – **Service militaire** ou, fam., le service ; service national ; obligations militaires. – **Enrôlement,** mobilisation, rappel. – Incorporation ; préparation militaire ; **libération 461,** quille [arg. mil.].

19 Stationnement ; base, bivouac, **camp,** campement, cantonnement, **caserne,** tente. – Corps de garde. – Prison militaire ; lazaro [arg.].

20 **Grade** ; honneurs ; décoration, médaille militaire ; (arg. : médoche, méduche) ; galon ; bâton de maréchal ; maréchalat. – Drapeau, enseigne, fanion. – Livret militaire, papiers militaires ; feuille de route.

V. 21 **Armer** ; lever des troupes ; battre le rappel. – Appeler, mobiliser. – Embrigader, engager, **enrôler** ; enrégimenter. – Caserner, encaserner [péj.]. – Décorer, médailler. – Démobiliser, libérer.

22 **S'engager,** s'enrôler ; rempiler [fam.]. – Être sous les drapeaux.

23 Bivouaquer, camper.

24 Militariser. – Démilitariser.

Adj. 25 **Militaire** ; paramilitaire. – Aéroterrestre ; interarmes. – Soldatesque [litt., péj.]. – Appelé, mobilisé, réserviste.

Adv. 26 Militairement. – *Manu militari* (lat., « à main armée, par la force armée »).

42 ARMEMENT ANCIEN

N. 1 Armes de choc. – Marteau d'armes, masse d'armes, **massue** ; fléau d'armes, plombée ou plommée. – Coup-de-poing [ARCHÉOL.]. – Bélier.

2 Armes blanches. – Dard, épieu, hallebarde, javelot, **lance,** pique, sagaie ; baïonnette. – Cimeterre, claymore [angl.], **épée,** estramaçon, flamberge, fleuret, **glaive, sabre.** – Couteau, coutelas, dague, **poignard 42.** – Framée, francisque, hache d'armes, hache de guerre ; tomawak ou tomahawk.

3 Arbalète, **arc** ; carquois ; **flèche,** trait [litt.]. – Fronde, lance-pierres.

4 Baliste, **catapulte,** dondaine, propulseur.

5 Armes à feu. – **Arquebuse,** aspic, basilic, **bombarde,** cardinale, caronade, couleuvrine, crapaud, émerillon, escopette, espingole, faucon, mortier, mousquet, serpentin. – Boutefeu ou boute-feu.

6 Huile bouillante, poix ; feu grégeois.

7 **Armure,** cuirasse ; caparaçon. – Armet, **casque,** heaume. – Cotte de mailles, haubert. – Bouclier, écu.

8 **Chevalier,** lancier ; arbalétrier, archer. – Artilleur.

V. 9 Croiser le fer, ferrailler.

10 **Décocher,** décocher un trait ; catapulter, jeter **258.9,** lancer, projeter, tirer **820.**

43 ARMES

N. 1 **Armes.** – **Armement** ; arsenal, artillerie. – **Arme** ; arg. : article, outil. – Arme offensive ; arme défensive. – Armure **182.** – **Arme blanche** ; **arme à feu.** – Arme de jet ou de trait. – Arme d'hast [anc.]. – Arme de main ; arme de poing. – Arme légère, arme lourde ; arme collective. – **Arme automatique,** arme semi-automatique. – Arme de destruction massive. – Arme absolue. – Armement conventionnel ou classique. – Système d'arme.

2 DR. – **Arme par nature,** arme par l'usage ; arme par destination ; arme prohibée. – Port d'armes ; permis de port d'armes.

3 Armes blanches. – **Couteau,** couteau à cran d'arrêt ; **poignard,** stylet ; vendetta ; kriss ; rasoir ; canne-épée ; sabre. – Arg. : achille, aiguille à tricoter, brutal *(un brutal),* cran d'arrêt ou cran, **lame,** lardoire, lingue, pointe, **schlass, surin.** – Vx : eustache, rallonge.

4 **Matraque** ; gourdin, masse, **massue.** – Anguille ; nerf de bœuf. – **Coup-de-poing,** coup-de-poing américain. – Lance-pierres. – Nunchaku.

5 Armes à feu. – **Pistolet, revolver.** – Arg. : arbalète, arquebuse, calibre, **feu,** flingot, **flingue, pétard.**

6 **Carabine,** rifle ; **fusil,** fusil-mitrailleur ou F. M. ; arg. : clairon, pétoire, tube [vx].

7 **Mitraillette** (ou : pistolet-mitrailleur, pistolet mitrailleur, P. M.) ; sulfateuse [arg.]. – Pistolet automatique ; beretta, browning, colt, mauser.

8 **Bouche à feu** ; bazooka ou lance-roquettes. – **Canon** ; bitube ; crapouillot [vx], mortier,

obusier, orgues de Staline, pièce d'artillerie ; mitrailleuse ou canon automatique. – La grosse Bertha [HIST.]. – Puissance de feu.

9 **Artillerie** ; batterie, faisceau.

10 Barillet, chambre, **chargeur,** logement, magasin. – Âme *(âme du canon),* tonnerre ; **bouche, tube** ; **canon.** – Chien, culasse, **détente,** extracteur, **gâchette,** glissière, percuteur. – Crosse. – Affût ; fût ; berceau. – Lame ; gouttière ; garde. – Calibre *(petit calibre, gros calibre).*

11 **Blindé** *(les blindés)* ; véhicule blindé ; autochenille, automitrailleuse, automoteur, **char,** char d'assaut, char de combat, chenillette, half-track, panzer, tank.

12 **Aéronavale** *(l'aéronavale).* – Aviation ; avion **831** ; **avion de chasse,** avion de combat ; **chasseur** ; **bombardier,** chasseur-bombardier ; intercepteur. – Escadrille ; formation aérienne.

13 Bâtiment **830, bâtiment de guerre** ; bâtiment ou vaisseau de ligne. – **Chasseur,** chasseur de mines, dragueur ; chasseur de sous-marins ; cuirassé, contre-torpilleur ou destroyer. – Croiseur, escorteur ; aviso. – Canonnière. – Porte-aéronefs ; **porte-avions,** porte-hélicoptères. – **Sous-marin** ; submersible *(un submersible),* sous-marin nucléaire lanceur d'engins (S. N. L. E.).

14 **Explosif** *(un explosif)* ; cocktail Molotov ; **dynamite,** nitroglycérine, plastic ou explosif plastique ; T. N. T. (trinitrotoluène). – Explosif de sécurité. – **Poudre.** – Amorce, amorce détonante ou détonateur.

15 **Projectile** ; **munition** ; douille, étui, gargousse. – Cartouche, cartouche à blanc ; **balle** ; balle dum-dum, balle explosive. – Charge. – Chevrotine, mitraille, plomb ; plomb de chasse. – Mine. – **Obus,** obus à balles (ou : shrapnell, shrapnel) ; **boulet** [anc.]. – Grenade. – Roquette. – Tête chercheuse.

16 **Armes spéciales** ou armes N. B. C. (Nucléaire, Biologique, Chimique) ; arme atomique (ou : arme nucléaire, force de frappe), arme bactériologique, arme chimique. – **Bombe** ; bombe atomique ou bombe A, bombe à hydrogène ou bombe H, bombe à neutrons ; bombe cluster, bombe à fragmentation ; bombe au napalm, bombe au phosphore ; fusée ou, vx, bombe volante ; torpille. – **Missile** ou, vieilli, engin, missile stratégique, missile tactique ; missile air-air, missile mer-sol, missile sol-sol, missile antichar ; missile de croisière.

17 **Gaz de combat** ou agent chimique ; gaz *(les gaz)* [cour.]. – Gaz asphyxiants, gaz incapacitants, gaz suffocants, gaz vésicants ; **gaz moutarde** ou ypérite, sulvinite, surpalite, tabun, vincennite. – Gaz lacrymogène. – Gaz défoliants ; défoliant *(un défoliant).* – Napalm.

18 **Armurerie** ; arsenal, manufacture d'armes. – Forerie.

19 **Armurier.** – Fabricant d'armes ; marchand de canons [péj.].

20 Buffleterie ; cartouchière.

V. 21 **Armer,** équiper. – Appeler aux armes.

22 Armer *(armer un pistolet)* **820.**

23 Tirer **820.** – **Tuer 534.32** ; abattre. – Passer par les armes ; fusiller. – Poignarder. – Gazer.

24 **S'armer.** – Prendre les armes.

Int. 25 Aux armes ! **487.**

Aff. 26 Hoplo-.

44 ARRESTATION

N. 1 **Arrestation.** – DR. : appréhension, contrainte par corps, prise de corps ; arrêt [vx]. – Arg. : alpague, emballage, scalp.

2 DR. – Arrestation administrative ; arrestation légitime ; arrestation arbitraire, arrestation illégale.

3 DR. – Mandat d'amener, **mandat d'arrêt** ou de dépôt, ordonnance de prise de corps. – Clameur de haro [DR. ANC.]. – Arrêté d'expulsion.

4 Capture, prise ; **coup de filet.** – Descente de police ou, fam., **descente.** – **Rafle** ; arg. : coup de raclette, coup de serviette, coup de torchon. – Ratissage ; campagne de pêche [arg.].

5 **Menottes** ; anc. : cabriolet, poucettes. – Arg. : bracelets, manchettes, pinces.

6 Car de police, fourgon cellulaire ; **panier à salade** [fam.] ; arg. : ballon, raclette.

7 Commissariat de police. – Arg. : lardu, quart ; collège [vx]. – Poste de police ou poste ; dépôt.

8 Cellule **208,** chambre d'arrêt ou de sûreté ; violon [arg.].

9 Police **641** ; policier ; la Maison J't'arquepince [arg.].

10 **Inculpé,** mis en examen *(un mis en examen),* prévenu. – Détenu *(un détenu)* **208.**

V. 11 **Arrêter** ; attraper, prendre, saisir ; sout. : appréhender, capturer. – Vx : captiver, empoigner, gripper. – Fam. : choper, cueillir, **embarquer,** ramasser ; coincer, épingler, pincer, piquer. – Arg. : agrafer, **alpaguer,** arquepincer, coiffer, emballer, poisser, poivrer, scalper ; faire un crâne.

12 S'emparer de ; faire arrêt sur la personne de [vieilli]. – Fam. : mettre la main ou tomber sur le paletot de. – Arg. : faire à la brouille, faire aux pattes, faire marron, faire au fil. – **Prendre** ou **saisir au collet** ; mettre la main au collet de. – Menotter [rare] ; emmenotter [vieilli] ; mettre ou **passer les menottes à.**

13 **Prendre en flagrant délit** ; arg. de police : prendre en flag ; faire un flag. – Prendre ou saisir sur le fait ; prendre la main dans le sac, prendre sur le tas [fam., vieilli].

14 **Se jeter** ou **tomber dans une souricière.** – Arg. : passer à la fabrication, se faire faire, se faire gauler (ou : servietter, tâter) ; avoir la patte cassée, être dans le sac.

Adj. 15 **Arrêté** ; appréhendé. – En état d'arrestation. – Fam. : fait, fait comme un rat.

16 Arg. – Alpagué ou alpaga, marron ; fabriqué, flambé, rousti ; pris de mal, fait marron, fait aux pattes.

Int. 17 Haro ! [DR. ANC.].

45 ARRIVÉE

N. 1 **Arrivée, venue.** – **Entrée 278.** – Incursion, survenue. – Apparition **34.**

2 **Abord** [sout.] ; accès. – **Débarquement** ; atterrissage **831** ; alunissage **48** ; abordage **830.**

3 Affluence, afflux ; immigration **288.**

4 **Arrivage** ; importation **135.** – **Réception 688.**

5 **Arrivée** ; ligne d'arrivée, point d'arrivée. – **Gare d'arrivée 833,** quai de débarquement. – **Accueil 368.**

6 **Arrivant** *(les arrivants et les partants).* – Arrivé *(un arrivé de fraîche date)* ; nouvel arrivé, nouveau venu **560.** – Immigrant *(un immigrant),* immigré *(un immigré)* **288.**

V. 7 **Arriver, venir** ; **parvenir** ; arriver à destination ; arriver au but, arriver au port ou à bon port **86.** – Immigrer **288.**

8 **Aborder,** accéder. – Approcher [vx] ; **atteindre, gagner,** toucher.

9 **S'avancer** ; s'approcher de **685.** – Aller.

10 **Atterrir 831** ; alunir ; accoster **830.** – **Débarquer** ; mettre pied à terre, toucher terre ; arriver au port ou à bon port, toucher le port.

11 Être arrivé, être bien arrivé, **être rendu.**

12 Accueillir **368, recevoir 688.** – Attendre **51,** espérer.

13 **Réceptionner.**

14 Arriver, se produire **5.**

Adj. 15 **Arrivant** ; arrivé. – Immigrant, immigré.

Prép. 16 À, chez, dans ; sur.

Int. 17 Bienvenue ! **368.**

46 ART

N. 1 **Tendances artistiques** ; courants picturaux ; **écoles, mouvements.**

2 Art figuratif, art non figuratif. – Peinture naïve ; art nègre. – **Art profane, art sacré.**

3 XIe-XIIe s. – **Art roman.** – Art hispano-mauresque [930-1492].

4 XIIIe s. – Style east-anglian [angl.].

5 XIVe s. – École de Bourgogne.

6 XVe s. – École d'Avignon, école de Bourgogne [fin du XIVe-début du XVe s.], école de Cologne. – **Gothique** ; gothique international [1380-1450.] – **Renaissance italienne** (Quattrocento).

7 XVIe s. – **Renaissance européenne** ; école du Danube [1500-1530] ; école de Fontainebleau. – Contre-Réforme ; maniérisme. – Baroque italien. – École de Frankenthal [Pays-Bas ; 1587].

8 XVIIe s. – **Classicisme.** – Caravagisme.

9 XVIIe-XVIIIe s. – **Baroque espagnol** ; **baroque d'Europe centrale** [fin du XVIIe - début du XVIIIe s.]. – Sporting painting [XVIIIe-XIXe s. ; Grande-Bretagne].

10 XVIIIe s. – **Classicisme.** – Védutisme ; **néoclassicisme** [seconde moitié du XVIIIe - début du XIXe s.] ; style troubadour.

11 XIXe s. – **Romantisme** [1824-1840] ; orientalisme. – **Académisme** ; art pompier [seconde moitié du XIXe s.] ; éclectisme [1850-1900]. – Les nazaréens [All.] ; école de Norwich [Grande-Bretagne 1805]. – **Réalisme, naturalisme** ; école de Barbizon [milieu du XIXe s.] ; école d'Honfleur ; **pleinairisme** [seconde moitié du XIXe s.]. – Symbolisme [1855] ; préraphaélisme. – Style Biedermeier [BIEDERman, BumelMEIER 1850]. – **Impressionnisme** [1869-1875]. – Nabis [1888] ; cloisonnisme ou synthétisme [1888] ; école de Pont-Aven. – **Post-impressionnisme** [fin du XIXe-début du XXe s.]. – Les Vingt [Belgique 1884]. – Néo-impressionnisme [1885-1890] ; divisionnisme, pointillisme ; japonisme [dernier quart du XIXe s.]. – Bande noire

[fin du XIXe s.]. – Hudson River School [États-Unis ; deuxième quart du XIXe s.]. – **Art nouveau** [1890-1905], Jugendstil [Allemagne fin du XIXe s.]. – **Expressionnisme** [fin du XIXe s.].

12 XXe s. – Fauvisme [1899-1905] ; école de Paris [début du XXe s.]. – **Cubisme** [1907]. – The Eight [États-Unis 1908]. – **Futurisme** [1909] ; **art abstrait** [1910]. – Blaue Reiter [1911]. – Simultanisme [1912]. ; orphisme [1913] ; abstraction géométrique [1914] ; vorticisme [Grande-Bretagne 1914]. – West Coast Style [États-Unis 1914]. – Suprématisme [1915]. – Peinture métaphysique [Italie]. – Néoplasticisme [1917] ; De Stijl [Pays-Bas 1917]. – Réalisme socialiste [1918] ; *Die Neue Sachlichkeit* (« la Nouvelle Objectivité ») [Allemagne 1918] ; Bauhaus [Allemagne] ; *Vkhoutemas* [U.R.S.S. 1920-1926]. – Muralisme [Mexique]. – Novecento [1920], constructivisme. – Kapisme ou luminisme polonais [1923]. – Surréalisme [1924] ; Art déco [1925] ; expressionnisme abstrait [États-Unis]. – Abstraction-création [1931].

13 Après-guerre. – Misérabilisme [1945] ; **abstraction lyrique** (action-painting, dripping [États-Unis ; 1947]) ; art brut [1948] ; Cobra [COpenhague BRuxelles Amsterdam ; 1948]. – Groupe Zéro [Allemagne ; 1957]. – **Art minimal** [1965] ; art pauvre ; art conceptuel [1967]. – Art corporel. – Cinétisme [fin des années 50] ; tachisme [années 50] ; op'art [1960] ; happening ; **pop art** ; [1960] ; **nouveau réalisme** [1960]. – Hyperréalisme [fin des années 60] ; land art ; Support-surface [1970]. – Bad painting [États-Unis, 1978]. – Trans-avant-garde [Italie 1979]. – Action, performance.

Adj. 14 **Artistique, pictural.**

15 **Gothique,** roman ; giottesque. – **Baroque,** classique, maniériste, rococo ; caravagesque ou caravagiste, michélangelesque, raphaélesque, rembranesque, rubénien.

16 Divisionniste, éclectique, **impressionniste,** misérabiliste, naturaliste, néoclassique, néo-impressionniste, orientaliste, pointilliste, pompier, postimpressionniste, préraphaélite, **réaliste, romantique,** symboliste.

17 **Abstrait,** constructiviste, **cubiste,** cybernétique, dadaïste, expressionniste, fauve, futuriste, hyperréaliste, luministe, minimaliste, muraliste, naïf, néodadaïste, néoréaliste, nuagiste, précisionniste, primitiviste, suprématiste, **surréaliste,** tachiste, vorticiste.

47 ASCÈSE

N. 1 **Ascèse,** ascétisme. – Vie spirituelle. – Continence, tempérance **810** ; privation, **renoncement.** – Abstinence, jeûne ; chasteté **108.** – Austérité ; dépouillement. – Pénitence *(la pénitence)* ; mortification, flagellation. – Stigmatisation. – Ahimsa **362.**

2 **Ascétisme,** stoïcisme. – Puritanisme, rigorisme. – HIST. : gymnosophie, gymnosophisme.

3 Anachorétisme, cénobitisme, érémitisme **525.**

4 Ascétère [rare], ermitage ; désert, thébaïde [HIST.]. – Vihara [bouddhisme]. – Ashram [hindouisme].

5 Cilice, haire.

6 Stigmate *(les stigmates).*

7 **Ascète,** ascétère [rare]. – Pénitent ; flagellant [HIST.]. – Anachorète, cénobite, **ermite,** solitaire, stylite ; vx : exercitant. – Père du désert [HIST.] ; Thérapeute [HIST. RELIG.]. – Islam : fakir, **soufi 440.** – Bouddhisme **80 :** bhikkhu, bhiksu. – Hindouisme : renonçant, sannyasin, shadu, yogi ; HIST. : gymnosophiste, gyrovague.

V. 8 Ascétiser [litt.]. – Jeûner. – Mortifier ; affliger ou macérer la chair, châtier la chair, mater la chair. – **Faire pénitence** ; faire pénitence avec le sac et la cendre [vx].

9 Stigmatiser.

Adj. 10 **Ascétique.** – Cénobitique, érémitique, monacal.

11 Puritain, rigoriste ; abstinent, chaste, continent.

12 Ascétique ; macéré.

Adv. 13 **Ascétiquement.**

48 ASTRONAUTIQUE

N. 1 **Astronautique** *(l'astronautique),* navigation interplanétaire. – Air **20** ; **espace** *(l'espace).*

2 Vaisseau *(vaisseau lunaire, vaisseau spatial)* ; engin, **fusée,** lanceur spatial, navette spatiale ; astronef [vieilli]. – Orbiteur ; **satellite,** station orbitale. – Parties d'une fusée : coiffe ; **capsule** ; cabine ; **étages** ; moteurs ; réservoirs ; propulseurs, propulseurs d'appoint.

3 Fusée-sonde ; **sonde spatiale** ; sonde lunaire.

4 Combinaison de vol, combinaison spatiale ; combinaison anti-G.

5 **Vol** ; vol habité. – **Lancement** ; injection, mise en ou sur orbite. – Mission d'exploration ; sor-

tie dans l'espace. – **Rencontre spatiale** ; accostage, amarrage. – **Alunissage** ou, recomm. Acad., **atterrissage.** – Amerrissage. – Désatellisation ou décrochage.

6 Aire de lancement, **base de lancement** ou champ de tir. – Cosmodrome [ex-U. R. S. S.]. – Pas de tir ; banc d'essai ; carneau.

7 **Apesanteur** ou impesanteur, microgravité ou micropesanteur.

8 Astronomie nautique ; **fuséologie.**

9 Aérospatiale *(l'aérospatiale),* industrie aérospatiale.

10 **Astronaute,** cosmonaute, **spationaute,** taïkonaute. – Aéronaute **831.**

11 Astronauticien ; fuséologue.

V. 12 **Lancer.** – Mettre en ou sur orbite.

13 Voler ; orbiter. – **Atterrir** [recomm. Acad.] ou alunir. – Amerrir **831.18.**

Adj. 14 **Astronautique** ; aérospatial. – Satellitaire. – **Orbital,** suborbital. – Géostationnaire.

15 **Interplanétaire,** planétaire, **spatial** ; cosmique, intersidéral.

16 Circumlunaire, lunaire ; circumterrestre.

Aff. 17 **Astro-, spatio-** ; cosmo- ; -naute, -nautique.

49 ASTRONOMIE

N. 1 **Astronomie** ; astrométrie ou astronomie de position, astrophysique, cosmologie ; cosmogonie. – Astrochimie ou cosmochimie ; exobiologie ou bioastronomie ; radioastronomie. – Cosmographie. – Mécanique céleste. – Planétologie ; aéronomie. – Uranographie [vx] ; uranométrie [vx]. – Astronautique **48.**

2 Cosmos, **univers** ; **ciel** (pl. : cieux, ciels), firmament [litt.], zodiaque ; voûte céleste. – Empyrée [litt.].

3 HIST. DE L'ASTRONAUT. – Cieux de cristal, huitième ciel ou ciel des étoiles, sphère des fixes ; éther, matière subtile ; premier mobile. – Cercle déférent ou déférent, épicycle. – Géocentrisme, héliocentrisme.

4 Astre, **étoile,** luminaire [vx]. – Étoile naine ; naine blanche, naine brune. – Nova, supernova. – Étoile à neutrons, pulsar. – Céphéide. – Étoile géante ; géante rouge ; supergéante. – Trou noir.

5 **ÉTOILES**

Achernar
Acrux
Adhara
Agena
Alamar
Albireo
Alcor
Aldébaran
Aldéramin
Algénib
Algieba
Algol
Alkaïd
Almal
Alphard
Al Suhaïl
Altaïr
Antarès
Arcab
Arcturus
Arneb
Baten Kaïtos
Bellatrix
Bételgeuse
Canopus
Capella
Castor
Deneb
Diadem
Dubhé
Éli
Enif
L'Épi
Etamin
Étoile de Barnard
Fomalhaut
Gemma
Hamal
Hyades
Izar
Kochab
Markab
Megrez
Merak
Mesarthim
Mimosa
Mira Ceti
Mirach
Mirfak
Mizar
Phakt
Phekda
Pléiades
Pollux
Praesepe
Procyon
Proxima
Ras Algethi
Ras Alhague
Régulus
Rigel
Rigel kentarus
Sadalmelek
Saïph
Scheat
Shaula
Sirius
Sirrah
Spica
Toliman
Unuk
Véga
Vindemiatrix

6 **Planète** ; satellite ; lune ou lunule *(les lunes de Jupiter)* [vx]. – Planétésimale, planétoïde, protoplanète. – **Astéroïde,** EGA (sigle de l'angl. *earth-grazing* ou *earth-grazer asteroid,* « astéroïde frôlant la Terre »), planétoïde. – Exoplanète. – **Comète** ; chevelure, noyau, queue.

7 **Système solaire** ; Soleil 777 *(le Soleil)* ; Mercure, Vénus, Terre *(la Terre),* Mars, Jupiter, Saturne, Uranus, Neptune, Pluton.

8 **Soleil** 777. – Chromosphère 777.7, couronne, photosphère ; disque, limbe. – Héliographie **777.8.**

9 **Lune 474.** – Phases de la Lune **474.3** ; lunaison **474.4.** – Cirques, cratères **474.7,** mers. – Sélénographie **474.8,** sélénologie.

10 **SATELLITES**

Satellite de la Terre :
Lune
Satellites de Mars :
Deimos
Phobos
Satellites de Jupiter :
Adrastée
Amalthée
Ananke
Callisto
Carme
Elara
Europe
Ganymède
Himalia
Io

Leda
Lysithea
Métis
Pasiphae
Sinope
Thébé
Satellites de Saturne :
Atlas
Calypso
Dioné
Encelade
Épiméthée
Hélène
Hypérion
Janus
Japet
Mimas
Pandore
Phœbé
Prométhée
Rhéa
Telesto
Téthys
Titan
Satellites d'Uranus :
Ariel
Belinda
Bianca
Cordelia
Cressida
Desdémona
Juliet
Miranda
Obéron
Ophélia
Portia
Puck
Rosalind
Titania
Umbriel
Satellites de Neptune :
Néréide
Triton
Satellite de Pluton :
Charon

11 **Météorite** ; aérolithe [vieilli] ; achondrite, chondrite, sidérite, sidérolithe ou lithosidérite. – Chondre. – **Météore** ; bolide, **étoile filante,** étoile tombante [vx].

12 ESSAIMS DE MÉTÉORITES

Aquarides
Ariétides
Capricornides
Cygnides
Draconides
Géminides
Giacobinides
Léonides
Lyrides
Orionides
Perséides
Quadrantides
Taurides
Ursides

13 Amas stellaire ; amas globulaire, amas ouvert. – **Nébuleuse** ; nébuleuse diffuse, nébuleuse obscure, nébuleuse planétaire ; nébuleuse primitive. – **Galaxie** *(une galaxie)* ; galaxie elliptique, galaxie à grumeaux, galaxie irrégulière, galaxie lenticulaire, galaxie spirale ; radiogalaxie ; **quasar** (acronyme de l'angl. *quasi stellar astronomical radiosource*). – Bras spiral, jet. – Amas de galaxies, superamas, supergalaxie ; métagalaxie. – **Galaxie** *(la Galaxie),* **Voie lactée** ; groupe local, amas local, superamas local.

14 Matière interstellaire ; gaz interstellaire, poussière interstellaire.

15 CONSTELLATIONS

Hémisphère Nord
Andromède
Cassiopée
Céphée
Chiens de Chasse
Cocher
Couronne boréale
Cygne
Dragon
Girafe
Grande Ourse
Hercule
Lézard
Lynx
Lyre
Orion
Persée
Petite Ourse
Petit Lion
Triangle
Équateur
Aigle
Balance
Baleine
Bélier
Bouvier
Cancer ou Écrevisse
Capricorne
Chevelure de Bérénice
Corbeau
Coupe
Croix du Sud
Dauphin
Écu de Sobieski
Éridan
Flèche
Gémeaux
Grand Chien
Hydre femelle
Licorne
Lièvre
Lion
Ophiucus
Pégase
Petit Cheval
Petit Chien
Petit Renard
Poissons
Sagittaire
Scorpion
Serpent
Sextant
Taureau
Verseau
Vierge
Hémisphère Sud
Atelier du Sculpteur
Autel
Boussole
Burin
Caméléon
Carène
Centaure
Chevalet du Peintre
Colombe
Compas
Dorade
Fourneau
Grue
Horloge
Hydre mâle
Indien
Loup
Machine pneumatique
Microscope
Mouche
Octant
Orion
Paon
Phénix
Poisson austral
Poisson volant
Poupe
Règle
Réticule
Table
Télescope
Toucan
Triangle austral
Voiles

16 Globe céleste, uranorama [vx] ; sphère armillaire [vx]. – Mappemonde céleste, planisphère céleste. – Planétarium.

17 **Observatoire.** – **Lunette** ou réfracteur **574** ; lunette méridienne ou lunette des passages. – **Télescope** ou réflecteur ; cœlostat, héliostat, sidérostat. – Spectrographe, spectrohéliographe, spectroscope, spectrophotomètre ; polarimètre, photomètre ; coronographe. – Sonde spatiale.

18 Uranologie *(une uranologie)* [vx]. – Éphémérides, tables astronomiques. – Cadran solaire **118,** gnomon.

19 Cours (ou : course, marche) des astres, mouvement apparent, mouvement propre, mouvement réel ; vitesse radiale. – **Révolution 733** ; révolution sidérale, révolution synodique ; rétrogradation, station. – Précession des équinoxes. – Culmination, digression. – **Éclipse** ; émersion, immersion, occultation ; saros. – Conjonc-

tion ; conjonction inférieure, conjonction supérieure ; opposition ; quadrature ; élongation, plus grande élongation.

20 **Orbite** ; orbe. – Écliptique ; nœud, ligne des nœuds ; apside, ligne des apsides. – Apoastre ; aphélie, apogée, apolune, aposélène. – Périastre ; périgée, périhélie, périlune, périsélène.

21 Almicantarat, cercle de hauteur, parallèle de hauteur ; axe horaire, cercle horaire, colure ; équateur céleste, horizon céleste, méridien céleste, pôle céleste ; axe du monde. – Couronne, sphère *(sphère céleste, sphère des fixes* ou *sphère locale).* – Ascension droite, azimut, déclinaison, distance zénithale, hauteur. – Équinoxes, solstices ; points équinoxiaux ; point vernal ou point gamma. – Nadir, zénith. – Apex.

22 Atmosphère, ionosphère, mésosphère, stratosphère, thermosphère ; hétérosphère, homosphère ; exosphère. – Chromosphère, photosphère. – Champ gravitationnel, gravisphère ; champ magnétique, magnétosphère.

23 Éclat stellaire, luminosité, **magnitude** *(magnitude absolue, magnitude apparente, magnitude photoélectrique, magnitude photographique, magnitude photovisuelle, magnitude radiométrique, magnitude visuelle)* ; scintillation. – Spectre. – Parallaxe stellaire.

24 Théorie de l'expansion de l'univers ou **théorie du big bang** ; univers ouvert. – Univers fermé ; big crunch.

25 **Année de lumière** (ou, emploi critiqué et vieilli, année-lumière [al]) ; unité astronomique (ua) ; parsec (parallaxe-seconde, [pc]), kiloparsec, mégaparsec.

26 **Astronome.** – **Astrophysicien** ; cosmologiste ou cosmologue. – Astrobiologiste, bioastronome, exobiologiste ; astrochimiste. – Astrométriste, cosmographe. – Radioastronome. – Aéronome. – **Astronaute, cosmonaute,** spationaute.

27 Astrologue **235** ; mage.

28 Eudoxe, Aratos *(les Phénomènes),* Hipparque, Ptolémée *(l'Almageste),* Ulugh Beg, Tycho Brahe, Copernic, Bayer *(Uranometria),* Kepler *(Astronomia nova, Harmonices mundi),* Galilée *(Dialogo sopra i due massimi sistemi del mondo),* Descartes *(le Monde ou Traité de la lumière),* Huygens, Newton, Hevelius, Herschell, Laplace, Hubble, Einstein ; Flammarion *(Astronomie populaire, les Étoiles et les curiosités du ciel).*

29 Uranie (muse de l'Astronomie).

V. 30 **Se lever,** émerger ; culminer ; décliner ; se coucher. – Orbiter.

31 Consteller. – **Briller, scintiller** ; pulser.

32 Éclipser, occulter ; voiler. – Défluer.

Adj. 33 **Astronomique.** – **Cosmique,** galactique. – Cosmogonique. – Astral, sidéral ; intersidéral ; zodiacal. – Cométaire. – Stellaire ; interstellaire. – Planétaire ; jovien, martien, saturnien, **terrestre,** vénusien ; **lunaire,** sélénien ou sélène. – **Solaire,** extrasolaire.

34 Écliptique. – Héliaque. – Synodique.

35 Équatorial, équinoxial, polaire ; austral, boréal, tropical. – Circumpolaire. – Zénithal. – Parallactique.

36 **Étoilé** ; constellé.

Aff. 37 Astér-, astéro-, astr-, astro- ; sidér-, sidéro-. – Galact-, galacto-. – Cosm-, cosmo-.

38 -cosme, -cosmie, -cosmique.

39 Géo- ; hélio- ; sélén-, séléno-.

50 ATTAQUE

N. 1 **Attaque** ; **agression.** – Attentat. – **Assaut, charge, offensive,** sortie. – Contre-attaque, contre-offensive **182.** – Riposte.

2 **Hostilités 354** ; bagarre **146.** – **Provocation** ; menace.

3 Conquête ; reconquête ; **prise** ; siège ; mise à sac, pillage **205.** – Blocus. – Incursion **487, invasion** ; coup de maître.

4 **Engagement,** entreprise **279.** – Initiative. – Attaque, **commencement 134.9.**

5 MIL. – Alliance offensive et défensive ; retour offensif.

6 Fig. – **Attaque** *(attaque verbale)* ; accusation, agression, calomnie **439, charge, critique,** diatribe, sortie ; **affront,** bravade, défi ; **fronde.**

7 **Agressivité,** hostilité, violence **865** ; combativité.

8 Arme offensive **43.** – Machine de guerre [fig.].

9 SPORTS. – Ligne d'attaque ou, absolt, attaque ; avant.

10 **Attaquant** ; **assaillant** ; assiégeant ; **agresseur.** – Conquérant **861.**

11 **Frondeur** [litt., vx].

12 Assiégé *(l'assiégé).*

V. 13 **Attaquer** ; **agresser.** – Assaillir, **donner l'assaut à.** – Absolt : attaquer, donner l'assaut ; passer à l'attaque ou à l'offensive ; prendre l'offensive.

14 **Conquérir,** faire la conquête de ; reconquérir. – **Envahir, prendre,** prendre d'assaut.

15 **S'attaquer à** ; **s'en prendre à.** – Prendre à partie ; **affronter,** défier.

16 Fig. Attaquer ; **agresser 572.9** ; calomnier, critiquer, dénigrer, dézinguer [arg.], fronder [litt.]. – **Braver** ; entreprendre [vx].

17 Commencer, **engager,** entreprendre.

Adj. 18 **Attaquant** ; **agresseur** [sout.]. – Assaillant ; assiégeant.

19 Agressif **497** ; combatif, **offensif.** – Provocant ; **provocateur** ; querelleur **130.**

20 Offensif. – **D'attaque,** de choc **115,** de combat ; d'assaut.

21 **Attaquable, vulnérable.**

Adv. 22 **Offensivement.** – Agressivement.

Int. 23 **À l'attaque !** – Feu !

51 ATTENTE

N. 1 **Attente,** escompte [litt.], espérance, **espoir 285,** expectation, expectative. – Présomption, prévision **671.** – Calcul, **projet 373.** – Crainte **619** ; souhait.

2 Attente, faction, quart, **veille.** – Affût, espère [vx], **guet,** veille. – **Salle d'attente,** salle des pas perdus ; antichambre, parloir ; file, queue.

3 Attentisme, immobilisme.

4 Sentinelle. – Planton.

V. 5 **Attendre,** compter sur, escompter [litt.], tabler sur ; avoir la perspective de, avoir en vue. – Calculer, **projeter** ; se promettre de. – Présager, pressentir, présumer, **prévoir.** – Craindre ; **espérer,** souhaiter, vouloir **870.**

6 Attendre, **guetter,** veiller ; être de quart, faire faction ou être de faction, faire sentinelle, monter la garde.

7 Faire antichambre, faire la queue ; **patienter 601** ; être sur des charbons ardents, s'impatienter **382.** – Compter les clous de la porte, croquer le marmot [vx]. – Fam. : droguer [vx], lanterner, poser, **poireauter** ; faire le pied de grue (aussi : le planton, le poireau) ; prendre racine ; croupir, languir, mariner, mijoter, moisir. – Demeurer, **rester** ; rester en carafe [fam.], rester en souffrance.

8 Attendre, observer un délai ; faire une pause ou une halte, **s'arrêter.**

9 Différer, remettre, **retarder 724.** – Amuser, promener ; tenir le bec dans l'eau. – Faire attendre sous l'orme, faire lanterner [fam.] ; se faire désirer.

Adj. 10 Annoncé, **attendu,** escompté, espéré ; pressenti, prévu. – En hibernation, **en suspens,** sous le coude ; au Frigidaire, au placard, au réfrigérateur.

11 Attendant [rare], expectant ; expectatif. – À l'affût, aux aguets, de planton.

Prép. 12 Dans l'attente de.

52 ATTENTION

N. 1 **Attention.** – **Conscience,** vigilance ; fig. : écoute, présence, veille **851.** – Application, **concentration,** tension ; contention d'esprit [didact.]. – Contemplation, observation **868** ; méditation **682,** recueillement, récollection [RELIG.]. – **Soin 774,** sollicitude.

2 PSYCHOL. – Attention constituante, attention constituée. – **Attention flottante.** – Attensité [rare]. – Intentionnalité [PHILOS.].

3 **Gardien 641,** guetteur, sentinelle, vigie. – Cerbère, dragon.

V. 4 **Prêter attention à** ; être à l'écoute de, prêter une oreille attentive à. – Vx : avoir attention pour, donner attention à ; avoir attention que.

5 Arrêter son esprit sur qqch, **s'arrêter à qqch.** – Attacher ou fixer son regard sur, tourner (ou : diriger, porter) son regard vers. – Considérer, contempler, **observer** ; examiner. – Reconsidérer, repenser.

6 **Se concentrer sur** ; s'appliquer à, s'attacher à, s'atteler à. – Se consacrer ou se livrer tout entier à, tendre ou bander son esprit vers, tourner toutes ses pensées vers ; se plonger dans. – Coller son nez sur [fam.].

7 **Faire attention,** prendre garde **674,** veiller ; veiller au grain. – Faire le guet, **guetter** ; avoir à l'œil [fam.], surveiller du coin de l'œil ; épier.

8 **Être à l'affût** (aussi : aux aguets, en éveil) ; avoir l'œil à tout, être tout yeux tout oreilles, être tout ouïe. – Dresser l'oreille ; **ouvrir l'œil,** ouvrir l'œil et le bon [fam.].

9 **Attirer l'attention,** forcer l'attention, retenir l'attention ; accrocher les regards.

10 Demander l'attention. – Signaler qqch à l'attention de qqn. – Pointer, souligner. – Nota bene (lat., « notez bien ») ou, abrév., N.B.

Adj. 11 **Attentif,** vigilant. – Appliqué. – Maniaque, méticuleux, minutieux.

12 Attentionné, prévenant.

Adv. 13 Attentivement, vigilamment [rare].

Prép. 14 À l'attention de.

Int. 15 **Attention !** – Fam. : Gaffe ! Gare !

53 ATTIRANCE

N. 1 **Attirance** ; amour **27,** goût **343,** intérêt, passion. – Penchant, propension, tendance ; faible **53.8,** prédilection, **préférence.** – Attraction, fascination.

2 **Affection,** amitié **26,** amour, inclination, sentiment, sympathie. – Affinité, affinités électives [litt.].

3 **Attirance,** attractivité, enchantement, séduction ; aimantation [fig., litt.], allèchement [litt.], attirement [vx].

4 **Attrait,** charme ; appas [litt.], attraits [litt.], charmes. – Accroche [PUBLICITÉ] **675.**

V. 5 **Attirer** ; amadouer, charmer, enjôler, **séduire.** – Attraire [vx], intéresser, plaire à, tenter. – Affrioler, aguicher, allécher. – Convier, **inviter** ; accrocher, engager ; attirer l'attention ou le regard. – Racoler [péj.].

6 **Captiver,** passionner, ravir ; faire courir. – Enchanter, ensorceler, **fasciner,** hypnotiser [fig.] ; attirer, prendre dans ses filets.

7 Agrainer [CHASSE], amorcer, **appâter 107,** appeler, leurrer.

8 **Préférer** ; prédilectionner [litt.] ; avoir un faible pour. – Être sous le charme de ; en tenir pour [fam., vieilli] ; craquer pour [fam.]. – Céder, céder à la tentation.

Adj. 9 **Attirant** ; attachant, attrayant, engageant, plaisant, séduisant, tentant ; **charmant,** piquant, ravissant ; affriolant [fam.], aguichant, alléchant, craquant [fam.]. – **Captivant,** ensorcelant, fascinant, prenant. – Agréable, attractif.

10 Accrocheur [fam.], aguicheur, raccrocheur ; charmeur, enchanteur, enjôleur.

11 Captivé, fasciné, ravi, **séduit** ; mordu [fam.].

54 ATTRACTION

N. 1 **Attraction** ; attirance [rare] **53,** attrait [vx]. – Magnétisme **478.**

2 PHYS. : **attraction,** force attractive ou force d'attraction **322.** – Attraction électrique, attraction magnétique ; attraction moléculaire. – **Attraction universelle** ; loi de l'attraction universelle ; loi de la chute des corps. – Interaction gravitationnelle ou interaction de gravitation ; **gravitation,** gravitation universelle ; gravité ou accélération gravitationnelle ; champ de gravitation ; gravisphère. – Centre de gravité. – Attraction terrestre, pesanteur **636.**

3 Centre d'attraction **95,** centre d'intérêt, point de mire, **pôle d'attraction** ; tire-l'œil [vx]. – **Attraction** *(une attraction),* numéro **123** ; parc d'attractions **448.**

4 BIOL., ÉTHOL. : interattraction ; stimulus attractif **793** ; phéromone ou phérormone ; signal sonore ; attractant *(un attractant)* [anglic.]. – Sphère attractive ou centrosome [CYTOL.].

5 LING. : attraction, attraction des genres, attraction modale, concordance des modes ; attraction temporelle **811,** concordance des temps **346** ; attraction paronymique **535.**

6 **Aimant** ; pierre d'aimant ou magnétite.

V. 7 **Attirer,** attraire [vx] **53.**

8 Amener à soi, ramener à soi, tirer à soi ou vers soi. – Aspirer, drainer **750,** pomper. – Absorber ; adsorber [didact.].

9 Charrier, emmener, emporter, **entraîner** ; dévier **212.** – Traîner **826.**

10 S'approcher de, tendre vers ; graviter vers [vx] ; graviter autour de [mod.].

Adj. 11 **Attractif** ; **attirant** ; attractant [didact.], attracteur [rare]. – Centripète. – Aspirant, aspirateur ou aspiratoire [didact.]. – Magnétique ; aimanté.

12 Didact. – **Gravitationnel** (ou : gravitatoire, gravifique [vieilli], gravitique [rare]). – Gravitatif. – Gravimétrique.

13 **Attirant 53,** attrayant, plaisant.

14 **Attirable.** – Absorbable, adsorbable [didact.].

15 Gravitant [rare].

55 AUDITION

N. 1 **Audition** ; ouïe *(l'ouïe).*

2 **Audition passive** ou audition. – **Audition active** ou auscultation ; auscultation immédiate, auscultation médiate [MÉD.]. – Audition colorée, audition gustative.

3 **Oreille externe** ; pavillon ; anthélix, hélix, ourlet ; conque ; lobe ou lobule ; antitragus, tragus. – Conduit auditif, point auriculaire ; creux de l'oreille, tuyau de l'oreille [fam.]. – **Oreille moyenne** ; caisse du tympan ; membrane du tympan ou tympan ; os lenticulaire, osselets (enclume, étrier, marteau) ; trompe d'Eustache ; fenêtre ovale, fenêtre ronde. – **Oreille interne** ; labyrinthe, canal semi-circulaire ; limaçon ou cochlée, rocher, vestibule ; aqueduc, saccule, utricule. – Nerf auditif.

4 **Oreille** ; esgourde [arg.], feuille [pop.], portugaise [pop.].

5 **Audibilité 781** ; audible *(l'audible)*. – Limite d'audibilité, seuil d'audibilité.

6 **Bourdonnement d'oreille 83,** sifflement **764,** tintement d'oreille, tintouin [vx]. – Acouphène [MÉD.]. – Hyperacousie [PATHOL.].

7 **Cérumen,** cire. – Bouchon de cérumen.

8 **Audiomètre, acoumètre** ; audimètre [TECHN.].

9 **Otoscope** ; stéthoscope. – **Appareil acoustique** ; tube acoustique, tuyau acoustique ; audiophone. – Vase acoustique [ANTIQ. GR.].

10 **Audiométrie** ; audiométrie tonale, audiométrie vocale, audiométrie objective ; acoumétrie.

11 **Audiologie** ; otologie ; audiophonologie. – **Acoustique** *(l'acoustique)* **781** ; bioacoustique *(la bioacoustique)*, catacoustique *(la catacoustique)*, électroacoustique *(l'électroacoustique)* **543.**

12 Audiogramme [SC.].

13 **Décibel,** décibel pondéré (symb. dB A, B, C...) ; phone *(un phone)* [PHYS.].

14 **Audiofréquence** ; fréquence acoustique ou fréquence musicale [SC.].

15 **Auditeur,** écoutant *(un écoutant)* [vx], écouteur [vx]. – Témoin auriculaire (opposé à témoin oculaire). – Auditif *(un auditif,* opposé à *un visuel)*. – Audiophile *(un audiophile)*.

16 **Audiométriste,** audiovisualiste [rare, didact.]. – Auriste [didact., vx], oto-rhino-laryngologiste ou oto-rhino. – Acousticien.

V. 17 **Entendre,** ouïr [vx]. – **Avoir de l'oreille,** avoir l'oreille fine ; avoir l'oreille juste, avoir l'oreille musicale, **entendre juste.** – Entendre des voix [iron.].

18 **Écouter** ; dresser, prêter, tendre l'oreille ; écouter de toutes ses oreilles, être tout oreilles, être tout ouïe, ouvrir grand ses oreilles [fam.], prêter une oreille attentive. – **Ausculter** [MÉD.]. – Audiovisualiser [didact.].

Adj. 19 **Auditif** ; acoustique, sonore.

20 SC. – **Audiologique,** audiométrique. – Audio-oral [didact.], audiovisuel. – Acousto-optique. – **Auriculaire,** otique [ANAT.] ; biaural ou binaural, biauriculaire ou binauriculaire.

21 Sourd **803** ; malentendant ; dur d'oreille [fam.].

Adv. 22 **Auditivement,** acoustiquement. – Auriculairement.

Aff. 23 Acou-, acous-, **audi-, audio-,** auri-, auro- ; **oto-.**

24 -acousie, -acoustique.

56 AUGMENTATION

N. 1 **Augmentation.** – **Accroissement,** augment [vx ou didact.] ; agrandissement, grossissement **351.** – **Intensification 427** ; sursaut [ASTRON.]. – Amplification, ampliation [PHYSIOL.]. – Dilatation, expansion **298,** extension ; arrondissement [fig.]. – Élévation, montée **531** ; crue. – Multiplication **539,** prolifération ; décuplement. – Accrétion. – Croissant [vx] **474.**

2 **Croissance, développement,** enrichissement **730.** – Sursaut ; bond, boom [anglic.] ; explosion, poussée. – Poussée démographique ; explosion démographique ; baby-boom [anglic.]. – Croît [AGRIC.].

3 **Inflation** ; hausse ; hausse des prix, hyperinflation ; stagflation ; majoration, relèvement ; plus-value ; valorisation [ÉCON.]. – Revalorisation ; enchérissement [vx], renchérissement, surenchérissement. – Crue [vx].

4 **Augmentation** *(une augmentation)*. – **Supplément,** surcroît ; addition, adjonction **9,** ajout ; fam. : rab, rabiot, rallonge. – Addenda, annexe, appendice ; apostille [DR.].

5 Augmentateur de poussée [TECHN.].

6 Augmentateur *(un augmentateur)* [rare].

V. 7 **Augmenter.** – Accroître, agrandir ; arrondir, gonfler [fam.] ; étendre, grossir.

8 Élever, hausser, rehausser ; **majorer** ; renchérir, surenchérir.

9 **Allonger,** prolonger, rallonger. – Ajouter, compléter, supplémenter. – Annexer, apostiller [DR.].

10 **Intensifier** ; MAR. : forcir, fraîchir. – Amplifier, monter *(monter le son, le volume)*. – Porter à son comble. – Fam. : faire mousser ; en rajouter, forcer la note. – Dramatiser, exagérer ; faire monter la mayonnaise [fam.].

11 Accélérer ; aller crescendo, aller croissant.

12 S'augmenter ; s'augmenter de qqch.

Adj. 13 **Augmentant,** croissant.

14 Amplifiant [rare], grossissant.

15 **Additif** ; complémentaire, supplémentaire. – Augmentatif [rare ou LING.].

16 **Augmenté** ; accru, agrandi, grossi ; **majoré.** – Augmenté *(intervalle augmenté)* [MUS.].

17 Augmentable.

Adv. 18 Davantage, plus. – De plus, de surcroît, **par surcroît.** – En plus, en sus ; de plus en plus.

19 MUS., ital. : accelerando, crescendo, fortissimo, sforzando.

20 Supplémentairement [didact.].

57 AUTOMOBILE

N. 1 **Automobile** ; automobilisme ; circulation ; **route** *(la route)* ; conduite ; comportement au volant, voiture. – Parc automobile.

2 Automobile ou, fam., auto **833.** – Véhicule utilitaire, voiture de tourisme, voiture de course, voiture de sport. – Voiture électrique.

3 **Moteur,** moteur à explosion, moteur Diesel, moteur à injection, moteur multisoupapes, turbo ; flat-twin [anglic.]. – Moteur hybride. – Motorisation **476.** – Accélérateur, allumage, **arbre,** arbre à cames, batterie, bicarburation, bloc-cylindres, bloc-moteur, boîte de vitesses ou changement de vitesse, bougie d'allumage ou, cour., bougie, buse, **carburateur,** carburation **131.3,** carter, chemise, culasse, Delco [nom déposé], démarreur, différentiel, distributeur, dynamo, **échappement,** embiellage, embrayage, embrayage automatique, joint de culasse, pot catalytique, pot d'échappement, radiateur, soupape, **transmission,** vilebrequin.

4 Première vitesse ou, cour., première ; seconde, troisième, quatrième, cinquième, surmultipliée *(passer la surmultipliée)* ; over-drive. – Régime. – Cliquetis (ou : cliquètement, cliquettement). – Cognement. – Enrayage **329.6,** patinage.

5 **Carrosserie** ; caisse, plancher ; carénage, profilage ; **châssis, coque,** monocoque, spider ; **custode** ; banjo, bavette, becquet ou béquet, **capot, calandre** ; panneau. – **Enjoliveur** ; chromes *(les chromes)* ; jupe *(jupe d'aile),* pare-boue, pare-chocs, spoiler [anglic.] ; pare-pierres. – Portière, glace, vitre ; déflecteur, jet d'eau ; lunette arrière ou lunette de custode, pare-brise. – Pavillon ou, cour., toit, toit ouvrant ; capote, hardtop, tendelet ; galerie. – **Phare,** phare antibrouillard ; catadioptre, Cataphote [nom déposé] ; clignotant ; gyrophare.

6 Berline, cabriolet, conduite intérieure, coupé, limousine ; **break,** coach ; **décapotable** ou voiture décapotable. – Minispace, monocorps, monospace. – Anc. : landaulet, phaéton, roadster, torpédo. – Fam. : citron, deuche [en parlant de voitures Citroën].

7 Feux **250.** – Feux de croisement ou, cour., **codes.** – Feux de position ; lanternes, stop, **veilleuses** ; feux de route ou, cour., phares ; feux de stationnement ; feux de détresse ou, anglic., warning ; feux de gabarit ; indicateur de direction ou, cour., clignotant ; phare de recul.

8 **Pneu** ; enveloppe ou pneumatique [TECHN. ou vx], toboggan, toile ; chambre à air, chape, **chapeau de roue** [anc.], jante, pare-clous ; moyeu. – Équipements spéciaux : chaînes, pneu clouté ou pneu à clous, pneu cramponné ou pneu à crampons, pneu-neige. – Pneu radial, pneu tubeless. – Roue de secours.

9 **Direction 221,** direction assistée ou servodirection ; colonne de direction, timonerie, volant ; entretoise, essieu, fusée. – **Frein,** frein moteur ; frein à disque, frein à tambour ou frein à mâchoires, ralentisseur, servofrein ; ABS [sigle, de l'all. *Antiblockiersystem*] ou, par redondance, **système ABS** ; mâchoire, patin, plaquette, sabot.

10 Frein à main ; pédale d'accélérateur (ou, fam. : **champignon,** pédale). – Clef de contact ; essuie-glace ; rétroviseur ou, fam., rétro. – Planche de bord, **tableau de bord** ; avertisseur **21,** Klaxon [nom déposé], trompe [anc.]. – Compteur, compte-tours ; jauge ou jauge de niveau : démarreur, starter. – Combinateur ; **électronique embarquée.** – Nourrice ; réservoir. – Manivelle.

11 **Habitacle.** – **Banquette,** baquet, siège inclinable, siège rabattable ; siège avant, siège arrière ; place du mort [fam.] ; ceinture de sécurité ou, cour., ceinture ; airbag. – Hayon ; coffre, malle ; plage arrière ou planche à paquets. – Boîte à gants, miroir de courtoisie, pare-soleil, vide-poches ; allume-cigare ou allume-cigares, lave-glace, lève-glace ou lève-vitre ; **plafonnier.** – **Autoradio.**

12 **Tenue de route** ; **chasse,** sous-virage, survirage. – Suspension ; dandinement ou shimmy ; **amortisseur** ; étoquiau ou étrier. – Braquage, contre-braquage. – **Embrayage** ; débrayage ; accélération, reprise. – Freinage. – C_x, traînée. – Rodage.

13 Accident **827,** capotage, carambolage, collision **115.1,** dérapage, embardée, emboutissage, tête-à-queue, tonneau. – Aquaplanage (ou : aquaplaning, aquaplanning, hydroplanage). – Queue de poisson. – Crevaison. – Accidentologie ; sinistralité.

14 **Stationnement** ; garage [rare], parcage, parking. – Parcmètre.

15 **Parc** (ou : parc-autos, parc de stationnement, parking), parcotrain ; aire de stationnement ; **box, garage** ; emplacement, **place.** – Zone bleue ; bateau ; fourrière, préfourrière. – Voiture-ventouse. – Sabot de Denver.

16 **Station-service** ; cric rouleur, fosse, piste, pont élévateur ; pompe, poste d'essence ; lave-auto [canad.].

17 Carburant, **essence 617,** huile. – Réparation ; vidange ; graissage. – Carrossage.

18 Immatriculation, plaque d'immatriculation **376.6** (ou : numéro minéralogique, plaque minéralogique). – Carte grise, carte verte, vignette automobile ou, cour., **vignette** ; cheval fiscal (abrév. : CV) ou, cour., cheval. – Assurance au tiers, assurance tous risques. – Contravention ou, fam., contredanse, procès-verbal ou P.-V., prune [fam.].

19 Auto-école. – Éducation routière, **sécurité routière** ; la Prévention routière ; Code de la route. – Permis de conduire ; épreuve de code ou, fam., code *(avoir le code)* ; épreuve de conduite ou, fam., conduite *(passer la conduite).* – Limitation de vitesse **467.4** ; signalisation **63.**

20 Course automobile, rallye **871.5** ; croisière ; HIST. : la Croisière jaune, la Croisière noire.

21 Constructeur automobile ou, constructeur ; **carrossier,** équipementier, **motoriste** ; sellier-garnisseur. – Dépanneur, épaviste, **garagiste.**

22 **Automobiliste 833,** usager de la route. – Chauffeur, conducteur, pilote ; copilote, équipier. – Fam. : as du volant, **chauffard,** chauffeur du dimanche, danger public.

23 Police de la route ; motard [fam.]. – Contractuel, contractuelle (ou, fam. : aubergine [anc.], pervenche).

V. 24 **Rouler,** prendre la route, prendre le volant ; **conduire,** manœuvrer. – Démarrer ; **débrayer, embrayer** ; caler ; changer de vitesse, rétrograder. – **Se garer,** stationner.

25 Accélérer, **appuyer sur le champignon** ou sur la pédale [fam.]. – Freiner, piler ; ralentir. – Braquer, contre-braquer. – Doubler ; faire une queue de poisson [fam.]. – Couler une bielle, crever, tomber en panne. – Klaxonner.

26 Mettre ou boucler sa ceinture, ou, fam., se ceinturer.

27 Garer, parquer, remiser.

28 Équiper ; chaîner ; chausser.

29 Faire le plein.

30 **Tenir la route,** virer ; **chasser,** se déporter, sous-virer, survirer. – Patiner.

Adj. 31 **Automobile** ; n. + -auto *(assurance-auto),* voiturier. – Moteur.

32 (Surtout au fém., pour qualifier une automobile et son type d'utilisation) : autoroutière, commerciale, familiale, **routière,** utilitaire. – Porte-autos **832.**

33 (Pour qualifier le comportement routier.) – Nerveuse, rapide ; dure, souple. – Sous-vireuse, survireuse.

Aff. 34 **Auto-.**

58 AUTORISATION

N. 1 **Autorisation,** permission, permis [litt.] ; accord **6, consentement 149** ; DR. : autorisation judiciaire, autorisation parentale, autorisation gouvernementale. – Accréditation **145** ; habilitation [DR.].

2 **Dispense,** exemption **461.**

3 Droit, **liberté 462.**

4 Prérogative **800.3,** privilège ; indult [RELIG.] ; privilège du roi [HIST.]. – Immunité, inviolabilité.

5 Imprimatur [didact.] **6** ; approbatur [HIST.]. – Exequatur [DR. INTERN.]. – RELIG. : approbation, pouvoirs.

6 **Permis,** pouvoir **646.4** ; mandat ; licence [DR.]. – Laisser-passer ou **laissez-passer** ; coupe-file, sauf-conduit ; *ausweis* (all., « laissez-passer ») [HIST.] ; passe ou lettre de passe [vx]. – Navicert [MAR.]. – Exeat [vx] **783.8.** – Carte de commerce. – RELIG. : admittatur ou celebret **699.** – HIST. : charte, diplôme, patente ou lettres patentes. – Lettres de créance.

7 Tolérance **76** ; complaisance, **permissivité 253.**

8 Licéité [DR. CAN.] **245.**

9 Permissionnaire [DR.]. – Licencié *(un licencié).* – Fondé de pouvoir ; mandataire **797.6.**

10 Dispensé *(un dispensé)* **461.**

V. 11 **Autoriser,** permettre ; **accorder 6** ; accepter. – Supporter, tolérer **592** ; laisser passer.

12 Approuver **149,** homologuer [DR.], ratifier, sanctionner, valider. – **Accréditer,** avaliser, confirmer, fortifier, justifier, renforcer ; autoriser [litt.].

13 **Consentir 149,** donner son accord.

14 **Donner carte blanche** (ou : son blanc-seing, les pleins pouvoirs) **145,** laisser carte blanche, laisser les mains libres ; donner mandat. – Habiliter [DR.].

15 **Dispenser,** exempter **461.**

16 **Laisser faire,** laisser dire ; fermer les yeux ; passer bien des choses, tout passer.

17 **S'autoriser à 646.7** ; s'enhardir à. – **Se croire tout permis.** – Oser faire qqch.

18 S'autoriser de ; alléguer **536.9,** prendre droit sur [vx].

19 Avoir l'autorisation de, **pouvoir 462** ; avoir quartier libre.

Adj. 20 **Autorisé** ; accrédité **59.** – Qualifié ; compétent **747.**

21 **Autorisé** ; permis ; légal, licite ; légitime. – Admis, toléré.

22 Accommodant **772,** conciliant ; **permissif 462.**

23 Autorisable, permissible. – Dispensable [DR.]. – Loisible.

Adv. 24 Licitement [rare] **245.**

59 AUTORITÉ

N. 1 **Autorité,** puissance. – **Pouvoir** ; suprématie. – PHILOS. : autorité politique, souveraineté. – DR. : pouvoir discrétionnaire, puissance paternelle ou parentale.

2 Omnipotence, **toute-puissance** ; prééminence, prépotence [vx].

3 Commandement **133,** **direction,** domination **240** ; tutelle. – Hégémonie.

4 **Autorité** ; aplomb, **assurance,** audace, décision, détermination ; volonté **870.** – **Caractère,** trempe **161.** – **Fermeté 716,** poigne, ténacité. – **Ascendant,** charisme, empire [litt.], influence **407,** poids. – Prestige **341.**

5 **Autoritarisme,** exigence.

6 Abus de pouvoir **3,** fait du prince [vieilli] ; acte ou coup d'autorité [vx].

7 Administration ; État, gouvernement **694** ; le pouvoir, les pouvoirs, **les pouvoirs publics.** – Le sabre et le goupillon [HIST.].

8 **Autorité** *(une autorité, les autorités).* – Dignitaire, notable, officiel *(les officiels).* – Notabilité, personnalité, sommité ; élite. – Mandarinat [péj.].

9 Puissant *(un puissant)* ; grand seigneur [litt. ou péj.] ; vx : grand collier, milord, puissance. – Ponte, magnat ; fam. : baron, caïd, champion **800.8,** gros bonnet, grosse légume, huile, manitou ou grand manitou ; **mandarin** [péj.]. – Les grands [vx], **les grands de ce monde,** la nomenklatura [russe], les puissants ; la haute [pop.], les hautes sphères.

10 **Autorité** [rare], maître, **référence** ; arbitre ; directeur de conscience **699.** – **Figure,** lumière **473** ; grand esprit, grand homme ; nom ou grand nom.

11 Autoritariste *(un autoritariste)* **240,** garde-chiourme [péj.] ; tyran, tyranneau [péj., souv. fam.] ; paterfamilias [par plais.]. – Une main de fer dans un gant de velours.

12 Paterfamilias ou *pater familias* (lat., « père de famille ») [ANTIQ. ROM.]. – DR. : curateur, subrogé tuteur, **tuteur,** tuteur datif, tuteur ad hoc, tuteur légal, tuteur testamentaire.

13 **Sceptre 765** ; main de justice.

V. 14 **Dominer** [sout.] ; régner sur. – Assumer un rôle, occuper un rang ; occuper le devant de la scène, **tenir le haut du pavé 341,** tenir la tête **133.20** ; vx : tenir le dé, tenir le haut bout ou le haut bout de la table. – Faire la loi, **faire la pluie et le beau temps,** tirer les ficelles ; **donner le ton** ou le *la.* – Avoir le bras long. – Avoir voix au chapitre **245.**

15 En imposer à ; décontenancer, effaroucher, **impressionner 755,** intimider, terroriser **619.** – **Fasciner 53,** subjuguer.

16 **Commander 133.22,** exiger, imposer sa volonté ; ordonner, intimer un ordre. – Diriger, **régner** ; gouverner. – Parler en maître, vouloir tout à son mot [vieilli].

17 Discipliner, **dresser,** éduquer **253** ; avoir en main ou bien en main, **mener à la baguette 240,** mettre au pas **133.**

18 **Faire autorité,** s'imposer. – Faire jurisprudence, faire loi.

Adj. 19 **Autoritaire,** impérieux. – Cassant, coupant, impératif, **péremptoire,** tranchant ; fam. : pète-sec ou pètesec. – Inflexible, intransigeant ; assuré, ferme **716,** sévère ; fig. : dur **248,** raide, rigide, rude, sec. – **À poigne,** de tête *(une femme de tête).*

20 **Autoritariste,** dominateur, exigeant, despotique, **tyrannique.**

21 Au pouvoir, haut placé. – **Puissant** ; de haute volée. – Omnipotent, prépotent [vx], **tout-puissant.** – Éminent, illustre ; considérable [litt.].

22 **Autorisé,** accrédité. – En autorité [vx], en considération, en crédit, en faveur.

23 **Consacré,** reconnu, renommé **341.** – Canonique, dominant, **majeur 800.19.** – Incontournable ; de référence.

Adv. 24 **Autoritairement,** d'autorité ou, fam., d'autor ; bécif [arg.]. – Impérativement, impérieusement. – Haut la main [vx], de sa propre autorité ou de son propre chef ; de pleine autorité.

25 **En maître.**

Aff. 26 Arch-, archi-.

27 **-archie,** -archique, -arque ; -crate, -cratie, -cratique.

60 AVANCE

N. 1 **Avance,** précocité, prématurité.

2 **Inopportunité 415,** intempestivité [rare]. – Asynchronisme, décalage horaire, désynchronisation ; **décalage 433,** écart.

3 Prochronisme [didact.] ; **anachronisme** – Prolepse ou anticipation [LING.]. – Antidate. – **Annonce,** prédiction **235** ; prescience, pressentiment. – Préjugé, prénotion [PHILOS.] ; conjecture, hypothèse.

4 Primeurs **330.** – Hâtiveau [vx].

5 Avant-garde **33** ; devancier, **précurseur.** – MÉD. : prématuré *(un prématuré),* grand prématuré ou prématurissime.

6 Anticipation, **devancement.** – Prématuration [MÉD.]. – **Hâte 684,** précipitation.

V. 7 **Avancer** ; anticiper ; antidater. – AGRIC. : brusquer, forcer. – **Hâter,** précipiter, presser.

8 **Annoncer,** prédire **235,** pressentir ; préjuger. – Prévenir ; mieux vaut prévenir que guérir [prov.].

9 Devancer, **précéder** ; être en avance sur les prévisions, sur le planning ; devancer son temps, son siècle. – Devancer l'appel [MIL.] ; devancer la date. – Chanter le Magnificat à matines [vieilli] ; vendre la peau de l'ours avant de l'avoir tué [allus. aux vers de La Fontaine «... il ne faut jamais Vendre la peau de l'ours qu'on ne l'ait mis par terre »].

Adj. 10 **Avancé** ; anticipé, **précoce,** prématuré ; avant la lettre. – AGRIC. : de primeur, hâtif. – D'avant-garde, de pointe ; en avance.

11 Décalé ; importun, **inopportun,** intempestif.

12 Annonciateur, anticipatoire [didact.], **avant-coureur,** prémonitoire.

Adv. 13 À l'avance, **en avance.** – Précocement, prématurément ; avant terme ; hâtivement. – Avant l'heure, plus tôt que prévu ; trop tôt.

14 **Tôt** ; **de bonne heure,** à la première heure ; aux aurores [fam.].

15 Litt. : inopportunément, intempestivement ; à contretemps, **hors de propos,** mal à propos, à propos de bottes [fam. et vieilli] ; hors de saison.

16 **D'avance,** par avance.

Prép. 17 **Avant,** avant de, avant même de.

Aff. 18 Anté-, anti- ; pré- ; pro-.

61 AVARICE

N. 1 **Avarice,** parcimonie **281,** pingrerie ; fam. : radinerie, rapiaterie ; lésine [litt.] ou, vieilli, lésinerie ; rare : grigouterie, harpagonnerie ; vx : chicheté, crasserie ou crasse **603,** ladrerie ; **mesquinerie,** sordidité [litt.]. – Fam. : mégotage, rognage *(rognage des dépenses).*

2 **Cupidité 199** ; âpreté au gain, rapacité, voracité ; mercantilisme **135,** vampirisme ; requinisme [rare].

3 **Avare** *(un avare),* thésauriseur ou thésaurisateur **281** ; amasseur [rare], regrattier [vx] ; grigou [fam.] ; harpagon [litt.] ; grippe-sou ; vx : cancre, ladre *(un ladre),* pouacre *(un pouacre)* ; fesse-mathieu ou fesse-maille, pince-maille, pisse-vinaigre, pleure-misère, racle-denier.

4 **Usurier** [fig.] **135** ; rapace *(un rapace),* vautour ; **requin** ; vieilli : harpie, vampire.

V. 5 **Lésiner** ; fam. : mégoter, rapiater ; rogner *(rogner sur les dépenses)* ; liarder [vieilli]. – Adorer le veau d'or **730.**

6 **Thésauriser 281.** – Accumuler, **amasser,** amonceler, entasser **352** ; mettre écu sur écu [vx]. – Avoir des écus moisis [vx] ; crier famine sur un tas de blé [prov.].

7 Fam. : avoir les mains (ou : les doigts, les ongles) crochues ou, vx, croches, **être près de ses sous** ; avoir des oursins dans les poches ou dans le porte-monnaie, être dur à la détente ou, vieilli, dur à la desserre, les lâcher avec un élastique. – **Regarder à la dépense,** plaindre la dépense.

8 Couper un sou ou, vieilli, un liard en quatre ; fam. : avoir mal à la main qui donne, ne pas attacher ses chiens avec des saucisses, ne pas oser cracher de peur d'avoir soif, pleurer le pain qu'on mange ; vx : regratter sur tout, vouloir faire servir une allumette par les deux bouts. – Faire des économies de bouts de chandelle **281.** – Loc. prov., fam. : il tondrait un œuf.

Adj. 9 **Avare,** parcimonieux **281,** regardant ; fam. : pingre, **radin,** rapiat, serré ; fam. : chien, rat ; litt. : chiche, ladre ; vieilli : avaricieux, lésineur ou lésineux ; vx : crasseux **603,** liardeur, pignouf. – Mesquin, **sordide** ; cupide **199** ; âpre à la curée, âpre au gain. – À père avare, fils prodigue [prov.].

Adv. 10 **Parcimonieusement 281** ; avec parcimonie ; chichement [litt.] ; rare : avarement, avaricieusement ; ladrement [vx] ; cupidement, mesquinement, sordidement.

62 AVERSION

N. 1 **Aversion** ; allergie [fig.], **dégoût,** dégoûtation [fam.], éloignement, répugnance, répulsion. – Abomination, détestation [litt.] ; **horreur,** révulsion. – Écœurement, haut-le-cœur, nausée [fig.].

2 Désenchantement, ennui **272,** lassitude, spleen [anglic.] : ; *tædium vitæ* (lat., « dégoût de la vie »).

3 PSYCHOL. – Appétition-aversion (trad. de l'angl. *like-dislike*). – Thérapie d'aversion.

4 Aversion ; animadversion [litt.], animosité, antipathie, exécration, **haine 720,** hostilité, inimitié ; **ressentiment** ; mépris.

V. 5 Abhorrer, abominer, **détester,** exécrer, vomir ; avoir aversion à [vx], avoir en horreur, avoir horreur de ; prendre en dégoût, prendre en grippe [fam.].

6 Hésiter à, **répugner à** ; faire des difficultés, faire le difficile ou le dégoûté ; se faire prier, se faire tirer l'oreille. – Rechigner. – Mal voir, voir d'un mauvais œil ; se buter contre. – **Refuser,** rejeter, repousser.

7 **Haïr** ; en vouloir à, prendre en haine. – Ne pas pouvoir souffrir ; fam. : **ne pas pouvoir sentir,** ne pas pouvoir voir en peinture ; très fam. : ne pas pouvoir blairer, ne pas pouvoir encaisser, ne pas pouvoir piffer ou pifer, ne pas pouvoir saquer. – Avoir dans le nez [fam.], avoir une dent contre qqn. – Être à couteaux tirés, être comme chien et chat.

8 **En avoir assez** ; fam. : en avoir jusque-là, **en avoir marre,** en avoir par-dessus la tête, en avoir par-dessus les épaules, en avoir ras-le-bol, en avoir soupé.

9 **Condamner 144,** détester [vx], honnir, maudire, réprouver ; envoyer au diable, vouer aux gémonies. – **Fuir** [fig.], fuir comme la peste.

10 **Dégoûter,** déplaire **192,** écœurer, répugner, révulser ; débecter [très fam.] ; affadir [vx]. – Faire horreur ; faire mal au cœur, soulever le cœur ; donner envie de vomir, être à vomir ; sortir par les trous de nez [fam.]. – Agacer, envenimer, porter sur les nerfs, **révolter.**

Adj. 11 Abominable, **détestable, épouvantable,** exécrable. – Insupportable, intolérable. – Odieux **248** ; honni. – Débectant [très fam.], écœurant, repoussant, **répugnant.** – Innommable.

12 Aigri, blasé, **dégoûté,** fatigué, lassé ; déçu, désenchanté.

Adv. 13 **Haineusement** ; à contrecœur, de mauvaise grâce.

Aff. 14 -phobie ; -phobe, -phobique.

63 AVERTISSEMENT

N. 1 **Avertissement** ; alerte, alarme. – **Menace 175.**

2 **Signe, signe avant-coureur** ; augure **235,** présage. – Prémonition, pressentiment.

3 **Indication,** information. – **Annonce,** communication. – Notification, préavis. – Appel ; **signal.** – Signalisation **765** ; présignalisation.

4 Avis, conseil **148, mise en garde,** recommandation ; instruction, suggestion.

5 **Admonestation,** admonition [litt.], **observation,** rappel, **rappel à l'ordre,** remontrance, réprimande, reproche ; coup de semonce, semonce ; blâme, répréhension [vx ou sout.]. – RELIG. : aggravation (ou : aggrave, fulmination), monition [DR. CAN.].

6 **Menace, intimidation.** – Défi ; bravade, provocation ; insulte.

7 **Manœuvre d'intimidation** ; geste de menace, démonstration [MIL.]. – Représailles **707.** – Ultimatum. – **Pression** ; chantage, racket.

8 Menace ; danger **175, péril,** risque.

9 Avertisseur *(un avertisseur)* [vx]. – Un homme averti en vaut deux [prov.] **674.**

V. 10 **Avertir** (qqn) de (qqch), avertir (qqn) que ; alarmer, alerter, aviser, informer, instruire, **prévenir.**

11 **Annoncer,** apprendre, faire savoir ; **rappeler.** – **Signifier** (qqch) à (qqn) ; faire observer que. – Signaler.

12 **Conseiller,** recommander.

13 **Mettre en garde.** – **Admonester,** donner un coup de cloche à (qqn) [vx], rappeler à l'ordre, réprimander, semoncer [sout.] ; blâmer, reprendre.

14 **Crier gare** ; crier casse-cou. – Crier à *(crier à l'assassin, au feu).*

15 **Menacer.** – **Intimider** ; effrayer, faire peur à (qqn) **619,** inquiéter, terroriser. – Faire pression sur, impressionner ; le ou la faire (à qqn) à l'estomac, à l'influence [fam.]. – Faire chanter.

16 **Être menacé de** ; craindre redouter. – Encourir, risquer ; s'exposer à.

17 **Prendre garde à** ; se méfier de.

Adj. 18 Avertisseur.

19 **Averti** ; informé, instruit ; au courant de.

20 **Menaçant** ; **comminatoire.** – Intimidant, **intimidateur.**

21 Effrayant, **inquiétant** ; dangereux, périlleux.

Int. 22 Alerte ! **Attention ! gare !** – Fam. : fais gaffe !, gaffe ! – Avis aux amateurs ! – *Cave canem !* (lat., « prends garde au chien ! ») [souv. par plais.].

64 AVEUGLEMENT

N. 1 **Aveuglement** ; cécité [litt.] ; obnubilation [litt.] ; obscurcissement, occultation. – Fig. : brouillard, brume, noir **553,** nuit ; obscurité [vx].

2 Étroitesse d'esprit ; **crédulité 145,** naïveté. – Irréalisme.

3 **Bandeau,** écailles, œillères, **voile.** – Chimère **378,** fantasme ; vue de l'esprit.

4 Brillant, vernis ; faux vernis. – Leurre, mirage, miroir aux alouettes, **poudre aux yeux,** trompe-l'œil.

5 **Candide** *(un candide),* naïf ; fam. : bonhomme [vx], dindon de la farce, gobe-mouches, gobeur, gogo, jobard ou, vx, jobelin, pigeon, pigeonneau, poire.

V. 6 **Aveugler.** – Éblouir, obscurcir ; obnubiler, obséder. – Brouiller, embrumer. – Illusionner [litt.], leurrer, tromper **838.**

7 **Cacher,** éclipser, offusquer [litt.], voiler.

8 **S'aveugler,** s'étourdir ; fermer les yeux. – Se borner à, se cantonner à, se confiner à, se limiter à, s'en tenir à. – Avoir des écailles ou un bandeau sur les yeux, **avoir des œillères** ; fam. : avoir la vue courte, ne pas voir plus loin que le bout de son nez. – Juger ou parler de qqch comme un aveugle des couleurs.

9 Se méprendre **283, se tromper** ; fam. : prendre des vessies pour des lanternes, se mettre dedans, se mettre le doigt dans l'œil. – Croire au Père Noël ; se faire des illusions.

10 Être dupe, **se faire avoir** (ou : attraper, posséder) ; fam. : avaler des couleuvres, donner ou tomber dans le panneau, **marcher,** mordre à l'hameçon ; ne se douter de rien, n'y voir que du feu. – Prendre pour argent comptant ; gober [fam.].

Adj. 11 **Aveugle** [fig.] **840.** – Bouché, obtus ; borné, buté ; obnubilé, obsédé. – Irréfléchi ; irraisonné ; irrationnel.

12 Litt. : illusionnant, illusionnel.

Adv. 13 **Aveuglément** ; crédulement [rare], étourdiment, follement **321.**

B

65 BANDE

N. 1 **Bande** ; courroie, lanière, ruban **165.** – Lame, **lamelle,** langue, languette. – Fig. : **faisceau,** frange, pinceau ; piste.

2 **Courroie** ; bricole, licou, longe, mancelle, rêne ; sangle, sous-ventrière. – Enguichure, guiche, **jugulaire.** – Bandereau, **bandoulière,** baudrier ; bretelle.

3 **Bandeau,** bandelette, infule [ANTIQ.], turban. – **Ruban** ; bolduc, galon, bourdalou, lézarde, martingale ; ruche *(ruche de tulle),* ruché, soutache. – Ceinture, ceinturon **18.** – Cravate, **écharpe,** étole.

4 **Banderole** ; bandière [vx], bannière, étendard, flamme, oriflamme.

5 **Bande d'arrêt d'urgence,** bande blanche, bande jaune.

6 **Bande dessinée.** – Bande-annonce [CIN.] ; bande-témoin [CIN.]. – **Bande magnétique,** bande-son.

7 **Bande de fréquence,** bande FM **168,** largeur de bande. – Bande d'absorption d'un spectre, spectre de bande, **spectre optique** [OPT.].

8 Lamellation [TECHN.], **sédimentation,** stratification [GÉOL.]. – Bandage [rare]. – Fasciation [BOT.].

V. 9 **Bander,** panser.

Adj. 10 **Bandé.** – Fascé [HÉRALD.]. – Fascié [SC.], lamellé, lamineux [ANAT.]. – **Lamelliforme** [didact.], stratiforme [GÉOL.].

Adv. 11 En bandoulière.

Aff. 12 **Lamelli-,** strato-.

66 BANQUE

N. 1 **Banque** *(la banque)* ; commerce de l'argent. – Finance *(la finance).*

2 **Marché financier** ; marché monétaire. – Marché interbancaire. – Marché hors banque.

3 Bancarisation ; taux de bancarisation.

4 **Banque** *(une banque)* ; établissement financier. – Banque centrale ; institut d'émission **529.** – Haute banque. – Banque de groupe. – Agence, comptoir, sous-comptoir, succursale. – Bureau de change.

5 Caisse d'épargne.

6 Service financier. – Service des titres. – Service des coffres. – Salle des marchés. – Comité de crédit ; service des risques.

7 **Opération de banque.** – Paiement **587, versement.** – Crédit ; débit. – Encaissement, recouvrement ; décaissement. – Endos ou endossement. – Barrement.

8 Transfert de fonds ; **virement** ; prélèvement automatique. – Compensation, virement réciproque. – Remise en compte courant ; remise à l'escompte.

9 Transfert de créances ; affacturage ou, anglic., factoring.

10 Levée, appel de fonds.

11 **Financement** ; financement de projet. – Clef de financement. – Cofinancement. – Surfinancement. – Réescompte, refinancement ; tournage. – Montage de crédit.

12 Consortialisation. – Syndication. – Intermédiation.

13 **Capitalisation** ; anatocisme. – Transformation monétaire.

14 Mobilisation.

15 Économie, **épargne 281.** – Épargne-construction, épargne-logement, épargne-prévoyance ou épargne-réserve, épargne-retraite. – Plans d'épargne d'entreprise.

16 Dépôt, provision ; **placement.**

17 **Intérêt 166.** – **Frais** ; droits de garde, change de place.

18 **Ouverture de compte.** – Blocage d'un compte. – Arrêté de compte. – Clôture de compte courant.

19 **Compte 339** ; compte de dépôt, compte chèques ou compte-chèques. – Compte joint, compte collectif. – Compte courant ou compte-courant. – Compte-courant postal ou, abrév., C. C. P. – Comptes loro (opposé à comptes nostro). – Compte sur livret.

20 Livret de caisse d'épargne ; livret d'épargne populaire. – Livret-portefeuille.

21 Extrait ou relevé de compte ; solde. – Note de crédit, note de débit. – Relevé d'identité bancaire ou R. I. B. – Accréditif *(un accréditif).*

22 **Chèque** ; chèque bancaire. – Chèque postal ; chèque d'assignation, chèque de virement. – Chèque à ordre ou à personne dénommée ; chèque au porteur. – Chèque barré ; chèque prébarré. – Chèque circulaire ; chèque de voyage, traveller's check [amér.], traveller's cheque [angl.] ; postchèque. – Chèque documentaire. – Chèque hors place (opposé à chèque sur place) ; chèque en transit. – Chèque sans provision ; chèque en bois [fam.]. – Impayé *(un impayé).*

23 Carnet de chèques, **chéquier.** – Souche ; volant. – Allonge.

24 **Carte de crédit,** carte de paiement.

25 **Mandat** ; mandat-carte, mandat-lettre. – Titre interbancaire de paiement ou T.I.P. – Titre universel de paiement ou T. U. P. [ADMIN.].

26 **Bordereau** ; bordereau d'achat, bordereau de caisse, bordereau de compte, bordereau d'encaissement, bordereau d'escompte.

27 Acceptation ; acceptation en blanc. – Interdiction bancaire, interdiction ; opposition.

28 **Recours** ; recours du porteur. – Protêt [DR.]. – Rechange.

29 Guichet. – Caisse. – Chambre forte. – Coffre-fort **760.**

30 Distributeur automatique de billets ou, abrév., D. A. B., billetterie.

31 **Banquier** ; cofinancier, donneur de valeurs, financier. – Directeur ; fondé de pouvoir. – Gouverneur, sous-gouverneur ; régent ; trésorier. – Agent de change.

32 Courtier de banque ; courtier en devises.

33 **Employé de banque.** – Caissier ; encaisseur ou garçon de recettes.

34 Mandataire, trustee [anglic.].

35 Émetteur, tireur. – Endosseur. – Souscripteur. – Déposant.

36 Tiré *(le tiré).* – Codébiteur. – Accepteur. – Récepteur.

37 Domiciliataire.

38 **Bénéficiaire,** cessionnaire, endossataire, porteur, tiers porteur [DR.] ; recouvreur. – Remettant. – Présentateur.

V. 39 Économiser, **épargner.** – Capitaliser.

40 Déposer de l'argent, des fonds ; **placer.** – Virer.

41 **Lever des capitaux.** – Emprunter.

42 Commanditer, **financer.** – Refinancer.

43 Créditer, **provisionner.**

44 Bloquer, geler. – Débloquer, dégeler ; mouvementer un compte. – Nourrir des effets. – Mobiliser ; immobiliser.

45 **Émettre** ou **tirer un chèque** ; souscrire. – Libeller un chèque. – Barrer un chèque.

46 **Encaisser,** recouvrer, toucher ; endosser.

47 Fournir sur, tirer une traite sur.

48 Bancariser.

Adj. 49 **Bancaire.** – Interbancaire. – Parabancaire. – Actuariel.

50 Bancable ou banquable. – **Compensable.** – Escomptable ; inescomptable. – Perceptible, recouvrable. – Protestable. – Au porteur, à vue.

51 Chéquable. – Mobilisable.

52 Domicilié *(effet domicilié)* ; déplacé ou détourné.

53 Créditeur ; débiteur.

54 Bloqué *(compte bloqué),* gelé *(crédit gelé).*

Prép. 55 À l'ordre de.

67 BARRIÈRE

N. 1 **Barrière,** obstacle. – Barricade, **clôture.** – **Mur,** paroi ; porte, vitre. – Cloisonnement, écran, séparation ; fermeture **308.** – Blocage

[PSYCHOL.], difficulté, empêchement **567** ; fig. : frein, cloison.

2 **Mur 308.4,** courtine [FORTIF.], mur de refend [ARCHIT.], muret, murette, parapet ; muraille, palanque, rempart **671.** – Bardis [MAR.], galandage, mur de cloison [ARCHIT.]. – Cloison, claustra ou claustre, shoji [jap.] ; paravent.

3 **Clos** *(un clos),* enclos ; enceinte *(une enceinte).* – Claie, claire-voie, clayonnage ; grillage, **grille,** treillage, treillis. – Échalier ; bouchure [région.]. – Lice, palis, palée, **palissade,** portereau [TECHN.], plessis, pourpris [vx] ; cancel [vx]. – Balustre, **barreau.**

4 **Barbelés,** barbelures, fils barbelés, réseaux de barbelés, ronces artificielles ; **cheval de frise,** épis, chardon, artichaut, hérisson, fer de lance. – Herse, orgue, sarrasine.

5 **Charmille,** clédar [région.] ; haie **38,** haie morte, haie vive. – **Bocage** ou boccage, breuil [région.], champ clos.

6 **Barrage 136,** barrage flottant, barrage hydraulique, batardeau, estacade, fermette. – Hausse, vanne. – Brise-lames, **chaussée,** digue, levée ; jetée, môle. – **Parapet,** plongée [FORTIF.], remblai, talanquère, terre-plein, turcie [vx].

7 **Balcon,** balustrade, cordage, garde-corps, garde-fou, lisse, main courante, rambarde, rampe ; rampe d'escalier ; MAR. : bastingage, herpe. – **Garde** ; garde-boue, garde-chaîne, garde-crotte, garde-feu, garde-main ; pare-brise, pare-feu.

8 **Fossé** ; contrevallation, douve, retranchement, tranchée.

9 **Jalousie,** moucharabieh ou, vieilli, moucharaby, **persienne,** volet à claire-voie. – Contrevent, rideau de fer, store, **volet,** volet brisé, volet de parement [TECHN.], volet roulant ; battant, vantail, vasistas. – Porte **308.4.** – **Rideau 481** ; brise-bise, bonne-grâce [vx], lambrequin, pente de lit ou de fenêtre, portière.

10 HIST. – Ligne Maginot, ligne Siegfried, mur de l'Atlantique ; Grande Muraille de Chine ; limes, mur d'Hadrien. – Fig. : mur de l'argent ; rideau de fer, rideau de bambou.

11 **Barrière de corail,** récif. – La Grande Barrière d'Australie [GÉOL.].

12 Fig. – **Barrière douanière,** barrière fiscale ; barrière linguistique **425.** – **Barrière de dégel,** barrière de pluie [fr. d'Afrique].

13 PSYCHOL. – **Défense,** résistance ; oblitération, souvenir écran **583.** – Barrage, **obstruction.** – Cloisonnement [fig.].

14 **Enclôture,** endigage, endiguement. – Clayonnage, compartimentage, palissage [TECHN.]. – Bâclage. – Cloisonnisme [PEINT.]. – Enclosure [HIST.].

V. 15 Bâcler [vx], **balustrer** [vx], barrer [vx], cercler, clayonner [TECHN.], **clôturer,** corder, diguer [rare], endiguer, fortifier, **grillager,** griller, murer, palissader, remparer [vx], treillisser. – Rompre (ou : briser, crever) les digues ; boire l'obstacle [fig.].

16 **Barrer la route** [fig.] ; barrer les projets ou les souhaits de qqn, barrer qqn [fig.]. – Faire barrage, faire de l'obstruction.

17 Se barricader, se retrancher.

Adj. 18 **Barreaudé** [rare], grillé ; grillagé ; clos, **enclos.** – Obstructif [didact.], occlusif. – Palissadique [TECHN.]. – Obstruant [rare].

Aff. 19 Herco- ; hymén-, hyméno- ; phragmo-.

20 -phragme ; -phrène, -phrénie.

68 BATRACIENS

N. 1 **Batracien** ou amphibien ; apsidospondyles (labyrinthodontes, phyllospondyles, anoures), urodélomorphes ; stégocéphales.

2 Amblystomes, procœles, salamandridés, sirénidés, urodèles. – Batraciens fossiles : aïstopodes, anthracosauriens, cécilies ou gymnophiones, embolomères, ichtyostégaliens, lépospondyles, microsauriens, nectridiens, pérennibranches, rachitomes, seymouriamorphes, stéréospondyles, temnospondyles.

3 **Crapaud, grenouille.** – Alyte ou crapaud accoucheur, amphiume, axolotl, bombina (ou bombinator, crapaud sonneur), calamite, crapaud-buffle, dactylèthre, dendrobate, discoglossidé, euprocte, graisset ou rainette verte, leptodactyle ou crapaud-bœuf, nototrème, ouaouaron, pélobate ou crapaud à couteaux, phylloméduse, pipa ou crapaud de Surinam, protée ou anguillard, **rainette,** rhinoderme, **salamandre,** sirène, spélerpes, **triton.** – Fossiles : actinodon, éryops.

4 Œuf ; têtard **638.**

5 **Coassement.**

6 Crapaudière, grenouillère.

7 Bufothérapie.

69 BEAUTÉ

N. 1 **Beauté** ; somptuosité, sublimité [sout.] ; le beau, le beau idéal.

2 **Beauté, charme,** éclat, glamour [anglic.], grâce, joliesse, vénusté [litt.] ; plastique *(la plastique).* – Délicatesse, sveltesse ; finesse des traits. – La beauté du diable.

3 **Beauté** *(une beauté),* belle *(une belle).* – Beau brin de fille [fam.], reine de beauté ; cover-girl, **pin-up 306.** – Déesse, vénus *(une vénus)* ; ange de beauté.

4 Adonis *(un adonis),* apollon ; fam. : **beau gosse,** gueule d'amour ; chérubin, cupidon ; éphèbe. – Bellâtre ; péj. : vieux beau.

5 Beauté, flamboyance [litt.], harmonie, magnificence, splendeur. – Distinction, grâce.

6 Beauté, élévation, grandeur, **noblesse 552.**

7 Chef-d'œuvre, **merveille,** modèle, trésor. – Idéalisation.

8 **Embellissement,** enjolivement, ornementation. – Nettoyage ; restauration. – Enjolivure, **ornement 578.**

9 Appas, attraits, avantages.

10 Esthétique *(l'esthétique).* – Esthétisme ; philocalie [RELIG.].

11 Artiste ; esthète.

V. 12 **Embellir,** enjoliver ; orner, parer. – Esthétiser.

13 Embellir ; ne faire que croître et embellir [fam., souv. iron.].

14 **Se faire beau,** se faire une beauté, se mettre sur son trente-et-un **520** ; montrer beau.

Adj. 15 **Beau** ; admirable, enchanteur, **magnifique, merveilleux,** somptueux, splendide, **superbe.** – Éblouissant, féerique, merveilleux. – Céleste, divin, **sublime** ; grandiose, majestueux. – Irréprochable, **parfait** ; nonpareil [sout.], sans égal, sans pareil.

16 **Beau,** beau comme le jour (ou comme un astre, comme un dieu, comme l'amour), joli comme un cœur, joliet [litt.] ; en beauté ; bellissime [par plais.], bellot [vx]. – Bien bâti, bien fait ; fam. : bien balancé, bien foutu, bien roulé ; canon. – Plastique, sculptural.

17 Adorable, beau, élégant, exquis, fait à peindre, gracieux ; craquant [fam.], croquignolet [fam.], **joli, mignon** ; séduisant.

18 **Agréable,** délicieux, exquis ; **charmant,** ravissant.

19 Attrayant, **plaisant,** riant ; coquet.

20 **Esthétique,** plastique.

Adv. 21 Artistement, bellement [vx], plastiquement [litt.].

22 Beau *(montrer beau, porter beau).*

Aff. 23 Calli- ; eu-.

70 BIJOU

N. 1 **Bijou** ; joyau. – Bijou fantaisie ou fantaisie ; quincaillerie [fam.], verroterie. – Faux bijou ; imitation **379,** simili, toc [fam.].

2 Anneau, **bague** ; alliance, anneau nuptial [sout.] ou anneau ; jonc ; semaine. – Chevalière, marquise ; solitaire. – Bague-montre. – Chaton ; sertissure.

3 **Chaîne,** chaînette ; chaîne de cou. – Gourmette. – Châtelaine ; giletière.

4 **Bracelet** ; semaine ou semainier ; psellion [ANTIQ.]. – Jambelet [rare], périscélide [didact.]. – Bracelet-montre.

5 **Collier** ; sautoir ; esclavage ; jaseran. – Tour de cou ; torque [ANTIQ.] ; collier de chien. – Rivière de diamants. – Ousekh [ARCHÉOL.].

6 Montre de gousset ; bassinoire [pop. et vieilli], oignon [anc.].

7 **Boucle d'oreille** ; pendant d'oreille ; poissardes. – Clip. – Bague d'oreille.

8 **Parure.**

9 Agrafe ; épingle ; épingle à chapeau, épingle de cravate ; fibule [ANTIQ.] ; bouton de manchette. – Anc. : aiguillette, ferret ; fermail [vx]. – Barrette, **broche.** – Anc. : nœud d'épaule, trousse-côté, trousse-queue.

10 **Pendentif** ; breloque. – Croix, croix à la jeannette ou jeannette, médaille, médaillon ; pendeloque. – Amulette, porte-bonheur ; main de Fatma. – Saint-esprit.

11 Fronteau [anc.] ; ferronnière. – Bandeau royal [litt., vx], diadème ; couronne, tortil.

12 Pierreries **517.** – Gemme ; pierres précieuses, pierre semi-précieuse, pierre fine, pierre dure ; semence. – Diamant ; brillant. – Perle.

13 Pierre synthétique ; fausse pierre, happelourde [vx]. – Doublet ; strass. – Émail. – Plastique ; résine.

14 **Bijouterie** ; bijouterie d'or, d'argent, de platine, d'aluminium, d'acier ; bijouterie creuse ; bijouterie en filigrane. – Bijouterie en doublé,

en plaqué ; bijouterie en doré, en argenté ; bijouterie fantaisie.

15 **Taille,** retaille ; brillantage. – Taille en baguette, en brillant, en émeraude, en marquise, en poire, en rose ; en cabochon (opposé à en à-plat) ; taille en carré, en demi-lune, en ovale, en rond, en trapèze ou en nez de veau, en triangle. – Camée ; intaille. – Facette ; colette, halefis.

16 Soudage ; estampage ; fonte. – Assemblage, enfilage ; enchatonnement. – Sertissage ; cannetille. – Argenture, dorure. – Ciselage, ciselure.

17 **Boîte à bijoux** ; cassette, coffret ; baguier. – Écrin, étui à bijoux.

18 **Bijouterie,** joaillerie ; orfèvrerie.

19 **Bijoutier,** joaillier, orfèvre ; horloger-bijoutier. – Baguiste, chaîniste, médailleur ou médailliste. – Ciseleur ; sertisseur. – Diamantaire, lapidaire. – Artisan créateur.

V. 20 **Orfévrer.** – Argenter, dorer. – Ciseler, graver.

21 Monter ; enchâsser, enchatonner, monter ; sertir. – Dessertir.

22 Tailler ; brillanter, facetter.

23 Baguer. – Couronner.

Adj. 24 Bijoutier *(industrie bijoutière).* – Bijoutier *(une femme coquette et bijoutière)* [vx].

25 Bagué. – Couronné, diadémé.

26 **Orfévré.** – Ciselé. – Serti, taillé. – Plaqué (ou : bourré, fourré). – Argenté, doré.

71 BLANC

N. 1 **Blanc** *(le blanc)* **159,** blancheur, blanchoiement [litt., rare].

2 TECHN., TEXT. : blanc d'argent, d'azur ; blanc de Chine, des Indes ; blanc de pâte. – Blanc d'impression ; blanc grand teint, blanc petit teint.

3 Colorants et pigments blancs. – **Céruse,** cérusite ; blanc de plomb ; blanc d'argent, blanc de titane, blanc de zinc **159.8** ; lithopone [CHIM.] ; blanc fixe. – **Azurant optique,** blanc optique [TECHN.]. – **Blanc de craie,** de lait, de perle.

4 **Blanchiment, blanchissement** [vx] ; déalbation [didact.]. – **Décoloration.** – Azurage, **blanchissage** [TECHN.]. – Chaudage, **chaulage.** – Albification, déalbation [ALCH.].

5 Blancheur ; **candeur,** innocence ; **pureté 365.**

6 **Pâleur 482** ; mine de papier mâché.

7 IMPRIM. – Blanc *(un blanc)* **433.2,** espace *(une espace)* ; quadrat, quadratin. – Lacune, omission **583.**

8 Blanc *(un Blanc)* **604.**

V. 9 **Blanchir** ; blanchoyer [vx]. – **Passer au blanc** ; échauder, chauler. – Azurer [TECHN.].

10 Blanchir, blanchir sous le harnais ou, vx, le harnois **350.6.** – **Blêmir 619,** pâlir, perdre ses couleurs. – Avoir mauvaise mine.

Adj. 11 **Blanc** ; blanc comme neige, comme l'albâtre, blanc comme le lait, blanc comme la craie, blanc comme le lis. – Albe [litt., vx] ; fleuri [vx ou litt.] (cf. *la barbe fleurie* de Charlemargne dans les chansons de geste). – De lin, platiné *(cheveux platinés).* – Incolore.

12 **Blanchâtre,** blanchet [vx] ; albescent [litt.], albuginé, albugineux [MÉD.] ; nivéen [litt., rare] ; lacté, lactescent, laiteux, opalescent, opalin. – Nacré. – Crème ; ivoirin ; ventre-de-biche [litt.].

13 **Blanc** (opposé à basané), clair **473.34** ; blanc comme un cachet d'aspirine, blanc comme un lavabo ou comme un pied de lavabo [fam.]. – **Blafard,** blême, hâve **482,** livide ; blanc comme un linge. – Blanc de colère **130.12** ; blanc de peur **619.**

14 **Blanchissant,** blanchoyant [litt.]. – Blanchi sous le harnais ou le harnois, chenu [litt.].

15 Qualifiant le blanc. – [blanc] argenté, candide, immaculé, lilial, virginal ; [blanc] cru, éblouissant, éclatant ; [blanc] douteux, sale ; [blanc] nacré, laiteux ; [blanc] cassé ; [blanc] mat.

Adv. 16 **Blanchement** [rare]. – À blanc *(chauffer à blanc).*

Aff. 17 Albi- ; leuc-, leuco- [didact.].

72 BLESSURE

N. 1 **Blessure** ; lésion. – Blessure profonde, blessure superficielle, blessure en séton. – **Plaie,** plaie contuse ; lèvres de la plaie.

2 Embarrure [vx], enfoncement, engrènement, fêlure, fissure, **fracture,** impaction, rupture ; fracture comminutive, fracture ouverte, fracture spiroïde. – **Coupure,** entaille, estafilade, estocade ; cornade ou cornada. – **Égratignure,** éraflure, éraillure, érosion, excoriation ; griffure, morsure, pinçon, suçon. – Piqûre. – Brûlure ; brûlure au premier (aussi : au deuxième, au troisième) degré, gelure.

3 Attrition [MÉD.], broiement, écrasement ; contusion, meurtrissure. – Déchirement, **déchirure,** déchirure musculaire, décollement épiphysaire, dilacération ; éventration. – Perforation.

4 Claquage, élongation, **entorse,** foulure, froissement, luxation, subluxation ; membre démis. – **Déboîtement,** déhanchement, désarticulation, diastasis, disjonction. – Extravasion, hémorragie **482.12.** – Traumatopnée.

5 Mutilation ; automutilation, autotomie.

6 Choc, commotion ; trauma, **traumatisme,** microtraumatisme.

7 Accident. – Collision **115.1,** heurt, percussion, tamponnement, télescopage. – Chute. – Coup **160.** – Coups et blessures [DR.].

8 ZOOL. – Atteinte, décousure ; enclouure ou enclouage ; mal de garrot.

9 **Bleu** *(un bleu)* ; fam. : bobo, coquart ou coquard ; ecchymose, hématome, noir *(un noir),* pochon, tuméfaction ; bosse ; troubles de compression.

10 Chéloïde, cicatrice ; balafre, boutonnière [très fam.]. – Croûte, escarre ; moignon.

11 **Blessé** *(un blessé),* blessé grave ou grand blessé, blessé léger ; évacué *(un évacué).* – Blessé ou mutilé de guerre, gueule cassée [emploi traditionnel, non vulgaire s'agissant des blessés de guerre mutilés de la face] ; stropiat [vx].

12 **Chirurgie,** polytraumatologie, traumatologie ; urgences. – Centre de traumatologie ou de traumato [fam.].

13 Traumatologiste. – Chirurgien **775.**

V. 14 **Blesser** ; commotionner, traumatiser ; accidenter. – Contusionner, mâchurer, meurtrir, navrer [vx] ; broyer, écraser. – **Fracturer,** léser ; éclopler, éreinter, estropier, **mutiler** ; amputer. – Balafrer, **couper,** écorcher, égratigner, entailler, entamer, érafler, excorier, griffer, irriter, labourer, larder, taillader ; déchiqueter, **déchirer,** dilacérer, écharper, lacérer. – Darder, piquer ; éborgner, encorner, éventrer. – Fêler, **fouler,** froisser, luxer.

15 **Se blesser** ; se faire mal ou, fam., enfant., se faire bobo. – Se faire mal à + n. de partie du corps. – Se casser ou se rompre + n. de partie du corps ; se démettre un membre ; perdre un membre. – S'entailler, s'ouvrir, se fendre. – Se cogner, se couronner.

16 Perdre son sang, **saigner 742.**

17 Se faire taper dessus ; fam. : se faire casser la gueule, se faire démolir le portrait, se faire écharper, se faire rosser, se faire tabasser. – Prendre une dérouillée [fam.]. – Rester sur le carreau.

18 Choquer **160, heurter,** percuter, tamponner, télescoper ; entrer en collision avec qqn ou qqch.

19 Battre, rouer de coups, **frapper** ; fam. : arranger, étriper, rosser, tabasser ; rompre les os à, saigner (qqn). – Fam. : faire un coquard ou un œil au beurre noir à ; pocher l'œil ou un œil à. – Cribler, larder de coups (de couteau, de poignard, etc.) ; poignarder.

Adj. 20 Commotionnel, **traumatique** ; traumatologique. – Ecchymotique, fissuraire. – Aigu, **à vif** ; ballant ; bimalléolaire ; esquilleux.

21 **Blessé** ; accidenté, contus, contusionné, meurtri, mutilé, tuméfié ; fam. : en compote ou en marmelade. – Criblé de coups ou de blessures, écharpé ; fam. : amoché, arrangé. – Balafré, couturé ; boiteux, cul-de-jatte, éclopé, **estropié,** manchot, unijambiste. – Polytraumatisé, traumatisé.

22 Blessant [rare], contondant, contusif, meurtrissant [litt.], pénétrant, **tranchant,** traumatisant, vulnérant ; mutilant, mutilateur [litt.].

23 Blessable [rare], **vulnérable.**

Aff. 24 Traumato-.

73 BLEU

N. 1 **Bleu** *(le bleu)* **159.8,** bleuité [litt. rare] ; bleuté *(le bleuté).* – Azur [HÉRALD.].

2 Pigments bleus. – Origine minérale : **bleus de cobalt** (oxyde bleu de cobalt) ; bleu de Prusse (ou : bleu de Berlin, bleu de Paris, bleu Milori) (ferrocyanure potassoferrique) ; **bleu d'outremer** (silicate complexe de sodium et d'aluminium) ; bleus cuivreux (ou : bleus de cuivre, azurs de cuivre) (carbonates naturels de cuivre) : azur ou bleu d'azur, azurite, bleu de Brême, bleu égyptien, bleu de Hambourg, bleu de montagne. – Origine organique : bleus de phtalocyanine.

3 Colorants bleus. – Origine végétale : bois bleu, **indigo,** isatis (ou : **guède, pastel**), tournesol. – Origine minérale : safre ou smalt (oxyde bleu de cobalt) ; bleus de houille. – CHIM. : azurine, bleu de méthylène, induline ou bleu coupier, bleu de Lyon ; Indophénol, bleu de résorcine ; pyoctanine [PHARM.].

4 Bleuissage ou **bleuissement** ; azurage ou, rare, azurement [TECHN.]. – Azurant ou blanc optique [TECHN.], bleu.

5 Bleu *(un bleu)* ou, rare, bleuissure **72,** ecchymose, noir *(un noir)* ; cassin [région.].

V. 6 **Bleuir** ; TECHN. : azurer, bleuter.

Adj. 7 **Bleu** ; litt. : azuré, azuréen, azurin [vx] ; turquin [litt.] ; bleuâtre, céruléen ou cérulé [litt.] ; bleuté, pers *(des yeux pers)* [litt.] ; ultra-marin ou ultramarin [litt.]. – Bleuissant.

8 [Bleu] clair, céleste, pâle ; électrique, vif ; foncé, gris, noir ; bleu-vert. – [Bleu] d'azur, de jade ; de lin ; de paon ; de faïence, de porcelaine ; de Prusse, de Saxe, de Sèvres. – [Bleu] ciel ou de ciel, horizon, marine, nuit, outremer ; acier, ardoise, pétrole ; turquoise ; hussard, roi ; nattier ; canard, paon ; barbeau, bleu lavande ou lavande, pastel, pervenche.

Aff. 9 **Cyan-, cyano-.**

74 BOIS

N. 1 **Bois** ; xylème [BOT.] ; métaxylème, protoxylème. – Bois primaire, bois secondaire ; bois d'automne ou bois d'été, bois de printemps. – Arbre **37** ; forêt **36.** – **Lignification.** – Bois fossile.

2 **Tissu vasculaire** ; trachéides (gymnospermes), vaisseaux (dicotylédones) ; fibres, parenchyme. – **Sève, résine** ; liber ; faisceaux libéro-ligneux. – Assise génératrice ou cambium. – Aubier, bois dur, cœur ; **bois de cœur,** bois parfait, duramen. – Écorce ; **liège,** suber. – Cellulose, hémicellulose ; lignine.

3 Fil ; contre-fil. – Maillure. – **Madrure** ; **nœud,** malandre ; brogne, broussin, loupe ; frotture, gélivure, gerce, lunure, roulure.

4 **Bûcheronnage** ; débitage, sciage, tronçonnage ; délignage, fendage, refente ou dédoublage ; décœurage. – Schlittage ; train de bois.

5 Charpentage, charronnage. – **Ébénisterie, menuiserie 505** ; boissellerie, tonnellerie, tournerie, vannerie ; lutherie, marqueterie.

6 **Débit** ; avivé, plot ; tronçon. – Dos ; **dosse,** faux quartier, quartier ; bille, billon ; flache ; fût, surbille ; grumme ; demi-lune. – **Barrefort,** bastaing ou basting, cantibay, carrelet, chevron, frise, lambourde, madrier, merrain, planche, poutre, volige ; éclisse ; vx : battant, doublette, échantillon, entrevous.

7 Farine de bois, **sciure.**

8 **Stère** ; billette, billeau, rondin ; courson ; liteau. – Pile.

9 **Bois de fente, bois feuillard** ; bois en grume, bois rond. – Bois d'œuvre (opposé à bois d'industrie) ; bois de service. – Bois nerveux ; faux bois. – Bois tors [MAR.].

10 **Bois de chauffage 109** ; bois à brûler ; bois gris, bois pélard ; bois de boulange ; bois blanc (bouleau, aulne). – Gros bois, menu bois ou petit bois ; bûche, bûchette. – Charbonnette.

11 Bois d'ébénisterie, bois de menuiserie : acacia, **chêne,** charme, érable, hêtre ; mélèze, peuplier, pin, sapin ; bouleau ; poirier, pommier. – Bois de carrosserie : **robinier** ; balata, kapur. – Bois de tonnellerie : **frêne,** kasaï, manil, pentacme. – Bois de tournerie : alisier, **buis,** citronnier, cornouiller, tilleul. – Bois de charronnage : cornouiller, **orme,** platane, robinier. – Bois de vannerie : châtaignier, osier, rotin. – Bois de lutherie : alerce, cochenille ou grenadille, érable, **merisier** ; amourette ou lettre rouge. – Bois de charpente : angélique, azobé, bagasse, bambou, bilinga, chêne.

12 Bois de teinture ou bois tinctoriaux : brésil ou brésillet, canwood, gaïac ; **bois de Campêche,** bois de Madagascar ; bois jaune, bois rouge ; quercitron. – Bois médicinaux : **genévrier,** oxycèdre ; méliacée. – Bois odorants : bois d'aigle (ou : d'aloès, d'agalloche), bois de rose ; cinnamome, litséa.

13 Bois exotiques (opposé à bois indigènes) : bois des îles ; abura ou bahia, aiélé, **balsa,** bois corail ou padouk, canalete, kapokier, koto. – Bois tropicaux : **acajou, amarante,** ba, bété, ébène, okoumé, ossoko, **palissandre, teck.**

14 **Bois aggloméré** ou, fam., agglo, bois reconstitué ; contrecollé *(du contrecollé),* contreplaqué ; lamellé-collé. – Pâte à bois.

15 **Bois** *(les bois)* [MUS.] **422.** – ZOOL. : bois ; bosse, broche, dague ; daguet, mulet, refait ; brocard.

16 Bois de mine [MIN.]. – Bois de montagne [MINÉR.].

17 Xylochimie ; **xylologie** ; paléoxylologie. – Dendrométrie.

18 Gâte-bois, perce-bois.

19 **Bûcheron,** scieur de long. – **Charpentier,** charron ; ébéniste, menuisier. – Boiseur.

V. 20 **Boiser,** charpenter, **étayer** ; lambrisser, planchéier.

21 Débiter, **scier** ; déligner. – Décœurer, désaubiérer, désévér. – Fendre, refendre.

22 **Flotter du bois,** schlitter.

23 Se lignifier.

24 Jouer, grincer, travailler.

25 Résiner ; galipoter, gemmer.

26 Toucher du bois. – Prov. et loc. prov. : faute de bois le feu s'éteint ; il n'est bois si vert qui ne s'allume ; il n'est feu que de bois vert ; entre le bois et l'écorce, il ne faut pas mettre le doigt.

Adj. 27 Ligneux. – Subéreux. – Xylin. – Dur comme du bois.

28 Lignicole. – Xylophage.

29 **Uni, veiné** ; flambé, moiré ; moucheté, tigré ; chenillé ; ondé, rubané, ronceux. – Luné, madré ; vermoulu.

30 Amélioré ; stratifié.

Aff. 31 Ligni- ; xylo-.

75 BOISSON

N. 1 **Boisson** *(une boisson),* breuvage, potion [litt.] ; rafraîchissement. – Boire *(le boire),* boisson *(la boisson)* **441** ; fig. : bouteille *(la bouteille).*

2 **Soif** ; dipsomanie, polydipsie [PATHOL.].

3 **Eau 468,** flotte [fam.] ; par plais. : château-la-pompe, vin enragé. – Eau minérale, eau de source. – Eau plate (opposé à eau gazeuse).

4 **Café** ; fam. : caoua, jus. – Expresso, petit noir ; café au lait, noisette ; cappuccino. – Péj. : jus de chapeau (ou : de chaussette, de chique), lavasse. – Café turc. – Arabica, robusta ; maragogype, moka.

5 **Thé** ; thé fumé, thé noir, thé vert ; thé de Chine, thé de Ceylan ; pekoe, sou-chong, lapsang, earl grey.

6 **Lait 454** ; lait d'ânesse, lait de chèvre, lait de vache. – Lait de poule ; milk-shake [anglic.].

7 Décoction, infusion, **tisane.** – Bourrache, camomille, menthe, tilleul, verveine. – Maté ou thé des jésuites.

8 **Sirop** ; citronnade, grenadine, orangeade. – **Limonade,** soda ; diabolo.

9 **Cidre,** poiré. – Chouchen ; hydromel. – Nectar [MYTH. GR.].

10 **Bière,** cervoise [ANTIQ. ou par plais.]. – Bière ambrée, bière blonde, bière brune, bière rousse ; angl. : ale, porter, stout. – **Demi** *(un demi),* mousse *(une mousse)* [fam.] ; panaché *(un panaché).* – Faux col.

11 **Vin** ; par plais. : jus de la treille ou de la vigne, liqueur bachique, purée septembrale ; pop. : picolo, picrate, **pinard,** pive. – Fam. : kil de rouge, litron.

12 Vin tranquille (opposé à vin pétillant). – Vin mousseux. – Vin sec, vin demi-sec, vin moelleux, vin doux. – Clairet ; vin blanc, vin jaune (ou : vin de paille, paillet), vin rosé, vin rouge ou, arg., rouquin. – **Vin de table** ; fam. et péj. : gros qui tache, picrate, **piquette,** vinasse. – Vin de pays ; appellation contrôlée ; cru bourgeois, grand cru. – Alsace, beaujolais *(du beaujolais, un beaujolais),* bordeaux, bourgogne, champagne, côtes-du-rhône, mâconnais ou mâcon.

13 **Alcool** ; **liqueur** ; spiritueux. – **Eau-de-vie** ; fine *(une fine)* ; fam. : brutal, **gnole,** goutte, **schnaps,** schnick, tord-boyaux ; bistouille, rincette. – Eaux-de-vie : armagnac, calvados ou, fam., calva, cognac, genièvre, kirsch, marasquin, marc ; brandy, gin, whisky ; akvavit ou aquavit ; vodka ; boukha ; tequila ; rhum, tafia. – Absinthe, **anisette** ; arak, ouzo, raki. – Liqueurs : bénédictine, cherry, curaçao, guignolet, kummel, pineau, porto, ratafia. – Alcool de riz ; saké.

14 **Cocktails.** – Kir ; punch, punch planteur ou planteur ; alexandra, americano ; bloody mary, gin-fizz, manhattan. – Grog.

15 Doigt, **goutte,** larme, trait. – Gorgée **678.5** ; fam. : gorgeon, goulée, lampée, lichée. – Canon ; rasade.

16 **Apéritif, digestif,** pousse-café ; trou normand. – Coup de l'étrier. – **Toast.** – Vin d'honneur. – Rince [fam.], tournée. – Beuverie **441.2,** libation.

17 **Verre 848** ; **bouteille** ; boîte-boisson, canette ou cannette ; fillette ; bonbonne, dame-jeanne. – Balthazar, jéroboam, magnum, mathusalem, nabuchodonosor, réhoboam, salmanazar. – Bordelaise *(une bordelaise),* bourguignonne, champenoise. – Bidon, gourde.

18 Fût, futaille, **tonneau** ; **barrique,** feuillette, foudre, muid, quartaut, tonne, tonnelet.

19 Débit de boissons ; **bar,** bistrot, buvette, **café,** pub ; fam. : bistroquet, bougnat, boui-boui, estaminet, gargote, taverne, **troquet,** zinc ; assommoir [vx]. – **Salon de thé.** – Brasserie, cafétéria, café-restaurant ou snack-bar.

20 **Cabaretier, cafetier** ; bistrot [vx], bistrotier, buvetier, mastroquet ; garçon de café. – Pinardier [pop.] ; limonadier. – HIST. : bouteiller, échanson ; sommelier ; encaveur. – Bouilleur de cru. – Œnologue.

21 **Buveur** ; fam. : biberon, pilier de bar ou de bistrot, siroteur ; ivrogne. – Boit-sans-soif, soiffard ou soiffeur.

22 Alcoolisation.

23 Œnologie.

V. 24 **Boire,** étancher sa soif ; s'abreuver, se désaltérer, se rafraîchir. – Avoir la pépie, **avoir soif.**

25 Boire à petites gorgées, buvoter, **siroter.** – **Goûter,** déguster ; se gargariser de. – Faire cul sec ou, vx, carrousse.

26 Fam. – **Boire sec** ; écluser, pomper, siffler ; biberonner, bidonner, chopiner, licher, **picoler.** – Boire comme une éponge (ou : un tonneau, un trou) ; boire comme un Polonais (ou : un Suisse, un templier). – Sabler le champagne.

27 Fam. – **Boire un coup,** lever le coude ; abattre ou chasser le brouillard. – S'en enfiler ou s'en jeter un, **s'en jeter un derrière la cravate,** s'en pousser un dans le cornet (ou : dans l'escarcelle, dans le fusil). – S'humecter ou s'arroser le gosier, se rincer le bocal (ou : la dalle, le tube, le sifflet) ; se lester.

28 **Boire à la santé de qqn** ou à qqn, porter un toast ; boire aux anges. – Marquer le coup ; choquer les verres, **trinquer.**

29 Tenir ou porter bien le vin ; avoir le gosier pavé.

30 Offrir ou payer une tournée ; rincer le bec de qqn [pop.].

31 Assoiffer.

Adj. 32 Altéré, assoiffé.

33 Désaltéré.

34 Gai, pompette ; **ivre 441.17,** soûl ou saoul.

35 Buvable, **potable.** – Gouleyant [fam.].

36 Alcoolisé.

Adv. 37 **À la bouteille** *(boire à la bouteille),* au goulot ; à la régalade.

38 *Inter pocula* [didact.].

Int. 39 À la vôtre ! **À votre santé !** Santé !

76 BONTÉ

N. 1 **Bonté** ; bonté d'âme, bonté de cœur, bon cœur, douceur, **gentillesse.** – Bénignité [litt.], bienveillance, bonhomie ; fam., rare : bonenfantisme, bongarçonnisme, garçonnisme ; bonasserie [litt. ou vx]. – Débonnaireté [rare] ; naïveté **145.** – Altruisme **336** ; philanthropie. – Tolérance.

2 **Bienfaisance** ; bien-faire *(le bien-faire)* ; bénéficence [vx]. – Amabilité, aménité, obligeance ; complaisance. – Charité [vx] ; indulgence. – Tendresse **27** ; attendrissement.

3 Bonté, **qualité 677,** valeur ; excellence **800,** perfection.

4 Bontés ; amabilités, caresses [litt.] **91,** faveurs. – Bonne action ou B. A. [souv. par plais.] ; œuvre morte [THÉOL.] ; bonnes œuvres, œuvres de miséricorde. – Bienfait **241.**

5 Bon garçon (ou : bon bougre, bon diable, bon gars), bon homme [vx] ; homme ou femme de cœur ; la crème des hommes. – Bienfaiteur.

V. 6 **Avoir le cœur sur la main.** – Être bon comme le pain ou le bon pain.

7 Avoir de la bonté de reste ; être bien ou trop bon.

8 Bonifier. – Fondre ; s'attendrir. – Avoir la bonté de.

Adj. 9 **Bon,** brave, gentil ; doucereux, **doux** ; humain, sensible. – Bonasse, débonnaire ; litt. : melliflu, paterne ; vx : bénin, benoît, boniface. – Bonard [arg.] ; fam. : bonne poire, bonne pomme.

10 Bienveillant, paternel. – **Bienfaisant,** charitable, généreux **336** ; obligeant. – Moral, vertueux **858.**

Adv. 11 **Gentiment,** gentillement [vx] ; débonnairement. – Adorablement ; bénignement [vx], bonassement [rare]. – Paternement [iron., rare]. – Par bonté d'âme.

77 BORD

N. 1 **Bord,** bordure **467** ; arête, frange, front, lèvre *(lèvres d'une plaie).* – **Paroi,** rebord, tranche. – **Circonférence,** tour. – **Contour,** délinéament [didact.], démarcation, **filet,** filière [HÉRALD.].

2 Ligne, ligne de démarcation, tracé ; cordon.

3 **Périphérie,** pourtour ; faubourg **845.** – Tenants et aboutissants. – Ceinture verte, marge d'isolement [URBANISME]. – **Lisière,** orée, rain [vx].

4 Talus ; accotement, bas-côté, fossé. – Dévers.

5 FORTIF. : berme, caponnière, contrescarpe, escarpe, glacis.

6 **Bord de mer,** grève **319** ; côte, cuesta, littoral, rivage ; **berge,** rive.

7 ARCHIT. : carole, déambulatoire. – Chemin de halage, voie sur berge. – Route en corniche.

8 **Mur, muret** ; mur d'enceinte, mur de ceinture, fortification, rempart. – Bajoyer. – Bord, rebord, **margelle.** – **Enceinte** ; barrière, **clôture,** enclos.

9 Ceinture orogénique **530** [GÉOL.], ceinture de feu, cercle de feu ; bordure figée [GÉOL.]. – Bordure continentale [GÉOGR.], marge passive [GÉOL.].

10 **Cadre** ; chambranle, châssis, encadrement, quadrature. – Architrave, cordon, **corniche,** encorbellement **432,** entablement, épistyle, forjet, saillie de rive ; orle. – Linteau, meneau, poitrail, sommier. – Dosseret, jambage, piédroit, montant. – Antibois ou antébois, astragale, cimaise, nez de marche, plate-bande, plinthe, socle de marche ; listel. – Jable.

11 MAR. – **Bordage,** bordé, plat-bord, préceinte, virure.

12 COUT. – Bordé, débord, dépassant, feston, galon, **liseré, ourlet,** passepoil ; lisière, liteau. – Chantournement, festonnage.

13 **Marge 469** ; apostille ; manchette. – Encadrement en filets [TYPOGR.], cartel, cartouche. – Talus d'une lettre. – Empâtement des contours, bavochure.

14 Marli, suage [TECHN.]. – NUMISM. : carnèle, cordon, listel. – HÉRALD. : cyclamor, engrêlure, essonnier, trescheur. – **Frange,** frangette [rare].

15 Bordier *(un bordier)* [helvét.], bordurier *(un bordurier),* **frontalier** *(un frontalier).* – Marginal *(un marginal)* **420.**

V. 16 **Border,** bordurer [rare], ceinturer, encadrer. – Délinéer [rare]. – **Tracer les contours de** ; épouser les contours de. – Chantourner, festonner, franger, guiper des franges, liserer [rare] ; ourler, passepoiler. – Ébarber, rogner.

17 Caresser [fig.], **être au bord de,** friser, frôler, longer, passer très près de, raser ; côtoyer, coudoyer. – Contourner, éviter, faire le tour de, passer autour de, tourner. – Aller sur, approcher de, confiner à **673.**

18 TYPOGR. : justifier, marger. – Annoter, apostiller, marger [litt.], marginer. – Marginaliser.

Adj. 19 Borduré, contourné, marginé [didact.]. – Côtier, frangeant *(récifs frangeants).*

Adv. 20 En marge, marginalement. – Bord à bord.

Prép. 21 **À la lisière de,** au pied de, **en bordure de.** – Au bord de, à fleur de.

Aff. 22 Circa-, circon-, circum- ; thysan-, thysano-.

78 BOSSE

N. 1 **Bosse** ; bossette [rare ou vx]. – Excroissance, proéminence, protubérance, renflement ; aspérité, irrégularité, **relief,** rugosité. – Bosselure, boursouflage, boursouflement.

2 **Butte,** monticule, motte, tertre **530** ; colline, dôme, dos-d'âne, éminence, mamelon. – **Remblai** ; cairn, tumulus ; montjoie [didact. ou vx]. – Congère, gonfle [région.].

3 Gibbosité [didact.]. – MÉD. : cyphose, lordose, scoliose.

4 **Bosse** ; région. ou vx : beigne, bigne. – Apostème ou apostume [litt.], boursouflure, soufflure, soulèvement ; ballonnement, bouffissure, enflure.

5 **Bouton** ; bourgeon [vx], dôse [région.] ; bubon **482,** furoncle, orgelet, phlegmon, pustule, vésicule. – Ampoule, bulle, **cloque,** élevure [vieilli]. – Intumescence, nodule, nodosité, œdème, tumeur **841,** tuméfaction, stase. – ANAT. : apophyse, tubérosité ; granulation, tubercule.

6 Bosses du crâne, bosses phrénologiques. – Fam., fig. : bosse de + n. *(bosse des maths).*

7 BOT. : bourgeon, bouton, caïeu ou cayeu, œil ; bulbe.

8 ARCHIT. : bossage, bosselage ; bas-relief **411,** basse-taille [vx]. – Rebord, redan ou redent, ressaut, saillie. – Arrêtoir, arrêt, butée, taquet. – TECHN. : bosselure, bossette.

9 Bossellement [litt. ou TECHN.], boursouflage, cabossage, gonflement, tumescence [litt.] ; didact. : intumescence, protrusion.

10 Bossu *(un bossu)* **484.** – Fam. : bobosse *(un bobosse),* boscot *(un boscot)* [vieilli].

V. 11 **Bosseler,** bosser [TECHN.], bossuer [litt. ou TECHN.], **cabosser** ; gondoler. – Ballonner, bouffir, boursoufler, cloquer, enfler, gonfler ; coquiller [TECHN.].

12 Bosser [vx], faire bosse, faire ventre, proéminer [rare]. – Bosser du dos, faire le gros dos.

13 S'œdématier [rare], se bossuer, se cloquer ; se gondoler. – Se donner ou se payer une bosse [fam., vx].

14 Fig. : tomber sur la bosse de qqn **160.** – Donner ou tomber dans la bosse [vx] **838.** – Rouler sa bosse.

Adj. 15 **Bosselé,** bossu *(terrain bossu)* [rare], bossué. – **Boursouflé, cabossé, cloqué** ; proéminent, protubérant.

16 Boudiné, bouffi, congestionné, enflé, gonflé, vultueux [litt.] ; intumescent [didact.].

17 Bossu, gibbeux ; contrefait, difforme. – Biscornu.

Adv. 18 ARTS : en bosse ; en demi-bosse, en ronde bosse *(sculpture en ronde bosse).*

Aff. 19 Cordylo- ; -thélie, -thélium.

79 BOTANIQUE

N. 1 **Botanique.** – Paléobotanique ; phytobiologie, phytoécologie, phytogéographie ou géographie végétale, phytographie, phytosociologie. – Cryptogamie, phanérogamie ; algologie, mycologie. – Phytotechnie ; **agronomie 18,** sylviculture **37.** – Herborisation **360.**

2 Flore, **végétation** ; végétal *(le végétal).* – Règne végétal [vieilli] ; Empire de Flore [poét., vieilli].

3 **Classification 126.** – Diagnose.

4 Procaryotes, eucaryotes. – Cryptogames cellulaires : bryophytes ou muscinées (mousses, anthocérotées, hépatiques). – Cryptogames thallophytes : protophytes (bactériacées, cyanophycées ou myxophycées). – Cryptogames vasculaires ; équisétinées (équisétales), filicinées eusporangiées (ophioglossales, marattiales), filicinées leptosporangiées (filicales, osmondales, hydroptéridales), lycopodinées (lycopodiales, sélaginellales, lépidodendrales, isoétales). – Préphanérogames : cycadales, ginkyoles, ptéridospermées. – Phanérogames : angiospermes dicotylédones (santalales, olécales, protéales ; amentiflores, urticales, polygonales, centrospermales, plumbaginales, primulales ; thérébinthales, ombelliflores, malvales, rubiales, ébénales, célastrales, rhamnales, ligustrales, contortales, géraniales, tubiflores, euphorbiales ; ranales, aristolochiales, pipérales, rosales, hamamélidales, myrtales, thymélaéales, pariétales, rhaeadales, éricales, cucurbitales, synanthérales) ; angiospermes monocotylédones (alismatales, potamognétales ; commélinales, graminales, cypérales, broméliales, liliales, dioscoréales, scitaminales, orchidales ; arales, pandanales, palmales, juncales), chlamydospermes, gymnospermes (pinales, araucariales, podocarpales, taxales, cupréssales, gnétales). – Thallophytes vrais : algues (rhodophycées, phéophycées, chlorophycées, xanthophycées), champignons (myxomycètes, phycomycètes, zygomycètes, ascomycètes, basidiomycètes) **103,** lichens (pyrénolichens, discolichens, basidiolichens) **463.**

5 **Vie végétative.** – Physiologie végétale ou phytobiologie, phytochimie.

6 **Période végétative.** – Feuillaison, foliation ; **floraison,** fructification. – Bourgeonnement, élongation, **germination,** montaison, pousse, venue ; poussée radiculaire, rhizogenèse. – Multiplication végétative, sporulation ; régénération, reviviscence. – Hiémation.

7 Dormance.

8 Fanaison ; défeuillaison, défloraison, **défoliation,** exfoliation ; marcescence. – Abscission, déhiscence ; anatonose. – Étiolement.

9 Assimilation chlorophyllienne ou **photosynthèse,** nutrition carbonée ; autotrophie, phototrophie ; photorespiration. – Endosmose, exosmose, osmose ; exsudation, extravasion de la sève, guttation ou sudation, plasmolyse, transpiration.

10 **Cérification,** gélification. – Lignification, subérification, tubérisation.

11 Nastie (autonastie, nyctinastie, photonastie, thermonastie, thigmonastie ou séismonastie) ; **tropisme** (chimiotropisme, géotropisme, haptotropisme ou thigmotropisme, héliotropisme, orthotropisme, phototropisme, plagiotropisme ; tactisme, hydrotactisme) ; circumnutation. – Thermopériodisme.

12 **Stomate,** stomates aquifères ; ostiole. – Endoderme (ou : endoblaste, entoblaste), paroi. – Utricule ; vrille. – Gibbérelline, **phythormone** ou phytohormone.

13 Estivation ou **préfloraison 318,** vernation (ou préfoliation, préfoliaison).

14 **Sève,** sève ascendante, sève descendante, sève élaborée ; chlorophylle ; exsudat, mucilage.

15 Phytopathologie (ou phytiatrie, pathologie végétale) ; diagnostic foliaire.

16 MALADIES

albinisme
alternariose
anthracnose
asphyxie
bayoud
bigarrure
black-rot
brun
bushy stunt [anglic.]
carence
carie
cercosporiose
chancre
charbon
chlorose
cladosporiose
cloque
coître
coulure
criblure
crinkle [anglic.]
dartrose
échaudage
encre
enroulement
entomosporiose
ergot
érinose
esca
excoriose
fasciation
feu
flétrissement
folletage
fonte des semis
frisolée
fumagine
fusariose
gale
gangrène
gigantisme
gléosporiose

gommose	nécrose
graphiose	oïdium ou blanc
grisette	panachure
helminthosporiose	piétin
hernie	pourridié
hypersensibilité	rosette
ictère	rouille
javart	roulure
madrure	septoriose
meunier	tavelure
mildiou	trachéomycose
mycoplasmose	verticilliose
nanisme	virescence

17 Herbier. – Herboristerie.

18 **Botaniste,** botanophile, herborisateur ; **herboriste.**

V. 19 **Botaniser, herboriser.** – Dépoter, rempoter ; repiquer. – Bouturer.

20 Défolier.

21 Croître ; bourgeonner, germer, **pousser.** – Défleurir, **dépérir, s'étioler,** sécher, sécher sur pied, végéter ; s'étioler. – Brouir, brûler, jaunir. – Geler.

Adj. 22 **Végétal.** – Endodermique ; stomatiquc. – Germinatif ; dormant. – Marcescent ; pérennant. – Foliacé.

23 Autotrophe, phototrophe ; géotropique, orthotrope ; héméropériodique, photopériodique ; photosynthétique.

24 Phytopathogène, phytotoxique ; phytopathologique. – Phytosanitaire.

Adv. 25 Végétativement. – Botaniquement.

Aff. 26 Botano-, **phyto-,** végéto- ; -phyte.

80 BOUDDHISME

N. 1 **Bouddhisme 700.** – Lamaïsme, tantrisme. – Taoïsme, tonghak ; amidisme. – Bouddhologie [didact.].

2 Écoles : avatamsaka (en Chine : huayan ; au Japon : kegon), dhyana (en Chine : chan ; au Japon : **zen**), hinayana, madhyamika ou sunyavada (en Chine : sanlun ; au Japon : sanron), mahayana, saddharmapundarika (en Chine : tiantai ; au Japon : tendai), sarvastivada, sautrantika, sthaviravada, theravada, viyana (en Chine : lüzong ; au Japon : ritsu), yogacara ou vijnanavada (en Chine : faxiang ; au Japon : hosso). – Écoles Sukhavati (en Chine : jingtu, au Japon : ji, jodo, shin).

3 Bouddhisme tibétain : hisnayana **(petit véhicule),** mahayana **(grand véhicule),** vajrayana (sanskr., « voie du diamant »), mantrayana (sanskr., « voie des formules sacrées »).

4 Branches japonaises : Zen ; école Rinzai ; école Soto. – Branches tibétaines : Bka-brgyud-pa, Dge-lugs-pa ou Bonnets jaunes, Gcod-pa, Ka-gdams-pa, Rnying-ma-pa, Sa-skya-pa. – Branches vietnamiennes : Binh Xuyen, Cao Dai, Hoa Hao.

5 **Bouddhiste.** – Lamaïste.

6 Brahman (sanskr., « cause absolue »). – **Yang** (opposé à **yin**). – Tao (chin., « la voie »).

7 Dhyana (sanskr., « méditation »). – Les cinq bouddhas de contemplation : vairocana, aksobhya, ratnasambhava, amitabha, amoghasiddhi.

8 Bodhi (sanskr., « éveil »), samadhi ; **satori** (jap., « éveil »). – **Nirvana 89,** parinirvana. – Asamskrita.

9 Adibuddha ; **bouddha.** – Arhat ; bodhisattva.

10 Dogme : **quatre Nobles Vérités** ; Voie aux Huit Étapes : vue juste ; juste résolution ; parole juste, vraie et bonne ; comportement correct ; travail correct ; effort correct ; mémoire ou attention correcte ; contemplation **657,** zazen [méditation assise]. – Paticca-samuppada ou loi de la production conditionnée. – Samsara.

11 **Karma** ou karman **362.**

12 Triratna (sanskr., « les trois joyaux ») ; Bouddha, dharma (sanskr., « loi »), sangha (sanskr., « communauté »).

13 **Mudra** ; anjali-mudra, varada-mudra, abhaya-mudra, dhyana-mudra. – **Yoga.**

14 Yantra (sanskr., « instrument »), mantra (sanskr., « instrument de pensée ») ; mandala (sanskr., « cercle »). – Tanka.

Adj. 15 Bouddhique, lamaïque, tantrique, taoïque. – Bouddhiste, lamaïste.

81 BOURSE

N. 1 **Bourse** ; Bourse des valeurs, stock-exchange [angl.] ; Bourse du commerce, Bourse de marchandises ; Bourse du travail. – Bourse *(la Bourse),* marché des valeurs.

2 **Marché** ; marché officiel ; marché hors-cote, second marché. – Marché primaire (opposé à marché secondaire). – Marché au comptant. – Marché à livrer, marché à règlement mensuel (R. M.), marché à terme ; marché conditionnel (opposé à marché à terme ferme). – Marché des options négociables de Paris (M.O.N.E.P.).

– Marché à terme international de France (M. A. T. I. F.). – Back-office [anglic.].

3 Marché des changes.

4 **Boursicotage.** – Agiotage [vx]. – Spéculation.

5 **Introduction en Bourse.** – Admission à la cote, inscription ; radiation.

6 Capitalisation boursière. – Surcapitalisation. – Augmentation de capital.

7 **Participation** ; apport, mise de fonds **339**, placement, souscription **849.** – Prise de contrôle, prise de participation. – Contrôle **155** ; autocontrôle.

8 **Cours** ; cours d'ouverture ou premier cours ; cours moyen ; cours de clôture ou dernier cours. – Cours limite ; cours maximal, cours minimal. – Cours de compensation. – Cours nominal, pair ; pair réciproque, pair réel. – **Cote,** cote officielle ; cote des changes, cote des valeurs en banque. – Surcote.

9 **Indice** ; CAC 40, dax [angl.], Dow Jones [amér.], Nikkei [jap.].

10 Indicateur de tendance. – Échelle de prime.

11 **Cotation** ; cotation à la criée ; cotation par casiers, cotation par oppositions. – Cotation au pied de coupon. – Cotation assistée en continu ou, abrév., CAC. – Fixing [anglic.]. – Cotation réservée.

12 Tendance boursière. – Fermeté, **stabilité 611.2,** tenue ; réaction. – Hausse **56.3** ; boom ou boum [anglic.]. – Baisse **220.5** ; chute, **krach.**

13 **Opération de Bourse,** opération au comptant, opération à terme ; transaction ; opération de change. – Opération d'émission. – Opérations spéciales et combinées ; contrepartie, option du double ou, angl., call of more, stellage.

14 **Offre** ; offre publique d'achat (O.P.A.), offre publique d'échange (O.P.E.), offre publique de vente (O.P.V.).

15 **Achat** ; passage, raid [anglic.] ou ramassage de titres. – Rachat. – **Vente** ; vente au comptant, vente en disponible ; vente à livrer, vente à terme. – Vente à couvert (opposé à vente à découvert). – Transfert ; panachage. – Échange ; regroupement de titres.

16 **Change** ; change flexible ou flottant ; change manuel, change tiré. – Cambisme.

17 Exécution. – **Liquidation.** – Position de place ; report.

18 **Ordre de Bourse,** ordre de change ; ordre fixe, ordre lié, ordre au mieux, ordre au premier cours, ordre à révocation, ordre soignant ou à soigner ; ordre stop, ordre tout ou rien.

19 Réponse des primes ; abandon (opposé à confirmation). – Éviction.

20 Bulletin des oppositions. – Bulletin des annonces légales obligatoires (BALO). – Notice d'émission, prospectus d'émission.

21 Avis d'opéré, fiche. – Compte de liquidation. – Certificat d'investissement privilégié (CIP). – Promesse d'action. – Script. – Affidavit. – **Contrat** ; clause d'agrément, clause de préemption, pari passu.

22 Corner. – **Délit d'initié.**

23 **Parquet** ; corbeille, hémicycle. – Coulisse.

24 Fonds de pension, fonds de placement. – Maison de titres. – Société d'investissement à capital variable (sicav). – Syndicat de placement, syndicat de garantie. – Commission des opérations de Bourse (COB).

25 **Boursier.** – Agent de change ; cambiste ; courtier en devises. – Broker ; remisier. – Arbitragiste. – Chartiste. – Opérateur. – Contrepartiste ; jobber [angl.]. – Banquier en valeurs ou, vx, coulissier ; démarcheur. – Coteur. – Teneur de carnet. – Grouillot.

26 **Spéculateur** ; agioteur, boursicoteur ou boursicotier [péj.], tripoteur [fam.]. – Investisseur ; investisseurs institutionnels ou, fam., zinzins.

27 Donneur d'option ou optionnaire ; preneur d'option. – Optant.

28 Échellier. – Accompagnateur ; baissier (opposé à haussier). – Escompteur. – Raider [anglic.]. – Reporteur.

V. 29 **Jouer en Bourse,** spéculer ; agioter, boursicoter. – Jouer à la baisse (opposé à jouer à la hausse). – Se racheter.

30 Ouvrir son capital. – Servir le marché.

31 **Coter,** surcoter.

32 Tenir un marché.

33 Lever (opposé à livrer). – Reporter.

34 Exécuter un vendeur.

Adj. 35 **Boursier.** – Spéculatif.

36 Cambiste.

37 Cotable. – Hors-cote.

38 Opéable [fam.].

39 **Coté,** surcoté. – Au pair *(titre au pair),* al pari [ital.].

Adv. 40 Franco, sans courtage.

82 BRONZE

N. 1 **Bronze** ; **airain** [vx, litt.], orichalque [ANTIQ.]. – Alliage cuivreux ; cupro-aluminium [MÉTALL.]. – Bronzerie [TECHN., ARTS] ; bronzage [TECHN.].

2 MÉTALL. : **bronze d'aluminium,** bronze à l'antimoine, bronze au manganèse, bronze au plomb, bronze au vanadium ; bronze phosphoreux, bronze poreux. – Bronze de frottement. – Bronze industriel ; **similibronze** ; chrysocale, laiton. – Bronze à canon. – Bronze fondu, bronze moulu.

3 PEINT. : **poudre de bronze,** purpurine. – Bronze patiné ; bronze noir, bronze vert ou antique ; bronze doré. – Bronze, vert bronze ; verdet, **vert-de-gris.**

4 **Bronze** *(faire parler le bronze)* [vx, litt.], canons. – Bronze sonore, **cloches** ; MUS. : crotale, gong **422.**

5 BX-A. : **bronze** *(un bronze)* **749,** statue de bronze ; bronze antique ; **bronze d'art,** bronze chinois. – Bronze d'ameublement [ARTS DÉC.]. – NUMISM. : bronze *(grand bronze, moyen bronze, petit bronze),* **médaille** ; ANTIQ. ROM. : as, as libral, as oncial, contorniate ; sou [vx]. – Médaille de bronze **792.**

6 **Âge du bronze** [PALÉONT.] ; MYTH. : âge d'airain ; civilisation du bronze atlantique.

7 Bronzeur, **bronzier** ; fondeur d'art, mouleur. – Médailleur, médaillier, médailliste ; **numismate.**

V. 8 **Bronzer** ; patiner ; verdegriser. – Brunir, cuivrer.

9 **Couler du bronze,** fondre *(fondre une statue),* **mouler.** – Couler qqch dans le bronze [fig.].

Adj. 10 **Bronzé,** patiné, vert-de-grisé ; brun **84.**

11 De bronze ; **d'airain** ; dur, solide, résistant.

12 Cuprifère.

Aff. 13 **Chalco-,** cupro-.

83 BRUIT

N. 1 **Bruit** ; son **781.** – Bruyance [litt., rare].

2 TECHN. – **Bruit impulsif** ; bouffée de bruit, pulsion de bruit. – Bruit blanc ou bruit d'agitation thermique ; bruit rose.

3 **Bruit de fond** ; bourdonnement, souffle, bruit de ronfle, bruit de surface [TECHN.]. – **Brouillage** ; bruits parasites ou parasites **411** ; crachement, crachotement, crépitement ; friture [fam.]. – **Pollution sonore.**

4 **Bruit de fond** ; bruit ambiant, bruit d'ambiance. – **Ambiance sonore** ; bruitage [TECHN.] **120.**

5 **Bruits confus.** – **Brouhaha** ; clameur, rumeur. – **Grondement** ; ronflement, roulement.

6 **Bruits légers.** – **Bruissement** ; frémissement, froissement, frôlement, froufrou. – **Murmure** ; souffle ; plainte, soupir. – Chuintement **170,** sifflement. – **Clapotage** ; clapotement, clapotis. – **Gargouillement,** gargouillis. – **Cliquètement,** cliquetis, tintement. – **Crissement** ; craquètement [MÉD.], grincement. – **Crépitation** ; crépitement, décrépitation [SC. NAT.] ; grésillement, pétillement. – Ronron, **ronronnement.**

7 **Chuchotement 595,** chuchotis, murmure. – Soupir. – **Plainte** ; geignement, gémissement. – **Râle,** râlement [litt.]. – **Gazouillement** ; babil, lallation. – Clappement.

8 **Pétarade** ; brondissement [rare], vrombissement. – **Éclatement** ; coup de tonnerre, déflagration, détonation, explosion. – **Battement** ; frappement, martèlement. – Clappement, **claquement.** – **Craquement** ; fracas, tapement.

9 **Vacarme** ; charivari, tapage, tintamarre, tohu-bohu, tumulte **201.7.** – Fam. : barnum [vieilli], bastringue, boucan, bousin, chabanais [arg.], foin, foire, potin, raffut, ramdam, sabbat, tintouin [vx]. – Bacchanales [vx]. – **Cacophonie.**

10 **Bagarre** ; chahut, esclandre ; fam. : barouf, boulevari [vx], chamaille [vx], chambard, grabuge, hourvari, pétard.

11 **Cri 168** ; criaillerie. – Éclat de voix, éclat de rire. – **Applaudissement** ; battement de mains.

12 **Râle,** ronflement ; bruit de galop, bruit de souffle [MÉD.]. – **Éternuement,** sternutation [MÉD.]. – Toussotement, **toux.** – **Rot** ; éructation, hoquet. – **Borborygme** ; gargouillement, gargouillis. – **Flatuosité** ; pet, vent [fam.] **296.8,** vesse [vulg.].

13 **Bruiteur** *(un bruiteur).* – Tapageur *(un tapageur).*

V. 14 **Bruire,** bruisser, bruiter [litt., rare]. – **Faire du bruit** (ou, fam. : du boucan, du potin, du raffut, etc.). – Casser les oreilles, crever le tympan [fam., fig.]. – Faire plus de bruit que de besogne [loc. prov.], faire beaucoup de bruit pour rien.

15 **Gronder,** rouler. – **Pétarader,** ronfler **780.11** ; brondir [rare], vrombir. – Détoner, **éclater,** exploser. – Bourdonner, ronronner. – Chuin-

ter, siffler ; murmurer **595.** – Résonner, tinter. – Cliqueter ; crisser, craquer, grincer. – Froufrouter. – Battre **543,** clapper, claquer **748,** frapper, marteler, taper. – Craquer, craqueter, crépiter, crisser, grincer ; grésiller, pétiller. – Clapoter, gargouiller.

16 **Éructer,** roter. – Péter, vesser [vulg.].

17 **Vociférer** ; crier **168,** hurler ; parler fort ; brailler, gueuler [fam.].

18 **Murmurer** ; chuchoter, susurrer **595.** – Babiller, gazouiller.

Adj. 19 **Bruyant** ; assourdissant, tonitruant. – Fracassant, retentissant ; tumultueux. – **Bruissant** ; bourdonnant, frémissant, palpitant. – Détonant.

20 Tapageur, tumultueux. – Braillard, criard **168** ; beuglard [fam.].

21 **Bruital** [rare, didact.].

Adv. 22 **Bruyamment,** tapageusement, tumultueusement [litt.]. – À grand bruit (opposé à à petit bruit).

Int. 23 Onomatopées reproduisant ou évoquant des bruits. – Chute : **badaboum,** boum, patapouf, patatras, pouf. – Coup : **bang,** bing ; paf, pan, vlan. – Moteur : **broum,** brrr, vavavoum, vroum ; teuf teuf. – Ronflement : **bzitt,** bzz, zzz. – Cliquètement, craquement : clic, clac, **clic clac** ; crac, cric-crac. – Cloches : **dig,** ding, ding dong, drelin drelin ; avertisseur : **pin pon,** pouêt pouêt, tut tut. – Eau : flac floc, **flic flac** ; ploc, plof, plouf ; glou glou. – Fanfare : tsoin, tatsoin, **tsoin-tsouin** ; zim boum boum. – Horloge, montre : **tic tac** ; frappement : toc toc. – Applaudissement : **clap clap.**

84 BRUN

N. 1 **Brun** *(le brun)* ; marron *(le marron),* noir *(le noir)* **553** ; rousseur. – Brunette [anc.] ; roussi *(un roussi)* [vx].

2 Colorants et pigments bruns. – Origine minérale : terres, ombre (ou terre d'ombre, terre à ombrer), terre de Sienne **444.2** ; ocres, ocre brune, ocre violette ou brun Van Dick. – Origine végétale : bois de Campêche, brou de noix, brun de cachou, brun de garance. – Origine animale : sépia. – Origine organique : brun Lutétia, brun Soudan, organol ; laques brunes ; brun de résorcine RN, brun diazol M.

3 Brunissement ; **bronzage,** hâle. – Bronzette [fam.]. – Brunisseur. – Bronzomanie.

4 TECHN. – Brunissure, roussissement ou, vx, roussissage ; brunissement. – Boucanage, tannage.

5 Rousseur *(une rousseur),* roussissure. – **Tache de rousseur,** tache de son, rousse *(une rousse)* [région.] ; éphélide ; grain de beauté, lentigo.

6 **Brun** *(un brun* opposé à *un blond)* ; brunet *(un brunet)* [vx] ; brune piquante, brunette *(une brunette).* – **Châtain** *(un châtain)* **624.** – Roux *(un roux)* ; rouquemoute [arg.].

V. 7 **Brunir** ; assombrir, foncer ; bistrer, noircir **553.10.** – Roussir ; roussiller [rare ou région.] ; brûler **131.**

8 **Brunir** ; basaner, **bronzer,** dorer **444,** hâler ; boucaner, tanner. – Prendre des couleurs **159.22** ; se dorer au soleil.

Adj. 9 **Brun** ; foncé, sombre, terreux. – Brunâtre, roussâtre ; ocre ou, litt., ocreux, ocré.

10 Brun (opposé à blond) ; brunet [vx] ; **châtain 624,** châtain cendré, châtain clair, châtain foncé. – Brun-roux ; auburn, roux ; rouquin [péj.], rousseau ou roussot [vx] ; rouge.

11 Brun ; **basané,** bistré, cuivré ; brique [app.], briqueté. – Bruni ; **bronzé,** hâlé ; boucané, tanné, tanné par le soleil. – Rousselé [vx].

12 Marron, bronze ; caramel, carmélite, sable ; acajou, chocolat, havane, tabac ; brun-jaune, kaki ; brun-rouge, fauve, roux ; ocre brune, bronze noir.

13 ZOOL. : alezan, bai, baillet [vx], louvet, saure ou, rare, sauré.

85 BULLE

N. 1 **Bulle** ; bulle d'air, bulle de gaz **335, bulle de savon 669.** – **Écume** ; bouillon. – Boule **97,** sphère ; **globule** [vx].

2 Spumosité [didact., rare].

3 **Ampoule 604,** cloque, phlyctène, vésicule [MÉD.]. – Bulle d'emphysème, embolie gazeuse **482.** – Dermatose bulleuse.

4 Verre bullé, verre soufflé. – Piège à bulle, niveau à bulle [TECHN.].

5 **Mousse 537** ; Caoutchouc Mousse [nom déposé], mousse de polystyrène. – Bain moussant, mousse à raser.

6 Mousse *(la mousse du champagne)* ; faux col (d'un verre de bière). – Bière **75,** mousse *(une mousse, une petite mousse)* [fam.] ; champagne, mousseux *(du mousseux),* vin champagnisé ; eau pétillante.

7 Bouillon **333.** – Grand perlé ou soufflé, petit perlé [CUIS.]. – **Bubble-gum,** chewing-gum.

8 Bulle *(bébé bulle)* **270** ; bulle d'élevage.

9 Bulle, phylactère [didact.]. – Bulle [fam.] **872.2.**

10 TECHN. : agitateur ; moussoir.

11 Ébullioscope, ébulliomètre **509.**

12 Bouillon [TECHN. ou rare], **bouillonnement,** ébullition, **frémissement** ; fusion. – Agitation **17,** **émulsion.** – **Effervescence,** pétillement. – Champagnisation, distillation, fermentation.

13 Bullage [TECHN.], cloquage. – Vésication.

V. 14 **Faire des bulles,** souffler des bulles *(de chewing-gum, de savon)* ; fermenter, mousser. – Agiter, secouer ; battre, fouetter, émulsionner, monter des œufs en neige. – Bouillonner, faire effervescence, **pétiller** ; éclater, crever.

15 **Bouillir,** bouillotter, chanter, frémir, friller [TECHN.], frissonner, mijoter.

Adj. 16 Bullé, bulleux [MÉD. ou rare], cloqué, globulaire, **globuleux,** sphérique ; vésicatoire, vésicant, vésiculaire [didact.]. – **Spongieux.**

17 Effervescent, **gazeux, pétillant** ; bouillonnant, en ébullition. – Baveux, **écumeux,** moussant, mousseux ; didact. : spumescent, spumeux.

86 BUT

N. 1 **But** ; fin, finalité. – Objectif, objet ; cible, destination, point de mire, visée ; fam. : but de la manœuvre, but de l'opération. – Dessein, **intention 428,** plan, projet **664,** propos ; motif **536.** – Idéal **199,** rêve ; mission.

2 PHILOS. : cause finale ; fin relative, fin subjective (Kant), fin en soi (Kant) ; principe de finalité. – Les fins dernières [THÉOL.] ; les fins de l'homme. – But pulsionnel [PSYCHAN.].

3 Téléologie ; eschatologie [RELIG.]. – Finalisme, providentialisme. – Finaliste *(un finaliste),* providentialiste *(un providentialiste).*

4 GRAMM. – Conjonction de but, conjonction finale. – Complément de but. – Proposition de but **622,** proposition finale. – Infinitif final.

V. 5 Finaliser, fixer un objectif ; se donner pour objectif de, se donner pour tâche de. – Envisager de **428,** **projeter de** ; se proposer de. – Avoir une idée derrière la tête, savoir où l'on va ; avoir de la suite dans les idées.

6 Chercher à, **essayer de,** tâcher de ; s'efforcer de. – Tendre à ou vers, travailler à. – PROV. : la fin justifie les moyens ; qui veut la fin veut les moyens.

7 **Atteindre,** frapper, toucher. – **Aboutir, réussir 798** ; arriver ou parvenir à ses fins, atteindre son objectif, **toucher au but.** – Arriver au port ou à bon port **45.** – Faire mouche ; mettre dans le mille ; coiffer l'objectif [arg. mil.] ; cartonner [fam.].

8 Ambitionner de, buter à [vx], prétendre à, **viser à 664,** avoir des visées sur, avoir en vue de ; se destiner à. – **Aller droit au but.**

Adj. 9 **Final** ; idéal. – DIDACT. : finalitaire ; eschatologique, téléologique.

10 Destiné à ; finalisé.

11 Obtenu, eu. – Touché.

Adv. 12 À cette fin, dans ce dessein ; dans ce but [critiqué] ; pour cela.

Prép. 13 **À, afin de, pour.** – À l'égard de, à l'endroit de, **envers** ; contre, à l'encontre de. – Pour le bien de, en faveur de, dans l'intérêt de, pour la sauvegarde de.

14 À l'effet de, à des fins de, à seule fin de, dans l'idée de, **dans l'intention de,** dans l'optique de, en vue de ; dans le but de [critiqué], ; fam. : histoire de. – De façon à, de manière à.

15 Pour ne pas, dans la crainte de, peur de [sout.], **de peur de,** par peur de.

Conj. 16 **Afin que, pour que** ; avec la pensée que, dans le but que. – De façon que ou, critiqué, à ce que, de manière que ou, critiqué, à ce que, de sorte que, en sorte que. – Pour que... ne... pas ; de crainte que, **de peur que** ; pour éviter que.

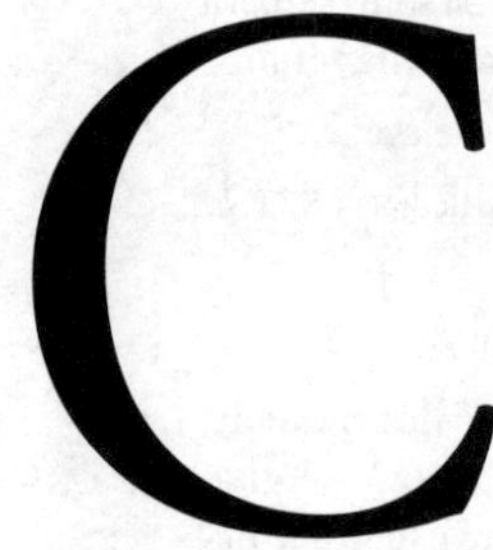

87 CALCUL

N. 1 **Calcul.** – Algèbre, arithmétique, mathématique **493** ; axiomatique. – Compte, **dénombrement 555**

2 Opération de calcul ou **opération** ; addition **8,** division **237,** multiplication **539,** soustraction **790.** – Fonction ; **équation** *(équation rationnelle, équation irrationnelle).* – Mise en équation ; discussion, résolution. – Quadrature.

3 **Règles de calcul** ; règle de trois, les quatre règles. – Règle des signes. – Preuve, preuve par neuf **551**

4 Calcul mental. – Analyse, appréciation, estimation, **évaluation,** prévision, spéculation, supputation ; approximation.

5 ÉCON. : **comptabilité** ; calcul économique. – Comput, computation. – Stochastique.

6 Calcul algébrique, calcul arithmétique, calcul décimal ; calcul des dérivées, calcul différentiel, **calcul infinitésimal,** calcul intégral, calcul logarithmique, calcul matriciel, **calcul des probabilités,** calcul tensoriel, calcul des variations, calcul vectoriel. – **Calcul analogique,** calcul associatif, calcul automatique, calcul digital, calcul électronique, calcul informatique, calcul numérique. – Calcul booléen, calcul de classes, calcul fonctionnel, calcul modal, calcul des propositions ou calcul propositionnel, calcul des prédicats, calcul des relations.

7 **Problème** ; **donnée,** inconnue ; résultat. – Chiffre **112,** nombre ; point, unité de calcul.

8 Algorithme ; mantisse. – INFORM. : arbre, **programme** ; matrice.

9 Abaque, **boulier** ; règle à calcul ; table de logarithmes, table numérique. – **Calculateur** ; calculateur analogique, calculateur digital, calculateur électronique [vieilli] ; **calculatrice,** machine à calculer ; calculateur de poche, calculette ; intégrateur, intégrateur différentiel, **ordinateur 788.**

10 Acalculie, dyscalculie.

11 Comptable *(un comptable)* ; aide-comptable.

V. 12 **Calculer,** faire un calcul ; calculer de tête, compter sur ses doigts. – Additionner ; soustraire ; multiplier ; diviser, fractionner ; élever un nombre au carré, au cube, à la puissance *n* ; extraire la racine carrée, cubique, *nième* d'un nombre. – Abaisser une équation, carrer une équation, mettre en équation ; intégrer une fonction.

13 Chiffrer, compter, **dénombrer 555.** – Estimer, **évaluer,** peser ; supputer ; prévoir **332.**

Adj. 14 Calculable. – Incalculable.

15 Prédictible [didact.]. – Imprédictible [didact.].

Adv. 16 Algébriquement, arithmétiquement, **mathématiquement 493.**

88 CALENDRIER

N. 1 **Calendrier.** – Calendrier grégorien, calendrier julien, calendrier perpétuel, calendrier républicain, calendrier révolutionnaire. – RELIG. : **directoire,** ordinaire, ordo.

2 Année canonique musulmane, année grégorienne, année julienne, année républicaine, année russe. – Année académique, année civile, année judiciaire, année liturgique, année scolaire.

3 Datage, **datation.** – Comput [RELIG.], computation [didact.] ; cycle de Méton, épacte, lettre dominicale, nombre d'or – Ancien ou vieux style, nouveau style [Russie, anc.].

4 Agenda **387,** agenda électronique ou organiseur, almanach, annales, annuaire, **calendrier,** éphéméride, fastes [ANTIQ. ROM.], livre d'heures ou Heures, semainier ; calendrier de l'Avent.

5 **Date** ; millésime, quantième. – DR. : date authentique, date certaine.

6 Année bissextile ; année climatérique, année sabbatique. – Année commune, année pleine. – Année attique, année embolismique, année intercalaire.

7 **Anniversaire 309** ; cinquantenaire, jubilé, année sainte ou année jubilaire ; **centenaire,** bicentenaire, tricentenaire. – Noces d'argent, d'or, de diamant, de platine.

8 **Mois,** mois intercalaire ou embolismique. – Janvier, février, mars, avril, mai, juin, juillet, août, septembre, octobre, novembre, décembre ; HIST. : vendémiaire, brumaire, frimaire, nivôse, pluviôse, ventôse, germinal, floréal, prairial, messidor, thermidor, fructidor.

9 **Zodiaque 49.** – Bélier, Taureau, Gémeaux, Cancer, Lion, Vierge, Balance, Scorpion, Sagittaire, Capricorne, Verseau, Poissons.

10 **Jour,** jour calendaire ; bissexte ou jour intercalaire. – Lundi, mardi, mercredi, jeudi, vendredi, samedi, dimanche ; HIST. : primidi, duodi, tridi, quartidi, quintidi, sextidi, septidi, octidi, nonidi, décadi ; sans-culottides. – ANTIQ. ROM. : calendes, ides, nones, féries **310.**

11 Hémérologue *(un hémérologue)* ; computiste.

V. 12 Dater **290,** millésimer.

Adj. 13 Calendaire. – Didact. : épactal ; compensateur, épagomène.

Adv. 14 Après Jésus-Christ, avant Jésus-Christ.

89 CALME

N. 1 **Calme,** placidité, tranquillité ; assurance, maîtrise de soi, sang-froid ; calme olympien. – Flegme, impassibilité, imperturbabilité ; égalité d'âme ; apathie, insensibilité **418,** indifférence **401.** – Inertie **403, repos,** stabilité. – Détachement, paix, sagesse, **sérénité** ; béatitude, bien-être ; ataraxie [PHILOS.], nirvana. – Minimalisme, modération, pondération, tempérance ; patience ; prudence **674.**

2 Calme, paix, quiétude, silence **766, tranquillité** ; confort, douceur ; confiance, sécurité, sûreté ; « Là, tout n'est qu'ordre et beauté, / Luxe, calme et volupté » (Baudelaire). – Halte, pause, rémission, **répit** ; ralentissement.

3 **Calme plat,** calmes équatoriaux (aussi : tropicaux) ; accalmie, bonace, mer d'huile ; calme avant la tempête [aussi fig.]. – Éclaircie, embellie. – Anticyclone.

4 Décontraction, détente, relaxation, **repos.** – Allègement, atténuation ; **apaisement,** assouvissement. – Consolation, tranquillisation.

5 Tranquille *(un tranquille)* ; fam. : pépère *(un pépère),* père tranquille.

V. 6 **Calmer,** désénerver, détendre, pacifier. – Rasséréner, rassurer, redonner confiance, **tranquilliser** ; assurer [vx] ; consoler, réconforter.

7 Calmer ; adoucir, amadouer, **apaiser,** dulcifier [vx], lénifier [litt.], refroidir. – Assagir, modérer, réfréner, tempérer.

8 Dédramatiser ; désamorcer (un conflit) ; calmer le jeu [fam.].

9 Désarmer, dompter, étouffer, **maîtriser,** mater, rasseoir (les esprits) ; imposer silence à [fig.].

10 Affaiblir, alléger, atténuer, **modérer** ; mettre une sourdine à. – Assoupir, assourdir, endormir, **éteindre** ; assouvir, soulager.

11 Se contenir, se contrôler, se modérer ; se posséder. – Garder la tête froide, garder son sang-froid ; n'avoir pas un mot plus haut que l'autre ; ne pas se départir de son calme, prendre patience **601.** – Se relaxer, **se reposer.**

12 **Se calmer** ; calmir [MAR.].

Adj. 13 **Calme,** décontracté, placide, **tranquille** ; tranquille comme Baptiste ; benoît [litt.], quiet [litt.]. – Gentil, **sage** ; sage comme une image ; doux, pacifique **589.** – Flegmatique, impassible, imperturbable ; apathique, coi [litt.], immobile. – Fam. : cool [anglic.], décontract, **peinard** ou pénard, pépère, relax [anglic.], zen. – Grave, **posé,** prudent **674,** réfléchi ; modéré, pondéré ; philosophe, sage ; détaché, stoïque ; maître de soi. – Assuré, confiant.

14 Calme, olympien [litt.], paisible, serein, **tranquille.** – Étale [litt.]. – Encalminé [MAR.].

15 Apaisant, lénifiant, lénitif [litt.] ; rassérénant, **rassurant,** réconfortant.

16 **Calmant** ; adoucissant, tranquillisant.

17 MÉD. : anxiolytique ; analgésique, antalgique, sédatif ; antispasmodique ; béchique, antitussif.

Adv. 18 **Calmement,** paisiblement, sereinement, **tranquillement.** – Fam. : peinardement, tranquille, tranquillos. – Flegmatiquement, impassiblement, imperturbablement. – Gentiment, **sagement** ; doucement, pacifiquement. – Patiemment, posément, prudemment. – Au calme, en paix, en toute tranquillité.

Int. 19 Du calme ! Patience ! ; fam. : calmos ! *Keep cool !* (angl., « restez calme »), on se calme ! [fam.]. – Là ! Tout beau !

90 CAPRICE

N. 1 **Caprice** *(le caprice)* ; arbitraire *(l'arbitraire)* **870,** bon plaisir **629,** fantaisie, gré [vx en emploi autonome], humeur.

2 **Caprice** *(un, des caprices)* ; boutade [vx], coup de tête, fantaisie, foucade, passade, toquade, **lubie** ; **envie,** impulsion **391.** – Amourette, béguin, flirt. – Exigence, obstination **568** ; **enfantillage 270.** – Frivolité, futilité, légèreté.

3 **Bizarrerie,** extravagance, **fantaisie, folie 321.** – Inconstance, instabilité, **versatilité** ; saute d'humeur. – **Changement 104,** fluctuation, modification, ondoiement, **variation 850.** – Le caprice ou, plus souv., les caprices de [qqch] *(les caprices de la mode, les caprices de la météo),* les caprices de la Fortune.

4 MUS. – Capriccio, caprice.

5 **Capricieux** *(un capricieux, une capricieuse),* enfant gâté.

V. 6 **Changer,** fluctuer, se modifier, varier. – Changer d'avis comme de chemise [fam.]. – Avoir ses lunes [vx] **306.**

7 **Agir par caprice,** selon ses caprices, agir sur un coup (ou des coups) de tête ; n'en faire qu'à sa tête. – **Faire un caprice,** des caprices.

8 **Satisfaire un caprice,** une envie (de qqn) ; contenter **745, gâter** ; céder, plier ; accéder (ou : céder, se plier) à un caprice, faire les quatre volontés de qqn, passer un caprice ou tous ses caprices à qqn ; accéder au moindre désir de qqn. – Satisfaire un caprice ; ne rien se refuser.

Adj. 9 **Capricieux** ; fantasque, lunatique, versatile ; capricant [litt.], **changeant,** inconstant, inégal. – **Arbitraire.** – Irréfléchi.

10 **Capricieux, fantaisiste,** irrégulier ; **bizarre,** déconcertant, extravagant, singulier ; léger, ondoyant, volage ; **imprévisible,** instable, mobile [vx], **variable.**

Adv. 11 Capricieusement ; **arbitrairement.**

91 CARESSE

N. 1 **Caresse.** – Cajolerie, câlinerie, mignardise, mignotise [rare] ; flatteries ; patelinage ou patelineries [litt.].

2 **Attouchement,** effleurage, effleurement, frôlage, frôlement ; accolade, embrassement, enlacement, **étreinte.** – Œillade ; yeux doux. – Câlin, tendresses ; fam. : câlinette, câlinou, mamours ; chatouille. – Chatterie, papouille [fam.]. – **Familiarités,** privautés.

3 **Baiser,** bise, osculation [litt., rare] ; fam. : baise [région.], bécot, **bisou, mimi,** poutou [région.], suçon, smack ; arg. : baveux, fricassée de museau, galoche, patin, pelle, roulée. – Baiser de la paix ; baiser de Judas **828.**

4 Baisement, bécotage, **embrassade** ; pelotage [très fam.]. – Chatouillement, titillation. – Charmes, délices, épanchements. – Affection, marques d'affection.

5 Amant **27,** baiseur [vx], cajoleur, caresseur, chat [fig.], embrasseur.

V. 6 **Caresser** ; cajoler, **câliner,** flatter ; caresser de l'œil ou du regard ; fig. : enjôler, pateliner. – Amignarder (ou : amignonner, amignoter) [vx], choyer, **dorloter.** – Fam. : bichonner, mignarder, mignoter, titiller. – Effleurer, frôler ; lutiner ; chatouiller ; palper, tapoter, toucher. – Très fam. : papouiller, peloter, tripoter. – Arg. : palucher, patiner.

7 Accoler, **enlacer, étreindre,** presser sur son cœur, serrer dans ou entre ses bras ; sauter au cou de qqn. – **Baiser 763,** biser, déposer (ou : donner, planter, poser) un baiser, embrasser ; couvrir de baisers, dévorer de baisers ; fam. : baisoter, becqueter, bécoter, bisouter ; arg. : galocher, rouler une galoche (ou : un palot, un patin, une pelle), sucer la pomme ou le museau. – Cueillir (ou : dérober, prendre, ravir, voler) un baiser ; bouquer [vx].

8 Se caresser. – **S'embrasser,** s'entrebaiser [litt.] ; s'embrasser à pleine bouche ou à bouche que veux-tu ; arg. : se coller, se fricasser le museau, se sucer la couenne.

Adj. 9 **Affectueux,** aimant ; amoureux, chaleureux, chaud ; doux, tendre ; cajoleur, câlin, **caressant,** caresseur ; enjôleur, patelin, patelineur ; fam. : papouillard. – Démonstratif, expansif ; empressé **163.**

10 Osculaire [litt., rare].

Adv. 11 Affectueusement, tendrement ; câlinement.

92 CAUSE

N. 1 **Cause.** – Cause première, cause seconde. – Cause formelle, cause matérielle, cause efficiente ou motrice, cause finale. – Cause adéquate, cause déterminante, cause immanente, cause immédiate, cause instrumentale, cause médiate, cause occasionnelle, cause occulte, cause préexistante, cause prochaine, cause suffisante, cause transitive. – *Causa sui* (lat., « cause de soi-même »).

2 **Causalité** ; causation [didact.] ; détermination ; surdétermination [didact.]. – Étiologie **498.3.** – Effectualité [didact.], efficace *(l'efficace)* [vieilli], **efficacité 7, efficience.** – Relation de cause à effet ; loi de cause à effet **92.10.**

3 Causalisme, **déterminisme.**

4 **Agent,** effecteur [didact.], facteur, moteur. – Auteur, **créateur,** fondateur, initiateur, inspirateur, instigateur, **inventeur,** novateur, promoteur.

5 Démiurge, **dieu.** – Dieu **117** ; Nature ; nature naturante (opposé à nature naturée) [PHILOS.].

6 Antécédent, **origine,** principe. – Germe, œuf, racine, semence, source. – **Impulsion,** stimulus. – Idée mère, idée première ; point de départ.

7 Fondement, motif, pourquoi *(le pourquoi),* principe, **raison,** sujet, titre ; raison d'être ; fin mot. – **But,** fin mobile, objectif, objet. – Dessein, **intention,** projet, propos, visée. – Justification, motivation, **prétexte** ; exposé des motifs ; DR. : attendu, considérant.

8 GRAMM. – Complément de cause. – Proposition de cause.

V. 9 **Causer** ; amener, apporter, attirer, déclencher, déterminer, engendrer, **entraîner,** motiver, occasionner, **produire,** provoquer, susciter ; être cause de, être cause que.

10 **Agir,** opérer ; « dans les mêmes conditions, les mêmes causes produisent les mêmes effets » (loi de cause à effet, fondement du déterminisme) **92.2.** – Porter à conséquence ; être la faute de ou, pop., à. – Prov. : il n'y a pas d'effet sans cause ; il n'y a pas de fumée sans feu.

11 Aboutir à ; conduire à ; donner lieu ou matière à ; donner l'occasion de, être un sujet de. – Porter coup ou fruit, porter ses fruits ; avoir (telle) portée ; laisser des traces. – À petites causes, grands effets [prov.].

12 Impulser ; donner naissance à, faire naître. – Appeler, commander, comporter, impliquer, nécessiter. – Contribuer à, être pour quelque chose dans, n'être pas étranger à.

13 **Exciter,** inciter, inspirer, **pousser** ; inviter à. – Allumer, fomenter, déchaîner, semer.

Adj. 14 Causal. – Originel. – Étiologique.

15 Causant [vx], causateur [didact.], effecteur [PHILOS.], effectif, efficace, efficient ; générateur de. – Causatif, factitif [GRAMM.].

16 Responsable ; fautif.

Adv. 17 Causalement.

18 Pourquoi ? – *Propter hoc* (lat., « à cause de cela »), *ipso facto* (lat., « par le fait, de ce fait même »). – Et pour cause, non sans cause, non sans raison ; pour la bonne cause.

Prép. 19 **À cause de,** pour cause de, du fait de, **en raison de** ; de *(pleurer de joie).* – Sous l'empire de, sous l'influence de.

20 Compte tenu de, considérant, en considération de, eu égard à. – Pour *(condamné pour vol).*

Conj. 21 **Car, comme, puisque** ; du moment où, du moment que. – À cause que [vx], du fait que, parce que, pour ce que [vx] ; *because* (fam. ; angl., « parce que »). – Attendu que, **étant donné que,** pour la raison ou pour la bonne raison que, **vu que.**

93 CÉLIBAT

N. 1 **Célibat 779.** – Célibat ecclésiastique. – Chasteté **108,** continence.

2 **Célibataire** ; jeune homme, jouvenceau **445.** – Célibataire endurci, **garçon** [vx ou région.], vieux garçon. – Par méton. : cœur libre, cœur à prendre.

3 **Célibataire** ; fille, fille à marier, jeune fille, jouvencelle. – **Demoiselle,** vieille fille [péj.] ; catherinette.

4 Appartement de garçon, garçonnière.

V. 5 Garder, **observer le célibat** [RELIG. CATH.], vivre dans le célibat.

6 **Mener la vie de garçon,** enterrer sa vie de garçon.

7 Rester demoiselle, rester fille ou vieille fille ; rester garçon ou vieux garçon. – Coiffer sainte Catherine, monter en graine [fam.].

8 **Être à marier 491,** avoir le bouquet sur l'oreille [vx].

Adj. 9 **Célibataire** ; libre **462,** seul **779.**

10 Chaste, continent.

Adv. 11 Chastement.

12 En garçon ; en fille.

94 CELLULE

N. 1 **Cellule.** – Cellule compagne, cellule génératrice, cellule haploïde **265,** cellule migratrice. Cellule reproductrice sexuée ou **gamète** ; cellule reproductrice asexuée ou agamète ; cénocyte ou cœnocyte, chromatophore, syncitium ou plasmode ; soma (opposé à germen).

2 Cytoplasme **265,** membrane plasmique, noyau ; membranelle, membranule, nucléole. – **Organite** ou organelle.

CONSTITUANTS DE LA CELLULE

appareil de Golgi
centriole
centromère
centrosome
chondriome
chondriosome
chromatide
chromosome **361**
diaster
ergastoplasme
fuseau achromatique
hyaloplasme
liposome
lysosome
membrane vacuolaire ou tonoplaste
mitochondriemonaster
nucléole
paraplasme
peroxysome ou *microbody* [anglic.]
plaque équatoriale
plasmodesme
polysome ou polyribosome
protoplasme
réticulumendo-plasmique
ribosome
site récepteur
ultrastructure
vacuole
vacuome

3 **Métabolites.** – Anion, cation. – Accepteur d'hydrogène, activateur, transporteur d'hydrogène ; glucoformateur. – Éléments plastiques, oligo-éléments ; métaux, non-métaux, semi-métaux.

4 Composé phosphorylé. – Adénosine, adénosine monophosphate (A. M. P.), diphosphate (A. D. P.), triphosphate (A. T. P.) ; purine.

5 **Glucide** ou hydrate de carbone ou sucre. – **Ose** (ou : monosaccharide, sucre simple) : triose, tétrose, pentose, hexose, heptose, octose, **aldose** (glycéraldéhyde, thréose, érythrose, lyxose, xylose, arabinose, ribose, talose, galactose, idose, gulose, mannose, glucose, altrose, allose), **cétose** (dihydroxyacétone, xylulose, ribulose, fructose). – **Holoside** ou oligosaccharide ; diholoside ou disaccharide (saccharose, maltose, lactose, cellobiose) ; triholoside, polyholoside ou polysaccharide (amidon, glycogène, amylose, amylopectine, dextrane, cellulose, inuline, levane).

6 **Lipide** ; lipoïde. – Lipide simple ou homolipide (glycéride, céride, étholide, stéride), lipide complexe (sphingolipide, phospholipide : acide phosphatidique, lécithine, céphaline), **glycéride** (monoglycéride, diglycéride, triglycéride). – Cholestérol, glycérol ou glycérine, glycérophospholipide, phosphatide. – Acide gras, ester.

7 ACIDES GRAS

acides arachidique
arachidonique
béhénique
butyrique
caprique
caproïque
caprylique
cérébronique
hydroxybutyrique
hydroxynervonique
laurique
lignocérique
linoléique
myristique
nervonique
oléique
palmitique
palmitoléique
pélargonique
prostaglandine
ricinoléique
stéarique

8 **Protide.** – **Peptide** (dipeptide, tripeptide, etc. ; vasopressine, ocytocine, M. S. H., glucagon, carnosine, ansérine, glutathion), **polypeptide** (A. C. T. H., insuline, albumose, substance P). – **Protéine** ou protéide, substance albuminoïde ; **holoprotéine** (holoprotéine globulaire, holoprotéine fibrillaire ; albumine, lactalbumine, myalbumine, ovalbumine, sérumalbumine, globuline, euglobuline, lactoglobuline, ovoglobuline, pseudoglobuline, thyréoglobuline, anticorps **381**, histone, fibrinogène **742**, myosine **541**, collagène, kératine) ; **hétéroprotéine** (nucléoprotéine, chromoprotéine, phosphoroprotéine, glycoprotéine, lipoprotéine ; hémoglobine, F. S. H., caséine). – Chaîne peptidique, groupements prosthétiques, liaison peptidique.

9 CHROMOPROTÉINES

chromoprotéine du pourpre rétinien
chromoprotéine non porphyrinique
chromoprotéine porphyrinique
apoferritine
chromoplastine
cruorine
cuproprotéine
cytochrome
ferritine
flavoprotéine
hémérythrine
hémocyanine
hémoglobine
phycocyanine
phycoérythrine
zincoprotéine

10 ACIDES AMINÉS OU AMINOACIDES

acide aminolévulique
acide amino-pénicillanique
acide aspartique
acide glutamique
acide N-acétylneuraminique
acide neuraminique
acide sialique
alanine
arginine
asparagine
bétaïne
cadavérine

carnitine
citrulline
cynurénine
cystéine
cystine
delta-hydroxylysine
desmosine
dihydroxyphénylalanine ou DOPA
diphénylamine
ergothyonéine
galactosamine
glucosamine
glutamine
glycine ou glycocolle
histamine
histidine ou iminazol alanine
hydroxylysine
hydroxyproline
indolamine ou tryptophane
isoleucine
leucine
lysine
méthionine
méthylamine
mono-iodotyrosine
ornithine
phénylalanine
proline
ptomaïne ou ptomatine
sérine
sérotonine ou entéramine
taurine
thréonine
tyrosine
valine
monoacide mono-aminé
polyacide polyaminé

11 **Nucléotide** ; dinucléotide, mononucléotide, polynucléotide. – Acide adénilique, acide adénosine monophosphorique (A. M. P.), acide adénosine triphosphorique (A. T. P.), acide cytidylique (C. M. P.), acide guanylique (G. M. P.), uridine diphosphate (U. D. P.), uridine triphosphate (U. T. P.).

12 **Acide nucléique.** – Acide apurinique, acide désoxyribonucléique (A. D. N.), acide ribonucléique (A. R. N.).

13 AUTRES ACIDES

acide aldonique
acide alpha-cétoglutarique
acide arginine-phosphorique
acide L-ascorbique
acide chénodésoxycholique
acide cholique ou cholalique
acide désoxycholique
acide cis-aconitique
acide citrique
acide diphosphoglycérique
acide folique
acide fumarique
acide glycérophosphorique
acide glycocholique
acide glycuronique
acide hippurique
acide homogentisique
acide hyaluronique
acide imino-glutarique
acide lactique
acide nicotinique ou nicotique
acide oxalo-acétique
acide para-amino-benzoïque ou P. A. B.
acide prostanoïque
acide pyruvique
acide succinique
acide urique
acide uronique

14 **Hormones 340.** – Androstène, androstédione, cétostéroïde, corticostimuline ou corticotrophine ou A. C. T. H., diiodotyrosine, I. C. F. H., L. H., L. T. H. ou prolactine, ocytocine ou oxytocine, prégnagne, prégnandiol, triiodothyronine, trophine.

15 **Base** ; base azotée. – Base pyrimidique ou pyrimidine ; cytosine, thymine, uracile. – Base purique ; adénine, guanine, hypoxanthine, xanthine. – Acétylcholine, flavine.

16 **Nucléoside.** – Désoxyadénosine, désoxycytidine, désoxyguanosine, désoxythymidine, guanosine, inosine, thymidine, uridine.

17 **Stérol.** – Androstane, coprostérol, ergostérol, lanostérol, tachystérol, toxistérol, zymostérol.

18 **Alcool.** – Choline, éthanolamine ou colamine, glycérol, inositol, mannitol, sorbitol, sphingosine.

19 **Ester.** – Aspartate, gluconate, stéarate, urate.

20 **Terpène.** – Astaxanthine, carotène, caroténoïde, isoprène, squalène, xanthophylle.

21 **Vitamine 214** ; bios I ou méso-inositol ; corrine, dibencozide ou cobamide. – Antivitamine ; dicoumarol.

22 **Pigments.** – Bilirubine, érythromélanine, eumélanine, mélanine, pourpre rétinien ou rhodopsine, rétinal ou rétinène, urobiline, urochrome, verdoglobine. – Étioporphyrine, hématoporphyrine, porphinc, porphyrine ; carbohémoglobine, carboxyhémoglobine, hématine, hémoglobine.

23 Biocatalyseur, **catalyseur,** enzyme (aussi, vx : diastase, ferment, zymase). – Enzyme hydrolytique, protéolytique ; antienzyme, desmoenzyme, holoenzyme, isoenzyme ou isozyme, lisozyme, lyoenzyme.

24 ENZYMES

A. R. N.-polymérase ou transcriptase
acétylcholinestérase
acétyl coenzyme A
acide amino-polymérase
acide ascorbique-oxydase
acide homogentisique-oxydase
acide phosphoglycérique kinase
acide phosphoglycérique mutase
acide phosphoglycérique phosphokinase
adénosine-triphosphatase ou A. T. pase
adénylcyclase
alcool-déshydrogénase
aldolase
aminoacide déshydrogénase
amylase
amylo-1-6-glucosidase
anhydrase
anhydrase carbonique
anticholinestérase
arginase
carboxylase
carboxypeptidase
caroténase
catalase
cholestérol-estérase
cholinestérase
chymotrypsine
chymotrypsinogène
coacétylase ou coenzyme A
coagulase
cocarboxylase ou pyrophosphate de thiamine
crotonase
cynuréninase
cynurénine-transaminase
cystéine-désulfhydrase

D-acidamino-déhydrase
désaminase
désaturase
désoxyribonucléase
endoamylase
endonucléase
endopeptidase
énohydrastase
énolase
entérokinase
exoamylase
exopeptidase
ferment rouge de Warburg ou cytochrome-oxydase
flavine adénine dinucléotide (F. A. D.)
flavine mononucléotide (F. M. N.)
formylase
fumarase
galactokinase
galactosidase ou lactase
gamma-glutamyl-transférase ou gamma G. T.
glucokinase
glucosidase
hexokinase
histaminase
hyaluronidase
hydrolase
insulinase
invertase
isomérase
kinase
L-acidamino-déhydrase
lactico-déshydrogénase
ligase ou synthétase
lyase
maltase
monoamine-oxydase (M. A. O.)
nicotinamide adénine dinucléotide (N. A. D.)
nucléase
nucléotidase
oxydase-cétoglutarique
oxydoréductase
papaïne
pénicillinase
pepsidase ou peptidase
pepsine
peroxydase
phosphatase
phosphophérase
phosphorylase
protéase
ptyaline
pyrrolase
racémase
ribonucléase
saccharase
takadiastase
thiokinase
transaminase
transférase
trypsine
trypsinogène
tyrosinase
ubiquinone ou coenzyme Q
uréase
urokinase

25 **Métabolisme** ; anabolisme, catabolisme ; biosynthèse. – **Réaction chimique** ; réaction endothermique, réaction exothermique ; oxydation **218,** oxydoréduction, réduction ; assimilation, lyse ; réplication. – Cycle de Krebs ; cycle furane, cycle pyrane.

26 Cétogenèse, lipogenèse, liponéogenèse ou néolipogenèse, néoglucogenèse ou néoglycogenèse, urogenèse ; estérification, phosphorylation, **protéosynthèse,** transamination ; glycuroconjugaison. – Décarboxylation, désamination, déshydrogénation ; amylolyse, lipolyse, **protéolyse.** – Métabolisme phosphocalcique.

27 Amitose, clasmatose, endomitose, méiose, **mitose** ou caryocinèse, mitose équationnelle, mitose réductionnelle, pinocytose. – Anaphase, interphase, métaphase, prophase, télophase. – Cytodiérèse ou plasmodiérèse. – Autoassemblage, bipartition, dédifférenciation, division ou **multiplication cellulaire,** hybridation cellulaire, mouvement cytoplasmique ou protoplasmique, prolifération, spiralisation.

28 **Biochimie,** biologie moléculaire, cytobiologie, enzymologie ; biotechnologie. – Transgenèse ou transgénose. – Biovigilance. – Chromatographie, électrophorèse, spectrométrie.

29 Biochimiste, cytologiste.

V. 30 Assimiler **218,** métaboliser. – Lyser. – Répliquer. – Saccharifier. – Déshydrogéner.

Adj. 31 **Cellulaire** ; somatique. – Cytoplasmique, **nucléaire,** plasmatique, protoplasmique, vacuolaire ; intracellulaire, intranucléaire. – Nucléé, plurinucléé ou polynucléé ; multicellulaire ou pluricellulaire.

32 **Méiotique** ; mitotique ; amitotique. – **Métabolique** ; anabolique, catabolique.

33 Enzymatique, **glucidique, lipidique,** lipoïdique, lipoprotéique, nucléotidique, osidique, peptidique, polypeptidique, **protéique.** – Acétylcholinomimétique ou cholinomimétique, cellulosique, stérolique. – Lytique, protéolytique. – Acidophile, éosinophile, lipophile (opposé à lipophobe) ; hydrosoluble, liposoluble.

34 Biochimique, cytologique, enzymologique.

Aff. 35 Bio- ; cyto- ; **gluco-** ou glyco-, **lipo-, protéo-.**

36 -ane, -ase, -ate, -ide, -ine, -ol, -ose ; -cyte ; -lyse.

95 CENT

N. 1 **Cent.** – Cent *(un cent de qqch),* **centaine.** – Centième *(un centième)* ; le centuple ; pour-cent *(dix pour cent* ou *10 %).*

2 Hectare **509,** hectogramme, hectolitre, hectomètre, hectowatt, quintal. – Centenaire *(un centenaire),* siècle. – La guerre de Cent Ans [HIST.].

3 **Centième** *(un centième)* ; degré centésimal ; centile [STAT.] ; **pourcentage 668.** – Centigrade, centigramme, centilitre, centimètre. – Cent [angl.], centavo [esp.], **centime.**

4 ANTIQ. – Centurie ; centumvir, **centurion.** – Hécatombe.

Adj. 5 **Cent.** – **Centième** ; centésimal. – Centenaire, séculaire.

Adv. 6 À la centaine ; au centuple.

Aff. 7 Centi-, hecto-.

96 CENTRE

N. 1 **Centre** ; milieu **514.** – Cœur, foyer, noyau, point central. – Fig. : cheville ouvrière ou, rare, maîtresse, clef de voûte, pivot ; nombril.

2 Centralité [didact.].

3 Centre, siège ; central *(central téléphonique)* ; centrale *(centrale syndicale ; centrale d'achats).* – Centre d'attraction [fig.], centre d'intérêt ; centre urbain **845.**

4 Barycentre, centre de gravité ou d'inertie, centre de masse ; centre de gravitation ; centre d'attraction **54.** – Centre de l'Univers.

5 BIOL. : centre nerveux, centre respiratoire, etc. ; centrum. – Duramen [BOT.] **37.** – MÉTÉOR. : centre de dépression, centre de basses pressions, centre de hautes pressions.

6 Centration [vx], centrage. – Concentration.

7 Centrifugation.

8 ADMIN. : **centralisation,** centralisme **694.**

9 Centrisme [POLIT.] **808.** – Égocentrisme **257.**

10 TECHN. – Centreur. – Centrifugeur, centrifugeuse.

11 Centralisateur *(un centralisateur)* [ADMIN.], centraliste *(un centraliste).*

V. 12 **Centrer,** centraliser [didact.], recentrer ; focaliser.

13 Centrifuger, **concentrer.**

14 Se prendre pour le centre du monde ou de l'univers **257.**

Adj. 15 **Central,** centré [cour.] ; centré *(intervalle centré, variable aléatoire centrée)* [MATH.].

16 Centrifuge, centripète.

17 Centralisateur.

Adv. 18 **Au centre,** centralement [rare], en plein [fam.], en plein centre, au cœur ; à cœur.

Aff. 19 Centr-, centre-, centri-, centro- ; -centre.

97 CERCLE

N. 1 **Cercle** ; boucle, circonférence, disque, rond *(un rond)* ; **cycle 610,** orbe [litt.]. – **Circularité,** rotondité, sphéricité [didact.].

2 Anneau, annelet, bague **70.** – Cerce [TECHN.], cerceau, couronne. – **Roue** ; rouelle, rondelle.

3 **Sphéroïde** *(un sphéroïde).*

4 ASTRON. : **orbite** ; colure, écliptique, épicycle [anc.]. – **Équateur,** tropique ; méridien, parallèle. – GÉOGR. : **cercle antarctique,** cercle arctique. – Cercle déférent ou déférent [anc.].

5 **Disque** ; aréole, **auréole,** cerne, nimbe. – Gloire, mandorle [BX-A.]. – Rosace, rose [BX-A.]. – ASTRON. : faux-soleil **777, halo,** parasélène, parhélie ; anneaux ou anses de Saturne [vx].

6 **Circuit 799,** circulation [vx], circumnavigation, **périple** ; tour, tournée. – Révolution, rotation **733** ; **circumduction** [SC.].

7 Cercle infernal, **cercle vicieux.** – Cercle vertueux [ÉCON.].

8 **Cycle** ; cercle *(cercle des saisons)* **738** ; éternel retour.

9 **Sphère** ; boule, globe. – Balle, bille, calot. – Ballonnet, baudruche. – **Cylindre,** rouleau, tambour.

10 Amphithéâtre. – Cirque **530.** – Rotonde **432** ; coupole, tambour.

11 Baguage, **cerclage.** – Encerclement.

V. 12 **Cercler** ; baguer, cylindrer. – **Auréoler,** cerner, couronner, nimber ; ceindre, encercler, entourer.

13 **Circuler** ; boucler, faire le tour de, tourner, tourner en rond ; orbiter. – La boucle est bouclée [loc. cour.]. – Faire le cercle ; entrer dans la ronde.

Adj. 14 **Circulaire** ; rond, rotond [litt.] ; **sphérique** ; orbitaire, orbital. – **Circonférentiel** ; concentrique, excentrique. – Annulaire, **cylindrique,** tubulaire.

15 Annelé, aréolaire, circiné [MÉD.], couronné.

Adv. 16 **Circulairement.** – En cercle, en rond ; en circuit fermé, en circuit ouvert.

Aff. 17 Cyclo- ; ov-, ovo- ; circum- ; péri- ; gyro-.

18 -cycle.

98 CÉRÉMONIES

N. 1 **Cérémonie** ; solennité. – Rite, sacrement. – Fête **309.**

2 **Cérémonial** *(un cérémonial),* cérémonie [vx], décorum, étiquette, **protocole,** rite, rituel. – Coutume **164.**

3 Appareil ; **apparat,** éclat, faste, grandeur, magnificence, majesté, pompe [litt. ou vieilli], solennité, splendeur, tralala [fam.].

4 RELIG. **310.** – Messe **508.** – **Cérémonie sacramentelle,** sacrement **173** ; cérémonie du baptême, cérémonie de la confirmation, cérémonie de l'eucharistie ou communion *(communion pri-*

vée, communion solennelle), cérémonie du mariage **491.** – Sacrement de l'ordre, sacrement de la pénitence, sacrement de l'extrême-onction. – Ordination.

5 Rite d'honneur, rite de prière ; baiser, génuflexion, prosternation. – Rite de bénédiction, rite de consécration ; imposition des mains, onction. – Rite de purification ; ablution, aspersion. – Rite de passage [SOCIOL.] ; **initiation.**

6 Installation, intronisation, investiture. – **Couronnement,** sacre. – Dédicace.

7 **Circoncision 449** ; excision, infibulation ; incision, scarification.

8 Cérémonie de conjuration, cérémonie d'exorcisme. – Cérémonie d'excommunication. – Cérémonie d'expiation [HIST., SOCIOL.]. – Cérémonie d'exécration.

9 **Offrande** ; libation [ANTIQ.], oblation, sacrifice [ANTIQ.].

10 **Cortège 309,** pèlerinage, procession ; pardon.

11 Accordailles [vx], **fiançailles** ; épousailles [vx] **491.1.** – Relevailles. – **Funérailles 331.**

12 Cérémonialisme [didact. ou litt.]. – Ritualisme.

13 Ritualisation [didact.].

14 **Affectation 12,** cérémonies ; péj. : bigoterie, momerie, simagrée, singerie. – Cant [anglic., vieilli], formalisme.

15 Habit de cérémonie **859,** tenue d'apparat.

16 Cérémonial [spécialt], livre des cérémonies ; rituel [LITURGIE].

17 **Maître de cérémonie** ; chambellan, chef du protocole, officier de la couronne [HIST.]. – Cérémoniaire [RELIG.].

V. 18 **Célébrer,** solenniser. – Officier [fam.].

19 Bénir, imposer, joindre les mains ; dire la messe, officier. – Baptiser, confirmer, marier ou unir par les liens du mariage, extrémiser [rare] ; conférer l'ordre, ordonner prêtre. – Sacrer un roi ; oindre de la sainte-ampoule.

20 Rendre les honneurs.

21 Ritualiser [didact.]. – Régler les cérémonies. – Fixer les honneurs et préséances.

22 Observer le cérémonial ; ignorer le cérémonial.

23 Faire des cérémonies (ou : des chinoiseries, des façons, des grimaces, des manières, des ronds de jambe).

Adj. 24 **Cérémoniel** [litt.] ; cérémonial [rare]. – Ritualiste. – Sacramentel.

25 **Cérémonial** [rare], cérémonieux ; solennel.

26 Pompeux, solennel, somptueux.

27 **Cérémonieux** ; poli, révérencieux ; affecté, façonnier, formaliste, gourmé, grimacier, guindé, obséquieux, protocolaire.

Adv. 28 **Cérémonieusement.**

29 Cérémoniellement [didact.]. – **Rituellement.** – Sacramentellement [THÉOL. ou litt.].

30 En grand apparat, **en grande pompe.**

99 CERTITUDE

N. 1 **Certitude** ; certitude absolue, certitude mathématique ; PHILOS. : certitude immédiate ou intuitive, certitude médiate ou discursive, certitude morale. – Assurance, **conviction** ; ferme conviction, conviction délirante [PSYCHOL.]. – Persuasion **614.** – Confiance **145,** croyance, **foi 320.**

2 Dogmatisme, intolérance, sectarisme.

3 Certain *(le certain)* ; axiome, vérité apodictique ; **affirmation 13,** attestation, confirmation. – Démonstration ; certificat, justificatif *(un justificatif),* pièce justificative, **preuve.**

V. 4 **Certifier** ; acertener ou acertainer [vx], affirmer **13,** assurer, attester, confirmer ; sourcer ; donner comme certain. – Démontrer, **prouver.**

5 **Croire** ; croire dur comme fer que ; regarder comme certain, tenir pour certain ; être sûr de son fait ou de son coup. – Donner sa main à couper, **mettre sa main au feu,** en mettre sa tête sur le billot [fam.]. – Compter sur, être sûr de partie [JEUX, vx]. – Être fondé à dire ou à croire, parler en connaissance de cause, tenir de bonne source.

6 **Ne faire aucun doute,** ne pas faire l'ombre d'un doute, **aller de soi,** aller sans dire, s'imposer ; couler de source. – Être cousu de fil blanc, tomber sous le sens ; crever les yeux, **sauter aux yeux.**

Adj. 7 **Certain, évident,** hors de doute, **sûr,** sûr et certain [fam.] ; constant, manifeste, solide, **notoire,** patent. – Clair, visible ; flagrant. – Inattaquable, **incontestable,** indéniable, indiscutable, indubitable, irrécusable, irréfragable [litt.], irréfutable. – Concluant.

8 Assuré, avéré, confirmé, établi ; attesté, authentifié, **certifié,** validé ; démontré, **prouvé,** véri-

fié ; obvie [THÉOL. ou PHILOS.]. – Acquis, **connu,** bien connu, reconnu ; incontesté.

9 **Convaincu,** persuadé ; certain, sûr, sûr de soi ; confiant. – Décidé, déterminé. – **Dogmatique,** fanatique, intolérant, intransigeant, partisan, sectaire ; intégriste.

Adv. 10 **Certes** ou certe [poét.], de certitude [vx] ; assurément, **certainement,** parfaitement, **sûrement** ; **évidemment,** manifestement. – Incontestablement, indiscutablement, indubitablement.

11 **Bien sûr,** à coup sûr ; fam. : *of course* (anglic., « bien sûr »), sûr, pour sûr. – À l'évidence, de toute évidence. – **Bien entendu,** comme de bien entendu [fam.]. – Sans doute, **sans aucun doute.** – Sans conteste, sans contredit.

100 CERVEAU

N. 1 **Cerveau** ; cervelle ; matière grise – Encéphale, sensorium [didact., vx] ; névraxe **548.**

2 **Rhombencéphale** ou cerveau postérieur : bulbe rachidien, protubérance annulaire ou pont de Varole, cervelet ; quatrième ventricule. – **Mésencéphale** ou cerveau moyen : corps genouillés, pédoncules cérébraux, tubercules quadrijumeaux ou *loculi.* – **Prosencéphale** ou cerveau antérieur : **diencéphale** ou cerveau intermédiaire (thalamus ou couches optiques, région sous-thalamique, troisième ventricule, chiasma des nerfs optiques), **télencéphale** ou cerveau hémisphérique (corps striés, corps calleux, trigone, circonvolution limbique, hémisphères cérébraux) ; paléencéphale (thalamus, région sous-thalamique, troisième ventricule, chiasma des nerfs optiques, corps striés), néencéphale ou manteau ou pallium (corps calleux, trigone, circonvolution limbique ou cingulaire ou gyrus cingulaire, hémisphères cérébraux).

3 **Ventricule** ; aqueduc de Sylvius, trou de Magendie, trou de Monro ; plancher [ANAT.], toit ou *membrana tectoria.* – Liquide céphalo-rachidien (LCR). – Barrière hémato-méningée ou hémato-encéphalique.

4 **Nerfs crâniens.** – Noyaux cardio-pneumo-entérique, cochléaire, gustatif ou solitaire, lacrymo-muco-nasal, masticateur, pupillaire, salivaire, vestibulaire.

5 **Rhombencéphale** ; myélencéphale ; tronc cérébral. – **Bulbe rachidien.** – Substance blanche, substance grise, substance réticulaire grise. – Aire vestibulaire, clava, cordons postérieurs, corps restiforme, espace perforé antérieur, obex, olives bulbaires, pédoncule cérébral, pédoncules cérébelleux inférieurs, pyramides antérieures, quatrième ventricule, sillon bulbo-protubérantiel, tubercules quadrijumeaux. – **Faisceaux moteurs** (faisceaux pyramidaux, faisceau tecto-spinal, faisceau rubro-spinal) ; faisceaux sensitifs (faisceau spino-thalamique, ruban de Reil) ; faisceaux d'association (bandelette longitudinale postérieure, faisceau central de la calotte).

6 **Protubérance annulaire.** – Métencéphale, pédoncule cérébelleux moyen, sillon basilaire ; noyau accessoire, noyau de Betchterew latéral, noyau de Deiters, noyau dorsal interne, noyaux du pont. – Ruban de Reil ; lemniscus latéral, lemniscus médian.

7 **Cervelet.** – Archéocérébellum ; paléocérébellum (lingula, lobus central, culmen, pyramide, lobe antérieur, lobe central, amygdale cérébelleuse, uvule) ; néocérébellum (lobe moyen). – Arbre de vie, cellule de Purkinje, déclive, flocculus, **hémisphères,** lobe floculo-nodulaire, lobe postérieur, lobule, lobule semi-lunaire inférieur et supérieur, nodule, parafloccus, pyramis, simplex, tonsila, tuber, vermis. – Écorce grise ; embolus, globosus, noyau dentelé, noyaux du toit, petits noyaux globosus. – **Voies afférentes :** afférences médullaires, afférences bulbaires (faisceau sensitivo-cérébelleux, olivo-cérébelleux, vestibulo-cérébelleux), afférences cortico-pontiques (faisceau de Turck-Meynert) ; **voies efférentes :** faisceaux extra-pyramidaux (rubro-spinal, vestibulo-spinal, olivo-spinal, réticulo-spinal), voie cérébello-thalamo-corticale.

8 **Quatrième ventricule.** – **Plancher** [ANAT.] ; aile blanche externe, aile blanche interne, aile grise, *eminentia teres, fovea superior,* stries acoustiques, tige du *calamus scriptorius.* – **Toit** [ANAT.] : *membrana tectoria,* valvule de Vieussens.

9 **Mésencéphale.** – Calotte pédonculaire, noyau rouge, noyaux de la calotte, noyaux réticulés, pédoncules cérébraux, substance réticulée, tubercules quadrijumeaux.

10 **DIENCÉPHALE**

troisième ventricule
bourrelet du corps calleux
capsule interne
capsule sous-lenticulaire
chiasma des nerfs optiques
claustrum
commissure blanche postérieure
commissure grise
corps calleux
corps de Luys
corps mamillaires
genou du corps calleux
glande pinéale ou épiphyse
habénula
hypophyse
infudibulum ou tige pituitaire

lame perforée postérieure
locus niger
membrana tectoria
noyau caudé
noyau lenticulaire
noyau rouge
noyaux gris de la base
plexus choroïdes latéraux
putamen
région hypothalamique ou sous-optique
septum lucidum
sillon de Monro
thalamus ou couche optique
toile choroïdienne supérieure
trigone
trou de Monro
tuber cinereum
tubercule mamillaire
zona incerta

11 **Thalamus.** – Lame médullaire, lame médullaire externe, métathalamus, pulvinar. – Noyaux antérieur, arqué, dorso-latéral, dorso-médian, postéro-latéral, supra-géniculé, ventral antérieur, ventro-latéral, ventro-médian, ventro-postéro-latéral, ventro-postéro-médian ; noyau du corps mamillaire ; micro-noyaux ; corps genouillé latéral et médian. – Faisceau cérébro-rubro-thalamique, faisceau mamillo-thalamique, faisceau thalamique, fornix. – Formation réticulaire, système réticulaire ascendant et descendant, système réticulaire intra-laminaire.

12 **Hypothalamus. – Noyaux hypothalamiques :** hypothalamus antérieur (noyau paraventriculaire, supra-optique, chiasmatique), hypothalamus latéral (noyaux latéraux du *tuber cinereum,* aire hypothalamique latérale), hypothalamus moyen (noyaux propres du tuber, noyaux ventro-médians et dorso-médians), hypothalamus postérieur (noyaux du corps mamillaire, substance réticulaire).

13 Noyaux gris de la base. – Corps striés : pallidum ou paléo-pallidum ou paléostriatum, striatum ou néo-striatum.

14 **Télencéphale.** – Base du cerveau, circonvolutions cérébrales, écorce cérébrale ou **cortex,** hémisphères, scissure interhémisphérique. – Commissure blanche antérieure, commissure blanche postérieure, corps calleux, piliers du trigone, trigone ; **circonvolutions** (de l'hippocampe, du corps calleux, frontale ascendante, frontale interne, pariétale ascendante, temporale transverse ou de Heschl), corps strié (*claustrum,* noyau caudé, noyau lenticulaire), lobes (de l'insula, du corps calleux, frontal, occipital, pariétal, temporal) ; chiasma, cunéus, lobule paracentral, lobule quadrilatère, opercule rolandique, scissure calcarine, scissure de Sylvius, scissure perpendiculaire, segment orbitaire, sillon de Rolando.

15 **Écorce cérébrale** (aussi : **cortex,** manteau [ANAT.], pallium). – **Pallium :** archépallium ou cerveau olfactif ou rhinencéphale (archéocortex : corne d'Ammon ou hippocampe [ANAT.], formations olfactives ; paléocortex : *gyrus cinguli,* lobe de l'hippocampe), allocortex (archicortex et paléocortex) ; néopallium ou néocortex, isocortex.

16 **Néocortex.** – Aires réceptrices, effectrices ou motrices, associatives.

aire auditive
aire d'association visuo-psychique ou aire visuelle parastriée
aire de la gnosie olfactive
aire gustative
aire motrice
aire motrice parapyramidale
aire motrice volontaire
aire olfactive
aire sensitive post-centrale
aire somato-motrice extrapyramidale
aire somato-psychique
aire somato-sensitive
aire somesthésique
aire de la surdité verbale
aire visuelle
aire visuelle préstriée
aire visuelle striée
centre de l'agraphie
centre de la cécité verbale
centre cortico-oculo-céphalogyre
centre de la gnosie tactile ou tacto-gnosique
centre oculo-céphalogyre
zone d'association visuo-psychique
zone des mouvements associés
zone électromotrice
zone visuelle

17 **RHINENCÉPHALE**

amygdale
anneau ou limbe
bandelette de Giacomini
bandelette diagonale de Broca
bulbe olfactif
circonvolution de l'hippocampe ou *gyrus hippocampi*
circonvolution du corps calleux ou *gyrus cinguli*
circonvolution intralimbique
circonvolution limbique de Broca ou *gyrus fornicatus*
corps godronné ou *gyrus dentatus*
hippocampe
formations hippocampiques
lobe du corps calleux
mésocortex
pédicule olfactif
région rétrospléniale
ruban cendré ou *fasciola cinerea*
septum lucidum
sillon hippocampique
sillon olfactif
stries de Lancisi
système limbique
uncus

18 **Méninges** ; leptoméninge, pachyméninge. – Arachnoïde, dure-mère, pie-mère. – Espace sus-arachnoïdien, faux du cerveau, faux du cervelet, tente du bulbe olfactif, tente du cervelet, tente de l'hypophyse. – Granulations arachnoïdiennes ou de Pacchioni ; sinus veineux.

19 Enképhaline.

20 Encéphalisation. – Décussation.

21 Encéphalite **482.**

22 Cérébroscopie ; échoencéphalographie, électrocorticographie, **électroencéphalographie,** encéphalographie gazeuse, gamma encéphalographie ou scintigraphie cérébrale, ventriculographie. – Échoencéphalogramme, électrocorticogramme 9, **électroencéphalogramme** ou encéphalogramme (EEG). – Rythme alpha ou rythme de repos, rythme bêta, rythme thêta.

23 Hodologie. – Phrénologie [anc.].

24 Décérébration, décortication ; leucotomie **114,** lobectomie, **lobotomie** ; **trépanation.**

V. 25 **Décérébrer** ; lobotomiser.

Adj. 26 **Cérébral** ; bulbaire, cérébelleux, cortical, diencéphalique, encéphalique, hypothalamique, hypothalamo-hypophysaire, hippocampique, mésencéphalique, néocortical, septal, sous-cortical, sylvien, télencéphalique, thalamique ; arachnoïdien, dural, épidural, **méningé,** tentoriel. – Céphalo-rachidien, cérébro-spinal, spino-cérébelleux, spino-thalamique. – Interhémisphérique, interlobaire ; intracérébral.

27 Électroencéphalographique. – Encéphalitique, encéphalopathique, méningitique. – Phrénologique.

28 Anencéphale, encéphalopathe. – Encéphalisé.

Aff. 29 Cérébro- ; cérébell-, cérébello- ; thalamo-.

101 CESSION

N. 1 **Cession,** concession. – **Aliénation** ; **mutation** ; dévolution ; transfert, translation, **transmission,** transport. – **Vente 135.** – **Donation 241** ; dation.

2 DR. – **Abandon 701,** délaissement, déssaisissement. – Cession de territoire [DR. INTERN.].

3 DR. – Cession-bail **166** ; fidéicommis, fiducie **722.**

4 **Succession** ou mutation par décès, succession légale ou succession *ab intestat* (lat., « venant de qqn qui n'a pas testé »), succession testamentaire.

5 **Héritage,** succession. – **Lot,** part **597.1,** portion, quote-part, réserve.

6 **Testament** ; testament mystique ou secret, testament public ou authentique ; testament olographe.

7 DR. : aliénabilité, cessibilité, disponibilité, successibilité. – Transmissibilité [didact.].

8 DR. – Abandonnateur, aliénateur, souche ; disposant. – Testateur ; intestat *(un intestat)* (lat., « qui n'a pas testé »).

9 Acheteur, **acquéreur.** – Concessionnaire. – **Héritier,** légataire, successeur. – DR. : abandonnataire, aliénataire, ayant cause ou ayant droit **245,** cessionnaire.

V. 10 **Céder** ; concéder, **donner 241,** vendre **135** ; **abandonner 701,** laisser, remettre ; didact. : recéder, rétrocéder **722** ; fam. : filer, passer, refiler ; abouler [arg.].

11 DR. : **aliéner,** amodier ; transférer, transmettre, transporter.

12 Se débarrasser de, **se défaire de,** se déposséder de, se démunir de ; rare : se désapproprier de, se dépourvoir de ; renoncer à.

13 **Tester** ou, vx, testamenter.

14 **Hériter 645.** – Nul n'est héritier qui ne veut [DR.].

15 Changer de mains ; se transmettre de père en fils ou de génération en génération.

Adj. 16 Cédé, donné.

17 DR. : **cessible,** transférable, transmissible. – Rare : donnable, concessible.

18 DR. – Testamentaire. – Translatif. – Successoral.

102 CHALEUR

N. 1 **Chaleur** ; calorique *(le calorique)* [vx], **chaud** *(le chaud),* haute température ou température élevée. – **Moiteur 372,** touffeur ; douceur, tiédeur **327** ; **ardeur** *(l'ardeur du soleil).* – Chaleur, cordialité **276.** – Couleur chaude **159.**

2 **Chaleur** ; énergie **269.** – **Feu 311,** soleil **777.** – SC. : capacité calorifique, chaleur atomique, chaleur latente, chaleur spécifique ou chaleur massique. – Chaleur animale, **chaleur végétale.**

3 **Chaleur** ; **canicule,** grande chaleur, vague de chaleur ; les chaleurs *(les fortes chaleurs, les grosses chaleurs)* ; sécheresse **750.** – Été ; belle saison **738.**

4 Étuve, four, fournaise. – Bain de vapeur, serre, solarium ; hammam, sauna, thermes. – ANTIQ. : caldarium (opposé à frigidarium). – Pays chauds, tropiques.

5 **Coup de chaleur,** coup de soleil, insolation ; **échauffement,** inflammation, irritation ; **brûlure,** feu **311.** – Bouffée de chaleur, suée, vapeurs *(avoir des vapeurs)* ; **fièvre 482,**

température *(faire de la température)* [fam.] ; transpiration.

6 PHYSIOL. – Calorification, thermogénèse ou thermogenèse, thermolyse, thermorégulation **327.5.**

7 Élévation ou montée de la température ; caléfaction [didact.], chauffage, échauffage, échauffement, réchauffement ; adoucissement, attiédissement, dégel, redoux. – TECHN. : thermisation, traitement U.H.T. (ultra-haute température). – Distillation.

8 Ébullition, évaporation **750,** fusion, liquéfaction, sublimation, vaporisation ; caléfaction [PHYS.], calcination, combustion [CHIM.] ; fermentation ; pyrolyse ou thermolyse.

9 **Conduction** ; convection. – Calorifugeage ; isolation.

10 Calorifère *(un calorifère),* chauffage **109** ; thermopompe.

11 PHYS. – **Thermicité** ; conductibilité thermique. – Adiabatisme ; diathermanéité ou diathermansie. – Thermolabilité ; thermoluminescence. – Thermomagnétisme.

12 **Calorie** (symb. cal) opposé à frigorie **327,** kilocalorie (symb. kcal) ou grande calorie ; **joule** (symb. J), **thermie** (symb. th), thermie-gaz **131** ; chaude [TECHN.]. – Degré Celsius ou degré centigrade (symb. °C) **509.12,** degré Fahrenheit (symb. °F) **509.17,** degré Kelvin (symb. K), degré Réaumur [vx]. – Degré de + n., point de + n., température de + n. *(point de fusion, température d'ébullition).*

13 **Calorimètre 509.25,** ébulliomètre ou ébullioscope, pyromètre, thermistor ou thermisteur, thermocouple, thermographe ou thermométrographe, **thermomètre,** thermoscope. – Thermorégulateur, **thermostat.**

14 Calorimétrie, microcalorimétrie, pyrométrie, thermométrie.

15 Thermique *(la thermique),* thermodynamique *(la thermodynamique),* thermogénie ; géothermie, thermochimie, thermoélectricité. – MÉD. : thermothérapie ; diathermie.

16 **Thermicien,** thermodynamicien.

V. 17 **Chauffer** ; cogner, darder, taper. – Irradier, **rayonner** ; réfléchir, réverbérer. – Insoler **777.16.**

18 **Chauffer** ; faire chaud *(il fait chaud)* [impers.]. – Bouillir, **brûler 311** ; fig. : cuire **333,** griller, rôtir, roussir ; se consumer **131.**

19 Tiédir **327.15.** – Décongeler, dégeler, dégivrer, fondre ; se liquéfier, se vaporiser.

20 **Chauffer,** échauffer, réchauffer, surchauffer ; chauffer à blanc, chauffer au rouge, porter à incandescence, porter au rouge. – **Adoucir,** attiédir, chambrer, tiédir ; bassiner. – Cuire **333,** ébouillanter, **échauder,** étuver ; brûler **311.** – Calorifuger.

21 **Avoir chaud** ; étouffer, suffoquer ; bouillir, être en nage [fam.], suer, **transpirer.** – Avoir le feu aux joues ou les joues en feu. – Avoir de la fièvre ou de la température, brûler de fièvre.

Adj. 22 **Chaud** ; bouillant, brûlant.

23 Caniculaire, **torride 750** ; accablant, étouffant, lourd **372,** suffoquant. – Clément, doux, tempéré, **tiède.** – Équatorial, **méridional,** subtropical, **tropical.**

24 **Ardent** ; d'enfer, de feu, de plomb.

25 Chaleureux **276.**

26 Fébrile, **fiévreux.** – **Enflammé,** inflammatoire **482.**

27 **Calorifère** (opposé à calorifuge), calorifiant, **calorifique, calorique,** énergétique **269** ; didact. : calogène, caloporteur ou caloriporteur ; pyrogène [MÉD.]. – **Thermique** ; thermogène. – **Thermodynamique,** thermonucléaire ; géothermique. – Calorimétrique, thermométrique.

28 **Conducteur,** diatherme (ou : diathermane, diathermique), semi-conducteur, supraconducteur ; athermane, **isolant.** – Adiabatique ; endothermique, exothermique.

Adv. 29 **Chaud** *(manger chaud)* ; à chaud. – Chaudement ; **ardemment,** avec feu. – Chaleureusement **276** ; tièdement.

Aff. 30 Calo-, calor-, **calori-** ; **thermo-.** – Hélio- 777. – Pyro- **311.**

31 **-therme,** -thermie, **-thermique.**

103 CHAMPIGNONS

N. 1 **Champignon.** – Fongosité.

2 Blanc de champignon, **mycélium** ou thalle, sclérote, stroma ; carpophore. – Anneau, bague, collerette, collet ; **chapeau,** lamelle ou feuillet ; pédicelle, pédoncule, pied, stipe, voile, volve ou bulbe ; cortine, hyphe, plectenchyme ; conidiophore. – Mycorhize.

3 Anse d'anastomose, conidie, dicaryon, gamétange. – Arthrospore, ascospore, basidiospore, écidiospore, paraphyse, spermatie, **spore,** téleutospore, urédospore, zoospore, zygospore ;

baside, probaside ; apothécie, asque, conceptacle, cystide, écidie, hyménium, **sporange,** thèque.

4 Cytogamie, fusion dangeardienne ; gamétangie, oïdie ; périthèce. – Amphithallisme ; hétérothallie ; dicaryotisme.

5 **Champignons inférieurs** ; siphomycètes ou phycomycètes ; blastocladiales, chytridiales, monoblépharidales, oomycètes ; péronosporales, saprolégniales. – Myxomycètes. – **Zygomycètes :** endogonales, mucorales. – **Champignons supérieurs : ascomycètes** (aspergillales, discomycétales ou discales, érysipales, érysiphacées, exoascales, hypocréales, périsporiales, pézizales, plectascales, pléosporales, pyrénomycétales, tubéracées ; endomycétales, levures ou saccharomycétales, taphrinales ; blastomycète), **protobasiomycètes** (trémellales, urédinales, ustilaginales), **basidiomycètes** (agaricacées, agaricales, aphyllophorales, auriculariales, castromycètes, cantharellales, gastéromycétales, hyménomycètes).

6 BASIDIOMYCÈTES

amanite
amanite panthère
amanite phalloïde
amanite tue-mouches ou fausse oronge
bolet ou **cèpe**
candida
clavaire ou barbe-de-bouc
barigoule ou lactaire délicieux
boviste
champignon de Paris ou agaric cultivé
chanterelle ou **girolle**
clitocybe
collybie ou souchette
coprin
corticium
cortinaire
coucoumelle ou amanite vaginée
coulemelle ou lépiote élevée
craterelle ou **trompette de la mort**
entolome
entyloma
exobasidium
géaster
golmote ou amanite rougeâtre
gomphide
grisette ou clitocybe nébuleux
gymnosporangium
hébélome
hydne ou pied-de-mouton
hygrophore
hypholome
indigotier ou bolet bleuissant
inocybe de Patouillard
lactaire
lactaire poivré
laqué
lépiote
levure
lycoperdon ou vesse-de-loup
marasme
matsu take
mérule
mycène
mycoderme
nonette
oronge ou amanite des Césars
paxille
phallus impudique ou satyre puant
pholiote
pied-bleu ou tricholome nu
pleurote
polypore
pratelle ou psalliote
psilocybe
puccinia
rosé des prés ou psalliote des jachères
russule
saccharomyces ou levure de bière
scléroderme
shiitake
stereum
strophiaire
tête de nègre ou bolet bronzé
tilletia
tricholome ou **mousseron**
urocystis
volvaire

7 ASCOMYCÈTES

aspergillus
bouton-de-guêtre
cordyceps
élaphomyces
endothia
épichloë
gibberella
glomerella
gnomonia
guignardia
gyromitre
helvelle
microsphæra
mitrophore ou morillon
monilia
morille
nectria
pézize ou oreille-de-lièvre
rosellinia
taphrina
terfès
truffe
uncinula
venturia

8 CHAMPIGNONS IMPARFAITS (OU FUNGI IMPERFECTI, DEUTÉROMYCÈTES)

adélomycète ou dentéromycète
alternaria
ascophyta
botrytis
cercosporella
cicinnobolus
cladosporium
colletrotrichum
fusarium
graphium
helminthosporium
marssonina
mélanconiale
moisissure
mycogone
pénicillium
ramularia
septoria
thielaviopsis
verticillum

9 CHAMPIGNONS PARASITES

amadouvier
armillaire
blépharospora
empuse
fistuline ou foie-de-bœuf ou langue-de-bœuf
lenzite
oreille-de-judas
phoma
phytophthora
pythium
saprolegnia
synchytrium
tramète
trémelle
trichophyton

10 CHAMPIGNONS PATHOGÈNES

ceratocystis
coryneum
cronartium
dothichiza
elampsorella
hemileia
melampsora
peronospora
phragmidium
rhizoctone
sclérotinia
sphærotheca
spongospora
uromyces

11 Myticulture, trufficulture. – Fumage, gobetage, lardage. – Carrière **champignonnière, maison à champignon, truffière.**

12 Mycologue. – Myticulteur ou champignonniste.

13 Mycologie.

V. 14 Champignonner [rare].

Adj. 15 Fongique ; **mycologique.** – Fongiforme, fongoïde ; fongueux. – **Comestible 563,** nuisible, vénéneux **267.** – Phalloïdien ; tubériforme. – Truffier *(chêne truffier).*

16 Angiocarpe, gymnocarpe, hémiangiocarpe. – Adné, émarginé, hyménial, leucosporé, mycélien, pédicellé, pédonculé. – Dicaryotique. – Endotrophe.

17 Mycétophage ; mycétophile ou fongicole.

18 **Cryptogamique** ; anticryptogamique, fongicide. – Antifongique, antimycosique.

Aff. 19 Asco-, basidio-, **myco-** ; -carpe, -mycète, -spore.

104 CHANGEMENT

N. 1 **Changement** ; change [vx], variation **850** ; modulation. – Impermanence, mouvance ; balancement, branle [vx], oscillation. – PHYS. : changement d'état, transition de phase.

2 Devenir, **évolution 293.**

3 **Bouleversement 202** ; convulsion [fig.].

4 Modification, nouvelle donne, transformation ; recadrage, redéfinition, refondation ; métamorphose. – Mutation ; mutagenèse [BIOL.]. – Mue ; muance [vx]. – Allométrie, allotropie.

5 Conversion. – Déplacement. – Anamorphose.

6 Caprice [fig.], retournement de situation, vicissitude. – Revirement **828,** saute d'humeur, **volte-face.**

7 Chatoiement, ondoiement.

8 Amovibilité, mutabilité, transmutabilité [rare], variabilité. – Inconstance, **instabilité** ; flexibilité, souplesse. – Protéisme [vieilli].

9 Mutationnisme [SC.], métamorphisme, transformisme [SC.].

10 Réformisme ; révolutionnarisme [didact.] **728.**

11 Kaïnophobie ; misonéisme [didact.].

12 **Caméléon** [fig.] **379.4,** girouette ; sauteur [vieilli]. – Protée.

13 Mutant *(un mutant).*

V. 14 **Changer.** – Modifier, transformer. – **Bouleverser,** chambarder, chambouler. – Renverser, révolutionner. – Réformer, remanier, remodeler, **renouveler 560,** rénover. – Refonder, repenser.

15 Infléchir ; moduler. – Commuer. – Convertir, traduire, transposer ; métamorphoser, transfigurer. – Anamorphoser.

16 Adapter ; **corriger,** recadrer, rectifier, redéfinir, retoucher ; amender. – Altérer, **déformer** ; déguiser, travestir.

17 Alterner ; inverser, interchanger ; renverser la vapeur. – Relayer, tourner. – **Échanger,** troquer ; substituer.

18 Devenir. – **Changer** ; changer du tout au tout ; subir un changement ; évoluer. – Bouger, flotter, fluctuer, muer, tourner à, **varier** ; basculer, prendre un tournant.

19 Chatoyer, ondoyer, osciller, vaciller.

20 Changer d'avis, être d'humeur changeante, girouetter, papillonner, pirouetter. – Changer de peau. – Changer de cap, virer de bord, passer du noir au blanc, tourner bride [litt.], tourner casaque ; changer ses batteries, changer son fusil d'épaule, **retourner sa veste,** virer sa cuti. – Se changer les idées.

21 Se changer. – Se désavouer, se raviser, se rétracter.

Adj. 22 **Changeant,** flottant, fluctuant, fluctueux [fig.], labile, mobile, **mouvant,** mutable, ondoyant, papillotant, variable ; protéiforme, protéique [vx] ; alternatif. – Mutationnel [BIOL.]. – Caméléonesque [litt.], capricieux, **inconstant, instable** ; fig. : flexible, souple.

23 Altérable, amovible, changeable, malléable, métamorphosable, modifiable, rectifiable, remplaçable, réversible, **transformable,** transmutable ou transmuable [rare] ; échangeable, interchangeable.

24 Nouveau, **révolutionnaire.**

25 Kaïnophobique, misonéiste.

Adv. 26 Tour à tour. – *Mutatis mutandis* (lat., « en changeant ce qui doit être changé »).

Prép. 27 **À la place de,** au lieu de, en lieu et place de ; en remplacement de.

Aff. 28 Allo- ; re-, trans-.

29 -ation, -ification, -isation, -issement, -ment ; -ir, -ifier, -iser ; -ifiant.

105 CHANSON

N. 1 **Chanson,** chansonnette. – Chanson à boire.

2 **Berceuse,** comptine. – Aubade, sérénade.

3 Ranz ou ranz des vaches, tyrolienne.

4 Vx – Bergerette, brunette, chanson de toile ; complainte.

5 Gospel, negro-spiritual ; **blues 543,** rhythm and blues. – Scat. – **Rock 543** ; rock and roll ; hard-rock. – Reggae, dub ; raï ; rap.

6 **Variétés.** – Chanson populaire ; chanson folklorique ; chanson réaliste ; style rive gauche.

7 **Succès** *(un succès),* tube [fam.] ; standard. – Rengaine, ritournelle, **scie.** – Arg. : beuglante, goualante. – Refrain ; flonflon.

8 **Chanteur 106,** interprète ; goualeur [arg.]. – Vx ou par plais. : barde, ménestrel, troubadour, trouvère. – Chanteur de charme, crooner. – Chanteuse réaliste. – Rappeur. – Tourlourou ou comique troupier.

9 **Chansonnier** ; auteur-compositeur, parolier.

10 Disc-jockey.

11 Comédie musicale ; burlesque *(un burlesque).* – Music-hall.

12 Audition. – Crochet, radio-crochet.

13 Boîte de nuit ou **boîte,** discothèque. – Cabaret, caveau.

V. 14 **Chanter** ; pousser la chansonnette [fam.] ; pousser la goualante [arg.]. – Yodler.

15 Auditionner.

16 Chansonner [vx]. – Composer **543.**

106 CHANT

N. 1 **Chant** ; chanson ; chantonnement ; mélopée ; voix ; musique vocale.

2 **Psalmodie** ; cantillation. – **Monodie,** monodie accompagnée ; hétérophonie ; diaphonie, **polyphonie** ; MÉDIÉV. : organum, organum primitif ou parallèle, organum à vocalises.

3 **Chœur,** chœur à voix égale, chœur mixte, double chœur ; **canon,** canon en augmentation (opposé à canon en diminution), canon fermé, canon perpétuel ou ouvert, canon multiple, canon rétrograde ou canon à l'écrevisse ; antécédent, conséquents. – Chant principal, contre-chant, contrepoint **543** ; MÉDIÉV. : *cantus* (lat., « chant ») ou voix principale, *vox principalis* [lat.] opposé à *discantus* (lat., « déchant ») ou voix ornementale, cantus firmus. – Accompagnement, harmonisation ; bourdon, faux-bourdon.

4 **Chant liturgique,** chant sacré ; chant ambrosien ou milanais, **chant grégorien** (ou : chant ecclésiastique, plain-chant), chant orthodoxe.

5 LITURGIE. – **Cantique,** choral *(un choral, des chorals),* graduel *(le graduel),* hymne, motet, prose, **psaume,** répons, séquence, trait ; laudes, vêpres solennelles ou en musique, leçon, leçon de ténèbres, litanie ; **antienne,** antiphone ou antiphonie, réclame ; agnus Dei *(un agnus Dei),* alléluia [spécialt], benedictus, dies irae, gaudeamus ou, abrév., gaudé, glorirae, hosanna, introït, kyrie ou kyrie eleison, magnificat, miserere ou miséréré, requiem, sanctus, stabat mater, Te Deum. – Trope.

6 Antiphonaire, hymnaire, kyriale, **psautier,** responsorial.

7 Art lyrique, **opéra** *(l'opéra)* ; bel canto. – **Ornement,** ornementation, trait ; colorature ou coloratura, fioriture, mélisme, roulade, **trille, vocalise** ; vocalisation ; mordant [vieilli] ; vx : diminution, passage ; trémolo ou tremolo.

8 Opéra bouffe (ou, ital., *opera buffa*), *opera* ou *dramma semiseria* (ital., « opéra tragi-comique »), opéra sérieux (ou : *opera seria* [ital.], grand opéra) ; drame lyrique, tragédie lyrique ; opéra rock. – Opéra-oratorio, **oratorio 817,** passion ; **cantate,** cantatille [vx].

9 Opéra-ballade ou, anglic., ballad opera, **opéra-comique, opérette.** – Chantefable [MÉDIÉV.], Singspiel [all.]. – Opéra-ballet ; divertissement [anc.].

10 Espagne : cante jondo ou cante hondo ; chant flamenco. – Portugal : fado, saudade.

11 **Air,** mélodie ; aria, ariette, cabaletta, cavatine ; arioso ; **récitatif,** récitatif accompagné, récitatif mesuré, récitatif obligé ou, ital., *obbligato,* récitatif pur (ou, libre, *secco* [ital.] simple) ; récit [vx], Sprechgesang (all., « chant parlé »).

12 **Chanson 105** ; chant patriotique, **hymne,** hymne national. – Chant nuptial ; litt. : épithalame, hyménée [vieilli]. – Noël.

13 Cantabile, cantilène, lamento, **mélopée.** – Chant funèbre ; ANTIQ. : nénies, thrène ; vocero ou vocéro. – Lied (pl., lieder). – Anc. : *cancionero* [esp.], *frottola* [ital.], madrigal, villanelle ou, ital., *villanella.*

14 ANTIQ. GR. : dithyrambe **817, ode,** péan ou pæan.

15 Intensité, puissance. – Ambitus, étendue, **registre** ; tessiture. – Coloration, couleur, **timbre,** son, sonorité. – Ton ; accent, inflexion, intonation. – Modulation, port de voix ; phrasé.

16 Voix de fausset ; voix de gorge, voix de tête ; falsetto, falsettone ou falsetto renforcé, voix de

poitrine ; voix de masque. – Voix blanche ; voix flûtée.

17 Artiste lyrique, **chanteur,** interprète ; soliste ; **cantatrice,** diva, prima donna ; primo uomo [rare]. – Divette.

18 **Soprano,** soprano dramatique, soprano léger (ou, impropr., colorature) lyrique ; **mezzo-soprano ; contralto** ou contraltiste. – **Falsettiste,** falsettiste contraltiste, sopraniste ; castrat, falsettiste naturel (opposé à falsettiste artificiel) ; **haute-contre** ou contre-ténor ; **ténor,** ténor dramatique, ténor léger, lyrique, ténorino ; **baryton,** baryton élevé ou basse-taille ; basse, basse chantante, basse bouffe, noble, profonde ; contre-teneur ou, lat., contratenor [vx].

19 **Chantre,** grand chantre, maître de chapelle, maître de chœur ; psalmiste ; **choriste** ; enfant de chœur ; cantor [anc.]. – **Chœur,** orphéon ; chorale.

20 ANTIQ. GR. : **aède,** citharède ; choreute ; coryphée. – Hist. : ménestrandise ou ménestrandie ; ménestrel.

21 Maîtrise, manécanterie, psallette, schola cantorum ; chantrerie ou chanterie [rare].

22 Chant d'oiseau, **gazouillis 170,** pépiement, ramage ; cri, stridulation ; bruissement, murmure.

V. 23 **Chanter,** chantonner, fredonner, moduler **543** ; siffler, siffloter. – Gazouiller **170.**

24 Solfier. – **Vocaliser** ; jodler ou iodler ; faire des vocalises, travailler sa voix ; poser sa voix.

25 Psalmodier. – Ténoriser ; barytonner [rare].

26 Attaquer, **entonner.** – Rechanter, reprendre.

27 **Chanter faux,** détonner ; faire des canards, des couacs. – Avoir un chat dans la gorge ; chevroter, miauler. – **Crier 168,** hurler ; s'égosiller, s'époumoner ; fam. : beugler, brailler, braire, bramer.

Adj. 28 Chantant, mélodieux.

29 **Lyrique, vocal.** – Psalmodique. – Monodique, polyphonique. – Choral ; canonique ; mélique ; mélismatique (opposé à syllabique) ; psalmique.

30 Ténorisant ; barytonnant [rare].

31 Chantable.

Adv. 32 Vocalement. – A cappella ou a capella. – À pleine gorge, **à pleine voix,** à tue-tête ; mezza voce. – À l'unisson, en chœur.

107 CHASSE

N. 1 **Chasse** ; chasse à courre ou vénerie *(grande vénerie, petite vénerie),* chasse à tir ; trappe [canad.]. – Safari. – **Braconnage.** – Cynégétique *(la cynégétique).*

2 Chasse au faucon, **fauconnerie** ; chasse au miroir ; fouée [vx]. – Déterrage, furetage. – Chasse aux canards sauvages ; chasse au gibier d'eau. – Louveterie.

3 Chasse à l'approche, pirsh ; chasse à la poussée ; **chasse à l'affût.** – Chasse au volant ; panneautage. – Vx : chaudron ou chasse en rond. – Volerie. – Frouée, pipée. – Trolle ou trôle. – Chasse à la billebaude.

4 Battue ou traque ; rabattage ou rabat.

5 Agrainage ou agrenage. – Piégeage, trappage. – **Piège,** trappe ; assommoir, belletière, chausse-trappe ou chausse-trape, palombière, trébuchet ; piège à palette ou à mâchoires ; collet, lacet, lacs. – Glu ; gluau.

6 Filet. – Allier ou hallier, nappe, **nasse,** tonnelle ; pantière, tirasse ; ridée. – Panneau, pans de rets, rets ; bourse ou poche. – Tramail, traîne (ou traîneau, traînée).

7 Appât ; **appeau,** chanterelle, courcaillet. – Appelant ou forme.

8 Pas ; traces. – Connaissances [vx], **erres,** foulées, passées. – Coulée. – Brisées.

9 Chambre, chambrette, **demeure,** remise, reposée, ressui. – Breuil ou broïl.

10 Aboi, cri ; récri [vx]. – Huée.

11 Laisser-courre ; rembuchement ou rembucher ; refuite ; débucher. – Appel ; **hallali** *(hallali courant, hallali debout, hallali sur pied, hallali par terre).* – Trompe de chasse.

12 **Curée** ; fouaille.

13 **Tableau de chasse.** – Gros gibier, menu ou petit gibier. – Gibier à plume, gibier à poil. – Proie.

14 Chasse réservée, **chasse gardée** ; garenne [vx] ; tiré. – Réserve de chasse. – Droit de chasse ; permis de chasser ; bouton. – Ouverture de la chasse, fermeture de la chasse.

15 **Équipage,** meute ; vautrait ; rallye. – Chien d'arrêt ; chien couchant. – Chien d'équipage ; chien courant. – Chien quêteur, chien rapporteur, chien d'attaque ou rapprocheur ; rabatteur. – Terrier [anc.].

16 **Chasseur,** giboyeur [vx ou litt.] ; plombiste [arg.] ; trappeur [canad.]. – Oiseleur, louvetier. – Ve-

neur ; maître d'équipage, piqueur ou piqueux, valet de limiers. – HIST. : grand veneur ; grand fauconnier.

17 LITTÉR. : chasse infernale (ou : fantastique, fantôme) ; légende du grand veneur.

V. 18 **Chasser,** giboyer [vx] ; boucaner ; trapper [canad.]. – Fureter, halbrener [vx], oiseler. – Chasser à courre ; vx : courre, vener. – Billebauder, chasser à la billebaude. – **Braconner.**

19 **Ameuter,** rallier ; coupler, découpler, harder, déharder. – Appuyer, exciter les chiens ; vx : haler, rebaudir les chiens. – Effiler les chiens ; relayer les chiens. – **Rompre les chiens** ; rompre la chasse.

20 Sonner l'hallali. – Sonner la curée. – Forhuer *(forhuer du cor)* ou forhuir [vx et rare].

21 Faire le bois, juger ; détourner.

22 Allécher, **appâter** ; affriander [vx]. – Agrainer ou agrener. – Leurrer ; frouer. – Panneauter ; **piéger.**

23 Lancer, relancer. – Débucher, débusquer, lever ; faire bouquer, forcer, forlancer ; embucher, rembucher. – Rabattre. – Étranger [vx et rare].

24 Ajuster, viser. – Canarder, **tirer 820.**

25 Buffeter.

26 Actions des chiens. – Être en chasse ; être aux abois. – Arrêter, bloquer, bourrer. – Briller [vx], **quêter,** requêter ; flairer, halener ou haleiner ; **dépister.** – Chasser de gueule ; aboyer ; clatir [rare], glapir ; brailler, claboder. – Rompre la chasse. – Faire curée.

27 Actions du gibier. – Aller d'assurance, aller de bon temps. – Débouler, dégîter, déguerpir. – Refuir. – Culbuter, faire la culbute, faire le manchon.

Adj. 28 **Chassable** ; courable.

29 Giboyeux.

30 Cynégétique.

Adv. 31 Au cul levé, au déboulé ; **à la pipée.** – Au vol, à la billebaude. – Au juger.

32 À l'affût ; à la botte ; **à la passée,** à la volée ; en battue. – Au gabion, à la hutte, au hutteau, au trou.

33 **À cor et à cri** ; à bas bruit, à beau bruit.

Int. 34 Hallali ! Taïaut ou tayaut ! Au coute ! Vloo !

108 CHASTETÉ

N. 1 **Chasteté** ; honnêteté [vx], sagesse, vertu **858** ; bonnes mœurs, moralité **533.** – Blancheur, candeur, innocence, **pureté** ; fidélité conjugale **472,** honneur. – Austérité, sévérité ; intégrisme, puritanisme. – Péj. : bégueulerie, pruderie, pudibonderie.

2 Abstinence, **continence** ; ascétisme. – Virginité. – Ceinture de chasteté.

3 Chasteté, **décence 196,** pudeur, pudicité. – Discrétion, modestie **506,** réserve, retenue, **sobriété** ; timidité.

4 **Ascète,** ermite, moine, nonne. – Puceau ; pucelle, rosière [vieilli], **vierge** ; enfant de Marie [fig.], vertu *(une vertu),* vestale [litt.] ; allus. myth. : Lucrèce, Pénélope. – Péj. : bégueule, oie blanche, sainte-nitouche.

5 Fleur de lis, fleur d'oranger.

V. 6 Faire vœu de chasteté [RELIG.].

Adj. 7 **Chaste** ; honnête [vx], pur, sage, vertueux **858** ; angélique, platonique. – Abstinent, **continent** ; fidèle **472,** honorable. – **Austère,** sévère ; intégriste, puritain. – Péj. : bégueule, prude, pudibond.

8 Ingénu, **innocent,** virginal ; blanc, blanc comme neige, candide, immaculé.

9 Chaste, **décent 196,** pudique. – Discret, modeste **506,** réservé, **sobre.**

Adv. 10 **Chastement** ; sagement, **vertueusement 858** ; ingénument, innocemment, **purement.** – Décemment **196,** discrètement, modérément, modestement **506,** pudiquement.

109 CHAUFFAGE

N. 1 **Chauffage.** – Chauffe, chaufferie [rare]. – Réchauffage, **réchauffement** ; échauffement ; attiédissement.

2 Chaude [région.], flambée.

3 **Climatisation** ; conditionnement d'air. – Humidification **372** ; déshumidification. – Aération, ventilation **852,** V.M.C. *(ventilation mécanique contrôlée).*

4 Calorifugeage **102.**

5 Chauffage central, chauffage collectif ; chauffage individuel. – Chauffage urbain.

6 Chauffage par conduction, chauffage par contact ; chauffage par convection ; chauffage à air pulsé. – Chauffage par accumula-

tion. – Chauffage par induction, chauffage par résistance ; chauffage par rayonnement.

7 Chauffage au bois, chauffage au charbon ; chauffage au gaz ; chauffage à l'essence, chauffage au mazout, chauffage au pétrole. – Chauffage par catalyse.

8 **Chaudière** ; chaudière tubulaire ; chaudière aquatubulaire, chaudière ignitubulaire, chaudière multitubulaire. – Pompe à chaleur ou thermopompe. – Convecteur, **corps de chauffe, radiateur** ; panneau chauffant ou rayonnant, plinthe chauffante. – Calorifère [vieilli] ; aérotherme. – Hypocauste [ANTIQ.].

9 Fourneau **109.** – **Réchaud** ; chauffe-biberon, réchauffeur. – Étuve.

10 Brasero, **poêle,** Salamandre [nom déposé]. – Bassinoire, moine ; chauffe-pieds, chaufferette. – Bouillotte.

11 **Chauffe-eau,** chauffe-bain ; cumulus.

12 Échangeur ou échangeur de chaleur.

13 **Cheminée 311** ; âtre, foyer.

14 Climatiseur, conditionneur. – **Ventilateur** ; panka ou panca ; éventail.

15 **Thermostat** ; aquastat. – Saturateur.

16 Parties d'une chaudière : échangeur ; chambre de combustion ; **brûleur** ; départ d'eau chaude ; retour d'eau froide ; régulateur d'allure ; départ des fumées ou du gaz de combustion ; bloc d'allumage ; injecteur ; cendrier. – Parties d'un poêle : admission d'air ou aspirail ; ailette ; **cendrier** ; **foyer** ; grille ; tampon de chargement ; buse ; tuyau de poêle ; clef de tuyau de poêle. – Parties d'une cheminée : manteau, tablette ; chambranle, linteau, jambage ou piédroit ; avant-foyer ; **âtre** ; ébrasement ; **contrecœur,** contre-feu ; hotte ; **conduit** ; abat-vent ; capuchon ; mitre.

17 **Chenet,** landier, marmouset. – Pincettes, pique-feu, **tisonnier.** – Soufflet. – Pare-étincelles. – Chauffeuse **109.**

18 Chambre chaude, poêle [vx] ; fig. : four, serre.

19 Thermes ; caldarium [ANTIQ. ROM.]. – **Étuves** [anc.]. – Bain de vapeur, hammam ; sauna.

20 Chaufferie.

21 Fumisterie.

22 Chauffagiste *(un chauffagiste)* ; chaudiériste, fumiste. – **Ramoneur.** – Chauffeur.

V. 23 **Chauffer 109** ; attiédir, échauffer, **réchauffer** ; surchauffer. – Dégeler, déglacer. – Bassiner. – Attremper [TECHN.].

24 **Climatiser** ; ventiler. – Déshumidifier.

25 Calorifuger **102.**

Adj. 26 Chaud **102** ; froid **327** ; tiède.

Adv. 27 Chaudement ; tièdement.

Aff. 28 Thermo- ; calor-, calori-.

110 CHAUSSURE

N. 1 **Chaussure,** soulier ; fam. : godasse, grolle, pompe, tatane. – Arg. : croquenot, godillot ; vx : ribouis, sorlot.

2 **Chaussure basse** ; ballerine, escarpin, mocassin, richelieu.

3 **Botte,** demi-botte ; chaussure montante. – Cuissarde ; boots [anglic.], bottillon, bottine, santiag [fam.] ; vieilli : caoutchouc, snow-boot [anglic.].

4 Galoche, sabot ; patin [vx], socque. – Brodequin [vieilli], godillot.

5 **Sandale,** sandalette ; spartiate. – Espadrille. – **Chausson,** chausson de lisière [vx] ; babouche, charentaise, pantoufle, mule, savate.

6 Basket, **tennis,** training [anglic.]. – Chaussure de marche ; Pataugas [nom déposé], trotteur. – Chaussure à crampons, chaussure cloutée ; chaussure de football, chaussure de golf. – Ballerine, pointe ; chausson de danse, demi-pointe. – Chaussure de ski ; après-ski.

7 Anc. : brodequin, cothurne, escafignon, sandale, socque, poulaine ou chaussure à la poulaine.

8 Parties de la chaussure : bout, cambrure, carre, claque, contrefort, empeigne, languette, œillet, quartier, tige, tirant, trépointe. – **Semelle** ; semelle de bois, semelle de crêpe, semelle de cuir, semelle en élastomère. – **Talon,** talon bas (opposé à talon haut), talonnette ; talon aiguille, talon bobine, talon bottier, talon échasse, talon Louis XV.

9 **Guêtre** ; bandes molletières, houseaux, jambières, leggings ou leggins [anglic.]. – Anc. : bas-de-chausses, gamache ; cnémide [ANTIQ.].

10 **Chausse-pied,** corne [vx], tire-botte ; anc. : tire-bottine ; tire-bouton. – Embauchoir, forme. – Protège-talon.

11 Carrelure [vx], ressemelage. – Cirage.

12 Cordonnerie.

13 Chausseur ou, cour., fabricant de chaussures, marchand de chaussures. – Bottier, sabotier [vx]. – Cordonnier ; arg. : bouif, gnaf ; vx : carre-

leur, savetier. – Cireur. – Les cordonniers sont toujours les plus mal chaussés [prov.].

14 Fam. : traîne-savates *(un traîne-savates)* **710** ; traîne-patins *(un traîne-patins)*, traîne-semelles *(un traîne-semelles)*.

V. 15 Vieilli : **chausser, botter** ; déchausser, débotter. – Boutonner, lacer.

16 **Se chausser** ; se déchausser. – Se botter ; se débotter.

17 Chausser du tant *(chausser du quarante-deux)*.

18 Dessemeler ; **ressemeler.** – Vx : carreler, recarreler.

19 Brosser. – Astiquer, **cirer.**

Adj. 20 **Chaussé** ; déchaussé. – Botté ; débotté.

21 Chaussant *(articles chaussants)*. – Bottier *(talons bottier)*.

111 CHERTÉ

N. 1 **Cherté.** – Vie chère.

2 Gros prix. – Haut prix. – Fam. : coup de barre, **coup de fusil.**

3 Fig. : caverne de brigands, coupe-gorge.

4 Taxateur ; **brigand,** rançonneur.

V. 5 **Coûter cher,** coûter gros, coûter un prix fou (ou, fam. : les yeux de la tête, la peau du dos, très fam. : la peau des fesses). – **Ne pas être donné.** – Valoir son pesant d'or.

6 **Faire payer cher,** vendre au-dessus des cours. – Voler ou rançonner le client ; fam. : échauder, écorcher, escroquer, estamper, étriller, exploiter, soigner, tondre ; fam. : saigner à blanc, **saler le client,** saler la note.

7 Charger ; surestimer **804, surévaluer,** surfaire ; cherrer ou chérer [arg.]. – Surtaxer.

8 **Augmenter 56.7** ; doubler les prix. – Faire la culbute [fam.].

9 Augmenter, enchérir, **renchérir.**

Adj. 10 **Cher** ; fam. : épicé, salé. – Hors de prix, **inabordable,** prohibitif. – Coûteux, onéreux ; dispendieux, ruineux ; somptueux [vx].

11 Élevé, fort. – Exagéré, **excessif 294.14,** exorbitant, surfait. – Faramineux ou pharamineux, **fou.**

12 De prix **677.**

Adv. 13 **Cher** ; à haut prix, à prix d'or, **au prix fort.** – Au poids de l'or.

14 **Chèrement,** coûteusement, dispendieusement [litt.]. – À grands frais.

112 CHIFFRE

N. 1 **Chiffre** ; caractère *(caractère alphanumérique, caractère numérique)*, signe **765,** symbole. – **Chiffres arabes** (0, 1, 2, 3, 4, 5, 6, 7, 8, 9 ; 10 ; 50 ; 100 ; 500 ; 1000) ; **chiffres romains** (I, II, III, IV, V, VI, VII, VIII, IX, X ; L ; C ; D ; M). – INFORM. : bit, digit. – Chiffre décimal. – Folio **469** [IMPRIM.] ; numéro. – Millésime.

2 Chiffrage, numérotage, **numérotation.** – IMPRIM. : foliotage ou foliotation, **pagination.**

3 Folioteuse [IMPR.] ; numéroteur ou numéroteuse [TECHN.].

4 Arithmétique, **calcul 87,** mathématiques.

V. 5 Chiffrer, marquer, **numéroter.** – Coter, folioter **469,** paginer. – Numériser [INFORM.].

Adj. 6 Alphanumérique, **numérique** ; digital [anglic. déconseillé]. – Numéroteur.

113 CHIMIE

N. 1 **Chimie** ; chimie analytique, chimie descriptive, chimie générale, chimie physique, chimie pure ; chimie animale ou zoochimie **873,** chimie biologique, biochimie **94,** chimie médicale, chimie organique, cytochimie **821** ; carbochimie, chimie agricole ou agrochimie **18,** chimie minérale, gazochimie, géochimie, parachimie, pétrolochimie ou pétrochimie **617,** plasturgie ; chimie nucléaire, chimie quantique **513,** cryochimie, électrochimie, magnétochimie **478,** photochimie, radiochimie, stéréochimie, thermochimie **102** ; astrochimie, cosmochimie ; cristallochimie. – **Alchimie** 477.

2 **Atome** ; **corps simple,** élément ; corps composé organique, corps composé inorganique. – Composé *(un composé)*, dérivé *(un dérivé)*, radical *(un radical)*. – Ligand, molécule ; isotope, isomère ; copolymère, monomère, oligomère, polymère. – Anion, cation, **ion.**

3 Absorbat, adsorbat, condensat, **distillat,** éluat, **esprit** [anc.], essence, **excipient,** extrait, filtrat, fluide [anc.], hydrolat, liqueur, mélange, précipité, soluté, solution *(solution molaire, solution normale, solution saturée, solution tampon)*, sublimé *(un sublimé)*, **substrat,** vapeur saturée (opposé à insaturée).

4 Accepteur d'hydrogène ou d'oxygène, activateur, donneur ; acide, ampholyte, base ; **agent,**

catalyseur, coagulant, diluant, dispersant, **dissolvant,** éluant, oxydant, oxydo-réducteur, réducteur, siccatif, traceur radioactif ; indicateur coloré. – Échantillon ; **électrolyte.**

5 Symbole chimique ; formule chimique, formule moléculaire, structure moléculaire ; **classification périodique des éléments** ou classification de Mendeleïev, système chimique. – Valence ; covalence.

6 Densité, **masse atomique,** masse moléculaire ; poids atomique, poids moléculaire, poids spécifique. – Nombre atomique. – Orbitale atomique ou moléculaire.

7 Éléments chimiques. – Hydrogène (n. at. 1, symb. H), hélium (n. at. 2, symb. He). – Lithium (n. at. 3, symb. Li), bérylium (n. at. 4, symb. Be), bore (n. at. 5, symb. B), carbone (n. at. 6, symb. C), azote (n. at. 7, symb. N), oxygène (n. at. 8, symb. O), fluor (n. at. 9, symb. F), néon (n. at. 10, symb. Ne). – Sodium (n. at. 11, symb. Na), magnésium (n. at. 12, symb. Mg), aluminium (n. at. 13, symb. Al), silicium (n. at. 14, symb. Si), phosphore (n. at. 15, symb. P), soufre (n. at. 16, symb. S), chlore (n. at. 17, symb. Cl), argon (n. at. 18, symb. Ar). – Potassium (n. at. 19, symb. K), calcium (n. at. 20, symb. Ca), scandium (n. at. 21, symb. Sc), titane (n. at. 22, symb. Ti), vanadium (n. at. 23, symb. V), chrome (n. at. 24, symb. Cr), manganèse (n. at. 25, symb. Mn), fer (n. at. 26, symb. Fe), cobalt (n. at. 27, symb. Co), nickel (n. at. 28, symb. Ni), cuivre (n. at. 29, symb. Cu), zinc (n. at. 30, symb. Zn), gallium (n. at. 31, symb. Ga), germanium (n. at. 32, symb. Ge), arsenic (n. at. 33, symb. As), sélénium (n. at. 34, symb. Se), brome (n. at. 35, symb. Br), krypton (n. at. 36, symb. Kr). – Rubidium (n. at. 37, symb. Rb), strontium (n. at. 38, symb. Sr), yttrium (n. at. 39, symb. Y), zirconium (n. at. 40, symb. Zr), niobium (n. at. 41, symb. Nb), molybdène (n. at. 42, symb. Mo), technétium (n. at. 43, symb. Tc), ruthénium (n. at. 44, symb. Ru), rhodium (n. at. 45, symb. Rh), palladium (n. at. 46, symb. Pd), argent (n. at. 47, symb. Ag), cadmium (n. at. 48, symb. Cd), indium (n. at. 49, symb. In), étain (n. at. 50, symb. Sn), antimoine (n. at. 51, symb. Sb), tellure (n. at. 52, symb. Te), iode (n. at. 53, symb. I), xénon (n. at. 54, symb. Xe). – Césium (n. at. 55, symb. Cs), baryum (n. at. 56, symb. Ba), lanthane (n. at. 57, symb. La), hafnium (n. at. 72, symb. Hf), tantale (n. at. 73, symb. Ta), tungstène (n. at. 74, symb. W), rhénium (n. at. 75, symb. Re), osmium (n. at. 76, symb. Os), iridium (n. at. 77, symb. Ir), platine (n. at. 78, symb. Pt), or (n. at. 79, symb. Au), mercure (n. at. 80, symb. Hg), thallium (n. at. 81, symb. Tl), plomb (n. at. 82, symb. Pb), bismuth (n. at. 83, symb. Bi), polonium (n. at. 84, symb. Po), astate (n. at. 85, symb. At), radon (n. at. 86, symb. Rn). – Francium (n. at. 87, symb. Fr), radium (n. at. 88, symb. Ra), actinium (n. at. 89, symb. Ac), unnilquadium (n. at. 104, symb. Unq), unnilpentium (n. at. 105, symb. Unp), unnilhexium (n. at. 106, symb. Unh), unnilseptium (n. at. 107, symb. Uns), unniloctium (n. at. 108, symb. Uno), meitnérium (n. at. 109, symb. Mt). – Lanthanides : cérium (n. at. 58, symb. Ce), praséodyme (n. at. 59, symb. Pr), néodyme (n. at. 60, symb. Nd), prométhium (n. at. 61, symb. Pm), samarium (n. at. 62, symb. Sm), europium (n. at. 63, symb. Eu), gadolinium (n. at. 64, symb. Gd), terbium (n. at. 65, symb. Tb), dysprosium (n. at. 66, symb. Dy), holmium (n. at. 67, symb. Ho), erbium (n. at. 68, symb. Er), thulium (n. at. 69, symb. Tm), ytterbium (n. at. 70, symb. Yb), lutetium (n. at. 71, symb. Lu). – Actinides : thorium (n. at. 90, symb. Th), protactinium (n. at. 91, symb. Pa), uranium (n. at. 92, symb. U), neptunium (n. at. 93, symb. Np), plutonium (n. at. 94, symb. Pu), américium (n. at. 95, symb. Am), curium (n. at. 96, symb. Cm), berkélium (n. at. 97, symb. Bk), californium (n. at. 98, symb. Cf), einsteinium (n. at. 99, symb. Es), fermium (n. at. 100, symb. Fm), mendélévium (n. at. 101, symb. Md), nobélium (n. at. 102, symb. No), lawrencium (n. at. 103, symb. Lr).

8 Isomère, monomère, polymère. – Amide, amine. – **Alcool.** – Acides : acétique ou éthanoïde, arsénique, borique, bromique, butyrique, caprique, caprilyque, carbonique, chlorique, citrique, cyanhydrique ou prussique, ferrique, fluorhydrique, formique, nitrique, permanganique, phosphorique, stéarique ; acide chlorhydrique ou, vx, esprit-de-sel, acide sulfurique (ou : huile de vitriol [vx], vitriol), glycine ou glycocolle, phénol ou, vx, acide phénique. – **Sel** ; acétate, aluminate, azoture, benzoate, borate, bromate, butyrate, carbonate, chlorate, chlorhydrate, citrate, cyanure, fluorure, formiate, fulminate, nitrate, permanganate, phosphate, stéarate, sulfate. – **Ester** ou, anc., éther-sel.

9 Radical univalent, radical plurivalent. – Radical : acétyle, acyle, alcoyle, allyle, aminogène, ammonium, amyle, aryle, azoïque, ozotyle ou nitryle, benzoyle, benzyle, butyle, carbonyle,

carboxyle, éthyle, hydroxyle ou oxhydryle, méthyle, méthylène, nitrile, nitrosyle, phényle, stéaryle, sulfhydryle, uranyle, vinyle.

10 Coefficient d'activité ou d'absorption, constante radioactive ou de dissociation, indice d'acidité ; **nombre d'Avogadro.** – Point de condensation **372,** point de congélation, point d'ébullition, point de fusion **131** ; point eutectique, point fixe, point isoélectrique. – Titre **187.6** ; vitesse de réaction.

11 **Acidité,** alcalinité, basicité ; aromaticité, causticité, pH ; absorptivité, affinité, coagulabilité, miscibilité, saturabilité, solubilité ; fugacité, viscosité, volatilité. – **Combustibilité,** fusibilité, inflammabilité. – **Radioactivité 513.** – Passivité, **réactivité,** stabilité ; actinisme. – **Chimiluminescence,** fluorescence, luminescence, phosphorescence. – Coordinence, électronégativité ; équivalence chimique, équivalence électrochimique. – **Atomicité,** équimolécularité, molarité, molécularité.

12 Anisotropie, isotropie ; isomérie, mésomérie, polymérie, stéréo-isomérie ; isomorphisme.

13 Didact. – Chimisme ; analyse qualitative, analyse quantitative, chimiosynthèse, chimisorption, synthèse. – Adsorption, désorption ; activation, neutralisation ; catalyse. – Centrifugation, chimicage, concentration, cristallisation ; décantation, défécation ; conversion, **transmutation.**

14 OPÉRATIONS CHIMIQUES

alcoolisation
alcoylation ou alkylation
aldolisation
anydrisation
bromuration
carboxylation
cétolisation
chélation
chloruration
cyanuration
cyclisation
décarboxylation
dénitrification
désacidification
désamination
déshydrogénation
désoxydation
désulfuration
éluation
énolisation
estérification
éthérification
fluoration
halogénation
hydrogénation
ioduration
ionisation
méthylation
nitration
nitrification
nitrosation
nitruration
phosphorylation
saccharification
saponification
sulfonation
sulfuration

15 Chimiotactisme, chimiotropisme, chimiotaxie.

16 MESURES CHIMIQUES

absorptiométrie **509**
acidimétrie
alcalimétrie
ampérométrie
chlorométrie
chromatographie
colorimétrie
complexométrie
conductimétrie
coulométrie
cryoscopie
ébulliométrie
électrodialyse
électrographie
électrophorèse
fluorimétrie
gazométrie
gravimétrie
hétérométrie
néphélométrie
polarographie
tonométrie
volumétrie

17 INSTRUMENTS

agitateur
alambic
aludel
autoclave
balance
ballon
barboteur
becher
bougie
burette
capsule
centrifugeuse
cloche
colonne à plateau
compte-gouttes
compteur de radioactivité
condenseur
cornue [VX]
coupelle
creuset
cristallisoir
cuve à électrolyse
défécateur
dessiccateur
dialyseur
digesteur
échangeur
électrode
électrolyseur
éprouvette
épuiseur
étuve
évaporateur
filtre
fiole
flacon
humecteur
matras
mélangeur
moufle
paillasse
pipette
pistolet de Volta
pulvérisateur
retorte
siphon
stérilisateur
tube à essai

18 Biochimiste, **chimiste ;** plasturgiste.

19 Alchimiste ; Hermès Trismégiste [MYTH.].

V. 20 **Analyser,** décomposer, dissocier, dissoudre, synthétiser ; recomposer. – **Activer,** catalyser, centrifuger, combiner, concentrer, condenser, décanter, doser, électrolyser, ioniser, isomériser, léviger, précipiter, saturer. – Acétifier, acidifier, alcooliser, chélater, décarboxyler, débenzoyler, dénitrer, déphosphater, désalkyler, déshalogéner, vitrioler, etc.

21 Réagir.

Adj. 22 **Chimique,** synthétique.

23 **Acide,** acido-alcalin, alcalin, amphotère, **basique.** – Monoacide, diacide ou biacide, polyacide ; bibasique.

24 Univalent ou monovalent. – Bifonctionnel, bimoléculaire, binaire, bivalent, divalent ; décinormal, multivalent, pentavalent ou quintivalent ; eutectique, ionique, homo-ionique, homolytique, molaire, radicalaire. – Atomique, diatomique.

25 Acidifiant, alcalifiant, désoxydant. – Actinique.

26 Énantiotrope ; nucléophile.

Adv. 27 Chimiquement ; synthétiquement.

Aff. 28 **Chimio-.**

29 Corps composés inorganiques : bromo-, chloro-, iodo-, nitro-. – Corps composés organiques : cyclo-, iso- ; méta-, ortho-, para- ; benzo-, phényl-, stér- ; hydroxy- ; amino-, imido- ; carbonyl- ; oxo- ; acéto-, carboxy-, cyano- ; mercapto-.

30 Corps composés inorganiques : -ique, -eux, -hydrique ; -ate, -ite, -ure. – Corps composés organiques : -ène, -ènyle ; -adiyne, -atriyne, -yne ; -thiol ; -one ; -oïque ; -side, -tide.

114 CHIRURGIE

N. 1 **Chirurgie.** – Chirurgie correctrice, chirurgie expérimentale, chirurgie opératoire, cryochirurgie, médecine opératoire, microchirurgie, petite chirurgie.

2 Chirurgie ou art dentaire, chirurgie orthopédique, neurochirurgie, psychochirurgie. – **Chirurgie esthétique,** chirurgie des formes, chirurgie plastique (ou : réparatrice, restauratrice).

3 Pathologie chirurgicale ou pathologie externe ; **traumatologie 72.**

4 **Hospitalisation,** hospitalisation à domicile (H. A. D.) ; brancardage. – Acte opératoire ou intervention chirurgicale, intervention, **opération** ; traitement sanglant ; opération de convenance ; opération à cœur ouvert. – Indication opératoire, protocole opératoire ; monitorage ou, angl., monitoring. – **Dissection,** vivisection.

5 Rapprochement ; affrontement, **couture,** enfouissement, engrènement, occlusion, synthèse.

6 **Contention** ; arthrodèse, brochage, cerclage, coaptation, consolidation, contre-extension, embrochage, enclouage, immobilisation, ostéosynthèse, **réduction,** strapping [anglic.], taxis. – Hystéropexie, orchidopexie, rectopexie. – Clampage, forcipressure, garrottage. – Péritonisation. – Remodelage.

7 Nettoyage ; aspiration, avivement, cautérisation, curage, curetage, dénudation, **désinfection,** détersion, drainage, épluchage, **éradication,** évidement, grattage, méchage, parage, synoviorthèse. – **Ponction** ; arthrocentèse, paracentèse, thoracentèse.

8 **Coupure** ; césarienne, débridement, désunion, diérèse, discission, perforation, **section,** trépanation. – Ostéoclasie.

9 **Libération** ; décapsulation ou décortication, désinvagination, désoblitération ou désobstruction, forage, mobilisation.

10 Dérivation, fenestration, pontage, tunnellisation.

11 Insertion ; **implantation,** inclusion, réimplantation, revascularisation. – **Injection,** transfusion.

12 **Ablation** ; **amputation,** désarticulation, divulsion, énucléation, exentération, exérèse, **extirpation** ; avulsion ou, vieilli, évulsion ; extraction. – Circoncision ou posthectomie ; excision. – Énervation, éveinage ou, angl., stripping. – Résection. – Prothèse.

13 ABLATION

adénomectomie
amygdalectomie
antrectomie
appendicectomie
artériectomie
arthrectomie
capsulectomie
carpectomie
cholécystectomie
clitoridectomie
colectomie
colpohystérectomie
diverticulectomie
duodénectomie
duodéno-gastrectomie
embolectomie
embryectomie
endartériectomie
endectomie
entérectomie
gangliectomie
gastrectomie
gingivectomie
hémisphérectomie
hémorroïdectomie
hépatectomie
hypophysectomie
hystérectomie
iliectomie
kératectomie
laminectomie
lipectomie
lithectomie
lobectomie
lymphadénectomie
mammectomie
mastoïdectomie
médullectomie
méniscectomie
myomectomie
névrectomie
œsophagectomie
orchidectomie
otectomie
ovariectomie
pallidectomie
pancréatectomie
parathyroïdectomie
pariétectomie
parotidectomie
patellectomie
pelvectomie
péricardectomie
pharyngectomie
phlébectomie
platinectomie
pleurectomie
pneumectomie ou pneumonectomie
polypectomie
prostatectomie
ridectomie (ou : lifting, lissage)
sclérectomie
séquestrectomie
splanchnicectomie
splénectomie
surrénalectomie
sympathectomie
synovectomie
tarsectomie
thrombectomie
thymectomie
thyroïdectomie
topectomie
turbinectomie
vasectomie ou vasotomie
vitrectomie

14 **INCISION**

angiotomie
aponévrotomie
artériotomie
arthrotomie
bronchotomie
cardiotomie
céphalotomie
cholécystotomie
chondrotomie
cœliotomie
commissurotomie
duodénotomie
embryotomie
entérotomie
épisiotomie
gastrotomie
glossotomie
hépatotomie
hystérotomie
kératotomie
laparotomie
laryngotomie
laryngotrachéotomie
leucotomie
lithotomie
lobotomie
lombotomie
mérotomie
myotomie
néphrolithotomie
néphrotomie
neurotomie ou névrotomie
œsophagotomie
oncotomie
ophtalmotomie
orbitotomie
ostéotomie
ovariotomie
phlébotomie
pleurotomie
pneumotomie
pyélotomie
radicotomie
rectotomie
ruménotomie
scalénotomie
spéléotomie
sternotomie
syringotomie
ténotomie
thoracolaparotomie
thoracotomie
thyrotomie
trachéotomie
urétérolithotomie
vagotomie
varicotomie
vasotomie

15 **ABOUCHEMENT**

anastomose
anastomose porto-cave
arthrostomie
colostomie
cholécystostomie
duodéno-jéjunostomie
duodénostomie
entéroanastomose
entérostomie
gastro-duodénostomie
gastro-entérostomie
gastrostomie
méatostomie
œsophagostomie
stomie
trachéostomie
urétérostomie

16 **Greffe,** transplantation ; anaplastie (homogreffe, allogreffe), autogreffe, hétérogreffe, hétéroplastie ou xénogreffe, isogreffe.

17 **PLASTIE OU INTERVENTION PLASTIQUE**

acétabuloplastie
arthroplastie
autoplastie
capsuloplastie
chéiloplastie
cholédochoplastie
cinématisation ou cinéplastie
dermatoplastie
digitoplastie
duodénoplastie
entéro-cystoplastie
entéroplastie
hernioplastie
kératoplastie
ligamentoplastie
mammoplastie
méloplastie
myoplastie
œsophagoplastie
ophtalmoplastie
organoplastie
ostéoplastie
otoplastie
périnéoplastie
pharyngoplastie
plastie tubaire
rhinoplastie
salpingoplastie
sphinctéroplastie
staphyloplastie
stomatoplastie
thoracoplastie
tympanoplastie
uranoplastie
urétroplastie
valvuloplastie

18 Angiorraphie, blépharorraphie, hépatorraphie, myorraphie, neurorraphie, périnéorraphie.

19 **Anesthésie,** anesthésie générale, anesthésie locale ou insensibilisation, anesthésie régionale ; anesthésie épidurale ou péridurale, anesthésie tronculaire, électroanesthésie, rachianesthésie. – Alcoolisation des nerfs, baronarcose, cocaïnisation, curarisation ; hibernation artificielle, **hypnose** ; induction, intubation.

20 **Anesthésique** *(un anesthésique)* ; chloroforme, cocaïne, cocktail lytique, cryofluorane, curare, éther. – Capnographe.

21 Appareil, **prothèse** ou appareillage, prothèse interne ; anus artificiel, cœur-poumon artificiel ; jambe artificielle articulée, jambe de bois [anc.].

22 Boutonnière ; butée ; **cicatrice,** points de suture, suture. – Boyau de chat ou catgut. – Biomatériau, greffon, transplant.

23 **Bandage,** écharpe, fronde, pelote ; coquille, **plâtre.** – **Orthèse ;** agrafe de Michel, attelle ou éclisse, broche, épaulière, gouttière ; clou, vis. – Mèche.

24 Lit mécanique, lit orthopédique. – Bock ; canard ; pistolet [fam.]. – **Brancard,** civière. – **Canne,** canne anglaise ou canne-béquille ; fauteuil roulant.

25 **Table d'opération** ; billard [fam.]. – Miroir de Clar ; éclairage sans ombre ou, n. déposé, Scialytique ; masque respiratoire ou masque à oxygène. – Doigtier.

26 **INSTRUMENTS**

aiguille
bistouri
Cavitron
ciseaux
clamp
coapteur
crampon
curette
davier
dilatateur
drain
écarteur
embout
érigne
extracteur
forceps
fraise
garrot
lame
lancette
lithotripteur
rugine
scalpel
scarificateur
scie
seringue
stylet
tire-veine ou stripper
tourniquet
trépan
trocart

27 **Chirurgien** ; aide-major, major, opérateur [vx] ; fam. et péj. : boucher, charcutier. – Chirurgien-

accoucheur, chirurgien-dentiste ou dentiste, plasticien ; rebouteux.

28 Ambulancier, brancardier ; instrumentiste ; appareilleur, prothésiste ; orthopédiste ; **anesthésiste,** réanimateur ; anesthésiste-réanimateur ou anesthésiologiste.

29 Opéré *(un opéré)* ; **hospitalisé,** amputé, colostromisé, gastrectomisé, transplanté, trépané.

30 Clinique, **hôpital,** hosto [fam.] ; hôpital maritime, hôpital militaire ; Centre hospitalier spécialisé ou C. H. S., centre hospitalo-universitaire ou C. H. U.

31 **Ambulance,** autochir, S. A. M. U. (Service d'aide médicale urgente) ; antenne chirurgicale, poste de secours. – Bloc opératoire, poste opératoire, salle d'opération ; box, chambre ; salle de garde.

V. 32 **Opérer** ; intervenir. – Charcuter [fam.]. – **Anesthésier,** chloroformer, curariser, insensibiliser **397** ; intuber.

33 Stériliser ou, rare, aseptiser ; déterger. – Cautériser ; cureter, drainer, mécher. – Affronter, anastomoser, clamper, débrider, désarticuler, désinvaginer, éclisser, enclouer, fermer, **greffer,** implanter, **inciser,** ligaturer, lobotomiser, mobiliser, obturer, occlure, péritoniser, ponctionner, réduire, réimplanter, réséquer, ruginer, suturer, tamponner, transplanter, trépaner. – **Amputer,** énerver, énucléer, exciser, extirper, extraire. – Appareiller, bander, border, déplâtrer, panser, **plâtrer.** – **Disséquer** ; viviséquer.

34 Brancarder. – **Hospitaliser.**

Adj. 35 **Chirurgical,** chirurgique, médico-chirurgical ; **opératoire,** peropératoire, postopératoire, préopératoire ; **hospitalier.** – Anesthésiant ou anesthésique, curarisant. – Compressif, dilatateur, hémostatique, sutural ; orthopédique, prothétique. – Appareillable, implantable, résécable.

Adv. 36 Chirurgicalement. – Ex vivo [lat.].

Aff. 37 **-ectomie,** -plastie, -rraphie, -stomie, -tome, **-tomie,** -tripsie, -tritie.

115 CHOC

N. 1 **Choc,** collision, **heurt,** percussion ; coup, secousse, explosion. – **Commotion,** ébranlement, traumatisme.

2 **Battement,** cognement [rare] ; pulsation ; bat [vx], battue [ÉQUIT.], **martèlement** ; massé [BILLARD]. – Ressac, roulement ; cliquetis.

3 **Battage.** – Barattage. – Battaison [vx]. – Batture [rare].

4 **Tamponnement** ; carambolage, télescopage. – Emboutissage.

5 **Impulsion 391.1** ; poussée **322.1,** pulsion.

6 À-coup, **cahot,** cahotement ; saccade.

7 **Coup 160,** coups et blessures. – MÉD. : battade, **fustigation.**

8 Blessure **72.1, trauma** [MÉD.]. – MÉD. : **état de choc** ; choc amphétaminique, choc anaphylactique, choc anesthésique, choc opératoire, choc traumatique ; choc apexien, choc cardiogénique ; choc infectieux.

9 PSYCHOL. ou PSYCHAN. : – blessure, **choc,** commotion ; émotion **754,** émotion choc ou **choc émotionnel** ; trauma, traumatisme.

10 **Bouleversement,** ébranlement, secousse.

11 **Choc en retour** ; effet boomerang, effet en retour, rebond, ricochet ; **contrecoup,** réaction **687.1.**

12 **Affrontement,** antagonisme **572.1,** choc, **conflit 146,** friction, froissement, heurt, **rencontre.** – Bataille, combat, lutte. – Agression.

13 MÉD., PSYCHIATRIE : **thérapeutique de choc** ; électrochoc, hydrochoc, pneumochoc ou pneumochoc ; **traitement de choc** [propre et fig.]. – MÉD. : auscultation, percussion *(percussion immédiate, percussion médiate).*

14 MÉD. : – marteau à percussion, plessimètre.

15 **Battant** *(le battant d'une cloche),* batail [HÉRALD.] ; batte, battoir ; heurtoir. – Maillet, marteau, masse, massue, palette, tapette. – **Percuteur** [didact.]. – ANTHROP. : outil à percussion, à percussion lancée.

16 **Pare-chocs** ; amortisseur, **butée, butoir,** dispositif antichoc. – CH. DE F. : organe de choc, tampon ou tampon de choc, tamponnement. – Auto tamponneuse ou auto-tamponneuse (fam., auto-tampon).

17 **Instrument à percussion** ou instrument de percussion ; batterie, **percussion** *(la percussion)* **422.**

18 Traumatologie ou traumato [fam.].

19 **Battant** *(un battant),* combattant *(un combattant).* – Boxeur, lutteur ; bâtonniste [vx]. – Flagellant *(un flagellant)* [RELIG.]. – Flagellateur, fustigateur [litt.]. – Bagarreur, batailleur, **cogneur,** tapeur [rare]. – **Unité de choc** [MIL.].

20 **Traumatologiste** ou traumatologue.

V. 21 **Choquer** ; battre, **cogner,** frapper, heurter, percuter, rencontrer *(rencontrer un obstacle),* **tamponner** ; emboutir, **entrer dans,** rentrer dans ; fam. : caramboler, emplafonner ; emplâtrer [pop.]. – Enfoncer ; défoncer.

22 Flageller, fouailler [litt.], fouetter, fustiger. – Cingler. – Bastonner. – Bourrer decoups, rouer de coups. – **Corriger** ; cogner, frapper, taper ; taper sur.

23 **Choquer,** commotionner, ébranler, heurter, secouer, traumatiser ; blesser. – **Impressionner** ; **frapper,** saisir. – Étonner, stupéfier.

24 **Être choqué, être sous le choc 805.8,** être sous le coup.

25 **Choquer,** déranger, heurter ; aller contre.

26 **Se cogner contre,** se cogner [absolt]. – Se briser contre (qqch), se fracasser contre (qqch).

27 **Se heurter** ; s'entrechoquer, se rencontrer, se tamponner, se télescoper ; trinquer [fam.] ; **entrer en collision** (avec) ; s'emplafonner [fam.], s'emplâtrer [pop.] ; se rentrer dedans [fam.].

28 Battre, cogner contre ou sur (qqch avec qqch), entrechoquer, frapper (sur qqch), taper (sur qqch). – Masser [BILLARD].

29 **Cahoter** ; secouer.

30 Amortir (un choc). – Fig. : amortir le choc, accuser le coup, encaisser ; tenir le choc **864,** tenir le coup ; résister **715.**

Adj. 31 **Choquant.** – Battant *(pluie battante).*

32 Tamponneur. – **Percutant** (*le corps percutant et le corps percuté* [MÉCAN.]).

33 **Antichoc** ; amortisseur. – Amortissant [rare].

34 **Choquant** ; inconvenant ; incorrect, indécent **399.** – **Percutant** ; frappant, **impressionnant,** saisissant.

35 **De choc** *(troupes de choc, militant de choc),* de combat ; d'attaque.

36 **Choqué, traumatisé** ; bouleversé, ému, remué, retourné, renversé, secoué. – K.-O. ou knock-out [anglic.].

37 **Choquable,** émotif, sensible.

38 Traumatologique [MÉD.]. – Émotionnel [didact.].

Adv. 39 **Brusquement** ; brutalement. – Violemment **865.**

Prép. 40 Sous le choc de ; sous le coup de.

116 CHOIX

N. 1 **Choix, option.** – Adoption, **décision,** détermination, résolution **716** ; acceptation.

2 Cooptation, **désignation, élection 260, nomination,** plébiscite, suffrage, vote. – Promotion ; promotion au choix.

3 **Choix,** option ; **sélection, tri,** triage ; exclusion **295.1** ; latitude, possibilité. – Alternative, dilemme ; embarras du choix. – Questionnaire à choix multiple.

4 **Critère** ou critérium [vx] ; **goût 343,** prédilection, **préférence.** – Fantaisie, gré, guise, bon plaisir. – **Liberté 462,** libre arbitre ou libre-arbitre, **volonté 870** ; arbitraire *(l'arbitraire)* ; impartialité, objectivité, partialité, subjectivité. – Crible, éliminatoire.

5 **Assortiment,** collection, **recueil, sélection.** – Ana [vx], analectes, anthologie, chrestomathie, compilation, florilège.

6 Choisisseur [rare] ; sélecteur, sélectionneur, sélectionniste. – Électeur. – Décideur, décisionnaire.

7 Sélectionnisme, sélectivité. – Éclectisme.

V. 8 **Choisir** ; **adopter,** opter pour ; faire, fixer, arrêter un choix, son choix ; embrasser un parti, une résolution. – Décider, arrêter, s'arrêter à, se décider pour, se fixer sur, jeter son dévolu sur.

9 **Désigner,** distinguer, élire, nommer ; coopter, plébisciter ; donner sa voix, son suffrage à, voter pour.

10 **Préférer, retenir,** sélecter, sélectionner, trier ; trier sur le volet ; cribler, filtrer. – Arbitrer, prendre parti pour, se prononcer sur, trancher. – Se résigner à, se résoudre à, s'en tenir à.

11 Avoir le choix, l'embarras du choix ; atermoyer, balancer, délibérer, **hésiter,** se tâter [fam.].

Adj. 12 **Choisi, favori, préféré** ; appelé, distingué, **élu,** prédestiné. – Recueilli, sélectionné, trié. – **De choix 677,** d'élection.

13 Optionnel, **facultatif** ; à option, en option. – Inexigible.

14 Électif. – Sélectif ; sélecteur.

Adv. 15 **Facultativement,** optionnellement ; **au choix.**

16 Électivement. – Sélectivement.

117 CHRISTIANISME

N. 1 **Christianisme 700.** – **Chrétienté** *(la chrétienté).* – Chrétienté *(une chrétienté ; la chrétienté d'Occident, la chrétienté d'Orient)* [vx].

2 Judéo-christianisme **815** ; gnosticisme ; évangélisme ; paulinisme. – Adoptianisme, arianisme, docétisme, donatisme, monophysisme, monothélisme, nestorianisme, pélagianisme. – Bogomilisme ; catharisme.

3 **Catholicisme** ; catholicité [didact.]. – Papisme **590** ; épiscopalisme. – Contre-Réforme [HIST.].

4 **Orthodoxie.**

5 **Protestantisme.** – Vx : Religion *(la Religion)* **700** ; vx et péj. : religion prétendue réformée ou, abrév., R. P. R. – Luthéranisme. – Calvinisme ; zwinglianisme. – Piétisme ; méthodisme. – **Anglicanisme** ; Basse Église, Haute Église ; Large Église. – Ritualisme.

6 **Église** ; Église primitive. – Église schismatique ; [HIST.] schisme d'Orient et d'Occident. – Patriarcat ; pentarchie. – Église autocéphale. – Église métropolitaine. – Église de professants ; Église multitudiniste. – Église militante. – Ecclésiologie **818.**

7 Église catholique, apostolique et romaine ; Église latine. – Église gallicane. – Notre mère l'Église, le giron de l'Église.

8 Église protestante ; Église évangélique, luthérienne ; Église réformée ; Église anglicane. – Communautés congrégationalistes ou puritaines : communautés des adventistes, des adventistes du septième jour, des amish, des anabaptistes, des baptistes, des darbystes, des disciples du Christ, des mennonites, des méthodistes, des mormons (ou Église de Jésus-Christ des saints des derniers jours), des pentecôtistes, piétistes, des quakers ou Société religieuse des amis, des témoins de Jéhovah. – Armée du Salut, Église de la science chrétienne. – Frères moraves ou frères bohêmes.

9 Église orthodoxe ; Église grecque ou d'Orient. – Église nestorienne ou non-chalcédonienne ; Églises monophysites ou chalcédoniennes. – Églises autocéphales ou métropolitaines : patriarcat de Moscou ; patriarcat de Bucarest ; Église autocéphale de Bulgarie, de Grèce, serbe ; Église de Chypre, de Géorgie, du mont Sinaï. – Églises préchalcédoniennes : Église syrienne orientale ou nestorienne, arménienne, syrienne occidentale ou jacobite, syro-orthodoxe de l'Inde, copte ou Église d'Égypte, d'Éthiopie. – Églises unies ou uniates : Église maronite, syrienne malabare, d'Ukraine ; patriarcat d'Alexandrie, d'Antioche, de Jérusalem ; patriarcat œcuménique de Constantinople.

10 **Œcuménisme** ; œcuménicité.

11 **Chrétien** ; gnostique. – **Catholique,** catho [fam.] ; azimite. – Monophysite ; copte, jacobite ; malabare. – **Orthodoxe.** – HIST. : arien, anoméen, ébionite, donatiste, homéen, pneumatomaque ; raskolnik ou vieux-croyant. – Hérésiarque.

12 Bogomile ; cathare ; vaudois.

13 **Protestant** ; calviniste, cryptocalviniste ; adventiste, remontrant ; luthérien, méthodiste, piétiste ; presbytérien, puritain ; latudinaire. – HIST. : réformateur, religionnaire ; arminien, gomariste ; fam. : barbet, camisard, **huguenot,** parpaillot, réformé. – HIST. : hussite ; calixtin ou utraquiste, taborite ; frère morave ou bohême.

14 **Anglican.**

15 Roumi.

16 **Christ 215,** Christ-Roi ; Jésus, Jésus-Christ ; le Messie ; Saint-Esprit ou Esprit-Saint. – Dieu. – **Trinité** ; le Père, le Fils et le Saint-Esprit. – Résurrection ; parousie ; millenium. – Messianisme.

17 Sainte Famille. – Joseph. – Marie Mère de Dieu, Notre-Dame (N.-D.) ; reine des Anges, reine du Ciel ; Madone. – Stella Maris (lat., « étoile de la mer »).

18 Disciples ; les douze Apôtres ou les Douze ; Jean fils de Zébédée, Philippe, Barthélemy, Matthieu, Jacques fils d'Alphée, Thaddée.

19 Évangéliste **648.** – Marc (lion), Matthieu (homme), Luc (bœuf), Jean (aigle). – Bonne Nouvelle, kérygme (gr., « proclamation »).

20 Pape **590.** – Curé, prêtre **699.** – Pasteur **699.** – Clergyman **699.** – Pope **699.**

21 Iconographie : Annonce à Marie ou Annonciation, Nativité, Adoration des bergers, Adoration des Rois mages, Fuite en Égypte, Présentation au Temple, Circoncision, Jésus au milieu des docteurs, Jésus chassant les marchands du Temple, Samaritaine, Multiplication des pains, Pêche miraculeuse, Tentation du Christ, Reniement de saint Pierre, Jardin des Oliviers, Baiser de Judas, Chemin de croix, Portement de croix, Calvaire, Crucifiement ou Crucifixion, Passion de Jésus, Christ souffrant, Descente de croix,

Mise au tombeau, Résurrection, Cène. – Apocalypse, scènes du Jugement dernier. – Christ pantocrator, Christ triomphant ou en gloire ou en majesté ; amande, mandorle ; parousie [THÉOL.].

V. 22 Christianiser ; évangéliser. – Déchristianiser.

Adj. 23 Christique ; christophore. – Œcuménique, œcuméniste.

24 **Chrétien.** – Catholique, catho [fam.] ; catholicisant. – Orthodoxe. – Protestant, réformé ; calviniste, luthérien ; évangélique.

Adv. 25 Chrétiennement ; catholiquement.

118 CHRONOLOGIE

N. 1 **Chronologie,** histoire **363.** – Datation, périodisation. – Chronométrie **509,** horométrie.

2 Chronométrage, minutage. – Chronostatigraphie, datation au carbone 14, radiochronologie.

3 Cadran lunaire, cadran sciathérique, **cadran solaire** ou gnomon. – Clepsydre, horloge à eau ; **sablier.**

4 Chronomètre (fam., chrono), chronographe ; bassinoire [vx] ; chronoscope, chronotachygraphe, chronotachymètre. – **Montre,** montre-bracelet, montre à clef [vx], montre de compensation, montre de gousset **70,** montre à quartz, montre à remontoir, oignon, patraque [vx], tocante [fam.].

5 Chronoanalyseur, **compteur,** dateur (ou : datographe, fam. : dato), horodateur, pointeuse ou horloge pointeuse ; minuterie, minuteur.

6 **Horloge, pendule** ; cartel, comtoise, horloge à jacquemart, horloge de parquet, morbier, neuchâteloise. – Garde-temps, régulateur. – Horloge parlante. – Horloge atomique. – **Réveil,** réveille-matin [vieilli] ; pendulette ; radioréveil. – Carillon **543,** sonnerie.

7 **HORLOGERIE**

PIÈCES D'HORLOGERIE

Afficheur
aiguille
ancre
balancier
barillet
bouton
bracelet
cadran
cadrature
caisse
calibre
calotte
chablon
cheville ou goupille
coffre
contre-pivot
coq
correcteur
coussinet
cuvette
cylindre
dédoublante ou rattrapante
détente
diapason
disque
ébauche
échappement libre
échappement à ancre
engrenage
foliot
fusée
gaine (ou : boîte ; cabinet)
guichet
habillage
limaçon
lunette
marteau
mouvement
oscillateur
pignon
pilier
pivot
platine
poids
pont de balancier
poussoir
remontoir
résonateur
ressort
rosette
rouage
roue
rubis ou pierre
savonnette
spiral
style
tambour
trimer
trotteuse

8 Chronogramme [didact.]. – **Horaire.** – Fuseau horaire.

9 Chronométreur. – Horloger.

V. 10 Chronométrer, **mesurer 509,** minuter. – Pointer.

11 Avoir l'heure.

Adj. 12 Chronographique, **chronométrique** ; **horodateur, horométrique.**

13 Horloger.

14 Horodaté.

Int. 15 Tic-tac. – Dring.

Aff. 16 Chrono-.

119 CHUTE

N. 1 **Chute,** descente **436,** tombée ; retombée. – Chute libre, descente en chute libre.

2 Glissade, **glissement,** trébuchement ; plongeon. – Fam. : bûche, gadin, gamelle, pelle, valdingue, vol plané ; dégringolade. – SPORTS : chute, réception *(réception au sol).*

3 Croc-en-jambe, croche-pied ou, fam., croche-patte **11.**

4 Chancellement, chavirement, **vacillement 579,** vacillation ; titubation. – Affalement ; affaissement, croulement [litt.], **écroulement,** effondrement ; fontis ou fondis [MIN., TR. PUBL.].

5 MÉD. : abaissement, chute, descente, prolapsus, ptôse **482.**

6 PHON. : aphérèse, apocope ; syncope.

7 **Avalanche** ; boulance [GÉOL.], chute de pierres, éboulement, éboulis. – Chute de neige, chute de pluie, précipitations **633.**

8 Chute d'eau ou chute ; **cascade,** cataracte, rapide, saut. – ARCHIT. : chute de festons, chute d'ornements. – Tombant [litt.].

9 RELIG. : chute, déchéance, **péché 606.** – Décadence, déliquescence, dissolution, ruine.

10 Baisse, chute, dégradation, **diminution 220** ; dévaluation.

11 Angle de chute ou d'impact, **point de chute** ou d'impact.

12 Chute, **reste 721.** – Ruines ; décombres.

13 Parachutiste. – Chuteur opérationnel [MIL.].

V. 14 Choir [sout.], **tomber** ; retomber. – S'écraser.

15 Crouler ; s'affaisser, s'affaler, s'ébouler, **s'écrouler 205,** s'effondrer. – S'effriter ; tomber en ruine.

16 Chanceler, chavirer, tituber, **vaciller** ; perdre l'équilibre, perdre pied, perdre son assiette. – Déraper, **glisser,** trébucher ; achopper [litt.], broncher [ÉQUIT.], buter, chopper. – Basculer.

17 **Tomber.** – Tomber à la renverse, tomber les quatre fers en l'air [fam.] ; tomber la tête la première ; tomber face contre terre, tomber de tout son long. – Vider les arçons. – Se rompre le cou, se rompre les os.

18 Fam. : chuter, **dégringoler** ; s'aplatir, s'écraser, s'étaler, s'étendre, se ramasser. – Très fam. : **se casser la figure** (ou : la binette, la gueule, la margoulette, le nez), se ficher ou se fiche par terre, se ficher ou se fiche la gueule par terre ; prendre un gadin (ou : une gamelle, une pelle). – Arg. : mesurer la terre, mordre la poussière, piquer une tête, prendre un billet de parterre.

19 Fam. – Dinguer, valdinguer, **valser** ; aller à valdingue [vx], faire un valdingue, faire un vol plané ; faire un plongeon.

20 Tomber en syncope ; fam. : **tomber dans les pommes,** tomber dans les vapes. – S'évanouir.

21 **Se jeter de,** se précipiter de. – Se défenestrer.

22 Baisser, chuter, décliner, **diminuer** ; tomber.

23 Faire tomber ; culbuter, **renverser.** – Très fam. : envoyer dinguer, envoyer valdinguer, envoyer valser, renverser cul par-dessus tête.

24 Ébouler [rare], ébranler, faire tomber ; **démolir,** détruire.

Adj. 25 Croulant, **vacillant** ; **instable,** renversable ; didact. : boulant, ébouleux.

26 En baisse, **en chute,** en chute libre. – En pleine décadence.

27 Vacillatoire.

Adv. 28 Cul par-dessus tête [fam.].

Int. 29 Badaboum ! [enfant.]. – Boum ! Patatras ! Plouf !

120 CINÉMA

N. 1 **Cinéma,** cinématographe [vieilli], septième art [sout.] ; fam. : ciné, cinoche. – Animation ; vidéo. – Cinématographie.

2 Cinéma muet, cinéma parlant.

3 Cinéma d'art et d'essai, cinéma d'auteur. – Cinéma-œil, cinéma-vérité ; néoréalisme ; nouvelle vague.

4 Cinéma en noir et blanc ; cinéma en couleurs. – Noms déposés : Eastmancolor, Kinemacolor, Technicolor.

5 **Film** ; court métrage ou court-métrage, moyen métrage, long métrage ou long-métrage. – Superproduction ; film à grand spectacle, péplum. – Série B ; téléfilm **681.** – Film musical ; film noir ou, anglic., thriller ; western, western spaghetti ; road-movie [anglic.] ; **documentaire,** docudrame ; cinéroman, dramatique. – **Dessin animé** ; cartoon [amér.]. – Film érotique, film pornographique ; film classé X. – Clip, spot publicitaire **675.**

6 Bande annonce. – Générique. – Intertitre, sous-titre.

7 Version originale ou v. o., version originale sous-titrée ou v. o. s. t. ; version française ou v. f.

8 **Scénario** ou script, scénarimage ou story-board [anglic.] ; synopsis. – Adaptation.

9 Repérage. – Casting. – Bout d'essai ; répétition.

10 Filmage, **tournage** ; production **662.1.** – Prise de vues ; Vistavision [nom déposé]. – Making of.

11 Plan, séquence. – **Gros plan** ou close-up [anglic.], plan américain, plan général ou plan d'ensemble, plan moyen, plan rapproché ou plan cravate, plan-séquence. – Plongée, contre-plongée ; contrechamp, champ-contrechamp ; panoramique ou, fam., pano, travelling ; travelling optique ou zoom (zoom avant, zoom arrière). – Extérieur, intérieur ; nuit américaine. – **Effet spécial** (ou : trucage, truquage) ; floutage ; accéléré, ralenti ; retour arrière ; fondu, fondu enchaîné ou enchaîné, fondu au noir, morphing ; cache et contre-cache, transparence. – Flash-back, flash-forward [rare].

12 **Caméra,** caméra muette, caméra sonore ; caméra vidéo, paluche [fam.] ; Caméscope [nom déposé]. – **Lanterne magique,** phénakistiscope, praxinoscope, stroboscope, zootrope ; Kinétoscope [nom déposé].

13 Clap ou claquette. – Girafe, perche ; micro. – Chariot, grue ; passerelle, praticable. – **Projecteur** ou, fam., projo, sunlight. – Colleuse, pisteur, synchroniseur.

14 Décor, plateau ; **studio.** – Banc-titre.

15 Épreuves de tournage ou rushes. – Copie. – Image d'archives, plan d'archives ; stock shot [anglic.].

16 Bande sonore ou bande-son. – Voix off.

17 Collage, **montage** ; mixage, postsonorisation, postsynchronisation, synchronisation ; colorisation, sonorisation ; sous-titrage. – Présonorisation ou play-back.

18 Distribution ; programmation. – Box-office.

19 Projection ; avant-première. – Polyvision ; noms déposés : **Cinémascope** ou Scope, Cinérama, Kinopanorama, Omnimax.

20 Salle de cinéma, salle obscure ; **cinéma** *(un cinéma),* complexe multisalles ; drive-in ou, canad., ciné-parc ; ciné-club. – **Cinémathèque,** filmothèque, vidéothèque.

21 **Écran,** écran panoramique, écran perlé, grand écran.

22 Filmographie.

23 Filmologie.

24 Cinéphilie.

25 **Acteur 817,** comédien, figurant ; doubleur, doublure ; cascadeur. – Diva, monstre sacré, **star,** starlette.

26 **Cinéaste,** vidéaste ; cartooniste, documentariste. – Adaptateur, dialoguiste, **scénariste.** – Producteur. – Metteur en scène, **réalisateur** ; assistant-réalisateur, régisseur. – Cadreur, directeur de la photographie ou, vx, chef opérateur. – Monteur.

27 Accessoiriste, chef décorateur, décorateur, ensemblier ; éclairagiste, ingénieur du son ; **cameraman,** perchiste ou perchman ; chef électricien, **machiniste** ; script (ou : script-girl, secrétaire de plateau) ; clapman. – Habilleuse, maquilleur.

28 Distributeur ; **producteur.** – Exploitant, programmateur ; ouvreuse, projectionniste. – Cinémathécaire.

29 Cinéphile ; spectateur.

V. 30 Cinématographier [vx], filmer, tourner. – Adapter ; mettre ou porter à l'écran ; scénariser.

31 Mixer, **monter,** postsonoriser, postsynchroniser, synchroniser ; coloriser, sonoriser ; sous-titrer. – Présonoriser. – Visionner.

32 Coproduire, **produire** ; distribuer.

33 **Censurer** ; classer X, ixer [fam.].

Adj. 34 **Cinématographique,** filmique [didact.] ; filmographique ; filmologique. – Hollywoodien.

35 Cinéphilique. – Hors champ ou off.

Adv. 36 Cinématographiquement.

Int. 37 Action ! Moteur !

121 CINQ

N. 1 **Cinq.** – Cinquième *(un cinquième).* – Le quintuple. – Cinquantaine.

2 Quintuplé *(des quintuplés).* – MUS. : quintet, **quintette.**

3 JEUX : flush, quinte flush ; quine ; quinté. – LITTÉR. : cinquain, **quintil** ; limerick ; pentamètre **635.** – Didact. : pentacle, pentagramme. – Quintefeuille [BX-A.]. – Lustre, **quinquennat.** – GÉOM. : pentaèdre, pentagone, quinquonce. – MUS. : quinte **433** ; dominante ; **quintolet 459** ; pentacorde. – Quintidi [HIST.] **88.**

4 Les cinq sens. – Les cinq continents. – RELIG. : les cinq piliers de l'islam **440** ; le Pentateuque.

5 Cinquième *(le cinquième).*

6 Quinquennalité [didact.].

V. 7 Quintupler **539.**

Adj. 8 **Cinq.** – Quinaire ; **quintuple.** – Lustral, **quinquennal.** – GÉOM. : pentagonal, quinquangulaire, quinquoncial [vx]. – CHIM. : pentatomique ; pentavalent ou quintivalent **113.** – MUS. : pentatonique.

9 **Cinquième,** quint *(Charles Quint)* [vx].

Adv. 10 **Cinquièmement,** en cinquième lieu, quinto [rare].

Aff. 11 **Penta-,** quinqu-, quinte-.

122 CIRCONSTANCE

N. 1 **Circonstance** *(une circonstance, les circonstances).* – **Conditions, contexte,** environnement **280,** milieu, situation ; conjoncture, époque, heure **528** *(les problèmes de l'heure).* – Ambiance, climat **127.**

2 Contingences *(les contingences).* – Élément, particularité **216** ; point ; détail. – Accident **4,** fait, incidence *(une incidence)* [vx], incident. – Concours (ou, rare, carrefour) de circonstances, coïncidence.

3 **Le pourquoi et le comment** ; *quis, quid, ubi, quibus auxiliis, cur, quomodo, quando* (lat., « qui ? quoi ? où ? par quels moyens ? pourquoi ? comment ? quand ? ») [RHÉT.] **680.** – GRAMM. : complément circonstanciel ou de circonstance **346,** proposition circonstancielle ou de circonstance ; adverbe *(adverbe de lieu, de temps, etc.).*

4 DR. – Circonstances aggravantes, circonstances atténuantes **169** ; circonstances exceptionnelles. – Circonstances et dépendances.

5 **Opportunisme** ; cour. : empirisme, pragmatisme.

V. 6 Circonstancier [litt.] ; détailler.

7 Placer, replacer dans le ou dans son contexte ; situer, resituer. – Adapter ; s'adapter ; obéir aux circonstances.

8 Il se fait que, il se trouve que.

Adj. 9 **De circonstance** ; adapté, *ad hoc,* adéquat, approprié, convenable, expédient [vx], idoine [vieilli ou plais.]. – Opportun.

10 Incident [DR.]. – PHILOS. : accidentel, extrinsèque. – Conjoncturel, circonstanciel ; anecdotique. – Contingent **545.**

11 Circonstancié ; détaillé, précis.

Adv. 12 **Dans ces circonstances,** dans les circonstances actuelles ou présentes, étant donné les circonstances, vu les circonstances ; **les choses étant ce qu'elles sont,** dans l'état actuel des choses.

13 En la circonstance, en l'espèce, en l'occurrence. – Pour la circonstance ; pour les besoins de la cause.

14 **En toutes circonstances.** – Au gré des circonstances, selon les circonstances ; le cas échéant.

Prép. 15 En cas de, face à, en présence de. – En fonction de, en tenant compte de ; eu égard à.

Conj. 16 **Comme,** étant donné, **puisque.** – Attendu que, en considérant que, étant donné que, du fait que, vu que.

17 Au cas où ; vieilli : au cas que, en cas que.

123 CIRQUE

N. 1 **Cirque** ; chapiteau *(le chapiteau).* – ANTIQ. : jeux du cirque ; *panem et circences* (lat., « du pain et des jeux »).

2 **Chapiteau,** manège, tente ; roulotte. – Caravane.

3 Manège, piste ; gradins. – Pulvinar [ANTIQ.].

4 Parade ; la grande parade du cirque. – Boniment, postiche. – Entrée clownesque ou comique ; compliment.

5 Attraction, **numéro,** tour.

6 **Acrobatie** ; saut de pied ferme ; saut à la batoude. – Dislocation. – Figures : drapeau, équilibre **282,** flip-flap, poirier ; lancer-porter, main-à-main ; pirouette, saut périlleux ou salto.

7 Jeux icariens ; haute voltige, voltige ; saut de voltige. – Trapèze volant. – Figures : croisé, saut de la mort ou salto mortale.

8 **Jonglage,** jonglerie. – Antipodisme.

9 Clownerie **132,** pitrerie. – Ventriloquie.

10 Domptage, dressage. – Numéro : jockey.

11 Illusionnisme, manipulation, prestidigitation ; **magie.** – Tour de passe-passe ; change, empalmage, enlevage, **escamotage,** filage, passe.

12 Tremplin ; batoude. – Filet. – Corde, barre, perche.

13 Bateleur, **forain,** saltimbanque ; banquiste. – Bonimenteur ; posticheur. – Garçon de piste. – Régisseur ; Monsieur Loyal. – Duettiste.

14 **Acrobate** ; voltigeur. – Barriste, perchiste, trapéziste. – Contorsionniste, disloqué ; danseur de corde, équilibriste, fildeferiste ; funambule. – Cascadeur ; homme-obus. – Écuyer.

15 Antipodiste, jongleur.

16 **Dompteur,** dresseur, montreur *(montreur d'ours).*

17 Escamoteur, illusionniste, **magicien,** manipulateur, prestidigitateur.

18 Auguste, **clown,** pitre.

19 Avaleur de sabres, cracheur de feu, fakir. – Hercule de foire. – Femme à barbe, femme-tronc. – Ventriloque.

20 ANTIQ. – Aurige. – Gladiateur ; arénaire, mirmillon, rétiaire, secutore. – Belluaire ou bestiaire.

V. 21 Jongler. – **Dompter,** dresser. – Empalmer, **escamoter** ; forcer la carte.

Adj. 22 **Acrobatique,** funambulesque. – Clownesque.

124 CITOYEN

N. 1 **Citoyen,** ressortissant ; national. – Sujet.

2 Compatriote, **concitoyen** ; pays [fam.] **288.**

3 Naturalisé *(un naturalisé).*

4 Apatride, *heimatlos* (all., « sans-patrie »), sans-patrie ; cosmopolite.

5 **Citoyenneté.** – Indigénat ; colonat [HIST.].

6 **Nationalité.**

7 Naturalisation.

8 Gent [vx], **peuple, nation.** – Peuplade.

9 **Population** ; peuple [vx]. – Collectivité, communauté, société ; confédération, fédération **808.**

10 Cité ; **pays,** patrie. – Pays natal, sol natal. – Mère patrie ; seconde patrie.

11 Civisme ; patriotisme. – Nationalisme **125** ; chauvinisme. – Régionalisme.

V. 12 Émigrer, immigrer. – **S'expatrier.**

13 **Naturaliser.** – Rapatrier.

14 Peupler ; repeupler. – Dépeupler.

Adj. 15 **National,** binational. – International.

16 Patriote ; nationaliste ; chauvin.

125 CIVISME

N. 1 **Civisme** (opposé à ancivisme ou incivisme), sens civique.

2 Patriotisme (opposé à antipatriotisme) ; nationalisme (parfois opposé à internationalisme). – Chauvinisme ; esprit de clocher.

3 Amour de la patrie ; sentiment national.

4 Sens du devoir ou du bien public **213.** – Devoirs civiques, vertus civiques ; éducation (ou instruction) civique. – Service de l'État ; charge, fonction, office **266.**

5 Loyalisme. – Résistance [HIST.] ; mouvements de libération ou de résistance.

6 Fête nationale, hymne national.

7 Nationaliste, patriotard, **patriote** (opposé à antipatriote). – Loyaliste [rare].

V. 8 Servir l'État. – Bien mériter de la patrie.

Adj. 9 **Civique** (opposé à incivique), civil. – Patriotique.

10 Chauvin, cocardier [fam.], patriotard [péj.], patriote ; nationaliste.

Adv. 11 **Civiquement,** patriotiquement. – Pour la patrie.

126 CLASSIFICATION

N. 1 **Classification.** – Ordonnancement, ordre **576** ; collocation. – Arrangement, classement, distribution ; interclassement.

2 Systématique [BIOL.], **taxinomie** ou taxonomie. – Hiérarchie **266.** – Terminologie **554.** – Typologie. – Nosologie [MÉD.].

3 Classement, rang **683** ; grade. – Cote, indice, marque ; nombre d'étoiles. – Borne, limite **467,** terme.

4 Division, partie **597,** secteur, section ; sous-partie, subdivision. – Catégorie, classe, groupe, espèce, famille, genre, groupe. – Ensemble.

5 BIOL. – Règne ; classe, embranchement, sous-embranchement ; clade. – Ordre, groupe, famille, sous-classe ; espèce, race ; variété, type ; genre, sous-famille, tribu ; taxon ou taxum. – Biotype.

6 Modèle, spécimen ; catégorème [PHILOS.]. – LING. : classificateur, indice de classe.

7 Catalogue, index, nomenclature **535,** numériclature, répertoire. – Classification décimale universelle (C. D. U.). – Classification linnéenne.

8 Catégorisation, sériation, spécification.

9 Cotation, graduation, **hiérarchisation,** ordination ; indexation.

10 Rangement, **tri** ; mise en ordre. – Archivage, catalogage, étiquetage, indexage, listage ; groupage, triage. – Bornage, délimitation ; sectorisation [ÉCON., ADMIN.].

11 **Classeur,** parapheur ou parafeur. – Classificateur ; trieur.

12 Archiviste, catalogueur, classificateur ; indexeur, nomenclateur ; systématicien, taxinomiste. – Nosologiste [MÉD.].

V. 13 **Classer,** classifier. – Diviser, subdiviser ; sérier **758.** – Systématiser.

14 Caractériser, catégoriser [didact.], particulariser, **spécifier** ; individualiser, typer ; différencier **216,** distinguer. – Étiqueter, marquer.

15 **Classer,** grouper **352,** regrouper ; reclasser. – Arranger, ordonnancer, ordonner **576,** ranger ; interclasser. – Distribuer, répartir, trier.

16 Coter, graduer ; indicer [INFORM.]. – Hiérarchiser.

17 Archiver, **cataloguer.** – Indexer, inventorier, lister, répertorier.

Adj. 18 Arrangé, ordonnancé, ordonné, rangé ; distribué, regroupé, réparti, trié ; subdivisé. – **Classé** ; hiérarchisé. – Particularisé, spécifié.

19 Archivé, catalogué, étiqueté, inventorié, listé, répertorié. – Coté, **gradué,** indexé ; calibré.

20 Individualisé, marqué, typé. – Caractéristique, distinctif, pertinent, spécifique, **typique** ; catégoriel. – Classificateur, classificatoire.

21 Nosologique, taxinomique, terminologique, typologique. – Cladistique [BIOL.].

Adv. 22 Spécifiquement, typiquement. – Catégoriquement [PHILOS.].

Aff. 23 **Typo-,** taxe-, taxi- ; -taxie, -typie ; clade-, clado-.

127 CLIMATS

N. 1 **Climats.** – Climat local, climat régional, climat zonal ; mésoclimat, microclimat. – Climat chaud (climat équatorial, climat océanien, climat tropical) ; climat continental (climat chinois, climat sibérien, climat ukrainien) ; climat froid (climat groendlandais, climat islandais, climat polaire) ; climat sec (climat aride, climat semi-aride, climat subaride, climat subsaharien), climat tempéré (climat océanique, climat semi-océanique). – Climat d'altitude, climat de montagne ; climat maritime, climat de mousson.

2 Saison **738, temps** ; conditions météorologiques. – Température.

3 Ensoleillement 777 ; enneigement **327.** – Nébulosité **561.** – Pluviosité **633.** – Degré hygrométrique ou d'hygrométrie, **humidité 372.**

4 Aridité, sécheresse **750.**

5 **Intempérie,** météore [vx], perturbation, vimaire [région.]. – Pluie **633,** précipitation, météore aqueux [vx] ; météore aérien [vx], vent **852.** – Bruine, brouillard, frimas, rosée ; gelée **327,** gelée blanche, grésil, givre, grêle, **neige,** verglas. – Météore igné [vx] ; éclair, éclair de chaleur, électricité atmosphérique ; foudre, fulguration [rare et sout.], tonnerre.

6 Météore lumineux [vx] ; aurore polaire, aurore boréale, aurore australe. – Soleil de minuit. – Couronne, gloire, halo ; rayon vert. – Arc-en-ciel, écharpe d'Iris [poét.].

7 Refroidissement **327.** – Réchauffement, redoux **102.**

8 Amplitude ou écart thermique, contraste thermique, variations saisonnières. – Pression atmosphérique ; basses pressions, cyclone, **dépression,** doldrums ; **anticyclone,** hautes pressions. – Ascendance thermique, courant chaud, courant froid ; courant aérien, courant-jet ou jet-stream ; courant marin. – Front (front chaud, front froid, front occlus) ; **masse d'air** ; advection (opposé à convection).

9 Aérologie, climatologie, climatologie biologique ou bioclimatologie, climatologie météorologique ou biométéorologie ; courantologie. – Météorologie (fam., météo).

10 Actinomètre **509,** baromètre ; **thermomètre** ; héliomètre, pyromètre ; **hygromètre, pluviomètre,** planche à neige. – Ballon-sonde, radiosonde, **satellite météorologique** ; climatron [SC.].

11 Bulletin météorologique ; carte de pression. – Ligne isobare, ligne isotherme.

12 Bar, millibar, pascal. – **Degré** ; degré Celsius, degré centigrade, degré Fahrenheit, degré Réaumur.

13 Loc. cour et fam. : il n'y a plus de saison ; il fait un temps à ne pas mettre un chien dehors ; le diable bat sa femme et marie sa fille. – Prov. : En avril ne te découvre pas d'un fil, en mai fais ce qu'il te plaît ; Noël au balcon, Pâques aux tisons ; À la Chandeleur, l'hiver se passe ou prend vigueur. – Ciel pommelé et femme fardée ne sont pas de longue durée [prov.]. – Les saints de glace.

V. 14 Impers. Pleuvoir **633.** – Neiger, neigeoter. – Venter **852,** souffler. – Geler **327.** – Faire beau, bon, mauvais ; faire soleil *(il fait beau, bon, mauvais ; il fait soleil).*

15 Tourner ; tourner à la pluie, à l'orage ; se mettre au beau, à la grêle, etc. – Taper [fam.] **102.**

16 Acclimater ; déclimater.

17 Climatiser **109.** – Adoucir, réchauffer ; rafraîchir, refroidir.

Adj. 18 **Climatique,** climatologique ; atmosphérique, météorique, météorologique.

19 Isobare, isotherme. – Anticyclonique, cyclonique, dépressionnaire.

20 Beau, **clair,** ensoleillé. – **Gris,** maussade, triste ; à ne pas mettre le nez dehors ; fam. : de canard, de chien. – Capricieux, changeant, contrasté, instable, **variable.** – De saison.

21 Remontant, revigorant, roboratif, salubre, sain, tonifiant, vivifiant. – Accablant, amollissant, débilitant, délétère, déprimant, insalubre, pernicieux. – Rude, sévère.

Adv. 22 Climatiquement, météorologiquement.

Aff. 23 **Aéro-,** atmo-, climato-.

128 CŒUR ET VAISSEAUX

N. 1 **Cœur** ; arg. : battant *(le battant),* palpitant *(le palpitant).* – Appareil circulatoire, système sanguin **742.** – **Vaisseau** ; artère ; veine ; vaisseau capillaire ; vasa-vasorum.

2 **Artère,** artériole. – **Veine,** veinosité, veinule. – **Tuniques** [ANAT.] ; adventice [ANAT.], intima ou endartère, média [HISTOL.]. – Atmosphère péricapillaire, cellule endothéliale, membrane basale, péricyte ; lumière [ANAT.]. – Angiome ou tache de vin **482.**

3 Contractilité artérielle, élasticité artérielle, **pression artérielle,** pression diastolique, pression systolique, **tension artérielle.** – Tonus vasculaire ou tonus vasomoteur, vasomotricité. – Débit cardiaque.

4 **Cœur** ; cœur droit, cœur gauche. – Anticœur, avant-cœur. – Apex, base ; auricule, **oreillette, ventricule.** – Sillon auriculo-ventriculaire, sillon inter-auriculaire, sillon inter-ventriculaire.

5 Cloison inter-auriculaire, cloison inter-ventriculaire. – Fosse ovale, orifice aortique, orifice auriculo-ventriculaire. – Valvule d'Eustachi, valvule mitrale, valvule semi-lunaire ou sigmoïde, valvule tricuspide. – Colonnes charnues (muscles papillaires, piliers du cœur) [ANAT.] ; faisceau de His ; tubercule d'Aranzi. – Nœud sinusal, plexus cardiaque, réseau de Purkinje, système cardio-necteur, tissu nodal.

6 Endocarde, **myocarde, péricarde** ; cavité péricardique, péricarde fibreux ou sac fibreux péricardique, péricarde séreux.

7 Tube cardiaque primitif [EMBRYOL.] **265.**

8 **ARTÈRES**

artère angulaire
aorte
carotide droite
carotide gauche
cérébrale
coronaire stomachique
cubitale
épigastrique
faciale
fémorale
gastrique
gastro-duodénale
hémorroïdale
hépatique
honteuse
humérale
hypogastrique
iléo-colique
iliaque externe
iliaque interne
intercostale
ischiatique
linguale
mammaire
maxillaire interne
mésentérique inférieure
mésentérique supérieure
nasale
nourricière
occipitale
ophtalmique
pédieuse
péronière
pharyngienne ascendante
pulmonaire
radiale
radio-palmaire
ranine
rénale
sous-clavière droite
sous-clavière gauche
spermatique
splénique
sublinguale
tibiale
vertébrale

9 **VEINES**

veine angulaire
azygos
basilique
cave inférieure
cave supérieure
céphalique
coronaire
cubitale
de Marshall
de Thébésius
fémorale
hémorroïdale
humérale
iliaque
intercostale
interventriculaire inférieure
jugulaire
péronière
porte hépatique
pulmonaire
radiale
ranine
rénale
saphène
saphène interne ou grande saphène
sous-clavière
splénique
sus-hépatique
tibiale
grande veine lymphatique
petite veine cardiaque

10 Centre cardiaque ; nerf pneumo-gastrique **548** ou vague, plexus cardiaque ; **nerf accélérateur,** nerf dépresseur ; nerf adrénergique, nerf cholinergique ; fibre cardio-inhibitrice. – Substance vagale ; acétylcholine, noradrénaline.

11 **Circulation** ; grande circulation, petite circulation ou circulation pulmonaire ; circulation porte hépatique, circulation porte rénale. – Automatisme cardiaque ; **cycle cardiaque** ; battement, pulsation ; **pouls,** pouls veineux. – **Diastole,** diastole générale ; **systole,** systole auriculaire, systole ventriculaire ; extrasystole, intersystole, périsystole ; vide postsystolique. – Contraction **154** ; palpitation.

12 **Bruits du cœur** ; bruit du galop [PATHOL.], clangor, frottement péricardique, grand silence, petit silence, roulement diastolique, **souffle 718,** souffle apexien. – Choc apexien. – EMBRYOL. : embryocardie, rythme fœtal.

13 Cardiopathie ou, cour., maladie de cœur. – Bradycardie, tachycardie ; arythmie, asphygmie. – Dextrocardie, sinistrocardie. – Hyperten-

sion, hypotension. – Crise cardiaque [cour.] ; infarctus du myocarde **482.**

14 **Constriction,** vasoconstriction. – **Dilatation 298,** vasodilatation, vasodilatation humorale, vasodilatation passive.

15 Angiologie ou angéiologie, artériologie, **cardiologie,** phlébologie.

16 Cardioscopie ; angiocardiographie, artériographie, cardiographie, coronarographie, échocardiographie, **électrocardiographie,** phlébographie, vectocardiographie, ventriculographie. – Cathétérisme cardiaque ; méthode auscultatoire ; oscillométrie.

17 Cardiogramme manométrique, **électrocardiogramme** (ECG).

18 Artériotomie **114,** cardiotomie, commissurotomie mitrale, phlébotomie, sternotomie, valvulotomie ; artériectomie, embolectomie, péricardectomie, phlébectomie. – Opération à cœur ouvert. – Dénudation [MÉD.] ; éveinage ou, anglic., stripping. – Injection intraveineuse ou intraveineuse.

19 Cathéter, ophtalmodynamomètre **509,** oscillomètre, pachon, sphygmomanomètre ou **tensiomètre, stéthoscope.** – Tire-veine ou, anglic., stripper **301.**

20 Cœur-poumon ; pacemaker [angl.], stimulateur cardiaque externe. – Cardio-training. – Cardiographe.

21 **Cardiologue,** phlébologue.

22 Cardiaque *(un cardiaque).* – Hypertendu *(un hypertendu)* ; hypotendu *(un hypotendu).*

V. 23 **Battre,** palpiter, pulser.

Adj. 24 **Cardiaque,** endocardiaque, intracardiaque ; précordial ; apexien. – Cardio-pulmonaire, cardio-rénal, cardio-respiratoire, **cardio-vasculaire.** – Auriculaire, auriculo-ventriculaire, ventriculaire ; interauriculaire, interventriculaire ; intra-auriculaire, intraventriculaire ; valvulaire ; mitral. – Artériel, capillaire, **vasculaire,** veineux ; coronarien, portal, porto-cave ; intra-artériel, intravasculaire, intraveineux. – Systaltique ; prédiastolique.

25 Cardiforme, cardioïde.

26 Hypertendu, hypotendu.

Aff. 27 **Cardio-** ; angi-, angio- ; artéri-, artério- ; phléb-, phlébo- ; vas-, vaso- ; -carde.

129 COIFFURE

N. 1 **Coiffure** *(la coiffure)* ; capilliculture [didact.].

2 Coiffure *(une coiffure)* ; coupe, coupe de cheveux ; coupe au ciseau, coupe au rasoir ; tonsure. – Mise en plis ; brushing. – Permanente ou, vx, ondulation permanente ; indéfrisable [vieilli], minivague.

3 **Chignon** ; chignon banane, chignon bouclé, chignon bas, chignon haut ; hérisson [anc.]. – Bandeau [vx] ; catogan, couette, queue-de-cheval ; cadenette, macaron, natte, tresse ; rouleau [vx].

4 Accroche-cœur, cran, crochet [rare], crolle [région.] ; boucle, bouclette, coque, frisette ; anglaise, boudin, tire-bouchon, torsade, tortillon. – Chien, frange ; toupet.

5 Démêlures, peignures.

6 **Shampooing** ou shampoing *(shampooing à la camomille, au henné, aux œufs, à la quinine, à l'huile ; shampooing colorant, neutre, traitant, antipelliculaire)* **669** ; couleur, coloration, henné, teinture. – Défrisant, démêlant ; fixateur. – Brillantine, gel, Gomina [nom déposé].

7 Mousse à raser, poudre à raser [vx], savon à barbe ; après-rasage *(un après-rasage),* avant-rasage *(un avant-rasage)* ; after-shave [anglic.].

8 **Brosse,** démêloir, **peigne.** – Blaireau. – **Ciseaux,** tondeuse ; coupe-chou, **rasoir.** – Casque, sèche-cheveux, séchoir ; fer à friser. – Bigoudi, papillote, rouleau.

9 **Barrette,** épingle à cheveux, pince à cheveux ; catogan, chou, choupette, nœud, ruban ; cocarde. – Bandeau, serre-tête, turban ; filet, réseau, résille, réticule [anc.]. – **Perruque** ; faux cheveux, perruque, postiche ; moumoute [fam.] ; chichi, faux-toupet [vx].

10 **Coiffage,** brossage ; brûlage, décapage ; crêpage, décrêpage ; frisage, ondulation ; défrisage ; démêlage ou, vx, démêlement ; friction, lavage ; séchage ; laquage. – Rasage **624,** tonte.

11 Salon de coiffure.

12 **Coiffeur** ; artiste capillaire, capilliculteur [didact.] ; shampouineur. – Vx : barbier, perruquier. – Fam. : figaro, merlan.

V. 13 **Coiffer** ; **brosser,** démêler, **peigner** ; donner un coup de peigne, passer le peigne. – Laver, shampouiner ; frictionner, lotionner. – **Couper** ; désépaissir, dégager, dégrader, écourter, effiler, égaliser, rafraîchir [spécialt], tondre, tonsurer. – Décolorer, éclaircir, oxygéner, **teindre** ; faire des mèches. – Bichonner [vx] ; anneler, **boucler,** cranter, crêper, friser, **permanenter** ;

mettre en plis. – Natter, tresser. – Déboucler, décrêper, défriser.

14 **Faire la barbe** ; barbifier [fam., vieilli]. – Épointer, raser, tailler.

15 Discipliner, lisser, plaquer ; brillantiner, calamistrer, gominer, graisser, pommader. – Laquer, poudrer.

16 Décoiffer, dépeigner ; ébouriffer, écheveler.

17 Avoir la barbe (aussi : les cheveux) en bataille. – Par plais. : être coiffé avec un pétard (aussi : avec un clou).

Adj. 18 **Coiffé** ; brossé, peigné.

19 **Décoiffé** ; dépeigné, ébouriffé, échevelé, hirsute, hurlupé [vx], inculte ; coiffé comme un chien fou [fam.].

20 Qualifiant des types de coiffure. – Afro, rasta ; au bol, à la caniche, au carré, à la chien, à la garçonne, à la grecque, à l'iroquoise, à la Jeanne d'Arc, à la lionne ; en brosse. – Anc. : à l'Aiglon, à la Bressant, à la girafe, à la malcontent, à la grecque, à la Titus.

21 Qualifiant la coupe de la barbe. – À deux pointes, carrée, en collier, en fer à cheval, fourchue, en pointe ; vx : à l'impériale, à la royale.

130 COLÈRE

N. 1 **Colère,** courroux [litt.], emportement, ire [vx] ; déchaînement, **fureur** ou, litt., fureurs, furie, **rage** ; révolte. – Agacement, énervement **549,** excitation ; exaspération, hérissement [litt.], **irritation,** rogne [fam.].

2 Colère blanche, colère froide ; colère rentrée ; colère bleue, **colère noire** ; colère jaune. – La colère d'Achille [MYTH., Homère]. – **Accès,** bouffée, crise, éruption, quinte [vx] ; transports.

3 Irascibilité [litt.], irritabilité, **susceptibilité.** – Bile [vx].

4 THÉOL. – Colère de Dieu ; dies irae (lat., « jour de colère ») ; enfants de colère.

5 Fig. – Colère, fureur ; bourrasque, **orage 633,** tempête **852** ; foudres.

V. 6 Se mettre ou, très fam., se foutre en colère, prendre une colère ; fam. : se mettre en rogne (ou : en boule, en pétard), piquer une colère ou une crise ; faire des colères [fam.]. – **Se fâcher,** se fâcher tout rouge ; se déchaîner, s'emporter, s'impatienter **416, s'irriter** ; se froisser, se vexer. – Colérer ou se colérer [vx] ; endiabler [litt.], **enrager 192,** rager ; éclater, exploser [fam.].

7 **Ne pas décolérer,** ne pas dérager ; donner libre cours à sa colère ; décharger ou déverser sa bile. – Ne plus se connaître, ne plus se posséder. – Avoir le sang qui monte à la tête, **voir rouge** [fam.] ; monter sur ses ergots, monter sur ses grands chevaux ; **sortir de ses gonds.** – Prendre la mouche, prendre le mors aux dents ; monter ou grimper à l'arbre (ou : au cocotier, à l'échelle, au mur) [fam.]. – Je l'aurais (il l'aurait, etc.) bouffé [très fam.]. – Qui se fâche a tort [prov.].

8 **Bouillir,** bouillonner, écumer, fumer [fam.] ; jeter feu et flamme, lancer des éclairs ; grincer des dents, montrer les dents. – **Fulminer** [litt.], pester, tempêter [litt.] ; pousser une gueulante [très fam.].

9 Avoir la tête chaude, avoir la tête près du bonnet.

10 **Fâcher** ; courroucer [litt.], déchaîner, révolter, ulcérer ; mettre hors de soi, **pousser à bout** ; piquer au vif ; faire bondir, faire endêver [région.], faire mousser [fam.] ; faire monter la moutarde au nez. – Agacer, énerver **549,** exaspérer, exciter, indigner, **irriter** ; échauffer la bile, échauffer les oreilles [fam.], porter ou taper sur les nerfs.

Adj. 11 **Coléreux,** colérique ; colère [litt. ou vx], emporté, tempétueux, vif, violent **865** ; **agressif,** querelleur ; acerbe, hargneux. – Vieilli : atrabilaire, bilieux, quinteux ; sanguin ; soupe au lait [fam.]. – Chatouilleux, excitable, irascible, **irritable,** susceptible.

12 **En colère,** en pétard [fam.] ; blanc de colère, rouge de colère. – Courroucé [litt.], énervé **549,** excité, fâché, fumasse [très fam.], **irrité** ; indigné, outré, ulcéré ; déchaîné, enragé, fou furieux, furax [fam.], furibard [fam.], furibond, **furieux,** rageur ; fulminant [litt.].

13 Énervant **549,** enrageant, exaspérant, fâcheux, **irritant,** rageant, révoltant.

Adv. 14 Coléreusement [rare], **furieusement,** rageusement.

15 *Furioso* [ital., MUS.].

131 COMBUSTIBILITÉ

N. 1 **Combustibilité** ; inflammabilité.

2 **Combustion** ; calcination, carbonisation ; ignition [PHYS.] ; consomption [litt.]. – Cokéfaction [TECHN.]. – Allumage ou, litt., allumement, **inflammation 311.**

3 SC. : combustion neutre ; combustion étagée ; combustion vive, combustion lente ou **oxyda-**

tion ; combustion instantanée ou **explosion,** déflagration, détonation ou onde explosive ; coup de grisou [MIN.]. – **Carburation** ; TECHN. : postcombustion, précombustion. – Distillation *(distillation des bois, distillation de la houille, distillation sèche).*

4 PHYS. – Combustion nucléaire ; explosion nucléaire, **fission,** fusion nucléaire ; réaction en chaîne. – Point de fusion **113.** – Combustion massique ou taux de combustion ; ; taux de combustion de fission ou T. C. F.

5 Brûlage ou brûlement. – TECHN. : torchage, grillage. – Crémation, incinération **331.**

6 Combustibles liquides. – Naphte, **pétrole 618.** – Alcool à brûler ; huile légère, huile lourde, huile minérale ; **mazout** (ou : fuel-oil, fuel, fioul), gas-oil ou gasoil ; carburant, essence minérale ou **essence,** supercarburant ou super ; kérosène. – Biocarburant, biodiesel, Diester [nom déposé]. – TECHN. : carburéacteur, turbocombustible. – ASTRONAUT. : hypergol, monergol, propergol liquide. – Indice d'octane.

7 Combustibles solides. – Cire fossile, résine fossile. – **Bois,** bois de chauffage **74,** charbon de bois ; petit bois. – **Charbon 518,** charbon anthraciteux ou anthraciteux *(un anthraciteux),* houille ; anthracite, lignite ; tourbe ; argol. – Charbon activé, charbon pulvérisé, coke ; boulet, briquette ; métaldéhyde ou méta ; pyrophore [vx].

8 Combustibles gazeux. – **Gaz naturel 335,** gaz de pétrole, méthane ; grisou [MIN.] ; gaz de cokerie, gaz manufacturé, gaz de ville, gaz de synthèse ; gaz de houille ; butane, propane ; acétylène ; hydrocarbure ou carbure d'hydrogène. – Potentiel de combustion.

9 Combustibles nucléaires. – Eau lourde, hydrogène lourd ; deutérium, tritium ; **uranium** ; neptunium, plutonium ; thorium. – Élément combustible ; aiguille de combustible, barreau de combustible, crayon combustible ; assemblage combustible.

10 **Comburant** ; oxygène, peroxyde d'azote. – Pouvoir comburivore.

11 **Explosif** *(un explosif),* explosif intentionnel, poudre balistique, poudre propulsive, propergol solide ou poudre [ASTRONAUT.] ; explosif nucléaire. – Mélange détonant ; atmosphère explosive [MIN.].

12 Chaleur **102, énergie** ; phlogistique *(le phlogistique)* [HIST. DES SC.].

13 TECHN. : allumeur, brûleur, inflammateur ; détonateur.

14 **Moteur,** moteur thermique ; moteur à combustion interne ; **moteur à explosion** ou moteur à allumage commandé, moteur à injection ; moteur à huile lourde ou **moteur Diesel,** réacteur, turbine à gaz, turbopropulseur, turboréacteur, statoréacteur. – Moteur à combustion externe, machine à vapeur. – Moteur hybride. – Réacteur nucléaire.

15 **Chaudière 109.** – Torchère. – TECHN. : carburateur, chambre de combustion ; **four** *(four à carboniser, four à cuve, four à gaz, four poussant, four à récupération, four à réverbère)* ; fourneau, bas-fourneau, haut-fourneau. – Four crématoire, incinérateur ; crématorium.

16 Explosimétrie. – Explosimètre [TECHN.].

17 Calorimétrie, thermochimie ; détonique ; physique nucléaire.

18 **Incombustibilité,** ininflammabilité. – Infusibilité [didact.].

19 Ignifugation ou ignifugeage [TECHN.].

V. 20 **Brûler,** consumer ; calciner, carboniser ; cokéfier [TECHN.] ; réduire en cendres. – Incinérer.

21 Allumer *(le feu, le gaz),* embraser, **enflammer,** incendier. – Mettre le feu à qqch.

22 **Alimenter** *(alimenter une chaudière en combustible),* suralimenter.

23 Faire le plein d'essence ou faire le plein, prendre de l'essence ; mazouter, souter.

24 Exploser, détoner ; déflagrer [TECHN.]. – Carburer [TECHN.]. – Arder ou ardre [litt.]. – Comburer [didact.].

25 Ignifuger.

Adj. 26 **Combustible,** inflammable ; fissible [PHYS.] ; pyrophorique [vx]. – Comburant [CHIM.] ; déflagrant [TECHN.].

27 Ardent, incandescent ; ignescent [rare] ; en feu, en ignition [PHYS.].

28 Chaud. – Calorifique.

29 **Incombustible,** imbrûlable, ininflammable ; ignifuge ou ignifugeant [TECHN.] ; apyre [didact.] ; aphlogistique [vx] ; réfractaire ; infusible [didact.]. – Imbrûlé [didact.].

132 COMIQUE

N. 1 **Comique** *(le comique)* ; burlesque *(le burlesque)* ; ridicule *(le ridicule)* **731** ; cocasserie, drôlerie. – Comique de caractère, comique de gestes, comique de mots, comique de situation ; comique de répétition.

2 **Humour,** humour noir.

3 Boutade, drôlerie, jeu de mots, **plaisanterie 628** ; divertissement. – Comédie **817.**

4 **Rire,** rire homérique, ris [vx] ; fou rire, hilarité, joie **447,** rigolade [fam.]. – Risette [fam.], **sourire** ; rictus.

5 **Humoriste.** – **Farceur,** plaisantin **628.** – Clown, pitre ; comique *(un comique),* comique troupier ou tourlourou [anc.]. – Rieur *(les rieurs)* **132.**

V. 6 **Rire** ; rire à gorge déployée, rire à ventre déboutonné ; rire à perdre haleine, rire à se décrocher la mâchoire ; rire aux anges ; **rire aux éclats,** rire aux larmes. – Rire comme une baleine (aussi : comme un bossu, comme un dératé, comme un fou) [fam.] ; **mourir de rire,** se tordre de rire. – « Rire est le propre de l'homme » (Rabelais) ; rira bien qui rira le dernier [loc. prov.]. – S'esclaffer, glousser, pouffer, ricaner.

7 Fam. – **Rigoler** ; **se marrer** ; se bidonner, se boyauter, se gondoler, se poiler, se tordre ; s'éclater. – Se dilater la rate, se fendre la pipe (ou, très fam. : la gueule, la pêche, la poire), se payer une pinte de bon sang, s'en payer une tranche **629,** se taper sur les cuisses, se tenir les côtes.

8 Rire dans sa barbe, **rire sous cape** ; rioter [vx]. – Rire jaune ; rire du bout des dents.

9 **Sourire** ; fam. : faire des risettes, faire risette.

10 **Amuser,** dérider, désopiler, égayer ; faire rire, faire rire la galerie, mettre les rieurs de son côté **532.**

Adj. 11 **Comique** ; amusant, plaisant **629** ; bouffe [MUS.], bouffon, cocasse, drolatique [litt.], **drôle,** drôlet [litt.], drôlichon [fam.], farce [vx] ; **désopilant,** hilarant **447,** à mourir de rire. – Fam. : bidonnant, crevant, ébouriffant, éclatant, fendant, fendard, gondolant, **marrant,** pliant, roulant, **tordant** ; très fam. : pissant, poilant. – Facétieux, impayable. – Dérisoire, **ridicule,** risible ; grotesque, loufoque.

12 **Comique 817,** héroï-comique, tragi-comique. – Moliéresque ; courtelinesque, vaudevillesque.

13 Burlesque, divertissant, **humoristique.**

Adv. 14 **Comiquement,** drôlement [rare] ; drolatiquement, plaisamment **532.17.** – **Ridiculement 731** ; risiblement.

Aff. 15 Comico-.

133 COMMANDEMENT

N. 1 Commandement, conduite, **direction,** directorat [didact.], **gouvernement** ; autorité **59** ; leadership [anglic.]. – Direction des ressources humaines (abrév. D.R.H.), management [ÉCON., anglic.].

2 **Autoritarisme,** despotisme **694.**

3 **Commandement** ; consigne, directive, instruction. – Injonction, **ordre,** prescription ; défense, interdiction **429.** – Mise en demeure, **sommation** ; interpellation [DR.] ; ultimatum, oukase. – Exigence, volonté ; diktat. – Commande.

4 Commandement ; **impératif,** injonction, loi, précepte, prescription **650, règle** ; **les dix commandements,** le Décalogue (Deutéronome). – Devoir **213** ; PHILOS. : impératif catégorique, loi morale.

5 DR. : commandement, exploit, **mise en demeure,** sommation ; **mandat d'arrêt 835** ; **décret,** ordonnance. – HIST. : capitulaire, édit, jussion, mandement, rescrit, ukase ou oukase. – RELIG. : canon [DR. CAN.], décrétale ; bref *(un bref),* **bulle 590** ; ordre divin, mission. – Commandement [MIL.]. – Commandement à la barre [MAR.].

6 Commandant ; **chef 240,** maître **59** ; tête ; huile [fam.]. – **Dominateur 240.** – Maîtresse femme **306.**

7 MIL. : **commandant 41,** commandant d'armes, commandant supérieur, gouverneur ; commandement *(le haut commandement),* **état-major.** – HIST. : commandeur ; condottiere [ital.]. – Commandant militaire [DR. CONSTIT.]. – AÉRON., ASTRONAUT. : **commandant de bord,** pilote.

8 Roi, souverain ; **chef d'État 694.**

9 RELIG. Grand rabbin **449.** – Patriarche **699.** – **Pape,** souverain pontife **590.** – Commandeur des croyants ou **émir** ; calife ou khalife **440.**

10 ÉCON. – Chef d'entreprise **279, patron** ; décisionnaire ; boss [fam.]. – **Direction** *(la direction).* – Directeur des ressources humaines (abrév. D.R.H.).

11 HIST. : commanderie ; chefferie. – Quartier général ou Q. G.

12 Bâton de commandement [MIL.] ; couronne, sceptre ; verge [allus. bibl.].

13 **Commande,** télécommande.

14 **Commande,** manette **476.**

V. 15 **Commander, ordonner.** – **Demander 185, exiger,** imposer, requérir **545.5,** vouloir **870.**

16 Décréter [cour.]. – Prescrire, notifier *(notifier un ordre)* ; **défendre.**

17 Adjurer, enjoindre, sommer. – Intimer l'ordre de.

18 Contraindre, **forcer,** obliger. – Mettre en demeure.

19 Conduire, **diriger,** driver [anglic. fam.], manager [ÉCON., anglic.], mener, régenter ; cornaquer. – Commander (ou faire marcher, mener) à la baguette, gouverner avec un sceptre ou, vx, une verge de fer, faire observer les longues et les brèves [vieilli], mettre au pas.

20 Tenir la barre (ou : le gouvernail, les commandes, le timon), tenir la tête **59,** tenir les brides du pouvoir ou les leviers de commande ; conduire ou mener la barque. – Tenir la queue de la poêle. – Porter la culotte ou les culottes [fam.] ; vx : porter le haut-de-chausses ou haut-de-chausse.

21 Avoir barre ou barres sur, avoir la haute main sur. – Commander sur [vx], régner sur.

22 Commander [sout.], **dominer 800.13.**

23 Commander, passer une commande **135.**

Adj. 24 Commandant [litt.], dominateur **240** ; **autoritaire 59.** – Impérieux, péremptoire, tranchant **716.** – De fer *(discipline de fer, joug de fer).*

25 De commande [litt.], **imposé,** obligatoire **565,** nécessaire **545.10,** prescrit, requis.

Adv. 26 **Impérativement,** impérieusement **59.** – Instamment.

27 Au commandement. – Jusqu'à nouvel ordre.

Int. 28 Envoyez ! [MAR.]. – MIL. : Aux armes ! À vos rangs, fixe ! Fixe ! Garde à vous !

Aff. 29 Arch-, archi-.

30 **-archie,** -archique, -arque ; -crate, **-cratie,** -cratique.

134 COMMENCEMENT

N. 1 **Commencement** ; début, genèse. – Départ **189.**

2 Fig., litt. : aube, aurore, **matin,** printemps ; bourgeon **37,** embryon **711,** germe, graine ; berceau, enfance **270,** langes. – Balbutiement, bégaiement, tâtonnement.

3 **Origine,** source ; fondement, principe **658.** – RELIG. : Alpha ; « Je suis l'Alpha et l'Oméga, le Premier et le Dernier, le Principe et la Fin » (Apocalypse de saint Jean) ; « Au commencement était le Verbe » (Évangile selon saint Jean).

4 Fig. : entrée, **seuil,** tête ; endroit [vx], lisière, orée.

5 Manifestation, **naissance.** – Floraison.

6 **Recommencement,** renouveau, renouvellement.

7 Création, instauration ; mise en branle (ou : mise en marche, en route, en train) ; premier tour de manivelle [CIN.].

8 Initialisation [INFORM.].

9 **Amorce,** attaque. – **Ouverture,** prélude, prologue ; introït [LITURGIE]. – Exposition **817,** incipit, préambule, prolégomènes.

10 Essai ; coup d'essai, premier jet ; ébauche, esquisse. – Première *(une première).* – Premières armes, premiers pas ; fig. : **baptême,** initiation.

11 Base de départ, point de départ ; *dies* ou *terminus a quo* (opposé à *terminus ad quem*) [lat.]. – Zéro *(an zéro, temps zéro).*

12 **A.B.C., b.a.-ba** ; éléments, premiers éléments ; linéaments, rudiments.

13 Prémices ; signe avant-coureur, prodrome.

14 Apprenti **35,** commençant, **débutant,** néophyte, nouveau *(un nouveau)* **560,** novice, poussin [arg. mil.]. – Fam. : bizut ou bizuth, bleu ; deb *(une deb ; le bal des debs).*

15 Initiateur, introducteur, **pionnier** ; novateur.

V. 16 **Commencer 7,** débuter, démarrer [fam.] ; commencer par le début [loc. cour., fam.]. – Donner le coup d'envoi ; ouvrir le ban ; ouvrir le feu **354** ; ouvrir le bal ; ouvrir le jeu **454** ; ouvrir la marque, ouvrir le score. – Prendre l'initiative, prendre les devants ; avoir l'initiative.

17 Amorcer, attaquer [fam.], entamer, **entreprendre** ; entrer en matière. – Mettre sur le métier ; poser la première pierre. – Entonner. – Étrenner, inaugurer ; avoir l'étrenne de [vieilli].

18 **Se mettre à** ; s'atteler à. – S'embarquer, s'engager, se lancer dans ; mettre le doigt dans l'engrenage.

19 Se faire la main **35** ; se faire les dents sur qqch.

20 Faire ses débuts. – Faire son entrée dans le monde. – Faire ses dents [fig., fam.].

21 Mettre à qqn le pied à l'étrier.

22 **Recommencer,** reprendre ; recommencer ou repartir de zéro, reprendre du début [fam.]. – Au temps pour moi [vieilli].

23 Loc. prov. – Il n'y a que le premier pas qui coûte. – Il faut un commencement à tout ; Il y a un début à toutes choses.

Adj. 24 **Initial,** originaire, original [vx], originel, premier, primitif ; crépusculaire, de la première heure. – Inchoatif [LING.].

25 Inaugural, liminaire ; préliminaire ; introductif [DR.].

26 Linéamentaire [litt.]. – Embryonnaire ; à l'état naissant, en herbe.

Adv. 27 **Initialement 134,** originairement, originellement, primitivement. – *Ab ovo* (lat., « depuis l'œuf »).

28 **D'abord,** pour commencer, au premier abord ; de prime abord. – **D'emblée,** d'entrée de jeu, de primesaut [vx] ; au premier coup d'œil, à première vue. – Au lever du rideau.

29 Au temps [MIL.]. – *Da capo (D. C.)* (MUS., ital., « depuis le début »).

Prép. 30 **Dès, depuis,** à partir de ; de... à... – À commencer par.

Conj. 31 Dès l'instant où, dès lors que, **à partir du moment où,** du moment où, du moment que.

Aff. 32 Acro-.

135 COMMERCE

N. 1 **Commerce.** – Négoce, trafic [vieilli] ; traite *(traite des Blanches).* – Affaires, business [anglic.] ; import-export. – Commerce extérieur, commerce intérieur, commerce international.

2 **Commercialisation 490** ; didact. : marchandisage ou, anglic., merchandising, marchéage, **marketing** [anglic.], mercatique. – Étude de marché, étude de motivation. – Réclame [vieilli], promotion des ventes, publicité **675.**

3 Commercialité [DR.]. – Cessibilité, négociabilité ; vénalité [HIST.].

4 **Négociation,** tractation, transaction ; marchandage. – Affaire, opération ; contrat, convention, marché. – Bourse de commerce ou bourse des marchandises.

5 **Échange,** troc. – **Location.** – Cession **101,** **vente,** revente ; vente au comptant (opposé à vente à crédit ou à tempérament) ; vente à l'encan, vente à la criée, vente aux enchères, vendue [vx] ; DR. : adjudication, licitation ; adjudicateur. – Vente par correspondance ou V.P.C. (opposé à vente directe). – Colportage, courtage, démarchage. – Exportation, importation.

6 Péj. – Affairisme ; mercantilisme [litt.]. – Simonie [litt.] **284** ; vénalité. – Spéculation **81** ; agiotage [vx]. – Maquignonnage **659,** trafic.

7 **Monopolisation.** – Concentration verticale ou intégration, concentration horizontale ou cartellisation ; concentration hétérogène, concentration homogène ; concentration absolue, concentration relative. – Monopolisme.

8 ÉCON. – **Marché** ; loi de l'offre et de la demande. – Monopole, monopole d'achat, monopsone ; monopole bilatéral ou duopole, monopole contrarié, monopole discriminant, monopole simple ; oligopole, oligopole frangé, oligopole partiellement coordonné, oligopole sans coordination. – Marché noir.

9 Compagnie **137,** **firme,** filiale, maison ; P.M.E., P.M.I. – Association ou, DR., société en participation, centrale, coopérative, groupement **352.** – Corporation, guilde ou gilde, hanse. – Comptoir de vente en commun ; cartel, conglomérat, combinat, consortium, **groupe,** holding, konzern, trust ; multinationale. – **Comptoir,** emporium [ANTIQ.], factorerie.

10 **Commerce de détail** ou, fam., détail, commerce de demi-gros ou, fam., demi-gros, **commerce de gros** ou, fam., gros. – Le commerce, le petit commerce ; le haut commerce [vieilli].

11 **Fonds de commerce,** commerce *(un commerce)* ; affaire, maison. – Cabinet d'affaires ; agence, bureau. – **Boutique, magasin** ; échoppe ; bazar. – Hypermarché ou, fam., hyper, libre-service, supermarché, supérette ou superette ; **centre commercial.** – Chaîne commerciale, grand magasin ; succursale.

12 **Foire** ; foiral ou foirail ; lendit [HIST.] ; foire à la brocante ou, fam., brocante, foire aux puces ou, fam., puces, vide-greniers ; décrochez-moi-ça [fam.]. – **Marché,** souk ; halle(s) ; apport [vx].

13 Déballage [spécialt] ; étal, étalage, éventaire **490** ; devanture, vitrine ; montre, stand ; baladeuse. – Rayon ; linéaire *(un linéaire).* – Dépôt, entrepôt, réserve.

14 Bail commercial, loyer commercial, pas-de-porte. – Licence, patente.

15 Code de commerce **245.** – Tribunal de commerce. – Chambre de commerce et d'industrie.

16 **Commerçant** ; **marchand** ; **détaillant** ou, vx, débitant ; grossiste, négociant ; fournisseur ; revendeur. – Camelot, colporteur, déballeur, étaleur [vx], porte-balle [vieilli], marchand à la sauvette. – **Marchand ambulant,** marchand

ou commerçant forain. – Brocanteur, fripier. – Hallier [vx], mandataire aux Halles. – Étalier [vieilli]. – Péj. : boutiquier, maquignon, mercanti, profiteur.

17 Correspondant ; agent, courtier, intermédiaire, placier, transitaire *(un transitaire).* – Commis voyageur [vieilli], commissionnaire, **représentant, voyageur de commerce,** V. R. P. (voyageur représentant placier) ; vépéciste. – Emballeur ; expéditeur, transporteur ; livreur. – **Coursier,** saute-ruisseau [fam.] ; arg. : arpète, trottin. – Caissier, calicot [vx], commis. – **Vendeur.**

18 Brasseur d'affaires, **homme d'affaires** ; businessman [anglic.]. – Exportateur, importateur. – Monopoleur, monopoliste. – Trusteur ; trustee [anglic.].

19 Péj. – Affairiste ; agioteur [vx], spéculateur ; trafiquant.

20 **Clientèle,** pratique [vx] ; acheteur, chaland [vx], client. – Zone d'attraction commerciale ou zone de chalandise.

21 Économétrie. – Économiste.

V. 22 **Commercer,** négocier [vx]. – Être dans les affaires, faire du négoce, **tenir boutique,** tenir un commerce ; avoir pignon sur rue **730.** – Ouvrir boutique, fermer boutique. – Avoir la bosse du commerce ; passer sa vie derrière un comptoir.

23 **Faire commerce** ou, vx, trafic de ; débiter, écouler. – Commercialiser, exploiter ; tirer profit de.

24 **Acheter 191,** vendre, revendre ; échanger, troquer ; aliéner, céder **101** ; brader, solder. – Mettre ou vendre à l'encan, mettre ou vendre aux enchères, mettre à prix **659** ; vendre au plus offrant, vendre au dernier enchérisseur. – **Vendre au comptant, vendre à crédit,** vendre à terme. – Vendre à la baisse (opposé à vendre à la hausse). – DR. : vendre franc ou quitte, vendre à faculté de rachat, vendre à réméré. – Liciter [DR.].

25 Exporter, importer.

26 Être en affaires ou, vx, en commerce avec, négocier, traiter. – Conclure ou régler une affaire, **faire affaire avec qqn.** – Les affaires sont les affaires [loc. prov., fam.].

27 Faire l'article ; placer la marchandise. – Faire de la prospection (ou : du démarchage, du porte-à-porte).

28 Maquignonner ; farder la marchandise, tromper sur la marchandise. – **Trafiquer** ; faire de la contrebande. – Spéculer.

29 **Monopoliser** ; monopoler [vx] ; truster. – Concurrencer ; cannibaliser.

30 Mercantiliser.

31 Se vendre ; s'écouler, s'enlever, s'enlever comme des petits pains. – S'épuiser.

Adj. 32 **Commercial,** commerçant. – Mercantile.

33 Vendable ; commerçable [vx], négociable ; cessible **101,** transférable, vénal [HIST.]. – Invendable.

34 **Commercialisable** ; exportable, importable.

35 Négocié, vendu. – Invendu.

36 ÉCON. – Monopolistique ; monopolaire. – Concurrentiel. – Économétrique.

37 Affairé ou, vx, affaireux.

Adv. 38 Commercialement.

39 Aux enchères ; à l'encan.

136 COMMUNICATION

N. 1 **Communication.** – Transmission ; fig. : diffusion, dissémination, propagation. – Divulgation, proclamation, publication. – **Expression,** manifestation.

2 **Contact,** liaison, rapport, relation **772** ; litt. : commerce, correspondance ; conversation [vx]. – Communion [fig.] ; télépathie.

3 **Conversation 156,** dialogue, échange [fig.] ; entretien. – Entrevue, tête-à-tête ; interview. – Didact. : intercommunication ; interlocution. – Interactivité [INFORM.].

4 Adresse, allocution ; **discours 225.** – Communication, **déclaration,** message, proclamation. – Petite phrase. – Exposé, leçon, lecture ; lecture publique.

5 **Annonce,** avis, bulletin, communiqué, dépêche, note, notification [ADMIN.] ; adresse [vx]. – Message ; correspondance **157,** lettre, missive, pli.

6 **Information** *(l'information)* ; désinformation, mésinformation [rare], surinformation. – Information *(une information),* nouvelle *(une nouvelle)* ; renseignement, tuyau [fam.]. – Informations, actualités, nouvelles ; flash d'information [anglic.]. – Journal **654.** – Journal télévisé (abrév. J.T.).

7 LING. : communication, allocution. – Théories de l'information et de la communication [SC.]. – Cybernétique.

8 Émissaire, **messager** ; communicateur [LING.]. – Informateur ; journaliste. – Homme de communication.

9 Communicant [didact.], locuteur ; correspondant, **interlocuteur.** – Émetteur, propagateur ; transmetteur [vx ou litt.] ; vulgarisateur [vieilli]. – **Auditeur,** écouteur [vieilli]. – LING. : allocutaire, destinataire, récepteur.

10 **Médias** ou media, mass-media ou mass media [anglic.] ; presse, radio, télévision **681.** – Multimédia. – Communication de masse. – Effet d'annonce.

11 Transport de l'information ; communications, télécommunications **809** ; postes et télécommunications, poste aérienne. – Multimédia.

12 Didact. : communicabilité ; transmissibilité.

V. 13 **Communiquer** ; annoncer, faire part, notifier ; donner connaissance de, porter à la connaissance de. – Indiquer, signaler ; enseigner [vieilli]. – Faire passer, transmettre. – Publiciser [POLIT.].

14 **Informer** ; aviser, instruire, **mettre au courant** ou au fait ; avertir, prévenir. – Surinformer. – Renseigner ; tuyauter [fam.] ; fig. : éclaircir [vx], éclairer. – Affranchir [très fam.].

15 **Déclarer,** proclamer ; donner communication, publier [vieilli]. – Diffuser, disséminer [fig.], propager, répandre ; carillonner, colporter [péj.].

16 Dévoiler, lever ou soulever le voile, divulguer, livrer, **révéler.** – Exposer, étaler au grand jour ou, vx, dans le grand jour. – Crier sur les toits. – Ébruiter, éventer ; corner, tambouriner, trompeter [sout.], sonner le tocsin.

17 Marquer, **montrer** ; litt. : exprimer, manifester, signifier.

18 Communiquer, converser, **parler 595** ; correspondre, être en contact (ou : en liaison, en relation) avec **137.** – Se communiquer [vx], se confier.

19 S'informer, se mettre au courant. – Enquêter **689** ; informer qqn de qqch [vx], interroger sur, questionner sur. – S'enquérir, se renseigner.

Adj. 20 Communicant ; informant [rare].

21 Communicateur. – **Émetteur,** transmetteur [vx ou litt.] ; **récepteur.** – Informateur ; vulgarisateur.

22 Informateur, informatif. – Communicationnel [didact., rare], médiatique. – Informationnel [didact.].

23 Communicable, diffusible [fig.], transmissible. – **Communicatif.**

24 Communicatif ; expansif.

137 COMPAGNIE

N. 1 **Compagnie** *(la compagnie),* commerce, **fréquentation,** société **773** ; la bonne compagnie ou, vx, la haute compagnie. – Contact, rapport, **relation,** coude à coude *(un coude à coude),* coudoiement.

2 Accompagnement, escorte ; chaperonnage[rare]. – Dame de compagnie, demoiselle de compagnie ; animal de compagnie.

3 **Compagnie** *(une compagnie),* **présence** *(une présence).*

4 **Entourage,** milieu, voisinage ; accointances, **fréquentations, relations** ; ami, camarade, collègue. – Compagnonnage ; **amitié 26,** camaraderie. – **Compagnon,** (fém. : compagne ou, vx, compagnonne), concubin.

5 Compagnie *(une compagnie)* ; assemblée, cercle, groupe ; assistance, auditoire, parterre, public. – Équipe ; **troupe** *(troupe de danse, troupe de théâtre).* – Bataillon **41,** escouade ; les grandes compagnies [HIST.]. – Bande, clan, communauté **352.9** ; clique [péj.]. – Harde, harpail ou harpaille ; troupeau.

6 **Compagnie** *(une compagnie),* **société,** société philanthropique ; **association,** confédération, fédération. – Collectif *(un collectif),* club. – Aréopage, cercle, cénacle, **société savante 747,** collège ; académie, corps.

7 HIST. : compagnonnage, corporation, chapelle ; atelier, loge. – Association secrète, coterie, groupuscule, ligue ; gang ; camorra [ital.], mafia ou maffia ; camarilla.

8 **Rencontre.** – Audience, entretien, **entrevue** ; tête-à-tête *(un tête-à-tête)* ; entrée [HIST.] ; interview ; visite **772.** – Confrontation, confrontement [rare] ; face à face ou face-à-face. – Revoir *(le revoir)* [litt.] ; retrouvailles. – Malencontre [vx].

9 **Rendez-vous** ou, abrév., R.-V. ; fam. : rancart (ou : rancard, rencart, rencard) ; rambour [arg.]. – Convocation.

10 Assemblée **725.3,** forum, **meeting, réunion,** salon *(salon littéraire)* ; convent, jamboree ; car-

refour, colloque, conférence, **congrès,** convention, séminaire, symposium, table ronde ; pétaudière [fam.]. – Conciliabule, conventicule [vx]. – Réunionnite [fam.].

11 **Réception** ; vx : appartement, compagnie ; cocktail, pince-fesse(s) [fam.]. – Raout, **soirée** ; redoute [vx] ; fam. : **boum,** sauterie ; fam., vieilli : surboum ; surprise-party ou surprise-partie ; party [anglic.]. – Partie de campagne ou garden-party. – Fam. : fiesta **309,** foire, java, noce, nouba, vie.

V. 12 **Accompagner,** raccompagner ; guider **19** ; escorter, chaperonner **671,** suivre ; être toujours pendu aux basques de [fam.] ; aller avec, venir avec ; se joindre à. – **Tenir compagnie** ; être de bonne ou de mauvaise compagnie. – Prendre avec soi, s'adjoindre ; se faire accompagner par, s'accompagner de qqn [vx].

13 **Fréquenter** ; côtoyer, coudoyer, pratiquer [litt.] ; hanter qqn [vieilli] ; frayer avec ; avoir commerce avec, être en rapport ou en relation avec ; être en bons termes ou en mauvais termes avec. – Avoir de bonnes ou de mauvaises fréquentations, être en bonne ou en mauvaise compagnie. – Se lier avec, s'accointer [fam., péj.] **26.** – Compagnonner [vx].

14 Aller dans le monde **772,** faire sa cour, fréquenter ou hanter les salons ; **voir du monde.** – Avoir ses grandes ou ses petites entrées.

15 **Rencontrer,** croiser, voir ; **tomber sur** ; se trouver devant (ou : face à face, nez à nez) ; faire une mauvaise rencontre ; avoir rencontre [vx], se rencontrer. – Il n'y a que les montagnes qui ne se rencontrent pas [prov.].

16 **Aborder,** accoster, approcher ; faire la connaissance de. – Rejoindre, retrouver ; revoir ; trouver l'oiseau ou la pie au nid.

17 Assigner [vx], **donner rendez-vous,** rencarder ou rancarder [fam.]. – **Prendre rendez-vous.**

18 Mettre en rapport qqn avec qqn ; aboucher, abouter [vx], réunir **725.** – Se mettre en rapport avec, prendre langue avec [sout.].

Adj. 19 Accompagné. – Hardé [VÉN.].

20 Fréquentable ; sociable ; sympathique.

21 **Fréquenté,** peuplé ; fréquent [vx] ; couru **798.**

22 Compagnonnique [rare].

Adv. 23 De compagnie, de conserve ; conjointement, **ensemble.**

24 Et compagnie [fam., péj.], et cætera ou et cetera, etc. [abrév.].

Int. 25 Salut la compagnie ! [vieilli ou par plais.].

138 COMPARAISON

N. 1 **Comparaison,** confrontation, parallèle, rapprochement **685** ; mise en parallèle, mise en regard, mise en relation ; collation, collationnement, contrôle, recension, récolement. – Assimilation, identification **376.** – Prov. : toutes comparaisons sont odieuses ; comparaison n'est pas raison.

2 **Comparatisme** [LITTÉR. et GRAMM.] ; grammaire comparée ; linguistique comparée, linguistique contrastive ; littérature comparée. – Anatomie comparée, pathologie comparée. – Droit comparé.

3 GRAMM. : adverbes de comparaison ; proposition subordonnée de comparaison ou comparative, comparative *(une comparative)* ; degré de comparaison ou de signification ; **comparatif** *(le comparatif),* comparatif d'égalité, comparatif d'infériorité **405,** comparatif de supériorité, superlatif **800.**

4 Point ou terme de comparaison ; **étalon,** parangon. – RHÉT. : comparaison, **image,** métaphore ; comparant, comparé. – Analogie, **rapport,** relation.

5 **Comparabilité,** égalité **256,** parité ; proportionnalité, relativité.

6 **Comparatiste** *(un comparatiste)* [LITTÉR.].

V. 7 **Comparer,** comparer à, comparer avec ; confronter, rapprocher, examiner côte à côte ; collationner, conférer [didact.] ; étalonner, mesurer à **509,** mesurer à l'aune de.

8 **Faire un parallèle,** mettre en parallèle ; mettre en balance, mettre en regard ; cf. ou confer (lat., « comparer avec »).

9 Peser le pour et le contre. – Aligner, **assimiler,** identifier ; mettre au même niveau, **mettre sur le même plan,** mettre sur le même rang.

10 Entrer en comparaison avec ; soutenir ou supporter la comparaison avec.

Adj. 11 **Comparable** ; approchant ; analogue **719, même,** semblable. – Assimilable, commensurable.

12 Comparatif ; proportionnel, relatif. – Théorie des avantages comparatifs [ÉCON.]. – Publicité comparative.

Adv. 13 **Comparativement,** par comparaison, **en comparaison.**

Prép. 14 **Comparé à** ; à comparaison de [vx], **en comparaison de.**

15 À côté de, à l'instar de, auprès de, au prix de, en proportion de **668,** en regard de, **par rapport à,** relativement à, vis-à-vis de.

139 COMPENSATION

N. 1 **Compensation** ; contrepartie. – Balance ; équilibrage, contrebalancement. – Neutralisation.

2 Compensation [PSYCHAN. ou PHYSIOL.], **surcompensation** [PSYCHAN.]. – PHILOS. : compensation ; théorie des compensations ; **loi de compensation** ou loi des grands nombres.

3 OCÉANOGR. : **courant de compensation,** profondeur de compensation. – Compensation d'un compas [MAR.]. – Circuit de compensation [ÉLECTRON.], enroulement de compensation [TECHN.]. – **Compensation démographique** [DR. SOC.]. – DR. CIV. : compensation légale, compensation conventionnelle **722.** – Compensation matrimoniale [ANTHROP.].

4 Caisse de compensation [DR. ou ÉCON.]. – BOURSE : cours de compensation ; **chambre de compensation.**

5 Consolation, **réparation** ; correctif, rectification. – **Dédommagement,** indemnité. – Récompense.

6 Compensateur *(compensateur de dilatation, compensateur d'affaiblissement)* [didact.] ; égaliseur [TECHN.] **256.**

V. 7 **Compenser** ; balancer, contrebalancer, équilibrer **282,** neutraliser. – Corriger, rectifier.

8 Dédommager, **indemniser.** – Réparer, racheter, rattraper.

9 Compenser, surcompenser [PSYCHAN.].

10 **Se compenser,** s'équilibrer ; se compléter.

Adj. 11 **Compensé** *(semelles compensées ; valeurs compensées)* ; équilibré.

12 Compensatif [rare], **compensatoire** *(indemnité compensatoire, intérêts compensatoires)* [didact.].

13 Compensateur [PSYCHAN.]. – Correctif, réparateur ; équilibrant.

14 **Compensable.**

Adv. 15 En compensation, pour compensation, pour compenser ; à titre de compensation ; **pour la peine** ; en contrepartie, en échange, en retour, par compensation. – Complémentairement [didact.].

16 **En revanche,** par contre.

140 COMPLEXITÉ

N. 1 **Complexité** ; complexe *(le complexe),* insolubilité. – Complication, difficulté **217.** – **Ramification** ; embrouillement, emmêlement, enchevêtrement, entrelacement, intrication, involution [vx]. – Complexification ; sophistication. – Usine à gaz [fam.].

2 **Dédale,** labyrinthe ; imbroglio. – **Problème** ; casse-tête chinois. – Nœud [vx], nœud gordien, nœud de vipères, sac de nœuds ; écheveau ; panier de crabes. – Dilemme cornélien, problème kafkaïen. – Quadrature du cercle.

3 Complexité, **multiplicité.** – **Combinaison,** composition, concaténation ; combinatoire [MATH.].

4 Complexe *(un complexe)* ; **complexus** [didact.] ; ensemble. – PSYCHAN. : complexe, complexe d'Œdipe, complexe de Jocaste. – Combinat [didact., ÉCON.] ; chaîne, dispositif, réseau, **structure 795, système 807.**

5 **Combiné** *(un combiné),* composé *(un composé),* complexe [didact.]. – Alliage ; agglomérat, conglomérat. – Corps composé [CHIM.] **113.**

6 Complexisme [MÉD.].

7 Combinateur, compositeur. – Complexiste [MÉD.].

V. 8 **Complexifier** ; combiner, composer ; conjuguer, dériver [LING.]. – Imbriquer, intégrer, intriquer, mélanger **501.**

9 **Compliquer** ; corser. – Alambiquer [vx], embrouiller, emmêler ; obscurcir. – Chercher midi à quatorze heures.

10 C'est de l'algèbre, c'est du chinois **411,** c'est de l'hébreu, c'est du haut allemand [vx], c'est de l'iroquois. – C'est la bouteille à l'encre, c'est clair comme du bouillon d'andouille [fam.].

Adj. 11 **Complexe** *(nombre complexe, mot complexe)* ; combiné, composé, conjugué, dérivé. – Multiple, **composite.** – Combinatoire [didact.].

12 **Compliqué,** complexe ; élaboré, étudié ; byzantin, subtil. – Alambiqué, baroque [fig.]. – Confus, contourné, embarrassé, embrouillé, emmêlé, entortillé.

13 Inextricable **201,** insoluble, **irréductible** ; indéfinissable.

Adv. 14 **Difficilement.** – Avec tours et détours ; par des chemins détournés.

15 Inextricablement

Aff. 16 Pluri-, poly-.

141 COMPROMIS

N. 1 **Compromis** ; accord **6,** convention. – **Composition, négociation,** transaction. – Pis-aller.

2 DR. : **accord amiable,** clause compromissoire, solution de compromis. – **Conclusion,** résultat, solution. – Accommodement, **arrangement,** modus vivendi ; concession. – Consensus, consentement **149,** consentement mutuel.

3 **Conciliation 685.3,** réconciliation **592** ; tentative de conciliation [DR.] ; **renégociation** ; **raccommodement, rapprochement.**

4 **Arbitrage,** interposition de personnes [DR.] ; courtage, **entremise, intermédiaire,** interposition, **médiation** ; **intervention** ; truchement. – Intermédiation [BANQUE]. – Formation de compromis [PSYCHAN.].

5 **Modération 522.** – Compréhension, indulgence ; **tolérance, transigeance** [rare]. – Équilibre **282** ; équité, justice **451.**

6 **Terrain d'entente.** – **Juste milieu,** moyenne **514.7.** – **Compromission 47.**

7 **Pacte 586,** traité. – Compromis, procès-verbal de conciliation, **instrument** [DR.].

8 HIST. : compromis historique, paix clémentine.

9 **Austrégale** [DR., anc.], cour d'arbitrage, Cour internationale de justice ; plaids de la porte [HIST.] ; bureau de conciliation [DR. DU TRAVAIL].

10 **Arbitre,** conciliateur, intermédiaire, médiateur, négociateur.

11 DR. – Amiable compositeur, austrègue [DR., anc.] ; juge conciliateur, **juge.**

V. 12 **Pactiser 586.9** ; faire la paix **24.** – **Traiter avec.** – **Compromettre,** faire un compromis, **transiger.** – S'en remettre à l'arbitrage.

13 **Touver un terrain d'entente** ; couper la poire en deux [fam.] ; accepter le compromis, **céder, composer.**

14 **Arbitrer, négocier.** – Régler *(régler un litige, un différend)* ; arranger.

15 **Amener à composition,** mettre d'accord ; **concilier** ; accorder. – Raccorder, **réconcilier** ; allier.

16 Se mettre d'accord, **se réconcilier.** – S'accommoder, **s'accorder,** s'arranger. – Se rapprocher ; s'allier, se lier ; s'unir.

17 Compromettre, discréditer, impliquer. – Se compromettre.

Adj. 18 DR. – **Arbitral, compromissoire,** conciliatoire ; contractuel, **conventionnel,** consensuel.

19 DR. : **arbitrable,** transigible. – **Conciliable** ; compatible. – Accommodable, arrangeable, traitable.

20 **Intermédiaire,** intermédiat. – Médiat ; moyen.

21 **Conciliateur,** médiateur. – Diplomate.

22 **Conciliant** ; accommodant, apaisant, arrangeant, bienveillant, compréhensif, indulgent ; flexible, **souple.** – Modéré.

Adv. 23 À l'amiable, de gré à gré, d'un commun accord **6.** – Amiablement [sout.].

24 DR. – Contractuellement ou par contrat, conventionnellement ou par convention ; par accord des parties.

25 Médiatement [rare]. – Par personne interposée.

142 CONCISION

N. 1 **Concision** ; brièveté, densité, laconisme, sobriété ; RHÉT. : brachylogie, ellipse **313.** – Style lapidaire, style télégraphique.

2 Dépouillement, **simplicité 767** ; austérité, sévérité. – Nervosité ; rapidité, rythme. – Puissance [fig.].

3 **Aphorisme,** apophtegme, épigramme ; adage, formule, oracle, proverbe, sentence, slogan ; anecdote, nouvelle *(une nouvelle)* ; résumé **723.**

4 Briefing [anglic.], bulletin, instantané. – Fam. : concentré, **condensé.**

V. 5 **Abréger,** accourcir [vx], raccourcir, résumer ; diminuer. – **Couper,** couper court ; faire des coupes claires ou des coupes sombres.

6 **Aller droit au but,** appeler un chat un chat ; ne pas y aller par quatre chemins [fam.].

Adj. 7 **Concis** ; bref **684,** condensé, court, succinct ; lapidaire. – RHÉT. : brachylogique, elliptique. – Dépouillé, **simple** ; austère, sévère.

8 Nourri, **ramassé,** serré ; bien frappé. – Direct, incisif, **nerveux,** tendu ; dynamique, rapide. – Aphoristique, épigrammatique ; gnomique [didact.], proverbial. – Compendieux [vieilli ou sout., ou par plais.], **sommaire.**

9 Concis, dense, elliptique, **laconique,** précis, sobre. – Brusque, coupant, **tranchant** ; direct, franc.

Adv. 10 **Brièvement,** elliptiquement, laconiquement, sobrement ; rapidement, **succinctement** ; compendieusement [vx], sommairement. – Directement, franchement. – Purement ; simplement **767.**

11 **Bref,** en somme ; pour faire court ou pour le faire court ; en un mot comme en cent ou comme en mille [fam.].

143 CONCORDANCE

N. 1 **Concordance** ; coïncidence. – Accord **6,** adéquation, cohérence, congruence, convenance, convergence. – Compatibilité, **conformité 147.**

2 Identité **376,** ressemblance **719.** – Égalité **256,** parité ; proportionnalité.

3 MATH. : équipollence, équipotence, équivalence. – Homothétie ; homomorphisme, isomorphisme.

4 Concordance des temps [GRAMM.]. – PHON. : assonance, **rime 635.** – LING. : homonymie, homophonie. – Harmonie [MUS.].

5 Assortiment ; coordination, harmonisation.

V. 6 **Concorder** ; coïncider, converger, **correspondre.** – Appuyer, **confirmer 854,** corroborer, renforcer. – Convenir **143.** – Ressembler **719** ; égaler, équivaloir.

7 **Accorder 6,** conformer, harmoniser. – Assortir, coordonner, équilibrer ; pondérer, proportionner. – Synchroniser.

8 Comparer **138** ; mettre en parallèle.

Adj. 9 **Concordant** ; convergent, correspondant. – Concomitant, simultané **768** ; synchrone. – Adéquat, cohérent, compatible, **conforme 147,** congruent, convenable.

10 **Analogue,** comparable, ressemblant **719** ; apparenté, parent ; équivalent, identique **376.**

11 MATH. : équipollent, équipotent ; homomorphe, isomorphe ; **proportionnel 668** ; affin ; homothétique. – GÉOM. : coïncident, congruent, **parallèle.**

12 Consonant, harmonieux. – PHON. : assonancé, rimé. – LING. : homophone, homonyme.

13 Accordé, ajusté, assorti, coordonné, équilibré ; pondéré, proportionné.

Adv. 14 Adéquatement, conformément **147,** convenablement, **justement.** – Congrûment, pertinemment. – Harmonieusement.

15 GÉOM. : proportionnellement, proportionnément [rare] ; homothétiquement ; parallèlement.

16 Comparablement **138,** identiquement, **semblablement.**

17 Simultanément **768,** synchroniquement ; concomitamment [rare].

Prép. 18 **D'après 379.13,** selon, suivant. – À proportion de, à raison de.

Aff. 19 Équi-, homo-, iso-, synchro-.

144 CONDAMNATION

N. 1 **Condamnation** ; condamnation contradictoire (opposé à condamnation par défaut), condamnation par contumace ; condamnation pour + n. *(condamnation pour meurtre)* ; condamnation à + n. *(condamnation à mort)* ; condamnation *in solidum* (lat., « au tout ») ; gerbe [arg.]. – Sentence **451.**

2 Châtiment, **punition,** sanction ; correction [vieilli] ; discipline [vx] ; talion **707** ; châtiment exemplaire.

3 Condamnation, **peine** ; pénalité.

4 Iron. : prix, **récompense,** salaire **739** ; loyer [vieilli].

5 DR. – Sanction civile, sanction pénale ; sanction administrative ; pénalité civile ; peine de droit commun ; peine contraventionnelle ou peine de police, peine correctionnelle, peine criminelle ; peine principale (opposé à peine accessoire), peine complémentaire ; peine de substitution ; **mesure de sûreté.**

6 **Peine infamante** ; réparation publique ; amende honorable [anc.] ; bannissement, **peine politique.**

7 **Peine militaire** ; mesure ou sanction disciplinaire.

8 **Peine pécuniaire** ; **amende,** amende proportionnelle ; amende fiscale, amende forfaitaire ; amende correctionnelle, amende criminelle, amende pénale ; amende de simple police, **contravention,** procès-verbal ou, fam., P.-V. – Dommages et intérêts ou dommages-intérêts **722,** indemnité ; astreinte, dépens ; confiscation, saisie. – Peine privée. – Clause pénale.

9 **Peine afflictive et infamante,** peine privative de liberté ; **détention 208,** emprisonnement ; mort civile [anc.]. – Anc. : relégation, tutelle pénale ; déportation ; travaux forcés. – Interdic-

tion de séjour. – **Peine privative de droits** ; indignité nationale, dégradation nationale ; indignité successorale.

10 **Peine canonique** ; excommunication **582.**

11 Peine corporelle ; **supplice 801** ; **peine de mort** ou peine capitale ; dernier ou suprême supplice ; exécution capitale ou exécution. – Sentence capitale. – Toilette, verre de rhum, cigarette du condamné.

12 RELIG. : **peines éternelles,** peines de l'enfer ; peine du dam **271.** – Mort éternelle ou seconde mort.

13 **Accusation,** inculpation, mise en examen ; charge, charges nouvelles, charges suffisantes.

14 **Répression** ; DR. : action d'office, action publique ou criminelle, vindicte, vindicte publique.

15 **Application de la peine** ; exécution, exécution parée ; exécution forcée, exécution volontaire ; exécution provisoire. – Force exécutoire ; formule exécutoire, titre exécutoire.

16 Atténuation ou mitigation de peine, commutation de peine, **réduction de peine** ; modération de peine **220.5** ; remise de peine ; correctionnalisation ou décriminalisation ; confusion de peines. – Dispense de peine, **grâce 592,** grâce amnistiante, grâce intégrale. – Appel a maxima.

17 **Aggravation de peine,** *reformatio in pejus* (lat., « réformation en pire ») ; criminalisation. – Appel a minima.

18 Litt. : condamnateur, punisseur ; châtieur. – Commission de l'application des peines ; juge de l'application des peines. – **Bourreau,** exécuteur des hautes œuvres.

19 Accusé *(un accusé),* coaccusé ; inculpé, mis en examen *(un mis en examen),* prévenu. – Repris de justice ; gibier de potence **169.** – Coupable *(un coupable)* ; indigne *(un indigne)* [DR.].

20 **Condamné** *(un condamné)* ; condamné à mort ; patient **801.** – Charrette des condamnés.

21 **Unité disciplinaire** ; bataillon de discipline, compagnie de discipline, peloton de punition ou, arg. mil., pelote, unité spéciale ; Biribi [arg. mil.] ; unité de répression. – Disciplinaire *(un disciplinaire),* répressionnaire *(un répressionnaire).*

22 Imputabilité ; **responsabilité,** responsabilité pénale. – Culpabilité.

23 **Casier judiciaire,** pedigree [arg.] ; casier fiscal.

24 Droit pénal ou criminel **245.** – Code pénal. – Code d'exécution des peines. – Voies d'exécution.

25 Tribunal correctionnel ou la correctionnelle **835.**

V. 26 **Condamner** ; accabler, charger, diaboliser, discréditer, perdre. – Accuser **451,** confondre, démasquer ; témoigner contre.

27 Convaincre de culpabilité, déclarer coupable, reconnaître coupable ; établir la culpabilité de. – Désigner à la vindicte publique [sout.]. – **Frapper d'une peine,** pénaliser ; corriger [vieilli] ; mettre à l'amende. – **Damner 271** ; excommunier, vouer aux gémonies.

28 **Condamner,** exclure, interdire **429** ; mettre au ban de la société ; **réprimer** ; venger **726** ; sévir contre ; faire payer [fam.] ; **punir,** sanctionner ; châtier [sout.]. – Faire un exemple ; faire justice [vx].

29 Donner une punition. – Appliquer ou infliger une peine, **prononcer une peine** ; appliquer la loi, avoir la main lourde. – Commuer ou mitiger une peine, remettre une peine ; correctionnaliser. – Aggraver une peine, alourdir. – Criminaliser. – Dépénaliser.

30 **Emprisonner,** incarcérer. – Voter la mort ; exécuter, mettre à mort, supplicier.

31 Passer condamnation ; accepter ou subir condamnation.

32 Encourir une peine ; en prendre pour + durée *(en prendre pour vingt ans)* [fam.]. – Purger sa peine.

Adj. 33 Condamnatoire. – **Pénal,** punitif, répressif ou répresseur.

34 Condamné, **puni,** sanctionné.

35 **Condamnable,** punissable, répréhensible ; coupable, délictueux, illégal **169.**

36 Justiciable de + n. – **Passible de** + n.

Adv. 37 **Pénalement** ; correctionnellement ; disciplinairement ; canoniquement.

38 Pour l'exemple.

145 CONFIANCE

N. 1 **Confiance,** foi ; confidence [vx] ; espérances **285.**

2 Sentiment de sécurité ; sérénité ; quiétude **89.** – Espérance ; assurance [vieilli].

3 Abandon ou, litt., abandonnement. – **Épanchement,** expansion ; effusion [sout.] **665.**

– **Confidence** ; vx : confiance, secret ; confession **854.**

4 **Naïveté** ; innocence, simplicité ; sout. : candeur, ingénuité ; crédulité **64.**

5 **Confiance en soi,** sûreté de soi-même [vieilli] ; **assurance 573,** hardiesse ; aplomb, audace **161.** – Présomption **655.**

6 Fiabilité ; crédibilité.

7 **Crédit 166,** créance [vieilli] ; crédit public [FIN.].

8 Accréditation ; accréditement [COMM.] **166.** – DR. : délégation, délégation de compétence, délégation de signature ; **mandat.** – Lettres de créance. – Pouvoir, procuration. – Principe de subsidiarité.

9 Homme ou femme de confiance ; personne de confiance **472.** – **Confident** ; confesseur, homme de secret [vx]. – DR. : fiduciaire *(un fiduciaire)* **722,** confidentiaire [vx], mandataire.

10 DR. : délégant ou délégateur, mandant.

11 DR. : délégataire, mandataire, mandataire social ; délégué, représentant.

V. 12 **Avoir confiance en qqn,** avoir foi en qqn ; se fier ou, vx, se confier à. – Donner sa confiance à, faire confiance ou, sout., crédit à, mettre ou placer sa confiance en ; donner mandat à ; donner carte blanche à, donner un chèque en blanc à. – Cautionner **166.**

13 S'abandonner à qqn, s'en rapporter à qqn, **s'en remettre à qqn** ; se reposer sur ou, vx, dans ; vx : se rapporter à qqn, se remettre à ou sur. – S'appuyer sur, s'assurer sur ou, vx, dans, **faire fond sur** ; compter sur, tabler sur. – Ne (rien) voir que par les yeux de qqn.

14 Croire, **croire sur parole.** – Accréditer **58** ; investir qqn de sa confiance. – Déléguer, mandater.

15 Être ou se sentir en confiance, se sentir en sécurité. – Dormir sur ses deux oreilles, dormir tranquille ; dormir en repos [vx]. – Croire en son étoile **573.**

16 **Confier** ; donner au soin de qqn **774,** remettre à la garde de, remettre entre les mains de ; commettre au soin ou à la garde de [vieilli].

17 N'avoir pas de secret pour qqn. – **Se confier à qqn,** se livrer à, s'ouvrir à ; se communiquer à [vx] ; se confesser à, se découvrir à ; découvrir son cœur à, ouvrir son cœur à ; faire confidence de qqch à qqn [vieilli].

18 S'épancher **665** ; se déboutonner [fam.] ; parler à bouche que veux-tu. – Épancher son cœur ou son âme.

19 Accorder du crédit à, **ajouter foi à.** – Prendre pour argent comptant ; fam. : donner dans le panneau **838,** se faire avoir **64.**

20 Inspirer confiance à qqn ; **avoir la confiance de,** être dans les petits papiers de ; avoir l'oreille du maître, avoir l'oreille du prince [litt.]. – Jouir d'une bonne réputation **341.**

Adj. 21 **Confiant,** tranquille. – Expansif, ouvert.

22 **Naïf 64,** innocent, simple ; sout. : candide, ingénu **377** ; crédule.

23 Hardi, résolu ; assuré [litt.] ; **sûr de soi** ; présomptueux **655.**

24 **De confiance,** de toute confiance, sûr ; fidèle, loyal ; affidé [vx].

25 Fiable ; digne de foi ; crédible.

26 Créancé [VÉN.].

27 Confidentiel.

Adv. 28 **En confiance,** en toute confiance ou, vieilli, en toute assurance ; à crédit [vx].

29 De confiance, les yeux fermés ; chat en poche.

30 Candidement, naïvement.

31 À cœur ouvert, avec effusion, sans réserve ; d'abondance de cœur [allus. bibl.].

32 Confidentiellement **751** ; confidemment [vx].

Prép. 33 Sur la foi de.

146 CONFLIT

N. 1 **Conflit.** – **Désaccord 194,** discorde ; différend, dissension, **tiraillement,** tiraillements ; crise. – Contestation. – Contradiction.

2 **Altercation,** démêlé, litige ; discussion, **dispute,** empoignade ; fam. : engueulade ou, vx, engueulement ; algarade, foire d'empoigne, prise de bec, **querelle** ; arg. : rif ou rifle. – Bagarre, bisbille, **brouille,** brouillerie, chamaillerie, chicane, disputaillerie ; mésentente ; clash [fam.].

3 Attaque, **prise à partie.**

4 **Conflit social** ; **agitation,** agitation sociale, troubles ; grogne, mécontentement **192.** – Conflit collectif du travail [DR.] ou, cour., conflit collectif. – Conflit interne. – **Contentieux.**

5 Friction, **frottements 329.** – Hostilité, **opposition 572.** – Choc **115,** **heurt.** – Affron-

tement, antagonisme, concurrence, rivalité. – Tension.

6 DR. INTERN. : conflit de lois, conflit de lois dans l'espace, conflit de lois personnelles. – Conflit de lois dans le temps [DR.]. – DR. ADM. : conflit négatif, conflit positif ; conflit d'attribution, conflit de juridiction. – Conflit de devoirs [PHILOS.].

7 Conflit [vx] ou **combat, conflit armé, lutte,** lutte armée. – Conflit limité [HIST. MIL.]. – **Guerre 354.** – Agression. – **Hostilités,** affrontements.

8 Bataille, duel. – Pugilat, rixe ; arg. : baston, castagne.

9 Conflit intérieur, dualité **210.5.** – PSYCHAN. : conflit œdipien **270** ; conflit de tendances.

10 **Conflictualité** [didact.].

11 Tribunal des conflits [DR. ADM.] **835.** – Contentieux [DR.]. – Cour. : contentieux, service du contentieux.

12 **Adversaire, ennemi** *(un ennemi)* ; antagoniste *(un antagoniste),* chicaneur, contradicteur. – Rival *(un rival),* concurrent *(un concurrent),* partie adverse.

13 Combattant *(un combattant).* – **Opposant** *(un opposant).* – Contestataire *(un contestataire).*

V. 14 **Être en conflit avec** ; entrer en conflit avec. – Discorder avec [vx] ; **être en désaccord avec** ; ne pas être d'accord avec ; être ennemi de, être hostile à ; avoir qqch contre. – **Être en lutte contre** ; être ou se trouver aux prises avec. – Se dresser contre, s'élever contre ; contester.

15 **S'opposer à** ; être en opposition avec. – **Combattre,** lutter contre. – Chicaner (qqn) ; **chercher querelle à,** quereller [vieilli] ; avoir des démêlés avec, être en bisbille avec. – Attaquer **50** ; **agresser, prendre à partie.**

16 Engager (ou : commencer, déclencher) les hostilités, ouvrir le feu [fig.]. – Courir sus à l'ennemi [vx ou par plais.].

17 S'empoigner ; se colleter ; **se bagarrer** ou, fam., bagarrer, se battre ; lutter. – **Se disputer** ; se chamailler, se chicaner [fam.] ; se brouiller, se fâcher (avec). – Se battre ou se disputer comme des chiffonniers ; s'attraper, **se quereller.** – S'opposer. – Se casser la figure [fam.] ou la gueule [pop.].

18 Être (une) source de conflit, être à l'origine d'un conflit. – **Diviser, séparer** ; **brouiller,** désaccorder. – **Opposer** ; **mettre aux prises.** – Mettre ou semer la discorde ; mettre ou semer la bagarre ou la zizanie ou, très fam., la merde.

19 Élever le conflit [DR. ADM.].

Adj. 20 **Conflictuel, litigieux** ; **contentieux.**

21 **Opposé** ; antagoniste, contradictoire, **contraire.** – Discordant.

22 Adverse **11,** ennemi, **hostile.** – Opposé. – Adversaire [rare].

Adv. 23 **Hostilement** ; en ennemi. – Agressivement.

147 CONFORMITÉ

N. 1 **Conformité** ; adéquation, convenance ; congruence [litt.], pertinence. – Compatibilité, concordance, **correspondance.** – Cohérence, homogénéité.

2 Identité **376** ; **ressemblance 719,** similitude ; uniformité.

3 Correction, **exactitude,** fidélité, justesse ; régularité [DR.]. – Orthodoxie.

4 Accord **6,** affinité, harmonie.

5 Adaptation, ajustement. – **Harmonisation,** homogénéisation ; unification, uniformisation. – **Normalisation,** régularisation ; mise au pas **240.**

6 Loi, **norme 559.**

7 **Conformisme,** traditionalisme.

8 **Conformiste** *(un conformiste),* traditionaliste *(un traditionaliste).*

V. 9 **Conformer** ; accorder, adapter, ajuster. – Cohérer [rare], **harmoniser,** homogénéiser ; assimiler **376,** unifier. – Normaliser, régulariser. – TYPOGR. : collationner, **corriger.** – Vidimer [rare] **138.** – Certifier conforme [ADMIN.].

10 **Se conformer à,** se plier à, se soumettre à **787** ; se modeler sur, se régler sur. – Se mettre au goût du jour ; se mettre dans le ton ou au ton. – Respecter les convenances.

11 Concorder, **correspondre** ; cadrer, coller [fam.], convenir. – Aller bien ; aller à qqn comme un gant.

Adj. 12 **Conforme** ; adéquat, **approprié,** congru, idoine [sout., souv. par plais.]. – Adapté, ajusté ; assorti. – Compatible, concordant, correspondant ; accordé, affin [didact.]. – Cohérent ; équilibré, **harmonieux,** homogène.

13 Bon, correct, **exact,** juste, régulier. – **Convenable,** correct, décent ; normal ; orthodoxe ; politiquement correct. – Normalisé, régularisé. – Fam. : comme il faut, très comme il faut.

14 Analogue, ressemblant, **semblable 719,** similaire ; identique **376,** pareil.

Adv. 15 **Conformément à** ; adéquatement, congrûment, pertinemment ; correctement, **exactement,** justement. – Convenablement, décemment ; normalement, régulièrement ; comme il se doit.

16 Identiquement **376,** pareillement ; **semblablement 719,** similairement. – Comme à l'accoutumée, **comme d'habitude 357,** comme à l'ordinaire.

Prép. 17 En conformité avec ; en conformité de. – **D'après,** selon, suivant.

Aff. 18 Homo-, ortho-.

148 CONSEIL

N. 1 **Conseil** ; **avis,** opinion ; inspiration, proposition, **recommandation, suggestion** ; admonition [litt.], **avertissement 90,** mise en garde. – Sermon.

2 **Conseil** ; **indication,** renseignement, tuyau [fam.] **136.** – Consigne, directive, **instruction,** précepte, prescription **133.** – Enseignement, leçon.

3 **Encouragement 268,** exhortation, **incitation,** instigation, invitation, **recommandation.** – Impulsion ; voix *(la voix de la sagesse, de la raison).* – Dissuasion **231,** persuasion **614.** – Influence **407.**

4 **Aide 19, assistance.**

5 Conseil [vx] ; dessein, parti, projet **664,** résolution **716.** – Conseils, principes ; décret, loi.

6 **Conseil** *(conseil général, conseil d'administration, conseil de prud'hommes, conseil de guerre)* ; aréopage, **assemblée,** organisme, **réunion** ; chambre, juridiction, **tribunal 835** ; cabinet, gouvernement **708,** ministère. – **Séance,** session.

7 **Conseil** *(conseil fiscal, conseil judiciaire),* **-conseil** [en app.] *(avocat-conseil, ingénieur-conseil),* **conseiller,** conseilleur [vx] ; agent, **consultant** *(un consultant),* directeur, manager, ministre. – Directeur de conscience, éminence grise. – Gourou ou guru **699, guide,** mentor [litt.] ; sage *(un sage).* – Égérie, **inspirateur** ; bon génie. – **Conseiller,** incitateur, instigateur ; la colère est mauvaise conseillère [prov.]. – **Tentateur** ; âme damnée, démon tentateur, mauvais génie.

8 **Conseilleur** [péj.], donneur de conseils, donneur de leçons ; les conseilleurs ne sont pas les payeurs [prov.]. – Préconiseur ou préconisateur [rare].

V. 9 **Conseiller** ; **indiquer,** préconiser, prôner, **recommander** ; prescrire, ordonner **133.** – Proposer, **suggérer** ; donner son avis ; insinuer, inspirer, souffler, dicter ; inculquer. – **Déconseiller.**

10 **Conseiller** ; aider, **assister,** s'occuper de ; donner un conseil à, donner ou prodiguer des conseils à, éclairer de ses conseils. – **Avertir, aviser,** prévenir ; mettre en garde. – Informer, renseigner, tuyauter [fam.]. – Induire en erreur **283.**

11 **Conseiller** ; conduire, **diriger,** gouverner, **guider,** mener ; inspirer ; dicter sa conduite à qqn. – Former, enseigner **274** ; catéchiser, endoctriner. – Sermonner ; donner des leçons à, faire la leçon à, faire la morale à ; moraliser.

12 **Conseiller** ; convier, **encourager 268, engager,** exhorter, **inciter,** induire [sout.], pousser, presser ; décider, déterminer, **persuader.** – Enjoindre [litt.], **prier,** sommer. – Détourner, **dissuader.** – Influencer.

13 Se conseiller à ou avec qqn [vx] ; **consulter,** s'informer ; demander conseil, prendre conseil, prendre un avis. – Écouter, **obéir 564** ; adopter un avis, suivre un conseil ; se référer à, s'en remettre à. – Se laisser mener **787.**

14 Tenir conseil ; s'assembler, se réunir ; se concerter.

Adj. 15 **Conseillé,** préconisé, prôné, **recommandé,** suggéré.

16 Conseillable.

17 Consultatif.

18 **De bon conseil** ; **avisé,** prudent, sagace, sage.

Adv. 19 De préférence, **plutôt.**

Prép. 20 À l'instigation de, sur le conseil ou les conseils de.

149 CONSENTEMENT

N. 1 **Consentement** ; acquiescement, assentiment ; acceptation, adhésion, agrément, **approbation** ; acception [vx], aveu [litt.]. – Autorisation **58.**

2 Admission, **adoption 116,** homologation, ratification, sanction ; entérinement [rare] ; agréation [belg.]. – Imprimatur [RELIG. CATH.].

3 **Accord 6,** agrément. – Consensus.

4 Consentement *(échange des consentements),* oui sacramentel **491.**

5 Acceptabilité [SOCIOL.]. – Approbativité [PSYCHOL.]. – Conduites d'acceptation [PSYCHOL.].

6 Approbateur *(un approbateur)* [litt.] ; affirmateur *(un affirmateur)* [rare] **13** ; péj. : béni-oui-oui [fam.] **787**, yes-man [anglic.]. – DR. : acceptant *(un acceptant)* ; accepteur *(un accepteur)*.

V. 7 **Consentir** ; **accepter,** admettre, approuver ; autoriser **58** ; agréer, prendre en gré [vx] ; **bien vouloir,** trouver bon [sout.], trouver à son gré ou à sa convenance, voir d'un bon œil. – Ne pas demander mieux que de + inf. – Qui ne dit mot consent [prov.].

8 **Adopter 116,** entériner, ratifier.

9 Accorder ou donner son suffrage **116** ; **donner son approbation** ou son accord **6,** donner son aval ; répondre par l'affirmative **13.**

10 **Consentir à** ; accéder à, **acquiescer à,** applaudir à ; adhérer à, se prêter à, souscrire à ; faire droit à ; donner son aveu à [litt.] ; assentir à [vx]. – **Condescendre à** ; se résigner à **701.** – Daigner faire.

11 Avouer que, confesser que ; **convenir que,** reconnaître que ; concéder que ; accorder que [sout.], donner que [vx].

12 **Céder** ; venir à composition, se soumettre **787** ; **obéir 564.**

13 S'accepter tel que l'on est ; s'assumer.

Adj. 14 **Consentant** ; d'accord **6** ; acceptant [litt.].

15 *Nihil obstat* (lat., « rien ne s'oppose » [à la publication], formule traditionnelle sur les livres approuvés par l'autorité ecclésiastique).

16 **Accommodant** ; commode, facile **302** ; bien disposé.

17 **Approbatif 13** ; acquiesçant [litt.].

18 **Acceptable,** admissible, recevable.

19 Admis, **agréé,** approuvé. – Lu (ou vu) et approuvé ; bon pour accord.

Adv. 20 Oui, d'accord. – Approbativement [rare].

150 CONSTRUCTION

N. 1 **Construction** ; vx : bâtissage, bâtisse ; échafaudage [fig.], échafaudement [litt.], édification. – Dressage, élévation, érection, montage ; mise en œuvre, mise en place, mise sur pied. – Jeu de construction.

2 Architecture ; **agencement 576.3,** appareillage, composition, disposition, organisation **577,** structuration [didact.] ; **assemblage,** association, rassemblement, réunion, synthèse. – Constructibilité [didact.].

3 **Fabrication** ; confection [vieilli], création, élaboration, élucubration [vx], facture [MUS.], formation, production ; mise au net, mise au point. – Constitution, établissement [vieilli], **fondation,** instauration, invention **179.**

4 Construction grammaticale, locution, tour. – Définition constructive [LOG.], **système.**

5 Constructivisme [BX-A.].

6 Architecte, bâtisseur, **constructeur** ; rare : échafaudeur, édificateur ; maître d'œuvre, ordonnateur. – Confectionneur [vieilli], élaborateur, élucubrateur [rare], facteur [MUS.].

V. 7 **Construire** ; bâtir, échafauder, édifier **521.9** ; concevoir, élucubrer, forger [fig.], imaginer, machiner, nouer, ourdir, tramer ; mettre en œuvre, mettre en place, mettre sur pied. – Bâtir à chaux et à ciment (ou : à chaux et à sable), bâtir sur le roc, construire en dur ; bâtir sur le sable. – Dresser, élever, **ériger,** monter ; accastiller [MAR.] ; jeter, tracer.

8 **Agencer,** architecturer [didact.], arranger, articuler, combiner, composer, **organiser,** structurer [didact.]. – **Assembler,** associer, rassembler, réunir, synthétiser.

9 Confectionner, créer, élaborer, fabriquer, façonner, **faire,** former, modeler, ouvrer [TECHN.], produire. – Asseoir, constituer, établir, **fonder,** instaurer, inventer.

Adj. 10 **Construit** ; en construction, en cours de construction. – Complexe, élaboré ; composé.

11 **Constructeur,** créateur ; **constructif,** positif. – Constructiviste [BX-A.].

12 Constructible, bâtissable [rare].

151 CONTENANT

N. 1 **Contenant,** récipient. – Emballage.

2 Ampoule, alvéole, **boîte, chambre 481,** cellule, compartiment, écrin, **enveloppe,** étui, fourreau, gaine, loge, **poche,** réceptacle, réservoir, sac ; canal, conduit, tube.

3 Bâti, cadre, cage, caisse, châssis ; habitacle. – Cage *(cage d'ascenseur, cage d'escalier)*. – Buffet d'orgue.

4 Bocal, boîte, boîtier, cadre, carton, case, casier, cartouche, coffre, coffret, conteneur ou, anglic., container, cornet, paquet, poche, pochette, pot, sachet, touque, trousse ; boîte à

(boîte à chaussures), boîte de *(boîte d'allumettes).* – Bouteille ; jarre, pichet **848,** pot *(pot à eau),* tourie [TECHN.] ; vase, vasque ; crachoir. – Ballon, bassin, bombonne ou bonbonne, citerne, cuve, piscine, réservoir, seau. – Cloche *(cloche à fromage, cloche à melon).*

5 **Corbeille, panier** ; cabas, cantine, cassette, ciste [ANTIQ. ROM.], cueilloir ou cueille-fruits ; couffin ou couffe, maniveau, manne, paneton, panière ; barquette, billot, cagette (ou : cageot, cagerotte, clayette, plateau), caissette, flein ; caget, faisselle ; baste, bouille [vx], comporte, hotte ; batardeau, cloyère. – TECHN. : caisson, casse, gabion, harasse, mannequin. – TECHN. ou région. : banne, banneau, banneton, bannette, bourriche.

6 Besace, bissac, cartable, havresac, rucksac, sabretache, sac de voyage, sacoche, serviette, trousse de voyage, **valise,** valoche [fam.] ; malle, mallette, **sac à main 18** ; baise-en-ville [fam.] ; bagage *(un bagage)* **799.** – Carnassière, carnier, cartouchière, fauconnière, gibecière, musette.

7 Capacité **678.2, contenance,** mesure, teneur ; volume. – Tonnage.

8 **Emballage,** empaquetage ou, rare, paquetage, encaissage, ensachage, mise en boîte, mise en bouteilles. – TECHN. : boîtage, conditionnement, packaging ; conteneurisation. – Écorecharge.

V. 9 **Contenir** ; comporter, comprendre, compter ; receler, renfermer. – Embrasser, inclure **396.** – Impliquer **788.**

10 Recevoir. – Retenir.

11 Coffrer, **emballer,** empaqueter, ensacher, mettre en sac, paqueter [vx] ; conteneuriser [TECHN.]. – Emmagasiner, engranger, enserrer, ensiler [AGRIC.], entreposer ; empocher.

12 Emprisonner **208,** enclaver, enfermer, parquer. – Ranger, serrer. – Borner, endiguer ; contenir.

Adj. 13 Coffré, empoté, encadré, enchâssé, empaqueté, ensaché, paqueté ; **mis en boîte,** mis en bouteilles. – Emmagasiné, engrangé, enserré, ensilé, entreposé ; réservé.

14 Conteneurisable [TECHN.].

Aff. 15 Coléo- ; cyt-, **cyto-,** -cyte ; cyrto- ; porte- ; théco-.

16 Lagéni-, lagéno- ; scyph-, scypho- ; vas-, vaso-.

17 **-eux** *(adipeux, argileux, farineux),* **-fère** *(anthacifère, aquifère).*

18 -thécie, -thèque.

152 CONTENU

N. 1 **Contenu** ; intérieur *(l'intérieur)* **430.** – Charge.

2 Essence [PHILOS.], fond, matière, principe, sens **753.** – LING. : **signifié** ; analyse du contenu, contenu sémantique. – PSYCHAN. : contenu latent, opposé à contenu manifeste. – Substance, teneur ; substantifique moelle.

3 Cargaison, **charge,** chargement. – Ânée [vx], batelée [vx], brassée, brouettée **678.5,** charretée, fourchée, jattée [vx], hottée [vx], palanquée [MAR.], pelée, pelletée, pochée [vx], pochetée ; assiettée, bolée, cuillerée, cuvée, fourchetée, fournée, gorgée, grangée [vx], jonchée, marmitée [vx], panerée [vx], pincée, platée, poêlée, **poignée,** potée, plâtrée. – Panier de la ménagère [fig.].

4 Bourre, capiton, matelassure, rembourrage, rembourrure [TECHN.] ; lest.

5 Contenance, cubage, tonnage ; volume **509.4.**

6 Charge [rare], chargement, emplissage [vx], garnissage, **remplissage.**

V. 7 **Remplir** ; bourrer, emplir [vieilli ou litt.], garnir, lester ; farcir, truffer.

8 **Entrer dans la composition de** ; être un élément constitutif de. – Appartenir à **597.13,** être dans le champ de.

Adj. 9 **Contenu,** compris, enclos, **inclus 396.17,** inscrit *(cercle inscrit dans un triangle).*

10 Essentiel, immanent, **intérieur** ; intrinsèque.

Adv. 11 Ci-inclus.

12 **En soi,** intrinsèquement.

Prép. 13 En, dans.

Aff. 14 **In-.**

153 CONTINUITÉ

N. 1 **Continuité.** – Pérennité, permanence **611,** subsistance [vx] ; persistance. – Identité, uniformité. – Invariance [SC.], monotonie [MATH.]. – Principe de continuité [PHILOS.].

2 **Éternité 287,** infinité [vx], perpétuité [litt.].

3 Fixité, régularité, **stabilité.** – Immutabilité [litt.] **403,** invariabilité.

4 Durabilité, indéfectibilité, indissolubilité. – Imprescriptibilité [DR.], indéfectibilité [THÉOL.].

5 Chronicité, cyclicité [didact.], périodicité **610.**

6 Assiduité, **constance,** fidélité.

7 Continu *(le continu),* étendue [PHILOS.], infini *(l'infini).*

8 Continu *(un continu).* – Continuum [MATH.]. – Continuo [MUS.]. – Série **758, suite.** – Cycle. – Liaison.

9 Constante *(une constante),* invariant [SC.].

10 **Continuation,** perpétuation, perpétuement [rare], poursuite ; ininterruption [sout.]. – Conservation, **maintien,** préservation, sauvegarde.

11 Éternisation, immortalisation [litt.], pérennisation [didact.].

12 Développement, enchaînement. – Prolongation ; reconduction, renouvellement **560.** – Persévération [PHYSIOL.].

13 PHILOS. – Perpétualisme ; fixisme.

14 Conformisme **147,** conservatisme.

15 Continuateur ; conservateur, préservateur.

V. 16 **Continuer,** poursuivre, prolonger, proroger ; donner suite à. – Développer, étendre, poursuivre **612,** pousser. – Continuer dans (telle) voie ; mener à bon port.

17 **Assurer une continuité,** la continuité de qqch ; assurer la continuité des institutions ; assurer l'intérim. – Faire la soudure ou la jointure. – Succéder à. – Passer le relais (aussi : le flambeau, le témoin) à. – Se relayer.

18 **Recommencer,** reconduire, **reprendre** ; remettre sur le tapis, renouer avec. – Ne pas arrêter, n'en pas finir de + inf. ; n'en plus finir **247.**

19 Éterniser, immortaliser, pérenniser, **perpétuer.** – Préserver, sauvegarder, sauver. – Entretenir, garder, laisser, **maintenir** ; stabiliser. – Suivre un produit [COMM.].

20 Fidéliser [COMM.], **habituer.**

Adj. 21 **Continu,** continué, continuel, incessant, ininterrompu, **permanent,** perpétuel, sempiternel ; pérenne [vx]. – Persistant.

22 Soutenu, suivi ; de tous les instants.

23 **Constant,** fixe, stable ; immuable, immutable [litt., rare], inaltérable, invariable. – Obstiné **568,** opiniâtre, **persévérant.**

24 Chronique, cyclique, périodique ; roulant *(feu roulant)* [MIL.]. – Coutumier, **habituel 357,** ordinaire ; quotidien.

25 Bicontinu [MATH.] ; linéaire. – Coulé, glissé.

26 Développable, poursuivable [rare], prolongeable.

Adv. 27 **Continuellement,** continûment ; constamment ; en permanence, journellement [vx] ; indéfiniment.

28 **Toujours 611,** à chaque instant, à longueur de journée ou, vx, à la journée longue, à tout bout de champ, à tout moment, à toute heure, du matin au soir, du matin au soir et du soir au matin, jour et nuit, sept jours sur sept, **tout le temps,** vingt-quatre heures sur vingt-quatre.

29 **Encore** ; pour pas changer [fam.]. – Chroniquement, fréquemment, journellement [vieilli], périodiquement, quotidiennement.

30 **Consécutivement,** incessamment [vieilli]. – À jet continu, d'affilée, en continu, *non-stop* [angl.]. – Sans arrêt, sans cesse, sans débrider, sans désemparer, sans discontinuer, sans intermission [rare], sans interruption, sans relâche, sans rémission, sans répit, sans souffler, sans trêve. – **D'un coup,** d'un seul jet, d'un trait, d'une traite, d'une seule traite, d'une haleine, d'une seule venue, tout d'une venue. – Au kilomètre [IMPRIM.].

31 **Perpétuellement,** sempiternellement. – Fixement, invariablement. – Interminablement.

32 Legato (MUS., ital., « lié »)

154 CONTRACTION

N. 1 **Contraction** ; crispation. – Raccourcissement **220,** rapetissement, rétraction, **rétrécissement.** – Diminution, réduction ; contracture [ARCHIT.].

2 Constriction [didact.], étranglement, resserrement, **serrement** ; repliement. – Compression ; contention ; implosion ; pression, tension. – Concentration, condensation.

3 MÉD. – **Contraction,** contracture, palpitation, spasme, striction, tétanie ; crampe, tiraillements ; rictus, trismus ou trisme. – Mouvement vermiculaire ; systole. – Clonie, clonus.

4 MÉD., SC. – Constricteur *(un constricteur).* – Astringent *(un astringent).*

5 Contraction de texte **723.** – LING. : coalescence, contraction, crase, synalèphe, synérèse **313.**

6 Contractilité ; rétractibilité **259** ; rétractilité. – Incompressibilité. – Astringence.

V. 7 **Contracter.** – Compresser, **comprimer,** ramasser, tasser. – Concentrer, condenser. – Resserrer, **serrer** ; étrangler.

8 MÉD. – **Contracter,** contracturer, courbaturer, crisper ; tétaniser. – Convulser, convulsionner [sout.].

9 Raccourcir, **réduire,** rétracter, rétrécir ; diminuer, rapetisser.

10 Se rétracter ; se ramasser ; se replier. – Se pelotonner, **se recroqueviller.**

11 Se contracter, se crisper ; **se raidir,** se tendre ; se convulser.

12 Se contracter, se serrer ; diminuer, raccourcir, **rapetisser,** rétrécir. – Imploser.

Adj. 13 **Contractile** ; rétractible, rétractile.

14 MÉD. : **convulsif,** spasmodique ; tétanique.

15 **Contracté,** contracturé, crispé ; courbatu [sout.] ou courbaturé ; convulsé. – Resserré, **serré,** tendu. – Contracte *(forme contracte)* [LING.].

16 **Astringent,** comprimant ; convulsivant. – Constricteur [SC.].

17 Incompressible.

Adv. 18 Convulsivement ; spasmodiquement.

Aff. 19 Piézo-.

155 CONTRÔLE

N. 1 **Contrôle** ; **vérification** ; mise à l'épreuve. – Épreuve, **essai,** expérimentation. – Examen, expertise, inspection. – Contre-enquête, contre-épreuve, contre-essai, contre-expertise, contre-visite. – **Inventaire,** pointage, recensement ; sondage ; appel **651.7.**

2 Contrôle judiciaire, vérification d'écritures [DR.], vérification des pouvoirs.

3 Contrôle fiscal ou vérification de comptabilité **317.21,** vérification des créances. – Apurement, audit [anglic.]. – Récolement. – Contrôle statistique.

4 Collationnement **138.1,** **correction,** relecture, révision [IMPRIM.], tierce [IMPRIM.].

5 Mirage [TECHN.] ; trébuchage.

6 **Vérification** ; corroboration, **confirmation.** – Principe de vérification.

7 Contrôlabilité [didact.], vérifiabilité [didact.].

8 **Critère,** critérium ; pierre de touche. – Argument, exemple, preuve **99.** – **Preuve par neuf 87.3.**

9 **Contrôleur** *(un contrôleur),* inspecteur. – Pointeur, réviseur, tierceur [IMPRIM.] ; **vérificateur,** vérifieur. – Qualiticien.

10 Programme de contrôle [INFORM.] ; groupe de contrôle [PSYCHAN.]. – Liste de contrôle ou check-list [angl.].

11 Docimologie. – Vérificationnisme [PHILOS.].

V. 12 **Contrôler** ; **vérifier** ; éprouver. – **Essayer,** expérimenter, tester ; faire un essai, mettre à l'épreuve, mettre au banc d'essai. – Confirmer, corroborer.

13 **Examiner 52.5,** inspecter. – Passer au crible, procéder à des recoupements. – Collationner, **confronter** ; corriger, relire, réviser, revoir ; repasser derrière.

14 **Vérifier.** – Authentifier, **certifier 99.5** ; sourcer ; estampiller.

15 Pointer, récoler [DR.] ; recenser, vidimer ; auditer. – Apurer [DR.] ; faire la caisse [COMPTAB.]. – Étalonner ; plomber [TECHN.].

16 **Se vérifier** ; s'avérer, s'avérer tel.

Adj. 17 **Contrôlable, vérifiable** ; testable. – Vérificatif [litt.] ; probatoire.

18 Docimologique. – Vérificationniste [PHILOS.].

156 CONVERSATION

N. 1 **Conversation,** converse [fam.] ; conciliabule, **discussion,** entretien ; causerie, palabre, parlote [fam.]. – Conversation téléphonique **809,** coup de fil [fam.].

2 BX-A. : conversation sacrée ; *conversation piece* (angl., « brin de conversation »).

3 Babillage, **bavardage 665,** jactance [arg.], papotage [fam.]. – Oaristys [litt.].

4 **Dispute 194,** passe d'armes. – Fam. : discutaillerie, disputaillerie ; dialogue de sourds, logomachie [litt.].

5 Conversation ; conversation particulière, entretien particulier ; **dialogue,** échange de vues, entretien, entrevue, interview ; tête-à-tête. – Négociation, pourparlers, tractation. – Audience, consultation ; rendez-vous. – Abouchement [litt.], rencontre **137.**

6 **Débat,** table ronde, *talk-show* (angl., littéralement « débat-spectacle » [télévisé]) ; concertation, **délibération** ; disputation [HIST.]. – Colloque, conférence, congrès, **réunion.**

7 **Dialogue,** forme dialoguée ; théâtre **817.** – Repartie, réplique **705,** saillie ; pointe, trait, trait d'esprit.

8 Sujet de conversation ; le tapis de la conversation. – Le feu de la conversation.

9 Dialogisme [LITTÉR.].

10 **Fréquentation** ; VX : commerce, conversation.

11 **Causeur,** dialogueur. – Fam. : discutailleur, pipelette **665.** – Intervenant *(un intervenant)* ; consultant *(un consultant).* – Interlocuteur.

12 **Assemblée,** compagnie **137,** conversation [vx].

V. 13 **Converser** ; causer, conversationner [fam.], deviser [litt.], **discuter,** parler **595** ; échanger des propos. – **Bavarder 665,** blaguer [fam.], palabrer ; bourdonner, chuchoter. – Téléphoner **809.** – Avoir de la conversation. – Être à la conversation ; placer son mot ; placer son grain de sel [fam.].

14 Fam. – **Discuter le coup,** faire la causette ; tailler une bavette, tailler le bout de gras ; tenir le crachoir à qqn, tenir la jambe à qqn.

15 **Adresser la parole à qqn,** apostropher. – Entrer en dame avec qqn [arg., vx], lier conversation avec qqn, prendre langue avec qqn ; s'aboucher [litt.]. – Nouer une conversation.

16 S'abandonner, se confier, se déboutonner [fam.], **s'épancher.**

17 Conférer avec, **dialoguer** ; se concerter, s'entretenir. – Colloquer [fam.], **débattre,** délibérer, disputer [litt.] ; mettre qqch sur le tapis ; se réunir, tenir conseil **148.**

18 **Interroger,** interviewer, questionner **680.** – Entrer en pourparlers, négocier, parlementer, **traiter avec.**

19 Se chicaner, **se disputer 194,** se quereller. – Fam. : discutailler, disputailler.

Adj. 20 Conversationnel [didact.], discussif [rare]. – **Dialogué** ; amébée ou amœbée [LITTÉR.].

157 CORRESPONDANCE

N. 1 **Correspondance** ; **courrier.** – Billet [vx], dépêche, **lettre,** mot, pli ; réponse **705** ; vieilli ou par plais. : épître, missive. – Fam. : babillarde, **bafouille.** – Billet doux, poulet [vx]. – Bouteille à la mer. – Cryptogramme.

2 Entier-postal, lettre chargée, lettre-missive, lettre recommandée ou recommandé *(un recommandé).* – Bleu ou petit bleu [fam., vieilli], **télégramme** ; pneumatique. – Télécopie ; Fax [nom déposé] ; télex. – Aérogramme.

3 Carte, carte-lettre, **carte postale** ; coupon-réponse ; faire-part. – Paquet.

4 COMM. : **lettre de change,** lettre-chèque, lettre de commerce, lettre de créance, lettre de crédit **166** ; lettre d'avis, lettre de rappel. – HIST. : lettre de cachet, lettre de grâce.

5 ADMIN. : circulaire, **note,** note de service.

6 Bureau de poste ; **boîte aux lettres,** boîte postale ; sac postal ; voiture postale, wagon postal. – **Enveloppe,** papier à lettre ; **timbre** ou timbre-poste ; port, surtaxe, taxe ; franchise postale.

7 Date, en-tête, formule de politesse, **signature,** suscription. – **Adresse,** destination ; cedex, cidex, code postal, secteur postal. – Cachet de la poste ; flamme d'oblitération.

8 Commerce épistolaire, **correspondance,** échange de lettres ; correspondance commerciale. – Spam.

9 Affranchissement, timbrage ; **envoi,** postage ; envoi en port dû, envoi en recommandé, envoi contre remboursement ; routage. – Mailing **675** ; vente par correspondance ou V. P. C. – Factage ; levée, oblitération, **distribution.**

10 **Poste** *(la poste),* P. T. T. [vieilli], service postal ; vx : grande poste, petite poste ; messagerie [vx]. – Poste aérienne, service de la poste aux armées ; poste restante. – Boulisterie, tri postal. – Valise diplomatique.

11 **Facteur** ou préposé, postier ; maître de poste [vx]. – Vaguemestre [MIL.]. – Correspondancier *(un correspondancier)* [COMM.]. – **Messager** ; coureur [vx], courrier, estafette [vx], porteur. – Agent de liaison. – Pigeon voyageur. – **Correspondant** *(un correspondant),* destinataire ; épistolier, expéditeur – Télexiste. – **Internaute.**

12 Philatélie **599** ; aérophilatélie.

V. 13 **Correspondre** ; donner de ses nouvelles, **écrire à qqn.** – Accuser réception, répondre. – Avoir un courrier de ministre. – Décacheter, dépouiller son courrier.

14 R. S. V. P. (répondez s'il vous plaît).

15 Adresser, **envoyer,** expédier, faire parvenir, poster ; router [IMPRIM.] ; faxer, télexer ; affranchir, timbrer. – Cacheter, indexer, oblitérer ; surtaxer, taxer. – **Distribuer,** transmettre.

Adj. 16 Épistolaire. – Aéropostal, **postal.**

Adv. 17 En exprès, en recommandé ; par retour de courrier.

158 CÔTÉ

N. 1 **Côté,** partie **597** ; dessous **203,** dessus **204,** endroit **211.1,** envers **193.1** ; face opposé à pile ; côté cour **246.1** opposé à côté jardin **334.1** ; côté de l'épître opposé à côté de l'Évangile [LITURGIE].

2 **Côté,** flanc ; côtes ; aile. – Point de côté. – Latérale *(une latérale)* [ANAT.].

3 **Aile,** aileron, ailette, face, **flanc,** pan ; bord [MAR.] ; coteau, pente, **versant 530** ; penchant [litt.] ; côte.

4 Accotement, bas-côté, talus ; bord *(bord de mer)* **77.**

5 Angle, **aspect,** face. – Biais, éclairage, optique, perspective, **point de vue.**

6 MAR. : bande, gîte *(la gîte).* – Flanquement [MIL.].

7 Didact. – Latéralité, manualité, ocularité. – Latéralisation. – Latéroflexion, latéroposition, latéroversion ; latéropulsion. – Bilatéralité. – Obliquité **30.1.**

8 Bord, **camp,** côté, parti **725.2** ; partie **451.**

9 MIL. : aile *(aile d'armée),* flanc-garde ; flanqueur [vx] **671.**

10 Côtoyeur [litt.].

V. 11 **Côtoyer 673.8** ; flanquer ; border, longer, tangenter ; accoster [vx].

12 Accoter **791.11.** – Accoler, juxtaposer **685.**

13 MAR. : gîter ; donner de la bande ou de la gîte.

14 Obliquer ; biaiser [vx].

15 Épargner **176, mettre de côté.**

16 **Passer à côté 547.** – Fam. : manquer son coup **249,** mettre ou taper à côté (opposé à taper dans le mille).

Adj. 17 **Latéral** ; unilatéral, bilatéral, trilatéral [GÉOM., vx]. – Collatéral ; citérieur [anc.].

18 Oblique ; biais, biaisé ; de travers *(vent de travers)* [MAR.] **212.**

19 Latéralisé [didact.].

Adv. 20 **Sur le côté,** sur la tranche ; latéralement, obliquement ; en diagonale, en écharpe, en oblique ; à la traverse [vx] ; de flanc ou, vx, en flanc [MIL.] ; MAR. : en travers, par le travers ; de biais, de côté, de profil ; de travers, en biais, en coin. – Bilatéralement, unilatéralement.

21 De côté et d'autre, **de part et d'autre** ; à califourchon, à cheval. – **De tous côtés,** de tout côté, de toute part, de toutes parts ; partout. – D'un côté... d'un autre côté..., **d'une part..., d'autre part...,** d'une part... de l'autre... – D'un autre côté, par ailleurs, parallèlement.

Prép. 22 Du côté de, dans la direction de, vers.

23 À côté de, au côté de, aux côtés de.

Aff. 24 Latér-, latéro- ; -latère.

159 COULEUR

N. 1 **Couleur** ; coloris, nuance, teinte, ton. – Émail [HÉRALD.].

2 Absolt : **couleur** (opposé à noir, à gris et à blanc). – Couleur [opposé à noir et blanc] *(photographie en couleurs)* [CIN., PHOT.] **621.**

3 Couleur de muraille ; couleur d'encre, couleur de nuit ; couleur de rose ; **couleur du temps,** etc.

4 HÉRALD. : azur, gueules, orangé, pourpre, sable, sinople. – Argent, or.

5 SC. : **couleurs principales** ou spectrales. – Couleurs primaires ou fondamentales. – Couleurs complémentaires d'une couleur primaire (ou : couleur secondaire, couleur binaire). – Couleurs simples (opposé à couleurs composées).

6 Couleurs primaires et leurs complémentaires. – Bleu (orangé), jaune (violet), rouge (vert).

7 **Colorant** ; pigment coloré. – **Peinture 607.** – **Teinture** ; coloration ; didact. : couleur *(une couleur),* shampooing colorant – Couleurs animales, minérales, végétales ; couleurs naturelles, artificielles ; couleurs à l'huile, à l'eau ; couleurs à la colle, couleurs à la gomme ; couleurs à la cire, couleurs au miel [CHIM.].

8 **PRINCIPAUX PIGMENTS UTILISÉS EN PEINTURE**

***blanc* 71**
blanc fixe
blanc d'argent
céruse
blanc de zinc
lithopone
blanc de titane
***jaune* 444**
jaune de chrome
jaune de cadmium
jaune indien
jaune de Naples
jaune de strontium
***brun* 84**
ocre
terre de Sienne
terre d'ombre
terre de Cassel
sépia
bitume
***rouge* 735**
minium
vermillon
***bleu* 73**
bleu minéral
bleu d'outre-mer
bleu de Prusse
bleu de cobalt
***vert* 857**
vert émeraude
verre anglais
terres vertes
***noir* 553**
noirs minéraux
noir de fumée

9 **PRINCIPAUX COLORANTS**

alizarine	indline
aniline	mauvéine
carthamine	bleu de méthylène
cobalt	naphtalène
cochenille	nerprun
coralline	purpurine
curcuma	quercitrine
éosine	rocou
érythrosine	rosaniline
fluorescéine	safran
fuchsine	sépia
garancine	stil-de-grain
hématoxyline	thionine
indigo	tournesol
indophénol	xylidine

10 **Teint 604.2** ; carnation, mine *(bonne mine).* – **Pigmentation** (de la peau) [BIOL.]. – Mélanine [BIOCHIM.].

11 **Palette.** – **Gamme** *(gamme de couleurs, de nuances)* ; nuancier. – Boîte de couleurs.

12 Coloris, palette [fig] ; **ton.** – Chromatisme **543.** – Chromaticité, tonalité [didact.]. – Couleur locale, couleur tonale ; ton local. – Couleur chaude, couleur froide. – Colorisme [BX-A.].

13 **Monochromie** (opposé à polychromie) ; camaïeu *(un camaïeu)* [PEINT.]. – PEINT. : camée *(un camée),* grisaille *(une grisaille)* **350.2.** – Dégradé *(un dégradé).*

14 **Arts de la couleur.** – Peinture, émail, fresque, mosaïque, tapisserie, vitrail.

15 **Coloration** ; colorage [TECHN.], coloriage. – Colorisation, colorisation électromagnétique [TECHN.].

16 Théorie trichromatique de Young-Helmoltz ; théorie des couleurs de Chevreul. – Disque de Newton, toupie de Maxwell [PHYS.].

17 Chromatique *(la chromatique)* [OPT.], coloristique *(la coloristique)* [SC.]. – Colorimétrie.

18 Colorimètre. – Prisme [OPT.] **473.19.**

19 Chromatopsie (opposé à achromatopsie) [PHYSIOL.]. – Daltonisme ; dichromatisme [MÉD.] **840.2.**

V. 20 **Colorer 643.8** ; colorier, enluminer **735.10** ; peindre **607,** peinturer ; barbouiller, peinturlurer [fam.] ; **teindre.** – Nuancer, teinter ; pigmenter [SC.] ; chromatiser [didact.]. – Assortir ; **nuer** [litt., rare]. – Prendre couleur ; faire prendre couleur.

21 Se colorer, se nuancer.

22 **Prendre des couleurs 84.8.** – Piquer un fard [fam.], rougir **819.8.** – Perdre ses couleurs. – Changer de couleur, passer par toutes les couleurs [fam.].

23 Prov. et loc. prov. – Parler ou juger de qqch comme un aveugle des couleurs **64.** – Des goûts et des couleurs on ne dispute ou discute pas.

Adj. 24 **Coloré** ; nuancé, pigmenté, teinté. – Colorié. – Teint. – Haut en couleur.

25 **Colorant** ; pigmentaire, teintant, tinctorial.

26 Monocolore ou monochrome (opposé à polychrome) **643.** – **Chromatique,** coloristique. – Colorimétrique [didact.].

27 Qualifiant les couleurs. – [Couleur] foncée, obscure, sombre. – [Couleur] cassée, rompue. – [Couleur] ardente, chaude, éclatante. – [Couleur] claire, fraîche, gaie, vive. – [Couleur] chargée, choquante, criarde, crue, gueularde. – [Couleur] poussée, tranchée, voyante ; franche, nette. – [Couleur] fausse, imprécise, indéfinissable, pisseuse, sale, triste, terne. – [Couleur] délavée, élavée, éteinte, neutre, rabattue. – [Couleur] fanée, passée. – [Couleur] tendre, pâle, pastel. – [Couleur] changeante, chatoyante. – [Couleur] unie, dégradée. – [Couleur] mate (opposé à couleur brillante).

28 **NUANCES DE COULEUR**

Orangé	rouille
abricot	roux
capucine	rubigineux
carotte	tabac
feu	terreux
orange	tête-de-Maure
orangé	tête-de-nègre
tango	***Blanc*** **71**
Brun	albâtre
acajou	albugineux
basané	argent
beige	argenté
bis	blafard
bistre	blanchâtre
blet	blême
bronzé	éburnéen
brou de noix	ivoire
caca d'oie	lacté
cachou	laiteux
café au lait	livide
caramel	nacré
carmélite	neigeux
chocolat	nivéen
fauve	opalin
feuille-morte	platiné
isabelle	ventre-de-biche
kaki	***Rouge*** **735**
lavallière (cuir)	amarante
marron	andrinople
mordoré	balais
noisette	bordeaux
pain brûlé	brique
puce	coq de roche
queue-de-vache	carmin

cerise
cinabre
coquelicot
corail
corallin
cramoisi
cuivré
écarlate
écrevisse
fraise
garance
géranium
grenat
groseille
incarnadin
incarnat
nacarat
pelure d'oignon
ponceau
pourpre
rubis
sang
sang-de-bœuf
sanglant
tomate
vermeil
vermillon
vineux
Violet **866**
aubergine
lie-de-vin
lilas
mauve
parme
prune
violet
violine
zinzolin
Jaune **444**
ambré
avoine
banane
beurre frais
blond
canari
chamois
champagne
cireux
citron
doré
maïs
miel
moutarde
or
paille
poussin
safran
serin
thé
Gris **350**
anthracite
ardoise
argilacé
cendré
cendreux
grivelé
mastic
plombé
souris
tourterelle

Adv. 29 Chromatiquement.

Aff. 30 Chromat-, chromato-, chrom-, chromo-.

31 -chrome, -chromie.

32 -colore.

160 COUP

N. 1 **Coup** ; coups et blessures ; choc **115,** heurt, renfoncement [vx].

2 Fessée ; correction **144,** trempe [fam.].

3 Claque, **gifle** ; fam. : baffe, beigne, beignet, calotte, giroflée à cinq feuilles, tarte ; fam., vx : bigne, cataplasme de Venise ; soufflet [vx ou litt.]. – **Emplâtre** [vieilli] ; fam. : mornifle, torgnole.

4 **Chiquenaude,** frôlement, pichenette, tape. – Fam. : atout, châtaigne, coquard, **gnon,** jeton, mandale, marron, pain, pêche, ramponneau, tampon, taquet ; anguillade [vx], horion [litt.]. – Vx : estocade, souvenance.

5 **Volée de coups** ; volée de bois vert [fam.]. – Fam. : bastonnade, brossée, brûlée, dégelée, dérouillée, frottée, giboulée, pâtée, peignée, pile, raclée, ratatouille, rincée, rossée, roulée, rouste, tabassée, tannée, tatouille, tournée, trempage, tripotée, volée. – Vx : avoine, contredanse, danse, décharge, escourgée, étrillage, sanglade ; jus de bâton. – Passage à tabac.

6 **Coup de boule** [fam.], coup de poing ou, vieilli, balle de coton, coup de genou, coup de pied ou de botte. – Coup de bâton, coup de trique. – Coup de manchette ou manchette. – SPORTS : droite **792,** gauche.

7 **Bagarre,** combat, combat de rue, rixe ; castagne [fam.]. – Fam. : baston, bastonnade, cognage [rare], cogne. – Cognement [rare], tamponnement [vx].

8 Flagellation, **lapidation** ; fustigation.

9 Fouet ; chat à neuf queues [fam.], knout ; martinet. – Cravache, étrivières [vx], schlague [fam.], trique. – Verges.

10 Pop. : cogneur *(un cogneur).* – BOXE : puncher (*un puncher* ; opposé à *styliste*).

V. 11 **Cogner,** frapper, taper ; donner des coups. – Appliquer (fam. : coller, ficher, flanquer, foutre) un coup. – Administrer, allonger, assener un coup.

12 **Battre,** échiner, éreinter [vx] ; fam. : arranger, étriper, moucher, rosser ; passer à tabac, **tabasser.** – Assommer, estourbir [fam.] ; marteler, meurtrir. – S'acharner sur ; fam. : casser, défoncer, fracasser, massacrer.

13 Calotter, claquer, **gifler** ; vx : couvrir la joue, donner de la main, donner l'aller et venir (mod., l'aller et retour).

14 Corriger, fesser ; faire zizi-panpan [enfant.]. – Taper sur les doigts. – Donner une leçon.

15 Bourrer (ou : cribler, rouer) qqn de coups ; bourrer le pourpoint [vx]. – Fam. : casser la gueule à qqn, faire une grosse tête, **faire une tête au carré** ; rompre les os de qqn ; vx : donner un boucan, tanner la basane ; faire voir les étoiles de jour. – Faire un mauvais parti à [sout.]. – Faire ou régler son compte à qqn, apprendre à vivre à qqn [fam.] ; vx : faire chanter une gamme à qqn.

16 **Agresser 865** ; fondre sur qqn, se ruer sur qqn ; fam. : rentrer dedans, rentrer dans le mou (ou : dans le lard, dans le chou). – Tomber sur, tomber à bras raccourcis sur, tomber sur la bosse de qqn, tomber sur le casaquin ou sur le paletot de qqn. – Vieillli : faire avaler à qqn des poires d'angoisse, tremper une soupe à qqn.

17 Très fam. – **Mettre dans les dents** ou dans les gencives. – En faire manger à qqn, en faire bouffer ; faire dinguer ou valdinguer, faire valser ; envoyer à dame [vx].

18 Fam. : faire un cocard, faire un œil au beurre noir, pocher un œil. – Faire une fourchette. – Poignarder **534.33** ; larder de coups de couteau, saigner qqn [fam.] ; pourfendre [litt.].

19 **Se faire taper dessus** ; fam. : se faire écharper, se faire rosser, se faire tabasser ; vx : se faire écharpiller, se faire piger. – Fam. : se faire casser la gueule, se faire démolir le portrait. – Attraper une dérouillée, manger des beignets après la Pentecôte [vx]. – Voir des anges violets [vx].

20 Fam. – **Prendre** *(prendre des coups),* ramasser. – Écoper, empocher, encaisser. – Déguster, morfler.

21 **Se battre** ; fam. : se bastonner, se chiquer, se fritter ; se gourmer [vx]. – Rendre coup pour coup.

22 Flageller, lapider. – Bastonner, bâtonner, cingler, cravacher, fouailler [litt.], **fouetter,** fustiger, knouter ; sangler [vx]. – Donner les verges.

23 **Blesser 72,** choquer, commotionner, traumatiser.

24 **Heurter,** percuter, télescoper ; fam. : bugner, tamponner ; entrer en collision avec ; fam. : s'emplâtrer, s'emplafonner.

Adj. 25 Agressif, violent **865.**

Adv. 26 **Agressivement,** violemment.

27 À coups redoublés. – À fer émoulu [vx].

161 COURAGE

N. 1 **Courage** ; cœur [vx], valeur. – **Bravoure, vaillance,** héroïsme. – **Cran** [fam.], fermeté, force d'âme, résolution **716, sang-froid,** stoïcisme.

2 **Audace, hardiesse,** impétuosité, intrépidité, témérité ; crânerie [vieilli]. – Fam. : aplomb, culot, estomac, toupet.

3 **Courage** ; **ardeur,** ardeur au travail, énergie, enthousiasme, fougue, zèle. – Constance, **patience 601,** persévérance **612.**

4 **Exploit, prouesse** ; action d'éclat, acte ou action héroïque, haut fait.

5 **Brave** *(un brave),* **héros 341,** preux **661.** – Fam. : casse-cou, risque-tout.

V. 6 **Enhardir** ; donner, redonner du courage **268.**

7 **Oser** ; ne pas craindre de, aller de l'avant, prendre des risques, s'exposer ; braver, défier le danger, la mort.

8 Avoir, **montrer du courage,** avoir du cœur au ventre. – N'avoir pas peur, n'avoir pas froid aux yeux [fam.], ne pas trembler. – Reprendre courage, s'armer de courage, prendre son courage à deux mains ; n'écouter que son courage ; s'enhardir.

Adj. 9 **Courageux ; brave,** crâne [vieilli], hardi, héroïque, preux, vaillant, valeureux. – **Audacieux,** fougueux, hardi, intrépide, téméraire ; fam. : casse-cou, kamikaze. – **Ferme,** fort, impavide, résolu **716,** stoïque.

10 **Courageux** ; énergique, entreprenant, **travailleur 266,** zélé.

11 **Courageux** ; chevaleresque, **généreux,** noble, viril.

Adv. 12 **Courageusement** ; bravement, hardiment, héroïquement, **vaillamment** ; intrépidement, témérairement ; crânement [vieilli]. – Résolument ; avec ardeur, avec courage.

Int. 13 Courage !

162 COURBURE

N. 1 **Courbure** ; arcure, cambrure, voussure **39.** – **Concavité 167,** convexité ; [didact.] : conicité, convexité, parabolicité. – Sinuosité, tortuosité [rare].

2 **Courbe** *(une courbe)* ; arrondi *(un arrondi),* galbe, lobe. – Arc, **croissant.** – Ellipse, ovale, ove.

3 **Arabesque,** boucle ; ondulation, tortil [HÉRALD.]. – Détour, lacet, méandre, **tournant 733,** virage. – Coude, pliure. – **Colimaçon,** enroulement, **hélice,** pas, pas de vis, révolution. – Rouleau, serpentin, **spirale,** tors, torsade, volute, vrille ; ressort. – Spire [GÉOM.], **vis.**

4 Bombage [rare], bombement, bouge [TECHN.], renflement **78,** rondeur ; panse *(panse d'un a, panse d'une cruche, panse d'une commode),* sein *(sein d'une voile)* [MAR., vx], ventre.

5 ARCHIT. : **arcade,** arcature, ogive. – Extrados, intrados ; formeret [TECHN.]. – Arc-boutant **432,** arc-doubleau, arceau, berceau, cintre. – **Voûte** ; arche, calotte, chapelle [TECHN.], **coupole,** cul-de-four, dôme ; voussoir ou vousseau.

6 **Courbe mathématique, courbe de fonction** ou fonction d'une courbe algébrique **598** ; diagramme, graphique. – **Courbe de niveau 359.**

– **Arc de cercle,** arc en segment de cercle, demi-cercle, quart de cercle.

7 **Cintrage,** courbage [TECHN.], courbement [rare], **fléchissement,** flexion, galbage [TECHN.], gondolage ou gondolement, incurvation ; arrondissage. – **Torsadage,** tortillement, spiralisation [BIOL.] ; torsion. – Déroulement, enroulement.

V. 8 **Courber** ; arquer, couder, plier. – **Cambrer,** cintrer, incurver, **recourber,** voûter. – **Godailler,** goder, gondoler ; bouillonner, froncer, godronner, plisser. – **Serpenter,** spiraler, **torsader,** torser [TECHN.], tortiller, tortillonner. – **Arrondir,** boucler [TECHN.], friser.

9 **Bomber,** faire bosse, faire ventre, galber.

10 S'arquer, se cambrer, se casser, **se courber,** s'infléchir, se voûter. – S'enrouler, se lover.

Adj. 11 **Courbe** ; arciforme, unciforme [didact.], arqué, bombé, cambré, cintré, coudé, courbé, crochu, hémisphérique, incurvé, recourbé, tordu, tortu [région. ou vx], voûté ; enroulé, infléchi, retors, voluté [didact.]. – Courbable [rare], curvatif [rare].

12 Bouclé, convoluté [BOT.], flexueux [didact.], gondolé, méandrique, plissé, ridé, serpentin, **sinueux,** spiralé, tortillé, tortueux ; rare : méandreux, tors, torsif. – Ondulant [litt.], ondulé, onduleux, ondulatoire [PHYS.].

13 **Arrondi,** ballonné, bossu, bulbeux, galbé, mamelonné, **rond 351.** – Sphéroïdal, sphéroïde.

14 Didact. : biconcave, biconvexe, circulaire, concave, conique, conoïde, convexe, curviligne, hélicoïdal, hélicoïde, parabolique, paraboloïdal, spiroïdal, spiral, strobiloforme, tronconique.

15 En colimaçon, en hélice, en spirale, en torsade ; à vis. – **En arc de cercle,** en arceau, en plein cintre.

Adv. 16 Paraboliquement. – Sinueusement.

Aff. 17 Curvi- ; hélic-, hélico-, hélici- ; onc-, onco-, onch-, oncho- ; spiro- ; strepto- ; strongyl-, strongylo-.

163 COURTOISIE

N. 1 **Courtoisie** ; galanterie. – **Politesse** ; attention **52,** délicatesse **184,** obligeance, prévenance ; déférence. – Civilité, correction, honnêteté [vx], urbanité ; bonne éducation, éducation, **savoir-vivre** ; distinction **233,** élégance. – Accortise [vx], affabilité, amabilité **160,** aménité ; bonne grâce, gracieuseté [litt.] ; complaisance, obligeance. – Considération, sollicitude ; tact.

2 Bonnes façons, belles ou **bonnes manières,** bons procédés ; gracieusetés. – Bienséance ; convenances, usages. – Cérémonial, étiquette, protocole. – La vieille galanterie française.

3 Civilités, soins **774** ; **égards,** respects. – Hommages. – Amour courtois **27.**

4 Compliment **761,** congratulation, félicitation. – Condoléances. – Remerciement. – Protestations d'amitié, de fidélité ; avances. – Flatterie, galanterie.

5 Visite de courtoisie ou de politesse ; visite de digestion [fam., vx].

6 Galant homme, gentilhomme, gentleman, **homme du monde.** – Complimenteur, galant.

V. 7 **Complimenter,** dire bien des choses ou mille choses aimables, faire mille amabilités ; faire assaut d'amabilités. – Présenter ses hommages, présenter ses respects ; présenter ses civilités empressées (ou : sa considération distinguée, ses sentiments respectueux et dévoués). – Offrir ses vœux.

8 Rendre ses devoirs ; **dire merci, remercier** ; se confondre en excuses, demander pardon ; dire bonjour, **saluer 741,** souhaiter la bienvenue. – Avoir l'amabilité de.

9 Lever son chapeau, s'incliner ; se découvrir, rester tête nue. – Baiser la main, serrer la main ; présenter la main. – Offrir le bras ; aller au-devant de, s'effacer ; reconduire.

Adj. 10 **Courtois** ; civil, poli. – Accorte [vx au masc., accort], affable, amène, avenant, exquis, gracieux ; engageant. – Empressé, dévoué.

11 Bien appris [vx], bien élevé, éduqué **253** ; comme il faut. – Distingué **233** ; stylé, vieille France. – Cérémonieux, façonnier, maniéré **12.**

12 Bienséant **177,** convenable, séant ; de bon ton.

Adv. 13 **Courtoisement** ; civilement, honnêtement [vx], **poliment.** – Galamment, gracieusement **184** ; complaisamment, obligeamment.

164 COUTUME

N. 1 **Coutume,** tradition ; folklore. – **Mœurs,** pratique, usage, us [litt. ou vx], us et coutumes ; règle **696.3.**

2 Coutume [DR. ANC.], droit coutumier ; la coutume et l'usage.

3 Accoutumance [absolt], coutume [litt. ou vx], **habitude 357.**

4 Rite **98.**

5 **Mode 520.**

6 Observance **564.**

7 Traditionalisme ; conformisme **147.7.**

8 Adage, règle de conduite.

9 Coutumier, Grand Coutumier **245.**

10 Scène de mœurs ou peinture de genre **374.** – Comédie de mœurs **817.** – Éthopée [RHÉT., vx].

11 Anthropologie culturelle, éthologie [didact., vx], folklore [didact., vx].

12 **Traditionaliste** *(un traditionaliste).* – Conformiste *(un conformiste).*

V. 13 Accoutumer, **habituer.**

14 **Se conformer à l'usage.** – Suivre les chemins battus [vieilli].

15 **Respecter la tradition** ; enfreindre la tradition.

16 Coutume fait loi [adage juridique] ; Une fois n'est pas coutume [prov.]. – Autant de pays, autant de guises [prov.].

Adj. 17 Coutumier *(pays coutumier)* [DR. ANC.].

18 **Consacré,** usuel. – D'usage.

19 Classique, **traditionnel** ; rituel. – En usage *(passé en usage)* ; **à la mode.**

20 Admis, reçu, sanctionné.

21 Usité **846.**

22 Éthologique [didact.]. – Folklorique [didact.] ou folkloriste [péj., rare].

Adv. 23 **Coutumièrement** [didact.].

24 D'habitude, **de coutume** ; habituellement, ordinairement, selon l'ordinaire [vieilli], usuellement. – **Traditionnellement** ; classiquement.

165 COUTURE

N. 1 **Couture.** – Broderie, dentelle, tapisserie, tricot. – Confection ; haute couture ; prêt-à-porter. – Bonneterie, chausseterie, ganterie, lingerie. – Mode, peausserie, pelleterie.

2 Coupe, façon.

3 **Dentelle,** guipure ; blonde, bisette, chantilly, gueuse, lacis, malines, mignonnette, torchon belge, valenciennes. – **Tapisserie.** – **Broderie** ; nid-d'abeilles, oripeau, orfroi ; entre-deux ; bourdon, plumetis. – **Passementerie** ; cordelière, cordon, cordonnet, dragonne, frange, galon, soutache ; vêtements : aiguillette [anc.], brandebourg, épaulette, ganse, passepoil, volant ; décoration : chenille, chou, croquet ou serpentine, embrasse, feston, gland, guipure, jupon, lézarde, macaron, pampille, pompon, ruban, torsade, tresse, volant.

4 Garniture ; bouillonné, falbala, froufrou [souvent pl.], godet, **pli,** rempli, volant. – Fronce, froncement, pince, smock, **drapé,** volant ; bouffant. – Jour. – Bec, faux pli.

5 Ourlet, faux ourlet ; bande-ourlet. – Coulisse, gouttière. – Bretelle. – Boutonnière.

6 Couture, couture bord à bord ou surjet, couture bout à bout ou raboutissage ; rentraiture.

7 Points de broderie : point de chaînette, point de chausson, point d'épine, point d'ombre, point rentré, point turc ; point d'Alençon ou point à l'aiguille, point d'Angleterre, point d'Espagne, point de Gênes, point de Hongrie, point de Paris, point de Venise.

8 Points de dentelle : point coupé, point de France, point Renaissance, point russe ; point de grille, point de toile ; point filet, point réseau ou torchon ; point d'esprit, point mariage ; point de Binche, point de Dieppe, point du Puy, point de Tulle, point de Malines, point de Bruxelles, point de Bruges, point de Valenciennes.

9 Points de tapisserie : point de croix ou point de tapisserie, petit point, demi-point, point des Gobelins, point d'arête, point de natte, point de fougère ; point noué.

10 Points de tricot : point de côtes, point de jersey, point de riz, point de toile, point mousse.

11 Points de couture : point de bâti, point de boutonnière, point de feston, point d'ourlet ; point de piqûre, point de reprise, point de surjet, point de surfil ; point arrière, point de côté, point devant.

12 Boucle, coque, **maille.** – Picot.

13 **Couture,** tricotage. – Bâtissage, façonnage ou façonnement ; faufilage. – Galonnage. – Raccommodage ou, vx, raccoutrage.

14 Épingle ; épingle de sûreté (ou : épingle anglaise, épingle double, épingle de nourrice). – **Aiguille** ; aiguille à tricoter, broche, crochet ; passe-lacet. – Guipoir ; épingle de tissage. – Aiguillier, porte-aiguilles.

15 Dé à coudre ou dé. – Paumelle ; gantelet ou manicle.

16 Métier à broder, tambour à broder.

17 **Fil,** fil fin, gros fil ; faufil, fil à bâtir. – Fil à broder ; cannetille, cordonnet ; cartisane. – Ligneul.

18 Aiguillée. – Bobine de fil.

19 **Patron 521** ; bâti, bâti glissé, bâti de maintien, bâti oblique, bâti simple. – Roulette à patron.

20 Atelier de couture, dentellerie [vx], ganterie.

21 Mercerie.

22 **Couturier** ; coupeur, essayeur, finisseur, **tailleur.** – Couturière, modiste, raccommodeuse ou, vx, raccoutreuse. – Anc. : arpète, petite main, première main, trottin ; fam. : cousette. – Couturеuse [TECHN.].

23 Dentellier, lissier (haute-lissier, basse-lissier), passementier, tapissier, tricoteur ; vx : aiguillier, crépinier. – Bonnetier.

24 Mercier.

V. 25 **Coudre,** tirer ou manier l'aiguille ; paumoyer. – Tapisser. – Broder, festonner ; guiper, passementer, striquer ; franger.

26 Faire du tricot, **tricoter** ; crocher. – Remmailler.

27 Bâtir, monter ; enformer, former ; confectionner. – Empointer, faufiler, ourler, surfiler, surjeter. – Border, galonner. – Reprendre une couture, ressortir une couture.

28 **Raccommoder,** rapiécer, ravauder, **recoudre,** repriser ; faire un point à.

29 Froisser, chiffonner, friper.

30 Goder ou godailler, plisser.

Adj. 31 Au point, au gros point *(tapisserie au gros point),* au petit point *(tapisserie au petit point)* ; à grands points *(piqûre à grands points).*

32 Dentellier *(industrie dentellière),* passementier *(industrie passementière).*

33 Brodé, **cousu,** tricoté ; cousu main. – Passementé.

166 CRÉDIT

N. 1 **Crédit** ; microcrédit ; avance, escompte, **prêt.** – Préfinancement, prépaiement. – Arg. : crayon, crédo, croume.

2 **Crédit public** ; crédit ordinaire (opposé à crédit extraordinaire) ; crédit additionnel ou supplémentaire ; crédit complémentaire. – Crédit annuel, crédit pluriannuel.

3 Crédit à l'économie ; concours à l'économie. – **Crédit à la consommation.** – Crédit de campagne, crédit de courrier, crédit documentaire, crédit d'embouche. – Crédit de trésorerie. – Crédit fournisseur ou interentreprises ; crédit acheteur. – Obligation cautionnée. – Crédit-bail ou, amér., leasing.

4 Crédit consortial, prêt syndiqué. – Prêt participatif. – Crédit croisé ou, anglic., swap. – Crédit roll-over [anglic.].

5 Crédit à court terme ; crédit par acceptation, crédit d'accompagnement, crédit relais. – Crédit à moyen terme. – Crédit à long terme ; crédit à terme différé. – Crédit renouvelable ou, anglic., revolving.

6 Avance en compte, avance sur encaissement ; avance sur titre.

7 **Emprunt.** – Valeur fournie ; somme prêtée.

8 **Découvert** *(un découvert),* facilités de crédit.

9 Clause ou pacte de voie parée. – Clause de retour sans frais. – Crédit en blanc ; prêt sans recours.

10 Multiplicateur de crédit.

11 Avoir *(un avoir),* crédit **339.**

12 Accréditation ; accréditement ; **ouverture de crédit.** – Ligne de crédit ou de découvert, plafond *(plafond de crédit).* – Plafond de réescompte.

13 **Débit** ; date de valeur.

14 Caution, consignation, gage, **garantie 752.** – Couverture ou déposit [anglic.].

15 Aval, **cautionnement.** – Certification ; ducroire.

16 **Solvabilité.** – Risque ; risque client, risque pays.

17 **Intérêt** ; agio, conditions d'escompte, commission, produit financier ; usure [vx]. – Intérêt simple (opposé à intérêt composé), intérêt différé. – Pourcentage, loyer ou prix de l'argent, pour-cent, **taux d'intérêt** ; taux d'intérêt légal, taux d'intérêt réel. – Taux monétaire ; taux d'escompte, taux d'intervention. – Taux bancaire moyen ou, abrév., T. B. M. ; taux de base bancaire ou, abrév., T. B. B. – Taux lombard. – Anc. : enfer, superenfer. – Marge ; spread [anglic.]. – Usure [DR.] ; taux usuraire, **taux de l'usure.**

18 **Prime,** remise. – Escompte ; escompte en dedans (opposé à escompte en dehors).

19 **Remboursement** ; annuité, mensualité.

20 **Lettre de crédit** ou de créance [vx], lettre accréditive ; lettre de crédit circulaire. – Effet

ou effet de commerce ; billet à ordre, lettre de change ou traite, warrant ; retraite. – Papier de crédit ou papier financier ; papier de consignation, papier de famille, papier fournisseur. – Bon de caisse.

21 Effet de cavalerie ou de complaisance.

22 **Établissement de crédit.** – Crédit municipal, mont-de-piété. – Arg. : le clou ; ma tante.

23 Créancier, **créditeur** ; consignateur, escompteur, prêteur. – Usurier.

24 **Débiteur** ; consignataire, dépositaire, emprunteur, reliquataire [DR.].

25 Accréditeur, avaliseur ou avaliste [DR.]. – Accrédité *(un accrédité).*

26 Besoin ou recommandataire [DR.]. – Intervenant, payeur par intervention.

V. 27 Avaliser ; accréditer. – **Faire crédit** ; avancer, prêter. – Escompter. – Réescompter.

28 Ouvrir un crédit. – Ouvrir l'œil à qqn (opposé à fermer l'œil à qqn) [arg.].

29 Couvrir *(couvrir un emprunt).* – Cautionner **145.** – Hypothéquer.

Adj. 30 Hypothécaire.

Adv. 31 **À crédit,** à tempérament, à terme ; à carnet [région.]. – Arg. : à croume, à l'œil [vx].

32 Avec usure.

33 À découvert.

167 CREUX

N. 1 **Creux** ; creusure [rare], échancrure, effondrement, **encaissement, enfoncement,** enfonçure [vx], renfoncement, rentrée, retrait ; alvéole, anfractuosité, **cavité,** excavation, trou. – Concavité.

2 Creux, **dépression 530** ; affaissement, basfond, bassin, cuvette, cran [GÉOGR.], doline. – Cratère, entonnoir, poquet [HORTIC.] ; point d'impact, trou d'obus. – Baissière [AGRIC.] ; cuvette, flache.

3 Abîme, abysse, chasme [litt.], gouffre ; région. : aven, igue, tindoul. – Combe [région.], précipice, ravin ; cañon, gorge. – Cluse, crevasse, **excavation,** faille. – AVIAT. : Cheminée, trou d'air.

4 **Entaille** ; cannelure, coche, encoche, entaillure [vx], fente, hoche [région. ou vx], marque, raie, rainure, rayure, sillon, strie ; lézarde. – Balafre **72,** estafilade, taillade ; engelure, gerce.

5 Caniveau, fossé, ornière ; rigole.

6 Embut [vx], puisard, **puits** ; **fosse.** – GÉOL. : bétoire, chantoir.

7 **Caverne,** grotte, spélonque [vx]. – Bauge, chatière, gîte, guêpier, rabouillère [région.], tanière, **terrier,** trou *(trou de souris).*

8 TECHN. – Cannelure, forure, gorge, goujure. – Trou borgne ou trou foncé, trou débouchant. – Boulin, œillard, ope, potelle. – Bonde, dalot [MAR.] ; égout, trou de vidange.

9 Creux de l'oreille ; creux de la main ; main en conque.

10 Creusage, creusement, crevaison, entaillage, évidement, excavation, **incision,** oblitération, percement, perforation ; TECHN. : refouillement, sous-cavage, sous-cave.

V. 11 **Creuser** ; affouiller, bêcher, biner, caver [vx], excaver [litt.], défoncer, foncer, forer, fossoyer [rare], fouger [VÉN.], fouiller, fouir, labourer, piocher, sillonner ; sous-caver [TECHN.] ; miner, saper. – Emboutir, **enfoncer.**

12 Champlever, chever, cocher, encocher, ébrécher, échancrer, **évider,** fraiser, tarauder ; **percer,** perforer, poinçonner, transpercer, vriller. – Entamer, mettre en perce, ouvrir **247,** ouvrir une brèche.

13 Attaquer, corroder, manger [fig.], mordre, ronger ; écharper, égratigner, **entailler, inciser,** taillader. – Craqueler, crevasser, fendiller, fendre, fissurer, gercer, lézarder.

14 Fig. : creuser son sillon, **faire son trou** ou sa trouée. – **Creuser sa fosse 534.** – Avoir un petit creux.

Adj. 15 **Creux** ; cave, encaissé, enfoncé, profond, rentrant. – Anfractueux, caverneux, creusé, crevassé. – Cavernicole [didact.].

16 Entaillé, **évidé,** fenestré, fissuré, lézardé, plissé, sillonné. – Fouillé, miné, sapé. – Térébrant *(insecte térébrant, outil térébrant)* [rare et sout.]

Adv. 17 En creux. – Profondément, en profondeur.

Aff. 18 Pyél-, pyélo- ; spéléo-.

168 CRI

N. 1 **Cri** ; **exclamation,** interjection **431,** onomatopée, son **781,** voix ; langage inarticulé. – Activité préverbale.

2 Babillage, balbutiement, gazouillis, piaillement ; **babil** ; lallation.

3 Cri ; **gémissement 243,** glapissement, grognement, plainte **192** ; geignement [rare], jérémiade, lamentation, pleurnicherie. – Pleur,

râle, sanglot, vagissement **270.** – Rire ; éclat de rire, gloussement, ricanement **532.**

4 **Cri,** éclat de voix ; fam. : braillement, gueulement ; **hurlement,** vocifération ; fam. : coup de gueule **130,** gueulante ; mugissement, rugissement ; criaillerie, piaillerie. – **Cri** ; plainte, **protestation, récrimination,** vitupération [litt.].

5 **Clameur,** gueulante [fam.] ; clabauderie, **huée 439,** tollé ; à bas !, haro ! [vx], hou ! – **Acclamation 6,** ovation. – Bruit **83,** charivari, hourvari [litt.], tapage.

6 Attrapade [fam.], **engueulade** [très fam.] **146,** gronderie, réprimande **710** ; altercation, discussion, **dispute,** prise de bec, querelle, scène, scène de ménage ; apostrophe, **invective.**

7 **Cri** ; **appel 431,** alerte, **avertissement,** signal, signe **765** ; sauve qui peut **175,**S. O. S. – **Cri** *(cri de ralliement)* ; chant, devise, **slogan** ; hallali, hourvari, huée, taïaut.

8 **Cri** ; **annonce,** criage, criée, crierie [rare], proclamation.

9 Gueuloir. – Beuglant [pop.].

10 **Crieur** ; aboyeur, annonceur.

11 Criailleur [vieilli] ; vitupérateur [litt.]. – Braillard [fam.], gueulard. – Voix de stentor ; voix de crécelle.

12 Râleur, rouspéteur [fam.], querelleur.

V. 13 Babiller, balbutier, **gazouiller.**

14 **Crier** ; **s'exclamer,** s'écrier ; lâcher (ou : lancer, pousser) un cri, pousser des cris. – Beugler, mugir, piailler, **rugir** ; fam. : braire, brâmer, piauler ; crier comme un putois ou comme un veau, pousser des cris d'orfraie ou des cris de paon. – Geindre, **gémir 243,** pleurer, râler, vagir.

15 **Crier** ; beugler, **brailler,** gueuler [pop.], **hurler 83,** tonitruer, **vociférer** ; s'égosiller, s'époumoner. – Avoir le verbe haut ; élever la voix, parler fort. – Corner aux oreilles, crier à tue-tête, crier comme un sourd, percer les oreilles de.

16 **Crier** ; dire, exprimer, manifester ; **annoncer,** claironner, **clamer,** proclamer, trompeter **136** ; chanter sur tous les tons, crier sur les toits, dire haut et fort. – Crier + n. *(crier vengeance, crier grâce ; crier gare)* ; **exiger 133,** réclamer ; demander à cor et à cri ; **avertir** ; crier à + n. d'un danger, d'une menace *(crier à l'assassin, crier au loup).*

17 **Crier** ; éclater, **se fâcher** ; élever la voix, hausser le ton, pousser une gueulante ou un coup de gueule [fam.] ; fulminer, pester, tempêter, tonner, **vociférer.** – **Protester,** râler [fam.], se récrier, **récriminer,** rouspéter [fam.] ; criailler, piailler, se plaindre ; pousser les hauts cris.

18 **Crier** *(crier contre* ou, pop., *après qqn)* ; aboyer, clabauder ; disputer [fam.], engueuler [pop.], **invectiver,** vitupérer [litt.]. – Conspuer, **huer** ; crier haro sur. – **Acclamer 341,** ovationner **798.**

19 Crier ; contraster **572.7,** gueuler [pop.] **224.5,** hurler, jurer.

Adj. 20 **Criard** ; **braillard** ou brailleur, criailleur, glapissant, gueulard [pop.], piailleur, pleurnicheur ; **bruyant 83.** – Aigu, perçant, strident ; **discordant 224.10** ; choquant, hurlant.

21 **Criant** ; évident, manifeste ; tapageur.

22 Râleur [fam.] ; querelleur.

Adv. 23 À cor et à cri.

Int. 24 Bis ! Bravo **748 !** Hourra ! Vivat ! ; Ah ! Oh ! ; Hip hip hip hourra ! Vive... !

169 CRIME

N. 1 **Crime** *(le crime)* ; criminalité, **délinquance.** – Contravention, délit, infraction ; forfait.

2 Crime *(un crime)* (opposé à contravention et à délit). – Crime de droit commun ; crime politique.

3 Crime. – **Homicide** ; homicide involontaire, homicide volontaire ; tentative d'homicide. – Meurtre avec préméditation ; assassinat. – Crime crapuleux, crime passionnel, crime sexuel ; crime gratuit ; crime parfait.

4 **Crime contre nature** ; fratricide, infanticide, matricide, parricide. – Magnicide [rare], régicide.

5 **Crime contre l'État** ou crime d'État [vx] ; atteinte à la sûreté de l'État, crime contre la sûreté de l'État ; attentat contre l'autorité de l'État. – **Crime politique** ; crime de lèse-majesté. – **Complot** ; espionnage, **trahison 838,** haute trahison.

6 **Crime international,** crime contre la paix. – **Crime contre l'humanité,** crime de lèse-humanité ; déportation, extermination, génocide. – HIST. : Holocauste, Shoah, solution finale. – MIL. : **crime de guerre** ; désertion, exécution d'otage, insoumission, pillage.

7 **Attentat à la liberté individuelle** ; arrestation illégale **44,** détention arbitraire, séquestration. – **Enlèvement,** kidnappage ou kidnapping, rapt.

8 **Crime contre la paix publique.** – Faux en écriture publique. – Fausse monnaie. – **Forfaiture** ; abus d'autorité, abus de confiance, concussion, corruption, malversation, péculat, prévarication. – **Association de malfaiteurs.** – Incendie volontaire ou crime d'incendie.

9 **Viol 763** ; attentat à la pudeur avec violence, outrage public à la pudeur ; attentat aux mœurs. – **Coups et blessures,** mutilation du corps humain, voies de fait **865.**

10 **Vol qualifié** ; hold-up, vol à main armée. – Escroquerie **284,** fraude. – **Chantage,** extorsion de fonds sous la menace, racket. – **Attaque à main armée,** guet-apens, **piraterie.** – Recel.

11 Non-dénonciation de crime.

12 **Complicité,** collusion, intelligence *(intelligence avec l'ennemi).*

13 **Inculpation, mise en examen.** – Condamnation **144.** – Aveux, confession. – Rétractation.

14 **Criminologie.** – Criminalistique *(la criminalistique).* – Anthropométrie judiciaire, bertillonnage, dactyloscopie.

15 **Banditisme,** grand banditisme, gangstérisme ; voyoucratie.

16 **Syndicat du crime** ; la Camorra, la Mafia. – Milieu *(le milieu),* pègre *(la pègre).*

17 **Criminel** *(un criminel)* ; **délinquant** *(un délinquant),* délinquant primaire (opposé à récidiviste) ; repris de justice, voyou. – **Hors-la-loi,** outlaw [anglic.]. – Bandit, gangster ; ennemi public numéro un, homme à abattre ; **malfaiteur.** – Fam. : gibier de potence, pendard, pilier de cour d'assises, saint de grève.

18 **Assassin,** meurtrier, tueur. – Homicide *(un homicide),* infanticide, matricide, parricide, régicide, tyrannicide.

19 Homme de main, nervi, **tueur à gages** ; litt. : sicaire, spadassin. – Fam. : coupe-jarret, exécuteur des basses œuvres. – Égorgeur, empoisonneur, étrangleur, éventreur.

20 **Criminel de guerre** ; criminel d'État [vx].

21 Criminologiste ou **criminologue.** – Criminaliste, juriste **245.**

V. 22 Commettre un crime, perpétrer un crime. – **Tuer 534** ; abattre, assassiner, exécuter, massacrer, trucider [fam.] ; expédier, meurtrir, occire [vx]. – **Asphyxier,** étrangler, étouffer. – **Égorger,** étriper, éventrer, poignarder, suriner [fam.]. – **Lapider,** lyncher.

23 Violer, violenter ; faire violence [vx]. – **Supplicier 801,** torturer. – Enlever, **kidnapper,** ravir ; claustrer, emprisonner, séquestrer.

24 **Escroquer 284,** frauder. – Extorquer, racketter, voler, receler. – Contrefaire, **falsifier,** faire un faux ; usurper.

25 **Être complice,** être d'intelligence, être de mèche [fam.].

26 **Enfreindre, transgresser 200,** violer. – Attenter à, contrevenir à. – Agir au mépris des droits de qqn, aller contre les droits de qqn.

Adj. 27 **Criminel** ; délictueux ou, rare, délictuel. – Délinquant. – **Illégal,** illicite ; arbitraire.

28 Criminogène [didact.].

29 **Criminalistique,** criminologique.

Adv. 30 **Criminellement.** – Crapuleusement.

170 CRIS ET BRUITS D'ANIMAUX

N. 1 **Animaux domestiques.** – Âne : braiment. – Bélier : blatèrement. – Bœuf, vache : beuglement, meuglement, mugissement. – Brebis, mouton **486 :** bêlement. – Chat : miaulement, ronronnement. – Cheval : ébrouement, hennissement. – Chèvre : béguètement, bêlement. – Chien : aboi, aboiement, clabaudage, hurlement **168,** jappement. – Chien de chasse : clatissement. – Lapin : clapissement, couinement. – Porc : grognement.

2 **Animaux sauvages.** – Buffle : beuglement, soufflement. – Cerf, daim : brame, bramement, bramée. – Chacal : jappement. – Chameau : blatèrement. – Crocodile : vagissement. – Éléphant, rhinocéros : barrissement, barrit. – Grenouille, crapaud : coassement. – Lièvre : vagissement. – Lion : rugissement. – Loup : hurlement. – Ours : grognement. – Renard : glapissement. – Sanglier : grommellement. – Serpent : sifflement **764.** – Souris : chicotement, couinement. – Tigre : feulement, râlement, rauquement.

3 **Oiseaux 570.** – Chant **106,** gazouillement, gazouillis, ramage. – Alouette : tire-lire. – Bécasse : croule. – Caille : courcaillet. – Canard : coin-coin, nasillement. – Chouette : chuintement, hululement ou ululement. – Cigogne : craquettement. – Coq : cocorico. – Corbeau : croassement. – Corneille : babil, babillage, craillement. – Coucou : coucou. – Dindon : glouglou, glougloutement. – Faisan, pintade : criaillement. – Geai : jasement. – Grue : craquètement, glapissement. – Hibou : hululation ou ululation, hululement ou ulu-

lement. – Hirondelle : trissement. – Hulotte : hôlement. – Huppe : pupulement. – Merle : babil, babillage, sifflement. – Moineau : chuchotement, pépiement. – Oie : cacardement, criaillement. – Paon : braillement, criaillement. – Pie : babil, babillage, jacassement, jasement. – Pigeon : roucoulement. – Poule : caquet, caquetage, gloussement. – Poulet : piaillement, piaulement, piaulis. – Rossignol : chant, gringottement. – Tourterelle : gémissement, roucoulement, roucoulis.

4 **Insectes 417.** – Abeille, mouche : bourdonnement. – Cigale : craquètement, stridulation. – Grillon : grésillement.

V. 5 **Animaux domestiques.** – Âne : braire. – Bélier : blatérer. – Bœuf, vache : beugler, meugler, mugir. – Brebis, mouton : bêler. – Chat : miauler, ronronner. – Cheval : s'ébrouer, hennir. – Chèvre : bégueter, bêler. – Chien : aboyer, clabauder, hurler, japper. – Chien de chasse : clatir, donner de la voix. – Lapin : clapir, couiner. – Porc : grogner, grognonner, grouiner.

6 **Animaux sauvages.** – Buffle : beugler, souffler. – Cerf, daim : bramer, raire, réer. – Chacal : japper. – Chameau : blatérer. – Crocodile : lamenter, vagir. – Éléphant, rhinocéros : baréter, barrir. – Grenouille, crapaud : coasser. – Lièvre : vagir. – Lion : rugir. – Loup : hurler. – Ours : grogner. – Renard : glapir. – Sanglier : grommeler. – Serpent : siffler. – Souris : chicoter, couiner. – Tigre : feuler, râler, rauquer.

7 **Oiseaux.** – Chanter, gazouiller, ramager. – Aigle : glatir, trompeter. – Alouette : grisoller, tirelirer. – Bécasse : crouler. – Butor : butir. – Caille : carcailler, courailler, courcailler, margauder, margotter. – Canard : cancaner, nasiller. – Chouette : chuinter, huer, hululer ou ululer. – Cigogne : craquer, craqueter, glottorer. – Coq : chanter, coqueriquer. – Corbeau : croasser. – Corneille : babiller, crailler ou grailler. – Coucou : coucouler. – Cygne : trompeter, siffler. – Dindon : glouglouter. – Faisan, pintade : criailler. – Fauvette, mésange : zinzinuler. – Geai : cajoler, jaser. – Grue : craquer, craqueter, glapir, trompeter. – Hibou : boubouler, huer, hululer ou ululer. – Hirondelle : trisser. – Hulotte : hôler. – Huppe : pupuler. – Jars : jargonner. – Merle : babiller, flûter, siffler. – Milan : huir. – Moineau : chuchoter, pépier. – Oie : cacarder, criailler. – Paon : brailler, criailler. – Perdrix : cacaber. – Perroquet : parler. – Pie : babiller, cajoler, jacasser, jaser. – Pigeon : frigotter, roucouler. – Poule : caqueter, glousser, crételer. – Poulet : piailler, piauler. – Ramier : caracouler. – Rossignol : chant ; chanter, gringotter, rossignoler. – Tourterelle : caracouler, gémir, roucouler.

8 **Insectes.** – Abeille, mouche : bourdonner. – Cigale : craquer, craqueter, striduler. – Grillon : grésiller, grésillonner.

171 CROIX

N. 1 **Croix,** croisette.

2 **Croisement** ; chevauchement, recoupement ; quadrillage. – **Croisée,** croisure [vx], enfourchement [TECHN.], **intersection** ; bifurcation, embranchement, enfourchure [vx], fourche, ramification. – Chassé-croisé.

3 Croix celte, croix copte, croix égyptienne, croix grecque, croix huguenote, croix latine, croix orthodoxe, croix papale, croix patriarcale, croix royale. – Croix de Bourgogne, croix de Jérusalem, croix de Lorraine, croix de Malte. – Croix de Saint-André, croix de Saint-Antoine, croix de Saint-Philippe, croix de Saint-Pierre. – Ankh, svastika ou swastika.

4 Branches ou bras d'une croix *(bras ancrés, bifurqués, croisés, doublés, en fleuron, en fleurs de lis),* croisillon, traverse ; quillon [TECHN.]. – Montant ; hampe, stipe. – Piétement.

5 Décorations. – Croix du Combattant, croix de guerre, croix de la Libération, croix du Mérite. – Croix de Malte, croix du Saint-Esprit, croix de Saint-Louis. – Croix de chevalier, Légion d'honneur **125.**

6 Croix-Rouge. – Croix des vaches [arg.].

7 Croisée du transept, croisée d'ogives **432,** croisillon [ARCHIT.].

8 RELIG. – Sainte Croix ; sacrifice de la Croix ; descente de Croix, portement de Croix. – **Signe de croix.** – Croix pectorale, jeannette. – Crucifix ; calvaire.

9 Privilège de la croix [HIST.].

10 Chiasma ou chiasme **313.** – Rimes croisées **635.**

11 Crucifiement, crucifixion. – Croisement ; croisure [litt.].

12 Croisade, croisé *(un croisé).* – Rose-croix *(un rose-croix, un rosicrucien).* – Porte-croix [RELIG.].

13 Croisée des chemins, croiserie [région.], patte-d'oie, point d'intersection. – **Carrefour 387.**

V. 14 **Croiser** ; entrecroiser, entrelacer ; croiser les doigts, les bras, les jambes ; croiser le fer.

– Chevaucher, couper, empiéter, mordre sur, traverser.

15 Croiser le chemin de qqn, croiser *(croiser qqn, croiser qqn du regard).*

16 Faire la croix [vx], faire le signe de la croix ou un signe de croix. – Fig. : faire, tirer une croix sur, marquer d'une croix. – C'est la croix et la bannière [fam.]. – Rester les bras croisés **593.**

17 Se couper, **se croiser** ; se recouvrir. – Se croiser [HIST.]. – Se croiser les bras.

Adj. 18 **Croisé.** – En croix, en x. – Crucial, cruciforme. – Croisillé [rare ou région.], croisillonné. – Croiseté [HÉRALD.].

19 Crucifère, staurophore [didact.].

20 QUALIFIANT LES TYPES DE CROIX

alésée
ancrée
ansée
bourdonnée
bretessée
cléchée
croissantée
écotée
enhendée
fleurdelisée
fleurdonnée
florencée
fourchée
gammée
lobée
pattée
pommetée
pennonée
perlée
perronnée
potencée
recercelée ou recerclée
recroisetée
tréflée
vidée

Aff. 21 Cruci-, stauro- ; -staurus.

172 CRUSTACÉS

N. 1 **Crustacé** *(un crustacé).* – Crustacés, fruits de mer **527** ; crabe, homard, langouste.

2 **Branchiopodes** ; anostracés, diplostracés (cladocères, conchostracés), notostracés. – Branchioures ou poux de poissons. – **Cirripèdes** (lépadomorphes, balanomorphes, rhizocéphales) ; acrothoraciques, ascothoraciques. – **Copépodes** (cyclopoïdes, harpacticoïdes). – Eumalacostracés, **malacostracés** ; **eucarides :** décapodes (anomoures, astacidés, éryonides, palinuridés), euphausiacés ; **péracarides :** amphipodes (hypériens), cumacés, isopodes (anthuridés, épicarides, onisciens ou cloportes), mysidacés (mysidés, lophogastridés) ; **phyllocarides** ; **syncarides** (anaspidacés, bathynellacés). – Ostracodes.

3 CRUSTACÉS

alpheus
anatife
anchorelle ou clavelle
anilocre
apus
argule
armadillo
artémia
aselle
balane
bathynome
bernard-l'hermite ou pagure
birgue
bopyre
calanus
calappe ou crabe honteux
callianasse
caprelle ou chevrette
caramote
caridine
cénobite
cloporte
coronule
corophium
corystes
crangon
crevette grise ou boucaud
crevette rose (ou bouquet, salicoque)
crevettine ou gammare
cyclope
cypris
diogène
dromie
écrevisse
estheria
étrille ou crabe nageur
galathée
gamba
gébie
glyphéide
hippolyte
homard
langouste
langoustine
lepidurus
lernée
ligie
limnoria
macrobrachium
macrocheire
maja ou araignée de mer
nika
niphargus
orchestie
palémon
pénæus
pinnothère
pouce-pied ou pollicipes
sacculine
scyllare ou cigale de mer
squille
talitre ou puce de mer
tourteau (ou dormeur, cancer)
uca ou crabe violoniste

4 **Carapace** ; apodème, branchiostégite, cuticule. – **Appendice** ; antenne, antennule, mandibule, maxillipède ou patte-mâchoire, pléopode, queue, uropode ou patte-nageoire ; coxopodite, dactylopodite, épipodite, exopodite, protopodite. – Cornéule, facette. – **Branchie** ; arthrobranchie, pleurobranchie, podobranchie.

5 **Larve** ; cypris, nauplius, zoé.

6 **Carcinologie** ou crustacéologie.

Adj. 7 Ovigère ou grainé.

173 CULTE

N. 1 **Culte.** – Célébration, concélébration. – Pratique, **rite** ; cérémonie, fête. – Cérémonial ; **liturgie.** – Liberté du culte [HIST.] **462.**

2 Théologie catholique : culte absolu, culte relatif ; culte de dulie **29.9,** culte d'hyperdulie ; culte de latrie **215.17.** – Idolâtrie. – Zoolâtrie.

3 **Adoration,** vénération.

4 Conjuration, propitiation ; **prière 657.**

5 Oblation, **offrande 241,** sacrifice.

6 Expiation **299** ; **purification.**

7 Ablution **669** ; hagiasme, lustration. – Affusion, aspersion, immersion.

8 **Circoncision.** – Baptême. – Initiation, mystagogie [ANTIQ. GR.]. – Cryptie [ANTIQ. GR.].

9 Jeûne. – **Carême,** xérophagie [vx] ; quatre-temps, vigile ; jeûne eucharistique. – **Ramadan.**

10 **Pèlerinage.** – Procession. – Jubilé.

11 Bouddhisme : pradaksina (circumambulation). – ANTIQ. : fêtes amburbiales, amburbiales.

12 Holocauste, **immolation, libation.** – Sati [Inde]. – ANTIQ. : apotropée, criobole, hécatombe, suovétaurilies, taurobole.

13 Idole. – Victime. – Holocauste, hostie [vx].

14 **Sacrement.** – Sacrement du baptême, sacrement de confirmation, sacrement de l'eucharistie ; sacrement des malades ou extrême-onction ; sacrement du mariage ; sacrement de l'ordre ou ordination ; sacrement de pénitence. – **Sacramental** ; bénédiction, consécration, dédicace, funérailles.

15 Pratiquant ; calotin [fam., péj.]. – Communiant. – Célébrant, officiant **699.** – Ritualiste.

16 Idolâtre. – Zoolâtre.

V. 17 **Célébrer** *(célébrer un office liturgique),* concélébrer.

18 Adorer ; honorer.

19 **Sacrifier,** sacrifier à un dieu ; immoler, offrir des libations. – S'immoler, s'offrir en holocauste [souv. fig.].

20 Purifier.

21 **Baptiser,** confirmer, **oindre,** marier, ordonner. – **Bénir,** consacrer, dédicacer. – Circoncire.

Adj. 22 **Cultuel, rituel.** – Liturgique. – Sacramentel.

23 **Sacrificiel,** sacrificatoire [vx] ; taurobolique. – Purificatoire ; lustral. – Expiatoire, piaculaire, propitiatoire. – Initiatique.

24 Baptisé, confirmé, **oint.** – **Circoncis.** – **Béni,** consacré, dédicacé.

Adv. 25 Cultuellement [didact.]. – Liturgiquement.

Aff. 26 -lâtre, **-lâtrie.**

174 CURIOSITÉ

N. 1 **Curiosité** *(la curiosité).* – Attention **52** ; intérêt. – Inquiétude, soin, souci **785.** – Indiscrétion. – Badauderie.

2 Appétit de connaissances, désir ou soif de savoir ; *libido sciendi* (lat., « désir de savoir »). – **Démon de la curiosité.** – Boîte de Pandore [allus. myth.].

3 **Centre d'intérêt.** – Objet de curiosité, sujet d'étonnement ; curiosité *(une curiosité).* – **Bête curieuse,** phénomène **484,** phénomène de foire.

4 Esprit curieux ; chercheur **689.** – Fouilleur, fouineur, fourrageur [litt.], fureteur ; touche-à-tout. – Badaud ; **curieux** *(un curieux).* – **Indiscret** ; fouille-au-pot [vx] ; fam. : fouinard, fouine ; mêle-tout [belg.].

V. 5 **S'intéresser à,** se pencher sur, se préoccuper de, se soucier de. – **Brûler de curiosité.**

6 Examiner ; enquêter sur, interroger qqn sur. – **Chercher,** fouiller ; fam. : farfouiller, fouiner, fourgonner, fureter, trifouiller. – Jeter un coup d'œil. – Écouter aux portes ; espionner ; badauder.

7 Être curieux de tout, n'avoir jamais l'esprit en repos. – Demander le pourquoi du comment ; poser trop de questions ; se mêler de ce qui ne vous regarde pas. – Fam. : n'avoir pas les yeux dans sa poche ; fourrer son nez partout. – La curiosité est un vilain défaut [loc. prov.].

8 Éveiller la curiosité, **intriguer.** – Chatouiller ou titiller la curiosité ; aiguiser (aussi : exciter, piquer) la curiosité.

Adj. 9 **Curieux** ; ouvert, ouvert à tout. – **Indiscret** ; inquisiteur. – Aux aguets, à l'affût.

10 Captivant, intéressant, palpitant, **passionnant.**

Adv. 11 Curieusement.

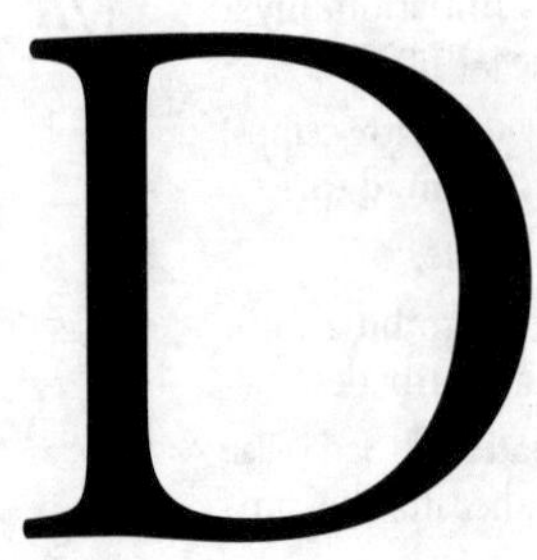

175 DANGER

N. 1 **Danger** *(le danger)* ; nocuité [vx], péril. – Aléa **291,** hasard **358** ; traîtrise, traîtrises. – Prov. : qui craint le danger ne doit pas aller en mer ; qui craint les feuilles ou qui a peur des feuilles ne doit pas aller au bois [vx].

2 **Danger** *(un danger)* ; menace, risque **390.** – MAR. : **danger** ; banc, écueil, récif, roche ; périls de mer [vx]. – Fig. : coupe-gorge, traquenard **828** ; serpent caché sous les fleurs [vx] ; terrain glissant.

3 Insécurité, détresse, **perdition.** – Non-assistance à personne en danger [DR.]. – Prov. : Au danger on connaît les braves ; Il y a péril en la demeure.

4 Dangerosité *(la dangerosité d'une personne)* [didact.].

5 **Danger** ; inconvénient, risque ; arg. : dèche *(y a de la dèche),* pet ou pétard *(y a du pet).* – Fig. : guêpier ; baril de poudre, poudrière, volcan.

6 Alarme, alerte, **avertissement,** S. O. S. ; sauve-qui-peut.

7 **Danger public** *(un danger public)* [fam.]. – Casse-cou [fam.] ; audacieux *(un audacieux),* **risque-tout.**

V. 8 **Mettre en danger** ; compromettre, **exposer,** hasarder **358,** menacer.

9 **Être en danger** ; courir un danger, risquer gros. – Danser ou dormir sur un volcan, être au bord de l'abîme ou du gouffre ; être ou marcher sur la corde raide ; être dans la gueule du loup, être dans la nasse.

10 **Se mettre en danger** ; s'aventurer, s'exposer, se hasarder **358,** se risquer. – S'engager sur un terrain glissant ou mouvant, jouer avec le feu, jouer avec sa vie ; travailler sans filet.

Adj. 11 **Dangereux** ; brûlant, critique, délicat, désespéré, dramatique, fâcheux, précaire, périlleux, redoutable. – **Explosif,** lourd de menaces, menaçant.

12 Aléatoire, fou, hasardé, hasardeux, imprudent **390,** inconsidéré **386,** insensé, osé, risqué, scabreux, **téméraire** ; casse-cou [fam.], casse-gueule [pop.].

13 **Dangereux,** inhospitalier *(côte inhospitalière),* traître *(virage traître).*

14 Délétère, destructeur, fatal, virulent ; grief *(maladie griève)* [vx].

15 Destructeur, démoniaque, diabolique, malsain, mauvais, pernicieux, subversif ; fig. : délétère, empoisonné, méphitique, morbide, pestilentiel, satanique, venimeux.

16 Méchant **497.** – **Agressif,** violent **865.**

17 Compromettant, **dommageable.** – Corrompu, pervers. – **Dangereux** *(un dangereux séducteur)* ; corrompu, pervers, pervertisseur [rare].

18 **En danger,** exposé, menacé ; **sans défense,** sans protection, vulnérable. – Dans une situation alarmante (ou : critique, désespérée).

Adv. 19 **Dangereusement,** périlleusement [litt.], redoutablement.

20 **Dangereusement,** gravement, grièvement, sérieusement.

21 **À ses** (mes, tes, etc.) **risques et périls.**

Prép. 22 **En danger de** *(en danger de mort).* – **Au péril de,** au risque de.

Int. 23 Sauve qui peut !

176 DANSE

N. 1 **Danse** ; arg. : gambille, guinche. – Dansement [rare] ; danserie [vx]. – Dansotement ou dansottement [péj.].

2 Danse pure. – Danse noble ; danse de demi-caractère, danse de caractère. – Danse baroque. – **Danse classique,** danse académique ou d'école ; danse libre ; danse expressionniste ; danse moderne ou *modern dance* ; **danse contemporaine** ; danse jazz, danse modern-jazz ; danse à claquettes ou claquettes ; danse-théâtre. – Danse rythmique. – Danse de salon, danse de société.

3 Danse rituelle, danse sacrée.

4 Mouvement ; geste. – Gestualité ; gestuelle *(une gestuelle).* – Gestique ; gestuaire.

5 **Chorégraphie** *(une chorégraphie)* ; saltation [ANTIQ.]. – Divertissement, entremets ; féerie ; intermède, momerie, pantomime. – Concert de danse ; **revue.** – **Ballet** ; ballet d'action (opposé à ballet abstrait). – Ballet de cour, ballet à entrées ; ballet blanc ou romantique. – Ballet sériel, ballet solfégé, ballet symphonique. – Ballet-pantomime, choréogramme ; **ballet-théâtre,** chorédrame, comédie-ballet, tragédie-ballet ; opéra-ballet, oratorio-ballet. – Ballet équestre ; ballet nautique.

6 DANSES ÉTRANGÈRES

allemande
aragonaise
cachuca
chica
cracovienne
czardas
danse du ventre
écossaise
fandango
flamenco
forlane
fricassée
hussarde
jabadao
jota
mauresque
polonaise
russe
saltarelle
sardane
séguedille
sicilienne
tarentelle
tyrolienne
varsovienne
zapatéado
zorongo

7 Danses villageoises ou paysannes. – Olivettes, sabotière ; villanelle.

8 ANTIQ. : bibasis, emmélie ; **gymnopédies** ; cariatide ; pyrrhique ; cordace, sicinnis. – Bugaku [jap.]. – Inde : bharat natyam, kathakali ; manipuri. – Brésil : candomblé, macumba. – Danse du ventre. – Danse des derviches tourneurs. – Danse de la pluie, danse du soleil.

9 DANSES ANCIENNES

anglaise
basse-danse
bergamasque
boiteuse
bourrée
branle
cancan
carmagnole
carole
chacone
chahut
chaîne
contredanse
cotillon
courante
ductia
estampie
gaillarde
galop
gavotte
gigue
loure
matelote
mazurka
menuet
passacaille
passepied
pastourelle
pavane
polka
redowa
rigaudon
sarabande
tambourin
tourdion
tricotets
valse viennoise
volte

10 DANSES MODERNES

be-bop
biguine
black-bottom
boléro
bossa-nova
boston
breakdance
cake-walk
calypso
cancan
french cancan
cha-cha-cha
chaloupée
charleston
fox-trot
habanera
hip-hop
java
jerk
lambada
marche
madison
mambo
matchiche
one-step
paso-doble
pogo
rock and roll
rumba
salsa
samba
scottish
shimmy
ska
slow
smurf
swing
tango
twist
valse
zouk

11 Chaîne, farandole, **ronde.**

12 MUS. : cadence ; partita ; suite **543.**

13 Dansomanie [vx] ; balletomanie.

14 Entrée, adage, allégro, coda, final. – Ballabile ; défilé. – Pas d'action, grand pas de deux ; **variation.**

15 Enchaînement. – **En-dehors.** – Figure, mimique, pas, pose, **position** *(les six positions),* mouvement, série.

16 FIGURES ET PAS

adage
arabesque
assemblé
attitude
balancé
ballonné
battement
batterie
battu
bond
brisé
cabriole
changement de pied
chassé
chassé-croisé
contredanse
contretemps
coulé
coupé
couronne

déboulé	pas de valse
dégagé	passé
détourné	piqué
développé	pirouette
écart	plié
grand écart	pointe
échappé	préparation
effacé	relevé
emboîté	révérence
entrechat	rond de jambe
enveloppé	saut
épaulé	saut de chat
équilibre	saut de biche
fouetté	sissone
frappé	soubresaut
gargouillade	temps de flèche
glissade	temps de demi-pointe
jeté	temps de pointe
petit jeté	temps levé
grand jeté	tombé
pas de basque	tour
pas de bourrée	

17 Ballon *(avoir du ballon),* élévation.

18 Barre ; barre à terre, exercices à la barre. – Diagonale, manège ; **milieu.**

19 Chaussons, chaussons de pointe, guêtres, justaucorps, maillot académique, **tutu.** – Colophane.

20 **Opéra** ; théâtre **748.** – Music-hall. – Foyer de la danse.

21 Bal, boîte de nuit, dancing, **discothèque** ; bastringue [vieilli, fam.], cabaret, guinguette.

22 **Danseur** ; danseur noble. – Danseur mondain ; valseur. – ANTIQ. : caryatide, ménade ; almée, **bayadère** ; saltateur. – Amér. : geisha girl, taxi-girl [vieilli]. – Cavalier, partenaire ; amér. : *boy, girl.*

23 Corps de ballet, coryphée ; quadrille, premier quadrille ; sujet, premier sujet, premier danseur, **danseur étoile** ; ballerine, *prima ballerina assoluta.* – Rat, **petit rat.** – Compagnie de danse.

24 Maître de ballet, maître de danse [vieilli]. – Choréauteur, **chorégraphe.** – Notateur.

25 Danseur de corde, **funambule.** – Baladin [vx].

26 Ballettomane.

27 Chorégraphie, **labanotation,** orchésographie [rare], sténochorégraphie.

V. 28 **Danser** ; baller [vx] ; lever la jambe [fam.] ; arg. : gambiller, gigoter, **guincher.** – Dansotter ou dansoter [péj.]. – Galoper, pogoter ; jerker, valser, twister. – Entrer dans la danse.

29 Effacer, épauler, fondre, tomber ; battre, croiser, lever, piquer la pointe, relever. – Détailler, enchaîner ; forcer, marquer ; placer.

30 Danser, tanguer, **trembler.**

Adj. 31 **Dansant** ; danseur. – Dansable ; indansable. – Dansé. – Chorégraphique.

32 Gestuel.

Adv. 33 En dedans (opposé à en dehors). – En danseuse.

34 Chorégraphiquement.

177 DÉCENCE

N. 1 **Décence** ; bienséance, correction, dignité ; honnêteté **365,** moralité **533.** – Modération **522** ; bon goût, goût. – Chasteté ; **pudeur,** pudicité [sout.] ; bégueulerie, pruderie, pudibonderie. – Conformisme **843.**

2 Convenance, correction, décence, **modestie** ; bonne tenue, tenue ; courtoisie **163,** politesse.

3 Bonnes manières, **convenances,** règles. – Bon sens, norme **559,** tradition.

4 Décence, éducation, **savoir-vivre.** – Sensibilité **755,** tact. – Discrétion, réserve.

V. 5 **Devoir** ; il convient de, **il faut,** il sied de [litt.]. – Aller bien, convenir, seoir [litt.] ; cadrer avec, coller.

6 Bien se conduire, bien se tenir ; se respecter.

Adj. 7 **Décent** ; bienséant, convenable, digne, modeste ; honnête. – Discret, réservé ; courtois, **poli.** – De bonne compagnie, comme il faut ; présentable, sortable. – De bon goût, de bon ton ; **de mise,** séant.

8 Chaste, innocent, pur ; pudibond, **pudique** ; de bonnes mœurs, sage, vertueux ; bégueule, prude.

9 **Correct,** décent, honnête ; acceptable, admissible, passable, recevable.

Adv. 10 **Décemment** ; convenablement, correctement, dignement, honnêtement.

11 **Pudiquement** ; chastement, innocemment.

12 Courtoisement, poliment ; modérément, modestement. – Dans les formes ; en bonne et due forme, dûment.

13 Décemment, honnêtement, logiquement, **raisonnablement.**

178 DÉCEPTION

N. 1 **Déception** ; déconvenue, désappointement. – Décompte [litt.], désenchantement, **désillusion,** mécompte [litt.]. – Douche [fam.], douche froide ; surprise **805,** mauvaise surprise.

2 **Déboire,** déconfiture, défaite, **échec 249,** fiasco, revers.

3 Trahison, tromperie **838.**

V. 4 **Décevoir,** dépiter, désappointer, frustrer ; désenchanter, **désillusionner,** détromper ; briser l'espoir de, tromper l'attente de. – Doucher [fam.], échauder, **surprendre 805.**

5 Abuser, décevoir, trahir, **tromper 838** ; fam. : attraper, refaire. – Montrer son vrai visage ; baisser le masque.

6 **Déchanter** ; tomber de haut ; perdre espoir, perdre ses illusions. – **Regretter 697.**

Adj. 7 **Déçu,** dépité, désappointé ; insatisfait **416.** – Aigri ; blasé, désenchanté, désillusionné, revenu de tout.

8 **Décevant** ; décepteur [vx], déceptif, frustrant ; surprenant **805.** – **Illusoire,** mensonger, trompeur **838.**

9 **Déçu,** frustré, trahi, trompé.

179 DÉCOUVERTE

N. 1 **Découverte,** dépistage, détection, exhumation, exploration, localisation, repérage.

2 Déchiffrage, élucidation, **identification,** reconnaissance. – **Invention 414.1** ; conception, intuition **434,** vision ; créativité, ingéniosité, inventivité ; imagination **378,** inspiration.

3 Coup de génie, idée lumineuse, **illumination,** trait de génie, trait de lumière ; innovation, nouveauté **560, trouvaille** [fam.]. – Veille technologique. – Astuce [fam.] ; œuf de Colomb.

4 Découvreur, dénicheur [fam.], trouveur ; auteur, créateur, innovateur, **inventeur,** novateur. – Brevet.

V. 5 **Découvrir** ; déceler, dénicher [fam.], dépister, détecter, inventer, localiser, repérer, **tomber sur, trouver** ; fam. : se buter à, se cogner à. – Mettre le doigt (ou : la main, la patte) sur. – Inventer *(inventer un trésor)* [DR.].

6 Concevoir, créer, forger, imaginer, **inventer.** – Breveter.

7 **Apercevoir,** constater, voir **868** ; s'apercevoir que, se rendre compte que ; s'aviser de.

8 Déchiffrer, démasquer, **deviner,** élucider, pénétrer, percer, percer à jour ; découvrir le fin mot de l'histoire, trouver le mot de l'énigme. – Identifier, reconnaître. – Déterrer [fam.], exhumer, mettre au jour ; révéler.

9 **Prendre,** surprendre ; attraper ; prendre en flagrant délit, prendre la main dans le sac, prendre sur le fait ; trouver le pot aux roses, trouver le lièvre au gîte [fam.].

10 Redécouvrir, réinventer, **retrouver.**

Adj. 11 Découvrable, trouvable. – Inexploré.

12 Créatif, imaginatif, intuitif, **inventif** ; perspicace.

Int. 13 Eurêka ! (gr., « j'ai trouvé », attribué à Archimède).

180 DÉFAITE

N. 1 **Défaite** ; écrasement, perte *(perte d'une bataille),* revers **249.** – Fam. : brossée **160.5,** déculottée, dérouillée, pile, raclée.

2 **Retraite** ; débâcle, débandade, déroute, fuite. – MIL. : recul, repli ; décrochage.

3 MIL. – **Capitulation,** capitulation en rase campagne, capitulation sans condition ; **reddition,** reddition sans condition.

4 Défaitisme.

5 Vaincu *(un vaincu)* ; perdant. – **Défaitiste 615** ; capitulard [péj.].

V. 6 **Perdre** ; avoir le dessous, essuyer une défaite ou un revers, perdre une bataille.

7 MIL. ou fig. : – **battre en retraite,** décrocher, reculer **193.10** ; lâcher pied, perdre du terrain.

8 **Se rendre** ; s'avouer vaincu. – Hisser le drapeau blanc, sonner la chamade [anc.] ; mettre bas les armes ou, vx, les lances. – Se replier [MIL.].

9 **Capituler,** signer une capitulation ; déposer les armes, rendre les armes ; ouvrir les portes à l'ennemi, livrer les clefs d'une ville. – Baisser pavillon, mettre pavillon bas.

Adj. 10 Battu, **vaincu** ; défait [vx].

Int. 11 *Vae victis !* (lat., « malheur aux vaincus ! »).

181 DÉFECTION

N. 1 **Défection** ; **absence 2.1,** disparition, éclipse. – DR. : contumace, **défaut,** défaillance, non-comparution.

2 **Défection** ; abandon, **désertion,** trahison ; fam. : lâchage, plaquage. – Déloyauté **485,**

infidélité, traîtrise. – Débâcle, débandade, déroute, exode, **fuite.**

3 Apostasie, **démission,** désaveu, parjure, **reniement,** rétractation, revirement, volte-face **25.3** ; **renonciation 701.**

4 Défectionnaire [vx ou HIST.] ; **déserteur,** lâcheur [fam.], **traître 828.** – Apostat, parjure, renégat, transfuge. – **Démissionnaire.**

V. 5 **Faire défection** ; ne pas être là, **manquer,** manquer à l'appel ; sécher [fam.].

6 **Partir 189,** s'absenter, s'éclipser, s'en aller, **fuir,** se retirer, se sauver ; fausser compagnie, se soustraire (à une obligation, à un devoir).

7 **Abandonner,** délaisser, déserter, laisser, **quitter** ; fam. : lâcher, laisser tomber, larguer, planter là, plaquer.

8 Défaillir [litt.] ; apostasier, se dédire, se déjuger, se désavouer, se parjurer ; **renier, trahir** ; manquer à sa parole, revenir sur sa parole ; changer d'avis, changer de camp, passer à l'ennemi. – **Renoncer,** reculer, **se dérober** ; faire faux bond ; se récuser.

Adj. 9 Défectionnaire [vx ou HIST.] ; **absent,** contumace ou contumax [DR.], **manquant,** défaillant [DR. ou vx], **disparu,** abandonné, **parti** ; mort **534.** – Inconstant, **infidèle,** parjure.

Adv. 10 Infidèlement, traîtreusement.

11 **Ailleurs.** – Par contumace.

182 DÉFENSE

N. 1 **Défense** ; **défensive** ; vx : défens ou défends. – Sécurité **752,** sûreté. – **Protection 671** ; autoprotection ; autodéfense, légitime défense ; résistance **715.** – Garantie, préservation **653,** sauvegarde. – Alliance ; entraide.

2 Actions défensives. – **Arrêt, chasse,** contre-attaque, contre-offensive, flanquement, frappe, poursuite, **riposte.** – Embargo ; blocus. – Tir **820** ; contrebatterie ; contre-guérilla. – **Contremesure,** contre-contre-mesure ; contreespionnage ; black-out [anglic.] ; occultation.

3 Défense civile, défense passive [anc.], protection civile ou sécurité civile. – Défense militaire ; **dissuasion 231.** – Défense nationale, ministère de la Défense ; centre de résistance ; anc. : D. C. A. (Défense contre les aéronefs ou, cour., Défense contre avions) ; **chasse** ; Défense solair, Forces de défense aérienne ; Force d'action rapide (F. A. R.), Force océanique stratégique (F. O. S. T.).

4 **Sûreté** ; sûreté éloignée, sûreté immédiate, sûreté rapprochée. – **Renseignement** *(le renseignement)* ; observation ; détection, **surveillance 641.**

5 **Zone de défense** ; région ; département. – Secteur.

6 **Camouflage.** – Colmatage. – **Blindage, cuirassement,** gabionnage ; épaulement.

7 Ligne de défense ; angle de défense ; défense en hérisson, nid de résistance ; circonvallation, contre-mine, contrevallation, front fortifié ou ligne fortifiée, point d'appui, poste. – **Position défensive,** position de repli ; quadrilatère.

8 **Défenses** ou fortifications. – **Fortification** ; bordj, camp retranché, place, **place forte** ou **fortifiée,** ouvrage, retranchement ; esplanade. – **Enceinte, enveloppe,** moineau, mur, muraille, palissade, **rempart** ; pluteus [anc.]. – **Fossé** ; avant-fossé ou contre-fossé, **contrescarpe,** coupure, douve, **escarpe.** – Barbacane, tambour.

9 **Bastide, bastille,** bastillon, **bastion,** blocus [vx], **château** ou **château fort,** châtelet, **citadelle,** couronne, dame-ronde ou dame en tour ronde, décagone, demi-bastion, donjon, **fort,** fort d'arrêt, **forteresse,** fortin, redoute, torrion. – Cassine.

10 **Dehors** *(les dehors)* ; braie, fausse braie ; contregarde ou couvre-face, courtine ; demi-lune, lunette, tenaille ; avancée, bonnette, redan ou redent.

11 **Abri,** gabionnade [vx] ; tourelle ; trou individuel. – Pare-éclats. – Bloc, **blockhaus, bunker,** casemate.

12 **Tranchée** ; boyau, bretelle, cheminements ou approches, caponnière, **chicane,** gaine, galerie, sape. – Nid de mitrailleuses ; masque, silo.

13 **Guérite** ou, arg., guitoune ; **bretèche** ou **bretesse,** échauguette, poivrière. – Batterie, barbette ; archière, canonnière, mâchicoulis, meurtrière.

14 Chemin, **chemin de ronde,** coursière. – Guette [anc.] ; mirador, poste d'observation ou de guet.

15 Barbelé [surtout au pl.], cheval de frise. – Pare-balles.

16 **Mine 43.** – Missile antimissile, missile antibalistique ou ABM (angl., *antiballistic missile*), satellite-espion ou satellite espion. – **Brouilleur,** radar, sonar. – **Leurre 838,** paillettes.

17 **Cuirasse** ; armure, casque ; **bouclier,** gilet pare-balles, masque à gaz. – Cloche.

18 **Fortificateur** ; gabionneur.

19 **Défenseur** ; pilier, **protecteur,** soutien.

20 SPORTS. – Arrière *(un arrière),* la défense **792.**

V. 21 **Défendre,** parer [vx], **protéger** ; garantir, sauvegarder. – Prendre la défense de, aller à la rescousse de ; **aider, secourir.**

22 **Appuyer, couvrir,** flanquer, **soutenir.** – Intercepter. – Contre-attaquer ; contrebattre ; contre-miner.

23 **Fortifier** ; **bastionner** ; **retrancher.** – Blinder, consolider, **cuirasser,** gabionner, palissader. – Miner.

24 **Camoufler.** – Colmater.

25 **S'abriter** ; se préserver, se protéger ; se garantir. – Se défendre de ou contre, **se protéger de** ou **contre.** – Se cuirasser contre.

26 **Être sur la défensive** ; se défendre. – Se mettre en garde. – Parer à. – Faire front ou faire face. – Se camoufler, s'embusquer, **se retrancher.**

27 SPORTS. – Jouer la défense, se couvrir ; fam. : bétonner, jouer le béton ou la couverture.

Adj. 28 **Défensif** ; **stratégique.**

29 Antiengin ; antiaérien, antiatomique, antichar, anticité, antiforces, antiguérilla, antimissile, antisatellite.

30 Protecteur ; de soutien. – Préservateur [vx], protectif [litt.].

31 Défendable [empl. souv. négatif]. – TECHN. : défensable ou en défense.

Adv. 32 **Défensivement.** – À son corps défendant [vx].

Int. 33 En garde !

183 DÉFIANCE

N. 1 **Défiance,** méfiance ; inconfiance [litt.] ; demi-confiance. – Sentiment d'insécurité. – Crainte **619,** ombrage [vieilli].

2 Défiance *(une défiance),* **suspicion,** suspicion légitime [DR.]. – Doute **395, soupçon** ; soin [vx]. – **Incrédulité,** incroyance **398.**

3 Prudence **674** ; **réserve,** retenue ; réticence.

4 **Désapprobation,** désaccord **194** ; vote de défiance.

5 Vigilance **52.** – Contrôle, **surveillance 207.**

6 Lettres de récréance ou de rappel.

V. 7 **Se défier de,** se méfier de. – Se tenir en garde contre.

8 Garder ou conserver ses distances, rester sur son quant-à-soi.

9 **Soupçonner,** suspecter ; tenir en suspicion [litt.] ; filer.

10 Contrôler, surveiller **671** ; épier, espionner ; avoir ou tenir à l'œil [fam.] **52.** – Pister [fam.] ; filocher [arg.] ; garder à vue. – Avoir l'œil sur ; veiller sur.

11 Faire attention, faire gaffe [fam.] **674** ; être ou se tenir sur sa défensive, être ou **se tenir sur ses gardes** ; se tenir ou se garder à carreau ; être aux aguets, être ou se tenir sur le qui-vive ; dormir les yeux ouverts, ne dormir que d'un œil ; avoir la puce à l'oreille.

12 Douter de **395.** – Demander à voir, vouloir voir de ses propres yeux. – Y regarder à deux fois, y regarder de près.

13 **Perdre la confiance de qqn** ; perdre de son crédit ; perdre toute créance [vieilli] ; tomber en soupçon [vx].

14 Sentir le fagot ; sentir le roussi [vx].

15 Prov. : défiance ou méfiance est mère de sûreté ; il n'y a pire eau que l'eau qui dort ; chat échaudé craint l'eau froide ; trop de précautions nuit.

Adj. 16 **Défiant,** méfiant, soupçonneux, suspicieux. – Prudent ; vigilant.

17 Incrédule ; douteur [litt.].

18 Craintif, ombrageux. – Dissimulé, fermé, renfermé, secret.

19 Douteux, équivoque, interlope, louche, **suspect** ; sujet à caution ; pas très catholique [fam.] ; trop poli pour être honnête **485.** – Rare : soupçonnable, suspectable.

Adv. 20 Craintivement, ombrageusement [rare]. – Litt. : soupçonneusement, suspicieusement. – Incrédulement [rare].

184 DÉLICATESSE

N. 1 **Délicatesse** ; finesse. – Diplomatie [fig.], doigté, **tact** ; élégance. – **Distinction 233** ; atticisme [rare] ; affinement [sout.], raffinement, préciosité [rare], subtilité, recherche. – Mesure, modération **522** ; scrupule, scrupulosité. – Discrétion, pudeur, réserve ; correction, savoir-vivre ; amabilité, attention, galanterie **163,** gentillesse, prévenance.

2 Douceur, suavité. – **Charme,** grâce, mignardise.

3 **Affectation,** afféterie, préciosité [cour.], maniérisme, snobisme ; péj. : mièvrerie, mignardise.

4 Mesure, minutie, précaution, **scrupule,** soin. – Conscience, honnêteté **365,** probité.

5 Amabilité *(une amabilité),* attention *(une attention),* **délicatesse** *(une délicatesse),* prévenance *(une prévenance).* – Atticisme *(un atticisme)* [litt.] ; chinoiserie, finesse *(une finesse).*

6 Galant homme, gentilhomme, gentleman, **homme du monde.** – Raffiné *(un raffiné).*

V. 7 Ménager ; combler d'attentions, mignoter [fam.] ; soigner aux petits oignons [fam.]. – Avoir scrupule à, se faire scrupule ou un scrupule de.

8 Alambiquer, raffiner, subtiliser. – Fignoler [fam.], policer.

9 Faire le dégoûté ou le renchéri, faire la fine ou la petite bouche.

Adj. 10 **Délicat** ; attachant, charmant, délectable, **délicieux,** gracieux ; exquis ; doux, suave. – Délié ; fin, pénétrant, raffiné, sensible, subtil. – Affable, amène, attentif, avenant, engageant, prévenant ; galant. – Distingué.

11 Recherché. – Péj. : affecté, affété, apprêté, maniéré, mignard, précieux ; façonnier.

Adv. 12 **Délicatement,** élégamment, finement, gracieusement, joliment ; discrètement. – Délicieusement, exquisement.

13 Précautionneusement, prudemment, soigneusement ; adroitement, habilement.

185 DEMANDE

N. 1 **Demande** ; **réclamation,** revendication **722.** – Adjuration [sout.], imploration [litt.] ; conjuration [vx] ; quémandage. – Prière **657** ; invitation **268** ; appel du pied [fam.]. – Pétitionnement. – **Interrogation 680.** – Demande en mariage.

2 **Requête,** sollicitation ; **instances** [sout.] ; supplication ; postulation [litt.] ; appel au peuple [HIST.]. – Quête ; appel de fonds ; appel au peuple [fam.]. – DR. : appel, appellation [vx] **451.**

3 DR. – Recours en grâce. – Interpellation **133** ; réquisition ; réclamation d'état ; appel d'offres.

4 **Supplique.** – **Pétition,** placet [vx]. – Mandement **133.** – DR. : **requête 451.** – Appel au peuple [HIST.].

5 Exigence, prétention ; **désir 199,** volontés ; **exigences.**

6 **Solliciteur,** quémandeur [litt.] ; revendicateur *(un revendicateur),* revendiqueur [rare] **722** ; pilier d'antichambre. – Revendicant *(un revendicant)* [PSYCHIATRIE]. – Suppliant *(un suppliant).* – Quêteur.

7 **Mendiant,** mendieur *(un mendieur)* [litt.], mendigot [fam.].

8 **Demandeur** ; postulant ; prétendant. – Interpellateur [POLIT.]. – DR. : codemandeur, requérant **451,** revendiquant ; pétitionnaire. – **Questionneur** *(un questionneur)* **680.**

9 Chambre des requêtes **451.** – Service des réclamations (cour. : les réclamations).

V. 10 **Demander** ; **exiger,** ordonner **133** ; redemander.

11 **Adresser une demande à qqn** ; adresser une requête, exposer ou présenter une demande (ou : une requête, une supplique) ; **faire une demande** ou une requête, présenter un placet [vx]. – Demander la main d'une jeune fille [vieilli] ; demander en mariage **491.**

12 **Prier** qqn **657** ; solliciter ; implorer, **supplier** ; sout. : adjurer, conjurer ; requérir [vx]. – Convier, **inviter 268.** – Enjoindre, **sommer 133** ; interpeller [vx]. – Prière de + inf.

13 Se jeter ou **tomber aux pieds de** ; embrasser les genoux de, tendre les bras vers ; se traîner aux pieds de.

14 **Quémander.** – **Mendier 603,** mendigoter [fam.] ; truander [vx]. – Quêter.

15 **Désirer 199,** souhaiter, appeler [litt.]. – **Réclamer,** revendiquer ; redemander, répéter [vx]. – Fam. : faire un appel du pied, lancer ou envoyer un ballon. – DR. : requérir.

16 Demander à cor et à cri **168** ; demander à genoux ; s'humilier **405.10.** – Courir les antichambres. – Faire la quête ; demander l'aumône (ou : la charité, du pain), faire l'aumône, tendre la main ; faire la manche [fam.] ; aller de porte en porte, faire du porte à porte ou du porte-à-porte.

17 Prétendre à **199.** – **Postuler** ; poser sa candidature. – Pétitionner [rare].

18 **Demander qqn** ou demander après qqn [pop.] ; appeler, convoquer, faire venir ; mander [litt.].

19 Demander à + inf. ; ne demander qu'à. – **Vouloir 870.**

20 **Interroger,** questionner **680** ; demander une question [vx].

Adj. 21 **Demandant,** implorateur [rare].

22 **Suppliant** ; implorant [litt.].

23 Pressant, instant [litt.] ; impérieux **545.12.**

24 **Demandé,** recherché, prisé ; couru [fam.] **798,** à la mode, en vogue.

25 **Demandé,** exigé **565,** requis, revendiqué.

26 **Exigible** ; demandable [rare]. – Appelable. – Implorable [rare].

27 **Revendicatif.** – Réquisitorial [vx].

Adv. 28 **Instamment.** – Avec insistance ou instance [vx].

186 DÉMON

N. 1 **Démons.** – Démonographie, démonologie.

2 **Diable** ; démone, diablesse. – **Esprit malin,** esprit ou génie du mal, esprit immonde, esprit impur ; malin *(le malin),* mauvais *(le mauvais).* – **Prince des ténèbres,** puissance des enfers, roi des enfers ; prince de ce monde. – Adversaire *(l'Adversaire)* ; séducteur *(le Séducteur),* tentateur *(le Tentateur).*

3 **Ange déchu,** ange noir, ange rebelle ou révolté, ange de ténèbre, mauvais ange. – Antéchrist.

4 Démons. – Asmodée, Baphomet, Bélial, Belzébuth, Gog et Magog, **Lucifer,** Mammon, Méphistophélès ou Méphisto. – Chaytan, Iblis ; Lilith. – Ravana.

5 Incube, succube. – Larve [ANTIQ. ROM.], strige. – Lutin. – Goule. – Djinn.

6 **Diablerie,** démonerie [vx] ; diabolisme. – Démonialité [THÉOL.].

7 Démonisme, satanisme ; démonolâtrie [vieilli]. – Démonomanie [didact., vieilli], démonopathie.

8 Didact. : démonicole, démonolâtre ; démonomane. – Démoniste. – Démonographe. – Démonologue.

9 **Magie noire** 477 ; messe noire, sabbat. – Conjuration, **exorcisme 699.**

10 Ailes, cornes, oreilles pointues, pieds fourchus, longue queue. – Bouc, chauve-souris ; basilic.

11 Abîme ou séjour des démons.

V. 12 Être ensorcelé ; avoir le diable au corps **27,** être possédé du diable. – Faire un pacte avec le diable, vendre son âme au diable.

Adj. 13 Démonial, **démoniaque,** démonique [PHILOS.] ; diabolique **175,** méphistophélique, satanique. – Démonologique.

Adv. 14 Démoniaquement.

187 DENSITÉ

N. 1 **Densité** ; compacité [didact.], consistance, **épaisseur** ; **poids 636,** solidité 778. – **Concentration,** condensation ; concision **142.** – Abondance **1,** fréquence **326, nombre,** quantité **678** ; surdensité. – Richesse [fig.].

2 PHYS. – **Densité** ; **masse,** volume ; faible densité **457,** forte densité **636** ; densité absolue ou masse volumique, densité relative ; densité des solides et des liquides (par rapport à l'eau), densité des gaz (par rapport à l'air). – Densité, **intensité.** – ÉLECTR. : densité de courant ; densité de choc ou densité neutronique, densité électronique. Densité optique [PHOT.]. – Densirésistivité [ÉLECTR.].

3 Densification ; compactage [TR. PUBL.], compaction [MÉTALL.] ; intensification **427** ; épaississement ; réduction.

4 MÉTROL. : **densimétrie 509.24,** densitométrie [PHOT.].

5 Aréomètre, densimètre, densitomètre [PHOT.] ; balance hydrostatique, baumé, flacon à densité ou pycnomètre ; acidimètre, alcoomètre (ou : pèse-alcool, pèse-esprit), hydromètre, lactodensimètre (ou : lactomètre, pèse-lait), oléomètre, pèse-acide, pèse-jus, pèse-liqueur, pèse-moût (ou : œnomètre, glucomètre), pèse-sel, pèse-sirop, uromètre.

6 Pourcentage, proportion, taux de densité ; coefficient d'abondance, nombre de + n. par unité de mesure ; degré de concentration, **teneur,** titre. – Degré Baumé, densité API *(American Petroleum Institute),* densité-régie.

V. 7 **Densifier** ; compacter, réduire le volume de. – Alourdir, épaissir ; donner du corps ou de la consistance ; enrichir, intensifier.

8 **Concentrer,** condenser, saturer ; masser, serrer, tasser ; compresser, comprimer.

9 **Augmenter,** se densifier, grossir ; s'intensifier. – S'alourdir.

Adj. 10 **Dense.** – Concentré, condensé ; saturé.

11 **Lourd 636,** massif, pesant ; chargé, gros de ou lourd de, prégnant. – Impénétrable, inextricable.

12 Consistant, solide 778. – Compact, ramassé, tassé, trapu. – Dru, **épais,** serré ; feuillu, touffu ; à couper au couteau [fam.]. – Intense, plein, riche ; nourri. – Luxuriant **1.12.**

13 MÉTROL. : densimétrique, densitométrique.

Adv. 14 **Densément,** épaissement, fortement, **intensément** ; solidement.

Aff. 15 Densi-, hylé-, hylo-, pycn-, pycno-.

188 DENTS

N. 1 **Dent** ; fam. : croc ou crochet, quenotte ; arg. : chaille, chocotte [vx], domino, ratiche ; tabouret. – Arcade dentaire ; **dentition,** denture [vx ou didact.] ; denture lactéale.

2 Articulé dentaire, engrènement dentaire.

3 **Incisive** ; **canine,** dent de l'œil ou œillère ; **prémolaire** ; machelière [litt. ou vx], **molaire.** – Dent de lait, dent de six ans ; dent de sagesse. – Canine dépassante, dent barrée, dent incluse, surdent ; dent creuse. – Chicot [fam.]. – Dents perlées [poét.].

4 ZOOL. – Carnassière, coin, **croc,** défense ; broche, lime. – **Crochet.** – Fanon ; lanterne d'Aristote ; glossepètre [vx]. – Dent rasée.

5 **Gencive** ; feston gingival ; parodonte, périodonte ; alvéole dentaire ; desmodonte ou ligament alvéolo-dentaire. – Cément, dentine, **émail, ivoire.** – Adamantoblaste, organe adamantin ; odontoblaste ; follicule ou sac dentaire. – Apex, **racine** ; **collet** ; **couronne,** cuspide ; face triturante. – Chambre pulpaire ; pulpe ou nerf [cour.]. – Cornet dentaire [ZOOL.].

6 Odontogenèse ; dentition ou **éruption dentaire.** – Calcification.

7 **Morsure 72.** – Décousure, dentée.

8 **Carie 482,** dentome ; plaque dentaire, tartre. – Édentement [litt.].

9 Mal de dents, **rage de dents** ; odontalgie [MÉD.].

10 Amalgame, ciment dentaire, **plombage** ; pansement. – **Dentifrice** ou pâte dentifrice, opiat ; fluor.

11 **Brosse à dents,** hydropropulseur ; bâtonnet interdentaire, cure-dents, fil dentaire ; stimulateur gingival ; verre à dents.

12 Davier, pélican [vx], **pince** ; tire-nerf **301** ; déchaussoir, élévateur, pied-de-biche. – Excavateur, **fraise** ou fam. : roulette ; sonde. – **Bistouri 114,** lancette. – Écarteur. – Brunissoir, meule ; fouloir. – Ciseaux à émail, grattoir. – Clef de Garengeot ou clef de dentiste. – Dentimètre. – Porte-empreinte. – Mortier à amalgame ; pilon. – Brucelles ou précelles.

13 Dentisterie ; art dentaire, **chirurgie dentaire** ou odontostomatologie, **odontologie,** stomatologie. – Implantologie ; parodontologie ; pédodontie. – Orthodontie, orthopédie dento-faciale.

14 Empreinte, moulage.

15 **Couronne,** couronne-jacket ou jaquette, dent à pivot ou dent à tenon, onlay ; bloc d'or ou d'or platiné, céramique. – Prothèse dentaire ; **bridge, dentier** ou fam. : râtelier ; dent osanore [vx], fausse dent ; implant dentaire, inlay ou incrustation. – Appareil dentaire ou **appareil.**

16 Formule dentaire ; coefficient masticatoire.

17 Broiement, **mastication,** rumination.

18 Arrachage, avulsion, **extraction 301** ; dévitalisation. – Aurification ; implantation, réimplantation, transplantation ; coiffage, **plombage** ; obturation. – Bain de bouche, brossage ; détartrage, sablage.

19 Chirurgien-dentiste, **dentiste,** odontalgiste, odontologiste, stomatologiste ; arracheur de dents [vx ou plais.] ; barbier-chirurgien [vx] ; dentiste-conseil. – Orthodontiste. – Prothésiste dentaire ou, vieilli, mécanicien-dentiste.

20 Édenté *(un édenté).*

21 Dent ; cran, pointe **637.**

V. 22 Faire ou **percer ses dents.** – Avoir une bouche bien meublée [fam.], avoir toutes ses dents.

23 Croquer, **mordre,** mordre à belles dents ; grignoter, mordiller, ronger. – Broyer, déchiqueter ; chiquer, **mâcher,** mâchonner, mâchouiller, mâchurer, mastiquer ; remâcher, ruminer. – **Manger 563** ; jouer des mâchoires ou, fam., des mandibules ; ne pas perdre un coup de dents ; manger du bout des dents.

24 Arracher, **extraire 301** ; dépulper, dévitaliser. – Aurifier, couronner, réimplanter, transplanter ; obturer, **plomber.** – Détartrer, sabler. – Déplomber [fam.].

25 Fig. – Grincer des dents ; claquer des dents **327** ; serrer les dents.

26 Se brosser ou se laver les dents **669.** – Fam. : se mettre qqch sous la dent ; se faire les dents.

27 Édenter **205.**

Adj. 28 **Dentaire,** dental [vx] ; dentifère, dentiforme ; molariforme. – Lactéal. – Alvéolo-dentaire, bucco-dentaire, **gingival,** interdentaire, maxillo-dentaire, parodontal ; pulpaire, radiculaire, radiculo-dentaire ; dentinaire. – Dentifrice.

29 **Odontologique,** stomatologique ; orthodontique. – Détartreur. – Aurocéramique, céramométallique.

30 Denté, dentu [vx]. – Édenté ; brèche-dent [vx].

31 ZOOL. : anodonte. – Brachyodonte ; hypsodonte. – Diphyodonte ; monophyodonte. – Homodonte ; hétérodonte. – Lophodonte ; sélénodonte ; sécodonte. – Aglyphe.

Adv. 32 À belles dents, à pleines dents.

Aff. 33 **Odont-** ; -donte, -dontie.

189 DÉPART

N. 1 **Départ** ; embarquement. – Partance [litt. ou vx]. – Sortie **783** ; émigration **288.** – Voyage **871.**

2 **Éloignement 263** ; séparation. – Éclipse [fam.], fugue, fuite.

3 Lancement **258** ; expédition. – Démarrage.

4 **Point de départ.** – Quai de départ ; embarcadère **830,** quai d'embarquement.

5 Voyageur **871** ; routard [fam.].

6 Partant *(les arrivants et les partants).* – Sortant *(les entrants et les sortants)* **783.** – Émigrant *(un émigrant),* émigré *(un émigré).*

V. 7 **Partir** ; embarquer, s'embarquer ; prendre la route. – Démarrer.

8 **S'en aller,** s'éloigner **263,** prendre le large. – S'absenter, se retirer ; s'éclipser, s'esquiver, **se sauver** ; brûler la politesse à qqn, fausser compagnie, lever le pied. – Sortir **783,** mettre la clef sous la porte [fam.]. – Émigrer **288.**

9 Faire ses adieux, **prendre congé,** saluer la compagnie, tirer sa révérence.

10 Fam. : décamper, décaniller, **déguerpir,** détaler, ficher le camp, **filer** ; très fam. : **se barrer,** se carapater, se casser, se débiner, s'esbigner, foutre le camp, se tailler, se tirer ; arg. : s'arracher, calter ou caleter, décarrer, se murger, se trisser, se trotter.

11 Fam. : lever l'ancre, lever le camp ou le siège, mettre les bouts, mettre les bouts de bois, **mettre les voiles** ; se faire la malle ou la valise. – Filer à l'anglaise, jouer les filles de l'air [allus. litt.], prendre la clef des champs, **prendre la fuite,** prendre la poudre d'escampette, se tirer des flûtes, tracer la route.

12 Fam. : débarrasser le plancher, prendre ses cliques et ses claques, **prendre la porte,** vider les lieux.

13 Fuir, **laisser,** quitter. – Secouer la poussière de ses sandales, tourner les talons.

14 **Chasser 292,** congédier, expulser. – Se débarrasser de, faire partir, mettre à la porte.

15 Expédier **829** ; envoyer.

Adj. 16 Partant. – En partance ; sur le départ [fam.].

17 Parti. – Absent **2,** disparu.

Int. 18 En avant ! **En route !** – Allons-y ! Allez ! – Attention au départ !

190 DÉPASSEMENT

N. 1 **Dépassement** ; **devancement,** distanciation ; débordement. – Doublement. – Éloignement **263.**

2 Avance, **avancée,** saillie **783** ; empiétement. – Échappée.

3 **Limite 467** ; borne.

4 **Dépassement de soi,** effort **255.**

V. 5 **Dépasser** ; déborder ; **doubler, passer devant** ; distancer **232,** laisser derrière soi, laisser loin derrière soi ; forlonger [VÉN.]. – **Outrepasser** ; **franchir.** – Dépasser (ou : doubler, franchir, passer) le cap de ; aller au-delà de.

6 **Devancer** ; décramponner [fam. ou SPORTS], gratter [SPORTS] ; fam. : lâcher, semer.

7 **S'échapper, se détacher** ; prendre la tête.

8 Dépasser, empiéter, saillir.

9 Dépasser la mesure, dépasser les limites ; aller trop loin, passer (ou : dépasser, franchir) les bornes **294,** sortir des limites.

Adj. 10 Hors-limite. – Débordant.

11 Dépassé ; démodé, désuet **206,** périmé.

Adv. 12 Devant ; en avant **211.**

Prép. 13 Au-delà de, en dehors de, hors de ; par-delà.

Conj. 14 Après que.

Aff. 15 **Ex-,** exo-, hors-.

191 DÉPENSE

N. 1 **Dépense** ; charge, dépens [vx], frais ; extra, faux frais ; menus plaisirs [HIST. ou par plais.] – COMPTAB. : débours **339,** décaissement.

2 Commissions, **courses,** dépense de bouche [vieilli], emplettes ; fig. : marché, panier de la ménagère.

3 **Achat** ; acquisition ; téléachat ; DR. : acquêt, conquêt ; prise de participation financière.

– Commande, ordre ; ordre d'achat ; option ; option d'achat.

4 Achat au comptant ; achat à crédit, achat à tempérament, achat à terme. – Achat ferme (opposé à achat à primes). – **Abonnement,** souscription. – Contre-achat ; échange, **troc.**

5 Rachat. – Réméré [DR.]. – Rédhibition [DR.].

6 Dilapidation, dissipation, **gaspillage.** – Prodigalité **336.** – **Société de consommation.** – Association de consommateurs ; défense du consommateur. – Consommarisation. – Consommatique [recomm. off.] ; consommateurisme [fam.], consumérisme [anglic.].

7 Pouvoir d'achat **739** ; **budget.**

8 Attestation d'achat ; billet, bulletin, coupon, **ticket,** titre.

9 **Acheteur,** acquéreur, command [DR.], preneur ; adjudicataire [DR.], cessionnaire ; commissionnaire. – Chaland, **client,** pratique. – Consommateur. – Téléacheteur.

10 **Dépensier** *(un dépensier),* prodigue ; fam. : bourreau d'argent, panier ou sac percé.

11 **Clientèle,** pratique. – Achalandage.

12 Consommaticien. – Consumériste.

V. 13 **Dépenser** ; vieilli : faire de la dépense, se mettre en dépense, se mettre en frais. – Écorner son avoir.

14 Mettre tout sur soi ; boire ou manger son argent.

15 Dépenser sans compter, **prodiguer** ; mener grand train ou grande vie. – Dilapider, **gaspiller,** jeter l'argent par les fenêtres. – Se ruiner.

16 Acheter chat en poche.

17 **Faire des sacrifices** ; se saigner [fam.], se saigner aux quatre veines.

18 Regarder à la dépense **61.**

19 **Acheter,** acquérir, faire la dépense de [vieilli] ; trouver marchand. – Se procurer ; s'acheter, s'offrir, se payer.

20 **Commander,** passer commande de ; ordonner, passer un ordre d'achat.

21 **Faire des achats** (ou : des courses, des commissions). – Brocanter, chiner. – Fam. : **faire du lèche-vitrines,** lécher les vitrines.

22 **Faire les courses** ; faire son marché.

23 Consommer.

24 Racheter ; réméré [DR.].

25 Préempter.

Adj. 26 **Dépensé.** – Investi. – Gaspillé.

27 **Acheté,** acquis.

28 DR. – Acquisitif ; préemptif.

29 Dépensier, gourmand [fam.].

30 Consommatif ou consommatoire [rare], consumériste.

31 Consommable ; achetable [rare]. – Rachetable ; bancable ou banquable, escomptable.

192 DÉPLAISIR

N. 1 Déplaisir [litt.] ; amertume, déplaisance [vx], **mécontentement** ; insatisfaction **416.** – **Dépit,** désenchantement, désillusion **178.** – Gêne.

2 Colère **130,** irritation ; acrimonie, hargne, mauvaise humeur ; fam. : humeur de chien, humeur massacrante. – Agacement, froissement.

3 Chagrin, déplaisir [vx], désespoir, malheur, **tristesse 836** ; crève-cœur [litt.], **douleur 243, peine, souffrance.** – **Blessure,** humiliation. – Principe de déplaisir [PSYCHAN.].

4 **Plainte 168** ; bougonnement, murmure ; grincement de dents, grogne, râlage [fam.], rouspétance [fam.] ; giries [fam., vx].

5 **Ennui 272,** problème, souci **785.** – Contrariété, déboire, **désagrément,** importunité, malheur ; fam. : mauvais moment, sale quart d'heure. – Laideur **550.**

6 Grognon *(un grognon),* **râleur** [fam.], râleux [vx], rouspéteur [fam.].

V. 7 **Déplaire** ; dégoûter, rebuter, répugner ; choquer, scandaliser ; blesser, désobliger, froisser, humilier, offenser, offusquer, **vexer.** – Être la bête noire ; n'être pas en odeur de sainteté.

8 **Déplaire, ennuyer 272** ; contrarier, désenchanter, désillusionner, mécontenter ; porter ombrage. – **Déranger,** indisposer, importuner ; gêner, troubler. – Attrister **836,** chagriner, **peiner.** – Exaspérer, **fâcher,** irriter ; rebrousser le poil.

9 Être de mauvaise humeur ; être de mauvais poil [fam.], se lever du pied gauche. – L'avoir ou la trouver mauvaise [fam.] **416,** enrager, rager **130.**

10 **Bouder,** se renfrogner ; **faire la tête** (ou, très fam. : la gueule, la tronche), faire la grimace, faire la moue, faire le nez (ou : un long nez, un drôle de nez) ; froncer les sourcils, pincer les lèvres ; rechigner, renâcler ; sourciller.

11 **Se plaindre** ; geindre, gémir, pleurnicher ; bougonner, grogner, grommeler, maugréer, murmurer, pester, **râler** ; fam. : maronner, renauder [vieilli], ronchonner, rouscailler, rouspéter. – Crier **168** ; élever la voix, pousser des hauts cris.

Adj. 12 **Déplaisant** ; agaçant, contrariant, enrageant, rageant [fam.]. – **Désagréable,** ennuyant [vx], ennuyeux **272,** fâcheux ; difficile **217, pénible.** – Déplorable, pitoyable, regrettable, **triste.** – **Choquant,** gênant, provoquant, scandaleux. – Blessant, désobligeant, offusquant, **vexant.**

13 Dégoûtant **740,** incommodant, rebutant, repoussant, **répugnant.** – Fastidieux ; insupportable, intolérable.

14 **Antipathique,** indésirable, malvenu, mésavenant [litt.]. – Arrogant, impoli **226,** insolent.

15 Dépité, insatisfait **416, mécontent,** mi-figue, mi-raisin ; chagrin, chagriné, peiné, **triste 836.** – Acariâtre, bougon, geignard, grincheux, hargneux, **plaintif,** pleurnichard ; fam. : râleur, ronchon ; de mauvaise humeur, de mauvais poil [fam.].

Adv. 16 Déplaisamment [rare], **désagréablement,** fâcheusement, tristement. – À regret **697** ; du bout des lèvres.

Prép. 17 Au grand dam de.

193 DERRIÈRE

N. 1 **Derrière** *(le derrière)* ; arrière *(l'arrière),* les arrières ou, vx, les derrières [MIL.]. – **Envers,** revers, verso ; **dos.**

2 **Poupe** (opposé à proue) ; cul [MAR.], étambot, gaillard d'arrière ; arrière-port. – Fond ; arrière-boutique, arrière-cour, arrière-cuisine, arrière-salle ; arrière-cabinet [vx] ; arrière-scène, coulisses. – **Arrière-pays 695.**

3 Arrière-fond, **arrière-plan** ; toile de fond.

4 Abside, arrière-chœur, chevet ou croupe d'église **465.**

5 Quatrième de couverture **469** ; postface **225.**

6 Arrière-train ; **derrière 242,** fessier *(le fessier),* **postérieur** *(le postérieur)* ; fondement, séant, siège ; fam. : croupe, cul.

7 Traces, sillage ; houache ou houaiche [MAR.]. – VÉN. : connaissances, erres, marche, passée.

8 Reflux ou refluement ; rétrogradation, rétrogression [didact.] ; rétropédalage ; retraite ; MIL. : recul, repli **180.**

9 Arrière-garde ou serre-file [MIL.]. – Fam. : clampin, lanterne rouge, traînard **458.**

V. 10 **Fermer la marche.** – Reculer, refluer, rétrograder ; aller à rebours ou à reculons, faire marche ou machine arrière, rebrousser chemin **436,** revenir ou retourner sur ses pas ; rétropédaler ; battre arrière ou en arrière [MAR.] ; se replier [MIL.] ; battre en retraite, montrer le derrière [fam.] ; montrer ou tourner le dos [vx]. – Avoir l'ennemi à dos [vx].

11 Poursuivre, **suivre** ; filer ; marcher sur les pas (ou : dans le sillage, sur les traces, sur les talons) de qqn **379.5** ; faire suite [VÉN.].

12 Tourner le dos *(tourner le dos au public).*

13 Remorquer, tirer, traîner ; MAR. : haler, touer.

14 LING. : postposer, suffixer **535.**

Adj. 15 Postérieur. – **De derrière.**

16 Dernier **315.19.**

17 Postfixé [INFORM.]. – Postéro-latéral [ANAT.].

18 Rétropulsif.

Adv. 19 **Derrière,** par-derrière ; en arrière ; cul par-dessus tête [très fam.], **à la renverse.**

20 En dernier, en queue ; à la remorque ; à la traîne [fam.].

21 **À la queue leu leu,** en file indienne.

22 Dos à dos (opposé à face à face) **673.13.**

Prép. 23 **Derrière** ; à la suite de, après **647.28,** ensuite de [litt.] ; au derrière de [vx].

24 Au dos de ; au fond de.

Int. 25 Derrière ! [VÉN.].

Aff. 26 Arrière- ; opistho- ; post- ; rétro-.

194 DÉSACCORD

N. 1 **Désaccord,** différend, **discorde,** dissension, divergence, **division 756, mésentente,** mésintelligence [litt.], zizanie **572.11** ; sout. : désunion, discord [vx], dissentiment, mésaccord ; divergence de vues. – Incompréhension, malentendu. – Fig. : divorce, fêlure [litt.], nuages. – Friction(s), tension(s), tiraillement(s) **146.** – **Antipathie,** inimitié ; incompatibilité d'humeur ; **haine 410.**

2 Bisbille [fam.], **brouille,** brouillerie [litt.], chicane [litt.], **fâcherie.** – Controverse, polémique ; litige.

3 **Dispute, querelle,** scène ; scène de ménage [fam.] ; clash [anglic., fam.]. – **Conflit, guerre 354.**

4 **Critique, objection,** réticence **714** ; plainte, **protestation. – Contestation, contradiction,** fronde **200,** rébellion. – Désolidarisation ; opposition. – Dissidence, rupture **230,** schisme, scission.

5 Contre-culture, non-conformisme. – Droit à la différence.

6 **Contestataire** *(un contestataire),* dissident *(un dissident)* ; réformateur *(un réformateur).* – Objecteur de conscience. – Esprit frondeur. – Polémiqueur, polémiste. – Chicaneur, discutailleur [péj.].

V. 7 **Discorder** [litt.], diverger ; **différer** [litt.] ; jurer ensemble ; **s'opposer.**

8 **Être en désaccord, ne pas être d'accord** ; avoir (ou : être d')un avis opposé, ne pas l'entendre de cette oreille. – Avoir une autre explication, se séparer sur un (quelques, plusieurs) point(s) de qqn.

9 Être en froid, être en mauvais termes. – Faire mauvais ménage, s'accorder comme chien et chat.

10 **Se disputer, se quereller** ; se bagarrer [fig., fam.], se chamailler [fam.]. – Avoir des démêlés avec (qqn). – Avoir des mots avec ; faire une scène à [fam.]. – Se brouiller, **rompre 238.11** ; couper les ponts ; tout est fini entre eux (entre nous, etc.).

11 Objecter, **protester** ; faire ou émettre une objection, trouver à redire ; émettre une protestation. – Tiquer [fam.]. – Chicaner ; fam. : discutailler, disputailler.

12 Contester, **critiquer 710.13,** dénoncer, fustiger [litt.]. – Fig. : faire le procès de qqch, de qqn (aussi : faire un procès à qqn) ; taper sur [fig., fam.]. – Blâmer, condamner **144,** réprouver ; anathématiser [litt., rare] ; lancer l'anathème contre.

13 Faire sécession, se désolidariser. – POLIT. : entrer dans l'opposition ; entrer en dissidence. – Ne vouloir rien avoir à faire avec. – Se rebeller, se rebiffer [fam.] ; ruer dans les brancards [fam.].

Adj. 14 **Discordant,** divergent, **opposé.** – Désuni, brouillé, **fâché** ; **ennemi** ; en désaccord ; en bisbille [fam.].

15 Dissident, hérétique, hétérodoxe, non-conformiste, séparé, schismatique.

16 **Contesté,** condamné, contredit, **critiqué,** décrié. – Conflictuel, litigieux ; en litige.

Adv. 17 **Non** ; négatif [MIL., TÉLÉCOMM.] ; pas d'accord [fam.].

Aff. 18 **Anti-,** contra-, **contre-,** dé- (des-, dés-), dis-, mé- (mes-, més-), mis(o)-.

195 DESCENTE

N. 1 **Descente** ; abaissement, affalement [MAR.], décrochage, dépose, déposition [RELIG.].

2 PÊCHE : avalaison, dévalaison. – Descente ; **débarquement 45.**

3 MAR. : jusant ou èbe **319, marée descendante,** perdant, reflux ; basses eaux, marée basse. – Déclin de la lune (ou : décours, lune descendante).

4 **Chute 119,** dégringolade, désescalade ; tombée [litt.]. – Abaissement, enfoncement ; **affaissement,** effondrement, glissement. – Accroupissement.

5 Abaissement, **baisse,** chute, dépréciation, diminution **220.** – Chute, décadence **227,** ruine ; culbute, plongeon.

6 Abaisse-langue [MÉD.] ; abaisseur ou muscle abaisseur [ANAT.]. – Descenseur, ascenseur-descenseur ; glissoir ou lançoir [SYLV.] ; **toboggan.**

7 Descente ; **pente,** versant. – Dépression ; creux **167,** dénivellation.

8 Descendeur *(un descendeur)* [SPORTS]. – Spéléologue **792.**

V. 9 **Descendre** ; cascader [litt.], dégringoler, dévaler ; débouler [fam.]. – Redescendre. – Descendre en chute libre ; perdre de la hauteur ou de l'altitude. – Décliner ; se coucher *(astre qui se couche).*

10 Débarquer ; descendre à terre. – Mettre pied à terre.

11 Choir, chuter [fam.], **tomber.** – Glisser, plonger ; couler.

12 S'accroupir ; se baisser ; s'incliner, **se pencher** ; pencher. – S'affaisser, s'avachir.

13 **Baisser,** décroître, descendre, diminuer, retomber, tomber ; se déprécier. – Déchoir.

14 Abaisser, affaler [MAR.], **baisser,** descendre. – Faire descendre ; affaler [MAR.]. – Affaisser, jeter à bas, mettre à bas **205.** – Déposer ; décrocher.

15 Coucher, **incliner,** pencher.

Adj. 16 **Descendant,** dévalant ; tombant.

17 En pente, pentu ; incliné, **penché.** – **Bas** ; affaissé, avachi.

18 Abaissable. – En baisse, décroissant.

Adv. 19 À la descente, à la dévalée [vx]. – De haut en bas.

20 En aval. – **En bas,** en dessous. – Par-dessous ; là-dessous.

21 Ci-après, **ci-dessous,** infra, plus bas, plus loin.

22 Bas *(tomber bas).*

Prép. 23 En aval de. – **En bas de** ; au bas de. – À la descente de, au descendu de [vx].

24 En dessous de, **sous** ; par-dessous.

Aff. 25 Sous- ; infra-, sub-.

196 DESCRIPTION

N. 1 **Description,** crayon [litt.], croquis, fresque, image, peinture, **tableau** ; instantané, photographie ; énumération, hypotypose [RHÉT.] ; tranche de vie. – État des lieux, inventaire **135,** procès-verbal. – Aperçu, **évocation.** – Imitation **379,** représentation.

2 Analyse de contenu ; exposé. – Blason [HÉRALD.].

3 **Portrait,** portrait-robot, portraiture [vx] ; miroir [litt.], présentation, signalement. – Curriculum vitæ.

4 **Descriptif** *(un descriptif),* livret-guide, mode d'emploi ; fiche signalétique. – Antiquaire [vx].

5 Analyse, **description** ; catalogage.

6 Pittoresque *(le pittoresque),* rendu *(le rendu de la réalité).*

7 Descripteur, **peintre** [fig.], portraitiste. – Naturaliste, réaliste.

8 Naturalisme **729.12,** néoréalisme, **réalisme,** réalisme socialiste.

V. 9 **Décrire** ; brosser, croquer [litt.], **dépeindre,** esquisser, peindre, photographier ; planter ou jeter le décor. – Brosser le tableau de.

10 Portraiturer ; portraire [vx] ; camper, **figurer,** planter qqn, présenter.

11 **Imiter 379.5,** rendre, représenter. – Faire voir, mettre sous les yeux, montrer.

12 Donner un aperçu de, **évoquer.** – Détailler, énumérer, exposer ; analyser ; blasonner [HÉRALD.].

Adj. 13 **Descriptif** ; constatif [LING.]. – Bien campé, évocateur. – Descriptible.

Aff. 14 -graphie, -logie ; -graphe, -logue.

197 DÉSERT

N. 1 **Désert** ; désert chaud, désert froid, désert tempéré. – Désert de pierre, hamada, reg ; désert de sable, erg. – Désert de glace ; steppe **627,** toundra. – Désert salé.

2 Dune de sable. – Bolson, sabkha. – **Oasis.** – Khamsin, simoun, sirocco **852.** – Mirage **868.13.**

3 **Sécheresse 750** ; aréisme, aridité. – **Désertification** ou, rare, désertisation. – Ennoyage ou ennoiement désertique. – Vernis ou patine désertique.

4 No man's land (angl., « terre d'aucun homme ») ; terre vierge.

5 Traversée du désert [allus. bibl.] **779.**

6 Habitants du désert ; **Bédouins,** hommes bleus ou Touaregs (aussi : Targui) ; Bochimans. – Anachorète ; Pères du désert **47.**

V. 7 **Désertifier.** – **Se désertifier** ; se dépeupler.

Adj. 8 **Désertique,** semi-désertique. – Aréique, aride, semi-aride. – Désolé ; lunaire.

9 Nu ; infertile, stérile.

10 **Désert** ; inhabité **356,** vide. – Déserté ; dépeuplé. – Abandonné. – Écarté, retiré.

11 Déserticole, érémicole.

198 DÉSESPOIR

N. 1 **Désespoir** ; déconfort [vx ou litt.], découragement, désespérance [litt.] ; pessimisme **615.** – Abattement, accablement, dépression, déprime [fam.] ; **détresse** ; angoisse **619** ; déréliction [RELIG.]. – « Ô rage ! ô désespoir ! » (Corneille). – Énergie du désespoir.

2 Affliction **836,** désarroi, **désolation,** tourment.

3 Contrariété ; **consternation.** – Déception **178,** désenchantement, désillusion.

4 Désespéré *(un désespéré).* – Desperado [esp.].

V. 5 **Désespérer,** faire le désespoir de ; abattre, **accabler,** affliger, consterner. – Déconforter [litt. ou vx], décourager, démonter, démoraliser, démotiver.

6 Attrister **836,** **désoler,** navrer, peiner ; abattre, accabler, catastropher [fam.], consterner. – Contrarier, **décevoir 178,** désenchanter, désillusionner.

7 **Désespérer,** être au désespoir ; se désespérer, se tourmenter, s'affliger ; toucher le fond.

– S'arracher les cheveux ; se tordre les mains ou les bras.

8 Perdre courage, **perdre espoir** ; déprimer. – Capituler, flancher ; se laisser aller. – Se suicider **534.**

Adj. 9 **Désespérant** ; décourageant, démoralisant, démotivant. – Consternant **836, désolant,** navrant.

10 **Désespéré** ; déconforté [vx], découragé, démoralisé ; déçu **178.** – Abattu, **accablé,** affligé, atterré, consterné **836.**

11 **Désespéré** *(un état désespéré)* ; incurable, irrémédiable, irréparable, irréversible ; irrévocable. – Extrême, ultime.

Adv. 12 Désespérément [litt.] ; désespéramment [rare].

13 En désespoir de cause.

Int. 14 Malheur ! Misère !

199 DÉSIR

N. 1 **Désir ; aspiration, envie, souhait.** – Désir de + inf. *(désir de vivre, désir de plaire)* ; **intention 472, volonté 870,** bonne volonté, résolution **716.**

2 **Désir** *(un, des désirs)* ; **souhait, vœu** ; aspiration, but, dessein, objectif, visée **86.1** ; espoir **285,** rêve. – Exigence, **volonté** ; desideratum ou desiderata, prétention **655,** revendication ; **caprice 90,** velléité. – **Demande,** prière, requête, **vœu.**

3 **Désir** ; appétence, **attirance 53,** attrait, élan, **envie,** goût, tendance ; **appétit,** avidité ; fig. : **faim, soif,** voracité ; fureur, manie, passion, rage ; velléité. – **Besoin 545.2,** instinct. – Tentation ; démangeaison [fam.], supplice de Tantale. – Séduction.

4 **Convoitise** ; avidité, cupidité, **envie,** jalousie ; concupiscence.

5 **Désir** ; ardeur, **excitation,** émoi ; vieilli : aiguillon de la chair, **appétit** sensuel ; amour **27, libido,** sensualité, sexualité **763** ; **concupiscence** ; didact. : aphrodisie ou, vx, érotisme, nymphomanie, satyriasis. – Sex-appeal [anglic.].

6 Désirabilité ou désidérabilité [ÉCON.].

7 Désirant *(un désirant)* [litt.] ; soupirant. – **Ambitieux** *(un ambitieux).* – Demandeur ; requérant.

8 Aguicheuse *(une aguicheuse),* allumeuse *(une allumeuse)* [fam.]. – Nymphomane *(une nymphomane),* satyriasique *(un satyriasique)* [rare].

V. 9 **Désirer** ; aspirer à, **avoir envie de, souhaiter, vouloir** ; avoir à cœur de, tenir à ; brûler de, brûler du désir de, griller de **382** ; mourir ou, fam., crever d'envie de [+ inf.] ; démanger *(ça me démange de)* [fam.]. – **Espérer,** rêver de ; attendre après, languir après, soupirer après ; cœur qui soupire n'a pas ce qu'il désire [prov.] ; se faire désirer. – Demander, exiger, revendiquer ; appeler de tous ses vœux.

10 **Désirer ; convoiter, envier,** vouloir ; dévorer des yeux. – **Ambitionner,** briguer, **prétendre à,** viser ; fam. : guigner, lorgner, reluquer ; avoir des visées ou des vues sur ; courir après, poursuivre, rechercher. – **Aimer,** avoir du goût pour.

11 **Intéresser,** séduire, **tenter** ; affriander [litt.], affrioler, **allécher,** appéter [vx.] ; faire envie, mettre en appétit. – Affoler, aguicher, allumer [fam.], émoustiller, exciter, provoquer.

12 Laisser à désirer **239.**

Adj. 13 **Avide,** gourmand, curieux ; affamé, altéré, brûlant, dévoré de désir ; insatiable. – Ambitieux. – Convoiteux [litt.], **envieux,** jaloux **442** ; **cupide ; concupiscent.**

14 **Désireux de.** – Anxieux, empressé, impatient, soucieux.

15 **Désireux** [rare en emploi absolu]. – **Désirable** ; convoitable ; enviable, souhaitable ; intéressant. – Appétissant, affriolant, alléchant, **attirant, attrayant,** engageant ; aguichant, **excitant,** émoustillant, provoquant, **sensuel,** sexy [anglic.] ; **aphrodisiaque,** érotique **763.**

16 **Désiré** ; attendu, **souhaité, voulu** ; appelé, demandé.

17 Désirant, **exigeant.**

18 Désidératif [LING.].

Adv. 19 Ardemment **536** ; ambitieusement ; avidement.

200 DÉSOBÉISSANCE

N. 1 **Désobéissance.** – **Indiscipline,** indocilité ; libertinage [vx], licence [litt.] **58.** – Fronde [litt.], **insoumission,** insubordination ; résistance **715.**

2 Mutinerie, **rébellion,** refus d'obéissance, révolte, sédition **728.** – MIL. : acte d'insubordination, désertion. – Désobéissance civile [HIST.] **715.** – Forfaiture **389.**

3 Non-observation, non-respect ; dérogation, dérogeance [vx]. – Contravention, entorse *(entorse à un règlement),* **infraction,** manquement

(manquement à la loi), transgression, violation. – Écart **390, faute,** péché **606.**

4 **Frondeur** *(un frondeur)* [cour.] ; libertin [vx] ; désobéisseur [rare], insurgé *(un insurgé),* **rebelle** *(un rebelle)* **728,** réfractaire *(un réfractaire)* **715,** séditieux *(un séditieux),* violateur *(un violateur)* ; MIL. : **déserteur,** insoumis *(un insoumis),* mutin *(un mutin).* – Fig. : chenapan **270,** fripon **169,** galopin, **garnement,** gredin, mauvais sujet ; **forte** ou **mauvaise tête** ; fouetteur de lièvres [vx]. – Fam. : tête de cochon, tête de lard **715.**

V. 5 **Désobéir** ; braver ou forcer la consigne, passer outre ; n'en faire qu'à sa tête. – Fam. : s'asseoir sur *(s'asseoir sur les ordres ; les ordres, on s'assoit dessus),* se foutre de **401.**

6 S'opposer à, résister à, **tenir tête à 715** ; faire du mauvais esprit. – Se cabrer, se dresser, se rebeller, se rebiffer, **se révolter.** – Rompre son ban [DR.].

7 **Contrevenir à,** déroger à, forfaire à [litt.], manquer à. – Enfreindre, transgresser, violer. – Faire des écarts ; s'écarter de.

Adj. 8 **Désobéissant** ; frondeur, **indiscipliné,** indocile, insoumis, insubordonné, mutin [litt.] ; impatient du joug (aussi : de toute espèce de joug) [vx ou litt.] ; vx : licencieux, libertin. – Rebelle, **révolté,** séditieux [litt.].

9 Entêté, **récalcitrant,** réfractaire **715.** – **Difficile** *(un enfant difficile),* dur, endiablé. – Indompté.

10 **Indisciplinable,** indomptable, ingouvernable. – Impossible, insupportable, invivable.

11 **Contraire à,** opposé à **572.14.** – Dérogatoire à [DR.].

Adv. 12 Indomptablement [rare]. – **Irrespectueusement 439.**

201 DÉSORDRE

N. 1 **Désordre** ; inorganisation. – Dérangement, dérèglement, désorganisation **202** ; bouleversement, chamboulement. – Altération, dégradation, détérioration **205.** – **Déséquilibre** ; entropie [PHYS.]. – Dysfonction, dysfonctionnement **482** ; trouble.

2 **Confusion.** – Délire **321,** divagation, égarement.

3 Débauche, débordement **426,** déportement, dévoiement.

4 Bousculade, débâcle **180,** débandade, déroute, dispersion.

5 **Embrouillamini,** embrouillement **140,** enchevêtrement, pagaye ; imbroglio. – Fam. : binz ou bin's, brouillamini [vx], micmac, pastis, sac de nœuds, salade ; merdier [vulg.].

6 Mélange **501,** pêle-mêle *(un pêle-mêle)* [vieilli ou TECHN.], pot-pourri, salmigondis [fam.]. – Bataclan [fam.], bric-à-brac, capharnaüm, fatras, fouillis, fourbi, méli-mélo ; ramassis – Bazar, chantier, souk ; très fam. : bordel, foutoir. – Arche de Noé, cour du roi Pétaud, pétaudière ; fam. : chenil, cirque.

7 Branle-bas, **chahut,** charivari, remue-ménage, tapage **83,** tintamarre, tumulte, vacarme ; fam. : boucan, chambard, pétard, ramdam, tintouin.

8 Cafouilleur, chahuteur, dérangeur, désorganisateur, perturbateur, suscitateur [vx, litt.], trublion ; fauteur de troubles.

9 Agitateur **728,** émeutier.

V. 10 Chambouler [fam.], déplacer, déranger, désorganiser, jeter en tas ou en vrac, **mettre sens dessus dessous** ou sens devant derrière.

11 Altérer, dégrader, dérégler, **déséquilibrer,** détériorer **205.** – Démonter, désajuster, désassembler **230,** disloquer.

12 Embrouiller **217,** emmêler **140,** empêtrer, enchevêtrer.

13 Se débander, se désordonner [vx].

Adj. 14 Anarchique, chaotique ; fam. : bordéleux [rare], bordélique, cafouilleux ; merdique [très fam.]. – **Désordonné,** désorganisé ; brouillon.

15 Confus **411, embrouillé 140,** emmêlé, enchevêtré ; sans queue ni tête. – Inextricable.

16 Chambardé, dérangé, déréglé. – Désordre *(être désordre, faire désordre)* [fam.] **547.** – Épars.

Adv. 17 Anarchiquement [fig.], chaotiquement, désordonnément [fam.].

18 Pêle-mêle, **en vrac.** – **N'importe comment.** – À la débandade.

202 DÉSORGANISATION

N. 1 **Désorganisation** ; déstructuration. – Désordre **201** ; déséquilibre. – Dérangement, dérèglement. – Déclassement, déplacement ; interversion.

2 **Bouleversement,** chambardement, chamboulement, ébranlement. – Éboulement, écroulement, effondrement ; craquement. – Dislocation **230, morcellement** ; rupture, séparation **324.** – Désagrégation, désintégra-

tion **205,** pulvérisation ; délabrement. – Fin, ruine.

3 Agitation **17, confusion,** remue-ménage ; perturbation, trouble. – Anarchie **728,** chienlit.

V. 4 **Désorganiser.** – Défaire, déranger ; ébranler, faire craquer, mettre à mal. – Mettre en désordre ou sens dessus dessous. – Bouleverser, bousculer, chambarder, jeter à bas, **perturber,** révolutionner. – Dérégler, détraquer [fam.].

5 Déformer, déstructurer ; déséquilibrer. – Déconstruire, **démonter.** – Démanteler, démantibuler [fam.], désassembler, disloquer **230,** fragmenter, morceler. – Démembrer, désarticuler, désosser, disséquer. – Atomiser, pulvériser **676,** réduire en poussière ; dissoudre, résoudre.

6 Déclasser, intervertir. – Désassortir, disjoindre, dissocier.

7 Dysfonctionner.

8 Se débander, se désordonner. – Se décomposer, **se défaire,** se délabrer, se désagréger. – Se déstructurer.

Adj. 9 **Désorganisé 201** ; inorganisé. – Déplacé, dérangé, désordonné ; déclassé, interverti ; épars ; fam. : chamboulé, chambardé. – Changé.

10 Déséquilibré, perturbé.

11 Défait, démonté, désassemblé, désassorti, disjoint, dissocié ; fragmenté, morcelé ; fig. : démembré, dépecé, désarticulé, désossé. – Déconstruit [fig.], déstructuré ; déformé.

12 Divisé, séparé, scindé. – Désagrégé, déstructuré, **éclaté.** – Atomisé, pulvérisé.

13 Dégénérescent, délitescent [rare]. – Dissoluble [rare], soluble.

Adv. 14 Chaotiquement, désordonnément ; anarchiquement. – Confusément.

Aff. 15 Dis-, dys-.

203 DESSOUS

N. 1 **Dessous** ; bas *(le bas),* envers *(l'envers)* ; croûte (opposé à fleur) [TECHN.].

2 Infrastructure, soubassement, support **791.2** ; ARCHIT. : substruction, substructure ; base *(la base),* cul *(cul d'un tonneau),* derrière **193.6,** fond *(fond de lit)* ; TECHN. : culot, fonçaille. – Fonçage [TECHN.].

3 Sous-main ; dessous-de-bouteille, dessous-de-plat, sous-tasse ou soutasse ; sous-nappe.

4 **Dessous** *(les dessous),* dessous-de-bras, sous-bras [fam.] ; sous-jupe, sous-vêtements ou, litt., sous-vêture ; sous-bas [rare] ; sous-manche [vx].

5 Sous-barbe [didact.] ; sous-menton [vx].

6 Sous-adresse [didact.]. – Sous-titre **469.**

7 **Sous-bois 38,** sous-étage, sous-végétation ; racine **318.**

8 **Excavation 167.1** ; TECHN. : sous-cave, sourive ; basse-fosse **208** ; **souterrain,** tunnel. – Terrier.

9 Fond *(fond marin),* bas-fond ; **profondeurs** *(les profondeurs)* ; abysse. – Pied (opposé à sommet) **530.**

10 Cale **273,** soute ; cave **481.**

11 **Dessous** *(le dessous du jeu, les dessous d'une affaire, les dessous de la politique)* **751** ; sous-main [vx].

V. 12 Souligner, souscrire [vx] ; sous-titrer ; sous-caver [TECHN.]. – Foncer [TECHN.]. – Subsumer [didact.].

13 Être dans le ou au trente-sixième dessous **836.**

Adj. 14 Sous-jacent ou, litt., subjacent ; souscrit *(iota souscrit).*

15 Sous-marin ou, didact., subaquatique **319** ; sous-marinier ; sublunaire *(le monde sublunaire)* [sout. et vieilli] ; souterrain.

16 Soussigné **554.**

17 **Inférieur** ; bas, profond.

18 En dessous *(un air en dessous)* ; dissimulé **373.**

Adv. 19 **Dessous,** en dessous ; **en bas** ; par en bas, par-dessous, par en dessous [fam.] ; en sous-œuvre.

20 Au-dessous, **infra,** plus bas ; en contrebas ; ci-après, **ci-dessous 673.16** ; là-dessous.

21 D'en bas, d'en dessous.

22 Bas *(couler bas),* profondément, profond. – Souterrainement ; sous terre.

Prép. 23 Par-dessous, **sous** *(pli sous enveloppe)* ; dessous [vx] ; dans, derrière.

24 **Au-dessous de** ; au sud de ; en aval de ; au bas de, en bas de, au pied de.

Int. 25 Dessous ! [MAR.].

Aff. 26 Hypo-, infra-, sous- **405,** sub-.

204 DESSUS

N. 1 **Dessus, haut** *(le haut),* supérieur *(le supérieur)* ; amont *(l'amont)* ; endroit **158.1** ; fleur (opposé à croûte) [TECHN.].

2 Dessus *(les dessus)* [spécialt] ; cintres.

3 **Couvercle** ; chape ; capot **675,** couvre-plat ou dessus-de-plat, dessus-de-table. – **Chapeau 18,** coiffure ; pardessus, surplis, survêtement ; armure **671,** cuirasse ; caparaçon [litt.].

4 **Enveloppe** ; couverture ou, vx, couverte, couvre-lit, dessus-de-lit ; couvrante [fam.] ; couvre-pied. – Couvre-livre, liseuse **469** ; reliure. – Bâche, capote ; berlue [arg.]. – Revêtement **727** ; **enduit.**

5 Superstructure ou, vx, superstruction. – Combles, **grenier 481** ; **toit,** toiture, surtout ; voûte **432** ; hauts *(les hauts)* [MAR.]. – ARCHIT. : corniche, entablement ; cimaise ; **chapiteau** ; abaque ; dessus-de-porte.

6 **Cime 530,** faîte, haut *(le haut),* sommet ; culmination ou culmen [rare] ; surplomb ou surplombement.

7 Élévation *(une élévation),* **hauteur** *(une hauteur)* ; bas-fond ou haut-fond.

8 **Ciel 49,** firmament.

9 **Adresse,** suscription ; dessus [vx].

10 **Superposition** ; chevauchement, étagement. – Survol.

11 Le dessus du panier [fam.] **800.5.**

V. 12 Couronner, culminer, **dominer,** surmonter, surplomber ; surpasser [vieilli] ; se dresser ou s'élever au-dessus de.

13 **Recouvrir** ; coiffer, couvrir ; envelopper ; bâcher ; cuirasser ; enduire.

14 Tenir le haut bout de la table **59.**

15 Survoler ; surnager.

16 Mettre sur ou, vx, mettre dessus ; étager, **superposer** ; surcharger, surligner. – Surpiquer.

17 Chevaucher ou se chevaucher, empiéter, mordre sur.

Adj. 18 Culminant, dominant, **élevé,** haut.

19 Supérieur.

20 Susdit, susnommé **554.**

21 Superpositif [BOT.]. – Apical [ANAT.].

Adv. 22 **Dessus** ; au-dessus, en dessus (opposé à en dessous) ; à l'étage, en haut, en hauteur **806** ; en amont ; **en surplomb.** – Par-dessus *(passer par-dessus).*

23 Ci-dessus **673.16,** là-dessus ; là-haut.

24 Supra.

25 Sens dessus dessous **436.**

Prép. 26 Par-dessus, sur, sur le dessus de ; dessus [vx]. – Au-dessus de ; en amont de ; au nord de.

Aff. 27 Super- **800.28,** supra-, sur-, sus-.

28 Couvre-, protège-.

205 DESTRUCTION

N. 1 **Destruction** ; anéantissement, annihilation, consomption [litt.], déconstruction [didact.], démantèlement, dissolution, foudroiement, lyse [SC.], néantisation [didact.].

2 Chute, délabrement, éboulement, écroulement, **effondrement.**

3 Atomisation, décomposition, désagrégation, **désintégration,** désorganisation **202,** dislocation, fragmentation.

4 Brisement [litt.], brisure [rare], bris [litt.], cassage, cassement [rare], **casse,** concassage. – Cisaillement, déchirement. – Détérioration ; effraction [DR.], fracture. – Endommagement, érosion, usure. – Bousillage [fam.], déglinguage, détraquement [fam.]. – Résolution [DR.], **rupture** ; interruption.

5 Abattage, abattement [vx], abattis [rare], abat [vx], démolissage, **démolition, ruine.** – Sabotage, sape, sapement, travail de sape. – Bombardement **354,** pilonnage.

6 Dégradation, déprédation, dévastation, mise à sac, ravage, sac, saccage. – Extermination, massacre, meurtre **169.** – Houliganisme ou hooliganisme [anglic.], vandalisme.

7 Brûlage [rare], brûlement **311,** écobuage. – Autodafé. – Crémation ; **incinération.** – Asphyxie [fig.], étouffement. – Corrosion, rongeage [TECHN.], rouille.

8 Pourriture, **putréfaction** ; gangrène.

9 Ablation, arrachage, extirpation. – **Annulation,** suppression ; élimination, éradication, liquidation. – Écrasement, renversement.

10 Destructivité, **nocivité** ; force de destruction, pouvoir destructeur ou pouvoir de destruction.

11 Biodégradabilité, destructibilité [rare].

12 Destructivisme [BX-A.]. – Autodestruction ; pulsion de destruction [PSYCHAN.].

13 Bousilleur [fam.], casseur, démolisseur.

V. 14 **Détruire** ; anéantir, annihiler, brûler *(brûler ses chances),* consumer, démanteler, dissoudre, mettre fin à, néantiser [didact.], pulvériser ; faire disparaître de la surface de la terre, faire table rase de, **réduire à néant.** – Atomiser, déchiqueter, décomposer, démantibuler [fam.], désagréger, désintégrer, désorganiser, **disloquer,** fragmenter. – Déconstruire [didact.], **défaire,** désarticuler, destructurer.

15 **Abîmer,** altérer, chancir [rare ou litt.], dégrader, délabrer, dénaturer, détériorer, détraquer, écrabouiller, endommager ; taler.

16 Fam. : **amocher,** aplatir, arranger, bigorner, bousiller, déglinguer, esquinter, péter.

17 **Briser,** broyer, **casser,** concasser, crocheter, déchirer, dépecer, ébrécher, édenter, éroder, fracasser, fracturer, saboter, user. – Défoncer, enfoncer, éventrer.

18 **Faire de la casse** [fam.], faire des ravages ou des dégâts ; mettre en morceaux ou en miettes, mettre ou tailler en pièces, réduire en bouillie ou en charpie [fam.], réduire en cendres, réduire en poussière.

19 **Rompre.** – Abattre, culbuter, démolir, déraciner, jeter à bas, mettre à bas, raser, **ruiner,** saborder ; ne pas laisser pierre sur pierre de. – Bombarder, pilonner ; battre en brèche, battre en ruine [vx].

20 Agresser, **attaquer,** attenter à. – Désoler [vx], dévaster, ravager, saccager, sinistrer ; livrer aux flammes, mettre à feu et à sang, mettre à sac ; pratiquer la politique de la terre brûlée. – Écraser, éliminer, éreinter, **exterminer,** massacrer, mettre à mal, mettre à mort, tuer.

21 **Brûler,** incendier, incinérer. – Asphyxier [fig.], étouffer. – Corroder, oxyder, ronger, rouiller ; gangrener, gâter, putréfier.

22 Claquer, **craquer,** exploser, lâcher. – Menacer ruine, tomber en ruine ; crouler, péricliter ; s'ébouler, s'écrouler, **s'effondrer.**

23 Arracher, extirper. – **Annuler, supprimer** ; éliminer, éradiquer, liquider.

24 S'abîmer, **s'altérer,** se corrompre, se dégrader, **se détériorer,** s'esquinter [fam.], se déformer, se déglinguer [fam.], se dérégler, se désagréger, se délabrer, se désorganiser, se détraquer.

Adj. 25 **Destructeur,** destructif ; annihilant [litt.], annihilateur [litt.], cassant, casseur, corrosif, déprédateur, dévastateur, néfaste, **nocif,** nuisible, ravageur, ruineux [vx] ; lysogène [SC.], lytique [SC.] ; nihiliste, subversif ; agressif, offensif, terroriste.

26 **Brisé, cassé,** déchiqueté, délabré, rompu ; ruiniforme ; bousillé [fam.], déglingué [fam.], **foutu** [pop.], kapout ou capout [fam.], nase ou naze [pop.]. – Bon pour la casse, en ruine, **hors d'usage,** hors service ou H. S.

27 Annihilable [rare], **cassable,** consomptible [sout.], destructible [litt.] ; biodégradable, oxydable (opposé à inoxydable).

Aff. 28 Brise- ; -cide, -claste, -lyse, -phage.

206 DÉSUÉTUDE

N. 1 **Désuétude** ; caducité [litt.], obsolescence [didact.], vieillissement [fig.] ; abandon, désaccoutumance [litt.], **oubli 583.** – Ringardise [fam.], vieillerie [rare].

2 Désuétude calculée ou obsolescence planifiée [ÉCON.]. – DR. : caducité ; péremption.

3 Péj. : antiquaille, antiquaillerie, nanar ou nanard, rossignol, vieillerie ; défroque **859.** – Guimbarde **833** [fam.].

V. 4 **Avoir fait son temps,** avoir vécu ; dater *(ce chapeau date).* – Avoir le charme du passé ; sentir la naphtaline. – **Retarder** ; ne pas suivre, ne pas être à la page.

5 Tomber en désuétude ; **passer,** passer de mode **520,** vieillir.

6 **Abandonner 701,** délaisser. – Mettre au rebut ou, fam., au rencart. – Ringardiser [fam.].

7 Se périmer. – S'en aller rejoindre les vieilles lunes ou les lunes d'autrefois [vx].

Adj. 8 **Désuet** ; **démodé,** dépassé, obsolète, passé de mode, suranné, vieillot, vieux jeu ; caduc, non valable, nul, obsolescent [litt. ou ÉCON.], **périmé** ; abandonné, désaffecté.

9 Arriéré, attardé, d'arrière-garde, **en retard,** figé, retardataire, rétrograde **322** ; kitsch, rétro, vieille France ; anachronique [cour.] ; fam. : de grand-papa, de papa, out (anglic, « hors du coup »), ringard. – Nostalgique **598.**

10 Vétuste, vieux **863** ; hors d'âge. – Défraîchi, fané, passé, usé. – Antique, archaïque, gothique [litt., vx], préhistorique ; fam., fig. : antédiluvien, fossile, fossilisé.

Adv. 11 Anachroniquement.

207 DÉTECTION

N. 1 **Détection** ; **dépistage,** forage, repérage, sondage ; **localisation** ; détermination, **diagnostic,** identification **179** ; jaugeage, mesure **509.**

– Recherche **689** ; exploration, interception, investigation, prospection.

2 **Écoute,** guet ; attente ; patrouille, **reconnaissance, surveillance,** veille ; flicage [fam.] ; renseignement.

3 **Défiance 183.** – Attention **52,** curiosité.

4 Géolocalisation, **radiodétection, radiorepérage,** radiopistage, radiosondage, radiotélémétrie ; **télédétection** ; télésurveillance ; radiolocalisation ou, anglic., radiolocation. – Radiogoniométrie ; radionavigation. – Radarastronomie, radioastronomie. – Radioautographie, radiophotographie. – Radiesthésie, sourcellerie.

5 **Détecteur,** poêle à frire [fam.] ; déceleur, alarme, autoalarme, avertisseur. – Baguette, pendule. – Boîte noire ou **mouchard.** – **Judas** (ou : judas optique, microviseur, mouchard, œil, œilleton) ; gendarme [fam.].

6 G.P.S. ; **lidar** (angl., *LIght Detection And Ranging,* « détection et réglage par la lumière »), radiodétecteur ou **radar** (angl., *RAdio Detection And Ranging,* « détection et télémétrie par radio »), slar (angl., *Side Looking radAR,* « radar à vision latérale »), sodar, **sonar** (angl., *SOund NAvigation and Ranging,* « navigation et télémétrie par le son ») ; asdic (angl., *Allied Submarine Detection Investigation Committee,* « comité allié de détection et d'investigation sous-marines) ; sonar d'attaque, sonar de veille ; hydrophone. – Périscope, schnorchel.

7 **Capteur** (ou : détecteur, senseur) ; transducteur ; antenne **809, chercheur,** tête chercheuse ; cherche-fuites. – Chambre [PHYS.].

8 Radioaltimètre, radiomètre, **radiosonde,** radiotélescope ; altimètre. – Ballon, ballon captif, **ballon-sonde.** – MAR. : bouée *(bouée acoustique)* ; radiobalise, radiogoniomètre, radiophare. – OCÉANOGR. : **drague,** sonobouée.

9 Mesures antiradar ; brouillage, **guerre électronique 354.** – Brouilleur ; leurre ; chaffs, paillettes ou windows. – Missile, **satellite.**

10 INFORM. : code autovérificateur ou code détecteur d'erreurs, écho. – Détecteur d'écart (ou : comparateur, discriminateur) [CYBERN.]. – Cohéreur [RADIOTECHN.].

11 **Indicateur** *(indicateur biologique, indicateur coloré, etc.),* marqueur, radiotraceur, traceur ; odorisant **569.** – **Test.**

12 ZOOL. – **Vibrisse** ; moustache, soie.

13 Son ; infrason, **ultrason.** – **Onde** ; oscillation, vibration ; effet Doppler ; **résonance.** – Laser ; infrarouge, rayon gamma, rayon X. – Radiographie, radioscopie, spectroscopie ; gammagraphie.

14 **Détectivité** ; sensibilité.

15 **Détectabilité.**

16 Guetteur, patrouilleur, sentinelle, veilleur. – Garde-côtes ou garde-côte. – Chercheur. – Foreur. – Radariste. – Radiesthésiste, rhabdomancien, sourcier ou baguettisant.

V. 17 **Détecter** ; **déceler,** découvrir ; dépister. – **Diagnostiquer,** identifier. – Localiser, **repérer** ; déterminer.

18 Explorer, **prospecter,** sonder ; jauger. – Rechercher **689.**

19 **Surveiller** ; guetter ; aposter. – Écouter, être aux écoutes. – Fig. : flairer, **renifler.**

20 **Radariser** [rare].

Adj. 21 **Détecteur** ; chercheur.

22 **Détectable** (opposé à indétectable) ; décelable, localisable, **repérable** ; identifiable.

23 Antiradar, anti-sous-marin.

24 Radiogoniométrique, radiométrique ; radiophotographique.

Aff. 25 **Radar-** ; **radio-,** radi- ; **-scope, -scopie,** -scopique.

208 DÉTENTION

N. 1 **Détention** ; emprisonnement, enfermement, **incarcération,** internement ; peine de substitution ou substitut à l'emprisonnement ; embastillement [HIST. ou par plais.] ; encellulement [rare] ; collocation [belg.]. – **Captivité,** réclusion. – Claustration [litt.].

2 **Séquestration.** – DR. : arrestation arbitraire **44,** atteinte illégale à la liberté individuelle, attentat à la liberté.

3 DR. – Détention provisoire ou, anc., préventive (arg. : prévence) ; emprisonnement de simple police ; emprisonnement correctionnel ; détention criminelle. – Anc. : déportation **582,** relégation collective ; transportation. – Assignation à résidence. – Peine privative de liberté, peine restrictive de liberté.

4 MIL. : **arrêts forcés** ou de rigueur, arrêts de forteresse, arrêts simples. – Peine ou sanction disciplinaire [DR.].

5 **Mandat d'arrêt** ; ordre d'écrou [rare].

6 **Prison** ; centre de détention, dépôt, **maison d'arrêt** ou de dépôt, maison de force ou de justice ; maison centrale ou maison centrale de force, maison départementale ; maison de sûreté [vx]. – Bagne, pénitencier. – Administration pénitentiaire ; arg : la tentiaire.

7 Fam. – Ballon, **cabane,** placard, taule ou tôle, trou. – La paille humide des cachots.

8 **Maison de correction** ou de redressement, maison correctionnelle ; centre d'éducation surveillée, colonie pénitentiaire.

9 **Camp disciplinaire** ; camp d'internement, camp de redressement, camp de représailles, camp de travail ; latomies [ANTIQ. ROM.]. – Camp de concentration. – Goulag. – Bastille *(une bastille)* [litt.].

10 **Cellule,** cellote [arg.] ; geôle [litt.] ; cage ou cage à poules [fam.] ; séquestre *(une séquestre)* [vx]. – **Cachot,** mitard **44** ou mite [arg.], cabanon [anc.]. – HIST. : basse-fosse, cul-de-basse-fosse, oubliette ou oubliettes ; *in pace* ou *in-pace* (lat., « en paix ») ; ergastule [ANTIQ. ROM.]. – Ponton [MAR. ANC.].

11 Violon, bloc. – MIL. : salle d'arrêt ou de police. – Arg. mil. : cabane bambou, caisse, gnouf ou gniouf, lazaro.

12 Voiture cellulaire ; fam. : cage à poulets, panier à salade ; ballon [arg.].

13 **Chaînes,** fers ; alganon [vx]. – Cadène ou cadenne [vx].

14 Geôlage [FÉOD.]. – Pistole [HIST.].

15 **Détenu** *(un détenu)* ; prisonnier de droit commun ; **taulard** [arg.] ; captif *(un captif)* [litt.], détentionnaire [rare] ; convict [vx]. – **Bagnard,** forçat, galérien. – Codétenu. – Réclusionnaire [DR.] ; transporté *(un transporté)* [DR.]. – Chiourme [anc.].

16 **Otage,** séquestré *(un séquestré).* – Reclus *(un reclus)* **779.**

17 **Gardien,** surveillant ; kapo [HIST.] ; geôlier [litt.] ; vx : guichetier, porte-clefs. – Arg. : gaffe, **maton.** – HIST. : argousin, garde-chiourme. – Ergastulaire [ANTIQ. ROM.].

18 Incarcérateur [rare] ; bastilleur [HIST.].

V. 19 **Détenir** ; écrouer, **emprisonner,** incarcérer, interner ; enchaîner ; ligoter. – DR. : reléguer [anc.] ; assigner à résidence. – Embastiller [anc. ou par plais.] ; encelluler [rare] ; colloquer [belg.]. – Mettre au secret.

20 **Jeter en prison,** mettre sous les grilles ou sous les verrous ; litt. : emmener ou réduire en captivité ; charger de fers, jeter aux fers, mettre aux fers, jeter aux oubliettes. – Mettre à la cadène [anc.].

21 Fam. – Boucler, **coffrer,** emballer. – **Coller au trou** ; mettre en cabane, mettre à l'ombre (ou : au frais, à l'abri [vx]).

22 MIL. – **Consigner** ; mettre aux arrêts.

23 **Enfermer** ; confiner ; claquemurer, **cloîtrer** ; cadenasser, verrouiller ; claustrer [litt.] ; vieilli : chambrer, encloîtrer – Séquestrer **44.**

24 Purger sa peine, traîner le boulet ; manger du pain du roi [vx]. – MIL. : être aux arrêts, garder les arrêts.

25 Arg. – Plonger, tomber ; replonger. – Aller manger des haricots. – Bouffer de la case ; être à la campagne ou en voyage.

Adj. 26 **Détenu** ; enfermé, emprisonné, **incarcéré** ; embastillé [anc. ou par plais.] ; vx : bastillé, resserré.

27 DR. : contraignable par corps, **incarcérable** ; relégable.

28 **Carcéral** ; pénitentiaire ; concentrationnaire ; cellulaire.

Adv. 29 Pénalement [DR. PÉN.]. – Cellulairement [rare].

30 **À perpétuité,** à vie ; à perpète ou à perpette [arg.]. – À temps [DR.].

209 DETTE

N. 1 **Dette** ; créance, endettement, engagement, obligation **565.** – **Découvert** *(un découvert),* passif.

2 DR. : dette criarde, dette certaine ; dette réelle. – Dette liquide. – Dette exigible. – Dette hypothécaire ; dette privilégiée. – Dette personnelle ou propre (opposé à dette de communauté). – Dette d'honneur, dette de jeu

3 FIN. – **Dette publique** ou dette de l'État, dette *(la dette)* [ellipt.]. – Dette extérieure ; dette commerciale, dette politique. – Dette perpétuelle ; dette fondée. – Dette remboursable ; dette à court terme ou dette flottante, dette à long terme, dette viagère. – Dette consolidée.

4 **Capital,** principal ; **intérêts.**

5 Échéance, **terme 587.**

6 Gage **752,** **garantie** ; nantissement. – Antichrèse, hypothèque. – Assurance-crédit.

7 Arrérages, arriéré ; **impayé,** moins-perçu.

8 **Dû** ; débet, solde débiteur. – Arriéré, reliquat.

9 **Non-paiement** ; carence, cessation de paiements, faillite de fait ou virtuelle. – Banqueroute **284,** déconfiture [DR.], **faillite** ; fam. : culbute, débâcle, dégringolade, déroute, effondrement, krach **81,** naufrage ; arg. : baccara. – **Ruine.**

10 Insolvabilité.

11 Déclaration de faillite ; **dépôt de bilan** ; cessation d'activité. – Liquidation judiciaire.

12 DR. – Commandement, mise en demeure, sommation. – **Saisie** ; confiscation, embargo, mainmise, séquestre. – Saisie conservatoire ; expropriation, saisie immobilière ; saisie-exécution ou saisie mobilière ; saisie foraine ; saisie-arrêt, saisie-gagerie ; saisie-brandon ; saisie-revendication.

13 Atermoiement, **délai 724.2.** – Renouvellement d'effet. – Désendettement.

14 Concordat, union. – Mainlevée.

15 Amortissement, extinction.

16 Compensation.

17 Grand Livre de la dette publique ou Grand Livre.

18 **Débiteur,** detteur [vx], emprunteur ; mauvais payeur. – Failli *(un failli).*

19 **Créancier,** hypothécaire ; prêteur, usurier.

V. 20 **Devoir** ; être en dette ou en reste avec qqn.

21 Contracter ou faire des dettes ; **s'endetter.** – Arrérager [vx] ; grever d'hypothèques. – Prov. : cent ans de chagrin ne payent pas un sou de dettes ; qui épouse la veuve épouse les dettes.

22 **Vivre d'emprunts.** – Taper qqn [fam.] ; aller à la Cour des aides [fam.]. – Reboucher un trou pour en creuser un autre.

23 **Avoir des dettes par-dessus la tête,** devoir à Dieu et à diable (ou : à Dieu et au monde, au tiers et au quart, de tous côtés). – Il doit plus d'argent qu'il n'est gros [vieilli].

24 Fam. – Payer en chats et rats [vx], **payer en monnaie de singe** ; faire un loup. – Payer en gambades ; payer en bonnes paroles, payer en chansons, payer à l'espagnole.

25 Arg. – Emporter le chat, payer d'une paire de souliers, planter un drapeau ; déménager à la cloche (ou à la sonnette) de bois. – Faire un trou à la Lune.

26 Mettre sous presse ou en gage ; **mettre au clou** ou chez ma tante [anc. ou par plais.].

27 Confisquer, **saisir** ; DR. : saisir-arrêter, saisir-brandonner, saisir-exécuter, saisir-gager, saisir-revendiquer. – Colloquer.

Adj. 28 **Endetté,** obéré [DR.] ; cousu (ou : criblé, couvert, noyé, perdu) de dettes [fam.].

29 **Insolvable** ; failli. – Ruiné ; fam. : décavé, fauché, nettoyé, ratissé.

30 Redevable ; écrit sur le livre. – **Dû.**

31 Saisissable.

32 Garanti, **hypothéqué.** – Chirographaire [DR.].

33 Confiscatoire.

210 DEUX

N. 1 **Deux.** – Double *(un double),* pendant *(le pendant de qqch)* ; doublon **283** ; doublet [LING.]. – Jumeau ; alter ego **23.**

2 **Couple, paire** ; dyade [PHILOS.]. – Couplement [rare] ; **duo,** tête-à-tête. – SPORTS : doublette, tandem ; double dames, double messieurs. – Jamais deux sans trois [prov.].

3 Le double de. – **Doublement,** redoublement ; couplage. – Bis *(un bis)* [SPECT.]. – ZOOL. : accouplement **763,** appariement. – Bipartition, **dédoublement.** – Dichotomie [didact.]. – Bivalence.

4 **Le deuxième,** le second. – Duodi [HIST.] **88.** – Secondaire *(le secondaire),* seconde *(la seconde).* – La deuxième ou la seconde classe. – Duplicata.

5 **Dualité** ; gémellité.

V. 6 **Doubler,** redoubler ; dupliquer. – Biner [LITURGIE]. – Bisser [SPECT.]. – Doublonner **704.** – **Coupler,** jumeler. – Accoupler, apparier ; s'accoupler **763.**

7 **Dédoubler** ; couper en deux, **diviser.** – Dépareiller, déparier, désapparier.

8 Aller ou passer du simple au double.

Adj. 9 Deux. – Binaire, **double 25,** dual, géminé [didact.] ; dyadique [PHILOS.]. – Bifilaire ; biphasé [ÉLECTR.]. – Biplace. – Gémellaire.

10 **Deuxième,** second. – Secondaire ; de second choix, de second ordre, de second rang. – De second plan.

Adv. 11 **Deuxièmement,** secondement, secundo ; grand deux, petit deux ; en deuxième [enfant.], deuzio ou deusio [fam.]. – Secondairement.

12 À deux ; deux à deux. – **Tous deux,** tous les deux.

13 **Doublement** ; bis, deux fois. – Au double [vx], en double *(avoir qqch en double).* – (À) quitte ou double.

Int. 14 Deuz' [enfant.].

Aff. 15 **Bi-,** deutéro-, dupli-, re-. – Demi-, hémi- ; dia- ; **di-,** dicho-, dy-.

211 DEVANT

N. 1 **Devant** *(le devant)* ; avant *(l'avant)* ; pointe ; avancée ou avancé, saillie **783** ; surplomb [ARCHIT.] **204** ; vx : avance, avancement. – **Endroit** ; avers [litt.] ; dessus, face, obvers, recto.

2 **Façade 432.** – ARCHIT. : front, fronteau, frontispice [vx], fronton ; avant-corps (opposé à arrière-corps), avant-cour ; bec, éperon. – **Devanture,** étalage **681,** vitrine. – **Proue** (opposé à poupe) ; nez ; figure de proue **384,** bestion [vx] ; étrave, gaillard d'avant.

3 Avant-toit [TECHN.], auvent ; MAR. : avant-bassin, avant-port (opposé à arrière-port) ; musoir. – THÉÂTRE : avant-scène (opposé à arrière-scène), proscenium.

4 Avant-pays (opposé à arrière-pays) ; front de mer ; cap, promontoire. – Avant-poste **487,** front, tête de colonne, tête de pont.

5 Devant d'autel ou, vx, frontal *(un frontal)* ; *antependium* (lat., « ce qui pend devant »), devant-de-feu, écran, pare-feu **671** ; avant-foyer [TECHN.].

6 Devant *(un devant de chemise, un devant de veston),* plastron ; tablier ; vx : devantier (ou : devanteau, devantot), serpillière ; devantière [vx].

7 Avant-pied ; avant-train (opposé à arrière-train), avant-main (opposé à arrière-main).

8 Préfixe **535,** préposition. – Frontispice, page de titre **469.** – Préface ; avant-propos **225,** prologue **134.9.**

9 Frontalité.

10 Préséance **800.1,** priorité.

11 Avance, avancée, avancement, progression **293** ; forlonge [VÉN.].

12 Éclaireur **33.7,** guide ; vx : avant-coureur *(un avant-coureur),* avant-courrier *(un avant-courrier)* ; fourrier [litt.]. – Tête de + n. *(tête de liste, tête de série)* **800.7.**

V. 13 Avancer, saillir, surplomber.

14 **Occuper le devant de la scène 341.** – Être aux premières loges.

15 Éclairer [MIL.], guider ; frayer le chemin, marcher en éclaireur, ouvrir la marche ou la route, ouvrir une voie [ALP.]. – Dépasser **190,** distancer ; forlonger [VÉN.].

16 **Devancer 800.15,** prendre les devants ; prendre le devant [VÉN.] ; aller au-devant de.

17 Antéposer [LING.], préfixer [vx].

Adj. 18 Avant ; antérieur, frontal. – **De devant** *(roues de devant, place de devant).*

19 Avancé *(poste avancé)* ; saillant.

20 Ancien.

Adv. 21 **Devant** ; en avant, en tête. – **Ci-devant** [vx].

22 Par-devant ; de front.

23 Sens devant derrière **436.**

24 Face à face, nez à nez, tête à tête (ou : tête-à-tête, tête pour tête [vx]) ; vieilli : front à front, vis-à-vis ; cap à cap [vx].

Prép. 25 **Devant** ; en face de, vis-à-vis de ; face à.

26 Par-devant.

27 Au-devant de, à la rencontre de.

28 **Avant,** devant [vx] *(se lever devant l'aurore)* ; devant que ou devant que de + inf. [vx].

Aff. 29 Anté- *(antédéviation, antéposition, antéversion),* antéro- *(antéro-dorsal)* [ANAT., MÉD.] ; pré- *(précordial).*

30 Avant- *(avant-bras, avant-train).*

212 DÉVIATION

N. 1 **Déviation** ; dérivation, déroutage ou déroutement, **détournement** ; coup de barre ; conversion [MIL.] ; contournement. – Inflexion. – Shuntage [ÉLECTR.].

2 **Déformation,** distorsion, torsion.

3 Déportement, déraillement, écartement, embardée ; **dérapage,** survirage ; MAR. : abattée, **dérive,** évitage. – Renverse ; saute de vent.

4 Déflexion, **diffraction,** diffusion [PHYS.] ; réflexion, réfraction, répercussion. – Ricochet.

5 **Gauchissement** ou voilement ; courbure ; inclinaison, obliquité. – Courbe, ligne brisée.

6 Décalage, **écart 232,** dévoiement [TECHN.], excentricité [ARM.] ; angle de transport [BALIST.].

7 MÉD. : strabisme ; scoliose **482.**

8 Coude, lacet, **tournant, virage,** zigzag. – Crochet, détour, itinéraire détourné. – Bifurcation, carrefour. – Canal de dérivation.

9 TECHN. : déflecteur, **réflecteur,** rétroréflecteur, réverbère [anc.]. – Dérailleur [CH. DE F.]. – ÉLECTR. : circuit dérivé, shunt *(shunt électrique, shunt magnétique).* – ÉLECTRON. : déviateur, plaque de déviation.

10 Écartomètre.

11 Réflexibilité. – Réfringence.

V. 12 **Dévier** ; décaler, déporter, dérouter, **détourner** ; dévoyer [CH. DE F.]. – Shunter [ÉLECTR.]. – Décentrer, désaxer.

13 **Incliner,** infléchir, pencher ; tourner **733.** – Étriver [MAR.].

14 Défléchir, **diffracter.** – **Réfléchir,** refléter, réfracter, renvoyer, répercuter.

15 **Déformer** ; bistourner [didact.], courber, distordre, fléchir, gauchir, tordre.

16 **Dévier,** diverger ; s'écarter de ; biaiser. – Ricocher.

17 Dérailler ; **déraper,** embarquer, glisser **119,** survirer. – MAR. : abattre, **dériver.** – S'écarter du droit chemin, se fourvoyer ; faire fausse route ; **errer 283,** faire des détours. – S'égarer, se perdre ; perdre le nord.

18 S'incliner, s'infléchir, se pencher ; **ployer.** – Se courber, se déformer, gauchir ou se gauchir, se tordre.

19 Changer de cap ou de direction, obliquer, **virer,** virer de bord. – Bifurquer ; braquer, contrebraquer, tourner. – Appuyer sur la gauche, sur la droite (ou à gauche, à droite). – Prendre les chemins de traverse. – Louvoyer, **zigzaguer.**

20 Fig. : basculer vers ; tourner à, virer à.

Adj. 21 **Déviant** ; survireur.

22 Dévié ; **de travers,** de traviole [fam.] ; **tordu,** tortueux, torve ; litt. : tors, tortu. – MÉD. : valgus, varus. – Coudé, sinueux.

23 **Oblique 212,** transversal, transverse [ANAT.] ; en travers.

24 Déviateur [TECHN.].

Adv. 25 **De travers** ; de guingois [fam.]. – De biais, en biais, en diagonale, **en travers** ; obliquement, transversalement. – Par le travers [MAR.].

26 Indirectement.

213 DEVOIR

N. 1 **Devoir** *(le devoir),* loi morale [PHILOS.] **533.** – Sens du devoir ; conscience.

2 Devoir, mission, responsabilité, tâche ; **charge,** fardeau [fig.]. – Code ; impératif [PHILOS.], obligation **565, prescription 650.** – Devoir militaire, obligation ou devoir de réserve [DR.] ; devoir conjugal, devoir de secours ; devoir d'éducation.

3 Devoirs [vx], **hommages 741** ; derniers devoirs.

4 Dette **209,** dû.

5 **Accomplissement 5,** exécution ; *ada* [ar.].

V. 6 **Devoir** ; avoir à, être dans l'obligation de ; se devoir à + n., se devoir de + inf. – Il est de mon devoir de + inf.

7 Lier, obliger **565** ; responsabiliser. – **Incomber à.**

8 Se mettre en devoir de ; **faire son devoir,** remplir son devoir ; accomplir son devoir, s'acquitter de son devoir ; aller par-delà le paradis [vx]. – Se dévouer. – Retourner à son devoir [vx].

Adj. 9 Chargé de, en charge de, **responsable de.**

10 Nécessaire **545.10, obligatoire.**

214 DIÉTÉTIQUE

N. 1 Diététique *(la diététique).*

2 Cure, diète, **régime.** – Cure uvale, diète hydrique (aussi : lactée, végétale), régime désodé ou déchloruré ; régime amaigrissant (aussi : hypocalorique, sec, dissocié). – Macrobiotique, végétalisme, **végétarisme.**

3 Hyperphagie, **suralimentation 563.** – Cynophagie [rare], hippophagie, ichtyophagie, xérophagie [vx, RELIG.].

4 Aliment complet, aliment diététique ; aliment d'épargne. – **Édulcorant** ; aspartame, saccharine. – Aliment concentré [ZOOTECHN.].

5 **Glucide** (ou : sucre, vieilli : hydrate de carbone) **94.** – **Protéine** (ou : protéide, substance protéique) **94** ; soléroprotéine ; acides aminés. – **Lipide** ou graisse **94** ; phospholipide ; acide gras, lipide complexe ou lipoïde.

6 **Éléments minéraux :** calcium, cobalt, cuivre, fer, iode, magnésium, manganèse, phosphore, potassium, vanadium, zinc. – Oligoéléments.

7 **Vitamines :** provitamine A (carotène), vitamine A ou axérophtol, vitamine B (B1 ou antinévrétique, B2 ou lactoflavine, B5 ou acide pantoténique, B6 ou pyridoxine, B7 ou méso-inositol, B12 ou cyanocobalamine, B12b ou hydroxocobalamine), **vitamine C** ou acide ascorbique, vitamine D (D2 ou ergocalciférol, D3 ou cholécalciférol), vitamine E (alpha

tocophérol), vitamine F, vitamine H ou biotine, vitamine K ou antihémorragique (K1 ou phylloquinone, K2 ou ménaquinone, K3 ou ménadione), vitamine P ou épicatéchol, vitamine PP ou nicotinamide. – Vitaminisation.

8 Ration calorique. – Valeur calorifique ; **calorie,** kilocalorie ; kilojoule. – Isodynamie.

9 **Diététicien,** diététiste. – Végétalien ou végétaliste, végétarien.

V. 10 Se mettre au régime ou à la diète. – Édulcorer. – Protéiner.

Adj. 11 **Diététique.** – Glucidique, glucido-lipidique, lipidique, protéinique ; vitaminique. – **Calorique,** isocalorique, isodyname ; calorifique. – Désodé, *light* (angl., « léger »), hypocholestérolémiant, hyposodé ; hypercalorique.

12 Macrobiotique, végétalien ou végétaliste, **végétarien.** – Créophage, hippophage, ichtyophage ; euryphage, polyphage.

13 Hyperphagique. – Hippophagique.

Aff. 14 -phage, -phagique ; -phagie ; -ide, -ose.

215 DIEU

N. 1 **Dieu, l'Éternel.** – Être suprême [anc.]. – Grand Architecte de l'Univers ; Souverain Juge. – Incréé *(l'Incréé),* Infini *(l'Infini),* Un *(l'Un).*

2 Auteur de la nature, créateur. – Cause première **92.1,** principe de toute chose. – Providence.

3 **Logos, Verbe.**

4 Le Roi du Ciel et de la Terre, le Roi des rois, le Saint des Saints, le Tout-Puissant, **le Très-Haut, le Seigneur, Seigneur Dieu** ; Notre Seigneur ; Dieu de vérité, Dieu juste, Dieu de justice, Dieu de miséricorde. – Dieu jaloux. – **Dieu vivant.**

5 Dieu des armées. – Dieu des Hébreux, Dieu d'Israël. – Dieu d'Abraham ; Dieu d'Isaac, Dieu de Jacob, Dieu de David. – Arbre de Jessé.

6 **Père,** Père éternel ; bon Dieu [fam.]. – Arg. : le barbu, le Grand Dab, le mec des mecs.

7 Élohim ou Éloïm. – Adonaï, Jéhovah, Yahveh. – Allah.

8 Dieu-homme, Dieu fait homme, homme-Dieu ; **Fils de Dieu,** Fils unique de Dieu, Dieu le Fils, Fils de l'homme ; Fils de David ; Fils de Marie. – **Christ,** Christ-Roi ; **Jésus 117,** Jésus-Christ (J.-C.), Seigneur Jésus, Notre Seigneur Jésus-Christ (N. S. J.-C.) ; Jésus de Galilée, le Galiléen, le Nazaréen. – Oint du Seigneur. – Emmanuel ; **Messie, Rédempteur, Sauveur,** Sauveur du monde ; Notre Sauveur. – Pain céleste, pain de vie. – Crucifié.

9 **Agneau de Dieu,** Agneau pascal, Agnus Dei.

10 Père, Fils et Saint-Esprit. – Paraclet, Sanctificateur.

11 Sigles : chrisme (XP), JHS ou IHS (*Iesus, Hominum Salvator :* « Jésus, sauveur des hommes »), **INRI** (lat., *Iesus Nazarenus Rex Iudæorum :* « Jésus de Nazareth, roi des Juifs »), ICHTHUS (gr., *Iêsous Christos Theou Uios Sôter :* « Jésus-Christ, fils de Dieu, sauveur »), YHWH ou YHVH (Yahvé). – *Ecce homo* (lat., « voici l'homme »).

12 Delta mystique. – Mandorle ou amande mystique.

13 Attributs de Dieu : aséité, consubstantialité ; pureté, unité. – Transcendance. – Beauté **69,** sublimité. – Éternité **287,** immensité, immortalité, immutabilité, omniprésence ; impeccabilité. – Bonté **76,** miséricorde ; omniscience, prescience, sagesse ; toute-puissance.

14 Voies de Dieu, doigt (ou : main, bras) de Dieu, œil de Dieu ; voies du Seigneur. – Voix de Dieu ; les dix commandements.

15 Épiphanie, Théophanie. – Révélation **818.**

16 Dimanche ou jour du Seigneur.

17 Culte de latrie (opposé à culte de dulie) **29.9.**

18 Théologie.

V. 19 Déifier ; diviniser **236.**

20 Prov. et loc. prov. – L'homme propose, Dieu dispose. – Dieu sait, Dieu seul sait. – Si Dieu veut.

Adj. 21 Divin, dive. – Sophianique.

Aff. 22 Déi-, théo- ; -théique.

216 DIFFÉRENCE

N. 1 **Différence,** dissemblance **229.** – PHILOS. : différence essentielle ; différence spécifique. – Inégalité **402.**

2 Distance, **écart,** intervalle. – Abîme, gouffre ; fossé ; contraste. – Différentiel *(un différentiel ; le différentiel)* [didact.], écart. – Excédent, **excès 294,** supplément ; défaut, **manque 488.**

3 Didact. : différenciation, discrimination ; analyse **682** ; comparaison **138.** – Démarcation, **distinction,** partage, séparation **756.** – Chan-

gement **104,** modification, transformation. – Dissimilation [PHONÉT.]. – Spécialisation [BIOL.].

4 **Particularité,** trait distinctif ; nuance, variante, variation. – Anomalie **32,** irrégularité.

5 **Étranger 288.** – PHILOS. : autre *(l'autre),* autrui. – Droit à la différence.

V. 6 **Différer** ; n'avoir rien à voir ou n'avoir rien à voir ensemble ; ça fait deux [fam.]. – Diverger ; s'écarter, s'éloigner. – Déparer, trancher ; **s'opposer 572.** – Évoluer, se transformer, varier **850** ; se différencier, se distinguer, se particulariser. – Se spécialiser.

7 Faire la différence entre... et...

8 Se démarquer ; creuser l'écart, **prendre ses distances.**

9 Différencier ; caractériser, individualiser, **particulariser,** spécifier. – Identifier **376.** – **Distinguer** ; faire le départ [sout.], faire la différence ; faire une distinction, faire un distinguo ; ne pas mélanger les torchons et (ou : avec) les serviettes [fam.]. – Discriminer ; séparer le bon grain de l'ivraie [sout.]. – Comparer **138.**

Adj. 10 Différentiel [didact.], distinctif.

11 **Différent,** dissemblable **229,** distinct ; divergent ; inégal **402.** – **Autre 23,** singulier ; allogène, hétérogène.

12 Différencié ; changé, modifié, transformé ; exceptionnel, extraordinaire. – Nouveau **551.**

Adv. 13 **Différemment** ; autrement, diversement. – Plus, moins ; d'autant moins, d'autant plus. – Par défaut **488** ; par excès **294.**

Prép. 14 À la différence de, par opposition à.

Conj. 15 **À la différence que,** à cette différence près que.

Aff. 16 Allo-, hétéro-.

217 DIFFICULTÉ

N. 1 **Difficulté** ; complexité **140.1,** insolubilité, obscurité.

2 Difficile *(le difficile ; le difficile de la chose, de l'affaire),* **problème,** question ; hic [fam.], *tu autem* (vx ; lat., « mais toi », sous-entendu : « Seigneur, prends-moi en pitié »). – Nœud gordien, quadrature du cercle.

3 **Complication,** confusion. – Usine à gaz. – Subtilité ; ratiocination [péj.]. – Aporie [PHILOS.], aporisme [LOG.].

4 Contrariété, **souci 785.** – Empêchement, ennui, entrave, traverse.

5 Désaccord **194** ; conflit.

6 **Obstacle 567,** rémora ou rémore [vx] ; fam. : bec, cheveu, chiendent, épine, lézard, pépin. – Barrière, écueil. – Mauvais coucheur.

7 Gêne, **mal,** peine **255** ; inconfort.

8 Danger **175,** péril.

9 **Mauvais pas** ; fam. : pastis, sac d'embrouilles, sac de nœuds ; dédale, labyrinthe. – Crise ; guet-apens, piège.

10 Temps difficiles, siècle d'airain [litt.] ; débuts difficiles, vache enragée [fam.].

V. 11 **Avoir des difficultés,** avoir du mal, souffrir. – Fam. : **en baver,** en baver des ronds de chapeau, en danser [vx] ; galérer, ramer ; **s'arracher les cheveux,** se casser la tête, se torturer les méninges.

12 Être embarrassé ; cafouiller [fam.], hésiter **438** ; s'essouffler. – Fam : être coincé, être bloqué ; **être dans de beaux draps** (ou : dans les choux, dans une mauvaise passe, dans le pétrin) ; ne pas être sorti de l'auberge. – Être dans la misère **603,** être dans la purée ou dans la panade [fam.], manger ou bouffer de la vache enragée. – Fam. : être dans la même galère, être logé à la même enseigne (que qqn).

13 Chercher ou rechercher la difficulté, **compliquer 140.9** ; alambiquer [vx], complexifier, corser ; brouiller, obscurcir, rendre confus ; embrouiller, emmêler, entremêler ; emberlificoter, entortiller. – **Faire des difficultés,** soulever des difficultés ; contester **194.** – Chinoiser [fam.], ergoter, pinailler [fam.], ratiociner [litt.] ; **chercher midi à quatorze heures,** couper les cheveux en quatre [fam.]. – C'est la croix et la bannière pour [fam.].

14 Mettre en difficulté ou en échec **249** ; accrocher *(accrocher un concurrent)* ; compromettre, discréditer **227,** embêter[fam.], ennuyer **272,** emmerder [très fam.], gêner.

15 **Créer des difficultés à,** donner du fil à retordre (ou : du mal, de la tablature [litt. et rare], du tintouin [fam.]) ; mettre des bâtons dans les roues **567,** tailler des croupières [vx] ; **mener la vie dure.**

16 Avoir des difficultés avec, avoir maille à partir avec, être en désaccord avec **194.**

17 Faire le difficile **62,** faire des difficultés de [vx et litt.] ; faire le dégoûté ou, vx, le renchéri.

Adj. 18 **Difficile,** difficultueux ; ardu, compliqué **140.12,** délicat, dur, épineux, malaisé, pénible, rude, scabreux. – Fam : **coton,** duraille, vache.

19 **Complexe,** confus, embrouillé, enchevêtré, entortillé, inextricable ; litt. : abstrus, abscons, sibyllin ; mystérieux, obscur, subtil ; énigmatique, ésotérique, hermétique **411** ; fam. : calé, costaud, coton, trapu ; pas évident. – Insoluble ; aporétique [PHILOS.].

20 Abrupt, escarpé, incommode, malcommode, raboteux, raide ; **dangereux 175.**

21 Embarrassant, pénible, triste **836** ; **douloureux 243.** – Inquiétant, préoccupant.

22 **Exigeant.** – Délicat **184,** difficile, difficultueux [vx et litt.], raffiné, sévère. – Chicaneur, ergoteur, pointilleux, ratiocineur [péj.].

23 **Acariâtre 416,** insupportable, revêche. – Contrariant ; chatouilleux, irascible **130,** irritable, ombrageux, sourcilleux, susceptible ; turbulent. – **Dur 248.** – Insociable ; fam. : impossible, **invivable.**

Adv. 24 **Difficilement,** laborieusement, malaisément, péniblement ; difficultueusement [rare] ; **à grand-peine.**

25 Tant bien que mal ; fam. : cahin-caha, clopin-clopant.

Int. 26 Fam. – C'est pas de la tarte ! C'est pas du miel ! Ce n'est pas une sinécure ! Voilà le hic !

218 DIGESTION

N. 1 **Digestion** ; absorption digestive, assimilation, prédigestion ; autodigestion. – Oxydation, oxydoréduction, réduction ; lipolyse. – **Transit** ; transit œsophagien, transit gastrique, transit intestinal ; défécation **296.**

2 Digérabilité, digestibilité ; **légèreté.**

3 **Indigestion 482,** malabsorption, maldigestion ; apepsie, bradypepsie, **dyspepsie** (opposé à eupepsie). – Flatulence **335.**

4 **Aliment 703** ; métabolite [PHYSIOL.], **nutriment 563.4.** – **Bol alimentaire** ; chyme ; ballast ; **fèces** ou matières fécales **296.2.**

5 **Appareil digestif,** tractus gastro-intestinal. – **Tube digestif,** œsophage, estomac (ou, fam. : estom, estome) **853,** intestin grêle, gros intestin, rectum, anus.

6 **Bouche.** – Vestibule de la bouche (muqueuse buccale, frein de la lèvre). – **Cavité buccale** ; voile du palais, voûte du palais ; **langue,** plancher de la bouche ; isthme du gosier. – Glotte.

7 **Estomac.** – Pylore ; antre pylorique, sphincter pylorique, épigastre. – **Paroi gastrique** ; tunique séreuse péritonéale, tunique musculaire, muqueuse gastrique.

8 **Intestin grêle** ; duodénum, jéjuno-iléon. – Canal cholédoque, canal de Santorini, canal de Wirsung ; ampoule de Vater ; grande caroncule, petite caroncule. – Mésentère.

9 **Gros intestin.** – Cæcum, appendice vermiculaire, **côlon,** côlon ascendant, côlon transverse, côlon descendant, côlon pelvien ou sigmoïde ; mésocôlon ; mésocôlon ascendant, mésocôlon transverse, mésocôlon descendant. – **Rectum** ; ampoule rectale.

10 **Foie.** – Lobe gauche, lobe droit, lobe carré, lobe de Sprigel. – Empreinte colique, empreinte duodénale, empreinte rénale ; fossette cystique, gouttière œsophagienne, hile du foie, **petit épiploon.** – Ligament coronaire, ligament suspenseur du foie ou ligament falciforme, ligaments triangulaires. – **Canal cholédoque,** canal cystique, canal hépato-cholédoque, canaux hépatiques, voies biliaires intra-hépatiques et extra-hépatiques. – **Vésicule biliaire.** – **Pancréas 340.2.**

11 **Péritoine 821.4** ; péritoine digestif, péritoine génito-urinaire. – Feuillet pariétal, feuillet viscéral ; épiploon.

12 Broyage, **mastication 188,** rumination, trituration. – **Déglutition** ; mouvement antipéristaltique, péristaltisme, onde péristaltique. – Insalivation, **salivation.** – Chylification.

13 **Sucs digestifs** ; **salive,** suc gastrique, suc pancréatique ; suc de l'intestin grêle, suc du gros intestin ; **bile** ou fiel. – Apoenzyme, coenzyme ; enzyme digestive, diastase [vieilli] ; amylase, lipase, protéase ; ptyaline, pepsine, etc.

14 **Faune intestinale, flore intestinale.**

15 **Biliogenèse** (ou : biligénie, cholépoïèse), cholérèse.

16 **Gastro-entérologie 498,** gastrologie, hépatologie, proctologie.

17 Gastrologue, hépatologue, proctologue.

V. 18 **Mâcher,** malaxer, mastiquer, ruminer ; insaliver, peptonifier. – Déglutir.

19 **Digérer** ; assimiler. – Déféquer **296.**

20 Éructer, roter. – Vomir. – Avoir l'estomac barbouillé, avoir mal au cœur.

21 Constiper.

Adj. 22 **Digestif** ; assimilable, digérable, digeste, digestible, léger. – Indigeste, lourd.

23 Prédigéré.

24 MÉD. : aérodigestif. – Alvin, duodéno-jujénal, entéro-rénal, fundique, **gastrique,** gastro-duodénal, gastro-intestinal, **hépatique,** hépato-biliaire, **intestinal,** œsophagien, pancréatique, périœsophagien, rectal, **stomacal,** stomachique ; biliaire, salivaire. – Cholérétique ; eupeptique.

25 **Bilié** ; chyleux, chyliforme.

Aff. 26 **-pepsie.**

219 DIMENSION

N. 1 **Dimension** ; format, **taille.** – Grandeur, **grosseur** ; ampleur **298,** calibre, encombrement, gabarit, volume. – Proportion(s) **668.** – Dimensionnement [TECHN.].

2 **Longueur, largeur, hauteur** ; épaisseur. – Circonférence **97,** périmètre, tour. – Rayon, diamètre. – Section.

3 Étendue ; aire, superficie, **surface** ; amplitude [vx]. – Espace.

4 **Altitude,** profondeur ; niveau. – Amplitude. – **Distance.** – Portée.

5 **Taille** ; stature ; carrure, corpulence. – **Mensurations** ; tour de taille, tour de poitrine, tour de hanches, etc. ; pointure.

6 **Mesure 509** ; dimensionnement, mensuration. – Approximation, évaluation. – Échelle de grandeur, ordre de grandeur.

7 MATH. : espace à trois dimensions de la géométrie euclidienne ; espace à quatre, cinq, *n* dimensions. – Quatrième dimension (*le temps,* dans l'espace-temps de la relativité) [PHYS.].

8 Didact. : dimensionnalité [rare], proportionnalité, spatialité. – Fini *(le fini),* infini *(l'infini).*

V. 9 **Mesurer** ; prendre les dimensions, les mesures de.

Adj. 10 **Dimensionnel** ; bidimensionnel, tridimensionnel ; multidimensionnel. – Proportionnel, superficiel *(mètre superficiel* ou *mètre carré)* ; spatial. – Grand, haut, large, profond.

11 Dimensionné ; sous-dimensionné, surdimensionné. – Sur mesure(s).

Adv. 12 En longueur, en largeur, en hauteur, en long, en large. – En long, en large et en travers [fig., fam.]. – En tous sens **221.**

Prép. 13 À la dimension de, **à la mesure de.**

220 DIMINUTION

N. 1 **Diminution** ; décroissement, déplétion [didact.] ; réduction. – Altération ; **déclin,** décroissance ; régression. – Raréfaction ; restriction. – Déperdition ; **affaiblissement** ; amenuisement, amoindrissement. – Compression, contraction **154,** rétraction. – Décélération ; ralentissement **458.** – Dépréciation, **dévalorisation,** dévaluation. – Diminution [vx], humiliation **367.**

2 **Raccourcissement** ; abrègement, écourtement [rare] ; modération. – Raccours [TECHN.].

3 **Rapetissement.** – Affinement ; amaigrissement, amincissement ; émaciation ou émaciement ; atrophie [MÉD.]. – Dégonflement, désenflement, détumescence [MÉD.]. – **Désépaississement,** étirage ; TECHN. : dégrossage, démaigrissement. – Rétrécissement ; écimage, étêtement ou étêtage. – Écrêtement [vx ou fig.].

4 **Abaissement,** dégrèvement ; soustraction **790.** – Abattement, **déduction,** défalcation.

5 **Baisse,** décrue. – Décours *(phase de décours)* [ASTRON., MÉD.] ; décroît [ASTRON.] ; couchant. – Modération de peine [DR.] **144.**

6 Raccourci *(un raccourci).* – **Abrégé,** condensé, **résumé 723.** – Abréviation, acronyme ; diminutif, petit nom [fam.]. – Aphérèse, apocope **313.**

7 **Coupure** *(coupure de texte)* ; amputation [fig.], élagage [fam.]. – Écornage [fig.] ou écorne, rognage [fig.].

8 **Soldes.** – *Discount* [anglic.], escompte, rabais, réduction, remise, ristourne. – Freinte [TECHN.]. – Moins-value [ÉCON.].

V. 9 **Diminuer 602.** – Raccourcir, rapetisser **616** ; **rétrécir** ; rétrécir comme une peau de chagrin ; maigrir, mincir ; s'affiner. – Fondre ; fondre comme neige au soleil. – Désenfler.

10 **Décroître.** – **Décliner 119,** faiblir **303.**

11 Abréger, écourter ; **réduire,** tronquer ; rogner [fam.]. – Écorner, entamer. – Amenuiser, amoindrir. – Minimiser. – Modérer **522.**

12 **Désépaissir** ; amaigrir, amincir, dégrosser [TECHN.], élégir [MENUIS.] ; évider.

13 Écimer, écrêter ; élaguer, **tailler.**

14 Abréger, concentrer, condenser, **résumer.**

15 Baisser, baisser d'un cran, baisser d'un ton. – Bémoliser [MUS.].

16 **Déprécier, dévaloriser,** dévaluer ; réviser, revoir à la baisse. – Casser les prix, écraser les prix [fam.] ; discounter [anglic.] ; brader, **solder.**

Adj. 17 **Diminué,** réduit, restreint. – Atrophié. – Diminué *(intervalle diminué)* [MUS.].

18 Affaibli, appauvri **603.**

19 **Diminuant** ; dévalorisant. – Réducteur.

20 Dégressif, régressif. – Restrictif.

21 Diminutif [LING.].

Adv. 22 À la baisse ; en baisse, en chute libre. – Au rabais ; à perte. – Au minimum.

23 **Pour abréger** ; en abrégé, en bref.

24 Moins ; tout au moins ; au bas mot.

25 MUS., ital. : decrescendo, **diminuendo.**

221 DIRECTION

N. 1 **Direction** ; exposition, inclinaison, orientation **769, sens** ; fil de mine [MINÉR.], regard [GÉOL.]. – Attitude [ASTRONAUT.]. – MAR. : gisement ; angle de route, **cap** ; cap au compas, cap vrai.

2 Contrefil ou contre-fil, **sens inverse 436.**

3 Chemin, route, sentier, **voie** ; itinéraire, ligne, **trajectoire,** trajet. – Lit du vent.

4 **Axe** ; axe du monde ou ligne des pôles. – **Points cardinaux** ; **nord** ou septentrion, nord géographique, nord magnétique ; étoile Polaire ou Polaire, pôle Nord. – **Sud** ou midi, pôle Sud. – **Est,** levant, orient. – Couchant, occident, **ouest,** ponant [vx ou litt.]. – Nord-est, nord-ouest, sud-est, sud-ouest ; région. ou MAR. : nordet, noroît, suet, suroît. – MAR. : aire de vent, quart, rhumb ou rumb ; rose des vents.

5 Droite **246,** gauche **334** ; haut **204** ; bas **203** ; avant **211,** arrière **193** ; centre **96** ; côté **158.**

6 GÉOM. : coordonnées ; angle. – Vecteur.

7 **Fil conducteur** ; fil d'Ariane [allus. myth.]. – Panneau indicateur ; borne **765, repère.**

8 Aimantation, polarisation ; **magnétisme 478.** – **Boussole,** boussole de déclinaison, boussole d'inclinaison ; aiguille aimantée, chercheur de nord, **compas,** compas gyroscopique, gyrocompas, gyromètre, gyropilote, gyroscope, gyrothéodolite, théodolite. – TECHN. : radiogoniomètre ou goniomètre, senseur ; direction assistée ou servodirection.

9 Ballon d'essai ; **girouette,** manche à air ou, arg., biroute ; penon ou pennon [MAR.].

10 **Gouvernail** ; manche à balai ; guidon, **volant** ; guides, rênes. – Aiguillage [CH. DE F.]. – Collimateur [OPT.].

11 Guide **871.** – Aiguilleur.

12 **Sens de l'orientation** ; réaction d'orientation [ÉTHOL.]. – **Mouvements orientés** ; tactisme, taxie, tropisme ; astrotaxie, barotaxie, chimiotactisme, chimiotropisme, cinétropisme, électrotaxie, galvanotaxie, galvanotropisme, géotropisme, hydrotactisme, hydrotaxie, hydrotropisme, hygrotropisme, ménotaxie, photonastie, phototropisme, plagiotropisme, thermotactisme ; écholocation ou écholocalisation ; phorésie.

13 PHYS. : directivité ; **polarité.** – SC. : anisotropie, isotropie.

14 But **86,** cible **820,** point de mire ; pôle.

15 Conduite, direction, gouverne, **pilotage 830.** – Détermination, **repérage.**

16 Braquage [ASTRONAUT.], pointage. – TECHN. : biorientation ou orientation biaxiale ; orientement. – Collimation [OPT.].

17 Désorientation ; **inversion 436.** – Épitaxie.

V. 18 **Diriger, orienter** ; imprimer une direction à. – TECHN. : braquer, pointer. – Axer. – Aiguiller ; brasser ou brasseyer [MAR.].

19 Gouverner ; **conduire 829,** guider, mener, piloter ; radioguider, téléguider. – Être à la barre, être aux commandes.

20 Se diriger, **s'orienter,** se repérer, se retrouver ; être sur la bonne voie. – Garder le cap, maintenir sa direction ; tenir sa droite

21 S'égarer, se fourvoyer, **se perdre 212** ; perdre le nord.

22 Mettre sur la voie ou sur la bonne voie. – **Réorienter** ; remettre sur la bonne voie, remettre sur les rails.

23 **Se diriger vers** ; prendre ou suivre une direction ; mettre le cap sur. – **Aller à,** cingler vers, faire route vers, faire voile vers, **partir pour,** se rendre à ; se tourner vers ; aller à la rencontre de ; conduire ou diriger ses pas, porter ses pas vers. – Changer de direction ; changer de cap ; changer (de ligne) ou, absolt, changer.

24 Prendre pour cible, tendre vers, **viser 428** ; cibler. – Aller droit au but **86.**

25 Poser des jalons ; **baliser,** flécher ; bornoyer, jalonner.

26 Aboutir à, **aller à,** conduire à, **mener à.** – Tous les chemins mènent à Rome [prov.].

27 **Donner sur,** être exposé à, être orienté, regarder ou regarder vers.

Adj. 28 **Directionnel** ou directif ; axial. – SC. : unidirectionnel ; multidirectionnel, omnidirectionnel ; équidirectif [RADIOTECHN.]. – SC. : anisotrope ou anisotropique, isotrope.

29 Arctique, boréal, septentrional ; antarctique, austral, oriental ; occidental.

30 Balisé, fléché *(itinéraire fléché).*

31 Dirigeable, **orientable.** – Maniable, souple ; canalisable.

Adv. 32 **Ici, là,** là-bas ; de ce côté, de l'autre côté.

33 **À contre-courant,** à contresens, en sens inverse ; à l'opposé, en sens contraire ; à contre-poil, à rebours, à rebrousse-poil.

34 Dans tous les sens, en tous sens, **tous azimuts.**

Prép. 35 En direction de ; **à,** dans, par, pour, sur, **vers.** – Dans la direction de, dans le prolongement de, suivant ; dans l'axe de, dans la ligne de.

Int. 36 Cap sur, **en route pour** ou vers ; droit sur, pleins gaz sur.

Aff. 37 -tropique ; -tropisme.

222 DIRIGISME

N. 1 **Dirigisme** ou économie dirigée, **étatisme,** interventionnisme ; planisme. – Malthusianisme économique. – Keynésianisme ou, rare, keynésisme. – Centralisme **694.** – Protectionnisme ; HIST. : colbertisme, mercantilisme.

2 **Dirigisme** ou **étatisme socialiste.** – Capitalisme d'État ; **communisme 808,** socialisme autoritaire ou étatique ; eurocommunisme ; économisme [HIST.]. – Marxisme ou socialisme scientifique.

3 **Collectivisme** ou socialisme collectiviste ; associationnisme, coopératisme, mutualisme, socialisme associatif ; HIST. : babouvisme, saint-simonisme ; fouriérisme ; mutuellisme.

4 Étatisation, **nationalisation** ; planification. – Réglementation, régulation. – Communisation, socialisation. – **Collectivisation.** – Domanialité [DR.]. – Politique des revenus. – Blocage des prix, taxation **659** ; taxe.

5 Directivisme [didact.] **240.**

6 Monopole d'État. – Monopolisme **135.**

7 Domaine de l'État ou le Domaine ; domaine public ; parapublic *(le parapublic)* ; régie.

8 Kolkhoze (ou : kolkhoz, kolkhose) ; artel ; sovkhoze (ou : sovkhoz, sovkhose).

9 **Dirigiste** *(un dirigiste),* étatiste, planificateur ou planiste. – **Communiste** ; partageux *(un partageux)* [vx ou HIST., ou par plais.].

10 Marxologue [didact.].

V. 11 Diriger. – Étatiser ou, vx, étatifier, **nationaliser** ; domanialiser [DR.]. – **Planifier.**

12 **Communiser** ; socialiser. – Collectiviser.

13 Réglementer **696.14,** réguler. – Bloquer les prix, taxer **659.**

Adj. 14 **Dirigiste** ; interventionniste. – Malthusien ; keynésien. – Centraliste. – Protectionniste. – **Communiste** ; eurocommuniste ; anticapitaliste. – Associationniste, **collectiviste,** mutualiste.

15 HIST. – Mercantiliste. – Babouviste ; saint-simonien ; fouriériste, mutuelliste, proudhonien ou proudhoniste.

16 **Communisant,** socialisant. – Marxien [didact.].

17 Planifiant.

18 **Dirigé** ; centralisé, planifié. – Étatique – Kolkhozien.

19 **Étatisé,** nationalisé, public, parapublic, semi-public ; domanial [DR.].

20 Planifiable.

223 DISCONTINUITÉ

N. 1 **Discontinuité.** – Instabilité, intermittence, variabilité ; variance [SC.]. – Incohésion [litt.] ; incohérence.

2 Discontinu *(le discontinu)* [PHILOS.]. – Décousu *(le décousu).*

3 **Accident,** catastrophe [MATH.] ; changement **104,** transformation, variation **850.** – **Épisode.** – Arrêt, époque [didact.] ; parenthèse. – Intermission. – MUS. : pause, silence.

4 Alternance, alternat [didact.], alternative [vx], rotation.

5 **Espace 433** ; monde *(un monde ; il y a un monde entre... et...).* – Brisure, cassure, clivage, coupure, faille, fente **585,** fissure, fracture, lézarde ; trou ; *gap* (anglic., « trou, vide »).

6 **Fragment,** morceau **324.** – Quantité discrète, *quantum* [lat., vieilli].

7 **Saut,** saute. – À-coup ; coq-à-l'âne.

8 Discontinuation [vx], entrecoupement, **interruption.** – Suspension, suspens [poét.]. – Disjonction, **séparation 756,** décohérence [didact.].

V. 9 **Cesser,** discontinuer [litt.], finir **315.** – Marquer une pause.

10 **Changer 104.** – Alterner ; clignoter.

11 Interrompre ; briser là. – Glisser, passer.

12 Troubler. – **Briser,** fracturer, rompre ; craqueler, crevasser, fissurer, lézarder.

Adj. 13 Dénombrable, **discontinu,** discret [MATH.], nombrable. – Incohérent [vx].

14 Lacunaire [litt.].

15 **Coupé,** interrompu. – Haché, heurté, saccadé, sautillant ; en dents de scie. – Rémittent [MÉD.].

16 Changeant, fluctuant, variable, variant ; alternant, alternatif, clignotant, momentané **528.** – À éclipse.

17 Coupant ; disjonctif ; suspensif.

Adv. 18 En discontinu [TECHN.] ; intermittemment [rare], par intermittence. – Épisodiquement **686** ; sporadiquement. – De temps à autre, de temps en temps, par instants.

19 Inconstamment [vx], variablement ; **irrégulièrement.** – Par bonds, par saccades, par sauts. – Alternativement, tour à tour.

20 À plusieurs reprises, à plusieurs fois.

224 DISCORDANCE

N. 1 **Discordance,** disparité, hétérogénéité, incompatibilité ; incohérence. – Contraste, désaccord ; antagonisme, non-conformité **556,** opposition **572.** – Dissonance **781** ; disharmonie, inharmonie [rare].

2 Asymétrie, dissymétrie ; **déséquilibre,** disproportion ; distorsion. – Beaucoup de bruit pour rien [loc. cour. ; également par allusion au titre d'une pièce de Shakespeare].

3 Bric-à-brac, capharnaüm, chaos, **désordre 201** ; disparate *(le* ou *la disparate)* [litt.] ; cacophonie. – Couac [fam.], **fausse note,** hiatus [PHON.], rupture de ton. – Entorse ; pavé dans la mare. – Abîme, divorce, fossé, rupture.

4 Mouton noir **556.7.**

V. 5 **Discorder** ; **détonner,** dissoner [litt.] ; différer **216,** diverger. – Choquer, jurer ; fam. : gueuler, hurler. – Ne pas être dans la note. – Loc. prov. : Le jeu n'en vaut pas la chandelle ; C'est la montagne qui accouche d'une souris.

6 Fam. – Arriver comme un chien dans un jeu de quilles, tomber comme un cheveu sur la soupe ; entrer comme dans une écurie. – Mettre les pieds dans le plat ; être comme un éléphant dans un magasin de porcelaine.

7 Donner ou jeter des perles aux pourceaux ; fam. : donner ou jeter de la confiture aux cochons.

8 Désaccorder, désajuster **556** ; désynchroniser [didact.]. – **Déséquilibrer** ; disproportionner.

9 Écorcher les oreilles [fam.].

Adj. 10 **Discordant** ; détonnant, dissonant ; criard, gueulard [fam.]. – Disparate, divergent. – Déséquilibré ; asymétrique, dissymétrique ; disproportionné. – Bancal, boiteux.

11 Déplacé, discourtois **226,** incongru, **inconvenant,** malséant.

12 MUS. : disharmonieux, disharmonique ; inharmonieux, inharmonique ; **cacophonique,** discord [sout.], faux.

Adv. 13 Faussement, **faux** *(sonner faux).* – Discourtoisement **226,** incongrûment.

225 DISCOURS

N. 1 **Discours,** harangue ; fam. : laïus **665,** speech, topo. – Conférence de presse, **déclaration,** message, proclamation.

2 Discours d'accueil, discours d'ouverture ; discours de clôture ; discours de réception. – Discours d'apparat. – Morceau d'architecture ou planche [FRANC-MAÇONNERIE].

3 Adresse, **allocution.** – HIST. : discours de la couronne, discours du trône. – DR. : défense, **plaidoirie.**

4 Homélie, oraison, prêche [vx], prône, **sermon** ; conférence, instruction ; oraison funèbre. – Exhortation, parénèse [vx].

5 Compliment, **louange 471,** panégyrique, plaidoyer. – Apologie, **éloge,** éloge paradoxal [LITTÉR.]. – Toast.

6 Invective, **réquisitoire** ; litt. : catilinaire, mercuriale, philippique. – Diatribe, libelle [litt.], mazarinade [HIST.], **pamphlet,** satire.

7 **Cours 274,** cours magistral, séminaire. – Exposé, oral *(un oral),* récitation. – Communication *(une communication),* **conférence,** leçon, leçon inaugurale ; lecture, lecture publique.

8 **Préface** ; avant-dire, avant-propos, avertissement, avis, introduction, notice, préambule, prologue, prolégomènes. – Conclusion, **postface.**

9 Discours *(Discours de la méthode* [Descartes], *Discours sur l'universalité de la langue française* [Rivarol], etc.*)*, discussion, essai, **étude,** examen, exposé, monographie, **traité** ; dissertation, mémoire, thèse. – **Commentaire,** explication, glose. – **Article 654,** compte-rendu, papier [fam.] ; recension.

10 **Prose** ; prose nombrée, prose poétique, prose rythmique.

11 LITTÉR. – Cadence, cadence majeure, cadence mineure ; balancement, harmonie, nombre, rondeur, **rythme.** – Période ; protase, acmé, apodose, péroraison, chute.

12 Discoureur, harangueur [vx], **orateur 729.** – Procureur ; **tribun** ; pamphlétaire. – Apologiste, panégyriste ; **avocat,** défenseur. – Prêcheur, prédicant, **prédicateur,** sermonnaire. – Conférencier, professeur **274.** – Prosateur.

13 Place publique. – HIST. : agora, forum, rostres. – Balcon, pupitre, **tribune.** – Chaire ; barreau ; tréteaux ; **amphithéâtre,** salle de cours.

V. 14 Discourir **595.**

Adj. 15 **Discursif** [LING.] **595.**

16 Harmonieux, nombreux, **rythmé.**

226 DISCOURTOISIE

N. 1 **Discourtoisie.** – **Impolitesse,** incivilité, incorrection, malhonnêteté [vx]. – Indélicatesse **399,** indiscrétion ; goujaterie, muflerie, rusticité. – Effronterie, impudence ; grossièreté, trivialité **630,** vulgarité. – Brusquerie, gaucherie, maladresse **483** ; lourdeur [fam.]. – Désinvolture.

2 Messéance. – Importunité [litt.], incongruité.

3 Incorrection *(une incorrection),* **indélicatesse** *(une indélicatesse)* ; grossièreté *(une grossièreté),* malhonnêteté *(une malhonnêteté)* [vx], muflerie *(une muflerie).* – Impertinence *(une impertinence),* incongruité *(une incongruité),* inconvenance *(une inconvenance).* – Mauvaise conduite ou tenue, méconduite [sout., vieilli]. – Fausse note, faux pli.

4 Impoli *(un impoli),* malappris, **malpoli** [fam.] ; malhonnête [vieilli], malotru ; **rustre,** rustaud [fam.] ; ours mal léché, paysan du Danube [allus. litt.]. – Butor, cuistre, goujat, mufle. – Litt. : portefaix, soudard ; pop. : pignouf ; fam. et vx : maroufle, paltoquet ; pop. et vx : harengère, poissarde.

V. 5 Se méconduire [vx ou sout.], mal se tenir, s'oublier. – Blesser la pudeur, violer la modestie (ou : la bienséance, les convenances).

6 Désobliger. – Gêner ; se faire de fête [vx]. – Battre froid **409.**

7 Messeoir [sout., vieilli].

Adj. 8 **Discourtois** ; désobligeant, disgracieux, malgracieux ou, vx, maugracieux ; déshonnête [vx], **impoli,** incivil, incorrect, malhonnête [vieilli] ; mal appris [vieilli ou région.], mal dégrossi, mal élevé, malpoli [fam.], sans éducation ; sans façons, sans usages. – Impudent, impertinent ; indélicat, sans gêne ; cavalier, garçonnier.

9 **Grossier,** ordurier, vulgaire. – Fruste, rustre ; commun **630,** populacier.

10 Déplacé, incongru, inconvenant, malséant ou, vx, messéant, malsonnant ; offensant.

Adv. 11 **Discourtoisement** [rare]. – Impoliment, incivilement ; effrontément. – Cavalièrement ; grossièrement.

227 DISCRÉDIT

N. 1 **Discrédit** ; défaveur, **disgrâce** ; déconsidération [litt.], décri [vieilli]. – **Impopularité.**

2 Déclin **16,** décadence, ruine **205.** – **Chute,** dégringolade [fam.].

3 Éclipse. – **Traversée du désert** ; mauvaise passe **11.**

4 **Scandale** ; **humiliation 367** ; déchéance.

5 Hostilité **62** ; mépris **439.**

6 **Dépréciation** ; dévalorisation, dévaluation [fig.] ; rabaissement [rare] ; ravalement [vieilli] ; décréditement [vx] ; désaveu. – **Diffamation** ; dénigrement, médisance ; détraction [litt.] ; rare : cancanage, cancannerie ou cancanerie ; vieilli : débinage [fam.], potinage. – **Critique,** démolissage, éreintage ou **éreintement** ; rare : déblatération, démolissement ; croassement [litt.] ; coup de griffe. – Éclaboussement.

7 **Dégradation 292** ; cassation [MIL.] ; atimie [ANTIQ.]. – DR. : peine militaire, peine politique **144.**

8 **Rétrogradation** ; casse *(une casse)* [vx].

9 Calomnie **595,** diffamation, insinuation, **médisance** ; clabaudage ou clabauderie [litt.], dénigrement [rare] ; débinages [fam., vieilli], racontage [vx] ; coup de langue.

10 **Pamphlet 225** ; libelle [litt.].

11 **Détracteur** ; dépréciateur *(un dépréciateur)* ; contempteur [litt.] ; zoïle [litt.]. – **Calomniateur,** diffamateur *(un diffamateur),* médisant *(un médisant)* ; rare : dénigreur *(un dénigreur),* éreinteur, rabaisseur ; débineur [fam.]. – Mauvaise ou méchante langue, **langue de vipère** (ou : d'aspic, de serpent).

V. 12 **Discréditer 144** ; décréditer [vx] ; déprécier, **dévaloriser,** dévaluer, péjorer ; déconsidérer, **dénigrer** ; décrier [sout.] ; litt. : dauber, dépriser, détracter, vilipender **809.**

13 **Critiquer** ; échiner ; fam. : débiner, couler, écorcher, éreinter ; vx : bêcher, échigner, piller ; exécuter ; descendre en flammes [fam.].

14 **Calomnier,** diffamer ; démolir, détruire, diaboliser, taxer [vx] ; **déchirer à belles dents** ; assassiner à coups de langue [vieilli]. – Perdre de réputation ; perdre dans l'opinion. – Couvrir de boue, **traîner dans la boue 439** ; traîner sur la claie [vieilli].

15 **Médire de qqn** ; dire pis que pendre de ; litt. : baver sur, clabauder contre ou sur, cracher sur. – Fam. : casser du sucre ou, rare, piler du poivre sur le dos de qqn, en dire de belles sur qqn, taper sur le dos de qqn, tomber sur le casaquin de qqn [fig., vieilli] ; **tailler un costume à qqn** [fam.], mettre un chapeau sur la tête de qqn [arg.], rhabiller pour l'hiver [fam.]. – Tirer à boulets rouges sur.

16 **Dire du mal de** ; déblatérer contre, jaser sur.

17 **Cancaner** ; vieilli : commérer, potiner, ragoter ; croasser [litt.].

18 **Déshonorer,** diminuer, humilier **367,** rabaisser, ravaler, ridiculiser **731** ; pilorier [vx].

19 Flétrir (ou : éclabousser, entacher, noircir, salir, ternir) la réputation ou l'honneur de qqn ; porter atteinte à la réputation ou à l'honneur de qqn ; ruiner la réputation ou l'honneur de qqn ; jeter une pierre ou des pierres dans le jardin de qqn ; flétrir les lauriers de qqn [vieilli]. – Casser les reins à qqn, crier haro sur qqn, **jeter le discrédit sur qqn.** – Attaquer la mémoire de qqn.

20 **Dégrader,** destituer ; casser **292** ; rétrograder [MIL.]. – Disgracier [sout.]. – **Désavouer,** répudier **701.**

21 **Compromettre 175,** éclabousser ; desservir. – Détrôner ; éclipser.

22 **Perdre de son crédit,** perdre son crédit ; essuyer un revers **11.** – **Tomber dans le discrédit** ou dans la déconsidération [litt.] ; tomber en disgrâce ou en défaveur. – **Perdre la face,** tomber de son piédestal ; se faire étriller [fig.]. – Voir pâlir son étoile. – Tomber dans l'oubli.

23 **Se discréditer** ; se brûler les ailes. – Défrayer la chronique ou les conversations ; prêter le flanc à la critique, traîner une casserole [fam.]. – Avoir mauvaise presse.

24 Démériter auprès ou aux yeux de qqn **439** ; démériter de qqn [vx] ; **perdre l'estime de qqn** ; dégringoler dans l'estime de qqn [fam.].

Adj. 25 **Discrédité** ; déconsidéré, décrié, **malfamé,** perdu de réputation ou d'honneur. – Compromis, déshonoré.

26 **Calomnié,** diffamé ; critiqué.

27 **Dégradé,** destitué, disgracié.

28 Dépréciatif, **péjoratif.**

29 **Diffamatoire** ; calomnieux [sout.] ; rare : diffamant, rabaissant. – Compromettant. – Dégradant **367,** ravalant.

Adv. 30 Calomnieusement.

31 **Péjorativement** ; par dénigrement.

228 DISPARITION

N. 1 **Disparition** ; **dématérialisation 380.** – **Dissipation,** dissolution, volatilisation **335.** – **Effacement,** évanouissement ; amuïssement. – Engloutissement.

2 **Extinction 205,** résorption ; éradication **301,** **suppression.** – Effaçage, effacement, gommage ; radiation **582.** – LING. : apocope **313** ; neutralisation.

3 **Occultation 751.** – Coucher **777,** éclipse **49.**

4 Évasion, fugue, **fuite 783.** – Volatilisation [fig.]. – Perte ; disparition ; décès **534.**

5 Disparu *(un disparu).*

6 Évanescence.

V. 7 **Disparaître,** partir ; se résorber ; se réduire à rien ; vx : devenir à rien, venir à rien. – S'amuïr [PHON.]. – S'effacer, **s'estomper,** se voiler. – Se dissiper, se dissoudre, **s'évaporer, se volatiliser** ; partir en fumée. – Couler, sombrer ; s'abîmer, s'enfoncer, s'engloutir, **s'évanouir,** se fondre (dans). – S'envoler. – **Se coucher** [en parlant d'un astre].

8 Disparaître de la vue de ; se soustraire ou échapper aux regards de ou à la vue de. – Disparaître de la scène du monde, disparaître aux yeux du monde ; fam. : disparaître de la circulation, disparaître dans la nature, **se mettre au vert 189** ; fig. : s'envoler, s'évanouir. – Se défiler, se déro-

ber. – **Se cacher,** s'embusquer ; se planquer [fam.]. – **S'échapper, s'enfuir,** s'esquiver, se sauver ; fam. : se déguiser en courant d'air, jouer les filles de l'air [allus. litt.]. – Faire le mur [fam.].

9 **Faire disparaître** ; **volatiliser 869.** – **Escamoter,** subtiliser, voler ; emporter, enlever, kidnapper. – **Cacher,** dissimuler, gazer [vieilli], masquer ; biffer, caviarder, gommer ; passer au bleu. – Égarer.

10 **Anéantir,** canceller [vx ou anglic.], **éliminer,** néantiser [didact.], **supprimer** ; lever *(lever un doute, une hésitation)* ; réduire à néant. – Faire table rase (de).

11 Néantir [PHILOS.].

12 **Passer 206** ; s'éteindre, se perdre ; rejoindre les vieilles lunes [fam.]. – S'épuiser, se tarir. – Mourir.

Adj. 13 **Disparu.** – Porté disparu ; disparu corps et biens. – Anéanti, **détruit,** éradiqué ; effacé, rayé de la surface de la terre. – Radié ; radié ou rayé des contrôles. – Caché, **dissimulé,** masqué.

14 Éphémère **421, fugace, fugitif,** passager, provisoire ; évanescent ; effaçable. – ÉCOL. : en voie de disparition, menacé ; en péril.

Int. 15 Disparu ! Envolé ! – Pfft ! – Plus personne !

229 DISSEMBLANCE

N. 1 **Dissemblance,** dissimilitude [rare] ; altérité **23,** différence **216,** disparité. – Distance, **écart,** éloignement. – Hétérogénéité ; irrégularité ; contraste. – Asymétrie, dissymétrie. – Hétéromorphisme [SC.].

2 Démesure ; **disproportion.**

3 **Désaccord 194,** discordance, divergence ; disparate *(une disparate ; la disparate)* [sout.].

V. 4 Dissembler [rare]. – Différer **216** ; **contraster,** détonner, discorder [sout.], diverger. – Apparaître, **ressortir,** trancher ; faire tache [fam.], jurer.

5 **Changer 104,** évoluer, fluctuer **850.9.** – Les jours se suivent et ne se ressemblent pas [prov.].

6 Altérer **23,** défigurer, déformer, dénaturer **205,** fausser ; changer **104, transformer.** – Dépareiller ; désaccorder ; creuser un écart.

Adj. 7 **Dissemblable,** dissemblant [plus rare] ; autre **23,** différent **216,** distinct. – Discordant, divergent.

8 **Infidèle** ; faux, inexact.

9 **Hétérogène,** hybride. – Bigarré, composite, disparate, hétéroclite ; dépareillé. – De bric et de broc [fam.].

10 Capricieux, changeant **104,** fantasque, inégal, **instable,** mobile, mouvant, versatile ; didact. : diversiforme **323,** hétéromorphe.

Adv. 11 Dissemblablement [rare] ; **autrement 23.** – Comme pas un.

Aff. 12 Allo- ; di- ; **hétéro-.**

230 DISSOCIATION

N. 1 **Dissociation** ; dégroupement, désassemblage, désunion, disjonction, écartement ; séparation **756.** – **Désagrégation,** dislocation, dissolution ; dispersion. – **Analyse** ; désarticulation [litt.], décomposition. – PSYCHIATRIE : discordance, disharmonie ou dysharmonie ; disharmonie évolutive.

2 **Désintégration** ; radioactivité, transmutation [PHYS.] ; fission [PHYS.]. – Brisance [TECHN.]. – Big bang.

3 **Rupture** ; cassure, fracture ; brisure, fêlure, fissure ; coupure ; brèche, crevasse **167,** faille, fente, pli [GÉOL.].

4 Soluté, solution.

5 **Dissociabilité** [litt.] ; dissolubilité [sout. ou POLIT.] ; solubilité.

6 Dissociateur [litt.]. – Dissolvant, solvant. – Disjonctif [LING.].

V. 7 **Dissocier** ; disjoindre ; désassembler, désunir. – Disperser, écarter **232,** séparer. – **Dissoudre** ; désagréger, désintégrer **205.**

8 **Démonter,** désosser ; déboîter, dénouer ; dessouder, disloquer. – Décoller, détacher ; délacer. – Désarticuler, démancher, démanteler, démantibuler ; démettre.

9 Couper, fendre, **scinder** ; pourfendre [litt.] ; briser ; crevasser, fissurer.

10 Analyser, distinguer ; **décomposer,** disséquer. – Détailler.

11 **Se désagréger, se dissocier,** se dissoudre ; se séparer.

Adj. 12 **Dissocié,** distinct, séparé ; démantelé, démantibulé, disjoint, **disloqué.** – Dissous. – Épars.

13 Dissolutif [PHARM.] ; dissociatif [PHYSIOL. ou PSYCHIATRIE] ; **dissociateur.** – Brisant [TECHN.]. – Disjonctif [LING.].

14 **Dissolvant,** solvant.

15 **Dissociable,** dissoluble, soluble. – Démontable.

16 Indissoluble, insoluble.

Adv. 17 **Séparément.**

Aff. 18 Di-, dis-, dys-.

231 DISSUASION

N. 1 **Dissuasion** ; **découragement.** – Prévention. – Abandon, **renoncement 701.**

2 **Avertissement, conseil,** mise en garde ; intimidation, **menace** ; mauvais augure, mauvais présage. – **Châtiment 144,** punition, représailles. – Difficulté, embarras, **empêchement,** obstacle **847.**

3 **Force de dissuasion 231** ; ultimatum **63.**

4 **Empêcheur** (vieilli en emploi absolu ; plus cour. : empêcheur de tourner ou danser en rond) ; oiseau de mauvais augure. – Conseil, **conseiller,** conseilleur.

V. 5 **Dissuader** ; **décourager,** détourner ; dégoûter, rebuter. – **Empêcher,** retenir.

6 **Empêcher,** entraver ; faire obstacle à.

7 **Conseiller 148,** raisonner ; avertir, mettre en garde, prévenir ; avertir contre, monter contre, prévenir contre. – Intimider, **menacer** ; faire peur. – Influencer **407,** persuader.

8 Critiquer, **déconseiller** ; donner à craindre.

9 **Abandonner,** se détourner de, lâcher, **renoncer à** ; s'abstenir.

Adj. 10 **Dissuasif** ; **décourageant,** rebutant. – **Prohibitif,** inaccessible. – Défensif ; préventif.

232 DISTANCE

N. 1 **Distance** ; écart ou écartement, espace ou espacement, intervalle **433** ; empattement [AUTOM.] ; voie [CH. DE F.].

2 GÉOM. : amplitude, distance géométrique ; point de distance [OPT.] ; SC. : distance focale ou focale *(la focale)* ; ASTRON. : déclinaison, distance zénithale, opposition **49** ; distance de saut [TÉLÉCOMM.] ; distance individuelle [ÉTHOL.].

3 Chemin, course, parcours, **trajet.** – Année-lumière ou année de lumière ; abaissée d'aile [didact.], enjambée [vieilli]. – Portée ; amplitude [vx] ; allonge [SPORTS].

4 **Différence 216,** disparité ; marge ; abîme, gouffre.

5 Didact. : distancemètre, écartomètre, géodimètre, telluromètre ; compteur **509.**

6 Éloignement **263,** recul ; distanciation [litt.].

7 Lointain *(le lointain)* ; fond **193,** le fin fond, profondeurs *(les profondeurs).*

V. 8 **Distancer 800.15,** dépasser **190,** devancer ; laisser loin derrière soi. – Écarter, espacer, séparer **756.**

9 **Se distancier,** prendre ses distances **779** ; garder ses distances **183** ; tenir à distance. – Tenir la distance [fam.] **864.**

10 Il y a loin de + n. à + n.

Adj. 11 **Distant** ; écarté, éloigné, excentré, isolé, perdu, reculé ; lointain.

12 Didact. : distal, distanciable.

Adv. 13 **À distance** ; loin ; à des années-lumière, au bout du monde, aux antipodes ; fam. : au diable, au diable vauvert (ou : au diable vert, au diable au vert [vx]), à perpète ; à dache [arg.] ; loin de tout ; hors d'atteinte, hors de vue.

14 À l'horizon, **au loin,** dans le lointain ; à l'arrière-plan, au fond ; lointainement [rare].

15 De distance en distance, de loin en loin ou, vx, de loin à loin, de place en place.

16 À vol d'oiseau.

17 Là (opposé à ici) ; là-bas ; là-haut **204.**

Prép. 18 Au fin fond de. – Au-delà de, à distance de [rare].

19 Hors de portée de + n.

233 DISTINCTION

N. 1 **Distinction 552** ; élégance, goût, propreté [spécialt, vx], ; raffinement, recherche. – Fashion [anglic., vx]. – Maintien, prestance, tenue ; bel air ; fière allure. – Bon genre, bon goût, bon ton ; bon chic, bon genre (abrév. B. C. B. G.) [fam.]. – Caractère, **chic,** classe ; chien [fam.]. – Cachet.

2 Litt. ou vieilli : éclat, grandeur, noblesse.

3 **Élégance** ; style. – Aisance.

4 **Courtoisie 163,** galanterie. – Délicatesse **184** ; savoir-vivre. – Civilité, honnêteté [vx], urbanité. – Belles façons, belles manières.

5 Dandysme [angl.]. – Gandinerie ou gandinisme [vx].

6 **Élégant** *(un élégant).* – Fashionable [anglic., vx] *(un fashionable).* – Arbitre de l'élégance.

7 Dessus du panier [fam.], fine fleur ; élite. – Fam. : beau linge, beau monde **773,** joli monde ; fig. : crème, gratin.

8 **Homme du monde.**

V. 9 Avoir de la distinction, faire distingué [pop.] ; **avoir de l'allure** (ou : du cachet, du chic, du genre), avoir de la tournure [vx]. – Fam : avoir de la branche [vx], avoir du chien, avoir la classe ou avoir de la classe *(c'est la classe).* – Arg. : avoir de la gueule, avoir du jus.

10 Avoir fière allure, avoir bon air [vx], avoir grand air, avoir bon genre. – Porter beau.

11 Élégantifier ou élégantiser [litt., rare]. – Dandyfier [rare]. – Farauder [rare].

Adj. 12 **Distingué** ; alluré, chic, élégant. – Fam : class ou classe, genreux [vx] ; classieux.

13 Courtois, distingué, élégant, racé, raffiné ; pop. : bien *(un monsieur très bien).*

14 Choisi, sélect. – Fam : B. C. B. G. *(bon chic, bon genre),* gratin [vieilli].

15 Rare, vx : dandyesque, dandyque, dandystique.

Adv. 16 **Élégamment** ; adroitement, habilement. – Dignement.

17 Coquettement, **élégamment.**

234 DIVERSITÉ

N. 1 **Diversité,** variété. – Multiplicité **634,** pluralité ; foisonnement, richesse. – Différence **216** ; **disparité,** hétérogénéité ; bigarrure, chatoiement.

2 Discontinuité **223, irrégularité.** – Impermanence [didact.].

3 **Mélange 501** ; bric-à-brac ; fig. : mosaïque, tour de Babel. – Assortiment, choix.

4 **Diversification,** multiplication ; différenciation **216,** spécialisation. – Modification, transformation **293,** variation.

V. 5 **Diversifier,** varier ; multiplier. – Changer **104,** modifier, transformer.

6 Se diversifier. – **Se distinguer 556.8,** se particulariser, se singulariser.

Adj. 7 **Divers** ; composite, disparate, hétérogène, **hétéroclite.** – Diversifié, mélangé **501,** mêlé, **varié.** – Bigarré, chatoyant, diapré [litt.] ; multicolore, versicolore.

8 Différent **216,** dissemblable **229,** distinct.

9 Discontinu **223, irrégulier.**

10 **Variable 104** ; altérable, modifiable.

11 Différent, **divers** ; multiple. – Maints [litt.] ; plusieurs.

Adv. 12 **Diversement** ; de plusieurs façons, de plusieurs manières ; à de nombreux égards, à de nombreux titres. – À diverses reprises ; en divers endroits.

Aff. 13 Poly-.

235 DIVINATION

N. 1 **Divination 434** ; divination artificielle, divination spontanée. – **Prédiction 332,** prophétie, vaticination [litt.] ; mancie, prophétisme [sout.].

2 Aéromancie, **astromancie,** bibliomancie, capnomancie, **cartomancie, chiromancie,** cristallomancie, dactylomancie, géomancie, gonomancie, gyromancie, hydromancie, météoromancie, nécromancie, œnomancie, oniromancie, ornithomancie, rhabdomancie ou radiesthésie, sidéromancie ; arithmancie ou arithmomancie, arithmosophie ou numérologie. – ANTIQ. : hiéromancie, hépatoscopie.

3 **Astrologie** ; astrologie judiciaire, généthliaque, naturelle ; horoscopie [rare]. – Zodiaque ; signes du zodiaque **88.9.**

4 Oracle, **prédiction,** prémonition. – Horoscope.

5 Augure, **présage,** signe avant-coureur ; alcyon [MYTH. GR.] ; oies du Capitole [ANTIQ. ROM.]. – Fam. : oiseau de malheur, oiseau de mauvais augure.

6 Mantique [ANTIQ. GR. ou didact.]. – ANTIQ. ROM. : auspices, bâton augural ou *lituus, templum.* – Boule de cristal, cartes, tarot ; marc de café ; pendule.

7 ANTIQ. : *Livres sibyllins, Oracles sibyllins.* – Chine : hexagramme, trigramme, Yijing ou Yi-king *(Livre des mutations)* **80.**

8 Télépathie **136.** – Clairvoyance (ou : cryptesthésie, voyance), lucidité (ou : extralucidité, perception extrasensorielle), médiumnité [didact.] ; précognition ou prémonition.

9 Prophétologie [didact.].

10 **Oracle 567** ; oracles d'Apollon à Delphes et Didymes, oracle de Zeus à Dodone.

11 ANTIQ. – **Augure,** extispice, haruspice, hiérophante, quindecemvir ; **pythie, sibylle.**

12 Augure [fam.], nabi [vx], **prophète,** prophétesse ; chaman ou shaman ; rishi ; saltigué. – **Devin,**

divinateur [vx], pythonisse [litt. ou par plais.], voyant ; vaticinateur. – Astrologue ou, vx, astronome, astrologien [vx], diseur (ou : faiseur, tireur) d'horoscope, horoscopiste [didact., rare].

13 Médium, spirite ; **voyant** ou clairvoyant, voyant extralucide ; diseuse de bonne aventure, voyante.

14 Aéromancien, astromancien, cartomancien, chiromancien, dactylomancien, nécromancien ou nécromant, oniromancien.

V. 15 Lire ou **prédire l'avenir** ; prophétiser, vaticiner [litt.].

16 Dire la bonne aventure. – Jouer les Cassandre [allus. myth.].

17 Consulter (ou : interroger, prendre les auspices). – Interpréter les prophètes.

Adj. 18 Divinatoire, prophétique. – Sibyllin. – Augural, oraculaire, oraculeux [litt.]. – Astrologique ; zodiacal ; généthliaque, horoscopique [didact.].

Adv. 19 Prophétiquement. – Sous les meilleurs ou sous d'heureux auspices ; sous de fâcheux auspices.

Prép. 20 Sous les auspices de.

Aff. 21 -mancie ; -mancien.

236 DIVINITÉS

N. 1 **Divinité** ; déité. – **Déesse, dieu,** être divin. – Démon **186,** esprit, génie ; force, puissance. – **Demi-dieu,** héros **161** ; faune, nymphe, satyre ou silène ; muse. – Panthéon.

2 Dieu supérieur, dieu inférieur. – Dieu conseiller, dieu domestique ou familier, dieu lare, dieu tutélaire. – Déesse mère. – Divinité poliade ; dieu indigète.

3 Dieu parèdre ou parèdre. – Ennéade, triade ; les douze grands dieux de Rome ou dieux olympiens. – **Trinité,** trimurti.

4 **Brahman** (sanskr., « formule chiffrée ») ; deva (sanskr., « être divin ») **699.** – Japon : kami. – Polynésie : **mana.** – Rome : numen. – Égypte : Ka. – Iran : Yazata.

5 Dieu **215** ; Yahvé ou Javhé **449.** – Allah **440.** – Bouddha **80.**

6 Baal ; **faux dieu.**

7 Fétiche **477,** idole, **totem.**

8 **Théogonie** ; **mythologie.** – Grèce : Iliade, Odyssée. – Mayas : Chilam-Balam, Popol-Vuh. – Saxe : Nibelung, Edda, Beowulf. – Inde : Ramayana, Mahabharata.

9 Homme primordial. – Israël : Adam ; Scandinavie : Ask ; Iran : Yama ; Inde : Manu, Prajapati.

10 DIEUX SOUVERAINS. – Grèce : Zeus. – Anatolie : Dolichenos. – Rome : Jupiter ; Jupiter Capitolin, Jupiter Maximus, Jupiter Optimus ; Jupiter Fulgur, Jupiter Stator. – Égypte : Amon, Rê ; Isis, Osiris. – Perse : Mithra. – Mésopotamie : Anou, Mardouk. – Assyrie : Assour. – Inde : Mitra. – Celtes : Taranis. – Scandinaves : Odin ou Wotan. – Aztèques : Ometeotl, Tonacatecuhtli et Tonacacihuatl. – Monde précolombien Incas : Viracocha ; Mayas : Hunabku.

11 ANTIQ. GR. – **Les Muses** ; Clio (histoire), Euterpe (musique), Thalie (comédie), Melpomène (tragédie), Terpsichore (danse),Érato (élégie), Polymnie (poésie lyrique), Uranie (astronomie),Calliope (éloquence).

12 ABONDANCE. – Grèce : Ploutos **1.** – Rome : Ops. – Égypte : Hâpî.

13 AMOUR ET BEAUTÉ. – Grèce : Aphrodite ou Anadyomène **69,** Psyché ; Éros **27.** – Rome : Vénus. – Égypte : Maât. – Scandinaves : Baldr. – Monde précolombien ; Aztèques : Tlazolteotl.

14 CHASSE – Grèce : Artémis. – Rome : Diane. – Égypte : Onouris. – Assyrie : Ninourta.

15 CIEL. – Grèce : Ouranos. – Égypte : Nout ; Hathor ; Sha. – Mésopotamie : Anou, El. – Perse : Ahura-Mazda. – Monde précolombien ; Mayas : Itzamma.

16 COMMERCE ET ÉLOQUENCE. – Grèce : Hermès. – Rome : Mercure ou le messager des dieux ; Hercule.

17 CULTURE. – Grèce : Cérès, Déméter. – Rome : Acca Larentia, Quirinus. – Phrygie, Thrace : Sabazios. – Étrurie : Vertumne. – Monde précolombien ; Aztèques : Chicomecoatl ; Mayas : Yumkaax.

18 DESTIN. – Grèce : Tyché ; Némésis ; Moira. – Rome : Fortune. – Mésopotamie : Enlil.

19 DROIT. – Grèce : Dikê, Thémis ; Astrée. – Égypte : Maât.

20 EAUX. – Grèce : Ino, Neptune, Nérée, Poséidon, Protée ; Néréides. – Égypte : Noun. – Mésopotamie : Ea. – Perse : Anahita.

21 FÉCONDITÉ, VIE. – Grèce : Héra. – Phrygie : Cybèle (dite grande mère, mère des dieux). – Rome : Junon. – Égypte : Khnoum, Ptah ; Min ; Sebek. – Mésopotamie : Ashtart (ou : Ishtar, Istar), Dagan, Inanna, Tanit. – Inde : Visnu ; Aditi. – Scandinavie : les Vanes ; Freyja, Freyr, Njörd. – Monde précolombien Aztèques : Tonantzin ; Mayas : Ixchel.

22 FEU. – Grèce : Héphaïstos. – Rome : Cacus, Vulcain. – Inde : Agni.

23 FOYER. – Grèce : Hestia. – Rome : Vesta ; Lares, Pénates.

24 GUERRE. – Grèce : Arès ; Érinyes, Euménides, Furies, Harpies. – Rome : Bellone, Discorde, Mars. – Égypte : Seth ; Pakhet, Sekhmet ; Montou. – Celtes : Ogne ou Ogmios, Teutatès ou Toutatis. – Scandinavie : les Ases, Tyr ; walkyrie. – Monde précolombien ; Aztèques : Huitzilopochtli.

25 JEUNESSE. – Grèce : Hébé. – Rome : Juventus.

26 LUNE. – Grèce : Hécate. – Carthage : Tanit. – Mésopotamie : Sin ou Souen. – Inde : Candra.

27 MAL. – Égypte : Bès. – Scandinavie : Sigyn. – Celtes : Loki.

28 MORT. – Grèce : Hadès, Perséphone ; Hermès psychopompe ou psychagogue. – Rome : Pluton, Proserpine. – Égypte : Anubis, Sokar. – Mésopotamie : Enki, Nergal. – Monde précolombien Mayas : Ah Puch ; Aztèques : Tezcatlipoca.

29 MORT ET RÉSURRECTION. – Égypte : Apis, Osiris ; Nephthys. – Inde : Siva.

30 PLAISIRS. – Grèce et Rome : Faune, Faunus, Fauna ou Bona Dea, Pan, Priape ; Palès.

31 PLUIE. – Grèce : Isis. – Mésopotamie : Hadad, Techoub. – Inde : Indra. – Celtes : Thor ou Donan. – Japon : Susanoo. – Monde précolombien Aztèques : Tlaloc ; Mayas : Chac.

32 SAGESSE. – Grèce : Athéna ; les trois Grâces ou les Charites (Aglaé, Euphrosyne, Thalie). – Rome : Minerve. – Égypte : Thot, Hermès Trismégiste. – Inde : Brahma, Ganesa ou Ganapati. – Celtes : Épona. – Germains : Brigitte.

33 SANTÉ. – Grèce : Asclépios, Léto. – Rome : Esculape, Latone. – Égypte : Bastet, Sérapis. – Inde : Asvin. – Celtes : Borvo, Grannus.

34 SOLEIL. – Grèce : Apollon, Hélios, Hélios phoibos (gr., « le brillant »), Phaéton, Phoibos ; Éos. – Rome : Apollon Phœbus, Phébus ou Phœbus. – Égypte : Aton, Horus, Khepri, Rê ; Nefertum. – Mésopotamie : Shamash. – Perse : Ahura-Mazda. – Inde : Surya. – Japon : Amaretsu. – Amérique du Nord : Wakan Tauka. – Celtes : Cernunnos. – Monde précolombien Aztèques : Quetzalcoatl ou serpent à plumes ; Incas : Inti ; Mayas : Kinich Ahau.

35 SOMMEIL. – Grèce : Morphée.

36 TERRE. – Grèce : Gaia. – Égypte : Geb. – Scandinavie : Iord ou Jard.

37 VÉGÉTATION. – Rome : Flore, Sylvain. – Phénicie : Adonis. – Phrygie : Atys. – Aztèques : Quetzalcoatl, Xipetotec.

38 VENT. – Grèce : Zéphyr **852.** – Rome : Éole. – Égypte : Amon, Chou.

39 VIN. – Grèce : Dionysos. – Rome : Bacchus, Liber pater ; Saturne.

40 **Titans** ; Hypérion, Prométhée ; Mnémosyne, Téthys, Thémis. – **Géants** ; Antée, Atlas, Briarée, Cyclope. – Ouranos et Gaia ; Cronos et Rhéa.

41 Héros : Achille, Ajax, Castor, Dédale, Diomède, Étéocle, Hector, Héraclès, Ion, Jason, Mélampous, Méléagre, Minos, Œdipe, Orion, Palamède, Patrocle, Pélée, Persée, Phrixos, Pirithoos, Pollux, Pylade, Rhadamanthe, Stentor, Thersite, Thésée, Thyeste, Ulysse ; Dardanos, Égyptos, Hellên, Italos, Pélops ; Bellérophon, Cécrops.

42 Nymphes : dryade, hamadryade, naïade, néréide, océanide, oréade. – Aréthuse, Callisto, Calypso, Daphné, Écho, Égérie, Eurydice, Juturne, Maia, Pomone, Syrinx ; Hespérides.

43 Attributs divins : caducée (Hermès), conque (Triton), égide (Zeus et Athéna), foudre *(le foudre)* (Jupiter ; Indra), talonnière (Hermès), thyrse (Dionysos), trident (Neptune), uraeus (Rê) ; thiase (Dionysos). – Corne d'abondance (Lares). – Linga, yoni (Siva) ; éléphant (Indra). – Oiseau de Junon (paon), oiseau de Jupiter (aigle), oiseau de Minerve (chouette), oiseau de Vénus (colombe).

44 Royaume céleste **591,** séjour des dieux. – Ciel, cieux ; Olympe [MYTH. GR.], Walhalla ou Val-Hal [MYTH. GERM.].

45 **Théophanie.** – Hiérogamie. – Apothéose.

V. 46 **Diviniser** ; déifier. – Héroïser.

Adj. 47 Théogonique. – Mythologique.

48 Bachique, dionysiaque ou dionysien, isiaque, mithriaque, priapique ; apollinien. – Musagète *(Apollon Musagète).*

49 Titanesque ou titanide. – Héroïque. – Herculéen. – Œdipéen.

237 DIVISION

N. 1 **Division** ; **fraction 324.** fraction irréductible, fraction périodique, fraction réductible. – Quotient. – **Dividende,** dividende partiel ; **diviseur,** plus grand commun diviseur ou P. G. C. D. ; **dénominateur,** plus petit dénominateur commun ; quartile ; numérateur. – Racine ; radical.

2 Partition, **subdivision** ; bipartition, tripartition. – Graduation **344.** – Division du travail.

3 Fractionnement, **fragmentation,** morcellement **597.** – BIOL. : division cellulaire, division homéotypique, méiose ; scissiparité.

4 Divisibilité [didact.].

V. 5 **Diviser.** – Réduire une fraction. – Extraire la racine d'un nombre.

6 Graduer ; subdiviser. – Fractionner, **fragmenter,** morceler.

Adj. 7 **Divisé,** partagé ; biparti, triparti. – Fractionnaire. – DR. : divis (opposé à indivis). – Divisible.

238 DIVORCE

N. 1 **Divorce** ; dissolution de mariage. – Désunion, **rupture,** séparation. – **Désaccord 194.**

2 DR. – **Séparation** ; séparation de fait ; séparation amiable. – **Séparation de corps.** – Répudiation **701.**

3 DR. – Séparation de biens, séparation de biens conventionnelle, séparation de biens judiciaire. – Séparation de dettes.

4 Cas de divorce ; divorce par consentement mutuel ; divorce aux torts partagés, divorce aux torts exclusifs de l'un des époux, divorce pour rupture de la vie commune, divorce pour altération des facultés mentales, divorce pour faute. – **Incompatibilité d'humeur 182,** infidélité **828,** injures graves, mésentente, sévices **865.** – Stérilité.

5 Taux démographique de divorces. – Divortialité [didact.].

6 Arrêt de divorce, **jugement de divorce.** – **Non-conciliation** (opposé à conciliation).

7 Tribunal de grande instance **835.** – Tribunal ecclésiastique, **tribunal de la rote.**

8 **Droit de garde,** droit de visite. – Garde conjointe.

9 **Pension alimentaire,** prestation compensatoire. – Dommages et intérêts.

10 **Divorcé** *(un, une divorcée).* – **Ex-conjoint** ; ex-femme, ex-mari ; fam., ex *(mon ex).*

V. 11 **Divorcer d'avec, de** ; demander le divorce, faire divorce [vx], répudier, rompre. – Obtenir le divorce. – **Démarier** [vx], dissoudre (un mariage), prononcer le divorce. – Redivorcer.

12 Abandonner ou quitter le domicile conjugal. – Vivre à part, vivre séparé.

13 **Abandonner,** laisser tomber, plaquer. – Partir **189.**

14 Se démarier [litt.], se désunir ; **se quitter,** se séparer.

15 **Se brouiller,** se disputer ; se mésentendre [sout.].

16 **Tromper** ; vieilli : déshonorer **367,** trahir.

Adj. 17 **Divorcé,** séparé.

18 Annulé, **dissous.** – Cassé, rompu.

Adv. 19 **Séparément.** – À l'amiable, **par consentement mutuel.**

239 DIX

N. 1 **Dix** ; **dizaine.** – Dixième *(le dixième)* ; le décuple.

2 Décalitre, décamètre. – Dizeau [AGRIC.]. – GÉOM. : décaèdre, décagone. – RELIG. : **le Décalogue,** les dix commandements. – LITTÉR. : décasyllabe, dizain. – Dizaine ou décade ; décade ou, plus cour., **décennie.** – Décurie [ANTIQ. ROM.]. – Décadi [HIST.] **88.**

3 ANTIQ. ROM. : décemvir, décurion.

4 **Dixième** *(un dixième de qqch)* ; décimale *(une décimale).* – Décigramme, décilitre, décimètre **509** ; décile [STAT.] ; décime *(un décime)* [anc.].

5 Décilage [STAT.]. – Décimation [HIST.].

V. 6 Décupler **539.** – Décimer [HIST.].

Adj. 7 **Dix.** – Décimal ; décuple. – Décadaire [HIST.] ; décennal. – Décagonal [GÉOM.] ; décamétrique. – Dixième.

Adv. 8 **Dixièmement** ; décimo [rare].

Aff. 9 Déca-, décem-, déci-.

240 DOMINATION

N. 1 **Domination** ; contrôle, gouvernement, maîtrise. – Oppression ; coercition, contrainte. – Dictature **808,** tyrannie [litt.].

2 Ascendant, influence **614** ; dominance [didact.]. – Gouvernement de soi-même [litt.] ; self-control [anglic.].

3 Précellence ou préexcellence [sout.], **prédominance 800.1,** primat [sout.].

4 Autoritarisme, caporalisme, despotisme **808,** directivisme [didact.] ; machisme, phallocratisme. – Esclavagisme ; féodalisme. – Hégémonisme.

5 **Asservissement** [sout.], domestication [fig.], féodalisation, sujétion ; subjugation. – Assujettissement [sout.], conquête **861,** mainmise, mise sous tutelle, occupation, prise de possession ; envahissement ; enrôlement. – **Mise au pas.**

6 Dominant *(un dominant)* ; **chef 814, maître,** supérieur *(un supérieur)* **800.10.** – Féodal *(un féodal),* suzerain ; souverain. – Autocrate ; césar, despote **808,** dictateur, oppresseur *(un oppresseur),* potentat, tyran ; satrape [litt.] **730.** – Machiste *(un machiste)* ou, fam., macho, phallocrate *(un phallocrate).*

7 **Conquérant** ou, litt., conquéreur, envahisseur, occupant ; vainqueur **861** ; asservisseur [rare] ; dominateur. – Annexionniste, colonisateur, expansionniste. – Dompteur [vx], subjugueur [vx].

8 **Esclavagiste,** négrier.

V. 9 **Dominer.** – **Avoir la prépondérance,** mener la danse (ou : le jeu, la partie). – Avoir l'avantage (ou : le dessus, le pas) sur **800,** passer devant ; tenir le haut du pavé. – Éclipser, écraser ; triompher de **861.**

10 **Gouverner,** régenter ; contrôler, maîtriser. – Contenir, **discipliner,** dompter, enrégimenter, mater ; brider **522,** juguler, museler. – Surmonter, vaincre **861.**

11 Contraindre, **obliger 565.** – Domestiquer, caporaliser [rare] ; faire rentrer dans le rang, mettre au pas, rappeler à l'ordre ou à la raison.

12 Asservir, assujettir, instrumentaliser, **soumettre, subjuguer** [vx], subordonner ; enrôler. – Esclavager [litt.], féodaliser [didact.], inféoder [HIST.] ; aliéner [PHILOS.] ; coloniser. – Se rendre maître de ; déresponsabiliser.

13 Attacher (ou : atteler, enchaîner) au char, mettre sous le joug, mettre ou réduire en esclavage (ou : en servitude, en sujétion). – Mettre la bride au cou à qqn, river les chaînes ou les fers de qqn, serrer la vis ou, vx, le bouton à qqn, tenir la bride haute à qqn. – Tenir le pied sur la gorge de qqn [vx].

14 Maintenir dans les chaînes, mener par la lisière, tenir en tutelle ou en bride. – Tenir à sa merci ; avoir à sa pogne [arg.]. – Avoir droit de vie et de mort sur.

15 Opprimer, **malmener,** maltraiter, rudoyer **248,** tyranniser. – Être ou vivre comme en pays de conquête. – Faire main basse sur ; s'emparer de.

16 Courber (ou : plier, ranger, tenir) sous sa loi, faire plier ; venir à bout de la résistance de ; vx : faire passer carrière à qqn, faire sauter le bâton, faire venir qqn à jubé ; faire baiser le babouin.

17 **Se dominer** ; s'appartenir, se commander [sout.], se posséder ; disposer de soi, être maître de soi. – Prendre sur soi, se reprendre, se ressaisir.

Adj. 18 **Dominant** ; conquérant **861.** – Hégémonique.

19 **Dominateur** ; autoritaire **59,** autoritariste, caporal [rare], décisionnaire [rare], despotique **808,** dictatorial, tyrannique ; satrapique [litt.].

20 **Coercitif** ; oppressif ou, vieilli, oppressant, oppresseur, opprimant [litt.].

21 **Dominant** ; déterminant, maître, prédominant **800.**

22 **Dominable,** domptable [rare], maîtrisable.

23 **Dominé** ; soumis **787.**

Adv. 24 **En maître.** – Despotiquement, tyranniquement.

Prép. 25 **Sous la coupe de 240,** sous la férule de, sous la puissance de.

241 DON

N. 1 **Don** ; cadeau, présent ; **offrande 173** ; gracieuseté, largesse, libéralité **661** ; générosité [rare] **336,** hommage [vieilli] ; vx : gratuité *(une gratuité),* honnêteté. – **Étrennes.**

2 **Gratification,** récompense ; boni ou bonification, bonus, commission, **prime 739** ; surpaye [vx]. – MAR. : chapeau de mérite ou du capitaine [vx], primage. – ANTIQ. ROM. : donativum, sportule. – **Pourboire** ou, fam., pourliche. – Denier à Dieu [vx].

3 **Aumône 336** ; vx : denier de la veuve, donnée. – Islam : biens habous, sadaq, waqf ou hubus **440.** – **Denier du culte,** denier de saint Pierre ; vx : denier de confession, legs pieux [DR.]. – Don gratuit [RELIG., anc.].

4 Arrosage, dessous-de-table, **pot-de-vin** ; bakchich, matabich ou matabiche. – Épices (des juges) [anc.].

5 **Allocation 739.** – Subvention **19** ; subside ; octroi [vx]. – Rente de situation.

6 **Faveur,** grâce ; bienfait **76,** biens ; manne. – Dons ou largesses de la nature ou de la terre [litt.].

7 DR. CIV. – **Donation** ; aliénation (ou : cession **101,** disposition, mutation) à titre gratuit, **legs.** – Donation notariée ou donation

par acte notarié ; donation déguisée, don manuel. – Donation irrévocable, donation révocable. – Donation entre époux ; donation entre vifs ; donation-partage ; donation au dernier vivant, donation ou don mutuel. – Legs particulier, prélegs ; legs universel. – Dot **491.** – *Animus donandi* (lat., « intention de donner »).

8 Attribution, assignation, octroi ; dotation ; fondation [DR.]. – Délivrance, distribution, remise.

9 Mécénat, sponsoring [anglic.] **268.**

10 Donateur, offrant [litt.] ; octroyeur [litt.] ; DR. : aliénateur, disposant, testateur **101** ; DR. : *de cujus* (lat., abrév. de *de cujus successione agitur,* « de la succession de qui il est question »). – Mécène, sponsor [anglic.] ; bienfaiteur **336.**

11 DR. CIV. – Donataire. – Aliénataire **101, héritier,** légataire, légataire particulier, légataire universel.

12 Pot-de-vinier [vieilli].

V. 13 **Donner** ; offrir, prodiguer **661** ; abandonner à titre gracieux, céder. – Léguer ; laisser (un bien) à (un héritier). – Payer qqch à qqn [fam.]. – Distribuer *(distribuer des cadeaux),* **remettre.**

14 Adjuger, **attribuer,** assigner, impartir, octroyer ; allouer ; **accorder,** consentir ; décerner ; procurer, servir ; fam. : fourguer, refiler.

15 DR. – Aliéner à titre gratuit **101,** bailler [vx]. – Déférer *(déférer une succession)* [DR.].

16 Faire don (ou : cadeau, présent) de qqch ; se fendre de [fam.].

17 Ouvrir sa bourse ; **faire l'aumône** ou la charité ; aumôner de [rare] ; donner la pièce [fam.].

18 Donner un pourboire ou donner pourboire [vx] ; pourlicher [arg.]. – Récompenser.

19 Surpayer ; arroser [fam.]. – Graisser la patte à ou de qqn ; graisser le marteau [vx].

20 Mettre en possession de **645** ; doter de, **gratifier de,** lotir de, munir de, nantir de, **pourvoir de** ; cadeauter de [rare] ; allotir de [DR.]. – Étrenner de ; renter de ; bonifier [DR. COMM.]. – Le mort saisit le vif (de son héritage) [dicton juridique].

21 Mécéner **596,** subventionner.

22 Prov. – Donner c'est donner, reprendre c'est voler ; donner et retenir ne vaut. – Qui tôt donne, donne deux fois. – Donner à Dieu n'appauvrit jamais ; qui donne aux pauvres, donne à Dieu. – « La façon de donner vaut mieux que ce qu'on donne » (Corneille, passé en proverbe).

Adj. 23 **Donneur** ; donnant [vieilli], généreux **336,** prodigue **661** ; aumônieux [rare] ou, vx, aumônier.

24 Bénéficiaire.

25 **Donné,** offert. – À cheval donné, il ne faut point regarder (à) la bouche ou on ne regarde pas (à) la bride [prov., vx].

26 **Gratuit 349,** gratis, libre *(entrée libre).*

27 Donnable [rare].

Adv. 28 **Libéralement 336** ; gracieusement ; en pur don ; à titre gracieux ; à titre gratuit [DR.] **101.**

29 **Gratuitement 349,** gratis, *gratis pro deo* (lat., « gratuitement pour l'amour de Dieu »).

242 DOS

N. 1 **Dos** ; échine, omoplate, rein ; râble [fam.]. – Bas du dos, fesse, fessier ; derrière **193,** fondement, postérieur, séant, siège ; fam. : croupe, croupion, lune, popotin ; cul [très fam.] ; derche (ou : dargeot, derche, derge) [arg.].

2 **Colonne vertébrale 580,** corps vertébral, **échine,** épine du dos [vx], épine dorsale, rachis ; spondyle [vx], vertèbre ; vertèbres cervicales, dorsales, lombaires, sacrées. – Lombes, région lombaire, reins ; coccyx, région sacrée, sacrum. – Moelle épinière, neurépine ou neurapophyse ; disque intervertébral, canal ou trou vertébral ; bulbe rachidien, canal rachidien, moelle allongée [vx] ; arc vertébral.

3 Cyphose **482,** lordose, scoliose ; gibbosité, nouure. – Lumbago, tour de reins [fam.]. – PATHOL. : dorsalgie, myélopathie, spinalgie.

4 Sac à dos. – Dossard, dossière [vx]. – Dossier. – Corset, lombostat [MÉD.].

V. 5 **(S')adosser. – Tourner le dos** ; avoir le dos tourné, avoir le dos à qqch ; avoir le dos au feu, le ventre à table [loc. prov.].

6 Courber (ou plier) le dos, courber l'échine. – Creuser le dos, faire le dos rond, faire le gros dos.

7 Échiner **160,** éreinter.

8 Loc. fig. – Avoir bon dos. – Se laisser manger ou tondre la laine sur le dos. – Rejeter qqch sur le dos de qqn ; retomber sur le dos de qqn. – Se mettre qqn à dos. – Fam. : en avoir plein le dos ; **être sur le dos de qqn,** scier le dos à qqn.

9 S'arrondir, se cambrer, **se courber,** se déjeter, s'incliner, se voûter.

Adj. 10 **Dorsal,** tergal [rare]. – Intervertébral, vertébral. – Vertébré ; lombaire, spinal ; rachidien. – Péridural.

Adv. 11 **Dorsalement** [SC.]. – À plat dos, sur le dos ; au dos, dans le dos. – Dos à dos. – De dos.

Prép. 12 À dos de *(à dos d'âne, à dos d'homme).*

Aff. 13 Dors-, dorsi-, dorso-.

243 DOULEUR

N. 1 **Douleur** ; mal, souffrance ; bobo [enfant.]. – Douleur physique, douleur morale.

2 **Douleur externe** ; brûlure, cuisson, inflammation **102,** irritation, morsure, piqûre, prurit ; agacerie, chatouillement, chatouillis [fam.], démangeaison, gratouillement ou grattouillement, gratouillis ou grattouillis [fam.], picotement, pincement. – Endolorissement.

3 **Algésie,** algie [MÉD.]. – Céphalée, céphalalgie, encéphalalgie, maux de tête, **migraine** ; otalgie, rhinalgie ; névralgie, odontalgie, rage de dents ; arthrite **482,** arthrose, rhumatisme ; coxalgie, ostéalgie, tarsalgie ; entéralgie, épigastralgie, gastralgie, hépatalgie ; urétéralgie ; cardialgie.

4 **Analgésie,** antalgie ; analgie [didact.].

5 **Affres** *(les affres de la douleur)* [litt.], calvaire, enfer [fig.], géhenne [fig., vx], **supplice 801.1,** tourment, torture. – Accès, crise, moment critique, paroxysme de la douleur. – Lit de douleur, souffroir [vx, litt.].

6 **Cri 264.1,** hurlement ; gémissement, plainte ; convulsion, crispation, grimace, rictus, spasme. – **Larme,** pleur [litt. ; souv. pl.] ; larmes de sang.

7 Analgésique *(un analgésique),* antalgique *(un antalgique),* anti-inflammatoire *(un anti-inflammatoire),* calmant *(un calmant)* **89,** narcotique *(un narcotique).*

8 Dolorisme, stoïcisme [PHILOS.].

V. 9 **Avoir mal, souffrir** ; se douloir [vx]. – Fam. : avoir ses douleurs, ses vieilles douleurs. – Être en proie à la douleur [litt.] ; souffrir le martyre, souffrir mille morts, souffrir comme un damné ; litt. : être dans les affres.

10 **Avoir mal à** *(avoir mal à la gorge, aux dents, etc.),* **souffrir de** *(souffrir de ses rhumatismes, etc.).* – **Endurer,** éprouver, subir, supporter.

11 **Grimacer de douleur** ; grincer des dents ; se convulsionner, se tordre de douleur. – **Geindre,** gémir, hurler de douleur ; se plaindre de douleurs.

12 **Endolorir** ; brûler **102,** cuire, élancer ; lanciner, piquer, pincer ; démanger, gratter ; affliger, écarteler, miner, ravager, ronger, tarauder, tenailler, tirailler, travailler. – Martyriser, tourmenter, torturer **801.**

Adj. 13 **Douloureux** (opposé à indolore), endolori, enflammé, sensible **754.** – Algésiogène, **algique** (opposé à antalgique).

14 (Qualifiant la douleur.) – [Douleur] diffuse, latente, sourde ; continue, **intermittente,** pulsative, tensive ; **aiguë,** brusque, intense, pongitive, vive ; cinglante, cuisante, déchirante, fulgurante, irradiante, **lancinante,** pénétrante, perçante, poignante, térébrante, profuse. – [Douleur] exquise (opposé à erratique).

Adv. 15 **Douloureusement.** – Atrocement, cruellement ; difficilement **217, durement.**

Aff. 16 **Algo-** ; -algésie, **-algie.**

244 DOUZE

N. 1 **Douze.** – Douzième *(un douzième).* – **Douzaine** ; grosse *(une grosse).*

2 LITTÉR. : **alexandrin** *(un alexandrin)* **635,** dodécasyllabe ; douzain. – GÉOM. : dodécaèdre **338,** dodécagone. – Les douze coups de minuit, les douze mois de l'année, les douze signes du zodiaque.

3 Les douze césars [HIST.] ; les douze travaux d'Hercule [MYTH.]. – RELIG. : les douze Apôtres, les douze tribus d'Israël.

4 MUS. : dodécaphonisme **459** ; dodécaphoniste *(un dodécaphoniste).*

Adj. 5 **Douze.** – Douzième. – Dodécuple.

6 Duodécimal ; duodécimain [RELIG.]. – GÉOM. : dodécaédrique, dodécagonal. – Dodécaphonique [MUS.].

Adv. 7 Douzièmement.

Aff. 8 Dodéca-, duodéca-.

245 DROIT

N. 1 **Droit** *(le Droit)* ; sciences juridiques, science législative (ou : législation, légistique) ; nomologie. – Jurisprudence [vx] ; droit comparé ou législation comparée ; législation financière ou, fam., légi fi ; sciences auxiliaires du Droit.

2 **Droit positif** ; législation, loi *(la loi)* ; code [cour.] ; *jus* (lat., « droit ») ; *jus est ars boni et aequi* (lat., « le droit est l'art du bien et du juste ») (Digeste).

3 **Droit objectif** ; **Droit naturel** (ou : idéal, rationnel). – **Droit divin** (opposé à Droit humain).

4 **Droit romain.** – Droit des gens ou, lat., *jus gentium* (opposé à Droit du peuple romain ou, lat., *jus civile*) ; Droit honoraire ou, lat., *jus honorarium* ; Droit prétorien ; raison écrite [vx]. – **Droit féodal.** – Ancien Droit ou Droit ancien. – Droit intermédiaire, Droit révolutionnaire.

5 **Droit moderne** ; Droit coutumier **164,** Droit écrit ; **Droit commun** (opposé à Droit spécial), Droit transitoire ; Droit interne ou national (opposé à Droit international) ; Droit uniforme.

6 **Droit public interne** ; Droit constitutionnel ; Droit public général. – **Droit administratif** ; Droit rural ; Droit forestier ; Droit des mines ; Droit agricole. – **Droit financier** ou législation financière ; Droit fiscal. – **Droit civil ecclésiastique** ; articles organiques. – **Droit colonial** ou Droit d'outre-mer (opposé à Droit métropolitain).

7 **Droit social** ou législation sociale ; Droit ou législation du travail ; Droit professionnel.

8 Droit économique ou **Droit des affaires** ; Droit des assurances. – Droit médical. – Droit processuel.

9 **Droit privé interne** ; **Droit civil** ; Droit familial ; Droit extrapatrimonial, Droit patrimonial, Droit successoral.

10 **Droit pénal** ou criminel. – **Droit commercial** ; Droit maritime ; Droit aérien ; Droit des transports ; Droit bancaire ; Droit de la consommation.

11 **Droit international** ; Droit international public ou, anc., Droit des gens, Droit communautaire ou Droit européen ; Droit humanitaire ; Droit de la guerre **354,** *jus ad bellum* (lat., vieilli, « droit en considération de la guerre »), *jus pacis* (lat., vieilli, « droit de la paix »), *jus cogens* (lat., « droit contraignant »). – Droit international privé.

12 **Droit canon** ou Droit canonique.

13 Le non-droit.

14 **Droit** *(un droit)* ; bénéfice, liberté **462** ; possibilité **646,** pouvoir ; **droit subjectif.** – **Autorisation,** habilitation, permission ; prérogative, privilège. – Principe de subsidiarité.

15 Aptitude, capacité, compétence, qualité ; titres.

16 Droit, bon droit ; équité, **justice 451.** – Droit strict ou droit étroit.

17 Droit absolu ou droit *erga omnes* (lat., « à l'égard de tous ») ; droit relatif ; **droit acquis** ; droit litigieux ; droit éventuel.

18 Droits absolus ; droits imprescriptibles, droits inaliénables, droits sacrés ; **droits de l'homme** (ou : de la personne, de la personnalité) ; droit de propriété, droit de résistance à l'oppression.

19 **Droits civils,** droits politiques ; liberté politique **462** ; liberté individuelle ; droit de vote. – Droit de veto. – Droit d'amendement.

20 Droit de tester ; bénéfice d'inventaire.

21 Droit des peuples à disposer d'eux-mêmes. – Droit de légation. – Droit d'asile.

22 Droits collectifs. – Droit syndical ou liberté syndicale ; droit de grève. – Droit de présentation.

23 HIST. : droits de la couronne ou **droits régaliens,** régale monétaire ; droits seigneuriaux, seigneuriage, seigneurie.

24 Droit de communication. – Droit d'afforestage, droit d'affouage ; **droit de chasse, droit de pêche.** – Droit immobilier, droit mobilier.

25 Droit de créance, droit de rétention. – **Droit de préemption,** droit de préférence, droit de substitution.

26 Droit de correction [anc.]. – Droit de garde ; droit de surveillance ; **droit de visite** ; droit du conjoint survivant.

27 Droit d'accroissement ; droit de superficie. – Droits réels ; droits réels accessoires, droit de suite ; droit d'attache, servitude d'appui. – **Droits d'auteur** ; droits de l'inventeur, droit de divulgation, droit de repentir, droit au respect du nom de l'auteur, droit au respect des œuvres de l'esprit ; droit de représentation, droit de reproduction ; droit de retour.

28 Droit d'évocation ; **droits de la défense.**

29 **Projet de loi** (opposé à proposition de loi) ; amendement **642,** sous-amendement.

30 **Loi 642,** loi positive ; loi organique ; loi impérative, loi prohibitrice ; loi abrogative ; loi d'application immédiate ; lois civiles ; lois politiques ; loi de police et de sûreté ; loi d'exception, loi martiale ; lois criminelles, lois pénales ; loi-cadre, loi de programme ou loi-programme ; loi d'orientation ; loi de l'année, loi budgétaire, loi des comptes, loi de finances, loi rectifica-

tive ; **décret-loi,** traité-loi. – **Constitution** ou loi constitutionnelle ; bill, charte. – Acte législatif ; acte constitutionnel ; disposition légale, prescription légale, règle statutaire ; acte réglementaire, arrêté, **décret,** règlement ; circulaire réglementaire ; contrat type, convention collective.

31 Maxime, précepte **533,** principe ; **adage.** – **Coutume 164,** coutume supplétive.

32 HIST. : capitulaire **133,** édit, ordonnance, sénatus-consulte. – Bulle **590.**

33 **Article,** dispositions préliminaires, préambule, dispositif ; annexe.

34 HIST. : coutumier, grand coutumier. – ANTIQ. ROM. : Code Justinien, Digeste, Pandectes.

35 **Code,** corps de règles, corpus ; **Code civil** ou Code Napoléon ; Code de procédure civile ; Code rural ; Code forestier ; Code minier ; Code du travail, **Code pénal** ; Code de procédure pénale ou, anc., Code d'instruction criminelle ; Code de justice militaire ; Code de commerce.

36 Code de Droit canonique ; bullaire. – Canon.

37 **Déclaration des droits de l'homme et du citoyen** ; Déclaration universelle des droits de l'homme ; Convention européenne de sauvegarde des droits de l'homme et des libertés fondamentales, Convention interaméricaine de San José.

38 Doctrine. – Nomographie.

39 Édiction, **promulgation** ; publication ; sanction [anc.] ; abrogation **31** ; abrogation expresse, abrogation tacite ou implicite. – Entrée en vigueur. – Codification.

40 **Légalisation** ; institutionnalisation ; régularisation, validation.

41 Principe de la territorialité ; principe de la non-rétroactivité.

42 Juridicité. – **Légalité** ; constitutionnalité ; canonicité ; licéité, régularité, validité ; légitimité ; recevabilité.

43 Juridisme, **légalisme,** réglementarisme.

44 HIST. : pays de coutume ou pays coutumier, pays de droit écrit. – **État de droit.**

45 **Pouvoir législatif** ; assemblée, chambre, chambre basse, chambre haute ou seconde chambre, parlement **708,** sénat ; HIST. : conseil du roi, cour. – **Pouvoir exécutif.**

46 Conseil constitutionnel, Conseil d'État.

47 **Législateur** ; parlementaire ; rapporteur, rapporteur général ; promulgateur ; codificateur ; ANTIQ. GR. : nomothète, thesmothète. – **Juriste,** jurisconsulte ; légiste [abusif] ; jurisprudent [vx] ; homme de loi ; arrêtiste ou, vx, arrestographe ; privatiste, publiciste ; civiliste, commercialiste, pénaliste ou criminaliste, processualiste. – RELIG. : canoniste ; docteur de la Loi ; ouléma **440** ; nomographe [didact.].

48 **Sujet de droit** ; sujet actif, sujet passif ; chef, tête ; ayant droit ou ayant cause.

V. 49 Légiférer **559.10.**

50 **Légaliser** ; institutionnaliser ; régulariser ; constitutionnaliser. – Légitimer.

51 Édicter, **promulguer** ; sanctionner. – Abroger ; amender. – Codifier.

52 **Avoir force de loi** ; faire jurisprudence, faire loi.

53 Être dans son droit ; avoir le droit pour soi, avoir la justice de son côté.

54 **Pouvoir** ; avoir le droit de, être en droit de + inf. ; avoir qualité pour. – Avoir voix au chapitre.

55 Prov. : force passe droit ; « la force prime le droit » (Bismarck). – Coutume fait loi. – « Nul n'est censé ignorer la loi » (Code civil). – *Dura lex, sed lex* (lat., « la loi est dure, mais c'est la loi »).

Adj. 56 **Légal** ; constitutionnel ; canonique ou canonial ; réglementaire ; légitime ; **autorisé.**

57 **Juridique,** législatif ; nomographique, nomothétique.

58 Légiférable [rare]. – Abrogeable ; amendable, **modifiable.** – Inopposable.

Adv. 59 **En droit** (opposé à en fait) ; *de jure* (opposé à *de facto*). – **Juridiquement.** – Législativement.

60 **Légalement** ; constitutionnellement ; canoniquement ; licitement [rare].

61 Légitimement ; **à bon droit** ; en toute justice ou, vx, de toute justice ; **de plein droit** ; *ipso jure* (lat., « de plein droit »).

Prép. 62 En vertu du droit de ou, vx, à droit de.

Aff. 63 Juridico- ; nomo-.

246 DROITE

N. 1 **Droite** *(la droite),* dextre *(la dextre)* [vx ou par plais.] ; tribord [MAR.] ; côté cour [THÉÂTRE], côté de l'épître ou grand côté [LITURGIE], côté piste [AVIAT.]. – Dextérité **10.**

2 Didact. – Dextralité, **droiterie** ; latéralité **158.7,** manualité droite, ocularité droite ; latéralisation. – Ambidextrie (ou : ambidextérité [vx], ambidextralité). – Dextroposition [ANAT.] ; MÉD. : dextrocardie, dextrogastre.

3 Droite *(la droite).* – SPORTS : **droite** *(une droite)* ou **droit** *(un droit)* ; coup de poing **160,** crochet. – Dextrochère [HÉRALD.].

4 POLIT. – **Droite** *(la droite),* eurodroite, extrême droite, nouvelle droite. – Droitisme ; conservatisme, **réaction 808.**

5 **Droite ; place d'honneur 366.**

6 **Droitier** *(un droitier)* ; ambidextre *(un ambidextre)* **479.** – POLIT. : droitier, **droitiste** ; conservateur, réactionnaire ou, fam., réac, ultra. – **Bras droit.** – SPORTS : ailier droit, centre droit. – Tribordais [MAR.].

Adj. 7 **Droit,** dextre [HÉRALD.]. – Didact. : **dextrogyre** (opposé à lévogyre), dextrorsum ou dextrorse, rétrograde [ASTRON.] ; dextrovolubile [BOT.]. – Adextré [HÉRALD.].

8 **Droitier** ; droitiste, de droite. – Ambidextre **479.**

Adv. 9 **À droite** ou, vx, à droit, **à main droite** ; à tribord ; côté cour. – De droite à gauche **334** ; dans le sens des aiguilles d'une montre, de gauche à droite, par la droite, vers la droite. – À droite et à gauche, de côté et d'autre **158.**

10 À la place d'honneur.

Prép. 11 **À la droite de.**

Int. 12 Hue ! huhau !

Aff. 13 **Dextro-.**

247 DURÉE

N. 1 **Durée** ; durée vécue (aussi : pure, réelle, concrète) [PHILOS.]. – Grandeur [vx], longueur *(la longueur du jour)* ; durabilité, longévité.

2 Longueur *(des longueurs, il y a des longueurs).* – Heure d'horloge [fam.].

3 DR. : bail emphytéotique, emphytéose ; bail à perpétuité. – Condamnation à perpétuité. – Concession à perpétuité.

4 Allongement, **prolongation** ; retard **724.** – Lenteur **458.** – Pose (opposé à instantané) [PHOT.]. – Endurance, patience **601.**

V. 5 **Durer** ; avoir durée [vx]. – Fam. : n'en plus finir, traîner en longueur. – Fam. : il coulera de l'eau sous les ponts ou il passera beaucoup d'eau sous les ponts avant que (aussi : il a coulé de l'eau sous les ponts ; il a passé beaucoup d'eau sous les ponts depuis que).

6 **Dater 28,** ne pas dater d'aujourd'hui, dater de Mathusalem [fam.] ; défier les années, défier le temps. – Faire durer ; faire durer le plaisir [fam.] – Prendre du temps ; prendre son temps. – Mettre du temps à. – En avoir pour un moment, pour longtemps.

7 Stagner, végéter ; zoner [fam.] ; ronronner [fam.] ; tarder, traîner.

8 **Attendre 51,** poireauter [fam.] ; compter les clous de la porte. – **Languir** ; compter les jours, trouver le temps long. Ne pas décoller, prendre racine. – Ne pas voir la fin de.

9 Allonger, **prolonger,** échelonner, étaler dans le temps, laisser de la marge. – Délayer ; rallonger [fam.]. – Retarder. – Poser [PHOT.].

10 S'étendre, se chroniciser [MÉD.], se maintenir, se perpétuer, se poursuivre, **se prolonger** ; tirer en longueur.

11 S'attarder, **s'éterniser.** – Se donner le temps.

12 Il y a beau temps (que) ; il y a un bout de temps, un bon bout de temps ; il y a un bon moment ; vx : il y a beau jour, il y a bel âge ; il y a belle lurette ; il y a une éternité **287.** – Fam. : ça fait un bail, ça fait une paye.

Adj. 13 **Long** ; fig. : long comme un jour de jeûne **272,** long comme un jour sans pain, long comme un prêche ; longuet. – De longue haleine. – **Lent.**

14 Chronique [MÉD.], de durée [vx], invétéré, panchronique [didact.].

15 De vieille date, vieux comme le monde. – Macrobe ou macrobien, macrobite [didact., vx].

16 LING. : duratif, imperfectif.

Adv. 17 **Longtemps, longuement** ; des heures, des heures durant. – Durablement.

18 À loisir, à son aise, avec loisir [vx], **tout à loisir** ; lentement ; au long, tout au long.

19 De longtemps, de longue date, de longue main, depuis belle lurette, **depuis longtemps,** dès longtemps [vx], de longue date, de toujours, piéça [vx].

20 À longs intervalles, **de loin en loin.** – À long terme, à longue date, d'ici longtemps ; à moyen terme.

21 Finalement ; à la fin, **à la longue,** à l'usure ; à force.

Prép. 22 Pour la durée de ; tout au long de, tout le long de. – **À longueur de** (temps, journée, semaine, année). – Durant, pendant. – Dans l'espace de, en l'espace de. – Au bout de.

248 DURETÉ

N. 1 **Dureté** ; brusquerie, brutalité ; inhumanité. – Aridité, **sécheresse 750,** froideur ; raideur, rigueur, rigidité **732,** sévérité. – Indifférence **401** ; insensibilité **418** ; imperméabilité [fig.], implacabilité, inflexibilité, intransigeance. – Arrogance, morgue ; acrimonie, méchanceté **497** ; cruauté, férocité.

2 Fermeté ; force d'âme.

3 Durcissement. – **Endurcissement,** insensibilisation.

4 Fam. : dur, dur à cuire *(un dur à cuire).* – Cœur sec *(un cœur sec).* – **Cœur de pierre** (ou : d'airain, de bronze, de granit). – Mur, roc, statue ; glaçon.

V. 5 **Se durcir** ; se cuirasser, **s'endurcir** ; se dessécher, se racornir.

6 Brusquer **439,** maltraiter, malmener, **rudoyer,** secouer ; éreinter, esquinter ; brimer.

7 **Être de glace** ou de marbre, ne pas sourciller. – Montrer les dents.

Adj. 8 **Dur** ; brusque, brutal, rude ; cassant, coupant ; âpre, **sec** ; raide, rigide, sévère, strict. – **Froid 327,** glacé, glacial.

9 Inhumain ; sans âme (ou : sans cœur, sans entrailles), indifférent, insensible. – Cruel, féroce **497.** – Dénaturé ; desséché, **endurci.**

10 Inébranlable, inflexible, implacable, intraitable, intransigeant ; impitoyable. – **Ferme,** inexorable ; fermé, sourd aux prières. – Entier ; entêté. – Péremptoire.

11 Acerbe, acéré, acrimonieux ; acariâtre, pas commode [fam.] ; terrible, vache. – Colère [litt. et vx] **130.** – Blessant, désagréable.

Adv. 12 **Durement** ; brutalement, rudement, sèchement ; d'un œil sec.

13 Violemment **865** ; désagréablement, vertement. – Impitoyablement ; inhumainement.

E

249 ÉCHEC

N. 1 **Échec** ; contre-performance, faillite, fiasco [fam.], insuccès, non-réussite ; buse [belg., fam.]. – Fig. : cul-de-sac, impasse. – **Infortune** ; banqueroute, catastrophe, chute, déconfiture, dégringolade, déroute, désastre, effondrement, fin, malheur, naufrage, perte, plouf [fam.], revers, ruine. – Cacade [vieilli ou litt.] ; inaccomplissement **392** ; fam. : loupage, ratage.

2 **Échec** ; fam. : bide, bouillon, claque, fiasco, loupé, pelle, pile **180,** piquette, veste ; gamelle [pop.] ; arg. : blanc [vx], fiasc ou fiasque, foirade, plantage, tape, tasse. – THÉÂTRE, fam. : flop, four, loup.

3 Coup d'épée dans l'eau ; feu de paille ; **pétard mouillé.**

4 Aléa, aria [vieilli], **déboires,** dommage, ennui **272,** épreuve ; accident de parcours, demi-échec.

5 Bévue, erreur **283, faute,** faux pas, pas de clerc.

6 PSYCHOL. : conduite d'échec, névrose d'échec.

7 **Constat d'échec** ; déception **178,** déconvenue, découragement, écœurement, lassitude ; aigreur, aigrissement, amertume, rancœur, ressentiment. – **Dégrisement,** désillusion, retour à la réalité ; fam. : douche, douche froide.

8 **Perdant** *(un perdant),* vaincu **180** ; fam. : loser, minable, raté ; recalé [scol.]. – Impuissant, incapable **435,** nullité, zéro ; fruit sec ; fam. : bon à rien.

V. 9 **Faire échouer** ; faire échec à, faire obstacle à **567,** faire pièce à ; coller [fam.], mettre ou tenir en échec. – Bousiller [fam.], couler, démolir **205,** saboter, **torpiller.** – Compromettre, discréditer **227, perdre,** plomber [fam.], scier [fam.], tuer [fig.].

10 **Achopper sur** ; s'achopper à [vx, litt.], buter sur, trébucher sur. – Aller (ou : courir, marcher) à sa perte, courir à l'échec ; jouer de malheur ; fam. : miser sur le mauvais cheval ; taper à côté. – Avoir du plomb dans l'aile, battre de l'aile ou ne plus battre que d'une aile.

11 **Échouer,** faillir, gâcher, louper [fam.], manquer, perdre, rater ; verser en chemin [fig.]. – Avoir le dessous, être capot, perdre la partie ; manquer ou rater son coup.

12 **Essuyer** ou **subir un échec** ; en être pour ses frais, en être pour sa peine ; être (ou : rentrer, revenir) bredouille ; sout. : faire buisson creux, mordre la poussière. – Fam. : aller au tapis, boire ou prendre un bouillon, boire la tasse, se casser la gueule, faire ou prendre un bide, se faire blackbouler, se faire étendre, faire chou blanc, faire fiasco, faire un four, faire le plongeon, louper ou rater le coche, se planter, se ramasser ; prendre ou recevoir une claque (aussi : une gamelle, une pelle, une piquette, une veste) [fam.] ; pop. : se faire jeter, prendre une pilule. – Se casser les dents ; fam. : se casser le nez, tomber sur un bec ou un bec de gaz, tomber sur un os.

13 S'avouer vaincu **180** ; s'enfuir la queue basse ou la queue entre les jambes. – Sombrer, succomber, toucher le fond ou le fond de l'abîme.

14 **Échouer** ; avorter, capoter, craquer, crouler, s'écrouler, s'effondrer, rater ; arg. : caguer, claquer, foirer, merder. – Aller à la dérive, aller à vau-l'eau, mal tourner, se perdre dans les sables, tomber de Charybde en Scylla ; fam. : cafouiller, coincer, vasouiller ; très fam. : merdouiller ou merdoyer. – Faire long feu, faire naufrage, se terminer en queue de poisson, tomber à l'eau

ou dans le lac, tomber à plat ; fam. : s'en aller (ou : finir, tourner) en eau de boudin, rester en plan, rester en rade ; fam. : être dans les choux, être cuit, être dans le lac. – Vieilli : amener une blanque, faire blanque. – THÉÂTRE : jouer pour les banquettes ; ne pas passer la rampe.

15 Être coiffé au poteau. – Être Gros-Jean comme devant. – Être ou rester le bec dans l'eau [fam.].

Adj. 16 Pop. : foirard, **foireux.**

17 **Perdant,** vaincu **180** ; bredouille. – Collé, recalé, refusé. – Nul, raté [fam.].

18 Déconfit, quinaud [vx ou litt.] ; fam. : défrisé, douché.

19 Avorté, mort-né ; fichu [fam.], foutu [pop.]. – **Infructueux,** stérile, vain **435.**

Adv. 20 En pure perte, en vain ; infructueusement [litt., rare], inutilement **435.**

250 ÉCLAIRAGE

N. 1 **Éclairage.** – Éclairement, illumination. – Lumière **473.1,** luminosité ; feux. – Électricité *(l'électricité),* la fée électricité [vieilli].

2 Clarté, éclat, lustre. – Luminescence **473.15.** – Éclairement [PHYS.].

3 **Faisceau,** jet, pinceau, rai ou rais [litt.], **rayon,** trait ; traînée.

4 Extinction des feux ; couvre-feu.

5 **Luminaire,** lustrerie [vx]. – Appareil d'éclairage.

6 **Bougie,** chandelle, cierge, luminaire [RELIG.] ; arg., vieilli : calbombe ou calebombe, camoufle ; oribus [région., vx]. – Flambeau, torche ; brandon.

7 **Bougeoir** ; **chandelier** ; candélabre, girandole, torchère ; martinet [vieilli]. – LITURGIE : herse, if ; chandelier à sept branches ou menora [judaïsme]. – Branche, fût, pied ; suage, terrasse.

8 **Mèche,** lumignon [vieilli] ; champignon. – Lamperon [TECHN.], lampion [vieilli]. – Binet ; anc. : brûle-bout, brûle-tout ; **bobèche.** – **Éteignoir,** mouchettes [anc.].

9 **Lampe** ; lampe à huile ; carcel ou lampe carcel, lampe à modérateur ou modérateur, quinquet ; calen (ou : caleil, chaleil) [région.] ; lampion [vieilli]. – Lampe à pétrole. – Lampe à gaz, lampe au néon, tube au néon ou, impropr., néon. – Lampe à halogène (ou, ellipt., lampe halogène, halogène). – Lampe électrique.

10 Baladeuse *(une baladeuse),* **lampe de poche,** torche électrique ; lampe de chevet ; lampe-tempête. – Lampe à arc, lampe à incandescence, lampe à manchon.

11 **Lampadaire.** – **Applique** ; lanterne-applique. – **Suspension** ; lampe astrale, **lustre,** plafonnier ; couronne de lumière.

12 Diffuseur, lumignon, **veilleuse** ; boule de veillée ; lanterne sourde. – **Lampion,** lanterne chinoise, lanterne vénitienne. – Campanile, lanternon ou, vieilli, lanterneau. – Lanterne des morts.

13 Bec de gaz, lampadaire, **réverbère.** – **Phare** ; lamparo **605** ; falot, fanal, **feu** ; feux de route **57.7,** lanterne ; gyrophare.

14 **Spot** ; **projecteur** ou, fam., projo, gamelle [fam.], sunlight [anglic.]. – Feux de la rampe **748,** rampe.

15 **Ampoule,** tube ; filament. – Culot, douille, douille à baïonnette, douille à pas de vis.

16 Abat-jour ; globe, verrine. – Tulipe de verre.

17 Réflecteur.

18 Lampisterie.

19 Éclairagisme. – Éclairagiste.

20 Allumeur de réverbères, lanternier [anc.]. – Chevecier [LITURGIE, anc.]. – Luminariste [vx].

21 Lampadophore *(un lampadophore)* [litt.].

V. 22 **Éclairer** ; illuminer.

23 Allumer *(allumer la lumière).*

24 Éteindre ; moucher ou souffler une chandelle.

Adj. 25 Éclairant.

26 Éclairé ; clair, bien éclairé, lumineux ; mal éclairé, sombre **566.**

27 (Qualifiant l'éclairage.) – Naturel ; artificiel. – Direct, indirect ; astral, latéral, frisant, rasant, vertical, zénithal.

28 Fort, intense **107,** violent. – Faible ; atténué, filtré, tamisé ; diffus ; doux ; d'ambiance.

29 Lampant *(huile lampante, pétrole lampant)* [rare].

Adv. 30 À giorno ou, vieilli, a giorno.

251 ÉCOLOGIE

N. 1 **Écologie** ; écologie animale ou zooécologie, écologie humaine ; écologie forestière, écologie marine, écologie végétale ou phytoécologie. – Écologie éthologique ou éco-éthologie ;

écologie culturelle ; écotoxicologie. – Bionomie, synécologie (opposé à autoécologie).

2 Chorologie. – Biocénotique, écophysiologie, phénogénétique, photobiologie. – Mésologie.

3 **Équilibre écologique** ; biodiversité ; climax, paraclimax. – Autoécologie, autoépuration, autorégulation, biodégradation ; homéostasie. – Eurythermie. – Chaîne écologique, cycle *(cycle biosphérique)* ; chaîne alimentaire, pyramide alimentaire.

4 Autotrophie (chimiotrophie, phototrophie). – Symbiose, synusie ; osmose. – **Parasitisme.** – **Prédation** ; antibiose.

5 Acclimatement (ou : morphose, somation), accommodation, **adaptation,** séclusion ; acclimatation. – Concurrence vitale, lutte pour la vie (traduction de l'angl. *struggle for life*), **sélection naturelle.**

6 Bioclimat, climat **127.** – **Milieu,** milieu naturel ; micromilieu ; biome. – Cadre de vie, environnement **280.**

7 Biotope. – Biosphère, canopée, écosphère ; écotone. – **Écosystème** ; habitat, isolat, niche écologique. – Désertus.

8 **Organisme vivant** ; biotype, espèce. – Biocénose, biote ; benthos ou faune et flore démersales (opposé à plancton et necton), halobios ; faune *(faune endogée* opposé à *faune épigée)* **873,** microfaune ; flore **318,** microflore. – Biomasse.

9 Appauvrissement des sols, dénitrification ; déboisement, désertification. – Eutrophication, eutrophisation. – Effet de serre, réchauffement de l'atmosphère, trou dans la couche d'ozone ou trou d'ozone. – Pollution.

10 Écologisme. – Défense de la nature ; protection des espèces, protection des ressources naturelles. – Agriculture biologique, agrobiologie **18,** culture biologique. – Développement durable. – Traçabilité.

11 Parc national, réserve naturelle ; écomusée.

12 **Écologiste,** écologue, environnementaliste, éthologue. – Écolo [fam.], vert *(les Verts).*

V. 13 **S'acclimater,** s'adapter.

Adj. 14 Biotique ou biogène (opposé à abiotique). – Azoïque.

15 Aphotique (opposé à euphotique). – Aérobie (opposé à anaérobie). – Eutrophe ou digotrophe, trophe (opposé à distrophe).

16 Autochtone (opposé à allochtone) **355.** – Amnicole **356,** arvicole, cavernicole, coprophile ou scatophile, détricole, dulcicole ou dulçaquicole, floricole, guanobie, herbicole, humicole, lignicole, limicole ou vasicole, limnicole, madicole, nivicole, paludicole, palustre, rhéophile, ripicole, sylvicole, terricole, torrenticole, troglobie. – Amphibie, épiphyte.

17 Inquilin, parasite ; symbiotique.

18 Sténobiote (opposé à eurybiote), sténoèce (opposé à euryèce), sténohalin (opposé à euryhalin), sténotherme (opposé à eurytherme) ; homéotherme. – Anthropophile, héliophile (opposé à héliofuge, héliophobe, photophobe, sciaphile), thermophile.

19 Cosmopolite ou ubiquiste.

20 Comportemental [didact.], éthologique.

21 **Écologique.** – Biologique, bioclimatologique, biorythmique.

Adv. 22 Écologiquement, éthologiquement.

Aff. 23 **Bio-,** choro-, **éco-,** étho- ; -bie, -bionte, -biose.

252 ÉCRITURE

N. 1 **Écriture** ; **notation,** représentation **709** ; **code,** système ; didact. : cécographie, cryptographie, pasigraphie ; braille **840,** sténographie, sténotypie.

2 **Écriture, graphie** ; alphabétisme **459,** hiéroglyphisme [didact., vx], idéographie, pictographie, picto-idéographie, syllabisme. – Boustrophédon.

3 Chiffre **112,** idéogramme, **lettre 459, mot 535,** pictogramme **765,** picto-idéogramme, **symbole** ; LING. : allophone, homographe, variante graphique. – **Alphabet.**

4 **Écriture** ; calligraphie, **graphisme** ; anglaise, bâtarde, cursive, gothique, moulée, ronde, script ; onciale. – Belle main, écriture de chat ; gribouillage, gribouillis, pattes de mouche **411.** – Dactylographie.

5 Écriture ; **écrit,** graffiti ou, fam., graff, **inscription,** note, note marginale, scribouillage [fam.], script, tag [anglic.]. – Autographe *(un autographe),* copie, dactylographie, épigraphe, imprimé *(un imprimé)* **387,** manuscrit, tapuscrit ; palimpseste [didact.]. – Avant-texte, paratexte, texte, **transcription** ; retranscription. – Les paroles s'envolent, les écrits restent ou, lat., *verba volant, scripta manent.*

6 Écrit (l'écrit opposé à l'oral **595**).

7 **Crayon,** mine, plume, style [anc.], **stylo,** stylo ou crayon à bille, stylo-feutre ou feutre, stylo-

plume ; porte-mine, porte-plume ; craie, encre, graphite. – Gomme ; effaceur. – Taille-crayon. – Trousse d'écolier. – **Papier 388** ; agenda, bloc, bloc-notes, **cahier,** calepin, carnet, matricule, registre, répertoire ; ardoise, tableau noir ; anc. : codex, diptyque, ostracon, tablette. – Buvard, calmar [vx], écritoire, plumier, sous-main ; encrier, grattoir ; guide-âne, normographe, transparent. – Machine à écrire ; stencil. – Scriban **519.** – Scriptorium.

8 **Écriture,** graphie, **orthographe 346,** ponctuation **765.** – Déchiffrement, décryptage **425,** lecture **432.** – MÉD. : agraphie, paragraphie.

9 Cacographie **283,** dittographie [didact.], doublon, haplographie, *lapsus calami.* – Pâté.

10 **Graphologie.** – Didact. : épigraphie, paléographie ; sémiologie ou séméiologie, sémiotique **753.**

11 Écrivant [didact.], écriveur [fam.], scripteur (opposé à locuteur **136**) ; polygraphe. – Bullaire [RELIG.], copiste, **écrivain,** écrivain public, greffier, scribe ; sténographe ou sténo ; employé ou commis aux écritures ; péj. : écrivailleur, écrivassier, gratteur de papier, plumitif, scribouillard, scribouilleur ; arg. : pisse-copie, pisseur de copie. – Calligraphe. – Graffiteur, tagueur ou tagger [arg.]. – Cacographe [litt.].

12 **Graphologue** ; paléographe. – Didact. : hiéroglyphite, hiérogrammate ou hiérogrammatiste.

V. 13 **Écrire, tracer** ; calligraphier, mouler ses lettres. – Gribouiller, griffonner ; faire des pâtés. – **Dactylographier.**

14 **Écrire** ; **inscrire,** marquer, noter, relever ; **copier,** recopier, récrire, réécrire, reporter, retranscrire, **transcrire.**

15 **Rédiger.** – Fam. et péj. : écrivailler, écrivasser, scribouiller, tartiner ; noircir du papier, pisser de la copie, pondre du texte, remplir des pages.

Adj. 16 **Écrit** (opposé à : oral, parlé), littéraire ; rédigé.

17 Écrit ; couvert de signes, noirci ; opisthographe.

18 Scriptible [litt.]. – Scripturaire, scriptural ; **graphique.**

19 **Alphabétique,** idéographique, hiéroglyphique, pictographique, phonétique, syllabique ; cunéiforme. – Cryptographique. – Didact. : cursif, démotique ; hiératique, hiérographique, hiérogrammatique.

20 Cursif, manuscrit, imprimé ; autographe.

Adv. 21 Graphiquement, graphologiquement.

Aff. 22 Graph-, graphi-, grapho- ; -gramme, -graphie.

253 ÉDUCATION

N. 1 **Éducation** ; formation **274,** édification **533,** institution [vx], instruction, nourriture [fig., vx]. – Péj. : dressage, endoctrinement.

2 **Discipline** ; autodiscipline. – Courtoisie **163,** politesse, savoir-vivre.

3 **Didactique,** sciences de l'éducation ; andragogie, pédagogie, psychopédagogie ; didactisme. – Éducation institutionnelle, éducation spécialisée ; éducabilité [didact.].

4 Éducation conformiste, conventionnelle, libérale, nouvelle, puritaine, traditionnelle. – **Directivité** ; autoritarisme **240.** – Non-directivisme, non-directivité ; laisser-aller, laisser-faire, laxisme, permissivité, tolérance, tolérantisme.

5 **Établissement** (ou : institution, maison) **d'éducation** ; école sans école, jardin laboratoire, libre communauté scolaire. – Matériel pédagogique, jeu éducatif. – Traité d'éducation.

6 **Didacticien** *(un didacticien),* **éducateur,** éducateur spécialisé, maître **274,** pédagogue, tuteur. – Gouvernante, précepteur.

V. 7 **Éduquer** ; élever, **former,** nourrir [vx]. – Donner de bonnes façons, de bonnes habitudes, de bonnes manières, de bons principes ; façonner, styler. – Conduire, éclairer, guider ; aiguiller [fam.], **orienter 221.** – Dégourdir, dégrossir.

8 **Discipliner** ; dompter, dresser, mater. – Amender, corriger, réformer, reprendre.

9 **Moraliser 533,** morigéner, prêcher, sermonner. – Qui aime bien châtie bien [prov.].

Adj. 10 **Éducatif,** éducationnel [didact.] ; didactique, pédagogique.

11 Éduqué ; civilisé, **poli,** policé. – Élevé ; bien élevé, mal élevé ; vx : bien appris, mal appris. – Gâté, pourri.

12 Éducable ; humanisable.

254 EFFET

N. 1 **Effet,** résultat ; conséquence, impact, incidence, **suite.** – Aboutissement, évènement [vx], issue ; résultante. – Corollaire, retentissement ; effet d'annonce ; souv. pl. : retombées, séquelles, suites. – Produit, production ; dérivation, émanation ; manifestation. – Fruit, ramification, rejet, rejeton ; descendance.

2 DR. : effet rétroactif ; effet suspensif.

3 Effet + n. du découvreur *(effet Doppler, effet Joule, effet Kelvin, effet Larsen, etc.)* [PHYS.]. – Effets spéciaux [CIN.].

V. 4 Mettre à effet ; effectuer. – Influencer **407,** influer **59.**

5 Être l'effet de ; découler de, dériver de, émaner de, dépendre de, être fonction de, procéder de, provenir de, **résulter de,** sortir de, **venir de** ; se ressentir de ; remonter à ; tenir à, ne tenir qu'à. – Réagir, rétroagir.

6 S'ensuivre ; **il s'ensuit** ; il suit de là. – Succéder à, **suivre** ; et tout ce qui s'ensuit [fam.].

7 Faire effet ; prendre effet. – Avoir ou faire de l'effet, avoir pour effet de, que. – Être de conséquence, ne pas être sans conséquence, tirer à conséquence. – Faire bon ou mauvais effet ; être du meilleur ou du plus mauvais effet ; faire ou produire son effet, faire son petit effet [fam.]. – Faire l'effet de + inf. ou + n., faire un effet +adj. ; fam. : faire un effet monstre, un effet bœuf. – Chercher l'effet, viser à l'effet.

8 **Consécutif,** corrélatif, dépendant, relatif, résultatif [rare]. – **Originaire de,** issu de.

Adj. 9 À double effet, à simple effet [TECHN.].

Adv. 10 Conséquemment ; en conséquence, **par conséquent** ; par là même. – Subséquemment. – D'où, de là. – Dès lors, lors, pour lors, par suite. – Ainsi, alors.

11 À cet effet, pour cet effet [rare]. – **En effet** ; effectivement.

Prép. 12 Sous l'effet de, à l'effet de [rare].

Conj. 13 Partant. – Aussi, donc ; adonc [vx] ; *ergo* (lat., « donc »).

255 EFFORT

N. 1 **Effort** ; application, attention, concentration, contention [litt.]. – **Tension,** volonté **870** ; constance, entêtement, obstination **568,** opiniâtreté **716,** persévérance **612,** ténacité.

2 **Effort** ; pesée, poussée ; épaulée [vx].

3 **Combativité** ; acharnement, effort, mal. – **Lutte** ; labeur, peine, travail ; combat, mobilisation. – Forcing [fam.].

4 **Battant** ; fam. : accrocheur, bagarreur, fonceur. – Entêté, obstiné.

V. 5 **S'efforcer de** ; s'acharner, batailler, s'escrimer, s'évertuer. – **Se démener** ; se dépenser, se multiplier, se remuer ; fam. : s'accrocher, s'arracher, se battre les flancs, se décarcasser, se démancher, s'échiner, s'esquinter.

6 **Travailler à** ; s'appliquer à, se concentrer sur, se consacrer à, s'employer à, s'ingénier à, se mobiliser pour, prendre à tâche de. – Se vouer à. – Tâcher de, tenter de **812.** – Se creuser la tête ou la cervelle.

7 **Se donner du mal** ou **de la peine** ; ne pas ménager sa peine, ne pas plaindre sa peine ; faire un effort, faire des efforts ; donner un coup de collier, faire des pieds et des mains, en mettre un coup, se mettre en quatre, remuer ciel et terre, soulever des montagnes, suer sang et eau ; se casser la nénette [fam.], se casser le cul [très fam.], mettre le paquet [fam.]. – Fam. : se démener ; très fam. : se décarcasser, se démancher. – « Travaillez, prenez de la peine » (La Fontaine).

8 **Épuiser** ; anéantir, exténuer, fatiguer **303,** harasser, tuer ; fam. : claquer, crever, éreinter, esquinter, vanner, vider.

Adj. 9 **Combatif** ; déterminé, endurant, persévérant, pugnace [litt.], tenace. – **Acharné,** courageux **161,** dur à la tâche.

10 **Laborieux** ; difficile **217,** dur, épineux ; astreignant **565,** pénible.

11 Fatigant. – Usant ; fam. : éreintant, esquintant.

Adv. 12 D'arrache-pied. – Obstinément, patiemment **601,** sans relâche.

13 **Laborieusement,** avec peine, péniblement.

256 ÉGALITÉ

N. 1 **Égalité,** équivalence, parité ; identité **376.** – Constance, **régularité,** continuité **153** ; immuabilité, invariabilité, uniformité, stabilité ; invariance [SC.]. – Planéité. – Adéquation [didact.], conformité **147.**

2 **Équilibre 282,** symétrie ; balance. – Harmonie, proportionnalité **668.** – Équipartition [didact.], péréquation [DR., ADMIN.].

3 Égalité d'âme (ou : de caractère, d'humeur), **équanimité** ; ataraxie [PHILOS.]. – **Équité,** impartialité. – **Réciprocité.**

4 DR. : égalité devant la loi, isonomie [vx] ; **égalité des droits** ; égalité dans le suffrage ; égalité souveraine ; égalité de traitement. – *Liberté,*

Égalité, Fraternité (devise de la République française) **462.**

5 **Égalité géométrique** ; équidistance, isocélie ; isométrie [MATH.] **338.** – Isomérie [PHYS.].

6 Égalité (notée =, « égal »), **égalité algébrique** ; MATH. : équation, équipotence ; équipollence [ALGÈBR.] ; égalité de deux applications, égalité de deux ensembles, égalité de deux matrices ; cas d'égalité des triangles.

7 **Constante** *(une constante).* – Courbe d'égale pression (isobare) [MÉTÉOR.] ; d'égale température (isochimène) [MÉTÉOR.] ; d'égale profondeur (isobathe) [GÉOGR.] ; d'égale inclinaison (isocline) [GÉOPHYS.] ; d'égale altitude (isobase) [GÉOL.] ; d'égale transformation (isochore, isochore de Van't Hoff [PHYS.]).

8 **Égal** *(un égal),* pair *(un pair, ses pairs),* pareil *(son pareil, ne pas avoir son pareil, sa pareille),* pendant *(être le pendant de).*

9 **Égalisation** ; ajustement, compensation ; égalisage [TECHN.]. – Équilibration, harmonisation.

10 TECHN. : égalisatrice, **égalisoir** ; égaliseur.

11 Égalitarisme [didact.].

12 Égalitariste *(un égalitariste)* [POLIT.] ; égaliseur [vx].

V. 13 **Égaler** ; atteindre le niveau de ; valoir, bien valoir, valoir autant que. – Équipoller à [litt.], équivaloir à ; n'avoir pas son égal pour. – Être sans égal **800.**

14 **S'égaler** [vx, litt.]. – Être égal à soi-même, être toujours égal à soi-même.

15 **Égaliser** ; égaler [vx] ; mettre de niveau, niveler ; polir **640.** – Aplanir, araser [didact.] ; TECHN. : épanner, planer ; dégauchir, égalir.

16 **Compenser 139,** équilibrer ; harmoniser, proportionner.

17 Fam. : **c'est égal** ; ça m'est égal ; c'est tout un ; c'est du pareil au même. – C'est égal comme deux œufs.

Adj. 18 **Égal.** – Équivalent, identique ; kif-kif [fam.], même, pareil. – Symétrique.

19 Constant, invariable, invariant [didact.], **stable.**

20 GÉOM. : **équidistant,** équipollent ; équilatéral, équilatère, isocèle ; équiangle [vx], isogone. – Équiprobable [MATH.].

21 SC. : **isobare,** isobathe, isochimène, isocline ou isoclinal, isochore, isogone.

22 Lisse, uni, **uniforme** ; plan, plat, ras ; plain [vx].

23 Égalisable.

24 Égal ; « Les hommes naissent et demeurent libres et égaux en droits » (Déclaration des droits de l'homme et du citoyen). – Égalitaire ; paritaire. – Égalitariste.

25 Équanime [vieilli].

Adv. 26 **Également** ; **aussi.** – Équivalemment [litt.]. – *Ex aequo* (lat., « également ») ; *idem* (lat., « la même chose »).

27 À part égale ; fifty-fifty (angl., « cinquante-cinquante ») [fam.], moitié-moitié.

28 **D'égal à égal** ; de pair à égal *(parler de pair à égal)* ; **à égalité.** – Sur le même pied, sur un pied d'égalité ; de plain-pied. – À armes égales.

29 Égalitairement.

Prép. 30 **À l'égal de.**

Conj. 31 Autant que. – Ainsi que, **de même que.**

Aff. 32 Équi-, iso-, homal(o)-.

257 ÉGOÏSME

N. 1 **Égoïsme** ; égocentrisme ; égotisme ; **narcissisme,** nombrilisme [fam.]. – Individualisme, quant-à-soi. – Unilatéralisme. – Amour-propre, infatuation ; vanité **655.**

2 Didact. – **Ego,** moi ; ego transcendantal **613.3.** – Égo-altruisme, égomorphisme. – PHILOS. : égoïsme métaphysique ou égoïsme [vx], solipsisme. – Égoïsme sacré [HIST.].

3 **Égoïste** *(un égoïste),* monstre d'égoïsme. – Égotiste ; égocentriste ou égocentrique. – Altruicide *(un altruicide)* ou autruicide [fig.].

V. 4 **Ne penser qu'à soi** (ou : à sa personne, à sa petite personne), rapporter tout à soi. – Tirer la couverture à soi [fam.]. – Avoir les poignets coupés [arg.].

5 PROV. – Charité bien ordonnée commence par soi-même. – On n'est jamais si bien servi que par soi-même. – Chacun pour soi ; chacun pour soi et Dieu pour tous [fam.]. – À qui a la panse pleine, il semble que les autres sont soûls [vx].

6 Se prendre pour le centre du monde.

Adj. 7 **Égoïste,** personnel ; individualiste. – Indifférent, insensible, **sans-cœur 497,** sans entrailles ; ingrat **43.** – Intéressé. – Égoïstique [rare] ; égocentrique ou égocentriste ; plein de soi.

8 Égotique [litt.] ; égotiste.

Adv. 9 Égoïstement. – Égocentriquement.

Aff. 10 Auto-.

258 ÉJECTION

N. 1 **Éjection,** projection ; catapultage, **lancement.** – Largage ; droppage [MIL.], parachutage.

2 **Propulsion** ; autopropulsion.

3 Élimination, **évacuation.** – Éjaculation, émission. – Défécation, excrétion **296** ; expectoration.

4 **Expulsion 582,** vidage [fam.]. – Éviction ou, rare, évincement **292** ; exclusion **295,** rejet.

5 **Jaillissement,** rejaillissement. – Éjection solaire ; **éruption** ; explosion.

6 Catapulte **42** ; éjecteur, rampe d'éjection, **rampe de lancement** ; autopropulseur, propulseur. – Cabine éjectable, parachute éjecteur, siège éjectable. – Éjectocompresseur [TECHN.].

7 **Jet,** projection, rejet. – Éjectile [PHYS.], **projectile 820.**

V. 8 **Éjecter,** projeter, propulser. – Larguer ; droper ou dropper, lâcher, parachuter. – Catapulter, **lancer.**

9 Faire jaillir ; émettre, expulser, **jeter,** rejeter ; cracher *(cracher des flammes),* crachoter, lancer, pisser *(réservoir troué qui pisse l'essence)* [très fam.], vomir. – Évacuer ; éjaculer ; expectorer.

10 Éliminer, évincer, **exclure** ; chasser.

Adj. 11 **Éjectable,** largable ; jetable. – Autopropulsé.

12 Éjecteur [rare]. – Propulseur ; autopropulseur.

13 Didact. : éjectif, **expulsif,** propulsif. – Éruptif [litt.]. – Éjaculatoire, excrétoire.

Adv. 14 Dehors **783** ; au-dehors, en dehors.

Prép. 15 Hors de, en dehors de.

Int. 16 **Dehors !,** hors d'ici !

Aff. 17 É-, ex-, extra-.

259 ÉLASTICITÉ

N. 1 **Élasticité** ; ressort ; souplesse ; **flexibilité** ; extensibilité [didact.] ; compressibilité [didact.] ; coercibilité [PHYS.] ; didact. : ductilité, malléabilité. – PHYS. : élastoplasticité, viscoélasticité ou visco-élasticité ; rétractibilité [TECHN.]. – **Fermeté 778,** tonicité [PHYSIOL.] **541** ; ton [vx].

2 **Élastique** *(l'élastique),* élastomère ; élatérite (ou : caoutchouc fossile, caoutchouc minéral) ; **caoutchouc** *(le caoutchouc)* ou, vx et abusif, gomme élastique, caoutchouc Mousse [nom déposé] ; latex (ou gomme de l'hévéa). – TEXT. : élasthanne, Élastiss [nom déposé], élastodiène, élastofibre. – Élasticine ou élastine [BIOL.].

3 **Élastique** *(un élastique),* élastoche ou élastoc [fam.] ; caoutchouc *(un caoutchouc)* [fam.]. – Élastique *(une élastique)* ou courbe élastique [didact.].

4 **Ressort** ; ressort de compression, ressort de flexion, ressort de torsion, ressort de traction. – MÉCAN. : ressort-bague, ressort à boudin (ou : boudin, ressort hélicoïdal), ressort à lames, ressort spiral ; ressort de rappel ; ressort-friction ou ressort de friction ; ressort secret. – SPORTS : exerciseur, **extenseur** ; tendeur **732.** – **Amortisseur 57,** suspension.

5 **Assouplissement,** malléabilisation [TECHN.]. – Affermissement, raffermissement, **tonification.**

6 Didact. – Coefficient d'élasticité, élastance ; limite d'élasticité ou limite élastique ; module d'élasticité. – Élasticimétrie [didact.].

7 Didact. : élasticimètre ou extensomètre ; dilatomètre.

V. 8 **Assouplir** ; déraidir [litt.] ; malléabiliser [TECHN.]. – Affermir, raffermir, **tonifier.**

9 S'allonger, s'étirer **470.** – Se détendre **298.** – Se prêter à.

10 Bondir, rebondir.

Adj. 11 **Élastique,** souple ; extra-souple ; malléable ; étirable, **extensible,** flexible ; liant [vx] ; comprimable ou, didact., compressible ; coercible [PHYS.] ; ductile, malléable ; rétractible [TECHN.]. – **Ferme,** tonique [vx]. – PHYS. : élastoplastique, viscoélastique ou visco-élastique.

12 **Caoutchouteux,** caoutchoutique ; laticifère. – Élastoplastique [PHYS.].

Adv. 13 **Élastiquement** ; souplement.

Aff. 14 Élasto- *(élastorrexie).*

260 ÉLECTION

N. 1 **Élection** ; consultation électorale, **scrutin,** votation [didact.] ; comices [HIST.]. – Plébiscite, référendum. – Cooptation.

2 **Consultation nationale,** scrutin d'arrondissement, scrutin départemental. – Élections municipales ou municipales *(les municipales),* élections cantonales ou cantonales *(les cantonales),* élections législatives ou législatives *(les législatives),* élections sénatoriales, élections présidentielles ou présidentielles *(les présidentielles)* ; élections européennes ; élections prud'homales.

3 Renouvellement partiel, renouvellement total.

4 Primaire *(une primaire)*. – Élection triangulaire ou triangulaire *(une triangulaire)*. – Premier tour, second tour.

5 Suffrage censitaire, suffrage restreint, **suffrage universel** ; suffrage capacitaire. – Scrutin par division. – Suffrage direct, suffrage indirect.

6 Scrutin de liste, scrutin plurinominal, scrutin uninominal. – Liste bloquée, panachage, vote préférentiel. – Apparentement.

7 **Système majoritaire,** système majoritaire à un tour, système majoritaire à deux tours ; majorité absolue, majorité relative. – **Représentation proportionnelle,** représentation proportionnelle approchée (opposé à intégrale). – Quotient électoral ; répartition des restes selon le procédé des plus forts restes, répartition des restes selon le procédé de la plus forte moyenne ; système d'Hondt ; système avec vote unique transférable. – Représentation des minorités.

8 **Vote.** – Droit de vote. – Vote à main levée ; vote secret. – Vote par correspondance, vote personnel ; délégation de vote, vote par procuration.

9 Voix consultative, voix délibérative ; voix prépondérante. – Droit de veto.

10 **Suffrage, voix** ; bulletin de vote ; bulletin blanc, bulletin nul ; boule. – Abstention. – Abstentionnisme.

11 Assiette politique ; collège électoral, corps électoral, **électorat.** – **Citoyen** ; citoyen actif (opposé à citoyen passif) [HIST.]. – **Électeur,** inscrit *(un inscrit)*, votant ; mandant [DR.]. – Abstentionniste.

12 Caucus [amér.], **comité électoral** ; convention électorale.

13 Siège à pourvoir, siège vacant.

14 **Liste électorale** ; queue de liste, tête de liste. – **Candidat,** candidat officiel ; candidat sortant. – Élu *(un élu)* **708,** représentant.

15 **Candidature,** candidature multiple.

16 Éligibilité ; inéligibilité. – Électivité.

17 **Campagne,** campagne électorale, tournée électorale ; débat contradictoire, débat télévisé, meeting. – Agent électoral [anc.].

18 **Bureau de vote** ; isoloir, machine à voter, urne.

19 Ouverture des urnes ; dépouillement du scrutin ; proclamation des résultats.

20 **Score** ; différentiel de voix ; suffrages exprimés. – **Défaite 180.** – **Victoire 861** ; élection de maréchal [vieilli] ; réélection. – Ballottage. – Désistement.

21 **Découpage électoral** ; gerrymander [amér.]. – Circonscription électorale, fief électoral ; bourg pourri [HIST.].

22 Contentieux électoral ; **fraude électorale.** – Bourrage des urnes.

23 Électoralisme.

24 Sociologie électorale.

V. 25 **Élire** ; **choisir 116,** voter + n. ; apporter son suffrage à, se décider pour. – Plébisciter. – Adopter, ratifier, **voter pour** ; voter blanc ; blackbouler [fam.], voter contre.

26 Aller aux urnes, **voter** ; s'abstenir. – Panacher. – Revoter.

27 Faire acte de candidature, **poser sa candidature** ; briguer un mandat, se présenter. – Faire campagne.

28 Se désister, se retirer. – Se prendre une veste [fam.].

Adj. 29 **Électoral** ; préélectoral. – Plébiscitaire, référendaire.

30 Éligible, inéligible ; électif ; **élu.**

31 Voteur [rare] ; abstentionniste ; sans opinion ou, fam., sans op.

Adv. 32 **Électoralement** ; électivement.

261 ÉLECTRICITÉ

N. 1 **Électricité.** – Électricité dynamique, électricité statique ; galvanisme. – Électricité atmosphérique **127.** – Électrocinétique, électrostatique [vx]. – Mécanique ondulatoire [vx]. – Électrotechnique, électronique **681** ; nanoélectronique.

2 **Électromagnétisme.** – Magnétisme **478,** magnétostatique [vx]. – Électrodynamique quantique **513.1** ; antiferromagnétisme, diamagnétisme, ferrimagnétisme, ferromagnétisme, paramagnétisme.

3 Électricité *(l'électricité)* **250** ; courant ; courant galvanique, courant induit, courant réactif ; courant alternatif, courant contihpnu ; courant biphasé, courant monophasé, courant triphasé. – Vx : électricité négative ou résineuse, électricité positive ou vitrée.

4 **Électron,** ion. – Onde électromagnétique.

5 **Électrisation,** ionisation ; effet photoélectrique. – Électrification. – Électrocution.

6 Aimantation, **magnétisation.** – Polarisation ; magnétostriction.

7 Conductibilité. – Effet photoconducteur. – Conductivité, résistivité, susceptibilité *(susceptibilité réversible, susceptibilité irréversible).*

8 Capacité électrostatique, **potentiel** ; charge, différence de potentiel, **tension** *(basse tension, moyenne tension, haute tension),* voltage. – Fréquence ; période, phase. – Champ *(champ électrique, champ électromagnétique, champ magnétique),* densité de courant, densité volumique de charge ; **intensité.** – Auto-induction, induction *(induction électrique, induction magnétique)* ; conduction.

9 Inductance, résistance, conductance, impédance (opposé à admittance), perditance. – Reluctance.

10 Ampère **509.6,** farad, henry, mho, ohm, volt. – Gauss, maxwell, œrsted, weber.

11 Ampèremètre **509.25,** électromètre, fréquencemètre, galvanomètre, potentiomètre, rhéomètre, rhéostat, voltmètre ; magnétomètre, etc.

12 **Générateur,** génératrice ; inducteur. – **Aimant,** dipôle magnétique, électroaimant ; inducteur, solénoïde. – Dynamo ou machine dynamoélectrique ; magnéto ou machine magnétoélectrique. – **Pile** *(pile galvanique, pile sèche, pile volta, pile voltaïque).* – Armature, borne, pôle.

13 **Accumulateur** ou, fam., accu, condensateur ; vx : bouteille de Leyde, jarre électrique. – Batterie ; accus [fam.].

14 **Conducteur,** électrode, résistance *(une résistance),* shunt [anglic.] ; diode, semi-conducteur, transistor, triode. – Anode, cathode.

15 Isolant *(un isolant).* – Isolateur, séparateur ; terre, masse. – Guipage. – Chatterton.

16 Circuit (ou : installation, montage) électrique. – Connexion, dérivation, interconnexion. – Canalisation, maille. – Bobinage, enroulement ; maillage.

17 Alternateur, oscillateur, **réacteur.** – Convertisseur, élévateur de tension, mutateur, onduleur, redresseur, **transformateur,** survolteur, survolteur-dévolteur.

18 Commutateur, **interrupteur,** rupteur, va-et-vient ; conjoncteur, connecteur, disjoncteur, minuterie. – Fam. : olive, poire.

19 Câble, **fil électrique** ; prolongateur, rallonge. – Coupe-circuit, fusible, plomb. – Prise ; broche, fiche *(fiche banane, fiche femelle, fiche mâle),* jack, plot.

20 Branchement ; force *(la force).* – **Décharge électrique,** disruption. – Coupure, débranchement ; court-circuit ; court-jus [fam.].

21 Production d'électricité **269.** – Barrage, hydrocentrale ou centrale hydraulique, centrale thermique, centrale d'éclusée ou de lac, usine marémotrice.

V. 22 **Électriser,** galvaniser. – Aimanter, magnétiser. – Électrolyser **113.16.**

23 Électrifier. – **Brancher,** connecter, court-circuiter ; coupler, interconnecter. – **Débrancher,** déconnecter, disjoncter ; délester. – Charger, survolter ; décharger, dévolter. – Shunter [anglic.].

Adj. 24 **Électrique** ; magnétique ; électromagnétique ou magnétoélectrique. – Électrisé ; électrifié. – Monophasé, biphasé, triphasé, polyphasé. – Électronégatif, électropositif.

25 Électrisant ; électrocuteur [rare]. – Magnétisant. – Inducteur. – Polariseur.

26 Électrisable ; magnétisable.

Adv. 27 Électriquement ; magnétiquement. – En dérivation, en parallèle.

Aff. 28 Électro-, magnéto-.

262 ÉLEVAGE

N. 1 **Élevage.** – Élevage extensif ; pastoralisme. – Élevage intensif ; élevage en batterie, élevage hors-sol, naissage. – Zootechnie ; hippotechnie.

2 Aviculture ; colombiculture, coturniculture. – Cuniculiculture. – Apiculture. – Lombriculture ; sériciculture ; hirudiniculture. – Colombophilie, cynophilie.

3 **Aquaculture** ou aquiculture, mariculture. – Pisciculture, rizipisciculture ; carpiculture, cypriniculture, ésociculture, salmoniculture, trutticulture. – Conchyliculture ; mytiliculture, ostréiculture. – Astaciculture. – Aquariophilie.

4 Animal d'élevage, élève [vx] ; **tête de bétail.** – Gros bétail, petit ou, vx, menu bétail. – Bestiau *(du bestiau)* [région.], bétail ; bergerie *(la bergerie)* [litt., rare], bête *(les bêtes),* bestiaux *(les bestiaux),* cheptel, **troupeau.** – Broutard ou broutart. – Cagée, chambrée.

5 **Élevage** *(un élevage)* ; ferme d'élevage, ferme marine. – Estancia, ranch. – Oisellerie, poussinière ; faisanderie ; autrucherie. – Haras, jumenterie, mulasserie. – Chenil. – Renardière [canad.] ; visonnière. – Escargotière, limaçon-

nière, magnanerie. – Arche ou berceau d'élevage [ZOOTECHN.].

6 Ménagerie, réserve, zoo. – Didact. : terrarium, vivarium. – Box, corral, enclos ; basse-cour ; **cage,** épinette ; case, casier, claie, mue, niche, nichoir ; parcage.

7 Aquarium **638.16,** bassin, vivier. – Paludarium. – Nasse ; bouchot.

8 Cabane à lapins, clapier, lapinière. – Poulailler ; chaponnière, poussinière. – Oisellerie, volière **570.26** ; colombier, pigeonnier. – Bergerie, bercail. – Étable ; bouverie, vacherie ; porcherie, soue. – Écurie.

9 Anguillère ; alevinier. – Clayère, huîtrière, moulière.

10 Couvoir, écloserie ; alevinier. – Couveuse, incubateur.

11 Abattoir.

12 **Reproduction 711** ; sélection ; croisement. – Castration. – **Reproducteur** ; bélier ; bouc ; étalon ; taureau ; verrat ; coq. – Couveuse, pondeuse.

13 Nourrissage **563.9,** nourrissement ; affenage, affourage, affouragement ; pâture, pouture ; embouche, engraissement, **gavage.** – Abreuvement. – Bouchonnage ou bouchonnement, brossage, étrillage, **pansage.**

14 Herbagement, paisson, pâturage **627.3.** – Estivage, hivernage ; stabulation. – Transhumance.

15 Traite.

16 Broutage [rare] ; pacage.

17 Alpage, embouche, gagnage [vx ou région.], herbage, pacage, pâquis, pâtis, pâturage, prairie, **pré** ; parcours, parquet. – Parc d'élevage [ZOOTECHN.]. – Viandis.

18 Auge, crèche, mangeoire, musette, **râtelier,** trémie ; abreuvoir.

19 Avoine, foin, **fourrage,** graine, orge, paille, provende, tourteau ; farine ; racine, tubercule. – Barbotage, buvée. – Hivernage, watterie [région.].

20 Fer à cheval, fer de bœuf ; fer à pantoufle, fer à planche ; fer à l'anglaise, fer à la florentine, fer à la turque, fer couvert ; fer à clous ; fer à glace ; hipposandale [ANTIQ. ROM.].

21 **Éleveur** ; animalier. – Sélectionneur. – Emboucheur ou herbager.

22 Apiculteur. – Cuniculiculteur. – Cynophile. – Laitier. – Coqueleux. – Magnanier (fém. : magnanarelle), sériciculteur ; héliciculteur ; hirudiniculteur ; lombriculteur.

23 Aquaculteur ou aquiculteur, pisciculteur. – Conchyliculteur ; boucholeur, mytiliculteur, ostréiculteur. – Astaciculteur. – Carpiculteur, salmoniculteur.

24 **Berger,** bergerot [région.], gardien, pasteur, pastour, pâtre, pastoureau ; bergerette ou, vx, bergeronnette. – Ânier, bouvier, chevrier, muletier, porcher, vacher, vacheron [région.]. – Cow-boy, gaucho, gardian, vaquero.

25 BX-A. – Bergerette **105,** pastourelle ; bergerie **635,** berquinade. – Bergerade [rare].

V. 26 **Élever** ; prendre soin de, soigner **775.** – ZOOTECHN. : aiguayer, bouchonner, brosser, épousseter, étriller, panser. – Bretauder, castrer ou châtrer, chaponner, couper, hongrer ; anglaiser, courtauder. – Anneler ; brocher, cramponner, **ferrer.**

27 Affener, affourager. – Herbager, mettre au vert, pacager, **paître,** vacher ; estiver, transhumer. – Appâter ; abecquer, bourrer, embéquer, emboquer, emboucher, engaver, engraisser, engrener, empâter, **gaver,** gorger.

28 Établer [vx ou région.]. – Fourrager [vx].

29 Traire.

30 **Brouter,** paître, pâturer, tondre, viander ; ruminer. – Herbeiller [VÉN.], vermiller.

Adj. 31 Agropastoral, pastoral. – Aquicole. – Bucolique [sout.].

32 Bovin, taurin ; moutonnier ; équin ; chamelier. – Avicole ; péristéronique. – Apicole. – Lombricole, séricicole. – Piscicole ; astacicole ; huîtrier, mytilicole, ostréicole.

33 **Boucher** *(race bouchère),* d'engrais *(bœuf d'engrais)* ; fermier *(poulet fermier).* – **Laitier** *(vache laitière).*

34 Pâturable.

Adv. 35 Pastoralement.

Aff. 36 -cole, -culteur ; -culture.

263 ÉLOIGNEMENT

N. 1 **Éloignement** ; écartement, espacement. – Disjonction, séparation **756** ; mise à distance, mise à l'écart. – Refoulement, repoussement [vx].

2 **Recul** ; pas en arrière ; MIL. : repli, retraite. – Régression ; régression marine [GÉOL.].

3 Distance **232,** écart, éloignement, intervalle **433.**

4 Distance ; distance respectueuse. – Antipathie, inimitié **410.** – Éloignement *(vivre dans l'éloignement des plaisirs),* renoncement **701.**

5 **Lointain** *(le lointain ; les lointains)* ; bout du monde ; antipodes. – Pays perdu ; fam. : **bled,** trou. – Fam. : Perpète-les-Oies, Trifouilly-les-Oies ; Pétaouchnok ; Tombouctou.

V. 6 **Éloigner** ; espacer **433.** – Séparer **756** ; détacher, disjoindre.

7 Écarter, éconduire, rejeter, refouler, **repousser** ; mettre à distance, mettre à l'écart ; tenir à distance. – Chasser, éliminer, évincer, **exclure 295** ; fam. : catapulter, expédier. – Bannir, envoyer au loin, **exiler,** reléguer ; déporter.

8 Conjurer ; **détourner,** dévier **212.**

9 S'écarter, **s'éloigner,** se retirer. – S'en aller **189** ; s'enfuir, fuir, **partir** ; prendre la fuite, prendre le large ; prendre du champ. – Abattre des kilomètres, faire du chemin. – Déborder [MAR.].

10 **Reculer** ; faire un pas en arrière. – MIL. : battre en retraite, se replier.

11 Distancer ; **dépasser 190,** devancer, doubler, semer [fam.].

12 S'écarter de, s'éloigner de ; **se détourner de** ; se séparer de ; rompre avec, rompre tous ses liens avec. – Prendre ses distances ; se distancier de [sout.]. – Prendre du recul.

Adj. 13 **Éloigné** ; **distant 232,** écarté, perdu, reculé ; **lointain.** – Hors d'atteinte, hors de portée, hors de vue ; loin de tout ; à l'écart.

Adv. 14 **Loin** ; au loin ; ailleurs, au-delà ; loin derrière, loin devant, plus avant [litt.] ; profondément. – Dans le lointain.

15 À distance, **de loin.**

Prép. 16 **Loin de** ; à mille lieues de ; au-delà de. – Aux confins de, au fin fond de ; à l'extrême limite de, aux limites de.

Int. 17 Arrière ! – Vade retro ! [souv. par plais.].

Aff. 18 Télé-.

264 ÉLOQUENCE

N. 1 **Éloquence,** persuasion **614.** – Chaleur, **conviction,** ferveur, feu, flamme, fougue, verve, vivacité ; enthousiasme **276,** passion, pathétique *(le pathétique)* ; fureur poétique, inspiration. – *Copia* (lat., « abondance ») [RHÉT.], **débit,** faconde [litt.] ; loquacité, prolixité **665,** volubilité. – Adresse, **aisance,** facilité, habileté ; improvisation. – Couleur, élégance, grâce.

2 **Morceau de bravoure,** morceau d'éloquence ; bonheur d'expression, coup de génie, trouvaille **179.**

3 Expression, **expressivité,** puissance d'évocation. – Force, puissance, véhémence, vigueur **864** ; nervosité, vivacité.

4 Éloquence, **rhétorique 729.** – Homilétique *(l'homilétique)* [RELIG.].

5 **Charmeur,** poète **635** ; beau diseur [vieilli], beau parleur [souv. péj.], gouailleur [fam.] ; langue dorée, saint Jean Chrysostome ou Bouche d'or ; magicien du verbe. – Déclamateur, foudre d'éloquence [litt.], **orateur 729** ; improvisateur. – Hermès ou le dieu de l'Éloquence [MYTH.].

V. 6 Avoir la langue bien pendue [fam.], **avoir la parole facile** ; avoir du bagou ou du bagout [fam.]. – Faire des effets de manche. – Improviser.

7 Charmer, **convaincre,** persuader **614** ; faire de l'effet, faire impression, impressionner.

Adj. 8 **Éloquent** ; disert [litt.] ; THÉOL. : chrysologue, chrysostome. – **Adroit,** habile ; à l'aise. – Loquace, prolixe **665,** volubile. – Convaincu, **fervent** ; enflammé, enthousiaste **276,** inspiré, passionné.

9 Éloquent, persuasif **614** ; **convaincant,** entraînant, percutant. – Expressif, **parlant,** probant, révélateur.

10 Ardent, emporté, enflammé, fervent, **fougueux,** véhément. – Incisif **142,** nerveux, **vif,** vigoureux. – Élégant, gracieux ; émouvant **755,** passionnant, pathétique, poignant.

11 Rhétorique ; homilétique [RELIG.].

Adv. 12 Éloquemment [litt.].

265 EMBRYOLOGIE

N. 1 **Embryologie.** – **Formation, gestation 711,** grossesse, nidation ; période embryonnaire, période embryotrophique, période hémotrophique ; **stade embryonnaire,** vie embryonnaire.

2 **Embryogenèse,** embryogénie [vx], embryomorphose ; blastogenèse, épigenèse [vx], histogenèse, morphogenèse, odontogenèse, organogenèse, ostéogénie, ovogenèse **306** ; ontogenèse ou ontogénie (opposé à phylogenèse). – Échange fœto-maternel.

3 **Division cellulaire** ; amitose **94,** induction cellulaire, métamérie, scissiparité, segmentation.

4 **Œuf** ; œuf clair ; œuf fécondé ou zygote **711.** – Enveloppe vitelline, sac embryonnaire. – Aire ou bandelette générative, vésicule germinative, vésicule de Purkinje. – Chorion ovulaire.

5 **Germe** ; blastocyste, bouton embryonnaire, embryon, fœtus, *infans* [lat.] ; animalcule spermatique [vx]. – Cellule embryonnaire ; blastomère (micromère, macromère), métamère ou somite, quadrant, quartette ; morula, blastula, gastrula.

6 **Feuillets embryonnaires :** ectoderme ou ectoblaste, endoblaste (ou : entoblaste, endoderme), mésoblaste ou mésoderme ; arcs branchiaux ; épiblaste, mésenchyme. – Disque embryonnaire didermique, disque embryonnaire tridermique.

7 Crête neurale, lame alaire, lame fondamentale, plaque neurale, tube neural **548** ; tube cardiaque **128** ; chorde dorsale, cordon médullaire, cordon néphrogène ; crête génitale, gouttière métrale, membrane anale, membrane cloacale. – Duvet.

8 **Annexes embryonnaires** ; allantoïde, **amnios,** cavité amniotique, sac vitellin ; blastocèle ou cavité de segmentation, cœlome externe, cœlome interne, somatopleure, splanchnopleure. – Cordon ombilical. – Barrière placentaire. – Liquide amniotique, **placenta,** vitellus ; amnioblaste, cytotrophoblaste, syncytotrophoblaste, trophoblaste ; [vx] : arrière-faix ou délivre **569.** – Méconium.

9 Cavité utérine, endomètre, **utérus 306.** – Membrane caduque ou déciduale (ou : la caduque, la déciduale).

10 **Amniocentèse,** ponction amniotique ; biopsie du trophoblaste. – Amnioscopie, amniographie, **échographie,** embryoscopie.

11 **Embryopathie,** fœtopathie ; anonychie, aplasie ; dysembryoplasie, dysgenèse ou dysplasie ; embryome.

12 Biologie, **embryologie** (embryologie causale, embryologie chimique, embryologie comparée, embryologie descriptive), fœtologie ; gynécologie **306.** – Tératologie **484.** – Embryotomie [CHIR.].

13 Biologiste, **embryologiste** ou embryologue. – Vx : animalculiste, épigéniste, oviste, préformiste, spermatiste.

V. 14 Se développer, **se former** ; se différencier, se spécialiser.

Adj. 15 Embryologique. – **Embryonnaire,** fœtal, fœtomaternel, fœto-placentaire, gestationnel ; amniotique. – Blastogénétique, embryogénétique, morphogénétique ; embryogénique. – Chorionique, épiblastique, placentaire, trophoblastique, vitellin.

16 Embryonné, fécondé.

17 Dysgénique (ou : dysgénésique, dysplasique), tératoïde ; **tératologique.**

Adv. 18 Embryologiquement. – *In utero* [lat.].

Aff. 19 **Embryo-,** fœto-.

266 EMPLOI

N. 1 **Emploi** ; activité **7,** occupation, tâche, **travail.** – **Services** (opposé à biens) [ÉCON.]. – **Métier,** profession ; vx : art, état, industrie. – **Place, poste** ; charge, ministère [vx ou litt.], fonction, office.

2 **Métier** ; carrière, situation ; professionnalisme. – **Profession,** profession salariée (opposé à profession libérale) ; interprofession. – Petit métier (souv. au pl.) ; artisanat. – Il n'est point de sot métier [prov.].

3 **Métier** ; branche, domaine, rayon [fam.] ; métier *(être du métier),* partie *(être de la partie).* – Culture d'entreprise. – Art, **spécialité.**

4 **Travail** ; travail à mi-temps ou mi-temps *(un mi-temps),* travail à plein temps ou plein-temps *(un plein-temps),* travail à temps partiel ou temps partiel *(un temps partiel).* – Travail intérimaire, travail temporaire. – Travail au noir. – Fam. : boulot, gagne-pain, petit boulot, turbin ; anglic. fam. : business (ou : bisness, bizness), job. – **Sinécure** ; fam. : filon, fromage, planque.

5 **Corps de métier** ; **corporation.** – Chambre, syndicat **708** ; chambre de commerce et d'industrie, chambre de métiers, chambre syndicale. – Confrérie [vx], **ordre.**

6 **Emploi** ; plein-emploi (opposé à sous-emploi), suremploi. – Création d'emploi (opposé à suppression d'emploi), embauche, engagement – Contrat de travail ; contrat à durée déterminée (abrév. C.D.D.), contrat à durée indéterminée (abrév. C.D.I.) ; clause de non-concurrence [DR.]. – Remploi ou réemploi. – Marché du travail.

7 **Chômage** ; chômage saisonnier, chômage structurel, chômage sectoriel, chômage technique ; inemploi [par euphém.]. – **Demande d'emploi** (opposé à offre d'emploi). – **Démission** ; débauchage. – **Renvoi** ; licenciement **292.** – **Retraite** ; départ en retraite ; mise à la retraite.

8 ÉCON. : **salariat** (opposé à patronat). – Secteur primaire, secteur secondaire, secteur tertiaire. – Secteur privé (opposé à secteur public). – Parapublic *(le parapublic)*. – **Administration** *(l'Administration)*, fonction publique.

9 ADMIN. – **Hiérarchie,** ordre hiérarchique. – Classe, catégorie, échelon ; indice. – Échelle indiciaire, grille des salaires. – Voie hiérarchique.

10 ADMIN. – Embauchage, nomination, **recrutement,** titularisation. – Mutation, promotion ; avancement à l'ancienneté, avancement au choix, au grand choix ; détachement, mise en disponibilité. – Dégradation ; limogeage, mise à pied, **révocation.** – Concours ; diplôme, titres.

11 **Rémunération,** rétribution ; appointements, émoluments, traitement, **salaire,** honoraires ; gages, solde.

12 **Chômeur** ; demandeur d'emploi, sans-emploi *(un sans-emploi)*, sans-travail *(un sans-travail)*. – Sans-profession *(un sans-profession)* [SOCIOL.].

13 **Travailleur** *(un travailleur)*. – **Actif** *(un actif)*, intérimaire *(un intérimaire)*, salarié *(un salarié)*. – Travailleur indépendant, free-lance [anglic.].

14 **Employé** ; employé de bureau. – **Ouvrier 480,** agent de maîtrise. – **Cadre** ; cadre supérieur, cadre moyen, cadre d'exécution ; cadre d'encadrement. – Brain-trust [anglic.].

15 Apprenti *(un apprenti)*, aide *(un aide)*.

16 ADMIN. – **Fonctionnaire** ; agent public, serviteur de l'État ; fam. et péj. : budgétivore, **bureaucrate,** rond-de-cuir. – Auxiliaire, commis, **employé.** – Remplaçant, suppléant ; stagiaire ; **intérimaire** ; contractuel, vacataire.

17 **Employeur** ; patron, singe [arg.]. – Directeur ; chef, chef de service ; boss [fam.].

18 **Professionnel** *(un professionnel)*, pro *(un pro)* [fam.] ; spécialiste *(un spécialiste)*. – Homme de l'art, homme de métier.

19 Carriériste *(un carriériste)* [péj.].

20 Chasseur de têtes ; recruteur.

V. 21 **Employer,** faire travailler. – Embaucher, engager, recruter ; pourvoir d'un emploi. – Professionnaliser, spécialiser.

22 ADMIN. – **Nommer,** titulariser. – Promouvoir ; muter. – Dégrader ; limoger, mettre à pied, relever de ses fonctions, **révoquer,** suspendre. – Mettre en disponibilité.

23 **Travailler 480** ; ouvrer [vx], fam. : travailler comme un nègre, travailler d'arrache-pied ; besogner, bosser, boulonner, marner, trimer, turbiner ; gagner sa croûte, gagner sa vie.

24 **Exercer un métier,** exercer une fonction. – Embrasser *(embrasser une carrière)* ; faire carrière dans, faire le métier de, faire profession de, occuper la charge de. – **Remplacer,** suppléer.

25 Briguer, chercher, postuler, solliciter un emploi.

26 Entrer en fonction(s). – Avancer, **monter en grade,** prendre du galon.

27 S'employer ; s'établir, s'installer.

28 **Démissionner** ; rendre son tablier, résigner (une charge, ses fonctions). – Débaucher. – Licencier **292.**

Adj. 29 **Employé à,** commis à, occupé à, préposé à ; chargé de.

30 Professionnel ; interprofessionnel.

31 **Travailleur** ; actif, industrieux [litt.], laborieux [litt.]. – Mercenaire [litt.].

Adv. 32 Professionnellement.

267 EMPOISONNEMENT

N. 1 **Empoisonnement,** envenimation, **intoxication,** toxi-infection ; auto-intoxication, intoxication alimentaire.

2 Anilisme, aranéisme, argyrie, argyrisme ou argyrose, arsenicisme, benzénisme ou benzolisme, bismuthisme, bromisme, darmous, **ergotisme** ou, vx, mal des ardents, favisme, fluorose, hydrargyrisme, iodisme, manganisme, oxycarbonisme, phosphorisme, **saturnisme,** sulfhydrisme, sulfocarbonisme. – Entérotoxémie, toxémie ; oxycarbonémie, plombémie.

3 **Poison,** venin. – Poison lent, poison subtil [vx], poison violent ; poison minéral, poison végétal ; poison nucléaire.

4 SUBSTANCES TOXIQUES

aconitine
amanitine
amygdaloside
aniline
antiarine
arsenic
atropine
batrachotoxine
benzopyrène
cicutine
ciguë
colchicine
curare
cyanure
daturine
digitaline
hydrazine
muscarine
nicotine
phalline
phalloïdine
psilocybine
ptomaïne ou ptomanine

sels de thallium	thébaïne
strychnine	trichloréthylène

5 TOXINES

aflatoxine	immunotoxine
anatoxine	mytilotoxine
brévétoxine	neurotoxine
endotoxine	picrotoxine
exotoxine	tétanotoxine

6 Bouillon d'onze heures [fam.] ; acqua-tofana. – Boulette empoisonnée, gobbe [vx] ; **insecticide,** pesticide ; D. D. T., mort-aux-rats.

7 **Serpent 712,** scorpion ; abeille **417,** guêpe, frelon, taon ; cantharide ; araignée, tarentule ; méduse **527,** oursin.

8 Chélation, **désintoxication,** détoxification, inactivation ; irrigation intestinale, lavage d'estomac. – Immunisation, mithridatisme ou mithridatisation. – Immunité, innocuité. – Antidotisme.

9 **Antidote** ou contrepoison ; alexipharmaque [vx], alexitère, antitoxine, mithridate, sérum antivenimeux, thériaque.

10 **Toxicité** ; chronotoxicité, radiotoxicité.

11 **Toxicologie** ; chronotoxicologie, pharmacotoxicologie. – Toxicovigilance.

12 Toxicologue.

13 Empoisonneur.

V. 14 **Empoisonner, intoxiquer,** polluer. – Envenimer. – **Désintoxiquer,** détoxifier. – Mithridatiser.

Adj. 15 **Empoisonné** ; toxi-infectieux, **vénéneux,** venimeux, vésicant, vireux ; vicié. – Héroïque, leucotoxique, neurotoxique, phytotoxique.

16 **Empoisonné,** intoxiqué.

17 Antiphallinique, **antipoison,** antitoxique, antivénéneux, thériacal. – Atoxique.

18 Pharmacotoxicologique, toxicologique.

Aff. 19 -toxique ; -toxine.

268 ENCOURAGEMENT

N. 1 **Encouragement** ; **réconfort,** soutien, **stimulation 793.**

2 **Encouragement** ; **excitation, exhortation, incitation,** invitation ; conseil **148.** – Instigation. – **Appel,** invite, sollicitation **185.**

3 **Encouragement** ; **aide 19, appui, soutien** ; défense. – Mécénat, parrainage, patronage, sponsoring [anglic.] ou sponsorat.

4 Applaudissement, bravo *(un bravo)* ; compliment ; congratulations, félicitations **471.**

5 Aiguillon, **stimulant 793.**

6 **Conseilleur.** – Excitateur [litt.], **incitateur,** instigateur ; provocateur.

7 **Défenseur, protecteur 671,** bienfaiteur, mécène ; commanditaire, sponsor [anglic.]. – Société d'encouragement.

8 **Admirateur** ; anglic. : fan, groupie, supporter ; tifosi *(les tifosi).*

V. 9 **Encourager** ; affermir, animer, conforter, fortifier, raffermir, **rassurer,** réconforter, soutenir, **stimuler** ; accompagner de ses vœux ; donner ou inspirer du courage, donner du cœur au ventre, redonner du courage, rendre courage ; fam. : regonfler, remonter, remonter le moral ; doper. – Électriser, **exalter, exciter,** galvaniser.

10 **Encourager qqn à** + inf. ; engager, **exhorter, exciter, inciter,** inviter, **pousser** ; amener, disposer, **entraîner,** incliner, porter ; **conseiller,** déterminer, persuader **614, presser.**

11 **Encourager** ; **aider,** approuver, appuyer, **défendre,** patronner, **protéger, soutenir,** supporter [anglic.] ; apporter son suffrage à. – **Subventionner,** sponsoriser ; financer. – Entretenir, **favoriser,** flatter.

12 Encourager ; **applaudir,** récompenser.

Adj. 13 **Encourageant** ; réconfortant, **stimulant** ; exaltant, excitant. – Incitatif.

14 **Encouragé** ; favorisé, **soutenu** ; **entretenu.** – Applaudi.

269 ÉNERGIE

N. 1 **Énergie** ; **production d'énergie** ; source d'énergie. – Combustion **131.2,** fermentation, frottement **329** ; photosynthèse, photochimie. – Radiation, rayonnement, fission nucléaire, fusion nucléaire. – Choc **115.** – Explosion.

2 Énergie chimique **113** ; énergie électrique **261** ; énergie magnétique **261** ; énergie mécanique (énergie cinétique, énergie potentielle) **496,** travail [MÉCAN.] ; énergie thermique **102.15** ; énergie totale ; énergie interne, énergie libre. – Énergie hydraulique **319,** houille blanche, houille bleue, houille verte ; énergie éolienne, houille incolore ; énergie géothermique, houille rouge ; énergie lumineuse ou rayonnante, énergie solaire, houille d'or ; bilan d'énergie ; énergie verte ou de substitution. – Énergie

atomique (énergie nucléaire ou, absolt, le nucléaire, thermonucléaire) **513.1.**

3 Énergétique *(l'énergétique).* – Énergétisme, matérialisme énergétique [PHILOS.].

4 Énergies douces, énergies nouvelles, énergies renouvelables ; biomasse (opposé à thanatomasse), bois. – Énergies fossiles, énergies non renouvelables.

5 **Combustibles solides** 131.7 ; anthracite, **charbon,** charbon brut, charbon minéral, charbon de terre, lignite ; charbon actif ou activé, charbon de cornue, charbon moulé ou aggloméré ; charbon de bois, charbon à poudre, charbon roux ; boghead, **houille,** houilles flambantes grasses, houilles flambantes sèches, houilles grasses, houilles maigres, houilles demi-grasses, houilles quart-grasses, maréchale ou houille maréchale ; tourbe ; **coke,** coke métallurgique, coke moulé. – **Combustibles fissiles** ou fissibles ; deutérium, tritium, **uranium,** neptunium, plutonium, thorium ; hydrogène lourd.

6 **Combustibles liquides 131.6** ; benzène ou phène, pétrole, pétrole brut (ou : huile de naphte, naphte) **618,** naphtène. – Carbures d'hydrogène ou hydrocarbures. – **Combustibles gazeux 131.8,** gaz riche, gaz pauvre ou gaz de gazogène ; biogaz de fermentation, gaz de fumier ou de gadoue, gaz de Lacq, gaz naturel **335.2,** gaz de ville ; gaz à l'air, gaz à l'eau ; gaz de cokerie, gaz de pétrole, gaz de raffinerie, grisou ; gaz manufacturé, gaz naturel de substitution ou de synthèse ; carbures acycliques, butane ou gaz butane, éthane, méthane ou gaz des marais, propane ; acétylène ou éthyne, éthylène ; carbures cycliques.

7 **Centrale** *(centrale éolienne, géothermique, hydraulique, marémotrice, nucléaire, solaire, thermique).* – Alternateur, brûleur, condenseur, chaudière, échangeur ou générateur de vapeur, pompe à chaleur, pressuriseur, turbine ; ballon, cheminée. – Pile atomique [vx], réacteur *(réacteur à eau bouillante, à eau lourde, à eau pressurisée ; à graphite-eau, à graphite-gaz),* surgénérateur [TECHN.], surrégénérateur ; eau de refroidissement, eau lourde, enceinte ou barrière de confinement.

8 Aérogénérateur, éolienne, moulin à vent. – Moulin à eau, roue à eau, usine marémotrice. – Four solaire **361.2,** héliostat ; capteur solaire, cellule photovoltaïque ou convertisseur photovoltaïque, cellule solaire ou photopile, miroir concentrateur parabolique ou cylindroparabolique.

9 Erg (symb. erg), joule **509.10** ; cheval-vapeur [anc.].

10 Énergéticien ; énergétiste [PHILOS.].

V. 11 Cokéfier, gazéifier, hydrogéner.

Adj. 12 **Énergétique.** – Atomique, éolien, hydraulique, marémoteur, solaire ; gazier, parapétrolier, pétrolier.

Adv. 13 **Énergétiquement.**

270 ENFANCE

N. 1 **Enfance** ; **petite enfance.** – Âge tendre, jeunesse **445** ; premières années, tendres années, première jeunesse, prime jeunesse, tendre jeunesse. – Fig. : balbutiement, commencement **134,** début.

2 **Premier âge,** deuxième âge, troisième âge ; PSYCHOL. : **stade** *(stade conceptuel, stade égocentrique, stade émotif, stade impulsif, stade objectivement moteur, stade personnaliste, stade sensorimoteur)* ; PSYCHAN. : stade oral, stade anal, stade phallique ; conflit œdipien. – Âge bête, âge ingrat, âge de raison. – Puérilité ; préadolescence, prépuberté. – Minorité [DR.].

3 **Nourrisson 544,** nouveau-né ; bébé, enfançon, enfantelet, enfant à la mamelle, tout-petit *(un tout-petit).* – Fam. : ange, baby [anglic.], baigneur, crapaud, loupiot, lutin, **moutard,** moutchachou, petit salé, poulpiquet, poupard, poupon, têtard ; fam., souv. péj. : braillard, chiard, lardon ; litt. : **amour,** angelot, **chérubin.** – BX-A. : cupidon, putto. – MÉD. : bébé-bulle, bébé-éprouvette.

4 Enfant, **jeune enfant** ; **garçon,** garçonnet, petit garçon ; rejeton **314.** – Fam. : **bambin,** blondinet, bout de chou, bout-de-zan, diablotin, gaillard, **gamin,** gavroche, gosse, gros père, kid [anglic.], loupiot, marmaille, **marmot,** marmouset, mioche, môme, mômichon, momignard, momillon, morpion, moucheron, mouflet, moujingue, mousse, moustique, **moutard,** petit, poulbot, poulet, **poulot, poussin** ; région. : gone, minot, miston, niston, pitchoun, pitchounet. – Péj. ou par plais. : affreux jojo, brigand, coquin, diable, drôle, filou, galopin, garnement, lascar, poison, polisson, vaurien ; péj. : babouin [vx], brigand, lascar, mauvaise graine, merdeux, morveux, petite peste, sale gosse. – HIST. : dauphin, infant, ménine ; l'Aiglon. – RELIG. : l'Enfant Jésus, l'Enfant Roi.

5 **Fillette,** petite fille ; fam. : loupiote, môminette, mouflette, pisseuse [vulg. et sexiste], puce ; quille [enfant.].

6 **Croissance 293.3,** développement ; développement affectif, développement mental, développement psychomoteur. – Infantilisme.

7 **Maternage, pouponnage** ; soins maternels. – Allaitement, nourrissage [rare], nourrissement [vx] ; tétée. – Ablactation, sevrage.

8 **Éducation 253,** élevage, institution [vx], instruction **274** ; conditionnement, dressage. – Paidologie ou pédologie [didact.], **pédagogie.** – Pédiatrie [didact.], puériculture. – Protection maternelle et infantile (P.M.I.).

9 Assistante maternelle, mère nourricière **506,** nounou, **nourrice,** nourrice sèche [vieilli], nurse, puéricultrice ; jardinière d'enfants ; berceuse, remueuse [vx]. – **Baby-sitter** [anglic.], bonne d'enfants, garde d'enfants, garde maternelle, gouvernante. – Éducateur, instituteur, pédagogue, précepteur ; psychopédagogue. – Pédiatre [MÉD.].

10 Lactarium, téterelle, tire-lait. – **Biberon,** chauffe-biberon, sucette, têtière, tétine.

11 **Crèche,** garderie, halte-garderie, nourricerie [vx], nursery [anglic.], pouponnière ; classe d'éveil, jardin d'enfants. – Maternité ; hôtel maternel, maison maternelle.

12 **Jeu 446** ; **jeu éducatif,** jeu d'enfant ; jouet **448,** joujou [lang. enfantin]. – Berceuse, comptine, nursery rhyme ou nursery song [anglic.]. – Enfantillage ; gaminerie.

V. 13 **Infantiliser,** puériliser.

14 Baver le lait [vx], être encore à la bavette.

15 **Allaiter,** donner le sein à, élever au sein (au biberon, à la cuiller, etc.), nourrir de son lait ; mettre un enfant en nourrice. – Sevrer.

16 Changer, langer ; démailloter, emmailloter ; talquer. – Bercer. – Bichonner **91,** câliner, materner, mignoter, poulotter, pouponner.

17 Apprendre [vx], dresser, **éduquer, élever** ; élever à la dure, élever dans du coton. – Instruire ; scolariser.

Adj. 18 Pouponnier [rare]. Bellot, joufflu, mafflu, potelé, rose. – Innocent comme l'enfant qui vient de naître.

19 **Enfantin** ; infantile, puéril ; impubère. – Jeunet.

20 En bas âge, au berceau, au biberon, à la mamelle, en nourrice ; tout jeune.

Adv. 21 **Enfantinement** [litt.], puérilement.

Aff. 22 Péd-, pédo- ; -pédie, -pédique.

271 ENFER

N. 1 **Enfer** ; géhenne, schéol. – Barathre [sout.]. – Le chemin de l'enfer est pavé de bonnes intentions [prov.].

2 Dam, **damnation.** – Peine du dam **144,** peine du sens, supplices ou tourments ou tortures de l'enfer. – Flammes éternelles, flammes ou feux de l'enfer **311.**

3 **Purgatoire.** – Âmes du purgatoire, Église souffrante. – Limbes.

4 **Jugement dernier.**

5 Damné, **maudit,** réprouvé **582.** – Ombres myrteuses.

6 Bouches ou gouffre de l'Enfer, vestibule ou porte de l'Enfer. – Pandémonium. – Les cercles de l'Enfer ; *l'Enfer* (Dante).

7 MYTH. – Monde inférieur ou chtonien ; abîme (ou : demeure, empire) myrteux, séjour des ombres, sombre rivage. – Tartare (opposé à champs Élysées). – Kigallou [Mésopotamie], mitclan [Aztèques].

8 MYTH. – Fleuves des Enfers : **Achéron,** Pyriphlégéthon ou Phlégéthon, Styx, Léthé ; lac Averne. – **Cerbère,** Charon ; nocher des Enfers. – Euménides ou Furies : Alecto, Mégère, Tisiphone. – Juges des Enfers : Éaque, Minos, Rhadamante. – Parques : Atropos, Clotho, Lathésis. – Damnés et suppliciés : Danaïdes, Sisyphe, Prométhée, Tantale.

9 Divinités chtoniennes **663.**

V. 10 Condamner à la damnation, **damner.** – Perdre son âme. – Se damner, se perdre.

11 Aller (ou : descendre, tomber) en enfer.

12 Expier. – Souffrir comme un damné **243.**

Adj. 13 **Infernal.** – Chtonien.

14 Damnable.

Adv. 15 Damnablement. – À se damner.

272 ENNUI

N. 1 **Ennui** ; blasement, *blues* (amér., « cafard »), cafard [fam.], dégoût, langueur, mal du siècle [litt.], morosité, spleen, **tristesse 836,** vide ; nostalgie, regret **697** ; idées noires, papillons noirs. – Hypocondrie [vx], **mélancolie,** neurasthénie. – **Monotonie,** répétition **704.**

2 Bâillement, oscitation [didact., rare].

3 Angoisse, **désespoir,** ennui [vx, litt.], torture [fig.], tourment. – Accablement, affliction, désolation, **douleur 243,** peine.

4 **Fatigue 303,** lassitude ; abattement, assommement [rare] ; découragement.

5 Ennui ; désagrément, mécontentement ; **inquiétude,** préoccupation, souci **785,** tracas, tracasserie ; cassement de tête [fam.]. – Complication, **difficulté,** enquiquinement [fam.], obstacle **567,** problème.

6 Fam. : casse-pieds, empoisonneur, enquiquineur ; très fam. : chieur, emmerdeur.

V. 7 **S'ennuyer** ; s'ennuyer à mourir ou à périr, s'ennuyer à cent sous de l'heure [fam.] ; s'ennuyer comme une carpe ou comme un rat mort. – **S'embêter,** se morfondre ; fam. : s'empoisonner, se barber, se barbifier, se casser les pieds, se faire suer ; très fam. : s'emmerder, se faire chier, se faire tartir.

8 **Être comme un ours en cage,** tourner comme un lion dans sa cage. – Avoir le blues [fam.], n'avoir goût à rien ; cafarder [fam.], errer comme une âme en peine, **languir,** sécher sur pied [fam.]. – Avoir les oreilles rebattues, **en avoir assez 62,** en avoir ras-le-bol [fam.].

9 **Ennuyer,** fatiguer **303, lasser,** peser, rebuter, tanner. – **Ennuyer** ; fam. : assommer, barber, barbifier, bassiner, **raser** ; assassiner [vx], assourdir [vx], endormir, tuer.

10 Chagriner, ennuyer ; fam. : chicaner, chiffonner **785.** – Assombrir.

11 Ennuyer ; agacer, énerver **549,** taquiner ; déranger, importuner **785,** incommoder. – Fam. : embêter, empoisonner, enquiquiner ; casser les pieds à ; très fam. : cavaler, emmerder, faire suer ; courir sur le haricot, pomper l'air.

Adj. 12 **Ennuyeux,** ennuyeux comme la pluie, ennuyeux comme la mort. – Fam. : raseur, **rasoir** ; très fam. : emmerdant, emmerdeur. – Fade, **fastidieux,** inintéressant, insignifiant **419,** insipide, rébarbatif ; long **247,** long comme un jour de jeûne ou comme un jour sans pain, longuet [fam.] ; dormitif [fam.], endormant, **somnifère,** soporifique. – Mortel ; à périr. – **Monotone,** répétitif **704** ; lancinant, obsédant.

13 Fatigant, **lassant** ; fam. : assommant, **barbant,** bassinant, mourant, rasant, sciant [vx], soûlant, tuant ; très fam. : canulant, chiant, suant.

14 **Ennuyeux,** fâcheux, préoccupant ; déplaisant **192,** désagréable, pénible. – Importun, inopportun.

15 Fam. : **embêtant 549,** empoisonnant, enquiquinant ; emmerdant [très fam.]. – Casse-pieds.

16 Blasé, dégoûté, fatigué **303, las** ; mélancolique ; nostalgique **697.** – Inquiet, soucieux **785** ; dépressif, hypocondre [vieilli et rare], hypocondriaque, neurasthénique.

Adv. 17 Ennuyeusement [rare] ; nostalgiquement. – De guerre lasse.

Int. 18 Fam. – La barbe ! – De l'air ! **20.**

273 ENREGISTREMENT

N. 1 **Enregistrement** ; enregistrement magnétique, enregistrement mécanique, enregistrement numérique ou audionumérique, enregistrement optique. – Téléchargement. – Phonographie [vieilli] ; monophonie, quadriphonie ou tétraphonie, **stéréophonie** ; système Dolby.

2 **Gravure,** gravure directe ; numérisation. – Duplication, repiquage [fam.]. – Lecture.

3 **Audiovisuel** ou audio-visuel *(l'audiovisuel)* ; cinématographe **120,** photographie *(la photographie)* **621,** vidéo. – CIN. : prise de son, prise de vue ; prise [PHOT.].

4 Enregistreur [TECHN.]. – **Magnétophone** ou, fam., magnéto ; cassettophone, magnétocassette, minicassette [vieilli], radiocassette ; lecteur de cassettes, Walkman ou, recomm. off., baladeur ; Dictaphone ; **micro** ou microphone. – Table d'écoutes.

5 **Chaîne haute-fidélité** (ou : chaîne, chaîne hi-fi) ; **électrophone,** lecteur, lecteur laser, pick-up, platine, tourne-disques ; tête de lecture ; diamant, saphir ; tuner ou, recomm. off., syntoniseur **681** ; amplificateur ou, fam., ampli, equalizer ; enceinte (ou : baffle, haut-parleur). – Juke-box. – Anc. : Gramophone, phonographe ; aiguille, pavillon. – Orgue de Barbarie, piano mécanique.

6 Appareil-photo, caméra ; Caméscope [nom déposé]. – Magnétoscope ; kinescope ou vidigraphe. – Webcam.

7 Appareil Flaman, mouchard.

8 **Disque** ; audiodisque [rare]. – Microsillon ; plage, sillon ; **33 tours** (ou : album, LP, disque noir, vinyle) ; **45 tours** ou, angl., single, maxi 45 tours ; 78 tours. – **Disque compact** (ou : compact, Compact Disc [nom déposé], CD, disque

laser) ; Blue-Ray [nom déposé] ; cédérom ou CD-ROM, disque numérique ou audionumérique [TECHN.] ; minidisque. – **DVD.**

9 Bande magnétique ; audiocassette [rare], **cassette** ; cassette enregistrée ou, marque déposée, Musicassette, cassette vierge ; DAT. – Bandeson ou bande sonore [CIN.]. – Bande mère, disque original.

10 **Film,** photographie ; microfiche, microfilm. – Pellicule ou, fam., pelloche ; bande-vidéo, cassette-vidéo, **vidéocassette,** vidéodisque.

11 INFORM. : support d'information ; disque dur, **disquette** ; cédérom ou CD-ROM ; bande perforée, carte perforée [vx] ; disque optique, disque optique compact (abrév. D.O.C.), disque optique numérique (abrév. D.O.N.) ; mémoire. – MP3. – Multimédia.

12 **Enregistrement** *(un enregistrement)* ; audiogramme, magnétogramme, vidéogramme. – Enregistrement pirate. – Podcasting [anglic.].

13 Cassettothèque, **discothèque,** magnétothèque ; phonothèque, sonothèque. – Discographie.

14 Audiophile, **discophile** ; disquaire.

V. 15 **Enregistrer** ; éterniser, fixer. – Dupliquer, réenregistrer, repiquer [fam.]. – Pirater. – Podcaster, télécharger.

16 Filmer **120,** magnétoscoper ; photographier **621.**

17 Lire, reproduire.

18 **Enregistrer** ; archiver, consigner, coucher (sur le papier, par écrit), **inscrire,** mentionner, noter, relever, répertorier, transcrire.

19 Enregistrer [fam.], retenir **503.**

Adj. 20 Enregistreur. – Monophonique ou, fam., mono, stéréophonique ou, fam., **stéréo.** – Préenregistré. – Enregistrable.

21 Multimédia.

274 ENSEIGNEMENT

N. 1 **Enseignement.** – Éducation **253, formation** *(formation continue, permanente, professionnelle),* instruction.

2 Enseignement maternel, élémentaire, primaire, secondaire, supérieur, universitaire ; enseignement professionnel.

3 Enseignement confessionnel ; enseignement libre, privé ; enseignement laïc. – École laïque, gratuite et obligatoire ; la laïque [vx].

4 Enseignement assisté par ordinateur [INFORM.]. – Cours de perfectionnement, cours du soir ; enseignement par correspondance.

5 **École,** école communale, collège, lycée ; gymnase [helvét.]. – Cours, pension ; fam. : bahut, boîte ; boîte à bac. – Université ; faculté (faculté de droit, des lettres et sciences humaines, de pharmacie, des sciences ; faculté de théologie catholique, protestante) ; grande école ; campus. – Académie, conservatoire, institut. – Prytanée militaire. – Séminaire ; petit séminaire, grand séminaire ; anc. : école cathédrale, scola cantorum. – Medersa [Islam]. – Externat, internat. – RELIG. : alumnat, juvénat, scolasticat.

6 **Scolarisation** ; suivi scolaire. – Cursus, écolage [région.], **scolarité** ; programme ; cycle d'études. – HIST. : trivium (dialectique, grammaire, rhétorique), quadrivium (arithmétique, astronomie, géométrie, musique) ; humanités **747** [vx]. – Cours préparatoire (classe de onzième), cours élémentaire (classes de dixième et neuvième), cours moyen (classes de huitième et septième), sixième, cinquième, quatrième, troisième, seconde, première, terminale ; classe préparatoire aux grandes écoles (aussi, fam. : classe prépa, prépa ; hypotaupe, taupe, hypokhâgne, khâgne), propédeutique [vx].

7 Attestation, brevet, certificat, **diplôme.** – Certificat d'études [anc.], brevet des collèges, brevet d'études professionnelles (B. E. P.), certificat d'aptitude professionnelle (C. A. P.), baccalauréat. – Diplôme d'études universitaires générales (D. E. U. G.), brevet technique supérieur (B. T. S.), diplôme universitaire de technologie (D. U. T.), **licence,** magistère, **maîtrise,** maîtrise de sciences et techniques (M. S. T.). – Diplôme d'études approfondies (D. E. A.), diplôme d'études supérieures spécialisées (D. E. S. S.), master, **doctorat.** – Certificat d'aptitude professionnelle à l'enseignement secondaire (C. A. P. E. S.), agrégation.

8 Amphithéâtre, amphi [fam.], **salle de classe** ; salle de conférence, salle de cours, salle d'études. – Chaire, estrade, **pupitre,** tableau noir. – Dortoir, parloir, réfectoire. – Cour de récréation, gymnase, préau, terrain de jeux. – Cloche, sonnerie. – Rentrée des classes ; grandes vacances.

9 Livre de cours **469,** manuel, polycopié, poly [fam.].

10 Atelier, conférence, **cours,** cours magistral, explication, exposé, **leçon,** lecture, travaux dirigés (T. D.), travaux pratiques (T. P.).

11 Composition, **devoir** (devoir sur table, devoir surveillé) **213,** dictée, dissertation, exercice ; colle, concours, **examen,** interrogation, oral, session (session d'examen ; session de rattrapage, de repêchage) ; contrôle des connaissances. – Convocation à un examen ; collante [arg. scol.].

12 Bulletin de notes, carnet scolaire, livret scolaire. – Classement, place ; échec **249,** succès **798.** – Bon point, prix *(premier prix, prix d'encouragements, prix d'excellence, etc.),* récompense ; accessit, encouragements, félicitations, tableau d'honneur ; distribution ou remise des prix.

13 Discipline scolaire. – Coin, colle [arg.], consigne, ligne, pensum, piquet, punition, **retenue** ; zéro de conduite.

14 **Corps enseignant** ; professorat ; rectorat. – Assistant, chargé de cours, écolâtre [vx], éducateur, **enseignant,** enseignant-chercheur, enseigneur [rare], **instituteur,** instructeur, magister [vx], maître, maître assistant, maître d'école, maître de conférences, moniteur, pédagogue, pédant [litt.], précepteur, **professeur,** prof [fam.], régent [vx], répétiteur. – Censeur, conseiller principal d'éducation, délégué pédagogique, directeur d'école, inspecteur, pion [fam.], principal, proviseur, surveillant ; appariteur. – Conseil de classe, conseil de discipline.

15 Auditeur *(un auditeur)* ; collégien, **écolier, élève, étudiant, lycéen,** potache [fam.] ; tapir [fam.] demi-pensionnaire, externe, interne, pensionnaire ; boursier. – Arg. scol. : archicube, carré, cube, trois-demi, cinq-demi, sept-demi ; corniche, khâgneux, taupe, taupin. – Chartiste (élève de l'École des chartes), centralien ou piston (élève de l'École centrale des arts et manufactures), énarque (élève de l'École nationale d'administration), gadzarts (élève de l'École des arts et métiers), grignon (élève de l'Institut national agronomique), normalien (élève de l'École normale), quatz'arts (élève de l'École des beaux-arts), saint-cyrien (élève de Saint-Cyr), X ou pipo (élève de l'École polytechnique), sévrienne (élève de l'École normale supérieure féminine). – Agrégatif ; capésien, certifié. – Classe, promotion.

16 Camarade, condisciple ; chef de classe. – Bizut, nouveau ; ancien, vétéran. – Cancre, fruit sec ; **redoublant.** – Botte [arg.], cacique [fam.], lauréat, **premier de la classe 800,** tête de classe.

V. 17 Enseigner, professer ; inculquer (qqch à qqn) ; apprendre *(apprendre qqn)*[vx]. – Former, initier, instruire. – **Faire cours,** faire la classe ; donner des leçons. – Ouvrir les yeux à.

18 Mettre à l'école, scolariser. – Diplômer.

19 Faire ses classes, faire ses études, suivre des cours. – Apprendre des leçons, faire des devoirs ; écouter, prendre des notes ; pâlir sur ses livres, user ses fonds de culotte sur les bancs de l'école [fam.]. – Bachoter [fam.], potasser [fam.], repasser, répéter **704,** réviser ; composer, disserter ; passer un examen, plancher [fam.].

20 Chahuter, faire l'école buissonnière.

Adj. 21 **Scolarisé** ; scolarisable ; déscolarisé. – **Scolaire,** scolastique [vx] ; parascolaire. – Doctoral, dogmatique.

22 Alphabétisé, instruit.

Adv. 23 **Scolairement,** scolastiquement [didact.]. – Doctoralement, magistralement ; ex cathedra [lat.].

275 ENTENDEMENT

N. 1 Entendement, intellect, **intelligence.** – Faculté de connaître ; lumière naturelle [THÉOL.]. – **Esprit** ; esprit d'analyse, d'observation, de synthèse.

2 Flair, **intuition 434,** sens intime ; esprit de finesse (opposé par Pascal à esprit de géométrie). – Prescience **60,** pressentiment. – **Bon sens,** jugement **450,** jugeote [fam.]. – Clairvoyance, discernement, lucidité, pénétration, perspicacité. – Ouverture d'esprit.

3 Appréhension, perception **754** ; **compréhension, conscience.**

4 PSYCHOL. : cérébration, cognition, intellection, intussusception [sout. et rare]. – Conception, **conceptualisation,** idéation **375** ; intellectualisation. – Association, généralisation, systématisation ; rationalisation **682** ; abstraction, représentation. – Réflexion ; **gymnastique de l'esprit.**

5 Fam. : comprenette, comprenoire [région.] ; cervelle, **matière grise.** – Fam. : caboche, ciboulot ; cerveau, **tête 814.**

6 Cérébralisme, intellectualisme.

7 Compréhensibilité, **intelligibilité 425.**

8 **Esprit, intelligence** *(une intelligence)* ; vx : concepteur, entendeur.

V. 9 **Comprendre,** concevoir ; appréhender, entendre, saisir ; avoir l'intelligence de ; vx : connaître, reconnaître ; fam. : bitter, capter, entraver, percuter, **piger.** – **Prendre conscience de,** se rendre compte de ; réaliser, se représenter.

10 Apercevoir, discerner, **percevoir.** – Pressentir, sentir. – Deviner, pénétrer ; intuitionner [didact.] ; entendre ou saisir à demi-mot. – Y voir clair.

11 Éclaircir, **élucider 179** ; débrouiller, déchiffrer, décoder, démêler ; organiser, systématiser. – Expliquer, interpréter **432,** traduire.

Adj. 12 Mental ; intellectif [vx].

13 **Compréhensible,** intelligible ; concevable, discernable ; abordable, accessible. – Clair, évident, lumineux ; clair comme de l'eau de roche, limpide.

14 Entendu ; assimilé, **compris,** enregistré, interprété, pigé [fam.], saisi.

15 **Clairvoyant,** judicieux, lucide.

Adv. 16 Cérébralement [litt.], consciemment, intellectuellement ; intuitivement. – Lucidement.

17 Clairement ; **intelligiblement.**

Int. 18 À bon entendeur, salut ! [loc. prov., fam.].

276 ENTHOUSIASME

N. 1 **Enthousiasme,** exaltation, ferveur, passion, zèle. – **Ardeur,** chaleur, feu, fièvre ; fougue, furia [litt.]. – Animation, émotion **755,** éréthisme [litt.]. – Extase, enivrement, griserie, **ivresse,** vertige.

2 **Admiration,** fascination ; emballement [fam.], engouement.

3 **Excitation,** frénésie. – **Délire,** transport ; emportement, **exubérance,** impétuosité **277.**

4 **Délire,** enthousiasme, **extase** ; fureur, transes ; embrasement, **ravissement.** – Inspiration, possession, révélation ; illuminations, visions. – Illuminisme, mysticisme **818.**

5 Feu sacré, flamme [fig., litt.] ; fureur poétique [vx], **inspiration,** veine poétique, verve ; génie. – Emphase, hyperbole ; LITTÉR. : **lyrisme 264,** pindarisme, romantisme. – Dithyrambe, panégyrique.

6 Enthousiaste *(un enthousiaste)* ; fam. : fan [anglic.], fana ; **zélateur.** – Bacchante. – Prophète. – Pythie [ANTIQ. GR.].

V. 7 **Enthousiasmer, exalter.** – Échauffer, embraser, enfiévrer, **enflammer** ; chauffer à blanc [fam.]. – Attiser, aviver, raviver. – Électriser, **galvaniser,** survolter ; déchaîner, exciter ; fanatiser. – Emballer [fam.], enchanter ; **passionner 600,** ravir, transporter ; donner des ailes. – Enlever *(enlever un public),* retourner ; prendre aux tripes [fam.]. – **Enivrer,** griser.

8 S'engouer, **s'enthousiasmer,** s'exalter, s'extasier ; chauffer [fam.], s'enflammer ; s'émouvoir, se pâmer. – **Délirer,** être hors de soi. – **Admirer** ; s'enticher, se toquer de [fam.] ; avoir le coup de foudre pour.

Adj. 9 **Enthousiaste,** exalté, exubérant, fougueux, impétueux ; fervent, **passionné,** zélé. – **Ardent,** chaleureux, chaud, enflammé ; tout feu tout flamme. – Emporté, enragé, **frénétique** ; excité [fam.], surexcité, survolté. – En transes, **extatique,** ivre, transporté ; ensorcelé, possédé ; illuminé, mystique. – En verve, **inspiré** ; lyrique, romantique.

10 Admiratif, conquis, emballé [fam.], **fanatique** ou, fam., fana.

11 Litt. – Dionysien ou dionysiaque. – Dithyrambique.

12 Enthousiasmant, exaltant, **passionnant.** – Excitant, stimulant.

13 Exaltable [rare].

Adv. 14 Enthousiastement [rare] ; ardemment, **passionnément** ; frénétiquement.

Int. 15 **Hourra !** – Évohé ! [MYTH. GR.].

277 ENTRAIN

N. 1 **Entrain** ; allant, élan, fougue, pétulance. – Forme ; fam. : frite, pêche (plus rare et pop. : jus, moelle). – Alacrité [litt.], bonne humeur, enjouement, gaieté, **joie 447.** – **Dynamisme,** énergie **322** ; santé **743,** vitalité, vivacité ; force, vigueur **864.**

2 Animation, **brio,** mouvement **538,** vie.

3 Encouragement **268, stimulation 462.**

V. 4 **Entraîner** ; encourager **268,** exciter, stimuler. – Ragaillardir, revigorer. – Amuser, réjouir.

5 **Être en forme,** être en train ; fam. : avoir la forme (aussi, pop. : la frite, la pêche ; plus rare : la moelle) ; fam. : avoir de l'abattage, du pep (pop. : du jus) ; avoir le cœur à l'ouvrage ; péter de santé [fam.], péter le feu [fam.]. – **Rire 132,** sourire ; folâtrer, s'amuser.

Adj. 6 **Alerte,** allant [litt.], frétillant, gaillard [vieilli ou litt.], pétillant. – **Dynamique,** énergique, pétulant, primesautier [litt.], **vif** ; vif comme une anguille. – **Animé,** endiablé ; gonflé ou remonté à bloc [fam.]. – Riant, souriant ; alacre [litt. et rare], allègre, enjoué, gai, guilleret, jovial, **joyeux** ; émoustillé ; folâtre.

7 Entraînant ; convaincant, **éloquent 264,** parlant. – Irrésistible.

8 Encourageant, **stimulant 462.**

Adv. 9 Allègrement, énergiquement **322,** gaillardement, rondement, **vivement** ; le cœur léger.

10 MUS. (ital.) : *allegro* ; *con brio, spiritoso.*

278 ENTRÉE

N. 1 **Entrée** ; apparition, arrivée **45,** entrée en scène, venue. – Incursion, intrusion, irruption. – Immigration **288,** invasion, pénétration **608.** – Infiltration, noyautage. – Entrisme.

2 Admission ; **accès,** entrée ; entrée interdite, entrée libre. – Entrées *(les petites entrées, les grandes entrées)* [HIST.]. – Redeat *(un redeat)* [vx ; lat., « qu'il rentre »].

3 **Accueil 368,** bienvenue, entrée [vx], réception **688.**

4 Importation. – **Introduction,** intromission.

5 Entrée-sortie [INFORM.].

6 **Entrée.** – Entrée principale ; entrée de service ; entrée des artistes ; hall d'entrée, porte d'entrée. – Bureau d'accueil, l'accueil ; bureau de réception, la réception **688.** – Accès ; boucau [région.], bouche ; brèche, orifice, ouverture **585,** passage, percée, **trou,** trouée ; frontière **467.**

7 Entrée d'air. – Entrée de clef, entrée de serrure. – Signal d'entrée [CH. DE F.].

8 Entrant *(les entrants et les sortants)* ; arrivant **45.** – COMM. : arrivage, rentrées.

9 Hôtesse, hôtesse d'accueil, huissier, ouvreuse, **portier,** suisse [vx] ; frère tourier ou tourier, sœur tourière ou tourière.

10 Billet d'entrée ; droit d'entrée ou entrée.

V. 11 **Entrer,** entrer dans, pénétrer dans ; **rentrer,** rentrer dans. – **S'introduire** ; s'enfoncer, s'engager, se faufiler, se glisser, s'insinuer. – S'engouffrer. – Envahir ; conquérir.

12 Apparaître, **arriver 45,** faire irruption ; entrer en scène. – Réussir son entrée. – Entrer par la grande porte ; avoir ses entrées quelque part ; avoir ses petites et ses grandes entrées chez qqn.

13 Faire son entrée ; faire son entrée dans le monde. – Entrer dans la compétition ou en compétition ; entrer dans la lice ou en lice.

14 Faire entrer, introduire ; **accueillir,** admettre, recevoir **688.**

15 Faire rentrer ; encastrer, **enfoncer,** engager. – Faire entrer. – COMM. : importer, introduire, passer.

16 Faire entrer dans ; comprendre, **inclure 396,** intégrer ; insérer ; incorporer.

Adj. 17 Accessible ; **ouvert.**

18 Entrant. – Inclus ; intégré.

19 Importable **135.**

Adv. 20 Dedans **430,** en dedans.

Prép. 21 À l'intérieur de. – Chez, parmi. – Dans, en.

Aff. 22 Endo-, in-, intra-.

279 ENTREPRISE

N. 1 **Entreprise** ; dessein, plan, projet **664.** – Action **7,** affaire, exécution, œuvre, opération, ouvrage, **travail.**

2 DR. – **Entreprise** ; adjudication, contrat, engagement, **soumission.**

3 **Entreprise** ; aventure, essai, tentative **812.** – Attaque **50,** atteinte, attentat, coup, empiètement, manœuvre ; échauffourée, équipée.

4 **Entreprises** [litt.] ; avances.

5 **Entreprise 464,** firme ; P.M.E., P.M.I. – Start-up [anglic.].

6 **Entrepreneur** ; brasseur d'affaires, chef d'entreprise **266,** constructeur **150.** – Décisionnaire. – Soumissionnaire [DR.].

7 Audace, dynamisme, esprit de décision, hardiesse, initiative. – Innovation **414,** originalité.

V. 8 **Entreprendre** ; commencer, déclencher, enclencher, engager, engrener, entamer ; fam. : démarrer, emmancher. – **Créer,** fonder, lancer, monter. – Mettre en branle ou en chantier, mettre en route ou en train, mettre sur le métier ; mettre les fers au feu [sout.]. – Hasarder, oser, risquer.

9 DR. – Intenter ; soumissionner. – Démarcher.

10 **Entreprendre** ; s'atteler à, se charger de, s'embarquer ou s'engager dans, entrer dans, se jeter ou se lancer dans, se mettre à. – Se hasarder ou se risquer à.

11 **Entreprendre de** ; s'appliquer à, chercher à, s'efforcer de **255,** essayer ou tenter de. – Procéder à, **travailler à.**

12 **Entreprendre** ; aborder, conquérir, harceler, importuner ; faire des avances, faire du plat à [fam.]. – Appâter, convaincre, enjôler, séduire.

Adj. 13 **Entreprenant** ; actif, audacieux, aventureux, déterminé, dynamique, fonceur [fam.], hardi, intrépide **161,** remuant.

14 **Entreprenant,** empressé, galant, hardi.

15 **Entrepris** ; commencé, mis en chantier, mis en route.

Adv. 16 Audacieusement, énergiquement **269,** fermement, hardiment.

280 ENVIRONNEMENT

N. 1 **Environnement** ; abords, **alentours,** entours [litt.], **environs,** parages, **voisinage 673.** – Banlieue, faubourg, périphérie. – **Contexte 122.**

2 **Environnement, milieu 251** ; **cadre** ou cadre de vie, **décor,** paysage, toile de fond ; **ambiance,** atmosphère, **bain,** climat **127** ; contexte social, environnement culturel. – Monde, orbite, **sphère,** univers, zone ; orbe [ASTRON.] ; mouvance [fig.], sphère ou zone d'influence.

3 **Entourage,** entours [litt.], milieu social, **voisinage,** proches *(les proches de qqn).* – **Encadrement** ; cadre.

4 Ceinture, couronne, **enceinte,** zone **77.** – Auréole, halo, nimbe.

V. 5 **Environner** ; **entourer** ; cerner, encadrer, encercler ; ceindre, ceinturer, circonscrire, enceindre, enserrer, renfermer ; auréoler, enrober, **envelopper,** nimber. – Graviter **733.**

6 **Encadrer,** entourer ; fréquenter, voisiner ; coexister, cohabiter.

7 **Baigner,** nager, tremper ; être dans son milieu ou dans son élément, être comme un poisson dans l'eau ; faire partie du décor.

8 S'acclimater, s'adapter. – Changer (d'air, de décor, de milieu) ; se dépayser.

Adj. 9 **Environnant** ; avoisinant, circonvoisin, **voisin 665** ; **enveloppant** ; **ambiant** *(air, fluide, espace, milieu ambiant ; température ambiante),* ambiantal [didact.]. – Environnemental [didact.] **251.**

10 **Environné** ; cerné, **entouré** ; baigné, **enveloppé,** nimbé ; circonscrit. – Envoisiné *(être bien, mal envoisiné)* [vx].

Adv. 11 **Autour** ; **aux alentours** (ou, vieilli : alentour, à l'entour), d'alentour ; aux environs, dans les environs. – Auprès, près ; **à proximité,** dans le voisinage. – À la ronde.

Prép. 12 **Aux alentours de** ou, vieilli, à l'entour de, **aux environs de,** à proximité de, autour de, auprès de, dans le voisinage de ; du côté de, **vers.** – Dans l'entourage de. – **Dans le cadre de,** dans le domaine de. – Du domaine de, du ressort de.

Aff. 13 Circon-, péri-.

281 ÉPARGNE

N. 1 **Épargne** ; économie, ménage [vx] ; parcimonie. – **Avarice 61.**

2 Capitalisation **66,** thésaurisation ; boursicotage [vx]. – Compression ou réduction des dépenses, restriction **220.**

3 ÉCON. : épargne collective, épargne individuelle, épargne nationale ; épargne forcée, épargne libre ou volontaire ; épargne-économie, épargne investie ou placée ; épargne à long terme ou E. L. T. ; épargne-réserve ou épargne-prévoyance. – Vx : épargne de bouche, épargnes.

4 Épargne-construction ou épargne construction ; épargne-logement ou épargne-crédit. – Plan d'épargne-logement ou P. E. L., plan d'épargne d'entreprise, plan d'épargne populaire.

5 **Livret de caisse d'épargne** ; carnet d'épargne [helvét.] ; livret d'épargne-logement, livret-portefeuille ; livret d'épargne populaire. – Livret d'épargne du travailleur manuel ou L. E. T. M.

6 Caisse d'épargne. – Tirelire.

7 Économie ; **économies,** réserve(s) **714** ; magot, pécule, trésor ; éconocroques [arg.] ; boursicaut ou boursicot [litt.] ; bas de laine, pelote ; matelas [arg.]. – FIN. : réserve apparente, réserve occulte ; réserve légale ; réserve de garantie, réserve mathématique ou individuelle ; réserves de change ou réserves monétaires ; fonds de réserve, volant de sécurité.

8 **Épargnant** *(un épargnant)* ; thésauriseur ou thésaurisateur **61** ; fourmi [allus. litt.]. – Petit épargnant ; les petits épargnants, la petite épargne.

9 Souscripteur **66.**

V. 10 **Épargner 66** ; économiser, thésauriser **61** ; capitaliser **730** ; boursicoter [vx].

11 **Faire des économies,** mettre de l'argent de côté ; faire sa pelote ; fam. : mettre de côté,

mettre à gauche. – Faire des économies de bouts de chandelle. – Prov. : il n'y a pas de petites économies ; les petits ruisseaux font les grandes rivières ; un sou est un sou ; le temps c'est de l'argent (trad. de l'angl. *time is money*) **811.**

12 Conserver, garder, réserver de l'argent ; carrer [arg.] ; **garder une poire pour la soif.** – Accumuler **61.6.**

13 **Ménager sa dépense,** régler ses dépenses. – Se restreindre dans ses dépenses ou se restreindre ; alléger **457,** réduire ses dépenses, se resserrer [vieilli] ; opérer des restrictions budgétaires. – Compter, regarder à la dépense.

14 Fam. : joindre les deux bouts ; faire la soudure.

Adj. 15 Épargneur [rare] ; **économe** ; parcimonieux **61.10,** regardant. – Ménager *(être ménager de son bien)* [vx].

16 **Économique 524.** – Économiseur.

17 De réserve.

Adv. 18 **Économiquement** ; avec économie ; parcimonieusement ; avec modération, avec parcimonie. – Sou à sou (ou : sou par sou, sou sur sou).

282 ÉQUILIBRE

N. 1 **Équilibre** *(l'équilibre).* – Stabilité ; assiette ; aplomb. – Sustentation.

2 Équilibrage, équilibration ; balance, balancement.

3 MÉCAN. : **équilibre stable** ; équilibre instable ; équilibre indifférent ; équilibre mécanique. – PHYSIOL. : équilibration, sens de l'équilibre. – Perte d'équilibre ; astasie [MÉD.]. – **Chute 119** ; chancellement, vacillement.

4 SC. : équilibre électrique [ÉLECTR.]. – Équilibre radioactif [PHYS. NUCL.]. – CHIM. : équilibre chimique, équilibre dynamique ou équilibre mobile ; équilibre hétérogène, équilibre homogène.

5 **Équilibre naturel** ou équilibre biologique **282** [ÉCOL.]. – Équilibre économique, politique, social ; équilibre budgétaire [FIN.] ; équilibre des pouvoirs [DR. CONSTIT.] ; équilibre de la terreur [POLIT.].

6 **Équilibre** *(un équilibre, les équilibres).* – Équilibre sur un doigt, une main, un bras, de tête à tête, de main à main ; équilibre à l'échelle libre, à la perche au sol, à la perche au porteur ; équilibre aux agrès ; équilibre sur boule, sur cheval, sur cycles, sur patins, sur rouleau [CIRQUE]. – **Poirier** ou arbre fourchu. – **Pyramide humaine.**

7 **Équilibre mental** [vieilli] ou, absolt, équilibre. – **Calme 89.1,** égalité d'humeur, équanimité, paix **589.1,** sérénité, tranquillité. – **Mesure, modération 522.1,** sagesse ; solidité.

8 **Eurythmie** [didact.] ; accord **6, harmonie, proportion** ; balancé *(un balancé),* balancement. – Symétrie. – Concordance **143.**

9 **Égalité 256.1.** – Justice **451.**

10 Balance. – **Contrepoids.** – TECHN. : équilibreur, stabilisateur.

11 **Statique** *(la statique)* **322.13** ; électrostatique *(l'électrostatique)* ou électricité statique ; hydrostatique *(l'hydrostatique).* – Théorie de l'équilibre [ÉCON. et PSYCHO-SOCIOLOGIE].

12 **Équilibriste** ; acrobate **123,** danseur de corde, fildeferiste, **funambule** ; jongleur.

V. 13 **Équilibrer** ; balancer [fig. et vx] **579,** maintenir en équilibre ; faire équilibre à. – **Stabiliser** ; mettre en équilibre. – Compenser, contrebalancer, contrepeser ou contre-peser [vx]. – Harmoniser, **pondérer,** proportionner ; rééquilibrer.

14 **Garder l'équilibre,** rester stable ; se stabiliser. – Garder son assiette. – Faire le poirier.

15 **Déséquilibrer,** déstabiliser ; rompre l'équilibre de.

16 **Perdre l'équilibre,** perdre son équilibre ; perdre pied ; choir [litt.], chuter [fam.], tomber **119** ; chanceler, vaciller.

Adj. 17 **Équilibré** ; d'aplomb, en équilibre, stable ; stabilisé. – **Pondéré.**

18 **Harmonieux** ; en harmonie, **eurythmique** [didact.]. – Symétrique.

19 Astatique [MÉCAN.]. – Apériodique [TECHN.].

20 **Équilibrant,** équilibrateur [didact.], équilibreur.

21 Équilibrant ; rassurant, **tranquillisant.**

22 **Équilibré** ; mesuré, modéré, pondéré **522,** raisonnable, sage ; sain, **solide.** – Calme **89,** équanime, paisible, serein, tranquille ; d'humeur égale.

23 **Déséquilibré 321.**

Adv. 24 En équilibre. – En harmonie, **harmonieusement.**

283 ERREUR

N. 1 **Erreur** ; confusion, errement [rare], **faute,** fourvoiement, méprise.

2 DR. – **Erreur judiciaire** ; erreur commune ; erreur de droit, erreur de fait, erreur matérielle.

3 Erreur des sens, hallucination, illusion d'optique, **mirage.**

4 MÉTROL. : erreur absolue, erreur relative ; erreur de calcul, erreur d'observation, erreur de parallaxe, erreur systématique ; erreur de première ou de seconde espèce [STAT.]. – Pourcentage d'erreur, taux d'erreur.

5 Écart, **inexactitude,** irrégularité. – **Malentendu,** quiproquo ; mécompte ; erreur sur la personne, maldonne [fam.]. – Fausse note. – Anachronisme **60.** – Aberration, paralogisme, vice de raisonnement.

6 Cacographie **252** ; faute d'orthographe, faute de français, impropriété, **incorrection** ; barbarisme, contresens, faux-sens, non-sens **557,** solécisme ; fam. : cuir, pataquès, velours.

7 TYPOGR. – Bourdon ; doublon, mastic ; **coquille** [fam.], faute de frappe. – Erratum.

8 **Défaut,** défaut de fabrication, loupage, loupé *(un loupé)* [fam.].

9 Ânerie, bavure, bévue, boulette, bourde, inadvertance, inattention, **maladresse 483.** – Très fam. : connerie, couillonnade.

10 Apprentissage par essais et erreurs [PSYCHOL.].

11 Absurdité, **fausseté** ; pétition de principe ; sophisme.

12 Aveuglement **64, illusion.** – Faillibilité.

V. 13 **Faire erreur** ; errer [litt.], être dans l'erreur ; commettre une erreur, laisser échapper une erreur. – *Errare humanum est* (lat., « faire erreur est humain, l'erreur est humaine »).

14 Confondre ; litt. : méjuger, mésestimer. – S'égarer, se fourvoyer, se méprendre, **se tromper** ; **faire fausse route.** – Très fam. : se gourer, se planter ; très fam. : se fourrer le doigt dans l'œil jusqu'au coude, se mettre dedans.

15 S'abuser, s'aveugler, **s'illusionner,** se leurrer. – S'en faire ou s'en laisser accroire.

16 **Tromper 838** ; induire en erreur ; fam. : monter le coup à qqn, promener qqn.

Adj. 17 **Erroné** ; aberrant, fautif, **faux,** impropre, incorrect, inexact.

18 Faillible.

Adv. 19 Erronément [rare] ; absurdement, **faussement.** – **À tort,** par erreur.

284 ESCROQUERIE

N. 1 **Escroquerie.** – Tromperie **838.** – Baratterie [vx], canaillerie, crapulerie, estampage [fam.], friponnerie, fripouillerie [rare] ; arg. : carabistouille, marloupinerie. – **Fraude,** trafic.

2 **Faillite frauduleuse** ; banqueroute, détournement d'actif [DR.]. – DR. : abus de biens sociaux, détournement *(détournement de fonds, de valeurs, de titres).* – Surfacturation. – Cavalerie. – Contrebande.

3 Carambouillage, **carambouille.** – Maquignonnage [fig.], simonie [litt.] ; stellionat [DR.].

4 **Grivèlerie.**

5 **Contrefaçon** ou contrefaction **379.1** ; altération, frelatage, **truquage.** – **Falsification** ; faux *(un faux)* ; DR. : faux intellectuel, faux matériel. – DR. : faux criminel, **faux en écriture,** faux en écriture authentique et publique, faux en écriture de commerce et de banque, faux correctionnel ou correctionnalisé, usage de faux.

6 **Tromperie 838,** usurpation ; charlatanerie [rare], manœuvre captatoire, manœuvre frauduleuse, supercherie. – DR. : **abus de confiance 3,** captation, **dol.**

7 **Escroc** ; aigrefin, canaille, coquin [vx], faisan [arg.], filou, fripouille, margoulin, requin, voleur. – **Charlatan,** imposteur, marchand ou vendeur d'orviétan, simoniaque. – Captateur [DR.], extorqueur [litt.]. – Arnaqueur, carambouilleur, **fraudeur,** resquilleur ; DR. : griveleur, stellionataire. – Contrefacteur **379.4,** falsificateur, **faussaire.**

V. 8 **Escroquer,** frauder. – Fam. : ferrer le goujon, ferrer la mule ; monter un coup, payer en gambades, payer en monnaie de singe, plumer le pigeon, truander.

9 Spolier, voler **869.** – **Capter,** divertir [DR.], extorquer, soustraire, soutirer. – Surfacturer. – Fam. : carambouiller, carotter, en faire passer quinze pour douze, estamper, maquignonner.

10 **Tromper 838** ; abuser, enfiler [vieilli], filouter, flouer, gruger, piéger, **posséder** ; fam. : attraper, **avoir,** berner, blouser, **bluffer,** caver, empiler, empaumer, entourlouper, estamper, étriller ; fam. : jouer un tour de son métier, refaire, refaire le poil à [vx], rouler ; fam. : donner du cambouis, piper les dés, tromper la calebasse. – Très fam. : dindonner, faisander, niquer, pigeonner.

11 **Tricher** ; truquer. – **Griveler,** resquiller.

12 **Contrefaire,** falsifier ; faire un faux.

Adj. 13 **Délictueux** ; **illégal,** illicite, répréhensible ; délictuel [didact.]. – DR. : captatif, dolosif. – DR. : abusif, captatoire, usurpatoire. – Charlatanesque, marron [fam.], simoniaque [litt.].

14 **Trompé** ; arnaqué, **escroqué,** filouté, floué, grugé ; fam : roulé, refait.

15 **Faux.** – Falsifié, frauduleux ; de contrebande. – Vrai-faux [par plais.].

Adv. 16 Frauduleusement. – En fraude.

285 ESPOIR

N. 1 **Espoir** ; espérance, perspective ; aspiration, attente **51, désir 199,** rêve. – Prov. et loc. prov. : l'espoir fait vivre [souv. par plais.] ; araignée du matin, chagrin, araignée du soir, espoir.

2 **Confiance 145,** foi **320.** – Assurance, certitude **99,** conviction ; optimisme **573.**

3 Espoir *(un espoir)* ; rayon d'espoir. – Messie ; Terre promise.

4 Faux espoir ; chimère, **illusion,** rêve **378,** utopie ; leurre.

V. 5 **Espérer** ; garder espoir. – Aspirer à, désirer **199,** rêver de, souhaiter. – **Attendre 51** ; compter sur, escompter, tabler sur ; pressentir, prévoir, supputer ; s'attendre à.

6 Croiser les doigts, toucher du bois.

7 **Espérer** ; avoir espoir, avoir bon espoir ; nourrir de folles espérances. – Fonder ses espoirs sur. – Avoir confiance **145, croire,** croire dur comme fer ; aimer à croire, oser croire [litt.] ; accepter l'augure de. – **Penser,** se persuader que, s'imaginer que.

8 Se bercer de, se flatter de ; se promettre. – **Se faire des illusions,** se repaître de chimères ; courir après son ombre.

9 Faire l'espoir de qqch [vx]. – Promettre *(ça promet !)* [souv. iron.].

Adj. 10 **Confiant,** optimiste **573.** – Certain **99,** sûr ; sûr de soi.

11 Prometteur. – Espérable [rare].

286 ÉTAT

N. 1 **État** ; modalité, **mode,** *modi essendi* (lat., « modes de l'être »). – Forme **323,** genre ; situation. – Attitude, état [vx].

2 **État de choses, état de fait** ; conjoncture, situation. – Cours des choses ; **degré,** étape, point, stade ; état de + n. *(état de guerre ; état de veille).* – État de cause [DR.]. – État de la matière [PHYS.]. – Verbe d'état [GRAMM.].

3 État, fonction, métier **266,** profession, travail.

4 État. – Condition, être [vx], place, position, **situation** ; fortune. – Caste **734,** classe **552** ; **rang** ; HIST. : clergé, noblesse, tiers état. – Mode de vie **164** ; conditions de vie.

5 État d'âme ; **disposition,** humeur, tempérament. – État d'esprit ; caractère, mentalité ; sensibilité **755.** – Complexion, conformation, habitude [vx] **357** ; nature ; habitus [didact.]. – État ou condition physique, état général **743.**

6 État des choses ; bilan ; dénombrement, inventaire **8.** – Compte rendu **225,** état, mémoire, procès-verbal. – DR. : état civil, état des personnes.

V. 7 Mettre en état ; disposer **576,** préparer **649.** – Remettre en l'état.

8 **Faire état de** ; estimer, faire cas de ; compter sur. – Faire état que [vx] ; être assuré, penser.

9 Embrasser un état ; faire état de [vx]. – Tenir (tel) état *(tenir un grand état de maison)* [litt.].

10 Dresser un bilan ou un état de.

11 Modaliser [PHILOS.].

Adj. 12 **À l'état** + adj. ou **à l'état de** + n. ; dans un état + adj. ou dans un état de + n. – En l'état, tel quel.

13 En état de ; capable, en mesure de. – En état ; au point, prêt. – Hors d'état de, incapable. – En état de [vx] ; disposé à, en humeur de.

14 Modal [PHILOS.].

Adv. 15 **En tout état de cause** ; dans tous les cas, n'importe comment, quoi qu'il en soit. – Dans ces conditions.

Prép. 16 En état de, hors d'état de. – Apte à, capable de, en mesure de.

287 ÉTERNITÉ

N. 1 **Éternité** ; pérennité, **permanence 611,** perpétuité. – Atemporalité [PHILOS.], intemporalité [didact.]. – Intemporel *(l'intemporel).*

2 Immortalité, survivance **862,** vie future, la vie éternelle. – RELIG. : bonheur éternel, salut éternel ; le Royaume éternel ; feu éternel, supplices éternels ; la maison éternelle [vx] ; la nuit éternelle (aussi : le repos éternel, le silence éternel, le sommeil éternel) **534.**

3 PHILOS. – Éternel retour, palingénésie. – Éon.

4 **Mouvement perpétuel 538.**

5 BOT. : immortelle *(une immortelle)* ; *sempervivum* (lat., « toujours vivant »). – Neiges éternelles.

6 Litt. : – éternisation, immortalisation. – Pérennisation [didact.].

7 Perpétualisme [PHILOS.]. – Perpétualiste *(un perpétualiste)* [PHILOS.].

8 Immortel *(un immortel).* – RELIG. : **l'Éternel 215** ; l'Être éternel, le Père éternel, le Verbe éternel.

9 Éterniser [litt.], **immortaliser,** pérenniser, perpétuer, faire passer à la postérité.

V. 10 S'éterniser [litt.], avoir l'éternité devant soi. – **Passer à la postérité 341** ; renaître de ses cendres ; survivre.

Adj. 11 **Éternel** ; éternitaire [LOG.], perpétuel ; coéternel [THÉOL.]. – Atemporel [PHILOS.], intemporel ; anhistorique [didact]. – Hors du temps. – Gnomique [LING.].

12 **Immortel** ; impérissable, inaltérable, indestructible ; indéboulonnable [fam.]. – *Semper virens* (lat., « toujours vert »), sempervirent [BOT.].

13 Incessant, indéfini, **infini,** interminable, sans fin.

Adv. 14 **Éternellement,** interminablement, invariablement, perpétuellement, sempiternellement [fam.]. – À longueur de temps, **en permanence,** sans arrêt **153,** sans cesse, sans discontinuer, sans fin, sans terme.

15 À chaque fois, à chaque instant, à tous coups, **à tous les coups,** à tout bout de champ [fam.], à toute heure, à tout moment, à tout propos, en tout temps, **toujours,** tous les jours, **tout le temps** ; à propos de rien, de tout et de rien.

16 Depuis la nuit des temps, depuis les temps les plus reculés, depuis le fond des âges, depuis que le monde est monde, **depuis toujours** ; de temps immémorial, de toujours, de toute antiquité, de toute éternité, **de tout temps** ; immémorialement [didact.]. – Comme toujours.

17 Immortellement [litt.], indéfiniment. – Indéfectiblement [litt.].

18 *Ad infinitum* (lat., « à l'infini »), *ad vitam aeternam* (lat., « pour la vie éternelle ») [fam.] ; *in aeternum* [lat.]. – À jamais, à toujours [rare], **à tout jamais,** à vie, pour jamais, pour la vie, **pour toujours.** – Sans rémission, sans retour.

19 RELIG. – À jamais et pour toujours, *in saecula saeculorum* (lat., « dans les siècles des siècles »).

288 ÉTRANGER

N. 1 **Étranger** ; horsain [vx]. – HIST. : barbare, pérégrin. – Péj. et xénophobe ou raciste : métèque, rastaquouère [vx], *velche* [all.].

2 Inconnu, tiers. – Autre *(l'autre).*

3 **Résident** *(résident ordinaire, résident temporaire)* ; aubain [vx] ; ANTIQ. GR. : isotèle (opposé à métèque) ; proxène. – **Émigré,** exilé, importé [fam.] ; émigrant, migrant ; immigrant **45** ; colon, non-résident. – Réfugié, réfugié politique.

4 Banni. – Déplacé. – Proscrit **582.**

5 **Touriste 871,** visiteur, voyageur ; pèlerin.

6 Apatride, sans-patrie **124.** – Sans-papiers.

7 Colonie ; clérouquie *(une clérouquie)* [ANTIQ. GR.].

8 Extranéité [DR.], pérégrinité.

9 Droit international. – Exterritorialité ; immunité diplomatique. – Droit d'aubaine [vx] ; isotélie [ANTIQ. GR.].

10 **Émigration,** exil ; exode, migration ; immigration. – Voyage.

11 Expulsion, **extradition** ; reconduite à la frontière ; proscription. – Expatriation. – **Déportation** ; transplantation. – Ségrégation raciale ; apartheid ; ghettoïsation.

12 Assignation à résidence ; rétention administrative.

13 Asile, hospitalité. – **Terre d'accueil** ou d'asile, terre d'élection. – Seconde patrie.

14 **Passeport,** visa. – Permis de séjour, carte de séjour. – Déclaration de naturalité.

15 Liste de proscription.

16 Cosmopolitisme, internationalisme. – Xénophilie.

17 Xénophobie. – Ségrégationnisme ; racisme.

18 Xénophobe, xénophile. – Raciste ; antisémite. – Ségrégationniste ; pogromiste.

19 Persécutions. – Ratonnade ; HIST. : pogrom ou pogrome.

V. 20 **Émigrer.** – S'exiler, s'expatrier, se transplanter ; immigrer, se réfugier.

21 Bannir, mettre au ban ; **exiler, expulser,** extrader. – Éloigner, étranger [vx]. – Déporter.

22 Exclure, ghettoïser, ségréger ou ségréguer ; proscrire. – Refouler. – Acculturer.

23 Ratonner.

24 Internationaliser.

Adj. 25 **Étranger** (opposé à domestique), extérieur ; allogène. – Exotique.

26 Cosmopolite. – International.

27 Cosmopolite [vx], xénophile [rare] ; xénophobe.

289 ÉTROITESSE

N. 1 **Étroitesse** ; exiguïté, petitesse **616,** ténuité. – **Étranglement** ; étrécissement, resserrement, serrement. – Aplatissement, aplatissage [TECHN.].

2 **Goulet,** goulet d'étranglement ; goulot. – **Encaissement** [GÉOL.], étroiture [SPÉLÉOL.], **gorge** ; gorge de raccordement. – Chatière.

3 GÉOGR. : pas, **passage,** passe. – Cañon, défilé. – **Col,** corridor, corniche, couloir. – **Ruelle,** sente, sentier, sentier muletier, venelle.

4 GÉOGR. : bouque [MAR.], **bras 319, détroit,** isthme, manche, pertuis.

5 **Bande 65,** langue, languette. – **Lanière,** ruban.

6 **Contraction 154** ; astriction [MÉD.], **constriction** [didact.]. – Amincissement, amenuisement ; sténose [MÉD.]. – Restriction **467.**

V. 7 **Étrécir** ; étrangler, serrer ; contracter **154.** – Ajuster, resserrer, **rétrécir.** – Brider, **diminuer,** étriquer, restreindre.

Adj. 8 **Étroit,** fin, menu, mince, petit **616** ; amenuisé, effilé, fuselé. – Exigu, confiné. – Juste ; collant, étriqué, serré. – Encaissé, **étranglé,** resserré. – Aplati.

9 Limité, réduit, **restreint.** – Limitatif, **restrictif.**

Adv. 10 **À l'étroit.** – Étroitement, intimement **430.** – Au plus juste. – *Stricto sensu* (lat., « au sens strict », par opposition à *lato sensu,* « au sens large »).

290 ÉVÈNEMENT

N. 1 **Évènement** (ou événement), affaire, aventure, **fait,** phénomène. – Litt. ou vx : accident **4,** évent ; entrefaite. – Circonstance **122,** occasion ; hasard ; éventualité **291.** – Épisode, page [fig.], scène. – **Changement 104,** nouveauté ; bouleversement, révolution. – Anecdote [litt.], péripétie ; coup de théâtre. – Non-évènement.

2 Fait marquant, évènement du jour ; clou de la soirée [fig.]. – Grande date, **grand moment,** grand jour, moment inoubliable, temps fort ; première *(une première, une grande première).*

3 Chaîne des évènements, cours des évènements **293.**

4 Actualité ; journalisme **654** ; **information(s),** nouvelle(s) *(les nouvelles du jour).* – Histoire évènementielle (opposé notamm. à histoire causale) **102.**

5 Accès, attaque, complication, **crise.** – Accident, calamité, cataclysme, **catastrophe,** drame, fléau, malheur. – Contretemps, incident. – Mauvaise nouvelle ; coup dur [fam.]. – Fig. : bombe, coup d'assommoir, coup de foudre [vx], coup de tonnerre.

6 Aubaine, bonheur, **chance** ; bonne nouvelle. – Heureux évènement. – Miracle, phénomène ; *deus ex machina* (lat., « dieu descendu au moyen d'une machine ») [fig.]. – Coup d'éclat, exploit **7,** haut fait ; performance [anglic.]. – Fête **309.** – Happening [anglic.].

7 Évènement [vx] ; effet, fin **315,** résultat ; dénouement.

V. 8 Advenir, apparaître, **arriver, avoir lieu,** échoir [litt., vx], **être, exister 297,** surgir, survenir, venir ; éclore, naître.

9 **Créer l'évènement** ; faire évènement, faire sensation. – Défrayer la chronique, faire la une des journaux. – Dater, **faire date,** marquer ; marquer son époque, marquer son temps.

10 Être dépassé ou débordé par les évènements. – Couvrir un évènement ; traquer l'évènement.

11 S'élever, se déclarer, se dérouler, **se passer,** se présenter, se produire, se réaliser.

Adj. 12 Actuel [PHILOS.], advenant [didact.], **évènementiel,** existentiel [PHILOS.], factuel, phénoménique [didact.], **réel.**

13 Célèbre, digne de mémoire, mémorable. – **Exceptionnel,** merveilleux, rare, remarquable, retentissant, sans précédent, sensationnel, unique ; à marquer d'une pierre (aussi : d'une croix) blanche [fig.].

Adv. 14 En fait, factuellement. – Accidentellement, incidemment.

291 ÉVENTUALITÉ

N. 1 **Éventualité.** – Contingence, facticité [PHILOS.] ; probabilité **660.** – PHILOS. : potentialité, puissance [vx], virtualité ; casualité [rare] **358.**

2 Contingent *(le contingent),* éventuel*(l'éventuel)* ; peut-être *(un peut-être),* possible *(le possible,* souv. pl. : *les possibles)* **646,** virtuel *(le virtuel)* ; hypo-

thétique *(l'hypothétique)*. – Aléatoire *(l'aléatoire)*, fortuit *(le fortuit)*.

3 Aléa, chance, **hasard 358** ; danger **175**, péril, risque.

4 Conjecture, hypothèse, postulat ou, didact., postulatum, présomption, prévision, **supposition 802** ; assomption [anglic.]. – Proposition contingente [LOG.].

5 Didact. – Apriorisme [litt.] ; probabilisme. – Aprioriste, probabiliste.

6 GRAMM. – Futur probable. – Conditionnel *(le conditionnel)* ; éventuel *(l'éventuel)*, potentiel *(le potentiel)* ; optatif *(l'optatif)*. – Proposition conditionnelle, proposition hypothétique.

V. 7 **Il se peut, il se peut que 646**, il peut ou pourrait se faire que ; ça peut se faire [fam.]. – On ne sait jamais, on verra ; qui sait ? ; pourquoi pas ?

8 **Essayer**, hasarder, risquer **358**, tenter ; courir ou prendre le risque de ; se risquer à, se hasarder à. – Conjecturer, présumer, **supposer 802**, prévoir.

9 Virtualiser [didact.].

Adj. 10 **Éventuel** ; contingent, **possible 646** ; probable. – Futur ; latent, potentiel, en puissance, **virtuel**. – **Facultatif 116**, optionnel.

11 **Envisageable** ; plausible, vraisemblable. – Conditionnel ; douteux, incertain, problématique.

12 Conjectural, **hypothétique 395** ; présumé, supposé ; assomptif [LING.].

Adv. 13 **Éventuellement**, facultativement, possiblement [rare] ; potentiellement, virtuellement. – Plausiblement ; probablement, sans doute, vraisemblablement.

14 Accidentellement, fortuitement. – Aléatoirement **358**, casuellement [vx], **par hasard** ; d'aventure, des fois [pop.] ; à l'occasion.

15 Conditionnellement [didact.] ; le cas échéant, par impossible. – À toute(s) éventualité(s), à tout hasard ; à toutes fins utiles.

Prép. 16 **En cas de**, dans l'hypothèse de.

Conj. 17 Si. – **Au cas où**, au cas que [vx], en cas que ; des fois que [pop.]. – **Si jamais**, si par hasard. – À condition que, pour peu que ; pourvu que.

292 ÉVICTION

N. 1 **Éviction 582** ; expulsion ; dégradation **47**, **destitution**, suspension ; évincement [rare], démission d'office ; déchéance **367**, déposition, disqualification ; radiation ; **licenciement** ; congédiement, révocation ; fam. : débauchage, déboulonnage, limogeage ; bourlingue [fam., vx], dégommage [fam., vieilli], lourdage [arg.].

2 Congé, **renvoi**. – Mise à pied ; mise à la retraite, mise en disponibilité. – Fam. : dégraissage, coup de balai, nettoyage ; charrette. – Restructuration ; plan social.

3 **Démission 701** ; abdication, désistement ; abandonnement [vieilli].

4 Licencieur.

5 **Licencié** ; chômeur **266**, demi-solde *(un demi-solde)* [anc.]. – Retraité *(un retraité)* ; préretraité [rare] ; démissionnaire *(un démissionnaire)*.

V. 6 **Évincer** ; chasser, démettre, relever ; casser, dégrader **227**, déposer, **destituer**, détrôner, expulser, limoger, radier, révoquer ; retraiter [vx]. – **Licencier** ; congédier, remercier, renvoyer ; fam. : balancer, balayer, dégommer, débarquer, **vider**, virer, sacquer ou saquer ; blackbouler, déboulonner ; bourlinguer [vx] ; arg. : balanstiquer ou balancetiquer, lourder.

7 Mettre au chômage, **mettre à la porte**, mettre dehors, mettre à pied. – Mettre en disponibilité. – Fam. : ficher, flanquer (ou, très fam., foutre) à la porte ; envoyer planter ses choux, envoyer valser ; casser aux gages [vx].

8 **Faire une coupe claire** (aussi : une coupe sombre), faire maison nette [vieilli] ; fam. : dégraisser ; secouer le cocotier.

9 Proclamer ou prononcer la déchéance de. – **Se défaire de** ; donner son compte, donner ses huit jours ; vieilli : donner ou signifier son congé à, fendre l'oreille à ; vx : donner de la casse, donner son sac ouson paquet à.

10 Prendre la porte ; fam. : sauter, se faire virer comme un malpropre. – Être sur le sable [fam.].

11 **Démissionner** ; abdiquer, se désister ; quitter sa place, remettre ses pouvoirs, résigner ses fonctions ; claquer la porte, rendre ou, vieilli, quitter son tablier ; briser son épée [MIL.]. – Se retirer **779** ; prendre sa retraite ; prendre ses invalides [fam., vieilli].

Adj. 12 **Évincé** ; congédié, limogé, **renvoyé** ; lourdé [arg.] ; radié.

13 Démissionnaire ; abdicataire [litt.].

14 Congédiable, destituable, révocable ; congéable [vx].

Int. 15 Démission ! Untel, démission !

293 ÉVOLUTION

N. 1 **Évolution** ; avance, déroulement, **développement,** dynamique, enchaînement, processus, procès [didact.] ; continuité, gradation **344,** infléchissement ; succession, suite. – Transformation ; métamorphose, mutation, transmutation.

2 Cours des évènements, tournure des évènements ; cheminement, marche, parcours, travail. – Logique des choses, ordre des choses **576.**

3 Augmentation **56,** boom, essor ; avancement. – Développement durable. – **Croissance,** crue, poussée, venue ; maturation, mûrissage, mûrissement ; vieillissement. – Amélioration, **progrès,** progression ; progressivité.

4 **Régression** ; détérioration **16,** diminution, évolution régressive ; catagenèse [didact.].

5 **Carrière 266.** – Évolution de carrière, perspectives de carrière, plan de carrière.

6 BIOL. : aristogenèse, hologenèse, orthogenèse ; ontogenèse, phylogenèse.

7 Didact. : eugénie [vx], eugénisme. – SC. : **darwinisme,** évolutionnisme, lamarckisme, mutationnisme, transformisme.

8 Réformiste *(un réformiste).* – SC. : darwiniste *(un darwiniste),* évolutionnaire *(un évolutionnaire)* [anglic. ou vieilli], évolutionniste *(un évolutionniste),* lamarckien *(un lamarckien),* transformiste *(un transformiste).*

V. 9 **Évoluer** ; **changer,** muter ; devenir. – Cheminer vers, être en passe de, prendre telle tournure. – Aller son train, **suivre son cours.** – Suivre sa voie, son chemin, son petit bonhomme de chemin ; faire du chemin, faire son chemin ; aller de l'avant.

10 **Croître,** pousser ; mûrir ; vieillir. – Progresser, prospérer ; abonnir [rare], bonifier, améliorer.

11 Se développer, se métamorphoser, se transformer. – S'épanouir ; s'accomplir, se parachever. – Se détériorer. – Régresser.

Adj. 12 **Évolué** ; moderne ; organisé. – Développé ; d'une belle venue.

13 Évolutif, graduel, processuel [didact., rare], **progressif.** – Croissant ; en plein boom, en plein essor. – Régressif.

14 Didact. et SC. – Ontogénétique, phylogénétique. – Évolutionnaire [vieilli], évolutionniste, mutationniste, transformiste ; didact. : darwinien, lamarckien.

Adv. 15 Lentement **458, progressivement,** régulièrement. – Avec le temps, petit à petit, peu à peu ; fig. : pièce à pièce, pierre à pierre. – À force, à la longue ; au fur et à mesure **522.** – Au train (ou du train) où vont les choses.

Prép. 16 **En train de,** en voie de ; sur la route de, sur la voie de, sur le chemin de. – Au fur et à mesure de.

Conj. 17 À mesure que, au fur et à mesure que.

Aff. 18 **-ant** (participe présent).

294 EXCÈS

N. 1 **Excès** ; démesure, *hybris* (gr., « démesure »). – Comble, pléthore, **surnombre** ; saturation, sursaturation. – Surproduction.

2 **Exagération, outrance** ; extravagance, exubérance ; intempérance **426.** – Folie des grandeurs ; mégalomanie **321.** – Prolixité **665,** prodigalité **661.** – Surabondance **1** ; luxe, superflu *(le superflu),* superfluité [litt.].

3 **Excédent,** surplus, trop *(un trop),* trop-plein. – Débauche *(une débauche de),* **débordement** *(un débordement de),* étalage *(un étalage de)* ; délire *(un délire de),* orgie *(une orgie de),* luxe *(un luxe de).* – Hypertrophie.

4 **Abus 3.** – Excès de pouvoir [DR.]. – Écart ou excès de langage ; grossièreté, impertinence ; injure **412,** insulte. – Emphase, enflure, superfétation [litt.] ; incontinence verbale.

5 Extrémisme, **fanatisme,** jusqu'au-boutisme [fam.].

6 Prov. – Excès de bien ne nuit pas. – Trop ne vaut rien. – Qui trop embrasse mal étreint.

V. 7 **Excéder,** outrepasser, transgresser ; abuser. – Aller trop loin, dépasser les bornes, **dépasser la mesure,** passer les limites ; y aller trop fort [fam.]. – Tomber d'un excès dans l'autre. – En faire trop, en faire des kilos ou des tonnes [fam.] ; forcer la dose ou la note.

8 **Exagérer.** – Fam. : attiger, charrier, pousser, pousser ou lancer trop loin le bouchon.

9 **Avoir la folie des grandeurs** ; avoir les yeux plus grands que le ventre. – Vouloir péter plus haut que son cul [très fam.] **655,** ne plus se sentir [fam.].

10 Faire une montagne d'une taupinière. – Se faire une montagne de qqch.

11 Faire des excès ; faire bombance, **ripailler.** – **Faire des folies** ; brûler la chandelle par les deux bouts.

12 S'hypertrophier.

13 **C'est un peu fort,** c'est un peu fort de café, c'est trop fort. – C'est plus fort que de jouer au bouchon. – **C'est trop,** c'est *too much* (angl., « trop ») [fam.] ; c'en est trop ; trop, c'est trop ; c'est trop ou pas assez. – C'est un comble. – Il y a de l'abus [fam.].

Adj. 14 **Excessif,** abusif, exagéré ; hypertrophié. – Outré ; outrageux, outrancier. – Fam. : dément, démentiel, délirant, dingue, fou.

15 **Excédentaire,** surabondant ; superflu, superfétatoire [litt.].

16 Ampoulé, boursouflé, **emphatique,** hyperbolique.

17 Exubérant ; intempérant ; débauché **475,** licencieux. – Extrémiste, **fanatique** (ou, fam., fana), jusqu'au-boutiste [fam.].

Adv. 18 **Excessivement** ; démesurément, surabondamment. – En surnombre.

19 **Trop,** par trop ; *too much* [fam.]. – Par excès [MATH.]. – L'extrême, à la fureur, à la folie **427,** à mort [fam.] ; à outrance, sans mesure.

20 Affreusement, atrocement, **effroyablement,** terriblement.

Aff. 21 Archi-, hyper-, outre-, super-, sur-, ultra-.

295 EXCLUSION

N. 1 **Exclusion.** – Exception, rejet ; élimination, suppression. – Expulsion **582** ; reconduite à la frontière, refoulement.

2 Différence ; exception. – Non-appartenance.

3 Éradication, extirpation, **extraction 301.** – Arrachage, **arrachement,** enlèvement ; spécialt : ablation, avulsion, énucléation, exérèse, extraction ou, vx, évulsion. – Arrachis, déracinement.

4 **Exclusivité,** monopole ; système de l'exclusif ou pacte colonial [HIST.]. – Incompatibilité. – Exclusivisme [litt.].

5 LOG. : disjonction exclusive, proposition exclusive, proposition limitative, proposition particulière ; principe du tiers exclu, principe du milieu exclu. – « Ou » exclusif [LING.].

6 Alternative **116,** dilemme ; l'un ou l'autre, de deux choses l'une.

7 Extracteur ; vx : arracheur. – Épurateur. – Exclusiviste [litt.].

V. 8 **Exclure, excepter** ; faire abstraction de. – Négliger, ne pas tenir compte de ; éliminer [fig.], laisser de côté, mettre de côté ; mettre à part. – Chasser, écarter, rejeter, repousser [fig.].

9 Enlever, extirper, **ôter,** sortir ; dégager. – Détacher, prélever, prendre, tirer ; exprimer. – Isoler.

10 Arracher, retirer ; énucléer ; déraciner, déterrer **18.**

11 Refuser, **rejeter** ; éconduire, renvoyer. – Mettre à l'écart **292,** mettre de côté ou à part ; mettre au rancart ou en quarantaine ; placardiser [fam.]. – Exiler **582,** expulser.

Adj. 12 **Exclu** ; non compris. – Extrinsèque.

13 Extérieur, externe ; étranger.

14 Exclusif, incompatible, inconciliable ; contradictoire.

Adv. 15 Exclusivement ; seulement, uniquement. – À l'écart, en dehors, à part. – **Non.**

Prép. 16 **Excepté,** fors [litt., vx], hormis, hors [litt.], **sans,** sauf ; **à l'exception de,** à l'exclusion de, à part, si ce n'est. – Abstraction faite de, compte non tenu de. – Nonobstant.

17 Hors de [suivi d'un inf., vx], à moins de, en dehors de.

18 À part, à l'extérieur **300.17.**

Conj. 19 Et non, ou, ou alors, ou bien, ou (...) ou (...) ; soit (...), soit (...).

20 Excepté que, hormis que, hors que [litt.], à part que [fam.], sauf que, **si ce n'est que.**

21 À moins que, sinon que [vieilli]. – Excepté si, **sauf si.**

Aff. 22 Extra-, for-, hors-.

296 EXCRÉTION

N. 1 **Excrétions.** – **Excréments,** *excreta* ou *ejecta* [lat.]. – **Déchets,** ordure, saletés [fam.] **740.**

2 Fèces (ou : matières fécales, matières) **218.4,** selles ; fam. : caca, **merde** [très fam.]. – Colombin [très fam.], crotte [fam.], **étron,** sentinelle [arg.]. – Bol fécal ; matières moulées. – Méconium. – Coprolithe.

3 Argol [didact.], **bouse,** chiure, colombine, cordylée, **crotte, crottin,** fiente, guano ; CHASSE : fumées **107,** laissées, troches. – Ambre gris **594.** – **Fumier,** lisier, purin.

4 **Urine** ; pipi [fam.], pisse, pissée [très fam.] ; pissat [ZOOL.].

5 **Sueur 604.3,** transpiration ; suée **619.**

6 **Vomissure** ; dégueulis [fam.], régurgitation, renvoi, vomi [fam.] ; bile **340.5.** – **Crachat,** glaires. – **Pus** ; chassie, sanie.

7 **Météorisme 335.6** ; flatulence, flatuosité, ventosité [vx].

8 **Vent** ; fam. : pet, pet de maçon. – Rot.

9 **Excrétion** ; déjection, éjection, évacuation ; vomissement. – **Défécation,** évacuation alvine, excrémentation. – **Miction,** pissement [MÉD., rare], urinement [didact.] ; diurèse. – Exsudation, hidrorrhée, perspiration, sudation, **transpiration.** – Purulence, suppuration. – Éructation.

10 MÉD. : acétonurie, albuminurie, albumosurie, alcaptonurie, aminoacidurie, ammoniurie, anurie, azoturie, bactériurie, bilirubinurie, calciurie, cétonurie, chlorurie, cholaturie, cholurie, chylurie, colibacillurie, créatininurie, créatinurie, cystinurie, dysurie, galactosurie, glycosurie ou glucosurie, hématurie, hémoglobinurie, hippurie ou hippuricurie, hypercalciurie, hyperchlorurie, ischurie, lipurie, myoglobinurie, oligourie, oxalurie, pentosurie, pneumaturie, pollakiurie, polyurie, porphyrinurie, protéinurie, pyurie, strangurie, urobilinurie. – Natrurie, phosphaturie.

11 Colique, **diarrhée** ; chiasse [très fam.]. – Encoprésie. – **Incontinence** ou énurésie ; rétention d'urines. – Insuffisance rénale aiguë.

12 **Anus,** rectum **218.5,** sphincter anal.

13 **Voies urinaires.** – Méat urinaire ; verge **762.3** ; uretère, urètre ; prostate. – **Rein, vessie.**

14 Urographie, **urologie** ; coproscopie, coprologie, stercologie.

15 Uréomètre, uromètre ou pèse-urine.

16 **Lieux d'aisances** ; cabinets, commodités, garde-robe [anc.], lavabos, latrines, *lavatory* [angl.], sanitaires, **toilettes 481** ; water-closets [anglic.], waters, **W.-C.,** W.-C. à la turque ; vx : chalet de nécessité, édicule, retrait. – Pissoir [fam.], pissotière [pop.], urinoir, vespasienne [vx]. – Fam. : petit coin, pipi-room [anglic.], vécés [fam.] ; chiottes [très fam.] ; arg. : feuillées, gogues, tinette. – Fosse septique.

17 **Pot** *(pot de chambre),* seau hygiénique, vase de nuit ; **chaise percée** [vx]. – Bassin, pistolet [fam.], urinal.

V. 18 **Excréter** ; éliminer. – **Exsuder,** suer, suer à en tremper sa chemise [fam.], suer à grosses gouttes ; transpirer. – Être en eau, être en nage ; prendre ou attraper une suée.

19 **Uriner** ; faire pipi [enfant.]. – Fam. : **pisser,** pissoter ; lansquiner [arg.]. – Compisser [litt.]. – Lever la patte.

20 Aller à la selle, aller aux toilettes, **déféquer,** évacuer ; faire ses besoins ; se soulager. – Fam. : crotter, faire caca, poser culotte, **chier** [très fam.]. – Conchier [litt.]. – Fienter.

21 Régurgiter, rendre, **vomir** ; vomir tripes et boyaux [fam.] ; très fam. : dégobiller, **dégueuler.** – Vieilli : dégorger, regorger.

22 Suppurer.

23 **Cracher,** éructer, roter. – Péter.

24 Se souiller ; s'oublier.

Adj. 25 **Excréteur** ou excrétoire ; éliminateur [rare].

26 Chassieux, purulent. – Pyogène.

27 **Excrémentiel,** stercoraire, stercoral ; fécal, pyostercoral, urinaire ; urologique. – Urineux [MÉD.] ; urinifère [ANAT.] ; urique. – Diurétique, uricoéliminateur ; sudorifique.

28 **Excrémenteux** ; scatologique ou, fam., scato. – Fam. : merdeux, pisseux, urineux ; fam. et vx : breneux, embrené, empoicré, enfoiré.

29 Défécateur. – Incontinent.

Aff. 30 Copro-, scato- ; pyo- ; **uro-** ; -urie.

297 EXISTENCE

N. 1 **Existence,** être *(l'être ; l'Être)* **798,** présence, **réalité** ; essence, substance **796.** – Coexistence ; préexistence.

2 **Métaphysique 620.2,** ontologie ; « il y a une science *(la métaphysique)* qui étudie l'Être en tant qu'être et les attributs qui lui appartiennent essentiellement » (Aristote). – *Cogito ergo sum* (lat., « je pense donc je suis », Descartes), cogito *(le cogito, le cogito cartésien).* – Existence (opposé à essence), exister *(l'exister)* [rare] ; *Dasein* (Heidegger), étant *(les étants, un étant),* être-là, présence, présence au monde ; quiddité. – Existentialisme, ontologisme.

3 Actualité, **réalité** *(la réalité).* – Concret *(le concret),* réel *(le réel),* présent *(le présent)* **652.** – **Acte,** action, affaire, évènement, **fait,** phénomène, réalité *(une réalité).* – Conjoncture ; conditions, circonstances **122.** – Nature, Univers. – **Chose, objet.** – **Matière 492,** substance. – PHILOS. : entéléchie, monade. – Existant *(l'existant)* [COMM.].

4 **Individu, personne 613,** personnalité, sujet. – Âme, conscience, **esprit,** souffle, **vie 862.**

– Condition, destin, destinée, état, étoile, fortune **358,** sort, **vie** ; carrière [vx].

5 Abstraction, entité, noumène. – Concept, **idée,** imagination *(une imagination)* **378, notion,** représentation, représentation mentale. – Entité rationnelle, être de raison, être mathématique.

6 **Création, réalisation** ; créature. – Origine, souche. – **Naissance 544,** génération ; reviviscence. – Élan vital, vie.

7 Jugement d'existence (opposé à jugement de valeur). – Verbe d'existence (opposé à copule) [GRAMM.]. – Existence juridique [DR.].

V. 8 **Exister, être** ; vivre. – « Être ou ne pas être, voilà la question » (trad. de *to be or not to be, that is the question*, Shakespeare, *Hamlet*). – Régner, se rencontrer, se trouver ; être en vigueur. – Il y a ; il est, il existe. – Coexister, préexister.

9 **Continuer,** demeurer, **durer 247,** persévérer, persister, résister, **rester,** subsister, survivre, tenir. – **Se conserver,** se garder, se maintenir, **se poursuivre,** se perpétuer, se soutenir. – Persévérer dans son être.

10 Apparaître, **commencer,** débuter, paraître. – Se former, se manifester, se montrer. – **Naître** ; arriver à l'existence, venir au monde, voir le jour. – **Recommencer** ; réapparaître, **reparaître, renaître,** revivre, ressusciter.

11 **Créer, exécuter,** générer, **réaliser** ; **commencer.** – Animer, vivifier. – Faire naître ; faire vivre. – Donner le jour ou la vie à ; enfanter, procréer. – Existentialiser [PHILOS.].

Adj. 12 Existential [rare], **existentiel,** ontique, **ontologique** ; essentiel. – Actuel, effectif, positif, présent, **réel** ; existant, vivant.

13 **Concret,** palpable, solide, tangible, visible. – Assuré, avéré, authentique, **certain,** constant, établi, évident, indubitable, patent, **sûr** ; historique.

Adv. 14 **Existentiellement,** ontologiquement ; essentiellement. – Actuellement, authentiquement, concrètement, effectivement, positivement, réellement.

Aff. 15 Onto-.

298 EXPANSION

N. 1 **Expansion** ; dilatation, distension ; élongation [MÉD.]. – Débordement, déversement, épanchement. – **Diffusion,** propagation. – Irradiation.

2 PHYSIOL. : décontraction, relâchement.

3 Développement, **extension** ; augmentation de volume, prise de volume. – **Agrandissement,** allongement, boursouflage, détente *(détente d'un gaz)* [PHYS.], élargissement, étirement, gonflement, grandissement [sout.], **grossissement 351,** prolongement.

4 **Augmentation 56,** croissance, **essor** ; éruption, explosion *(explosion démographique)* ; boom ; progression.

5 Empiétement ; annexion, envahissement, **invasion 50.** – Accrue [SYLV.].

6 **Ampleur,** envergure, **importance 384.**

7 Bouffissure, enflure ; **renflement.** – Œdème [PATHOL.] **482.**

8 **Élasticité 259,** expansibilité. – PHYS. : dilatabilité ; coefficient de dilatation ; dilatométrie ; loi de Boyle-Mariotte ; loi de Gay-Lussac.

9 Colonialisme **694,** expansionnisme.

10 Dilatateur [CHIR.]. – Dilatomètre.

V. 11 Décomprimer, décontracter ; déplier, **déployer,** détendre, **étendre,** étirer. – Boursoufler, **dilater,** distendre **470,** gonfler. – Accroître, agrandir, allonger, **élargir** ; augmenter, développer ; amplifier.

12 Augmenter ; **s'accroître,** s'épandre **56** ; croître ; enfler ou s'enfler, gonfler, **grandir,** grossir. – Prendre de l'envergure, prendre de l'expansion, prendre de l'extension ; **prendre de l'ampleur,** prendre du volume.

Adj. 13 Expansé [TECHN.] ; boursouflé, **enflé,** gonflé. – MÉD. : tumescent, turgescent.

14 Étirable ; dilatable, ductile, expansible ; **élastique** ; gonflable.

15 **En plein boom,** en pleine expansion, en pleine extension.

16 Extenseur ; dilatateur [ANAT.]. – Gonflant [CHIM.].

299 EXPIATION

N. 1 **Expiation,** réparation. – Attrition, contrition ; **regret 697,** remords, repentance [litt.], **repentir** ; honte **367.** – Autocritique, examen de conscience ; confesse [vieilli], **confession,** *confiteor* (lat., « je confesse »). – Macérations [litt.], mortifications ; abstinence **810,** jeûne ; cilice [vx].

2 **Pénitence** ou satisfaction [THÉOL.] ; châtiment **144,** correction, punition, sanction.

3 RELIG. : fête de l'Expiation ou des Expiations ; Yom Kippour (hébr., « le jour du Grand Pardon ») ; Carême. – Sacrifice de la Croix [THÉOL.].

4 Autel expiatoire. – Purgatoire [RELIG.].

5 **Pénitent** *(un pénitent)* ; bouc émissaire, victime expiatoire ; fam. : fusible, lampiste. – Confesseur.

V. 6 **Expier,** payer, racheter. – **Demander pardon** ; faire amende honorable.

7 **Confesser** ; battre sa coulpe [litt.], dire son peccavi [vieilli], venir ou amener à résipiscence [litt.] ; regretter **697, se repentir** ; avoir honte. – Faire abstinence, jeûner ; aller à Canossa [allus. hist.]. – Se racheter, se rattraper ; se laver de ; se convertir. – Se mortifier ; porter sa croix.

Adj. 8 **Expiatoire** ; expiateur [vx], piaculaire [didact.], satisfactoire [THÉOL.] ; **compensatoire,** réparatoire.

9 Contrit, honteux **367, repentant.**

10 Excusable, rémissible ; expiable. – Inexcusable, irrémissible ; inexpiable [litt.].

Prép. 11 En expiation de.

300 EXTÉRIEUR

N. 1 **Extérieur** *(l'extérieur)* ; **dehors** *(le dehors).*

2 Bord, bout, contour, enveloppe **727.1,** extrémité ; appendice, débordement, prolongement. – Périphérie **77.3,** pourtour ; faubourg **845,** boulevard extérieur, porte extérieure, quartier extérieur. – **Monde extérieur.** – Ténèbres extérieures.

3 Apparence extérieure, **physique** *(le physique)* ; air, allure, **apparence 323.4,** façade [fig.], mine, paraître *(le paraître),* semblance [vx]. – For extérieur ou externe [vx] **451.**

4 Expression [vx], extirpation, extraction **301.** – Extravasion ou, rare, extravasement, transvasement ; extroversion.

5 Exception, **exclusion 295.** – Exportation, extradition **288.**

6 Émergement, émergence, émersion, éruption **258** ; écoulement, émission, excrétion ; exhalaison, expiration. – Extériorisation.

7 PSYCHOL. : extraversion, extrospection.

8 Étranger *(un étranger)* **288.** – Externe *(un externe).*

V. 9 Émettre, excréter **296** ; exhaler, expirer. – **Extérioriser.** – **Expulser 582** ; excommunier, exiler, extrader.

10 Exprimer, extirper, extraire. – **Exclure 295.**

11 **Être hors de** ; sortir de. – Sortir du champ.

12 Aller dehors, sortir **783.**

13 S'affirmer, s'extérioriser. – Se faire jour, se manifester **34.7,** se montrer. – Prov. : L'habit ne fait pas le moine ; Il ne faut pas juger l'arbre par l'écorce.

Adj. 14 **Extérieur, externe,** extrinsèque ; adventice [PHILOS.] ; extériorisé. – Superficiel. – **À l'écart,** excentrique, périphérique. – Hors d'atteinte, hors de portée ; hors champ.

15 Exogène (opposé à endogène) [didact.].

Adv. 16 À l'air, à l'air libre, à la belle étoile, **à l'extérieur,** en plein air ; extérieurement, vu de l'extérieur. – En extérieur [CIN.]. – Au-dehors, dehors. – Superficiellement.

17 À l'écart, au large [fig.], au-delà, loin **232,** par-dehors. – À côté.

Prép. 18 **À l'extérieur de,** au-dehors de ; au-delà de. – Extra-muros, hors les murs. – En dehors de, fors [vx], hormis, hors de ; hors de là. – Sorti de là [fam.].

Int. 19 Dehors ! Oust ! [fam.]. – *Raus !* (all., « dehors ! »).

Aff. 20 Ect-, ecto-, **ex-,** exo-, extéro-, **extra-, hors-** ; trans-, ultra-.

301 EXTRACTION

N. 1 **Extraction** ; **arrachage,** arrachement, éradication, extirpation ; expression [sout. ou TECHN.], exprimage [TEXT.]. – Retrait ; tirage *(tirage au sort)* ; litt. : distraction, soustraction.

2 Carottage, **forage,** sondage. – Dénoyautage, énucléation [didact.]. – CHIR. : **ablation 114,** extraction.

3 **Dégagement,** désincarcération ; désincrustation. – Déterrage ou déterrement, exhumation ; fouille, mise au jour ; repêchage. – Dépotage ou dépotement ; déplantage, **déracinement.**

4 **Extrait** *(extrait de parfum)* ; essence **594.** – Carotte, échantillon **324,** fragment **597,** prélèvement. – Extrait, morceau choisi **723.**

5 TECHN. : extracteur ; arrache-clou, attrape, dérivoire ; désincrustant *(un désincrustant).* – AGRIC. : arracheuse, extirpateur. – CHIR. : forceps ou, vx, fers, **pince.**

6 Presse-agrumes **848,** presse-citron, presse-fruits, presse-viande, pressoir. – Extractif *(un extractif)* [CHIM., anc.].

7 **Tire-** + n. désignant ce qui est tiré. – Tire-comédon, tire-lait, tire-nerf, tire-veine ou, anglic., stripper. – Tire-botte ; tire-bouton [anc.] ; tire-bonde, tire-bouchon ; tire-cale ; tire-clou. – TECHN. : tire-crins, tire-dent, tire-fil, tire-point ; tire-braise. – Tire-cartouche, tire-douille ; anc. : tire-balle ou tire-balles, tire-bourre.

8 Arracheur. – Abstracteur de quintessence [ALCH.].

V. 9 **Extraire** ; épreindre [vx], exprimer, faire sortir **783,** sortir qqch de, vider qqch de. – **Arracher,** éradiquer, extirper ; énucléer *(énucléer une tumeur)* [CHIR.]. – Dénoyauter, énucléer *(énucléer un fruit).*

10 **Enlever,** ôter, retirer, virer [fam.] ; détacher ; **prendre 869,** reprendre ; sout. : distraire, soustraire. – Carotter [TECHN.], prélever ; ponctionner. – Débourrer.

11 **Dégager,** désincarcérer ; dégainer. – Déterrer, exhumer ; mettre au jour ; repêcher. – Déplanter, déraciner ; dépoter.

12 S'extraire, **sortir 783.** – S'arracher de, se dégager de.

Adj. 13 **Extrait de,** tiré de ; extractif [PHARM.]. – Arraché, extirpé. – Déraciné.

14 **Extractif** *(industries extractives)* [didact.] ; évulsif [CHIR.].

15 Extractible, extirpable.

Adv. 16 Dehors, en dehors.

Prép. 17 Hors de.

Aff. 18 É-, ex-, extra- ; -ectomie, -érèse.

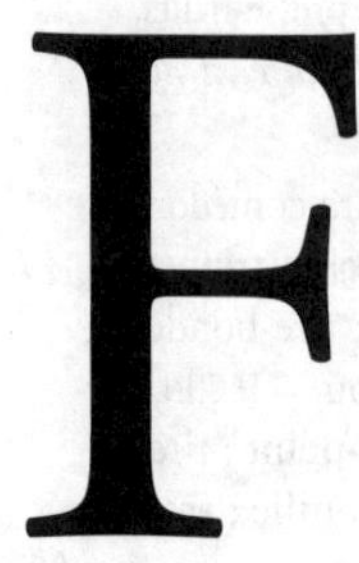

302 FACILITÉ

N. 1 **Facilité,** simplicité **767.**

2 **Clarté,** évidence **99,** intelligibilité **425.**

3 **Agrément,** avantage **847,** commodité, confort, maniabilité. – Convivialité [INFORM.].

4 **Aisance,** grâce, naturel, spontanéité ; décontraction, désinvolture ; agilité, fluidité, souplesse ; adresse **10,** habileté ; **intelligence 424,** vivacité ; brio, maestria.

5 **Affabilité,** amabilité **163,** aménité. – Indulgence, souplesse, tolérance. – Complaisance, condescendance. – Légèreté.

6 **Faiblesse** ; crédulité, naïveté.

7 Facilité [absolt] ; **don,** prédisposition, talent **10.** – Facilité à (ou : de, pour) ; aptitude, faculté. – **Inclination,** penchant, propension, tendance. – Capacités, dispositions, moyens ; étoffe.

8 Facilité à + inf., facilité de + n. *(facilité à parler ; facilité de parole)* ; éloquence **264,** faconde.

9 Facilité ou **facilités.** – Aide **19,** appui, secours ; pont aux ânes [fam.]. – Moyen, occasion **571,** **possibilité** ; latitude, liberté ; marge. – Avoir toutes facilités pour.

10 **Commodités,** facilités ; arrangement, concession. – Facilités de paiement, facilités de caisse ; crédit, délai.

11 Facilité [litt.], paresse. – Solution de facilité. – Loi du moindre effort.

12 Facilitation.

V. 13 **Faciliter** ; aider **19,** appuyer, pistonner [fam.], recommander. – Mâcher, mâcher le travail ; frayer le chemin, guider ; favoriser ; concourir à, contribuer à, permettre de. – Mettre à l'aise.

14 Aplanir, arranger, préparer **649.**

15 Clarifier, débrouiller, éclairer ; **simplifier 767,** vulgariser.

16 Se laisser aller à la facilité ; suivre sa pente.

17 **Ce n'est pas une affaire,** ce n'est rien ; c'est l'affaire d'un instant ; ce n'est pas la mer à boire [fam.]. – C'est un jeu, c'est un jeu d'enfant. – Fam. : ça se fait tout seul, ça va tout seul, c'est du billard, c'est du gâteau, c'est du nanan [vieilli], c'est du nougat, c'est du tout cuit. – Fam. : ce n'est pas la mort d'un homme ou ce n'est pas la mort.

Adj. 18 **Facile** ; aisé, élémentaire, enfantin, simple **767** ; fastoche [fam.]. – Facile comme bonjour [fam.], facile comme tout.

19 Clair, clair comme de l'eau de roche, évident **99.8,** limpide. – **À la portée de tous** (ou, fam. : du premier venu, du premier imbécile venu), compréhensible, intelligible **425.14.**

20 **Commode,** confortable, pratique, maniable.

21 Litt. : coulant, fluide.

22 Péj. : facile, léger ; banal **630,** courant, vulgaire.

23 **Facile à vivre** ; affable **163,** serviable **19,** sociable **772** ; docile, doux **76,** tendre. – Abordable, accessible, accueillant.

24 Accommodant, arrangeant, conciliant, souple, traitable. – Indulgent, tolérant ; complaisant, laxiste. – Fam. : coulant, cool [anglic.]. – Péj. : facile [vx], faible ; débonnaire ; malléable. – Facile *(une femme, une fille facile).*

25 Facile *(un esprit facile)* [vieilli], habile, **intelligent 424,** vif **684** ; facile à la détente [fam.].

Adv. 26 **Facilement** ; aisément, commodément ; sans effort, sans peine ; en douceur, en souplesse ;

comme qui s'amuse [fam.], **en se jouant** ; comme par enchantement, comme par magie. – Fam. : les doigts dans le nez, dans un fauteuil ; comme dans du beurre, comme sur des roulettes.

27 Sans faire de difficultés, sans se faire prier, volontiers.

28 En un tour de main **684,** en deux coups de cuillère à pot [fam.].

29 Haut la main, largement.

30 Fam. – Comme du petit-lait, comme des petits pains.

Prép. 31 À portée de ; à la portée de.

Int. 32 Facile ! Fam. : **fastoche !** À l'aise ! À l'aise, Blaise ! – Élémentaire, mon cher Watson ! [allus. litt., par plais.].

303 FAIBLESSE

N. 1 **Faiblesse** *(la faiblesse)* ; délicatesse, fragilité, gracilité ; débilité, imbécillité [vx]. – **Impuissance,** vulnérabilité.

2 Épuisement, **fatigue,** langueur, lassitude. – Abattement, **accablement,** découragement ; dépression, flanchage [fam.]. – Alanguissement, amollissement, mollesse. – Apathie, inertie, prostration ; atonie. – MÉD. : aboulie, adynamie. – MÉD. : anémie **482,** asthénie ; consomption, marasme ; vx : chlorose, étisie.

3 Défaillance, déficience ; étourdissement, **évanouissement,** pâmoison, syncope.

4 **Affaiblissement,** débilitation, fragilisation.

5 Constitution délicate, faiblesse de constitution.

6 **Faible** *(le faible, un faible).* – Avorton, criquet [vx], freluquet, **gringalet,** mauviette, mazette, petite nature ; flanchard [fam.], flancheur [rare]. – La veuve et l'orphelin, le sexe faible ; colosse aux pieds d'argile ; faible mortel.

7 **Faiblesse** *(une faiblesse)* ; côté ou point faible, talon d'Achille.

V. 8 **Faiblir** ; diminuer. – S'affaiblir ; s'alanguir.

9 Avoir du sang de navet [fam.], avoir le sang pauvre ; **ne pas avoir de sang dans les veines** [fam.]. – N'avoir que le souffle. – Ne tenir qu'à un fil.

10 Avoir du plomb dans l'aile, en avoir dans l'aile, battre de l'aile. – Être tombé bien bas, n'être plus que l'ombre de soi-même, n'être plus que le fantôme de soi-même ; avoir épuisé ses munitions ou ses réserves. – Ne pas pouvoir lever le petit doigt, ne pas tenir debout ou sur ses jambes. – **Se traîner** ; ne pas avoir de force, la force de.

11 Avoir les jambes qui se dérobent, flageoler, **tituber,** vaciller ; fam. : avoir les jambes en coton, avoir les jambes pâles ; n'avoir plus de jambes. – Se sentir comme du beurre, se sentir tout chose.

12 Défaillir ; avoir ses vapeurs [par plais.], avoir une faiblesse, être pris de faiblesse, tomber dans les pommes [fam.], tomber en faiblesse, tomber en syncope. – S'évanouir ; s'affaisser.

13 Craquer, flancher [fam.] ; déprimer. – Être au trente-sixième dessous, toucher le fond. – N'en pouvoir plus ; n'en pouvoir mais.

14 Avoir le dessous **180.**

15 Ne pas donner cher de qqn. – Il ne passera pas l'hiver ou l'année [fam.].

16 Débiliter, fragiliser ; épuiser, essouffler, exténuer, **fatiguer** ; pomper l'énergie (ou : la moelle, le sang), vampiriser [fam.]. – Étourdir. – Amollir, aveulir. – Abattre, anéantir.

Adj. 17 **Faible** ; fam. : faiblard, faiblet, faiblot. – Délicat, fragile ; maladif, souffreteux. – Sénile **863.15.** – Débile, déficient, imbécile [vx].

18 **Chétif,** frêle, grêle, malingre, menu, minable ; litt. : fluet, gracile. – **Maigre,** maigrelet, maigrichon, maigriot. – Décharné, efflanqué.

19 Blèche [vx], défait, mal-en-point, patraque. – Défaillant, faiblissant. – Branlant, chancelant, croulant, flageolant, impotent, **titubant,** vacillant. – À bout ; à bout de forces, **au bout du rouleau,** en bout de course.

20 Alangui, avachi, **bas,** flasque, inerte, languissant, mollasson, **mou,** ramolli [fam.]. – MÉD. : aboulique, **apathique.**

21 Brisé, courbatu, courbaturé, échiné, épuisé, éreinté, **fatigué,** fourbu, halbrené [vx], harassé, las, mort [fig.], moulu, recru de fatigue, rendu, rompu, roué, surmené. – Fam. : claqué, **crevé,** esquinté, flagada, flapi, H. S. (hors service), pompé, raplapla, vanné, vaseux, vidé ; sur les genoux. – Fortrait [vx].

22 Attaquable, désarmé, hors d'état de nuire, **impuissant,** sans défense, vulnérable.

23 Affaiblissant, fatigant. – Amaigrissant, anémiant.

Adv. 24 Faiblement ; doucement, mollement. – Débilement.

25 À peine, légèrement, **peu,** vaguement.

304 FAMILLE

N. 1 **Famille** ; cellule familiale, famille nucléaire [SOCIOL.], famille recomposée. – **Foyer** ; feu [vx], domestique *(le domestique)* [vx], maisonnée. – Belle-famille ; famille naturelle **314.**

2 Famille monogamique, polygamique, polyandrique **491.** – Famille royale, grande famille. – Famille tuyau de poêle [vulg.].

3 **Parents** *(les parents),*, tuteurs légaux **59** ; vieux *(les vieux)* [fam.]. – Parents adoptifs, parents spirituels ; marraine, parrain. – Tuteur datif, tuteur de fait, tuteur testamentaire ; tuteur ad hoc, subrogé tuteur [DR.]. – Chef de famille, chef de clan, soutien de famille ; **mère de famille 506,** mère au foyer ; **père de famille 609.** – **Proches** *(les proches),* siens *(les siens).*

4 **Enfant 270** ; enfant légitime, enfant naturel ; enfant adoptif, pupille. – Enfant unique, enfant gâté. – **Jumeaux** ; besson ; triplés, quadruplés, quintuplés ; siamois *(frère siamois, sœur siamoise).* – Premier-né, aîné ; cadet, puîné ; dernier-né, benjamin, tardillon [fam.]. – Fils ; fils de famille, fils à papa ; fils prodigue [allus. biblique]. – Fille ; fille de famille, fille à papa.

5 **Frère** ; demi-frère, frère consanguin (opposé à frère utérin), frère de lait ; fam. : frangin, frérot. – **Sœur** ; demi-sœur, sœur utérine (opposé à sœur consanguine), sœur de lait ; fam. : frangine, sœurette.

6 **Esprit de famille.** – Népotisme. – Amour filial **27** ; filialité [didact.].

7 **Famille nombreuse** ; couvée, nichée ; marmaille. – Fam. : séquelle, smala, tribu [fig. et péj.] ; clan.

8 **Foyer 481** ; bercail, chez-soi *(un chez-soi),* home [anglic.], *home, sweet home !*

9 **Air de famille,** ressemblance **719.** – **Atavisme,** hérédité **361** ; parenté. – Bon chien chasse de race [prov.].

10 ANTIQ. ROM. : **dieux domestiques** ; dieux lares **236,** pénates – Esprit ou génie familier.

11 **Familialisme** [didact.]. – Cocooning [anglic., néol.].

V. 12 **Fonder une famille,** fonder un foyer. – Élever (un enfant) ; former, éduquer **253.** – Mener une vie de famille ; vivre en famille.

Adj. 13 **Familial,** familier [vx ou litt.], des familles, patriarcal ; **parental,** tutoral ; générationnel. – Pupillaire. – Clanique, tribal. – Chargé de famille, chargé d'âmes.

14 **Atavique,** hérité ; de famille.

15 Familialiste [didact.]. – Népotique.

Adv. 16 **Familialement,** familièrement [litt.], patriarcalement [litt.].

305 FATALITÉ

N. 1 **Fatalité** ; destin. – Destinée, lot [litt.], sort. – Détermination ; prédestination, prédétermination.

2 **Destination** ; mission **213,** vocation ; appel du ciel, appel du destin.

3 Anankê [MYTH. GR.], fatum [MYTH. LAT.]. – Providence [RELIG.] ; étoile, fortune. – **Arrêt du destin,** décret de la Providence, ordre du ciel ; caprices de la fortune. – Le grand livre du destin ; la roue de la Fortune ; la loterie du sort. – Le doigt de Dieu, la main du destin, la main de la Providence.

4 MYTH. GR. : Némésis, Tyché ; Fortune [MYTH. ROM.] **236** ; Enlil [Mésopotamie] – Les Moires, les Parques. – Dame Fortune.

5 Oiseau de bon ou de mauvais augure. – Intersigne, présage **235,** signe avant-coureur.

6 Déterminisme, fatalisme. – Providentialisme [didact.].

V. 7 **Destiner** ; prédestiner [cour., RELIG.], **prédéterminer.** – Appeler, élire, vouer.

8 Être gouverné par son destin, suivre son destin. – Faire contre mauvaise fortune bon cœur. – Forcer le destin. – Jouer à pile ou face, tirer au sort.

9 **Être né sous une bonne étoile** ; fam. : avoir la baraka, être né coiffé. – Avoir de la chance (ou, fam. : du pot, de la veine) **670.** – Être promis aux plus hautes destinées.

10 Être né sous une mauvaise étoile **11** ; **jouer de malchance.** – Fam. : avoir la cerise (ou : la guigne, le mauvais œil, la poisse, la scoumoune).

11 C'est écrit ; c'était écrit ; *mektoub* [ar., même sens] ; on n'échappe pas à son destin. – Les chemins de la Providence sont impénétrables, les voies du Seigneur sont impénétrables.

Adj. 12 **Fatal,** fatidique ; destinal [didact.], providentiel. – Immanquable, inéluctable, inévitable.

Adv. 13 **Fatalement,** inéluctablement, inexorablement. – Providentiellement.

Int. 14 À Dieu vat, **à la grâce de Dieu,** *inch Allah !* [ar.]. – *Alea jacta est* (lat., « le sort en est jeté »).

306 FEMME

N. 1 **Femme.** – Les femmes ; les filles d'Ève, la gent féminine [vieilli], le deuxième sexe [allus. litt.], le sexe féminin ; le beau sexe [vieilli, fam.], le sexe faible [vieilli, fam.], le sexe [vx]. – **L'éternel féminin.**

2 **Madame** (abrév. : Mme) ; dame [vieilli] ; *doña* [esp.], *donna* [ital.], *lady* [angl.]. – **Mademoiselle** (abrév. : Mlle), mam'zelle [pop.], *miss* [anglic., fam.].

3 **Fille,** fillette **270, jeune fille 445** ; bachelette [vx], donzelle [fam.], jouvencelle [vx ou par plais.], tendron [vieilli ou par plais.]. – Arg. : cajole, gavalie, girèle, loute, pépée, vergne [vx] ; gosseline, louloute, **nana, nénette** ; gerce, gigolette [par plais.] ; péj. : greluche ; sexiste : marie-pisse-trois-gouttes, pisseuse ou pissouse.

4 **Femme** ; dame. – Fam. ou par plais. : **blonde,** blondinette, **brune,** brunette, rouquine, rousse. – **Beauté,** belle, mignonne ; *houri* [persan, litt.]. – Lolita, nymphette ; femme fatale, pin-up [amér.], sirène, vamp. – Femme-objet. – Arg. : bergère, môme, marquise [vx], meuf, miquette, mousmé, sœur ; caille, guêpe, poulette, souris.

5 Maîtresse femme. – **Commère, mégère,** virago ; maritorne, matrone, rombière. – Arg., péj. et souv. sexiste : bobonne, **bonne femme,** fatma [raciste], femelle (ou, par plais., fumelle), **gonzesse,** grognasse, laitue, ménesse, moukère, nénesse, polka, poule, poupée, sauterelle, typesse [vieilli], volaille. – Femme à barbe, hommasse.

6 Féministe *(une féministe).* – M. L. F. (Mouvement de libération des femmes). – Pétroleuse [HIST. et fam.] ; suffragette [HIST.].

7 **Virginité** ; pucelage [fam.] ; innocence. – Arg. : fleur de Marie, petit capital.

8 **Féminité** ; rare : féminilité ou fémilité. – Féminitude.

9 **Féminisme.**

10 **Féminisation.** – Masculinisation, virilisation.

11 Gynécologie.

12 Gynécologue ou, fam., gynéco.

13 Excision, infibulation.

V. 14 Efféminer, **féminiser.** – Masculiniser, viriliser.

15 **Avoir ses règles** ; être indisposée. – Loc. fam. : avoir ses affaires ou ses histoires ; avoir ses anglais (aussi : ses coquelicots, ses isabelles, sa lettre mensuelle, **ses lunes,** ses parents de Montrouge, ses périodes) ; les Anglais débarquent. – Ovuler.

Adj. 16 **Féminin** ; féminiforme, féminoïde. – Féminisant.

17 Nubile **491** ; pubère. – Ménopausée. – Pucelle [fam.], **vierge.**

18 Féministe. – Antiféministe ; misogyne.

Adv. 19 Fémininement [rare].

Aff. 20 Gyné- ; colpo-, hystéro-, salpingo- ; -gyne.

307 FER

N. 1 **Fer** (symb. Fe) ; minerai de fer ; minette. – Ferrugineux *(les ferrugineux),* métal ferreux ; acier, fonte.

2 **Ferruginosité.** – Ferrimagnétisme, ferromagnétisme ; ferroélectricité. – **Aimant 478,** électroaimant ; armure. – Ferrofluide [CHIM.].

3 MÉTALL. : fer aluminothermique, **fer Armco,** fer électrolytique, fer de Suède. – Fer coulé, fer fondu, **fer forgé** ; fer puddlé, fer rouverin ; fer-blanc.

4 MINÉR. – Fer arsenical ou mispickel. – Chromite ou fer chromé, ilmérite ou fer titané, limonite ou fer limoneux, **sidérite** (ou : fer carbonaté, fer spathique, sidérose) ; fer des Marais, fer météorique. – Oxyde de fer (ou : fer spéculaire, fer micacé) ; oxyde hydraté naturel de fer ou lépidocrocite.

5 CHIM., MINÉR. – Fer a ou ferrite (céramique magnétique), fer d, fer g ; oxyde ferreux, oxyde ferrique ; oxyde ferrique hydraté, **rouille** ; oxyde magnétique ou oxyde salin, pierre naturelle d'aimant ; sulfate ferreux hydraté (couperose verte, vitriol vert) ; bisulfure de fer ou pyrite naturelle. – **Hématite,** magnétite ; goethite.

6 PEINT. : oxyde de fer noir, hématite rouge ; rouge d'Espagne, rouge de Perse ; bol rouge, ocre rouge, **sanguine.**

7 CHIM. – Sel de fer ; **ferrate** ; ferricyanure ; ferrocyanure, ferroprussiate. – Ferrédoxine ; ferroprotéine. – Limaille de fer [PHARM.].

8 BIOCHIM. : ferritine, hémosidérine ; catalases, cytochromes, peroxydases ; ferriporphyrine, ferroporphyrine ; sidérophiline, transférine.

9 Alliage de fer, **ferro-alliage** ; ferro-aluminium, ferrocérium, ferrochrome, ferromanganèse, ferromolybdène, ferronickel, ferrosilicium.

10 Fer à cheval **262.** – **Fer** *(croiser le fer)* ; épée **42,** fleuret, sabre. – BÂT. : ferraillage, ferrement. – Barre de fer, barre à mine. – Fil de fer.

11 **Ferraille** ; paille de fer. – Ferraillerie [péj.].

12 Aciération ; étamage, étampage, **ferrage,** laminage, **puddlage.** – Forgeage, martelage, moirage. – Ferrage [MÉTALL.].

13 **Aciérie,** fonderie. – Armurerie, clouterie, **ferblanterie** ; quincaillerie.

14 Ferronnerie ou, vx, serrurerie **760,** métallerie ; métallurgie **510,** sidérurgie ; ferrotypie [PHOT.].

15 **Aciériste** *(un aciériste),* métallurgiste ; puddleur. – Forgeron ; maître de forges. – Ferreur, maréchal-ferrant. – Ferblantier, ferron, **ferronnier** ; quincaillier ; ferrailleur.

16 Âge du fer [PRÉHIST.].

V. 17 **Ferrer** ; sceller ; lester. – Armer [TECHN.], blinder, cuirasser.

18 **Aciérer,** étamer, galvaniser, métalliser. – Battre, cingler, corroyer, dégorger ; étamper, forger. – Braser, **souder.**

19 **Rouiller** ; se corroder, s'oxyder.

20 Il faut battre le fer pendant qu'il est chaud [prov.].

Adj. 21 **Ferré** ; ferreux, ferrugineux. – **Ferrifère.** – Ferromagnésien.

22 Ferrique. – Ferrimagnétique, ferromagnétique ; ferroélectrique. – GÉOL. : sidérolithique ou sidérolitique ; ferrallitique, latéritique. – MÉD. : ferriprive, hyposidérémique. – Ferrotypique [PHOT.].

23 TECHN. : étamé, laminé, moiré ; forgé. – Chromé, galvanisé. – Rouillé ; érugineux [vx].

24 **De fer** ; dur. – Inébranlable **248,** inflexible ; résistant.

Adv. 25 Dur comme fer *(croire à qqch dur comme fer).*

26 Durement **248,** impitoyablement ; d'une main de fer, d'une poigne de fer. – Par le fer et par le feu **865.**

Aff. 27 Ferri-, ferro-.

308 FERMETURE

N. 1 **Fermeture.** – Étanchéité, herméticité [rare]. – Clôture, conclusion, fin **315.**

2 Bonde, bouchoir [TECHN.], **bouchon,** diaphragme, obturateur, **soupape,** tampon, valve. – MAR. : nable, tape. – Commutateur, interrupteur, manette ; clapet, robinet **632.** – Couvercle. – Sceau, scellé.

3 ANAT. : anneau, sphincter. – ZOOL. : couvercle, opercule.

4 Porte **481** ; huis [vx] ; lourde [arg.] ; contre-porte [TECHN.]. – Porte à tambour ou porte-tambour ; moulinet, tourniquet. – Battant, contrevent, jalousie, mantelet [MAR.], persienne, rideau, rideau de fer, store, vantail, **volet** ; fenêtre aveugle. – Mur **67.2.**

5 Bâcle [vieilli ou TECHN.], barre. – Bobinette [vieilli], loquet. – Cadenas, **serrure 760,** targette, **verrou.** – **Clef** ; arg. : serrante, tournante.

6 Agrafe, agrape [vx], broche **70, fermoir,** fermail, fibule. – **Bouton,** bouton-pression, fermeture Éclair [nom déposé], glissière, Zip [anglic., nom déposé].

7 Bâillon, muselière, poire d'angoisse [vx] ; muselet [TECHN.]. – Barrage, barricade ; barrière **67.**

8 Fermeture annuelle, relâche. – Lock-out [anglic.].

9 Claustrophobie.

10 **Fermeture** ; bâclage [vieilli ou TECHN.], **verrouillage.** – Bouchage, obturation, **occlusion** [cour.], engorgement, obstruction, opilation [vx] ; bouchement [ARCHIT.]. – Cessation, suspension ; clôture.

V. 11 **Fermer** ; bâcler [vieilli ou TECHN.], barrer, barricader, bloquer, cadenasser, verrouiller. – **Donner un tour de clef,** fermer à clef. – Mettre les scellés.

12 Agrafer, boucler, **boutonner.** – Cacheter, sceller.

13 Bondonner, **boucher,** colmater, combler, tamponner [vx]. – Calfater, jointoyer, mastiquer, remblayer. – Aveugler, condamner, murer ; clore [litt. ou vx].

14 Bâillonner, museler. – Fam. : clouer le bec **766,** mettre un bouchon à qqn. – Fam. : fermer son caquet ou, vulg., sa gueule ; la boucler, la clouer, la fermer.

15 Condamner sa porte. – Défendre, interdire, refuser sa porte à qqn. – Fermer la porte au nez de qqn.

16 **Fermer** ; fermer boutique, baisser le rideau, faire relâche, lever la séance, mettre la clef sous la porte ; faire la fermeture.

17 Fermer un angle [OPT.], fermer une courbe [MATH.].

18 Cicatriser. – Engorger, **obstruer.** – MÉD. : oblitérer, occlure, opiler [vx] ; obturer [TECHN.].

19 Se fermer ; se renfermer, se renfrogner.

Adj. 20 **Fermé** ; abrité, aveugle. – SC. : occlusal, occlusif, occlus. – Étanche, hermétique.

309 FÊTE

N. 1 **Fête** ; cérémonie. – Souv. pl. : festivité, réjouissance ; cocagne [litt., vx]. – Fam. : bamboula [vieilli], bringue, fiesta, foire, java, noce, nouba, teuf, vie. – Arg. : bombe, foiridon, foiridondaine, ribouldingue, riboule.

2 **Fêtes** *(les fêtes)*. – Fête religieuse **310** ; fête patronale. – Fête d'obligation. – Fête laïque ; fête nationale, fête officielle ; fête du pays, fête de village.

3 **Commémoration,** fête commémorative. – Jour de l'An (ou : premier de l'An, 1er Janvier) ; 1er Mai (fête du Travail). – Bicentenaire, centenaire, cinquantenaire, jubilé.

4 **Anniversaire** ; anniversaire de mariage, anniversaire de naissance. – Fête.

5 Fête foraine, foire, kermesse. – Région. : ducasse, fest-noz, festo majou, frairie, vogue. – Bal musette, bal populaire.

6 **Fête sportive.** – Carrousel [SPORTS], course, fantasia, fête aérienne, joute, match, régate [souv. pl.], tournoi.

7 **Cortège,** défilé ; corso fleuri, défilé de chars. – Revue, revue militaire. – RELIG. : pèlerinage, **procession** ; région. : grand pardon, pardon. – Retraite aux flambeaux.

8 Réception **368,** réunion. – Matinée ; soirée, raout [vieilli].

9 Banquet, **festin 703** ; réveillon. – Orgie, ripaille **342.** – Fig. : bacchanale, saturnale. – Crémaillère *(pendaison de crémaillère)*.

10 **Garden-party** [anglic.]. – Partie de campagne, pique-nique. – Fête galante [HIST.].

11 **Bal,** soirée dansante ; redoute [vx], sauterie [vieilli], surprise-partie ou surprise-party [anglic.]. – Fam. : boum, surboum, surpatte [vieilli] ; arg. : pince-fesses. – Rave. – Bal costumé (ou : déguisé, masqué, paré, travesti), bal de têtes ; carnaval, mascarade, veglione [ital., vx]. – Bal blanc [vx].

12 **Feu d'artifice,** feu de joie ; feu de la Saint-Jean. – Confetti, guirlande, lampion, serpentin. – Mât de cocagne.

13 **Salle des fêtes.** – Salle de bal ; redoute [vx].

14 Comité des fêtes. – Ordonnateur, organisateur.

15 Fêteur *(un fêteur)* [rare] ; fam. : bambochard *(un bambochard)* ou bambocheur *(un bambocheur)*, bringueur *(un bringueur)*, cascadeur *(un cascadeur)* [vieilli], **fêtard** *(un fêtard)*, fêteux *(un fêteux)*, jouisseur *(un jouisseur)*, noceur *(un noceur)*, teufeur *(un teufeur)*, viveur *(un viveur)*.

16 **Trouble-fête** *(un trouble-fête)* **836.** – Fam. : éteignoir *(un éteignoir)*, rabat-joie *(un rabat-joie)*.

V. 17 **Fêter** ; célébrer, commémorer, solenniser. – Arroser un évènement [fam.].

18 **Faire la fête** ; fam. : faire la foire (ou : la java, la noce). – Faire carnaval ou le carnaval [vx].

19 Courir les bals ; courir la prétentaine. – Fam. : bringuer, **faire la bringue.**

20 Convier, **inviter,** recevoir. – Festoyer [vx], régaler, traiter [litt.]. – Pendre la crémaillère **481.**

21 Fêter qqn ; faire fête à qqn.

22 Être de fête, **être de la fête.** – Être en fête [fig.]. – Ne pas être à la fête.

23 Se faire de fête [vx] **226.**

24 Se faire une fête, se réjouir **447.**

Adj. 25 Festif [didact.] ; festival [vx].

26 Fêtable.

27 De fête *(air de fête, jour de fête)*.

Int. 28 Bonne fête ! Joyeuse fête !

310 FÊTES RELIGIEUSES

N. 1 **Fêtes religieuses.** – Fêtes calendaires, fêtes mobiles ; fêtes occurrentes. – Cycle liturgique.

2 Jours fastes (opposés à jours néfastes). – Jour férié ; férie [ANTIQ. ROM.]

3 Fêtes chrétiennes **117.** – Avent, Noël ou Nativité, Épiphanie. – Cendres ; mardi gras, jeudi gras, dimanche gras ; carême, mi-carême. – **Semaine sainte** ; fête des Rameaux, triduum pascal (jeudi saint, vendredi saint, samedi saint), Pâques ; Ascension, Pentecôte ; Quinquagésime ; fête de la Sainte-Trinité, fête du Saint-Sacrement (en France : Fête-Dieu), Sacré-Cœur. – Toussaint ; fête des Morts (ou : commémoraison des défunts, fête des Trépassés, jour des Morts). – Jour du Seigneur (dimanche).

4 Fêtes catholiques. – Présentation, Purification ; Annonciation, Visitation ; Immaculée Conception, Assomption de Notre-Dame, Dormition [vx]. – Fêtes des saints.

5 Fêtes juives **449.** – Pourim (fête d'Esther), Pessah (la Pâque), Shabouot (Pentecôte ou fête des Semaines), Rosh ha-Shana (Nouvel An), Yom Kippour (Grand Pardon), Soukkot (fête des Cabanes ou des Tabernacles), Hanoukka (Dédicace ou fête des Lumières). – Parascève, **Sabbat** ou Shabbat.

6 Fêtes islamiques **440.** – Aïd-el-Fitr ou Aïd-el-Séghir (fin du jeûne [Petite Fête]), Aïd-el-Kébir ou Aïd-el-Adha (sacrifice du mouton [Grande Fête]), Achoura ou Achura (jeûne expiatoire), Mouloud ou Laylat al-Mawlid al-Nabi (naissance du Prophète), Laylat al-miradj (ascension du Prophète) ; Laylat al-qadr (nuit du Destin), Ras al-Am (Nouvel An).

7 Fêtes hindoues **362.** – Dasahara (fête de la mousson), Divali, Holi (pleine lune de février), Kumbha Mela.

8 Fêtes de l'Antiquité romaine et grecque. – Ludi augustales, upercalia, saturnalia ; féralies, parentales ou parentalies ; lémuries ; lectisternes. – Adonis **236 :** adonies. – Aphrodite : aphrodisies. – Apollon : délies, gymnopédies, jeux pythiques (ou : pythiens, panhelléniques). – Artémis : artémésies, éphésies, élaphébolies. – Athéna : panathénées. – Bacchus : bacchanales. – Cybèle : mégalésies. – Déméter : éleusinies, thesmophories ; orgies. – Dionysos : anthestéries, dionysies, mystères dionysiaques ; cômos. – Faunus : lupercales. – Flore : floralies. – Jupiter : ludi capitoli, ludi magni, ludi romani. – Priape : priapées. – Saturne : saturnales. – Vesta : vestalies. – **Mystères** (mystères de Cybèle, d'Éleusis, d'Isis, de Mithra).

9 Ménologe ; hagiographie. – Calendrier liturgique ; oro, temporal.

311 FEU

N. 1 **Feu** *(le feu)* ; combustion **327,** ignition ; ignescence [litt.] ; incandescence ; chaleur **102.** – Principe igné [ALCH.].

2 **Inflammation** ; embrasement, mise à feu. – Brûlage, brûlement [rare] ; flambage, grillage [TECHN.]. – Brûlure, calcination. – Crémation, incinération.

3 **Feu** *(un feu)* ; feu de cheminée, flambée ; régalade [région.]. – Feu de camp ; feu de joie ; feux de la Saint-Jean. – **Cheminée** ; âtre ; brasero. – Brasier, bûcher, fournaise.

4 **Flamme,** flammèche ; langue de feu ; étincelle. – Braise, brandon, tison. – Bûche ; bourrée [région.] ; petit bois, fagot.

5 **Feu ; incendie** ; conflagration [vx]. – Feu de + n. ; feu de broussailles, feu de landes ; feu de prairie ; feu de brousse ; feu de forêt. – Feu de cheminée. – Foyer d'incendie. – Contre-feu. – Brûlis ; écobuage. – Politique de la terre brûlée [HIST. et fig.]. – Brûlot ; feu grégeois.

6 **Feu ; lumière 473.** – Feux de la rampe [fig.] **748.** – MAR. : feu, phare ; feu fixe, feu à éclats, feu à occultations ; feu d'atterrissage. – Feu d'artifice ; feu de Bengale ; feu japonais.

7 Pierre à feu ou silex ; amadou, pierre à briquet, pierre à fusil. – Allumette ; allume-feu. – Extincteur.

8 **Feu ; arme à feu 43,** coup de feu **820.** – Feu roulant, feu de peloton. – Ligne de feu. – Baptême du feu.

9 **Feu du ciel** [litt.] ; éclair, foudre. – Feu Saint-Elme. – Feu follet, flammerole [litt.], furole [région.].

10 Feu éternel, flammes de l'enfer **271.** – Empyrée [ANTIQ.]. – Buisson ardent [all. bibl.] ; langues de feu *(langues de feu de la Pentecôte).*

11 Feu central [GÉOPHYS., vieilli].

12 Épreuve du feu ; **ordalie,** jugement de Dieu ; fer-chaud ou fer ardent [HIST.] ; supplice du feu ; bûcher **801** ; autodafé. – Holocauste.

13 Arts du feu : céramique, faïence, poterie, porcelaine, verrerie **855.** – Signes de feu *(Bélier, Lion, Sagittaire)* [ASTROL.].

14 RELIG. : Azer ou Atar ; **mazdéisme,** zoroastrisme ; mazdéiste *(un mazdéiste),* zoroastrien *(un zoroastrien).* – ANTIQ. : Pluton ou Hadès **236** ; Vulcain ou Héphaïstos ; Vesta ; **Prométhée.** – Forge de Vulcain. – Vestale ; feu sacré.

15 **Pyromancie 235** ; empyromancie. – Pyromancien.

16 **Sapeur-pompier** ; soldat du feu. – Pyrotechnie ; pyrotechnicien, artificier.

17 Pyromanie ou monomanie incendiaire. – Pyromane ; incendiaire *(un incendiaire).*

18 SC. – Théorie du phlogistique [anc.]. – Plutonisme [GÉOL.]. – Pyrométrie.

19 MÉD. : cautère, moxa, **pointe de feu.**

20 **Cracheur de feu.**

V. 21 **Prendre feu** ; s'enflammer ; être la proie des flammes. – **Brûler,** flamber ; se consumer, se réduire en fumée. – Calciner, carboniser, cramer [fam.]. – Griller, rôtir.

22 **Incendier** ; allumer un feu, mettre le feu ; embraser ; enfumer.

23 Activer, **attiser,** tisonner.

24 **Crépiter,** grésiller ; couver. – Dévorer, lécher, ravager.

25 Condamner au bûcher, livrer aux flammes.

26 Être comme un feu follet, être tout feu tout flamme ; péter le feu [fam.]. – Faire feu de tout bois. – **Être dans le feu de l'action** ; faire le coup de feu. – Être sous le feu des projecteurs ; brûler les planches. – Se griller [fam.].

27 Essuyer un feu roulant (de questions, de lazzis, etc.). – Être entre deux feux. – Ouvrir le feu. – Jeter (ou verser) de l'huile sur le feu, mettre le feu aux poudres, mettre le feu aux étoupes. – Mettre à feu et à sang **865.**

28 **Jouer avec le feu.** – Se brûler les ailes, se brûler les doigts. – Faire la part du feu. – Tirer les marrons du feu. – Prov. : il n'y a pas de fumée sans feu ; bois tortu fait le feu droit ; faute de bois le feu s'éteint.

Adj. 29 **Igné, de feu.** – Enflammé, ignescent, **incandescent.** – Ignifère. – Ignivome [rare].

30 **Inflammable.** – SC. : pyrophore, pyrophorique ; pyrophane. – Crématoire **331.**

31 Ininflammable ; **ignifugé** ; apyre. – Ignifugeant [TECHN.]. – Pare-feu. – Pyrofuge [rare].

32 Brûlé, cramé [fam.], roussi. – Incendié.

33 Incendiaire. – Fumigène.

34 RELIG. – **Ignicole** ; pyrolâtre. – Zoroastrien.

Aff. 35 Igni-, pyro-.

312 FIERTÉ

N. 1 **Fierté.** – Contentement ou estime de soi, satisfaction ; amour-propre, autosatisfaction. – Orgueil, vanité ; immodestie, mégalomanie **321.** – Orgueillite [litt., rare].

2 Suffisance ; arrogance, **hauteur,** morgue, superbe. – Froideur, raideur **248** ; réserve. – Mépris **50.**

3 Gloriole, vaine gloire. – Folie des grandeurs.

4 **Titre de gloire 341.** – Fleuron [fig.], gloire de, honneur de, ornement.

5 Sout., vieilli : glorieux *(un glorieux),* superbe *(un superbe).* – Orgueilleux *(un orgueilleux).* – Fier-à-bras *(un fier-à-bras).*

V. 6 Tirer gloire de ; s'enorgueillir, se glorifier de. – **Être la fierté** ou **l'honneur de,** faire la fierté ou la gloire de ; enorgueillir. – Se faire gloire de ; se flatter de, se prévaloir de, se targuer de.

7 Lever la crête, **porter haut le front,** relever la tête ; regarder de haut. – Se dresser sur ses ergots, monter sur ses grands chevaux ; se draper dans sa dignité. – Loc. prov. : Le roi n'est pas son cousin [fam.] ; Avoir le cœur haut et la fortune basse.

8 Faire le fier ; faire le coq [fam.]. – Bomber la poitrine ou le torse ; se gonfler, se rengorger. – Ceindre son front de laurier. – Boire du petit lait ; rougir d'aise.

9 Monter ou tourner à la tête.

Adj. 10 **Fier,** fier comme Artaban (ou, fam. : un coq, un Écossais, un paon, un pou). – **Digne,** glorieux [litt.], noble ; litt. : altier, léonin ; accrêté [vx], hautain, majestueux, superbe. – Conquérant ; triomphant, triomphateur, victorieux. – **Entier.**

11 Bouffi ou enflé d'orgueil, **orgueilleux** ; immodeste. – Fiérot, glorieux ; vaniteux. – Arrogant, suffisant ; dédaigneux, distant. – Insolent.

12 Fier de. – Comblé, content, satisfait.

Adv. 13 **Fièrement** ; crânement [fam.], orgueilleusement. – Dignement.

313 FIGURES DE DISCOURS

N. 1 **Figures de discours** ou figures, **procédés littéraires** ; figures de construction, figures de diction, figures d'élocution (ou : figures de mots, **tropes**) ; figures de pensée ou de style. – Langage figuré, langage imagé, symbolisme ; analogie ; sens figuré. – Figuratique *(la figuratique),* rhétorique littéraire **729.**

2 **Figures de diction.** – Altération, métaplasme ; par adjonction : épenthèse, paragoge, prosthèse ou, vx, prothèse ; par retranchement : aphérèse, apocope, haplologie, syncope ou contraction ; par interversion : contrepèterie, métathèse. – Allitération, assonance, répétition ou réduplication, paronomase ; diérèse (opposé à synérèse) ; crase. – Invention ou forgerie **414.** – Calembour **24.**

3 **Figures de construction.** – Anacoluthe, anaphore, anastrophe, apposition, asyndète (ou : abruption, disjonction, parataxe), chiasme (ou : réversion, opposition), conjonction ou polysyndète, ellipse, explétion, énallage, hendiadys (ou : hendiadis, hendiadyin), hyperbate ou inversion, incidence, pléonasme, réduplication, syllepse ou synthèse, tautologie, tmèse, zeugma. – Attraction, imitation ou idiotisme ; anglicisme, archaïsme, néologisme, etc. – Antanaclase, paronymie, synonymie.

4 **Tropes,** figures de mots ; figures d'usage, figures d'invention. – Allégorie (ou : allégorisme, mythologisme), allusion ou citation, antiphrase ou ironie, antonomase ou synecdo-

que d'individu, catachrèse, euphémisme, extension, hypallage, métaphore, métonymie, synecdoque.

5 **Figures de pensée** ou **de style** ; figures de rhétorique. – Anadiplose, anaphore, anticipation ou prolepse, antithèse, apostrophe, communication, comparaison ou similitude, concession ou épitrope, correction ou épanorthose, dialogisme, dubitation, emphase ou signification, énumération (ou : accumulation, conglobation), épiphonème, exclamation, gradation, hyperbole ou exagération, hypotypose, interrogation, interruption, litote (ou : atténuation, exténuation), oxymoron ou alliance de mots, paradoxe ou paradoxisme, périphrase, prétérition ou paralipse, prosopopée, réfutation ou récrimination, réticence ou aposiopèse, subjection, suspension. – Obsécration ou déprécation ; optation (opposé à imprécation). – Ironie, sarcasme.

314 FILIATION

N. 1 **Filiation** ; **ascendance,** généalogie, lignée ; **lien de parenté** ; parenté, parentèle [litt. ou vx] ; lignage, parentage [vx]. – **Descendance,** génération, postérité. – Famille **304.**

2 **Degré de parenté.** – Parent proche, parent éloigné. – **Ligne** ; ligne ascendante (opposé à ligne descendante), ligne directe (opposé à ligne collatérale). – **Cousinage,** fraternité [rare].

3 **Parenté 304** ; parenté naturelle, parenté légale. – **Race, sang** ; liens du sang, voix du sang **361** ; Bon sang ne saurait mentir [prov.]. – Bâtardise, filiation adultérine, **filiation naturelle** (opposé à filiation légitime). – Filiation incestueuse ; inceste. – Filiation adoptive ; adoption. – **Structure de la parenté** ; agnation [DR. ROM. et anc.], **consanguinité,** filiation paternelle, filiation patrilinéaire. – Cognation [DR. ROM. et anc.], filiation maternelle, filiation matrilinéaire. – Filiation bilinéaire ou double filiation. – **Côté** *(côté maternel, côté paternel).*

4 **Origine** ; **ascendance,** berceau, extraction, naissance. – **Arbre généalogique** ; branche *(branche aînée, branche cadette),* rameau, **souche.**

5 **Ascendant** ; aïeul (pl., aïeux), **ancêtre,** parent [litt.], pères [litt.]. – Grands-parents ; grand-père, grand-mère. – Grand-oncle, grand-tante. – **Parents** ; père **609,** mère **506.**

6 **Descendant, héritier 101.** – Géniture [vx ou par plais.], **progéniture,** rejeton [fig., vx]. – Primogéniture [DR.]. – **Enfant 270** ; enfant adultérin, bâtard, enfant de l'amour, enfant illégitime, enfant naturel. – Enfant légitime. – Fils, fille. – **Petits-enfants** ; petite-fille, petit-fils.

7 **Collatéral** *(un collatéral),* parent *(un parent).* – Agnat (opposé à cognat) [DR. ROM. et anc.]. – Oncle, tante. – **Cousin,** cousin issu de germain ou cousin germain, petit-cousin, arrière-cousin. – Demi-frère, demi-sœur. – Filleul, neveu, nièce ; petit-neveu, petite-nièce ; arrière-neveu, arrière-nièce.

8 **Beaux-parents** ; beau-père, belle-mère. – **Beau-fils,** gendre ; **belle-fille,** bru. – Beau-frère, belle-sœur.

9 **Légitimation.** – DR. CIV. **Reconnaissance d'enfant,** reconnaissance judiciaire, reconnaissance volontaire.

10 **Famille** ; grande famille, dynastie, maison **552.**

V. 11 Descendre de.

12 Apparenter, affilier, unir ; toucher de près.

13 Légitimer **245,** reconnaître. – Adopter. – Déshériter.

Adj. 14 **Issu de,** né de, originaire de.

15 **Affilié,** allié, **apparenté,** consanguin. – Lignager, parent. – Matrilinéaire, patrilinéaire [ANTHROP.]. – Collatéral ; agnatique, cognatique ; filial, **familial** ; avunculaire, parental.

16 Adultérin, bâtard, **illégitime,** incestueux, naturel, putatif [DR.], utérin [DR.]. – Champi [vx], trouvé. – **Légitime,** reconnu ; porphyrogénète [HIST.]. – Adoptif *(enfant adoptif)* ; présomptif *(héritier présomptif).* – Bien né ; mal né.

17 Dynastique, généalogique, nobiliaire. – Générationnel.

Adv. 18 **De génération en génération,** en ligne directe. – De la main gauche *(cousin de la main gauche)* [fam.], à la mode de Bretagne *(tante à la mode de Bretagne).* – **Par alliance,** par le sang.

Aff. 19 Géno-.

315 FIN

N. 1 **Fin.** – Issue, terme ; échéance. – *Terminus* ou *dies ad quem* (lat., « au terme ou au jour fixé »).

2 Consommation ; aboutissement, accomplissement **5,** couronnement.

3 **Arrêt,** cessation, cesse ; suspension. – Rupture, solution de continuité ; discontinuation [rare], **interruption.**

4 Chute [fig.], crépuscule, **déclin** ; fin des temps **205.**

5 Terminaison ; **bout,** extrémité, queue [rare].

6 Clôture, **conclusion,** dénouement, épilogue, *happy end* (angl., « fin heureuse »). – Clausule [RHÉT.], péroraison ; mot de la fin. – MUS. : coda, **finale** *(un finale).* – SPORTS : finale *(une finale),* finish [anglic.]. – Dernier quart d'heure ; apothéose, chant du cygne ; coup de grâce. – Point de non-retour.

7 PHILOS. : fini *(le fini)* ; finitude. – Caducité [litt.].

8 Dernier *(le dernier).* – Rira bien qui rira le dernier [prov.].

9 Oméga ; « Je suis l'Alpha et l'Oméga... » **134.3**

10 Achevage [TECHN.], **achèvement,** parachèvement, perfection [vx], terminaison [litt.]. – **Finition** ; finissage [TECHN.]. – Fam. : fignolage, fignolure [rare] ; coup de fion.

11 Finisseur.

V. 12 **Finir** ; cesser, prendre fin. – Discontinuer [litt.], disparaître, passer ; tarir [fig., litt.]. – Trouver sa fin **534.**

13 Décliner, tirer ou toucher à sa fin ; c'est le commencement de la fin [fam.]. – S'arrêter, se terminer ; s'évanouir [fig.].

14 **Aboutir** ; finir par + inf. **798.** – Se dénouer. – « En France tout finit par des chansons » (Beaumarchais). – Tout est bien qui finit bien [loc. prov.].

15 Achever, **terminer** ; mettre un terme ou terme à ; conduire ou mener à sa fin, mener à bonne fin, mettre à fin [vx]. – Mettre la dernière main ou la dernière touche à. – Mettre le sceau à [litt.], mettre un point final à. – Fam. : en finir avec ; tirer le rideau, tourner la page. – Classer, clore [litt.], clôturer, conclure, enterrer ; régler. – Sonner le glas de.

16 Accomplir, **achever,** aller au bout ou jusqu'au bout de, finaliser, parachever, parfaire [rare]. – Couronner [litt.]. – Boire jusqu'à la lie, consommer [litt.] **205,** épuiser.

17 Couper court à, **mettre fin à,** en demeurer là ; rompre, trancher là, briser là. [litt.] ; **interrompre,** suspendre. – Avoir le dernier mot ou le mot de la fin ; c'est mon (son, etc.) dernier mot.

18 N'avoir ni fin ni cesse.

Adj. 19 **Final,** terminal ; conclusif [MUS.]. – Dernier, extrême, ultime ; didact. : antépénultième, pénultième.

20 Définitif. – *Ne varietur* (lat., « qui ne doit pas être changé ») *(édition ne varietur)* [didact.].

21 Finalisé ; **léché,** limé [litt., vieilli], poli.

22 Passé **598,** perdu, révolu. – À bout de course.

Adv. 23 À la fin, **finalement** ; **enfin.** – En fin de compte **682.**

24 *In fine* (lat., « à la fin »), **pour finir** ; pour conclure, pour couronner le tout. – *Last but not least* (angl., « dernier point mais non le moindre »).

25 Dernièrement [vx], en dernier lieu, en dernière heure, *ultimo* [lat.]. – *In extremis* [lat.] ; à la dernière minute, au dernier moment.

Prép. 26 **À la fin de,** en fin de, à la sortie de, à l'issue de, au sortir de, au terme de.

Int. 27 Fin ! Rideau ! [fam.].

28 Halte-là ! Stop ! ; un point c'est tout ! ; à la fin !

316 FINESSE

N. 1 **Finesse** *(la finesse)* ; clairvoyance, pénétration, perspicacité, sagacité.

2 Acuité, **précision** ; justesse.

3 Souplesse, vivacité ; **intelligence 424,** intuition **434,** sensibilité **755.**

4 Délicatesse **184,** élégance ; raffinement, **subtilité** [sout.]. – Esprit de finesse (opposé par Pascal à esprit de géométrie).

5 Diplomatie, doigté, tact.

6 Adresse **10, habileté,** ingéniosité ; débrouillardise [fam.] ; entregent [litt.].

7 Espièglerie, finauderie [fam.], **malice,** malignité ; matoiserie [fam.], roublardise [fam.], rouerie ; cautèle [vx]. – Machiavélisme, perfidie.

8 Finesse *(une finesse)* ; ratiocination [litt.] **682** ; arguties ; subtilités.

9 Finasserie [fam.] ; subterfuge. – Feinte, **ruse 838,** ruse de Sioux [fam.]. – Biais, détour, faux-fuyant ; pirouette. – Vx : avocasserie, escobarderie.

10 Vx : **adresses,** dextérités, finesses, habiletés, industries. – Acrobatie ; procédé, stratagème ; manège, manœuvre. – **Artifice,** escamotage, supercherie ; fam. : astuce, ficelle, truc.

11 **Fine mouche,** fin renard ; vx : fin matois, finasseur ou finassier.

V. 12 **Finasser** ; louvoyer, tergiverser. – Finauder [vieilli], finer [vx, rare], tromper ; **feinter,** ruser. – La jouer fine [fam.]. – Roublarder [rare].

13 Entendre ou chercher finesse à qqch [vx]. – Jouer au plus fin.

14 **Avoir un œil** ou un coup d'œil d'aigle ; avoir le nez fin.

Adj. 15 **Fin,** fin comme l'ambre ; clairvoyant **434,** pénétrant, perçant, perspicace ; sagace, subtil ; aigu, aiguisé, **délié,** pointu.

16 Délicat, **sensible 755.** – Distingué, raffiné, sophistiqué.

17 Piquant, **spirituel 264.**

18 Adroit **10,** avisé, diplomate, entendu, **habile.** – Politique, insinuant. – Casuiste.

19 Averti, entendu. – Artificieux [vx], industrieux, **ingénieux** ; astucieux, futé, malicieux, **malin,** malin comme un singe ; vieilli : finaud, finet, grec, madré ; fin comme moutarde [vx], matois [litt.], **rusé.**

20 Finassier [fam.] ; cauteleux [vx] ; machiavélique, perfide **373** ; ficelle [fam.], **retors,** roublard, tortueux.

Adv. 21 **Finement,** habilement, subtilement ; intelligemment, spirituellement.

22 **Délicatement,** légèrement.

23 Astucieusement, **ingénieusement.** – Malicieusement. – Artificieusement [vieilli], machiavéliquement, matoisement [rare].

317 FISCALITÉ

N. 1 **Fiscalité,** système fiscal. – Parafiscalité. – Droit fiscal.

2 **Impôt** ; charge fiscale, contribution, imposition [cour.], prélèvement ; droit, redevance, taxe, tribut.

3 Impôt sur le capital, impôt sur la fortune (abrév. I.S.F.), impôt sur les grandes fortunes, impôt sur les plus-values ou sur les gains de fortune, impôt sur le revenu. – Impôt foncier. – Impôt sur les transactions ; impôt sur le chiffre d'affaires. – Contribution sociale généralisée (abrév. C.S.G.). – Impôt cédulaire [anc.].

4 Impôt d'État, impôt local.

5 **Assiette de l'impôt.** – Impôt direct (opposé à impôt indirect) ; accises [Belgique]. – Impôt sur les personnes physiques ou impôt personnel (opposé à impôt réel). – Impôt multiple. – Impôt spécifique, impôt ad valorem. – Impôt de quotité, impôt de répartition ; impôt fixe ; impôt dégressif ou régressif ; impôt progressif, impôt proportionnel.

6 Prélèvement exceptionnel. – Prélèvement libératoire et forfaitaire [BOURSE].

7 **Taxe** ; taxe à la valeur ajoutée (T. V. A.) ; taxe à la production [anc.]. – Taxe foncière ; taxe personnelle [anc.]. – Taxe locale, taxe municipale. – Excise.

8 **Droit** ; droit de douane ; droit d'entrée, droit de statistique, droit de sortie, droit de transit. – Droit d'octroi [anc.]. – Droit de passage, péage.

9 Droit au comptant ; droit constaté. – Demi-droit ; double droit.

10 HIST. – **Impôts généraux.** – Aide, capitation, cens, censive, champart ou terrage, cinquantième, corvée, dîme, dixième, gabelle, lods et ventes, taille, taillon, tonlieu, vingtième. – Maltôte.

11 HIST. – Abeillage, affeurage ou afforage, affouage, annate, annone [HIST. ROM.], aubaine, battage, charnage, chevage, étalage, fouage, fournage, geôlage, gréage, hallage, métivage, minage, novale, panage, paulette, quillage, régale, ségrage, traite foraine, vertemoute, vientrage, vinage.

12 HIST. – Contribution foncière, contribution personnelle mobilière, contribution des patentes, impôt sur les portes et fenêtres. – Quatre vieilles [fam.].

13 HIST. – Droits domaniaux ou régaliens, droits seigneuriaux. – Droits réunis.

14 Fiscalisation. – **Imposition.** – Taxation ; taxation d'office.

15 Répartition de l'impôt ; coéquation [vx], contingent, péréquation, répartement. – Redistribution. – Liquidation de l'impôt [DR. FISC.].

16 **Cote** ; anc. : cote foncière, cote mobilière ; quote-part.

17 Prélèvement fiscal, retenue à la source [DR. FISC.].

18 **Perception,** recouvrement ; collecte, levée, rentrée. – Maltôte [péj., vx].

19 **Exonération** ; décote [FISC.], exemption, immunité. – Abattement, abattement à la base, déduction. – Décharge, réduction, remise ; détaxe. – **Redressement fiscal** [DR. FISC.] ; dégrèvement ; majoration **56.3,** rehaussement. – Trop-perçu ; rappel.

20 Évasion fiscale, fraude fiscale ou fraude à l'impôt. – Concussion, exaction ; vx : maltôte, péculat.

21 **Contrôle fiscal.** – Vérification de comptabilité. – Visite domiciliaire [DR.].

22 **Amende 144** ; amende de composition, amende forfaitaire, droit en sus.

23 Cadastre, rôle d'impôt ; extrait du rôle. – Censier ou registre censier [HIST.]. – Déclaration ou feuille d'impôt ; cédule [anc.].

24 Acquit-à-caution, congé, laissez-passer, passavant. – Papier timbré, timbre, timbre fiscal, timbre-quittance ; vignette auto ou vignette automobile.

25 **Fisc,** Trésor public. – Paierie ; HIST. : Ferme des impôts ; Régie.

26 Direction générale des impôts ; Direction générale des douanes et des droits indirects. – Cour des aides [HIST.].

27 **Percepteur.** – Receveur des contributions ; receveur buraliste, receveur municipal, receveur-percepteur. – Trésorier-payeur général. – Accisien [Belgique]. – Taxateur.

28 HIST. – Fermier, **fermier général,** financier, partisan, publicain, traitant ; maltôtier [péj.]. – Régisseur. – Collecteur, exacteur, receveur général, receveur particulier. – Gabeleur, gabelou.

29 Contrôleur des contributions, contrôleur ou **inspecteur des Finances** ; commissaire répartiteur ou répartiteur. – Brigade de surveillance, brigade de vérification.

30 Conseiller fiscal. – Fiscaliste [DR.].

31 Douanier. – Gabelou [péj.].

32 **Contribuable** ; assujetti *(un assujetti),* imposé *(un imposé).* – HIST. : censitaire *(un censitaire).*

V. 33 **Fiscaliser.** – Imposer qqn ; assujettir à l'impôt, charger, frapper d'un impôt, grever. – Imposer qqch, taxer. – Surcharger, surimposer ; pressurer. – Fam. : épuiser, saigner, sucer, tondre le contribuable.

34 Créer un impôt nouveau. – Établir un impôt. – Asseoir un impôt, fixer l'assiette d'un impôt ; taxer l'impôt [vx]. – Répartir un impôt.

35 Défiscaliser. – Décharger, dégrever, détaxer. – Exempter, **exonérer.**

36 Lever ou, rare, prélever l'impôt. – Percevoir, recouvrer [spécialt].

37 Acquitter un droit, régler une taxe.

38 Frauder le fisc.

Adj. 39 Fiscal. – Parafiscal.

40 **Imposable** *(matière imposable)* ; contribuable, passible, patentable, redevable. – Patenté [anc.]. – Taxable, taxatif [DR.].

41 HIST. – Taillable ; corvéable ; taillable et corvéable à merci [souv. cité par plais.].

42 Dégressif *(impôt dégressif),* redistributif.

43 Hors taxes (H. T.) ; toutes taxes comprises (T. T. C.).

Adv. 44 Fiscalement.

318 FLEURS

N. 1 **Fleur** ; fleurette [vieilli]. – Pied, plant, plante ; plantule ou germe. – Plante améliorante, plante ou herbe médicinale **499,** plante ornementale, porte-graine ; plante carnivore, plante grasse.

2 **Bouquet,** corbeille **443,** gerbe, guirlande ; anthologie [vx] ; jonchée ; pot-pourri. – Pot de fleurs. – Floralies, marché aux fleurs.

3 **Bulbe,** caïeu, oignon, pseudobulbe ; cormus, curcuma, poil collecteur, **racine,** radicelle, radicule, rhizome ; collet. – Drageon, hampe florale, rejeton, stolon, **tige** ; axe épicotylé, cambium, épine, fibre, queue ; vrille ou, vx, cirre, griffe ; cuticule, tissu de protection ; bouton, bulbille. – Ascidie, aisselle, carde ou côte, cuticule, digitation, duvet, **feuille,** fimbrille, foliole, gaine, ligule, limbe ou lame, lobe, mérithalle, mucron, parenchyme, pétiole ou queue, pétiolule, rachis, sinus, stipule, stomate, vaginelle, vaginule, veine, veinule, verticille.

4 **Périanthe** ; calice, calicule ; casque, **corolle,** coronule, gorge, labelle ou sabot, lèvre, limbe, tube ; carène, **pétale,** sépale. – **Fleur,** fleuron, florescence [litt.], florule, inflorescence, glomérule ; aigrette, capitule, carpelle, clochette, corymbe, cyathe, cyme, éperon, ombelle, ombellule, spadice, strobile, thyrse, trochet. – Réceptacle.

5 **Androcée, gynécée** ; anthère, archégone, col, cône, **étamine,** filet, funicule, gynostème, nucelle, ovaire, ovule, papilles, **pistil** ou gynécée, primine, stigmate, style. – Corinde ou pois de cœur, **graine,** opercule, pollen, pollinie, sac embryonnaire, urne ; bractée, bractéole, cupule, involucelle, involucre, spathelle, utricule ; **épi,** épillet, grappe, panicule. – Cotylédon, écusson, rétinacle, suçoir. – Médiastin ; stomate.

6 **BORRAGINACÉES**

alkanna ou orcanette	bourrache
anchusa ou buglosse	consoude

cordia
cynoglosse ou langue-de-chien
grémil ou herbe aux perles
héliotrope
myosotis ou ne-m'oubliez-pas
orcanette
vipérine

7 CACTACÉES OU CACTÉES

cactus
cierge
cochenillier (ou : nopal, opuntia, figuier de Barbarie)
échinocactus
échinocéreus
épiphyllum (ou : phyllocactus, zygocactus)
maranta
mélocactus
peyotl

8 CARYOPHYLLACÉES

agrostemma ou nielle des blés
alsine ou stellaire
arenaria
céraiste
compagnon blanc
compagnon rouge
gypsophile
lychnis ou œillet des prés
mignardise
morgeline ou mouron des oiseaux
œillet
saponaire ou herbe à foulon
silène

9 CHÉNOPODIALES

AMARANTACÉES

amarante ou queue-de-renard
célosie

CHÉNOPODIACÉES

arroche
bon-henri ou épinard sauvage
chénopode
salicorne
salsola
soude
suæda
toute-bonne ou épinard sauvage
ulluque
vulvaire

10 COMPOSÉES OU ASTÉRACÉES

absinthe ou armoise
acanthe sauvage ou onopordon
achillée millefeuille
acisperme ou coréopsis
ageratum
antennaire
arnica ou herbe aux chutes
aster
bleuet (ou : bluet, barbeau, casse-lunettes)
bardane ou teigne
bidens
camomille ou anthémis
cardon
carthame
catananche ou cupidone
centaurée ou herbe à la fièvre
chardon
chrysanthème
cinéraire
cosmos
crépis
dahlia
doronic
échinops
edelweiss
épervière
érigéron ou vergerette
eupatoire
gaillarde
gazania
gerbera
grageline (ou : graveline, lampsane)
helenium
hélianthe
humea
immortelle
jacobée ou herbe de Saint-Jacques
laiteron
lampourde ou herbe aux écrouelles
layia
léontodon ou liondent
leptosyne
leucanthemum ou grande marguerite
liatris
marguerite
matricaire
mikania
œillet d'Inde ou tagète
oreille-de-souris ou piloselle
pâquerette
parthénium
pas-d'âne ou tussilage
persil
pissenlit ou dent-de-lion
pulicaire
pyrèthre
reine-marguerite ou aster de Chine
rudbeckia
santoline
sarrète ou serratule
scorsonère
séneçon ou seneçon
silybe
soleil ou tournesol
solidago ou verge d'or
souci
spilanthes
tagetes
tanaisie
zinnia

11 EUPHORBIACÉES

aleurite
chrozophora
épurge
euphorbe ou herbe aux verrues
foirolle ou mercuriale annuelle
jatropha ou médicinier
omphalea
phyllanthus
poinsettia
ricin
tithymale

12 FLUVIALES OU HÉLOBIALES

HYDROCHARIDACÉES

élodée ou hélodée
hydrocharis ou morène
macre
stratiote
vallisnérie

POTAMOGÉTONACÉE

cymodocée
posidonie
potamot
zostère

BUTOMACÉES

butôme ou jonc fleuri

13 GENTIANALES

GENTIANACÉES

érythrea ou petite centaurée
gentiane
ményanthes ou trèfle d'eau

APOCYNACÉES

pervenche

14 GÉRANIALES

GÉRANIACÉES

érodium
géranium ou herbe à Robert
pélargonium

LINACÉES

lin

BALSAMINACÉES

balsamine ou impatiente

15 **GUTTIFÉRALES**

HYPERICACÉES

millepertuis

BALANOPHORACÉES

balanophora

16 **LABIACÉES OU LABIÉES**

ballote ou marrube noir
basilic
bétoine
brunelle
bugle ou herbe de Saint-Laurent
calamintha ou calament
coleus
épiaire
galéopsis
germandrée
gléchome
ive ou ivette
lamier
lavande
lavandin
lycope (ou : chanvre d'eau, patte-de-loup)
marjolaine ou origan
mélisse ou citronnelle
mélitte
menthe ou pouliot
monarde
népète (ou : chataire, herbe-aux-chats)
ocimum
ortie blanche ou lamier blanc
patchouli
phlomis
plectranthus
romarin
sauge
scutellaire
serpolet ou **thym**
spic ou lavande aspic
verveine ou herbe sacrée

17 **LILIALES OU LILIIFLORES**

IRIDACÉES

acidanthera
crocosmia
crocus ou safran
freesia
glaïeul
iris
ixia
tigridia
watsonia

LILIACÉES

agapanthe
aloès
anthericum
asphodèle
aspidistra
brodiea
chlorophytum ou phalangère
cordyline
endymion ou jacinthe des bois
eremurus
fritillaire ou couronne impériale
gagea
gloriosa
hémérocalle
jacinthe
lachenalia
lapageria
lis ou lys
lis d'eau ou nymphéa blanc
lunaire ou monnaie-du-pape
ornithogale ou dame-d'onze-heures
parisette
phormium
salsepareille ou smilax
sceau-de-Salomon
scille
tubéreuse
tulipe
vératre

AMARYLLIDACÉES

agave
alstrœmeria ou lis des Incas
amaryllis
clivia
fourcroya ou furcræa
haemanthus
jonquille ou coucou
narcisse
nérine
nivéole
perce-neige ou galanthus
sansevière
sisal ou henequen
sprekelia
sternbergie ou vendangeuse

DIOSCORÉACÉES

igname
rajania
tamier ou herbe aux femmes battues

18 **MALVACÉES**

abutilon
althæa ou guimauve
gombo ou okra
lavatère
malope
mauve
passerose ou **rose trémière**
sida
tiaré

19 **MYRTALES**

MYRTACÉES

cajeput

ŒNOTHÉRACÉES

clarkia
épilobe ou herbe Saint-Antoine
godetia
jussieua
lopezia
ludwigia

LYTHRACÉES

salicaire

20 **OMBELLIFÈRES**

ache des montagnes ou livèche
ægopodium
æthus ou éthuse
aneth
angélique
astrantia
berce
boucage
cerfeuil
chervis
ciguë
cistre (ou : méum, fenouil des Alpes)
coriandre ou persil chinois
criste-marine
cumin
éryngium ou panicaut
fenouil
férule
hydrocotyle
khella
laserpitium
maceron ou smyrnium
molospermum
œnanthe
panais
sanicle
scandix ou herbe aux aiguillettes

21 **ORCHIDACÉES OU ORCHIDALES**

acéros ou homme pendu
angræcum ou faam
bletia
calanthe
cattleya
cephalanthera
coralliorhiza
dendrobium
epidendrum
épipactis
habenaria
lælia
læliocattleya
limodorum
listère
miltonia
néottie
nid-d'oiseau
odontoglossum
oncidium
ophrys
orchidée
orchis
peristeria
phajus
sabot-de-Vénus ou cypripedium
vanda
zygopetalum

22 **PERSONALES OU SCROFULARIALES**

SCROFULARIACÉES

calcéolaire
cymbalaire ou ruine-de-Rome
digitale ou doigtier
euphraise ou casse-lunettes
gratiole ou herbe au pauvre homme
limoselle
linaire
maurandia
mélampyre ou herbe de vache
molène ou bouillon-blanc
muflier ou gueule-de-loup
pentstemon
rhinanthe
scrofulaire ou herbe carrée
véronique ou herbe de Sainte-Thérèse

OROBANCHACÉES

clandestine
orobanche
phélipée

ACANTHACÉES

aphélandra
thunbergia

23 **POLYGONACÉES**

bistorte
oseille
renouée ou poivre d'eau
rhubarbe
sarrasin

24 **PRIMULALES**

PRIMULACÉES

anagallis
androsace
cyclamen
dodecatheon ou gyroselle
lysimaque ou nummulaire
glaux
primevère
samolus
soldanelle

PLOMBAGINACÉES

armeria
dentelaire ou plumbago
plombagine ou herbe au cancer
statice ou œillet marin

25 **RANALES OU DIALYCARPIQUES**

RENONCULACÉES

aconit
actée ou herbe de Saint-Christophe
adonis
ancolie ou fleur d'amour
anémone
anémone pulsatile ou herbe du vent
bouton-d'or
clématite ou herbe aux gueux
dauphinelle ou pied-d'alouette
ellébore ou hellébore
ficaire
grenouillette
hydrastis
nielle bâtarde ou nigelle des champs
nigelle ou barbe-de-capucin
pigamon
pivoine
populage
pulsatille
renoncule
staphisaigre ou herbe aux poux
trolle

MONIMIACÉES

boldo

NYMPHÉACÉES

nélombo ou nelumbo
nénuphar
nymphéa
victoria

BERBÉRIDACÉES

podophyllum

26 **RHŒADALES**

PAPAVÉRACÉES

argémone
chélidoine ou herbe à verrues, grande éclaire
coquelicot
dicentra ou cœur-de-Jeannette
eschscholtzia
glaucium
œillette ou pavot à œillette
pavot
platystemon
sanguinaire
fumeterre ou herbe aux dindons

CRUCIFÈRES

alliaire
alyssum
arabette ou corbeille-d'argent
barbarée
caméline
capselle ou bourse-à-pasteur
cardamine ou cressonnette
chou cabus
chou-fleur
cresson
diplotaxis
drave
érophila
giroflée ou bâton-d'or
heliophila
iberis
isatis (ou : guède, pastel)
julienne
lépidium ou passerage
malcolmia
matthiole ou giroflée annuelle
moutarde ou sénevé
roquette
sisymbre ou vélaret
thlaspi
vélar ou sisymbre officinal

RÉSÉDACÉES

gaude ou herbe aux Juifs
réséda

CISTACÉES

hélianthème

27 **ROSALES**

LÉGUMINEUSES

anthyllis ou vulnéraire

MIMOSACÉES

mimosa
sensitive

PAPILIONACÉES

arrête-bœuf ou bugrane
caragan
coronille
dalbergia
dolic ou dolique
farouch ou trèfle incarnat
fénugrec ou trigonelle
galega ou herbe aux chèvres
gesse

hippocrepis
indigotier
lotier ou lotus
lupin
luzerne (ou : lupuline, minette)
mélilot
pois de senteur ou gesse odorante
psoralea
pueraria
sesbanie
trèfle
trèfle cornu ou lotier corniculé

ROSACÉES

aigremoine
alchémille
anastatique ou rose de Jéricho
benoîte ou herbe bénie
comaret
dryas ou thé suisse
filipendule
fraisier
gillenia
pimprenelle
potentille ou quintefeuille
reine-des-prés
rose
spirée ou barbe-de-bouc, barbe-de-chèvre
ulmaire

28 RUBIALES

CAPRIFOLIACÉES

adoxa
linnæa

RUBIACÉES

aspérule ou herbe à l'esquinancie
caille-lait ou gaillet
croisette
garance
hydnophytum

29 SAXIFRAGACÉES

astilbe
désespoir-des-peintres
heuchera
saxifrage ou perce-pierre

30 SOLANALES

GESNÉRIACÉES

achimène
gesneria
gloxinia
isoloma
saintpaulia

SOLANACÉES

alkékenge, amour-en-cage, coqueret ou physalis
belladone
datura (ou : stramoine, herbe au diable)
douce-amère
jusquiame
mandragore
muguet
nicotiana
pétunia
solanum ou herbe à la gale
tabac ou herbe aux grands prieurs

31 URTICACÉES

chanvre
ortie
pariétaire ou passe-muraille

32 MONOCOTYLÉDONES

ARACÉES OU ARALES

acore
alocasia
amorphophallus
anthurium
arum ou gouet
caladium
dieffenbachia
monstera
xanthosoma

BROMÉLIACÉES

æchmea
billbergia
nidularium
tillandsia

ZINGIBÉRACÉES

alpinia
elettaria
gingembre
hedychium

PONTÉDÉRIACÉES

eichhornia
pontederia

33 DICOTYLÉDONES

ARISTOLOCHIACÉES

aristoloche

BÉGONIACÉES

bégonia

AIZOACÉES

carpobrotus
conophyton

CRASSULACÉES

echeveria
gobelet
joubarbe
kalanchoe
nombril-de-Vénus ou ombilic
orpin

VIOLACÉES

pensée ou herbe de la Trinité
violette

NYCTAGINACÉES

belle-de-nuit ou mirabilis

34 DICOTYLÉDONES GAMOPÉTALES

AMBROSIACÉES

ambroisie

CONVOLVULACÉES

belle-de-jour ou **liseron**
jalap
turbith végétal

DIPSACACÉES

cabaret des oiseaux ou cardère sauvage
cardère
knautia
morina
scabieuse ou herbe de Saint-Joseph

CAMPANULACÉES

campanule
carline ou herbe de Charlemagne
jasione
miroir-de-Vénus
raiponce
trachelium

VALÉRIANACÉES

centranthe ou valériane rouge
nard
valériane ou herbe à la meurtrie

POLÉMONIACÉES

cobée
gilia
phlox

ASCLÉPIADACÉES

dompte-venin	stapelia

LOGANIACÉES

gelsemium

GLOBULARIACÉES

globulaire

LOBÉLIACÉES

lobélie

35 **DICOTYLÉDONES DIALYPÉTALES**

DROSÉRACÉES

aldrovandia	**drosera** ou rosée du soleil, rossolis
dionée	

36 **DIVERS**

aponogéton	incarvillea
balisier	limnocharis
canna	loasa
barbadine	monotrope ou sucepin
calathea	pirole
capucine	naias
cardiosperme	nemophila
colchique	phacelia
comméline	rafflesia ou rafflésie
cytinet	rubanier ou sparganium
dictame ou fraxinelle	rue
dorstenia	strelitzia
frankenia	tacca
gaura	thesium
goodenia	utriculaire
grassette	welwitschia
herbe au lait ou polygala	wolffia

37 Anthèse, **floraison** ou, vx, fleuraison, fleurissement ; fructification **330.** – Apoplexie, effeuillaison. – Dissémination, pollinisation.

38 Floribondité [rare]. – Allogamie, apogamie, **phanérogamie** (opposé à cryptogamie), dichogamie, digamie, polygamie, siphonogamie ; monandrie, polyandrie ; autofécondation, autofertilité, hermaphrodisme, monœcie ; anémophilie. – Adelphophagie ; amensalisme ; autocompatibilité, auto-incompatibilité, incompatibilité ; cauliflorie, hétérophyllie ; hétérostylie ; zygomorphie.

39 Floristique. – Bulbiculture, floriculture, **horticulture.**

40 Floristicien. – Floriculteur, **horticulteur.** – Bouquetière, **fleuriste.** – Anthophile.

V. 41 **Fleurir,** florir [litt.] ; boutonner, éclore ; passer fleur, refleurir ; **s'épanouir 293,** s'ouvrir, se couvrir de fleurs. – Fructifier.

42 **Fleurir,** joncher.

43 Enraciner, planter **36** ; défleurir.

Adj. 44 **Floral.** – Fleuri ; en fleurs ou en fleur, fleuré, florescent [litt.], floribond, florifère, florissant.

45 Alterniflore, biflore, caliciflore, corolliflore, gémelliflore, labiatiflore, liguliflore, multiflore, noctiflore, passiflore, pauciflore, spiciflore, thalamiflore, triflore, tubuliflore, uniflore. – Accrescent, apérianthé, cactiforme, campanuliforme, carpellaire, dicline, ligulé, pentamère, pommé, radié, scorpioïde ; acropète, centripète ; actinomorphe ou régulière, zygomorphe ou irrégulière. – Bilabié.

46 Agame, autogame, cléistogame, hétérogame, homogame, monogame, **phanérogame** (opposé à cryptogame), polygame, zoïdogame. – **Staminé,** épistaminé, instaminé, péristaminé ; dasystémone, diplostémone, isostémone ; extrorse, introrse ; brévistylé, longistylé ; diadelphe, didyname, hydrochore, infère, vivipare. – Autofertile, autostérile ; androgyne, hermaphrodite, protérandre, protérogyne, stamino-pistillé ; éleuthérogyne ; hybride ; monoïque.

47 Amentifère, baccifère, balsamique, cérifère, gemmifère, laccifère, lactescent, mellifère. – Acaule, caulescent, caulinaire, coureur, stolonifère, volubile. – **Radical** ; radicant, rhizomateux. – Pétalée, pétalipare ; amopétale, anisopétale, apétale ou monochlamydé, dialypétale, infundibuliforme, monopétale, polypétale, sympétalique ; dialysépale, monosépale, polysépale. – Bulbeux. – Inerme.

48 Alternatif, décident, décidu, **vivace** ; dialycarpique, monocarpien, polycarpique ; amensal, basitone. – Flosculeux, glutineux, succulent, mucilagineux. – Mésotherme ; versicolore ; sclérophylle, xérophytique.

Aff. 49 Anth-, **flor-** ; -anthe, -anthème, -phyte ; -flore, -game.

50 -acée, -ale.

319 FLOTS

N. 1 **Flots.** – Flot *(le flot),* onde *(l'onde)* [litt.]. – **Eau** ; eau courante, eau vive ; eau dormante, eau morte, eau stagnante ; eau douce, doucin ; eau salée, eau saumâtre. – Aigue [vx], flotte [fam.] ; baille [arg.].

2 **Lac** ; chott, lagon, loch. – Étang, mare, **pièce d'eau,** réservoir ; bourbier, gâtine, grenouillère, marécage, maremme. – Alevinier, vivier **262.**

3 **Fontaine,** source ; geyser. – Aven, bétoire, entonnoir, gouffre **167.** – Résurgence.

4 **Cours d'eau** ; arroyo, **fleuve, rivière,** ruisseau ; ru, ruisselet, rivelet [litt.], riviérette [rare] ; oued. – Torrent ; avalaison, gave [région.]. – **Cascade,** cascatelle, cataracte, chute **119,** saut **746.**

5 **Embouchure, estuaire** ; grau [région.]. – **Delta** ; cône alluvial, cône de déjection, piémont alluvial. – Banc ; banc de sable, banc de galets, banc de jard [région.].

6 Bassin, bassin fluvial ; bassin d'alimentation, bassin hydrographique, bassin-versant. – Branche mère ; axe collecteur, axe fluvial, axe hydrographique ; confluent ou confluence ; affluent. – Bras de rivière ; bras mort. – Canal, étier [région.].

7 **Mer** ; mer bordière, mer continentale, mer intérieure, mer fermée. – Océan ; litt. : empire des ondes, plaine liquide. – Haute mer, large *(le large).*

8 Côte, littoral, **rivage** ; *riviera* (ital., « rivage »). – Berge, rivage [vx], rive. – Estran, platin ; corniche ; falaise. – Grève, marine [vx], plage. – Cordon littoral ; lido. – Lagune, liman, noere. – Cap ; péninsule, presqu'île ; isthme. – **Golfe** ; baie, **rade** ; anse, calanque, crique, fjord, havre. – **Île,** îlot ; atoll ; archipel.

9 **Marée,** seiche ; marée basse ou basse mer, marée haute. – Marée descendante **195** ; contre-marée, jusant *(le jusant),* perdant *(le perdant),* reflux, retrait, retraite des eaux. – Marée montante. – Morte-eau. – **Grande marée,** marée d'équinoxe, marée des syzygies ; vive-eau. – Courant de marée.

10 **Vague** ; lame, déferlante, rouleau ; paquet de mer. – Barre, mascaret. – Houle, ressac. – Lame de fond, raz de marée, tsunami.

11 Bouillon, écume, remous, tourbillon.

12 Coup de chien, coup de mer, coup de tabac, **tempête 852.2. – Déluge.**

13 Clapotis ou clapotement **83.6.**

14 Divagation. – **Crue,** débordement, inondation. – Décroissement, décrue, retrait, retraite des eaux. – Embâcle ; débâcle.

15 Régime ; écoulement (écoulement intermittent, écoulement occasionnel, écoulement permanent, écoulement saisonnier) ; fluence [litt.]. – Étiage, niveau ; maigre *(les maigres d'une rivière).*

16 Affouillement, érosion **337.**

17 Allaise, alluvion **813,** atterrissement, dépôt.

18 Océanographie, océanologie, potamologie.

19 MYTH. – Amphitrite, Neptune (Poséidon) **236,** Nérée, Protée, Thétis, Vénus Anadyomène (Aphrodite). – Naïades, Néréides, Océanides ; nixes, ondines, ondins ; sirènes, tritons.

V. 20 **Couler,** couler à flots, filer, fluer [litt.], ruisseler. – Cascader, déferler. – Jaillir. – Bouillonner, écumer, moutonner ; clapoter.

21 Arroser, **baigner,** irriguer. – Inonder **468,** noyer, submerger.

22 Affluer, confluer.

23 Marner, monter **531.** – Baisser, déchaler, descendre ; se retirer.

24 Forcir, grossir. – Se briser, se démonter, se déchaîner.

25 Calmir. – S'apaiser.

26 **Flotter,** fluctuer [rare], naviguer **830.31,** voguer.

27 Se baigner, s'immerger, se jeter à l'eau. – Nager, nager entre deux eaux ; plonger.

28 Avoir le pied marin ; s'amariner.

Adj. 29 Aqueux [didact.], aquifère ; aquatile, **aquatique,** uliginaire. – Fluvial, fluviatile ; marin, maritime, pélagien, pélagique ; océanique. – Lacustre. – Sous-marin ou, didact., subaquatique. – Abyssal, benthique ou démersal.

30 **Littoral.** – Lagunaire ou, rare, laguneux, péninsulaire, rivulaire.

31 Immergé ; inondé. – Inondable.

Adv. 32 **À flots,** à grands flots, à longs flots, à flots pressés.

33 Au fil de l'eau, à fleur d'eau ; à la dérive, **à vau-l'eau.**

Aff. 34 **Aqua-,** aqui-, **hydro-,** pélago-, thalass-, **thalasso-,** thalassi-.

35 -pélagique, pélag-, **pélago-.**

320 FOI

N. 1 **Foi.** – Conviction, **croyance** ; confession, religion **700.** – Piété ; dévotion, ferveur, zèle ; pitié [vx]. – Crédulité.

2 Islam : chahada **440.** – Hindouisme : bhakti (sanskr., « amour dévotionnel ») **362.** – Confiance **145.**

3 Religiosité. – Mysticité. – **Spiritualité.**

4 Acte de foi, profession de foi ; credo. – Article de foi.

5 Adoration, culte **173,** prière **657** ; vie unitive. – Exercice de piété ; **exercice spirituel.** – Pèlerinage ; croisade **354,** guerre sainte.

6 Péj. – **Bigoterie** ou, vieilli, bigotisme, pharisaïsme ; cafardise, cagoterie, cagotisme, tartuferie **373** ; bondieuserie [péj.]. – Capucinade [vieilli ou litt.].

7 Livres pieux (ou : de piété, de spiritualité), images pieuses ; articles de piété ; fam. et péj. : bondieusarderie, bondieuserie, saint-sulpicerie.

8 **Croyant** ; wali (ar., « ami de Dieu »). – Fidèle ; adepte, adorateur, disciple. – Intégriste ; intégriste catholique, musulman, sikh. – Coreligionnaire, frère en religion. – ANTIQ. GR. : myste, orgiaste. – Sectateur.

9 Mystique *(un mystique),* saint *(un saint)* ; religieux *(un religieux)* **699.**

10 **Dévot** ; fam. et péj. : bigot, grenouille de bénitier, mangeur de crucifix ; bondieusard, calotin, rat d'église ; tala [arg. scol.]. ; cafard, cagot, faux dévot, momier [vx], tartufe **373.** – Capucinière [fig. et péj.].

11 HIST. – La cabale des dévots. – Piétisme.

V. 12 **Croire** ; avoir la foi, croire en Dieu ; professer (telle foi). – Voir avec les yeux de la foi. – Rendre grâces à Dieu.

13 Pratiquer **173** ; aller à l'église, aller au temple, aller à l'office. – **Prier 657** ; se signer.

14 Prendre la croix, se croiser [HIST.] **171.**

Adj. 15 **Croyant.** – Dévot, dévotieux, fervent, pieux, religieux ; confit en dévotion [péj.].

16 Pie *(œuvre pie)* [litt.].

Adv. 17 Dévotement, dévotieusement, **pieusement.** – Bigotement. – Mystiquement.

321 FOLIE

N. 1 **Folie** ; aliénation, démence, insanité, névropathie [vieilli], vésanie [vx] ; confusion mentale, maladie mentale **482,** trouble mental. – Dérangement, égarement, fêlure [fam.]. – Déraison ; dérèglement, déséquilibre **201.**

2 Folie douce. – **Bizarrerie,** fantaisie, loufoquerie [fam.] ; étrangeté, singularité. – Caprice **90,** coup de tête, fantaisie, foucade, lubie, marotte [fig.], **toquade.**

3 Accès (ou : coup, crise) de folie ; raptus. – **Délire,** delirium tremens, divagation, folie furieuse, **frénésie** ; calenture [vx]. – ANTHROP. : amok, piblokto. – État crépusculaire, obnubilation ; hallucination.

4 Pathomimie, simulation, sursimulation, théâtralisme. – Pithiatisme.

5 Folie partielle ; manie, monomanie [vx], quérulence ; phobie.

6 Névrose ; **hystérie** *(hystérie d'angoisse, hystérie de conversion),* névrose obsessionnelle, obsession ; mégalomanie ou folie des grandeurs, mythomanie. – **Psychose** ; paraphrénie ou délire fantastique, paranoïa ou folie systématique [vx], psychopathie, schizophrénie, schizose ; dépersonnalisation, déréalisation ; hébéphrénie. – Cyclothymie, psychose maniacodépressive (aussi : folie à double forme, alterne, intermittente, maniaque dépressive, périodique, et, vx, folie circulaire). – Dédoublement, **dissociation,** folie discordante. – Asthénie, neurasthénie, psychasthénie ; dépression, mélancolie **836.**

7 Troubles de l'action et de la volonté. – Autisme, mutisme ; désinvestissement **401.** – Aboulie, dysboulie, négativisme, passivité. – Adhésivité, obtusion, viscosité mentale ; confusionnisme ; catalepsie, catatonie, hébétude, inhibition, léthargie ; sidération, stupeur.

8 Troubles du langage. – Logorrhée. – Glossolalie, glossomanie, jargonaphasie, verbigération **839.** – Écholalie ; itération, palilalie.

9 Troubles de la sexualité. – Perversion ; perversion sexuelle **763** ; inversion sexuelle. – Érotomanie, folie érotique [vx] ; nymphomanie, satyriasis. – Exhibitionnisme, voyeurisme. – Masochisme, sadisme, sadomasochisme. – Fétichisme ; éonisme, travestisme, transvestisme. – Ondinisme, urolagnie ; coprolalie.

10 Troubles de l'appétit. – Anorexie, boulimie, sitiomanie.

11 Centre hospitalier spécialisé **498,** établissement psychiatrique, hôpital psychiatrique, maison de santé ; fam. et vieilli : asile de fous, maison de fous. – Anc. : cabanon, cellule capitonnée. – Camisole de force [anc.]. – Internement, isolement. – Cure de sommeil, douche froide [anc.], électrochoc ; lobotomie.

12 Psychanalyse, psychothérapie ; analyse, cure analytique. – Ergothérapie, gestalt-thérapie, onirothérapie.

13 Malade mental, malade [par euphém.] ; aliéné *(un aliéné),* dément, **déséquilibré** *(un déséquilibré),* fou, maniaque ; forcené [vx]. – Fam. : cinglé *(un cinglé),* détraqué, dingue, fada.

14 Hystérique *(un hystérique),* névropathe [vieilli], névrosé, paranoïaque, psychopathe, psychotique ;

mégalomane. – Schizoïde *(un schizoïde),* schizophrène ; autiste. – Mélancolique *(un mélancolique),* neurasthénique ; aboulique. – Obsédé *(un obsédé)* ; pervers ; masochiste, sadique.

15 Processif, quérulent.

16 Fête des fous. – Nef des fous [HIST. DE L'ART, HIST. LITTÉR.] ; fatrasie, sotie [HIST. LITTÉR.]. – Prince ou pape des fous. – Bouffon, fou du roi ; grelot, marotte. – À chaque fou sa marotte [prov.].

17 Psychiatre.

V. 18 **Délirer, déraisonner,** déréaliser [PSYCHAN.], divaguer, extravaguer ; **perdre l'esprit** (ou, fam. : la boule, la boussole, le nord, la raison, la tramontane) ; **battre la campagne** [fam.].

19 Fam. – Débloquer, déménager, dérailler, disjoncter. – Onduler de la toiture, travailler du chapeau, yoyoter de la touffe. – Être bon pour la camisole.

20 N'avoir pas sa tête à soi [fam.], ne pas avoir toute sa tête ou sa raison, ne pas jouir de toutes ses facultés, ne pas se posséder ; avoir l'esprit dérangé. – Fam. : avoir une case en moins, **avoir un grain** ; avoir une araignée dans le plafond (aussi : un cafard dans la tirelire, une chauve-souris dans le beffroi) ; avoir le crâne (ou : la tête, le timbre) fêlé, avoir la serrure brouillée [vieilli], avoir un plomb de sauté dans le bureau du directeur, avoir reçu un coup de bambou.

21 **Affoler.** – Désaxer, déséquilibrer, traumatiser. – Fam. : faire devenir ou tourner chèvre, faire tourner en bourrique.

22 C'est de la folie, c'est folie de [sout.] ; il y a ou il y aurait folie à.

Adj. 23 **Fou,** fou à lier ; archifou ; désaxé, égaré, insane ; vx : forcené, insensé. – Fam. : atteint, dérangé, fêlé, frappé, tapé, **timbré,** toc-toc, toqué ; pop. : allumé, azimuté, barjo, branque, braque, brindezingue, cinoque, cintré, dingo, folingue, foutraque [région.], fondu, givré, jeté, louf, loufoque, louftingue, maboul, **marteau,** ravagé, sinoque, siphonné, tordu, zinzin. – Vx : échappé des petites maisons, échappé de Bicêtre (aussi : de Charenton).

24 Fou qui ; fol qui s'y fie [vx], fol qui s'y repose [vx].

25 Paranoïaque ; schizophrène. – Autistique ; cataleptique, catatonique ; confusionnel, délirant, démentiel ; logorrhéique ; mégalomaniaque ; névrotique, obsessionnel, phobique ; psychotique.

26 Psychiatrique.

Adv. 27 **Follement.** – À la folie.

Int. 28 Par plais., fam. : au fou ! lâchez les chiens !

Aff. 29 -mane, -manie ; -phobie.

322 FORCE

N. 1 **Force** ; action **7,** pesée **635,** poussée, pression **636,** impression [vx] **391.1** ; trait [TECHN.]. – Énergie **269,** travail **496.2.**

2 PHYS. – Forces de contact (opposé à forces de champs). – Force attractive, force répulsive **713.17** ; force centripète, force centrifuge. – Force motrice, force tractrice **826.** – **Force d'inertie** ; force résistante. – Force vive (opposé à force morte) [anc.]. – Parallélogramme des forces ; point d'application ; centre de poussée ; centre de forces parallèles. – Poussée d'Archimède. – Pression atmosphérique.

3 PHYS. – **Interaction** ; interaction fondamentale ; interaction faible ; interaction électrofaible ; interaction électromagnétique ; interaction forte. – Force électrique, force électromagnétique, force électromotrice ; pression électrostatique. – **Gravitation 54,** pesanteur.

4 SC. – Mécanique *(la mécanique)* ; dynamique *(la dynamique)* **538** ; statique *(la statique)* **115.11.** – Loi de l'action et de la réaction, principe fondamental de la dynamique. – Dynamique *(la dynamique d'un système).* – HIST. DES SC. : dynamisme (opposé à mécanisme) ; énergétisme ; théorie énergétique.

5 SC. – Mesure des forces ; dynamométrie. – Dynamomètre **509.** – Baromètre, pressiomètre, crève-vessie [vieilli]. – Unités de mesure **509** des forces.

6 Force, **intensité 427,** puissance ; violence **865,** virulence. – Force théorique d'une substance explosive [TECHN.].

7 **Force,** force physique ; résistance **778,** robustesse, **solidité,** poigne. – **Force** ou **forces** *(avoir, reprendre de la force* ou *des forces)* ; énergie, ressort, robustesse, robusticité [rare], vigueur **864.** – Solidité, résistance ; jambe de force ou force [TECHN.] **791.4.**

8 Force, **influence 407,** pouvoir. – Force de caractère ; **détermination,** volonté **870** ; force d'âme ; constance, **courage 161,** vertu [vx]. – **Capacité,** compétence **10** ; savoir **747.**

9 **Efficacité** ; efficace *(l'efficace de qqch)* [vieilli] ; rendement **662.**

10 Force ; concentration **187, teneur,** titre. – Force d'un acide, d'un électrolyte [CHIM.]. – Corps *(corps d'un vin)* ; arôme **343.**

V. 11 **Forcer** ; obliger, **contraindre 565** ; **violenter 865,** faire violence à.

12 **Forcer** ; crocheter, fracturer **205.**

13 Concentrer ; **corser 343.**

14 Agir sur, s'exercer sur ; interagir avec. – Exercer une pression sur, peser sur **635** ; forcer le fer [ESCR.]. – Comprimer **154.** – Pousser.

Adj. 15 **Fort,** résistant, robuste, solide.

16 SC. – Mécanique ; dynamique, statique. – Dynamométrique.

17 **Fort** ; concentré, corsé ; extrafort.

Adv. 18 Dynamiquement, mécaniquement, statiquement. – À force [MÉCAN.].

19 **Fortement** ; énergiquement, vigoureusement **864.**

20 **Intensément 427.** – À toute force, à tous crins ou à tout crin [fam.].

21 **Fort** [sout.] ; beaucoup. – **Force** [sout., vieilli] *(vider force bouteilles, manger force victuailles)* ; beaucoup de.

Aff. 22 Dynam-, dynamo- ; -dynamie, -dynamique, -dyne.

323 FORME

N. 1 **Forme 492** ; conformation, morphologie, **structure 795.** – Contexture, constitution, état **286,** texture. – Plastique *(la plastique).*

2 **Format** ; dimension **219,** proportion, rapport. – **Profil,** profilé [TECHN.], relief ; volume **152.** – **Contour,** délinéament, dessin, galbe **162,** ligne, linéament, **modelé,** modénature, tracé, trait ; empreinte.

3 **Forme** *(une forme de)* ; espèce, genre, manière *(une manière de).* – Genre **126,** sorte, **type,** variété.

4 **Apparence** ; air, allure **233, appareil** [vx] ; aspect, aspect extérieur, aspect matériel ; caractère, dégaine [fam.], dehors *(les dehors),* expression, présentation. – **Image,** silhouette, visage [fig.]. – **Coupe,** facture, manière, style.

5 **Mise en forme** ; agencement, composition, organisation **577** ; formatage [INFORM.]. – **Fabrication, façon,** façonnage, façonnement [rare] ; carénage, moulage, profilage.

6 **Déformation** ; anamorphose, avatar, métamorphose **104,** transformation.

7 **Forme** ; cadre, cerce, coupe, empreinte, forme de découpe, gabarit, matrice, **modèle 521,** module, moule, patron ; embauchoir à chaussures, champignon à chapeaux. – Formulaire, **formule,** libellé.

8 PHILOS. : **formes de la connaissance 747** ; formes pures *a priori* de la sensibilité **755,** forme du sens externe (l'espace) **219,** forme du sens interne (le temps) **811** ; forme de l'entendement ou catégorie, forme de la raison ou idée **375,** forme de la moralité **533.** – Formes accidentelles ou occasionnelles, formes substantielles. – Forme d'une opération de l'entendement, forme d'un jugement **450,** forme d'un raisonnement ; loi de la bonne forme ou loi de la forme la meilleure. – Forme d'un sacrement [THÉOL.]. – Formes grammaticales *(forme verbale, forme nominale, forme pronominale, forme progressive ; forme du singulier, forme du pluriel)* **346** [GRAMM.].

9 Forme (opposée à fond) ; le fond et la forme, la forme et la substance ; expression **299,** formulation.

10 PSYCHOL. – Gestalt, psychologie de la forme ou *Gestaltpsychologie,* théorie de la forme ou *Gestalttheorie.* – Constance de la forme.

V. 11 **Former,** engendrer ; informer [didact.]. – **Configurer,** donner forme à, figurer ; ébaucher, esquisser, silhouetter.

12 **Façonner,** former, modeler, mouler, parangonner, pétrir, profiler, usiner ; TECHN. : caréner, enformer, matricer. – Calligraphier.

13 **Formaliser 375,** formuler **810.**

14 **Agencer,** arranger, assembler, combiner, constituer, disposer, mettre en forme, ordonner, organiser. – **Composer,** confectionner, **constituer.**

15 **Conformer** ; adapter, ajuster, configurer, uniformiser.

16 Naître, **prendre corps, prendre forme** ; prendre la forme de. – Se développer, se former.

17 **Concevoir** [fig.], former dans son esprit. – Se former ou se forger une idée, une opinion.

18 **Déformer,** gauchir, transformer.

Adj. 19 **Formé** ; conformé, constitué.

20 **Formel,** structurel.

21 Didact. – **Multimorphe,** polymorphe ; diversiforme, hétéromorphe, protéiforme. – **Biforme,** dimorphe, trimorphe. – Zoomorphe ou zoomorphique. – **Amorphe,** anamorphe, informe ; uniforme. – Difforme.

Adv. 22 **Formellement** ; expressément, positivement.

23 En la forme, en l'espèce. – **Dans les formes,** en bonne et due forme, en forme, en règle. – **De pure forme,** pour la forme, par convention.

24 **Sans autre forme de procès** ; sans formalité. – Brutalement.

Prép. 25 Sous forme de ou sous la forme de. – **En forme de.**

Aff. 26 Morph-, **morpho-** ; **physio-.**

27 **-forme** ; -morpha, -morphe, -morphie, -morphique, -morphisme, -morphite, -morphose ; -oïde, -oïdal.

324 FRACTION

N. 1 **Fraction.** – Division, partage, partition **597,** séparation **756** ; éparpillement. – **Fractionnement,** segmentation ; brisement, cassage, fracturation. – Fragmentation, morcellement, parcellement, sectionnement ; éclatement [fig.]. – Fraction du pain [LITURGIE].

2 **Quotient, rapport.** – Quote-part, quotité **678** ; *prorata* (lat., *pro rata parte,* « selon la part déterminée »). – Dixième, centième, millième **515,** millionième ; **moitié, quart, tiers.** – Fraction de seconde.

3 **Partie 597** ; bribe, échantillon, **fragment, morceau,** parcelle, portion, quartier, section, segment, **tranche** ; lopin, lot, parcelle.

4 **Fraction algébrique** ; corps des fractions. – Fraction astronomique ou sexagésimale. – **Fractale** [GÉOM.] ; fractile [MATH.]. – MIL. : fraction constituée, fraction organique. – Fraction [POLIT.].

5 Fracture [vx], bris, **cassure,** coupure ; vx : rompement, ruption. – GÉOL. : clase, faille.

6 MÉTÉOR. : **fractus** ; fractonimbus, fractostratus.

7 Fractographie [TECHN.]. – Fractionnateur [PÉTR.].

8 Fractionnisme [POLIT.].

9 Fractionniste *(un fractionniste)* [POLIT.].

V. 10 **Fractionner** ; fragmenter, morceler, sectionner ; diviser, partager, partir [vx], séparer, subdiviser. – Lotir, parceller, parcelliser ou parcellariser.

11 Couper, **découper,** fendre, scinder, tronçonner.

12 Se fractionner ; se diviser, se séparer.

13 ARITHM. : réduire en fractions ; simplifier une fraction.

Adj. 14 **Fractionné** ; divisé, morcelé, partagé, séparé ; fracturé.

15 **Fragmentaire,** partiel ; parcellaire.

16 **Fractionnaire,** fractionnel [POLIT.]. – **Fractal** [PHYS.]. – Clastique [GÉOL.].

17 **Fractionnable.** – Cassable, clivable, **divisible,** fissible, fracturable, **partageable.**

Adv. 18 **Partiellement.** – À demi, à moitié ; en partie, en grande partie, en majeure partie.

19 En morceaux. – Morceau par morceau.

Aff. 20 Centi-, déci-, milli-, micro-.

21 -clasie, -clasique ; -claste ; -clastie, -clastique, -clase ; -ième.

325 FRAGILITÉ

N. 1 **Fragilité, faiblesse** ; altérabilité [didact.] ; friabilité ; corruptibilité [litt.] ; putrescibilité [didact.] ; destructibilité [rare] ; instabilité, labilité. – Vulnérabilité ; délicatesse **303** ; chétivité ou chétiveté [litt.]. – Précarité **421** ; **éphémérité** [rare].

2 **Fragilisation** ; craquelage, craquèlement ou craquellement, fendillement ; fissuration [TECHN.]. – Affaiblissement **220,** débilitation [didact.].

3 Cassure, crevasse, **faille,** fêlure, fissure, fracture **223,** lézarde ; craquelure, fendille ; brisure [litt.] ; flache [TECHN.] ; clase [GÉOL.].

4 Château branlant, **château de cartes** ; craquelin [MAR., vx]. – Colosse aux pieds d'argile.

V. 5 **Fragiliser** ; altérer, détériorer **205,** éroder, user ; affaiblir, débiliter.

6 Se crevasser, **se fendre,** se fêler, se fissurer ; se craqueler, se fendiller, se lézarder.

7 Branler **579,** branler au manche ou dans le manche [fam.], chanceler, **menacer ruine,** vaciller.

8 Se briser (ou se casser) comme du verre.

Adj. 9 **Fragile,** cassant ; **cassable,** dégradable, friable, fracturable ; destructible [sout.] ; altérable [didact.], corruptible, décomposable, putréfiable ou, didact., putrescible (opposé à imputrescible) ; pourrissable [rare]. – TECHN. : casilleux, flache ou flacheux.

10 Branlant, **instable,** vacillant ; labile ; précaire. – Délicat, faible, **vulnérable.**

Adv. 11 **Fragilement,** instablement [rare] ; précairement.

326 FRÉQUENCE

N. 1 **Fréquence.** – Réitération [sout.], **répétition 704, retour** ; **itération** [didact.].

2 Cycle, **période 610** ; intervalle **433.**

3 Cyclicité [didact.] **153, périodicité, régularité,** saisonnalité ; **rythme.** – Biorythme, rythme circadien [BIOL.].

4 Fréquence d'une vibration, d'un son, d'une onde électromagnétique [SC.]. – PHYS. : **spectre de fréquence** ; spectromètre **473,** spectroscope. – TECHN. : **fréquencemètre** ; analyseur *(analyseur de spectre),* cycloconvertisseur, détecteur **207,** égaliseur, multiplicateur. – **Hertz** (symb. : Hz) **781.**

5 TECHN. – Audiofréquence ou A. F., fréquence d'images, fréquence d'un son, fréquence de lignes ou fréquence ligne, fréquence propre, hyperfréquence ; basse fréquence [abrév. : B. F.], haute fréquence [abrév. : H. F.] ; gamme ou **bande de fréquence 681,** bande FM ; modulation de fréquence (M. F. ou FM) ; radiofréquence ou fréquence radioélectrique ; vidéofréquence.

6 Distribution, **répartition 576.** – Statistique ; sondage. – STAT. : **fréquence** ou **effectif,** fréquence cumulée, fréquence relative.

7 **Habitude 357** ; coutume **164** ; tradition, usage. – Banalisation.

8 **Banalité.** – Cliché [RHÉT.], lieu commun, poncif **630.**

V. 9 **Répéter** ; réitérer [sout.], renouveler, **reproduire.**

10 **Se répéter,** se reproduire *(se reproduire tous les ans, chaque mois, etc.)* ; **revenir.** – Continuer. – Se multiplier, **se renouveler** ; se banaliser.

11 Loc. cour. : c'est monnaie courante, cela court les rues ; fam. : ça ne rate jamais, ça se voit tous les jours ou on rencontre ça tous les jours.

12 **Prendre l'habitude de** ; avoir coutume de, avoir l'habitude de, souloir [vx]. – Fig., fam. : avoir pris un abonnement à (aussi : avoir un abonnement, être abonné). – Être accoutumé à, être accro [arg., fig.].

Adj. 13 **Fréquent,** courant. – **Habituel** ; systématique. – **Répété** ; récurrent, réitéré ; renouvelé.

14 Cyclique, **périodique 610** ; régulier. – Fréquentiel [PHYS.].

15 Constant, continuel ; chronique, perpétuel.

16 Banal, répandu. – Rabâché, rebattu. – Rituel, traditionnel.

17 **Fréquentatif** ou itératif opposé à sémelfactif *(forme fréquentative, verbe fréquentatif)* [LING.].

Adv. 18 **Fréquemment** ; couramment. – Itérativement [didact.].

19 **Périodiquement,** régulièrement ; cycliquement. – Par intervalles, par moments, par périodes. – À intervalles rapprochés.

20 Souvent ; souventefois ou souventes fois [vx ou litt.] ; bien des fois. – Maintes et maintes fois, maintes fois, mille fois ; plus d'une fois, plusieurs fois. – À maintes reprises, à plusieurs reprises. – Communément, **généralement, habituellement.** – Usuellement.

Aff. 21 Suffixes fréquentatifs : -ailler, -iller, -ouiller, -oter ; -aillerie, -ouillerie.

22 R(e)-, ré-.

327 FROID

N. 1 **Froid** *(le froid)* ; frigidité [litt., rare], froideur [vx], **froidure** ; **frais** *(le frais),* **fraîcheur** ; basse température ; froid de canard, de chien, de loup ; froid du diable, de tous les diables. – Âpreté, rigueur, rudesse. – Froid, froideur **401** ; sang-froid **89.** – Couleur froide **159.**

2 **Froid** ; **hiver,** hivernage [MAR., GÉOGR.], saison froide, vague de froid ; frimaire, nivôse ; saints de glace. – GÉOL. : ère glaciaire, **glaciation.**

3 **Froid artificiel** ou **froid industriel** ; congélation, **réfrigération,** surgélation ; cryoconservation ; **climatisation 109** ; hibernation artificielle. – **Chaîne du froid.**

4 Abaissement de la température, **refroidissement,** rafraîchissement ; congélation, **gel,** glaciation ; figement, solidification ; cryoluminescence ou frigoluminescence [SC.], cryosynérèse [BIOL.], cryoturbation [GÉOL.]. – Cryotempérature.

5 Refroidissement ; **coup de froid,** chaud et froid ; crevasse, engelure, froidure [MÉD.] **482,** gelure, gerçure ; gélivure [BOT.]. – Frisson, grelottement, tremblement ; chair de poule, onglée, sueur froide ; algidité [PATHOL.]. – Engourdissement, **hibernation** ; thermorégulation [PHYSIOL.] **102.** – Frilosité **619.**

6 GÉOGR. : hautes latitudes, régions boréales, Nord *(le Nord),* Grand Nord, septentrion [litt.] ; Arctique, Antarctique ; pôle Nord, pôle Sud. – Banquise, calotte glaciaire, glacier, inlandsis, neiges éternelles (ou : permanentes, persistantes).

7 **Glace,** grêle, grésil, **neige** ; frimas, **gel, gelée,** gelée blanche, verglas ; flocon, grêlon, flocon ; **glaçon.** – Enneigement. – Congère, névé ; floe, iceberg, ice-shelf ou shelf, pack [MAR.]. – Aquilon, bise, blizzard **852.**

8 **Réfrigérateur** ; chambre frigorifique, chambre froide, **congélateur** ou, fam., congélo, freezer, Frigidaire [nom déposé], frigo [fam.], **glacière** ; **climatiseur 109.** – Frigidarium (opposé à caldarium) [ANTIQ.]. – Alcarazas, gargoulette.

9 Frigoporteur *(un frigoporteur)* [SC.], cryocâble [PHYS.], cryophore [TECHN.].

10 **Frigorie** (opposé à calorie) [symb. fg]. – Basse température, température au-dessous de zéro ; pôle du froid. – Zéro absolu. – **Frigorimètre** ; **cryostat.**

11 **Cryologie** [SC.]. – PHYS. : **cryogénie,** cryométrie, cryoscopie ; cryonique *(la cryonique)* [didact.]. – MÉD. : cryoanesthésie, cryochirurgie, **cryothérapie** ou **frigothérapie.** – Cryocautère. – TECHN. : cryodessiccation **750,** cryopompage.

12 Cryogéniste [PHYS.]. – Frigoriste [TECHN.].

V. 13 Impers. – **Faire froid** (ou, fam. : frigo, frio, frisquet) ; faire frais, cailler *(ça caille)* [fam.], geler, pincer *(ça pince).* – Geler, geler blanc, givrer, neiger, verglacer.

14 **Fraîchir,** froidir [vx], se rafraîchir, **se refroidir** ; figer, **geler,** prendre, se solidifier ; descendre ou tomber au-dessous de zéro. – Mordre, pincer, piquer, saisir, transir ; marbrer la peau, rougir, violacer.

15 **Refroidir** ; **rafraîchir,** tiédir **102** ; **congeler,** frigorifier, geler, **réfrigérer, surgeler** ; frapper, glacer ; **climatiser 109.**

16 **Avoir froid** ; cailler ou se cailler [fam.], geler ou se geler ; avoir la chair de poule, avoir l'onglée ; **frissonner, grelotter,** trembler de froid ; fam. : claquer des dents, peler de froid. – Craindre le froid. – Attraper froid, prendre froid.

17 **Hiberner,** hiverner ; s'engourdir. – Prendre le frais.

Adj. 18 **Froid** ; algide [rare], frais, frigide [vx ou litt.] ; fam. : frio ou friot, frisquet, froidasse ; tiède **102** ; **gelé,** glacé, **glacial** ; frappé ; à la glace, de glace ; glaçant, réfrigérant ; rafraîchissant. – Bas, au-dessous de zéro.

19 Boréal, **polaire,** septentrional, sibérien. – Hibernal, hiémal [didact., litt.], **hivernal,** nivéal [BOT.]. – Gélif, **glaciaire,** nival, nivo-glaciaire [GÉOL.]. – Enneigé, gelé, glacé, givré, verglacé. – Rigoureux, rude, vif.

20 **Frigorifique, réfrigérant.** – SC. : cryoconducteur, frigoporteur, frigorifère, frigorifuge, frigorigène. – PHYS. : cryogène, cryogénique. – Cryonique [didact.], cryoscopique [PHYS.], cryométrique.

21 Frigorifié [fam.], **gelé,** glacé, **transi** ; engourdi, gourd, morfondu [litt.], raidi. – **Frileux.**

Adv. 22 **Froidement** ; **fraîchement,** glacialement ; à la glace, à pierre fendre. – À froid ; en froid. – À la fraîche.

Int. 23 **Brr !** Glagla ! Aussi : aglagla ! [fam.].

Aff. 24 Cryo-, frigo-, frigori-, nivo-.

328 FROMAGE

N. 1 **Fromage** ; produit laitier **454.** – Fam. : fromegi ou fromgi, frometon, frogomme, frometogomme. – Fromageon.

2 **Fromage frais** (carré demi-sel, double-crème, fromage blanc ou fromage à la pie, jonchée, suisse), ; **fromage fermenté.** – **Fromage affiné** ; fromage à pâte molle, fromage à pâte molle à croûte fleurie *(brie, camembert),* fromage à pâte molle à croûte lavée *(livarot, munster),* fromage à pâte persillée ou bleu *(bleu de Bresse, roquefort).* – Fromage à pâte pressée *(Port-Salut, saint-paulin),* fromage à pâte pressée cuite *(gruyère).* – Fromage fondu.

3 Préparation du fromage. – Caillage, délaitage, égouttage ; brassage, découpage ; pressage, séchage ; **affinage,** moulage. – Emprésurage, salage. – Cuisson ; étuvage. – Piquage.

4 **FROMAGES DE CHÈVRE :**

bougon
brique
broccio
brousse
cabécou
cendré
chabichou
chevret
chevretin
chevreton
crottin
niolo
pélardon
picodon
rigotte
sainte-maure
tomme
valençay
venaco

5 **FROMAGES DE BREBIS :**

feta
kachkaval
kajmak
pecorino
roquefort

6 **FROMAGES DE VACHE :**

ANGLETERRE

cheddar
chester
leicester
stilton

HOLLANDE

édam
gouda

hollande	mimolette
leyde	tête-de-Maure

SUISSE

appenzell	sapsago
emmental ou emmenthal	sbrinz
fribourg	raclette
gruyère	tête de moine

BELGIQUE

limburger	maquée

ITALIE

asiago	mascarpone
bel paese	mozzarella
caciocavallo	parmesan
fontine	provolone
gorgonzola	ricotta
grana	stracchino

FRANCE

beaufort	mont-d'or
bleu d'Auvergne	morbier
bleu de Bresse	munster
bleu des Causses	neufchâtel
bleu du Jura	olivet
bondon	pérail
boulette d'Avesnes	pont-l'évêque
boulette de Cambrai	Port-Salut
boulette de Thiérache	reblochon
brie	riceys
brique	rigotte
camembert	rollot
cancoillotte	saingorlon
cantal	saint-florentin
carré de l'Est	saint-marcellin
chaource	saint-nectaire
coulommiers	saint-paulin
fromage de curé	septmoncel
époisses	soumaintrain
fourme d'Ambert	tomme
gaperon	vacherin
gex	vendôme
gournay	vieux-lille ou gris de Lille
laguiole	
langres	
livarot	
maroilles	

7 Cagerotte **151.5,** caget. – Claie, clisse.

8 **Fromagerie** ; buron, fruitière, marcairie ou marcairerie.

9 **Fromager** *(un fromager)* ; buronnier, marcaire. – Affineur *(un affineur).*

V. 10 Fromager.

Adj. 11 **Fromager.**

12 Fromagé *(tourteau fromagé).* – Fromageux.

329 FROTTEMENT

N. 1 **Frottement** ; **friction** ; glissement. – **Frottage,** frottis [rare]. – Trituration [TECHN.].

2 **Friction** ; bouchonnement ou bouchonnage **262.** – Brossage ; **grattage 550,** grattement, grattouillement ou gratouillement. – Gratouillis ou grattouillis [fam.], frotti-frotta.

3 TECHN. : frottage *(frottage des croûtes de fromage)* ou brossage. – MÉD. : friction, frotte [anc.] ; **massage, onction.**

4 TECHN. : grattage. – Abrasion ; abrasement, attrition [didact.].

5 MÉCAN. : frottement de glissement, frottement de pivotement, frottement de roulement. – Essai de frottement [MÉTALL.]. – Frottement interne ou intérieur [PHYS.]. – Coefficient de frottement. – Angle de frottement.

6 **Grippage** ; enrayage ; VX : enraiement ou enrayement. – **Freinage,** ralentissement. – Perte frictionnelle [MÉCAN. DES FLUIDES].

7 **Froissement.** – Crissement, grincement **83.** – Frou-frou ou froufrou, froufroutement ; frôlement.

8 **Frotte** [pop.], gratte [fam.], grattelle [vx].

9 Fig. : **frottements,** friction ; conflit **146,** désaccord **194.**

10 Fig. : **frottement** [vx ou litt.] ; contact.

11 Fam. : **frottée 160,** brossée.

12 BX-A. : **frottage** ; poncif ; frottis [TECHN.]. – Gratture. – Papier frictionné [PAPET.]. – Frottée *(une frottée, une frottée d'ail).*

13 **Frottoir,** grattoir. – Abrasif *(un abrasif)* **640.**

14 TECHN. : frotteur, frottoir ; frotteuse ; brosse à frotter. – Frotton [TECHN.]. – Frictionneur *(un frictionneur)* ou cylindre frictionneur [PAPET.].

15 Frottin [arg.].

16 Tribomètre [PHYS.].

17 LING. : **fricative 781** *(une fricative)* ou consonne fricative.

18 PHYS. : triboélectricité ; triboluminescence.

19 **Tribologie** [MÉCAN.] ; tribométrie [PHYS.].

20 Frotteurisme [SEXOL.].

21 TECHN. : **frotteur** *(un frotteur),* brosseur *(un brosseur),* gratteur *(un gratteur).*

22 Frotteur *(un frotteur)* [pop.] ; SEXOL. : frôleur *(un frôleur).*

V. 23 **Frotter.** – Frotailler [fam.] ; **frictionner.**

24 Brosser ; **bouchonner,** étriller.

25 **Se frotter** ; **se frictionner** ; se faire une friction. – Se gratter.

26 **Se frotter de** ; s'enduire de, se frictionner à ou avec ; s'oindre de [rare].

27 Frotter ; briquer, **brosser** ; abraser ; **gratter,** gratteler [TECHN.]. – Grattouiller ou gratouiller [fam.].

28 **Frotter** ; accrocher, **gratter, gripper.**

29 Crisser, grincer ; bruisser, froufrouter.

Adj. 30 **Frottant** ; à frottement [MÉCAN.]. – PHON. : **fricatif** ou spirant [vieilli]. – **Frictionnel** [didact.]. – Frictionneur [PAPET.].

31 Triboélectrique [PHYS.].

32 Rare ou didact. : **frottable** ; triturable.

33 Abrasif.

34 **Grippé** ; coincé, enrayé.

35 Crissant ; bruissant, froufroutant.

Aff. 36 Tribo- ; -tribe.

330 FRUITS

N. 1 **Fruit** ; fruit capsulaire, fruit déguisé, fruit déhiscent (opposé à indéhiscent). – Fruits primeurs ; fruits rouges, petits fruits [helvét.]. – Fruit sec ; fruit confit, pâte de fruits **799.**

2 **Grain 345** ou caryopse, graine, granule, pépin, semence. – Acinus [BOT.], akène, **baie,** diakène, follicule, momie. – Cône, disamare, drupe, noix, nucule, pépon, pyxide, samare, silicule, silique, sycone, syncarpe.

3 PARTIES DES FRUITS

aile	intine
arille	kapok
barbe	locule
brou	loge
carpelle	noyau
cerneau	parche
chair	peau
cloison	pellicule
cœur	périsperme
columelle	pierre
coque	poil à gratter
coquille	pomme
corymbe	pruine
cupule	pyxide
diaphragme	quartier
duvet	queue
écale	strobile
élatérie	trognon
exine	valve
hile ou ombilic	zeste
induvie	

4 Endocarpe, épicarpe ou **peau 604,** mésocarpe, péricarpe, sarcocarpe. – **Jus,** pulpe ; fructose, peptine, suc, vitamine ; albumen, corozo, fécule, rob [vx].

5 **Grappe,** régime. – Corne d'abondance.

6 Noix, amandes. – **Amande,** amandon, anacarde ou noix de cajou, arachide (ou : cacahouète, cacahuète), aveline, châtaigne d'eau, **noisette, noix,** noix d'arec, noix d'argan, noix de bancoul, noix du Brésil, noix de palmier, noix de corozo, noix de pécan ou noix de pacane, noix de Queensland, pistache. – **Châtaigne,** faine, gland, marron. – Amande de terre, cabosse, œillette.

7 Graines. – **Blé 360,** chènevis, épeautre, froment, **maïs,** mil, millet, orge mondé, orge perlé, **riz,** sarrasin, seigle, sésame ; oton. – Farineux, **féculent** ; ers, fève, fèverole, flageolet, **haricot,** haricot sec, lentille, petit pois, pois chiche, pois fourrager, pois potager ; ambrevade ou pois d'Angola, jarosse, kerstingiella, mungo, pois indien ou lablab, voandzeia. – Cacao, café. – Anis, carvi, coriandre, cumin, maniguette, muscade, muscadille, **poivre,** poivre blanc, poivre gris, poivre noir, poivre vert ; câpre. – Ambrette ; fève de calabar, ispaghul, psyllium ou graine de puce. – Brisures, farinettes.

8 **Abricot,** alberge. – **Pêche** ; brugnon, nectarine ; pêche de vigne ; springtime. – **Prune** ; mirabelle, quetsche, reine-claude ; pruneau, pruneau d'Agen ; icaque ; mombrin. – **Melon** ; cavaillon, charentais ; melon d'Espagne ; melon d'eau ; pastèque. – **Tomate,** ou, région., pomme d'amour ; olivette.

9 **Agrume** ; bigarade, cédrat, **citron,** citron vert, clémentine, lime ou limette, mandarine, navel, **orange,** pamplemousse, pomelo (ou : grape-fruit, grapefruit), sanguine, tangelo, tangerine.

10 **Pomme** ; pomme d'api, calville, capendu, châtaignier, pomme à couteau, delicious, dixiered, pomme douce, pomme douce-amère, fenouillet, golden, grany-smith, reinette Boskop, reinette du Canada, reinette grise, reinette du Mans, reine des reinettes, pomme rouleau rouge, starking.

11 **Poire** ; poire d'ambrette, besi, beurré-hardy, blanquette, catillac, comice, conférence, crassane, cuisse-madame, curé, doyenné, duchesse, guyot, hâtiveau, liard, louise-bonne, madeleine, marquise, mignonne, mouille-bouche, muscadelle, passe-crassane, rousselet, saint-germain, toute-bonne, williams ou bon-chrétien.

12 **Cerise** ; bergamote, bigarreau, cerisette, gorge-de-pigeon, griotte, guigne, marasque, marmotte, merise. – Corme. – Cornouille. – Sorbe.

13 **Fruits rouges** ; airelle, alise, allouche, arbouse, cassis, corme ou sorbe, **fraise,** fraise des bois, framboise, groseille, groseille à maquereaux, mûre, myrtille ou brimbelle.

14 **Raisin** ; alphonse lavallée, malaga, meunier, muscat, pinot, raisin de Corinthe, raisin de Smyrne ; raisin de table.

15 Algarobille (ou : caroube, carouge), amélanche, azerole, coing, corossol, cynorhodon ou gratte-cul, **olive,** sapote, sapotille.

16 Fruits exotiques. – **Ananas,** avocat, **banane,** cachiman, chérimole, datte, durian, feijoa, **figue,** figue-banane, figue de Barbarie, figue des Hottentots, fruit de la Passion, gombo, goyave, grenade, kaki, kiwi, kumquat ou chinois, litchi ou lychee, mangoustan, mangue, mombin (ou pomme-cythère, pomme de Cythère), nèfle, nèfle du Japon (ou bibace, bibasse), **noix de coco** ou coco, papaye, pomme-cannelle.

17 Baguenaude, balise, caprifigue, cenelle, frangipane, jambose ou jamerose, jaque, mancenille, mangle, micocoule, myrtidane, sébeste, vallonée ou vélanède ; cola ou kola, jujube.

18 **Maturation,** aoûtement, blettissement, pomaison, véraison ; caprification, fructification ; grenaison ; parthénocarpie.

19 **Fruiticulture,** pomiculture. – Fruitier, verger **18.** – Fruiterie, mûrisserie ; herbagère. – Graineterie.

20 Fruiticulteur, fruitier. – Grainetier. – Marchand de quatre-saisons [anc.].

21 Carpologie. – Fruitarisme, végétarisme **214.**

V. 22 Affruiter, **fructifier,** se mettre à fruit [rare] ; grainer ou grener, monter en graine ; aoûter, **mûrir,** saisonner ; se corder.

Adj. 23 **Fruitier,** légumier, séminal ; fructifère. – Uval. – Bacciforme, granulaire ; en branches. – Monogerme, monosperme. – Cortiqueux, lapilleux ou pierreux.

24 Vert **857** ; blet, **mûr** ; passerillé, sec. – Fruité, fruiteux [litt.] ; cotonneux, fondant, juteux, pulpeux.

25 Carpophage, frugivore, granivore. – Fruitarien ; végétalien, végétarien.

Aff. 26 Carpo-, fructi-, frugi- ; -carpe.

331 FUNÉRAILLES

N. 1 **Funérailles** ; cérémonie funèbre, **enterrement** *(enterrement civil, enterrement religieux),* obsèques. – Derniers devoirs.

2 Ensevelissement, inhumation (opposé à exhumation), mise en terre, mise au tombeau. – Crémation [didact.], incinération.

3 **Honneurs funèbres** ; éloge funèbre, oraison funèbre, panégyrique. – Consolation, discours consolatoire [litt.]. – Minute de silence. – Conclamation [ANTIQ. ROM.] ; déploration [didact. ou litt.], pleurs [litt.] **836.**

4 **Chant funèbre** ; thrène [ANTIQ. GR. ou litt.], vocero. – Marche funèbre [MUS.]. – Sonnerie aux morts ; glas.

5 Service funèbre, messe des morts, messe de requiem, office des morts **508.** – **Prière des morts** ; absoute, de profundis, libera, obit. – Cantique funèbre ; dies irae, requiem **106.**

6 Veillée mortuaire ; exposition du corps. – Levée du corps, mise en bière. – Toilette du mort. – Thanatopraxie ; embaumement, momification [HIST.].

7 Convoi funèbre, cortège funèbre, deuil [vieilli] ; char funèbre, corbillard, fourgon funéraire.

8 **Cérémonie de commémoration,** service du bout de l'an. – Novemdial [ANTIQ. ROM.], période de deuil. – Jour des Morts, parentales ou parentalies [ANTIQ. ROM.], Toussaint **310.**

9 **Deuil** ; demi-deuil, grand deuil, petit deuil.

10 Fossoyage ou fossoiement.

11 Bûcher, crématoire *(un crématoire)* **311,** crématorium, funérarium.

12 Chambre funéraire. – Chambre froide, morgue. – Chapelle ardente, **funérarium,** salon funéraire. – Catafalque, estrade funèbre. – Lit de mort, lit de parade.

13 **Cercueil** ; arche sépulcrale [ARCHÉOL.], bière [litt. ou vieilli], ciste [ARCHÉOL.], sarcophage [ANTIQ.]. – Châsse, fierte [vx]. – Canope [ANTIQ.], amphore (ou : jarre, urne, vase) funéraire.

14 **Cimetière,** nécropole [didact. ou sout.] ; litt. : champ du repos, dernier asile, dernière demeure, enclos funèbre ; arg. : boulevard ou jardin des allongés, champ de navets, champ d'oignons. – Concession [cour.] ; concession à perpétuité, concession temporaire. – Charnier, **fosse commune,** gémonies [ANTIQ.], voirie. – Catacombes, ossuaire. – Colombaire ou columbaire, columbarium [ANTIQ.].

15 Fosse, sépulture, **tombe** ; caveau, confession [ARCHÉOL.], sépulcre [didact. ou litt.], **tombeau.** – ANTIQ. : tholoi, timbe. – Enfeu, niche funéraire. – **Mausolée,** monument funéraire. – Crypte, hypogée [ANTIQ.]. – Chapelle funéraire, magasin funéraire [ANTIQ.]. – ANTIQ. : mastaba, pyramide ; dolmen [ARCHÉOL.]. – Chullpa [ARCHÉOL.], tour funéraire.

16 **Tertre funéraire.** – ARCHÉOL. : cairn, galgal, kourgane, mound, tombelle, tumulus.

17 Dalle funéraire, pierre tombale ou, TECHN., tombale, plaque tombale ; cippe [ARCHÉOL.], colonne funéraire, obélisque, stèle. – Croix ; BX-A. : gisant, orant, priant, transi. – **Épithaphe** ; ci-gît, ici repose ; qu'il repose en paix, repos éternel, *requiescat in pace* (RIP). – *Sit tibi terra levis* (lat., « que la terre te soit légère »).

18 Lanterne des morts, mémorial, **monument aux morts** ; cénotaphe [didact. ou sout.]. – Plaque commémorative. – Flamme du souvenir. – Masque funéraire, masque mortuaire.

19 Couronne mortuaire, fleurs, gerbe ; ni fleurs ni couronnes. – If, cyprès ; chrysanthèmes.

20 Drap mortuaire, poêle ; cordons du poêle, glands du poêle. – Litre, tenture funèbre ; larmes d'argent. – **Linceul,** suaire [litt.] ; mentonnière. – Saint suaire, sindon [vx].

21 **Vêtements de deuil 859** ; vêtement noir. – Brassard de deuil, crêpe, voile. – Couleurs de deuil : blanc, gris, mauve, noir, violet. – Signes de deuil : drapeau en berne, fusil renversé, pique traînante, vergues en pantenne.

22 Acte de décès, extrait mortuaire, permis d'inhumer. – Nécrologe [RELIG.], registre obituaire. – **Faire-part de décès.** – Rubrique nécrologique. – Nécrologie.

23 PSYCHAN. – Taphophilie, taphophobie. – Travail du deuil.

24 Entrepreneur ou ordonnateur de pompes funèbres, libitinaire [litt., vx]. – Fam. : corbeau [vx], **croque-mort.** – Embaumeur. – Fossoyeur.

25 Libitina [MYTH. ROM.].

26 **Deuilleur** ; pleureuse, voceratrice ou vocératrice.

27 **Mort 534** ; sout. : défunt, trépassé. – Cadavre, corps, dépouille, dépouille mortelle ; arg. : macchabée. – Carcasse, squelette ; cendres, ossements, restes. – Momie [HIST.].

28 **Deuillant.** – Orphelin, veuf.

29 Crémateur [rare], crématiste [didact.].

V. 30 Rendre les derniers devoirs ou les honneurs funèbres à. – Fermer les yeux à un mort ; veiller un mort. – Porter le poêle [vx], tenir les cordons du poêle.

31 Mettre en bière ; clouer dans le cercueil. – Embaumer, momifier [HIST.]. – **Creuser une tombe,** fossoyer [TECHN. ou rare]. – **Enterrer** ; enfouir, ensevelir, inhumer, mettre ou porter en terre. – Incinérer.

32 **Être en deuil** ; prendre le deuil (opposé à quitter le deuil). – Vieilli : conduire ou mener le deuil.

33 Avoir déjà un pied dans la tombe, être au bord de la tombe. – Descendre dans la tombe ; suivre qqn dans la tombe.

34 Endeuiller.

Adj. 35 **Funéraire** ; funèbre. – Tombal *(pierre tombale),* tumulaire [didact.], sépulcral [vx]. – Cinéraire *(urne cinéraire).*

36 Mortuaire, obituaire.

37 Litt. : funèbre, funeste, lugubre, macabre, noir, sépulcral, tombal.

38 En deuil ; endeuillé.

Adv. 39 Funérairement [rare]. – Funèbrement [litt., rare].

332 FUTUR

N. 1 **Futur** *(le futur)* ; **avenir,** devenir *(le devenir)* ; le lendemain, les lendemains, le surlendemain. – La postériorité **647.** – Destin **305,** destinée.

2 **Imminence,** menace **175.** – Attente **51,** espoir **285.** – Procrastination [didact.].

3 GRAMM. – Futur antérieur du passé, futur antérieur **346,** futur dans le passé ou futur du passé, **futur simple** ; futur périphrastique, futur proche.

4 Anticipation, divination **235, prévision.** – Futurologie, prospective ; déterminisme laplacien ou universel [SC.] ; problème des futurs contingents [PHILOS.]. – Anticipation, science-fiction.

5 **Descendants 314,** héritiers. – Graine de + n. – Futurologue ; devin.

6 Futurition [didact.].

V. 7 **Aller** + inf. *(je vais partir),* être en passe de + inf., **être sur le point de** + inf., être pour + inf. *(je suis pour sortir)* [pop.] ; devoir + inf. ; ne pas tarder à + inf. *(je ne tarderai pas à partir).* – Avoir l'intention de **428,** faire le projet de.

8 Approcher, **menacer** ; pendre sous le nez ou au nez de [fam. ; aussi : pendre au nez comme un sifflet de deux sous].

9 Attendre ; espérer. – Qui vivra verra [prov.].

10 **Prédire,** prévoir.

Adj. 11 **Futur** ; à venir, imminent, proche. – En huit *(dimanche en huit ;* aussi, sout. : *de dimanche en huit),* **prochain** *(dimanche prochain)* ; postérieur **647,** suivant, ultérieur.

12 En herbe. – En devenir.

13 D'avant-garde, d'avenir, **de pointe.**

14 Futurologique, prospectif.

Adv. 15 **Ensuite, puis.** – Par après [vx ou région.], par la suite, **plus tard** ; subséquemment [sout.], ultérieurement. – Après-demain, demain ; le lendemain, le surlendemain.

16 **Bientôt,** tantôt [région.], tout à l'heure ; avant peu, dans peu, **sous peu** ; incessamment, prochainement. – D'un moment à l'autre, sans tarder ; par plais. : incessamment si ce n'est avant, incessamment sous peu ; plus tôt que plus tard [vx].

17 Un de ces jours, **un jour,** un jour ou l'autre ; fam. : un de ces quatre matins, un de ces quatre. – Tôt ou tard.

18 **À l'avenir** ; **désormais,** dorénavant. – À bref délai, au plus tôt ; aussitôt que possible, dès que possible.

19 À l'horizon, en perspective.

Int. 20 À demain ! À la prochaine fois ! Fam. : à la prochaine ! À plus tard ! Fam. : à plus !

Prép. 21 **Après** ; à la suite de, ensuite de [vx]. – À la veille de, près de, sur le point de.

Conj. 22 **Après que,** le lendemain que [vx].

Aff. 23 Après-, post-.

333 GASTRONOMIE

N. 1 **Gastronomie** ; art culinaire **343,** cuisine **703,** cuistance [arg. mil.], gastrologie [vx]. – Gastrolâtrie [litt., rare].

2 Appareil ou masse. – Apprêt ; bridage, troussage ; **assaisonnement** ; dressage. – Ingrédient.

3 **Cuisson ;** précuisson. – Bain-marie, court-bouillon, daube, friture. – Gratin, soufflé ; chaud-froid.

4 **Conservation.** – Réfrigération ; congélation **327,** surgélation. – Déshydratation, séchage **750.3** ; appertisation, stérilisation ; boucanage, fumage ou fumaison ; macération, marinage.

5 **Conserve,** semi-conserve ; confit. – Bocal, boîte de conserve, brik.

6 Viande ; arg. : barbaque, bidoche.

7 Bœuf : aiguillette baronne, aloyau, basses côtes, bavette à bifteck, bavette à pot-au-feu, charolaise, collier, crosse, entrecôte, faux-filet, filet, flanchet, gîte à la noix, gîte de devant, gîte de derrière, globe, griffe, hampe, jumeau à bifteck, jumeau à pot-au-feu, macreuse, plat de côtes couvert, plat de côtes découvert, poitrine, queue, rond de tranche basse, rumsteck, salière, surlonge, tendron, tranche. – Mouton : collier, côtes premières, côtes secondes, côtes découvertes, épaule, filet, gigot, selle. – Porc : côte, échine, filet, jambon, jambonneau, lard, pied, plat de côtes, pointe, queue, travers de côtes. – Veau : collier, cuisseau, épaule, flanchet, haut-de-côtelettes, jarret, longe, noix pâtissière, poitrine, queue, sous-noix, tendron. – Chevreuil : cuissot, gigue. – Venaison. – Poisson : darne, escalope, filet, joue.

8 **Abats,** tripes : amourettes, animelles, cervelle, fraise, pied, ris, tête ; cœur, foie, langue, poumon, rate, rognon. – **Abattis** ; aileron, cou, cœur, foie, gésier, patte, tête ; croupion, sot-l'y-laisse.

9 **Charcuterie,** cochonnaille [fam.]. – Cervelas, cervelle, coppa, foie gras, galantine, hure, **jambon,** jésus, langue, pied de porc ; andouillette, **saucisse** (saucisse de Francfort, saucisse de Strasbourg, etc.), **saucisson,** mortadelle, **pâté,** rillettes, rosette, salami, saucisson à l'ail, merguez, chipolata, saucisson sec, tripoux.

10 Carbonade ou carbonnade, **grillade,** rôt ou **rôti** ; daube, estouffade ; fondue *(fondue bourguignonne).*

11 Ballottine, escalope, **paupiette,** médaillon, mignon, roulade ; émincé. – Brochette, kebab. – Acra, attereau, beignet, **boulette,** croquette, fricatelle, quenelle. – **Terrine,** timbale ; chartreuse, pain. – Casserole, cassolette, coquille. – Barquette, bouchée (bouchée à la reine), brik, vol-au-vent.

12 **Civet,** farci, fricassée, gibelotte, **pot-au-feu, ragoût,** salmigondis, suprême. – Aligot, borchtch ou bortsch, brouet, cassoulet, choucroute, estouffat, fricandeau, goulache ou goulasch, halicot, hochepot, kig ha farz, navarin, osso-buco, petit salé, potée, poule au pot ; petits pieds. – Chili con carne ; chop suey ; couscous, méchoui, tajine ; foutou.

13 **Poissons** ; hareng, maquereau, **sardine,** sprat. – **Bar** ou loup de mer, cabillaud ou aiglefin ou églefin, colin ou lieu, daurade **638,** éperlan, espadon, grenadier, julienne, limande, lisette, lote ou **lotte,** raie, rouget, roussette, saumon, sole, thon, truite, turbot. – Calmar ou calamar, seiche. – **Fruits de mer** ; plateau de fruits de

mer ; huître, moule **527** ; palourde, praire ; bigorneau ou escargot de mer ; oursin. – **Crabe,** crevette, langoustine ; homard, langouste.

14 Bouillabaisse, bourride, cotriade, **matelote,** waterzoï. – Brandade de morue ou brandade ; tarama ; poutargue ou boutargue.

15 Steak tartare ; **carpaccio.** – Haddock ; sushi. – Plateau de fruits de mer.

16 **Tarte,** tourte ; croustade, empanada, flamiche, koulibiac, nem, pie, pizza, pissaladière, quiche. – Crêpe, pancake ; pannequet, taco, tortilla. – Diablotin, croûton.

17 Ambérique ou, abusif, germe de soja, **artichaut, asperge,** aubergine, bette ou blette, brocolis, cardon, chou de Bruxelles, chou caraïbe ou taro, **chou-fleur,** chou-rave, chou rouge, crambe, fenouil, haricot beurre, haricot mange-tout, **haricot vert,** pâtisson (ou : bonnet-de-prêtre, artichaut d'Espagne), pe-tsaï [chin.], poireau, poivron, pousse de bambou.

18 **Cucurbitacées.** – Bénincase, calebasse, chayote, citrouille, **concombre,** cornichon, cougourde [région.], **courge,** courgette, giraumont, malossol, momordique, papengaie ou paponge, potiron.

19 Aunée, betterave, **carotte,** céleri-rave, chervis ou sium, crosne, igname, ipomée ou patate douce, navet, panais, **pomme de terre** ou patate, radis, raifort, rutabaga, salsifis ou tragopodon, scorsonère, topinambour.

20 **Salade.** – Batavia, céleri, chicorée, endive ou witloof, feuille-de-chêne, frisée, **laitue,** lola ou lola rossa, mâche ou doucette, mesclun, pissenlit, romaine, scarole ; chicon. – Chiffonnade.

21 Fondue de légumes, garniture de légumes, **jardinière,** macédoine ; bouilli. – Paella, risotto, riz à la cantonaise. – Chips, frite, gratin dauphinois, pomme paille, pomme de terre en robe de chambre ou des champs, purée, tartiflette. – **Crudités.**

22 Mousse, mousseline. – Mirepoix, salpicon. – Hachis, **farce.**

23 Bouillon ; consommé, potage, **soupe,** velouté ; minestrone ; gratinée. – Bouillon aveugle ou sans yeux.

24 Œuf brouillé, œuf en cocotte, œuf en meurette ; œuf à la coque, œuf frit, œuf au ou sur le plat, œuf poché ; omelette, tortilla.

25 Pâtes. – Cheveu d'ange, vermicelle ; coquillette, nouille ; fettucine, macaroni, penne rigate, spaghetti, tagliatelle ; cannelloni, gnocchi, lasagne, ravioli, tortellini.

26 Sauces. – Sauce aigre-douce, aillade, aïoli, allemande, sauce aurore, béarnaise, béchamel, sauce bourguignonne, sauce espagnole, sauce gribiche, sauce hollandaise, **ketchup,** sauce **mayonnaise,** poivrade, sauce ravigote, rémoulade, saupiquet [vx], tabasco, velouté, **vinaigrette.** – Court-bouillon ; escabèche, marinade ; meurette. – Bisque, coulis. – Liaison ; gélatine, **gelée,** panade ; roux.

27 Aromate, **épice** ; condiment. – Anis, armoise, badiane, basilic, ciboulette ou civette, marjolaine ou origan, menthe, cerfeuil, estragon, fenouil, thym, laurier, persil, romarin ; câprier, capucine ; aneth, anis, carvi, coriandre ou, cour., persil chinois, cumin, girofle, moutarde ; genévrier, piment ; raifort ; angélique, sarriette, serpolet ; ail, ciboule ou cive, échalote, gingembre, oignon. – Bétel, cannelle, poivre, muscade, paprika, safran, vanille. – Bouquet garni, cari ou curry, chutney, fines herbes, nuoc-mâm, quatre-épices ; persillade. – Achards, pickles.

28 Sel ; sel blanc, sel gris ou sel de cuisine. – Sel marin ou sel de mer ; sel gemme. – Sel fin, gros sel. – Chlorure de sodium.

29 Poivre ; poivre blanc, poivre gris, poivre noir. – Poivre en grains, poivre concassé ; poivre moulu, poivre en poudre. – Poivre de Cayenne, poivre de Guinée.

30 Cuisine **481** ; spécialt : coquerie, coqueron. – Arrière-cuisine, office, souillarde.

31 Buffet, vaisselier. – Table **519.** – Chemin de table, nappe, napperon, toile cirée. – Ramasse-miettes.

32 Boucherie, charcuterie, rôtisserie, traiteur, triperie ; primeur ; poissonnier. – Halle, marché ; supermarché.

33 Boucher, charcutier, rôtisseur, traiteur, tripier ; poissonnier ; marchand des quatre-saisons.

34 **Cuisinier,** cuistancier [arg. mil.], cuistot [fam.] ; vx : communard, entremettier, garde-manger, saucier ; fille de cuisine. – Chef, coq ; vx : maître queux. – Cordon-bleu.

35 Fam., péj. : empoisonneur, fricasseur, gargotier, marchand de soupe.

36 **Gastronome,** gourmet ; fine gueule [fam.]. – Gastrolâtre [rare], gourmand.

V. 37 Accommoder un mets, apprêter, **cuisiner.** – Farcir, fourrer ; entrelarder, larder. – Brider, emballer, foncer ; enrober. – Chemiser, dorer, glacer, laquer, napper ; singer. – Chapeler, paner. – Imbiber ou siroper ; masquer, voiler ; meringuer. – Assaisonner, épicer, parfumer ; persiller ; avoir la main lourde.

38 Habiller, parer ; découper, dépecer, désosser, détailler, émincer, escaloper, fileter, lever ; flaquer un poisson. – Dénerver. – Dégorger. – Ébarber, écailler, évider, vider ; dessaler, limoner, sasser. – Plumer ; déplumer [rare]. – Dérober, effiler, peler, monder ; dénoyauter, épépiner.

39 Chiqueter, ciseler, videler. – Dresser, trousser ; festonner, historier, rioler, tourner.

40 **Cuire** ; précuire, recuire. – Blanchir, blondir, **bouillir,** braiser, compoter, ébouillanter, échauder, étuver, fricasser, **frire,** gratiner, griller, havir [vx], mijoter, pocher, poêler, faire revenir, rissoler, **rôtir,** roussir, sauter, saisir, suer ; torréfier. – Confire. – Mariner. – Enfourner ; défourner, désenfourner.

41 Attacher, brûler, cramer.

42 Arroser, mouiller ; déglacer, relâcher. – Réduire.

43 Clarifier ; colorer, pincer. – Tamponner.

44 Corser **343,** corriger. – Assaisonner ; ailler, pimenter ; poivrer, saler.

45 Battre, fouetter, serrer, travailler, vanner. – Faire le ruban, fraiser une pâte, malaxer.

46 Frapper, rafraîchir, refroidir ; givrer. – Sangler.

Adj. 47 Gastronomique ; culinaire. – Gourmand.

48 Degrés de cuisson. – Légumes : al dente. – Viandes : au bleu, à point, saignant ; vert-cuit. – Œuf : à la coque, dur, mollet.

49 **Cuit** ; attaché, brûlé, calciné, cramé, roussi. – Torréfié.

50 Farci, garni ; bardé ; pané, gratiné. – Braisé, frit, grillé, poêlé, sauté. – Faisandé, mariné, mortifié.

51 Apprêts. – Viandes : à l'alsacienne, à la bourgeoise, à la bourguignonne, à la diable, à la forestière, à la française, grand veneur, à la milanaise, à la tartare. – Poissons : à l'américaine, à l'amiral, à l'armoricaine, en bellevue, à la florentine, à la nage, au vert. – Légumes : à la maraîchère, en paysanne, à la printanière ; à la boulangère, à la bouquetière, à la bretonne, à la bruxelloise, à la croque au sel, à la dauphine, à la flamande, à la niçoise, à l'orientale. – Pâtes : à la bolognaise, à la carbonara, à la napolitaine, à la sicilienne.

52 Dressages : en accolade, en aspic, en aumônière, en buisson, en chemise ou en vessie, en couronne, en crapaudine, en demi-deuil, à la serviette, en turban, en volière.

Adv. 53 Cuissons : au bain-marie, au court-bouillon, à l'étouffée ou à l'étuvée, à la vapeur ; à la broche, au four, au gril.

54 Gastronomiquement, culinairement.

334 GAUCHE

N. 1 **Gauche** *(la gauche)* ; **bâbord** [MAR.] ; côté du cœur ou, vx, côté de l'épée, côté jardin [THÉÂTRE], côté avions [AVIAT.], côté de l'Évangile ou petit côté [LITURGIE.]. – Montoir ou côté du montoir [ÉQUIT.].

2 Didact. – **Gaucherie** *(gaucherie manuelle, gaucherie oculaire),* sinistralité ; latéralité **158.7.** – Sinistrocardie.

3 BOXE : gauche *(un gauche)* ; crochet du gauche, tir du gauche. – ESCR. : senestre ou sénestre *(la senestre).* – Senestrochère [HÉRALD.].

4 POLIT. – Gauche *(la gauche)* ; extrême gauche, ultra-gauche **808** ; Cartel des gauches. – **Gauchisme.**

5 Gaucherie **483** ; gauchissement **212.**

6 **Gaucher,** gaucher contrarié. – POLIT. : **gauchiste** ou, vx, gaucher, gaucho [fam.] ; gauchisant *(un gauchisant).* – SPORTS : ailier gauche, arrière gauche, demi gauche. – Bâbordais [MAR.].

V. 7 POLIT. : se gauchiser ; être de gauche, se situer à gauche, siéger à gauche.

8 Se lever du pied gauche ; se marier de la main gauche **491.** – Mettre de l'argent à gauche **176** ; passer l'arme à gauche **534.**

9 Gauchir **212.**

Adj. 10 **Gauche,** senestre [vx ou didact.]. – Senestré [HÉRALD.]. – Lévogyre, sénestrogyre [CHIM., vx], senestrorsum (ou : sénestrorsum, sinistrorsum), sénestrovolubile [BOT.] ; rétrograde *(hélice rétrograde).*

11 Gauchiste ; gauchisant, gaucho [fam.] ; de gauche.

Adv. 12 **À gauche,** à main gauche, à dia, à sénestre [HÉRALD. ou vx] ; à babord [MAR.] ; côté jardin [THÉÂTRE]. – De droite à gauche ou vers la gauche, dans le sens inverse des aiguilles d'une montre, senestrorsum (ou : sénestrorsum, sinistrorsum) ; de gauche à droite **246.10** ; par la gauche. – Jusqu'à la gauche **427.37.**

Prép. 13 À gauche de.

Aff. 14 Lévo-, sénestro-, sinistro-.

335 GAZ

N. 1 **Gaz** ; corps gazeux, fluide gazeux, mélange gazeux. – **Vapeur.** – Émanation **569,** exhalaison. – Miasme (souv. pl. : miasmes), mofette [vx] ; méphitisme.

2 CHIM. : **gaz parfait** (opposé à gaz réel) ; gaz permanent. – Air, atmosphère. – Azote, oxygène ; ozone. – Hydrogène ; chlore, fluor. – **Gaz rares** (hélium, néon, argon, krypton, xénon, radon). – Oxyde de carbone ; dioxyde de carbone ou gaz carbonique. – Hydrocarbure ; méthane, éthane, propane, butane. – Gaz sulfureux ou anhydride sulfureux. – Cyanogène. – Acétylène ; éthylène (ou, vx, gaz oléigène ou oléifiant)

3 SC. – Mécanique des gaz ; aérodynamique, aérostatique ; aéraulique. – PHYS. : loi de Charles, loi de Gay-Lussac, loi de Mariotte. – Baromètre ; manomètre **509** ; eudiomètre. – Gazochimie.

4 Gaz des forêts, gaz des marais ou formène [vx], gaz méphitique. – Gaz des houillères, gaz tonnant [vx], **grisou.** – Gaz ammoniac ou ammoniac.

5 Gaz combustible ; absolt : **gaz** *(le gaz).* – **Gaz de ville,** gaz d'éclairage [vieilli]. – Gaz de houille ; gaz de gazogène ; gaz à l'air, gaz à l'eau, gaz mixte ; gaz riche, gaz pauvre. – Gaz naturel, gaz de pétrole ; gaz de Lacq. – Chauffage au gaz ; cuisinière, four, réchaud à gaz ; allume-gaz ; compteur à gaz. – Bec de gaz [anc.]. – Usine à gaz ; gazogène ; gazomètre, gazoduc. – Employé du gaz ; **gazier.**

6 **Gaz de combat.** – **Gaz asphyxiant** ; gaz suffocant, gaz vésicant ; arsine, phosgène, ypérite ou gaz moutarde. – **Gaz incapacitant** ; gaz hilarant, gaz lacrymogène, gaz sternutatoire. – Gaz neurotoxique. – Masque à gaz. – Gazé *(un gazé ; les gazés de la Grande Guerre).* – Chambre à gaz.

7 MÉD. : **gaz anesthésiant** ; chlorure d'éthyle, cyclopropane, protoxyde d'azote.

8 Gaz intestinal, gaz stomacal. – Ballonnement **841,** météorisme **296,** météorisme des bestiaux ou empansement.

9 **Compression.** – Détente ; détente adiabatique, détente isotherme ; **dilatation,** expansion. – Cavitation.

10 **Gazéification** ; regazéification. – Vaporisation ; **sublimation** ; volatilisation. – Liquéfaction. – Dissolution, barbotage. – Inflammation, explosion.

11 Dégazage, dégazeur. – Gazéificateur ; regazéificateur. – Dégazolinage ou dégasolinage.

12 Didact. – Coercibilité, compressibilité, élasticité. – Solubilité.

V. 13 **Gazéifier** ; dégazéifier ; regazéifier. – **Sublimer,** vaporiser. – Condenser. – **Compresser, comprimer** ; liquéfier. – Décompresser, décomprimer, détendre.

14 TECHN. – Dégazer ; dégasoliner ou dégazoliner. – Barboter.

15 Émaner ; se dégager, s'exhaler, fuir. – Se condenser ; se dilater. – Se volatiliser, **se sublimer.** – Se raréfier. – Brûler, exploser.

16 **Gazer** (impers. : ça gaze) [fam.] ; mettre les gaz **684,** couper les gaz.

17 **Gazer** *(gazer un animal, une personne)* ; **asphyxier,** étouffer, intoxiquer.

18 Avoir des gaz ; météoriser [MÉD.] (fam. : avoir des grenouilles dans l'estomac, dans le ventre).

19 Il y a de l'eau dans le gaz [loc. fam.].

Adj. 20 **Gazeux** ; fluide, vaporeux, volatil. – Aériforme ; impalpable, intactile, intangible. – Rarescent [sout. et rare] ; subtil.

21 **Gazeux** *(eau gazeuse, boisson gazeuse)* **75.** – Gazéifié *(eau gazéifiée,* opposé à *eau gazeuse naturelle).* – Effervescent.

22 Compressible, élastique, expansible ; coercible [rare]. – Liquéfiable ; gazéifiable. – Explosif.

23 Délétère, méphitique, miasmatique **569** ; putride. – **Asphyxiant,** nocif, toxique.

24 Ballonné, flatulent, gonflé, météorisé [MÉD.].

Adv. 25 À pleins gaz **684** (ellipt., pleins gaz) [fam.].

Aff. 26 Gazo- ; aéro-.

336 GÉNÉROSITÉ

N. 1 **Générosité,** prodigalité **661.** – Abnégation, altruisme, dévouement, don (ou : abandon, oubli) de soi, oblativité [rare] ; allocentrisme, altérocentrisme [didact.]. – Désintéressement ; détachement, renoncement **701.** – **Cœur,** grandeur ou élévation d'âme, noblesse de cœur ou de sentiments. – Humanitarisme.

2 **Charité** [vieilli] ; bonté **76,** bienveillance. – Bienfaisance ; obligeance. – Clémence, indulgence, longanimité [litt.], mansuétude ; magnanimité [litt.]. – Humanité ; humanitairerie [péj., vx].

3 **Bienfait** ; bontés **601,** dons **241,** générosités, libéralités **661.** – Aumône, charité, obole, secours.

4 **Bienfaiteur,** père [fig.] ; homme ou femme de cœur **601,** providence de + n. *(providence des malheureux)* ; Petite Sœur des pauvres ; Fille (ou : Sœur, Frère) de la charité. – Aumônier [vx], élémosinaire *(un élémosinaire)* [HIST.].

V. 5 **Se dévouer 701,** se donner ; se dévouer corps et âme **309.** – Se donner du mal ou de la peine, se mettre en quatre ; fam. : se démener ; très fam. : se décarcasser, se démancher. – Se saigner aux quatre veines.

6 **Donner** *(donner sa vie aux autres)* **241,** consacrer, dédier, prodiguer **661,** sacrifier, vouer. – S'immoler, s'oublier. – Se déposséder, se dépouiller ; donner jusqu'à sa dernière chemise [fam.].

7 **Avoir du cœur** (ou : bon cœur, un cœur d'or, le cœur sur la main). – Avoir un bon mouvement ; être bon prince.

8 Combler de bienfaits, couvrir de cadeaux. – Jouer les pères Noël [fam.].

9 Subvenir aux besoins de qqn ; pourvoir à l'entretien de qqn.

Adj. 10 **Généreux** ; noble [vx] ; prodigue **661.** – Charitable, secourable, **serviable** ; bienfaisant **76.** – Philanthrope ; altruiste, **dévoué,** oblatif. – Obligeant. – Fam. : chic, chouette ; fair-play.

11 **Bienveillant,** bon, paterne [iron.] ; clément, exorable [litt. ou vx], indulgent, longanime, magnanime, miséricordieux, tendre de [vx] ; pitoyable [litt.]. – Humain ; chrétien. – Humanitaire.

12 Désintéressé ; philanthropique. – Bénévole.

Adv. 13 **Généreusement** ; charitablement ; libéralement **661** ; de bon cœur, de bonne grâce. – Obligeamment. – Chiquement [vieilli].

337 GÉOLOGIE

N. 1 **Géologie,** géoscience. – Géognosie [didact.] ; géogénie, géomorphogénie, orogénie ; géologie dynamique ou géodynamique, géotectonique, tectonique. – Géodésie, géomorphologie ; géophysique. – Cristallographie, gemmologie, minéralogie, **pédologie** ou, rare, édaphologie, pétrographie ou, vx, lithologie, pétrologie ; oryctogéologie, sédimentologie, stratigraphie. – Hydrogéologie, gîtologie, métallogénie, minéralurgie **516,** géologie des hydrocarbures. – Paléontologie. – **Géographie** ; orographie [vx] ; altimétrie, hypsométrie.

2 Neptunisme (opposé à plutonisme) [didact.].

3 Formation, néoformation. – Nitratation, nitrification, nitrosation. – Pétrification, silicification, vitrification ; allitisation, bisiallitisation, décalcification, latéritisation, lixiviation, monosiallitisation, siallitisation ; gélifraction, gélivation. – Podzolisation ; rubéfaction. – Fossilisation.

4 **Érosion** *(érosion chimique, érosion différentielle, érosion éolienne, érosion fluviale, érosion glaciaire, érosion mécanique, érosion pluviale, érosion régressive)* **205** ; appauvrissement, régression. – Affouillement, ravinement, ruissellement **633.** – **Alluvionnement,** éluviation, illuviation. – Encroûtement, sédimentation, stratification. – Métamorphisme.

5 Tectonique des plaques ; dérive des continents. – Surrection.

6 **Séisme, tremblement de terre.** – Dislocation, diaclase ; effondrement, subsidence. – Plissement *(plissement alpin, plissement calédonien, plissement hercynien, plissement huronien).* – Soulèvement.

7 Volcanisme **530.** – **Éruption volcanique** ; éjection, projection. – Gaz ; fumerolles, mofette, solfatare ; salse, soufflard. – Déjection [GÉOL.] ; bloc, bombe, cendre, lapili, scorie. – Magma *(magma basaltique, magma granitique).* – Lave ; champ de lave ; coulée de lave ; aa.

8 Orogène, système orogénique ; cycle orogénique *(cycle alpin, cycle calédonien, cycle hercynien, cycle précambrien).* – Arc orogénique *(arc alpin, arc carpatique, arc de Gibraltar),* ceinture orogénique.

9 Alternance, discordance, discontinuité, discontinuité de Mohorovičić ou moho ; toposéquence.

10 Asthénosphère, croûte ou écorce terrestre, géosphère, lithosphère, lithosphère crustale, manteau *(manteau externe, manteau interne),* sial [vx], sima [vx]. – Noyau ou, vieilli, nife **49.6.** – Rhizosphère, tjäle ou merzlota.

11 Marge *(marge active ou pacifique, marge continentale),* plate-forme ; plaques lithosphériques, zone de subduction. – Plaque africaine, plaque antarctique, plaque eurasiatique, plaque indo-australienne, plaque nord-américaine, plaque pacifique, plaque sud-américaine.

12 **Relief** ; relief jurassien, microrelief. – Montagne **530,** plaine **627** ; côte **319.**

13 **Pli** ; anticlinal *(un anticlinal),* géosynclinal *(un géosynclinal),* pli isoclinal, synclinal *(un synclinal).* – Dorsale ou ride océanique ; dorsal.

14 **Sol 695,** sous-sol. – Terre ferme ; plancher des vaches [fam.].

15 Dépôt clastique ou détritique ; arénite, lutite, rudite. – Éluvion. – Alluvion **813,** dépôt alluvial.

16 **Terrain** *(terrain glaciaire, terrain pélagique, terrain plutonien, terrain volcanique)* ; terrain primitif, terrain de transport, terrain de transition, terrain de sédiment ; alfisol, cryosol, gélisol, lithosol, mollisol, paléosol, permasol (ou : permagel, permafrost), planosol, podzol, régosol, vertisol, xérosol. – Brunizem, gley, grèze, groie, lehm, latérite, pseudogley, ranker, rendzine, ried, sierozem, solonetz, solontchak, tchernoziom ou terre noire. – Karst.

17 **Roches** ; roche-mère **618,** roche-magasin. – Roches plutoniques ou intrusives, roches effusives ou volcaniques ; andésite, basalte, basanite, obsidienne, ryolithe. – **Roches endogènes** ; roches cristallophylliennes, roches magmatiques, roches métamorphiques ; sphène. – **Roche exogène** ; roches résiduelles (ou : détritiques, sédimentaires), roches clastiques ; brèche, grès ; poudingue. – Roches siliceuses ; silex, silice, radiolarite. – Roches calcaires ; coccolithe. – Roches salines ; sel gemme. – Roches organiques ; houille.

18 Bloc *(bloc erratique, bloc perché).* – Nodule, géode, rognon ; oolithe, pisolithe. – Neck, orgues.

19 Marmite de géant ou marmite torrentielle. – Cheminée des fées ou demoiselle coiffée.

20 Couche, horizon *(horizon B, horizon bêta, horizon C, horizon cendreux, horizon G),* strate. – Cheminée, filon, gisement, gîte, illuvium, pipe ou cheminée diamantifère, veine **516.** – Lithomarge.

21 **Ère 610.1,** période ; étage. – Système. – Ère primaire ou paléozoïque ; précambrien ou azoïque, paléozoïque, cambrien, ordovicien, silurien, dévonien, carbonifère, permien. – Ère secondaire ou mésozoïque ; jurassique, crétacé. – Ère tertiaire ou cénozoïque ; paléocène, éocène, oligocène, miocène, pliocène. – Ère quaternaire ou néozoïque ; pléistocène, holocène.

22 Fossiles végétaux : calamite, dendrite, élatérite, lépidendron, sigillaire, sphénophyllum ; boghead, **houille, pétrole** ; ambre jaune, ozocérite. – Fossiles animaux : zoolithe : atlantosaure, archéoptérix, baculite, brontosaure, dinornis, dinosaurien, dinothérium, diplodocus, glyptodon, hipparion, hippurite, ichtyornis, ichtyosaure, iguanodon, labyrinthodon, mammouth, **mastodonte,** mégalosaure, mégathérium, oryctérope, paléothérium, plésiosaure, ptérodactyle, spirifère, téléosaure ; cératite, conchyte ; crapaudine. – Fossiles anthropoïdes : anthropopithèque, pithécanthrope **371.**

23 Géodésien, géologue, géomorphologue, géotechnicien, hydrogéologue, paléontologue, pétrologue, sédimentologue, volcanologue ou, vieilli et critiqué, vulcanologue.

V. 24 **Cristalliser,** métamorphiser, volcaniser. – **Fossiliser.** – Se minéraliser.

25 **Éroder** ; affouiller, excaver, raviner. – Percoler.

26 Alluvionner, déposer. – Affleurer.

27 Être lessivé. – Être engorgé ou ennoyé.

28 Se désagréger ; s'ébouler.

Adj. 29 **Géologique,** minéralogique, orologique, pédogénétique, pédologique, tectonique. – Lithosphérique, orogénique, tectonique [didact.]. – Altimétrique, hypsométrique ; géodynamique, géologique, géomorphologique.

30 **Sédimentaire** ; alluvial, diluvial ; clastique, détritique. – Magmatique ; sursaturé.

31 **Sismique** ; aséismique ou asismique ; volcanien, volcanique. – Glaciaire, pélagique.

32 Fossilifère, lithique ; carbonifère **516,** houiller.

33 Métamorphique.

Adv. 34 Géologiquement.

Aff. 35 Géo-, séismo-, sismo-, volcano-.

36 -fère, -lithique ; -clasie.

338 GÉOMÉTRIE

N. 1 **Géométrie.** – Géométrie analytique, géométrie différentielle, géométrie euclidienne, géométrie projective ; géométrie de situation *(analysis situs),* topologie ; géométries à 4, 5, *n* dimensions ou géométries non euclidiennes. – Trigonométrie **30.** – Métagéométrie.

2 Spatialité, spatialisation. – Assiette, emplacement, **position,** situation. – Limite **467,** périmètre.

3 Axiome, loi, postulat **802,** proposition, **théorème** ; scolie. – Théorème de Pythagore, théorème de Thalès ; les cinq postulats d'Euclide.

4 Forme **323.** – **Figure,** solide. – Espace **280,** lieu, plan, surface. – Angle **30,** cercle **97,** courbe **162,**

droite **692, ligne, point** ; corde, segment, vecteur. – Axe (axe des abscisses, axe des ordonnées) ; coordonnées, coordonnées polaires, cote.

5 **POLYGONES**

carré
décagone
dodécagone
ennéagone
étoile
hendécagone
heptagone
hexagone
losange
octogone
parallélogramme
pentagone
pentédécagone
quadrangle
quadrilatère
rectangle
rhombe
rhomboïde
trapèze
triangle

6 **POLYÈDRES**

cube
cylindre
décaèdre
dièdre
dodécaèdre
heptaèdre
hexaèdre
icosaèdre
parallélépipède
pyramide
octaèdre
tétraèdre
trièdre

7 **DROITES**

apothème
arête
asymptote
bissectrice
cosécante
cotangente
demi-droite
diagonale
directrice
horizontale
hypoténuse
médiatrice
normale
parallèle
perpendiculaire
polaire
rayon
sécante
tangente
transversale
verticale

8 **COURBES**

arc de cercle
arc de courbe
circonférence
conchoïde
conique
cycloïde
demi-cercle
ellipse
ellipsoïde
enveloppée
hélice
hyperbole
hyperboloïde
hypocycloïde
lemniscate
ovale
parabole
paraboloïde
spirale

9 **SURFACES**

bande
calotte
cône
couronne
fuseau
hémisphère
onglet
plan
quadrant
sphère
sphéroïde

10 **POINTS**

foyer
homocentre
milieu
ombilic
orthocentre
pied
point d'inflexion
point d'intersection
point origine
polaire
point de contact
pôle

11 **TRACÉS**

abaque
chronogramme
courbe de fonction
diagramme
épure
graphique
histogramme
nomogramme
plan
schéma

12 **TRANSFORMATIONS**

abaissement
antidéplacement
développement
homographie
homologie
homothétie
inversion **436**
involution
isométrie
projection
rabattement
réduction
retournement
révolution
rotation **733**
similitude
symétrie
translation

13 Construction, élévation, inscription, réduction, section.

V. 14 Géométriser [didact.]. – Abaisser, circonscrire, construire, développer, engendrer, inscrire, inverser, mesurer, projeter, rapporter, réduire, tracer.

Adj. 15 **Géométrique,** géométrisé ; géométral [didact.], géométrisant [didact.].

16 Coïncident, équidistant ; concourant, convergent, divergent ; antiparallèle, parallèle, symétrique. – Tangentiel. – Homologue, proportionnel. – Curviligne, mixtiligne, rectiligne. – Acutangle, équiangle, obtusangle ; équilatéral, isocèle ; dodécagonal, isogonal, orthogonal, oxygonal, parallélépipédique, polygonal ; quadrangulaire, rectangulaire, triangulaire.

17 Orthonormé.

Adv. 18 Géométriquement. – À géométrie variable. – Diagonalement.

Aff. 19 -èdre ; -gone, -gonal.

339 GESTION

N. 1 **Gestion** ; conduite, direction, gouvernement [vx] ; vx : économie, ménage. – Management [anglic., didact.] ; manutention [DR., vx]. – Maniement *(maniement des affaires ; maniement de l'argent).*

2 Administration, gestion, **gérance.** – Autogestion. – Gestion d'affaires [DR. CIV.] ; mandat. – Gestion budgétaire [ÉCON.].

3 Économat, intendance.

4 Budgétisation [FIN.].

5 **Budget,** loi de finances. – Budget ordinaire, budget extraordinaire ; budget annexe. – Budget économique ; article, chapitre, poste. – Budget ou douzième provisoire ; budget rectificatif. – Budget de report.

6 Budget de l'État ; budget de la commune, budget du département.

7 Compte. – Compte de gestion (opposé à compte d'exercice) [FIN.].

8 **Recette,** produit ; rentrée d'argent. – **Gain** ; bénéfice, boni, excédent, profit. – Rente ; fruits [DR.], rapport [fig.], revenu **739.** – Usufruit [DR.].

9 **Dépense 191,** charge, frais ; sortie d'argent. – COMPTAB. : débours **587,** décaissement.

10 Dépense courante, dépense de fonctionnement, dépense ponctuelle, dépense reconductible ; dépense publique, dépense sociale. – DR. : dépense nécessaire, dépense utile, dépense somptuaire. – DR. : impenses ; impenses nécessaires, impenses utiles, impenses voluptuaires.

11 Contribution, cotisation, écot, intéressement, **participation 596,** quote-part.

12 Dépense d'investissement. – **Investissement,** mise de fonds, placement **81.**

13 Consolidation [COMPTAB.]. – Rentabilisation.

14 Équilibre du budget, équilibre financier.

15 **Comptabilité** ; écritures. – Balance, bilan, tableau de comptabilité. – Unigraphie ; digraphie. – Actif, avoir, crédit **66.7** ; débit **209,** doit, passif, perte. – Décompte, précompte. – Montant, total. – Passation d'écriture.

16 COMPTAB. – Bordereau de compte ; **livre de comptes,** livre des recettes et des dépenses ; sommier. – Brouillard (ou : brouillon [anc.], main, main courante, mémorial), journal (ou : livre, livre-journal), livre de commerce, registre comptable. – Livre des copies de lettres et d'inventaires. – Pièce de dépense.

17 **Gestionnaire** *(un gestionnaire)* ; administrateur, économe [vx], fondé de pouvoir ; receveur [vx]. – Gérant. – Agent. – Syndic.

18 **Comptable** ; expert-comptable. – Économe, intendant, ordonnateur ; dépensier [vx]. – Actuaire. – Maincourantier.

19 Investisseur.

20 Rentier. – Usufruitier.

V. 21 **Gérer** ; conduire, diriger **222,** mener. – Gouverner **133,** régir.

22 Administrer. – Présider.

23 **Établir son budget.** – FIN. : budgétiser ou, vx, budgéter. – Voter le budget. – Exécuter le budget.

24 Imputer ou inscrire une dépense au budget.

25 Balancer, équilibrer.

26 **Compter** ; calculer sa dépense.

27 Boucler son budget. – Faire face à ses dépenses ; faire la soudure, **joindre les deux bouts** [fam.] **281.**

28 Cotiser, contribuer, **participer 596.** – Boursiller [vx].

29 Engager *(engager des capitaux),* **investir,** placer ; externaliser.

30 Consolider [COMPTAB.]. – Rentabiliser.

Adj. 31 **Gestionnaire.** – Autogestionnaire.

32 Budgétaire *(année budgétaire).* – Budgétivore [par plais.].

33 Investi.

34 Consolidé *(résultats consolidés).*

35 Lucratif, rémunérateur ; intéressant, **rentable.** – Fam. : juteux, payant.

36 Ingérable.

Adv. 37 Budgétairement.

340 GLANDES

N. 1 **Glande** ; glande à sécrétion interne ou glande endocrine ; glande exocrine.

2 **Glande** ; adénohypophyse, antéhypophyse, corps thyroïde, cortex surrénal, épiphyse ou glande pinéale, foie, gonade, hypophyse ou glande pituitaire, hypothalamus, ovaire, ovotestis, pancréas, parotide, pituite, prostate, rein, sein, testicule, thymus. – Glande fundique, glande galactophore, glande mammaire, glande médullosurrénale, glande salivaire, glande sébacée, glande sublinguale, glande sudoripare, glande surrénale ; glande excrémentielle, glande récrémentielle.

3 **Hormone** ; ACTH ou corticotrope, **adrénaline** ou épinéphrine, aldostérone, androstérone, angiotensine, auxine, calcitonine, cholécystokinine, corine, corticostérone, cortisol, **cortisone,** cyprotérone, désoxycorticostérone, désoxycortone, folliculo-stimuline, galactine, gamone ou fertilisine, gastrine, gibbérelline, glucagon, gonadostimuline, insuline, interleukine, intermédine, kalléone, mélanostimuline, mélatonine, ocytonine, œstradiol ou estradiol, œstrine, œstriol, œstrogène, œstrone ou, vx, folliculine, pan-

créozymine, paraméthasone, parathormone, progestagène, **progestérone** ou, vieilli, lutéine, pituitrine, prolactine, prolan [vx], prostaglandine, relaxine, sécrétine, somathormone, somatomammotrophine, somatomédine, stéroïde, stimuline, testostérone, thyréostimuline, thyréotrope, tyroxine, vasopressine. – Hormone androgène, hormone cétogène, hormone chorionique, hormone cortico-surrénale, hormone diagétogène, hormone galactogène, hormone génitale, hormone gonadotrope, hormone lactogène placentaire, hormone lutéinisante, hormone médullo-surrénale, hormone mélanotrope, hormone ovarienne, hormone pancréatique, hormone pancréatotrope, hormone parathyroïdienne, hormone sexuelle, hormone somatotrope, hormone thyréotrope.

4 **Sécrétion.** – Vx : humeurs cardinales ou fondamentales. – Bave, **bile,** chassie, chyle, colostrum, crachat, cyprine [didact.], glaire, glaire cervicale, **lait, larme 836,** leucorrhée (ou : pertes blanches, vx : fleurs blanches), lymphe, morve, mucosité, mucus, pituite, **salive,** sébum, sperme (aussi, vx : liqueur séminale, humeur prolifique), suc *(suc gastrique, suc intestinal),* **sueur,** synovie ; vx : atrabile, fiel, flegme, ichor, mélancolie, roupie. – Crachat, écume, postillon. – Suée, suerie [vx].

5 **Flux menstruel** ; menstruation ou, vx, menstrues, périodes, **règles 306.** – **Cycle menstruel** ; phase prémenstruelle, phase menstruelle.

6 **Ovulation** ou ponte ovulaire **711** ; **cycle ovarien,** oogenèse, ovogenèse, vitellogenèse ; phase folliculinique, phase lutéinique. – **Cycle œstrien,** œstrus ; **cycle utérin,** phase progestative ou sécrétoire, phase proliférative, pic lutéinique, prolifération glandulaire. – Nidation.

7 Hormogenèse, hormonopoïèse.

8 Endocrinologie, enzymologie, hormonologie. – Vx : humorisme, théorie desquatre humeurs. – Hormonothérapie, opothérapie.

9 Écoulement, épanchement, **excrétion 296,** exsudation, extravasation, flux, fluxion d'humeurs [vx], **sécrétion,** suintement, suppuration ; hypersécrétion, hyposécrétion. – Chylification, diurèse, lactation, montée de lait, neurosécrétion, perspiration, salivation, suée, sudation, sudorification, transpiration ; tarissement.

10 Endocrinologue ou endocrinologiste.

V. 11 Dégoutter, excréter **296,** exsuder, **sécréter,** suinter ; éliminer, expulser, évacuer. – Allaiter **270.16,** baver, larmer [fam.], larmoyer, pleurer, saliver, suer, transpirer.

Adj. 12 **Glandulaire,** glanduleux ; enzymatique, hormonal ; endocrinien. – Sécrétoire. – Pituitaire.

13 Sécréteur. – Lacrymogène ; salivant, sialalogue ; sudorifère, sudoripare. – MÉD. : masticatoire ; apéritif [vx], dépuratif, diaphorétique, hidrotique, sudorifique.

14 Biliaire, lacrymal, sudoral, salivaire.

15 Baveux, muqueux, saliveux [rare]. – Bilieux, chyleux. – Chassieux, glaireux, ichoreux. – Lacté, lactescent, laiteux. – Halitueux, moite. – Sudatoire [didact.].

16 (Qualifiant les glandes.) – Apocrine, eccrine, endocrine ou, vx, close, exocrine. – Acineuse, tubuleuse ; en grappe.

17 (Qualifiant les humeurs.) – Âcre, aigrie, corrompue, maligne, mauvaise, mordicante, peccante, viciée. – Albuginée, blanchâtre. – Séreuse, subtile.

Adv. 18 En eau **372.17,** en nage, en sueur.

Aff. 19 Adéno- ; lymph-, lympho- ; pyo- ; zym-.

341 GLOIRE

N. 1 **Gloire** ; **célébrité,** notoriété, popularité ; illustration [vx].

2 **Renom,** renommée, réputation. – Bonne renommée vaut mieux que ceinture dorée [prov.]. – MYTH. et litt. : la Gloire, la Renommée aux cent bouches ou aux cent voix ; les trompettes ou les cent voix de la renommée [litt.].

3 Considération, cote **798,** **crédit,** estime, faveur. – Audience.

4 **Éclat 342,** prestige, rayonnement, resplendissement [litt.] ; splendeur ; litt. : lustre, magnificence **581.**

5 **Dignité,** majesté, solennité ; autorité **59.**

6 **Glorification** ; litt. : exaltation, immortalisation ; déification, **divinisation** ; héroïsation [litt.]. – Béatification.

7 Consécrations, **honneurs** ; apothéose.

8 **Éloge 471,** dithyrambe, panégyrique.

9 Couronne ; palme de la victoire. – **Lauriers,** myrtes.

10 **Titre de gloire** ; gloire, mérite ; louange [vx]. – Fleuron, honneur **366,** ornement [litt.]. – Haut fait **552.**

11 **Gloire** *(une gloire)* ; célébrité, glorieux *(un glorieux)* [litt.] ; vx : astre, illustration, soleil.

– Étoile **798,** lumière **59,** phare ; monstre sacré. – Favori ; chouchou [fam.], coqueluche, idole. – Héros **236.**

V. 12 **Glorifier** ; honorer **366.** – Louer **471** ; encenser ; célébrer [sout.], exalter, magnifier [litt.], renommer [vx]. – Déifier, **diviniser 736** ; saluer comme un héros ; héroïser [litt.] ; béatifier ; apothéoser [vx]. – Décorer, **couronner.** – **Acclamer, ovationner.**

13 Rendre gloire (ou : hommage, honneur, l'honneur [vx]) à qqn. – Dresser ou, vx, élever des autels à qqn ; **tresser des couronnes à qqn.**

14 **Porter au pinacle** ; élever jusqu'aux nues, porter aux nues ; mettre ou hisser sur le pavois. – Combler d'honneurs **366,** porter en triomphe. – Enterrer au Panthéon.

15 **Jouir d'une bonne réputation 145** (ou : d'une bonne image de marque, d'une grande considération, d'un grand prestige) ; être bien en cour, être en considération, **être en odeur de sainteté.**

16 **Avoir pignon sur rue** ; avoir telle surface sociale ; être sur un grand pied dans le monde [vieilli]. – **Avoir la cote** [fam.] **798** ; être en vogue, être à la cote [vieilli] ; avoir bonne presse ; faire de l'audience.

17 Être au sommet (ou : au comble, au faîte) de la gloire. – Être chargé ou comblé d'honneurs, être chargé ou couvert de lauriers. – **Cueillir les lauriers,** recevoir ses lettres de noblesse ; sortir par la grande porte ou, vieilli, par la belle porte. – Arriver en haut de l'échelle, atteindre le top niveau (anglic., fam., pour « le plus haut niveau ») ; avoir le vent en poupe **667.**

18 **Occuper la place d'honneur** (ou : la droite, le haut bout de la table [vx]) ; avoir ou **tenir la vedette** ; occuper le devant de la scène ; être le point de mire, être en vedette ; avoir son nom en haut de l'affiche, être en tête d'affiche ; avoir les honneurs de la première page. – **Tenir le haut du pavé 366.** – Connaître son heure de gloire.

19 **Briller 800.16** ; être au-dessus du lot ; avoir le monde à ses pieds. – **Marquer son temps** ; faire florès [vieilli].

20 **Se distinguer,** s'illustrer [litt.] ; se signaler, se faire remarquer ; mériter une mention spéciale ; **s'immortaliser.**

21 **Se couvrir de gloire** ou de lauriers **798** ; faire moisson de gloire ou de lauriers ; gagner ses éperons [vieilli]. – **Marcher à la gloire** ; monter au capitole [vx]. – **Se faire un nom** ; s'auréoler de prestige ; être une étoile montante ; être au firmament. – Voir monter son astre au zénith ou au firmament [litt.].

22 Se faire gloire ou honneur de qqch ; se glorifier de **312,** se targuer de ; se donner les gants de [litt.].

23 Faire époque ou faire date. – **Passer à la postérité.**

Adj. 24 **Glorieux,** prestigieux ; grand, éminent, **hors pair** (ou : hors de pair [litt.], hors du pair [vx]), de haute volée ; incomparable.

25 **Célèbre,** illustre ; populaire **798** ; notoire ; célébrissime [fam.] ; illustrissime [vieilli].

26 **Considéré,** honoré **366,** renommé (ou : de renom, en renom), **réputé** ; accrédité, connu ; **fameux,** bien famé [litt.] ; en crédit, **en faveur,** en grâce ; en réputation [vx]. – Auréolé de gloire ; lauré [litt.].

27 Glorieux [vx] ; **fier 312,** superbe.

28 **Éclatant** ; éblouissant ; **marquant,** retentissant ; insigne, magnifique ; **mémorable,** remarquable ; héroïque **236,** légendaire.

29 Glorifiant **366** ; glorificateur [litt.].

30 Glorifiable [rare] ; louable **471.**

Adv. 31 **Glorieusement** ; illustrement [rare]. – Pour la gloire ou pour l'honneur. – En pleine gloire ou à son apogée ou à son zénith.

342 GLOUTONNERIE

N. 1 **Gloutonnerie** ; bâfrerie [fam.], goinfrerie [fam.], gourmandise [vx] ; avidité, insatiabilité, **voracité.** – Boulimie [MÉD.].

2 Excès de bouche, excès de table. – Agapes [sout.], **festin,** gueuleton [fam.], repas de noce ; très fam. : bringue, foire, noce. – **Orgie** [sout.] ; très fam. : crevaille, godaille [vx], goinfrade, ribote [vx], ribouldingue [vieilli], ripaille [vx].

3 **Glouton** *(un glouton),* goinfre *(un goinfre),* gouffre [fam.], goulu *(un goulu),* gourmand *(un gourmand)* [vx], ogre [fig.] ; gamache [litt., rare] ; bonne ou belle fourchette **703,** grand gosier, gros mangeur, viveur. – Arg. : chancre, crevard, **morfal,** morfalou ; arg. : béquillard ou béquilleur [vx], brifaud (ou : briffaud, briffeur), piffre, pilleur, saute-au-rab, va-de-la-gueule [vx].

4 Très fam. – Avale-tout, avaleur [vx], avaleur de pois gris [vx], bouffe-tout, bouffeur, mâche-dru, mange-tout. – Fricoteur, noceur, ripailleur ; gobichonneur [vx], godailleur.

5 Allus. litt. : Gargantua *(un festin de Gargantua)* ou gargantua *(un gargantua)*, Pantagruel ou pantagruel. – Lucullus ou lucullus [HIST.].

V. 6 Fam. : bâfrer ou se bâfrer, **dévorer,** gloutonner, **s'empiffrer** ou se piffrer ; morfaler [arg.]. – Se rassasier, se repaître. – Fam. : se bourrer, **se gaver,** se goberger, **se goinfrer,** se lester ; se gorger. – Avaler tout rond ; fam. : enfourner, engloutir, engouffrer, friper [vx].

7 **Manger 703** ; très fam. : béquiller [vx], bouffer, boustifailler, briffer. – Manger à satiété ; pop., vieilli : manger à ventre déboutonné, manger à s'en faire péter la sous-ventrière ; bouffer comme un chancre [très fam.], **manger comme quatre** ; manger comme un ogre ; manger tout son (ou : mon, ton, leur, etc.) soûl.

8 Faire des agapes [sout.], festiner [vx], festoyer, fricoter [rare, vieilli] ; fam. : gueuletonner, gobichonner [vx], godailler [vieilli], ripailler ou faire ripaille.

9 Faire bonne chère ; fam. : faire bombance, faire la noce ; être en gogaille [fam.]. – Très fam. : s'en donner jusqu'à la garde ; s'en mettre plein la gueule, s'en mettre jusque-là, s'en mettre plein la lampe ou le lampion, s'en mettre plein la panse. – Affûter ses meules [fam.], se caler les joues [fam.]. – Fam. : **se taper la cloche,** vivre à gogo. – Creuser sa tombe avec ses dents [vieilli].

10 Fam. – Avoir un bon coup de fourchette, avoir les dents longues, avoir un estomac d'autruche ; n'être qu'un ventre ; faire un dieu de son ventre. – Avoir les yeux plus gros que la bouche ou le ventre.

11 Faire honneur à, faire un sort à ; ne pas se laisser abattre [fam.].

Adj. 12 **Glouton** ; bâfreur [très fam.] ; fam. : **goinfre,** goulu. – Gourmand [vx] ; très fam. : gourmand comme une lèchefrite, gueulard, porté sur la gueule, safre [vx]. – Avide, **vorace.**

13 Effréné, insatiable. – Gargantuesque. – Boulimique [MÉD.]. – Dévorant *(faim dévorante)* [sout.].

Adv. 14 Gloutonnement, **goulûment** ; avidement, insatiablement, **voracement.** – À belles dents, à gogo ; à bouche que veux-tu *(manger à bouche que veux-tu, traiter qqn à bouche que veux-tu)* [vx].

343 GOÛT

N. 1 **Goût** ; sapidité [rare], saveur. – **Gustation** [didact.].

2 **Goût** (opposé à insipidité). – **Flaveur** [didact., litt.] **594.1.** – **Arôme,** bouquet, fumet. – Montant, piquant, pointe.

3 **Acide** *(l'acide).* – **Salé** *(le salé)* ; saumure *(la saumure).* – **Amer** *(l'amer).* – **Sucré** *(le sucré)* **799.**

4 **Aromates** ; **condiments 333,** épices.

5 **Insipidité** ; fadeur, platitude. – Âcreté, aigreur, amertume, salure [didact.]. – Douceur ; succulence.

6 Acescence ou piqûre acétique [didact.]. – Affadissement.

7 **Gustation.** – **Langue** ; papilles gustatives ou linguales, récepteur gustatif. – Nerf gustatif. – **Bouche 814.6,** palais.

8 Agueusie [PATHOL.].

9 **Gastronomie 333.** – Art culinaire ; cuisine.

10 **Dégustation.**

11 Gustométrie [MÉD.].

12 **Goûteur** ; dégustateur, gustateur *(un gustateur)* [rare]. – **Gastronome,** gourmet ; fine bouche, fine gueule [fam.].

V. 13 **Goûter, savourer** ; avoir du palais. – Avoir l'eau à la bouche. – Se délecter, se régaler.

14 **Allécher,** flatter le goût ; mettre en goût [vx] ; faire saliver [fam.].

15 **Goûter à,** toucher à. – Goûter de ; **déguster.**

16 **Assaisonner** ; donner du goût, donner du corps, donner du montant ; corser, **relever.** – **Condimenter,** épicer ; pimenter, poivrer ; saler ; sucrer. – **Aromatiser,** parfumer **594.10.**

17 **Avoir le goût de** ; goûter *(goûter le brûlé)* [région.]. – Avoir un goût. – Avoir bon ou mauvais goût.

Adj. 18 **Gustatif,** gustométrique [MÉD.].

19 Sapide.

20 **Insipide** ; **fade,** insapide [rare], plat ; fadasse [fam.].

21 **Goûteux** [région.], de haut goût ; délicieux, succulent. – Goûtable [rare].

22 Doux (opposé à : amer, acide, fort, piquant, salé). – Douceâtre.

23 **Acide** ; aigre, sur, vert. – Acidulé ; aigrelet, suret, verdelet. – Piquant ; âcre.

24 **Amer** ; amarescent, amérin [litt.].

25 **Salé** ; salin, saumâtre.

26 **Sucré** ; miellé [litt.] ; sirupeux ; doux (opposé à sec).

27 **Gourmet** ; fine bouche, fine gueule [fam.] ; porté sur la gueule **342.**

Aff. 28 Glycér-, glycéro- ; sacchar-, saccharo- ; sal-, sali-.

29 Taste-.

344 GRADATION

N. 1 **Gradation,** graduation. – Gradualité [didact.], progressivité. – Dégressivité [ADMIN.].

2 Développement, essor, évolution, expansion, procès [litt.], processus [didact.], **progrès.** – Avance, avancée, avancement, **cours,** marche, **progression** ; marche en avant.

3 **Accroissement 56,** agrandissement, allongement, amplification, augmentation, élargissement, extension [didact.], grossissement, renforcement ; vx : augment, grandissement. – Hausse, montée, poussée. – Aggravation, aggravement [rare]. – Accélération ; maturation, perfectionnement.

4 Baisse, baissement [rare]. – Amenuisement, dégression [DR.], **diminution 220** ; ralentissement. – Déclin, décroissance, décroissement [rare], décrue [fig.], dégradation, regrès, **régression.**

5 Dégradé *(un dégradé)* [ARTS].

6 Augmentateur [rare].

V. 7 Évoluer, **progresser.** – Approcher, avancer, venir ; gagner du terrain, grignoter, mordre sur.

8 **Augmenter,** croître, grandir, grossir, monter. – Faire tache d'huile. – Décroître, diminuer.

9 Échelonner, **graduer** ; nuancer.

Adj. 10 **Graduel** ; évolutif, processuel [rare] ; **progressif.** – Augmentatif [rare] ; dégressif, régressif.

11 Ascendant, croissant ; décroissant, descendant.

12 **Successif 758.**

Adv. 13 **Graduellement, progressivement** ; doucement, imperceptiblement, insensiblement.

14 À mesure, **au fur et à mesure** ; par degrés, par échelons, par étapes, par paliers, par phases ; de fil en aiguille, de proche en proche. – Petit à petit, peu à peu. – Sou par sou ; **pas à pas,** pied à pied. – D'année en année, de jour en jour, **jour après jour,** d'heure en heure, de minute en minute.

15 Régressivement [didact.]. – Progressivement.

16 **De plus en plus,** toujours davantage, toujours plus. – De moins en moins, toujours moins.

17 MUS, ital. : *crescendo, decrescendo, diminuendo* ; *rinforzando.*

Conj. 18 À mesure que, **au fur et à mesure que.**

345 GRAIN

N. 1 **Grain** *(le grain du cuir, de l'étoffe, du papier, de la peau).* – Grenure ; texture.

2 **Grain** *(un grain),* granule, granulé ; corpuscule, flocon, granule, grelot, grenaille, grumeau, pépite, perle, pilule, pois. – Caillou, pierre ; calcul, pierre *(maladie de la pierre)* [vx]. – Graine, gruau, pépin. – Caillot, grumeau. – Boulette ; croquette. – **Boule 97,** boulet, globe, pelote, sphère ; pomme, pommeau. – **Balle 448,** ballon, cochonnet ; agate, **bille,** calot.

3 Granité *(un granité).* – Granite, granulite, grès, émeri *(poudre d'émeri).* – Gravier, gravillon, pierraille. – Grêle, grésil ; grêlon. – Chevrotine, grenaille, mitraille. – Chagrin, peau de chagrin ; galuchat **165.** – Gros-grain.

4 **Poudre 676, poussière.**

5 Grain de + n. (*grain de café, grain de fumée* [ASTRON.], *grain de sable*). – Fig. : grain de sable ; grain de folie. – Grain de beauté.

6 Grappe, grappillon. – Agrégat, agglomérat, granulat [TECHN.].

7 Chapelet, collier de perles, rosaire. – TECHN. : grènetis **529,** grèneture.

8 TECHN. : granulage, granulation, grenage.

V. 9 **Granuler,** grenailler, greneler, grener ; égrainer ou égrener. – Boulocher, **grumeler.** – Chagriner [TECHN.] ; emperler.

10 Mettre son grain de sel [fig.].

Adj. 11 **Granuleux,** grenu, grumeleux ; aréneux [litt., rare], sableux, sablonneux. – Arénacé [didact.], granité, grené, grumelé, **perlé.** – Granulaire [SC.], graniforme [didact]. – Sphérique ; globeux [vx], globulaire.

Adv. 12 *Cum grano salis* (lat., « avec ironie, avec malice », littéralt, « avec sel »).

13 En flocon, en grain *(papier en grain).*

Aff. 14 Grani-, granuli-, granulo-.

346 GRAMMAIRE

N. 1 **Grammaire** ; description de la langue, organisation de la langue. – **Diachronie** ou grammaire historique **363, synchronie** ou grammaire descriptive, grammaire normative ou, vx, dogmatique ; grammaire comparée, grammaire générale ; grammaire générative, grammaire structurale, grammaire traditionnelle, grammaire transformationnelle. – **Linguistique 455.**

2 **Grammaire** ; compétence idéale, purisme ; **bon usage.** – **Règle 696** ; exception.

3 **Grammaire** ; **morphologie,** morphosyntaxe, **syntaxe** ; analyse grammaticale, analyse logique, analyse en constituants immédiats ; structure profonde, structure de surface ; lettre **459,** mot **535,** phrase **622.** – **Phonétique** ; contraction, élision, hiatus, liaison ; euphonie. – Orthographe, **ponctuation 765.**

4 **Catégories grammaticales** ; classes de mots ; genre, nombre ; conjugaison, déclinaison ; aspect, mode, personne, temps, voix. – **Formes grammaticales** ; forme libre, forme fléchie ; paradigme. – Désinence, terminaison ; forme liée ; affixe, préfixe, suffixe ; grammème, morphème. – Composante.

5 **Morphologie,** morphosyntaxe ; accord, collocation, **conjugaison** ou flexion verbale, **déclinaison** ou flexion nominale, orthographe. – **Cas** ; nominatif, vocatif, accusatif, génitif, datif, ablatif, locatif, instrumental ; cas sujet, cas régime. – **Genre** ; masculin, féminin, neutre. – **Nombre** ; singulier, pluriel **634,** duel.

6 **Mode** ; mode personnel, mode impersonnel ; indicatif, subjonctif, conditionnel, impératif ; infinitif, participe, gérondif. – **Temps 811.5** ; temps simple, temps composé, temps surcomposé ; présent, présent historique ou présent de narration, passé, passé historique, prétérit, imparfait, futur ; passé, plus-que-parfait, passé antérieur, futur antérieur. – **Personne** ; locutif, allocutif, délocutif ; ontif, antiontif, anontif ; personne d'univers. – **Voix** ; actif, passif, pronominal ; déponent. – **Aspect** ; perfectif (ou : accompli, parfait), imperfectif ou inaccompli ; causatif, factitif, inchoatif, progressif, résultatif.

7 **Syntaxe** ; construction, **structure 795** ; discours direct, discours indirect, ellipse, inversion ; coordination, juxtaposition, subordination ; transitivité, intransitivité ; hypotaxe, parataxe ; asyndète. – Concordance des temps.

8 **Fonction,** régime ; sujet, prédicat **622** ; agent, objet ; antécédent ; attribut, attribut du sujet, attribut de l'objet, épithète ; complément, complément d'objet direct, complément d'objet indirect, complément d'objet second (ou secondaire) ou, vx, complément d'attribution, complément circonstanciel (accompagnement, but, cause, conséquence, destination, instrument, lieu, manière, matière, mesure, origine, partie, prix, temps) ; complément de nom, complément de nom objectif, complément de nom subjectif. – Apostrophe, apposition.

9 **Nom 554, pronom, substantif** ; nom substantif, nom adjectif, nom verbal, nom de nombre ; nom personnel, pronom personnel ; pronom démonstratif, possessif, interrogatif, indéfini, relatif. – Groupe nominal, syntagme nominal ; classe nominale.

10 **Article** ; défini, indéfini, partitif ; article contracté. – Postarticle ; **déterminant 535.**

11 **Adjectif** ; adjectif qualificatif (opposé à déterminatif), adjectif relationnel ; démonstratif, possessif, exclamatif, interrogatif, indéfini, numéral, relatif ; cardinal, ordinal, distributif ; fraction. – Degrés de signification ; positif, comparatif, superlatif. – **Adverbe,** locution adverbiale ; didact. : discordantiel, forclusif.

12 **Verbe** ; transitif *(un transitif),* intransitif, transitif indirect, pronominal ; verbe d'action, verbe d'état ; auxiliaire, semi-auxiliaire (ou : auxiliaire de mode, auxiliaire aspectuel), copule ; défectif, déponent, verbe impersonnel. – Groupe verbal, syntagme verbal ; prédicat.

13 Mot grammatical ; mot-outil ou mot fonctionnel, mot de liaison, particule ; coordonnant, subordonnant ; relatif *(un relatif),* corrélatif ; cheville, explétif. – **Conjonction,** locution conjonctive. – **Préposition,** locution prépositive ; conjonction de coordination, conjonction de subordination. – **Interjection.**

14 Grammaticalité ; acceptabilité. – Agrammaticalité.

15 Solécisme ; barbarisme, incorrection.

16 Grammairien *(un grammairien),* linguiste, syntacticien. – Puriste.

V. 17 **Accorder,** conjuguer, décliner ; orthographier **535.** – Coordonner, juxtaposer, subordonner **622.**

18 Adjectiver, adverbialiser, grammaticaliser, pronominaliser, substantiver.

Adj. 19 **Grammatical,** syntaxique ou syntactique ; orthographique.

20 Adjectival, adverbial, affixal, conjonctif, nominal, participial, prépositif, prépositionnel, pronominal, verbal ; adjectivé, adverbialisé, pronominalisé, substantivé. – Coordonnant,

subordonnant. – Grammaticalisé. – Conjonctif, relatif.

21 Déclinable, variable ; indéclinable, invariable. – Transitif, intransitif ; direct, indirect.

22 Attribut, attributif, épithète, prédicatif ; copulatif.

23 Agrammatical, incorrect.

Adv. 24 **Grammaticalement.**

25 Adjectivement, adverbialement, nominalement, pronominalement, verbalement. – Transitivement, intransitivement.

347 GRANDILOQUENCE

N. 1 **Grandiloquence** ; boursouflure, emphase, enflure, pathos, pompe, rhétorique [fam.] ; pompiérisme, style oratoire. – LITTÉR. : euphuisme, gongorisme (ou : cultéranisme, cultisme), marinisme ; **baroque,** rococo ; maniérisme, préciosité.

2 **Pédantisme,** pose. – Affectation **12,** apprêt ; prétention **655.**

3 Énormité, monstruosité, pléthore ; **démesure,** disproportion, extravagance, outrance.

4 Grandeur, majesté, **noblesse,** prestance, solennité. – Apparat, éclat, faste, gloire **341,** luxe, **magnificence,** pompe [litt.], splendeur, somptuosité.

5 Abus, **exagération,** excès **294** ; dramatisation. – Déclamation.

6 Amphigouri, jargon. – Grands airs, **grands mots** ; concetti [RHÉT.] ; hyperbole, superlatif *(un superlatif)* ; répétition **704,** superfétation [litt.].

7 **Déclamateur,** phraseur, rhéteur [litt.].

V. 8 **Déclamer,** emphatiser [rare] ; **pérorer,** pontifier [fam.], poser. – **Faire de grands discours,** faire de grandes phrases ; fam. : emboucher la trompette, faire donner les grandes orgues ; forcer la note ou la dose. – Se prendre au sérieux **759.**

9 **Boursoufler,** enfler [litt.], guinder ; orner **578.** – Charger, **surcharger** ; faire mousser [fam.].

10 **Exagérer,** outrer [sout.] ; en faire trop. – Dramatiser **827.**

Adj. 11 **Grandiloquent** ; grandiloque [vx] ; emphatique, pompeux, ronflant. – Ampoulé, **boursouflé,** empesé, enflé ; orné ; chargé, surchargé ; appuyé, insistant. – **Alambiqué,** contourné, maniéré, tarabiscoté.

12 Hyperbolique [RHÉT.], superlatif ; dithyrambique. – Déclamatoire, **théâtral** ; amphigourique ; mélodramatique ou, fam., mélo. – Académique, doctoral, **sentencieux.**

13 Pédantesque, prudhommesque [litt.]. – **Affecté,** apprêté, compassé, gourmé ; prétentieux.

14 **Exagéré,** excessif, extravagant.

15 Grandiloquent, **pédant,** pompier, pontifiant ; exagérateur [rare]. – LITTÉR. : euphuiste, gongoriste ; **baroque,** rococo ; maniériste, précieux.

Adv. 16 Déclamatoirement, emphatiquement, **pompeusement,** sentencieusement. – Prétentieusement.

348 GRATITUDE

N. 1 **Gratitude, reconnaissance.** – Dette de reconnaissance, **obligation** [litt.] **213** ; mémoire de cœur.

2 Gratulation [rare], merci, **remerciement** ou, vx, remercîment ; action de grâces (ou de grâce), Te Deum ; ex-voto. – Récompense.

3 Débiteur, **obligé** *(un obligé).* – Remercieur.

V. 4 Reconnaître un bienfait ou un service, **savoir gré** (ou : bon gré, un gré infini) de qqch à qqn ; avoir la reconnaissance du ventre. – Témoigner sa reconnaissance ; dire merci, **remercier,** rendre grâce ou mille grâces ; se confondre en remerciements. – Bénir, **louer 471.** – Remercier de ou par *(remercier d'un sourire)* ; payer de retour, redevoir, revaloir ; dédommager **722,** gratifier **241.**

5 Être obligé, être l'obligé de qqn ; avoir une dette envers qqn, avoir de l'obligation [vx], devoir beaucoup ou tout à qqn, être redevable. – Devoir une fière chandelle à qqn [fam.].

6 Bien mériter de [litt.].

Adj. 7 **Reconnaissant,** pénétré de reconnaissance. – Obligé, redevable. – Sensible à.

349 GRATUITÉ

N. 1 **Gratuité.** – Don **241.** – Cadeau, offre.

2 Donateur, donneur.

V. 3 Donner, offrir, proposer.

4 Aliéner à titre gratuit.

Adj. 5 **Gratuit** ; gratis. – Donné, offert.

6 Exempt, **exonéré,** franc, libre de droits.

Adv. 7 **Gratuitement** ; gratis ; gracieusement, à titre gracieux. – Pour le roi de Prusse.

8 **À l'œil, pour rien,** pour pas un rond [fam.], sans bourse délier.

9 Aux frais de la princesse ; sur les coffres du roi [vx].

10 Franco de port, en franchise.

350 GRIS

N. 1 **Gris** *(le gris).* – Grisette [vx].

2 PEINT. – **grisaille** *(une grisaille)* ; camaïeu gris *(un camaieu gris)* ; camée *(un camée)* **159.13.** – Grisé *(un grisé).* – Grisailleur [vx].

3 **Grisaille** ; **monotonie 272,** tristesse **836.**

4 Grisage [TECHN.]. – **Grisonnement** [litt.].

V. 5 PEINT. : **grisailler,** griser ; peindre en grisaille. – Grisonner.

6 **Grisonner** ; blanchir, blanchir sous le harnais ou, vx, le harnois **863.** – Impers. : faire gris, faire mauvais temps.

7 La nuit, tous les chats sont gris [prov.].

Adj. 8 **Gris, grisâtre.** – Couleur de muraille.

9 **Grisonnant** ; grison, poivre et sel.

10 **Maussade,** morne, terne, triste **836.**

11 Gris de poussière, sale **740** ; gris sale.

12 **Gris clair,** gris très clair, gris porcelaine, gris perle ou gris de perle, **gris souris** ou souris, gris tourterelle **159.28.** – Gris ordinaire, gris foncé ; **gris anthracite** ou anthracite, gris argenté ou gris argent, gris-fer, gris fer ou gris de fer, gris de lin ou gris-de-lin. – Gris-blanc mat, gris pommelé ou gris-pommelé ; gris rosé ; gris-brun ; gris-vert ; gris-bleu, gris ardoise ou gris ardoisé.

13 ZOOL. : gris tourdille ; gris isabelle **444.14.** – Pinchard.

351 GROSSEUR

N. 1 **Grosseur** *(la grosseur)* ; ampleur, grandeur **359,** importance **384.** – Dimension **219.**

2 **Grosseur** *(une grosseur)* ; excroissance, proéminence, protubérance ; boule ; bosse **78,** gibbosité. – MÉD. : abcès, apostème ou apostume [vieilli], kyste, loupe, nodosité, tumeur ; tumeur bénigne, tumeur maligne.

3 **Grossissement** [fig.] ; **gonflement** ; bouffissure, boursouflure, **enflure,** tuméfaction [MÉD.] ; intumescence, tumescence, turgescence. – **Empâtement,** épaississement. – Bourrelet, capiton [PHYSIOL.]. – Dilatation.

4 **Grossissement** [fig.] ; amplification, **exagération 504.** – Caricature.

5 **Corpulence** ; embonpoint, rotondité [fam.], ventripotence. – Adiposité, obésité, surcharge pondérale, surpoids. – Grossesse.

6 **Gros** *(un gros ; les gros)* ; fam. : Bibendum [n. déposé], boule de graisse ou boule de suif, gras-double, gros lard, gros plein de soupe, patapouf, poussah, tonneau ; éléphant, mastodonte, pachyderme. – **Grosse** *(une grosse)* ; fam. : dondon, grosse dondon ; baleine.

V. 7 **Grossir** ; accroître, augmenter, renforcer. – Étendre, dilater, gonfler ; distendre, souffler.

8 Ballonner, bouffir, boursoufler, enfler ; renfler [rare].

9 **Grossir,** engraisser, épaissir, faire du lard [fam.], forcir ; prendre de l'embonpoint, prendre du ventre. – **S'alourdir,** s'empâter, s'étoffer, s'arrondir [fam.].

10 Engrosser [fam.].

Adj. 11 **Gros** ; encombrant, épais, volumineux ; de taille, de bonne (ou de belle) taille. – **Colossal,** cyclopéen, énorme, gigantesque ; démesuré ; surdimensionné. – Fam. : comac, maous ou mahous ; méga ; **giga.**

12 **Important** ; considérable, imposant.

13 **Fort 864** ; corpulent, plantureux ; épais, massif, mastoc [fam., inv.] ; obèse. – **Gras,** grassouillet ; gras comme un chanoine, un moine ; gras comme une caille, un chapeau, un cochon ; gras à lard. – Dodu, rebondi, replet, rond, rondelet, rondouillard [fam.] ; charnu.

14 Bedonnant [fam.], pansu [fam.], ventripotent [fam.], ventru. – **Joufflu,** mafflu, plein *(visage plein)* ; adipeux.

15 Ballonné, **bouffi,** boursouflé, gonflé, soufflé. – Enflé, tuméfié.

16 **Grossi** ; exagéré, **outré.** – Gros ; gros comme une maison [fam.].

Adv. 17 **Gros** *(risquer gros).* – D'importance.

18 Approximativement, **grossement** [litt.] ; en gros, *grosso modo* (lat. « d'une manière grosse »).

Aff. 19 Gigant(o)-, **macro-.** – Adip(o)-, lip(o)-.

352 GROUPEMENT

N. 1 **Groupement,** regroupement ; réunion **725,** union. – Agglomération, agglutination, association, conglomération, conglutination ; **accumulation,** concentration. – **Combinaison,** composition, constitution. – Synthèse ; fusion.

2 **Rassemblement.** – Ralliement, rapprochement, rattachement ; mariage [fig.]. – Fusion, intégration ; annexion.

3 Grégarisation [didact.].

4 **Groupe** ; collectif *(un collectif).* – Sous-groupe.

5 **Assortiment,** collection **758,** ensemble **126** ; constellation **49.** – Arsenal, appareil, batterie, panoplie ; lot, série, stock ; chapelet, suite, train ; jeu, liasse, paquet, pile ; bouquet, gerbe, grappe, régime ; faisceau.

6 Agrégat ; agglomérat, amalgame, combiné, **composé,** conglomérat. – Bloc, complexe, pâté **845.**

7 Amas, amoncellement, entassement, masse, monceau, **tas.**

8 Agroupement [litt., vx], attroupement, concours *(un grand concours de peuple)* [litt., vx].

9 Collectivité, communauté **355.** – Clan, ethnie, famille **304,** tribu ; nation, société. – Bande, compagnie, foule, masse, troupe, troupeau ; badaudaille [litt. ou vx]. – Fig. : bataillon, brigade, colonie, essaim, grappe. – Aréopage.

10 Alliance, entente. – Amicale, **association.** – Académie, **société 773.** – Orchestre ; chœur **543.**

11 Collectage, collecte, groupage, ramassage.

12 Associationnisme, corporatisme ; fédéralisme. – Esprit grégaire, instinct grégaire ; grégarisme.

13 Rassembleur ; assembleur [fig., litt.] ; meneur, meneur d'hommes. – Collecteur, groupeur [COMM.]. – Collectionneur.

14 **Assembleuse,** brocheuse **388,** lieuse, synthétiseur [TECHN.].

V. 15 **Grouper.** – Agrouper [litt., vx], **assembler,** joindre, relier, réunir **725,** unir. – **Assortir** ; accouer, accoupler, appareiller, apparier, marier. – Combiner, classer, composer.

16 Agglomérer, agglutiner, agréger, conglomérer, conglutiner ; brocher, cercler, chaîner, coller, souder ; pelotonner. – **Attacher,** lier.

17 Accumuler, amasser, amonceler, empiler, **entasser,** masser ; collectionner, thésauriser **281.** – Collecter.

18 **Rassembler** ; drainer [fig.], liguer, rallier, rapprocher, **regrouper** ; associer, concentrer, fusionner, intégrer, unifier. – Annexer.

19 **Se grouper 596.**

Adj. 20 **Collectif** ; commun. – Groupé. – Solidaire.

21 Combiné ; complexe, composé, synthétique.

22 Groupal [SOCIOL.], **social** ; de groupe. – Associatif.

23 **Solidaire** ; associé, complémentaire.

Adv. 24 **Ensemble** ; conjointement, simultanément **768.** – À la fois, à l'unisson, de concert, de conserve, en chœur, en groupe.

Aff. 25 **Co-,** col-, com-, con-, corr- ; syl-, sym-, syn-.

353 GUÉRISON

N. 1 **Guérison.** – Recouvrance [vx], recouvrement, relèvement. – Délivrance ; **salut** ; fig. : renaissance, résurrection, retour à la vie.

2 **Amélioration,** améliorissement [rare], mieux *(un mieux)* ; abonnissement [rare], embellissement. – Délitescence [MÉD.].

3 Apaisement, adoucissement ; analgésie, soulagement. – Mieux-être, mieux-vivre.

4 **Rémission,** rémittence, répit, sursis ; accalmie [fig.].

5 **Convalescence,** convalo [fam.], récupération, rétablissement ; analepsie [MÉD.]. – Réadaptation, rééducation.

6 Cautérisation, cicatrisation.

7 Éradication **205.**

8 **Thérapeutique 775.3** ; palliation [MÉD., vx], revigoration ; réanimation. – Curabilité, perfectibilité.

9 **Médicament,** palliatif [MÉD., vx], remède **499** ; cordial *(un cordial),* remontant *(un remontant).* – **Cure,** cure de jouvence.

10 Maison de repos, sanatorium ou sana.

11 Convalescent *(un convalescent)* ; miraculé *(un miraculé).*

V. 12 **Guérir.** – Cicatriser.

13 **Aller mieux,** se porter mieux, se trouver mieux ; être hors de danger, être en voie de guérison, prendre le dessus, voir le bout du tunnel. – **Recouvrer la santé.** – S'en sortir ; s'en tirer bien

[fam.] ; en réchapper, en revenir, sortir d'affaire. – Avoir l'âme chevillée au corps.

14 Entrer en convalescence, forcir. – **Récupérer,** reprendre des forces, reprendre goût à la vie, reprendre de la mine ou des couleurs, retrouver la forme ; retrouver de l'appétit ; reprendre du poil de la bête [fam.]. – Fig. : renaître, ressusciter, **revivre.** – Se refaire, se remettre, se rétablir ; fam. : se remplumer, se requinquer, se refaire une santé, se retaper.

15 Relever de *(relever de maladie, de couches, etc.),* sortir de. – Quitter la chambre ou le lit, se lever, se remettre debout, se remettre en selle.

16 Porter remède, soigner, traiter ; pallier [MÉD., vx], remédier. – Assainir ; couper ou faire tomber la fièvre.

17 Ranimer, réanimer, sauver ; arracher à la mort ou aux griffes de la mort, rappeler à la vie, remettre sur pied. – Délivrer, guérir, soulager ; apaiser, calmer. – Affermir, **fortifier,** ragaillardir, ravigoter, remonter, restaurer, revigorer.

Adj. 18 Guéri, sur pied ; sain et sauf. – Convalescent.

19 Améliorant *(plante améliorante),* améliorateur, guérissant [rare], guérisseur ; fortifiant, revigorant, roboratif.

354 GUERRE

N. 1 **Guerre,** conflagration [litt.], **conflit 146** ; conflit armé, lutte armée. – Fig., péj. : abattoir, boucherie, carnage, massacre, saignée, tuerie ; casse-pipe ou casse-pipes [fam.].

2 **Guerre de position** ; **guerre de siège 487,** guerre de forteresse [vx] ; guerre de tranchées. – **Guerre de mouvement** ; guerre-éclair (all., *Blitzkrieg*). – Guerre de partisans ; guerre de coups de main, guerre d'escarmouches, guerre de harcèlement ; **guérilla** ; résistance **715.** – Guerre locale, guerre régionale ; guerre mondiale, guerre planétaire. – Guerre totale ; guerre nucléaire ou, vieilli, atomique ; guerre N. B. C. (nucléaire, bactériologique, chimique). – Guerre en dentelles [HIST.].

3 **Guerre civile,** guerre intestine. – Jacquerie [HIST.], révolte, révolution **728.** – Guerre privée (opposé à guerre publique) [FÉOD.]. – Guerre de libération, de libération nationale ; guerre coloniale ; guerre subversive. – Guerre de religions ; **guerre sainte** ; croisade [CATH.], djihad [ISLAM]. – Guerre d'extermination ; génocide.

4 Guerre ; bataille, combat, **lutte, rivalité** ; fam. : guéguerre, petite guerre. – Guerre psychologique ; guerre des nerfs ; guerre d'usure. – Guerre diplomatique ; **guerre froide.** – Guerre économique ; guerre du pétrole, guerre des ondes, etc.

5 **Agression,** acte de belligérance, acte de guerre, fait de guerre ; recours à la force ou à la force armée. – **Casus belli** (lat., « cas de guerre »). – Ultimatum. – Déclaration de guerre ; entrée en guerre. – État de guerre ; guerre ouverte, guerre larvée ; hostilités.

6 Préparatifs de guerre ; bruit (ou bruits) de bottes. – Veillée d'armes. – Enrôlement, mobilisation ; mobilisation générale ; désertion, insoumission. – Réquisition.

7 Bataille, combat, engagement ; feu ; arg. mil. : baroud, rif. – Attaque **50,** assaut, charge, incursion, raid, sortie. – Patrouille. – Accrochage ; embuscade. – Action ou opération de commando, coup de main ; ruse de guerre ; tour de vieille guerre [vx]. – Campagne, expédition.

8 Sort des armes [litt.] ; **défaite 180,** victoire **861,** capitulation ; honneurs de la guerre. – Armistice, cessez-le-feu, trêve ; **paix 589.** – Libération.

9 **Droit de la guerre** ; DR. INTERN., anc. : *jus belli* (lat., « droit de la guerre »), *jus ad bellum* (lat., « droit en considération de la guerre »). – Lois de la guerre. – Crime de guerre.

10 **Avant, front** ; front des troupes, ligne de feu, zone des combats ; **champ de bataille.** – **Arrière** *(l'arrière)* ; arrières *(les arrières),* zone des arrières ou, anc., zone des étapes. – Champ d'honneur [sout.] ; champ de Mars [vx].

11 Prisonnier de guerre ; camp de prisonniers ; HIST. : stalag, oflag. – Captivité.

12 **Guerre** *(la guerre, les années de guerre).* – Avant-guerre *(l'avant-guerre)* ; après-guerre *(l'après-guerre)* ; entre-deux-guerres *(l'entre-deux-guerres).*

13 Art de la guerre ; art militaire ; métier des armes. – Polémologie ; poliorcétique. – **Stratégie, tactique** ; logistique. – École de guerre, **école militaire.** – Exercices, manœuvres. – *Kriegspiel* (germanisme, littéralement, « jeu de guerre »), *wargame* (anglic., même sens).

14 **Bellicisme.** – Combativité, pugnacité [litt.]. – Bellicosité [didact.].

15 Belligérant, combattant, neutre **169** ; non-belligérant. – Adversaire, ennemi *(un ennemi, les ennemis ;* collect. : *l'ennemi)* ; allié, ami. – Vainqueur *(le vainqueur)* [collect.] ; vainqueur *(un*

vainqueur, les vainqueurs). – Vaincu *(le vaincu)* [collect.] ; vaincu *(un vaincu, les vaincus).*

16 **Militaire,** soldat ; guerrier ; guerroyeur [vieilli]. – Homme de guerre ; chef de guerre, foudre de guerre [souv. iron.]. – Chair à canon [fam.]. – Franc-tireur, maquisard, partisan, résistant, guérillero ; combattant de l'ombre [litt.]. – Milicien. – HIST. : grognard, poilu. – Ancien combattant ; vétéran. – Déserteur, insoumis. – Fam. et péj. : embusqué *(un embusqué),* planqué *(un planqué).*

17 **Armée 41,** armée régulière. – Commandos ; corps francs, groupes francs. – Unité engagée. – Commando. – Résistance **715** ; la Résistance [HIST.].

18 Mutilé de guerre **72** ; grand invalide de guerre (abrév., G. I. G.). – Mutilé de la face ou gueule cassée [non vulg.] *(les gueules cassées).* – Pensionné de guerre. – Veuve de guerre ; orphelin de guerre.

19 **Belliciste** *(un belliciste)* ; fam. : baroudeur, va-t-en-guerre ; boutefeu ou boute-feu [vx]. – Criminel de guerre, génocidaire.

20 **Stratège** ; tacticien ; logisticien. – Polémographe, polémologue. – ANTIQ. GR. : archonte polémarque, polémarque.

21 Dieux de la Guerre : Arès [MYTH. GR.], Mars [MYTH. ROM.], Wotan ou Odin [MYTH. GERMANIQUE].

V. 22 **Faire la guerre à** ; être en guerre avec ou contre, guerroyer avec ou contre ; lutter contre, mener la ou une guerre contre. – Se battre contre ; combattre contre ; livrer bataille à. – Déclarer la guerre à.

23 **Combattre, faire le coup de feu** ; batailler [vx], livrer bataille. – Engager les hostilités. – Ouvrir le feu, tirer ; charger. – **Faire la guerre** ; faire campagne. – **Être en guerre** ; être en état de guerre. – Être sur le pied de guerre ; être sur le sentier de la guerre ; déterrer la hache de guerre. – Battre les tambours de guerre ou de la guerre ; appeler à la guerre. – Allumer la guerre ; entrer en guerre. – Attaquer. – **Partir à** ou **pour la guerre** ; aller ou s'en aller à la guerre ; aller ou partir en guerre ; partir (en guerre) la fleur au fusil. – Aller ou monter au casse-pipe [fam.] ; aller au feu ; monter en ligne.

24 **Combattre** (qqch, qqn), guerroyer (qqn) [vx].

25 S'aguerrir. – Mourir ou tomber au champ d'honneur **534**. – Déserter.

26 **Armer. – S'armer.** – *Si vis pacem, para bellum* (lat., « Si tu veux la paix, prépare la guerre »). – Enrôler. – Mobiliser ; démobiliser. – Réquisitionner. – Aguerrir. – Capturer, faire prisonnier.

Adj. 27 **Guerrier, militaire.** – Mobilisable. – Mobilisé ; démobilisé.

28 **Belliqueux** ; batailleur, belliciste, guerrier, guerroyant [sout.], guerroyeur [rare] ; agressif **865.**

29 **Combattant** ; belligérant ; engagé ; en guerre. – Sur le pied de guerre (opposé à sur le pied de paix, rare et vieilli). – Adverse ; ennemi.

30 Aguerri.

31 Belligène [didact.].

32 Polémologique [didact.].

Adv. 33 Belliqueusement [rare].

Int. 34 Feu ! – Guerre à + n. – Aux armes ! **133.**

35 Fig. – À la guerre comme à la guerre ! [souv. par plais.].

Aff. 36 Belli-, polém-, polémo-.

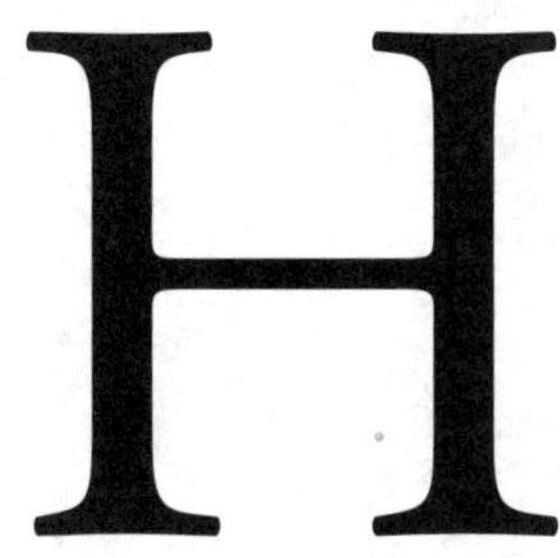

355 HABITANT

N. 1 **Habitant** ; âme. – Famille **304,** feu, foyer. – Collectivité, communauté **352.9.**

2 **Occupant,** résident. – Hôte ; interne, pensionnaire. – Locataire ; propriétaire **645.11**

3 Bourgeois, campagnard, citadin, rural, rurbain, villageois ; frontalier. – Homme des cavernes, troglodyte ; arboricole.

4 **Habitant** ; natif. – Aborigène, autochtone, naturel, indigène. – Îlien, insulaire.

5 HABITANTS DES DIFFÉRENTS PAYS ET RÉGIONS HISTORIQUES DU MONDE

EUROPE

Albanais
Allemand
Anglais
Autrichien
Belge
Bosniaque ou Bosnien
Bulgare
Chypriote
Croate
Danois
Espagnol
Français
Grec
Finlandais
Hongrois
Irlandais
Islandais
Italien
Luxembourgeois
Monténégrin
Néerlandais
Norvégien
Polonais
Portugais
Roumain
Serbe
Slovaque
Slovène
Suédois
Suisse
Tchèque
HIST.
Batave
Morave
Poméranien
Yougoslave

6 **C.E.I. (ex-U.R.S.S.)**

Arménien
Azerbaïdjanais
Biélorusse
Estonien
Géorgien
Kazakh
Kirghiz
Letton
Lituanien ou Lithuanien
Moldave
Ouzbek ou Uzbek
Russe
Tadjik
Turkmène
Ukrainien

7 AFRIQUE

Algérien
Angolais
Béninois
Botswanais
Burkinabé
Burundais
Camerounais
Centrafricain
Congolais
Djiboutien
Égyptien
Éthiopien
Gabonais
Gambien
Ghanéen
Guinéen
Ivoirien
Kényan ou Kenyen
Libérien
Libyen
Malawite
Malien
Marocain
Mauritanien
Mozambicain
Namibien
Nigérian
Nigérien
Ougandais
Rwandais
Sénégalais
Somalien
Soudanais ou Soudanien
Sud-Africain
Tanzanien
Tchadien
Togolais
Tunisien
Zaïrois
Zambien
Zimbabwéen

ÎLES

Capverdien
Comorien
Malgache
Mauricien
Seychellois
HIST.
Numide
Voltaïque

8 PROCHE-ORIENT ET ASIE OCCIDENTALE

Afghan
Irakien
Iranien
Israélien
Jordanien
Koweïti
Libanais
Omanais
Palestin [VX]
Palestinien
Qatari
Saoudien
Syrien
Turc
Yéménite
HIST.
Akkadien
Anatolien
Araméen
Assyrien
Babylonien
Cananéen

- Chaldéen
- Élamite ou Khouzi
- Judéen
- Mède
- Mésopotamien
- Nabatéen
- Nubien
- Ottoman
- Persan ou Perse
- Phénicien
- Philistin
- Phrygien
- Sumérien

9 **ASIE ORIENTALE**

- Bangladais ou Bangladeshi
- Birman
- Bhoutanais
- Cambodgien
- Chinois
- Coréen
- Indien
- Indonésien
- Japonais
- Laotien
- Malais
- Mongol
- Népalais
- Pakistanais
- Philippin
- Sri Lankais ou Ceylanais
- Taïwanais
- Thaïlandais
- Tibétain
- Vietnamien

HIST.

- Bengalais ou Bengali
- Cochinchinois
- Indochinois
- Khmers
- Mandchou
- Siamois

10 **AMÉRIQUE**

- Américain
- Argentin
- Bolivien
- Brésilien
- Canadien
- Chilien
- Colombien
- Costaricain
- Équatorien
- États-Unien
- Guatémaltèque
- Hondurien
- Mexicain
- Nicaraguayen
- Panaméen
- Paraguayen
- Péruvien
- Salvadorien
- Uruguayen
- Vénézuélien

ÎLES

- Cubain
- Dominicain
- Haïtien
- Jamaïcain ou Jamaïquain
- Portoricain

11 **OCÉANIE**

- Australien
- Fidjien
- Néo-Zélandais
- Nauruan
- Samoan
- Tuvaluan

12 Colon, pionnier. – Colonie de peuplement.

13 Nomade. – Sédentaire. – Chevalier errant [HIST.].

14 GÉOGR. ANC. – Périœciens. – Asciens, périsciens. – Antisciens ou hétérosciens.

15 Peuplement, population [vx]. – **Colonisation.**

16 Émigration **288,** immigration. – Diaspora.

17 Établissement. – Campement.

18 **Résidence 356,** séjour, villégiature.

19 Dénombrement, recensement.

20 Terre, terre natale, terroir ; pays *(quitter le pays, revenir au pays),* province *(ma province)* [fam.]. – Coin, région **695.** – Bled, patelin, trou ; clocher [fig.].

21 **Démographie.** – Population relative (opposé à population absolue) ; densité de population. – Sous-peuplement, surpeuplement.

22 Populationnisme (opposé à malthusianisme).

V. 23 **Habiter** ; cohabiter. – Occuper, peupler ; hanter [fig.].

24 Demeurer, loger, **résider,** rester, séjourner.

25 S'établir, **se fixer.** – Élire domicile.

26 Estiver, hiverner, passer l'hiver.

27 Descendre, passer ; **faire étape 871,** faire halte, héberger [vx] ; s'arrêter. – Camper, être en camp volant ; cantonner.

28 S'abriter, se réfugier.

29 Dénombrer, recenser.

Adj. 30 Fréquent [vx], habité, **peuplé.** – Populeux, surpeuplé ; sous-peuplé.

31 Sociable.

32 Casanier ; reclus. – Solitaire.

33 Sédentaire. – Nomade.

34 Domicilié. – Sans domicile fixe ; sans feu ni lieu.

356 HABITAT

N. 1 **Habitat.** – Habitation, logement.

2 Demeure, **domicile,** maison **481,** résidence, séjour ; habitacle [litt., vx]. – Bercail, **foyer** ; pénates ; **gîte,** nid ; retraite, thébaïde [sout., vieilli]. – Abri, asile, refuge, toit.

3 Fig. : bauge, tanière, terrier. – Taudis ; cage **262,** cage à lapins [fam.].

4 Habitation à loyer modéré (H. L. M.), immeuble à loyer modéré (I. L. M.).

5 Camp, campement, douar [Maghreb] ; quartier [vx]. – Gîte d'étape, halte.

6 Gîte ; le gîte et le couvert, le clos et le couvert [litt.].

7 **Habitation.** – Cohabitation **772.** – **Hébergement.**

8 Sédentarisation (opposé à nomadisation) ; grégarisation (opposé à dispersion, à dissémination). – Sédentarisme (opposé à nomadisme) ; grégarisme.

9 Habitabilité.

10 **Habitant** *(un habitant).* – Campagnard, citadin **845.** – Campeur. – Homme des cavernes ; troglodyte.

V. 11 **Habiter,** vivre ; demeurer **481,** gîter [vx]. – Nicher.

12 Abriter **368,** accueillir, **héberger,** recevoir.

13 Se sédentariser. – S'implanter. – Trouver un point de chute.

Adj. 14 **Habité.** – Inhabité, vacant. – Habitable. – Inhabitable.

15 Citadin ; rural.

16 SC. – Arvicole **251.16,** floricole, herbicole, lignicole ; aquacole ou aquicole, arénicole, nivicole, terricole ; orbicole, sylvicole ; cavernicole, rupicole.

Adv. 17 Sédentairement.

Aff. 18 -cole.

357 HABITUDE

N. 1 **Habitude** ; coutume **164.** – L'habitude est une seconde nature [prov.]. – Pli [fig.].

2 **Routine 843.4,** traintrain ou train-train *(train-train quotidien),* trantran [vx]. – Errements [litt. ou vx, souv. péj.] ; fig. : chemin battu, ornière.

3 Manie, **petites habitudes** ; maniaquerie [fam.]. – Fam. : dada, marotte ; péché mignon. – Déformation professionnelle ; tic. – Hobby [anglic.], violon d'Ingres.

4 Façons, habitudes, **manières.**

5 Goût, inclination, penchant, tendance.

6 Défaut ou vice d'habitude. – Délit d'habitude [DR.].

7 Apprentissage **35, entraînement.**

8 Acclimatation, acclimatement [fig., vieilli], accoutumance, **adaptation** ; didact. ou techn. : habituation, imprégnation.

9 Aguerrissement, endurcissement ; fig. : immunisation, insensibilisation **418.**

10 Embourgeoisement ; fig., péj. : encrassement, **encroûtement.**

11 **Habitué** *(un habitué)* ; assidu *(un assidu),* familier *(un familier)* ; pilier [fig.].

12 **Maniaque** *(un maniaque).*

13 Habitudinaire [THÉOL.].

V. 14 **Avoir l'habitude de.** – Sout. : avoir coutume de [litt. ou vieilli], être accoutumé à. – Être coutumier de [litt. ou vx] ; être coutumier du fait [péj.].

15 Avoir ses habitudes qqpart. – Avoir habitude auprès de qqn ou avec qqn [vx].

16 Fam. : être réglé comme une horloge, être réglé comme du papier à musique ou, vieilli, un papier de musique **696.19.**

17 Acquérir ou contracter une habitude. – Prendre coutume de, **prendre l'habitude de.** – Prendre le pli.

18 **S'habituer** ; s'acclimater, s'accoutumer, s'adapter ; se faire à qqch. – S'aguerrir [fig.]. – S'accoutumer avec [vieilli], se familiariser avec ; s'initier à. – À Rome, il faut vivre comme à Rome [prov.].

19 S'encroûter [fam.].

20 **Habituer,** accoutumer ; familiariser. – Dresser, entraîner, exercer ; aguerrir [fig.]. – Plier, rompre à [litt.].

21 Péj. – Embourgeoiser ; encroûter. – Acoquiner [vx].

22 Raccoutumer, réadapter, réhabituer.

23 Désaccoutumer, déshabituer. – Dépayser.

24 Former **274,** initier.

Adj. 25 **Habituel** ; coutumier, ordinaire. – Courant, fréquent. – Banal, classique. – Normal **559.15.**

26 Attitré.

27 Automatique, machinal, mécanique.

28 Monotone, **routinier** ; quotidien.

29 **Accoutumé,** adapté, habitué ; familiarisé. – Dressé ; rompu à. – Aguerri.

30 Encroûté ; maniaque.

Adv. 31 **Habituellement** ; coutumièrement [litt.], généralement ; normalement ; ordinairement, traditionnellement [fam.]. – **D'habitude** ; de coutume [sout.], d'ordinaire. – Classiquement.

32 À l'accoutumée.

33 Communément, couramment, usuellement.

34 Constamment [vieilli], régulièrement. – Fréquemment, régulièrement, souvent **326.20.**

35 **Par habitude** ; automatiquement, machinalement, mécaniquement.

358 HASARD

N. 1 **Hasard** ; aléatoire *(l'aléatoire),* facteur chance *(le facteur chance),* fortuit *(le fortuit)* ; fig. : coup de dé, loterie. – Fortuité [didact.], imprévisibilité. – PHILOS. : casualité ; casualisme ; indéterminisme.

2 Hasard *(un hasard, un pur hasard).* – **Accident,** aléa (souv. pl.), vicissitude ; aventure *(une aventure),* péripétie. – **Chance,** heur [vx] ; aubaine, fortune, occasion ; rencontre *(bonne rencontre, malencontre)*[vx]. – Coïncidence **143.** – Cas fortuit [DR.].

3 Hasardement *(un hasardement)* [rare]. – **Jeux de hasard 454.** – Dé, loterie, roulette.

4 Hasardeur [rare]. – Casse-cou [fam.].

5 Stochastique *(la stochastique)* **87.**

6 Le hasard fait bien les choses [loc. prov.]. – « Un coup de dés jamais n'abolira le hasard » (Mallarmé).

V. 7 S'en remettre au hasard ; tirer à la courte paille ou au sort. – Agir à l'aventure, agir à la grâce de Dieu, aller à la pêche [fam.]. – **Aventurer,** courir hasard ou le hasard, courir ou prendre le risque de, essayer, hasarder, risquer, tenter. – Mettre au hasard ou, vx, en hasard ; agir à l'aveuglette. – Loc. prov. Qui ne hasarde (ou ne tente) rien n'a rien.

8 Jouer (qqch) ; jouer (qqch) aux dés. – Jouer sa dernière carte, jouer le tout pour le tout, jouer son va-tout ; risquer le paquet.

9 Sortir ou tirer un numéro ; tirer le bon, le mauvais numéro. – Tomber bien, mal. – Profiter de l'aubaine.

Adj. 10 Hasardeux ; **fortuit.** – De raccroc [vx dans ce sens] ; de rencontre. – **Accidentel,** contingent ; indéterminé. – Aléatoire **291,** casuel [litt.]. – Occasionnel.

11 Aventuré, aventureux, hasardé.

Adv. 12 Accidentellement, casuellement, fortuitement, hasardement ou hasardeusement [litt.]. – Aléatoirement, imprévisiblement [rare], incidemment ; occasionnellement.

13 Par accident [vx], **par hasard,** par grand hasard [vx], par le plus grand des hasards, par occasion [litt.], par raccroc [vx dans ce sens] ; d'aventure. – Par un heureux hasard, par bonheur, **par chance.** – Comme par hasard.

14 **À l'aventure,** aventureusement [litt.]. – À l'aveuglette, aveuglément ; n'importe comment, n'importe où, n'importe quand. – À tout évènement [vx], à tout hasard. – Loc. : Jeter son cœur à la gribouillette [vx].

15 Au gré des circonstances, au petit bonheur, **au petit bonheur la chance,** au hasard ; fam. : au flan, au pif, au pifomètre. – Au hasard de la fourchette [vx], à la fortune du pot.

16 **À pile ou face,** à croix ou pile [vx].

Prép. 17 Au hasard de. – **Au risque de,** quitte à.

359 HAUTEUR

N. 1 **Hauteur** ; taille ; amplitude, **grandeur 219.** – Altitude, profondeur ; cote, mesure **509,** niveau. – ASTRON. : hauteur apparente, hauteur vraie ; cercle de hauteur.

2 Fig. – **Hauteur 312,** morgue, prétention **655.** – Hauteur de vue.

3 Fam. : asperge, cheval, **échalas,** échassier, escogriffe, flandrin, perche (*souvent avec grand :* grande asperge, grand échalas, etc.). – Armoire à glace, grenadier [fam.], malabar [pop.].

4 Échasses, grande échelle, pas de géant ; étoile géante.

5 Colosse, moai [ARCHÉOL.].

V. 6 **Hausser** ; élever, grandir, monter **531,** remonter ; exhausser, surélever, surhausser.

7 **Culminer,** dépasser **190.** – Plafonner. – Prendre de la hauteur [fig.].

8 **Dominer 240,** surpasser, surplomber **204.**

Adj. 9 **Haut** ; élevé, remonté, surélevé, surhaussé.

10 **Grand** ; fam. : grandelet, grandet ; élancé ; grandi ou poussé en graine. – **Géant,** gigantal [litt. et rare], **gigantesque.**

11 Profond. – Hadal.

Adv. 12 **Hautement** [fig.].

360 HERBES ET FOUGÈRES

N. 1 **Herbe** ; plante herbacée ; herbe annuelle, herbe vivace ; herbe grasse, herbe sèche, herbette [litt.] ; herbes folles, mauvaises herbes ou herbes adventices ; herbes de fourvoiement [vx].

2 Simples. – Bouquet garni, fines herbes, herbes de Provence **318.**

3 Foin, **paille** ; fourrage **262.** – Botte, bottillon, fourchée, meule ; bouchon, brin, touffe. – Balle, bractée, glume, glumelle, glumellule, hypoblaste ou scutellum, son, spathe ; fane, tuyau ; coléorhize. – Chalumeau.

4 Prothalle ; fronde, pinnule, rachis ; penghawar, rhizoïde, stipe ; propagule. – Microsporange, sore, sporange ; élastère ; indusie.

5 Alpage, andain, embouche, **herbage,** paccage, pâtis, pâturage, **prairie 627,** prairie de fauche ou pré-pâturage, prairie permanente ou naturelle, prairie temporaire, **pré,** pré salé ; pampa, veld ; campo, fourré, lande, savane, steppe, toundra.

6 **Gazon 443,** pelouse. – Aspergeraie, bambusaie, beine, cannaie, fougeraie, jonchère, phragmitaie ou roselière. – Herbier.

7 **GRAMINÉES**

agrostis ou traînasse
alfa
alpiste ou phalaris
ammophila ou roseau des sables
andropogon
aristide
arrhénathérum (ou fenasse fromental)
bambou
brize ou langue-de-femme
brome
calamagrostis
canche
canne à sucre
carex (ou laîche, herbe aux couteaux)
coïx ou larme-de-Job
cramcram
crételle
dactyle
deschampsia
erianthus
fétuque
fléole ou phléole
flouve odorante
fonio
glycérie
gynerium
houlque ou houque
ivraie
manne de Pologne
miscanthus
molinie
nard
oryza
panic (ou millet des oiseaux, sétaire)
pâturin
paumelle
pennisetum
ray-grass
roseau ou canne de Provence
scénanthe
spart
spartina
stipa
téosinte
trisetum
vétiver
vulpin
zizania

CÉRÉALES

avénette ou avoine jaunâtre
avoine
basmati
blé
blé méteil
herbe de bison
maïs
orge
riz
sarrasin ou blé noir
sorgho ou blé de Guinée

8 **AUTRES PLANTES HERBACÉES**

agropyrum
alisma ou flûteau
alleluia ou oxalis
amourette
anamirte
asaret
baselle
bryophyllum
camphrée
chanvre ou cannabis
corchorus
chélidoine
chiendent
choin
cissus
cuscute
cypérus
datisque ou chanvre de Crète
escourgeon
grewia
gui
jonc
jonc marin
lemna ou lentille d'eau
liane
lierre
linaigrette
luzule
massette ou roseau-massue
misère ou tradescantia
oseille
papyrus
patience
persicaire
pesse
pourpier
rhubarbe
sagine
sagittaire ou flèche d'eau
sansevière
sarracenia
scirpe ou jonc des chaisiers
scléranthe
spargoute
spergulaire
spergule
tribulus

9 **Fougère** ; filicinée, ptérydophytes ; équisétale, filicale, hydrofilicale ou hydroptéridale, lycopodiale, psilophytale ou rhyniale ; cyathéacée, équisétinée, leptosporangiée, eusporangiée, isoète, lépidodendracée, lycopodinée, polypodiacée, salviniacée.

ESPÈCES DE FOUGÈRES

acrostichum
adiantum (ou capillaire de Montpellier, cheveu-de-Vénus)
asplenium
athyrium
azolla
barometz
calamite
capillaire
cétérach
fougère grand-aigle
gleichenia
lépidodendron
lycopode ou herbe aux massues
lygodium
marattia
marsilia
miadesmia
nephrolepis
nid-d'oiseau
onoclée
ophioglosse (ou langue-de-serpent, herbe sans couture)
osmonde
pécoptéris
pilulaire
polypode
prêle
psilotum
ptéridium
salvinia
scolopendre (ou langue-de-cerf)
sélaginelle
sigillaire

10 Hétéroprothallie, homophytisme, isosporie, polystélie.

11 Malherbologie.

12 Désherbant, herbicide, phytocide.

V. 13 **Enherber** ; engazonner, gazonner. – Désherber **18.** – Herbager, mettre au vert.

14 **Brouter,** herbeiller, paître.

Adj. 15 **Herbacé** ; **fourrager.** – Acotylédone, homoprothallé, homosporé ou isosporé. – Amplexicaule.

16 Herbageux [litt.], **herbeux,** herbifère ; dru, herbu, pâturable, **verdoyant 857.**

17 **Herbivore,** phytophage ; herbicole.

361 HÉRÉDITÉ

N. 1 **Hérédité** ; atavisme, héritage ; transmission. – GÉNÉT. : mosaïque ; polyallélie.

2 BIOL. : hérédité directe ou continue, hérédité discontinue (ou : hérédité ancestrale, hérédité en retour) ; hérédité extra-chromosomique ; hérédité holandrique ; hérédité intermédiaire ;

hérédité maternelle, hérédité paternelle ; hérédité liée au sexe ; hérédité des caractères acquis ; **hérédité spécifique, hérédité raciale,** hérédité individuelle. – PSYCHOL. : hérédité des comportements, hérédité psychologique.

3 **Chromosome** ; chromosome Y ou chromosome mâle, chromosome X ou chromosome femelle ; allosome (ou : hétérosome, gonosome, hétérochromosome), autosome ; chromosome Philadelphie ; chromosome du criminel [abusif, vx]. – Allèle ou, vx, allélomorphe, chaîne d'A. D. N., **gène,** histone ; corpuscule de Barr (ou : chromatine sexuelle, corpuscule chromatinien).

4 Matériel génétique, matériel héréditaire, **patrimoine génétique.** – Caractère héréditaire, caractères mosaïques. – Facteur de l'hérédité ; facteur conditionnant, facteur dominant, facteur sanguin. – **Caryotype,** génotype ; carte génique, **génome** ; biotype, phénotype. – Empreinte génétique.

5 Inné *(l'inné,* opposé à *l'acquis)* ; milieu, terrain. – **Sang** *(le sang)* ; les liens du sang, la voix du sang ; ressemblance **719.** – Descendance, filiation **314,** lignée, **parenté** – Généalogie **304.** – Pedigree [ZOOL.].

6 Diploïdie. – Codominance, dominance (opposé à récessivité), semi-dominance (ou : dominance incomplète, dominance partielle). – Hétérozygotie, homozygotie ; **dimorphisme sexuel,** polymorphisme sexuel (pœcilandrie, pœcilogynie). – Hybridisme, polygénie.

7 Sexe chromatinien, sexe génétique ou chromosomique.

8 Phénocopie, recombinaison génétique, remaniement chromosomique. – Disjonction chromosomique. – **Mutation,** spéciation.

9 Aberration chromosomique, **maladie héréditaire, tare** ; maladie orpheline ; hyperdiploïdie, hypodiploïdie ; tétraploïdie, triploïdie. – Incompatibilité génétique ; consanguinité. – Hérédocontagion [vx]. – **Maladie chromosomique** ; achondroplase, albinisme, cholémie, maladie du cri du chat, mucoviscidose, syndrome de Klinefelter, trisomie 21 ou mongolisme **484.** – Délétion, fragmentation chromosomique ou pulvérisation chromosomique, fusion chromosomique. – Intersexualité ou état intersexué ; hermaphrodisme, pseudo-hermaphrodisme.

10 Intersex *(un intersex),* **mutant** ou exotype. – Hybride ; mosaïque chromosomique.

11 Croisement **711,** hybridation. – **Manipulation génétique ;** organisme génétiquement modifié ou **O.G.M.** – Détermination du sexe **763** ; sexage [AGRIC.].

12 MÉTROL. : kilobase (abrév. : kb) ; centimorgan, morgan.

13 **Génétique** *(la génétique)* ; cytogénétique, génétique formelle, génétique mathématique. – Génie génétique, ingénierie génétique. – Eugénique *(l'eugénique)* ou eugénésie, **eugénisme** ; eugénisme négatif, eugénisme positif. – Génomique, thérapie génique, transgenèse ou transgénique.

14 Mendélisme ; darwinisme, mutationnisme (opposé à créationnisme). – Lois de l'hérédité, lois de Mendel.

15 Cytogénéticien, **généticien.**

V. 16 **Hériter** ; recevoir en héritage, en partage ; être du sang de qqn, racer du côté de qqn [rare] ; ressembler à **719,** tenir de.

17 Avoir une lourde hérédité ou une hérédité chargée ; **avoir de qui tenir** [fam.], être tout le portrait de son père (de sa mère, etc.). – Prov. : Bon chien chasse de race, Bon sang ne saurait mentir, Tel père, tel fils ; La caque sent toujours le hareng.

18 C'est le sang qui parle.

19 **Transmettre** ; donner, donner en héritage, faire passer, léguer ; fam. : filer, refiler, repasser.

Adj. 20 **Héréditaire** ; familial, de famille, hérédofamilial [vx], inné ; ataval [vx], atavique, **congénital,** consanguin.

21 **Génétique.** – Allélique, autosomique, caryotypique, chromosomique, génique, génomique, génotypique, phénotypique. – Dominant (opposé à récessif) ; mutagène ; transgénique.

22 Hétérozygote, homozygote ; intersexué. – Allopatrique (opposé à sympatrique).

Adv. 23 Génétiquement ; héréditairement. – Par le sang.

Aff. 24 Géno-, hérédo- ; -génésie ; -génétique.

25 -ploïdie.

362 HINDOUISME

N. 1 **Hindouisme 700** ; sanatana-dharma (sanskr., « loi cosmique et universelle sans origine »). – Védisme, brahmanisme ; jaïnisme. – Sikhisme. – Fakirisme. – Branches : sivaïsme, visnuisme ; saktisme ; hare Krishna. – Réformes : brahmo samaj, arya samaj, ramakrishna mission.

2 **Hindou** ou hindouiste. – Jaïn ; sikh. – Sivaïte, visnuite ; thug. – Fakir **47.**

3 **Brahman** (sanskr., « formule chiffrée »), deva (sanskr., « être divin »). – Trimurti ; Brahma, Siva, Visnu. – Sakti. – Avatara (sanskr., « descente sur terre d'une divinité ») ; avatara de Visnu : Krisna, Rama ; avatara de Siva : Durga, Kali, Parvati, Prithivi, Uma, Satis.

4 **Dharma** (sanskr., « loi », opposé à adharma) **80.** – Avidya (sanskr., « ignorance ») opposé à satya, maya (sanskr., « apparence illusoire »).

5 **Samsara** (sanskr., « cycle des naissances ») ; transmigration, réincarnation **534.** – **Atman** (sanskr., « étincelle du brahmane », le soi).

6 **Karma** (sanskr., « acte »). – Yama (sanskr., « préceptes moraux ») ; ahimsa (non-violence), aparigraha (non-possession), asteya (rejet du vol), brahmacarya (continence), satya (sanskr., « vérité »). – Niyama (sanskr., « principes de discipline »).

7 Samskara (sanskr., « sacrement »). – Puja (sanskr., « culte »), satsanga (sanskr., « réunions pieuses »). – Bhakti (sanskr., « amour dévotionnel »). – Bhakti marga, jnana marga, karma marga ; nyaya, vaisesika, samkhya, **yoga,** purvamimamsa, vedanta.

8 **Mantra** (sanskr., « instrument de pensée ») ; om. – **Yantra** (sanskr., « instrument »).

9 Moksa ou mukti (sanskr., « délivrance »).

10 Brahma-loka (sanskr., « monde de Brahma »), satyaloka (sanskr., « monde de la vérité »).

11 Upanayana (sanskr., « initiation »). – Ashram (sanskr., « exercice ») ; étudiant ou brahmacarya, maître de maison ou grhastha, anachorète ou vanaprastha, renonçant (ou : sadhu, sannyasin). – Tirthankara (sanskr., « qui a traversé l'océan des renaissances »).

12 **Gourou** ou **guru 699,** swami (sanskr., « maître »). – Cela (hindi, « disciple »). – Devadasi (sanskr., « servante du Dieu »).

13 Varna. – Jati ; brahmane, grih ksatriya, vaisya, sudra ou çoudra. – Paria (du tamoul, « joueur de tambour »), intouchable **582** ; harijan (sanskr., « créature de Dieu »). – Intouchabilité.

14 **Vache sacrée.**

15 Symboles : linga ou lingam [phallus], yoni [vulve] ; cakra [disque solaire]. – Iconographie : Visnu narayana (sanskr., « Visnu reposant sur les eaux »), Siva nataraja (sanskr., « Siva dansant ») ; Krisna au milieu des vachères, les Amours de Krisna et Radha. – Tandava (sanskr., « danse de Siva »).

16 MYTH. – Dieux du cosmos : Indra **236,** Mitra ; Aditi, jumeaux Asvin. – Dieux du culte : Agni, Soma.

Adj. 17 **Hindou** ou hindouiste. – Visnuite. – Jaïna.

18 Yogique.

363 HISTOIRE

N. 1 **Histoire** ; chronologie. – Archéologie. – Didact. et LING. : diachronie, opposé à synchronie. – Évolution **293.**

2 Histoire ancienne ; histoire contemporaine. – Histoire diplomatique, économique, militaire, politique, religieuse, sociale, universelle ; ethnohistoire, géohistoire, psychohistoire. – Histoire sacrée ; histoire ecclésiastique, histoire sainte. – Histoire de l'art, du droit, de la littérature, des religions, des sciences, des techniques. – Histoire anecdotique, petite histoire. – Assyriologie, égyptologie, byzantinologie ; médiévisme.

3 Temps historiques ; époque historique, période historique (opposé à préhistoire). – **Antiquité** ; Antiquité grecque, romaine ; Antiquité classique ; Antiquité assyrienne, babylonienne, égyptienne, sumérienne. – **Moyen Âge** ; haut Moyen Âge, bas Moyen Âge. – **Temps modernes** ; Renaissance.

4 **Préhistoire,** temps préhistoriques ; **protohistoire** ; histoire crépusculaire [vx]. – Paléolithique *(le paléolithique),* mésolithique *(le mésolithique)* [vx], néolithique *(le néolithique),* chalcolithique *(le chalcolithique)* ; vieilli : âge de la pierre taillée, de la pierre polie, du bronze, du fer. – MYTH. : âge d'or, âge d'argent, âge d'airain, âge de fer.

5 **Sciences auxiliaires de l'histoire** ; codicologie, diplomatique *(la diplomatique),* épigraphie, généalogie **314,** numismatique, paléographie, philologie, sigillographie ou sphragistique, tracéologie. – **Chronologie,** chronographie [moins cour.] ; dendrochronologie.

6 Monuments écrits, monuments figurés. – **Archives** ; actes, annales ; chroniques, commentaires, compte-rendu, épitomé ou épitome (gr., « abrégé ») [didact.] ; fastes. – **Biographie** ; autobiographie **691,** Mémoires, souvenirs. – Hagiographie, vie des saints ; martyrologe. – Épopée, mythe, légende ; récit de fondation ; cosmogonie.

7 Roman historique [LITTÉR.]. – BX-A. : peinture d'histoire ; grand genre, genre historique.

8 **Historien** ; antiquaire [vx]. ; **archéologue,** logographe [ANTIQ.]. – **Préhistorien.** – Médiéviste ;

seiziémiste, dix-septiémiste, dix-huitiémiste, dix-neuviémiste, contemporaniste. – Bénédictin ; bollandiste.

9 Codicologue, chronologiste, épigraphiste, **généalogiste,** numismate, paléographe, **philologue,** sigillographe ; **archiviste-paléographe,** chartiste.

10 Anecdotier, annaliste, **biographe, chroniqueur,** hagiographe, historiographe, **mémorialiste.**

11 Didact. – Historisation, périodisation, historicisation. – Historicisme, historisme [PHILOS.] ; historicité. – Philosophie de l'histoire ; matérialisme historique, matérialisme dialectique.

12 Clio, muse de l'Histoire [MYTH.].

V. 13 Didact. : historialiser, historiciser ; périodiser.

14 Dépouiller ; archiver. – Ressusciter le passé.

Adj. 15 **Historique** ; préhistorique, protohistorique. – Chronologique, diachronique ; géochronologique. – Historico-critique ; historico-mythique ; sociohistorique. – Didact. : historisant, historicisant.

16 **Passé 598,** moderne, contemporain. – Antique ; médiéval ; renaissant.

17 Diplomatique, épigraphique, **généalogique 314,** hagiographique, historiographique, numismatique, paléographique, philologique.

Adv. 18 **Historiquement** ; chronologiquement, diachroniquement [LING.]. – Généalogiquement.

Aff. 19 Historico-.

364 HOMME

N. 1 **Homme.** – Le sexe fort, le sexe masculin. – **Monsieur** (abrév. : M.) ; *mister* [fam., anglic.], sieur [vx ou péj.].

2 **Garçon,** garçonnet **270, jeune homme 445** ; damoiseau [vieilli]. – Arg. : gosselin, grelu ; giron ou girond, miché, minet.

3 Adulte, **homme fait 495,** mâle ; arg. : gonze, jules, keum, **mec,** mecton. – Individu ; arg. : **frangin,** frère, **gars,** gazier, gnafron, gugus, **gus,** pèlerin, **pingouin,** rom, rombier, **type.** – Fam., par plais. : **loustic,** olibrius, ostrogoth, ouistiti ; péj. : coco, **drôle,** loquedu, mannequin, pistolet *(un drôle de pistolet),* zèbre, zigomar, **zigoto** ou zigoteau.

4 **Machiste** *(un machiste)* ou, fam., macho [esp.], phallocrate ou, fam., phallo.

5 Adonis *(un adonis),* apollon *(un apollon).*

6 Masculinité, **virilité.** – Eunuchisme [MÉD.].

7 **Phallocentrisme,** phallocratie, sexisme. – Misandrie (opposé à misogynie).

V. 8 **Masculiniser,** viriliser. – Efféminer **306.**

Adj. 9 Mâle, **masculin, viril** ; viriloïde. – Virilisant. – Efféminé.

10 Misandre.

Adv. 11 Virilement.

Aff. 12 **Andro-,** vir- ; -andre, -andrie.

365 HONNÊTETÉ

N. 1 **Honnêteté** ; conscience, intégrité, loyauté **472,** moralité **533,** probité ; droiture, rigueur. – Bonne foi, franchise, **sincérité** ; bonté **76,** bienfaisance, désintéressement ; impeccabilité, incorruptibilité. – Dignité, honorabilité, respectabilité.

2 **Chasteté 108,** fidélité, honnêteté [vx], pureté, sagesse, vertu **858.**

3 Bienséance, **décence 177,** modestie, morale, pudeur ; correction, courtoisie **163, politesse.**

4 Politesse *(une politesse)* ; bons procédés, honnêtetés.

5 **Bien** *(le bien),* bien suprême, souverain bien ; le droit chemin. – Valeur morale.

6 Brave homme, homme de bien **472** ; **juste** *(un juste),* sage *(un sage)* ; honnêtes gens. – Honnête homme.

V. 7 Avoir sa conscience pour soi, **avoir les mains nettes** ; jouer franc jeu. – Mériter **507.**

8 Faire confiance à **145,** pouvoir compter sur qqn.

Adj. 9 **Honnête** ; éprouvé, intègre, loyal **472,** probe, vertueux **858** ; consciencieux, scrupuleux ; droit, rigoureux ; insoupçonnable. – Net, propre. – Exemplaire, impeccable, **parfait 800** ; inattaquable, irrépréhensible ; incorruptible. – Bienfaisant, bon **76,** brave, désintéressé, généreux **336.** – De bonne foi, franc, **sincère.**

10 **Chaste 108,** digne, honnête [vx], irréprochable, pur, sage, vertueux.

11 Civil, courtois **163,** honnête, **poli.**

12 Estimable, **honorable,** louable **471,** recommandable, respectable.

13 Avouable, bon, correct, louable, moral **533, sérieux.** – Bienséant, convenable, **décent,** naturel, normal, raisonnable.

14 Acceptable, convenable, correct, moyen **500,** passable, satisfaisant **745.**

Adv. 15 **Honnêtement** ; intègrement, loyalement **472,** proprement, scrupuleusement, vertueusement **858** ; droitement, rigoureusement ; équitablement.

16 Franchement, **sincèrement** ; en bonne foi [vieilli], en toute bonne foi. – Correctement, louablement, purement ; irréprochablement.

17 En conscience, **en toute honnêteté.**

18 Civilement [litt.], courtoisement, **poliment 163.**

366 HONNEUR

N. 1 **Honneur** ; **dignité,** gravité ; fierté **312,** respect de soi **717.** – Grandeur, noblesse **552.**

2 **Honorabilité** ; droiture, **honnêteté 365,** intégrité, probité. – **Pudeur,** réserve, retenue ; pudicité [litt.] ; pureté, vertu **858** ; chasteté **108.**

3 Sens de l'honneur, sens du devoir **213.** – Code de l'honneur ou code d'honneur.

4 Éclat, gloire **341,** panache ; grade [vx]. – L'honneur fleurit sur la fosse [prov., vx]. – « Tout est perdu, fors l'honneur » (François Ier).

5 Prérogative, **privilège 800.3.**

6 Honneur [vx], respect **717** ; **considération,** révérence, vénération ; admiration **276,** **adoration.**

7 **Culte,** hommage [sout.] ; tribut [litt.] ; adorations [vx]. – À tout seigneur, tout honneur [prov.].

8 **Honneurs** ; honneurs funèbres ou suprêmes ; honneurs militaires ; grandeurs [litt.]. – Honorariat ; éméritat [belg.].

9 **Décoration,** distinction *(une distinction),* honneurs ; lauriers ; batterie de cuisine [fig., fam.]. – Légion d'honneur ; prix d'honneur ; tableau d'honneur.

10 Champ d'honneur **354** ou lit d'honneur [vx].

11 Dignitaire **59,** grand monsieur ; honorabilité *(une honorabilité)* [vx]. – L'honneur de *(l'honneur de sa famille).* – Décoré *(un décoré),* médaillé *(un médaillé).* – Votre Honneur [appellatif] **822.13.**

V. 12 **Honorer** ; **considérer,** estimer, priser [litt.] ; respecter **717** ; tenir en grande considération ou en haute estime.

13 **Honorer** ; adorer, idolâtrer ; aduler [litt.] ; révérer, **vénérer** ; célébrer, glorifier **341,** magnifier [litt.].

14 **Féliciter** ; applaudir, ovationner ; couvrir d'éloges ; accabler d'éloges. – **Récompenser** ; **décorer,** médailler.

15 Faire grand cas de **717.** – Rendre un culte à qqn, **vouer un culte à qqn.** – Conférer ou **dispenser des honneurs** ; combler d'honneurs ; élever à la dignité de. – **Décerner des éloges** ; ne pas tarir d'éloges sur qqn. – Dire qqch à l'honneur de qqn. – C'est tout à son honneur (ou : à son éloge, mérite).

16 MIL. : **rendre les honneurs** ; présenter les armes.

17 **Faire à qqn l'honneur** (ou : la grâce, la faveur) **de** + inf.

18 Faire à qqn honneur de qqch ; **attribuer,** imputer. – **Gratifier** ; créditer.

19 **Mettre son point d'honneur à** ; se faire un point d'honneur de ; mettre son honneur à [vieilli]. – Se piquer d'honneur de. – Se faire un honneur de, tenir à honneur de [sout.]. – Faire honneur à *(faire honneur à sa naissance, à sa famille, à son rang, etc.).*

20 Défendre son honneur, venger son honneur ; sauver son honneur ou sa dignité ; sauvegarder son prestige, **sauver la face** (ou : les apparences, les dehors [vx]).

21 **Avoir le sentiment de l'honneur,** ne consulter que l'honneur, n'écouter que la voix de l'honneur ; se respecter. – Prendre tout au point d'honneur, prendre facilement la mouche **130** ; se draper dans sa dignité **304.**

22 **S'honorer de** ; se faire honneur de, se glorifier de **341,** se prévaloir de ; se faire un mérite de ; se donner les gants de [litt.].

Adj. 23 **Honorable** ; estimable, respectable **717.** – **D'honneur** ; fiable **145,** honnête **365,** **intègre** ; probe [litt.] ; digne [sout.].

24 **Honoré** ; respecté, **considéré 341.** – À l'honneur, en vedette.

25 D'honneur ; **honoraire,** émérite [vieilli] ; *honoris causa* (lat., « pour marquer sa considération à » ; *un docteur* honoris causa).

26 Considérable [sout.] ; décorable.

27 **Acceptable,** correct **365,** satisfaisant ; prisable [vx].

28 **En honneur** ; apprécié, estimé, prisé [litt.] ; *persona grata* (lat., « personne bienvenue ») ; **à la mode,** en faveur, en vogue.

29 Glorifiant **341** ; dignifiant [rare].

Adv. 30 **Honorablement** ; respectueusement **717** ; convenablement **365** ; fièrement **312,** noblement ; sout. : dignement, louablement ; décorativement [par plais.]. – **Avec honneur** ; avantageusement, magnifiquement ; avec brio, avec succès **798** ; avec les honneurs de la guerre [MIL. ou fig.].

31 **Sur l'honneur** ; vx : d'honneur, en honneur. – En tout bien tout honneur ou en tout bien et tout honneur. – À titre honorifique, de nom ; honorifiquement [rare].

Int. 32 **Parole d'honneur !** D'honneur ! [vx]. – À vous l'honneur ! – Honneur à + n. !

33 En quel honneur ?

367 HONTE

N. 1 **Honte** ; déshonneur, ignominie, infamie ; tache [fig.] **606.**

2 **Abjection,** bassesse, vilenie [litt.], vileté [vx] ; indignité. – Fig. et litt. : boue **860,** fange, ordure, tourbe. – Balayure [litt.], excrément, lie [litt.], ramas, ramassis, rebut.

3 Abjection, bassesse, ignominie, indignité [litt.], turpitude, vilenie [litt.]. – **Scandale.**

4 Abaissement [vx], avilissement, diminution [vx], dégradation [rare], **humiliation** ; chute, déchéance.

5 Blâme, opprobre. – Bannissement ; dégradation, destitution ; flétrissure, stigmatisation [litt.].

6 Honte [vieilli] ; confusion, embarras, gaucherie, gêne ; **pudeur,** vergogne [vx, litt.]. – Humilité, modestie ; timidité.

V. 7 Avoir l'oreille basse [fam.], mourir de honte [fig.], rougir de honte ; baisser le front ou les yeux, courber la tête. – **Ne plus savoir où se mettre** ou, fam., se fourrer, rentrer sous terre ; souhaiter être à cent pieds sous terre, vouloir rentrer dans un trou de souris.

8 **Humilier** ; faire affront ; déshonorer [vx], mortifier, souffleter [fig.]. – Abaisser, avilir, traîner dans la boue. – Ternir la réputation de qqn.

9 **Couvrir de honte,** confondre, ahonter [vx]. – **Blâmer,** conspuer, huer, montrer au ou du doigt ; litt. : anathémiser, honnir, vilipender.

10 Dégrader. – Fleurdeliser, marquer, stigmatiser ; flétrir [vx] ; noter d'infamie. – Mettre au pilori.

11 Ne pas se faire honneur ; se faire honte. – Déchoir ; déroger, forfaire [vx ou litt.], forligner [fig.] ; **s'avilir.** – Tomber plus bas que terre ; avoir toute honte bue.

12 En être pour sa courte honte.

Adj. 13 **Honteux** ; abject, bas, ignoble, infâme, vil ; éhonté, ignominieux, scandaleux. – Coupable, inavouable. – Lâche **452.**

14 Abaissant, avilissant, dégradant, **déshonorant,** infamant.

15 Honteux [litt.] ; vergogneux [vx]. – **Confus,** honteux, rouge de honte ; penaud, piteux, quinaud [vx].

16 Avili, décrié, flétri, perdu de réputation.

Adv. 17 **Honteusement,** ignominieusement [litt.]. – Bassement, indignement, lâchement, vilement. – Scandaleusement ; abjectement.

Int. 18 Honte à + n. ou pron. *(honte à moi, à toi).*

368 HOSPITALITÉ

N. 1 **Hospitalité** ; accueil, traitement. – Charité **336.**

2 **Accueil,** réception ; diffa [Maghreb]. – Cérémonie (ou : discours, paroles) d'accueil, salutations **741,** salamalecs [fam.] ; baiser de bienvenue.

3 Amphitryon, **hôte,** maître de maison. – Hôte, visiteur ; invité. – Bienvenu *(le bienvenu).* – Commensal [litt.], convive ; couvert du pauvre. – Parasite, pique-assiette [fam.].

4 Abri, **asile,** centre ou structure d'accueil, **refuge** ; hospice, hôpital [vx], pension. – Auberge, chauderie [vx] ; table d'hôte. – Cabaret, hôtel, restaurant. – Hôtellerie ; caravansérail [vx].

5 Hôte [vx] ; aubergiste, cabaretier, hôtelier, restaurateur ; logeur.

V. 6 Exercer ou offrir l'hospitalité ; accueillir, admettre, **recevoir,** traiter ; abriter, coucher, héberger, loger. – Tenir ses grands jours, tenir table ouverte.

7 Faire bon accueil, faire bonne mine ou bon visage, fêter, ouvrir ou tendre les bras, recevoir à bras ouverts, souhaiter ou donner la bienvenue, tuer le veau gras ; vx : bienvenir, faire accueil. – Faire les honneurs ; dérouler le tapis rouge, mettre les petits plats dans les grands.

8 Loc. cour. – Soyez le bienvenu ; vous êtes toujours le bienvenu ; quel bon vent vous amène ?

9 Trouver le gîte et le couvert, trouver la nappe ou la table mise.

Adj. 10 **Hospitalier** ; accueillant, ami [litt.] **26** ; accessible, accostable. – Accort, affable, avenant, gracieux ; chaleureux.

Adv. 11 Hospitalièrement [litt.] ; à bras ouverts. – En bienvenue, en signe de bienvenue.

369 HUILE

N. 1 **Huile** ; huile animale, minérale, végétale ; huile synthétique ; huile alimentaire ou comestible ; **corps gras,** émulsif *(un émulsif),* graisse, **matière grasse,** oléagineux *(un oléagineux)* ; suint.

2 Hydrocarbures liquides. – **Huile brute, huile raffinée.** – Huile anthracénique, huile lourde, huile minérale liquide, huile de naphte, huile phénolique ; benzène, fuel, gas-oil, mazout, **pétrole 618.** – Huile d'absorption, huile de base, huile à broches ou spindle, huile compoundée ou composée, huile de coupe, huile de cylindre, huile d'engrenage ou huile E. P., huile de fluxage, huile de graissage ou huile lubrifiante, huile de moteur, huile de mouvement ou de transmission, huile noire, huile de schiste, huile soluble, huile soufflée, huile sulfureuse (ichtyol), huile de turbine ; huile pauvre, huile riche. – Huile de goudron de houille, huile de goudron de bois (créosote), huile grasse, huile lampante [PÉTR.]. – Huile de résine, huile siccative, huile sulfonée, **oléorésine.**

3 Calamine, **cambouis, goudron.** – Peinture à l'huile [PEINT.] **607.**

4 Huiles animales industrielles : huile de baleine, huile de bœuf, huile de cachalot, **huile de foie de morue,** huile de mouton, huile de phoque, huile de poisson. – Huiles industrielles : cameline, colza, coton, lin, madi, palme. – Huiles médicinales : amande amère, **amande douce,** cade, croton, ricin, huile de coco ou de coprah ; huile essentielle ou volatile.

5 **Huile alimentaire,** huile de friture, huile vierge ; **huile d'arachide,** huile de colza, huile de maïs, huile de navette, huile de noix, **huile d'olive,** huile de palme, huile de pépins de raisin, huile de sésame, huile de soja, **huile de tournesol.**

6 Cérat [vieilli], distillat, **émulsion,** fart, oléolat, raffinat. – PHARM. : embrocation, liniment, onguent. – Huiles cosmétiques : huile acide, huile de paraffine, huile de vaseline ; huile d'amande douce, huile d'avocat, huile d'œillette ; huile solaire.

7 **Les saintes huiles** ; chrême *(le saint chrême)* [LITURGIE] **508.**

8 Broyage, décorticage, dénoyautage ; extraction par dissolvant, extraction par pression et épuisement. – Centrifugation, décantation, décoloration, déparaffinage, distillation, filtration, lavage, pressage, raffinage, séchage. – Graissage ; ensimage, fartage.

9 Broyeur, maillotin [TECHN.], **pressoir à huile.**

10 Marc, résidu ; tourteau, trouille [région.].

11 Oléiculture **18.** – Moulin à huile, oliverie ; huilerie.

12 Indice de viscosité. – Oléomètre **509.25.**

V. 13 **Huiler** ; enduire, ensimer, farter, graisser, **lubrifier,** oindre ; imperméabiliser.

14 Extraire, presser ; claircir, **décanter, filtrer** ; défruiter, **raffiner.**

Adj. 15 **Huileux** ; gras, oléagineux, oléiforme ; oléique [CHIM.]. – **Onctueux,** visqueux. – CHIM. : **émulsif,** insoluble, saponifiable ; empyreumatique [didact.]. – Rance.

16 **Oléifère** [didact.] ; oléfiant ou oléifiant [CHIM.].

17 Huilé, graissé.

18 Oléicole.

Adv. 19 **Huileusement** ; grassement. – Onctueusement, visqueusement.

Aff. 20 Olé-, **oléi-.**

370 HUIT

N. 1 **Huit.** – Vx ou région. : huitante, octante. – Huitième *(un huitième)* ; octant [GÉOM.].

2 **Huitaine,** octave [LITURGIE]. – Octuor [MUS.]. – Octidi [HIST.] **88.**

3 GÉOM. : octaèdre, octogone **338.** – Octet [INFORM.]. – Octave [MUS.] **459.** – LITTÉR. : octonaire, ottava rima [ital.].

V. 4 Octupler **539.** – Octavier [MUS.].

Adj. 5 **Huitième.** – Octuple. – Octogénaire.

6 Octal. – Octosyllabique.

7 Octogonal ; octaédrique.

Adv. 8 **Huitièmement,** octavo [rare]. – À huitaine ; **en huit** *(jeudi en huit)* ; sous huitaine.

Aff. 9 Octi-, octo-.

371 HUMAINS

N. 1 **Humain** ; être humain, personne **613.** – Créature humaine. – Humanité (opposé notamm. à divinité et à animalité).

2 **Humanité.** – Espèce humaine, genre humain, race humaine.

3 Groupe humain ; **race,** grand-race ; race blanche (ou leucoderme, ou caucasoïde), race jaune (ou xanthoderme), race noire (ou mélanoderme, ou négroïde). – **Ethnie,** ethnos [didact.]. – Lignée, sang ; peuple **124,** tribu.

4 Groupement humain, peuplement. – Société humaine **773.**

5 Africain, Amérindien ou Indien, Asiatique (ou, péj. et vieilli, Asiate), Australien, Européen, Indien, Indonésien (ou, vieilli, Malais), Polynésien ; Deutéro-Malais ou Néo-Indonésien, Proto-Malais ou Paléo-Indonésien. – **Indo-Européen** ; Indo-Aryen. – Finno-Ougrien, Mongol, Paléo-Asiatique, Prototurc, Sibérien, Turco-Mongol. – Mélano-Africain, Mélano-Indien. – Alpin, Méditerranéen. – Nordique.

6 Blanc. – Jaune. – Noir ; Nègre [souv., mais non nécessairement, péj. et raciste] ; Black [fam.] ; péj. et raciste : négro ; bamboula [vieilli]. – Beur [fam.]. – Peau-Rouge [vieilli].

7 AMÉRIQUE DU NORD

Abénakis
Acomas
Algonquiens
Amuzgos
Apaches
Arapahos
Assiniboins
Athasbacans
Attikameks
Bella bellas
Blackfoot ou Pieds-Noirs
Black Hawk
Cherokees
Cheyennes
Chilcotins
Chinooks
Chiricahuas
Chols
Chontales
Chortis
Cœurs d'alène
Comanches
Creeks
Cris
Crows
Dakotas
Delawares
Esquimaux ou Inuits
Flatheads
Fox
Gros-Ventres
Haïdas
Hidatsas
Hopis
Hurons
Iroquois
Jicarillas
Kansas
Karoks
Kiowas
Kootnays
Kwakiutls
Lacnadons
Lipans
Mandans
Menominis
Mescaleros
Micmacs
Mohaves
Mohawks
Mohicans
Montagnais
Mosquitos
Nahuas
Naskapis
Natchez
Navahos
Nez-Percés
Nootkas
Ojibwas
Omahas
Osages
Otomis
Paiutes
Papagos
Pawnees
Pimas
Potawatomis
Powhatans
Pueblos
Quapaws
Quinaults
San Carlos
Santees
Séminoles
Shawnees
Shoshones
Sioux
Slaves
Taos
Tetons
Tlingits
Utes
Winnebagos
Yakimas
Yanktons
Yaquis
Zunis

8 AMÉRIQUE DU SUD

Alakalufs
Araucans
Aymaras
Bororos
Botocudos
Caingangs
Calchaquis
Campas
Carajas
Carriers
Cayapas
Chatinos
Chinantèques
Chiquitos
Chiriguanos
Chocos
Chols
Chontales
Chorotis
Chortis
Chulupis
Diaguites
Galibis
Gès
Goajiros
Gauranis
Guayakis
Huichols
Jeberos
Jivaros
Lacandons
Lencas
Machigangas
Makusis
Mapuches
Matacos
Mawés
Mazatèques
Miskitos
Mixtèques
Mocovis
Mojos
Mundurucus
Nahuas
Nambicuaras
Otomis
Panos
Papagos
Pemons
Piros
Potiguaras
Quechuas
Tacanas
Tarahumaras
Tarasques
Tehuelches
Terenas
Tobas
Tojolabals
Totonacs
Tucanos
Tucunas
Tupinambas
Tupis
Tupis-Guaranis
Tzeltales
Tzotziles
Wapishanas
Warraus
Xingu
Yamanas
Yanomanos
Yaquis
Zapotèques

9 ÎLES D'AMÉRIQUE CENTRALE

Arawaks
Caribs
Cunas
Galibis
Huaxtèques
Potosis
Sierra otontepecs
Tantoyucas
Wapishanas

10 AFRIQUE DU NORD ET MOYEN-ORIENT

Arabes
Bédouins
Hazaras
Kurdes
Peuls

BERBÈRES

Chaouïas
Chleuhs

Kabyles
Mozabites ou Mzabites
Sanhadjas
Touaregs
Zénètes

11 AFRIQUE NOIRE

Achantis ou Ashantis
Adioukrous
Adjas
Afars ou Danakils
Agnis
Aizos
Alurs
Ambos ou Ovambos
Amharas
Anuaks
Azandés ou Zandés
Babingas ou Bingas
Bagas
Baguirmis
Balantes
Balovales ou Lovales
Bambaras
Bamilékés
Bamongos ou Mongos
Bamoums ou Moums
Bangalas ou Ngalas
Bantous
Banyankorés ou
Nkolés
Baoulés
Bapedis ou Pedis
Baris
Barmas ou Baguirmis
Basogas ou Sogas
Basoukous ou Soukous
Bassoutos ou Sothos
Batékés ou Tékés
Batesos ou Tesos
Batetelas ou Tetelas
Bavendas ou Vendas
Bayas ou Gbayas
Bembas
Bétés
Bijagos
Bingas
Bobos
Bochimans ou
Bushmen
Chewas
Chillouks ou Shilluks
Dans ou Yacoubas
Dasas
Digos ou Nyikas
Dinkas
Diolas
Dioulas
Djermas
Dogons
Doualas
Échiras
Edos
Egbas
Éoués ou Éwés
Fangs ou Pahouins
Fantis
Floupes
Fons
Gallas ou Oromos
Gandas ou Bagandas
Gbayas
Gios
Giryamas
Gogos
Gouragués
Gourmantchés
Gouros
Gourounsis
Guerzés
Gusiis
Haoussas
Hereros
Hottentots
Hutus
Ibibios
Ibos
Idomas
Igaras
Ijos
Issas ou Somalis
Kabrés
Kaffas
Kambas
Kanouris
Karamojongs
Kavirondos
Kikuyus
Kirdis
Kissis
Kokos ou Bakokos
Kongos ou Bakongos
Konsos
Kotas ou Bakotas
Kotokos
Koubas ou Bakoubas
Kpellés
Krus
Limbas
Lobis
Lomas
Loubas ou Baloubas
Loundas
Lovales
Lozis ou Rotsés
Lugbaras
Lugurus
Luhyas
Lundas
Luos
Mabas
Madis
Makondés
Malinkés
Mandés
Mandingues
Mangbétous
Masais
Massaïs
Matabélés
Mbundus
Mendés
Merus
Mitsogos
Mongos
Mossis
Moums
Mousgoums
Mundangs
Murles
Nalous
Namas
Nandis
Ndébélés
Ngalas
Ngbakas
Ngonis
Nkolés
Noubas
Noupés
Nubas
Nubiens
Nuers
Nupes
Nyakyusas
Nyamwezis
Nyanjas
Ouolofs ou Wolofs
Pendés
Pepels
Pygmées ou, vx,
Négrilles
Ruandas
Rundis
Sandawes
Saos
Sarakollés
Saras
Sénoufos
Sérères
Sherbros
Shilluks
Shonas
Sogas
Sombas
Songhaïs
Sothos
Soukous
Swahilis
Swazis
Tchokwés
Tedas ou Toubous
Tékés
Temnés
Tesos
Tetelas
Thongas
Tigréens
Tivs
Timas
Toucouleurs
Tsongas
Tswanas
Turkanas
Tutsis
Twas
Vendas
Xhosas
Yaos
Yorubas
Zandés
Zoulous

12 OCÉANIE

Acehs
Aëtas
Amboinais
Amis
Antaisakas
Asmats
Atonis
Balinais
Banjarais
Bataks
Belunais
Betsiléos
Betsimisarakas
Bimas
Bugis
Chimbus
Dayaks
Dusans
Gayos
Ibans
Ifugaos
Igorots
Ilocanos
Kalingas
Kanaks
Lampungs
Macassars
Madurais
Magindanaos
Malais
Manadais
Maoris
Merinas
Minahasans
Minangkabaus
Moros
Muruts
Papous
Paumotus
Pitjandjaras
Punans
Rejangs

Sakalavas
Samas
Sasaks
Semangs
Sumbawais
Tagalogs
Tausugs ou Suluks
Tenggerais
Tongans
Torajas
Tsimihetys
Visayas ou Bisayans

13 **ASIE**

Achangs
Aïnous
Akhas
Arakanais
Ataouats
Bahnars
Bais ou Minjias
Banjaras ou Sugalis
Baros
Bataks
Baxtyaris
Bhils
Bhotias
Bhumijs
Biharis
Binjwars
Birmans
Bodos
Brahouis
Braos
Buyi
Che-wong
Chins
Chongs
Cinghalais
Daflas
Dagurs
Darigangas
Dolpos
Dombas
Doms
Dongs
Dongxiang
Dravidas
Dzahchins
Gadabas
Gonds
Gujars
Gurungs
Hakkas
Han
Hazara
Hos
Houei
Hui
Jah-hut
Jarais
Jats
Kachins
Karens ou Kayahs
Kharias
Khmers
Khmus
Khonds
Kurukhs
Lahu
Lambadas
Laos
Lepchas
Li
Limbus
Lisu
Lushais
Magars
Mandchous
Marathes
Meitheis
Méos ou Miaos
Mewatis
Mikirs
Minjia
Mishmis
Moïs
Mokens
Mongols
Môns
Mordves
Moundas
Mulaos
Muongs
Nagas
Naxi
Négritos
Newars
Oraons
Pachtous
Paharis
Palaungs ou Rumais
Pathans
Pêârs ou Porrs
Phuans
Porojas
Pumi
Qiang
Rabhas
Rajbansis
Rajputs
Reddis
Rhadés
Santals
Saoras
Sédangs
Semangs
Semais
Senois
Sherpas
Shuis
Tamangs
Tamouls
Temian
Thaïs
Tharus
Tong
Uraons
Veddas
Was
Yaos
Yi
Zhuang

14 **C.E.I. (EX-U.R.S.S.)**

Adjars
Altaïens
Azéris
Bachkirs
Balkars
Baloutches
Bouriates
Caréliens
Chors
Cosaques
Darguines
Doungans
Evenkis
Guiliaks
Iakoutes
Ingouches
Kabardes
Kalmouks
Kamtchadales
Karakalpaks
Karatchaïs
Kazakhs
Kirghiz
Komis ou Zyrianes
Koriaks
Koumyks
Lakontes
Laks
Lamoutes
Lezguiens
Lives
Neguidales
Nénets
Nivkhs
Nogays
Ossètes
Ostyaks
Oudegueïs
Oudmourtes
Ouïgours
Oultches
Ouzbeks
Permiaks
Ruthènes
Samoyèdes
Tadjiks
Tatars
Tcherkesses
Tchétchènes
Tchouktches
Tchouvaches
Toungouses
Touraniens
Turcs
Turkmènes ou, vx, Turcomans
Vogouls

15 **EUROPE**

Abkhazes
Baltes
Basques ou Euskaldunaks
Bretons
Catalans
Corses
Estes
Finnois
Gagauz ou Gagaouzes
Ingriens
Lapons ou Samits
Lettons
Lituaniens
Lives
Prussiens
Romanches
Tsiganes (Roms, Kalés, Manouches ou Sinté)
Slaves
Sorabes

16 HIST. – **Celtes,** Galates. – Allobroges, Arvernes, Cadurques, Édurons, Helvètes, Ligures, Vénètes. – Celtibères, Édoniens, **Ibères,** Thraces, Vascons. – Angles, Burgondes, Chérusques, Cimbres, Gépides, Germains, **Goths,** Lombards, Marcomans, Ostrogoths, Sicambres, Teutons, **Vandales,** Wisigoths ; Obodrites, Sorabes ou Wendes. – Achéens, Antes, Béotiens, Doriens, Éoliens, Ioniens, Thessaliens. – Herniques, Marses, Osques, Rutules, Sabelliens, Sicanes. – Amalécites, Ammonites, Araméens, Édomites, Israélites, Moabi-

tes, **Phéniciens,** Philistins. – Alains, Tatars ; **Aryens,** Sarmates, **Scythes.** – **Hittites** ; Garamantes, Gétules, Numides, Psylles. – **Aztèques, Incas, Mayas,** Olmèques, Toltèques, Zapotèques.

17 **Homme préhistorique** ; **homme des cavernes** [fam. et vieilli]. – Anthropoïde, anthropopithèque ; anthropien. – Australopithèque ; *Homo habilis, Homo erectus, Homo erectus erectus* (pithécanthrope), *Homo erectus pekinensis* (sinanthrope), *Homo sapiens, Homo sapiens neandertalensis* (néandertalien, homme de Neandertal), *Homo sapiens sapiens.*

18 **Culture.** – **Coutume 164,** folklore.

19 Hominisation. – Humanisation. – Anthropomorphisme.

20 Acculturation, transculturation ; déculturation ; syncrétisme. – Arabisation, européanisation, hindouanisation ; américanisation, russification.

21 Racisme. – Philanthropie ; misanthropie **420.**

22 **Anthropologie** ; anthropobiologie, anthropologie culturelle, anthropologie économique, anthropologie physique, anthropologie politique, anthropologie religieuse. – Culturologie, ethnographie, **ethnologie** ou, fam., ethno ; ethnobiologie, ethnobotanique, ethnohistoire, ethnolinguistique, ethnoscience. – Anthropogenèse ou anthropogénie.

23 Culturalisme, fonctionnalisme.

24 Anthropologiste, anthropologue ; ethnologue ou ethnologiste ; ethnobiologiste, ethnobotaniste, ethnographe, ethnolinguiste.

V. 25 Humaniser ; hominiser [litt.].

Adj. 26 **Humain** ; surhumain. – Inhumain **497.**

27 Humanisable. – Humanisé. – Anthropoïde ; androïde.

28 **Ethnique,** racial. – Culturel.

29 Aborigène, autochtone, **indigène.**

30 **Anthropologique,** ethnographique, ethnologique.

Adv. 31 Humainement. – Ethniquement [didact.] ; culturellement.

32 Anthropologiquement, ethnologiquement.

Aff. 33 Anthropo- ; ethno-.

372 HUMIDITÉ

N. 1 **Humidité** ; humide *(l'humide,* opposé au *sec)* ; eau **319, vapeur d'eau.** – **Moiteur** ; lourdeur [spécialt] ; chaleur d'étuve ; mouillure, serein *(le serein)* [litt.] ; pluviosité ; aquosité [vx]. – Humide radical *(l'humide radical)* [MÉD. ANC.].

2 MÉTÉOR. : humidité absolue, humidité relative, humidité spécifique, hygrométrie, rapport de mélange ou mixing-ratio [angl.]. – État hygrométrique ou hygrométricité, état de saturation. – Point de condensation.

3 Buée, **brouillard 561,** brouillasse, bruine, brumaille ou brumasse, crachin ; **pluie 633** ; rosée **127** ; perles ou pleurs de l'aurore *(les pleurs de l'aurore)* [poét.].

4 **Marais,** marécage, marigot, maremme ; bayou, palud (ou : palude, palus) ; région. : fagne, gâtine, palun ; grenouillère [rare] ; crapaudière [vieilli]. – Mouillère [AGRIC.]. – Champignonnière **103.**

5 Perméabilité ; déliquescence [didact.].

6 **Humidification,** humectage ou humectation [vx] ; hydratation ; mouillement (ou : mouillage, mouillure). – TECHN. : bruissage, mouille ou trempe ; madéfaction [vx] ; **arrosage** ou, vx, arrosement, irrigation. – HORTIC. : bassinage, seringage ; brumisation [TECHN.], irroration [didact.]. – **Imprégnation** ; imbibition [didact.] ; vaporisation **676.** – Infiltration **608.**

7 Suintement **468.** – TECHN. : ressuage, suage ; hydromorphie [AGRIC.]. – **Transpiration 296** ; sudation, sudorification [MÉD.] ; exsudation [vx] ; perspiration [PHYSIOL.] **750.**

8 Mouillure ; moisissure ; chancissure [vx]. – Mouille [MAR.]. – Salpêtre, rouille.

9 **Humidificateur** *(un humidificateur),* humecteur, saturateur. – **Arrosoir** ou arroseur ; brumisateur, vaporisateur. – TECHN. : mouilleur ou mouilloir, mouilleuse ; cuve mouilloire ou cuve à tremper. – **Pattemouille,** mouillon [région.] ; mouille-étiquettes.

10 Bain de vapeur ; **bain turc,** étuve humide **102,** hammam.

11 TECHN. – Humidimètre ; hygromètre *(hygromètre à bois, hygromètre à point de rosée),* psychromètre ; humidostat ou hygrostat ; hygroscope.

12 Hygrométrie ou hygroscopie, psychrométrie.

V. 13 **Humidifier** ; humecter, **mouiller** ; madéfier [vx]. – TECHN. : bruir **526,** combuger ; hydrater ; **arroser,** asperger ; irriguer. – HORTIC. : bassiner, seringuer ; détremper, inonder, tremper ; moitir [rare] ; gorger d'eau, mettre à l'humide [TECHN.]. – Imbiber, imprégner ; emboire ou imboire [TECHN.]. – S'infiltrer.

14 Embrumer, embuer ; buer [litt.].

15 **Suinter** ; dégorger, dégoutter, perler ; exsuder [didact.], ressuer [TECHN.] ; suer, **transpirer** ; fam. : être en nage ou en eau, n'avoir plus un poil ou un fil de sec, suer à grosses gouttes.

16 Rare, impers. : brouillarder, brouillasser, brumer, crachiner. – Pleuvoir.

Adj. 17 **Humide** ; suintant ; **moite.** – Aqueux, aquifère [didact.] ; uliginaire ou uligineux [didact.].

18 **Marécageux** ; aquatique [litt.] ; palustre ; didact. : paludéen, maremmatique ; hydromorphe [GÉOL.]. – **Lourd** *(terrain lourd).*

19 Brumeux ; embruiné [litt.] ; bruineux ; rare : brouillardeux, brouillassé ; gras *(temps gras)* [vieilli].

20 **Perméable** ; hydrophile, poreux, spongieux.

21 Humidifuge [didact.].

Adv. 22 Par voie humide [SC.].

Aff. 23 Hydro-, hygro-.

373 HYPOCRISIE

N. 1 **Hypocrisie** ; **dissimulation, duplicité 504,** escobarderie [vx], **fausseté, fourberie,** matoiserie, sournoiserie ; trahison **828,** traîtrise. – Déguisement, fard, masque.

2 **Hypocrisie** ; **affectation 12,** semblant, **simulation** ; imposture, mensonge, tromperie **838,** double jeu **25.3.** – Pharisaïsme [litt.], **tartuferie** ou **tartufferie** ; vx : cagoterie, papelardise ; cafardise [rare]. – Bégueulerie, cant [vieilli], **formalisme,** pruderie **177,** pudibonderie.

3 Courtisanerie, flagornerie, **flatterie 471,** lèche [fam.] ; patelinage ou patelinerie [vx].

4 **Déloyauté,** félonie, traîtrise ; perfidie, **trahison.**

5 **Ostentation 581,** paraître *(le paraître).* – **Apparence,** extérieur **300,** façade, galerie.

6 Jésuitisme ; casuistique [péj.].

7 **Hypocrisie** *(une hypocrisie)* ; fourberie, **sournoiserie** ; coup de Jarnac, coup en dessous (ou : en douce, par-derrière). – **Comédie,** mascarade, momerie [litt.], pantalonnade, parodie ; fam. : cinéma, cirque. – **Grimace, simagrée,** singerie ; larmes de crocodile.

8 Artifice, **faux-semblant,** feinte **316, mensonge, prétexte 656,** ruse, subterfuge. – Insinuation, sous-entendu ; restriction mentale. – DR. CAN. : obreption, subreption.

9 **Hypocrite** *(un hypocrite)* ; **fourbe** *(un fourbe),* **imposteur,** pharisien [litt.] ; chattemite [fam.], comédien, grimacier [vieilli], patte-pelu [vx] ; bon apôtre, petit saint, **sainte-nitouche** ; fam. : faux-cul, faux-jeton. – Béat [vieilli], cafard, cagot, papelard [vx], **tartufe** ou **tartuffe** ; attrape-minon [vx], **faux dévot.**

10 **Courtisan,** flagorneur, **flatteur,** menteur ; lèche-bottes [fam.], lèche-cul [vulg.]. – Félon, judas, sycophante [litt.], traître.

11 Casuiste *(un casuiste),* escobar [vx], jésuite [péj.].

V. 12 Agir de biais, **faire ses coups en dessous** (ou : en douce, par-derrière, sous le masque). – Être à double face, **jouer double jeu** ; avoir l'air d'en avoir deux [fam.], être de deux paroisses, couper ou trancher des deux côtés, donner une chandelle à Dieu et une au diable, souffler le froid et le chaud ; manger à tous les râteliers, ménager la chèvre et le chou ; hurler avec les loups.

13 Cacher, camoufler, déguiser, **dissimuler 751** ; cacher ou farder son jeu. – **Mentir,** trahir **828** ; prétexter **656.**

14 **Affecter 12,** feindre, prétendre **655,** simuler ; **faire semblant** ; faire le *(faire le modeste),* jouer les *(jouer les naïfs),* jouer ou poser à *(jouer à l'homme vertueux, poser au redresseur de torts).* – Grimacer ; faire des simagrées (ou : des chichis, des manières, des mines) ; se contorsionner ; faire bonne mine, faire patte de velours ; **jouer,** jouer un rôle, jouer la comédie. – **Tromper 838.**

15 Flagorner, **flatter 471** ; pateliner [vx] ; faire le chien couchant [vx] ; fam. : faire du rentre-dedans, lécher les bottes ou le cul, passer la pommade. – **Cajoler,** enjôler, tartufier [litt.].

Adj. 16 **Hypocrite** ; artificieux [litt.], **dissimulé, double 25.16,** faux, faux comme un jeton, **fourbe,** grimacier [vieilli], **menteur, sournois** ; à double face. – **Déloyal,** matois, perfide, traître, **trompeur 838** ; fallacieux. – Prétendu, soi-disant. – Chafouin.

17 **Hypocrite** ; litt. : pharisaïque, pharisien ; cagot, confit en dévotion, **faussement dévot** ; bégueule, **prude.**

18 Benoît, cauteleux, **doucereux, mielleux,** obséquieux **761,** papelard, patelin, paterne ; tout sucre et tout miel, trop poli pour être honnête. – Complimenteur, flagorneur, **flatteur.**

19 **Affecté 12,** feint, **forcé,** simulé ; **prétendu** ; inavoué, non avoué. – Fallacieux, insidieux, mensonger, **sournois** ; détourné. – Jésuitique, tortueux.

Adv. 20 **Hypocritement** ; **faussement,** insidieusement, **sournoisement,** subrepticement ; à la dérobée, à l'hypocrite [fam.], **en dessous** ou **par en dessous, en douce,** sans avoir l'air d'y toucher, sans prévenir. – Prétendument, **soi-disant.** – **Déloyalement,** fallacieusement [rare], perfidement, traîtreusement, trompeusement **838.**

21 **Doucereusement,** mielleusement, obséquieusement.

I

374 ICONOGRAPHIE

N. 1 **Iconographie,** imagerie. – **Image,** représentation **709,** scène ; sujet, thème. – Titre.

2 Ancien Testament. – La Création, le péché originel, la tour de Babel, le sacrifice d'Isaac, le songe de Jacob ; Moïse sauvé des eaux, le buissson ardent, le serpent d'airain, le passage de la mer Rouge.

3 Nouveau Testament. – Présentation au Temple, Annonciation, Visitation, Nativité, Adoration des bergers et des mages, Circoncision, Fuite en Égypte, danse de Salomé, dérision du Christ (flagellation, couronnement d'épines, Ecce Homo), chemin de croix, portement de Croix, élévation de la Croix, Crucifixion ou calvaire, Déploration, Descente de Croix, Déposition, Mise au tombeau, Saintes Femmes au tombeau, Ascension, Dormition ; Naissance de la Vierge, Assomption, Mort de la Vierge. – Apocalypse, Jugement dernier ; psychomachie ; danse macabre.

4 Arbre de Jessé ; David et Goliath, Samson et Dalila, Judith et Holopherne. – Les Vertus et les Vices ; la Sainte Famille, la Sainte Parenté ; Madone ou Vierge à l'Enfant, maestà [ital.], Pietà ou Vierge de pitié, Vierge de miséricorde, Vierge aux sept douleurs ; Christ Pantocrator, Sacré-Cœur.

5 Crucifixion de saint Pierre, décollation de saint Denis, décollation de saint Jean-Baptiste, écorchement de saint Barthélemy, gril de saint Laurent, lapidation de saint Étienne ; martyre de saint Sébastien. – Conversion de saint Paul, vision de saint Augustin. – Tentation de saint Antoine.

6 Naissance de Vénus, Toilette de Vénus, Vénus et Adonis, Vénus et l'Amour ; Bain de Diane. – Arcadie, Jardin des Hespérides. – Chute d'Icare, Combat des Centaures et des Lapithes, Enlèvement d'Europe, Hercule et Antée, Jugement de Pâris, Léda et le cygne, Mort de Didon, Persée délivrant Andromède.

7 Académie *(une académie),* discobole, **nu** *(un nu)* ; autoportrait, effigie [vx], **portrait,** portrait de corporation [Pays-Bas] ; *Conversation piece* (« scène de conversation ») [Grande-Bretagne], *sacra conversazione* (« sainte conversation ») [Italie]. – Caricature, charge. – Bambochade, bergerie, fête galante, kermesse. – Bataille ; **peinture d'histoire** ; turquerie. – Intérieur ; scène de mœurs ou peinture de genre ; costumbrismo [Espagne].

8 Marine ; nuit [vx], panorama, **paysage,** sous-bois ; védutisme ; mois, saisons **738,** travaux ; zodiaque. – **Nature morte,** vanité ; nature morte à la + n. *(nature morte au verre)* ; fleurs. – Roue de fortune ; grotesque, singerie. – Allégorie ; caprice ; illustration. – Trompe-l'œil. – Ex-voto.

9 Tableau ; prédelle, **retable** ; diptyque, triptyque, polyptyque. – Icône ; iconostase **465.15.** – Fresque.

10 Iconographie ; iconologie ; muséographie, muséologie.

11 Iconographe ; iconologiste ; muséographe, muséologue.

12 Iconothèque, **musée** ; cabinet *(cabinet des Estampes, cabinet des Dessins).*

V. 13 Peindre **607.**

Adj. 14 Iconographique ; iconologique. – Muséal.

375 IDÉE

N. 1 **Idée** ; concept, notion ; **pensée** ; image. – Conception, représentation ; représentation intellectuelle **709** ; abstraction *(une abstraction).*

2 **Idée générale** ou principale, idée directrice, idée-force, **idée maîtresse** ; idée mère ; idéal [vx].

3 PHILOS. : Idée (Platon) ; forme (Aristote), idée-image, simulacre (les Épicuriens) ; noumène ou chose en soi (Kant) ; concept, essence **796.2** ; schème (Kant). – Idée adventice (opposé à idée factice et idée innée [Descartes]) ; idées transcendantales ou idées de la raison pure (idée de l'âme, de la liberté, de Dieu, du monde) [Kant]. – PSYCHAN. : représentation consciente, représentation de mot ; représentation de chose.

4 Découverte, trouvaille [fam.] ; illumination, inspiration. – Idée de génie, trait de génie ou d'esprit.

5 Impression, sentiment ; conjecture, hypothèse, présomption, supposition **802.** – Vague idée. – Aperçu, vue succincte ; didact. : préconcept, prénotion ; préconception [didact.].

6 Intention **428,** dessein, projet. – Arrière-pensée, idée de derrière la tête [fam.] ; visées.

7 **Préjugé 450.** – Idée préconçue, **idée reçue.** – Idée toute faite ; lieu commun **630,** truisme.

8 **Vue de l'esprit** **432** ; abstraction ; affabulation, **élucubration,** fiction, imagination **378,** invention ; chimère. – Idéal, utopie **573.**

9 **Idée fixe,** hantise, **obsession** ; fixette [fam.] ; manie **321.**

10 **Opinion,** conviction **99,** vue ; *doxa* (gr., « opinion ») ; croyance. – Idéal. – Idéologie, idéologie dominante, *Weltanschauung* (all., « conception du monde ») [PHILOS.].

11 PHILOS. – **Idéalisme 380.1,** idéalisme platonicien, réalisme (opposé à conceptualisme, nominalisme) ; idéalisme spiritualiste (Leibniz), idéalisme transcendantal ou criticisme (Kant) ; idéalisme dogmatique, idéalisme empirique, idéalisme problématique ; idéalisme subjectif ou spiritualisme absolu (Fichte), idéalisme objectif (Schelling), idéalisme absolu ou dialectique (Hegel) ; immatérialisme (Berkeley) **620.**

12 Didact. – Idéalité, immatérialité **380.1** ; conceptualité.

13 Entendement **275,** esprit, intellect ; intuition. – Conceptualisation, idéation.

14 Idéologisation. – Association des idées ; **règle de libre association** [PSYCHAN.]. – Associationnisme ou atomisme mental [PHILOS.].

15 Idéologie [PHILOS., anc.] ; histoire des idées. – Idéologue [PHILOS., anc.].

16 Allégorie **709.** – Idéat [PHILOS.].

V. 17 Penser, pressentir, **soupçonner,** subodorer, supposer **802.** – Avoir idée que, **avoir dans l'idée que.**

18 Envisager de, penser à, songer à. – Avoir dans l'idée de, **avoir l'intention de 428.**

19 Se faire une idée ou une opinion. – Se figurer, s'imaginer. – **Se faire des idées,** se mettre ou, fam., se fourrer une idée dans la tête. – Fabuler **422** ; **divaguer 321,** extravaguer.

20 Concevoir l'idée de, former, se représenter. – Idéer [rare]. – Conceptualiser, intellectualiser **275.** – Idéologiser.

21 Fixer ses idées, rassembler ses idées ; suivre ou perdre le fil de ses idées ; passer du coq à l'âne. – Avoir de la suite dans les idées **612.**

Adj. 22 **Conceptuel,** notionnel ; idéel [didact.] ; **abstrait, spéculatif,** théorique ; théorétique.

23 **Idéal** ; immatériel, incorporel ; nouménal [PHILOS.]. – Didact. : Idéationnel ; abstractif.

24 Idéologique.

25 Concevable, pensable.

26 PHILOS. – Conceptualiste, idéaliste.

27 Idéomoteur ou idéo-moteur (opposé à sensorimoteur) [PSYCHOL.].

Adv. 28 Idéalement. – En idée (opposé à en réalité), **en pensée,** en rêve.

29 Abstraitement, spéculativement, **théoriquement.**

30 Idéologiquement.

Aff. 31 Idéo-.

376 IDENTITÉ

N. 1 **Identité** ; égalité **256,** parité, unité **844.** – Adéquation, conformité **147,** homologie ; coïncidence, correspondance, équivalence. – Consubstantialité [THÉOL.] **818.**

2 Accord, concorde, entente, harmonie ; communauté d'esprit ; communion d'idées ; identité de vues.

3 Constance, **permanence,** persistance, rémanence ; continuité **153,** fixité, stabilité ; immutabilité, inaltérabilité, **invariabilité.** – Équanimité [litt.].

4 **Principe d'identité** [LOG., SC.]. – PHILOS. : identité des indiscernables (Leibniz), identité qualitative, identité spécifique ; philosophie de l'identité (Schelling). – MATH. : identité remarquable **493** ; identité d'un ensemble ou application identique ; équipollence, fonction d'identité.

5 **Identité,** individualité **613** ; PHILOS. : eccéité [vx], ipséité. – Créature, être, **individu,** mortel, personne. – Caractère, tempérament ; PSYCHOL. : identité personnelle, identité sociale. – Idiosyncrasie [MÉD.]. – Identité culturelle, identité nationale.

6 **Carte d'identité** (ADMIN. : carte nationale d'identité), **papiers d'identité** ; carte d'identité professionnelle ; marque d'identification, plaque d'immatriculation.

7 Service de l'identité judiciaire [DR.]. ou, cour., l'identité judiciaire.

8 **Identification** ; égalisation, unification. – Individualisation, individuation, personnalisation. – Acculturation, assimilation.

9 **Identification** ; caractérisation, **définition,** délimitation, détermination.

V. 10 **Identifier** ; assimiler, confondre ; mettre dans le même sac ou dans le même panier [fam.], mettre sur le même plan. – **Unifier,** uniformiser ; coaliser, unir.

11 **Identifier** ; caractériser, définir, délimiter, déterminer ; discerner **179,** distinguer. – Individualiser, particulariser, singulariser, spécifier.

12 Égaler, **équivaloir,** équipoller [MATH.]. – Coïncider, correspondre ; ne faire qu'un. – Converger, fusionner ; se confondre, se fondre, s'identifier.

13 Se conserver, demeurer, **rester 611** ; permaner [rare], permanoir [vx].

Adj. 14 **Identique** ; analogue, homologue, semblable **719,** même, **pareil,** tel. – Constant, **continu 153,** régulier, uniforme ; invariable. – Équanime [litt.], égal à soi-même. – Permanent, persistant, rémanent.

15 **Identitaire.** – Indivis, **un,** *unus et idem* (lat., « identique à soi-même », littéralt, « un et le même »). Identifiable, reconnaissable. – Consubstantiel [THÉOL.]. – Individuel, personnel.

16 **Identificatoire.** – Particularisant, singularisant, spécifiant. – Spécificatif.

Adv. 17 Identiquement, **semblablement** ; pareillement ou, pop., pareil ; à l'avenant, à l'identique. – Ainsi, de la même manière, **de même,** *idem* ou *id.* (lat., « de même »). – Tout uniment, uniment ; de concert, de conserve, **ensemble 6.**

18 *Ibidem* ou *ibid.* (lat., « au même endroit »).

Aff. 19 Homo-, idio-, iso- ; co- ; uni-.

377 IGNORANCE

N. 1 **Ignorance** ; analphabétisme, illettrisme. – Rare : amathie [PHILOS.], inculture, inscience ; méconnaissance [vx]. – Sout. : inconnaissance de + n., inconscience de ; innocence **858,** pureté. – Demi-science, demi-talent, fausse science. – Litt. : ténèbres (aussi : nuit, obscurité) de l'ignorance.

2 Lacune, trou ; manque **488** ; insuffisance.

3 Barbarie, béotisme, ilotie [vx], ilotisme. – Ignorantisme [litt.], **obscurantisme.**

4 Ignare *(un ignare),* **ignorant.** – Litt. : barbare, béotien, ilote, **inculte,** philistin. – Analphabète, illettré. – Aliboron [fig.], **âne,** âne bâté, baudet, peccata [vx]. – Innocent, oie blanche [fam.] ; profane. – Ignorantin [RELIG.].

5 Ignorantiste *(un ignorantiste)* [didact.], obscurantiste.

V. 6 **Ignorer** ; méconnaître. – **Ne savoir rien de rien,** ne savoir ni lire ni écrire ou ni a ni b.

7 Ne pas connaître le premier mot de qqch ; **n'y rien entendre,** s'y entendre comme à ramer des choux [vx] ; être nul en.

8 Avoir la tête dans un sac [vx], sortir de son village ou de son trou.

9 Fam. : caler, rester sec, **sécher.** – Déclarer forfait ; donner sa langue au chat [fam.].

Adj. 10 **Ignorant,** ignorantissime ; analphabète, illettré. – Aveugle **64,** candide, inconscient, ingénu, novice ; inexpérimenté, inhabile ; incapable, incompétent.

11 **Ignoré,** insu [rare]. – Caché, tu. – Étranger.

Adv. 12 Ignoramment [vx], insciemment.

Prép. 13 À l'insu de.

378 IMAGINATION

N. 1 **Imagination** ; faculté imaginante [vx], imaginaire *(l'imaginaire).* – *Daîmon* (gr., « génie »).

2 Imagination fertile ; imagination débridée ou sans frein ; la folle du logis. – **Créativité,** inventivité **414.2** ; **originalité** ; fécondité, fertilité. – Veine créatrice ; veine poétique, littéraire, etc. – **Fantaisie,** hardiesse, liberté d'esprit. – Mendacité [PSYCHOL.].

3 **Création, invention** ; affabulation, fabulation ; confabulation [PSYCHOL.].

4 **Fiction.** – **Divagation, rêverie,** songe. – Chimère, **illusion,** mirage, rêve, **utopie.** – Fruit de l'imagination. – Fumées de l'imagination, idées fumeuses ; idées creuses, viandes creuses.

5 Enthousiasme **276,** feu, fureur [vx], **illumination,** transe, transport. – **Délire** ; fantasme, hallucination, vision.

6 **Imaginaire** *(l'imaginaire),* merveilleux *(le merveilleux).*

7 **Rêveur** *(un rêveur),* songeard [vx], songe-creux [litt.]. – Halluciné, **illuminé,** inspiré, possédé, visionnaire. – Affabulateur, fabulateur, **mythomane 504.**

V. 8 **Imaginer** ; **concevoir, créer 414.7,** élaborer, fabriquer, forger, **inventer** ; aller chercher *(où va-t-il chercher ça, tout ça ?)* [fam.]. – Combiner, construire, échafauder, ourdir.

9 Agrémenter, parer ; **embellir 69,** idéaliser ; broder, romancer. – Développer ; amplifier. – Déformer, exagérer **347.**

10 **Affabuler,** fabuler, fantasier [vx], **fantasmer, rêver.** – **Délirer, divaguer,** extravaguer, planer [fam.] ; s'y croire [fam.].

11 Bâtir des châteaux en Espagne ; **caresser une chimère** ; poursuivre des ombres. – Fam. : se bourrer le mou, se monter la tête ou le bourrichon.

12 Frapper les imaginations ou les esprits ; soulever, transporter **276.**

Adj. 13 **Imaginaire,** fictif, irréel, **légendaire,** mythique, romanesque **691.** – Chimérique, fabuleux, fantasmagorique, fantastique, féerique. – Extravagant ; absurde **557.**

14 **Imaginé** ; fabulé, inventé. – Fictionnel [didact.].

15 Imaginable ; concevable.

16 **Imaginatif** ; créatif, ingénieux, **inventif.** – Fabulant [didact.], fabulateur, imaginateur [rare].

17 Inspirant [litt.], suggestif.

Adv. 18 Imaginairement [didact.]. – **En imagination,** dans l'imagination ; par l'imagination. – Fictivement.

19 Imaginativement [didact.]. – D'imagination ; **d'inspiration** ; de chic [vieilli].

379 IMITATION

N. 1 **Imitation** ; figuration, **représentation, reproduction,** simulation ; émulation [INFORM.] ; affectation ; feinte, usurpation. – Contagion, entraînement, snobisme ; caméléonisme, panurgisme, psittacisme, singerie. – **Parodie,** pastiche ; copiage, décalquage, démarcage, emprunt, larcin, pillage, piratage, **plagiat** ; **contrefaçon,** contrefaction [DR.], falsification **838.** – Mimésis.

2 **Mimétisme** ; mimétisme agressif (mimétisme peckhamien), mimétisme défensif (mimétisme mertensien ou batésien, mimétisme mullérien), mimétisme parasitaire ; coloration aposématique, coloration cryptique.

3 **Copie,** écho, image, **imitation,** reflet, réplique, variante. – Onomatopée **168** ; paraphrase. – Caricature, charge ; **parodie,** pastiche. – Ersatz, faux-semblant, postiche, simulacre, trompe-l'œil ; faux *(un faux),* simili *(du simili),* toc *(du toc)* [fam.]. – **Maquette,** modèle **521,** modèle réduit.

4 **Copieur,** démarqueur, **imitateur,** suiveur ; copiste **252.** – Simulateur, truqueur, usurpateur. – **Disciple, élève 274,** émule, épigone. – Mouton de Panurge ; snob. – **Caricaturiste** ; parodiste, pasticheur ; pillard, pilleur ; plagiaire. – Contrefacteur, contrefaiseur, **faussaire 838,** faux-monnayeur. – Caméléon, mouton, perroquet, singe.

V. 5 **Imiter** ; copier, recopier, reproduire ; calquer, démarquer, pomper [arg. scol.] ; emprunter à ; s'inspirer de. – Refléter, suivre ; se conformer à **234.** – **Faire comme,** prendre modèle sur **521** ; se modeler. – Suivre l'exemple de ; en prendre de la graine (souv. à l'impér. : *prends-en, prenez-en de la graine* [fam.]). – Marcher sur les pas (ou : sur les brisées, dans le sillage, dans les traces, sur les traces) de ; chausser les bottes de ; prendre la succession ou la suite de ; chasser de race. – Être ou se mettre à l'école de. – Suivre la mode **262** ; suivre le mouvement ou le courant, prendre le train en marche ; suivre comme un mouton ; suivre l'ornière (aussi : rouler dans l'ornière, se traîner dans l'ornière).

6 Affecter, feindre, **simuler,** mimer, singer. – Faire le + n., se faire passer pour, jouer les + n., usurper l'identité de ; faire semblant.

7 **Redire, répéter 704.** – Se mettre à l'unisson ; faire chorus, reprendre en écho, hurler avec les loups. – Bruiter **781.** – Paraphraser.

8 Attraper, rendre ; caricaturer, charger. – Parodier, pasticher ; piller, pirater, plagier. – Contrefaire, falsifier **838.** – Émuler [INFORM.], modéliser.

Adj. 9 **Imité** ; imitable, copiable. – Affecté, feint, mimé, simulé, singé, usurpé. – Mimétique ; imitatif *(harmonie imitative).* – LING. : onomatopéique ; paraphrastique. – Caricatural ; parodié, parodique. – D'emprunt, emprunté, plagié.

10 Factice, postiche, en trompe-l'œil ; **artificiel,** de fantaisie, d'imitation, de synthèse. – Contrefait, falsifié, **faux, truqué** ; bidon [fam.]. – Vrai-faux [par plais.].

11 Conformiste **234,** grégaire, moutonnier ; snob.

Adv. 12 **Presque,** quasi, quasiment ; **à la** *(à la française, à l'italienne, à la turque, etc.).*

Prép. 13 D'après ; à l'exemple de ; à l'image de, à la façon de, à l'imitation de **521,** à l'instar de, à la manière de, sur le modèle de.

Aff. 14 Néo-, para-, pseudo-, quasi-, semi-, simili-.

15 -forme, -morphe, -oïde.

380 IMMATÉRIALITÉ

N. 1 **Immatérialité,** impalpabilité, imperceptibilité, impondérabilité ; incorporalité ou incorporéité ; intangibilité, irréalité. – Évanescence, subtilité [SC., vx], volatilité. – PHILOS. : essentialité ; idéalité. – Abstraction **275** ; cérébralité. – Spiritualité [litt.] **320.**

2 Immatériel *(l'immatériel),* inétendu *(l'inétendu)* [PHILOS.] ; spirituel *(le spirituel).* – Essence **796.** – Éther [HIST. DES SC.]. – Astral *(l'astral).*

3 **Âme, conscience, esprit,** psyché, psychisme. – Corps astral ; double, double éthéré ; aura. – Principe vital, souffle vital **663.**

4 **Surnaturel** *(le surnaturel)* **477** ; esprit **236** ; **fantôme,** revenant, spectre ; ectoplasme, émanation ; esprit frappeur (all. *Poltergeist*). – Mânes **534** ; ombres. – Ange **29.**

5 Imaginaire *(l'imaginaire)* ; idéal *(l'idéal).* – Imagination **378,** inspiration, souffle créateur. – Concept, **idée 375,** notion, pensée ; théorie ; spéculation **682.**

6 Irréel *(l'irréel).* – Idéal *(un idéal),* utopie. – Fantasme **378,** fiction ; chimère, vue de l'esprit. – **Rêve,** onirisme. – Illusion d'optique ; mirage.

7 Immatérialisme ; essentialisme, idéalisme, intellectualisme, spiritualisme. – Spiritisme.

8 Dématérialisation, désincarnation. – Sublimation [ALCH.]. – Conceptualisation, intellectualisation. – Essentialisation, idéalisation, spiritualisation.

V. 9 **Dématérialiser,** immatérialiser. – Abolir, **anéantir,** annihiler, faire disparaître, réduire à néant. – Sublimer, subtiliser [vx].

10 Immatérialiser ; **spiritualiser.** – Angéliser, désincarner.

11 **Dématérialiser** ; s'immatérialiser [rare]. – Se dissiper, se dissoudre, se volatiliser ; s'escamoter, s'évanouir. – Se désincarner.

12 **Abstraire,** conceptualiser, essentialiser [PHILOS.], idéer [didact.], intellectualiser, théoriser. – Fantasmer, **imaginer, rêver.**

Adj. 13 **Immatériel.** – Impalpable, imperceptible, impondérable, incorporel, inétendu [PHILOS.], intangible ; intemporel ; **inexistant,** irréel. – Évanescent, subtil, volatil ; ALCH. : sublimé, sublimatoire.

14 **Désincarné,** incorporel. – Aérien, céleste ; éthéré, astral. – Ectoplasmique, fantomatique, spectral. – Angélique, divin. – Spirituel ; surnaturel.

15 Abstractif, **abstrait,** spéculatif. – Cérébral, mental. – Conceptuel, intellectuel, **théorique.** – **Idéal** ; didact. : idéationnel, idéel. – Fictif, **imaginaire.** – Fantasmatique, illusionnel [didact.], onirique. – Chimérique, fantasmagorique, **illusoire,** mythique, **utopique** ; rêvé.

16 Immatérialiste ; spiritualiste. – Spirite, spiritiste, théosophique.

Adv. 17 Immatériellement. – **Idéalement** ; spirituellement. – **Abstraitement,** cérébralement, intellectuellement, **théoriquement.** – Irréellement, fantasmatiquement.

381 IMMUNITÉ

N. 1 **Immunité** ; immunité cellulaire, immunité humorale ; état de prémunition, immunition. – **Agglutination,** autoagglutination, coagglutination ; effet *helper* [anglic.], opsonisation.

– Immuno-adsorption, immunosélection. – Lyse **205, phagocytose,** pinocytose. – **Réponse immunitaire** ; choc anaphylactique.

2 **Immunologie** ; allergologie, immuno-allergologie, immunogénétique, immuno-hématologie, immuno-pathologie, radio-immunologie, **sérologie.** – Théorie instructive ou de l'information directe, théorie sélective. – Immunochimie, immunotechnologie.

3 **Immunotolérance,** tolérance. – Cuti-réaction ou, fam. : cuti ; intradermo-réaction ou, fam. : intradermo ; **réaction croisée,** réaction de Bordet-Gengou (ou : réaction de fixation, réaction de déviation du complément), réaction de greffon contre hôte ou GVH.

4 **Immunogénicité** ou antigénicité ; biocompatibilité, histocompatibilité ou compatibilité tissulaire (opposé à histo-incompatibilité). – **Séronégativité** (opposé à séropositivité) ; séroconversion. – Allotypie.

5 **Auto-immunité 743** ; auto-immunisation. – **Hypersensibilité,** hypersensibilité demi-retardée de type Artus, hypersensibilité retardée, hypersensibilité spécifique, hypersensibilité tuberculinique ; hypersensibilité non-spécifique.

6 **Immunodépression 482** ; agammaglobulinémie, dysglobulinémie, hypergammaglobulinémie, macroglobulinémie. – **Allergie,** allergide, anergie, atopie, hyperergie. – **Anaphylaxie** ou idiosyncrasie [MÉD.]. – **Déficit immunitaire,** immunodéficience, sida (syndrome immunodéficitaire acquis).

7 **Immunothérapie,** sérothérapie **499,** trithérapie, **vaccinothérapie. – Désensibilisation,** immunostimulation ; mithridatisme [vx] ; **vaccination,** variolisation [anc.] ; immunotransfusion. – Immunoélectrophorèse, réaction d'immunofluorescence, **sérodiagnostic.**

8 **Système immunitaire. – Anticorps, antigène,** complexe immun ou immun-complexe ; gène de reconnaissance, haptène.

9 **Antigène.** – Autoantigène, hétéroantigène, isoantigène. – Antigènes bactériens, **bactéries 512.1** ; antigène C, antigène H, antigène somatique ou antigène O, antigène de virulence ou antigène Vi, endotoxine, exotoxine, protéine M ; antigènes viraux.

10 Antigène Australia ou HBs, carcino-embryonnaire, D, Gerbich ou Ge, Gregory ou Gya, d'histocompatibilité, I, JKa, JKb, K, Kell, Lan, Lea, Leb, LW, M, Miltenberger ou Mia, privé, public, tumoral, U ; agglutinogène **742.7, allergène,** pneumallergène, phytotoxine ; **système HLA.** – Déterminant ou site antigénique.

11 **Anticorps** ; cellule effectrice, médiateur. – Cellules immuno-compétentes ; alloanticorps, autoanticorps ; anticorps antirhésus ; anticorps cellulaire ; anticorps monoclonal.

12 Anticorps anti-JKa, anti-JKb, anti-K, anti-Lea, anti-Leb, anti-Lebh, anti-Lebt, anti-Lex, anti-M. – Agglutinine, autoagglutinine ; antitoxine, immunotoxine ; antiglobuline, **gamma-globuline,** immunoglobuline ou Ig (IgG, IgA, IgM, IgD, IgE), macroglobuline ou immunoglobuline M ; hémolysine, lysine ; antistreptolysine, facteur rhumatoïde, immunisine, opsonine, protéine ou albumose de Bence-Jones, réagine.

13 **Leucocytes,** lymphocytes B, lymphocytes T, lymphocytes non B, lymphocytes non T, lymphocytes thymodépendants, **macrophages, microphage,** phagocyte, plasmocytes, thymocytes. – Ganglions lymphatiques.

14 Cytokine, interféron, interleukine II, lymphokine ; antiprotéase.

15 Antisérum ou **immunsérum.**

16 **Immunisation.** – Sensibilisation.

17 Allergologue, **immunologiste,** sérologiste.

V. 18 **Immuniser** ; mithridatiser, vacciner ; sensibiliser. – Phagocyter.

Adj. 19 **Immunologique.** – Immunitaire ; auto-immunitaire. – Antigénique, macrophagique ; sérologique. – Biocompatible, histocompatible. – Histo-incompatible.

20 Immun, **immunisé** ; auto-immun. – **Allergique** ; anaphylactique, anergique, atopique. – Immuno-déficitaire, immunodéprimé ; séropositif. – Séronégatif. – Immunodépressif ou immunosuppressif.

21 **Immunisant** ; immunigène, **immunogène,** immunostimulant. – Allergisant, anergisant, immunisateur, immunodépresseur ou immunosuppresseur, immunomodulateur.

Aff. 22 Immuno-.

382 IMPATIENCE

N. 1 **Impatience** ; fièvre, hâte ; empressement, précipitation. – Avidité, **désir 199,** envie. – Lassitude **272.**

2 Fougue, **impétuosité,** pétulance, vivacité **277.**

3 Impatience ; agacement, énervement **549, exaspération,** irritation. – Irascibilité, irritabilité.

4 Agacement, excitation, fébrilité, **nervosité,** surexcitation. – Démangeaison(s), **fourmis,** impatiences.

V. 5 Impatienter ; agacer, crisper, énerver, **exaspérer,** excéder, horripiler ; ennuyer, lasser.

6 Se faire désirer ; **tenir dans l'attente** ou dans l'expectative, tenir en suspens. – Mettre au supplice (aussi : à la torture). – Exacerber.

7 **Avoir hâte de,** n'avoir qu'une hâte ; être pressé de ; brûler ou mourir d'envie de ; avoir impatience de [vx]. – **Tarder** ; démanger.

8 Griller d'impatience ; **être à bout,** être sous pression [fam.] ; être sur de la braise, être sur des charbons ardents, être sur le gril. – Ronger son frein. – Ne pas tenir en place. – Bouillir, **piaffer** ou piaffer d'impatience ; avoir des fourmis ou, moins cour., des impatiences (dans les jambes, etc.).

9 **Perdre patience** ; ne plus y tenir. – **S'énerver** ; fam. : devenir chèvre ; avoir la moutarde qui monte au nez.

Adj. 10 **Impatient** ; empressé, pressé. – **Avide de,** désireux de.

11 Impatient ; ardent, bouillant, emporté **130,** fougueux, **impétueux,** indocile ; brusque, vif. – Irascible, irritable **130.**

12 Agacé, énervé, excité, fébrile, fiévreux [fig.], **nerveux,** surexcité.

13 Agaçant, **énervant,** impatientant [litt.], mourant [fam.].

14 Attendu comme le Messie, désiré. – Loc. fam. : tu (il, etc.) t'appelles (s'appelle) Désiré.

Adv. 15 **Impatiemment** ; avidement. – Fougueusement, impétueusement. – Coléreusement, fébrilement, **nerveusement.**

383 IMPERFECTION

N. 1 **Imperfection** ; faiblesse, infirmité [litt.] ; impureté. – **Médiocrité 500,** mesquinerie ; bassesse, petitesse. – Infériorité **405,** nullité. – Immaturité, inexpérience, jeunesse [fig.]. – Défectuosité ; insuffisance, manque **488.**

2 Affaissement, amollissement, **appauvrissement,** fléchissement.

3 Imperfection [vx], inaccomplissement **392, inachèvement.**

4 Défaut, faute, **imperfection** *(une imperfection),* malfaçon, tare ; talon d'Achille.

5 Imperfectibilité [litt.]. – Exécrabilité.

6 Médiocratie.

V. 7 Avoir la faiblesse de ; pécher **606.** – **Laisser à désirer,** ne pas être brillant. – Stagner, **végéter** ; avoir encore du chemin à parcourir ou à faire. – S'affaisser, s'amollir, s'appauvrir ; baisser, fléchir ; céder au découragement, désespérer **198.** – Nul n'est parfait [prov.].

Adj. 8 **Imparfait** ; faible, fautif [vx], infirme [litt.] ; impur, mauvais. – **Médiocre 500,** mesquin ; bas, petit. – Immature, inexpérimenté, jeune [fig.].

9 **Insignifiant 419,** quelconque ; inférieur **405,** nul. – Lamentable, minable ; **mauvais,** piètre, pitoyable ; fam. : peu reluisant, de deuxième ou de troisième zone.

10 Imparfait [vx] ; approximatif, **incomplet,** insuffisant **488** ; ébauché, inachevé ; élémentaire, fruste, rudimentaire, simpliste.

11 **Imparfait,** manqué ; raté [fam.] ; à la gomme [fam.].

12 Imperfectible.

Adv. 13 **Imparfaitement,** médiocrement, mesquinement, pitoyablement.

14 Approximativement, incomplètement **392,** insuffisamment **488** ; à demi, à moitié, à peu près.

384 IMPORTANCE

N. 1 **Importance** ; éminence, prééminence. – Étendue, portée ; valeur. – **Gravité 759,** grièveté [vx ou litt., rare], sérieux *(le sérieux de qqch).* – **Nécessité 545,** urgence.

2 Calibre, dimension, **grandeur,** poids ; quantité **678.** – Crédit, intérêt, prix ; surestimation **804.**

3 **Autorité 59,** influence ; notabilité.

4 **Important** *(l'important),* nécessaire *(le nécessaire).* – Cheville ouvrière, clef de voûte, pierre angulaire, pièce maîtresse – Maître mot.

5 **Notable** *(un notable),* notabilité *(une notabilité),* V. I. P. (angl., fam., *Very Important Person,* « personne très importante ») ; **grand** *(un grand, les grands de ce monde),* puissant *(un puissant)* ; autorité *(une autorité, les autorités),* sommité **59.** – Figure de proue [fig.].

V. 6 **Importer** ; compter, jouer ; peser, peser d'un grand poids, peser lourd, peser lourd dans la balance ; tirer à conséquence. – Avoir la priorité, passer avant toute chose. – Mériter considération, valoir la peine (qu'on en parle, qu'on s'y arrête). – Fam. : n'être pas rien ; se poser là.

7 L'essentiel est de ou que, l'importance est de [vx], **l'important est de** ou **que,** le tout est de ou que. – Tout est là.

8 **Marquer** ; faire du bruit [fam.], laisser des traces, ne pas passer inaperçu. – Faire autorité. – Dater [vx], faire date.

9 Accorder ou attacher de l'importance à, faire grand bruit (aussi : grand cas) de qqch, prendre au sérieux. – Surestimer **804.** – Se donner de l'importance, se surestimer ; s'enorgueillir.

10 Faire valoir, valoriser ; donner du poids à. – Accentuer, faire porter ou mettre l'accent sur ; souligner, **souligner l'importance de** ; mettre en avant.

Adj. 11 **Important,** insigne, marquant, mémorable, notable, remarquable, sensible. – Conséquent, **grave,** gravissime, sérieux ; gros ou lourd de conséquences.

12 Considérable, énorme, **grand 359,** lourd, significatif, substantiel ; foutu [très fam.], **sacré** [fam.]. – De conséquence, de poids, de taille, d'importance.

13 Central, **crucial,** décisif ; capital, cardinal [didact.], **essentiel,** fondamental, majeur, vital. – À marquer d'une pierre blanche. – De première importance ; de première grandeur, **de premier plan.** – Impérieux, nécessaire **545.13,** primordial ; prioritaire.

14 Élevé, éminent, haut, supérieur ; influent. – Et non des moindres ; *last but not least* (angl., « le dernier mais non le moindre »).

Adv. 15 **Considérablement,** notablement, significativement. – Gravement, grièvement, sérieusement. – Beaucoup, **d'importance** *(se faire tancer d'importance).* – Éminemment.

16 **Essentiellement,** principalement ; au premier chef, **surtout.** – Impérieusement, nécessairement.

385 IMPOSSIBILITÉ

N. 1 **Impossibilité.** – Contradiction [LOG.] **572.** – Improbabilité ; incrédibilité [litt.], invraisemblance. – Impuissance, impouvoir, incapacité.

2 Empêchement **572** ; défense, **interdit 429.** – Barrière, limite [fig.] **467.** – Écueil, obstacle ; fig. : butoir, pierre d'achoppement.

3 LOG. : **contradiction** ; antinomie, aporie, aporisme, paradoxe **557.** – Défi au bon sens ou à la raison. – Quadrature du cercle.

V. 4 C'est impossible, il n'y a pas moyen ou, fam., pas mèche. – Il est exclu que, il est hors de question que. – Fam. : c'est pas demain la veille. – À l'impossible nul n'est tenu [prov.].

5 Tenter l'impossible ; faire l'impossible. – Demander l'impossible ; demander la lune. – Vouloir prendre la lune avec ses dents ; vouloir faire passer un chameau par le chas d'une aiguille [allus. bibl.] ; vouloir passer par le trou de la serrure. – Chercher une aiguille dans une botte de foin.

6 Être hors d'état de + inf., n'en pouvoir mais [litt.] ; être pieds et poings liés [fig.]. – Avouer ou reconnaître son impuissance. – Buter sur ; s'achopper à.

7 À cœur vaillant rien d'impossible [prov.]. – « Impossible n'est pas français » (Napoléon Ier).

Adj. 8 **Impossible.** – Inexécutable, infaisable, irréalisable ; impraticable, inapplicable ; irrécupérable. – Impensable, inconcevable, inimaginable ; invraisemblable. – Contradictoire ; absurde, irréaliste **404.**

9 Impropre à, inapte à, incapable de **483** ; impuissant à.

Adv. 10 Loc. fam. – À la saint-glinglin, le trente-six du mois, pendant la semaine des quatre jeudis ; quand les poules auront des dents. – Du temps que les bêtes parlaient.

386 IMPRÉPARATION

N. 1 **Impréparation** ; imprévision, imprévoyance ; désinvolture, insouciance, laisser-aller, légèreté, négligence, inconscience, inconséquence, irréflexion, précipitation ; impréméditation [rare].

2 **Spontanéité** ; impétuosité, **improvisation,** impulsion, impulsivité, instinct, pulsion. – Brusquerie, emballement, empressement, exaltation, fougue, frénésie, hâte. – Coup de tête, foucade, incartade, toquade. – **Inspiration** ; premier jet ; flair, intuition **434.**

3 **Aventure,** coup de dés, coup de poker **358.1,** folie **321.**

4 **Imprévu** *(l'imprévu, un imprévu),* impromptu, improvisade [vx]. – Coup de théâtre, péripétie. – **Surprise 805** ; saisissement, stupéfaction. – **Imprévisibilité.**

5 **Imprévoyant** *(un imprévoyant),* écervelé *(un écervelé),* étourdi. – Improvisateur.

V. 6 **Improviser** ; imaginer, inventer ; agir à l'aveuglette ou sans réfléchir, se jeter à l'eau, se jeter tête baissée dans. – **S'improviser** *(s'improviser médecin).*

7 **Se hâter,** se précipiter ; brusquer, expédier, trousser ; fam. : bâcler, torcher, torchonner.

8 Surgir, tomber du ciel. – Fondre sur.

Adj. 9 Impréparé, **imprévu,** impromptu, **improvisé,** troussé ; accidentel, fortuit, imprémédité [rare] ; fam. : bâclé, chiqué [vieilli], torché, torchonné.

10 **Spontané** ; sans apprêt, sans recherche.

11 Expéditif, hâtif, inconsidéré, précoce, prématuré. – Hors de propos. – Dangereux, hasardeux, osé, périlleux.

12 **Instinctif,** involontaire, machinal, mécanique.

13 **Imprévoyant** ; étourdi, impétueux, insouciant, irréfléchi, léger, négligent ; insoucieux [litt.].

14 **Imprévisible** ; brusque, déconcertant, déroutant, fortuit, inattendu, inopiné, intempestif, précipité, rapide, soudain, subit.

15 **Audacieux,** aventureux, écervelé, emporté, fougueux, impulsif, inconscient, inconséquent, irréfléchi.

Adv. 16 À l'improviste, de but en blanc, à brûle-pourpoint, au débotté, inopinément, sans crier gare, sur-le-champ, tout de go ; impromptu [sout.]. – **Au pied levé** ; de chic [vieilli]. – Brusquement, ex abrupto, spontanément, subitement, subito [fam.], tout à coup, tout à trac.

17 **Hâtivement,** rapidement ; à la hâte, à la légère. – Étourdiment, follement, fougueusement, impétueusement, impulsivement, inconsidérément, insouciamment [rare], insoucieusement [litt.], précipitamment, à la va-vite **547.** – **Instinctivement,** involontairement, machinalement.

18 **Imprévisiblement** ; de façon imprévue (aussi : inattendue, inopinée).

387 IMPRIMÉ

N. 1 **Imprimé.** – Dépliant, encart publicitaire, **prospectus,** tract. – Facture, formulaire ; billet, coupon, **étiquette,** fiche, ticket. – Carte de visite **554,** faire-part **157** ; carte à jouer. – Carte géographique, carte géologique, carte marine, carte routière. – Affiche, placard [vx]. – Estampe, gravure ; vignette. – Paperasserie ; paperasse.

2 Errata, ex-libris, prière d'insérer.

3 Grand-livre ; éphéméride [ANTIQ.], livre de commerce, **livre de comptes 339,** livre-journal, livre en partie double ; livre de raison [anc.] ; ordonnancier. – Journal de bord, livre de bord. – Agenda. – Livre d'or.

4 **Papeterie.** – Bloc-notes, **cahier,** calepin, **carnet,** livre, matricule, registre, répertoire. – Biblorhapte, classeur, reliure à feuillets mobiles ; chemise ; protège-cahier.

5 Papetier. – Papeterie *(une papeterie).*

V. 6 Imprimer **388.**

388 IMPRIMERIE

N. 1 Imprimerie *(l'imprimerie)* ; **industrie graphique,** le livre **469.** – **Imprimerie** ; scriptorium [lat.].

2 Duplication, **impression,** reproduction ; réimpression. – Retiration.

3 **Composition** ou photocomposition ; compogravure ; flashage ; justification ; foliotage, pagination. – Imposition. – Brochage, **reliure** ; agrafage, collage, couture, piqûre, piqûre à cheval, piqûre à plat ; encartage, pliage ; refente, rognage ; pelliculage, vernissage ; **dorure,** dorure à chaud, dorure à froid, dorure sur tranche.

4 Quadrichromie, trichromie.

5 TECHNIQUES D'IMPRESSION

autographie	linogravure
blanchet-blanchet	lithochromie
chalcographie	lithographie
chromolithographie	métallographie
compogravure	offset
gravure sur bois	photogravure
gravure sur cuivre	phototypie
gravure à l'eau forte	sérigraphie
gravure en taille-douce	typographie
héliogravure	xérographie
hyalographie	xylographie
letterset	

6 **Décalque** ; diagraphie.

7 Autocopie, multigraphie, **photocopie,** polycopie, reprographie, scannographie, télécopie. – Photocopillage.

8 **Copie 379.3,** réplique, reproduction *(une reproduction).* – Photocopie *(une photocopie)* ; télécopie ; Téléfax ou, abrév., Fax [nom déposé].

9 **Double** *(un double),* duplicata, fac-similé. – DR. : ampliation, expédition, grosse. – Calque, décalcomanie, décalque. – BX-A. : copie multiple, multiple.

10 IMPRIM. : cliché, film ; bromure, **épreuve** (épreuve en page, placard), morasse ; épreuve de contrôle, Cromalin [nom déposé], Ozalid [nom déposé]. – Contre-épreuve [GRAV.].

11 Bon à graver, bon à tirer ou B. À T.

12 **Papier** ; main, rame ; épair [PAPET.]. – Papyrus, parchemin. – Papier autocopiant, carbone.

PAPIERS ET CARTONS

bristol	papier à la cuve
carton	papier d'emballage
carton-paille	papier gaufré
chiné	papier glacé
crépon	papier japon
extra-strong	papier journal
papier à la forme	papier kraft
papier bible	papier millimétré
papier bouffant	papier ministre
papier bulle	papier recyclé
papier buvard	papier-reliure
papier calandré	papier sans bois
papier-calque	papier satiné
papier cannelé	papier de soie
papier chiffon	papier surglacé
papier couché	pelure d'oignon
papier crêpé	vélin
papier cristal	vergé

13 Cachet, sceau, **tampon** ; tampon encreur.

14 **Imprimerie** *(une imprimerie).* – Photocomposeuse. – **Presse,** presse à bras, presse à pédale ; presse à épreuves ; Linotype, minerve, Monotype, Ronéo, rotative. – Encarteuse-piqueuse, plieuse ; massicot.

15 INFORM. : **imprimante,** imprimante à aiguilles, imprimante à bulles ou à jet d'encre, imprimante-laser. – Copieur, électrocopieur, photocopieur ou **photocopieuse,** reprographieur ; scanner.

16 **Imprimeur.** – **Ouvrier du livre** ; claviste, compograveur, photocompositeur ; clicheur, conducteur, linotypiste, minerviste, monotypiste, prote, typographe ou, fam., typo ; assembleur, brocheur, relieur.

17 Travaux de labeur ; travaux de ville ou bilboquet.

V. 18 **Imprimer 387,** tirer ; réimprimer. – IMPRIM. : imposer ; clicher, flasher, insoler ; encrer ; graver. – Faire gémir la presse [vx], mettre sous presse.

19 Copier, dupliquer, **reproduire.** – Autocopier, **photocopier,** reprographier, scanner ou scannériser.

20 **Composer,** photocomposer, typographier ; interligner, justifier.

21 Brocher, **relier** ; agrafer, piquer ; interfolier ; encarter, plier ; ébarber, massicoter, rogner ; grecquer [REL.].

22 Mettre au pilon.

Adj. 23 Imprimable. – Papetier.

Adv. 24 Au fer à droite, au fer à gauche.

389 IMPRODUCTION

N. 1 **Improduction,** improductivité, **inefficacité 31** ; inefficience [didact.] ; impuissance. – Inaction **393** ; inexploitation.

2 **Stérilité** ; infécondité, infertilité. – **Aridité,** ingratitude [vx] ; pauvreté [fig.] **603.** – **Épuisement,** tarissement.

3 Immobilité, **inactivité 393,** inertie ; fig. : hibernation, sommeil. – **Stagnation** ; décroissance **220,** récession, régression. – Désindustrialisation. – Ruine ; faillite. – Inemploi, non-activité ; chômage **266.** – Absentéisme.

4 **Arrêt** ; arrêt de travail, arrêt de la production, cessation, interruption ; grève. – Fermeture, lock-out. – **Friche,** jachère. – Friche industrielle.

5 Temps mort ; **désœuvrement.** – Repos **706,** jour chômable, jour chômé, jour férié, pont ; décadi [HIST.] ; férie [ANTIQ. ROM.].

6 **Improductibilité** [didact.]

7 **Improductif** *(un improductif)* ; chômeur ou, ADMIN., demandeur d'emploi, **désœuvré** *(un désœuvré),* **inactif** *(un inactif),* oisif *(un oisif)* **593.**

V. 8 Rester improductif ; **chômer.** – Croupir, **dormir,** moisir, pourrir, végéter ; **hiberner** ou hiverner, rester en sommeil, **sommeiller 780** ; être ou rester en jachère ; être en friche.

9 **S'interrompre 315** ; cesser. – Fermer [absolt].

10 **Stériliser** *(stériliser un sol).* – Mettre en jachère.

11 Lock-outer [anglic.].

Adj. 12 **Improductif** ; aride, ingrat ; infécond, infertile, infructueux ; maigre, **pauvre 603.** – Inexploitable ; inutilisable.

13 **Inexploité, inutilisé 435** ; **inculte,** en friche, en jachère.

14 **Ineffectif** [sout.], inefficace, inefficient [sout.], inopérant ; impuissant. – Non rentable.

15 **Inactif** ; désœuvré, oisif. – Immobile, inerte ; en sommeil.

16 Inapte, **incapable,** incompétent.

17 **Inutile, stérile,** vain. – **Nul,** sans effet, sans résultat **435.**

18 **Ineffectué** [rare], non fait ; non avenu.

19 **Improductible** [rare] ; impossible **385.8,** infaisable.

Adv. 20 **Improductivement,** inefficacement, infructueusement. – **Inutilement 435** ; **stérilement,** vainement.

390 IMPRUDENCE

N. 1 **Imprudence.** – Audace, hardiesse **161,** intrépidité, **témérité.** – Aveuglement **64,** inconscience. – Aplomb, culot [fam.].

2 **Désinvolture,** imprévoyance, insouciance ; inattention **394,** irréflexion, **légèreté.** – Égarement, folie **321,** inconséquence.

3 Distraction, étourderie ; maladresse **483.** – Écart **200,** erreur de conduite ; faute, faux pas.

4 DR. : délit d'imprudence. – Homicide par imprudence ; blessure par imprudence. – Quasi-délit.

5 Chauffard ; danger public.

6 **Imprudent** *(un imprudent).* – Bravache, casse-cou *(un casse-cou)* [fam.], risque-tout. – Fam. : cerveau brûlé, tête brûlée. – Apprenti sorcier.

V. 7 **Commettre une imprudence,** faire une imprudence. – Hasarder, oser, risquer, tenter ; prendre des risques **161,** risquer le tout pour le tout. – Donner la brebis à garder au loup [vx] ; fam. : enfermer le loup dans la bergerie, se jeter dans la gueule du loup.

8 **S'aventurer,** s'exposer, se risquer ; se mettre en danger. – S'engager sur un terrain glissant ou mouvant ; **travailler sans filet.**

9 **Avoir de l'audace,** avoir du culot [fam.], être gonflé [fam.]. – Crâner **581.**

10 Avoir l'audace de, avoir le front de ; avoir le culot de [fam.]. – Braver ; passer outre à **200.**

11 **Jouer avec le feu,** jouer avec sa santé ou sa vie ; jouer à quitte ou double, jouer son va-tout.

Adj. 12 **Imprudent.** – Audacieux **161,** aventureux. – **Casse-cou,** intrépide ; téméraire. – Imprévoyant, inconscient, **inconséquent,** insouciant, irréfléchi.

13 **Incompétent 483.** – Maladroit, malavisé.

14 **Écervelé,** frivole, léger. – Étourdi, lunaire [litt.] ; dans la lune ; tête en l'air. – Aveugle **64,** candide. – Impétueux ; fou **321** ; braque [fam.].

15 **Dangereux 175,** périlleux ; hasardeux. – Hasardé, inconsidéré, **risqué.** – **Osé** ; culotté [fam.] ; téméraire.

Adv. 16 **Imprudemment** ; inconsidérément, témérairement. – Audacieusement, dangereusement. – Inconsciemment ; inconséquemment [litt.]. – Légèrement ; follement ; aveuglément.

17 **À la légère.** – À l'aveuglette **64** ; à l'aventure.

391 IMPULSION

N. 1 **Impulsion, motion** [vx ou didact.]. – **Force 322.1, poussée, pression** ; impression [vx]. – Animation, mise en mouvement. – Pulsation.

2 **Moteur** [fig.] ; impetus [HIST. DES SC.] ; agent **15.1,** cause **92** ; ressort **259.**

3 **Coup de pouce,** chiquenaude, pichenette ; **stimulation 793.1,** stimulus. – Excitation par impulsion ou par choc [ÉLECTRON.]. – Propulsion. – Pulse [ASTROPHYS.]. – Poussette [CYCLISME, fam.].

4 Impulsion *(l'impulsion de qqn),* **influence 407.1,** volonté **870.1.**

5 **Incitation,** instigation, invitation, invite, sollicitation ; appel, conseil, encouragement **268.1,** exhortation ; ordre **133.** – **Provocation, suscitation.**

6 **Élan,** impulsion ; **mouvement** ; force, poussée, pression ; appel, voix. – Impulsion créatrice. – PSYCHAN. : **pulsion,** pulsions de mort ; instinct de mort ; pulsions de vie ; instinct de vie ; pulsions sexuelles ; théorie des pulsions *(première et seconde théorie des pulsions de Freud)* [PSYCHAN.].

7 Penchant, **tendance** ; besoin, instinct. – PSYCHAN. : désir **199.1,** énergie psychique, énergie vitale, libido.

8 PSYCHIATRIE : impulsion, impulsion obsédante, impulsion-obsession ou obsession-impulsion ; compulsion. – Impulsivité [PSYCHOL.].

9 TECHN. – **Impulseur.** – Pulseur [TECHN.] ; pulsoréacteur [AÉRON.] ; pulsomètre. – Booster [ASTRON.] ou, recomm. off., pousseur auxiliaire

ou pousseur. – Pousse-toc [TECHN.]. – Pousse-wagon ou locopulseur [CH. DE F.].

10 **Impulsivité, impétuosité 386** ; fougue. – Émotivité, spontanéité. – Brusquerie. – Violence **865.**

11 Animateur, créateur *(un créateur),* **instigateur,** promoteur ; moteur. – Provocateur.

V. 12 **Impulser** ; donner une impulsion ou l'impulsion à, imprimer un mouvement à ; **mouvoir, pousser** ; activer 7, aiguillonner, animer, **exciter, inciter** *(inciter le désir),* provoquer, susciter ; stimuler **793.** – Actionner ; manœuvrer. – Propulser, pulser.

13 **Pousser** (qqn) **à** ; inciter à, instiguer à [vx] ; conseiller de **148,** déterminer à, encourager à **268,** engager à, exhorter à, inviter à, ordonner de **133** ; solliciter [litt.].

14 Céder à une impulsion ; agir sous l'impulsion de ; agir sous l'empire de.

Adj. 15 **Pulsateur** [didact.]. – Pulsant, pulsé. – Pulsatile [MÉD.].

16 **Impulsif** ; impétueux ; fougueux. – Brusque, emporté, vif, violent ; émotif. – Irréfléchi, spontané.

17 **Impulsionnel** [didact.]. – Compulsionnel ou compulsif [PSYCHIATRIE]. – PSYCHAN. : pulsionnel ; instinctuel.

Adv. 18 **Impulsivement, impétueusement** ; fougueusement. – Brusquement.

19 **Compulsivement.**

Prép. 20 Sous l'impulsion de ; par l'impulsion de.

Aff. 21 Pulso-.

392 INACCOMPLISSEMENT

N. 1 **Inaccomplissement 249,** inapplication, inexécution, inobservance, inobservation, manquement ; non-exécution.

2 **Abandon,** arrêt. – Suspension ; suspension de séance.

3 Défection **181,** désertion, lâchage [fam.], trahison.

4 Abstention, manquement à **488.3,** non-participation.

5 **Inaccomplissement,** inapaisement, inassouvissement, incomplétude [litt.], insatisfaction **416** ; non-satisfaction ; bovarysme.

6 **Inaccomplissement,** inachèvement ; imperfection **383.** – Défectuosité, échec **249,** infructuosité [rare] ; lacune, omission **488.3.** – Demi-mesure.

7 Sous-développement ; sous-exploitation.

8 Allus. myth. : ouvrage ou toile de Pénélope ; rocher de Sisyphe, travail de Sisyphe ; tonneau des Danaïdes.

9 **Inaccomplissement,** inachevé *(l'inachevé).* – Litispendance [DR., vx]. – LING. : inaccompli, non-accompli ; imperfectif **346** ; inchoatif, ingressif.

10 Inapplicabilité.

11 Inassouvissement.

V. 12 Abandonner, arrêter, **inachever** [litt.], laisser, renoncer à **701** ; laisser en attente ou en souffrance ; laisser de côté ; laisser en plan [fam.]. – Délaisser, déserter, fuir, laisser, quitter ; fam. : lâcher, laisser tomber, larguer, plaquer.

13 Ébaucher, esquisser ; effleurer.

14 Abandonner [absolt], dételer [fam.] ; baisser les bras, jeter l'éponge ; s'arrêter en cours de route ou à mi-chemin.

15 Boiter [fig.], clocher [fam.] ; laisser à désirer. – Avorter, échouer **249, s'inachever** [litt.] ; fam. : être mis au placard ou au réfrigérateur, rester en plan.

Adj. 16 **Inachevable,** inexécutable, infaisable, injouable. – **Inapplicable,** inobservable ; impossible **385.8,** impraticable. – Inaccessible ; hors de portée. – Pendant *(question pendante)* ; DR. : conservatoire, inexécutoire ; suspensif. – À suivre.

17 **Inaccompli,** ineffectué, inexécuté, inexercé, inexpérimenté *(procédé inexpérimenté),* inobservé *(règlement inobservé)* [litt.]. – **Inachevé.** – LING. : inaccompli, non accompli ; imperfectif ; inchoatif, ingressif.

18 **Inabouti,** lacunaire, partiel ; élémentaire, fruste, intermédiaire, rudimentaire **383,** simpliste. – Imprécis, vague. – Abandonné, délaissé, laissé à l'abandon.

Adv. 19 Imparfaitement **383, incomplètement.** – Rudimentairement, sommairement, vaguement. – À demi, à moitié ; à mi-chemin.

Prép. 20 En instance de ; en voie de.

393 INACTION

N. 1 **Inaction** ; désœuvrement, inactivité, inoccupation ; désoccupation [litt.]. – Sinécure. – Sédentarité.

2 **Inaction,** inertie **403** ; désaffection, désintérêt, indifférence **401** ; apathie, atonie, avachissement, engourdissement, indolence, léthargie, nonchalance, nonchaloir [litt.], torpeur ; tiédeur, veulerie. – **Immobilisme** ; neutralité, passivité.

3 Cessation d'activité ou de travail, **chômage,** chômedu [fam.]. – Arrêt de travail, **grève.** – ADMIN., MIL. : disponibilité, non-activité.

4 **Oisiveté,** paresse **593** ; fainéantise, farniente ; fam. : cosse, flemmardise, flemme ; vx : cagnardise, lâcheté, néantise [didact., vx].

5 **Inaction,** inefficacité ; fig. : impuissance, infécondité, stérilité, vanité. – Incapacité ; improductivité [rare] **389.** – Inactivation.

6 **Marasme,** stagnation. – Morte-saison.

7 **Paresseux** ; fainéant ; fam. : cossard, flemmard, traîne-savates ou traîne-semelles ; pop. : faignant ou feignant, glandeur. – Partisan du moindre effort.

8 **Inactif** *(un inactif, les inactifs),* oisif ; homme de loisir [vx]. – **Chômeur,** sans-travail.

V. 9 **Paresser** ; fainéanter, se tourner les pouces ; fam. : avoir la rame ou la cosse, flemmarder, lézarder, tirer sa flemme. – Traîner **458** ; fam. : lambiner, lanterner, traînasser. – Ne pas remuer le petit doigt, ne rien faire de ses dix doigts. – Badauder, flâner, musarder ; bayer aux corneilles ; litt. : flânocher ou flânoter ; fam. : faire du lard, ne pas en fiche une rame ou ramée ; pop. : glander, glandouiller.

10 **Se croiser les bras** ; n'avoir rien à faire, vivre de ses rentes ; être de loisir [vx]. – S'encroûter, s'engourdir, se laisser aller. – Faire le mort [JEUX].

11 **Inactiver** ; désactiver. – Mettre en disponibilité [ADMIN., MIL.]

12 **Végéter** ; languir, moisir [fam.], ronronner [fam.], stagner ; zoner [fam.].

13 **Chômer** ; être en disponibilité.

Adj. 14 **Inactif** ; désœuvré, inoccupé, oisif. – **Immobile** ; éteint, figé, inanimé, inerte.

15 **Apathique** ; amorphe, atone, faible **303,** flegmatique, mou, passif ; hésitant, tiède, velléitaire **438** ; fam. : mollasse, mollasson. – Alangui, languissant, traînant. – Sédentaire.

16 **Inactif** ; improductif, stérile, vain.

17 **Paresseux** ; fainéant ; fam. : cossard, flemmard, lambin, tire-au-flanc, tire-au-cul ; pop. : faignant ou feignant.

Adv. 18 **Nonchalamment** ; indolemment, langoureusement, languissamment, mollement.

19 **Paresseusement** ; oisivement.

394 INATTENTION

N. 1 **Inattention.** – Distraction, **étourderie,** inadvertance ; inapplication [didact.] ; déconcentration. – Fig. : dissémination, dissipation, émiettement, éparpillement ; détachement, évagation [didact.]. – Assoupissement, engourdissement, relâchement. – Insouciance, légèreté, **négligence 547.**

2 Absence *(une absence)* **2, faute d'inattention** ou d'étourderie ; lapsus, *lapsus calami, lapsus linguae* ; quiproquo.

3 Cerveau creux, **écervelé** *(un écervelé),* étourneau **583.8,** pêcheur de lune [vieilli], tête à l'évent [vx] ; tête de linotte. – **Rêveur** ; fam. : rêvasseur, rêvassier.

V. 4 Avoir des absences ; être absent, **être ailleurs,** être dans la lune. – **Avoir la tête dans les nuages** ; n'avoir pas les pieds sur terre. – Rêvasser, rêver ; laisser errer sa pensée. – N'écouter que d'une oreille ; penser à autre chose.

5 Se disperser, s'égailler, s'éparpiller ; papillonner. – Zapper.

6 Se déprendre, se désintéresser, se détacher, se détourner ; s'évaguer [vx].

7 **Négliger 547.** – Ne faire aucun cas de. – Faire litière de, fouler aux pieds.

8 Détourner l'attention, endormir l'attention ; déconcentrer, dissiper.

Adj. 9 **Inattentif** ; absent, **distrait,** étourdi ; évaltonné [rare]. – Dégagé, détaché, désinvolte ; indifférent **401.** – Inappliqué. – Insouciant, insoucieux, négligent ; foufou [fam.].

Adv. 10 Inattentivement [litt.] ; à l'étourdie [litt.], étourdiment ; distraitement. – **Négligemment** ; nonchalamment ; machinalement. – Par mégarde.

395 INCERTITUDE

N. 1 **Incertitude** ; doute, ignorance **377,** perplexité. – Hésitation ; indécision, indétermination, irrésolution **438,** tergiversation ; dans le doute abstiens-toi [prov.].

2 Embarras, flottement, fluctuation. – Anxiété **785,** inquiétude. – Défiance, méfiance **183.** – **Mise**

en doute, mise en question. – PHILOS. : doute méthodique.

3 **Incertain** *(l'incertain)* ; **flou** *(le flou),* flou artistique [fig.], vague *(le vague)* ; obscurité.

4 Alternative, **dilemme** ; réponse de Normand ; conjecture, hypothèse **802.**

5 Possibilité **646,** probabilité.

6 **Scepticisme** ; pyrrhonisme [PHILOS.] ; époché [PHILOS.]. – Agnosticisme [RELIG.].

7 Principe d'incertitude ou d'indétermination d'Heisenberg [PHYS.]. – Raisonnement sous incertitude [INFORM.].

V. 8 **Douter** ; être dans le doute, être dans l'expectative, être entre le zist et le zest [fam.]. – En être réduit aux hypothèses, se perdre en conjectures.

9 **Hésiter 438.5** ; tergiverser ; ne savoir de quel côté se tourner, tourner en rond. – Dire tantôt noir, tantôt blanc, ne pas se prononcer, ne savoir que dire (que faire, que penser, etc.).

10 **Soupçonner,** subodorer. – Craindre, redouter.

11 Manquer d'assurance ; être peu sûr de soi, douter de soi.

12 Élever un doute, **émettre un doute,** laisser planer un doute ; **mettre en doute,** révoquer en doute. – Suspendre son jugement.

Adj. 13 **Incertain** ; contestable, douteux ; attaquable, controversable, discutable, réfutable ; contentieux, controversé, en litige, **sujet à caution,** sujet à examen.

14 Possible **646,** probable ; aléatoire, contingent, éventuel. – Conjectural, hypothétique.

15 **Dubitatif** ; embarrassé **217,** perplexe ; flottant, fluctuant, **hésitant,** incertain, **indécis,** irrésolu **438.9,** mal assuré.

16 Agnostique [RELIG.] ; pyrrhonien [PHILOS.] ; **sceptique.**

17 Ambigu **24,** énigmatique, équivoque **25.16.** – Confus, flou, fuyant, imprécis, indéfini, **indéterminé, vague** ; approché. – Changeant **104.22,** variable.

18 Hasardé, hasardeux, risqué **175.14.**

Adv. 19 Incertainement [litt.]. – Éventuellement, peut-être. – Au bénéfice du doute.

20 Approximativement, vaguement ; à peu près, **environ.**

21 Dubitativement, irrésolument **438.**

396 INCLUSION

N. 1 **Inclusion** ; enclavement, enchâssement, insertion.

2 Assimilation, fusion [fig.], incorporation, intégration **725.1.** – Infiltration, pénétration ; intrusion.

3 Introduction ; **injection,** inoculation. – Sertissage.

4 Mise en abyme (ou : abisme, abîme) [BX-A., LITTÉR.] **313.**

5 GRAMM. : hyperonymie ; hyponymie.

6 Inclusion réciproque ou identité. – Inhérence ; **appartenance.** – Dépendance.

7 Intérieur *(l'intérieur).* – Contenant **151.** – Contenu **152.** – Enveloppe **727.** – Partie (opposé à tout) **597.** – Espèce [LOG.].

8 LING. : générique, hyperonyme, incluant. – Incidente *(une incidente)* [RHÉT.]. – « Ou » inclusif. – Incise [MUS.] ; insert [CIN.].

9 Corps étranger, **inclusion,** incrustation, infiltration, insertion. – Crapaud [ORFÈVR.]. – MINÉR. : dislocation, filon **518.** – Enclos **67, enclave** ; enclavement.

V. 10 **Inclure** ; comporter, comprendre ; consister en, être composé de. – Contenir, **renfermer** ; englober, embrasser [fig.]. – Impliquer.

11 Assimiler, **absorber** ; fondre. – Incorporer, insérer, intégrer, **mêler,** mettre dans ; enchâsser, incruster, marqueter, sertir ; interposer. – Subsumer *(subsumer une espèce sous un genre)* [didact.].

12 Garnir, emplir, remplir ; fam. : farcir, truffer. – Adjoindre à, ajouter à, **joindre à.**

13 Enfermer, **entourer,** enserrer, **envelopper** ; cercler, encercler, enclaver, enclore.

14 Être dans ; appartenir à, faire partie de.

Adj. 15 Inclusif ; intégratif [didact.]. – Général, générique ; supérieur. – Total **823.**

16 **Inhérent,** intrinsèque ; spécifique. – Intégrant. – Implicite **753.**

17 **Inclus** ; compris, inscrit *(cercle inscrit dans un triangle)* [MATH.], **joint.**

18 Intérieur **430,** interne ; central **96.** – Intégré, intériorisé.

Adv. 19 Inclusivement [didact. ou litt.] ; y compris. – Tout compris **823.**

20 À l'intérieur, intérieurement. – *Intra* ; ci-inclus, ci-joint. – **Au-dedans,** dedans, **en dedans,** là-dedans.

Prép. 21 **Dans** ; dedans [litt. ou vx], en, *in* [spécialt]. – Au cœur ou au sein de **96,** à l'intérieur de, au milieu de **514.**

Aff. 22 En-, endo-, ento- ; intra-, intro-.

397 INCONSCIENCE

N. 1 **Inconscience** ; inémotivité, **insensibilité 418.**

2 Inconscience ; **perte de connaissance,** perte de conscience ; évanouissement, pâmoison [vieilli], syncope ; trou noir ; défaillance, éblouissement, vertige. – **Coma,** état comateux.

3 **Sommeil 780** ; sommeil cataleptique ; somnambulisme. – Demi-sommeil, engourdissement, **léthargie,** somnolence. – Hébétude, **stupéfaction 805,** torpeur.

4 **Anesthésie,** narcose ; narcolepsie. – **Hypnose** ; hypnotisme.

5 Agnosie, **amnésie,** anosognosie, aphasie, asymbolie, désorientation spatiale. – **Déprivation sensorielle,** désafférentation sociale [PSYCHIATRIE].

6 **Distraction,** hypovigilance, inattention **394** ; apathie [vx, PHILOS.], **indifférence.** – Inconscience ; irresponsabilité ; imprudence **390.**

7 **Extase 629,** ravissement, transe ; vision béatifique. – Anéantissement.

8 PSYCHAN. : **inconscient** *(l'inconscient)* ou Ics, préconscient ou Pcs ; ça *(le ça),* surmoi ; moi *(mécanismes de défense du moi)* ; inconscient collectif. – Subconscient [cour.].

9 Analgésique *(un analgésique),* **hypnotique** *(un hypnotique),* narcotique *(un narcotique),* **somnifère** *(un somnifère).*

V. 10 **Endormir,** engourdir, **insensibiliser.** – Anesthésier ; chloroformer, éthériser.

11 Stupéfaire, stupéfier.

12 **S'évanouir,** se pâmer [vieilli], se trouver mal ; défaillir **304** ; tomber en pâmoison [vieilli], tourner de l'œil [fam.], tomber dans les vapes ou dans les pommes [fam.].

13 Glisser ou sombrer dans l'inconscience ; **sommeiller,** somnoler.

Adj. 14 **Inconscient** ; évanoui, **pâmé** ; défaillant **303.** – **Comateux** ; cataleptique. – Anesthésié, narcosé ; hypnotisé.

15 **Somnolent** ; assoupi, endormi, léthargique, torpide ; somnambulique. – Hébété, stupéfait, stupéfié.

16 Didact. : agnosique, **amnésique,** aphasique.

17 **Distrait,** inattentif, indifférent ; apathique. – Inconscient **390,** irresponsable.

18 **Extatique 276,** pâmé, ravi, en transe.

19 Inconscient, insensible ; indolore.

20 **Analgésique,** anesthésique, hypnotique, narcoleptique, narcotique ; anesthésiant, stupéfiant.

21 PSYCHAN. : inconscient, préconscient ; **subconscient** [cour.].

Adv. 22 **Inconsciemment.**

Aff. 23 Hypno-, narco-.

398 INCROYANCE

N. 1 **Incroyance.** – Incrédulité, scepticisme ; doute. – Indifférence **401,** irréligion, irréligiosité [rare]. – **Agnosticisme.** – **Athéisme** ; libre-pensée.

2 Gentilité, paganisme **700.** – Léviathan *(le Léviathan)* [allus. bibl.].

3 Impiété.

4 Abjuration **701,** apostasie, reniement, renoncement.

5 Blasphème, jurement [vx]. – Offense.

6 **Incroyant** ; douteur [litt.], incrédule, noncroyant, **sceptique** ; indifférent. – Agnostique ; areligieux. – **Impie,** mécréant [vx] ; irréligieux. – Iconoclaste. – Blasphémateur, sacrilège **737.**

7 Gentil, **païen.** – Nation *(les nations).*

8 Apostat, renégat. – **Hérétique** ; laps, relaps.

9 Antireligieux, **athée** ; esprit fort, libertin, **libre-penseur.**

10 Anticlérical, prêtrophobe [rare] ; mangeur ou bouffeur de curé [fam.]. – Papefigue [allus. litt.].

11 **Anticléricalisme** ; prêtrophobie [rare].

V. 12 Ne croire ni à Dieu ni à diable ; **n'avoir ni foi ni loi.**

13 Chanceler dans sa foi. – Décroire [vx]. – **Abjurer,** apostasier [litt.], renoncer ; renier ou nier sa foi. – Cracher sur le crucifix [fig.].

14 Blasphémer, sacrer. – Profaner **737.**

15 Manger du prêtre ; bouffer du curé [fam.].

Adj. 16 Athéistique.

17 Abjuratoire. – Blasphématoire.

Adv. 18 Irréligieusement.

399 INDÉCENCE

N. 1 **Indécence** ; inconvenance, incorrection ; incongruité, messéance [litt.]. – Discourtoisie **226,** **impolitesse** ; indélicatesse, indiscrétion, sans-gêne. – Bassesse ; **grossièreté,** trivialité, vulgarité ; inélégance, mauvais goût.

2 **Impudeur,** impudicité ; hardiesse, immodestie ; effronterie, impudence, insolence. – Grivoiserie, polissonnerie ; pornographie **763.**

3 Honte **367,** scandale.

4 Indécence *(une indécence)* ; écart de langage, excès de langage. – **Gros mot,** juron ; impertinence. – Grossièreté, malpropreté, **obscénité,** saleté ; cochonceté [fam., par plais.], cochonnerie [fam.] ; gaillardise, gauloiserie, gravelure [vx], grivoiserie. – **Incongruité.**

V. 5 Blesser la pudeur de qqn, choquer. – Messeoir [litt.]. – Tomber mal à propos ; mettre les pieds dans le plat.

6 Se débrailler, s'oublier. – **Jurer 412,** jurer comme un charretier.

Adj. 7 **Indécent** ; déshonnête [litt.] ; choquant, **déplacé,** discordant **224,** incongru, **inconvenant,** incorrect, malséant, malsonnant. – Indiscret ; immodeste.

8 Inélégant ; bas, trivial, **vulgaire.** – Discourtois [rare], grossier, **impoli 226** ; effronté, impudent, insolent, mal embouché ; dévergondé ; indélicat, sans gêne, sans vergogne. – Cavalier, désobligeant.

9 **Impudique,** licencieux, obscène. – **Indécent** ; cru, égrillard, **équivoque,** gaulois, graveleux, grivois, olé-olé [fam.], osé, salace, **scabreux,** trivial ; croustillant, épicé, **salé.** – Cochon [fam.], pornographique ou, fam., porno **763,** scatologique ou, fam., scato ; canaille [fam.], faubourien. – Injurieux, **ordurier.** – Bestial.

10 Défendu, interdit **429,** prohibé.

Adv. 11 Indécemment ; **impudiquement,** licencieusement. – Impudemment, insolemment. – Crûment, **grossièrement, vulgairement,** trivialement ; bestialement, cavalièrement, gaillardement.

400 INDÉPENDANCE

N. 1 **Indépendance.** – Contingence, hasard **358,** indéterminisme.

2 **Indépendance** ; autonomie, franchise [vx] ; liberté **462.** – Autarcie.

3 Libre-pensée ; **non-conformisme.** – Individualisme **420** ; anarchisme **808.**

4 POLIT. : autonomisme, **indépendantisme,** sécessionnisme, séparatisme ; particularisme.

5 Affranchissement. – POLIT. : autodétermination ; proclamation d'indépendance.

6 Autonomiste, **indépendantiste,** sécessionniste, séparatiste.

7 Travailleur indépendant ; free-lance [anglic.].

V. 8 Didact. – S'autonomiser ; s'indéterminer.

9 Disposer de soi, être à soi, **être son maître** ou **son propre maître** ; avoir les coudées franches, avoir le champ libre, **n'avoir de comptes à rendre à personne,** ne relever de personne ; être libre comme l'air. – Agir à sa guise, en faire à sa tête ou n'en faire qu'à sa tête.

10 S'émanciper. – Prendre son indépendance, **voler de ses propres ailes.** – Briser les chaînes ou les liens, secouer le joug.

11 Affranchir, émanciper.

Adj. 12 **Indépendant,** autonome, libre. – Distinct, séparé. – Fortuit.

Adv. 13 **Indépendamment,** librement. – Séparément.

14 Aléatoirement, casuellement, fortuitement.

401 INDIFFÉRENCE

N. 1 **Indifférence** ; **détachement** ; litt. : inattention **394,** incuriosité, inintérêt, insouci [rare et sout.]. – **Insouciance** ; fam. : je-m'en-fichisme, je-m'en-foutisme ; désinvolture, négligence **547.**

2 **Indifférence** ; égoïsme **257,** insensibilité **418,** sécheresse de cœur ; **froideur.** – Cruauté, rigueur.

3 **Inappétence** ; anorexie ; anaphrodisie [didact.], frigidité. – **Désaffection,** désintéressement, **détachement** ; abandon, oubli **583.** – **Dédain,** mépris.

4 **Apathie,** assoupissement, engourdissement ; anesthésie ; inertie, **passivité 393.** – Indolence, nonchalance, nonchaloir [litt.]. – Incuriosité [PSYCHOL.] ; anosodiaphorie [MÉD.].

5 Indifférence ; détachement ; PHILOS. : adiaphorie, apathie, **ataraxie,** indolence [vx], insensibilité ; stoïcisme. – **Flegme, impassibilité,** impavidité [litt.], placidité ; équanimité. – Sang-froid **161.**

6 Indifférence, liberté d'indifférence ; indétermination. – Abstention, **neutralité,** non-engagement.

7 PHILOS. : indifférentisme.

8 SC. : indifférence, neutralité, équilibre. – Inertie.

9 Indifférenciation ; égalité **256.**

10 **Indifférent** *(un indifférent),* cœur sec, insensible *(un insensible)* ; **égoïste** *(un égoïste).* – Indifférentiste [PHILOS.].

V. 11 **Indifférer** [fam.] ; **être égal à qqn** *(ça m'est égal),* glisser sur [fam.], laisser indifférent ; n'éveiller aucun écho ; fam. : ne faire ni chaud ni froid. – **Ne pas importer,** n'avoir pas d'importance ; ne faire aucune différence.

12 **Se moquer de,** se moquer de qqch comme de Colin-Tampon [vieilli] ; se ficher de [fam.], se foutre de [pop.] ; se soucier de qqch comme d'une guigne (ou, fam. : comme de l'an quarante, comme de sa première chaussette, comme de sa première chemise). – N'avoir rien à faire (très fam. : à battre, à cirer, à fiche, à foutre) de qqch. – Fam. : se battre l'œil, se tamponner le coquillard de qqch ; s'en battre les flancs, s'en taper.

13 **Dédaigner,** ignorer, mépriser, négliger ; se désintéresser de, ne pas s'occuper de ; se défausser de ; laisser de côté, ne prendre ou n'accorder aucun intérêt à. – Se laver les mains de [allus. bibl.].

14 **Rester indifférent** (ou : froid, de glace, de marbre) ; ne pas sourciller, ne pas broncher. – Laisser glisser, laisser tomber, ne pas relever. – Faire la sourde oreille, faire comme si de rien n'était.

Adj. 15 **Indifférent** ; désintéressé, **détaché, inattentif,** incurieux [litt.], non concerné ; étranger à. – **Insouciant** ; fam. : je-m'en-fichiste, je-m'en-foutiste. – **Apathique,** passif.

16 **Indifférent** ; froid, **insensible** ; blasé, endurci. – **Égoïste.** – Cruel **248,** désenamouré [litt.].

17 **Flegmatique,** froid, **impassible,** impavide, **imperturbable,** placide ; de glace, de marbre. – Stoïque.

18 **Indifférent** ; **égal,** neutre, pareil ; adiaphore [didact.]. – Sans importance, sans intérêt.

Adv. 19 **Indifféremment, également,** pareillement.

402 INÉGALITÉ

N. 1 **Inégalité.** – Différence **216.** – Dissemblance **23** ; disparité, **hétérogénéité.** – Infériorité **405,** supériorité **800.** – Asymétrie, dissymétrie ; déséquilibre, disproportion, **irrégularité.** – Instabilité, variabilité **104** ; arythmie. – Aspérité, rugosité.

2 Inégalité sociale ; dénivellation ou dénivellement. – **Discrimination 582,** ségrégation. – DR. : clause léonine ; suffrage inégalitaire. – Inégalitarisme ; **injustice 413,** partialité.

3 Inégalité mathématique ; inadéquation. – Signes d'inégalité : < (strictement inférieur), > (strictement supérieur), ≤ (inférieur), ≥ (supérieur), ≠ (différent de). – Triangle scalène [GÉOM. ou ANAT.]. – Variable *(une variable)* [SC.].

4 Accident de terrain ; décrochement, **dénivellation,** dénivelé ; discontinuité. – Anfractuosité ; creux, enfoncement, renfoncement. – **Bosse 78** ; balèvre, ressaut, saillant, saillie. – Montagnes russes.

5 Inégalité d'humeur ; **inconstance,** versatilité **90** ; cyclothymie [MÉD.].

V. 6 Inégaliser [rare]. – Rendre inégal. – Différencier, discriminer [litt.]. – Désavantager. – **Déséquilibrer,** disproportionner.

7 **Déniveler** ; bosser, cabosser. – Hachurer, strier ; bretteler ou bretter [ORFÈVR.], denteler ; rayer.

8 Dépasser, **saillir 783.**

9 Changer, fluctuer, varier. – Avoir des hauts et des bas [fam.].

Adj. 10 **Inégal** ; irrégulier. – Déséquilibré, disproportionné. – Disparate, hétérogène. – Accidenté, **chaotique** ; dénivelé.

11 Arythmique ; capricant [didact. et MÉD.] ; **saccadé,** syncopé.

12 **Asymétrique,** dissymétrique. – Inéquilatéral [ZOOL.].

13 **Instable** ; changeant, fluctuant, variable. – Erratique.

14 **Inégalitaire** ; à deux vitesses ; discriminant, partial ; discriminatoire.

15 Capricieux, imprévisible ; lunatique, **versatile** ; cyclothymique [MÉD.].

16 Inégalable. – Inégalé.

Adv. 17 **Inégalement.** – **Irrégulièrement,** variablement.

18 En dents de scie ; plus ou moins bien ; tant bien que mal.

Aff. 19 Anis-, aniso-.

403 INERTIE

N. 1 **Inertie** ; immobilité, immuabilité [didact.], immutabilité [litt.]. – PHYS. : principe ou loi d'inertie. – **Force d'inertie,** force ou masse inerte ; axe d'inertie, moment d'inertie, référentiel d'inertie ou référentiel galiléen ; inertie électromagnétique. – Centre d'inertie ou de gravité [GÉOM.] **54.**

2 **Continuité 153** ; constance [litt.], **permanence 611,** persistance ; durabilité [didact.], pérennité **287** [litt.], stabilité.

3 Inaction ; **stagnation.** – Inactivité **393** ; repos **706,** sommeil [fig.] ; hibernation. – Apraxie [MÉD.], paralysie. – **Passivité** ; non-violence [HIST.], résistance passive ; force d'inertie [fig.].

4 **Indifférence 401** ; apathie **303,** indolence, paresse **593.** – Pesanteur [fig.].

5 **Incapacité** ; impuissance, inopérance [rare] ; inaptitude **389** [didact.].

6 **Inerte** (l'inerte, opposé à l'animé). – Matière.

7 **Immobilisation** ; maintenance [vx], perpétuation [litt.], perpétuement [rare], subsistance [vx].

V. 8 **Immobiliser,** paralyser ; figer. – Éterniser, pérenniser ; essentialiser [PHILOS.].

9 Demeurer, **rester.** – Durer, perdurer, permaner ou permanoir [rare] ; **continuer,** subsister. – Persister. – Se conserver, se maintenir ; se perpétuer, se poursuivre, se prolonger ; se figer.

10 Résister.

Adj. 11 **Inerte** ; immobile, inanimé ; inexpressif. – **Inactif** ; stagnant. – **Inertiel** [PHYS., TECHN.] ; inactif [PHYS. ANC.].

12 **Indifférent** ; apathique, indolent, irrésolu, passif ; paresseux. – Non-violent.

13 **Incapable,** inapte ; impuissant, inefficace, inopérant [litt.]. – Apraxique [MÉD.].

14 Durable, **permanent,** pérenne. – Constant, continu, persistant, subsistant [didact.] ; éternel, immuable, immutable [rare], indéboulonnable [fam.].

Adv. 15 **Inertement** [rare] ; immobilement.

16 **Durablement 247, continûment,** sans relâche ; persévéramment [rare].

404 INEXISTENCE

N. 1 **Inexistence,** non-existence ; non-être. – Néantise [litt., rare], nullité, vacuité ; négativité. – Irréalité ; irréalisation. – Possibilité **646,** potentialité, **virtualité 802.**

2 **Absence 2,** défaut, **manque 488** ; vacance. – Lacune, omission **583.1** ; oblitération ; négation **546.** – Apparence, illusion **378.**

3 **Néant,** rien, vide ; **zéro 872.** – Ensemble vide [MATH.]. – PHYS. : vide absolu, zéro absolu.

4 **Aucun, pas un, rien** ; rien au monde ; **rien du tout.** – Pas un iota (ou : une ombre, une once, un soupçon, une trace) ; pas plus de... que de beurre en broche [fam.]. – Fam. : des clopes, des clopinettes, des clous, des nèfles. – Vulg. : peau de balle, peau de balle et balai de crin, peau de zébi. – Fig., fam. : silence radio ; plus de son plus d'image. – **Personne** ; fam. : pas un chat, pas un rat ; pas la queue d'un.

5 Anéantissement, annihilation, **destruction 205, disparition 228** ; fin **315,** mort **534.** – Néantisation [PHILOS.]. – Nihilisme.

V. 6 **Cesser** ; cesser d'être ou d'exister ; **disparaître** ; expirer, **mourir,** passer **228,** périr. – Vx : défaillir, faillir. – **Manquer** ; faire défaut, faire faute [litt.].

7 Mettre fin à ; anéantir, annihiler, réduire à néant ; **détruire,** éradiquer, exterminer, tuer. – Néantiser [PHILOS.].

Adj. 8 **Inexistant** ; immatériel, irréel ; impensé, incréé, irréalisé ; illusoire, imaginaire, inventé. – **Nul,** vide.

9 **Absent,** manquant, défaillant. – Oblitéré, omis.

10 Anéanti, annihilé, **détruit,** *kaputt* (all., « cassé ») [fam.] ; fini ; défunt, feu, **mort** ; **disparu,** disparu corps et biens, disparu sans laisser de trace.

Adv. 11 **Non** ; non pas, non plus ; non fait [belg.]. – **Ne... pas,** ne... rien ; litt. : ne... goutte, ne... mie, ne... point. – Fam. : bernique, *nada* (esp., « rien »), tintin ; arg. : balpeau, macache, nib.

12 Aucunement, nullement. – **Jamais.**

13 Irréellement.

Prép. 14 **Sans.** – À défaut de, faute de.

Aff. 15 **A-,** an- ; apo- ; **dé-,** des-, dés- ; in-, **im-** ; il-, ir- ; non- ; nulli- ; sans-.

405 INFÉRIORITÉ

N. 1 **Infériorité** ; moins *(le moins)*. – Déficience, **faiblesse,** impuissance ; asthénie. – **Diminution 220,** déclin. – Subordination, soumission 787. – Bassesse, indigence, petitesse [fig.] **616.** – Médiocrité **500.** – Minorité. – Infériorisation.

2 **Moindre** *(le moindre),* pire *(le pire).* – Dessous *(le dessous, les dessous de)* **751.** – **Bas** *(le bas)* ; bas de l'échelle, bas de gamme. – Abîme **167,** abysse, bas-fond ; fange, lie [litt.].

3 **Infériorité** *(une infériorité, des infériorités)* ; désavantage ; handicap, infirmité. – Complexe d'infériorité [PSYCHAN.].

4 GRAMM. : comparatif d'infériorité, superlatif d'infériorité ; dépréciatif, péjoratif. – MATH. : minorant ; **moins** (noté –).

5 **Inférieur** *(un inférieur).* – Fam. : *minus, minus habens* (lat., littéralt, « ayant moins »). – Dernier, le dernier des derniers ; cancre [fam.].

6 Minorat [RELIG.]. – Moins-value [ÉCON.].

V. 7 **Inférioriser** ; abaisser, minimiser, minorer, péjorer ; déprécier, sous-estimer. – Désavantager, défavoriser. – **Rabaisser** ; déclasser. – Handicaper ; plomber [fam.].

8 Asservir, **subordonner,** soumettre.

9 Affaiblir, **diminuer,** rabattre, réduire, restreindre. – Raccourcir ; rapetisser.

10 **S'inférioriser** ; se mettre en situation d'infériorité. – S'incliner. – S'abaisser **341,** s'aplatir [fam.] **761,** s'avilir, s'humilier [vx] **367** ; se faire tout petit.

11 Être inférieur à ; **ne pas arriver à la cheville de** ; le céder à. – Tomber bas ou tomber bien bas ; déchoir.

12 Décliner, décroître, défaillir, **faiblir.** – Fléchir, mollir, ployer ; capituler.

Adj. 13 **Inférieur** ; moindre. – Minime, infime, infinitésimal. – Minuscule, **petit.** – Modéré, modique. – Insignifiant.

14 Bas, **profond.**

15 **Imparfait,** incomplet, insuffisant **602.**

16 De second choix, de second ordre, de second plan. – Mineur. – **Médiocre** ; mauvais. – Commun, quelconque. – Bas, indigne, vulgaire.

17 **Infériorisé.** – Déficient, faible. – Avili, déconsidéré, diminué. – Défavorisé, déprécié, sous-estimé.

18 **Infériorisant** ; avilissant, humiliant. – Handicapant. – Minoratif [litt.]. – Minorant [MATH.].

19 Minoré [RELIG.].

Adv. 20 **Inférieurement.**

21 **Moins** ; dessous ; mal, plus mal, pire. – En bas.

Prép. 22 **Sous,** au-dessous de, en dessous de. – À moins de.

Aff. 23 Asthén(o)- ; hypo-, infra- ; sous-, sub- ; méio- ou mio-, mini- ; moins- ; -asthénie.

406 INFINI

N. 1 **Infini** *(l'infini)* ; infinité *(l'infinité),* infinitude. – **Immensité, vastitude** ; « Le silence éternel de ces espaces infinis m'effraie » (Pascal) ; l'infiniment grand, l'infiniment petit. – **Infinitésimalité** [didact.]. – Éternité **287,** immortalité.

2 Abondance **1, multitude 540,** infinité *(une infinité de gens).*

3 PHILOS. – Infinitisme. – Infini actuel, infini catégorématique ; infini potentiel. – **L'Être infini** ; l'Infini **215.**

4 Infini géométrique, **infini mathématique** ; infini continu, infini dénombrable. – **Axiome de l'infini.** – Branche infinie ; ensemble infini, quantité infinie, série infinie ; **nombre infini.**

5 Calcul de l'infini [vx] ; **calcul infinitésimal.** – Éternisation.

V. 6 Illimiter [rare]. – **Perpétuer,** prolonger indéfiniment.

7 Continuer **153, durer 247, perdurer** [sout.] ; s'éterniser.

8 Abonder.

Adj. 9 **Infini.** – **Illimité,** immense, infiniment grand ; démesuré. – Infime, infiniment petit, infinitésimal, microscopique.

10 Inappréciable, **incalculable,** incommensurable ; **innombrable.**

11 **Éternel 287,** interminable, perpétuel, sans fin. – **Absolu,** extrême.

Adv. 12 **Infiniment.** – **À l'infini** ; à perte de vue. – *Ad infinitum* (lat., « à l'infini »), *in infinitum* (lat., « dans l'infini »). – Infinitésimalement [didact.].

13 **Infiniment** ; sout. : incommensurablement, incomparablement. – Beaucoup **1.**

14 **Indéfiniment** ; éternellement, **perpétuellement,** toujours ; *ad vitam aeternam* (lat., « pour

la vie éternelle ») [souv. par plais.]. – De toute éternité ; depuis que le monde est monde.

407 INFLUENCE

N. 1 **Influence** ; **ascendant,** emprise, force, pouvoir ; empire [litt.].

2 Intoxication, **manipulation,** propagande **675** ; agit-prop ; fam. : bourrage de crâne, intoxe ou intox. – Lobbying ou lobbysme [anglic.]. – Propagandisme.

3 **Domination 240** ; attraction [fig.], fascination, **séduction 53** ; ensorcellement **477,** possession. – Hypnotisation, **suggestion** ; autosuggestion ou auto-suggestion, hétérosuggestion. – Fig. : contagion **379.1,** contagionnement [rare] ; osmose.

4 **Charisme,** magnétisme. – Éclat, rayonnement. – Attractivité.

5 Hypnotisme ; mesmérisme.

6 Didact. – **Influençabilité** ; suggestibilité, suggestivité ; hypnotisabilité [rare].

7 Meneur, locomotive [fam.]. – Propagandiste *(un propagandiste)* ; lobbyiste[anglic.]. – Groupe de pression, lobby [anglic.].

8 Suggestionneur. – Magnétiseur, **hypnotiseur,** hypnotiste ; ensorceleur **477.** – Hypnotique *(un hypnotique).*

9 Péj. : cire molle, girouette, mouton de Panurge **379.4.**

V. 10 **Influencer** ; marquer de son influence (ou : de son empreinte, de sa griffe). – Guider ; façonner [litt.]. – **Endoctriner,** intoxiquer ; bourrer le crâne (à, de) [fam.] **675.**

11 Dissuader **231,** persuader **614** ; imprégner ou **pénétrer de ses vues.** – Encourager **268** ; animer **793,** soulever ; électriser **276.** – **Manipuler,** suggestionner. – Fig. : contaminer ; contagionner [rare].

12 **Dominer 240.9,** posséder ; assujettir [litt.]. – Ensorceler **477,** fasciner, hypnotiser, **séduire 27,** subjuguer ; litt. : charmer, magnétiser.

13 **Impressionner 755,** intimider **819** ; le faire à qqn à l'influence (aussi : à l'estomac) [fam.].

14 **Influer sur** ; agir sur, faire pression sur, peser sur. – Déteindre sur [fig.].

15 Avoir ou exercer de l'ascendant sur, **avoir de l'emprise,** exercer son emprise. – Avoir prise sur ; avoir ou tenir dans sa manche ; faire ce que l'on veut de, mener par le bout du nez ou par le nez, tenir sous sa loi **240.16** ; instrumentaliser.

16 **Avoir le bras long 59.14** ; avoir l'oreille du maître ou du prince [litt.] **145** ; faire et défaire les réputations, faire la pluie et le beau temps.

17 Être sous le charme de, subir le magnétisme de, ne (rien) voir que par les yeux de ; **suivre l'exemple de 379.5.** – Fam. : se laisser retourner comme une crêpe ou comme un gant.

18 Fam. : tourner à tout vent ou au moindre vent. – Être agi [PHILOS.].

19 S'autosuggestionner.

Adj. 20 **Influent** ; puissant **59.21,** de poids ; prépondérant [vieilli]. – Renommé, prestigieux ; en crédit **341.**

21 **Fascinant 53,** hypnotisant [litt.] ; dominant [vx]. – Charismatique, contagieux [rare].

22 **Manipulateur** ; de propagande.

23 **Influencé,** sous influence ; soumis. – Hypnotisé, magnétisé.

24 **Influençable,** malléable ; **manipulable,** suggestible ou suggestionnable ; hypnotisable. – Impressionnable **755** ; impressible [litt.], impressif [vx].

408 INFORMATIQUE

N. 1 **Informatique** *(l'informatique),* micro-informatique, mini-informatique ; péri-informatique ; téléinformatique. – Intelligence artificielle ou I. A. – Automation ou automatisation.

2 Automatique, **bureautique,** domotique, novotique, productique, télématique.

3 **Matériel** (*le matériel* ; opposé au *logiciel* **408.11**) ; hardware [anglic.]. – **Ordinateur** (ou : calculateur numérique, computer) ; micro-ordinateur ou, fam., micro, PC *(Personal Computer)* ; mini-ordinateur ou, fam., mini ; clone ; machine [fam.], matos [fam.], bécane [arg.].

4 **Internet, réseau** ; Intranet ; système informatique. – Ordinateur hôte ou serveur ; ordinateurs esclaves ou servis.

5 Centre de calcul. – Serveur ; site.

6 Calculateur, calculateur analogique, calculateur stochastique, **calculatrice,** calculette. – Minitel. – Digitaliseur ou numériseur ; émulateur ; encodeur ; interclasseuse ; vérificatrice. – Table traçante.

7 Unité d'entrée, unité de sortie. – **Périphérique** *(un périphérique)* ; clavier, console, pavé numérique, terminal *(un terminal)* ; écran, moniteur ; crayon lecteur, souris ; surbrillance ;

imprimante **388** ; lecteur de cartouches numériques ou streamer. – Unité centrale.

8 **Mémoire** ; antémémoire (ou : mémoire cache, cache), mémoire centrale ou principale, mémoire à lecture seule (ou : mémoire morte, ROM), mémoire de masse, mémoire vive ou RAM. – Banc mémoire ; cellule de mémoire.

9 Circuit intégré, microprocesseur, **processeur** ; modem ; interface. – Routeur. – Code ASCII.

10 Disque dur, **disquette** ; carte perforée.

11 **Logiciel** (ou : software, soft) (opposé au matériel), **programme** ; application, microprogramme, moteur de recherche, moteur d'inférence, programme enregistré, programme croisé, sous-programme (ou : procédure, routine). – Progiciel (ou : package, produit-programme) ; **système d'exploitation** ou OS *(Operating System),* système-expert. – Menu. – Champ ou zone.

12 PROGRAMMES

assembleur	programme de contrôle
compilateur	programme de diagnostic ou de test
correcteur ou vérificateur orthographique	programme objet ou résultant
didacticiel	programme résident
gestionnaire de fichiers	superviseur
grapheur	tableur
interpréteur	traducteur
ludiciel	tutorial
messagerie **157**	
moniteur	

13 Didacthèque, logithèque, programmathèque.

14 Capacité ; **compatibilité,** connectabilité ou modularité ; convivialité ; portabilité. – Récursivité.

15 **Bit** (ou : logon, shannon), byte ou octet ; flops ; mégabit, mégaflops, mégaoctet ou méga, mips.

16 **Langage machine,** microlangage ; ADA, ALGOL, APL, BASIC, COBOL, FORTRAN, LISP, LOGO, PASCAL, PL/1, PROLOG, SGML.

17 Algorithme, algorigramme. – Argument de recherche. – **Banque de données,** base de données. – Hypermédia, hypertexte. – Code à barres ou code-barres.

18 Boucle de programme ; **chaîne,** séquence. – Fenêtre, page-écran ; tabulation ; balise, icône ; **fichier,** répertoire. – Clef d'accès, mot de code ou combinaison de code, mot de passe ; **commande** ou contrôle, fonction ; protocole.

19 Bogue ou bug [anglic.]. – Virus ; antivirus.

20 **Informatisation** ou computérisation ; télématisation.

21 OPÉRATIONS INFORMATIQUES

adressage	éclatement
affectation ou assignation	formatage
affichage	incrémentation
analyse	initialisation
analyse numérique	interclassement
appel	interfaçage
branchement	partage de temps ou time-sharing
calcul analogique **87**	podcasting
chaînage	restauration
compilation	saisie ou acquisition
compression numérique	visualisation
configuration	microprogrammation
consultation de fichier	monoprogrammation
dactylocodage	programmation
déverminage	reprogrammation
digitalisation (ou : discrétisation, numérisation)	zonage

22 **Traitement de texte 388** ; C. A. O. (conception assistée par ordinateur), C. F. A. O. (conception et fabrication assistées par ordinateur), D. A. O. (dessin assisté par ordinateur), P. A. O. (publication assistée par ordinateur) ; F. A. O. (fabrication assistée par ordinateur), G. P. A. O. (gestion de production assistée par ordinateur). – E. A. O. (enseignement assisté par ordinateur) ; I. A. O. (ingénierie assistée par ordinateur). – Reconnaissance de la parole, synthèse de la parole ; synthèse vocale.

23 **Informaticien,** ingénieur système ; analyste, analyste-programmeur, développeur, programmeur. – Dactylocodeur, **opératrice de saisie** ; perforateur-vérificateur ou perfo-vérif [anc.]. – Pupitreur. – Bureauticien ; cogniticien. – **Internaute** ; hacker [anglic.], pirate.

V. 24 **Informatiser** ou computériser ; télématiser.

25 Appeler, cliquer, pianoter. – Microprogrammer, programmer, reprogrammer. – Coder, compiler, digitaliser (ou : discrétiser, numériser), éditer, entrer, formater, incrémenter, initialiser, interclasser, paramétrer, visualiser, zoner ; mémoriser, sauvegarder ; restaurer. – Podcaster. – Déboguer.

Adj. 26 **Informatique** ; automatique ; téléinformatique ; bureautique, domotique.

27 Algorithmique, **binaire,** digital ou numérique ; alphanumérique. – Conversationnel ou interactif ; incrémentiel. – Logiciel (opposé à matériel), mémoriel.

28 Informatisable ; microprogrammable, **programmable,** reprogrammable. – **Compatible,** connectable.

Adv. 29 Informatiquement ; automatiquement.

409 INHOSPITALITÉ

N. 1 **Inhospitalité.** – Acrimonie **192** ; froideur, indifférence **401.** – Rejet ; expulsion **292.**

2 Mauvais accueil, soupe à la grimace [fam.].

3 Indésirable *(un indésirable).* – **Persona non grata** ; paria.

V. 4 **Battre froid** ; faire mauvais accueil ou mauvais visage, faire le nez ou la mine, recevoir comme un chien dans un jeu de quilles ; traiter maigrement ; traiter à la fourche. – Refuser ou fermer sa porte ; fermer la porte au nez de qqn. – Fam. : envoyer au loin (ou : au bain, au diable, aux fraises, à la gare, ad patres, aux pelotes, sur les roses, vx : à la balançoire, à l'ours), envoyer balader (ou : bouler, dinguer, paître, pondre, promener), rembarrer ou remballer. – Vulg. : envoyer chier, envoyer pisser, envoyer tartir.

5 Écarter **263.7,** mettre ou tenir à l'écart, rejeter, repousser ; bouder qqn, ignorer qqn. – Chasser, **congédier,** reconduire, refouler, renvoyer ; éconduire, rabrouer.

6 Loc. cour., fam. : allez voir ailleurs si j'y suis ; on ne vous a pas sonné ; vulg. : va te faire voir, va te faire foutre.

7 Exclure **295.8,** exiler ; déloger, déposter.

8 Compter les chevilles ou les clous de la porte, trouver visage de bois. – Arg. : aller aux ours, recevoir la pelle.

Adj. 9 **Inhospitalier** ; ennemi [litt.]. – Inabordable, inaccostable ; invivable. – Farouche, sauvage.

10 Rébarbatif, rebutant, réfrigérant [fam.], **revêche.** – Froid, glacial ; acrimonieux, désagréable. – Maussade, refrogné, renfrogné.

Adv. 11 Inhospitalièrement [rare].

410 INIMITIÉ

N. 1 **Inimitié** ; animosité, hostilité. – **Antipathie,** prévention ; aversion, détestation [litt.], **haine.** – Dégoût, répugnance, répulsion, révulsion [fam.] ; **horreur.** – Antipathie [vx], aversion **62,** incompatibilité d'humeur.

2 Antagonisme, rivalité. – Désaccord **194,** discorde, **mésintelligence** ; dissension.

3 Désamour. – Désaffection ; défaveur, disgrâce, **impopularité.** – Animadversion ; exécration [vx], imprécation, malédiction.

4 Bouderie, **brouille,** dispute, fâcherie, **froid,** refroidissement d'amitié ; conflit **146,** querelle. – Désunion, divorce, division, rupture, scission.

5 Ennemi **354** ; antagoniste, rival **146** ; bête noire.

V. 6 **Détester, haïr.** – Abhorrer [litt.], abominer, avoir horreur ou une sainte horreur de, avoir en horreur, exécrer. – Ne pas souffrir ou ne pas pouvoir souffrir ; ne pas pouvoir sentir (ou : voir, voir en peinture) [fam.] ; très fam. : avoir dans le nez, ne pas pouvoir blairer ou pifer, ne pas pouvoir encaisser.

7 Être comme chien et chat, être à couteaux tirés (ou : en dispute, en guerre ouverte), être en délicatesse ou en coquetterie, **être en froid,** être au plus mal, faire mauvais ménage, ne pas s'accorder. – S'entre-haïr ; s'arracher les yeux [fam.], s'entre-déchirer.

8 Être prévenu contre. – Avoir une dent contre **720,** regarder de travers.

9 **Se brouiller,** se fâcher, rompre ; prendre en grippe ou en haine.

10 Détester [vx], maudire **720.** – Anathématiser, jeter ou lancer l'anathème sur **582.**

11 Désénamourer [vx].

Adj. 12 **Détesté,** haï, honni, mal aimé.

13 **Détestable,** exécrable, haïssable.

14 Irréconciliable.

15 Haineux, mal disposé ; haïsseur [litt.]. – Fielleux, venimeux. – Vindicatif **707.**

Adv. 16 **Inamicalement** ; antipathiquement [vx], haineusement, hostilement.

Prép. 17 Antipathique à [vx], incompatible avec.

18 En détestation de, en horreur de ; en haine de [vieilli], par haine de.

Aff. 19 -phobe, -phobie ; -phobique.

411 ININTELLIGIBILITÉ

N. 1 **Inintelligibilité** ; **incompréhensibilité,** illisibilité, impénétrabilité, imperceptibilité. – **Incompréhension.**

2 **Inintelligibilité** ; **confusion, obscurité,** nébulosité, imprécision ; ésotérisme, hermétisme **751** ; abstraction, complexité **140,**

difficulté. – Absurdité, **incohérence,** nonsens **557** ; ambiguïté **24.**

3 **Bafouillage,** balbutiement, bougonnement, **bredouillement,** grommellement, marmonnement, murmure, patenôtre [vx] ; bourdonnement, brouhaha, cacophonie ; babélisme, tour de Babel ; paroles confuses, sons inarticulés **168.** – Amphigouri [litt.], fatras, galimatias, logogriphe [litt.] ; bouillie pour les chats. – Baragouin, **charabia,** jargon **455.1** ; péj. : bas breton, chinois, hébreu. – Verlan, javanais, loucherbem. – Style apocalyptique ou oraculaire.

4 Gribouillage, **gribouillis,** griffonnage, patarafe [rare] ; hiéroglyphes, pattes de mouche [fam.], signes cabalistiques. – Grimoire ; cryptogramme, message codé. – Casse-tête, casse-tête chinois, charade, devinette, **énigme,** logogriphe, rébus.

5 Articulation relâchée, débit rapide ou haché, élocution difficile ; défaut d'élocution ou de prononciation **839.**

6 Chiffrement, **codage,** cryptage [INFORM.], encodage ; **brouillage,** parasitage ; bruits parasites ou parasites **83.3.** – Cryptologie ; cryptographie, cryptophonie.

7 Bafouilleur *(un bafouilleur).* – Baragouineur.

V. 8 N'avoir ni queue ni tête **557.6** ; c'est du chinois (ou : de l'algèbre, de l'hébreu, du bas breton).

9 Ne rien comprendre ; y perdre son latin. – Donner sa langue au chat ou jeter sa langue aux chiens [vieilli].

10 **Bafouiller,** balbutier, **bredouiller** ; bougonner, grommeler, marmonner, marmotter ; avaler les mots ou des syllabes, parler dans sa barbe ou dans sa moustache, parler entre ses dents ; avoir la bouche ou la langue pâteuse, avoir de la bouillie dans la bouche. – **Chuchoter,** murmurer ; parler bas ou tout bas. – Fam. : **baragouiner,** jargonner. – Parler par énigmes, parler à mots couverts ; se perdre dans les détails, tourner autour du pot [fam.].

11 **Gribouiller,** griffonner **535.13** ; écrire comme un chat ou comme un cochon.

12 **Compliquer,** obscurcir **217.13** ; embrouiller. – **Coder,** encoder ; **brouiller,** parasiter ; noyer le poisson.

Adj. 13 **Inintelligible** ; imperceptible, inaudible, **incompréhensible,** indistinct ; brouillé, **confus,** diffus, flou, imprécis, vague ; **inarticulé,** pâteux, sourd. – **Illisible,** indéchiffrable ; codé **765.28** ; hiéroglyphique.

14 **Inintelligible** ; **impénétrable,** inaccessible, **incompréhensible,** impigeable [fam.], insaisissable ; didact. : abscons, abstrus ; abstrait, ardu, difficile **217.18** ; cabalistique, ésotérique **477.27, hermétique,** sibyllin ; énigmatique **751.26,** mystérieux, **obscur.**

15 **Inintelligible** ; amphigourique [litt.], **compliqué 140.12,** confus, **embrouillé,** nébuleux, obscur ; flou, vague ; alambiqué, filandreux. – Absurde, **incohérent 557.9** ; ambigu **24,** indéfini.

16 **Inintelligible** ; incompréhensible, inconcevable, **inexplicable.** – Incommunicable.

Adv. 17 **Inintelligiblement** ; confusément, **incompréhensiblement, indistinctement.** – Illisiblement. – Hermétiquement **751.32,** obscurément.

412 INJURE

N. 1 **Injure** ; **affront,** avanie, **insulte, offense, outrage** ; camouflet, **humiliation,** mortification, nasarde, **vexation** ; coup de patte, gifle, soufflet. – Contumélie [vx, litt.].

2 **Injure** ; **atteinte,** blessure, coup **160,** ravage ; dommage, préjudice, **tort** ; injustice **413.** – DR. : délit, faute.

3 **Injure** ; insulte, invective, sottise [sout.], vilenie ; épithète malsonnante, nom d'oiseau ; bordée (ou : chapelet, flot, torrent) d'injures, sortie. – **Gros mot,** grossièreté, obscénité. – **Bras d'honneur,** pied de nez.

4 Apostrophe, **attaque 50,** coup de langue, critique, moquerie **532,** pique, sarcasme, vanne [fam.].

5 Agressivité ou **violence verbale** ; calomnie, dénigrement, diffamation. – **Grossièreté,** obscénité, trivialité. – Impertinence, **impolitesse,** impudence, insolence, irrespect **439,** irrévérence. – Colère **130** ; mépris.

6 Diatribe **225.**

7 Insulteur *(un insulteur)* [rare], offenseur ; vexateur *(un vexateur)* [litt.] ; malotru, malpoli *(un malpoli)* [fam.]. – Insulté, offensé.

V. 8 **Injurier** ; bafouer, **insulter,** offenser, outrager ; blesser, froisser, humilier **367,** mortifier, **vexer** ; faire affront, faire injure ; souffleter [fig.]. – Flétrir, salir ; nuire à.

9 **Injurier** ; **insulter** ; abreuver (ou : accabler, agonir, couvrir) d'injures, chanter pouilles à [vx], traiter de tous les noms. – Apostropher, engueu-

ler [très fam.], **invectiver,** maltraiter. – **Conspuer,** honnir [vx], vilipender [litt.] ; traîner dans la boue.

10 Dire (ou : crier, lancer, proférer) des injures, donner des noms d'oiseaux ; fam. : baver, cracher, débagouler, déblatérer, dégoiser, dégueuler, éructer, glapir, vomir. – Blasphémer **737,** maudire.

11 Subir (ou : avaler, essuyer) un outrage ; avaler des couleuvres, en entendre des vertes et des pas mûres [fam.]. – Laver (ou : réparer, venger) un outrage.

Adj. 12 **Injurieux** ; **insultant,** offensant, outrageant, outrageux [vx, litt.] ; blessant, humiliant, **vexant,** vexatoire. – Diffamatoire.

13 **Injurieux** ; **grossier,** obscène, ordurier, trivial, vulgaire.

14 Injurié ; humilié, insulté, offensé, outragé.

15 **Discourtois 226,** grossier, impertinent, **impoli,** impudent, insolent, **insultant** ; irrespectueux **439,** irrévérencieux. – Mal embouché.

16 Injurieux [vx]. – Injuste **413.**

Adv. 17 **Injurieusement** [litt.] ; grossièrement, impoliment, impudemment, **irrespectueusement, irrévéremment** ; trivialement, vulgairement. – Contumélieusement [rare].

413 INJUSTICE

N. 1 **Injustice** ; iniquité, **partialité** ; **inégalité 402.** – **Illégalité,** illégitimité.

2 **Arbitraire** *(l'arbitraire),* injuste *(l'injuste).* – Fait, **fait du prince,** plaisir, bon plaisir. – Justice expéditive, justice sommaire.

3 **Irrégularité** ; indélicatesse, malhonnêteté **485, passe-droit.** – Contravention [DR.], infraction, outrage, violation.

4 **Partialité** ; mauvaise foi, **parti pris,** préjugé **450** ; procès d'intention.

5 Faveur, **piston,** privilège. – Favoritisme, népotisme. – Impunité.

6 **Injustice** *(une injustice)* ; **abus 3,** attentat [fig.], excès, empiétement. – DR. : abus d'autorité ou de pouvoir, abus de droit, déni de justice, excès de pouvoir, harcèlement moral. – Erreur judiciaire, mal-jugé *(un mal-jugé)* [DR.]. – **Contrat léonin,** marché léonin, partage léonin.

7 **Illégitimité.** – Dictature, **oppression 865,** tyrannie **240,** usurpation de pouvoir. – Absolutisme, autocratie, autoritarisme, **despotisme 694,** totalitarisme. – Société léonine.

8 Prov. et loc. prov. : À chevaux maigres vont les mouches ; Le pot de terre contre le pot de fer ; Les gros larrons font pendre les petits ; Le gibet n'est fait que pour les malheureux.

9 **Autocrate,** despote, dictateur, tyran, **oppresseur,** persécuteur, **usurpateur.**

V. 10 **Faire injustice à qqn** [vx]. – Attenter à, commettre une indélicatesse, dénier qqch à qqn, donner une entorse au droit [litt.], outrepasser, usurper, violer. – **Opprimer,** persécuter, tyranniser, violenter. – N'avoir ni foi ni loi.

11 **Abuser,** empiéter. – S'arroger, s'attribuer. – Se tailler la part du lion.

12 **Avantager,** favoriser, privilégier. – Pistonner. – Avoir deux poids deux mesures.

Adj. 13 **Injuste,** inéquitable, inique, léonin *(contrat léonin)* ; à deux vitesses ; inégalitaire, malhonnête **485.** – **Immérité,** indu, infondé, injustifié.

14 **Partial,** de parti pris, tendancieux ; partisan. – **Déloyal,** immoral.

15 **Illégal,** irrégulier ; indélicat. – **Abusif,** arbitraire, usurpé. – Attentatoire, usurpatoire [DR.].

16 **Autoritaire 59,** despotique, dictatorial, oppressif, tyrannique.

17 Impuni.

Adv. 18 **Injustement** ; abusivement, inégalement, **iniquement** ; **arbitrairement,** partialement, tendancieusement ; autoritairement, tyranniquement. – Illégalement, illégitimement, indûment, irrégulièrement, **malhonnêtement.**

19 Avec partialité, à tort ; contre le droit. – Impunément.

414 INNOVATION

N. 1 **Innovation** *(l'innovation)* ; création *(la création).* – Fondation, **invention** ; changement, transformation **104** ; refondation, renouvellement, rénovation **702.** – Exploration, recherche **689.**

2 Créativité, **inventivité** ; fantaisie, hardiesse, inspiration.

3 **Innovation** *(une innovation)* ; création *(une création),* mutation, nouveauté, novation, révolution ; **découverte 179,** trouvaille. – Prototype **521.** – Néologisme **313.**

4 Fraîcheur, **nouveauté,** originalité. – Recommencement, renaissance, renouveau. – Nouveau *(du nouveau).*

5 Innovateur, novateur, **pionnier,** précurseur. – Auteur **252,** créateur **92,** fondateur, introducteur, **inventeur,** promoteur ; initiateur, inspirateur, instigateur ; père fondateur *(les Pères fondateurs de l'Église).* – Moderne *(un moderne, les modernes)* ; avant-garde *(l'avant-garde).* – Querelle des Anciens et des Modernes [allus. hist.].

6 Créatique [didact.].

V. 7 **Innover** ; découvrir **179, inventer,** trouver ; concevoir, élaborer, imaginer. – Changer, renouveler, rénover **747** ; bouleverser, renverser ; réformer, **révolutionner** ; refonder. – Créer, faire naître. – Jeter un jour nouveau sur, revisiter.

8 Faire peau neuve.

Adj. 9 **Innovateur** ; inédit, inhabituel, original, révolutionnaire ; sans équivalent, sans exemple, sans pareil, sans précédent. – Actuel, contemporain ; *in* (angl., « d'actualité, à la mode »), à la dernière mode **262, moderne,** dans le vent.

10 **Nouveau 560** ; dernier, frais, récent ; de fraîche date. – C'est nouveau, ça vient de sortir [loc. plais.].

11 Avant-gardiste, moderne ; novateur. – Créatif, imaginatif, **inventif.**

Adv. 12 Nouvellement **560.**

Aff. 13 Néo-.

415 INOPPORTUNITÉ

N. 1 **Inopportunité** ; importunité, intempestivité [rare]. – Immixtion, **indiscrétion,** ingérence, intrusion.

2 Balourdise, brusquerie, gaucherie, maladresse **483,** messéance [vx] ; bévue, **impair,** sottise ; **gaffe** [fam.]. – Discordance, **fausse note, faux pas.**

3 **Désinvolture,** effronterie **226,** goujaterie, impudence, incongruité, indécence **399.** – **Sans-gêne.**

4 **Gêne** ; confusion, désarroi, embarras, incommodité, trouble.

5 **Importun** ; fâcheux, gêneur, indiscret, intrus ; questionneur. – Empêcheur de danser ou de tourner en rond, **trouble-fête** ; touche-à-tout ; enfant terrible. – Fam. : **casse-pieds,** crampon, enquiquineur, raseur ; pot de colle, colle de pâte.

6 Balourd, lourdaud, maladroit **483.** – Goujat.

V. 7 **Importuner** ; ennuyer **272,** lasser ; excéder, horripiler [fam.], indisposer, irriter, molester [vx] ; fam. : empoisonner, tanner. – Harceler, **incommoder,** persécuter, poursuivre, presser, talonner, tarabuster, tourmenter [vx] ; chicaner [fam.].

8 Déconcerter, démonter, **déranger, embarrasser,** gêner ; s'incruster [fam.]. – Se mêler de ce qui ne vous regarde pas ; **s'immiscer dans,** s'ingérer dans. – Fam. : mêlez-vous de ce qui vous regarde ! (aussi : mêlez-vous de vos affaires, de vos oignons).

9 Mal tomber ou tomber mal ; faire mauvais effet. – Mal choisir son heure (ou : son jour, son moment) ; fam. : arriver comme un cheveu sur la soupe, arriver comme un chien dans un jeu de quilles. – Manquer de délicatesse, manquer de tact ; **gaffer** [fam.]. – Laisser échapper *(laisser échapper une parole, un secret, etc.)* ; parler à tort et à travers ; mot qui en entraîne un autre.

10 Messeoir [vx ou litt.]. – Mal lui a pris de + inf., mal lui en a pris.

11 Loc. prov. : avant l'heure, c'est pas l'heure, après l'heure, c'est plus l'heure [fig., fam.].

Adj. 12 **Inopportun** ; déplacé, déraisonnable, fâcheux, **importun,** incongru, indu, **intempestif,** maladroit, malencontreux **697, malvenu,** prématuré, saugrenu. – Hors de saison ; hors de propos ; mal choisi ; à côté de la plaque [fam.].

13 **Inopportun** ; abrupt, brusque, ennuyeux **272,** envahissant, gênant, incommodant, **inconsidéré,** indiscret, pesant, sans-gêne. – **Insolite, saugrenu 731.** – Abusif **3,** excessif, immodéré ; **de trop.** – Agaçant, crispant, énervant **549,** horripilant [fam.].

14 **Inopportun** ; cavalier, incongru, **inconvenant,** incorrect, indécent **399,** malséant, malsonnant **226,** messéant [vx]. – De mauvais goût ; discordant [fig.].

15 **Importun** ; embarrassant, encombrant, envahissant, fâcheux [vx], fatigant **272,** gênant, indésirable, insupportable. – **Sans-gêne** ; désinvolte, sans vergogne. – Fam. : barbant, bassinant, casse-pieds, collant, crampon, embêtant, enquiquinant, gluant, rasant, tannant.

16 Effronté. – Cynique, dévergondé, **impudent 399,** malappris, malpoli.

Adv. 17 **Inopportunément** [litt.] ; importunément [litt., rare], inconsidérément, intempestivement, mal à propos ; à côté de la plaque [fam.]. – À contretemps, au mauvais moment. – **Inopi-**

nément ; abruptement, brusquement ; à l'improviste **805.**

18 **Inopportunément** [litt.] ; incongrûment, indiscrètement. – Cavalièrement, incorrectement, **indécemment 399.**

416 INSATISFACTION

N. 1 **Insatisfaction** ; **déception 178,** désappointement, **frustration** ; mal-être, mal-vivre ; désabusement, désenchantement, désillusion ; dépit ; dépit amoureux ; bovarysme [litt.]. – État de manque ; sentiment d'incomplétude [litt.]. – Déplaisir **192,** ennui **272, mécontentement** ; chagrin ; amertume, ressentiment. – Colère **130** ; grogne [fam.], mauvaise humeur ; des pleurs et des grincements de dents [allus. bibl.] ; «... la hargne... la grogne et... la rogne » (Charles de Gaulle). – Agitation, impatience **382.**

2 Contrariété ; déboire, **déconvenue.**

3 Inassouvissement, insatisfaction.

4 Insatisfait *(un insatisfait),* mécontent *(un mécontent).*

V. 5 **Décevoir 178,** échauder [fig.] ; surprendre **805,** trahir, tromper **838** ; désabuser, désenchanter, désillusionner ; **frustrer** ; tuer un espoir. – Attrister, chagriner, défriser [fig., fam.], **mécontenter** ; déplaire à **192,** ennuyer **272, fâcher.**

6 Déchanter, se dépiter ; l'avoir ou la trouver mauvaise [fam.] ; **rester sur sa faim.** – Bisquer [fam.]. – Bouder **192,** bougonner, grogner [fam.], pester, rager, râler, **se plaindre. – Se fâcher,** s'impatienter **382.** – Se renfrogner ; faire grise mine, faire mauvais visage ; faire le nez [fam.], faire la gueule [très fam.].

Adj. 7 **Insatisfait** ; dépiteux [vx]. – Acariâtre, aigri, amer [fig.], chagrin, maussade, **mécontent 192** ; ennuyé **272** ; impatient **382** ; grincheux, grognon [fam.]. – De mauvaise humeur ; fam. : de mauvais poil, mal luné.

8 **Insatisfait** ; inapaisé, inassouvi. – **Déçu 178,** dépité, désabusé, désappointé, désillusionné, échaudé, **frustré.**

9 Insatisfaisant [litt.], **insuffisant** ; faible, incorrect, mauvais, médiocre ; à revoir. – Inadéquat. – Inacceptable, **inadmissible,** insupportable, intolérable. – **Décevant,** trompeur **838** ; vx : décepteur, déceptif.

Adv. 10 **Insuffisamment.** – Impatiemment **382.**

Int. 11 Remboursez !

417 INSECTES ET ARACHNIDES

N. 1 **Insecte.** – Aptérygotes, ptérygotes. – Aptères, néoptères, oligonéoptères, paléoptères, paranéoptères, polynéoptères. – Amétaboles, hémimétaboles, holométaboles, paurométaboles. – Blattoptéroïdes ; dictyoptères, isoptères, zoraptères. – Acridiens. – Coléoptéroïdes ; coléoptères. – Dermaptères. – Ectotrophes ; thysanoures. – Entotrophes ; collemboles, diploures, protoures. – Hémiptéroïdes. – Hyménoptéroïdes. – Mécoptéroïdes ; diptères, lépidoptères, mécoptères, trichoptères. – Névroptéroïdes ; mécoptères, mégaloptères, planipennes, raphidioptères. – Odonates ou libellules (anisoptères, zygoptères). – Orthoptéroïdes ; chéleutoptères, isoptères, notoptères, plécoptères, zoraptères. – Psocoptéroïdes ; anoploures, mallophages, psocoptères. – Thysanoptères **856.**

2 FAMILLES DE COLÉOPTÈRES

alléculidés ou cistélidés
anobiidés
anthicidés
anthribidés
bostrychidés
brenthidés
bruchidés
buprestidés
carabidés
caraboïdes
cérambycidés ou longicornes
chrysomélidés
cicindélidés
cléroidés
coccinéllidés
cucujoïdes
curculionidés ou charançons
dascilloïdes
dryopidés
dytiscidés
élatéridés ou taupins
gyrinidés
hétéromères
hydrophilidés
ipidés
lébiidés
malacodermes
paussidés
psélaphidés
ptérostichidés
rynchophores
scarabéidés
scaritidés
staphylinidés
staphylinoïdes
ténébrionidés
tréchidés

3 COLÉOPTÈRES

acanthocine
acrocine ou arlequin de Cayenne
adoxus ou bromius
ægosome
agapanthie
agrile
agriote
aiguillonnier
alaüs
aléochare
allecula
altise
amorphocéphale
amphimalle ou rhizotrogue
anaspis
anisoplie
anobie
anomala
anthaxie
anthonome
anthrène
aphodius
atéleste
ateuchus
atheta
athous
atomaria
attagène
attélabe ou cigarier du chêne
balanin
bélionote

biche
blaps
bledius
bolitophage
bombardier
bostryche
bothynodère
bousier
brachycerus
brachyne
bromius ou écrivain
bruche
bupreste ou richard
byctiscus
byrrhe
calamodius
calandre
callidie
calliste
calosome
cantharide
capnode
capricorne ou longicorne
carabe
carabe doré ou vinaigrier
carpophile
casside
catops
catoxanthe
cébrion
cérambyx
cerf-volant
cétoine
ceuthorynque
chalcophore
charançon
chlorophane
chrysomèle
chrysophore
cicindèle
cigarier ou urbec
clairon
clavigère
cléonine
clyte
clytre
coccinelle ou bête à bon Dieu
colaspidème
colymbète
copris
corymbite
corynète
cosson
crache-sang
criocéphale
criocère
cryptocéphale
cryptorhynchus
cucujo
cybister
cybocéphale
cylade
dascille
dendroctone
dermeste
dicerque
diglosse
ditomus
donacie
dorcadion
dorcus
doryphore
dorytome
drile
dryocœtes
dynaste
dytique
élater
entime
épicaute
ergate
escarbot ou hister
euchroma
eumolpe (ou écrivain, gribouri)
eurythyrea
féronie
foulon
galérite
galéruque
gastroidea
géotrupe
gibbium
gracilie
gyrin
hanneton
hélops
hespérophane
hippodamie
hoplie
hydrophile
hydropore
hylaste
hylastine
hylésine
hylobius
hylotrupe
hypera
hypobore
ips
julodis
labidostome
lacon
lampyre ou ver luisant
languria
lathrobium
lebia
léma
leptidea
lepture
leptusa
lethrus
liode
liparus ou molyte
lissorhoptrus
lixus
loméchuse
longitarse
luciole
lupère
lycte
lymexylon
macrotome
malacoderme
man ou ver blanc
mécasome
melasoma
méligèthe
méloé
micromalthus
moine
mormolyce
mycétopore
mylabre ou zonabris
nebria
nécrobie
nécrophore
neliocopris
novius
œdemère
orycte
otiorhynque
oxythyrea
palmiste
passale
pentodon
peritelus
philonte
phléotribe
photure
phyllobie
pimélie
pissode
pjaussus
polyphylle
prione
psylliode
pterostichus
pyrophore (ou mouche à feu, cucuyo)
quedius
rhagie
rhamnusium
rhynchite
rutèle
saperde
scarabée
scarite
scolyte
silphe
silvain
sitone
staphylin
stenus
taupin
ténébrion ou ver de farine
timarche
tiquet
titan
trechius
tribolium
trichius
trichoptéryx
trogosite ou cadelle
vrillette ou horloge de la mort
xestobium
zabre
zantolinys

4 Hémiptéroïdes. – **Hétéroptères** ; cryptocérates ou hydrocorises (bélostomatidés, népidés), gymnocérates ou géocorises (cimicidés, lygéidés, miridés ou capsidés, pentatomidés, réduviidés, tingidés). – Homoptères ; auchénorhynques (cercopidés, cicadidés, delphacidés, fulgoridés, jassidés, membracidés), sternorhynques (cochenilles ou coccidés ; aleurodidés, aphididés ou aphidiens, chermésidés, psyllidés).

5 **HÉMIPTÉROÏDES**

ælie
aleurode
aphanus
aphrophore
aspidiotus ou pou de San José
bélostome
blissus ou chinch bug
calocoris
cercope
céroplaste
chaitophorinus
chermes
cicadelle
cicadette
cigale
cochenille
cryptocérate ou punaise d'eau
dialeurope
diaspes
dreyfusia

dysdercus
fiorina
gascardia
géocorise ou gymnocérate
gerris
gossyparie
halobate
harpactor
hélopeltis
hotinus
howardie
hyalopterus
hydrocorise
hydromètre
icérye
idiocerus
kermès
lachnus
lecanium
lepidosaphes
leptocorise
lygus
macrosiphum
matsucoccus
mytilaspis
myzus
naucore
nèpe
notonecte
pentatome ou punaise des bois
pericerya
philène
phorodon
phricte
piqueur
platymerus
ploière
porphyrophore ou graine de Pologne
pseudococcus
psylle
puceron
pulvinaire
punaise ou corise
punaise de feu (ou cherche-midi, gendarme, suisse, pyrocoris)
ranatre
réduve
rhodnius
schizoneure ou puceron lanigère
stephanitis ou tigre du poirier
sternorhynque
tettigie
trama
triatome
umbonie
vélie
zicrone

6 Hyménoptéroïdes. – **Hyménoptères** ; symphytes (tenthrèdes, sirex) ; apocrites : aculéates ou porte-aiguillon (apidés, chrysididés, dolichodéridés, dorylidés, formicidés, myrmicidés), térébrants ou porte-tarière (braconidés, chalcidiens ou chalcididés, cynipidés, ichneumonidés). – **Strepsiptères :** mengéidés, stylopidés, halictophagidés, sichotrématidés.

7 HYMÉNOPTÉROÏDES

abeille
ageniaspis
andrène
anergate
anomma
anthidie
anthophore
apanteles
aphéline
apocrite
athalie
atta ou fourmi parasol
aulax
bédégar
bélonogaster
bembex
béthyle
biorhiza
blastophaga
bourdon
camponote
cartonnier
célonite
cèphe
cercéris
chalicodome
charpentier
chartergue
clepte
collète
crabro
crémastogaster
cynips
ergate
eucère
eumène
faux-bourdon
fourmi
frelon
glyphe
guêpe
habrobracon
halicte
hoplocampe
iridomyrnex
isosoma
janus
larra
lasius
leucospis
litomastix
lophyre
lyde
magnan
marabunta
mégachile
mélipone
messor
monomorion ou fourmi de pharaon
mutille
mymar
myrmécocyste
némate
odynère
œcophylle
ooencyrtus
opius
osmie
pélopée
pheidole
philanthe
physergate
pleurotropis
poliste
polyergue ou amazone
polynème
pompile
prosopis
ptéromale
rhodite
rhysse
scolie
scutelliste
sirex ou bouvillon
sphex
tapinome
tapissier
tremex
trichogramme
urocère
xylocope

8 **Diptères.** – Nématocères, brachycères ; cycloraphes, orthoraphes. – Acalyptères ; chloropidés, drosophilidés, trypétidés. – Calyptères ; calliphoridés, cutérébridés, muscidés, œstridés, tachinidés. – **Mouches orthoraphes** ; asilidés, bombylidés, dolichopodidés, empididés, rhagionidés, tabanidés ; phoridés, syrphidés. – Moustiques ; bibionidés, cératopogonidés, chironomidés, cécidomyidés, culicidés, psychodidés, sciaridés. – Hippoboscidés.

9 DIPTÈRES

agromyze
ampoule ou ampullaire
anophèle
anthrax
asile
athérix
braule ou pou des abeilles
cécidomyie ou mouche de Hesse
chlorops
chrysomyia
chrysomyza
chrysops
conops
contarinia
cordylobie
cousin
cutérèbre
dacus
dermatobie
dexie
dicranomyia
diopsis
drosophile ou mouche du vinaigre
échinomyie
éphémère
éristale
fannia
fucellia
gastrophile
glossine ou mouche tsé-tsé
hélomyze
hématobie
hilara
hippelates ou mouche des yeux
hippobosque
hydrellia
hydrotée
hylémyie
hypoderme
ichneumon ou mouche vibrante

idie
lampromyie
lauxanie
leptoconops
leucopis
lipoptène
lixophaga
lonchæa
lucilie ou mouche verte
lydella
maringouin
mélophage
meromyza
miastor
mouche
moucheron
moustique
mydas
myzomyie
nyssorhynque
œstre
oscinelle
panorpe ou mouche scorpion
pégomyie
phlébotome
piophile
psile
psilopa
sapromyze
sarcophage ou mouche grise
simulie
stégomyie
stomoxe
syrphe
taon
teichomyza
tipule
varron
ver
volucelle
wohlfahrtia

10 **Papillons** ; **lépidoptères.** – Homoneures : microptérygidés, hépialidés ; hétéroneures : microlépidoptères (nepticulidés, incurvéridés), hétérocères (cossidés, tinéidés, tortricidés, géométridés, liparidés ou lymantriidés, noctuidés ou noctuelles, notodontidés, ophidéridés, bombycidés, sphingidés, lasiocampidés, uraniidés, pyralidés ou pyrales, ornéodidés, limacodidés), rhopalocères (piéridés, papilionidés, nymphalidés, lycénidés, satyridés).

11 **LÉPIDOPTÈRES**

abraxas ou phalène du groseillier
acherontia (ou atropos, sphinx tête-de-mort)
acidalie
acronycte
actias
adèle
adonis ou belargus
aglaope
aglie
agrotis
alsophila
alucite
amaryllis
apatura
apollon
aporia
araschnia
arctia ou chelonia
argynne ou tabac d'Espagne
argyresthia
argyroplocé ou olethreutes
arrangée
asopia
attacus ou samia
aurore
belle-dame ou vanesse du charbon
biston
boarmie ou grisaille
bois-veiné
bombyx
brassicaire ou piéride du chou
brassolis
cabère
cacœcia
caligo
callimorphe ou écaille
carpocapse ou laspeyresia
castnie
cataclyste
catocale ou lichénée
cecropia
cérostome
cérure
chameau
cheimatobie
chloridea
citron
cochlidion
cochylis
cœnonympha
coliade
cosmotriche ou buveur
cossidé
cossus ou gâte-bois
crambe
crépusculaire
cucullie
cul-brun ou euproctis
cul-doré
cymatophore
danaïde
dasychira
deilephila
demi-deuil
dendrolimus
depressaria
dianthœcia
dicranure
diloba
dyspessa
earias
écaille martre
ephestia
érébia
eriocrania
eriogaster ou bombyx laineux
étoilé
eublemma
eudémis
evetria
fardée
feuille-morte
fiancée
fidonie
flambé
gallérie
gastropacha
gâte-bois
gazé
géléchie
gortyne
gracilaire
grællsia ou isabelle
grapholite
hadène
héliothis
hépiale
hérissonne
herse
hespérie
hibernie
himera
hypène
hyponomeute
kallima
lætilia
lambda
larentie
lasiocampe
leucanie
lithocolletis
lithosie
lophoptéryx
lycène
lymantria
machaon ou porte-queue
macroglosse ou morosphinx
macrothylacea ou bombyx de la ronce
malacosoma
mamestre
mars
maure
mélanitis
micropterygyx
miroir
moine
morio
morpho
nacré
néméobie
nepticula
nonne
notodonte
odonestis
œneis
ophidera
orgye
ornéode
pamphile
paon
paraponyx
parnassius
patte étendue
péronée
phalène
phalère
plusie ou phytomètre
plutelle
porthésie
prays
priam
procris ou ino
psyché
pygære
samia
saturnie ou grand paon de nuit
satyre
sésamie
sésie ou ægeria
silène
smérinthe
soufré
sphinx
spilonote ou penthine
staurope ou harpye du hêtre
sylvain
teigne

thaïs ou zerynthia
thecla
tordeuse
tortrix
trichiure
trochilium
uranie
uraptéryx ou phalène du sureau
vanesse
vulcain
zigzag ou bombyx disparate
zygène

12 **Arachnide** ; araignée, scorpion. – **Acariens** ; actinotriches ; actinédides (érythréidés, hydrachnellidés, thrombiculidés, thrombididés), oribates, sarcoptiformes (acaridés, analgidés, sarcoptidés) ; anactinotriches (métastigmates, mésostigmates). – Notostigmates. – **Amblypyges** (charontidés). – **Aranéides, araignées** ; labidognathes ou **aranéomorphes :** cribellates, écribellates (aranéidés, drassidés, dysdéridés, lycosidés, mimétidés, salticidés, sicariidés, thomisidés) ; orthognathes ; liphistiomorphes ou mésotèles, mygalomorphes ou théraphosomorphes (cténizidés). – **Opilions** (ou faucheurs, faucheux) ; cyphophthalmes. – Palpigrades. – **Pseudoscorpions** ou chernèles ; hétérosphyronides (chthoniidés, tridenchthoniidés), monosphyronides (chéiridiidés, chéliféridés, chernétidés). – Ricinuléides. – Schizomides. – **Scorpions** (bothriuridés, buthidés, chactidés, chærilidés, diplocentridés, scorpionidés, véjovidés). – **Solifuges** (ammotréchidés, galéodidés). – Uropyges (thélyphonidés).

13 **ARACHNIDES**

agélène
amaurobius
androctonus
aoûtat (ou rouget, vendangeon)
archée
argas
argiope
argyronète
atrax
atypus
bathyphante
centrure
chiracanthium
ciron (ou tyroglyphe, mite du fromage)
clubione
cténize
cyclocosmie
demodex
dermanyssus
désis
dinopis
dolomedes
épeire
érèse
érigone
ériophyes
faucheux
filistate
galéode
glycyphage
gnaphose
halacarus
haplogyne
harpacte
hydrachne
hydrachnelle
hyptiote
latrodecte
latrodecte de Corse ou malmignatte
lycose
meta
mille-pattes
misumène
mygale
néphile
nops
pholque
pisaure
psoroptes
saltique
sarcopte
scolopendre
scorpion
tarentule
tégénaire
théraphose
théridion
thomise
tique (ou ixode, ricin)
veuve

14 **ODONATES**

aeschne
agrion
anax
caloptéryx
cordulie
gomphus
ischnura
lestes
libellule ou demoiselle
meganeura

15 **ORTHOPTÈRES**

barbitiste
chorthippus
chrysochraon
cœlifère
conocéphale
courtilière ou taupe-grillon
criquet
dectique
dociostaurus
éphippigère
gomphocère
grillon
locuste
magicienne
œdipode
sauterelle
schistocerque
tettigonie

CHÉLEUTOPTÈRES

bâton-du-diable ou phasme de France
eurycanthe
phasme
phyllie

16 **AUTRES ARTHROPODES**

acerentomon
bacille
bittacus
blabère
blatte (ou cafard, cancrelat, meunier)
borée
calliptamus
campode
ceratophyllus
cloé ou cloéon
collembole
cténocéphale
cæcilius
embie
empuse
forficule (ou perce-oreille, pince-oreille)
fourmi-lion
goniocote
hematopinus
hémérobe
hodoterme
hoplopsyllus
japyx
labidure
lachésille ou pou de bois
lépisme ou petit poisson d'argent
leptopsylla
liotheum
lipeure
lithomantis
mante
mante religieuse ou mante prie-Dieu
mantispe
morpion [fam.] ou phtirius
panorpe
phrygane
phyllodromie
podure
pou
psoque
puce
raphidie
sialis
termite
thrips

17 Bec, chélicère, glosse, hypopharynx, hypostome, labelle, labium, labre, lèvre, ligule, **masque, mandibule,** mâchoire, maxille ou maxillule, maxillaire, spiritrompe, **suçoir, trompe.** – **Corselet,** prothorax, métathorax, mésothorax, thorax ; céphalothorax, deutocérébron. – Abdomen, postabdomen, préabdo-

men ; anneau, métamère, segment ; apodème, lame chitineuse, sternite, sternum, tergite ; **cuilleron,** cuticule, épicuticule, exocuticule ; cerque, queue. – **Aile,** androconie, balancier, bord distal, **élytre,** frein, hamule, hémélytre, nervation, nervure cubitale, squamule, tegmen. – Stigmate, trachée. – Cornéule, facette, ocelle, ommatidie, stemmate, yeux. – **Antenne,** massue, palpe, paraglosse, peigne, poils tactiles, ptilinum, sensille. – **Aiguillon, dard,** filière, gorgeret, pince, stylet ; oviscapte, ovopositeur, tarière.

18 Corps allate, corps cardiaque, ecdysone ; disque imaginal. – Bourse, cocon, coque, induse ou indusie, nid, oothèque, puparium.

19 **Chenille** ; chenille fileuse ou hyponomeute, limaçonne, oursonne ; chenille arpenteuse ou géomètre, chenille processionnaire ; chrysalide, **larve, nymphe,** pupe, ver.

20 Arpenteuse, **asticot 856,** lente, magnan ou ver à soie, man ou ver blanc, **mite,** porte-bois, pyrale, thaumétopée, torcel, turc, zeuzère.

21 Miellification. – Bourdonnement **170.**

22 État nymphal, subimago, état adulte ; intermue. – Exuviation, **métamorphose, mue,** mue imaginale, mue nymphale, nymphose, pupation ; pédogenèse, thélytoquie. – Diapause, quiescence. – Essaimage, migration.

23 Dimorphisme saisonnier, dimorphisme sexuel ; pœcilandrie, pœcilogynie, polymorphisme.

24 Bourse, **fourmilière, guêpier,** nid, termitière. – Colonie, **essaim.** – Insectarium, nopalerie, **ruche.**

25 Cheveu d'ange, fil, **toile d'araignée.**

26 **Insecticide,** pesticide [anglic.], antiacarien – Insectifuge ; insectillice [didact.]. – Moustiquaire, tapette, tue-mouches.

27 **Insectologie** ; apidiologie, entomologie, myrmécologie.

28 Apiculture.

29 **Entomologiste** *(un entomologiste).*

V. 30 **Butiner,** papillonner. – Broyer, darder, piquer, ronger, térébrer. – Fourmiller, grouiller, pulluler. – Se chrysalider.

Adj. 31 Ampélophage, anthophage, bibliophage, adéphage ou carnivore, coprophage, entomophage, mélophage, mycophage, néophage, phytophage, polyphage, pupivore, rhizophage, scatophage, xylophage. – Radicicole.

32 Apneumone, dipneumone, tétrapneumone ; hémipneustique. – Alifère ; aptère, diptère, tétraptère ; néoptère, paléoptère. – Hémimétabole, holométabole. – Mellifère, mellifique. – Sérigène. – Formicant, formique.

Aff. 33 -ptère, -ptéroïde ; -idé, -oïde.

418 INSENSIBILITÉ

N. 1 **Insensibilité** ; impassibilité, imperturbabilité, **indifférence 401.** – Apathie, détachement ; ataraxie [PHILOS.], nirvana. – Stoïcisme. – Équanimité [litt.], flegme, impavidité [litt.], indolence, nonchalance. – Sang-froid, self-control (angl., « contrôle de soi »). – **Désinvolture,** inertie, langueur.

2 Cruauté, **dureté 248,** froideur, inhumanité, monstruosité, rudesse ; aridité, sécheresse. – Blasement [rare] ; dessèchement, endurcissement. – **Égoïsme 257,** indifférentisme [sout.].

3 Autisme [PSYCHIATRIE].

4 Imperméabilité, incompréhension ; désaffection, **désintérêt.** – Grossièreté, vulgarité ; philistinisme [sout.].

5 **Insensibilité** ; frigidité. – Aveuglement, cécité, surdité. – État second, fakirisme, hypnose ; **inconscience 397** ; léthargie. – Défaillance, évanouissement, syncope ; catatonie, coma, engourdissement. – Insensibilisation ; anesthésie, hémianesthésie ; analgésie.

6 Zone morte [CYBERN.].

7 Insensible *(un insensible).* – Fig. : cœur d'airain [litt.], cœur de bronze, cœur de granit, **cœur de pierre** ; animal à sang froid, monstre ; dur *(un dur),* dur à cuire [fam.], glaçon [fam.] ; mur *(parler à un mur).*

8 Béotien, philistin ; fam. : bovin, bouseux, plouc.

V. 9 Ne pas sourciller, voir qqch d'un œil sec ; être de bois, rester de glace, **rester de marbre.** – Vivre dans sa coquille, vivre dans sa tour d'ivoire. – **Se blaser,** se dessécher, s'endurcir.

10 **Se désintéresser de.**

11 Défaillir, **perdre connaissance,** tomber dans les pommes [fam.] ; se pâmer [sout.].

12 **Insensibiliser** ; aguerrir, blaser, endurcir, vacciner [fig.] ; blinder [fam.], cuirasser. – **Dessécher,** ossifier, racornir ; abrutir. – Désensibiliser, déshumaniser.

13 **Insensibiliser** ; anesthésier, chloroformer, droguer, engourdir. – Mithridatiser **267.**

Adj. 14 **Insensible** ; impassible, imperturbable, **indifférent 401.** – Apathique, ataraxique [didact.] ; stoïque ; **calme,** placide, serein. – Équanime [vx], flegmatique, impavide [litt.], indolent, nonchalant ; **désinvolte,** languide.

15 **Froid,** glacial ; desséché, sec ; adamantin [poét., rare], de bronze, bronzé [vx] ; sans âme, sans cœur ; **égoïste.**

16 Autiste [PSYCHIATRIE].

17 Impitoyable, implacable, inexorable ; cruel [vx], **inhumain.**

18 **Insensible** ; étranger, fermé, imperméable, inaccessible, sourd ; rebelle, **réfractaire.** – **Grossier,** vulgaire.

19 Insensibilisé ; accoutumé, **aguerri,** endurci, habitué ; à toute épreuve, coriace [fam.], dur.

20 Catatonique, engourdi. – Frigide. – Mithridatisé. – Anesthésique ; analgésique.

21 Minéral, **mort.** – Aveugle, sourd ; inconscient.

Adv. 22 **Imperturbablement.** – Stoïquement ; **calmement,** placidement, sereinement. – Nonchalamment. – **Durement,** froidement ; implacablement, inexorablement.

419 INSIGNIFIANCE

N. 1 **Insignifiance** ; fadeur, inanité, inconsistance, inintérêt [didact.], vanité. – **Banalité,** futilité, légèreté, superficialité. – Faiblesse, **médiocrité 500,** modicité, nullité, petitesse **616** ; bénignité. – Humilité.

2 **Détail,** misère *(une misère),* rien *(un rien)* ; queue de cerise [fam.] ; **bagatelle 602.4,** bêtise, bricole, broutille, peccadille, plaisanterie, vétille. – Goutte d'eau dans la mer, quantité négligeable. – À-côté *(un à-côté),* incident ; amuse-gueule [fam., fig.].

3 Fam. : crotte de bique, roupie de sansonnet ; bibine, petite bière ; gnognot(t)e.

4 Menu fretin [fam.]. – Cinquième roue du carrosse.

5 **Babiole,** bibelot, bimbeloterie, brimborion [litt.], colifichet, fanfreluche(s), gadget.

6 Badinage, **bavardage,** caquetage, verbiage. – Souv. pl. : **baliverne,** billevesée, calembredaine, fadaise, faribole, niaiserie ; querelle byzantine. – Banalité, cliché, lieu commun [RHÉT.] **630.**

V. 7 **Ne pas peser lourd,** ne pas tirer (ou porter) à conséquence ; ne rien changer à qqch. – **Ne rien faire** *(cela ne fait rien),* n'être rien *(ce n'est rien),* ne pas être méchant [fam.]. – Compter pour rien, compter pour du beurre [fam.] ; avoir un rôle décoratif. – Être égal *(ça m'est égal),* indifférer *(ça m'indiffère),* ne faire ni chaud ni froid. – **N'avoir** ou **ne présenter aucun intérêt.**

8 Chipoter [fam.], ergoter, **pinailler** [fam.] ; couper les cheveux en quatre. – Badiner, **bavarder,** caqueter ; parler de choses et d'autres, parler de la pluie et du beau temps, parler pour ne rien dire.

9 Compter pour rien ; **faire peu de cas de,** faire fi de ; **ne pas se soucier de,** prendre à la légère, prendre à la rigolade [fam.]. – Sous-estimer **789.** – Rire de, **se moquer de 401** ; se fiche ou se ficher de [fam.], se foutre de [très fam.].

10 Ce n'est pas la peine d'en parler, il n'y a pas de quoi fouetter un chat [fam.].

11 **Minimiser.** – Secondariser [didact.].

Adj. 12 **Insignifiant** ; anodin, contingent, inconsistant, véniel ; de peu de poids, de peu de portée, sans conséquence, sans importance. – Accessoire, annexe, mineur, négligeable, **secondaire.** – Bénin, **superficiel.**

13 Frivole, futile, **léger,** vain ; nul, vide. – Banal, commun, médiocre, **ordinaire,** quelconque. – Aseptisé, fade, insipide ; falot, modeste, terne. – Inintéressant, **sans intérêt** ; sans valeur ; de quatre sous, de rien du tout [fam.].

14 Mince, minime, minuscule, modique, **petit** ; imperceptible [fig.], impondérable, infime. – Dérisoire, ridicule [fig.] ; malheureux, **misérable.**

420 INSOCIABILITÉ

N. 1 **Insociabilité** ; asociabilité, asocialité ; **individualisme** ; incivisme. – Agoraphobie, solitarisme [PSYCHIATRIE] **779.** – Marginalité ; désocialisation, inadaptation [PSYCHOL.] ; inadaptabilité [rare] ; insoumission **200.**

2 **Misanthropie** ; litt. : ourserie, renfrognement. – Atrabile [vx].

3 **Asocial** *(un asocial).* – Inadapté *(un inadapté),* **marginal** *(un marginal).* – Révolté *(un révolté)* **728.**

4 **Misanthrope** *(un misanthrope)* ; ennemi du genre humain ; **ours** ; vieilli : hibou, loup-garou ; bâton épineux ; pisse-froid ou pisse-vinaigre [fam.].

5 Refuge, retraite, tour d'ivoire ; tanière.

V. 6 Se cloîtrer, se confiner, **s'isoler 779,** se retirer ; s'enfermer dans sa tour d'ivoire, rentrer dans sa coquille ou, vx, dans sa coque, rester à l'écart, rester dans son coin, se tenir à l'écart ; vivre dans sa bulle [fam.] ; se suffire à soi-même. – Bouder, fuir le monde, renoncer au monde **701.**

7 Faire le vide autour de soi. – Éconduire, éloigner **263.7,** tenir à distance.

8 Il n'est pas à prendre avec des pincettes, on ne sait par quel bout le prendre.

Adj. 9 **Asocial,** insociable, insocial [vx] ; farouche, **sauvage, solitaire** ; agoraphobe ; inaccessible, introverti ou, didact., introvertif **714.** – Antisocial ou anti-social, désocialisé, marginal ; incivique ; individualiste.

10 **Misanthrope** ; acariâtre, haineux, hargneux, rogue, revêche ; vieilli : atrabilaire, bilieux, quinteux **130.** – Chagrin, grognon ou, rare, grogneur, **maussade, morose,** renfrogné, taciturne ; boudeur, bougon. – **Bourru,** incivil **226,** mal dégrossi, mal léché. – Impossible **564,** impraticable, **invivable** ; de mauvaise compagnie.

11 Misanthropique [litt.] ; acerbe **248,** acrimonieux.

Adv. 12 Solitairement ; à l'écart.

421 INSTANT

N. 1 **Instant** ; **moment 528.** – Seconde, quart de seconde ; minute.

2 Éclair **473,** étincelle, *flash* (anglic., « éclair ») ; fulgurance, illumination. – Comète, étoile filante, météore ; flèche, fusée. – Caprice, passade, toquade. – Déjeuner de soleil, feu de paille ; château de cartes.

3 Instantanéité ; **brièveté,** fugitivité. – Immédiateté, soudaineté ; simultanéité **768.** – Précarité ; éphémérité [sout. et rare]. – Imminence, urgence.

4 Abrègement, **raccourcissement** ; diminution **220,** réduction.

5 Instantané *(un instantané)* [PHOT.]. – Instantanéisme [didact.].

V. 6 Être l'affaire d'un instant, n'être que l'affaire d'un instant. – N'avoir (aussi : ne faire, ne durer) qu'un temps ; ne pas faire long feu. – Ne pas faire de vieux os **28.**

7 N'avoir pas un instant à perdre ; ne pas perdre un instant, un seul instant. – N'avoir pas un instant, pas un moment à soi. – Avoir le couteau sur (ou sous) la gorge.

8 Passer, ne faire que passer ; ne faire qu'une apparition ; passer comme un bolide (aussi : comme une comète, comme une étoile filante, comme une fusée, comme un météore).

9 Imminer [litt.], être imminent [plus cour.] – Urger [fam.].

10 Instantanéiser [TECHN. et didact.].

Adj. 11 Instantané ; immédiat. – Soudain, subit ; abrupt, brusque, brutal. – Rapide **684** ; précipité. – Extemporané [MÉD.].

12 **Momentané** ; bref, court, fugace, fugitif, passager ; d'un instant, d'un moment, de courte durée, de peu de durée. – Éphémère, passager, précaire **325,** temporaire, transitoire.

13 Imminent, instant [vx et sout.], **urgent.**

14 Instantané *(verbe instantané)* par opposition à duratif [GRAMM.]. – Instantanéiste [didact.].

Adv. 15 **Instantanément** ; instamment [sout.] ; **à l'instant,** dans l'instant [sout.], sur l'instant [sout.], tout à l'instant [vx] ; à la seconde, à la minute. – Extemporanément [MÉD.].

16 **Immédiatement** ; incontinent [sout.] ; fam. : illico, illico presto ; sur-le-champ, tout de suite ; sans attendre, sans délai, sans tarder, sans plus tarder. – D'urgence. – **Aussitôt,** sitôt. – Loc. cour. : sitôt dit, sitôt fait ; aussitôt pris, aussitôt pendu [vieilli].

17 **Soudain,** soudainement [litt.], **subitement** ; fam. : subito, subito presto. – Tout à coup, **tout d'un coup.** – **Brusquement** ; abruptement, *ex abrupto* (lat., « abruptement ») ; à brûle-pourpoint, sans crier gare, tout à trac. – Précipitamment.

18 **Rapidement** ; **en un instant,** en un moment ; en cinq sec, en un clin d'œil, en un tournemain. – Au quart de tour ; du tac au tac ; de but en blanc.

19 Dans un instant, dans un moment ; **bientôt 332,** incessamment ; d'un instant à l'autre, d'un moment à l'autre, sous peu, d'ici peu.

20 **Momentanément,** passagèrement, provisoirement, temporairement. – Brièvement [rare], éphémèrement [rare], fugitivement. – À la passade ou en passade [vx].

Conj. 21 Dès l'instant que ; aussitôt que, dès que, sitôt que.

Aff. 22 Brachy-.

422 INSTRUMENTS DE MUSIQUE

N. 1 **Instrument de musique.** – Instruments à vent (bois, cuivres), instruments à cordes (cordes frottées, pincées, frappées), percussions. – Aérophone, cordophone, idiophone, lithophone, membraphone, métallophone.

2 Composition de l'orchestre. – Chef d'orchestre, chef. – Premiers violons, seconds violons ; altos ; violoncelles, contrebasses ; harpe. – Flûtes, hautbois, clarinettes, bassons, contrebassons ; cors, trompettes, trombones, tubas. – Instruments à percussion ; cymbales, timbales, triangle.

3 **Instruments à cordes** ou cordes. – Instruments de l'orchestre : alto, contrebasse, **violon,** violoncelle ; harpe. – Instruments à cordes pincées : banjo, **guitare** (ou, fam., gratte), mandoline. – Instruments anciens à cordes pincées : cistre, cithare, dulcimer, **luth,** théorbe ou téorbe. – ANTIQ. : lyre, psaltérion.

4 Instruments exotiques à cordes pincées. – Vihuela [Espagne]. – Charango [Amérique latine]. – Bouzouki ou buzuki [Grèce]. – Balalaïka [Russie]. – Afrique : harpe-cithare, kora. – Monde arabe : oud, qanun. – Iran : kamantche, setar. – Chine : pipa, qin, zheng. – Japon : biwa, koto, samisen ou shamisen. – Inde : rabab ou rebab, sarod, sitar, vina.

5 Instruments à cordes frottées : **violon** ; pochette, trois-quarts ; sarangi [Inde]. – Instruments anciens à cordes frottées : gigue, rebec, vièle, vielle, **viole** ; viole de bras, viole de gambe.

6 **Instruments à vent** (ou : vents, instruments à air). – **Cuivres.** – Instruments de l'orchestre : cor, trombone, trompette, tuba. – Instruments à pistons : bugle, hélicon, saxhorn ; bombardon, cornet à pistons, **trombone à pistons.** – Instruments à clés : ophicléide, **saxophone** ou, fam., saxo. – Clairon ; cor de chasse ; lituus.

7 **Bois.** – Instruments de l'orchestre : basson, contrebasson, clarinette, **flûte** (flûte traversière), hautbois. – Flûtes : fifre, flabiol ou flaviol, flageolet, flûte à bec, flûte de Pan ou syrinx, galoubet, larigot [anc.], ocarina, piccolo, pipeau ; nay ou ney ; quena ; ANTIQ. : aulos, diaule. – Alboka. – Hautbois : rhaïta ou ghaïta ; shanai ; zourna ; zurla. – Alphorn ou cor des Alpes. – Harmonica.

8 **Instruments à percussion** ou percussions. – Instruments de l'orchestre : timbale, cymbales, glockenspiel ou carillon, triangle, vibraphone, xylophone. – Grosse caisse, **tambour,** tambourin, timbale. – Cymbale ; gong. – **Cloche** ; triangle.

9 **Batterie.** – Caisse claire ou tom aigu ; tom médium ; tom basse ; grosse caisse. – Cymbale, cymbale charleston. – Woodblock, cow bell. – Baguettes, balais, mailloches.

10 Instruments secoués : chapeau chinois, cliquette, crécelle, grelot, hochet, maracas, sistre, tambour de basque. – Instruments frottés ou racleurs : washboard. – Castagnettes.

11 Instruments exotiques. – Afrique : balafon, marimba ; **tam-tam,** tumba. – Bongo [Amérique latine] ; conga [Cuba]. – Monde arabe : daff ou duff, darbouka ou derbouka, nacaire, tabl. – Tabla [Inde].

12 **Piano** ou, vx, pianoforte ; piano droit, piano à queue ; crapaud, demi-queue. – Anc. : **clavecin,** clavicorde, épinette, virginal. – Cymbalum ou tympanon.

13 **Orgue** ; orgue portatif, positif ; grand-orgue ; harmonium ; hydraule ou orgue hydraulique [ANTIQ.] ; sheng ou cheng [Chine]. – **Orgue mécanique :** limonaire, orgue de Barbarie, serinette [anc.].

14 **Trompe** ; buccin, conque. – Instruments à air ambiant : rhombe ; harpe éolienne.

15 Cornemuses : bagpipe, biniou, cabrette, **cornemuse,** loure [anc.], pibcorn.

16 **Accordéon** ou, pop., piano à bretelles ; bandonéon, concertina.

17 Ondes Martenot. – Instruments électroniques : boîte à rythmes, **synthétiseur** ou, fam., synthé.

18 Guimbarde.

19 Parties du piano. – **Clavier** ; touche. – Pédale. – Marteau ; échappement, étouffoir.

20 Parties de l'orgue. – **Buffet.** – Pédalier ; pédale ; tirasse. – Soufflerie, soufflet ; sommier. – Soupape ; registre ; touche ; abrégé. – Jeu ou **jeu d'orgue.**

21 Parties des cuivres. – Bec ; embouchure. – **Anche.** – Clef ; piston. – Pavillon.

22 Parties des instruments à corde. – **Caisse de résonance** ou corps ; table d'harmonie ; cordier ; ouïe, rosace ou rose ; âme ; chevalet. – **Manche** ; sillet.

23 Parties des tambours : **caisse,** fût ; tirants, timbres ; peau. – Parties de la cloche : battant, cerveau ou calotte, panse.

24 **Corde** ou corde vibrante ; bourdon, chanterelle.

25 **Archet** ; baguette, mèche. – Plectre ou médiator.

26 Accordoir ; retendoir. – **Diapason** ; monocorde. – Métronome.

27 **Facture** ; archèterie, lutherie.

28 Accordeur. – **Facteur** ; archetier, luthier ; organier ou facteur d'orgues.

29 Organologie. – Organologue.

V. 30 **Accorder** ; désaccorder. – Jouer **542.**

31 **Résonner 781** ; vibrer.

Adj. 32 **Instrumental.** – Pianistique.

33 Organologique.

423 INTÉGRATION

N. 1 **Intégration** ; **assimilation.** – Absorption ; amalgame **501** ; fusionnement **725.** – Incorporation ; unification. – Acculturation [SOCIOL.] ; syncrétisme. – Adaptation.

2 **Intégrité** ; entièreté. – Intégralité **823,** plénitude.

3 Intégralisme ; intégrisme.

4 Politique d'intégration [HIST.].

5 Assimilabilité [didact.] ; **intégrabilité** [didact.].

6 Intégrateur [didact.]. – **Circuit intégré** ; RITA (réseau intégré de transmission automatique), RNIS (réseau numérique à intégration de services).

7 Intégrationniste *(un intégrationniste)* ; intégriste.

V. 8 **Intégrer.** – Assimiler, incorporer ; amalgamer, mêler. – Unifier ; confondre, fondre, fusionner ; rattacher. – Désenclaver.

9 Comprendre, inclure ; **absorber.**

10 S'intégrer, s'adapter ; s'assimiler. – S'incorporer ; se fondre, s'imprégner ; se confondre.

Adj. 11 **Intégré** ; assimilé. – Incorporé, confondu. – Compris, inclus.

12 **Assimilable** ; intégrable [didact.].

13 Intégratif ; assimilatif. – Assimilant [rare] ; assimilatoire [LING.].

14 **Intégral,** complet ; entier, intègre.

15 Intégraliste ; intégriste.

Adv. 16 **Intégralement.** – Intègrement.

17 Tout compris.

424 INTELLIGENCE

N. 1 **Intelligence.** – Génie, ingéniosité, virtuosité. – Acuité, **finesse 316,** subtilité. – Brio ; souplesse d'esprit ; promptitude, **vivacité 302.** – Génialité [rare].

2 Aptitude, **capacité,** compétence, faculté, pouvoir, qualité ; moyens, possibilités. – Bosse [fam.], disposition, **don,** facilité, talent.

3 Esprit d'à-propos, **présence d'esprit** ; humour **628,** malice. – Boutade, bon mot, mot d'esprit, pointe, repartie, saillie, trait.

4 Intelligence artificielle [INFORM.].

5 Académie, cénacle, cercle, chapelle, club, faculté ; intelligentsia. – Bureau d'esprit [vx], salon.

6 **Génie,** grand esprit, **intelligence** *(une intelligence)* ; bel esprit, homme d'esprit. – Cérébral *(un cérébral),* cérébraliste [rare], cerveau *(un cerveau ; fuite des cerveaux),* **intellectuel,** intello [fam. et souv. péj.], pur esprit ; intellocrate [fam.]. – **Prodige,** surdoué, virtuose ; phénix [litt.].

7 Fam. – Aigle, as, cervelle, **crack,** grosse tête ; lumière. – Arg. scol. : bête à concours **800.8** ; bottier ; major. – Fort en thème.

V. 8 **Avoir l'esprit bien fait,** la tête bien faite ; avoir du jugement ; fam. : n'être pas le dernier des imbéciles.

9 Faire assaut d'esprit, briller, étinceler, pétiller. – **Faire de l'esprit** ; piquer [litt.]. – Fam. : avoir de l'esprit comme quatre, avoir de l'esprit jusqu'au bout des doigts ou des ongles.

10 Cultiver ou exercer son intelligence, ouvrir son esprit.

Adj. 11 **Intelligent,** spirituel ; esprité [région.]. – Brillant, **doué,** génial ; ingénieux, talentueux. – Dégourdi, délié **10,** éveillé, prompt, vif. – Astucieux, avisé, **futé** [fam.], rusé ; finaud, finet [vx] ; malin comme un singe, rusé comme un renard.

12 Cérébraliste [rare] ; intellectuel, intello [fam. et souv. péj.]. – Intelligentiel [vx].

Adv. 13 **Intelligemment** ; génialement, magistralement, talentueusement. – Lucidement.

425 INTELLIGIBILITÉ

N. 1 **Intelligibilité** ; compréhensibilité, **lisibilité.**

2 **Intelligibilité** ; **clarté,** compréhensibilité, limpidité, **netteté,** perspicuité [vx] ; cohérence, justesse, précision, rationalité ; conci-

sion. – Facilité, **simplicité** 767 ; trivialité [SC.] ; évidence.

3 Articulation, débit, bonne diction, bonne élocution **346, bonne prononciation.**

4 Intelligibilité [didact.]. – Intelligible *(l'intelligible)* (opposé à sensible) *(le sensible)* ; métaphysique *(la métaphysique)* **620.**

5 Compréhension **275,** intelligence ; appréhension [PHILOS.], perception **214.**

6 Déchiffrage, **décodage,** décryptage ou décryptement, traduction ; **vulgarisation.** – Cryptanalyse.

7 Éclaircissement. – **Langage clair,** traduction ; message clair, version simplifiée. – Évidence, truisme ; lapalissade.

8 Clef, code **411,** décrypteur ; cryptographe.

V. 9 **Articuler,** épeler, bien prononcer ; détacher ou marteler les mots ou les syllabes, énoncer clairement, parler distinctement, parler à haute et intelligible voix ; passer la rampe [fam.].

10 Aller droit au but, appeler un chat un chat ou les choses par leur nom, parler sans détour, ne pas s'embarrasser de mots ou de phrases, ne pas mâcher ses mots ; « Ce que l'on conçoit bien s'énonce clairement, / Et les mots pour le dire arrivent aisément » (Boileau). – **Signifier,** préciser ; se faire bien comprendre, mettre les points sur les i. – Désambiguïser **24** ; lever une ambiguïté.

11 Aller ou parler de soi, couler de source, tomber sous le sens.

12 Déchiffrer, **décoder,** décrypter, **traduire.** – Éclairer, éclaircir, expliciter, expliquer. – Populariser [vieilli], **vulgariser** ; **simplifier** ; mettre à la portée du public. – Se mettre à la portée de.

13 Appréhender, **comprendre,** concevoir, pénétrer, saisir. – Entendre, percevoir.

Adj. 14 **Intelligible** ; **clair, compréhensible** ; accessible, facile, **simple** ; articulé, audible, distinct, **net,** perceptible **214** ; déchiffrable, **lisible** ; décodé.

15 **Clair,** limpide, net ; évident, **explicite,** implicite, lumineux, transparent ; clair comme de l'eau de roche, clair et net. – Défini, déterminé, **précis,** univoque ; exprès, formel. – Cohérent, sensé.

16 PHILOS. : intelligible (opposé à sensible) ; a priori. – Concevable, pensable ; possible.

Adv. 17 **Intelligiblement** ; clairement, **distinctement,** nettement ; à haute voix, à haute et intelligible voix.

18 **Clairement,** explicitement, expressément, formellement ; lisiblement ; **en clair,** en termes clairs, en toutes lettres ; sans ambiguïté, sans équivoque. – Sans ambages.

426 INTEMPÉRANCE

N. 1 Intempérance [litt.] ; **démesure,** *hubris* (gr., « démesure »), immodération [vieilli] ; abus **3,** exagération, **excès 294.** – Extravagance, exubérance, frénésie ; orgueil **312.** – **Débauche,** incontinence, luxure **475.**

2 **Intempérance** ; gloutonnerie **342,** goinfrerie, gourmandise ; ivrognerie **441.**

3 Débordements, déportements, **dérèglements,** désordres, frasques, fredaines, intempérances. – Vie de bâton de chaise (ou : de patachon, de polichinelle).

4 Intempérance [litt.] ou intempérance de langage, licence, outrance. – Prolixité **665.**

5 Intempérant *(un intempérant)* ; bambochard [fam., vx], noceur. – Sardanapale *(un sardanapale)* [litt.].

V. 6 **Abuser de 3,** faire une orgie de [fam.] ; passer les bornes, passer la mesure ; ne pas savoir s'arrêter.

7 Passer d'un extrême à l'autre ; c'est tout l'un ou tout l'autre [loc. cour., fam.].

8 **Faire la fête** ; bambocher [fam., vieilli] ; fam. : faire la bombe, **faire la noce 629,** faire la vie ; mener la vie à grandes guides [sout.] ; brûler la chandelle par les deux bouts, creuser sa fosse [fam.]. – **Faire des excès** ; se gaver, se goinfrer, manger comme quatre **342** ; boire comme un trou **441.** – Dilapider **191.**

9 Débaucher, pervertir.

10 Se débaucher ; s'abandonner, se laisser aller ; se débrailler [sout.].

Adj. 11 Intempérant [litt.], intempéré [vx] ; **excessif, immodéré.** – Extravagant, exubérant, frénétique ; orgueilleux **304.** – **Débauché,** incontinent, luxurieux **142** ; sardanapalesque [vx, litt.].

12 **Intempérant** ; glouton **342,** goinfre, gourmand ; ivrogne **441.**

13 Abusif **3, excessif,** extrême, immodéré, outrancier, outré ; débridé, effréné.

Adv. 14 Démesurément, **immodérément** ; abusivement, exagérément, **excessivement,** outrageusement.

15 Outre mesure ; plus que de raison. – **Trop 823** ; à l'excès, jusqu'à l'excès ; à l'extrême, à la folie, à la fureur.

427 INTENSITÉ

N. 1 **Intensité.** – Amplitude, grandeur **359,** vitesse **684.** – **Énergie,** force, puissance, vigueur **864.**

2 Acuité. – Enthousiasme **276, excitation,** surexcitation ; vivacité. – Frénésie, passion **600** ; fureur, rage. – Exaltation, radicalité, véhémence, virulence ; **violence 865.**

3 Brillance, **éclat,** luminescence **473.** – Intensité sonore **781** ; sonorie.

4 Paroxysme ; **climax** [angl.], faîte, pic, pinacle, point culminant, sommet ; maximum, summum. – Apogée, comble ; acmé, zénith.

5 **Intensification** ; accroissement, augmentation **294** ; accentuation, amplification, exacerbation, exaspération [litt.] ; **saturation.** – Abus, excès **294** ; démesure, outrance.

6 Aggravation **16.** – **Recrudescence,** redoublement ; réveil.

7 Extrémisme, fanatisme, jusqu'au-boutisme [fam.], radicalité.

8 LING. : accent d'intensité (ou : dynamique, expiratoire). – Intensif *(un intensif)* **535.**

9 **Intensimètre** ; ampèremètre.

10 Extrémiste, fana [fam.], fanatique, jusqu'au-boutiste [fam.].

V. 11 **Intensifier** ; accentuer, accélérer, accroître, amplifier, augmenter ; aviver, vivifier. – Réveiller, raviver, revivifier. – Ragaillardir, ranimer **353.**

12 **Exacerber,** exaspérer [litt.] ; exciter, galvaniser, stimuler. – Échauffer, électriser, enflammer ; fam. : allumer, chauffer à blanc ; enthousiasmer, passionner. – **Suractiver,** surexciter.

13 Aggraver. – **Redoubler** ; doubler **210,** tripler, etc. – Culminer ; maximiser ou maximaliser. – Saturer ; arriver à saturation.

Adj. 14 **Intense** ; dense **187.** – Immense, profond ; incommensurable, insondable. – Exceptionnel, **remarquable** ; indescriptible, inénarrable, ineffable ; indicible [litt.].

15 **Aigu,** ardent, impérieux ; exacerbé, exaspéré [litt.]. – Suraigu, tonitruant. – Insupportable, intolérable. – Excessif, **extrême** ; radical.

16 Fulgurant, rapide comme l'éclair.

17 **Intensif** ; énergique, fort, puissant, vigoureux. – Dynamique, vif, vivace ; virulent ; fougueux, impétueux, véhément, **violent.** – Redoublé ; dans toute sa puissance, superpuissant. – Effréné, frénétique.

18 Bon, **grand** ; formidable, fou [fam.], géant [fam.], magnifique, superbe. – Fabuleux, fantastique, féerique, merveilleux. – Divin, sublime, suprême.

19 Excitant, *exciting* [angl.]. – Surexcitant. – **Bouleversant,** renversant [fam.].

20 **Extraordinaire.** – Fam. : extra, super ; génial.

21 **Terrible.** – Fam. : carabiné, fameux, gratiné, pas piqué des hannetons ou des vers, soigné ; de cheval, d'enfer, de tous les diables.

22 De dernière importance, de la plus haute importance.

23 Agressif, **forcé** ; criard, cru, outré, provocant, violent ; éblouissant, éclatant ; aveuglant.

Adv. 24 **Intensément,** intensivement.

25 Fougueusement, impétueusement, **violemment.** – Véhémentement [vx], vivement.

26 Énergiquement, fortement, puissamment, vigoureusement ; terriblement. – À tous crins ou à tout crin [fam.], à toute force ; de vive force.

27 Beaucoup, **énormément,** fort, tout, très ; considérablement. – Ardemment, furieusement, passionnément ; **extrêmement,** souverainement, suprêmement. – Absolument, carrément [fam.], complètement, entièrement, parfaitement, radicalement. – En diable. – Éperdument.

28 Pour comble, pour renfort de potage [fam.].

29 **Grandement,** immensément, infiniment, largement **456.** – **Exceptionnellement,** extraordinairement, prodigieusement, remarquablement.

30 Magnifiquement, **merveilleusement,** superbement ; fabuleusement, fantastiquement, follement, formidablement, incroyablement. – Excessivement.

31 Abominablement, affreusement, atrocement, effroyablement, horriblement, mortellement, **terriblement.**

32 Fam. : fameusement, **rudement** ; bigrement, bougrement, diablement, drôlement, fichtrement,

fichûment [vx], foutrement, joliment, méchamment, salement, vachement, vilainement.

33 Fam. : à fond, à mort, à mourir ou à en mourir ; à en crever. – À l'extrême, **à la folie,** à la fureur ; au possible.

34 À bouche que veux-tu, à cœur ou à corps perdu, **à gorge déployée,** à ventre déboutonné [fam.].

35 **Au dernier degré,** au plus haut degré, au suprême degré ; au dernier période [vx ou litt.] ; au dernier point, au plus haut point ; à un point inimaginable, à un point de non-retour ; **au summum.**

36 **Jusqu'à la garde,** jusqu'à la gauche [vx], jusqu'au bout des ongles, jusqu'aux dents ; plutôt deux fois qu'une.

37 Dans toute la force du terme ; au-delà de toute expression.

38 Tant, **tellement** ; si. – Combien, ô combien ; comme. – Fam. : comme c'est pas permis, comme c'est pas possible, comme jamais ; comme pas deux, comme tout, faut voir comme. – Comme une bête [fam.], comme un dieu.

39 MUS., ital. : **crescendo,** fortissimo.

Prép. 40 Au plus fort de ; au paroxysme de. – Au point de. – En plein dans.

Aff. 41 Archi-, sur- ; extra-, super-, supra- ; hyper-, hypra- ; ultra-.

428 INTENTION

N. 1 **Intention** ; **dessein, idée,** plan, **projet,** propos. – Aspiration, **désir,** détermination, **résolution 716,** volonté **870** ; velléité ; le chemin de l'enfer est pavé de bonnes intentions [prov.] **271.** – Déclaration d'intention. – Procès d'intention **450.**

2 **Intention** ; **but 86.1,** fin, objectif, visée, vue ; **finalité.** – Cause, **mobile,** motif **536.1.**

3 **Intention** ; **arrière-pensée,** calcul ; préméditation.

4 **Intentions** ; **dispositions** ; bonne foi, mauvaise foi ; dispositions d'esprit, esprit.

5 Intention ; **pensée.** – **Direction** ; adresse, destination.

6 RELIG. : **direction d'intention** ; casuistique, justification, purification ; jésuitisme **373.**

7 Intentionnalité [PSYCHOL.], préméditation.

V. 8 **Avoir l'intention de** + inf. ; **envisager 332,** penser à, **projeter 664,** se proposer de, songer à ; avoir en tête de. – Arrêter, **décider** ; se mettre en tête de. – **Désirer 199, vouloir** ; entendre, exiger, prétendre.

9 Calculer, **préméditer** ; avoir une idée derrière la tête. – Faire exprès de. – Prêter des intentions à.

10 PHILOS. : intentionnaliser ; intentionner.

11 **Viser** ; exprimer, signifier **753,** vouloir dire.

Adj. 12 **Intentionnel** ; conscient, délibéré, **prémédité,** volontaire, **voulu** ; dirigé.

13 **Intentionné** ; bien intentionné, bienveillant ; malintentionné, malveillant.

Adv. 14 **Intentionnellement** ; délibérément, **exprès,** sciemment, **volontairement** ; à dessein, de propos délibéré. – Avec intention, **avec préméditation.** – Sans intention.

15 Intentionnellement ; **en intention,** par la pensée.

16 Dans l'intention de ; pour ; afin de, dans le dessein (ou, critiqué, dans le but) de, en vue de **86.14.**

Conj. 17 Afin que, pour que.

429 INTERDICTION

N. 1 **Interdiction** ; **défense,** prohibition ; empêchement [rare] ; vx : défens ou défends, inhibition. – **Défense de** ou interdiction de + v., prohibition de + v. [vx].

2 DR. – Interdiction légale ; interdiction correctionnelle. – Interdiction civile ou judiciaire, mise en tutelle. – Interdiction de séjour ; ban [vx], bannissement.

3 **Condamnation 144, mise à l'index 582,** refus **693** ; bâillonnement, censure, boycottage ou boycott. – **Dégradation 227,** destitution **292,** suspension.

4 Incapacité [DR.].

5 Interdiction *(une interdiction),* **interdit,** tabou *(un tabou)* ; barrage **567,** barrière.

6 RELIG. : Index ou Indice [vx].

7 PSYCHAN. : **surmoi** ou sur-moi ; instance interdictrice ; superego [rare]. – Censure ; refoulement **715.**

8 Prohibitionnisme [HIST.].

9 Censeur. – Interdicteur *(un interdicteur)* ; empêcheur [vx].

10 Interdit *(tuteur d'un interdit)* [DR.].

V. 11 **Interdire** ; défendre ; faire défense [vieilli]. – Fermer *(fermer la voie, fermer les frontières).*

– **Refuser 693.** – « Il est interdit d'interdire » [slogan de mai 68].

12 **Empêcher** ; dispenser qqn de [par euph.] ; inhiber [vx]. – Tenir qqn en bride **240.**

13 **Exclure 295.8.** – Prononcer l'interdit contre qqn ; jeter l'interdit ou l'exclusive sur qqn **582.** – Frapper d'interdiction, **mettre à l'index,** mettre en quarantaine.

14 **Condamner 144,** proscrire **582.** – Repousser. – Censurer. – DR. : **prohiber** ; inhiber [vx]. – Tabouer [rare], tabouiser [litt.] **736.** – Mettre à ban [région.].

15 **S'opposer à 572** ; faire obstacle à, mettre son veto à **715.**

16 **S'interdire qqch** ; se défendre de, se garder de, **se refuser à 693.**

Adj. 17 **Interdit** ; défendu, illégal, illicite – Tabou, taboué [rare].

18 DR. : dirimant, prohibitif ; inhibitoire [vx]. – Prohibitoire [HIST.]. – Censorial.

19 Surmoïque [PSYCHAN.].

20 Censurable.

21 Prohibiteur *(un père prohibiteur)* [sout.].

430 INTÉRIEUR

N. 1 **Intérieur** ; **dedans** *(le dedans).* – Centre **96,** contenu **152,** milieu **514.**

2 Fig. : moelle, noyau, substratum, tréfonds ; entrailles, sein.

3 Intériorité, sens interne ou intime [PHILOS.] ; intériorisation [didact.], internalisation [didact.], introjection [PSYCHAN.], **introspection,** introversion, monologue intérieur, recueillement **657,** repliement sur soi ; égocentrisme **257.** – Intimité, intimisme.

4 Âme **380.3,** cœur, conscience, esprit, fond, for intérieur.

5 **Arrière-pays,** hinterland **695,** intérieur des terres ; mer intérieure. – **Chez-soi,** demeure, foyer, **intérieur,** logis **481.** – Odeur d'enfermé ou de renfermé.

6 Enfermement **208,** **internement,** séquestration.

7 Inclusion **396,** infiltration, ingérence, **introduction,** intromission, pénétration **608** ; importation. – Entrelardage, farcissure, **fourrage,** lardage.

V. 8 Comporter, contenir, **inclure.** – Incorporer, internaliser [didact.], **introduire** ; enfoncer, injecter, insuffler, remplir. – Emboîter, encastrer, enchâsser, enchatonner, endenter. – Apporter, **importer.** – **Intérioriser** [PSYCHAN.] ; inculquer.

9 Emballer **151.11,** engranger, parquer, serrer. – Chambrer, cloîtrer, consigner. – Enfermer, **interner** ; détenir **208,** séquestrer.

10 Être dans le giron de **514** ; **être dans la place,** être dans les murs. – S'enfermer dans son cocon, se retirer dans son cocon ; rentrer *(rentrer au logis)* ; rester dans *(rester dans son intérieur).*

11 Passer à travers, **pénétrer,** percer, transir, transpercer, traverser ; fendre la foule. – Imbiber, **imprégner,** tremper ; fig. : abreuver, baigner. – Infiltrer, miner, noyauter. – Carotter [TECHN.]. – Glisser, s'enfoncer, s'infiltrer, s'insinuer **278.**

12 Se recueillir. – S'enfermer, s'isoler **779,** se cantonner, se confiner. – Se cloîtrer, s'emprisonner, se barricader, se cadenasser, se claquemurer. – Anglic. : cocooner, faire du cocooning.

Adj. 13 **Intérieur.** – Enfoncé, profond ; fig. : captif, emprisonné, prisonnier ; renfermé, rentré ; introverti, secret. – Interne, internel [vx], intrinsèque ; endogène [didact.]. – **Intestin** *(luttes intestines),* intime, privé ; psychique. – D'intérieur *(femme d'intérieur, vêtements d'intérieur).*

Adv. 14 **À l'intérieur** ; au fond de son cœur, **en soi-même,** intérieurement ; en secret **751,** secrètement, tout bas ; **dans l'intimité,** intimement. – Jusqu'à la moelle, jusqu'aux os.

15 Céans ; intra-muros. – Dans le texte. – À la corde ; par l'intérieur.

Prép. 16 **Chez, dans, dedans** [vx], **en, parmi.** – Au-dedans de, au sein de ; **au cœur de,** au milieu de ; au fond de. – En dedans de.

Aff. 17 Endo-, ento- ; **in-, inter-,** intra-, intro-.

431 INTERJECTIONS

REM. Selon l'usage orthographique français, les interjections sont systématiquement suivies de points d'exclamation. Ceux-ci ont été supprimés dans le présent article pour une meilleure lisibilité.

N. 1 **Interjection** ; **exclamation** ; cri **168,** onomatopée, parole **595** ; juron. – Appel, exhortation **268,** injonction **133.**

2 Expression d'un sentiment. – Admiration, étonnement : ah, oh ; bigre (ou : boufre, bougre), bonté divine, boudi [région.], ça, ça alors, ciel *(juste ciel),* diable, diantre, fichtre ou foutre [pop.], ma doué [région.],

mâtin, mazette, mince, mince alors, peste, putain [pop.], Seigneur – Approbation : certes, oui, si, si fait [vx]. – Commisération : pécaïre, peuchère [région.]. – Conviction : là, na, et tac, et toc. – Dédain : fi, foin ; pfft, pouah ; beuh, beurk. – Douleur : aïe, ouille ; hélas, las [vieilli], malheur, misère, pauvre de + pron. *(pauvre de moi, de nous),* zut [fam.]. – Doute, incertitude, incrédulité : euh, hum ; mon œil, ouais, ouiche, taratata. – Évidence : dame *(dame oui, dame non),* parbleu, pardi, pardienne [vx], pardieu ; et comment. – Frustration : bernique ; fam. : ceinture, tintin. – Indifférence : bah, bast ou baste, bof ; n'importe, peu importe. – Intérêt : haha, héhé. – Ironie : eh, hé hé. – Provocation : chiche. – Refus : nenni [vx], non, que nenni. – Résignation : bon, tant pis. – Satisfaction : eurêka, hourra, youpi ; chic, chouette, tant mieux. – Soulagement : ouf.

3 Apostrophe, appel ; prière. – Ô ; hé, hello, hé oh, hep, ohé, holà, psitt, psst ; allô, oui ; hum ; dis donc, dites donc, tiens, tenez. – À l'aide, au secours, sauve qui peut, S. O. S. ; grâce, de grâce, pitié, par pitié. – Avertissement : alerte, attention, gare, vingt-deux [arg.].

4 Injonction, ordre. – Chut, motus, basta, silence, stop ; arrière, haut les mains, feu, hop, hue, oust ou ouste, sus, zou ; minute ; là, tout beau, tout doux, patience, voyons.

5 Encouragement. – Allez, allons, courage, haut les cœurs, va ; olé ou ollé ; bravo, bravissimo ; bis. – Improbation : à bas, hou.

6 Jurons. – Acré [vieilli], bon sang, bordel [pop.], caramba, crédié [vx], crénom, crénom de nom, crotte [fam.], flûte, fouchtra [région.], merde [très fam.], mince, nom de Dieu [blasphème], nom d'un chien, tonnerre, tonnerre de Brest, morbleu, sacristi, saperlipopette, saperlotte, saprelotte, sapristi, scrogneugneu, zut ; région. : cap de diou, cadédis ; vx : corbleu, jarnicoton, mordieu, palsambleu, sacredieu, tudieu, ventrebleu, vertubleu, vertuchou.

7 Onomatopées. – Badaboum, bing, boum, patapouf, patatras, pif, pif paf, ploc, plouf, pouf, poum ; clac, clic, couac, crac, cric ; ding, drelin ; flac, flic-flac, floc ; paf, pan ; slam, splash ; tac, toc, vlan ; vroum ; coin-coin, tsoin-tsoin. – Miam-miam, sniff ; brrr.

8 Formules de politesse. – Bonjour, coucou ; adieu, au revoir, ciao, salut [fam.] **741** ; s'il te plaît, s'il vous plaît ; merci – Tchin, tchin tchin.

9 Interjections interrogatives. – Comment ? hein ? plaît-il ? qui est là ? qui va là ? qui vive ?

V. 10 Interjeter ; **s'exclamer 168.**

11 Appeler, héler. – Enjoindre **133.** – Avertir, prévenir. – Acclamer, huer. – Jurer, sacrer [fam.] ; blasphémer **737** ; jurer comme un païen ou comme un charretier.

Adj. 12 Interjectif ; exclamatif.

432 INTERPRÉTATION

N. 1 **Interprétation** ; **explication,** sens **753,** signification ; anagogie [didact.] ; définition. – Analyse ; diagnostic **775.**

2 **Interprétation** ; éclaircissement **425, explication,** simplification ; décodage, lecture, **traduction** ; littéralisme **459.** – Commentaire, exégèse, glose, métaphrase [didact.], paraphrase ; annotation, scolie ou scholie [didact.] ; notule.

3 **Interprétation** ; leçon [didact.], **lecture,** variante, **version.** – **Traduction, transcription,** translitération ou translittération ; adaptation, **transposition.** – Calque, métonomasie [rare].

4 **Interprétation** ; incarnation, **représentation 709.** – Exécution, **jeu.**

5 **Interprétation** ; compréhension **275, perception,** vision ; *Weltanschauung* [PHILOS.] **375** ; **point de vue 613** ; façon de voir ou de comprendre. – Présentation, **version.**

6 **Interprétation** ; **extrapolation,** fabulation **378,** roman [fig.], vue de l'esprit ; conclusion hâtive, induction **682.** – Procès d'intention **428.** – Délire d'interprétation [PSYCHIATRIE].

7 Mésinterprétation [didact.] ; interprétation abusive, **interprétation erronée** ; confusion, contresens **753,** faux-sens ; **erreur d'interprétation.** – Malentendu, méprise **283.**

8 Interprétation ; **interprétariat,** traduction **455.**

9 Didact. – Herméneutique *(l'herméneutique)* ; divination **235.** – Séméiologie ou sémiologie **765** ; étiologie **775.**

10 **Interprète** ; **commentateur,** critique *(un critique),* exégète, glossateur, interprétateur [vx] ; didact. : hiérogrammate ou hiérogrammatiste, métaphraste, scoliaste ou scholiaste ; **traducteur** ; vx : drogman, truchement. – Intermédiaire, médiateur, **porte-parole.** – **Artiste 659.**

11 Interprétant *(un interprétant)* [PSYCHOL.].

12 INFORM. : interpréteur ; compilateur, traducteur **408.**

V. 13 **Interpréter** ; éclaircir, éclairer, **expliquer 753** ; donner un sens à, mettre en lumière ;

commenter, gloser. – Décoder, **lire** ; deviner **434** ; **traduire.**

14 **Interpréter** ; **adapter,** traduire, traiter, transposer ; romancer.

15 **Interpréter** ; incarner, représenter **709.** – Exécuter, **jouer.**

16 **Interpréter** ; **comprendre,** considérer, entendre **275,** percevoir, **prendre** ; donner tel sens à ; prendre dans le sens de. – Prendre au pied de la lettre, prendre au sérieux (opposé à prendre à la légère), prendre en riant ou, fam., à la blague ; prendre bien (opposé à prendre mal), prendre du bon côté (opposé à prendre du mauvais côté), prendre en bonne part (opposé à prendre en mauvaise part) ; voir tout en rose (opposé à voir tout en noir).

17 **Interpréter** ; **extrapoler 682** ; tirer des conclusions ou des conclusions hâtives de ou d'après. – Fabuler ; imaginer des choses **378,** se faire des idées ; fam. : bâtir un roman, faire du roman, se faire du cinéma. – Prêter des intentions à **428.**

18 Mésinterpréter [litt.] ; s'abuser, **se méprendre 283,** mésentendre [vx ou litt.] ; comprendre ou entendre de travers, faire une erreur d'interprétation. – **Confondre.** – Interpréter abusivement ; **déformer,** dénaturer, dévoyer, travestir ; détourner le sens de, torturer ou forcer le sens de, tourner les choses à sa manière, tourner ou tirer à son avantage.

Adj. 19 **Interprétatif** ; **explicatif,** interprétateur [vx] ; interprétant [PSYCHOL.].

20 Interprétable ; **compréhensible 425,** déchiffrable ; signifiant **753** ; ambigu **24,** équivoque ; univoque. – Jouable.

Adv. 21 Interprétativement [rare] ; explicativement.

22 Abusivement **3,** fallacieusement **283.**

433 INTERVALLE

N. 1 **Intervalle** ; entre-deux *(un entre-deux),* **espace** ; **distance 232, écart,** écartement, espacement ; décalage. – Intervalle [MATH.] ; écart, fourchette [STAT.]. – MUS. : seconde, tierce, quarte, quinte, sixte, septième, octave **459** ; intervalle augmenté, diminué, majeur, mineur.

2 **Intervalle** ; blanc, **espace,** vide ; échappée, entrecolonne ou entrecolonnement [ARCHIT., IMPRIM.], entre-nerf [REL.], entre-nœud [BOT.], entrevous [CONSTR.], **interligne** ou, rare, entre-ligne ; CH. DE F. : entre-rail, entrevoie.

3 **Intervalle** ; **interstice 756** ; fente, méat [BOT.], vide ; hiatus, interruption **223,** saut.

4 Intervalle [fig.] ; **différence 216,** écart, marge ; fossé.

5 IMPRIM. : interlignage ; espace *(une espace).* – Insertion, intercalation ; interlinéation [didact.].

6 Échelonnement, **espacement** ; distanciation [didact.] **232.**

V. 7 **Espacer** ; détacher, isoler, séparer **756** ; **échelonner,** jalonner ; interligner [IMPRIM.] ; laisser un blanc, passer ou sauter une ligne.

8 Insérer, intercaler.

Adj. 9 **Espacé** ; **échelonné,** discontinu, séparé.

10 Intervallaire [didact.] ; intermédiaire ; **interstitiel** ; intercostal, interdental, interlinéaire. – Intercurrent [didact.].

Adv. 11 **À intervalles réguliers,** en quinconce ; de loin en loin, de place en place, par intervalles.

12 **Dans l'intervalle,** au milieu.

Prép. 13 **Entre** ; au milieu de.

Aff. 14 Entre-, inter-.

434 INTUITION

N. 1 **Intuition** *(l'intuition).* – Instinct ; feeling [anglic.], flair [fam.], nez [fam.]. – Esprit de finesse (opposé par Pascal à esprit de géométrie) **316,** l'intelligence du cœur ; psychologie. – Clairvoyance, **compréhension 425,** lucidité ; perspicacité.

2 Connaissance immédiate, **connaissance intuitive** ; intussusception [didact., vieilli]. – PHILOS. : intuition psychologique, intuition sensible ; intuition d'évidence ou intuition rationnelle, intuition d'invention ou intuition divinatrice ; intuition intellectuelle ou métaphysique ; intuition cartésienne, intuition bergsonienne. – Vision intuitive [THÉOL.].

3 Divination **235** ; empathie [didact.] ; double vue, seconde vue ; **sixième sens.**

4 PHILOS. : aperception (Leibniz), intuitionisme ou intuitionnisme, logique intuitionniste ; intuitivisme [didact.].

5 Intuition *(une intuition)* ; impression, sensation **754, sentiment** ; appréhension. – Prémonition, prescience, **pressentiment.** – Illumination, inspiration ; coup de génie, trait de génie ; idée **375,** lueur, prénotion, soupçon ; insight (angl., « intuition »).

V. 6 **Comprendre 424,** saisir, toucher du doigt. – **Sentir** ; détecter **207,** deviner, flairer, ressentir ; avoir le sens de qqch. – Avoir des antennes, avoir le nez creux, sentir les choses, avoir le compas dans l'œil. – Intuitionner [PHILOS.]. – Intuiter [fam.].

7 **Pressentir,** soupçonner, subodorer ; appréhender que, craindre que. – Présager, prévoir. – Mon petit doigt me dit que [fam.], quelque chose me dit que.

Adj. 8 **Intuitif,** intuitionnel [didact.] ; **instinctif,** spontané ; direct, immédiat ; automatique.

9 Pénétrant, **perspicace** ; clairvoyant, lucide, prescient ; inspiré ; bien inspiré. – Intuitiviste [didact.] ; intuitionniste [PHILOS.].

Adv. 10 **Intuitivement** ; instinctivement, spontanément.

11 D'instinct. – Fam. : au feeling, au pif, au pifomètre. – À l'estime, au juger ou au jugé ; **à vue de nez 868** ; à vue de pays [fam.].

435 INUTILITÉ

N. 1 **Inutilité** ; inanité, inefficacité **393,** stérilité, vanité. – Superfétation, surcharge.

2 **Futilité** ; faiblesse, frivolité, superfétation, superfluité **294.2.** – **Insignifiance 419,** néant, superficialité, vacuité **404.1,** vide.

3 Inutile *(l'inutile),* superflu *(le superflu).*

4 Babiole, bagatelle, bibus [vx], bricole [fam.], broutille, colifichet, frivolité ; faribole, **vétille,** rien *(un rien, des riens).* – **Gadget,** hochet [fig.]. – Cautère sur une jambe de bois, coup d'épée dans l'eau, onguent miton mitaine [fam.], poudre de perlimpinpin. – Chiffon de papier.

5 **Balivernes** ; balançoires [vx], banalités **630,** billevesées, calembredaines, fadaises, fariboles, futilités, sornettes ; propos en l'air.

6 **Redondance** ; pléonasme, redite, remplissage, verbiage **595** ; bouche-trou ; fatras, longueurs. – Battologie, logomachie, tautologie, verbalisme.

7 **Inutile** *(un inutile)* ; bon à rien, bouche inutile, incapable **249,** nullité, soliveau [allus. à la fable de La Fontaine imitée d'Ésope *Les grenouilles qui demandent un roi*], zéro ; fam. : fumiste, rigolo. – Cinquième roue du carrosse, ardélion [vx], mouche du coche ; bouche-trou.

8 Improductif, **oisif 393,** songe-creux.

V. 9 Lanterner, musarder **393** ; vx : baguenauder, niaiser, vétiller. – Battre l'eau avec un bâton, enfiler des perles, peigner la girafe [fam.], semer sur le sable, tirer sa poudre aux moineaux.

10 Baliverner, caqueter, jacasser **665** ; aboyer à la lune ; parler en l'air ou parler pour ne rien dire ; **parler à un mur** (ou : aux rochers, à un sourd), parler dans le vide, prêcher dans le désert **249.** – Vulg. : c'est comme si on pissait dans un violon, dans une clarinette [fam.].

11 Faire double emploi. – Rester lettre morte.

Adj. 12 **Inutile** ; superfétatoire, superflu **294.15,** vain. – Anodin, creux, dérisoire, insignifiant **419,** **oiseux,** stérile, vide ; logomachique [péj.], redondant, tautologique. – **Futile,** frivole, superficiel.

13 **Inefficace,** infructueux, nul, vain. – Sans effet, sans portée, sans résultat ; sans importance.

14 **Inutilisable** ; caduc, périmé, suranné ; hors d'usage. – Inexploitable ; improductif.

15 **Inutilisé** ; désaffecté, inexploité ; en friche.

Adv. 16 **Inutilement,** vainement ; en pure perte, en vain ; pour néant [vx], pour rien.

17 **Inefficacement,** stérilement ; pour la forme ; à vide.

436 INVERSION

N. 1 **Inversion** ; permutation **797.** – **Interversion** ; déplacement, transposition.

2 **Intervertissement** [vx ou litt.]. – Rebroussement, retournement ; bouleversement **104,** coup d'accordéon [fam.], **renversement.** – Régression.

3 **Inverse** *(l'inverse)* **572,** sens inverse. – Contraire, contre-pied, rebours, retour. – Culbute. – TECHN. : alternat, dévirage.

4 Didact. : rétrodéviation, rétroflexion, **rétroposition, rétroversion** ; invagination. – Commutation [TECHN.]. – Inversion de relief [GÉOGR.]. – Inversion thermique [CLIMATOL.].

5 Construction inversée, **inversion 346** ; hyperbate [RHÉT.] ; métathèse [PHON.].

6 **Reflet** ; **image inversée** ; envers, revers. – PHOT. : inversible ou film inversible, négatif *(un négatif)* **621,** contre-épreuve [GRAV.] ; contre-profil [MENUIS.] ; contre-courbe [ARCHIT.].

7 **Miroir.** – ÉLECTR. : **commutateur, permutatrice** ; commutatrice [SC.] ; TECHN. : **inverseur,** inverseur de poussée. – Rebroussoir [TEXT.].

8 **Permutabilité** [didact.]. – Réversibilité.

V. 9 **Inverser,** invertir [vx ou litt.] ; **intervertir** ; transposer. – Commuter, **permuter.** – Refléter.

10 **Renverser** ; **retourner.** – Basculer **579,** cabaner [MAR.]. – Subvertir **728** ; bouleverser. – Rebrousser.

11 **Commuter, permuter** ; changer de sens – **Aller en sens inverse** ; faire marche arrière, rebrousser chemin. NAVIG. : nager à culer, scier. – Rétropédaler **193.** – Régresser. – Capoter **249,** chavirer ; se renverser, se retourner. – Culbuter.

Adj. 12 **Inverse** ; **contraire, opposé** ; rétrograde **206.** – Alternatif *(courant marin alternatif)* [HYDROL.]. – Permutant.

13 Didact. : **inversif** *(langues inversives),* **permutatif.** – Inversible [PHOT.] ; réversible. – **Inversable, permutable.**

14 **Inversé** ; renversé ; à l'envers, **en miroir** ; rétrofléchi, rétroversé. – Interverti ; inverti. – Incus [NUMISM., rare]. – CHIM. et didact. : chiral, énantiomorphe.

Adv. 15 **À rebours,** en sens contraire. – Sens dessus dessous, sens devant derrière ou, vx, devant derrière ; à l'envers ; tête-bêche.

16 **À l'inverse, inversement** ; au contraire, à l'opposé. – En retour ; réciproquement, vice versa.

Prép. 17 **Dans le sens contraire de,** dans le sens inverse de, dans le sens opposé de.

18 **À l'inverse de** ; à l'opposé de ; au contraire de, contrairement à ; à rebours de, au rebours de.

Aff. 19 Rétro- ; contre-.

437 INVISIBILITÉ

N. 1 **Invisibilité.** – Imperceptibilité, indiscernabilité [didact.]. – Immatérialité **380.1.**

2 **Invisible** *(l'invisible* opposé à *le visible)* ; l'infiniment petit (opposé à l'infiniment grand), l'inobservable.

V. 3 **Cacher,** dissimuler **751,** dérober aux regards, soustraire à la vue ; fam. : camoufler, planquer ; mucher [dial.] ; dérober sa marche [MIL.]. – **Faire disparaître** ; escamoter, subtiliser **869.**

4 **Masquer** ; gazer [vieilli], voiler ; éclipser, offusquer [vx] ; boucher la vue.

5 **Disparaître 228.7,** échapper à la vue ; passer inaperçu. – S'évanouir **303,** s'évaporer ; s'envoler.

Adj. 6 **Invisible** ; infiniment petit, microscopique. – Indécelable, indiscernable, inobservable ; inapparent [litt.] ; inaperçu. – Immatériel **380.13,** incorporel. – Sympathique *(encre sympathique)* ; **aveugle** *(encre aveugle).*

7 **Caché,** planqué [fam.]. – Disparu ; introuvable.

Adv. 8 **Invisiblement** [litt.]. – Hors champ (opposé à dans le champ) [PHOT.].

438 IRRÉSOLUTION

N. 1 **Irrésolution** ; doute, embarras, flottement, **hésitation,** incertitude **395,** indécision, indétermination, perplexité, trouble. – Flou *(le flou),* vague *(le vague).* – Désarroi.

2 **Irrésolution** ; **inconstance,** instabilité, versatilité **850.1.**

3 Atermoiement, errement, **hésitation,** tâtonnement, tergiversation ; velléité **870.** – Abstention, **faux-fuyant,** non-réponse, réponse de Normand. – Débat intérieur, **réticence 183,** scrupule.

4 **Irrésolu** *(un irrésolu),* **indécis** *(un indécis).* – Velléitaire *(un velléitaire).* – **Girouette** [fam.]. – Jean qui rit et Jean qui pleure.

V. 5 **Hésiter** ; balancer, douter [vx], osciller, ne savoir que choisir ou que décider, ne savoir sur quel pied danser. – Atermoyer, **tergiverser, se tâter,** peser le pour et le contre, y regarder à deux fois ; tourner autour du pot [fam.]. – Entre les deux mon (ton, son, etc.) cœur balance [loc. fam.].

6 Être sans opinion ; **s'abstenir,** ne pas s'avancer, ne pas se décider, ne pas se prononcer, rester en balance ou en suspens. – Ajourner, **différer 458,** lanterner, temporiser ; s'en remettre au hasard **358.7.**

7 **Douter 395** ; se demander, ne pas savoir ; se poser des questions.

8 Fluctuer, **varier 850.9** ; **changer d'avis,** retourner sa veste. – Se laisser influencer.

Adj. 9 **Irrésolu** ; incertain, **indécis,** indéterminé, **hésitant,** perplexe ; ni chair ni poisson. – **Déconcerté,** désorienté, embarrassé ; dubitatif, **sceptique.**

10 **Irrésolu** ; **faible, mou,** timoré ; sans caractère ; velléitaire. – **Changeant 104,** inconstant **90,** instable, ondoyant, vacillant, versatile ; influençable **407.** – **Flou,** fluctuant, **vague** ; entre le zist et le zest [vieilli] ; mi-figue, mi-raisin.

11 **Irrésolu** ; **indéfini,** indéterminé, suspendu ; en attente, **en suspens.**

Adv. 12 **Irrésolument** ; avec hésitation, en hésitant ; **timidement 819.**

439 IRRESPECT

N. 1 **Irrespect** ; impertinence, irrévérence ; impolitesse, incorrection ; effronterie, insolence **226.** – Dédain, **mépris,** mésestime [litt.] ; déconsidération [litt.], discrédit.

2 Profanation, violation. – Manquement ; **offense,** outrage ; péché **606.** – Libertinage ; licence.

3 Dérision, **moquerie 532.** – Calomnie, diffamation ; persiflage. – Procédé vexatoire.

4 **Grossièreté** *(une grossièreté),* personnalité [vieilli] ; effronterie *(une effronterie),* impertinence *(une impertinence),* insolence *(une insolence),* irrévérence *(une irrévérence)* [sout.] ; incongruité, sottise. – Coup de bec ou de langue, mauvais compliment, moquerie, raillerie, sarcasme ; fam. : brocard, nasarde, pied de nez. – Huées, risée.

5 **Affront,** avanie [litt.], blessure, camouflet, gifle [fig.], mortification, rebuffade, soufflet [vieilli], **vexation.** – Blessure ou piqûre d'amour-propre ; mortification.

V. 6 **Mépriser.** – Dédaigner, faire peu de cas ou fi de **401,** mettre plus bas que terre ; mésestimer. – Affecter ou afficher du mépris. – Regarder de haut, toiser, traiter de haut en bas [vieilli] ; morguer [vx].

7 **Manquer de respect à qqn** ; oublier à qui l'on s'adresse ; manquer à qqn. – Répondre. – Lancer des piques ; se moquer.

8 Désobliger ; brimer. – Bafouer, faire affront ou injure, humilier, offenser, outrager ; fouler aux pieds, montrer du doigt, traîner dans la boue.

9 Moquer, taquiner, railler, tourner en ridicule ; vieilli et fam. : dauber, larder. – Conspuer, huer.

10 Faire la figue ou la nique à [fam.], tirer la langue à ; cracher sur.

11 **Blesser,** brusquer **248,** froisser, heurter, offusquer ; atteindre qqn dans sa dignité, mortifier, **piquer au vif,** vexer.

12 Démériter, encourir le mépris, perdre l'estime ou l'honneur.

13 Être en butte à ; donner prise à, prêter le flanc à. – Être la tête de Turc de.

Adj. 14 **Irrespectueux,** irrévérencieux, irrévérent. – Malhonnête, incivil, **insolent,** impoli **226** ; effronté. – Moqueur, railleur. – Dédaigneux, contempteur, méprisant.

15 Cavalier, culotté [fam.], déplacé, grossier.

16 Outrageant, outrageux ; vexant.

Adv. 17 Sout. – **Irrespectueusement,** irrévéremment [rare], irrévérencieusement ; impertinemment, insolemment.

440 ISLAM

N. 1 **Islam** ; vx : islamisme, mahométisme. – Islamologie.

2 **Chiisme** ; chiisme duodécimain (ou : chiisme imamite, imamisme) ; chiisme septimanien ou septimain, chiisme ismaélien ou ismaïlien, ismaélisme ou ismaïlisme ; chiisme zaydite. – HIST. : nizarite, secte des assassins, qarmate. – **Kharidjisme.** – **Sunnisme** ; chafiisme, hanafisme, hanbalisme, malékisme ; wahhabisme. – Acharisme, murdjisme, mutazilisme [HIST.], néomutazilisme. – Hanifisme [HIST.]. – Mahdisme. – Babisme ; bahaïsme.

3 POLIT. : islamisme, panislamisme.

4 Umma ; hannif *(les hannifs)* [HIST.].

5 **Soufisme** ; maraboutisme. – Tariqa ; bektachiyya, confrérie des Darqawa, Idrisiyya, Khalwatiyya, Kubrawiyya, Mawlawiyya, Naqchbandiyya, Qadiriyya, Qalandariyya, Sanusiyya, Suhrawardiyya, Tidjaniyya, Tchichtiyya. – Sénousisme.

6 Croyant **320, musulman** ; vx : islamite, mahométan. – HIST. : sarrasin ; mudéjar, morisque.

7 **Chiite** ; imamiste ; alawite, duodécimain, ismaélien ou ismaïlien ; **Druze** *(les Druzes)* ; zaydite. – **Sunnite** ; chafiite, hanafite, hanbalite, malékite, wahhabite. – Kharidjiste. – Achariste, mutazilite [HIST.], néomutazilite. – Mahdiste. – Babiste ; bahaï.

8 Soufi ; derviche **525,** marabout. – Naqchbandi ; qadarite.

9 Hafiz ; hadj ou hadji ; chahid. – Wali **320.**

10 Giaour, kafir. – Roumi ; dhimmi.

11 **Imam 699,** aga khan, bab [vx]. – **Mollah** ou **mulla,** ouléma. – **Ayatollah** ; marabout. – Cheikh, murchid. – Hodjatoleslam, mufti ; hodja.

12 Dignitaires : effendi, **émir** ou commandeur des croyants ; chérif, khalife ou calife **133,** sayyid. – Cadi.

13 Disciplines religieuses : qira'at [lecture du Coran], tafsir [commentaire] ; fiqh [ar., « savoir »] ; kalam [ar., « parole sur Dieu »] **815.** – Ilm al-tasawwuf [mystique]. – Sira [hagiographie].

14 École coranique ; madrasa ou medersa.

15 Prescriptions : charia [loi coranique] ; amr [commandement divin]. – Ada [accomplissement d'un devoir religieux], din [soumission à Dieu]. – Fatwa.

16 **Les cinq piliers de l'Islam** [arkan]. – Chahada [profession de foi], hadj [pèlerinage à La Mecque], salat [prière rituelle] **657.** – Saum [jeûne du mois de ramadan]. – Zakat [aumône légale].

17 Djihad [guerre sainte] **354.** – Muujahid [combattant de la guerre sainte].

18 Achoura ou Achura [jeûne expiatoire], sadaq [aumône bénévole], umra [pèlerinage mineur]. – Kharadj [tribut payé par les infidèles]. – Waqf ou hubus [legs pieux] **730** ; bien waqf ou, Afrique de Nord, bien habou. – Achur [dîme]. – Viande hallal.

19 Ihram **736.**

20 **Allah 215,** Malik ; le clément, le miséricordieux ; souverain du jour du Jugement.

21 **Mahomet,** le Prophète. – Fatima ; Khadidja. – **Hégire** ; isra [voyage nocturne du Prophète], miradj [ascension du Prophète].

22 Djabrail [archange Gabriel] ; Ibrahim [Abraham] ; Ishaq [Isaac] ; Moïse, Jésus ; Izrail [Azraël]. – Mahdi [imam caché].

23 Musique sacrée. – Adhan [appel à la prière], tadjwid [récitation psalmodiée du Coran] ; sama [concert spirituel des confréries],madih [chant de louange]. – Djadb ou khammari [danse extatique].

24 Dogmes : mithaq [pacte prééternel]. – Ère de la grande occultation. – Jugement dernier, résurrection ; adjal. – Paradis **591,** enfer **271.**

V. 25 Islamiser **648.**

Adj. 26 **Musulman.** – Islamiste. – Chiite ; druze, duodécimain, ismaélien ou ismaïlien, ismaélite ou ismaïlite [HIST.], septimain. – Sunnite.

27 Islamique.

441 IVROGNERIE

N. 1 **Ivrognerie** ; **alcoolisme,** intempérance **426,** pochardise [fam., vx]. – MÉD. : dipsomanie, éthylisme, intoxication éthylique.

2 Fam. : **beuverie,** soûlerie, soûlographie ; muffée ou muflée [pop.], soûlée [fam., vx].

3 Ébriété [ADMIN. ou sout.], enivrement, griserie, **ivresse** ; picole [pop]. – Litt. : fumées de l'ivresse, vapeurs du vin. – Arg. : barbe, beurrée, bitture ou biture, brindezingue [vx], caisse, **cuite,** culotte, nasque, pétée, pionnardise, poivrade, prune, ribote, torchée ; arg. : bout de bois, fièvre de Bercy, palu breton.

4 Boisson *(la boisson)* **75** ; alcool, vin.

5 Alcoolisme. – PSYCHIATRIE : alcoolomanie ou alcoomanie **825,** dipsomanie ; delirium tremens ; gueule de bois [fam.].

6 Alcoologie. – Alcoolémie.

7 **Ivrogne** ; **buveur** ; boit-sans-soif [fam.]. – Litt. : bacchante, suppôt de Bacchus. – Très fam. : alcoolo, **picoleur,** pochard, **poivrot,** sac à vin, soiffard, **soûlard,** soûlographe, soûlot ou soûlaud ; pilier de bar (ou : de bistrot, de cabaret) [fam.]. – Arg. : biberonneur, **éponge,** gouape, pictonneur, pochetron, pochetronné.

8 Alcoolique *(un alcoolique).* – PSYCHIATRIE : alcoolomane ou alcoomane, dipsomane, éthylique *(un éthylique).*

9 Alcoologue.

V. 10 **Boire** ; fam. : biberonner, chopiner, ivrogner [vx], **picoler** ; très fam. : licher, lichetrogner. – Arg. : se cingler le blair, se piquer le nez (ou : la ruche, le tasseau, la meule, le tarin).

11 Boire comme un trou [fam.]. – S'adonner à la boisson, aimer ou cultiver la bouteille ; avoir la dalle en pente [arg.], **lever le coude** [fam.].

12 **S'enivrer, se soûler** ou se saouler, se beurrer [très fam.], se cuiter [fam.], se griser, s'ivrogner [vx], se soûlotter [fam., vx]. – Se bourrer (ou : se péter, se soûler, se saouler) la gueule [très fam.] ; faire carrousse [vx], **prendre une cuite** ou une bitture [très fam.]. – Arg. : s'arsouiller, **se biturer,** se camphrer, se charger, se chiquer, se culotter, se gorgeonner, se noircir, **se pinter,** se poisser, se poivrer. – Arg. : prendre sa barbe, prendre un bain (ou : une brosse, une caisse, une casquette), prendre ou ramasser une pistache.

13 Fam. : **boire un coup,** trinquer.

14 **Être pris de boisson** ; être dans les vignes du Seigneur [litt.] ; être dans les brindes [vx], être en brosse [arg.], être dans le cirage [fam.]. – Fam. : avoir le nez sale ; avoir sa cocarde, **avoir son compte,** avoir sa dose, avoir son plein ; arg. : avoir sa charge (ou : son casque, sa musette, son plumeau, son plumet, son pompon), avoir une paille, avoir une pistache. – **Avoir un coup dans l'aile** ou dans le

nez [très fam.], avoir du vent dans les voiles [fam.] ; rouler sous la table.

15 Cuver son vin ; dessoûler. – Être entre deux vins. – Avoir le vin gai (opposé à avoir le vin triste). – Noyer son chagrin (ou ses chagrins) dans le vin ou dans l'alcool.

Adj. 16 **Ivrogne** ; alcoolique, intempérant **426.**

17 **Ivre,** ivre mort, ivre comme une soupe [fam., vx], **soûl** ou, vieilli, saoul ; fam. : soûl comme une grive, soûl comme un Polonais. – Éméché [fam.], émoustillé, ému [vx] ; par euph. : joyeux, un peu gai ; en goguette [fam.].

18 Aviné ; gris, **noir** [fam.], noircicaud [arg.]. – Brindezingue [vx] ; très fam. : défoncé, mûr, **paf, plein,** plein comme une barrique (ou : un boudin, une bourrique, un œuf, une vache), **pompette,** raide, raide déf (raide et défoncé), **rond,** rond comme une queue de pelle, schlass ou chlâsse. – Très fam. : beurré, blindé, **bourré,** bourré comme une cantine ou un coing, cassé, cuit, fait, imbibé, parti, pété, rétamé. – Arg. : bu, carroussel, déchiré, défoncé, fadé, gelé, **givré,** mort, naze ou nase, poivre, poivré, secoué, verni. – **Pas net,** saoul perdu.

19 Bachique [litt.].

442 JALOUSIE

N. 1 **Jalousie** ; crise de jalousie, délire de jalousie [PSYCHAN.].

2 **Envie** ; dépit. – Inquiétude, ombrage. – Rivalité **146.**

3 Jaloux *(un jaloux)* ; tigresse [litt.]. – Rival. – Chandelier [fam., vx].

4 Domaine réservé, plates-bandes [fam.], **pré carré.**

V. 5 **Envier, jalouser,** porter envie ; jaunir ou sécher de jalousie [fam.], mourir ou, fam., crever de jalousie ; en faire une jaunisse [fam.]. – Prendre ombrage.

6 Caresser des yeux, **convoiter 199,** couver du regard ; fam. : guigner, lorgner, reluquer. – Baver d'envie [fam.].

7 Dépiter ; **faire des envieux,** faire pâlir d'envie ou de jalousie.

8 Être jaloux de, tenir à. – Douter de **183,** soupçonner.

Adj. 9 **Jaloux,** jaloux comme un tigre ; dévoré ou rongé de jalousie. – Exclusif, ombrageux, possessif. – Défiant, soupçonneux.

10 Envieux. – Soucieux **785.**

Adv. 11 **Jalousement** ; envieusement.

443 JARDINS

N. 1 Art des jardins. – Paysage.

2 Jardin paysager ou paysagiste, parc paysager. – **Jardin à la française** ; **jardin à l'anglaise,** jardin baroque, parc anglo-chinois ; jardin exotique, jardin japonais ; jardins suspendus. – Espace vert, **parc,** parc public, square ; mail, promenade ; cité-jardin. – Alpinum, arboretum.

3 **Jardin 18** ; jardin d'agrément, jardin d'hiver.

4 Percée, perspective. – **Allée,** contre-allée. – Étoile, patte-d'oie, rond-point ; labyrinthe.

5 Théâtre d'eau. – Allée d'eau, **canal** ; **bassin,** demi-lune d'eau, **fontaine,** miroir d'eau, pièce d'eau, vasque ; sources. – **Jet d'eau** ; artichaut, bouillon, chandelier d'eau, cierge d'eau, colonne hydraulique, lance d'eau ; cascade ; grandes eaux. – Lance, souche.

6 **Gravier,** gravetage, sable. – Rocaille ou rocaillage, rocher artificiel.

7 **Parterre,** plate-bande ; compartiment, dos-de-bahut ou dos-de-carpe, terrasse. – Broderie, corbeille, quinconce. – Boulingrin, gazon, **pelouse,** tapis vert.

8 Charmille, espalier, palissade, **haie.** – Berceau, pergola, **tonnelle,** treille. – Gloriette, salon de treillage, salon de verdure. – Bosquet, **massif** ; orangerie, roseraie. – Buis, charme, if, fusain, troène.

9 Cabinet, fabrique, **kiosque,** kiosque à musique, laiterie, pyramide, ruine, salon de jardin ; serre. – Fontaine, nymphée, rocher d'eau ; **grotte.** – Pont.

10 Balustrade, pilastre ; statue. – Banc, chaise.

11 **Architecte paysagiste** ou paysagiste, jardiniste [rare] ; rocailleur, topiairiste. – Jardinier **18.**

V. 12 Jardiner **18** ; tailler.

Adj. 13 Topiaire. – Pittoresque.

444 JAUNE

N. 1 **Jaune** *(le jaune)* **159.6.** – **Blondeur** *(la blondeur),* blond *(le blond),* flavisme [didact.] ; blondasserie [rare]. – Blondoiement [litt.].

2 Colorants et pigments jaunes. – Origine végétale : curcumine, fustet, genestrolle, quercitrine, cachou, safran, stil-de-grain ; bois de châtaignier, bois de thuya. – Origine minérale : chromates de plomb, de zinc, oxydes de fer jaunes ; protoxyde de plomb ou massicot, iodure de plomb, or massif ou bisulfure d'étain ; ocres jaunes, terre de Sienne naturelle **84.2** ; jaune d'antimoine, jaune de cadmium, jaune de chrome, jaune de zinc ; jaune d'outremer, jaune de Mars, jaune d'urane ; jaune indien ; jaune de Cassel ou de Paris, jaune de Naples, jaune de Vérone, jaune de Turner. – Origine organique : jaune Lutécia, jaune Hansa, jaune diazol, jaune mikado.

3 **Jaunissement** ; flavescence [litt.]. – Jaunissage [TECHN.]. – Jaunissure ; salissure **740.**

4 **Jaunisse** ou, MÉD., ictère **482.** – MÉD. : flavedo, xanthochromie ; xanthélasma, xanthome. – Xanthopsie [MÉD.] **840.2.**

5 Jaune *(un jaune)* **604.** – **Blond** *(un blond)* **624,** blondinet ; blondasse *(un blondasse)* [péj.].

V. 6 **Jaunir** ; ambrer [litt.], ocrer, safraner. – **Blondir,** dorer **84.8,** surdorer **575** ; décolorer ; dorer à l'œuf [CUIS.].

Adj. 7 **Jaune,** jaune comme cire [vieilli], **jaune comme un citron,** jaune comme un coing ; jaune comme l'or, **jaune comme la paille.** – Jaunasse, jaunâtre. – Cireux, jaunet [vx], ictérique [MÉD.] ; citrin [litt.]. – Fauve, feuille-morte ou feuille morte.

8 **Blond, blond comme les blés** ; vx : blondelet, blondin ; flavescent ou flave [litt.] ; décoloré.

9 Jauni, passé ; sale **740.**

10 Blondissant ; jaunissant. – Blondoyant [litt.].

11 Jaune clair, pâle ; foncé ; ambré, doré, ocré, safrané, soufré ; éclatant, sale, pisseux. – Jaune d'œuf, jaune d'or.

12 Blond clair, foncé ; cendré, platiné ; filasse ; vénitien.

13 **Canari** *(veste canari, jaune canari),* serin ; **citron** ; chamois ; paille ; soufre.

14 ZOOL. – Isabelle, saure ou, rare, sauré **84.13.**

Aff. 15 Xanth-, xantho- ; ictéro-.

445 JEUNESSE

N. 1 **Jeunesse** ; bel âge, **fleur de l'âge,** jeunes années, jeunes saisons, jouvence [vx] ; première saison, printemps, verte jeunesse ; litt. : mai, matin **134.2.** Rajeunissement ; seconde jeunesse.

2 **Adolescence.** – Nubilité ; **puberté.** – Juvénilisme [MÉD.]. – Fig. : bourgeonnement, montée ou poussée de sève, verdeur.

3 **Jeune** *(un jeune),* jeune gars. – Adolescent, ado [fam.] ; teenager [anglic.] ; jeune homme, jeunes gens. – Fam. : béjaune, boutonneux, coquebin, freluquet, godelureau, gommeux, minet, mirliflore [vieilli]. – Puceau. – Péj. : béjaune, blanc-bec, bleu, dadais, niais, nigaud. – Sout. : damoiseau, éphèbe, jouvenceau ; page.

4 Beatnik, blouson doré, blouson noir, punk. – HIST. : Incroyable, muscadin [vx].

5 Cadet **304,** junior. – Jeune premier. – **Apprenti 35,** novice ; bachelier, étudiant.

6 **Jeune femme 306,** jeune fille ; adolescente ; couventine, débutante **134.14,** ingénue ; fam. : jeunesse *(une jeunesse),* tendron. – Vierge [sout.] ; pucelle. – **Demoiselle** ; mademoiselle, miss.

7 **Jeune génération,** génération montante, nouvelle génération ; bleusaille [fam.]. – Jeunesse dorée.

V. 8 **Rajeunir.**

9 Quitter le giron maternel, couper le cordon [fam.] ; entrer dans la vie. – Faire ses classes, faire ses premières armes. – Jeter sa gourme. – **S'émanciper.** – Prov. : Il faut que jeunesse se passe ; Les voyages forment la jeunesse.

10 **Avoir la vie** ou **l'avenir devant soi.**

Adj. 11 **Jeune,** juvénile ; vert. – Nubile, pubère, pubescent. – Pubertaire.

12 Inexpérimenté, novice ; bleu [fam.].

Adv. 13 **Juvénilement** [litt.] ; jeunement [vx]. – Jeune *(s'habiller jeune).*

446 JEUX

N. 1 **Jeu** ; amusement, divertissement, passe-temps **599.** – Ludisme. – Règle du jeu.

2 Jeu d'adresse, jeu de patience ; jeu éducatif ; jeu de hasard. – Jeu de stratégie, kriegspiel [all.], wargame [anglic.]. – Jeu radiophonique, jeu télévisé **681** ; jeu de société. – Sport **792.**

3 **Jeux de cartes.** – Jeux actuels : barbu, bataille, **belote,** bésigue, boston, bouchon, bouillotte, brisque ou mariage, canasta, crapette, écarté, gin-rummy, jass ou yass [Suisse], **manille,** menteur, nain jaune ou lindor, piquet, **poker, rami** ou rummy, reversi ; **bridge,** whist. – Jeu solitaire : patience ou réussite. – Jeux à cartes spéciales : aluette ; Mille-Bornes [nom déposé] ; Pierre noir ; sept familles ; **tarot.** – Jeux d'argent : baccara, banque ou banco, black jack, bonneteau, chemin de fer,

commerce, trente-et-quarante, vingt-et-un ; pharaon [anc.]. – Jeux anciens : bassette, bog, brusquembille, drogue, grabuge, hoc, hombre, lansquenet, polignac, quadrille, romestecq, triomphe.

4 Jeu de cartes ; **carte,** fausse carte ; carte numérale, figure ; lame. – **Couleur** ; carreau, cœur, pique, trèfle. – As, roi, dame ou reine, valet, dix, neuf, huit, sept, six, cinq, quatre, trois, deux ; joker ; manillon ; anc. : égalité, liberté, vertu. – Tarot : cavalier ; excuse ou fou, oudler, petit.

5 Entame *(l'entame),* retourne *(la retourne).* – Talon ou pot. – Garde ; singleton.

6 **Atout** ; atout maître ; atout sec. – Honneur ; manille.

7 **Main.** – Impériale ou série impériale, **séquence.** – Poker : paire, double-paire, brelan, full ou main pleine, flush, flush royal, quinte flush, suite, suite royale, carré, carré d'as. – Bridge et whist : chelem ou schelem, petit chelem.

8 Manche, **partie** ; belle *(la belle)* ; démarque *(une démarque).* – Tournoi ; partie duplicate.

9 **Donne,** fausse donne ou maldonne. – **Annonce** ; contre, surcontre ; jump. – Invite. – Appel. – **Pli** ou levée. – Coupe, surcoupe. – Défausse ; renonce. – Squeeze. – Capot.

10 **Dés** ; craps ou passe anglaise, poker dice ou poker d'as, **quatre-cent-vingt-et-un,** yams, zanzi ou zanzibar. – Dominos.

11 Jeux de casino. – **Machine à sous** ; jackpot ; bandit manchot [fam., par plais.]. – Boule, **roulette,** trente-et-un. – Martingale.

12 Jeux d'argent. – Banque. – Cave, **mise,** mise de départ ou mise obligatoire, paroli, passe. – Va-tout.

13 **Loterie** ; bingo, loto. – P. M. U. (Pari mutuel urbain) ; couplé *(le couplé),* **tiercé,** quarté ; Loto sportif.

14 **Dames, échecs,** go ou, chin., *weichi,* mah-jong ; solitaire. – Jeu d'échecs ; **échiquier, pièce** ; cavalier, fou, pion, dame ou, cour. et moins correct, reine, roi, tour ou, vx, roc. – Partie éclair, partie liée, partie simultanée. – **Coup** ; fourchette, gambit ; coup du berger. – Promotion. – Grand roque, petit roque. – **Prise** ; **échec,** échec à la découverte, échec double ; échec et mat, **mat,** pat.

15 Backgammon, **jacquet,** trictrac. – Awalé. – Petits chevaux ou dadas. – Jeu de l'oie. – Bataille navale, morpion.

16 Noms déposés : Monopoly ; Scrabble.

17 Charades, **devinettes,** pigeon vole, quiz, rébus ; jeu des métiers, jeu des personnages ; Trivial Pursuit [nom déposé]. – Mourre [anc.]. – Corbillon. – Main chaude.

18 Baccalauréat, pendu. – Anacroisés [nom déposé], mots carrés, **mots croisés.**

19 Mikado ; osselets ; puces.

20 Casse-tête chinois ; **puzzle** ; taquin.

21 **Billard,** billard américain, billard français ; flipper ou billard électrique. – Bowling ; quilles. – Jeu de massacre. – Fléchettes. – Baby-foot ; ping-pong ; trou-madame [anc.].

22 Jeu de boules ou **pétanque** ; longue, lyonnaise. – Croquet, mail [anc.]. – Golf miniature, minigolf.

23 Attrape *(jouer à attrape)* [enfant.], ballon prisonnier, barres [anc.], chat, chat coupé, chat perché, gendarmes et voleurs. – Chaises musicales. – Saute-mouton. – **Cache-cache,** cache-tampon, cligne-musette [vx] ; colin-maillard. – **Jeu de piste** ; jeu de rôle. – Marelle. – Capucine, **ronde.** – Bras de fer.

24 Triche [fam.], **tricherie 838** ; maquille [fam.].

25 **Joueur** ; **adversaire** ; **partenaire** ; entrant, rentrant, sortant. – Donneur, serveur. – Mort *(le mort).* – Mauvais joueur, mauvais perdant. – Tricheur **838.**

26 Bridgeur. – Joueur d'échecs, pousseur de bois [fam.]. – Mots-croisiste ou cruciverbiste.

27 Bookmaker, turfiste. – **Banquier,** croupier ; bonneteur. – Ponte.

28 Cartier.

29 **Casino,** cercle, maison de jeux, tripot [fam.]. – Académie de billard. – Aire de jeux ; boulodrome.

30 Ludiciel [INFORM.].

31 Théorie des jeux [MATH.]. – Ludologue.

V. 32 **Jouer** ; s'amuser, se divertir **599,** passer le temps. – Gagner **767,** mener ; faire la vole ou la volte. – Être à cherche, chuter, perdre **581,** prendre une culotte [fam.].

33 Jouer à + n., **faire une partie de** + n. – Cartonner [fam., vx], taper le carton [fam.] ; bridger.

34 Faire philippine. – Jouer à qui perd gagne.

35 Jeux de cartes. – Faire les cartes ou mélanger, mêler ou **battre les cartes** ; retailler ; donner, servir ; relever. – Coucher ; suivre. – **Annoncer** ; contrer, surcontrer ; jumper. – Inviter ; ouvrir ; entamer une couleur ; renvoyer. – **Couper,** couper à + n. de couleur, surcouper ; être maître à telle couleur ; affranchir une carte. – Fournir ; forcer. – Squeezer. – Défausser ; casser son jeu. – Abaisser ses

cartes ou son jeu, découvrir son jeu, étaler son jeu ; jouer cartes sur table.

36 Jeu d'échecs. – Ouvrir ; roquer – Clouer, mater, **mettre en échec.**

37 Jeu de dames. – Adouber. – Souffler. – Pionner. – **Damer un pion,** mener un pion à dame.

38 Jeux d'argent. – **Miser,** remiser ; avoir la parole, parler, faire paroli ; passer parole ou **passer** ; éclairer le tapis. – Ponter. – Faire banco, jouer à quitte ou double. – Décaver ; faire sauter la banque. – Faire charlemagne.

39 **Tricher 838** ; biseauter, larder, piper. – Faire de l'antijeu.

Adj. 40 Joueur. – Ludique.

41 Échiquéen.

447 JOIE

N. 1 **Joie** ; bonne humeur, enjouement, **entrain 277** ; joie de vivre. – Alacrité [litt.], **gaieté,** joyeuserie [litt., rare], joyeuseté [litt.], liesse ; hilarité, jovialité. – Badinage, batifolage, folâtrerie.

2 Allégresse, félicité [litt.] ; **bonheur,** heur [vieilli], heureuseté [rare, vx] ; contentement ; contentement passe richesse [prov.]. – Béatitude, exultation, plaisir **629.**

3 Agrément, aise [litt.], **bien-être,** euphorie.

4 Joie [vx], **plaisir,** volupté.

5 RELIG. : béatitude, extase.

6 **Enthousiasme 276,** jubilation. – Désopilation [rare], rigolade [fam.], **rire 132** ; sourire. – Réjouissances ; liesse, triomphe **798** ; fête **309** ; acclamation. – Feu de joie.

7 Exaltation ; euphorie, griserie, ivresse, **ravissement** ; euphorisation. – Plaisir, satisfaction **745.** – Prospérité **670.** – Fausse joie.

8 **Gaieté,** réjouissance ; rayon de soleil [fig.], rayonnement. – Gaillardise [litt.], gaudriole.

9 **Bon vivant,** gai luron, joyeux compère, joyeux drille, joyeux luron, Roger bon temps [fam., vieilli] ; boute-en-train, farceur, **humoriste 132,** plaisantin **838,** rigolo.

V. 10 **Réjouir** ; faire la joie, mettre en joie ; combler de joie, transporter de joie. – Faire le bonheur de, faire plaisir à **629,** faire des heureux. – Charmer, délecter [litt.], **enchanter, ravir** ; enivrer, épanouir, euphoriser ; contenter, satisfaire **745.** – **Amuser,** égayer, émoustiller [fam., vieilli] ; dérider, désattrister [litt.], désennuyer, **distraire** ; désopiler **132.**

11 **Se réjouir** ; avoir joie [vx], être à la joie de son cœur [vx], ne pas ou ne plus se sentir de joie ; **s'en donner à cœur joie** ; être tout à la joie de, se faire une joie de. – **Jouir,** s'ébaudir [vieilli ou sout.] ; prendre du bon temps **629.10,** s'en donner, se faire du bon sang ; filer des jours heureux. – Prendre la vie du bon côté, voir la vie en rose ; être bien dans sa peau.

12 **Rire 132** ; fam. : rigoler, se tordre de rire ; sourire ; folichonner [vieilli], plaisanter **628.**

13 **Exulter,** jubiler [fam.] ; pavoiser [fam.], triompher **798.** – **Être au septième ciel** ou, vx, troisième ciel, être aux anges, nager dans le bonheur ou dans la joie, n'avoir jamais été à pareille fête ; boire du petit lait.

Adj. 14 **Joyeux** ; allègre, bienheureux, **gai, heureux** ; jovial, radieux, rayonnant, réjoui ; gai comme un pinson, heureux comme un roi (ou, fam. : comme un pape, comme un poisson dans l'eau) ; bien aise, fort aise [litt.] ; arg. : jouasse (ou : joice, joyce). – **Content 745,** enchanté, ravi. – Insouciant **394,** sans souci ; optimiste **573.** – Extatique, ivre de joie.

15 Enjoué, **euphorique,** guilleret ; émoustillé [fam., vieilli] ; badin, batifoleur, folâtre ; en fête. – **Hilare,** rieur, rigolard [fam.] ; souriant. – Facétieux **628,** malicieux.

16 Grisant, paradisiaque. – Radieux, triomphal **767.**

17 **Amusant,** divertissant, réjouissant ; jubilatoire [fam.]. – **Comique,** désopilant, drolatique [fam., vieilli], **drôle 132,** exhilarant, hilarant, humoristique, plaisant.

Adv. 18 **Joyeusement** ; **gaiement,** heureusement, jovialement ; béatement ; à cœur joie. – Allègrement, gaillardement. – Drôlement **132,** facétieusement, **plaisamment.**

Int. 19 Hip hip hip hourrah ! **Hourrah !** Youpi ! – RELIG. : Alleluia !, Hosannah !

448 JOUET

N. 1 **Jouet,** joujou [fam.] ; bimbelot [vx].

2 **Balle, ballon,** ballon de baudruche, éteuf [vx], volant ; **billes,** boulet, calot. – Boomerang, Frisbee [nom déposé] ; **cerf-volant,** écoufle [région.]. – Cerceau. – Corde à sauter, élastique.

3 Patinette ou trottinette, skate-board [anglic.] ; patins à roulettes, patins en ligne, roller-skate ou, absolt, roller [anglic.] ; cyclorameur, tricycle. – Voiture miniature. – Luge.

4 Fronde. – Sarbacane ; canonnière, clifoire [région.]. – Pétard ; bombe à eau.

5 Baigneur, dormeur, doudou [enfant.], **poupée,** poupon ; matriochka ou poupée gigogne ; Barbie [nom déposé]. – Nounours [enfant.], ours en peluche, **peluche** *(une peluche)* ; cheval à bascule. – Marionnette, pantin. – Culbuteur, poussah. – Petits soldats ou soldats de plomb.

6 Dînette ; maison de poupée.

7 **Jeu de construction,** jeu de cubes ; n. déposés : Lego, Meccano. – Circuit électrique, train électrique, **voiture miniature.** – Robot. – Maquette ; maquettisme, modélisme.

8 Flûteau, mirliton, tambour ; crécelle, hochet. – Boîte à musique.

9 Bilboquet, diabolo, passe-boules, Yo-Yo [nom déposé] ; **toupie,** toton. – Mobile.

10 Kaléidoscope, lanterne magique [anc.].

11 Panoplie.

12 Crayons de couleur, gommettes ; pâte à modeler. – Décalcomanie.

13 **Fête foraine 309,** parc d'attractions.

14 Père Noël. – Petit papa Noël [enfant.].

15 Ludothèque.

V. 16 S'amuser, **jouer 599** ; faire mumuse [enfant.]. – Jouer à la guerre, à la marchande, au papa et à la maman, etc.

449 JUDAÏSME

N. 1 **Judaïsme.** – Monothéisme ; doctrine de l'Alliance. – Élohim, Yahvé. – Emouna (hébr., « foi juive ») [PHILOS.]. – Rabbinisme.

2 Judaïsme réformé. – **Hassidisme,** hassidisme médiéval, hassidisme moderne ; lurianisme. – HIST. : essénisme, karaïsme. – **Sionisme.**

3 Loi écrite : Bible **815** ; Ancien Testament ; **Torah** *(la Torah)* ; les Prophètes (Nebiim), les Hagiographes (Ketoubim) ; Décalogue, loi de Moïse ou loi mosaïque, Tables de la Loi.

4 Mosaïsme. – Mosaïcité.

5 Loi orale : **Talmud** ; Mishna ; Gemara ou Guemarah. – Kabbale ou Cabale **477** ; Zohar ; séfirot.

6 Halaka ou Halacha (hébr., « manière de marcher »). – Mishne Tora (Maimonide) ; Choulkhane Aroukh (Joseph Ben Ethraïm Caro). – Prescriptions : casherout ; alimentation casher, viande casher. – Circoncision **98.** – Chmita (année sabbatique).

7 Massorah ou Massore. – Massorète *(un massorète),* talmudiste. – Araméen : amoraïm *(les amoraïm),* tannaïm. – Kabbaliste ou, vx, cabaliste.

8 Patriarches. – HIST. : exilarque, gaon ; lévite. – **Rabbin,** rabbi ; Grand Rabbin. – Rabbinat ; exilarchat. – Sanhédrin, tribunal rabbinique. – Consistoires israélites.

9 Fêtes et jeûnes. – Sabbat. – Pessah (Pâque), Shabouot (Pentecôte), Soukkot (Tabernacles) ; Rosh ha-Shana (jour de l'an) ; Yom Kippour (jour de l'Expiation ou Grand Pardon) **310.** – Pourim (fête des Sorts), Hanouka (fête de l'Inauguration ou fête des Lumières). – Bar-mitsva ou Bat-mitsva (communion).

10 Culte du Temple [HIST.] ; culte synagogal. – Temple [HIST.] ; **synagogue.** – Mur des Lamentations.

11 Offices. – Shabarith, minha, arbith ; moussaf, neïla. – Prières : alenou, **kaddish.**

12 Éphod, pectoral, taleth ou talith ; rational [ANTIQ.].

13 Phylactère ou tefillin (ou : tephillim, téphillim, tephillin).

14 Chant synagogal, **psalmodie** [MUS.].

15 École talmudique ou yeshiva **648.**

16 Abraham ; Isaac, Jacob ; **Moïse.** – Prophètes : Élie, Élisée, Isaïe, Jérémie, Ézéchiel. – Rois : Saül, David, Salomon.

17 Terre promise, Terre sainte ; pays de Canaan ; royaume de Juda ; Judée. – Palestine. – État d'Israël ; Jérusalem.

18 Judaïté ou judéité. – **Judaïcité.** – POLIT. : judaïsation.

19 LING. – Sémitisme ; hébraïsme. – **Hébreu** ; lashon haqodesh, lashon ashkenaz, **yiddish** ou judéo-allemand ; judéo-araméen occidental ou palestinien, judéo-araméen oriental ou babylonien ; judéo-espagnol ou ladino.

20 HIST. : ghetto, juiverie. – Mellah [Maroc, anc.]. – Kibboutz religieux.

21 Pogrom ou pogrome **288.** – Holocauste ; Shoah. – Antisémitisme.

22 Littérature d'holocauste, Yizkor (hébr., « à la mémoire »).

23 Peuple hébreu, peuple de Sion ; enfants d'Israël. – **Diaspora.**

24 **Juif** *(un Juif)* ; Hébreu *(les Hébreux).* – Sémite *(les Sémites).* – Marrane ; séfarade, ashkénaze ; Falachas ou Falashas. – Hassidim ou hasidim. – Karaïtes (ou : caraïtes, qaraïtes). – Sioniste *(un sioniste)* ; h'aredim.

25 Anc. – Assidéens, esséniens, pharisiens, zélotes. – Saducéen ou sadducéen, thérapeute.

26 **Israélite** *(un israélite).*

V. 27 **Judaïser** ; hébraïser. – Déjudaïser.

Adj. 28 **Juif** ; hébreu. – Judéen.

29 Marrane ; ashkénaze, séfarade. – Essénien, zélote ; pharisien. – Judaïsant.

30 Sioniste.

31 Rabbinique. – **Hassidique.** – Massorétique ; talmudique. – Mosaïque.

32 Kabbalistique ou, vx, cabalistique. – Kabbaliste.

33 Hébraïque. – Yiddish ; judéo-allemand. – Sémite, sémitique.

34 Hébraïsant ou hébraïste. – Hébréophone.

35 **Kasher** (ou : cacher, cachère, casher).

Adv. 36 Rare : judaïquement ; hébraïquement.

Aff. 37 Judéo-.

450 JUGEMENT

N. 1 **Jugement** ; discernement, entendement **275** ; judiciaire [vx], jugeote [fam.] ; raison **682,** esprit de finesse ; bon sens, sens commun ; sens critique ; faculté de juger.

2 Appréciation ; **estimation, évaluation** ; sous-estimation **789,** surestimation **804.** – Qualification, détermination. – Procès d'intention ; jugerie [vieilli]. – Critique **710.**

3 **Jugement** *(un jugement)* ; avis, opinion, parti pris ; point de vue, regard. – Décision ; sentence, **verdict 451.12.** – RELIG. : Jugement dernier ou jugement universel ; jugement particulier.

4 PHILOS. : jugement de réalité ou d'existence ; jugement d'appréciation, **jugement de valeur** ; jugement analytique, jugement synthétique ; jugement a priori, jugement a posteriori. – LOG. : jugement de prédication ou prédication ; jugement assertorique ; jugement de relation ; jugement d'inclusion, jugement d'inhérence ; critique.

5 **Préjugé 375** ; idée préconçue ; a priori.

6 **Juge** *(un juge)* ; juge-arbitre [SPORTS] ; évaluateur agréé [canad.], expert. – Juré, jury. – Appréciateur, estimateur [litt.] ; jugeur.

V. 7 **Juger** ; apprécier ; jauger, évaluer. – **Qualifier,** requalifier ; porter un jugement. – « Ne jugez pas, pour n'être pas jugés » (Évangile selon saint Marc).

8 **Juger** ; considérer, estimer, penser, trouver ; être d'avis que. – Commenter, **critiquer 710,** faire la critique de. – Émettre un jugement ; oser ou risquer un jugement, **donner son avis,** donner son opinion ; avoir un avis sur tout. – Oser ou risquer un jugement. – Juger de qqch. – Loc. prov., fam. : juger de qqch comme un aveugle des couleurs.

9 Juger ; juger en équité ; juger *ex aequo et bono* (lat., « bien et selon l'équité ») ; traduire en justice **451.**

10 **Préjuger,** présumer **802.3.** – Juger sur l'apparence.

11 **Avoir du jugement** ; voir juste.

12 **Se juger** ; se considérer tel, s'estimer tel.

Adj. 13 **Jugé** ; apprécié, estimé.

14 Qualificatif ; **appréciatif,** estimatif, évaluatif ; estimatoire. – Judiciaire [vx].

15 **Jugeable.**

Adv. 16 Au jugé ou au juger **434.9.**

451 JUSTICE

N. 1 **Justice** ; bien-jugé *(le bien-jugé),* équité, impartialité, moralité **533** ; non-discrimination ; **droit naturel.** – **Légalité,** légitimité **245.** – Droit positif, jurisprudence.

2 **Autorité judiciaire** ou autorité de justice, pouvoir judiciaire ; bras séculier, for extérieur [HIST.].

3 **Justice immanente** [PHILOS.]. – Justice commutative (ou : rectificative, mutuelle) [opposé à justice distributive].

4 DR. ANC. – Basse justice, haute justice. – Justice déléguée, justice retenue. – Justice seigneuriale. – Bailliage, châtellenie, gouvernance, gruerie, **maréchaussée,** présidialité, **prévôté, sénéchaussée.**

5 Affaire ; **crime 169,** délit. – Contravention, infraction **200.3, litige.** – Cas royaux [HIST.].

6 **Procédure** ; action en justice ou action judiciaire ; **procès.** – Information judiciaire, instruction préparatoire ; garde à vue. – Acte judiciaire ou juridique, demande en justice, instance, **requête** ; clain ou clam [HIST.]. – **Demande 680** ; demande principale, accessoire, subsidiaire, additionnelle, alternative, connexe, nouvelle, préjudicielle, reconventionnelle. – **Exploit d'huissier** ; assignation, citation à comparaître ; comparution, défaut de comparution, non-comparution ; notification, signification, sommation ; commandement.

7 **Accusation** ; chef, grief, sujet d'accusation. – **Plainte** ; plainte contre X, plainte en faux ; **poursuites judiciaires.**

8 **Procès,** procillon [vx] ; débats, séance ; vx : plaid, plaiderie. – **Affaire,** dossier, **litige** ; cause ; cause civile, cause criminelle.

9 **Audience** ; audience à huis clos ou **huis-clos,** audience publique.

10 **Minutes** *(minutes d'un procès)* ; expédition, grosse *(grosse d'un jugement),* placet.

11 **Prestation de serment.** – Caution juratoire, serment juratoire, **serment judiciaire** ; serment décisoire, serment promissoire, serment supplétoire.

12 Accusation, contre-accusation ; *impeachment* (États-Unis) [anglic.]. – Action publique, **réquisitoire.**

13 **Preuve** ; charge, pièces d'un procès. – **Adminicule,** élément de preuve, **indice** ; corps du délit, pièce à conviction. – Preuve par aveu de la partie, **preuve par la commune renommée,** preuve par présomption, preuve par serment, preuve par témoins, preuve testimoniale ; preuve littérale. – **Flagrant délit ;** testing [anglic.]. – Déposition, faux témoignage, **témoignage.** – HIST. : preuve par le jugement de Dieu, preuve par le combat.

14 **Jugement 450** ; arrêt, décision, délibérations, **sentence 144,** verdict de culpabilité ou positif, verdict d'acquittement ou négatif. – Jugement contradictoire, jugement rendu par défaut, jugement rendu en premier et dernier ressort, jugement avant dire droit. – DR. ANC. : jugement de Dieu ; épreuves judiciaires, **ordalie** ; combat judiciaire, duel judiciaire.

15 **Attendu** *(un attendu),* considérant *(un considérant),* motif **536.**

16 **Pourvoi** ; pourvoi en cassation, pourvoi en grâce. – Recours, recours en grâce ou recours gracieux ; action en recours, voie de recours, **renvoi.** – **Appel,** appel principal, appel incident, appel interjeté.

17 **Irrecevabilité,** nullité ; opposabilité. – Déclinatoire *(un déclinatoire),* rescindant *(un rescindant),* rescisoire *(le rescisoire).* – **Moyens d'opposition,** tierce opposition. – **Exception** ; exception d'incompétence, de litispendance, de connexité, de nullité ; **fin de non-recevoir.** – Débouté *(un débouté),* rejet.

18 **Justicier** ; justiciard [péj.]. – Défenseur de la veuve et de l'orphelin, redresseur de torts.

19 HIST. : bailli, connétable, prévôt, sénéchal. – Homme de loi ; arrêtiste, juriste **245** ; jurisconsulte, jurisprudent [vx], légiste.

20 Avocat d'affaires, avocat-conseil, avocat consultant.

21 Ministre de la Justice, garde des Sceaux, chancelier. – **Administrateur judiciaire.** – **Officier ministériel** ; avoué, notaire, tabellion [sout., vieilli] ; clerc de notaire, premier clerc. – **Auxiliaire de justice** ; commis greffier, greffier. – Clerc d'huissier ; huissier.

22 Cabinet, **étude** ; charge d'avocat, office. – **Ministère de la Justice** ; chancellerie.

23 **Juridisme,** formalisme. – Légalisme.

24 **Balance de la justice.** – Épée, glaive. – Main de justice [HIST.].

V. 25 **Juger 450,** statuer ; **rendre la justice** ; exercer une juridiction.

26 **Poursuivre en justice** ; faire un procès, traîner devant les tribunaux. – **Actionner en justice,** ester en justice, requérir en justice ; demander. – Entamer une procédure contre, intenter un procès ou une action juridique, introduire une instance, saisir, soutenir une action en justice ; clamer [HIST.]. – Assigner, attraire, citer en justice, déférer, traduire. – **Se constituer partie civile,** se porter partie civile.

27 **Comparaître,** comparoir [vx] ; témoigner. – Prêter serment. – Plaider **626.**

28 **Ouvrir l'audience,** tenir audience ; lever, suspendre l'audience. – Siéger, tenir séance.

29 **Défendre,** plaider une cause ; avoir cause gagnée ; gagner une cause, obtenir gain de cause ; impétrer [rare].

30 **Accuser,** déposer une plainte, porter plainte, engager des poursuites.

31 **Débouter,** élever un déclinatoire, infirmer. – **Faire appel,** interjeter appel. – **Se pourvoir en cassation.**

Adj. 32 **Juste** ; équitable, impartial ; droit, moral **533.** – Légal **245,** légitime.

33 **Judiciaire, juridique,** juridictionnel, jurisprudentiel, prétorien. – Judicatif, judicatoire [rare]. – Procédural. – Jugeable, **justiciable.** – Actionnable.

34 Frappé de nullité ; **nul,** nul et non avenu, nul et de nul effet ; rescindant, rescisoire.

35 Ad litem *(procuration ad litem).*

Adv. 36 **Judiciairement, juridiquement,** légalement. – Par autorité de justice.

37 Impartialement.

Aff. 38 Juridico-.

L

452 LÂCHETÉ

N. 1 **Lâcheté** ; **faiblesse,** mollesse, pusillanimité [litt.], veulerie. – **Couardise** [litt.], dégonfle [fam.], pleutrerie, poltronnerie – **Peur 619.**

2 **Abandon,** abdication **701,** capitulation, défection **181,** démission, désertion, lâchage, nonassistance. – Cacade [fig., vx], dérobade, fuite, reculade ; fuite honteuse. – Reniement, **trahison 828** ; coup en dessous.

3 **Lâcheté** *(une, des lâchetés)* ; bassesse, ignominie, indignité, vilenie [litt.].

4 **Lâche** ; capon [fam., vx], couard [litt.], couille molle [vulg.], dégonflard [fam.], **dégonflé** [fam.], capitulard [péj.], femmelette, pleutre, poltron, poule mouillée, pied plat [vx] ; fam. : foireux, froussard, péteux, pétochard, trouillard **619.** – Déserteur, fuyard, lâcheur – Traître ; foie blanc [arg.].

V. 5 Se déballonner [fam.], **se dégonfler,** caner ou canner [fam.], caponner [fam., vx], céder, faillir, flancher [fam.], mollir ; avoir les foies blancs [fam.], les couilles molles [vulg.], ne pas avoir de sang dans les veines, manquer de courage, de tripes. – Avoir peur ; fam. : avoir les foies, les jetons, la pétoche.

6 **Abandonner,** capituler, céder, lâcher, laisser tomber [fam.] ; se décourager ; perdre courage. – Crier merci, demander grâce. – **Fuir 189** ; filer, reculer, se dérober ; fam. : se débiner, se défiler, s'esbigner. – **Trahir** ; blanchir du foie [fam.].

Adj. 7 **Lâche** ; bas, **honteux 367,** ignoble, **indigne,** méprisable, vil.

8 **Lâche** ; **faible 303,** mou, pusillanime [litt.], veule. – Capon [fam., vx], **couard** [litt.], **peureux,** pleutre, **poltron** ; fam. : foireux, **dégonflé,** péteux. – Sournois, hypocrite **373.**

Adv. 9 **Lâchement** ; bassement, honteusement, indignement.

453 LAIDEUR

N. 1 **Laideur** ; hideur, horreur ; disharmonie ; saleté **740.** – Laid (le laid, opposé au beau).

2 Abjection, **bassesse,** ignominie, infamie, laideur. – **Laideurs,** turpitudes, vilenies ; **vice 860.**

3 **Défaut,** difformité, disgrâce, imperfection. – Abomination *(une abomination),* **horreur.**

4 **Laideron,** maritorne [vx], mocheté [très fam.]. – Erreur de la nature, monstre. – Très fam. : boudin, cageot, guenon, pochetée, repoussoir. – Fam. : macaque, magot [vx], sapajou [vx], vilain merle ; iron. : beau merle, joli merle. – Fam. : **épouvantail,** épouvantail à moineaux, remède à l'amour. – Fée Carabosse, Quasimodo.

5 Enlaidissement.

V. 6 **Enlaidir,** laidir [vx]. – Abîmer, défigurer. – Fam. : amocher, amochir.

7 Offenser la vue, faire tache. – Grimacer.

Adj. 8 **Laid** ; moche [fam.]. – Affreux, **hideux,** horrible, monstrueux ; repoussant.

9 Inélégant, inesthétique. – Ingrat *(un physique ingrat),* vilain. – Contrefait, difforme, disgracié, **disgracieux,** malbâti, mal tourné. – Fam. : laid comme un pou (ou : comme un crapaud, comme les sept péchés capitaux) ; vx : marqué au B, marqué des trois B (borgne, bègue et boiteux ou bossu). – Arg. : blèche ou bléchard, craignos, mochard, nanar, tartignole, toc, tocard. – Caricatural.

10 Dépenaillé, **grimaçant,** hirsute ; tordu. – Disproportionné, irrégulier.

11 **Laid** ; abject, bas, **honteux,** ignoble, infâme, révoltant, vil.

Adv. 12 **Laidement** ; affreusement, **hideusement,** horriblement, monstrueusement.

13 Bassement, **honteusement,** ignoblement, mal, vilainement.

454 LAIT ET PRODUITS LAITIERS

N. 1 **Produit laitier 328** ; laitage. – **Lait** ; lait bourru, lait cru ; lait pasteurisé, lait stérilisé. – Lait concentré ; lait déshydraté, lait en poudre ; lactéine [didact.] ; lait demi-écrémé, lait écrémé, lait entier. – Lait maternel ; lait humanisé ou maternisé. – Lolo [fam., enfant.]. – Lactation ; lactescence [litt.].

2 **Beurre,** demi-sel ; **crème,** crème fleurette ; lait de beurre ou petit-lait ou lactosérum [didact.] ; babeurre. – Lait caillé (ou caillé), lait fermenté ; kéfir, koumis, leben, **yoghourt** ou yaourt.

3 Préparation du lait. – **Barattage, caillage** ; emprésurage ; crémage, écrémage. – Actinisation, bactofugation, pasteurisation. – Maternisation.

4 **Baratte** ; **caillère** ; fromager ou fromagère. – Couloire, faisselle (ou : féchelle, fescelle, fesselle), éclisse. – Poche [TECHN.].

5 **Laitière, pot à lait** ; berthe, bouille **151.5,** canne.

6 Présure. – Moisissure.

7 **Laiterie** ; crémerie. – Lactarium.

8 **Laitier** *(un laitier)* ; beurrier [vx], crémier.

V. 9 **Traire 262** ; tirer le lait.

10 Allaiter **270.**

11 Baratter ou battre, écrémer, délaiter ; emprésurer, présurer. – Materniser.

12 **Cailler,** fermenter ; tourner. – Crémer.

13 Beurrer, embeurrer [région.].

Adj. 14 Beurrier, **laitier** ; fromager.

15 Lactaire [vx], lactifère ; lactique. – Lactescent [litt.].

16 Laiteux ; crémeux ; beurreux, butyreux [didact.]. – Fromageux.

17 Beurré, **lacté** ; fromagé.

Adv. 18 Laiteusement [litt., rare].

Aff. 19 Lact-, lacti-, lacto-.

455 LANGUE

N. 1 **Langue** *(une langue)* ; **idiome, langage,** parlure [litt.] ; langue nationale, langue officielle, langue véhiculaire ; langue ancienne ou classique, langue morte, langue vivante ; langue maternelle, langue seconde ; langue étrangère. – **Dialecte, parler, patois** ; langue vernaculaire. – Koinè [didact.]. – LING. : adstrat, substrat, superstrat. – Péj. : baragouin, **charabia 411, jargon,** petit-nègre, sabir.

2 Langues mixtes ou hybrides : **créole, pidgin** (bichelamar ou : bichlamar, bêche-de-mer), **sabir** *(lingua franca).* – Langue artificielle ou langue auxiliaire internationale (espéranto, interlingua, volapük).

3 **Langue** ; code **765,** glossaire, jargon, **langage** ; phraséologie, **terminologie** ; argot *(argot militaire, argot sportif)* ; idiolecte, métalangue ou métalangage ; compétence [LING.]. – **Argot,** argomuche [arg.], bigorne [vx], langue verte, largonji, slang [anglic.] ; javanais, jobelin, loucherbem ou louchébem, verlan ; calo [Espagne].

4 **Langue, lexique, vocabulaire** ; expression, figure, **idiotisme,** locution, **mot 535,** tour, tournure. – Africanisme, américanisme, anglicisme, belgicisme, canadianisme, créolisme, gallicisme, germanisme, hellénisme, helvétisme, latinisme ; argotisme, régionalisme ; archaïsme, néologisme ; emprunt, pérégrinisme. – Isoglosse ; aires d'isoglosse. – Lexicalisation, néologie.

5 **Langue** *(la langue)* ; diction, écriture, expression, **langage, style** ; niveaux de langue. – **Bon usage 346** ; atticisme [litt.], **purisme.** – **Abus de langage 3** ; barbarisme, contresens, cuir, **faute,** impropriété **283.8,** incorrection, solécisme ; *lapsus calami* **252,** *lapsus linguae.*

6 **Lexique,** morphologie, phonologie, sémantique **753, syntaxe** ; **mot 535, phrase 622,** syntagme ; lexème, morphème, phonème, sémantème. – **Alphabet,** code, **écriture** ; caractère, lettre **459,** signe **765.**

7 Grammaire **346** ; **linguistique** *(la linguistique).* – Argotologie, dialectologie, étymologie, lexicologie, morphologie, philologie, phonétique *(la phonétique)* **781,** phonologie, sémantique, sémiologie ou séméiologie, sémiotique **765,** stylistique **729.** – Lexicographie.

8 Bilinguisme, plurilinguisme ; unilinguisme. – Tour de Babel.

9 **Traduction** ; adaptation, transcription. – Thème, version.

10 **Dictionnaire,** glossaire, lexique, nomenclature, répertoire, thésaurus ; **grammaire.**

11 **Locuteur,** locuteur natif, sujet parlant [LING.]. – Anglophone, francophone, germanophone, hispanophone, néerlandophone, russophone, turcophone. – Argotisant *(un argotisant),* patoisant. – Polyglotte.

12 **Linguiste** ; argotiste, dialectologue, étymologiste, grammairien, lexicologue, paléologue, philologue, phonéticien, sémanticien, sémioticien, syntacticien ; lexicographe. – Africaniste, angliciste, franciste, germaniste, helléniste, hispanisant ou hispaniste, italianiste, latiniste, russisant, slavisant ou slaviste. – Interprète, **traducteur.**

13 Puriste. – Baragouineur.

14 Classification des langues. Principales familles de langues. – **Langues indo-européennes.** Groupe aryen ou indo-iranien (sanskrit, prakrit) : branche indienne (hindi, pendjabi, bengali, tsigane, etc.), branche iranienne (persan, kurde, afghan, baloutchi) ; arménien ; groupes tokharien, thracophrygien, illyrien, etc. ; groupe hittite ; groupe hellénique ou grec ; albanais ; groupe italique : latin, langues romanes (catalan, espagnol, français, italien, portugais, provençal ou occitan, rhéto-roman, roumain, sarde, vivaro-alpin) ; groupe celtique : gaulois, gaélique, brittonique (gallois, cornique, breton) ; groupe germanique : gotique, nordique (norvégien, danois, suédois), germanique (afrikaans, allemand, anglais, hollandais, flamand, frison) ; groupe balte : lette, lituanien ; groupe slave : méridional (slovène, serbo-croate, bulgare), occidental (tchécoslovaque, polonais), oriental (russe, biélo-russe, ukrainien). – **Langues ouralo-altaïques** ; **langues ouraliennes :** finno-ougriennes (lapon, finnois, hongrois, etc.), samoyèdes (yourak) ; **langues altaïques :** groupes turc, mongol, toungouze ; coréen. – **Langues dravidiennes :** tamoul, malayalam, telougou, cahara. – **Langues sino-tibétaines :** tibétain, birman ; branche chinoise (mandarin, wu, cantonais, etc.). – **Langues austro-asiatiques :** vietnamien, khmer. – **Langues kam-thaï :** chan, thaï, lao. – **Langues caucasiques.** – **Basque.** – **Langues asianiques :** sumérien, élamite, hatti, halde, hurri, carien. – **Langues méditerranéennes :** crétois, cypriote, étrusque. – **Langues chamito-sémitiques** ou **afro-asiatiques :** sémitique (araméen, hébreu, arabe, éthiopien), chamitique (égyptien, berbère, kabyle ou tamazight). – **Langues nilo-chariennes.** – **Langues sahariennes.** – **Langues nigéro-congolaises :** gur, kwa, langues bantoues, mandé ou mandingue. – **Langues malayo-polynésiennes :** malais, indonésien, malgache, hawaiien, etc. – **Langues australiennes.** – **Langues papoues.** – **Langues amérindiennes :** caribe, guarani, iroquoien, quechua, aymara, algonquien, etc. – **Parlers créoles.** – Classement typologique des langues : langues agglutinantes, langues amalgamantes (ou : flexionnelles, fusionnelles), langues incorporantes ou polysynthétiques, langues isolantes ou analytiques, langues juxtaposantes.

V. 15 **Communiquer, s'exprimer, parler** ; pop. : jacter, jaspiner. – Baragouiner, jargonner **411.** – Argotiser, patoiser.

16 Articuler, prononcer. – Écrire **252.**

17 Traduire ; transcrire, transposer.

Adj. 18 **Linguistique** ; langagier. – Étymologique, grammatical, lexical, lexicologique, métalinguistique, morphologique, philologique, phonétique, sémantique, stylistique.

19 Argotique, familier, littéraire, populaire, soutenu. – Dialectal, régional. – Idiomatique ; lexicalisé. – Écrit, oral, parlé, verbal.

20 Véhiculaire, vernaculaire.

21 Bilingue, monolingue, multilingue ou plurilingue, trilingue ; **polyglotte.**

Adv. 22 **Linguistiquement** ; étymologiquement, grammaticalement, morphologiquement, philologiquement, phonétiquement, sémantiquement, syntactiquement, stylistiquement.

23 Oralement, verbalement ; par écrit.

Aff. 24 -glotte *(polyglotte),* -phone *(arabophone, hispanophone)* ; -isant *(anglicisant, germanisant),* -iste *(helléniste, latiniste).*

456 LARGEUR

N. 1 **Largeur** ; ampleur, grosseur **351.** – Vx : latitude, amplitude.

2 **Largeur** (*la largeur,* opposée notamm. à la longueur). – Côté **158,** travers. – Carrure ; envergure **470** ; diamètre.

3 Élargissement, épatement, écrasement ; écartement **433.**

V. 4 **Élargir** ; agrandir, dilater, évaser, étendre, ouvrir ; desserrer ; donner du large à. – S'élargir, s'évaser ; s'agrandir, se dilater, s'étendre, s'ouvrir.

5 Être au large ; avoir de la place, être à l'aise.

Adj. 6 **Large** ; carré, fort, grand. – Ample, étendu, spacieux, vaste.

7 Élargi, évasé, ouvert.

8 Latéral.

Adv. 9 **Largement** ; amplement. – De long en large ; en long, en large et en travers [souv. fig. et fam.] ; en long et en large, en travers, dans les grandes largeurs [fig., fam.].

10 **Latéralement.** – De part en part.

11 **Spacieusement,** vastement.

12 Dans le sens le plus large, *largo sensu* (lat., « au sens large »).

13 MUS., ital. : *largo, larghetto.*

457 LÉGÈRETÉ

N. 1 **Légèreté** ; faible densité **187.2,** faible poids. – **Impondérabilité** ; immatérialité, impalpabilité, inconsistance. – Fluidité ; volatilité. – Digestibilité **218.** – **Mobilité** ; maniabilité, manœuvrabilité ; flottabilité. – **Finesse,** minceur, ténuité ; délicatesse ; fragilité. – Agilité, lestesse, prestesse. – Délié *(le délié),* grâce.

2 **Apesanteur,** non-pesanteur ; agravitation [didact.], agravité [rare].

3 Lévitation ; flottaison [litt.].

4 **Allégement** ou allègement, **délestage** ; décharge, soulagement. – **Adoucissement,** atténuation ; soulagement.

5 CHIM., PHYS. : gaz léger, huile légère, métal léger. – AVIAT. : plus léger que l'air *(un plus léger que l'air)* [anc.] ; aérostat **831,** U.L.M. *(ultraléger motorisé).*

6 Fétu ou fétu de paille, flocon, plume.

7 SPORTS – Poids léger ; poids coq, poids mouche, poids plume **792.**

V. 8 **Ne pas peser,** ne pas peser lourd [fam.] ; flotter, voler, voleter, voltiger ; léviter.

9 **Alléger,** allégir [TECHN.] ; affiner, amincir. – Dégraisser, écrémer **214.** – Débarrasser, décharger, **délester** ; soulager.

Adj. 10 **Léger** ; peu dense ; léger comme une plume ou comme une bulle de savon ; léger à. – **Aérien,** ailé, **éthéré,** vaporeux ; immatériel, **impondérable** ; volatil.

11 **Léger** ; délicat, **fin,** mince. – Arachnéen, diaphane, transparent.

12 **Allégé,** délesté. – Écrémé.

13 **Léger** ; **maniable, mobile,** portable, portatif, transportable. – Agile, **alerte,** leste, preste, **rapide.** – Léger à la main [ÉQUIT.].

14 **Léger** ; **faible,** infime, maigre, mince, ténu ; imperceptible, inaudible, insensible, insignifiant **419.** – Inconsistant, insuffisant, pauvre, superficiel.

15 **Léger** ; **digeste 218,** digestible ; frugal, maigre ; diététique **214,** hypocalorique.

Adv. 16 **Légèrement** ; délicatement, doucement, en douceur, en souplesse ; par touches. – Impalpablement, imperceptiblement, insensiblement. – **À peine,** peu **602, un peu.**

Aff. 17 Aéri- ; lévi-.

458 LENTEUR

N. 1 **Lenteur** ; indolence, nonchalance, mollesse ; mollasserie [fam.] ; flegme **89,** paresse **593.**

2 **Apathie 393,** inactivité, inertie. – MÉD. : bradycinésie ou bradykinésie ; glischroïdie ; myotonie.

3 **Lenteur d'esprit** ; épaisseur, lourdeur, pesanteur ; bêtise, sottise **784.** – MÉD. : bradypsychie, viscosité mentale ; bradylalie **839.**

4 Lenteurs, **longueurs** ; hésitation **438,** tergiversation ; VX : barguignage, lanternerie, lanternement [rare] ; délai, retard **724.**

5 Petite vitesse ; train de sénateur ; traînerie [rare].

6 MUS. : **adage,** adagietto, adagio **543.** – Valse lente.

7 Décélération **220.1,** freinage, **ralentissement 522.** – Récession.

8 **Alanguissement,** langueur ; endormissement **780,** engourdissement, somnolence, torpeur. – Lassitude **272.**

9 Lanterne rouge, serre-file ; fam. : escargot, **lambin** *(un lambin),* traînard ; clampin [région.], culot [vieilli]. – Fam. : traîne-savates ou traîne-semelles **393.**

V. 10 **Ralentir 522** ; décélérer, freiner, rétrograder. – Marquer le pas [fig.].

11 Différer, retarder **724.10** ; hésiter **395,** tergiverser.

12 Faire du surplace [fam.], piétiner ; VX : aller le pas, aller à pas de poule ; aller plan ou plan-plan [fam.] ; marcher à pas comptés, traîner le pas (ou : les pieds **715,** la savate [VX]), traîner de l'aile ; **se traîner** [fam.]. – Aller son petit bonhomme de chemin.

13 **Prendre son temps,** ne pas se presser ; se hâter avec lenteur [fam.] ; aller petit train [rare] ; laisser venir. – Faire durer le plaisir, faire traîner en lon-

gueur, la faire longue [vx]. – Gagner du temps, pousser le temps à l'épaule [vx]. – Tarder.

14 Baguenauder, **flâner,** musarder, muser, rêvasser ; **lambiner,** lanterner, traîner ; fam. : traînasser, traînailler ; lézarder, paresser **593.** – S'alanguir, s'assoupir.

15 S'appesantir sur, **s'attarder sur,** s'endormir sur **780,** s'éterniser sur ; n'en pas finir.

16 Prov. : qui va lentement va sûrement ; qui va piano va sano [ital.] ; qui veut voyager loin ménage sa monture. – Petit à petit l'oiseau fait son nid.

Adj. 17 **Lent** ; indolent, mou **393,** nonchalant ; fam. : gnangnan ou gnian-gnian [fam.], mollasse, mollasson ; lambin [fam.] ; bon à aller quérir la mort [vx].

18 Alangui, endormi **780,** engourdi, **apathique,** flegmatique, paresseux **593.** – Fam. : lourd, lourdaud **784,** pachydermique [litt.], patapouf [fam.]. – Las **272.**

19 Calme **89,** posé, **tranquille** ; fam. : cool [anglic., « frais »], peinard.

20 Flâneur, musard [vieilli].

21 **Interminable,** long, long comme un jour sans pain [fam.] long comme une vielle [vx] ; poussif, tardif [vx], traînant.

22 Graduel, progressif.

Adv. 23 **Lentement,** posément **522** ; nonchalamment, tranquillement **89** ; mollement ; fam. : calmos, peinardement, peinardos [par plais.] ; fam. : pianissimo, **piano.** – MUS. : larghetto, largo, lento **543.**

24 **Doucement,** à la douce [vx et fam.]. – À petite vitesse ; **à pas comptés,** d'un pas mesuré, d'un pas de tortue ; comme un escargot, comme une tortue.

25 Graduellement, progressivement ; **peu à peu,** petit à petit ; goutte à goutte ; à petites gorgées. – **Pas à pas,** pied à pied ; chiquet à chiquet [vx].

26 Interminablement, **longuement** ; à n'en plus finir. – À petit feu.

27 Tant bien que mal ; clopin-clopant [fam.] **217.**

Aff. 28 Brady-.

459 LETTRE

N. 1 **Lettre** ; **caractère,** signe **765,** symbole. – Idéogramme, pictogramme ; lettres algébriques [MATH.], lettres numérales. – Hiéroglyphe, kana, kandji, rune. – **Alphabet, écriture 252,** orthographe **346** ; alphabétisme.

2 **Lettre** ; **consonne,** semi-consonne ou semi-voyelle, **voyelle** ; lettre double, lettre redoublée ; graphème [LING.], lettre servile [LING. SÉMITIQUE]. – **Syllabe** ; antépénultième, pénultième. – Phonème, son **781.** – Accentuation. – Amuïssement ; lettre muette.

3 **Lettre** ; allographe [LING.], caractère ; **majuscule** *(une majuscule)* ou capitale *(grande capitale, petite capitale),* **minuscule** *(une minuscule)* ou bas-de-casse ; cursive **252,** script ; italique, romain. – **Délié, plein** ; hampe, jambage, queue ; empattement, obit. – IMPRIM. : corps, épaisseur ou chasse, graisse. – Demi-gras, gras, maigre ; étroit, large.

4 **Lettre** ; **initiale** *(une initiale),* lettrine **578,** miniature ; chiffre, monogramme ; lettre grise, lettre historiée, lettre montante, lettre ornée, syllabe d'amorce. – **Abréviation,** acronyme, sigle ; logotype ou logo [ARTS GRAPH.]. – IMPRIM. : esperluette (ou : éperluette, perluette, perluète), ligature, logotype.

5 **Mot 535** ; tétragramme, trilitère ou trilittère ; acronyme, acrostiche, **anagramme,** chronogramme, métagramme, tautogramme ; allitération **313,** contrepèterie ; lipogramme. – Jeux de lettres **446.** – Lettrisme [LITTÉR.] **635.**

6 Coquille **283,** paragramme.

7 IMPRIM. – **Caractère,** plomb, type ; chiffre, lettre, lettre inférieure, lettre supérieure, ponctuation **765.** – Blanc *(un blanc),* blanc de justification, cadrat, cadratin, demi-cadratin, espace *(une espace).* – Œil, talus ; approche. – Casse, cassetin, haut de casse, bas de casse.

8 **Familles de caractères** ; aldin, antique, didot, égyptienne, elzévir ; didone, garalde, humane, incise, linéale, manuaire, mécane, réale, scripte ; bodoni, garamond, gothique, romain. – Caractères d'affiche, caractères de fantaisie, caractères de labeur. – Jeu de lettres, police.

9 Imprimerie **388, typographie** ; **calligraphie 252.** – Lettrage.

10 Lettre *(la lettre,* opposé à *l'esprit),* littéralité. – Littéralisme **432.**

11 Épellation [rare] ; déchiffrement, lecture.

12 Alphabétisation. – Analphabétisme **377,** illettrisme. – MÉD. : agraphie **839,** assyllabie.

13 Abc, **abécédaire,** syllabaire [vieilli].

14 Typographe **388.** – Peintre en lettres.

15 Analphabète *(un analphabète)*, illettré *(un illettré)*.

V. 16 **Épeler** ; déchiffrer, lire. – Calligraphier, écrire **252,** orthographier.

17 Composer, **imprimer 388** ; IMPRIM. : bloquer, créner, lever la lettre.

18 S'amuïr [PHON.]. – Accentuer.

Adj. 19 **Littéral** ; alphanumérique **408** ; écrit, **littéraire** (opposé à parlé **595**) ; exact, strict **753, textuel.**

20 Consonantique, vocalique ; syllabique.

21 Accentué, tonique. – Inaccentué, atone. – PHON. : caduc, instable, muet. – Accentuel [PHON.].

Adv. 22 **Littéralement** ; à la lettre, au pied de la lettre ; au sens strict ou *stricto sensu* [lat.] **753** ; textuellement, véritablement **854.**

23 En toutes lettres. – Avant la lettre, après la lettre.

24 Alphabétiquement.

Aff. 25 Graph-, graphi-, grapho- ; -graphie **252,** -graphique.

26 -syllabe, -syllabie, -syllabique.

460 LIBÉRALISME

N. 1 **Libéralisme 462** ; libéralisme économique ; libéralisme classique, libéralisme optimiste, libéralisme pessimiste. – **Économie de marché** ; capitalisme libéral ou de libre-échange ; **libre-échangisme.** – Néocapitalisme, néolibéralisme. – HIST. : physiocratie, whiggisme.

2 Liberté économique ; liberté du commerce, liberté d'entreprise, liberté de l'industrie, liberté du travail ; liberté des échanges ou **libre-échange.** – Délocalisation.

3 **Laissez-faire, laissez-passer** ou laisser-faire, laisser-passer *(le laisser-faire, laisser-passer des libéraux)*.

4 Libéralisation ; libération des échanges. – Dénationalisation, désétatisation, **privatisation** ; déplanification. – Dérégulation ; déréglementation. – Décartellisation ; législation antitrust.

5 **Monopole** ou monopsone [rare], monopole simple **135.**

6 Libéral *(un libéral)*. – HIST. : physiocrate ou économiste, whig *(un whig)*.

V. 7 **Libéraliser,** libérer ; dénationaliser, désétatiser, **privatiser.** – Décommuniser. – Délocaliser.

8 Déréguler ; déréglementer.

Adj. 9 **Libéral 462** ; libre-échangiste ; néolibéral.

10 **Capitaliste.** – Néoclassique. – Physiocratique [HIST.].

Adv. 11 Libéralement [rare].

461 LIBÉRATION

N. 1 **Libération** ; élargissement, **mise en liberté** ; relâchement [vx] ; relaxe [DR.] ; levée d'écrou. – Libération conditionnelle. – Déliement, désenchaînement [rare]. – Grâce, rémission **592.**

2 **Évasion** ; arg. : la belle, décarrade, décarrement.

3 **Libération** ; délivrance.

4 Libération ; affranchissement, désaliénation, **émancipation** [cour.], mainmise [DR. FÉOD.], manumission [DR. ROM. ou FÉOD.]. – DR. : émancipation expresse (ou : légale, tacite, volontaire).

5 MIL. – **Démobilisation,** libération *(libération du contingent)* ; arg. : fuite, quille.

6 DR. : **décharge,** mainlevée, prescription, prescription extinctive ou libératoire. – Cour. : annulation **31,** cessation, **extinction.** – Affranchissement [vx], décharge définitive [DR.], dispense, exemption, **exonération,** franchise [DR. FISC.], purge [DR.], remise *(remise de dette)*.

7 Dérogation, **dispense,** exemption [vx], quittance [DR.], quitus [DR.].

8 Délivrance ; allégement ou allègement [sout.], débondage ou débondement [rare], **soulagement 786.**

9 **Libérateur** *(un libérateur)* ; litt. : affranchisseur, émancipateur ; abolitionniste *(un abolitionniste)*, antiesclavagiste *(un antiesclavagiste)*. – **Décolonisateur.**

10 **Démobilisé** *(un démobilisé)* [MIL.]. – Quillard [arg. mil.]. – **Dispensé** (ou : un exempt [didact.], un exempté).

11 **Affranchi** *(un affranchi)*, libertin *(un libertin)* [HIST., vx]. – **Décolonisé** *(un décolonisé)*. – Libérable *(un libérable)*.

V. 12 **Libérer, relâcher,** remettre en liberté, faire sortir ou tirer de prison ; DR. : élargir, relaxer. – Décloîtrer [RELIG.]. – MIL. : lever les arrêts ; démobiliser. – **Amnistier,** gracier **215.**

13 **Délivrer** ; désenchaîner ou déchaîner [rare], **détacher** ; désenlacer [vx] ; déboucler [fam.]. – Litt. : briser les chaînes (ou : les fers, les liens) de qqn, rompre les chaînes ou les liens de qqn. – Donner la clef des champs, lâcher ou, vx, rendre la bride à quelqu'un. – Dégager, extraire **301.**

14 **Libérer** ; affranchir, désaliéner, **émanciper,** franchir [vx], mainmettre [DR. FÉOD.].

15 **Délivrer de** ; acquitter de, débarrasser de, **décharger de,** dégager de, **délier de** *(délier d'une promesse),* désengager de, libérer de, quitter de [vx], tenir quitte de. – Épargner à qqn de, faire grâce à qqn de qqch. – Dispenser de, exempter de ; exonérer [DR. FISC.] ; éviter à qqn, sauver à qqn [vx]. – Donner quittance de [vieilli] (ou : quittancer, donner quitus). – Amortir ou remettre l'hommage [FÉOD.].

16 Libérer, relâcher, soulager. – Se débonder [litt.], se décharger, se déverser, s'épancher **145,** se libérer ; se débrider, **se défouler,** se licencier [vx].

17 Donner carrière (ou : libre carrière, libre cours) à, laisser le champ libre ou libre cours à ; lâcher la bonde à [vx], lâcher la bride à ; laisser vaguer.

18 **Se libérer** ; prendre la ou sa volée, voler de ses propres ailes. – Briser (ou : rejeter, rompre, secouer) le joug ; rompre ses lisières [vx]. – S'échapper, s'élargir [vx], **s'évader.**

19 Arg. mil. : avoir la quille ou être de la classe. – Arg. : **décarrer** ou décarrer de la geôle, être guéri. – Chanter un libera [vx] **786.**

20 S'en sortir, se tirer d'affaire.

Adj. 21 **Libéré** ; **délivré.** – Décolonisé, indépendant.

22 **Libéré** ; affranchi, désaliéné, **émancipé,** franc [vx], libre **93.** – Hors ou sorti de page [vx]. – **Quillard** [arg. mil.].

23 Libéré de ; **dégagé de,** dispensé de, exempt de, exonéré de, quitte de. – Franc et quitte [DR.].

24 Libérateur ; émancipateur [litt.], **salvateur** [litt.], sauveur (fém. : salvatrice). – Démobilisateur [MIL.].

25 **Libérateur** ; affranchissant [litt.]. – Cathartique, purificateur ou purificatoire. – Libératoire.

26 Libérable ; décolonisable [rare]. – Démobilisable [MIL.].

462 LIBERTÉ

N. 1 **Liberté** ; libre arbitre ; franc arbitre [vieilli] ; liberté morale. – **Autonomie.** – PHILOS. :liberté d'indifférence (Descartes) ; liberté intelligible (ou : nouménale, transcendantale) [Kant] ; liberté naturelle ou, lat., *arbitrium brutum.*

2 Autonomie, **indépendance 400.2,** souveraineté ; self-government (angl., « gouvernement par soi-même »). – Affranchissement, **autodétermination,** franchise [vx].

3 DR. : liberté politique **245,** liberté publique ; liberté civile ; **Droits de l'homme et du citoyen** (ou : de l'individu, de la personne humaine). – Libertés concrètes ou formelles. – *Liberté, Égalité, Fraternité* [devise de la République française].

4 DR. – **Liberté individuelle** ; liberté de la vie privée, du domicile ; liberté corporelle ou physique ; habeas corpus (lat., « que tu aies ton corps »). – Liberté provisoire ou surveillée **461** ; liberté sur parole. – **Liberté de conscience.** – Liberté religieuse, liberté du culte ; liberté d'enseignement. – **Liberté de pensée,** d'expression, d'opinion, liberté de la presse. – **Liberté d'association** ; liberté de réunion ; liberté syndicale, liberté du travail. – Liberté économique **460** ; liberté des conventions.

5 DR. INTERN. – Liberté de l'air, droit de survol ; libertés commerciales ou techniques. – Libertés de la mer ou des mers.

6 **Liberté** ; droit, latitude, licence, **pouvoir** ; faculté, moyen, possibilité ; facilités.

7 **Autorisation 59,** loisir, permission. – Dispense, immunité.

8 **Disponibilité 706,** loisir, vacance [litt.].

9 Liberté d'esprit ou de jugement ; indépendance d'esprit. – Libertinage [HIST.], libre pensée, scepticisme ; **anticonformisme,** non-conformisme.

10 Libertinage [vx], licence [vieilli] **475** ; **laisser-aller,** laxisme, relâchement.

11 **Libertés** ; familiarités, hardiesses [sout.], licences [vieilli], privautés. – **Franc-parler.** – Licence *(licence poétique).*

12 PHILOS. : **indéterminisme** ; existentialisme, libertisme. – Libéralisme [PHILOS., POLIT.] ; **démocratie 808.** – RELIG. : latitudinarisme [vx], modernisme. – POLIT. : anarchisme ; **autonomisme,** indépendantisme, nationalisme, sécessionnisme, séparatisme.

13 Indépendant *(un indépendant).* – Citoyen. – Alleutier [FÉOD.], antrustion [HIST.].

14 **Libre penseur** ou libre-penseur ; esprit fort, esprit libre, **libertin** *(un libertin)* [litt.], sceptique *(un sceptique).* – **Anticonformiste,** non-conformiste *(un non-conformiste)* ; esprit critique ; individualiste *(un individualiste).* – RELIG. : latitudinariste *(un latitudinariste)* [vx], moderniste *(un moderniste).*

15 **Autonomiste** *(un autonomiste),* indépendantiste *(un indépendantiste),* nationaliste *(un nationaliste),* sécessionniste *(un sécessionniste),* séparatiste *(un séparatiste).*

16 POLIT. – **Démocrate** *(un démocrate),* républicain *(un républicain)* ; **libéral** *(un libéral).* – Libérâtre *(un libérâtre)* [péj., vx]. – Liberticide *(un liberticide)* [vieilli].

17 **Libertaire** *(un libertaire)* ; anarchiste *(un anarchiste).*

18 HIST. : commune libre, ville libre, ville franche ; zone libre. – Arbre de la Liberté [HIST.] **37.**

V. 19 **Libérer, mettre en liberté** ; affranchir, émanciper. – Élargir, relâcher, relaxer. – Délivrer ; dégager, délier, détacher ; déchaîner [rare].

20 **Exempter** ; dispenser ; tenir quitte de. – Fig. : décharger, dégager, délier.

21 Prendre la liberté de ; **s'autoriser à 58,** se permettre de. – Prendre ou se permettre des libertés avec ; **en prendre à son aise,** ne pas se gêner. – Faire à sa guise ou à son idée ; **n'en faire qu'à sa tête 90.**

22 S'autodéterminer, s'autonomiser, choisir **116.**

23 Vivre sa vie, **voler de ses propres ailes 400.10.** – Être son propre maître ; n'avoir de compte à rendre à personne ; s'appartenir, s'assumer [fam.]. – Avoir ou garder les mains libres, avoir la bride sur le cou. – Avoir quartier libre. – Avoir le champ libre ou, vx, la scène, avoir du jeu ou de la marge.

24 Avoir toute liberté pour, avoir pleine ou toute licence de [litt.]. – Avoir blanc-seing (ou : carte blanche, le feu vert) ; avoir les coudées franches, avoir les pleins pouvoirs.

25 Avoir l'esprit ou la tête libre, **disposer de soi,** être à soi. – Vx : n'être pas sujet à un coup de cloche ou de marteau, vivre en gentilhomme.

Adj. 26 **Libre** ; autonome, **indépendant.** Rare : inasservi, insubordonné.

27 Souverain.

28 **Libéral** *(profession libérale)* ; indépendant.

29 **Libre** ; libre comme l'air ; dégagé de toute obligation. – Disponible ; de loisir [vx].

30 Libertin [vieilli], **libre penseur** ou libre-penseur, licencieux. – **Anticonformiste,** nonconformiste. – RELIG. : latitudinariste [vx], moderniste.

31 **Autonomiste,** indépendantiste, nationaliste, sécessionniste, séparatiste.

32 **Libéral** ; démocrate, républicain. – Libérâtre [péj., vx].

33 Libéral ; permissif, tolérant. – Coulant [fam.], **laxiste** ; latitudinaire [RELIG.].

34 Libre ; effronté, hardi.

35 Liberticide [POLIT., vieilli].

36 PHILOS. – **Libre** ; absolu, **autonome,** délibéré, franc [vx], réfléchi, volontaire **870.**

37 **Facultatif 116** ; ad libitum ou ad lib (lat., « au choix »).

Adv. 38 **Librement** ; indépendamment [vieilli]. – De son chef ou de son propre chef, de sa propre initiative, de soi-même ; de son propre mouvement ou, lat., motu proprio, *sponte sua* (lat., « de sa propre volonté ») [didact.].

39 **À sa guise, à son idée** ; vieilli : à sa mode, à sa tête. – À son aise, loisiblement [litt.], à loisir, **tout à loisir.**

40 Libéralement [rare ou vx].

Int. 41 Vive la liberté ! – Ni Dieu ni maître !

463 LICHENS

N. 1 **Lichen.** – Thallophyte ; angiocarpe. – Ascolichen, basidiolichen, discolichen, lichen foliacé, lichen fruticuleux, lichen gélatineux, lichen migrateur. – Cyclocarpale.

2 Asque, hyphe, hypothécie, rhizine, scutelle, scyphule, sorédie. – Érythrine, érythritol, lichénine, orcinol.

3 Espèces de lichens. – Cetraria, cladonie, collema, evernia, graphis, lecanora, lecidea, lichen ou mousse d'Islande, parmélie, peltigera, pertusaria, physcia, ricasolia, solorina, sticta, **usnée** ou barbe-de-capucin, xanthoria.

4 Lichénisation. – **Symbiose** ; parasymbiose.

5 Lichénologie.

Adj. 6 **Lichénique.** – Angiocarpe, ascogène, épiphléode, gymnocarpe, homéomère, homothalame. – Crustacé, encroûtant.

464 LIEU DE TRAVAIL

N. 1 **Lieu de travail.** – **Entreprise,** établissement, société ; boîte [fam.].

2 **Administration.** – Bureau de poste ou, cour., poste *(une poste).* – Centre des impôts. – Bureau de douane. – Ministère. – Chambre *(chambre de commerce, chambre d'industrie).* – Office *(office de tourisme).*

3 **Bureau** ; burlingue [arg.]. – Salle ; salle de rédaction, salle de tri. – Guichet. – Accueil *(l'accueil).*

4 **École 274.5.** – Maternelle, école primaire, collège, lycée ; faculté ou, fam., fac, université.

– Campus. – Bibliothèque, salle de travail ; salle de permanence.

5 **Usine** ; fabrique, manufacture. – **Aciérie 510,** mini-aciérie ; aluminerie, cokerie, fonderie, forge [anc.].

6 **Atelier** ; atelier de fabrication, atelier de montage, atelier de polissage, atelier d'usinage, atelier de peinture. – **Chaîne,** chaîne de montage.

7 Atelier de menuiserie. – Miroiterie, verrerie. – Cordonnerie. – **Garage** ; atelier de réparation.

8 Chantier.

9 **Carrière,** exploitation à ciel ouvert. – Exploitation minière **518, mine.** – Chantier d'abattage, chantier d'exploitation.

10 **Agence, bureau,** bureau d'études ; office. – Cabinet d'affaires.

11 Étude *(étude d'avoué, d'huissier, de notaire).* – **Cabinet,** cabinet médical. – Salle d'attente.

12 **Officine** ; pharmacie ; laboratoire d'analyses. – Centre de recherches ; laboratoire ou, fam., labo.

13 **Boutique, magasin** ; échoppe. – **Marché.** – Hypermarché ou, fam., hyper, supermarché.

14 Bureau, service.

465 LIEUX DE CULTE

N. 1 **Lieux de culte,** lieux saints. – Maison de Dieu ou du Seigneur.

2 Christianisme : abbatiale, abbaye **525,** basilique, cathédrale, chapelle, collégiale ou église collégiale, **église,** église-halle, oratoire **657, sanctuaire** ; *duomo* [ital.]. – Baptistère, crypte ; martyrium ou confession.

3 Judaïsme **449 : temple** ; **synagogue.** – Islam **440 : mosquée** ; djami opposé à masdjib ; koubba ; zawiya ou zaouïa. – Bouddhisme **80 : stupa** ou, au Tibet, **chörten** ; Extrême-Orient : candi, **pagode,** prang, prasat. – Hindouisme **362 :** sikhara, vimana.

4 ANTIQ. – Grèce : héraïon, iseion, métroon, serapeum ; temple. – Empire romain : dolichenum, fanum, laraire, mithraeum, **temple** ; sacrarium. – Phénicie : **tophet.** – Égypte : spéos ; mammisi ; mastaba. – Mésopotamie : ziggourat. – Empire aztèque : teocalli.

5 Parties de l'église. – **Parvis,** porche, tympan ; cryptoportique, galilée, **narthex** ; nef ou vaisseau ; bas-côté ou collatéral, travées ; transept, **bras** du transept ou croisillon, croisée ou **carré du** transept ; chœur ; chevet ou croupe **d'église** ; chapelle axiale, chapelle rayonnante ou absidiole ; déambulatoire. – Tribunes ; triforium. – Arc, arcs-boutants, ogive **39.** – Jubé ; iconostase. – Chancel.

6 Parties de la mosquée : haram. – **Mihrab.**

7 Gopura [partie du temple hindou]. – Kondo [partie du temple japonais].

8 Parties du temple grec : cella ou **naos,** opisthodome, **pronaos** ; propylée. – Temple égyptien : pylône. – Temple de Jérusalem : saint des saints.

9 **Clocher,** campanile, flèche ; pinacle. – Minaret.

10 Bourdon, **cloche.**

11 **Autel,** maître-autel ; ciborium. – **Tabernacle.** – **Bénitier.** – Fonts baptismaux.

12 Ambon [vx], tribune. – **Chaire à prêcher** ; Islam : minbar. – Confessionnal **519.**

13 Banc-d'œuvre, stalle ; miséricorde. – Agenouilloir, prie-Dieu. – Cathèdre ou chaire, trône épiscopal.

14 Lutrin.

15 **Croix,** crucifix. – Chemin de croix. – Ex-voto.

16 Icône ; iconostase. – Retable. – **Vitrail.**

17 **Reliques.** – Châsse, reliquaire ; fierte.

466 LIGNE

N. 1 **Ligne.** – Délinéament [didact.], linéature [litt.].

2 **Linéarité** [litt.] ; horizontalité, obliquité **158,** verticalité.

3 Alignement, délinéation [didact.], tracement. – Alinéa. – **Guillochage,** racinage [TECHN.].

4 **Ligne** ; ligne droite, ligne brisée, ligne courbe. – Filet [TYPOGR.], ligature [TYPOGR.], liseré, tiret, **trait,** veine. – IMPRIM. : pontuseau, vergeure. – Guillochis, raie, rainure, sillon, **strie,** striole. – Sillage, **trace,** traînée.

5 **Biffure,** effaçure, rature ; griffure, guillochure, hachure, rayure, striure, **zébrure** ; **nervure,** veinure. – Jaspure, madrure, **marbrure,** moirure. – Quadrillage **171,** réglure [TECHN.].

6 Lignes de la main ; ligne de cœur, ligne de vie. – **Ride,** ridule, vergeture [didact.] ; corrugation [ANAT.].

7 Fig. – **Direction,** voie. – **Ligne de conduite** [fig.], voie [fig.]. – Ligne budgétaire, ligne mélo-

dique, ligne politique. – Ligne de foi [MÉTROL.], ligne de mire, ligne de visée. – **Ligne de force** [PHYS.]. – **Ligne aérienne 831,** ligne maritime ; ligne de chemin de fer ; ligne de métro.

8 **Ligne de faîte,** ligne d'horizon. – Ligne de flottaison, **ligne de niveau.** – Ligne de front [MIL.].

9 Ligne directe, ligne collatérale ; lignage, lignée **314.**

V. 10 **Délinéamenter** [didact.], délinéer [didact.], dessiner, tracer. – **Ligner** [TECHN.], régler, **tracer,** tringler [TECHN.] ; tirer un trait, des traits. – Bretteler, bretter, cingler, **rayer,** sillonner, strier, zébrer ; biffer, raturer.

11 Aller (aussi : passer) à la ligne. – Suivre une ligne ; souligner, surligner.

Adj. 12 **Linéaire** ; linéal, linéamentaire [litt.].

13 **Filamenteux,** filandreux ; filamenté [rare].

Adv. 14 En ligne, linéairement.

467 LIMITE

N. 1 **Limite** ; contour, périmètre. – Bord, bordure 77. – **Borne,** confins, extrémité. – Frontière, seuil ; **cadre.**

2 **Frontière,** marche *(les marches d'un empire)* ; ligne de démarcation, ligne frontière. – **Confins** ; bout, **extrémité,** fin **315,** **terme** ; terminus ; piliers ou colonnes d'Hercule [MYTH.] ; ligne d'horizon. – Fig. : **cadre,** domaine, sphère ; rayon [fig.], ressort **7.**

3 **Seuil** ; limite, maximum, minimum ; plafond, plancher, point de rupture. – PSYCHOL. : conscience marginale, frange de conscience. – Frein ; **contingentement.**

4 **Limitation,** restriction **220.1** ; limitation de vitesse **833.** – **Délimitation,** démarcation ; encadrement. – **Caractérisation,** définition, détermination, fixation.

5 Abonnage [DR. ANC.], **bornage.**

6 **Barrière 67,** borne, marque. – Arrêtoir, **cran d'arrêt.** – Borne inférieure ou supérieure d'une fonction [MATH.].

V. 7 **Limiter** ; border, borner, bornoyer [TECHN.]. – **Circonscrire,** circonvenir [vx], confiner, délimiter, localiser. – Définir (ou : déterminer, fixer) des limites. – Assigner un terme à [vx], mettre un terme à **315.15** ; préciser, spécifier. – Faire des restrictions ou des réserves, modérer, **réduire,** restreindre, serrer d'un cran [fig.]. – Limiter les dégâts [fam.].

8 Atteindre les bornes, combler la mesure, **dépasser** (ou : franchir, passer) **les bornes,** transgresser ; excéder **294.7,** franchir les limites, outrepasser ; pousser, pousser bien loin, pousser un peu loin, pousser trop loin ; charrier [fam.]. – Acculer, pousser qqn à bout (ou : à la dernière extrémité, dans ses retranchements, dans ses derniers retranchements) ; exaspérer, mettre à bout.

9 Ne plus connaître de limites ou de bornes ; pousser à bout (ou : à la perfection, à l'extrême).

10 Être à bout, **être à bout de forces** (ou : à bout de courage, de souffle, de nerfs, de course), être au bout du rouleau **303.** – Boire la coupe jusqu'à la lie.

11 **S'en tenir à** ; se borner à, se cantonner, se confiner, se contenter de, se limiter à.

Adj. 12 **Limité** ; arrêté, défini, fini, fixé, précisé, réglé.

13 **Contigu** ; **bordurier,** frontalier, limitrophe, transfrontalier. – Juste *(c'est juste),* limite *(c'est limite)* [fam.]. – Liminaire, liminal, subliminal ; **final,** terminal.

14 **Limitant** [didact.], limitatif. – Limitable [rare].

15 Absolu **823.12** ; **extrême.** – Illimité, sans borne [vx], sans bornes, sans limites. – Illimitable, infini **406.9.**

Adv. 16 **Limitativement.** – Dans la mesure du possible.

17 À l'autre bout, à l'extrême pointe, **à la limite** ; sur les bords. – Jusqu'au bout, **jusqu'à la lie,** jusqu'à la corde, jusqu'à la dernière extrémité, **jusqu'à la dernière limite,** jusqu'à épuisement, jusqu'à plus soif [fam.]. – Au finish [anglic., fam.], en dernière extrémité.

18 À terme, à terme échu, échu ce terme, passé ce terme.

Prép. 19 **À la limite de,** aux confins de ; **jusque.** – Jusqu'à concurrence de, **dans la limite de** ; endéans [belg.]. – Du ressort de, du domaine de, de la portée de.

Aff. 20 Acro-.

468 LIQUIDE

N. 1 **Liquide** *(un liquide).* – **Fluide** *(un fluide).* – État liquide [SC.] ; fluidité.

2 **Liquéfaction** ; liquation [TECHN.]. – Fonte [TECHN.], fusion, surfusion. – Délayage, **dilution,** dissolution [PHYS.]. – **Bouillonnement 17,** ébullition, effervescence. – Déliquescence, flui-

dification [didact.]. – Condensation, gazéification, solidification.

3 Coulée, dégoulinade [fam.] ou dégoulinement [rare] ; filet, ruisseau, **torrent,** trombe. – Goutte, gouttelette, larme. – Flaque, mare, **mer** ; plaine liquide [litt.]. – Éclaboussement ; geyser, jaillissement, **jet.** – Clapotage ou clapotement, clapotis ; fam. : flic flac, glouglou *(des glouglous).* – Coulure.

4 Liquide organique **340, sécrétion,** sérosité, sérum **742** ; vx : humeur, liqueur. – Théorie des quatre humeurs [vx] : atrabile, bile, flegme, sang [MÉD. ANC.]. – Liquide amniotique, liquide céphalo-rachidien.

5 Hydrate, lotion, soluté, **solution 113.** – Acide, boue, essence ; **alcool,** huile **369,** lait **454,** vin. – Infusion, macération, marinade. – **Bouillon,** brouet [vx]. – **Boisson 75.**

6 Ablution, affusion [MÉD., vieilli], **toilette 669.** – Arrosement, aspergée [rare], aspersion, nébulisation. – LITURGIE CATH. : aspergès, baptême **173,** lustration. – **Écoulement,** irrigation, ruissellement, suintement, transpiration ; effusion, épanchement, **flux,** fuite, inondation ; dégorgement, déversement, évacuation. – Immersion, trempage. – **Infiltration 608,** injection, instillation [didact.]. – Imbibition, imprégnation.

7 Hydraulique *(l'hydraulique),* hydrodynamique *(l'hydrodynamique),* hydrométrie **509,** hydrostatique *(l'hydrostatique).*

V. 8 **Liquéfier** ; condenser, détremper, fondre. – Humecter, **humidifier,** imbiber, imprégner, mouiller, tremper ; hydrater. – **Infiltrer,** injecter, instiller [didact.]. – Allonger *(allonger une sauce),* couper *(couper d'eau un liquide),* délayer, diluer.

9 **Arroser,** asperger, doucher, éclabousser, nébuliser ; rincer, saucer [fam.] ; irriguer. – Baigner, immerger, inonder, laver ; plonger, noyer, submerger. – Épancher [litt., vx], répandre, verser.

10 **Couler,** fluer [litt.] ; affluer, confluer, **déborder** [litt.]. – Gicler, jaillir. – Dégouliner, goutter, sourdre, suinter **372** ; rare : dégoutteler, dégoutter. – Débonder ; transfuser, transvaser.

11 **Canaliser,** capter, drainer, dériver. – Éponger, étancher **750.** – Exprimer, tordre, essorer, presser. – Décanter, dépurer, épurer, clarifier, filtrer, passer. – Infuser, macérer, mariner ; faire tremper, faire suer [CUIS.].

12 Exsuder ; être en sueur, transpirer **102,** suer ; fam. : **bouillir,** être en eau, être en nage.

13 **Boire** 75 ; absorber.

14 **Se liquéfier.** – Se déverser, s'écouler, s'épandre, se répandre, se renverser.

15 Se laver **669.** – S'abreuver, se désaltérer, se rafraîchir.

Adj. 16 **Liquide,** liquidien ; aqueux, **aquatique,** aquifère. – Hydrique, hydraulique, hydrométrique, hydrostatique. – Insubmersible (opposé à submersible).

17 **Fluide** ; fluidique [litt.], liquoreux, sirupeux. – Limpide, transparent. – Buvable, potable. – **Soluble,** solutif ; volatil. – Humoral, sécrétoire.

Adv. 18 Fluidement [rare]. – À flots, à torrent, à verse ; goutte à goutte.

Aff. 19 Aqua-, aqui- ; hyd-, hydri-, hydro- ; kym-, kyma-, kymo- ; lympho- ; pluvio-, poto-.

20 -hydre, -rragie, -rrhée, -potame, -pote.

469 LIVRE

N. 1 **Livre,** parution, publication, titre *(un titre)* ; bouquin [fam.], grimoire ; exemplaire. – Livre de poche [nom déposé], poche *(un poche)* ; pavé [fam.]. – Brochure, livret [vx], livret d'accompagnement, opuscule, plaquette, tiré à part *(un tiré à part),* **volume.** – Incunable, volumen [lat.]. – Manuscrit **252** ; tapuscrit ; maquette.

2 IMPRIM. – Livre broché ; bradel, livre relié ; livre cartonné (opposé à livre souple) ; livre en feuilles. – In-plano, in-folio, in-quarto, in-octavo, in-seize, in-trente-deux ; in-six, in-douze, in-dix-huit, in-vingt-quatre ; format à la française, format à l'italienne.

3 **Tirage.** – Édition de luxe, tirage limité, tirage de luxe, tirage de tête ; édition hors commerce. – Exemplaire numéroté. – Hommage de l'éditeur, service de presse ou S. P., spécimen.

4 Édition ; packaging. – Édition à compte d'auteur. – Autoédition. – Coédition. – Édition clandestine, **édition pirate.** – Samizdat.

5 Édition originale, édition princeps ; inédit *(un inédit).* – Édition revue et corrigée, nouvelle édition, **réédition** ; édition en fac-similé ou fac-similé, reprint.

6 Texte intégral ; édition abrégée. – Édition annotée, **édition critique.** – Édition ne varietur. – Édition populaire. – Œuvres complètes. – Supplément.

7 Écrit, **œuvre,** ouvrage ; œuvrette [fam.]. – Livre de classe ; livre de bibliothèque [vieilli]. – Livre de chevet ; classique *(un classique).*

8 Encyclopédie **747** ; **dictionnaire,** glossaire, lexique **535,** thésaurus. – Album ; atlas, guide, portulan. – Almanach. – Annuaire, **catalogue,** indicateur *(indicateur des chemins de fer)* ; press-book ou dossier de presse.

9 **Recueil** ; anthologie, florilège, œuvres ; mélanges, miscellanées, variorum. – RELIG. : **missel,** paroissien, psautier **657** ; codex. – Abécédaire ; livre pour enfants. – Beau livre, livre d'art. – Livre d'érudition. – Méthode ; livre pratique.

10 Non-livre ; livre-cassette, livre parlé ; livre-jeu, livre-objet.

11 Livres d'assortiment [vx] ; livres de fonds. – **Best-seller** [anglic.] ; rossignol.

12 **Corps de l'ouvrage** ; cahier, couverture, couvre-livre, dorure, feuillet, gouttière, jaquette, liseuse, onglet, pied, pli, rabat, tête, tranche ; bande publicitaire, quatrième de couverture. – **Reliure 388,** reliure pleine ; charnière, coiffe, coins, dos, mors, nerfs, pièce de titre, plat, signet, tranchefile ; coffret, emboîtage.

13 Caractère, **lettre 459,** signe ; folio, signature ; achevé d'imprimer, colophon, ISBN *(International Standard Book Number)* ; faux titre, intertitre, sous-titre, surtitre, **titre,** titre courant. – Sommaire, table des matières ; index. – Interlettrage, interlignage, **marge** ; grand fond, petit fond. – **Page** ; belle page, double page, fausse double, fausse page, page de garde, pages liminaires, pages en regard, page de titre ; frontispice. – Ligne ; alinéa, paragraphe ; colonne ; chapitre, partie, tomaison, tome, volume.

14 Code typographique.

15 **Mise en page(s),** préparation de copie ; C. A. O. (Conception assistée par ordinateur), P. A. O. (Publication assistée par ordinateur) ; Infographie [nom déposé] ; traitement de texte. – Prépresse.

16 **Éditeur** ; auteur, coauteur ; correcteur **155** ; graphiste, infographiste, maquettiste, metteur en page(s).

17 **Bibliothécaire,** conservateur, sous-bibliothécaire. – Bouquiniste, **libraire,** libraire d'ancien.

18 Bibliolâtre, bibliomane, bibliophage, **bibliophile,** bouquineur [vx] ; lecteur ; bibliographe [didact.], érudit, papivore [fam.], rat de bibliothèque [fam.].

19 **Éditeur** ; maison d'édition ; packageur. – Club du livre. – **Bibliothèque,** bibliothèque d'entreprise, bibliothèque municipale, bibliothèque de prêt, bibliothèque publique, bibliothèque universitaire ; cabinet de lecture ; bibliobus. – **Librairie,** pochothèque ; bédéthèque ; bouquinerie ; bibliothèque de gare.

20 Copyright ; dépôt légal ; **droits d'auteur 245,** royalties. – Photocopillage.

21 Bibliographie.

22 Coupe-papier ; marque-pages.

23 Bibliologie [rare] ; bibliomanie, **bibliophilie.**

V. 24 **Éditer,** coéditer, faire paraître, publier, sortir ; rééditer. – Mettre en page(s) ; préparer la copie.

25 Bouquiner [fam.], feuilleter, **lire.**

Adj. 26 À paraître, vient de paraître ; épuisé.

Aff. 27 Biblio-.

470 LONGUEUR

N. 1 **Longueur.** – Distance, écart, éloignement ; taille.

2 **Longueur** (*la longueur,* opposée à la largeur, la hauteur, la profondeur) ; plus grande dimension. – Profondeur. – Profondeur de champ **574,** perspective. – MAR. : longueur à la flottaison, longueur hors tout, longueur entre perpendiculaires.

3 Allongement, rallongement, prolongement. – Élongation, étirage, étirement. – Développement, extension.

4 Allonge, rallonge. – Prolonge [ARTILL.].

5 **Mesure 509** ; mesure de longueur. – Système métrique ; mètre ; millimètre, centimètre ; décamètre, hectomètre, kilomètre, myriamètre [rare]. – Mesures anciennes : pouce, pied, toise, perche, aune. – MAR. : brasse ; encablure, touée ; **lieue marine** [anc.]. – Lieue de poste, **lieue de terre** ou lieue commune [anc.].

6 Longimétrie ; métrologie. – Mètre étalon. – Mètre de couturière ; décimètre, double décimètre, décamètre ; chaîne d'arpenteur.

V. 7 **Allonger,** élonger, étirer ; détirer [rare], distendre. – Tréfiler [TECHN.].

8 Allonger, prolonger, rallonger ; s'allonger, se prolonger, se rallonger.

9 Longer.

10 Chaîner, mesurer.

Adj. 11 **Long,** oblong ; barlong [didact.]. – Allongé. – Longitudinal.

12 Longiforme, longiligne. – SC. : longicorne, longiface, longipenne, longistyle.

Adv. 13 Longitudinalement.

14 Au long, au plus long *(prendre au plus long).* – De long en large, de long en long [vx]. – En long, en longueur, en long et en large. – Tout au long, tout du long.

Prép. 15 Le long de, tout le long de ou tout du long de. – À longueur de.

Aff. 16 **Longi-.**

471 LOUANGE

N. 1 **Louange** ; **glorification 341** ; flatterie **761** ; litt. : acclamation, exaltation ; rare : bénissage, bénissement ; vx : congratulation, félicitation. – **Encensement.**

2 **Éloges,** louanges ; encens [litt.] ; los [vx]. – **Félicitations** ; compliments ; encouragements.

3 Acclamations, **applaudissements,** ovation ; ban [fam.]. – **Bravo,** hourra, houzza ou huzza [MAR., vx], vivat. – Coup de chapeau.

4 **Éloge 225,** éloge académique, éloge funèbre, ode, oraison funèbre ; apologie, dithyrambe, panégyrique **276** ; blason [litt.]. – Hagiographie. – Compliment.

5 Louange ou los [vx], titre de gloire **341.**

6 Félicitations [MIL. ou SC. ÉDUC.] ; accessit.

7 Applaudimètre [par plais.].

8 Litt. : apologiste, laudateur *(un laudateur)* ; louangeur [vieilli] **761** ; souv. péj. : panégyriste, prôneur ; vx : élogiste, loueur ; hymnode [ANTIQ.]. – Hagiographe, hymnographe. – Rare : acclamateur, féliciteur. – Applaudisseur ; vx : chevalier du lustre, claqueur ; fan [fam.] **276.** – Claque *(la claque).*

V. 9 **Louer** ; louanger [litt.] ; sout. : célébrer, chanter ; encenser **341,** exalter [litt.] ; blasonner [vx] ; piédestaliser [par plais.] ; canoniser [vieilli]. – Flatter **761.**

10 Accabler ou couvrir de louanges ; **couvrir de fleurs** ; mettre sur un piédestal, mettre sur le pinacle ; élever ou porter au pinacle **341.** – **Faire valoir** ; faire mousser [fam.] ; prôner, vanter, vanter les mérites de **507.**

11 **Dire du bien de qqn** ; bien parler ou parler en bien de ; chanter les louanges de, **ne pas tarir d'éloges sur,** vanter les mérites de. – **Décerner des éloges à,** lancer ou jeter des fleurs à ; donner de l'encens à [litt.] ; semer des fleurs sur la tombe de. – **Donner un coup de chapeau à,** tirer son chapeau à.

12 **Féliciter** ; complimenter, congratuler [sout.] ; encourager **268.**

13 **Acclamer 168,** bisser, ovationner ; claquer [vx] ; applaudir à tout rompre ou des deux mains.

14 Battre ou claquer des mains. – Manier ou prendre l'encensoir ; manier la brosse à reluire [fam.].

15 **Louer qqn de** ; approuver qqn de, bénir qqn de, remercier qqn de ; rendre grâce à qqn de. – Bien lui en a pris de.

16 Soulever un concert (ou : une tempête, un tonnerre) d'applaudissements. – Avoir bonne presse **341.**

17 S'entre-louer.

18 Se féliciter de, se louer de, se réjouir de + inf. **745.**

Adj. 19 **Laudatif** ; encenseur **761, flatteur.** – Complimenteur. – Applaudissant.

20 **Élogieux,** laudateur [litt.] ; rare : adulatif, apologique. – Rare : congratulateur ou congratulatoire, félicitant.

21 Apologétique, dithyrambique, panégyrique ; encomiastique [RHÉT.].

22 **Louable** ; honorable **366,** méritoire. – Applaudissable [rare].

Adv. 23 **Louablement** [sout.] ; honorablement **366.** – Élogieusement.

Prép. 24 **À la louange de,** en l'honneur de **341.**

Int. 25 Félicitations ! Toutes mes félicitations ! Mes compliments ! Tous mes compliments ! – **Bravo !** Bravissimo ! Chapeau ! Chapeau bas !

472 LOYAUTÉ

N. 1 **Loyauté** ; fidélité **491,** foi [vx]. – Féauté [vx], obédience ; dévouement. – Attachement.

2 Conscience, honneur **366,** justice **451.**

3 Incorruptibilité, intégrité ; **droiture 342,** honnêteté **365,** probité ; franchise, sincérité. – Loyalisme.

4 **Fidélité** ; correction, exactitude, justesse, vérité. – Authenticité, véracité.

5 Engagement, foi [litt.], foi jurée, parole, parole donnée, **promesse 666,** serment ; signature. – Commendatio [vx] ; hommage, serment de fidélité. – Bons et loyaux services.

6 Cas de conscience. – Dictamen [didact.], obligation de conscience ; for [vx], for intérieur, voix de la conscience ; sens moral **533.**

7 **Homme d'honneur** ou : de parole, homme de bien ou de conscience ; loyaliste. – Affidé, féal *(un féal)* [vx] ; personne de confiance ou de toute confiance, **homme de confiance 145.** – Âme damnée ; créature de qqn, esclave de qqn. – Dévot, **fidèle.** – Apologiste, apôtre, défenseur, inconditionnel *(un inconditionnel),* partisan, tenant ; godillot [POLIT., péj.].

8 Fidélisation [COMM.].

V. 9 Jurer, promettre **666** ; donner (ou : engager, jurer) sa foi de + inf., **engager sa parole,** prêter serment. – Jurer foi et hommage [vx] ; s'engager à qqn [vieilli].

10 Faire face à ses engagements, garder ou **tenir sa parole,** remplir ses engagements ou ses devoirs, respecter la parole donnée ; s'acquitter. – Se faire honneur, s'honorer [litt.].

11 Se faire conscience ou scrupule de.

12 Contraindre, lier, obliger **213,** tenir. – Fidéliser [COMM.].

Adj. 13 **Loyal** ; attaché, dévoué, **fidèle** ; indéfectible, solide, sûr. – Sincère.

14 Loyal. – **Droit,** franc ; fam. : carré, rond. – Honnête **365,** incorruptible, intègre, probe ; consciencieux, scrupuleux. – Fam. : fair-play, sport.

15 Ferme. – Inébranlable ; opiniâtre, persévérant.

Adv. 16 **Loyalement** ; à la loyale [pop.] ; cartes sur table, à armes courtoises. – Bonnement, sincèrement ; en toute bonne foi ou, vieilli, en bonne foi, en toute conscience, en toute franchise, en vérité.

17 Par la foi de qqn ; sous la foi du serment.

18 Fidèlement ; incorruptiblement. – Exactement, **scrupuleusement.** – Sans se démentir.

473 LUMIÈRE

N. 1 **Lumière.** – Clarté, lueur ; feu **311** ; lumière directe (opposée à lumière indirecte) ; lumière frisante, lumière rasante ; jour zénithal. – Éclat lumineux, coruscation [litt.], nitescence [didact., litt.].

2 **Lumière** ; **lumière du jour,** lumière naturelle (opposé à lumière artificielle), lumière électrique ; **électricité 261.** – **Jour,** grand ou plein jour. – Aube, aurore, petit jour, point du jour. – Éclaircie. – Clair de lune.

3 Lumière diffuse, **lumière tamisée,** lumière zodiacale [ASTRON.]. – **Clair-obscur** *(un clair-obscur),* **contre-jour,** demi-jour, faux-jour, pénombre **566.1.**

4 **Éclat de lumière** ; éclair, étincelle ; **faisceau,** jet, rai ou rais [litt.], rayon, traînée ; pinceau.

5 Irisation **643.4, reflet** ; jeu de lumière ; tache de lumière ; auréole, **halo,** nimbe ; gloire [PEINT.].

6 Brasillement, diaprement, chatoiement, miroitement, papillotement ou papillotage, poudroiement, **scintillement** ; flamboiement.

7 PEINT. – Éclairage. – Effet de contraste, effet lumière ; écart de valeur ; **clair-obscur** *(un clair-obscur)* **566.5,** demi-teinte ; clair *(un clair* opposé à *un sombre).* – Luminisme. – Luminariste, luministe.

8 **Luminosité** ; brillance ; luminance [PHYS.].

9 **Transparence** ; demi-transparence, diaphanéité, translucidité. – Cristallinité [didact.], limpidité.

10 **Éclairage 250,** éclairage artificiel ; illumination ; éclairement [didact.] ; lumination [PHOT.].

11 **Source lumineuse** ; foyer lumineux, point lumineux. – Luminogène *(un luminogène)* [CHIM.].

12 **Appareil d'éclairage** ; lampe, lumignon, luminaire. – **Lampe** ; lampe électrique **261** ; lampe à arc, lampe à gaz, lampe à pétrole ; lampadaire ; photophore. – Lampe-torche ; torche électrique. – **Lustre,** plafonnier, suspension **806.** – MAR. : lamparo, lampe tempête ; feu, **phare.** – Anc. : bec de gaz, réverbère. – Projecteur ou, fam., projo, spot. – Rampe ; rampe de balisage [AVIAT.] ; les feux de la rampe [THÉÂTRE]. – Lanterne ; voyant lumineux ; lumineux *(un lumineux)* ; **veilleuse.**

13 Feu, brandon, flambeau, torche, torchère. – **Bougie,** chandelle, cierge.

14 OPT. : lumière cohérente, lumière simple (opposé à lumière complexe), lumière monochromatique, lumière noire ou lumière de Wood ; rayonnement ultraviolet ou ultraviolet ; lumière froide.

15 Didact. – **Luminescence** ; fluorescence, phosphorescence ; bioluminescence, chimioluminescence, électroluminescence, photoluminescence, triboluminescence, thermoluminescence (opposé à cryoluminescence). – **Photogénie.**

16 SC. – Réflexion, **réverbération** ou réfléchissement [rare]. – Décomposition de la lumière, déflexion, dispersion, diffusion, diffraction **574,** réfraction, réfringence, biréfringence ; réflectance [BIOL.] ; polarisation. – Réfrangibilité ; réflexibilité. – Convergence, divergence, interférence ; émergence.

17 PHYS. : spectre lumineux, spectre solaire. – Arc-en-ciel, écharpe d'Iris [poét.].

18 SC. – Flux lumineux ; onde lumineuse ; radiation **513,** rayonnement lumineux ; rayon laser ou laser (*Light Amplification by Stimulated Emission of Radiation,* angl., « amplification de la lumière par émission stimulée de radiations »), maser (*Molecular Amplification by Stimulated Emission of Radiation,* angl., « amplification moléculaire par émission de radiation »). – Photon ou quantum de lumière (pl. quanta) [vieilli] **261,** quanton.

19 **Miroir 855.** – SC. : réflecteur, rétroréflecteur ; dioptre ; catadioptre, Cataphote ; polariseur, polariscope. – **Prisme.** – Filtre. – SC. : caustique *(une caustique).*

20 SC. – **Phototropisme** ; actinotropisme, héliotropisme ; phototactisme ou phototaxie. – Photophobie [didact.]. – **Photosynthèse.**

21 **Optique** *(l'optique)* **574.** – Dioptrique *(la dioptrique)* **868.15,** photologie. – Photobiologie, photochimie. – Actinoscopie, spectroscopie.

22 SC. – Candela (symb. cd), lumen (symb. lm), lux (symb. lx), phot (symb. ph) ; anc. : bougie, carcel. – Indice de réfraction. – Température de couleur.

23 Vitesse de la lumière (300 000 km/s). – Fréquence, longueur d'onde d'une lumière. – Chemin ou longueur optique [OPT.].

24 Théorie corpusculaire de la lumière, théorie électromagnétique, théorie ondulatoire.

25 Interféromètre, luxmètre, photomètre ; héliomètre, lucimètre, pyrhéliomètre. – Actinomètre, ellipsomètre, polarimètre, réfractomètre, spectromètre.

26 Actinométrie, ellipsométrie, radiométrie. – Photométrie, polarimétrie, réfractométrie, spectrométrie.

V. 27 **Éclairer,** illuminer ; enluminer [vx] ; brillanter [litt.]. – Ensoleiller.

28 **Briller,** étinceler, flamboyer, luire, resplendir, rutiler ; jeter mille feux. – Brasiller, iriser, miroiter, scintiller. – Irradier, rayonner.

29 **Allumer** ; ouvrir la lumière, donner ou faire de la lumière.

30 **Diffracter,** polariser ; réfracter, réfléchir, réverbérer. – Se refléter.

31 Transparaître ; apparaître **34.7.**

32 « Que la lumière soit, et la lumière fut » (la Genèse) ; *fiat lux* (lat., « que la lumière soit »).

Adj. 33 **Lumineux** ; brillant, luisant ; brasillant [litt.] ; ardent, éclatant, **étincelant,** flamboyant, nitescent [litt.] ; clair, éclairé, illuminé ; ensoleillé. – **Aveuglant,** éblouisssant.

34 Bioluminescent, **luminescent** ou, vx, photogène, fluorescent ou, fam., fluo, phosphorescent. – Didact. : luminifère, luminophore.

35 Cristallin, limpide. – **Transparent** ; diaphane, hyalin [MINÉR.], pellucide [didact.], translucide ; lucide [vx].

36 Didact. – Luminique ; photonique.

37 SC. – **Réfléchi** ; réflexe. – Réfrangible, réfringent ; diffractant, diffringent. – Diacaustique, catacaustique ; dioptrique, catadioptrique.

Adv. 38 **Au jour,** à la lumière, en pleine lumière. – À giorno ou a giorno [litt.].

39 Clairement, lumineusement.

40 En transparence, par transparence. – À travers.

Aff. 41 Lumino-, **photo-** ; hélio- ; -phote ; -hélie.

474 LUNE

N. 1 **Lune** *(la lune* ou *la Lune)* **49.** – Litt. : l'astre des nuits, l'astre nocturne ; poét. : l'astre aux cornes d'argent, au front d'argent ; le flambeau de la nuit, la reine de la nuit. – **Croissant** ; corne(s) *(les cornes de la lune)* ; terminateur.

2 **Clair de lune** ; nuit de lune ou de clair de lune ; nuit sans lune. – Lumière cendrée.

3 **Phases de la Lune** ; pleine lune (PL) ; **nouvelle lune** (NL) [ou : néoménie, nouménie] ; premier quartier, dernier quartier ; lune gibbeuse. – Déclin, décours (aussi, plus rare : décroît) de la lune ; croissant [vx]. – ASTRON. : dichotomie, quadrature, syzygie.

4 ASTRON. – Révolution anomalistique, draconitique, périodique, sidérale, synodique, tropique. – **Lunaison,** lune [vx], mois lunaire ou synodique ; lune rousse ; lune intercalaire. – Année lunaire ; année cave (douze lunaisons) ; année luni-solaire ou embolismique. – Âge de la Lune ; épacte, nombre d'or ; cycle lunaire ou cycle de Méton (235 lunaisons) **88.3** ; saros **49.**

5 Lune *(des lunes ; il y a des lunes que)* **610** ; les vieilles lunes, les lunes d'autrefois **598.** – Lune de miel **491.** – Lune *(une lune)* [vx], satellite.

6 ASTRON. – Orbite ; écliptique ; ligne des nœuds ; nœud ascendant, descendant. – **Éclipse** (éclipse de Lune) **49** ; éclipse partielle, totale. – Appulse.

– Libration, nutation ; évection. – Apolune ou aposélène ; périlune ou périsélène.

7 **Mers** ; **cirques** ou **cratères** ; caps, golfes, lacs ou marais ; continents, monts. – Mer Australe, mer des Crises, mer de la Fécondité, mer du Froid, mer des Humeurs, mer de Humboldt, mer de Nectar, mer des Pluies, mer de la Sérénité, mer de Smith, mer de la Tranquillité. – Océan des Tempêtes. – Golfe du Centre, golfe des Iris, golfe des Nuées, golfe de la Rosée, golfe Torride. – Lac des Songes. – Cirques Clavius, Gauss, Humboldt, Hipparque, Schickard, Ptolémée ; cratères Copernic, Reinhold. – Monts d'Alembert, Dörfel, Hémus, hercyniens, Leibniz, Riphées, Rook. – Alpes, Altaï, Apennins, Caucase, Cordillères, Pyrénées.

8 Sélénologie, sélénographie ; sélénologue ; missions d'exploration, sondes lunaires **48.**

9 Sélénomancie.

10 MYTH. – Grèce : Phœbé, Séléné **236.** – Carthage : Tanit. – Rome : Diane.

11 Sélénien *(un Sélénien)* ou Sélénite *(un Sélénite).*

12 Pierre de lune ou adulaire [MINÉR.] ; sel de lune, sélénite [CHIM.].

13 Lune (aussi : poisson-lune, lune de mer) ou môle. – Lune d'eau ou nénuphar.

14 Lunule. – Lunure. – Lunel [HÉRALD.] ; croissant. – Lunette. – Lundi **88.**

15 Face de lune, de pleine lune **814.** – Pêcheur de lune [vieilli] **394.**

V. 16 Alunir.

17 Être bien luné, être mal luné **745** ; avoir des ou ses lunes **90** [vieilli] ; avoir ses lunes **306.**

18 Demander la lune **385,** promettre la lune ; vouloir décrocher la lune, prendre la lune avec ses dents. – Montrer la lune en plein midi **838.**

19 **Être dans la lune 394** ; tomber de la lune **805.**

20 Aller rejoindre les vieilles lunes **583.**

21 Faire un trou à la lune **209.**

Adj. 22 **Lunaire** ; sélène, sélénien, sélénique, sélénite. – Luni-solaire [didact.].

23 Luné *(bien, mal luné).* – Lunatique.

24 Luniforme ; lunulaire, lunulé.

Aff. 25 Sélén-, séléni-, séléno- ; -sélène.

475 LUXURE

N. 1 **Luxure** ; débauche, libertinage. – Dépravation, dévergondage, perdition, **perversion** ; dissolution, licence [litt.], relâchement. – Impudicité, impureté, incontinence, **intempérance 426.** – Stupre [litt.], turpitude. – **Sensualité** ; ardeur, lascivité ; sensualisme [litt.]. – Concupiscence [litt.], libidinosité [didact.], **lubricité,** salacité, vice **860** ; paillardise [fam.], polissonnerie, ribauderie [vx].

2 **Raffinement,** sybaritisme [litt.].

3 Amour **27,** jouissance, **plaisir 629,** volupté. – Plaisirs, sensualités [vx]. – Érotisme **763.**

4 Désordre, haute vie [vx] ; mœurs relâchées ou dissolues. – **Orgie** ; litt. : bacchanale, priapée, saturnale ; fam., vx : bambochade, bamboche.

5 **Sens** *(les sens),* sensualité. – Appétit, **désir 199,** désir charnel, libido ; chair. – Démon de midi.

6 Sensuel *(un sensuel),* sybarite [litt.]. – Amoureux *(un grand amoureux).* – **Jouisseur,** libertin [litt.], pourceau d'Épicure, satyre ; coureur, ribaud [vx], viveur ; allus. litt. : Casanova, don Juan, Lovelace.

V. 7 **Se débaucher,** s'encanailler. – Fam. : faire ses farces, jeter son bonnet par-dessus les moulins, jeter sa gourme, rôtir le balai, tirer une bordée. – Avoir du tempérament [fam.] ; s'adonner aux plaisirs ou à la débauche.

8 **Débaucher.** – Aguicher [fam.], allumer [pop.], exciter **199,** troubler.

Adj. 9 **Luxurieux** [sout.] ; libertin, licencieux. – **Sensuel** ; concupiscent [litt.], lascif, libidineux, **lubrique,** salace, vicieux **860** ; fam. : chaud, paillard. – Impudique, impur, incontinent, **intempérant 426.** – Dépravé, dévergondé ; **débauché.**

10 Lascif ; amoureux, ardent, **sensuel,** voluptueux ; dissolu, perverti, relâché.

11 **Charnel,** érotique **763,** sensuel. – Animal, grossier, matériel. – Orgiaque [litt.].

12 **Sensuel,** voluptueux. – Aguichant [fam.], excitant **199,** incendiaire.

Adv. 13 Luxurieusement [rare]. – Sensuellement ; charnellement ; lascivement. – Amoureusement.

476 MACHINES

N. 1 **Machine** ; **appareil.** – Dispositif, **engin, instrument.** – Mécanique, mécanisme. – Moteur. – **Machinerie** ; chambre, salle des machines.

2 Machiniste, conducteur ; chauffeur, mécanicien. – **Ingénieur.** – Monteur ; affûteur, outilleur.

3 Automation, **automatisation,** industrialisation, mécanisation, motorisation. – Automatisme, machinisme. – Robotique. – Visionique.

4 **Machines simples** (levier, poulie, treuil, plan incliné, coin, vis) ; **machines composées.** – **Machine à vapeur** ; locomobile, **locomotive.** – Machine hydraulique, machine pneumatique. – Automate, robot.

5 **Machines électriques** ; machine dynamoélectrique, électromagnétique, électromotrice, électrostatique, d'induction.

6 MACHINES AGRICOLES

batteuse
bineuse
broyeuse
démarieuse
égreneuse
émotteur ou émotteuse
engrangeur
ensacheur
essanveuse
faucheuse
gerbeuse
lieuse
moissonneuse
picker
repiqueuse
soufreuse
stripper
tarare
tondeuse

7 MACHINES DE BUREAU ET MACHINES INFORMATIQUES

assortisseuse
calculateur ou calculatrice
calculette
imprimante
interclasseuse
machine à calculer
machine à dicter
machine à écrire
ordinateur
photocopieur ou photocopieuse
positionneuse
reporteuse
reproductrice
trieuse
vérificatrice

8 MACHINES DOMESTIQUES

cireuse
essoreuse
machine à coudre
machine à éplucher les légumes
machines à laver
lave-linge
lave-vaisselle
machine à repasser ou repasseuse
machine à tricoter ou tricoteuse

9 MACHINES INDUSTRIELLES

AGROALIMENTAIRE

cribleur ou cribleuse
délaiteuse
écrémeuse
pétrin
pétrisseuse
pressoir
remplisseur
rinceuse

BOIS ET PAPIER

calandre
défibreur
défileuse
fenderie
jableuse
raffineur

CHIMIE ET MÉTALLURGIE

argue
armeuse
bobineuse
boudineuse
masticateur
noyauteuse
tordeuse

INDUSTRIES GRAPHIQUES

agrafeuse
encarteuse-piqueuse
Linotype [anc.]
Monotype [anc.]
Lumitype [anc.]
photocomposeuse
plieuse
ronéo
rotative

MINES ET CARRIÈRES

bocard
broyeur
chargeuse
concasseur
crible
ensacheuse
haveuse
moulurière
jumbo

TEXTILE

apprêteuse
canettière
cardeuse
colleuse
défeutreur ou
défeutreuse
dessuinteuse
détireuse
doubleuse
échardonneuse
effilocheuse
égreneuse
encarteuse
encolleuse
ensimeuse
feutreuse
filoir
finisseuse
foulerie
fouleuse
gill
intersecting
jenny
laineuse
lisseuse
loup
métier
moulin
œilleteuse
ouvreuse
peigneuse
tordeur
toronneuse
trameuse

10 MACHINES-OUTILS

affûteuse
aléseuse
assembleuse
bouveteuse
brocheuse
cintreuse
cisaille
décolleteuse
découpeuse
dégauchisseuse
ébarbeuse
emboutisseuse
étau-limeur
étireuse
fileteuse
filière
fraiseuse
laminoir
limeuse
marteau-pilon
massicot
martinet
mortaiseuse
moulurière
parqueteuse
perceuse
perforatrice
plieuse
poinçonneuse
ponceuse
presse
presse à découper
raboteuse
racleuse
rainureuse
rectifieuse
riveteuse ou rivoir
rogneuse
rouleuse
scie alternative
scie circulaire
scie à rubans
taraudeuse
tenonneuse
toupie
tour
trancheuse
tréfileuse
tronçonneuse

11 MACHINES DE GUERRE [anc.]

baliste
bélier
bombarde
catapulte
hélépole
machine infernale
mangonneau
mantelet
onagre
perrière
pierrier
scorpion
tortue
tour

12 PIÈCES ET ORGANES DE MACHINES

accumulateur
arbre
axe
bague
balancier
barre
barreau
bâti
bielle
bobine
boulon
bras
came
cardan
carter
chaîne
chaise
chapiteau
chariot
charpente
châssis
chaudière
chemise
clapet
clavette
cliquet
collet
collier
compteur
condensateur
corde
cordage
courroie
coussinets
crapaudine
crémaillère
culasse
culbuteur
cylindre
déclic
dent
détente
douille
écharpe
écrou
électroaimant
embrayage
empattement
engrenage
essieu
étoquiau
étrier
excentrique
fil
flèche
foyer
frein
fuseau
fusible
galet
générateur
glissière
glissoire
goujon
goupille
interrupteur
joint
languette
magnéto
manette
manivelle
noix
organe
paillet
palier
patin
pignon
pile
piston
pivot
plateau
presse-étoupe
propulseur
régulateur
ressort
rivet
robinet
rouage
roue
rouleau
semelle
soupape
tambour
tenon
tige
tiroir
touret
tourillon
traverse
tringle
tube
turbine
tuyère
va-et-vient
valve
vis

13 Machine à sous.

14 Machine de Turing.

V. 15 **Fonctionner, marcher** ; avancer, carburer, tourner, rouler. – **Se dérégler, se détraquer.**

16 Monter, démonter ; dépanner, réparer – Dégripper.

17 Mécaniser ; automatiser, industrialiser, motoriser, robotiser.

18 **Usiner** ; fraiser, laminer, massicoter, toupiller, tourner.

Adj. 19 **Mécanique** ; machinique ; **automatique,** automatisé, mécanisé, motorisé, robotique, robotisé. – Multifonction ou multifonctions.

20 Mécanique ; automatique, machinal, réflexe.

21 Compound.

Adv. 22 Mécaniquement ; automatiquement, informatiquement. – Machinalement.

477 MAGIE

N. 1 **Magie** ; magisme. – **Alchimie,** archimagie, grand art. – Kabbale ou, vx, Cabale **449** ; hermétisme. – Mantique **235.** – Occultisme ; ésotérisme, sciences occultes.

2 Goétie (opposé à théurgie), magie de la main gauche, magie noire ou goétique, **sorcellerie.** – Magie blanche ou magie naturelle ; théurgie.

3 Occulte *(l'occulte* ou *l'Occulte)* ; merveilleux *(le merveilleux),* surnaturel *(le surnaturel).*

4 **Diablerie 186,** magie *(une magie)* [vx], féerie [vx], sorcellerie *(une sorcellerie).*

5 **Charme,** contre-charme, **maléfice,** mauvais œil, **sort, sortilège.** – Enchantement [litt.], ensorcellement, envoûtement ; nouure d'aiguillettes. – Chevillement ; vénéfice [DR. ANC.].

6 Incantation ; invocation. – Conjuration ; exorcisme. – Mancie.

7 Métamorphose ; lycanthropie.

8 **Apparition,** fantasmagorie. – Matérialisation.

9 Émanation, ectoplasme ; effluve **783.** – Aura. – **Éther, fluide.** – Lévitation.

10 **Talisman** ; fétiche, porte-bonheur ; amulette, gri-gri, main de Fatma, patte de lapin, scarabée. – Baguette magique ; lampe merveilleuse, miroir magique, tapis volant.

11 Cercle magique, cerne. – Formule magique ; philtre. – Poudre de perlimpinpin.

12 Messe noire, sabbat. – *Walpurgisnacht* (all., « nuit de Walpurgis »).

13 ALCH. – **Grand Œuvre** ; élixir de longue vie, panacée, pierre philosophale ou pierre des sages ; transmutation *(transmutation des métaux).* – Homuncule ou homoncule.

14 Athanor, œuf. – **Occultum.**

15 ALCH. – Grimoire ; *le Grand Albert, le Petit Albert.* – Abrasax ou abraxas ; pantacle ou pentacle.

16 **Parapsychologie** ou, vieilli, métapsychique *(le métapsychique).* – **Spiritisme** ; typtologie. – Psychokinésie ou télékinésie. – Télépathie ou transmission de pensée **136.**

17 Génie. – **Esprit** ; esprit frappeur, Poltergeist. – Fantôme, revenant. – Loup-garou ou, didact., lycanthrope.

18 Mage, **magicien,** thaumaturge [litt.]. – Charmeur [vx], ensorceleur, envoûteur ; invocateur [vx]. – **Sorcier** ; apprenti sorcier **390** ; jeteur de sorts, noueur ou noueuse d'aiguillettes, quimboiseur [Antilles]. – Conjurateur, désenvoûteur, **exorciste 461** ; chaman ou shaman. – Guérisseur, rebouteur ou rebouteux. – Sourcier, baguettisant.

19 **Alchimiste,** occultiste *(un occultiste)* ; vx, archimage. – Astrologue **235.**

V. 20 Commercer avec le diable. – Sentir le fagot ou le soufre [fig.].

21 Envoûter ; charmer [litt.], enchanter, ensorceler, jeter un charme ou un sort à qqn. – Nouer l'aiguillette.

22 Désenvoûter. – Exorciser.

23 Conjurer les esprits ou le sort. – Croiser les doigts, toucher du bois.

Adj. 24 **Magique.** – Occulte. – Alchimique. – Kabbalistique ou cabalistique, ésotérique, **occultiste.** – Prélogique [ANTHROP., vieilli].

25 Merveilleux ; surnaturel ; féerique.

26 Enchanteur, envoûtant ; fascinant.

27 Évocatoire. – Apotropaïque, conjuratoire, **propitiatoire.**

28 Enchanté, **envoûté** ; fasciné.

29 Médianimique ou médiumnique. – Métapsychique, paranormal, parapsychique, parapsychologique. – Ectoplasmique ; fluidique. – Fantomal [litt.].

Adv. 30 Magiquement. – Occultement.

Int. 31 Abracadabra !

478 MAGNÉTISME

N. 1 **Magnétisme.** – Aimantation ; magnétisation. – **Attraction 54.** – Excitation **17.**

2 Magnétisme terrestre ou géomagnétisme ; électricité **261,** électromagnétisme, magnétisme nucléaire ; diamagnétisme, ferromagnétisme, paramagnétisme ; archéomagnétisme, paléomagnétisme. – Magnétochimie.

3 Magnétisme animal ou biomagnétisme. – **Hypnose** ; somnambulisme magnétique.

4 **Aimant,** électroaimant. – MINÉR. : magnésioferrite, magnétite **516,** magnétitite. – Magnéton [PHYS.].

5 Champ magnétisant, **champ magnétique** ; magnétosphère **49.22** [GÉOPHYS.]. – Nord magnétique. – Déclinaison magnétique.

6 PHYS. : hystérésis magnétique. – Magnétostriction.

7 MÉTROL. : **magnétomètre** ou magnétimètre. – Magnéto ou génératrice magnétoélectrique, machine magnétoélectrique, magnétron. – Magnétostricteur.

8 Magnétoaérodynamique *(la magnétoaérodynamique),* magnétodynamique *(la magnétodynamique),* magnétodynamique des fluides ou magnétohydrodynamique. – Magnéto-optique *(la magnéto-optique).* – Magnétostatique *(la magnétostatique).* – Magnétométrie. – Magnétostratigraphie ; magnétotellurique *(la magnétotellurique).* – Magnétoscopie.

9 Hypnotisme. – Mesmérisme [SC., anc.].

10 **Magnétiseur** *(un magnétiseur).* – Hypnotiseur *(un hypnotiseur).*

11 Magnétisé *(un magnétisé).* – Hypnotisé *(un hypnotisé).*

V. 12 **Aimanter** ; **magnétiser.** – Désaimanter, démagnétiser.

13 Hypnotiser ; magnétiser [fig.]. – Fasciner **407.**

Adj. 14 **Magnétique.** – Électromagnétique. – Diamagnétique, ferromagnétique, paramagnétique. – Magnétipolaire ; magnéto-ionique ; magnétosphérique, magnétothermique. – Magnétostatique ; magnétostrictif.

15 Aclinique.

16 Magnétométrique.

17 Magnétisable.

18 Magnétisant [rare] ; fascinant, hypnotisant.

Adv. 19 Magnétiquement.

Aff. 20 Magnéto-.

479 MAIN

N. 1 **Main** ; poigne, poing. – Fam. : battoir, cuiller, louche, menotte, mimine, paluche, patoche, patte, pince ; pogne [pop.].

2 Creux, dos, paume, plat, revers ; poignet. – ANAT. : hypothénar, thénar. – **Doigt** ; annulaire, auriculaire, index, majeur ou médius, pouce. – Ongle. – Lignes de la main.

3 Adresse, dextérité, doigté, griffe, manière, patte, touche, **tour de main.** – Mains de beurre [fam.], maladresse **483.** – Tact, toucher *(le toucher)* **824.**

4 Homme à toutes mains. – Petite main **165.** – Secrétaire de la main [vx].

5 Prov. : Jeux de mains, jeux de vilains ; Mains froides, cœur chaud.

6 Baisemain, **poignée de main 741,** serrement de main. – Claque, coup de poing, gifle. – Applaudissement.

7 Attouchement, **toucher** *(un toucher)* ; palmée [rare], palpation, préhension [didact.]. – **Pronation,** supination.

8 Chirognomonie [vx], chirologie, chiromancie ou, vx, chirographie **235,** chironomie [didact.], chiropraxie [MÉD.]. – Langage des mains.

9 Manucure.

V. 10 **Manier, manipuler** ; **maintenir.** – Agripper, **empoigner,** palper, pétrir, saisir, serrer, tenir. – Applaudir, **battre des mains,** claquer dans les mains. – Imposer les mains. – Joindre les mains, lever les mains au ciel. – Offrir la main, tendre la main ; serrer la main ; toper. – Se frotter les mains. – Se tourner les pouces **593.**

11 Mettre la main sur ; porter la main à (ou sur). – Fam. : avoir la main baladeuse.

12 Avoir la haute main sur, tenir la main haute à [vx]. – Donner d'une main et reprendre de l'autre.

13 Donner un coup de main **19** ; mettre la main à l'ouvrage, mettre la main à la pâte, **prêter main-forte,** prêter la main à. – Faire des pieds et des mains. – Prendre son courage à deux mains. – Se prendre par la main.

14 Avoir des mains en or (aussi : du doigté, des doigts de fée, la main heureuse, la main verte), n'être pas manchot. – S'assurer la main, **se faire la main** ; perdre la main. – Avoir la main légère ; avoir la main lourde, ne pas y aller de main-morte.

15 **En venir aux mains.** – Lever la main sur qqn.

16 Manucurer.

Adj. 17 **Manuel.** – Digital ; interdigital. – Palmaire [ANAT.]. – Unguéal.

18 Bimane, quadrumane. – Préhenseur ou préhensif, préhensile. – Opposable *(pouce opposable).*

19 Ambidextre, droitier, gaucher. – Habile de ses mains ; manuel.

20 Manufacturé, manuscrit.

Adv. 21 **Manuellement.** – À main levée. – À main armée. – **À pleines mains,** à belles mains [vx] ; à poignées. – Main dans la main.

22 De la main à la main, en main(s) propre(s) ; en sous-main. – De première main, de seconde main ; de longue main ; de main en main. – La main dans le sac.

23 Haut la main. – De main de maître.

Int. 24 Haut les mains ! Mains en l'air ! – Bas les pattes !

Aff. 25 Chéir-, chir-, chiro- ; dactylo-.

26 -chira, -chirie, -chirote, -chirius, -chirus ; -mane ; -dactyle.

480 MAIN-D'ŒUVRE

N. 1 **Main-d'œuvre** ; personnel ; ressources humaines. – Travailleur manuel ; artisan ; travailleur indépendant.

2 ÉCON. : **prolétariat, salariat 739.** – Classe laborieuse, classe ouvrière ; masses laborieuses. – Artisanat, paysannat.

3 **Ouvrier, prolétaire** ; ouvrier qualifié, ouvrier professionnel *(O.P.),* ouvrier hautement qualifié *(O.H.Q.),* ouvrier spécialisé *(O.S.)* ; usineur. – Ouvrier non qualifié ; manœuvre, manœuvre spécialisé, manœuvre-balai [fam.], manouvrier [région.]. – Ouvrier à façon, façonnier *(un façonnier)* ; ouvrier ambulant, ouvrier journalier [vx]. – Horaire *(un horaire),* mensuel *(un mensuel).* – Ouvrier à la tâche, tâcheron ; ouvrier en chambre, ouvrier à domicile [vx]. – Ouvrier d'État.

4 **Main-d'œuvre étrangère.** – Travailleur immigré. – Travailleur clandestin, travailleur au noir. – Sans-papiers.

5 Brigade, **équipe** ; équipe de jour, équipe de nuit ; équipe volante. – Trois-huit *(faire les trois-huit).*

6 **Poste de travail** ; travail posté. – Chaîne de fabrication, chaîne de montage. – **Travail à la chaîne,** travail à la chaîne commandée, travail à la chaîne libre.

7 Directeur des ressources humaines (abrév. D.R.H.). – **Chef d'équipe,** chef de groupe ; chef d'atelier, chef de chantier. – **Agent de maîtrise,** contremaître. – Agent technique, technicien. – Cadre technique ; ingénieur en chef, ingénieur. – Porion [MIN.], prote [IMPRIM.] **388.**

8 ÉCON. : taylorisme ou système Taylor, stakhanovisme. – **Sweating-system** [anglic.].

9 **Automatisation** ou automation [anglic.], mécanisation, robotisation. – Division du travail, parcellisation du travail, taylorisation [ÉCON.]. – **Standardisation 843.**

10 **Grève 389** ; grève sauvage, grève surprise ; grève perlée, grève tournante ; grève des bras croisés, grève du zèle ; grève à la japonaise, grève sur le tas. – Débrayage. – Lock-out [anglic.].

11 Analyse des tâches ou du travail [ÉCON.]. – Ergonomie [didact., SOCIOL.].

12 Ouvriérisme. – **Syndicalisme.**

V. 13 **Travailler à la pièce** ou aux pièces ; abattre de la besogne, tailler de la besogne.

14 Débaucher, débrayer, dételer [fam.]. – Faire la grève, faire grève.

15 Robotiser, tayloriser. – Normaliser, standardiser.

Adj. 16 **Ouvrier** *(mouvement ouvrier)* ; prolétaire, prolétarien.

Aff. 17 **Erg(o)-.**

481 MAISON

N. 1 **Maison** ; demeure, domicile, gîte [vx], logement, logis, résidence ; domaine, immeuble, propriété. – Adresse, domiciliation.

2 Maison ; nid [fam.]. – Arg. : baraque, bicoque, cahute, casbah, case, cassine [vx], taule, turne. – Péj. : cagna, gourbi, nid à rats, réduit ; bouge, galetas, retraite de hiboux, taudis ; fig. : chenil, écurie.

3 Clos, closeau, closerie. – Chaumière, chaumine, masure ; maisonnette. – Cabane, cabanon, cahute. – Carbet, hutte, paillote ; case ; ajoupa. – Wigwam. – Igloo.

4 **Ferme 18,** fermette ; métairie ; région. : bastide, borde [vx], borderie, borie, mas. – Cottage [anglic.]. – Datcha, isba [Russie].

5 Pavillon, **villa** ; cabanon [région.]. – Chalet ; buron [région.] ; bungalow [anglic.]. – Maison de campagne, résidence secondaire, **pied-à-terre** ; vx : folie, laiterie ; vide-bouteilles [fam., vx] ; ermitage.

6 **Château** ; castel, châtelet, gentilhommière, manoir ; alcazar, palace, palais ; hôtel particulier. – Château fort, citadelle, forteresse ; acropole [ANTIQ.].

7 Chartreuse **525,** ermitage **47.**

8 Building, **immeuble 140** ; gratte-ciel. – Barre ou immeuble en bande, tour. – Ensemble, grand ensemble **845.** – Coron.

9 **Tente** ; tepee ou tipi, yourte ; guitoune [fam.]. – Caravane, roulotte.

10 Abri, cassine [vx], guérite.

11 Bâtiment, bâtisse ; avant-corps, corps principal ; corps de logis ou, ellipt., logis ; aile, bas-côté. – Rez-de-chaussée ; rez-de-jardin ; rez-de-dalle. – Sous-sol, entresol, étage ; premier étage, bel étage [vx].

12 **Communs,** dépendances. – Appentis, écurie, garage, hangar, remise, resserre.

13 Arrière-cour, avant-cour, cour, cour d'entrée, patio ; ANTIQ. ROM. : atrium, aula. – Auvent, marquise, perron, véranda. – Seuil.

14 Galerie ; loge, logette [litt.], loggia. – Balcon, encorbellement. – Kiosque.

15 Attique, mezzanine, mansarde, grenier, combles, soupente.

16 Terrasse. – Belvédère ; gloriette.

17 Couverture, faîte, toit, toiture. – Pignon, tour, tourelle. – Voûte **39.**

18 **Appartement.** – Studio, duplex, loft ; deux-pièces, trois-pièces, etc. – Pied-à-terre, résidence secondaire. – Garçonnière. – Meublé.

19 Intérieur **430** ; bonbonnière.

20 **Pièce,** salle. – Hall, living-room. – Petit salon, salle à manger, salon. – **Chambre,** chambre à coucher. – Bureau, cabinet. – Salle de billard, salle de jeux.

21 Alcôve, boudoir, cabinet noir. – Cabanon, cellule, loge.

22 Dortoir ; fam. : carrée, piaule, turne ; spécialt : carré, poste. – Fumoir. – Réfectoire.

23 Cuisine, cuisinette ou, anglic., kitchenette ; office.

24 Antichambre, dégagement, entrée, vestibule, salle d'attente ; corridor, couloir. – Cagibi, dépense, penderie, placard. – Garde-robe, lingerie, vestiaire ; buanderie. – Cave, cellier, sous-sol ; chai.

25 Cabinet de toilette, lavabo, salle de bains ; douche. – Toilettes, W.-C., water-closet ; latrines, lieux d'aisances.

26 ANTIQ. : atrium, impluvium, tablinum ; portique. – Gynécée ; triclinium.

27 Porte ; huis [vx] ; lourde [arg.]. – Grille, portail, portillon. – Contre-porte ; porte-tambour, porte tournante.

28 Guichet, poterne ; propylée. – Porche. – Porte d'entrée, porte d'honneur, porte palière, porte de service. – Porte cochère, porte piétonne. – Porte bâtarde. – Porte cavalière ou chevalière, porte charretière.

29 **Escalier** ; escalier commun, escalier d'honneur, escalier de service ; escalier dérobé ; escalier évidé, escalier en hélice, escalier en limaçon, escalier à vis ; échelle de meunier. – Cage, loge ; échappée ou échappement. – Degré, contremarche, gradin, marche, marche palière ; palier, repos ; volée. – Balustre, main courante, rampe. – Ligne d'emmarchement ou de foulée ; about, collet, giron *(giron droit, giron triangulaire).* – Noyau ; limon, limon en crémaillère, limon plein. – **Ascenseur 531.**

30 **Mur.** – Lambris, parquet ; parquet d'onglet, parquet à l'anglaise, parquet à points de Hongrie, parquet à bâtons rompus, parquet mosaïque. – **Plafond** ; faux plafond, plafond à caissons ou soffite, plafond flottant ou suspendu, plafond à solives apparentes.

31 Baie, **fenêtre** ; ouverture, jour. – Bow-window ; double-fenêtre ; lucarne, lunette, œil-de-bœuf, tabatière, vasistas ; Velux [nom déposé] ; hublot ; meurtrière, soupirail. – Chatière, guichet, judas, trappe. – Carreau, vitre ; fenêtrage, verrière. – Chambranle **505,** croisée, imposte, jambage ou piédroit, montant.

32 **Rideau** ; contrevent, jalousie, persienne, store, volet. – Brise-bise, cantonnière, courtine, pente, portière, rideau de lit. – Draperie, tenture, voilage, voile **816.** – Moustiquaire.

33 Mobilier **519.**

34 Foyer, âtre, cheminée, feu **311** ; foyère, tapis de foyer. – Contrecœur (ou : contre-feu, taque).

35 Ameublement ; déménagement, emménagement.

36 Bourgage [vx], location. – Bail ; état des lieux.

37 Maître de maison ; maître de logis [vieilli]. – Locataire ; propriétaire **645.11.** – Châtelain ; fermier.

38 Homme de cabinet ou de foyer [vx], pantouflard ; casanier, sédentaire. – Cul-de-plomb.

39 Domesticité ; gens de maison [vieilli]. – Domestique, employé de maison. – Huissier, portier ; suisse [vx]. – Maître d'hôtel, majordome. – Valet de chambre ; cuisinier ; chauffeur. – Femme de charge ; bonne, soubrette ; femme de chambre, camériste, chambrière [litt.], femme de ménage, lingère. – **Concierge** (ou, fam., bignole, pipelette) ; gardien.

V. 40 Arrêter ou retenir un logement, louer. – Élire domicile, s'établir, se fixer, s'installer. – Cabaner [vx], **demeurer,** résider, être domicilié ; fam. : crécher, percher. – Descendre à l'hôtel. – « Ici, on loge à pied et à cheval » [anc.].

41 Emménager ; se mettre dans ses meubles. – Pendre la crémaillère. – Essuyer les plâtres [fam.]. – Déménager ; déménager à la cloche ou à la sonnette de bois, déménager à la ficelle, mettre la clef sous la porte.

Adj. 42 Se rapportant à *maison.* – Bourgeois, de maître ; fermier. – Champêtre, forestière, rustique.

43 Logeable, habitable.

44 Locatif. – Immobilier.

45 Domiciliaire.

46 De plain-pied, en rez-de-chaussée ; à flanc de coteau. – Sur pilotis.

482 MALADIE

N. 1 **Maladie** ; affection, mal ; douleur, misère, souffrance. – Embarras, **indisposition,** malaise, trouble. – Défaillance, dysfonctionnement, trouble fonctionnel ; **insuffisance.** – Handicap, infirmité. – Accident.

2 Maladie idiopathique ou maladie essentielle, maladie légalement réputée contagieuse ou M. L. R. C., maladie périodique, maladie quarantenaire. – Maladie psychosomatique ; maladie diplomatique [fam.]. – Diathèse [vx].

3 Nosologie, pathologie ; **médecine 775,** thérapeutique.

4 Incubation, pathogenèse, pathogénie. – Contage ou contagion, contagion immédiate, contamination, inoculation. – Infection.

5 Accès, **crise,** poussée. – Complication ; surinfection.

6 Endémie, **épidémie,** pandémie. – ZOOL. : enzootie, épizootie.

7 Prodrome, **symptôme** ou signe fonctionnel, syndrome, syndrome malin. – État fébrile, **fièvre** ou hyperthermie, pyrexie ; fièvre éruptive, fièvre intermittente, fièvre récurrente ; fièvre de cheval [fam.]. – Hypothermie. – Langueur **303.2,** morbidesse [litt.], pesanteur, prostration. – Pâleur ; figure ou mine de papier mâché.

8 Alitement, grabatisation.

9 **Gravité,** malignité, morbidité ; bénignité. – Chronicité, endémicité, épidémicité, évolutivité. – Auto-immunité, infectivité, réceptivité ; fébrilité, laxité, vasomotricité.

10 **Malade** *(un malade),* patient. – **Handicapé,** infirme, invalide.

11 Affections des os et des articulations. – Arthropathie, discopathie, ostéopathie. – Affections inflammatoires : arthrite, ostéite, rhumatisme ou, vx, arthritisme, épicondylite, épiphysite, ostéochondrose, ostéomyélite, périarthrite, périostite, polyarthrite, spondylarthrite, spondylite, synovite, tendinite. – Affections non-inflammatoires : ankylose, arthrose, chondrocalcinose, chondromatose, collagénose ou connectivite, coxarthrose, discarthrose. – Épanchements : hémarthrose, hygroma. – Affections de la colonne vertébrale : cypho-scoliose, cyphose, scoliose, lordose ou ensellure. – Douleurs : arthralgie, dorsalgie, lombago (ou lumbago, fam. : tour de reins), lombalgie ou, fam., mal de reins, ostéalgie, rachialgie ; torticolis. – Ostéolyse. – Ostéoporose. – Ostéomalacie. – Goutte. – Ostéophyte ou, cour., bec-de-perroquet.

12 Affections musculaires : courbature ; **myalgie,** pubalgie ; sciatique.

13 Affections cardio-vasculaires. – Artériopathie, cardiomyopathie, cardiopathie, coronaropathie ; maladie bleue. – Troubles du rythme cardiaque : arythmie, bradycardie, flutter, tachycardie, tachyarythmie ; fibrillation, palpitations ; extrasystole. – Hypertension, hypotension. – Artériosclérose, athérome, athérosclérose. – Dilatations : angiectasie, hémorroïde, varice ; anévrysme ; cardiomégalie. – Coarctation. – Dextrocardie. – Affections inflammatoires : angéite, aortite, artérite, capillarite, cardite (péricardite, myocardite, endocardite), coronarite, périphlébite, phlébite, thrombophlébite. – Embolie, thrombose ; infarctus du myocarde. – Ischémie. – Phléborragie. – Syndromes : acrocyanose, cyanose ; angine de poitrine ou angor ; cardialgie.

14 Encéphalopathie. – Anencéphalie. – Affections inflammatoires : encéphalite, encéphalomyélite, kuru, leuco-encéphalite, méningite, méningo-encéphalite. – Congestion cérébrale. – Hémorragie cérébrale. – Hydrocéphalie.

15 Dermatologie. – Dépigmentation. – Desquamation, exfoliation. – Escarrification. – Exulcération, ulcération ; phagédénisme. – Urtication. – Démangeaison, prurit.

16 Envie, grain de beauté (ou : lentigo, nævus), tache de rousseur ou éphélide. – **Croûte,** escarre ; bourgeon charnu. – **Cal,** callosité, cor, corne, durillon, oignon. – Végétation. – Ampoule, bulle, cloque, phlyctène ; bouton,

bubon, papule, pustule ; anthrax, furoncle ou, fam., clou, orgelet ou compère-loriot. – Aphte. – Comédon ou point noir, tanne. – Crevasse, engelure, fissure, gerçure ou rhagade, perlèche. – Vergeture ; ride.

17 Dermatoses ; dyskératose, érythrose, furonculose, ichtyose, kératose ; intertrigo, prurigo. – Leucoplasie ; pityriasis. – Pachydermie ; sclérodermie. – Altération des couleurs de la peau : achromie, vitiligo ; albinisme **604.2,** dyschromie, ictère ou jaunisse, mélanodermie, mélanose ; couperose ; canitie. – Éruption de taches : chloasma, érythrasma, érythrodermie, psoriasis, purpura, roséole, rubéfaction, xanthélasma ; énanthème, exanthème ; livedo, macule, pétéchie, plaque, tache de vin, vibice. – Éruption de boutons ou de vésicules : acné, bourbouille, craw-craw oucrow-crow, herpès, muguet, pemphigus, urticaire ; dartre. – Affections inflammatoires : actinite, chéilite, dermatite ou dermite, folliculite, glossite, radiodermite. – Infections : impétigo, lèpre, lupus, onyxis, pyodermite, sycosis, zona. – Ulcérations : ecthyma, ulcère. – Eczémas : dysidrose, eczéma. – Gale ; pédiculose, phtiriase. – Lichen plan.

18 Maladie sexuellement transmissible ou M. S. T., **maladie vénérienne** ou, vx, maladie honteuse ; blennorragie (ou : gonorrhée, fam. : chaude-pisse), chancrelle ou chancre mou, chlamydiose, crête-de-coq, syphilis (ou, pop. vérole ; vx : mal napolitain ou mal français). – Hépatite B. – Sida (syndrome immunodéficitaire acquis).

19 Maladies du sang ; – hémopathie. – Maladies héréditaires : drépanocytose, hémoglobinopathie, hémophilie, thalassémie. – Maladies par défaut d'un élément : afibrinogénémie, agammaglobulinémie, anémie, anoxémie, hypoxémie ; agranulocytose, leucopénie, lymphopénie, neutropénie. – Maladies par excès d'un élément : alcalose, érythroblastose, leucocytose, leucose, lymphocytose, mononucléose ; leucémie ; macroglobulinémie, méthémoglobinémie. – Benzolisme. – Hémolyse.

20 Infections ; – toxi-infection ; auto-infection. – Arbovirose, bacillose, colibacillose, rickettsiose, salmonellose, spirillose ; septicémie ; staphylococcie, streptococcie. – Maladies infantiles : coqueluche, mégalérythème ou cinquième maladie, oreillons, rougeole, scarlatine, varicelle. – Maladies contagieuses : choléra, **grippe** ou influenza, peste, rubéole ; croup, diphtérie ; alastrim, variole ou, vx, petite vérole ; coxalgie, mal de Pott, scrofule ou écrouelles, tuberculose ; fièvre paratyphoïde, typhoïde ou fièvre typhoïde. – Poliomyélite ou, fam., polio ; rage ; tétanos. – Angine. – Botulisme ; brucellose ou fièvre de Malte. – Charbon, septicopyohémie. – Érysipèle. – Dengue. – Dysenterie ; toxoplasmose. – Panaris ou mal blanc, tourniole.

21 Troubles de l'appareil digestif. – Dyspepsie, dysphagie. – Aérocolie, aérogastrie ; ballonnement, météorisme ; flatulence ou flatuosité. – Pneumopéritoine.

22 Entéralgie, gastralgie, hépatalgie, proctalgie ; **mal de ventre** ; embarras gastrique, nausée. – **Indigestion** ; malabsorption. – Constipation ; fécalome ; diarrhée ou colique ; très fam. : chiasse, courante ; colique de plomb. – Épreintes. – Ténesme.

23 Colopathie. – Affections inflammatoires : angiocholite, **appendicite,** cholécystite, colite, duodénite, entérite, entérocolite, gastrite, gastro-entérite, hépatite, hépatite virale, hépatonéphrite, iléite, œsophagite, pancréatite, péritonite, pérityphlite, proctite ou rectite, recto-colite, sigmoïdite. – Achalasie. – Acholie, achylie. – Cholurie. – Cirrhose. – Hépatomégalie. – Lithiase ou, vx, maladie de la pierre ; calcul ou, vx, pierre.

24 Néphrologie. – Néphrite, néphropathie ; pyélonéphrite. – Anurie, oligurie, polyurie. – Urémie. – Hydronéphrose. – Néphrose lipoïdique.

25 Nutrition. – Acétonémie, acétonurie, acidocétose, cétonémie, porphyrinurie ; hypercholestérolémie ou, cour. et abusif, cholestérol. – Carence ; hypovitaminose (opposé à hypervitaminose), hypoglycémie (opposé à hyperglycémie), hypolipidémie (opposé à hyperlipidémie). – Cachexie, dénutrition, syndrome de Kwashiorkor. – Adipose, obésité ou pléthore. – Maladies : diabète ; hémochromatose ; **béribéri** ou avitaminose B1, scorbut ou avitaminose C.

26 Odontologie. – **Carie dentaire** ou maladie carieuse ; parodontolyse, parodontose ; granulome dentaire, parulie ou abcès pyorrhéique. – Inflammations : alvéolite, fluxion dentaire, gingivite, parodontite, pulpite, stomatite. – Odontalgie, rage de dents ; glossalgie ou glossodynie. – Déchaussement, décrochement de la mâchoire ; prognathisme.

27 Troubles de la vision **840.** – Malvoyance ; amaurose, cécité ; hémianopsie, scotome. – Astigmatisme, amblyopie ou amétropie, hypermétropie, **myopie, presbytie** ; diplopie, polyopie ; micropsie. – Achromatopsie, dyschromatopsie ; acyanopsie, daltonisme, deutéranopie, dichromatisme,

érythropsie. – Héméralopie ou hespéranopie ; nyctalopie. – Hétérophorie ; louchement (ou : loucherie, strabisme). – Allophtalmie, buphtalmie, enophtalmie, microphtalmie, monophtalmie ; cyclopie.

28 Ophtalmologie. – Inflammations : ophtalmie, panophtalmie ; blépharite, blépharo-conjonctivite, choriorétinite, choroïdite, conjonctivite, dacryoadénite, dacryocystite, épisclérite, iridocyclite, iritis, kératite, kérato-conjonctivite, papillite, rétinite, sclérite, scléro-choroïdite, uvéite. – Trachome ; glaucome. – Chalazion ; staphylome. – Albugo, leucome, taie. – Cataracte ; xérophtalmie. – Décollement de la rétine ; mydriase (opposé à myosis). – Entropion ; exophtalmie. – Nystagmus.

29 Troubles de l'audition et de la parole. – Diplacousie, dysacousie, hyperacousie, hypoacousie, paracousie, **surdité** ; aphonie, hémiphonie ; audimutité, **mutité,** surdimutité ; anosmie, cacosmie, cacostomie, parosmie ; ageusie.

30 Oto-rhino-laryngologie. – Mal de gorge, otalgie. – Épistaxis ; otorragie, otorrhée. – Otospongiose. – Inflammations : amygdalite ou tonsilite, antrite, ethmoïdite, labyrinthite, laryngite, laryngo-trachéite, laryngo-trachéo-bronchite, mastoïdite, parotidite, tympanite, **otite,** pharyngite, pharyngo-laryngite, rhinite (ou : coryza, rhume de cerveau), rhino-bronchite, rhino-laryngite, **rhino-pharyngite, sinusite,** trachéite ; ozène. – **Rhume** ou catarrhe rhino-trachéo-bronchique ; catarrhe des bronches, rhume ou fièvre des foins.

31 Pneumologie. – Coniose, pneumoconiose ; anthracose, byssinose, cannabiose, fluorose, silicose. – Inflammations : bronchiolo-alvéolite, **bronchite,** broncho-pneumonie ou broncho-pneumopathie, légionellose ou maladie du légionnaire, trachéo-bronchite, pleurite, pneumonie, scissurite ; pleurésie. – Bronchectasie ou bronchiectasie ; emphysème pulmonaire, congestion pulmonaire ou, vx, fluxion de poitrine ; granulie ou tuberculose miliaire, tuberculose pulmonaire ou, vx, phtisie. – Adénopathie, bronchopathie, pneumopathie.

32 Pneumologie. – Apnée, brachypnée, bradypnée, dyspnée, hyperpnée, orthopnée, polypnée, tachypnée ; suffocation. – Quinte, **toux.** – Bronchorrhée, hémoptysie ; crachat, expectoration, vomique. – Cornage, tirage. – Pleurodynie. – Voile au poumon.

33 Urulogie. – Système génital. – Aspermatisme ou aspermie, azoospermie ; impuissance ; satyriasis. – Pertes séminales ou spermatorrhée. – Inflammations : balanite, épididymite, orchi-épididymite, orchite, posthite, prostatite ; pachyvaginalite, salpingite, vaginalite, vulvite. – Malformations : phimosis ; épispadias, hypospadias. – Hydrocèle ; varicocèle.

34 Urologie. – Système rénal. – Pollakiurie ; dysurie, rétention d'urines ; incontinence. – Hématurie ; pyurie. – Inflammations : cystite, périnéphrétite, pyélite, urétrite. – Malformations : épispadias, hypospadias.

35 Parasitoses. – Dues à des acariens : acariose, trombidiose. – Dues à des actinomycètes : actinomycose. – Dues à des bactéries : borréliose, leptospirose, sodoku, spirillirose, spirochétose. – Dues à des protozoaires : kala-azar, leishmaniose, maladie du sommeil, paludisme ou, vx, malaria, trypanosomiase. – Dues à des amibes : amibiase. – Dues à des tiques : piroplasmose. – Dues à des poux : pédiculose ; phtiriase. – Dues à des vers : anguillulose, helminthiase ; dues à des filaires : onchocercose, filariose. – Parasitoses intestinales dues à des vers : ankylostomiase ou ankylostomose, ascaridiase ou ascaridiose, bilharziose ou schistosomiase, bothriocéphalose, cestodose, distomatose, échinococcose, lambliase ou giardiase, nématodose, oxyurose, trichocéphalose, trichinose ; cysticercose, hydatidose.

36 Mycoses. – Aspergillose, blastomycose, candidose, phycomycose, sporotrichose ; intertrigo, teigne. – Dermatomycose, épidermomycose, onychomycose, otomycose.

37 **Paralysie** ; hémiplégie, paralysie agitante ou maladie de Parkinson. – **Crampe** ; point de côté.

38 Céphalée, mal de tête, **migraine.** – Mal de l'air, mal des aviateurs, mal de mer ou naupathie, mal des montagnes, mal des transports ; ivresse des profondeurs. – Coup de soleil ; insolation.

39 Hyperthyroïdie ; hyposécrétion. – Anoxie, hypoxie. – Hypertonie ; hypotonie.

40 Pédiatrie. – Acrodynie ; athrepsie ; craniosténose ; toxicose.

41 Anatomie pathologique. – Gangrène, mortification, **nécrose.** – Tuméfaction ; myxœdème, œdème. – Tumeur **841** ; **cancer** ; carcinome ; épithélioma ; néoformation. – Suppuration. – Induration, sclérose. – Atrésie ; sténose. – Caséification. – Hépatisation.

42 Dysgénésie ou dysplasie, hyperplasie, hypoplasie, métaplasie. – Atrophie, hypotrophie ;

hypertrophie ; dystrophie, lésion. – Fibrose. – Synéchie.

43 Prolapsus, ptôse ; hernie ; ectopie. – Invagination ; volvulus. – Occlusion. – Élongation. – Escarrification. – Adhérence. – Symphise.

44 Caverne, géode. – Concrétion, granulation. – Séquestre. – Infiltrat.

45 Empyème, pus, sanie. – **Abcès** ; bourbillon, furoncle.

46 Hémorragie ; saignement. – Congestion, fluxion.

47 Étourdissement, évanouissement ; ictus apoplectique ou **apoplexie** ; **coma.** – **Épilepsie** (ou grand mal, haut mal, mal caduc, mal comitial, mal sacré). – Convulsion. – **Hoquet.**

48 Maladies des animaux. – Bœuf : actinobacillose, coryza gangréneux, fièvre aphteuse, peste bovine, trichomonase bovine ; kératite contagieuse. – Mouton : blue tongue [anglic., « langue bleue »], clavelée, mélophagose, moniéziose ou téniasis, tétanie d'herbage, tremblante. – Oiseau : bursite, ornithose, psittacose. – Poule : choléra aviaire, diphtérie aviaire, peste aviaire, pullorose ou diarrhée blanche des poussins, typhose aviaire. – Lapin : myxomatose, spirochétose ou syphilis du lapin. – Chien : maladie de Carré, spirocercose ; démodécie (ou : démodexose, gale folliculaire). – Chat : leucopénie infectieuse. – Cheval : dourine ou maladie du coït, horse-pox, farcin, gourme ; fourbure. – Vache : cow-pox ou vaccine. – Vers à soie : flacherie, grasserie ou jaunisse, pébrine. – Abeilles : nosémose. – Parasitoses du bétail : brucellose (ou : fièvre ondulante, mélitococcie), coccidiose, strongylose ; parasitoses des volailles : coccidiose. – Zoonose.

49 Vx. – Mal Saint-Éloi ou mal Notre-Dame (scorbut), mal Saint-Firmin ou mal Saint-Vérain (érysipèle), mal Saint-Maixent (mal de dents), mal Saint-Ladre ou Saint-Lazare (lèpre), mal Saint-Jean (chorée), mal Saint-Main (gale), mal Saint-Marthelin ou mal Saint-Nazaire (folie), mal Saint-Quentin (hydropisie), mal Saint-Avertin (vertige), mal Saint-Leu (épilepsie).

V. 50 Être mal, être au plus mal, **mal aller,** n'être pas dans son assiette, se sentir mal, se trouver mal ; fam. : avoir du plomb dans l'aile ; fam. : filer un mauvais coton, sentir le sapin. – **Avoir mal,** éprouver une souffrance ou une douleur, souffrir.

51 Être cloué au lit, être prostré, **garder le lit** ou la chambre ; s'aliter. – Se faire porter malade, se faire porter pâle [arg.].

52 Dépérir, faiblir.

53 Incuber. – Attraper (une maladie) ; attraper du mal, **prendre mal** ; s'enrhumer, s'enrouer. – Contracter une maladie, tomber malade ; couver une maladie, développer une maladie. – Se détraquer [fam.].

54 Avoir de la fièvre, avoir ou faire de la température. – Avoir mal à la tête (ou, fam. : au crâne, aux cheveux), avoir la langue pâteuse. – Expectorer. – Rendre, vomir ; vulg. : dégobiller, dégueuler. – S'enrhumer.

55 Avoir l'estomac embarrassé, météoriser, régurgiter ; éructer, **roter.**

56 Lyser ; métastaser ; **gangrener, nécroser** ; tétaniser. – Atrophier ; **scléroser.** – Emboliser, ischémier. – Œdématier, tuméfier. – Ulcérer. – Ankyloser.

57 Cloquer ; s'eczématiser ; s'escarrifier. – S'enkyster. – S'indurer ; s'invaginer. – Suppurer ; s'épancher.

58 Communiquer, inoculer, transmettre. – **Contaminer,** infecter. – Fam., vieilli : assaisonner, poivrer [se dit seult des infections vénériennes]. – Impaluder, infester.

Adj. 59 **Malade** ; atteint de + n. – Dolent, hâve, incommodé, indisposé, perclus ; souffrant, souffreteux ; fam. : H. S. (hors-service), patraque ; très fam. : nase. – Mal en point ; fam. : mal fichu, malade à crever, malade comme un chien ; crevard. – Condamné, dans un état désespéré.

60 Égrotant [litt.], **maladif** ; cacochyme [litt., souv. par plais.], malingre ; exsangue. – Gâteux ; grabataire. – Alité.

61 Fébrile (opposé à apyrétique), fiévreux, subfébrile ; hyperthermique, hypothermique. – Migraineux. – Comateux.

62 Enrhumé, grippé.

63 Morbide ; pathogène, pathogénique ; pathognomonique, **pathologique.** – **Contagieux,** endémique, épidémique, pandémique ; nosocomial ; chronique, cyclique, erratique, périodique **610.14,** rémittent, sporadique. – **Bénin,** fruste ; ambulatoire [DR.] ; grave, insidieux, **malin,** pernicieux ; galopant ; subintrant. – Terminal.

64 Cryptogénétique. – Iatrogène ; carentiel. – **Infectueux,** toxi-infectieux.

65 Rhumatologie. – Arthralgique, **arthritique,** arthrosique, chondroïde, gonalgique, ostéalgique. – Dorsalgique ; cyphotique, lordosique, scoliotique.

66 Maladies cardio-vasculaires. – Anévrysmal ou anévrismal, artérioscléreux, artéritique, athérogène, athéromateux, bathmotrope, embolique, ischémique, syncopal, thromboembolique, thrombotique, variqueux, vasculaire. – Arythmique, asystolique, cardialgique, dicrote ; tachycardique. – Cardio-rénal, cardio-vasculaire ; aortique. – **Hypertendu,** hypertensif, **hypotendu,** hypotensif ; lipothymique.

67 Dermatologie. – Aphteux, boutonneux, dartreux, eczémateux, érythémateux, furonculeux, gommeux, lentigineux, lépreux, lymphogranulomateux, maculeux, papuleux, pélagreux, prurigineux, pustuleux, scabieux ou sporique, squameux. – Galeux, impétigineux, teigneux ; lépreux. – Couperosé, grêlé. – Circiné, serpigineux ; induré, kératinisé. – Achrome ou achromique, acnéique, bulleux ou phlycténoïde, décalvant, desquamatif, érythrodermique, furfuracé, herpétique, ichtyosique, kératolytique, lupique, mélanique, microsporique, mycosique, nævo-cellulaire, ortié, peladique, **pelliculaire,** pétéchial, phagédénique, phlycténulaire, phtiriasique, pityriasique, psoriasiforme, psoriasique, purpurique, séborrhéique, tondant, trichophytique, urticarien.

68 Maladies du sang. – Anémique, anoxémique, azotémique, chlorotique [vx], hémophile, leucémique. – Arégénératif, auto-immunitaire, cyanotique, drépanocytaire, dyscrasique, dysérythropoïétique, ferriprive, hémolytique, hémophilique, hémorragipare, hyperchrome, hypochrome, leucopénique. – Séropositif.

69 Infections. – Coquelucheux, grippal, pestique, rougeoleux, scarlatineux, scrofuleux, variolique. – Botulique, brucellique, cholérique, **diphtérique,** dysentérique, érysipélateux, exanthématique, **grippal,** mononucléosique, morbilleux, murin, obstructif, ombiliqué, ourlien, poliomyélitique, pyohémique, pyrétique, **rabique,** rubéoleux ou rubéolique, septicémique, **septique,** sidéen, tétanique, tuberculeux, typhique, typhoïdique, varioliforme, variolique, zostérien. – Cholériforme, dysentériforme, morbilliforme, rubéoliforme, tétaniforme, varioliforme.

70 Appareil digestif. – Constipé, diarrhéique, dyspeptique ; nauséeux. – Anictérique, **cirrhotique,** colitique, dyskinétique, entéritique, hémorroïdaire, ictérique, porracé.

71 Néphrologie. – Albuminurique, hydronéphrotique, néphrotoxique, périnéphrétique, polyurique.

72 Nutrition. – Dénutri, dévitaminé, malnutri ; cachectique. – Obèse, pléthorique. – Calculeux, **diabétique,** glycosurique, hyperglycémiant.

73 Odonto-stomatologie. – Odontalgique. – **Carié.** – Prognathe.

74 Ophtalmologie. – Ophtalmique. – Amblyope ou **malvoyant,** amétrope. – Astigmate, hypermétrope, myope, presbyte ; achromatopsique, dyschromatopsique ; daltonien, dichromate. – Héméralope, nyctalope. – Nystagmique, strabique. – Monophtalme. – Glaucomateux, trachomateux. – Amaurotique, dichromatique, exophtalmique, héméralopique, monoculaire, myopique. – Aphake ou aphaque.

75 Oto-rhino-laryngologie. – Malentendant, sourd-muet. – Anosmique, anote, auriculaire, nasonné, otalgique.

76 Pneumologie. – **Asthmatique,** bronchiteux, emphysémateux, hémoptysique, phtisique, pleurétique, poitrinaire. – Bronchitique, dyspnéique, emphysémateux, hémoptoïque, pneumonique, silicotique. – Asthmatiforme.

77 Urologie. – Anurique, dysurique, hématurique, **incontinent,** périnéphrétique.

78 Parasitoses et mycoses. – Amibien, éléphantiasique, impaludé, malarien (ou : paludéen, palustre), pédiculaire, phtiriasique, sporotrichosique.

79 Pédiatrie. – Athrepsique, **rachitique.**

80 Anatomie pathologique. – Dysplasique (ou : dysgénésique, dysgénique), hyperplasique ; dystrophique, hypertrophique, hypotrophique. – Dyskinésique ; atonique, hypertonique. – Atrophique ; atrésié. – Aplasique, ectopique, prolabé. – Cancéreux ; sarcomateux, carcinomateux, épithéliomateux, tumoral.

81 Atrophiant, dystrophiant ; décalcifiant ; convulsivant, urticant ; déclenchant.

82 Caséeux, crétacé, mucopurulent, pultacé, puriforme, purulent, pyostercoral, sanieux, scléreux, suppurant, suppuratif. – Athéromateux, lipomateux ; dégénératif, lésionnel, métastatique, nécrotique. – Gangréneux, phlegmoneux, **ulcéreux** ; anthracoïde. – Scrofuleux, tuberculeux ; coxalgique. – **Herniaire,** hernié, hernieux. – Kystique, polykystique ; œdémateux. – **Hémorragique** ; ulcératif ; inflammatoire. – Ascitique ; exsudatif. – Congestif, fluxionnaire ; anasarque ou, vx, hydropique. – Convulsif.

Adv. 83 **Maladivement** ; pathologiquement.

Aff. 84 A-, dys- ; noso-, **patho-.**

85 -algie, -dynie, -émie, -iase, -iasis, -ide, -ie, **-ite, -ose,** -pathe, **-pathie.**

86 -algique, -otique, **-pathique.**

483 MALADRESSE

N. 1 **Maladresse** ; gaucherie, inhabileté, malhabileté [vx].

2 **Inaptitude,** incapacité, inhabilité [vx] ; incompétence, inexpérience, impéritie [litt.].

3 **Erreur 283,** faute. – Fausse manœuvre, faux pas. – Méprise. – Bavure.

4 **Balourdise,** lourderie [vx], lourdise [vx] ; pavé de l'ours ; fam. : blague, boulette, gaffe ; impair.

5 **Bévue,** bourdante [litt.], bourde [fam.] ; pas de clerc.

6 **Bêtise,** perle [fam.], sottise **784** ; brioche [fam., vx] ; très fam. : connerie, couillonnade. – Ineptie.

7 Maladresse enfantine ; maladresse de style ; défaut *(défaut d'élocution).*

8 **Maladroit** *(un maladroit),* mazette [vx], sabot [vx] ; empaillé [fam.], empoté ; ballot, gourde, lourdaud, provincial ; gnaf [vx], savate [fam.].

9 Fam. : brise-tout, casse-tout. – Fam. : bousilleur **205,** casseur, massacreur, saboteur, sabreur, savetier [vx]. – Bon à rien, propre-à-rien.

10 Fig. : charcutier ; boucher.

11 Gaffeur.

V. 12 **Commettre** une maladresse. – Faire un faux pas, faire un pas de clerc [sout.] ; fam. : gaffer, mettre les pieds dans le plat. – Faire une omelette [fam.]. – Fam. : ne pas en manquer (ou : en louper, en rater) une.

13 **S'embrouiller,** s'empêtrer, se prendre les pieds dans le tapis ; se noyer dans un verre d'eau. – Fam. : patauger, patouiller. – Être comme un éléphant dans un magasin de porcelaine.

14 **Se tromper 838** ; se blouser [vx] ; se planter [fam.] ; se ficher ou se foutre dedans [fam.].

15 **S'y prendre mal** ; ne pas savoir s'y prendre. – N'y rien connaître, n'y rien entendre **377.** – Ne pas être fichu ou foutu de [fam.].

16 **Avoir la main malheureuse,** avoir des mains de beurre [vieilli] ; avoir la main lourde. – Perdre la main, se rouiller.

17 **Gâcher** ; cochonner [fam.]. – Fam. : bousiller, massacrer, saboter, saveter [vx]. – Charcuter.

Adj. 18 **Maladroit** ; gauche, inhabile, malagauche [vx et fam.], malhabile ; manchot.

19 Inexpérimenté, **novice** ; incompétent, inexpert. – Inhabile à [vx], incapable, inapte, inepte [vx].

20 **Lourd,** lourdingue [fam.], pataud ; fam. : godiche, godichon, gourde.

21 **Malavisé** [litt.], sot ; étourdi, imprudent **390,** indiscret ; inconséquent, irréfléchi.

22 **Grossier** ; cousu de fil blanc.

Adv. 23 **Maladroitement** ; gauchement, inhabilement [rare], malhabilement, lourdement.

484 MALFORMATION

N. 1 **Malformation** ; anomalie, défaut *(défaut de croissance),* imperfection, tare, vice de conformation ; infirmité. – Difformité ; monstruosité. – Invalidité.

2 Tératogenèse, tératogénie ; **tératologie.**

3 Embryopathie, fœtopathie.

4 acéphalie
achélie
acrocéphalie
acromégalie
agénésie
aglossie
agnathie
amélie
anencéphalie
anonychie
anophtalmie
anorchidie
apareunie
aplasie
apodie
astomie
atrichie
brachydactylie
brachymélie ou micromélie
cryptorchidie
cyclopie
dicéphalie
dysembryoplasie
dysgenèse ou dysplasie
ectromélie
exencéphalie
exstrophie ou extroversion
gigantisme
gynandrie
hermaphrodisme
isodactylie
macrocéphalie
macromélie
mélomélie
microcéphalie
microdactylie
mongolisme
monorchidie
nanisme
phocomélie
polydactylie
polymérisme
polyorchidie
pseudohermaphrodisme
syndactylie
syndrome de Klinefelter
syndrome de Turner
syringomyélie
trisomie
trisomie 21

5 **Bec-de-lièvre, bosse,** brachyœsophage, cutis-laxa, division palatine, dysembryome, épispadias, goitre, hallux flexus, hallux valgus, hallux varus, hypospadias, lame dentaire, nodosité d'Heberden, pied bot congénital, rachitisme, spina-bifida.

6 **Avorton,** nabot, nain ; fam. et vx : godenot, ragotin. – Géant. – Boiteux ; cul-de-jatte, monopode ; ectromèle, mémomèle, phocomèle. – Bossu. – Androgyne, hermaphrodite.

– Augnathe, monosome, tricéphale. – Tératopage, siamois ; monomphale. – Mongolien ; trisomique. – Cœlosomien [ZOOL.].

Adj. 7 Tératoïde, tératogène, **monstrueux** ; tératologique. – **Difforme** ; cagneux, contrefait, déjeté, disgracié, mal bâti, mal fait, marqué au B [fam.], tordu ; pas aidé, pas aidé par la nature [fam.]. – Handicapé, plurihandicapé ou polyhandicapé ; infirme.

8 Dysgénique (ou : dysgénésique, dysplasique). – Mongolien, trisomique.

9 Acéphale, anencéphale, bicéphale, dicéphale, exencéphale, macrocéphale, microcéphale, monocéphale, tricéphale. – Microdactyle, polydactyle, syndactyle. – Aglosse, anote, monophtalme, monorchide ; cryptorchide **762.** – Autositaire, xiphodyme ; siamois, xiphophage. – Micromélien.

10 Malformatif.

Aff. 11 Térato-.

485 MALHONNÊTETÉ

N. 1 **Malhonnêteté** ; immoralité, improbité [litt.], indignité ; déloyauté, **infidélité,** méchanceté **649.** – Insincérité [litt.] ; foi carthaginoise [sout.], mauvaise foi ; malhonnêteté intellectuelle ; partialité. – Illégalité, injustice **413.** – Corruption, fourberie, rouerie ; duplicité, perfidie.

2 Impudence, inconvenance, **indécence 399.**

3 Discourtoisie **226,** impertinence, **impolitesse,** incivilité [litt.], incorrection.

4 **Faute,** forfaiture, indélicatesse, malpropreté [fam.], manquement, prévarication [DR.] ; péché **606,** **tort** *(avoir des torts).* – Concussion, malversation ; mensonge **504** ; brigandage ; fam. : fricotage, grenouillage, magouille, tripotage.

5 **Escroquerie,** tromperie **838,** tricherie ; arcanderie [arg.] ; fam. : canaillerie, coquinerie, crapulerie, friponnerie. – **Falsification** ; adultération [vieilli].

6 **Corruption,** dépravation, perversion ; corruption de fonctionnaire [DR.].

7 **Escroc,** fraudeur, malversateur, prévaricateur, trafiquant, tricheur, voleur. – Aventurier, bandit [fig.], **brigand,** crapule, filou, forban ; faisan [fam.], mercanti. – Fam. : canaille, coquin [vx], fripon, fripouille ; pourri *(un pourri)* [fam.], ripoux *(un ripoux)* [arg.]. – Corrupteur *(un corrupteur).* – Malhonnête homme.

V. 8 **N'avoir ni foi ni loi,** ne pas être un petit saint [fam.]. – Braver l'honnêteté ; se salir, se salir les mains. – Manquer à son devoir, manquer à tous ses devoirs, manquer à l'honneur, manquer à sa parole ; prévariquer.

9 Forfaire, **tricher** ; fam. : grenouiller, magouiller ; faire la réserve.

10 **Falsifier** ; adultérer [sout. ou DR.].

11 Acheter, circonvenir, **soudoyer,** stipendier, suborner. – **Corrompre,** dépraver, pervertir, souiller.

Adj. 12 **Malhonnête** ; immoral, improbe [litt.], indélicat, indigne ; déloyal, **infidèle.** – Corrompu, marron, véreux ; pourri [fam.], ripoux [arg.]. – Inique, injuste **413.** – Malfaisant, méchant **497** ; trompeur **838.** – **De mauvaise foi,** fourbe, insincère [litt.] ; partial. – Trop poli pour être honnête.

13 Déshonnête [litt.], impudent, inconvenant, **indécent 399,** malpropre.

14 **Impoli** ; discourtois **226,** grossier, impertinent, incivil [litt.], incorrect, malappris, mal élevé.

15 **Illégal** ; immérité, indu. – Crapuleux, vilain.

Adv. 16 **Malhonnêtement** ; crapuleusement. – Indélicatement, infidèlement.

486 MAMMIFÈRES

N. 1 **Mammifère.** – Mammalogie. – Plantigrade ; fauve.

2 Métathérien ou marsupial ; cénolestoïde (cenolestidé, polydolopidé), dasyuroïde (dasyuridé, myrmécobiidé, notoryctidé), didelphoïde (borhyénidé, didelphidé), péraméloïde (péramélidé), phalangéroïde (diprotodontidé, macropodidé, phalangéridé, phascolomidé). – Monotrème ou ornithodelphe, protothérien (ornithorhynchidé, tachylossidé).

3 Euthérien (ou monodelphe, placentaire). – Artiodactyle **188** ; élaphoïde (antilocapridé, cervidé, moschidé, tragulidé), porcin (hippopotamidé, suidé, tayassuidé), tauroïde (bovidé, giraffidé), typolope (camélidé). – **Carnivore** ; canoïde (canidé, mustélidé, procyonidé, ursidé), féloïde (félidé ou félin, hyénidé, viverridé), fissipède, pinnipède (odobénidé, otariidé, phocidé). – Cétacé, sirénien ; mysticète (balénidé, balénoptéridé, eschérichtidé), odontocète (delphinidé, monodontidé, phocénidé, physétéridé, platanistidé, sténidé, ziphiidé), sirénien (dugongidé, rhytinidé, trichéchidé). – Chiroptère ; mégachiroptère (macroglossidé, ptéropidé), microchiroptère (emballonuridé, molossidé, phyllostomatidé,

rhinolophidé, vespertilionidé). – Dermoptère (cynocéphalidé). – Glire ; cavioïde (caviidé, chinchillidé, dasyproctidé), hystricoïde (éréthizontidé, hystricidé), lagomorphe (léporidé, ochotonidé), myomorphe (cricétidé, dipopidé, gliridé, microtidé, muridé), sciuromorphe (castoridé, cténodactylidé, haplodontidé, pédétidé, sciuridé). – Hyracoïde (procaviidé). – **Insectivore** ; lipotyphle (chrysochloridé, érinacéidé, solénodontidé, soricidé, tenrécidé), ménotyphle (macroscélidé). – Périssodactyle (rhinocéridé, tapiridé) ; équidé. – Pholidote (manidé). – Pinnipède. – **Primate.** – Proboscidien ; éléphant (éléphantidé, stégodontidé). – Protongulé ; tubulidenté (oryctéropidé). – Xénarthre (bradypodidé, dasypodidé, myrmécophagidé).

4 Ordres fossiles. – Carpolestoïde (carpolestidé), docodonte (docodontidé), embrithode, multituberculé (plagiaulacidé, ptilondontidé, téniolabidé), paléanodonte (époicothériidé, métachéiromyidé), téniodonte (stylinodontidé), tillodonte (esthonychidé), triconodonte (triconontidé). – Pantothérien ; eupantothérien (amphithériidé, dryolestidé, paurodontidé), symmétrodonte (amphidontidé, spalacothériidé). – Proboscidien ; dinothérien, mastodonte (dinothérien, pentalophodonte, tétralophodonte, trilophodonte). – Protongulé ; astrapothérien (astrapothériidé, trigonostylopidé), condylarthre (didolodontidé, hypsodontidé, méniscothériidé, périptychidé, phénacodontidé), dinocérate (gobiathériidé, prodinocérate, uintathériidé), litopterne (macrauchénidé, protérothéridé), notongulé (archéohyracidé, arctostylopidé, hégétothériidé, henricosbornidé, homalodothériidé, interathériidé, isotemnidé, léontiniidé, mésothériidé, notohippidé, notostylopidé, oldfieldthomasiidé, toxodontidé), pantodonte (archéolambdidé, barylambdidé, coryphodontidé), pyrothérien (pyrothéridé), xénongulé (carodniidé).

5 **RONGEURS**

acouchi
agouti
anomalure
anomaluridé
athérure
bathyergidé ou rat-taupe
bouquet ou bouquin
cabiai ou cochon d'eau
campagnol
castor
chien de prairie
chinchilla
chipmunk
cobaye ou cochon d'Inde
coendou
coquau
dégou
écureuil
gaufre
gerbille
gerboise
graphiure
goliath ou rat de Gambie
goundi
graphiure
hamster
hutia
lapin
lemming
lérot
lièvre
loir
mara
marmotte
mérione
mulot
muscardin
ondatra
oreillard
urson coquau
paca
pika
porc-épic
ragondin (ou coypou, myocastor, myopotame)
rat
rex
souris
spalax
spermophile ou souslik
surmulot
viscache

6 **HERBIVORES**

addax
algazelle
alpaga
anoa
antilope
argali
aurochs
axis
beira
beisa
bighorn
bison
blesbok
bontebok
bœuf
bouquetin
bubale
buffalo
buffle
caribou
céphalophe
cerf
chameau
chamois
chèvre
chevreuil
chirou
couagga
coudou
daim
daman
damalisque
dibatag
duiker
dromadaire
éla
élan
élaphe
éléphant
gaur
gayal
gazelle
gemsbok
gérénuk
girafe
glouton
gnou
goral
guanaco
guib
hippotrague
hydropote
impala
izard
lama
mone
mouflon
mouton
muntjac
nilgaut
okapi
oréotrague
orignal
oryx
ovibos ou bœuf musqué
paco
porte-musc
pronghorn
raphicère
renne
rhinocéros
saïga
sambar
saola
sika
springbok
steinbock
tapir
tétracère
vigogne
wapiti
yack
zébu

7 **CARNIVORES**

belette
binturong
blanchon
blaireau

caracal
carcajou
chabraque
chacal ou loup doré
coati
corsac
coyote
cystophore
fennec ou renard des sables
fossa ou cryptoprocte
fouine
furet
genette
grison
guanaco
guépard
hermine
hyène
ichneumon
isatis ou renard bleu
jaguar
léopard
linsang
lion
loup
loutre
lycaon
lynx ou loup-cervier
mangouste
martre
mégaderme
mink
moufette ou sconse, skunks
ocelot
once
ours
panthère
pékan
phoque
protèle
puma ou couguar
putois
ratel
raton laveur
renard
renard gris
suricate
vison
zibeline
zorille

8 **Chat** ; fam. : matou, minet, minou, mistigri. – Abyssin, birman, chartreux, chat de gouttière, chat-tigre, jaguarondi, man, margay, oncoïde, persan, serval, siamois.

9 **Chien** ; chiot ; mâtin ; molosse ; roquet ; fam. : chienchien, toutou ; très fam. : clébard, clebs ; fam. et péj. : cabot, corniaud. – Chien d'arrêt, chien de berger, chien de chasse, chien de compagnie, chien couchant, chien courant, chien de garde, chien guide.

basset
beagle
beauceron ou bas-rouge
berger
bichon
bleu d'Auvergne
bobtail
bouledogue
boxer
braque
briquet
bull-terrier
caniche
chihuahua
chow-chow
cocker
colley
dalmatien
danois
dhole ou cuon
dingo
doberman
dogue
épagneul
fox-terrier
gordon
griffon
grœnendael
king-charles
labrador
lévrier
loulou
otycion
pékinois
pit-bull
ratier
retriever
saint-bernard
setter
sloughi
teckel
terre-neuve
terrier
tervueren

10 **INSECTIVORES ET OMNIVORES**

barbastelle
blarine
chauve-souris
chirogale
chlamydophore
coendou
crocidure
cynogale
dégou
desman
écureuil
fer-à-cheval
fourmilier
galéopithèque
géogale
hérisson
kinkajou
macroglosse
mégaderme
ménotyphle
murine
musaraigne
noctule
oreillard
ornithorynque
oryctérope
pachyure
pangolin
paresseux
philander
pipistrelle
rhinopome
roussette
sérotine
solénodon
tamandua
tamanoir
tatou
taupe
tenrec
vespertilion

11 Équidés. – Âne, ânesse, bourricot, dauw ou zèbre de Burchell, hémione ou okapi, zèbre. – **Cheval :** anglo-arabe, arabe, breton, bronco, cob, camarguais, flamand, genet, lipizzan, mustang, normand, percheron, poney, prjevalski, pur-sang, roussin, stayer, tarpan, trotteur américain, picard. – Cheval de bât, cheval de selle, cheval de somme, cheval de trait ; cheval de labour ; limonier ; cheval de course, galopeur, trotteur ; cheval de lance [anc.]. – Étalon, hongre, poulinière ; poulain, yearling ; litt. : cavale, coursier, destrier, haquenée, palefroi, rossinante ; fam. : canasson, dada ; fam. et péj. : bidet, bique, bourrin, bourrique, carne, criquet, mazette, rossard, rosse, tocard ; vx : carcan, haridelle. – Bardot ou bardeau, mulet.

12 Porcins. – **Porc** ; **cochon** ; verrat ; laie, truie ; cochonnet [fam.], goret, marcassin, porcelet. – Pourceau [litt.]. – Babiroussa, baconer, chueta, hylochère, pécari, phacochère, potamochère, sanglier ; hippopotame.

13 **MARSUPIAUX**

acrobate
bandicoot
bettongie ou rat-kangourou
dasyure
dendrolague
diable de Tasmanie
diprotodon
fourmilier marsupial ou myrmécobie, numbat
kangourou
koala
opossum
oyapok
pétaure
phalanger
polydolops
potorou
rat marsupial
sarcophile
sarigue
thylacine
wallaby
wombat

14 Primates. – Hominoïde ; anthropomorphe (hylobatidé, pongidé), hominien (hominidé). – Prosimien ; lémuriforme (daubentoniidé, indridé, lémuridé), lorisiforme (galagidé, lorisidé), tarsiiforme (tarsiidé), tupaiiforme (tupaiidé). – Simien ; cynomorphe (cercopithécidé, colobidé), platyrhinien (callitrichidé ou hapalidé, cébidé)

alouate
atèle ou singe-araignée
aye-aye
babouin
callicèbe
capucin ou saï
cébidé
chimpanzé
colobe
cynomorphe
diane
drill
entelle
érythrocèbe
galago
gélada
gibbon
gorille
grivet ou singe vert
guenon
hamadryas
indri
lagotriche
lépilémur
loris
macaque
magot
maki
mandrill
mangabey
mococo
moustac
nasique
nycticèbe
orang-outan
ouakari
ouistiti
panda ou ailurope
papion
platyrhinien
pongidé
potto
propithèque
rhésus
sagouin
saïmiri ou sapajou
sajou
saki
satan
semnopithèque
siamang
tamarin
tarsien
tarsier
toupaye
vari

FOSSILES

cercopithèque
dryopithèque
giganthopithèque
proconsul
ramapithèque
sivapithèque

15 **CÉTACÉS**

baleine à bec
baleine blanche ou belouga
baleine bleue ou rorqual
baleine à bosse ou jubarte, mégaptère, rorqual longiforme
baleine grise
boutou
cachalot
dauphin
dugong
épaulard
grinde ou globicéphale
lamantin
marsouin
narval
rhytine
sousouc ou plataniste des Indes
sténodelphe

16 Bande, bercail [vx], chiennaille, harde, horde, houraillis, manade, **meute,** troupe, **troupeau.**

17 Agnelée, chatée, chiennée, cochonnée, laitée, litée, nichée, **portée,** ventrée.

18 Antre, bauge, chenil, forme, gîte, liteau [vx], loge, niche, rabouillère, renardière, repaire, souille, **tanière,** taupinière, terrier, viscachère. – Bouverie, box, écurie, étable, fosse *(fosse aux lions),* litière, parc, porcherie, soue, vacherie. – Delphinarium. – Haras. – Jardin zoologique, zoo.

19 Alpage, glandée, herbage, panage, paquis, pâturage **262,** pâture, prairie, pré, remue.

20 Coussinet, écaille, griffe, ongle, pelote plantaire, sabot ; seime. – Andouiller, bois, corne, cornillon, dague, défense, ramure ; ivoire, rohart. – Fourrure, vair [vx] ; livrée, peau, **pelage,** poil, robe ; balzane, bringeure ; bourre, crin, duvet, fanon, jarre, soie ; crin, crinière, mèche, toupet.

21 Groin, gueule, hure, larmier, mufle, museau, naseau, rhinarium, truffe ; évent. – Babine, bajoue ; canine, croc, crochet, dent carnassière, diastème.

22 **Cris d'animaux 170.**

23 Bonnet, feuillet, panse, poche, réseau, rumen.

24 Bouse, crottin, laissées, lisier, pissat. – Abattures, fumées, revoir, vermillis.

25 Bouquinage, chaleur **763,** chasse, rut.

V. 26 Faire le gros dos, flairer, frétiller, quêter, mordre, muloter, nasiller ou fouir, remuer la queue, se lécher. – Laper, ronger les os.

27 Bouquiner, couvrir, hurtebiller [vx], ligner, mâtiner, monter, sauter.

28 Agneler, ânonner [vx], biqueter, chatonner, chevroter, chienner, cochonner, faonner, lapiner, levretter, louveter, mettre bas, pouliner, vêler.

29 Bretauder, castrer, châtrer, hongrer.

Adj. 30 Aboyeur, bêlant, hennissant, hurleur *(singe hurleur),* jappeur, miauleur.

31 Mammalien. – Pithécoïde, préhensile, prenant *(singe à queue prenante),* simien, simiesque. – Léonin, léontocéphale. – Chevalin, équestre, équin ; hippophagique. – Porcin, suiforme. – Asinien. – Canin. – Caprin. – Chamelier. – Cataire.

32 Fourrure : fauve, marbré, moucheté, ocellé, tigré ; balzan, bringé.

Aff. 33 Zo-, **zoo-** ; théri-, thério-, théro-.

34 Aeg-, aego- ; arct-, arcto- ; capri-, capro- ; céb-, cébo- ; crio- ; cyn-, cyno- ; élaph-, élapho- ; galéo- ; hipp-, hippo- ; lago- ; lyc-, lyco- ; ovi- ; pithéc-, pithéco- ; sciur-, sciuro- ; trag-, trago-.

35 -zoaire, -zoïde, -zoon ; -thère, -théridé ; -thérien, -thérium.

36 -cèbe ; -chère ; -cynacée, -cyon ; -gale ; -hippus ; -lague ; -pithèque.

487 MANŒUVRES

N. 1 **Manœuvres** ; évolutions, exercices, **mouvements 538,** mouvements d'ensemble. – Manœuvre, **tactique** ; dispositif ; disposition, **formation, ordre 576** ; évolution. – Opération. – Hostilités, opérations de guerre.

2 Garde-à-vous ; repos. – **Marche,** marche forcée ; **pas,** pas accéléré, pas cadencé, pas redoublé ; pas de route, pas sans cadence ; pas gymnastique ou de gymnastique. – Défilé, parade [anc.], revue ; prise d'armes. – **Grandes manœuvres** [anc.].

3 **Commandements 133,** directives. – Exercice, **instruction,** théorie ; école à feu ; école de pièce, école de groupe ; formation commune de base ou, vx, école du soldat. – **Entraînement.** – Maniement des armes ; escrime *(escrime à la baïonnette, au sabre, etc.).*

4 Exercices. – Tir **820** ; armement ; conduite de véhicules. – Exercice à double action, exercice à simple action ; exercice de combat. – **Tir à blanc** ; **tir réel.** – Figuration de l'ennemi ; figuration des feux ; kriegspiel. – Exercice d'alerte.

5 Formations. – Aile ; centre ; échelon, échelon aérien, échelon d'assaut. – **Ligne** ; **rang** ; **file,** file creuse. – Colonne ou formation en colonnes, colonne par un, colonne par deux, etc. ; anc. : colonne d'attaque, colonne de bataillon, colonne de compagnie. – Carré ou formation en carrés. – Anc. : damier, échiquier. – Convoi.

6 **Ordre tactique.** – Ordre de bataille ; ordre binaire, ordre ternaire, ordre quaternaire ; anc. : ordre mince, ordre profond, ordre dispersé. – Ordre serré ou rang serré. – Alignement ; flottement. – Échelonnement. – Quadrillage. – Concentration [anc.]. – Disposition de combat.

7 Ligne (ou : front de combat, retranchement). – MAR. MIL. : ligne de bataille, ligne de file, ligne de front ; échiquier ou ligne édentée ; ordre. – Ligne de sentinelles [anc.].

8 **Mouvement des troupes.** – **Évolutions** ; conversion, conversion à pivot fixe [anc.] ; **déploiement** ; redéploiement. – **Ralliement** ; rassemblement. – Dislocation ; repli. – Stationnement ; avant-garde, avant-poste ; arrière-garde. – Couverture. – **Soutien 19** ; **appui,** appui direct, appui indirect ; accompagnement. – Circulation.

9 Diversion, feinte, ruse de guerre, **stratagème 838.** – Contremarche. – **Contre-manœuvre** ; contre-attaque. – Manœuvre d'évitement [AVIAT.] ; **défense 182,** parade, riposte. – Régulation. – Sûreté, sûreté rapprochée. – Branle-bas de combat [MAR.].

10 Flanquement. – Marche de flanc ou marche par le flanc [anc.]. – Commandement de front, commandement d'enfilade, commandement de revers.

11 Tir d'appui direct. – Tir d'appui indirect.

12 **Mission.** – Faction, garde, surveillance **641.** – Éclairage. – Reconnaissance. – Découverte ou, vx, exploration ; écoute. – Prise de contact. – Nomadisation.

13 **Avance,** avancée ; approche **685.1.** – Recul **263.2** ; **retraite** ou manœuvre en retraite ; défensive. – Décrochage ; repli ; combat d'arrière-garde.

14 **Contact.** – Combat ; accrochage, affaire, escarmouche ; **engagement.** – Assaut, attaque **50,** charge, incursion, offensive, patrouille, sortie **783.** – **Surprise 805** ; surprise tactique ; surprise stratégique. – Embuscade. – Harcèlement. – Infiltration ; pénétration **608** ; escalade. – **Débordement** ; **encerclement** ; **enveloppement.** – Enlèvement ; investissement ; prise. – Siège. – Évacuation.

15 Débarquement. – Campagne, expédition. – **Guerre 354,** petite guerre ; guerre en rase campagne ou guerre de mouvement (opposé à guerre de position ou guerre de siège). – Contre-guérilla. – Bataille rangée.

16 Théâtre des opérations. – **Zone d'action** ; zone de combat terrestre ; zone de déploiement. – Position. – Rase campagne. – Front fortifié ou ligne. – **Place d'armes.** – Ville ouverte. – Découvert ; boyau, défilé.

17 **Champ de manœuvre** ou de manœuvres ; **terrain,** terrain militaire, terrain d'exercice ou de manœuvre ; Champ de Mars [vx]. – Champ de tir, polygone ; butte ou butte de tir ; pas de tir. – Dépôt. – Rase campagne.

18 **Tactique** ; tactique terrestre ; tactique navale ; tactique aérienne. – **Logistique.** – **Stratégie** ; eurostratégie, géostratégie. – Économie des forces. – Organisation du terrain ; défilement,

utilisation du terrain. – Mobilité stratégique ; mobilité tactique.

19 Axe d'effort. – **Plan de manœuvre** ; ordre d'opération. – Plan de bataille.

20 **Poliorcétique** ou art poliorcétique [didact., rare].

21 Manœuvrier. – Tacticien. – **Stratège.** – Régulateur. – Polémologue **354.**

22 **Instructeur** ; peloton d'instruction.

23 **Détachement** ; détachement de liaison et d'observation (D. L. O.) ; campement ou détachement précurseur. – Détachement de sûreté ; avant-garde ; arrière-garde. – Flanc-garde ; patrouille. – Garnison. – Dépôt.

24 Ennemi figuré ; plastron. – Carton.

V. 25 **Manœuvrer** ; être en manœuvre ou en manœuvres, **évoluer,** parader.

26 **Manier les armes** ; porter l'arme ; se mettre au port d'armes ; reposer l'arme ; présenter les armes.

27 Monter la garde ; être de faction ; faire le guet, faire sentinelle [vx] ; guetter, surveiller. – Battre l'estrade [vx]. – Patrouiller. – Défiler. – Être en garnison.

28 Passer les troupes en revue. – Sonner la retraite. – Sonner le ralliement, sonner le rassemblement.

29 Anc. : dédoubler les files, doubler les files, ouvrir les files, serrer les files. – **Former les rangs,** serrer les rangs ; garder les rangs ; rompre les rangs. – Former les faisceaux ; rompre les faisceaux. – **Échelonner.**

30 Éclairer. – **Couvrir.** – Accompagner, **appuyer** ; défendre ; flanquer. – Embusquer.

31 **Assiéger,** faire le siège de, mettre le siège devant ; investir ; enlever, prendre. – **Occuper** ; tenir ; couronner une position. – **Attaquer, assaillir,** donner l'assaut à ; prendre d'assaut. – Boucler. – Cerner, encercler, entourer ; **envelopper** ; **déborder** ; prendre à revers ou, litt., de revers. – Quadriller. – **Aborder.** – Fixer. – Déloger.

32 **Attaquer.** – Aller à la charge, charger. – Faire feu de tous bords.

33 Avancer. – **Se déployer.** – Monter en ligne. – Débarquer. – Contre-attaquer, riposter. – Contrebattre. – Décrocher ou rompre le contact.

34 Reculer. – **Battre en retraite** ou retraiter. – **Se replier.**

35 Se retrancher dans ou derrière qqch ; être retranché dans ou derrière qqch ; s'embusquer. – Désinvestir ; **évacuer.**

36 Se découvrir, s'exposer ; prêter le flanc. – Couvrir une retraite. – Opérer une diversion.

37 **Déployer** *(déployer des troupes).* – Débarquer *(débarquer des troupes).* – **Rallier,** rassembler **725.10,** regrouper. – Mobiliser. – Se rallier, se rassembler, se regrouper.

Adj. 38 **Manœuvrier.** – **Tactique** ; stratégique. – Opérationnel. – Poliorcétique [rare].

39 Débordant *(manœuvre débordante).*

40 En campagne ; en manœuvre ou en manœuvres. – En première ligne. – En rang serré ; en ordre dispersé, en tirailleurs.

41 Assiégeant ; assaillant.

42 Obsidional [ANTIQ. ROM.].

Adv. 43 **Tactiquement** ; stratégiquement. – Logistiquement. – Opérationnellement.

Int. 44 Garde à vous ! Repos ! Fixe ! À vos rangs, fixe ! – Au temps ! – **Aux armes !** Portez armes ! Reposez armes ! Formez les faisceaux ! Rompez les faisceaux ! Rassemblement !

45 **Feu !** Halte au feu ! Feu à volonté ! Cessez le feu !

488 MANQUE

N. 1 **Manque** *(le manque)* ; absence **2** ; insuffisance. – Incomplétude, vide. – Carence, **défaut,** privation. – Déficit ; pénurie. – Défaillance, déficience.

2 **Dénuement** ; misère, pauvreté **809** ; disette, famine. – Indigence ; paupérisme [litt.].

3 Manque *(un manque)* ; négligence. – **Lacune,** omission, oubli **583** ; absence *(une absence),* blanc *(un blanc),* trou de mémoire. – Bourdon [TYPOGR.]. – Manquement.

4 **État de manque** [absolt] **825,** besoin ; frustration. – **Manque à gagner.**

5 Manquement **485** ; **infraction 169,** transgression **200.** – Écart, **erreur,** faute.

6 Indigent *(un indigent),* nécessiteux, **pauvre** *(un pauvre).* – Affameur *(un affameur).*

V. 7 **Manquer** ; **faire défaut** ; se faire rare. – Ne pas faire partie. – Être absent ; faire l'école buissonnière ; arg. scol. : faire la bleue, sécher. – « Un seul être vous manque et tout est dépeuplé » (Lamartine).

8 **Manquer de** ; être dans le besoin ; être en manque. – Être à court de, être à sec. – Manquer d'à-propos, rester court, rester sec [fam.] ; être loin du compte [fam.]. – Il en manque.

9 Manquer à *(manquer à ses devoirs)* ; **déroger,** se dérober ; faire faux bond. – Négliger.

Adj. 10 **Manquant** ; absent, disparu ; déficient. – Privatif ; frustrant.

11 Manqué ; loupé [fam.], **raté.** – Défectueux. – Imparfait, incomplet. – À la manque.

12 Démuni, **dénué de,** dépourvu de. – Disetteux [vx], pauvre.

13 Manqué *(acte manqué ; garçon manqué).*

Adv. 14 **Imparfaitement,** insuffisamment.

15 En état de manque ; en manque.

16 Pas. – Moins. – Par défaut [INFORM., MATH.].

17 Faute de mieux.

18 Immanquablement ; sans manquer [vx].

Prép. 19 **Sans.** – À défaut de, au défaut de [vx] ; par défaut de ; par manque de. – **Faute de.**

Aff. 20 A-, dés-, in-, mal-, sous-.

489 MANUTENTION

N. 1 **Manutention** ; transport **490.10,** transport de distribution **135.** – Chargement, levage. – Magasinage, stockage.

2 **Conditionnement** ; emballage, empaquetage, encaissement [rare], ensachage. – **Conteneurisation 151.8.**

3 **Chargement 826** ; bardage, levage **531.9, treuillage.** – **Arrimage** ; accorage, élingage, guindage.

4 **Déchargement 829,** débardage. – Désarrimage.

5 **Emmagasinage 490** ; allotissement, entreposage. – **Empilage,** gerbage, palettisation.

6 **Transport 829,** manutention par roulage ou, anglic., **roll on-roll off,** camionnage **833,** ferroutage. – Bardage, traînage.

7 **Appareil de transport** ; brouette, Caddie [nom déposé], **chariot,** chariot transbordeur **832,** diable. – Chariot élévateur ; chariot élévateur à fourche. – **Fardier,** tombereau ou dumper, triqueballe, wagon. – Convoyeur, convoyeur à bande ; carrousel. – **Transporteur** ; transporteur à bande, transporteur à billes, transporteur à courroie, transporteur à raclette ou entraîneur ; transporteur-élévateur ou sauterelle, pied-de-chèvre. – **Chemin de roulement.** – Tapis roulant, tapis transporteur ; bande transporteuse ; noria. – Monocâble *(un monocâble),* monorail *(un monorail)* ; téléphérique.

8 Cadre *(cadre de déménagement),* **caisse,** caisse-palette, carton **151.4,** conteneur ou, anglic., container. – Bard, **palette.**

9 **Appareils de levage** ; agrès, bras de manutention, chevalet de levage. – Mât de charge, mât de manutention. – Cabestan, **treuil** ; moufle *(un moufle),* **poulie.** – Bigue, chèvre, derrick, potence. – **Grue 834** ; guinde, grue marteau ou titan, grue-portique, grue-vélocipède, sapine. – Cric, **levier 476.4,** palan, pied-de-biche ; vérin.

10 **Élévateur** ; chargeur, chouleur, gerbeur, palettiseur, skip, truc ou truck [anglic.]. – **Plateau de chargement** ; plate-forme élévatrice ; estacade, hayon élévateur. – **Pont élévateur,** pont-portique ou portique, pont roulant, semi-portique ; transstockeur. – **Ascenseur** ; monte-charge, monte-sac(s), pater-noster. – **Descenseur.** – Encamionneuse, enwagonneuse.

11 **Appareil de déchargement.** – Plan incliné, toboggan. – Poulain de charge ou poulain mécanique. – Temperley.

12 TECHN. – **Crochet,** émerillon, grappin. – Écrevisse, pince. – Levier, louve. – Balancelle.

13 Empaqueteuse, ensacheuse. – Étiqueteuse.

14 Avion-cargo **831,** blondin. – Cargo, tanker **830.** – Camion-citerne ; wagon-citerne **832.**

15 Dock, entrepôt, hangar. – **Silo** ; silo boudin, silo couloir, silo tour.

16 **Manutentionnaire** ; magasinier. – Bagagiste, porteur ; chargeur, **débardeur,** déchargeur, docker ; fort des Halles [fam.] ; crocheteur [vx], portefaix [vx ou sout.]. – **Cariste,** convoyeur, dépalettiseur, pontier. – Conditionneur, emballeur, ensacheur. – Acconier ou aconier ; stevedore [anglic.].

V. 17 **Manutentionner,** manipuler ; guinder, haler, hélitreuiller, lever, louver, treuiller ; coltiner [fam]. – **Arrimer,** charger, élinguer. – **Débarder,** décharger, désarrimer. – **Convoyer** ; brouetter, transporter ; transborder.

18 Allotir, emmagasiner, **entreposer,** stocker ; empiler, ensiler, ensiloter. – Accorer, gerber, palettiser. – Dépalettiser.

19 **Conditionner** ; emballer, empaqueter, encaisser [rare], ensacher ; anglic. : conteneuriser, packer.

Adj. 20 Conteneurisable. – **Transportable.**

490 MARCHANDISE

N. 1 **Marchandise** *(une marchandise)* ; article, denrée, produit. – Marchandise *(de la marchandise)* ; fam. : came, camelote **500.5.**

2 Assortiment, assortissage [didact.], assortissement [vx], choix, collection ; fonds de marchandises. – **Échantillon,** nonpareille [vx] ; **lot.** – Allotissement.

3 Munition [vx], provision, **réserve,** stock ; surplus. – Pénurie **488.1,** rupture de stock.

4 Péj., fam. – Nanar, rossignol ; garde-boutique [vx], laissé-pour-compte.

5 Enseigne, label, griffe, **marque,** sous-marque. – Cachet, contremarque, étiquette, tampon.

6 Fabrication, production **662** ; surproduction, sous-production **389.** – Conditionnement.

7 Commercialisation **135,** diffusion, distribution ; exclusivité, monopole ; accaparement, monopolisation. – Promotion, publicité **675.**

8 Commerce **135,** échange, marché **81** ; demande, offre ; débit, écoulement ; débouché.

9 **Approvisionnement** ; fourniture, livraison. – Réapprovisionnement, réassortiment.

10 Cargaison, fret, transport **829,** transit.

11 Conservation, entreposage, entrepôt [rare ou vx], magasinage, stockage. – Consignation. – Déstockage.

12 Dock, **entrepôt,** étape [vx], hangar, magasin ; entrepôt fictif. – Cellier, **magasin** ; dépense [vx], office, **réserve.**

13 Comptoir, devanture, vitrine. – Banc, étal [vx], éventaire **135.** – Rayon ; linéaire *(un linéaire)* ou linéaire développé [COMM.] ; gondole, présentoir.

14 **Inventaire** ; bordereau, catalogue, liste, nomenclature, récapitulatif, relevé, répertoire, table, tableau. – Connaissement, manifeste.

15 Approvisionneur, **fournisseur,** pourvoyeur, ravitailleur ; distributeur ; détaillant, grossiste ; stockeur, stockiste. – Entreposeur, entrepositaire.

16 Déballeur, magasinier, manutentionnaire. – Assortisseur. – Étalagiste **135.**

17 Monopoliste [ÉCON.]. – Péj. : accapareur, monopolisateur, stockeur.

V. 18 Achalander [emploi critiqué], **approvisionner,** assortir, **fournir,** pourvoir ; doter, munir. – Réapprovisionner, réassortir ou, vieilli, rassortir. – S'assortir [vieilli].

19 Emmagasiner, **entreposer,** stocker. – Serrer [vx ou région.]. – Déstocker.

20 Accaparer, accumuler, amasser ; monopoliser, truster.

21 Distribuer, vendre **135** ; détailler ; débiter sa marchandise. – Promouvoir ; lancer *(lancer un produit).* – Acheter ; marchander **659.**

22 Étalager. – Déballer, étaler ; déployer sa marchandise. – Détaler [vx], remballer.

23 Faire l'inventaire, inventorier.

Adj. 24 **Marchand** *(denrée marchande)* ; commercial **135.**

25 Brut, demi-fini, fini. – Fabriqué, industriel, manufacturé, usiné. – Agricole, naturel ; de base.

26 De bon aloi ; **de choix 677.16,** de premier choix, de second choix. – Bas de gamme **500.15,** de pacotille

27 Achalandé [emploi critiqué], **approvisionné,** assorti, fourni.

491 MARIAGE

N. 1 **Mariage** ; épousailles [vx], hymen, hyménée [litt., vx], **noces** [vx], **union** *(union légitime)* ; amadouage [arg. anc. et région.], conjungo [fam.].

2 Nubilité **445.** – Nuptialité.

3 **Conjugalité** [rare], vie conjugale, vie de couple. – Lien conjugal, liens (sacrés) du mariage. – Fidélité **108** ; fam. et péj. : collier de misère, corde au cou, fil à la patte.

4 **Mariage civil.** – Publication des bans, publication de mariage.

5 **Mariage religieux.** – Sacrement du mariage ; échange des consentements **149,** oui sacramentel. – Bénédiction nuptiale, messe de mariage ; célébration du mariage, cérémonie de mariage.

6 **Mariage d'amour 160,** mariage d'inclination. – **Mariage d'argent,** mariage d'intérêt **667** ; mariage arrangé, mariage de convenance, **mariage de raison.** – **Mésalliance,** mariage de la carpe et du lapin ; mariage à la détrempe [fam., vx], mariage morganatique. – **Remariage,** secondes noces.

7 DR. – **Contrat de mariage** ; régime matrimonial, régime matrimonial primaire. – Régime de la communauté légale, régime de la communauté réduite aux acquêts, régime de la communauté universelle, régime de la participation

aux acquêts ; ameublissement. – Régime de la séparation de biens. – Régime dotal. – **Pacs.**

8 **Acquêts,** biens communs, biens propres, biens réservés ; douaire [DR. ANC.]. – **Dot 241,** biens dotaux (opposé à biens paraphernaux).

9 Alliance **70,** anneau nuptial. – Bague de fiançailles.

10 **Corbeille de mariage,** cadeau de mariage ou de noces. – Liste de mariage. – Trousseau de mariage. – Jarretière de la mariée.

11 **Noces d'argent** (vingt-cinq ans de mariage) ; noces d'or (cinquante ans), noces de diamant (soixante ans), noces de platine (soixante-cinq ans).

12 **Concubinage** ; faux ménage, mariage de garnison [fam. et vx] ; mariage de la main gauche, **union libre** ; mariage à l'essai.

13 Accordailles [vx], **fiançailles,** promesse de mariage. – Demande en mariage. – Fiançailles vont en selle et repentailles en croupe [prov.].

14 Dissolution de mariage ; orbité [vx], veuvage, viduité [DR.]. – **Divorce 238,** séparation. – **Nullité de mariage** ; nullité absolue, nullité relative. – Mariage blanc, mariage nul, mariage putatif. – **Empêchement de mariage** ; empêchement dirimant, empêchement prohibitif [DR.].

15 **Adultère** ; infidélité, trahison **828, tromperie 838** ; cocuage [vulg.].

16 **Fiancé 666,** futur *(le futur),* parti *(un beau parti),* prétendant *(un prétendant),* promis *(un promis),* épouseur *(un épouseur).* – **Petit ami,** coquin, [fam., vx]. – Pop. : homme *(mon homme),* jules *(mon jules),* mec *(mon mec).* – **Célibataire 93,** garçon.

17 **Fiancée,** future *(la future),* prétendante, promise ; fam. : copine, nana **306.** – **Célibataire** *(une célibataire).*

18 **Marié** *(le marié),* jeune marié. – Conjoint, époux, **mari** ; fam. : moitié, seigneur et maître [par plais.]. – **Concubin** *(un concubin),* concubinaire *(un concubinaire)* [vx]. – Ex-mari ; veuf *(un veuf).* – Mari trompé ; **cocu,** cornard [vulg.]. – Les maris sont comme les melons, il faut en essayer plusieurs pour en trouver un bon [prov.].

19 **Mariée** *(la mariée),* jeune mariée. – Conjointe, **épouse,** femme ; fam. : bourgeoise, moitié ; dame [pop.]. – Douairière, **veuve.** – Amie, compagne, **concubine.**

20 **Entremetteur (-euse),** marieur (-ieuse).

21 **Endogamie** (opposé à exogamie) [ANTHROP.]. – Polyandrie, polygamie ; **bigamie.** – Androgamie, **monogamie.** – Concubinat [DR. et HIST. ROM.], lévirat [HIST. RELIG.].

V. 22 **Contracter (un) mariage,** convoler en justes noces, entrer dans une famille, prendre femme, prendre mari ; fam. : mettre la bague au doigt, trouver chaussure à son pied, trouver couvercle à sa marmite ; faire une fin, dire adieu à sa vie de garçon. – Régulariser. – S'allier, s'épouser, **se marier** ; se mettre la corde au cou. – Se pacser [fam.]. – **Se mésallier.** – **Se remarier,** refaire sa vie. – Qui se marie par amour a bonnes nuits et mauvais jours [loc. prov.].

23 **Concubiner** [par plais., rare], être ou vivre à la colle. – Se mettre en ménage. – Se fiancer.

24 Demander en mariage, demander la main de, faire sa demande en mariage ; offrir le sacrement [fam. et vx].

25 Accorder la main de sa fille, conclure un mariage, donner son consentement. – **Doter,** établir (un jeune homme, une jeune fille), pourvoir une fille. – Conduire à l'autel.

26 Tromper (son mari, sa femme) ; arg. : doubler, charrier, cocufier ; aller en cornouailles [arg.], donner des coups de canif dans le contrat, faire coucou à un homme, faire porter des cornes, peindre en jaune [vx] ; sout. et vieilli : souiller la couche nuptiale.

Adj. 27 **Mariable, nubile** ; bon, bonne à marier.

28 Monogame, bigame.

29 **Conjugal,** marital, **nuptial** ; prénuptial. – Dotal, matrimonial.

30 ANTHROP. – Avunculocal, matrilocal, néolocal, patrilocal, uxorilocal, virilocal.

Adv. 31 **Conjugalement,** maritalement, matrimonialement [didact.].

Int. 32 Vive la mariée !

Aff. 33 **-game,** -gamie.

492 MATÉRIALITÉ

N. 1 **Matérialité** ; réalité, tangibilité. – PHILOS. : actualité, phénoménalité ; corporéité.

2 **Matière,** substance **796** ; chair, corps. – Monde, nature, univers ; chose, objet. – Concret *(le concret),* physique *(le physique,* opposé notamm. au moral), réel *(le réel),* solide *(le solide)* **778.**

3 PHILOS. : **matérialisme,** objectivisme, phénoménalisme, **réalisme** ; chosisme **620.**

4 **Matérialisme** [cour.] ; prosaïsme **630.** – Esprit enfoncé dans la matière.

5 **Matérialisation.** – Actualisation, actuation ; concrétisation, **réalisation** 7. – Corporification ou corporisation ; **incarnation 709** ; personnification. – Didact. : chosification, objectivation, réification, substantialisation.

V. 6 **Matérialiser.** – Actualiser, concréter [rare], concrétiser, objectiver, **réaliser** 7 ; donner corps à. – Corporifier, corporiser ; **incarner, personnifier 613.** – Chosifier, objectiver, réifier, substantifier.

7 **Se matérialiser.** – S'actualiser, se coactualiser, se concrétiser, s'objectiver, **se réaliser** ; **prendre corps.** – S'incarner.

Adj. 8 **Matériel** ; **concret,** objectif, **réel,** substantiel ; palpable, sensible, tangible, visible. – Charnel, corporel, incarné, **physique** (opposé notamm. à mental, moral, psychologique).

9 PHILOS. – Actuel. – Factuel, évènementiel ; phénoménal, phénoménique ; **physique.** – Intramondain, mondain. – Objectivant.

10 **Matérialiste** [PHILOS.], objectiviste, réaliste. – **Matérialiste** [cour.] ; prosaïque, terre à terre.

Adv. 11 **Matériellement.** – **Concrètement,** objectivement, **réellement,** sensiblement, substantiellement, tangiblement. – Actuellement [PHILOS.]. – Factuellement, phénoménalement [PHILOS.]. – Charnellement **475,** corporellement, **physiquement.** – Matérialistement, prosaïquement, réalistement.

Aff. 12 Hylé-, hylo-.

493 MATHÉMATIQUE

N. 1 **Mathématique** *(la mathématique)* ; **mathématiques** *(les mathématiques)* ou, fam., les maths ; mathématiques modernes [cour.].

2 **Axiome, fonction,** formule, lemme, postulat, proposition, propriété, relation, théorème. – Condition, **critère** ; argument, constante, donnée, élément *(élément générique, idempotent, maximal, minimal, neutre, symétrique)*, grandeur *(grandeur scalaire, vectorielle, tensorielle)*, indice, membre, module, nombre **555,** valeur *(valeur absolue, négative, positive)* ; incrément [INFORM.]. – Terme ; extrême, moyen ; moyenne *(moyenne arithmétique, quadratique, géométrique)*. – Différence **216,** raison, rapport, proportion **668.** – Facteur, factorielle, factorielle *n* (noté *n* !) ; décomposition, produit. – Inconnue, paramètre, variable. – Binôme, monôme, polynôme, trinôme. – Série **758,** suite ; base, classe.

3 **Algorithme,** démonstration, équation *(équation différentielle, à* x *inconnues, incompatible, indéterminée)* ; inéquation. – **Logarithme,** logarithme naturel ou népérien ; cologarithme ; antilogarithme. – Coefficient, degré, **exposant,** déterminant, matrice, produit *(produit cartésien, scalaire, tensoriel, vectoriel)*, puissance. – Racine. – Système d'équation.

4 **Ensemble, sous-ensemble** ; ensemble ordonné ; quadruplet, singleton, triplet. – Borne, majorant, minorant. – **Application** *(application bijective, réciproque, inverse, involutive, linéaire, surjective, symétrique)*, bijection, combinaison, commutation, composition, congruence, correspondance, équivalence, inclusion (loi de composition interne), induction, injection, intersection, permutation, récurrence, substitution, transformation, transposition ; récursivité. – **Automorphisme,** endomorphisme, homomorphisme, isomorphisme, morphisme ; exomorphisme. – **Fonction** *(fonction croissante, décroissante, exponentielle, récursive, réelle d'une variable réelle, scalaire, monotone, rationnelle)*, relation *(relation d'équivalence, d'inclusion, d'appartenance)*. – **Espace** *(espace vectoriel, de Riemann, physique, euclidien)*, hyperespace ; vecteur *(vecteur glissant, indépendant)*, tenseur ; forme *(forme linéaire, quadratique, multilinéaire)*, graphe. – Affixe, coordonnée.

5 STAT. – **Probabilité, statistique** ; analyse *(analyse des données, factorielle, multidimensionnelle)*, méthode des moindres carrés, théorie des preuves. – Distribution, extrapolation, interpolation, lissage, pondération **522,** randomisation, régression. – Correction, données corrigées.

6 STAT. – **Classe, effectif,** individu, population ; échantillon, test, tirage. – **Quota** ; centilage, décilage. – **Variance,** covariance, invariance ; dispersion, écart, étendue d'un échantillon, fourchette, type ; coefficient de corrélation, espérance, indice, médiane, mode, moyenne, moment d'une variable. – **Évènement** *(évènement certain, élémentaire, indépendant ; évènements compatibles, contraires, équiprobables, incompatibles)*. – **Valeur** *(valeur aléatoire, binomiale, chronique, médiale)*. – Variables *(variables aléatoires, aléatoires dépendantes, corrélées)*. – Quantile.

7 STAT. – **Carré magique, matrice** ; chronogramme, courbe en cloche, graphique, his-

togramme. – Échelle logarithmique, loi des grands nombres, loi de probabilité.

V. 8 **Mathématiser.** – Engendrer, indexer, majorer **56,** minorer **220,** ordonner, paramétrer, résoudre, transformer.

Adj. 9 **Mathématique.** – **Bijectif,** injectif, surjectif ; abélien, commutatif ; associatif, distributif, réflexif, symétrique, transitif. – **Binaire,** biunivoque, booléen ou boolien. – **Croissant,** décroissant ; majorant, minorant ; invariant ; acyclique. – Différenciable, réductible. – Logarithmique. – Bicarré.

494 MATINÉE

N. 1 **Matinée** ; **matin** ; mat' *(cinq heures du mat')* [fam.] ; avant-midi [belg., canad.]. – LITURGIE : prime, tierce ; laudes, matines.

2 **Aube, aurore** ; « l'aurore aux doigts de rose » (Homère). – Lever du soleil ; lever du jour, naissance du jour, point ou pointe du jour ; demi-jour, **petit jour** ; le crépuscule du matin, petit matin ; les portes du matin, l'heure bleue. – Potron-jacquet [vx], potron-minet [vx ou plais.] ; déjuc [AGRIC.]. – L'heure du laitier. – Commencement **134,** début.

3 L'étoile du matin ou l'étoile matinière, Lucifer [poét.], Vénus. – Rosée. – Aubade ; diane.

4 **Midi** ; midi moyen, midi vrai ; passage au zénith (du Soleil) ; méridienne. – Sexte [LITURGIE]. – « Midi le juste » (Valéry).

5 **Matutinaire** *(un matutinaire)* [LITURGIE]. – Réveille-matin ou **réveil** ; méridienne.

V. 6 **Se lever** ; déjucher [AGRIC.]. – Être du matin.

7 Chanter matines, sonner les matines ; aubader [rare].

Adj. 8 **Matinal,** matutinal [litt.], matinier [litt.] auroral [litt.], crépusculaire. – Matineux *(une personne matineuse)* [litt.]. – Méridien [litt.].

Adv. 9 Matin *(se lever matin)* ; **de bon matin,** de grand matin, au petit matin, dès matines [vieilli] ; **de bonne heure,** tôt **60** ; le monde appartient à ceux qui se lèvent tôt [prov.]. – À la première heure ; aux aurores, au chant du coq ; au saut du lit.

10 Matinalement [litt.] ; crépusculairement [rare].

11 **Dans la matinée** ; a. m. (anglic., du lat. *ante meridiem,* « avant midi »).

12 Sur le midi ; en plein midi.

Prép. 13 À l'aube de ; au matin de. – Au midi de.

Int. 14 Bonjour ! – Cocorico !

495 MATURITÉ

N. 1 **Maturité** ; âge adulte, âge mûr, âge viril **364** ; **force de l'âge.** – Été, **automne 738.** – Adultat [rare], adultisme [didact.].

2 **Âge canonique** ; âge climatérique, âge critique ; retour d'âge. – **Démon de midi 475.** – **Quarantaine** *(la quarantaine),* cinquantaine *(la cinquantaine).*

3 **Adulte, grande personne** ; homme accompli, homme fait. – Dame, monsieur. – Quadragénaire *(un quadragénaire),* **quinquagénaire** *(un quinquagénaire).* – Vieux beau ; bellâtre. – Rombière.

V. 4 **Mûrir** ; être dans la force de l'âge ; fam. : avoir de la bouteille (ou : du métier, de l'expérience) **10.**

5 Être sur le retour.

Adj. 6 Mature, **mûr.** – De sens rassis. – Majeur, majeur et vacciné [fam.].

7 Assis, arrivé, installé.

8 D'un certain âge, sur l'âge. – Entre deux âges.

Adv. 9 **À maturité** ; à mi-vie.

496 MÉCANIQUE

N. 1 **Mécanique** ; micromécanique ; cinématique, dynamique mécanique ou dynamique des fluides, statique. – Mécanique céleste **49,** mécanique statistique, mécanique quantique ou ondulatoire **14.1,** mécanique relativiste **49.** – PHILOS. : matérialisme, mécanicisme ou mécanisme.

2 **Énergie** *(énergie cinétique, énergie potentielle)* ; travail ; force *(force axifuge, force axipète, force centrifuge, force centripète, force motrice, etc.)* **322,** force vive [vx], portance ; puissance. – Système de forces **807.4.**

3 Contrainte, impetus [vx], impulsion **391,** poussée **115,** poussée d'Archimède, pression, traction **826,** traînée ; premier mobile [vx].

4 Attraction ou gravitation universelle **54,** pesanteur ; chute des corps. – Capillarité.

5 Inertie **403,** résilience, **résistance,** rigidité, tension, viscosité ; élasticité **259.** – Friction, frottement **329.**

6 Apesanteur ; sustentation. – **Équilibre 282,** repos. – Stabilité.

7 Mouvement ; mouvement accéléré, mouvement constant, mouvement périodique, mouvement retardé, mouvement uniforme, mouvement uniformément accéléré, mouvement uniformément difforme [vx], mouvement absolu **538.** – HIST. DES SC. : mouvement naturel, mouvement violent (Aristote).

8 **Vitesse** ; vitesse angulaire, vitesse angulaire de rotation, vitesse initiale, vitesse limite, vitesse moyenne ; moment cinétique ; quantité de mouvement. – Accélération **684** ; décélération **458,** détente.

9 Machine **476** [fig.], **mécanique** *(une mécanique),* mécanisme *(un mécanisme)* ; mobile *(un mobile)* ; engin **584.**

10 Levier d'Archimède. – Pomme de Newton. – Pendule de Foucault. – Paradoxes de Zénon d'Élée.

V. 11 Mécaniser. – Motoriser **476.**

12 Frotter, graviter **496,** peser, pousser **391,** presser, tirer **826,** traîner. – Attirer, accélérer ; pressuriser. – Résister **403.**

Adj. 13 **Mécanique.** – PHILOS. : mécaniciste, mécaniste ou mécanistique. – Cinétique, dynamique ; gravifique, inertiel.

14 Moteur. – Tendeur, tenseur. – Didact. : conservatif, dissipatif.

15 Équilibré, stable ; hyperstatique. – Animé, mû ; astatique.

Aff. 16 -dynamique, -statique.

497 MÉCHANCETÉ

N. 1 **Méchanceté** ; malice **316,** malignité, mauvaiseté [vx] ; noirceur, scélératesse **828.** – Cruauté, dureté **248,** férocité, sadisme [cour.], vacherie [fam.] ; inclémence. – Inhumanité.

2 Malice [vx], **malveillance,** perversité [cour.] ; fiel. – Agressivité, animosité, brutalité, hostilité, violence **865.** – Harcèlement moral. – Maltalent ou mautalent [vx].

3 **Misère,** tracasserie ; brimade, mauvais traitement, vexation. – Mauvais (ou : sale, vilain) tour, vilenie [litt.] ; fam. : entourloupe ou entourloupette, tour de cochon ; très fam. : crasse, mistoufle, rosserie, saleté, saloperie, **vacherie.** – Coup de corne ou de boutoir, coup d'épingle, pique ; médisance, sarcasme, vanne [fam.].

4 Médiocrité **500** ; mesquinerie.

5 **Méchant** *(un méchant)* ; coquin ; sans-cœur, scélérat ; galvaudeur [vx] ; fam. : salaud, saligaud, salopard. – Bourreau **801,** brute ; persécuteur, tortionnaire. – Fam. : chipie, mégère ; très fam. : garce, salope.

6 Fig. – Fam. et péj. : carne, charogne ; **chameau,** peau de vache, rosse, serpent, vache ; punaise, **teigne** ; choléra, gale, **peste** ; poison. – Litt. : démon, génie du mal, méphistophélès, suppôt de Satan. – Vipère ; furie, gorgone, harpie ; diablesse, ogresse, sorcière ; tigresse. – Langue de vipère ou vipérine, mauvaise ou méchante langue.

V. 7 Faire le mal pour le mal. – Brimer, galvauder [vx], **maltraiter** ; en faire voir de cruelles (ou : de dures, de sévères) à qqn, en faire voir de toutes les couleurs. – Chagriner, contrarier, navrer.

8 Avoir bec et ongles ; **jouer un tour pendable,** nuire, porter tort. – Dire du mal de ; casser du sucre sur le dos de [fam.], donner un coup de bec ; égratigner, piquer.

Adj. 9 **Méchant,** mauvais. – Méchant comme un âne rouge (ou : comme un diable, comme la gale, comme la grêle, comme un pou, comme une teigne) ; **bête et méchant** ; plus bête que méchant. – Antipathique ; détestable, pendable, odieux.

10 Brutal, **cruel,** dur **248,** féroce, sans-cœur ; inhumain ; barbare [litt.], sauvage. – Malfaisant ; malintentionné, malveillant ; malin ; vx : malévole, malicieux, maupiteux ; mauvais. – Litt. : démoniaque, diabolique, satanique ; noir. – Assoiffé de sang, sanguinaire ; ivre de sang.

11 **Haineux,** hargneux, teigneux ; acerbe, agressif, caustique, mordant ; acrimonieux, aigre, aigre-doux, âpre, corrosif, enfiellé, fielleux, mordant, vénéneux [litt.], venimeux ; fam. : rosse, vachard, vache. – Calomnieux, désobligeant, médisant.

Adv. 12 **Méchamment** ; malveillamment [litt.]. – Cruellement ; hargneusement. – Amèrement.

498 MÉDECINE

N. 1 **Médecine,** médecine générale. – Médecine physique, médecine préventive, médecine psychosomatique ; médecine ayurvédique, médecine expectante ; **médecines parallèles.**

2 Médecine légale, médecine sociale, médecine du travail. – Médecine de l'air ou médecine aéronautique, médecine exotique, médecine tropicale. – **Médecine vétérinaire** ou art vé-

térinaire. – Médecine infantile. – Médecine interne ; médecine de groupe.

3 **Biosciences** ; biochimie médicale, biologie médicale, cytologie, microbiologie ; génétique, immunologie **381** ; bactériologie **512,** virologie ; génie biomédical. – Bioéthique.

4 Clinique ; **séméiologie** ou sémiologie ; symptomatologie. – Nosographie, **nosologie.** – Paléopathologie, **pathologie,** radiopathologie. – Physiologie.

5 Embryologie, **pédiatrie,** périnatalogie. – Gynécologie, obstétrique ; andrologie. – Gériatrie, gérontologie. – Défectologie.

6 Anesthésiologie, anesthésie-réanimation ; antisepsie, asepsie ; allergologie, angiologie, cancérologie **841.8,** épidémiologie, infectiologie, mycologie, parasitologie, pathologie industrielle, phoniatrie, rhumatologie, spasmologie, tératologie **484,** thanatologie. – Diététique **214.** – Préventologie ; prophylaxie. – Rééducation et réadaptation fonctionnelles.

7 **Anatomie,** anatomie pathologique, anatomopathologie ; **cardiologie,** chondrologie, dermato-vénérologie, **dermatologie,** diabétologie, endocrinologie, gastro-entérologie, hématologie, hémobiologie, hépatologie, histologie, néphrologie, **neurologie,** ophtalmologie, ostéologie, **oto-rhino-laryngologie,** pneumo-phtisiologie, stomatologie, urologie, vénérologie. – **Chirurgie 114** ; orthodontie, orthopédie, orthopédie dento-faciale. – Psychiatrie.

8 Allopathie, **homéopathie** ; étiopathie. – HIST. : empirisme, galénisme, hippocratisme, humorisme, naturalisme, organicisme.

9 **Consultation,** visite médicale ; contre-visite ; bilan de santé ou check-up [anglic.]. – Acte médical ; anamnèse **503.6** ; **analyse,** dépistage ; vaccination. – Antécédents, commémoratifs.

10 Étiologie ; expertise. – Autodiagnostic, **diagnostic,** électrodiagnostic, pronostic, radiodiagnostic, télédiagnostic. – **Cas.** – Dossier médical, observation ; ordonnance, prescription.

11 **Examen 689.** – **Auscultation,** autopalpation, palpation, percussion, test, toucher. – Autopsie ou, VX, nécropsie, docimasie ; déclaration des causes de décès. – Dissection.

12 **Endoscopie** ; colposcopie, fibroscopie, laparoscopie, péritonéoscopie. – Cathétérisme, cathétérisme cardiaque.

13 **Biopsie, ponction,** ponction-biopsie, sondage ; prélèvement, prise de sang.

14 Imagerie ; cartographie (ou : scintigraphie, gammagraphie), cartographie automatique, **échographie,** échotomographie, électroradiologie, I.R.M. (imagerie par résonance magnétique), radiocinématographie, **radiographie** ou, fam., radio, radiographie numérisée, radiomanométrie, radioscopie ou, fam., scopie, radiostéréoscopie, remnographie ou résonance magnétique nucléaire (R. M. N.), scanographie (ou : tomodensitométrie, tomographie informatisée), scintigraphie, téléradiographie, thermographie, tomographie. – Radiologie.

15 Électrocardiogramme, électromyogramme, **électroencéphalogramme** ou encéphalogramme, remnogramme, scintigramme, thermogramme. – Marqueur biologique.

16 Angioscintigraphie, aortographie, artériographie, arthrographie, cholangiographie, cholécystographie orale, cholédographie, cystographie, discographie, **électrocardiographie,** électromyographie, encéphalographie gazeuse, hépatographie, lymphographie, mammographie, méniscographie, myélographie, neuroradiologie, pelvigraphie, phlébographie, pyélographie, radiopelvimétrie, urétéropyélographie rétrograde, urétrographie, urographie, ventriculographie, vésiculographie.

17 Abaisse-langue, marteau à réflexes, miroir laryngien, spéculum, **stéthoscope.** – Hystéromètre, tensiomètre (ou : sphygmomanomètre, sphygmotensiomètre).

18 **Endoscope** ; anuscope, colonoscope ou coloscope, cystoscope, électrocardioscope, fibroscope, néphroscope, œsophagoscope, pharyngoscope, pleuroscope, rectoscope.

19 Bougie, **canule,** cathéter, cryosonde, **sonde** ; sonde d'Einhorn, sonde ou bougie filiforme, sonde de Béniqué ; trocart.

20 Échographe, électrocardiographe, remnographe, **scanner** (ou : scanographe, scanner X, tomodensitomètre). – Moniteur ou monitor.

21 Signe **765,** signe fonctionnel ou **symptôme,** signes cliniques. – Bruit, crase, habitus ; terrain.

22 Clinicat, externat, internat ; **doctorat.** – Professions médicales. – Corps médical ; blouses blanches ; corps de santé militaire, Faculté (*la Faculté,* par plais.) ; ordre des médecins ; Croix-Rouge.

23 **Docteur, médecin,** officier de santé [anc.], praticien, thérapeute [litt.] ; fam. : doc, **toubib** ; VX :

mire, physicien. – Disciple d'Esculape [litt. ou par plais.], homme de l'art.

24 Généraliste ou omnipraticien (opposé à spécialiste) ; médecin consultant, médecin traitant. – Urgentiste. – Médecin de campagne ; **médecin de famille** ; médecin de garde. – Clinicien, médecin des hôpitaux ; médecin-conseil ; médecin d'état civil, médecin légiste, médecin des morts [fam.] ; médecin des armées ; médecin du travail.

25 Carabin [fam.] ; externe, interne des hôpitaux ; assistant, médecin aide-major, médecin aspirant, médecin attaché ou attaché. – Archiatre, chef de clinique, médecin-chef, patron [fam.].

26 **Charlatan,** drogueur ; vieilli : empirique, marchand de mort subite, médicastre, morticole.

27 Cardiologue, dermato-vénérologue, dermatologue, hémobiologiste, hépatologue, odontologiste, ophtalmologiste, oto-rhino-laryngologiste, otologiste, phtisiologue, pneumologue, sexologue, stomatologiste, urologue.

28 Accoucheur, **gynécologue,** obstétricien. – Gériatre, **gérontologue.**

29 Cancérologue, diabétologue, épidémiologiste, oncologiste, sidologue, syphiligraphe [vieilli], traumatologiste. – Aliéniste [vieilli].

30 Vétérinaire.

31 Allopathe, homéopathe. – **Acupuncteur** ou acuponcteur. – Dissecteur, prosecteur [anc.]. – Échographiste, électroradiologiste, **radiologue.**

32 Centre hospitalo-universitaire (C. H. U.), clinique, **hôpital** ; dispensaire, laboratoire d'analyses médicales. – Académie de médecine, faculté de médecine. – Institut médico-légal.

33 Sous-médicalisation.

34 Caducée. – Serment d'Hippocrate.

V. 35 **Examiner** ; ausculter, percuter, toucher ; prendre le pouls, prendre la tension. – Autopsier. – Cathétériser, **sonder.** – Échographier, radiographier. – **Diagnostiquer,** ordonner. – Médicaliser ; démédicaliser.

Adj. 36 **Médical** ; biomédical ; paramédical. – Médicalisé, médico-chirurgical, médico-éducatif, médico-légal, médico-social, médico-sportif. – **Étiologique** ; diagnostique, pronostique ; séméiologique ou sémiologique ; clinique. – Bioéthique ; déontologique.

37 Auscultatoire, biopsique, endoscopique. – Électrocardiographique, radiographique, **radiologique,** radioscopique, scanographique, tomographique. – Asymptomatique, atypique. – Sous-médicalisé.

38 Compétent. – Empirique ; hippocratique. – Allopathique, **homéopathique** ; épidémiologique, thanatologique ; gériatrique, gérontologique ; anatomique ; pathologique **482.**

Adv. 39 **Médicalement.** – Cliniquement. – Anatomiquement. – Radiologiquement.

Aff. 40 Iatro- ; -iatre, -iatrie, -iatrique.

499 MÉDICAMENTS

N. 1 **Médicament** ; agent, antidote, contrepoison, potion magique [fam.], préparation *(une préparation),* **remède** ; vx : drogue, médecine. – Polychreste ou remède de fond.

2 Bioprécurseur ou promédicament ; médicament de confort, médicament galénique ; médicament à usage externe, médicament à usage interne. – Association médicamenteuse, synergie médicamenteuse. – Générique *(un générique),* **panacée,** spécialité, topique ; broyat. – Dose, formule ; excipient, véhicule.

3 Remède de cheval [fam.], remède souverain. – Fam. : élixir de longue vie, onguent miton mitaine, poudre de perlimpinpin, **remède de bonne femme** ; cautère sur une jambe de bois. – Placebo.

4 **Remontant** *(un remontant),* stimulant, tonique ; défatigant, fortifiant. – Calmant **89,** sédatif ; émollient. – Tranquillisant ; anxiolytique, neuroleptique. – Narcotique **780.9.** – Émétique (opposé à antiémétique), vomitif. – Modérateur de l'appétit ou coupe-faim.

5 **Analgésique** ou antidouleur ; acétaminophène ou paracétamol, antipyrine, carbamazépine, dextropropoxyphène, morphine, thridace. – **Anesthésique** ; lidocaïne, tétracaïne. – **Antiacide** ; aluminium hydroxyde. – **Antiacnéique** ; isotrétinoïne, peroxyde de benzoyle, trétinoïde. – **Antiagrégant plaquettaire** ; acide acétylsalicylique, dipyridamole. – **Antiangoreux** ou antiangineux ; isosorbide dinitrate, trinitrine. – **Antiarythmique** ; amiodarone, disopyramide, quinidine. – **Antiasthmatique** ; acide cromoglicique. – **Antibactérien** ; nitrofurantoïne, sulfacétamide, sulfadiazine argentique, sulfaméthoxazole, sulfasalazine, triméthoprine. – **Antibiotique** ; amoxicilline, ampicilline, bacitracine, céfaclor, céfalexine, céfazoline, chloramphénicol, cloxacilline, colistine, doxycycline, érythro-

mycine, gentamicine, lincomycine, néomycine, nétilmicine, oxytétracycline, pénicilline C, phénoxyméthylpénicilline (ou pénicilline V), pristinamycine, tétracycline, tobramycine. – **Anticoagulant** ; héparine, warfarine. – **Anticonvulsivant** ; acide valproïque, carbamazépine, clonazépam, phénobarbital, phénytoïne, primidone. – **Antidépresseur** ; amitriptyline, imipramine, maprotiline, trazodone. – **Antidiabétique** ; chlorprodamide, glibenclamide, glipizide, metformine, tolbutamide ; insuline. – **Antidiarrhéique** ; diphénoxylate, lopéramide. – **Antidote morphinique** ; naloxone. – **Antiémétique** ; dimenhydrinate, métoclopramide. – **Antiépileptique** ; éthosuximide. – **Antifongique** ; amphotéricine B, éconazole, griséofulvine, kétoconazole, miconazole, nystatine, tolnaftate. – **Antifongique antibactérien** ; clotrimazole. – **Antigoutteux** ; allopurinol, colchicine. – **Antihistaminique** ; acide cromoglicique, azatadine, bromphéniramine, dexchlorphéniramine, dimenhydrinate, diphenhydramine, éphédrine, hydroxyzine, méclozine, prométhazine, terfénadine, triprolidine. – **Antihypertenseur** ; captopril, clonidine, dihydralazine, énalapril, prazosine. – **Anti-infectieux** ; acidenalidixique, métronidazole. – **Anti-inflammatoire stéroïdien** ; acide acétylsalicylique. – Anti-inflammatoire non stéroïdien : acide méfénamique, diflunisal, fénoprofène, ibuprofène, indométacine, kétoprofène, naproxène, phénylbutazone, piroxicam, sulindac. – **Antilépreux** ; dapsone. – **Antimigraineux** ; caféine, ergotamine. – **Antimyasthénique** ; néostigmine, pyridostigmine. – **Antipaludéen** ; chloroquine, méfloquine, quinine. – **Antiparasitaire** ; lindane, pyrantel, pyriméthamine. – **Antiparkinsonien** ; amantadine, bromocriptine, lévodopa, trihexyphénidyle. – **Antipyrétique** ; acétaminophène ou paracétamol, acide acétylsalicylique, antipyrine. – **Antirejet.** – **Antirhumatismal** ; auranofine, pénicillamine. – **Antispasmodique** ou spasmolytique ; atropine. – **Antituberculeux** ; éthambutol, éthionamide, isoniazide, pyrazinamide, rifampicine. – **Antitussif** ; codéine, dextrométhorphane. – **Antiulcéreux** ; cimétidine, ranitidine, sucralfate. – **Antiviral** ; aciclovir, amantadine, zidovudine ou azidothymidine (AZT). – **Anxiolytique** ; méprobamate. – **Benzodiazépine** ; alprazolam, chlordiazépoxide, clonazépam, clorazépate, diazépam, lorazépam, oxazépam, prazépam, témazépam ; triazolam. – **Bêtabloquant** ; acébutolol, aténolol, labétalol, métoprolol, nadolol, propranolol, timolol. – **Bronchodilatateur** ; aminophylline, éphédrine, salbutamol, terbutaline, théophylline. – Cathartique, **laxatif, purgatif.** – **Corticoïde** ; béclométasone, bétaméthasone, cortisone, dexaméthasone, fluocinolone, hydrocortisone, méthylprednisolone, prednisolone, prednisone, triamcinolone. – **Désintoxication alcoolique** ; disulfirame. – **Diurétique** ; acétazolamide, amiloride, bumétanide, chlortalidone, furosémide, hydrochlorothiazide, spironolactone, triamtérène. – **Glucoside cardiotonique** ; digitoxine, digoxine. – **Gonadotrophine.** – **Hormone thyroïdienne** ; extrait thyroïdien, lévothyroxine sodique, liothyronine. – Hormone sexuelle mâle ; testostérone. – **Hormone de synthèse** ; calcitonine (hypocalcémiante), danazol (antigonadotrope), lypressine (antidiurétique). – **Hypertenseur** ; méthyldopa. – **Hypolipidémiant** ; clofibrate, colestyramine, gemfibrozil. – **Immunodépresseur** ; ciclosporine. – **Inhibiteur calcique** ; diltiazem, nifédipine, vérapamil. – **Kératolytique** ; étrétinate. – **Laxatif** ; bisacodyl, lactulose. – **Mucolytique** ; acétylcystéine. – **Mydriatique** ; phényléphrine. – **Myorelaxant** ; baclofène, dantrolène. – **Myotique** ; carbachol, pilocarpine. – **Neuroleptique** ; chlorpromazine, fluphénazine, halopéridol, prochlorpérazine, thioridazine. – **Normothymique** ; lithium. – **Œstrogène** ; diéthylstilbestrol, estradiol, éthinylestradiol. – **Photosensibilisant** ; méthoxypsoralène. – **Progestatif** ; médroxyprogestérone. – **Sympatholytique** ; bêtabloquant. – **Sympathomimétique** ; épinéphrine, phényléphrine. – **Utérorelaxant** ; ritodrine, salbutamol, terbutaline. – **Utérotonique** ; méthylergométrine. – **Vasoconstricteur** ; décongestionnant ; éphédrine, naphazoline, phényléphine. – **Vasodilatateur** ; minoxidil, pentoxifylline.

6 En traitement des carences alimentaires : acide folique (aussi : facteur antipernicieux, acide ptéroylmonoglutamique), acide nicotinique (aussi : nicotinate de calcium, nicotinate de benzyle, nicotinate d'éthyle, nicotinate de gaïacyle, nicotinate de guétol, nicotinate d'hexyle, nicotinate de méthyle), acide pantothénique (aussi : pantothénate de calcium, panthénol, vitamine B5), biotine (aussi : coenzyme R, vitamine H, vitamine B8), bromure de calcium (aussi : calcium EDTA, carbonate de calcium, chlorure de calcium, citrate de calcium, glucoheptonate

de calcium, gluconate de calcium, glubionate de calcium, lactate de calcium, phosphate de calcium, pidolate de calcium), chrome, cuivre (aussi : gluconate de cuivre, sulfate de cuivre), fer (aussi : ascorbate ferreux, hydroxyde ferrique, sulfate ferreux, heptogluconate ferreux, fer ferrique, succinate ferreux, bétaïnate ferreux, chlorure ferreux), fluor (aussi : fluorure de calcium, fluorure de sodium, fluorure stanneux), iode (aussi : iodure de magnésium, iodure de potassium, iodure de sodium), magnésium (aussi : carbonate de magnésium, chlorure de magnésium, gluconate de magnésium, hydroxyde de magnésium, lactate de magnésium, pidolate de magnésium, sulfate de magnésium), potassium (aussi : chlorure de potassium, glucoheptonate de potassium, glycérophosphate de potassium, sulfate de potassium),pyridoxine (aussi : aspartame de pyridoxine, chlorhydrate de pyridoxine, camphosulfonate de pyridoxine, phosphate de pyridoxine, vitamine B6), riboflavine (aussi : phosphate de riboflavine, vitamine B2), sélénium (aussi : bisulfate de sélénium, sélénium sulfuré, sélénite de sodium), sodium (aussi : acétate de sodium, bicarbonate de sodium, chlorure de sodium, phosphate de sodium), thiamine (aussi : chlorhydrate de thiamine, dicamphosulfonate de thiamine, mononitrate de thiamine, vitamine B1), vitamine A (aussi : acide rétinoïque, bêta-carotène, rétinol, acétate de rétinol, palmitate de rétinol, isotrétinoïne, trétinoïne), vitamine B12 (aussi : cobalamine, cyanocobalamine, hydroxocobalamine, acétate d'hydroxocobalamine), vitamine C (aussi : acide ascorbique, ascorbate de bétaïne, ascorbate de calcium, ascorbate ferreux, ascorbate de sarcosine, ascorbate de sodium), vitamine D (aussi : alfacalcidol, calcifédiol, calciférol, calcitriol, colécalciférol, ergocalciférol, vitamine D2, vitamine D3), vitamine E (aussi : acétate d'alpha-tocophérol, tocophérol), vitamine K (aussi : ménadiome, phytoménadiome, vitamine K1, vitamine K2, vitamine K3), zinc (aussi : chlorure de zinc, sulfate de zinc, glucomate de zinc).

7 Médicaments à base d'huile : huile de foie de morue ; huile de ricin.

8 Médicaments à base de miel : électuaire [anc.], mellite ou miel médical ; à base de cire : cérat.

9 Médicaments d'origine végétale. – Résines : **baume, onguent** ; ase fétide ou, lat., asa fœtida, onguent populéum. – Plantes : fleurs pectorales, plantes ou **herbes médicinales,** simples ; camomille, citronnelle ou mélisse, verveine officinale ; semen-contra. – Fruits : casse, kamala, séné. – Racines : ginseng, ipéca ou ipécacuana. – Mucilage : gélulose ou agar-agar.

10 Sérum thérapeutique **742** ; sérum antidiphthérique, sérum antitétanique, sérum antirabique, sérum antivenimeux.

11 **Vaccin** ; autovaccin, entérovaccin, vaccin polyvalent ; B. C. G., T. A. B.

12 **Administration,** chronule ; fomentation, sinapisation. – Inhalation ; prise.

13 **Vaccination** ; autovaccination, primo-vaccination, rappel, sérovaccination, variolisation ; axénisation. – Pharmacodynamique, vaccine ; aggravation médicamenteuse.

14 Bol, **cachet, comprimé,** comprimé dragéifié, gélule, globule ou perle, glossette, granule homéopathique, granule médicamenteux, granulé ou saccharure, implant, **pastille,** pellet, **pilule,** pilule kératinisée, tablette. – Farine, lyophilisat, **poudre,** sel ; sachet.

15 Crème, embrocation, émulsion, glycère, onguent, pâte, **pommade** ; lait. – Eau, élixir, extrait, gouttes, huile, liniment, liqueur, lotion, mixture, **potion, sirop,** soluté ou, vx, solution ; ampoule. – Collutoire, nébulisat, pulvérisation ; collyre, gouttes auriculaires. – Crayon médicamenteux ; ovule, **suppositoire.** – Cataplasme, **compresse,** emplâtre, ventouse ; sinapisme. – Charpie, gaze médicamenteuse.

16 Grog, **infusion** ou infusé **75**, **tisane,** tisane miellée ou hydromel simple.

17 **Préparation** ; décoction, infusion ; dynamisation, succussion ; dilution, lixiviation, macération ; tyndallisation.

18 Indication ; contre-indication. – Surdosage.

19 Bague tuberculinique, **seringue,** vaccinostyle. – Nébuliseur, **pulvérisateur** ; compte-gouttes, pilulier.

20 **Pharmacie,** pharmacie allopathique, pharmacie homéopathique ; parapharmacie. – Droguier ; codex, **pharmacopée.** – Classe I (anc., tableau A) ; classe II (anc., tableau C) ; liste des stupéfiants (anc., tableau B). – **Pharmacologie** ; chronopharmacologie, neuropharmacologie, pharmacotoxicologie, psychopharmacologie ; phytopharmacie. – Pharmacocinétique, pharmacodynamie ; pharmacovigilance.

21 Docteur en pharmacie, **pharmacien,** propharmacien ; apothicaire [vx] ; herboriste. – Laborantin, potard [vx, fam.], préparateur en pharmacie. – Visiteur médical. – Pharmacologue.

22 **Pharmacie** ; apothicairerie [vx], herboristerie, officine. – Laboratoire pharmaceutique.

23 Pharmacodépendance, pharmacomanie.

V. 24 Médicamenter [rare]. – Combattre, **porter remède à qqch,** remédier à qqch **353.16.** – Aux grands maux les grands remèdes [prov.].

25 **Prendre** ; ne pas dépasser la dose prescrite.

26 Indiquer, ordonner ; contre-indiquer. – **Administrer** ; alcaliniser, chloroformer, sinapiser, revacciner, vacciner. – Diluer, dynamiser, **préparer** ; doser.

Adj. 27 Médicamenteux, médicinal. – Parapharmaceutique, **pharmaceutique** ; galénique ; magistral, officinal. – Pharmacologique, pharmacotoxicologique ; pharmacodynamique. – Iatrogène ou iatrogénique.

28 Efficace (opposé à palliatif). – Extemporané. – Contre-indiqué ; indiqué. – Adjuvant. – Antiviral, virulicide (ou virocide, virucide). – Jennérien, **vaccinal** ; vaccinateur. – Injectable, parentéral, percutané, perlingual, transcutané ou transdermique. – Pilulaire ; fumigatoire. – Vitaminique. – Rosat ; stibié, vitaminé.

29 Remédiable ; vaccinable.

30 Stimulant un processus. – Anabolisant. – Cardiotonique ou tonicardiaque, **tonique** ; reconstituant. – Cholagogue, cholérétique. – Eupeptique. – Myorelaxant ; narcotique.

31 Émétique ou **vomitif** ; expectorant ; laxatif, purgatif ; **diurétique,** salidiurétique ; sudorifique. – Sialagogue. – Emménagogue.

32 Combattant une maladie : antiasthmatique, anticancéreux ou antinéoplasique, antidiphtérique, antifongique ou antimycosique, antipoliomyélitique, antirabique, antirachitique, antiscorbutique, antitétanique, antivariolique.

33 Combattant un processus. – Adoucissant, antiprurigineux. – Antalgique, antidouleur, antinévralgique, **sédatif.** – Antipyrétique ou **fébrifuge,** antithermique. – Anorexigène, antiallergique, anticoagulant, antiémétique, antilithique, antiputride, antispasmodique ou spasmolytique, antisudoral ou antiperspirant, antitussif, émollient, fluidifiant, hypoglycémiant, hypotenseur, immunisant ; résolutif, révulsif ; bactériostatique, cytostatique, hémostatique.

34 Antihistaminique. – **Antivénéneux,** antivenimeux.

35 Ténicide, ténifuge ; vermicide, vermifuge.

36 Bêtabloquant. – Caryolytique.

Adv. 37 Extemporanément. – Per os (lat., « par voie buccale »).

Aff. 38 **Anti-,** dé-.

39 -at, -ine, -ol ; -mycine ; -lytique.

500 MÉDIOCRITÉ

N. 1 **Médiocrité** ; imperfection **383.** – Petitesse ; modestie **523,** obscurité. – Faiblesse **303** ; platitude **630.** – Affadissement [litt.].

2 **Insuffisance.** – Défectuosité ; impureté. – Nullité.

3 **Mauvaise qualité.**

4 **Malfaçon,** tare.

5 **Camelote,** drogue [vx], pacotille, toc ; tout-venant. – Roupie de sansonnet [fam.]. – Fam. : croûte, déchet, rebut ; cochonnerie. – Très fam. : crotte de bique, pipi de chat.

6 Incapable *(un incapable),* **médiocre** *(un médiocre).* – Fam. : daube *(une daube),* pas-grand-chose *(un pas-grand-chose),* nanar *(un nanar),* nullard *(un nullard),* tocard *(un tocard).* – Maladroit *(un maladroit)* **483.**

7 Pacotilleur. – Cameloteur, camelotier.

V. 8 Laisser à désirer ; ne valoir pas grand-chose, ne valoir rien (ou, fam. : pas un clou, pas tripette) ; arg. : être de la briquette, ne pas casser des briques, ne pas casser trois pattes à un canard, ne pas valoir un clou (ou : une cacahuète, un coup de cidre, un pet de lapin, un zeste), ne pas valoir tripette, ne pas voler très haut.

9 Végéter, vivoter ; zoner [fam.]. – Aller couci-couci (ou couci-couça, comme ci comme ça, cahin-caha). – Aller son petit bonhomme de chemin.

10 **Bâcler,** faire à la diable, gâcher. – Altérer, fausser, saboter.

Adj. 11 **Médiocre.** – Grossier. – Mal fait, manqué, raté. – Fam. : fait à la diable, à la six-quatre-deux, à la va-comme-je-te-pousse.

12 Modeste, modique, petit ; cheap [anglic., fam.]. – Malheureux, mauvais *(un mauvais habit)* [vieilli ou sout.], méchant *(un méchant habit),* misérable, pauvre, **piètre,** piteux. – Minable ; miteux.

13 Commun, **quelconque** ; banal, ordinaire. – Insignifiant, plat ; négligeable. – Pâle, sans éclat, terne. – Fade, insipide ; incolore, inodore et sans saveur [fam.]. – Affadi [litt.].

14 De deuxième classe, de deuxième (ou troisième, quatrième) qualité ; péj. : de bas étage, de

deuxième ou de seconde zone. – **Bas de gamme.** – De quatre sous [fam.].

15 **Imparfait** ; insuffisant.

16 **Mauvais** ; passable.

17 **Navrant** ; déplorable, lamentable, pitoyable. – Imbuvable.

Adv. 18 **Médiocrement** ; déplorablement. – Passablement ; moyennement, ordinairement.

19 Vaille que vaille.

501 MÉLANGE

N. 1 **Mélange** ; alliage, alliance, amalgame ; assemblage, combinaison **140,** composition, fusionnement, mêlement [litt.]. – Fusion, osmose. – Mariage, union.

2 Miscibilité.

3 **Mixité** ; hybridation. – Brassage, **croisement,** métissage. – Creuset, melting-pot [anglic.].

4 **Coupage,** mixtion [didact.], panachage. – Bariolage, bigarrure.

5 Émulsion, solution. – Assortiment ; combiné, composé, panaché. – **Cocktail,** mixture ; mélange détonnant [fig.]. – Bouillabaisse, macédoine, salade. – Magma, salmigondis [fam.] ; **pot-pourri.**

6 **Confusion 201** ; cacophonie. – Imbroglio, désordre ; marmite du diable [fam.].

7 **Mélanges** (*mélanges littéraires,* plus rare, *mélanges historiques, politiques, etc.*), mélanges offerts à (tel professeur, tel maître), mélanges X ; miscellanées, variétés. – **Pidgin 455** ; bichlamar, sabir. – Bâtarde. – Mélange des genres ; comédie-ballet, tragi-comédie.

8 Éclectisme. – **Syncrétisme.**

9 **Métis** ; créole, mulâtre ; sang-mêlé.

10 Bâtard.

11 Mélangeur, mitigeur [spécialt], mixeur.

V. 12 **Mélanger,** mêler, unir. – **Emmêler,** enchevêtrer, entrelacer, entremêler ; intercaler. – Agglutiner, **amalgamer, incorporer,** insérer. – Amalgamer ; fondre, fusionner. – **Croiser,** mâtiner.

13 **Allier,** associer, joindre, marier [fig.], mixer ; combiner, composer.

14 **Allonger, couper,** délayer, étendre, panacher, recouper, tremper ; frelater.

15 Fatiguer, fouetter, malaxer, **touiller** [fam.]. – Agiter, **brasser** ; brouiller, farcir. – Mixtionner [didact.].

16 Mélanger les torchons et ou avec les serviettes. – S'emmêler les pinceaux ou les pédales.

Adj. 17 **Mélangé,** mêlé ; combiné, composé, panaché. – Pêle-mêle.

18 Composite, divers, hétéroclite, hétérogène. – Complexe **140.**

19 **Hybride,** mixte. – Métis. – Bâtard, mâtiné. – Poivre et sel.

20 Miscible.

21 **Mi-figue, mi-raisin** ; mi-fil, mi-coton.

Prép. 22 Mêlé de.

Aff. 23 Ambi- ; mix-, mixo-.

24 -mixie.

502 MEMBRES

N. 1 **Membres** ; membre inférieur, supérieur. – Membre fantôme (d'un amputé). – Membrure [litt.], conformation. – Articulation. – Membre viril **762.2,** cinquième membre [absolt, membre].

2 **Bras** ; arrière-bras [rare], avant-bras, épaule, **main 479,** saignée du coude. – Arg. : aileron, brandillon.

3 **Jambe** ; cheville, cou-de-pied, cuisse, entrecuisse, entrejambe, genou, jarret, mollet, **pied 623,** rotule, talon. – Fam. : béquille, canne, crayon, échasse, flûte, fumeron, **gambette,** gigot, gigue, guibole, jambon, **patte,** pilier, pilon, pinceau, pincette [vx], poteau, quille. – Loc. fam. : jambes en cerceau, en manche de veste, en serpette ; jambes Louis XV ; patte folle.

4 Pilon, moignon. – Jambe artificielle, jambe de bois.

5 Boitement, boiterie, claudication, contorsion, déhanchement. – Génuflexion.

6 Amputation, démembrement, mutilation. – Torsion ; dislocation ; luxation.

7 Cul-de-jatte **484.** – Femme tronc, homme tronc. – Manchot ; unijambiste.

8 Croc-en-jambe [sout.] ; croche-pied, jambette ; croche-patte [fam.].

V. 9 **Avoir les jambes lourdes** (aussi : enflées, raides) ; fig. : avoir des fourmis dans les jambes, n'avoir plus de jambes. – Chanceler, flageoler **303,** fléchir, vaciller ; fig. : avoir les jambes coupées. – **Avoir les jambes molles,** ne pas tenir sur ses jambes ; fig. : avoir les jambes comme du coton (aussi : en compote, en pâté de foie). – Boiter, claudiquer, **traîner la jambe** ;

fam. : avoir tant de kilomètres dans les jambes, en avoir plein les jambes (ou : les guibolles, les pattes).

10 Courir à toutes jambes, galoper, **gambader,** marcher, trotter ; fam. : jouer des jambes ; pop. : gambiller, gigoter, guiboler. – **Détaler 189,** prendre ses jambes à son cou [fig.] ; mettre les cannes [pop.].

11 Croiser les jambes ; lever la jambe. – Enfourcher, **enjamber.** – Faire le grand écart.

12 **S'accouder.** – Brasser. – Donner (aussi : offrir, ouvrir, prendre, tendre) le bras. – **Embrasser 91,** enlacer, étreindre. – Porter dans les bras (aussi : entre ses bras, sur ses bras ; à bout de bras, à bras tendu). – Coudoyer ; jouer des coudes, pousser du coude. – **(Se) croiser les bras.** – S'étirer.

13 Amputer **114.** – Démembrer, écarteler.

14 Se dégourdir (aussi : se dérouiller) les jambes. – S'accroupir, s'agenouiller.

Adj. 15 Membré [rare], membru. – Ingambe [litt. ou sout.].

16 Brachial, jambier.

17 Arqué, bancal, bancroche, bien (ou mal) jambé [vx], boiteux, cagneux, court de jambes, court sur pattes [fam.].

Adv. 18 À bout de bras. – À bras-le-corps. – À tour de bras ; à bras raccourcis. – Bras dessus, bras dessous. – À bras ouverts.

19 À califourchon, à cheval. – À grandes enjambées, à toutes jambes.

Aff. 20 Brachio- ; -mèle, -mélie ; -pode, -podie, -podiste.

503 MÉMOIRE

N. 1 **Mémoire,** mnème [PSYCHOL.] ; vx : souvenance, souvenir. – Mémoire active ou volontaire (opposé à mémoire passive ou involontaire). – Mémoire différée (opposé à immédiate). – Mémoire affective ; mémoire sensorielle. – Mémoire associative, évocative, réflexive. – Cour. : mémoire des noms, des visages. – Mémoire d'éléphant [fam.]. – Mémoire informatique, mémoire magnétique **408.**

2 Mémoire collective, mémoire de l'espèce. – Devoir de mémoire ; lieu de mémoire. – PSYCHAN. : inconscient collectif ; archétype.

3 **Souvenir 598.** – Empreinte, image, trace ; engramme [PSYCHOL.].

4 **Mémorisation.** – PSYCHOL. : conservation, engrammation, fixation, rétention ; hypermnésie. – SC. : persistance, rémanence. – **Acquisition,** appropriation, assimilation, emmagasinement.

5 **Évocation,** mémoration [rare], **rappel,** remembrance [vx], remémoration, souvenance [litt.] ; anamnèse [MÉD., PSYCHOL.]. – **Réminiscence,** ressouvenance [vx, litt.]. – Récognition [PHILOS.], reconnaissance. – Commémoration, commémoraison [LITURGIE].

6 Mnémonique [vx], **mnémotechnie.** – Procédé mnémotechnique ou mnémonique. – **Aide-mémoire,** pense-bête ; mémento, mémorandum.

7 Mémorabilité [didact.].

8 Mnémosyne [MYTH.].

V. 9 **Mémoriser** ; engranger, enregistrer, **retenir** ; confier à la mémoire. – Graver, inscrire ; prendre note de. – Bachoter [fam.], repasser, répéter **704,** revoir.

10 **Chercher dans ses souvenirs,** fouiller dans sa mémoire, interroger sa mémoire ; déterrer (ou : exhumer, raviver, ressusciter) des souvenirs ou de vieux souvenirs.

11 **Se rappeler,** se remémorer, se ressouvenir, **se souvenir** ; se ramentevoir [vx]. – Reconnaître, remettre [fam.].

12 **Évoquer,** faire penser à, **rappeler.** – Il m'en souvient [vx] ; cela me revient.

13 Rappeler, retracer. – Souffler. – Rafraîchir les idées ou la mémoire. – Se rappeler au souvenir ou au bon souvenir de qqn.

14 Chérir la mémoire de, conserver ou perpétuer le souvenir de.

Adj. 15 **Mémorable** ; marquant ; historique **363.** – Inoubliable ; indélébile, ineffaçable. – Écrit en lettres de feu ou d'or [litt.] ; marqué d'une pierre blanche. – De bonne (aussi : fâcheuse, glorieuse, triste) mémoire.

16 Mnémique, mnésique. – Mémorisateur [didact.], mnémonique, mnémotechnique.

17 Commémoratif, mémoratif, remémoratif ; **anniversaire.**

Adv. 18 De mémoire, de souvenir [rare], **par cœur.**

19 Pour mémoire.

Prép. 20 **De mémoire de** + n. – **À la mémoire de,** en mémoire de ; *in memoriam.*

Aff. 21 -mnèse, -mnésie, -mnésique. – Mnémo-.

504 MENSONGE

N. 1 **Mensonge.** – Duplicité, fausseté, **hypocrisie 373,** mauvaise foi **485** ; imposture. – Charlatanisme **284.**

2 **Invention** ; fabulation. – Dissimulation, entorse à la vérité, restriction mentale, réticence [vieilli], rétention d'information ; mensonge par omission.

3 Altération de la vérité ; amplification, exagération, hyperbole ; minimisation. – **Désinformation 136,** mésinformation ; bourrage de crâne [fam.].

4 **Mensonge,** menterie [vx] ; **contrevérité.** – Mensonge officieux, mensonge pieux ; THÉOL. : mensonge captieux, mensonge joyeux, mensonge pernicieux. – Escobarderie [vx].

5 Échappatoire, détour, **faux-fuyant.** – Obreption [didact.] ; subreption [didact.].

6 Faux bruit, faux rapport ; canard [fam.]. – Fam. : cancan, racontar. – **Calomnie,** diffamation.

7 Fiction, **invention 378,** mystification ; conte, fable, roman. – Comédie, **histoire,** galéjade [région.] ; baliverne, salade [fam., souv. pl.], sornette ; vx : fagot, gausse. – Fam. : baratin, boniment. – Bateau [fam.], blague **132,** canular, colle [fam.], farce, plaisanterie.

8 Fam. : bluff, chiqué, frime, pipeau ; bide ou bidon *(du bidon).*

9 Fanfaronnade, gasconnade [vieilli], vantardise. – Fam. : craques, craquettes ; vieilli : craquerie, hâblerie, vanterie.

10 **Menteur** ; assuré menteur [vx], menteur effronté ; fam. : menteur comme un arracheur de dents. – **Comédien 817,** simulateur ; mystificateur. – Hypocrite ; escobar [vx].

11 Plaisantin ; fam. : **blagueur,** craqueur ; vx : amuseur, bailleur de coquilles. – Fabulateur, mythomane **321.**

12 **Imposteur** ; bonimenteur [rare], charlatan. – Enjôleur. – Fanfaron **260,** gascon [fig.], vantard ; vx : brodeur, hâbleur.

V. 13 **Mentir** ; mentir comme on respire. – Se parjurer. – Dissimuler **751.** – Biaiser ; chercher des détours ou des faux-fuyants. – A beau mentir qui vient de loin [prov.].

14 Taire, omettre.

15 Altérer, dénaturer, **falsifier** ; litt. : apprêter, arranger, composer. – Fig. : colorer, déguiser, farder, gazer [vieilli], maquiller, présenter sous de fausses couleurs.

16 Controuver [litt. et vieilli], fabriquer, forger, forger de toutes pièces.

17 Feindre, simuler. – **Faire du chiqué** (ou : du cinéma, du cirque), jouer la comédie.

18 Abuser, tromper **838** ; induire en erreur. – **Faire croire** ; faire ou laisser accroire [vx ou litt.].

19 **Fabuler,** galéger ou galéjer [région.], inventer ; mystifier. – Broder [fig.] ; en conter, en couler. – **Exagérer** ; fanfaronner, hâbler.

20 Fam. : conter des salades (ou : des balançoires, des bourdes, des fagots [vx]), débiter des fadaises ou des sornettes, faire une colle [vx], monter un bateau, raconter des bobards.

21 Amplifier, exagérer ; renchérir sur. – Broder, enjoliver ; allonger ou étendre la courroie [vx].

Adj. 22 **Menteur,** mensonger [vx] ; inauthentique. – Fallacieux ; captieux, spécieux.

23 **Faux,** inexact, infondé ou mal fondé.

24 Fabriqué, forgé, **inventé** ; controuvé [vieilli et litt.].

25 Fictif, **imaginaire** ; à dormir debout. – **Factice** ; illusoire, trompeur.

Adv. 26 Litt. ou sout. : **mensongèrement,** trompeusement ; menteusement [rare]. – À tort, faussement.

505 MENUISERIE

N. 1 **Menuiserie** ; menuiserie en bâtiment, menuiserie en meubles, menuiserie en voiture [anc.]. – Charpenterie. – Parqueterie. – Ébénisterie, marqueterie, tabletterie. – Tournerie. – Layeterie ou layetterie.

2 Menuiserie métallique.

3 Ébauche. – Planche **74.** – Baguette. – Copeau, frison ; croûtes, délignures.

4 **Boiserie** *(une boiserie),* **menuiserie** *(une menuiserie).* – Frise, lame, latte ; bardeau, volige. – Contreplacage, contreplaqué. – Caillebotis, treillis. – Lambris, moulure, panneau. – **Parquet** ; parquet à l'anglaise, parquet à assemblage, parquet à bâtons rompus, parquet à compartiments, parquet à mosaïque, parquet d'onglet, parquet à points de Hongrie. – **Croisée,** châssis de fenêtre ; bloc-fenêtre. – Fermeture ; **volet,** persienne. – **Porte 481** ; bloc-porte, porte à deux vantaux.

5 **Bâti,** bâti fixe (opposé à bâti ouvrant) ; cadre, caisse, charpente, châssis, encadrement. – Traverse ; arasement, architrave, barre ; décharge, écharpe. – Corniche. – Écoinçon ; chambranle,

montant. – Cimaise, frise, plate-bande. – Plinthe. – Trumeau ; tympan.

6 Mouluration ; **moulure.** – Baguette, bandeau, bec-de-corbin, boudin, grain-d'orge, mouchette, quart-de-rond, tarabiscot. – Gorge ; gueule-de-loup. – Carré, filet. – Contre-profil.

7 Chant ; chanfrein. – Arrière-corps. – Cadre ; champ. – Âme. – Parement ; contre-parement. – Voussure. – **Bordure** ; joint, joint vif, plat-joint.

8 Épingle, flipot, tringle. – Alaise, alèse, bouchon ; embase, gousset, tasseau, liteau. – Trompillon.

9 **Cheville,** coulisseau, languette ; about, adent, clavette, clef, clou, goujon, queue, queue-d'aronde, taquet, tenon, tenon à peigne, tourillon ; onglet. – Couvre-joint.

10 **Coulisse,** emboîture, entaille, goujure, fistule, lioube, mortaise, refuite ; noix, rainure. – Goutte-d'eau, larmier. – Élégi ; feuillure.

11 Amenage. – Guidage. – Affranchissement, chantournement, coupe, **sciage,** toupillage. – Affleurement. – Dégauchissage ou dégauchissement ; corroyage, dégraissage, dressage. – Amaigrissement, dérasement. – Bouvetage, **rabotage.** – Replanissage. – Calibrage. – Chanfreinage. – Égrenage, **ponçage.** – Équerrage. – Perçage. – Rainurage. – Bouchonnage. – Pressage. – Bouche-porage.

12 **Assemblage** ; emboîtement, embrèvement ou embreuvement ; assemblage à queue-d'aronde, à queue noyée, en about, en fougère, en paume. – Aboutage, aboutement, enfourchement, raboutage ; enture. – Chevillage, goujonnage. – Mortaisage ; tenonnage.

13 Lambrissage, moulurage, panneautage. – Parquetage.

14 Malfaçon ; coupe biaise ou fausse coupe. – Dévers, gauchissement.

15 Affleureuse, calibreuse ; grignoteuse. – Dégauchisseuse. – **Raboteuse,** bouveteuse. – Égreneuse, ponceuse. – Quatre-faces. – Bouchonneuse. – Perceuse électrique. – Toupie, toupilleuse. – Mortaiseuse ; défonceuse. – Tenonneuse, tourillonneuse. – Lambrisseuse, parqueteuse ; moulurière. – Cloueuse. – Encolleuse. – Jointeuse.

16 **Ciseau** ; bec, bec-de-corbin, bédane, bésaiguë, bisaiguë, biseau, corbin, dégorgeoir, ébaumoir, gouge, gougette, plane, poinçon. – **Lame** ; alumelle ou allumelle, contre-fer, fer, racloir, tarabiscot. – **Scie** ; scie à bois, scie à métaux. – Égoïne, scie à châssis, scie circulaire, scie à guichet, scie à ruban, scie sauteuse ; scie à araser, scie à chantourner, scie à découper, scie à refendre. – **Lime** ; grain-d'orge, râpe. – **Rabot** ; bouvet, colombe, doucine, feuilleret, gorget, guillaume, guimbarde, mouchette, riflard, tarabiscot, varlope, wastringue ; coin. – Crochet de menuisier. – Cale à poncer ; cale chauffante, mèche, percette, pointe à ferrer, poinçon **637.3** ; chasse-clou, chasse-pointe. – **Vrille** ; queue-de-cochon, tarière. – **Vilebrequin** ; fraisoir. – Cherche-fiche, cherche-pointe ; pousse-fiche. – Tournevis. – Onglet, repoussoir. – Davier ; étreignoir. – Spatule.

17 Équerre. – Règle ; fausse équerre, limande, réglet, sauterelle ; trusquin. – Compas. – Ligne ; pointe à tracer, traceret, traçoir. – Niveau.

18 **Établi** ; bidet, servante. – Râtelier. – Étau ; presse, sergent ou serre-joint, valet d'établi ou valet. – Pied-de-biche. – Pare-éclats. – Tourne-à-gauche.

19 **Menuiserie.**

20 **Menuisier** ; charpentier. – Menuisier d'assemblage ; menuisier de placage. – Toupilleur. – Mortaiseur. – Planchéieur ; parqueteur. – Escaliéteur. – Moulurier. – Ébéniste ; marqueteur, tabletier. – Bahutier ; coffretier. – Emballeur ; layetier. – Gâte-bois [péj.].

V. 21 **Menuiser** ; charpenter, étayer. – Lambrisser, panneauter, plaquer ; boiser. – Moulurer ; profiler, tarabiscoter. – Parqueter, planchéir.

22 **Affranchir,** couper, découper, grignoter, scier ; chantourner, gouger, toupiller. – Piquer. – Casser *(casser une arête)* ; chanfreiner.

23 Allégir, amaigrir, amincir, dégraisser, dégrossir, démaigrir, élégir. – Amenuiser, menuiser [vx]. – Aplanir, blanchir, dédossir, dégauchir, refendre. – Décourber, redresser. – Chanlatter. – Bouveter, **raboter,** varloper ; corroyer, équarrir. – Recaler. – Replanir. – Polir **640.7,** racler ; égrener, poncer. – Dénoder ; bouchonner.

24 Équerrer ; trusquiner. – Contre-jauger.

25 **Entailler 167.13,** mortaiser ; profiler, contre-profiler. – Rainer, rainurer. – Feuillurer. – Langueter. – Bretteler, denteler ; rayer, strier. – Coulisser.

26 **Abouter,** embrever, enter, rabouter. – **Cheviller,** goujonner, encharner, tenonner. – Araser. – Ajuster, entabler. – Canter ; dédosser. – Noyer *(noyer un clou).*

27 Bourrer. – S'engorger. – Dégorger *(dégorger une mortaise).*

Adj. 28 Lambrissé, laminé, latté, plaqué, stratifié. – Boisé [vx].

29 Bretellé, dentelé. – Brisé *(persienne brisée).*

30 Méplat.

506 MÈRE

N. 1 **Mère** ; **mère de famille 304,** mère gigogne ; *mater familias* (lat., « mère de famille »).

2 **Mère 306** ; maman, mamma ; mère cigogne, **mère poule.** – Fam. : mater, maternelle *(la maternelle)* ; arg. : matouse, vieille *(la vieille).* – Fille mère [péj., vieilli], **mère célibataire 93.**

3 **Génitrice 544,** procréatrice. – Mère biologique, mère porteuse. – Fécondité **711, maternité.**

4 **Maternage,** maternité. – Amour maternel, **instinct maternel.**

5 **Belle-mère** ; marâtre [péj.]. – Mère adoptive, **mère nourricière.** – Mère nourrice, nourrice, **nounou** [fam.].

6 **Aïeule,** bisaïeule, trisaïeule. – Arrière-grand-mère, **grand-mère,** mère-grand [vx] ; bonne-maman, grand-maman ; fam. : mamé, mamie ou mammy, **mémé.**

7 **Matriarcat** [didact.] ; cognation [ANTHROP.] **314.** – Maternalisme [litt., péj.].

V. 8 **Devenir mère** ; concevoir ; donner le jour à, mettre au monde. – Enfanter.

9 Couver, **materner.**

Adj. 10 **Maternel.** – Maternant, sécurisant **752.**

Adv. 11 **Maternellement.**

Aff. 12 Matri-.

507 MÉRITE

N. 1 **Mérite** ; vertu **858.** – Grandeur, perfection, **valeur** ; classe, **qualité.**

2 Compétence, habileté **10, talent.** – Prouesses ; bonnes œuvres ; titres de gloire.

3 Avantage, **utilité 847,** valeur.

4 **Compliment,** éloge **471,** félicitations, honneurs, remerciement ou remercîment **348.**

5 **Récompense,** récompense honorifique. – **Décoration,** distinction **233.** – Accessit, bon point, diplôme, mention, **prix,** tableau d'honneur. – Coupe, médaille, palmarès. – Tableau d'avancement ; couronne, croix, laurier ; rosette.

6 Considération, **dignité,** gloire **341,** lustre. – Estime, faveur.

7 Avancement au mérite. – Méritocratie. – Méritocrate.

V. 8 **Mériter** ; gagner. – Avoir droit à, avoir qualité pour, avoir des titres à.

9 **Se distinguer 233,** gagner ses galons ; bien mériter de la patrie.

10 Être tout à l'éloge ou à l'honneur de qqn.

11 **Rendre hommage à** ; tirer son chapeau à **471.** – Porter qqch au crédit de qqn. – Vanter les mérites de.

12 Appeler, **mériter** ; demander **185,** réclamer. – Toute peine mérite salaire [prov.].

13 Mériter de ou que, valoir ; fam. : valoir le coup, valoir le détour ; **valoir la peine.**

Adj. 14 **Méritant** ; accompli, digne, estimable, vertueux **858.** – Émérite, éminent, **supérieur 800.** – Courageux ; talentueux.

15 Méritoire, **louable,** ; incomparable, insurpassable, irréprochable. – Appréciable, remarquable.

16 **Mérité** ; bien gagné, bien payé, pas volé [fam.] ; convenable, séant.

Adv. 17 Méritoirement [rare] ; **dignement,** louablement, moralement **533,** vertueusement. – **À bon droit,** à juste titre.

508 MESSE

N. 1 **Messe.** – Sacrifice de l'autel, saint sacrifice, saint mystère. – Messe basse, messe dialoguée ; messe lue, messe chantée ou haute ; messe solennelle ou pontificale ; messe ardente. – Grand-messe, messe carillonnée ; messe du jour. – Messe du soir ; vêpres. – Messe de minuit. – Messe nuptiale. – Messe du Saint-Esprit, messe votive ; messe d'actions de grâce ; messe fondée. – Obit ; office des morts ou des trépassés, office de requiem.

2 Desserte, **office,** service.

3 Rite alexandrin, rite arménien, rite byzantin, rite chaldéen, rite copte, rite éthiopien, rite syrien ou antiochien ; HIST. : rite de Césarée, rite d'Édesse. – Rite byzantin : liturgie de saint Jean Chrysostome, liturgie de saint Basile le Grand, liturgie des présanctifiés. – Liturgie ambrosienne, liturgie lyonnaise [HIST.], liturgie mozarabe. – Liturgie romaine. – Liturgie protestante. – Liturgie orthodoxe **117.**

4 Acclamation, bénédiction. – **Liturgie de la parole** ; Épître, Évangile. – Exhortation, oraison **657, prêche 648,** prône. – **Communion,** sacrifice eucharistique (ou : de l'Eucharistie, de la Cène). – **Offertoire** ; consécration, élévation, oblation. – Imposition des mains ; baiser de la paix.

5 Oblats *(les oblats)* ; espèces eucharistiques, saintes espèces. – **Hostie,** pain ; vin ; cendre, cire, feu, rameaux ; lait, miel. – Chrême ou Saint-Chrême ; huile *(les saintes huiles),* onction, onguent. – Encens.

6 Génuflexion, prostration ; **signe de croix.**

7 Agnus Dei, alléluia, Ave Maria, confiteor, **credo,** gloria, Kyrie, mémento, **pater,** sanctus ; collecte. – Préface, prière eucharistique ; secrète [vx].

8 Introït ; gaudeamus, graduel, **hymne, psaume 106** ; antienne, antiphone, répons. – **Gospel** ou **gospel song** (angl., « chant d'évangile »).

9 **Prêtre 699,** diacre. – Acolyte, bedeau [vx], enfant de chœur, servant ; vx : bedeau, suisse, thuriféraire. – **Sacristain.** – Cantor, chantre, maître de chapelle.

10 **Soutane** ; amict, aube, chape, **chasuble,** dalmatique, étole, manipule, rochet, surplis ; orfroi. – Blanc (temps des grandes fêtes), vert (temps ordinaire), violet (temps de la pénitence), rouge (fêtes des apôtres, des martyrs et du Saint-Esprit) ; pourpre cardinalice.

11 Antimense, nappe purificatoire ; corporal ; pale. – Manuterge. – Tavaïolle.

12 Aspersoir, **encensoir,** goupillon, ostensoir ; navette. – Calice, ciboire, custode, lunule, patène ; burette. – Clochette. – **Cierge.**

13 Livre paroissial ou paroissien, **missel** ; évangéliaire, lectionnaire ; antiphonaire, graduel. – Propre des offices et des messes. – Liturgie anglicane : *Book of common prayer* (angl., « livre de la prière ordinaire »). – Liturgie orthodoxe : liturgicon. – Calendaire [vx], obituaire.

14 Langue liturgique : arabe (Église maronite) **455,** bohairique (Église copte), grec byzantin (Église grecque orthodoxe), guèze (Église éthiopienne), latin (Église latine), slavon (Église slave orthodoxe), syriaque (Église syrienne, rite chaldéen).

15 Pratiquant ; fidèle, paroissien. – Brebis, ouaille. – Communauté des fidèles ou croyants, Église militante, giron de l'Église ; corps mystique, Église.

16 Assemblée, synaxe.

V. 17 Célébrer (*célébrer la messe),* concélébrer **173** ; sonner la messe.

18 Aller à la messe ; entendre ou suivre la messe.

19 **Communier,** s'approcher de l'autel. – Pratiquer.

20 Fonder des messes, faire dire des messes.

Adj. 21 **Liturgique.**

Int. 22 *Ite missa est* (lat., « allez, c'est le renvoi », formule de renvoi de l'assemblée par le diacre à la fin de la messe) ; allez en la paix du Christ.

509 MESURE

N. 1 **Mesure.** – Échelle, ordre de grandeur, proportion, rapport. – **Unité 844,** référence. – Valeur.

2 **Mesurage** ; arpentage, aunage, cubage, jaugeage, métrage, stérage, voltage ; dosage. – Pesée.

3 **Calcul 87,** caractérisation, définition, délimitation, étalonnage ; approximation, estimation **450,** évaluation ; comparaison.

4 **Quantité 678,** taux ; teneur, titre. – Capacité, volume. – **Dimension, grandeur.** – **Poids 636** ; densité **187** ; masse ; masse atomique. – Vitesse **684** ; fréquence, temps **118.** – **Énergie.** – Puissance ; force **322,** pression, résistivité, tension, travail ; impédance, résistance. – Intensité **427.**

5 Calibre, **dose** ; étalon, gabarit. – Jalon, pige ; tare.

6 **Système métrique** ; SI (système international). – Systèmes C. G. S. (centimètre, gramme, seconde), M. K. S. (mètre, kilogramme, seconde), M. K. S. A. (mètre, kilogramme, seconde, ampère), M. T. S. (mètre, tonne, seconde). – Système avoirdupois ou averdepois.

7 **UNITÉS GÉOMÉTRIQUES**

Angle plan
radian (rad)
tour (tr)
grade (gr) ou gon (gon)
degré (°)
minute (')
seconde ('')
Angle solide
stéradian (sr)
Longueur
mètre (m)
décimètre (dm)
centimètre (cm)
millimètre (mm)
micromètre (µm) ou, vx, micron
décamètre
hectomètre
kilomètre (km)
mille
Aire ou superficie
mètre carré (m^2)
centimètre carré (cm^2)
are (a)
centiare (ca)
hectare (ha)
barn (b)
Volume
mètre cube (m^3)
centimètre cube (cm^3)
litre (l)
décilitre
centilitre
millilitre
décalitre
hectolitre
stère (st)

8 **UNITÉS DE MASSE**

Masse
kilogramme (kg)
gramme (g)
décigramme
centigramme
milligramme
décagramme
hectogramme
quintal (q)
tonne (t)
carat métrique ou carat [JOAILL.]
grain [JOAILL.]
unité de masse atomique (u)

Masse linéique
kilogramme par mètre (kg/m)
tex (tex)
Masse surfacique
kilogramme par mètre carré (kg/m^2)
Masse volumique ou concentration
kilogramme par mètre cube (kg/m^3)
Volume massique
mètre cube par kilogramme (m^3/kg)
tonne d'équivalent pétrole (tep)

9 **UNITÉS DE TEMPS**

Temps
seconde (s)
minute (min)
heure (h)
jour (d ou j)

Fréquence
hertz (Hz)
kilohertz (kH)
Durée musicale **543**

10 **UNITÉS MÉCANIQUES**

Vitesse
mètre par seconde (m/s)
nœud
kilomètre par heure (km/h)
Vitesse angulaire
radian par seconde (rad/s)
tour par minute (tr/min)
tour par seconde (tr/s)
Accélération
mètre par seconde carrée (m/s^2)
gal (Gal)
Accélération angulaire
radian par seconde carrée (rad/s^2)
Force
newton (N)
dyne (dyn)
Moment d'une force
newton-mètre (N $\wedge$ m)

Tension capillaire
newton par mètre (N/m)
Énergie ou travail
joule (J)
kilojoule
erg (erg)
wattheure (Wh)
kilowattheure (kWh)
électronvolt (eV)
Puissance
watt (W)
kilotonne
Pression ou contrainte
pascal (Pa)
hectopascal
barye
bar (bar)
millibar
Viscosité dynamique
pascal-seconde (Pa.s)
poise (P)
Viscosité cinématique
mètre carré par seconde (m^2/s)

11 **UNITÉS ÉLECTRIQUES**

Intensité de courant électrique
ampère (A)
Force électromotrice ou différence de potentiel
volt (V)
kilovolt (kV)

millivolt
microvolt
Puissance
watt (W)
Puissance apparente
watt ou voltampère (W ou VA)

Puissance réactive
watt ou var (W ou var)
Résistance électrique
ohm (Ω)
Conductance électrique
siemens (S)
Intensité de champ électrique
volt par mètre (V/m)
Quantité d'électricité ou charge électrique
coulomb (C)
ampère-heure (A*. h)
Capacité électrique
farad (F)

Inductance électrique
henry (H)
Flux d'induction magnétique
weber (Wb)
Induction magnétique
tesla (T)
gauss (G)
Intensité de champ magnétique
ampère par mètre (A/m)
Force magnétomotrice
ampère (A)

12 **UNITÉS THERMIQUES**

Température
Kelvin (K)
degré Celsius (°C)
Flux thermique
watt (W)
Capacité thermique ou entropie
joule par kelvin (J/K)

Capacité thermique massique ou entropie massique
joule par kilogramme-kelvin (J/[kg . K])
Conductivité thermique
watt par mètre-kelvin (W/[m . K])

13 **UNITÉS OPTIQUES**

Intensité lumineuse
candela (cd)
Intensité énergétique
watt par stéradian (W/sr)
Flux lumineux
lumen (lm)
Flux énergétique
watt (W)
Éclairement lumineux
lux (lx)

Éclairement énergétique
watt par mètre carré (W/m^2)
Luminance lumineuse
candela par mètre carré (cd/m^2)
Vergence des systèmes optiques
1 par mètre ou dioptrie (m^{-1} ou δ)

14 **UNITÉS DE RADIOACTIVITÉ**

Activité radionucléaire
becquerel (Bq)
Exposition de rayonnements X ou gamma
coulomb par kilogramme (C/kg)

Dose absorbée ou kerma
gray (Gy)
Équivalent de dose
sievert (Sv)

15 **QUANTITÉ DE MATIÈRE**

mole (mol)
atome-gramme

valence-gramme
jauge [TEXT.]

16 **UNITÉ MONÉRAIRE**

euro (€) **529**

cent ou centime

17 **UNITÉS ANGLO-SAXONNES**

Distances
inch ou pouce (in ou ")
foot ou pied (ft ou ')
yard (yd)
fathom ou brasse (fm)

mile
statute mile ou mille terrestre (m ou mile)
nautical mile ou mille marin britannique

international nautical mile ou mille marin international
Masse
ounce ou once (oz)
pound ou livre (lb)
Capacité
US liquid pint ou pinte américaine (liq pt)
pint ou pinte britannique (UK pt)
US gallon ou gallon américain (US gal)
imperial gallon ou gallon britannique (UK gal)
US bushel ou boisseau américain (US bu)
bushel ou boisseau britannique (bu)
US barrel ou baril américain (US bbl)
Force
poundal (pdl)
Puissance
horse power ou cheval vapeur britannique (hp)
Température
Fahrenheit degree ou degré Fahrenheit (°F)
Chaleur, énergie, travail
British thermal unit (Btu)

18 **UNITÉS SORTIES DU SYSTÈME**

Pression
millimètre de mercure
stokes (St)
Lumière
bougie décimale
Chaleur
calorie (cal)
kilocalorie (kcal)
frigorie (fg)
thermie
Radioactivité
curie (Ci)
röntgen (R)
rad (rd)
rem (rem)
Résistivité
ohm-mètre

19 Unités diverses. – Verrée [PHARM.]. – Bit [INFORM.]. – TRANSP. : voyageur/kilomètre ; tonne/kilomètre.

20 Anciennes unités de mesure de masse : denier [TEXT.], **livre,** marc, once.

21 Anciennes unités de mesure de longueur. – MAR. : brasse, encablure. – Aune, bème, coudée, **lieue,** pied-de-roi, toise. – Archine (Russie et Asie occidentale), sajène ou sagène, verste (Russie).

22 Anciennes unités de mesure de surface. – **Acre, arpent,** bicherée, boisselée, charrue, journal, perche, verge. – Dessiatine ou déciatine (Russie).

23 Anciennes unités de mesure de capacité. – Liquides : baril, boujaron, chauveau, chopine, feuillette, pichet, **pinte.** – Matières sèches : bichet, **boisseau,** minot, muid ou modekin, quarte, rasière, setier ; rezal (Lorraine), saumée (Midi). – (Mesures étrangères) Espagne : almude, ferrado, arobe ; soma (Italie).

24 Unités de mesure antiques. – Masse : drachme, talent ; longueur : dactyle, plèthre, stade ; capacité : amphore, culeus.

25 **MÉTROLOGIE**

Espace
anthropométrie
céphalométrie
stéréométrie
granulométrie
micrométrie
volumétrie
goniométrie
trigonométrie
altimétrie
bathymétrie
télémétrie
astrométrie
Vitesse
anémométrie
hydrométrie
vélocimétrie
Densité
aréométrie
densimétrie
hygrométrie
psychrométrie
Quantité
dosimétrie
acidimétrie
alcalimétrie ou protométrie
alcoométrie
œnométrie
titrimétrie
oxymétrie
gazométrie
Énergie
ergométrie
Chaleur
calorimétrie
cryométrie
pyrométrie
thermométrie
Force
élasticimétrie
tribométrie
stalagmométrie
Pression
manométrie
tonométrie
Poids
barymétrie
gravimétrie
Lumière
actinométrie
optométrie
photométrie
spectrométrie
néphélémétrie
opacimétrie
polarimétrie
interférométrie
Sensibilité
esthésiométrie
Temps
chronométrie
Son
acoumétrie ou audiométrie

26 **INSTRUMENTS DE MESURE**

Compteur
mesureur
Longueur
alidade
comparateur
lignomètre
nanomètre
règle
réglet
stadia
typomètre
vernier
odontomètre
centimètre
chaîne d'arpenteur
décamètre
mètre
odographe ou odomètre
podomètre
taximètre
curvimètre
ophtalmomètre
micromètre
palmer
focomètre (ou : focimètre, phacomètre)
curseur
distancemètre
géodimètre
interféromètre
télémètre
Épaisseur
bastringue ou compas forestier
compas
maître-à-danser
pied à coulisse
planimètre
stéréomètre
Hauteur
cathétomètre
dendromètre
marégraphe
toise
altimètre
bathymètre
sonde
sextant
Angle
équerre
rapporteur
clinomètre
éclimètre
goniomètre ou radiogoniomètre
graphomètre [anc.]
holomètre
inclinomètre ou tiltmètre
pantomètre [anc.]
théodolite
Vitesse
accéléromètre

cinémomètre
machmètre
tachymètre
variomètre
Débit
anémomètre
compte-gouttes
débitmètre
stalagmomètre
tube de Venturi
Volucompteur
Temps
chronomètre **118**
Fréquence
acoumètre ou audiomètre
fréquencemètre
ondemètre
Quantité
acétimètre ou acétomètre
acidimètre
alcalimètre
alcoomètre (ou : pèse-alcool, pèse-esprit)
butyromètre
grisoumètre
pH-mètre
évapotranspiromètre
humidimètre
hygromètre
pluviomètre
psychromètre
compte-tours
jauge
pneumodynamomètre ou spiromètre
Densité
aréomètre
densimètre
densitomètre
glucomètre (ou : œnomètre, pèse-moût)
lactodensimètre ou pèse-lait
oléomètre
polarimètre
saccharimètre
uromètre
Viscosité
viscosimètre
Énergie
radiomètre
Chaleur
calorimètre
pyromètre
thermomètre
Électricité
ampèremètre
bolomètre
capacimètre ou faradmètre
électrodynamomètre
électromètre
multimètre
ohmmètre
phasemètre
potentiomètre
voltmètre
wattmètre
Intensité lumineuse
actinomètre
kelvinomètre (ou : photocolorimètre, thermocolorimètre)
lucimètre
photomètre
pyranomètre ou solarimètre
Intensité sonore
sonomètre
Force
compressimètre
dilatomètre
dynamomètre
Poids
balance
bascule
pesette
peseuse
peson
pont-bascule
trébuchet ou, vx, ajustoir
gravimètre
Pression
baromètre
hypsomètre
manomètre
piézomètre
sphygmomanomètre ou tensiomètre
hydromètre
Sensibilité
esthésiomètre

27 **Arpenteur,** évaluateur, géomètre, mensurateur [rare], métreur. – Métrologiste [didact.].

V. 28 **Mesurer,** prendre les mesures de. – Métrer ; arpenter, compasser, chaîner, cuber, rader, sonder, toiser. – **Peser,** tarer.

29 **Doser,** étalonner, jalonner. – Calculer **87,** **chiffrer** ; assigner [vx], coter, déterminer ; estimer **450,** **évaluer.** – Avoir le compas dans l'œil.

Adj. 30 **Mesuré** ; calculé, défini, déterminé, fixé, réglé. – Proportionné, régulier. – Millimétré.

31 **Mesurable** ; sout. : commensurable, mensurable ; calculable, chiffrable, nombrable. – Appréciable, évaluable.

32 Incommensurable, immensurable [rare], **immesurable** ; innombrable.

33 **Métrique** ; centimétrique ; kilométrique. – Dynamométrique. – Cégésimal, centésimal, décimal.

Adv. 34 **Sur mesure.**

Prép. 35 À la mesure de ; **à l'échelle de.** – À mesure de [vx], en proportion de, en raison de.

Aff. 36 Déca-, hecto-, kilo-, méga-, giga-, téra-, péta-, exa- ; sesqui-, déci-, centi-, milli-, micro-, nano-, pico-, femto-, atto-.

37 -graphe, -mètre, -scope ; -métrie, -scopie.

510 MÉTALLURGIE, SIDÉRURGIE

N. 1 **Métallurgie 516.8** ; métallurgie fine, métallurgie lourde, métallurgie des poudres ou céramique métallique, **métallurgie de transformation** ; électrométallurgie, métallothermie. – **Sidérurgie,** sidérotechnie [vx].

2 **Acier** ; acier allié, acier doux, acier dur, acier natif, acier naturel ; aciers spéciaux (chromé, au cobalt, au manganèse, au tungstène), acier maraging, acier martensitique, acier ferritique, acier austénitique. – **Fer 307** ; fer Armco, fer carbonyle, fer doux, fer électrolytique, fer fondu, fer de Suède. – **Fonte** ; fonte de moulage, fonte grise ; fonte d'affinage, fonte blanche ; fonte spéciale. – **Alliages ferreux 307.**

3 **Concassage** ; bocardage, broyage ; triage magnétique. – **Séparation.**

4 **Affinage,** raffinage, **frittage,** mazéage, puddlage. – Distillation, sublimation. – **Traitement thermique** ; bleuissage, recuit *(le recuit),* revenu *(le revenu),* trempe *(la trempe).* – **Traitement thermochimique** ; bondérisation, carburation, cémentation ; nitruration, carbonitruration, calorisation, chromatation, chromisation, phosphatation, shérardisation.

5 Calcination, calcination simple, calcination avec modifications chimiques ou **grillage,** étonnement. – Fusion, fusion carburante, fusion oxydante, fusion réductrice, fusion sulfurante,

fusion scorifiante, liquation. – Amalgamation, dissolution, précipitation, volatilisation.

6 **Coulage,** coulage par centrifugation. – Coulée, coulée directe, coulée en chute, coulée en source. – **Moulage,** moulage en carapace, **moulage à cire perdue 749,** moulage en masques, carcasse ; remmoulage. – Démoulage, décochage. – Soudure.

7 **Coulée** ; saumon de fonte. – Gueuse, **lingot 575.** – **Semi-produit** ; barre, barreau, billette, bloom, fil, larget, tige, poutre. – Feuillard, feuille, plaque, **tôle** ; laminé, profilé. – Brasure.

8 **Métallisation,** galvanisation. – Aciérage ou aciération, chromage, cuivrage, étamage, nickelage, zingage.

9 **Déformation** ; emboutissage, estampage, étirage, extrusion, filage, forgeage, laminage, matriçage, profilage, tréfilage.

10 **Moule** ; coquille, contre-moule, surmoule. – Broyeur ; bocard, marteau, marteau-pilon. – Bessemer ; cowper.

11 Brocaille, **ferraille,** grenaille, limaille, mitraille, riblon. – **Scorie** ; crasse, chiasse de fer [arg., vx], écume, laitier, mâchefer. – Gangue **516.**

12 Gale, gerce, **gerçure,** paille, refus, repluire, retassure, retirure, **soufflure,** vérot.

13 **Fonderie,** moulerie [anc.] ; forge ; tréfilerie ; chaudronnerie ; maréchalerie. – Haut-fourneau **464.2.**

14 **Aciériste,** étainier, fondeur, métallurgiste ou, fam., métallo, sidérurgiste ; chargeur, décocheur, lamineur, métalliseur, mouleur, mouliste, puddleur, remmouleur, sableur, tréfileur.

V. 15 **Métalliser** [didact.] ; aciérer, galvaniser. – Bondériser, chromater, chromer, **cuivrer,** étamer, nickeler, phosphater, shérardiser, zinguer.

16 Amalgamer, centrifuger, **fondre** ; affiner, mazer, puddler. – Attremper, détremper, retremper, tremper ; bleuir, calciner, cémenter, fritter, recuire ; écrouir. – **Battre** *(battre le fer),* cingler, corroyer, **forger.** – Contre-mouler, couler, lingoter, **mouler,** remmouler.

17 **Emboutir,** estamper, étirer, extruder, fileter, laminer, matricer, profiler, tréfiler.

Adj. 18 **Métallurgique,** sidérurgique.

19 **Métallique** ; aciéré, aciéreux, ferreux. – Martial [SC.], métallifère. – **Métallisé** ; coalescent, sidéré [didact.].

Adv. 20 **Métallurgiquement, sidérurgiquement.** – Métalliquement.

Aff. 21 Métallo-, sidér-, sidéro-.

511 MÉTHODE

N. 1 **Méthode.** – Méthode analytique, méthode synthétique ; méthode déductive et syllogistique ; méthode expérimentale, méthode rationnelle ; méthode logique. – Heuristique [SC.], méthodologie.

2 Organisation, **ordre 576,** méthode. – Calcul, raisonnement ; stratégie, tactique.

3 Moyen, procédé, **système 807** ; système D, truc ; dispositif, stratagème. – Formule.

4 Mode d'emploi ; instruction *(les instructions),* marche à suivre, procédure, **technique.** – Mode ; façon, facture, manière. – Art, métier. – Secret de fabrication, tour de main. – L'art et la manière.

5 Catalogue systématique **126,** liste méthodique.

6 Dans un titre d'ouvrage. – Méthode de + n. de la matière faisant l'objet de l'ouvrage *(méthode de comptabilité, méthode de lecture, etc.).*

7 Loi, **principe,** règle. – Code **245,** discipline, règlement.

8 Dialecticien, logicien. – Fig. : professionnel, technicien.

V. 9 Agir ou **procéder avec méthode 7.** – S'y prendre bien, s'y prendre mal. – S'organiser.

10 Donner la marche à suivre, montrer la voie **521.9.**

11 Organiser **577,** planifier. – Calculer **87,** combiner, coordonner. – Ordonner. – Classer, classifier **126.** – Codifier, réglementer.

12 Dialectiser [didact.], raisonner ; analyser **682,** synthétiser ; déduire, induire, inférer **802.**

Adj. 13 **Méthodique** ; ordonné. – Méticuleux.

14 Calculé, combiné ; **raisonné,** réfléchi. – Technicisé [fig.].

15 Logique, rationnel, systématique. – Déductif, hypothético-déductif ; dialectique.

16 Heuristique **689,** méthodologique. – Technique.

Adv. 17 **Méthodiquement,** méthodologiquement ; logiquement, rationnellement ; systématiquement. – Méticuleusement.

Prép. 18 Au moyen de, par le moyen de.

19 Conformément à ; selon.

20 À la façon de, à la manière de **379,** à la mode de ; selon la méthode de.

Aff. 21 Méthodo- ; techno-.

22 -technie, -technique.

512 MICRO-ORGANISMES

N. 1 **Micro-organisme** ; amibe, animalcule [vx], paramécie ; germe, **microbe.** – Protophytes, protozoaires, **bactéries, virus 482** ; provirus.

2 Colonie microbienne, **flore microbienne,** souche microbienne, spectre microbien. – **Bouillon de culture,** milieu de culture. – Réservoir de virus. – Nid à microbes [fam.].

3 VIRUS

adénovirus
arbovirus
arénavirus
bactériophage ou phage
coxsackie
cytomégalovirus
échovirus
entérovirus
hantavirus
LAV ou HIV [anglic.]
lentivirus
myxovirus
papillomavirus
papovavirus
paramyxovirus
parvovirus
virus du polyome
poxvirus
prophage
rétrovirus
rhinovirus
ultravirus [vx]
V.I.H. *(virus de l'immunodéficience humaine)*
virus de la mosaïque du tabac
virion ou particule virale
viroïde
virus aphteux
virus Ebola
virus Epstein-Barr
virus filtrant [vx]
virus grippal ou myxovirus influenza
virus de l'herpès
V-onc *(virus oncogène)*

4 Bactéries ; algobactéries, archéobactéries, eubactéries, mycobactéries, protozoobactéries.

5 PROTISTES OU UNICELLULAIRES

acanthaire
acinétien
acrasié
actinopode
choanoflagellé
cilié ou, vx, infusoire
cnidosporidie
colpode
costia
cryptophycée
cytosporidie
diatomée
dinobryon
dinoflagellé ou périnidien
dinophysis
diplomonadales ou diplozoaires
dunaliella
endamœbidé
eudorinidé
euplotes
flagellé
gonyaulax
gymnodinium
hémosporidie
métamonadine
navicule
phytoflagellé
sarcosporidie

6 Capside, capsule ; endotoxine (composant de la paroi des bactéries). – Axopode, cil, microfibrille, pseudopode ; ciliature. – Micronucleus, noyau **94.** – Auxospore, zygote **711.**

7 Aérobiose, anaérobiose. – Pleuromitose ; scissiparité. – Acido-résistance, pénicillinorésistance, sulfamidorésistance. – Antagonisme microbien, association microbienne ; pléomorphisme ou polymorphisme, transformation bactérienne.

8 **Maladie 482,** virose.

9 Axénie, **stérilité.** – Lysogénie.

10 Aseptisation, axénisation, bactériolyse, bactériostase, **désinfection,** inactivation, pasteurisation, stérilisation ; isolement. – Anatoxine (bactérie modifiée, détoxisée) ; **antibiotique** *(un antibiotique)* **499.** – Antibiogramme.

11 **Bactériologie,** épidémiologie, immunologie, inframicrobiologie, microbiologie, mycologie, parasitologie, protistologie, protozoologie, virologie. – Bacilloscopie. – Hémoculture.

12 Bactériologiste, microbiologiste, virologiste.

V. 13 **Cultiver,** ensemencer. – Aseptiser, **désinfecter,** inactiver, pasteuriser, stériliser.

14 Faire souche, proliférer.

Adj. 15 Amibien, bacillaire, bactéridien, **bactérien, microbien** ; staphylococcique, streptococcique, **viral** ; amiboïde, unicellulaire. – Bacilliforme.

16 Amicrobien, avirulent, axénique, **stérile.** – Antibactérien, **antimicrobien,** antiviral, bactéricide, microbicide, stérilisant, virulicide.

17 Acido-résistant, alcoolo-résistant, pénicillinorésistant, réfractaire.

18 Aérobie, anaérobie. – Amphotriche ; cilié, flagellé. – Sporulé. – Chimiotrophe ; pyocyanique. – Lysogène.

19 **Bactériologique,** microbiologique, virologique.

Aff. 20 Bactério- ; -bacter, -coque.

513 MICROPHYSIQUE

N. 1 **Microphysique,** nanophysique, physique des particules, physique quantique ; chromodynamique quantique, électrodynamique quantique, mécanique quantique ou ondulatoire ; théorie quantique des champs. – Atomistique *(l'atomistique),* nucléaire *(le nucléaire)* **269.** – Atomisme [PHILOS.].

2 Nanophysique, nanotechnologie.

3 Matière ; **atome, molécule,** noyau atomique, nucléide, **particule élémentaire,** quanton ;

boson, fermion ; antiatome, anticorpuscule, antimatière, antiparticule ; particule virtuelle ; nanotube.

4 Boson (W^+, W^-, Z), **électron,** lepton, muon, neutron, neutrino *(neutrino d'électron, neutrino de muon, neutrino de tau),* **photon,** tau ; antiélectron ou positron, antimuon, antineutrino. – Baryon, quark *(quark beauté, quark charme, quark down, quark étrangeté, quark up, quark vérité ; quark bleu, quark jaune, quark rouge),* gluon, hadron, lambda, lambda charmé, méson *(méson charmé, méson k, méson pi),* nucléon, pion, **proton** ; antiproton, antiquark.

5 Charge, énergie **322.1,** masse **187.2** ; magnéton, moment angulaire, moment orbital, période **261.8,** pulsation **579,** spin *(spin entier, spin semi-entier)* ; nombre quantique ; distribution orbitale atomique ou moléculaire, spectre atomique ou moléculaire. – Constante de Planck, inégalités de Heisenberg ; mouvement brownien. – Interaction forte, interaction faible.

6 Radioactivité *(radioactivité artificielle, radioactivité naturelle ; radioactivité alpha, radioactivité bêta, radioactivité gamma)* ; éléments radioactifs ou radioéléments **113.7** ; isotope *(un isotope).*

7 Réaction nucléaire, transformation, transmutation ; excitation, désexcitation ; divergence. – Dématérialisation, matérialisation. – Annihilation, désintégration, ionisation, spallation, **fission** ; stripage. – Fusion ; enrichissement, radioactivation, surgénération ou surrégénération.

8 **Radiation** ; irradiation, rayonnement **473.** – Faisceau ou flux d'électrons **261,** rayon bêta, rayon X.

9 Gray, rad **509,** rem, röntgen.

10 **Accélérateur de particules,** bêtatron, bévatron, collisionneur, cyclotron, isotron, synchrotron. – Chambre ; chambre à bulles, chambre à dérive, chambre à étincelles, chambre à plasma. – Scintillateur ; bouteille à neutrons. – Canon à électrons, laser. – Pile atomique [vieilli] ; **réacteur nucléaire 269.**

11 Atomiste.

V. 12 Fissionner ; enrichir, radioactiver, surrégénérer. – Exciter, désexciter. – Annihiler, dématérialiser, **désintégrer** ; ioniser.

13 Irradier.

Adj. 14 **Atomique,** atomistique, **nucléaire.** – Quantique. – Fertile, fissible, fissile.

514 MILIEU

N. 1 **Milieu** ; centre **96,** midi [fig.], mitan [vx]. – Entre-deux.

2 Litt. – **Cœur,** foyer, noyau, sein ; nombril, ombilic.

3 **Juste milieu,** mesure *(bonne mesure, juste mesure)* **522** ; *In medio stat virtus* (lat., « la justesse réside au milieu »).

4 Axe **733,** charnière, pivot.

5 MATH. : médiane, médiatrice. – Milieu de l'étendue [STAT.]. – LOG. : médium, moyen terme, principe de milieu ou de tiers exclu.

6 Centralité [didact.] ; intermédiarité [rare], mitoyenneté.

7 Médiocrité **500** ; **moyenne.**

8 Centrage, centration [PHILOS.] ; encadrement. – Insertion **396.1.** – Médiation **141.**

V. 9 **Centrer.** – Équilibrer.

10 Intercaler, interposer **396.11.**

11 Être pris en sandwich.

Adj. 12 Médian, mitoyen. – Intercurrent [didact.], intermédiaire, intermédiat. – Moyen.

13 Axé, axial, axile [SC.]. – **Central,** focal.

Adv. 14 Centralement [rare] ; *in medias res* (lat., « dans ce qui se trouve au milieu »).

15 Au milieu, au beau milieu, en plein milieu ; entre les deux.

Prép. 16 **Au milieu de** ; au cœur de. – À la charnière de, à la jonction de ; **entre.**

17 Dans, **en plein dans** [fam.] ; parmi. – Au sein de ; dans le giron de.

Aff. 18 Centri-, centro- ; inter-, médio-, méso-, mi- ; omphalo-.

515 MILLE

N. 1 **Mille,** millier *(un millier).* – **Million** ; billion, trillion, quatrillion, quintillion ; **milliard.** – Millième *(un millième)* ; millionième *(un millionième),* milliardième *(un milliardième).* – Pour mille *(dix pour mille).*

2 **Millième** *(un millième).* – Milligrade, milligramme, millilitre, millimètre **509.** – Millime.

3 **Millier** *(un millier).* – Kilogramme, kilolitre, kilomètre. – Tonne. – *Les Mille et Une Nuits.*

4 Millénaire. – L'an mille [HIST.].

Adj. 5 **Mille.** – Millénaire, bimillénaire.

6 **Millième.** – Millimétré, millimétrique.

Aff. 7 Kilo-, milli-, myria-.

516 MINERAIS

N. 1 **Minerais** ; métal ; métal alcalino-terreux ; VX : mine, minière.

2 Bassin minier, **mine 518,** minière *(une minière).* – Alunière, soufrière ; placer *(placer aurifère, argentifère).*

3 Affleurement, couche, faille, faisceau, **filon,** passée, **veine** ; chambre-magasin, **dépôt,** gîte, nid, piège stratigraphique. – Banc stérile, stérile *(un stérile)* ; minette, mort-terrain, nerf.

4 **Minerai** ; minerai brut ou tout-venant. – Minette. – **Bloc,** nodule, **pépite,** schlich ; fines *(des fines),* havrit ; schlamm ou boue fine.

5 MINERAIS

Aluminium :
aluminate
bauxite
disthène
kaolinite
leucite
Alun :
alunite
Antimoine :
stibine
valentinite
Argent **40 :**
argentite ou argyrose
argyrite
pyrargyrite
Arsenic :
mispickel
scorodite
Bismuth :
bismuthinite
eulytine
Cadmium
Chrome :
chromite
Cobalt :
cobaltine
érythrine
safre
smaltine
Cuivre :
atacamite
azurite
bournonite
chalcopyrite
chalcosine
chrysocolle
cuprite
germanite
malachite
ténorite
Étain :
cassitérite
stannine
Fer **307 :**
cémentite
ferrite
hématite
ilménite
limonite
magnétite
marcassite
minette
mispickel
oligiste
pyrite
pyrrhotite
Glucinium :
béryl
Lithium :
lépidolite
lithine
Magnésium :
carnallite
écume de mer ou sépiolite
epsomite
magnésie
piésérite
serpentine
spinelle
talc
Manganèse :
alabandine
acerdèse
braunite
grenat
pyrolusite
rhodonite
Mercure :
calomel
cinabre ou vermillon
idrialite
Molybdène :
molybdénite
Nickel :
annabergite
garniérite
millerite
nickeline
pentlandite
speiss
Nitrate de soude :
caliche
Niobium ou colombium :
colombite
Or **575 :**
Platine
Plomb **631 :**
alquifoux
bournonite
cérusite
vanadinité
Potasse :
sylvine
Strontium :
strontiane
strontianite
Sélénium
Soufre :
pyrite
Sulfates :
barytine
célestine
epsomite
gypse
Tantale
Thorium :
monazite
Titane
Tungstène :
scheelite
wolfram
Uranium :
coffinite
euxénite
francevillite
gummite
ianthinite
pechblende ou uraninite
Vanadium :
vanadite
Zinc :
blende ou sphalérite
calamine
smithsonite
tuthie
willémite
Zirconium :
rutile
zircon
zircone

6 Minéralisation ; pétrification **517,** silicification.

7 Minéralurgie ; industrie minière, métallurgie **510.**

8 Minéralogie **517** ; géologie **337.** – Docimasie [VX], gravimétrie, minérographie.

V. 9 Minéraliser. – Se minéraliser.

Adj. 10 **Minéral** ; argentique, chromique, cuivrique, cuprique, ferrique, manganique, mercurique, potassique, sidérolithique, stannique, sulfurique, tungstique. – Arsénieux, chromeux, cuivreux, ferreux, ferrugineux, manganeux, mercureux, stanneux, sulfureux. – Arsenical, magnésien, mercuriel, saturnin. – Alcalin, alcalino-terreux.

11 **Métallifère** ; alunifère, argentifère, arsénifère, aurifère, carbonifère, cuprifère, lithinifère, platinifère, plombifère, stannifère, zincifère.

12 Minéralisant.

13 Minéralisateur.

14 Barré, brut, concentré, massif, natif, mixte. – Latéritique.

Adv. 15 Minéralogiquement.

Aff. 16 Sidéro-. – Alcali-, alcalino-, alcalo- ; argenti-, argento-, argyro- ; arséno-, arsénico-, arsénio- ; chalco- ; cupri-, cupro- ; ferri-, ferro- ; sidéro- ; silico-, silicico-.

17 -argyre, -argyrite ; -chalcite.

517 MINÉRAUX

N. 1 **Minéraux,** règne minéral ; caillasse [GÉOL.], **concrétion** [GÉOL.], cristal [SC.], gemme, minéral *(un minéral)* ; **roc,** roche, rocher. – Métalloïde ; **métaux.** – Sel gemme, sels minéraux.

2 Pierre à + n. *(pierre à chaux, à craie ; pierre à feu, pierre à fusil).* – Pierre de + n. *(pierre de Florence, du Labrador ; de liais, de foudre),* pierre noire ou pierre d'Italie [BX-A.]. – Ardoise, amiante, asbeste, cliquart, coquillart, **granite,** grès, lambourde, marbre, meulière, porphyre, travertin, tuf, tuffeau. – Pierre d'appareil, pierre de taille ; pierre froide ou pierre marbrière. – **Fossile,** pierre nummulaire, zoolithe. – Pierre ollaire, gypse ou pierre à plâtre ; pierre ponce.

3 **Mégalithe,** monolithe *(un monolithe).* – Aérolithe ou aérolite, météorite.

4 **Pierreries 70** ; pierre dure, pierre fine, pierre précieuse, pierre semi-précieuse ou semi-pierre. – **Pierre précieuse** ; diamant, émeraude, rubis, saphir. – **Pierre fine** ; aigue-marine, alabandine, alexandrite, alumine, amazonite, améthyste, béryl, calcédoine, chrysobéryl, chrysolithe, chrysoprase, citrine ou fausse topaze, corindon, escarboucle, girasol, grenat, hépatite, hyacinthe, jargon, lapis-lazuli ou lazulite, opale, outremer, péridot, quartz, sanguine, spinelle, topaze, tourmaline, turquoise, zircon. – Agate, améthyste, aragonite, calcite, cassitérite, célestine, cornaline, héliodore ou béryl jaune, hiddénite ou spodumène, dolomite, feldspath, feldspathoïdes ; fluorine, galène, goethite, halogénure, hématite, hydrargillite, jade, jaspe, magnétite, malachite, marcassite, obsidienne, œil-de-tigre, onyx, pierre de lune ou adulaire, pyrite, sardoine, serpentine, silex, silicate, silice, stéatite. – Cristal hyalin ou cristal de roche.

5 Dendrite, **rose des sables.** – Stalagmite, stalagtite.

6 Pierre artificielle, pierre manufacturée, pierre synthétique, simili, strass ; pierre factice, pierre fausse, pierre d'imitation, toc. – Aventurine, doublet, happelourde [vx] ; brillant, diamant de nature ou diamant industriel.

7 **Réseau cristallin** ; faciès cristallin, faciès pyramidal, hémiédrie, holoédrie, idiomorphie, isotypie, mériédrie, ogdoédrie, tétaroédrie. – Dodécaèdre, hexatétraèdre, holoèdre, mérièdre, rhomboèdre, scalénoèdre ; monocristal. – **Système cristallin** ; système cubique, système hexagonal, système monoclinique ou clinorhombique, système orthorhombique, système quadratique, système rhomboédrique, système triclinique.

8 Compacité, pureté, transparence **473.** – Dimorphisme, isomorphisme, homéomorphisme, mésomorphisme, polymorphisme, pseudomorphisme.

9 **Carat 509.8.** – **Échelle de dureté de Mohs** (sont rayés par l'ongle : 1. talc ; 2. gypse ; 3. calcite ; 4. fluorine ou spath fluor ; 5. apatite ; 6. orthose. – Rayent le verre : 7. quartz ; 8. topaze ; 9. corindon naturel ; 10. diamant).

10 **Axe de symétrie,** axe optique, axe quaternaire, axe ternaire, biaxe, uniaxe. – Troncature ; arête, bec d'étain, macle ; **gangue,** rognon [GÉOL.].

11 **Crapaud.** – TECHN. : étonnure, gendarme, givrure, glace, jardinage, loupe. – MINÉR. : dislocation ; **inclusion 396.**

12 Cristallochimie, cristallogénie, cristallographie, cristallométrie, gemmologie, radiocristallographie ; lithologie [SC., vx], **minéralogie,** pétrographie, pétrologie [rare].

13 Arborisation, cristallisation ; cristallogenèse [didact.]. – Lapidification, marmorisation, pétrification ; minéralisation.

14 Appareilleur, **tailleur de pierre,** carrier, marbrier. – Diamantaire, joaillier, **lapidaire.** – **Minéralogiste,** pétrologue. – Glyptique **749.**

V. 15 **Tailler,** couper, scier ; bretteler, entailler, graver, strier, rayer ; bûcher, caver, chanfreiner, décaper, dégauchir, délarder, déliter, ébousiner, épanneler, équarrir ; appareiller, boucharder.

16 Caillouter, empierrer, **paver.**

17 Enchâsser, monter, sertir.

18 Avoir de l'éclat, briller **473,** jeter mille feux ; **brillanter.**

19 Lapider. – **Pétrifier.**

Adj. 20 **Minéral,** pétrifiant ; lithoïde, météoritique, pierreux, rocailleux, rocheux. – Arénacé, feldspathique, granitique, gréseux, gypseux, **marmoréen,** porphyroïde, schisteux, siliceux. – **Cristallin,** cristalloïde, cubique, maclé ;

cristallisé, fossilisé, structuré. – **Adamantin,** diamantaire, diamantin, gemmé. – Pur, transparent ; d'une belle eau.

21 **Cristallographique** ; amorphe, dimorphe, homéomorphe, idiomorphe, isomorphe, mésomorphe. – Clinorhombique ou monoclinique, dichroïque, isoédrique, monocristallin, épitaxial ; diffractant. – Clivable, cristallisable.

Aff. 22 Glypto-, litho-, pétro- ; -glyphe, -glyphie, -lithe, -lithique.

518 MINES

N. 1 **Exploitation minière** ; amodiation. – Carrière, claim, concession ; tréfonds [vieilli].

2 Mine **516.** – Dépôt, **gisement,** gîte *(gîte d'inclusion),* nid, terrain *(terrain carbonifère)* ; affleurement, couche, filon, passée, veine. – **Bassin minier.** – Alunière, ardoisière, glaisière, houillère, marbrière, meulière, minier, plâtrière, sablière, soufrière, tourbière. – Minière [vx]. – Charbonnages. – Placer **575.6.**

3 Fouilles ; **prospection** ; prospection gravimétrique, prospection magnétique, prospection sismique **689,** sondage. – Carottage, fonçage, raval. – Décapage, découverture. – Aérage.

4 Exploitation ; borinage. – Battage, cadrage, dépilage, extraction, havage. – Bloiement, scheidage ; débourbage, lavage, orpaillage ; coupellation, flottation. – Bouletage, pelletisation.

5 Minerai **516.** – Nodule, **pépite 575.** – Fines, havit, poussier, schlamm, schlich. – Aggloméré, boulet, briquette, escarbille, gaillette, gailletin, grésillon, noisette, noix. – Poussières. – Tout-venant. – Minette.

6 Carreau de mine, chambre d'exploitation, découverte, fosse, taille. – Rouillure, travers-banc ou bowette ; dressant, plateure ; éponte, mur, salbande, sole. – **Galerie, puits,** tranchées ; descenderie. – Boisage, cuvelage. – Buse, canar d'aérage. – Albraque, carnet. – Crassier, terril.

7 Minéralier. – Benne, berline, bourriquet, herche, traîneau, wagonnet. – Rasse, seau. – Soute *(soute à charbon).*

8 Aléseur, aspic, barre à mine, carotte, carottier ou carotteur, drille, explosif, foret, foreuse, fraise, marteau perforateur, marteau piqueur, molette, perceuse, pic, trépan, tricône, trousse.

9 Coron **481.**

10 Chercheur *(chercheur d'or),* prospecteur ; orpailleur, pailleteur. – Carrier ; **mineur,** mineur de fond. – Région. : borain, galibot, haveur, herscheur ou hercheur, raucheur ; porion.

V. 11 Prospecter, sonder. – Carotter, foncer, forer, percer. – Exploiter, extraire, haver, tourber ; débourber. – Déhouiller.

Adj. 12 **Minier** ; filonien.

519 MOBILIER

N. 1 **Mobilier** ; ameublement, ménage [vx], meuble *(le meuble)* [vieilli]. – Bagage [vx], meuble *(un meuble, les meubles).*

2 **Meuble de rangement** ; **armoire** ; penderie, placard. – Bonnetière, garde-robe, vestiaire.

3 **Commode** ; cabinet, chiffonnier, semainier. – Cassier [IMPRIM.] ; médaillier.

4 **Bahut, buffet** ; argentier, vaisselier ; crédence, dressoir ; vitrine.

5 **Coffre** ; caisse, layette, maie ou mée, malle. – Coffret ; baguier. – Cave à liqueurs, cave à vin ; cabaret. – Garde-manger.

6 **Coiffeuse,** toilette ; barbière. – Table à ouvrage, travailleuse, tricoteuse ; chiffonnière.

7 **Table** ; table en demi-lune, table haricot ou table en rognon ; guéridon. – Desserte, roulante, servante.

8 **Console.** – Guéridon, trépied ; athénienne. – Encoignure, entre-deux.

9 **Classeur** ; cartonnier, fichier ; casier. – **Tiroir** ; abattant, tirette.

10 **Bibliothèque,** rayonnage. – **Étagère,** planche ; gradin. – Sellette ; tablette.

11 **Bureau** ; bureau à cylindre, bureau en dos d'âne, bureau ministre. – **Secrétaire** ; bonheur-du-jour, scriban. – **Pupitre** ; aigle, lectrin, lutrin, tronchin.

12 **Lit 780,** couche [litt.] ; châlit. – Fam. : paddock, page, pageot, pagne, pagnot, pieu, plumard, plume, pucier.

13 **Lit de jour** ou de repos ; méridienne, paphose, turquoise ; lit de table ou triclinium [ANTIQ. ROM.]. – Lit clos ou lit breton, lit-cage, lit en armoire. – **Lit à baldaquin,** lit à colonnes, lit à la duchesse, lit à quenouilles ; lit à l'ange, lit en housse. – Lit de bout ou à la française ; lit à la turque, lit de travers ou à la polonaise. – **Lit bateau,** lit (en) gondole. – Lits gigognes, lits jumeaux. – **Berceau,** bercelonnette. – Cou-

chette, lit de camp. – Grabat, paillasse, natte. – Hamac.

14 **Canapé** ; canapé corbeille, ottomane ; causeuse, tête-à-tête. – Cosy, divan, sofa. – Canapé-lit, convertible.

15 **Tête de lit** ; chevet, dosseret ; colonne, quenouille. – Baldaquin, ciel de chambre, **ciel de lit,** dais, impériale. – Cantonnière, courtine, lambrequin, pavillon, pente ; tour de lit.

16 **Literie** ; couchage. – **Matelas,** sommier ; futon.

17 **Siège** ; **chaise,** chaise longue (ou transatlantique, fam. : transat), duchesse ; caquetoire ou chaise à femme, chauffeuse, coin-de-feu. – **Trône** ; cathèdre **465.** – Chaise percée.

18 **Fauteuil,** fauteuil club ; **bergère,** cabriolet, crapaud, marquise, voltaire. – Confessionnal, confident, indiscret ; boudeuse. – Guérite ; relax. – Fauteuil-lit.

19 **Balancelle,** berceuse ou, canad., berçante. – **Rocking-chair.**

20 **Banc,** bancelle ; banquette. – Miséricorde, stalle. – Borne. – **Tabouret** ; bout-de-pied, pouf ; escabeau, escabelle [vx]. – **Pliant,** ployant [anc.] ; strapontin.

21 **Accotoir,** accoudoir, bras ; joue. – **Appuitête** ou appuie-tête ; balustre, dossier. – **Piétement** ; pied-de-biche, pied en carquois, pied droit, pied en gaine.

22 **Glace,** miroir, psyché.

23 **Paravent,** pare-étincelles.

24 **Porte-chapeau,** portemanteau ; patère. – Cintre, valet de nuit.

25 **Bac,** baquet, bassine, bassinet ; brassin [TECHN.], cuveau, cuvette, cuvier, vasque ; région. : seille, seillon. – Bac à plantes, jardinière ; pot, potiche ; cache-pot. – **Vase** ; soliflore. – Pot de chambre, urinal, vase de nuit ; bourdalou. – Fam. : jules, thomas.

26 **Évier,** lavabo, lave-mains ou fontaine. – **Baignoire,** tub ; bidet.

27 **Meuble de style.** – **Style haute époque** [Xe-XVIe s.] ; gothique ; Renaissance ; style Henri II, **style Louis XIII.** – **Louis XIV** ; style Boulle. – **Style Régence** [1715-1723]. – **Style Louis XV** [1723-1750], style Pompadour [1750-1774]. – **Style Louis XVI** ; style transition, style Marie-Antoinette. – **Style Directoire** [1795-1799]. – Style Empire [1804-1815] ; style Regency [Angleterre ;1811-1830]. – **Style Restauration** ; style Charles X ; style Louis-Philippe. – **Style second Empire** ou Napoléon III ; style boudoir. – **Art nouveau** ou modern style [1890-1914] ; Art déco [1920-1930]. – **Modernisme fonctionnel** ; style high-tech. – Style rustique ; style bistrot.

28 **Capitonnage** ; matelassage. – **Cannage,** paillage ; fonçage ; rempaillage. – Contreplacage, placage. – Reparure.

29 Architecture d'intérieur, **décoration intérieure.** – Design [anglic.] ou stylique [recomm. off.].

30 **Ébénisterie,** marqueterie, menuiserie **505,** tabletterie. – Dorure sur bois.

31 Architecte d'intérieur, **décorateur,** ensemblier. – **Designer** [anglic.] ou stylicien [recomm. off.]. – **Ébéniste,** huchier, menuisier, rotinier ; marqueteur. – Chaisier, matelassier, passementier, tabletier, tapissier.

32 Antiquaire, brocanteur.

33 Garde-meubles ou garde-meuble.

V. 34 **Meubler.** – Emménager ; déménager, démeubler. – Se meubler.

35 **Décorer.** – Galonner, ganser, juponner, passementer, passepoiler ; tapisser. – Canner, capitonner, foncer [vx], sangler ; joncer ; empailler, pailler, rempailler. – Contreplaquer, plaquer ; **marqueter.**

Adj. 36 **Meublé.**

37 Meublant.

38 Décoré ; **chantourné,** violoné ; marqueté. – Capitonné, matelassé ; paillé, rembourré, rempaillé. – Gigogne ; convertible.

39 **En bateau,** en gondole ; en demi-lune, en rognon ou en haricot, en tombeau. – **À la duchesse,** à l'impériale, à la reine, à la turque ; à la capucine, à colonnes.

520 MODE

N. 1 **Mode** *(la mode)* ; goût du jour, air du temps ; fashion [anglic., vx]. – Manière, style **233** ; look [anglic.].

2 Mode enfantine, mode féminine, mode masculine. – Mode maxi ; mode mini. – Collection d'été ; collection d'hiver.

3 Couture **165,** mode *(la mode)* ; nouveauté *(la nouveauté)* ; commerce de nouveautés [vieilli]. – **Haute couture,** sur-mesure *(le sur-mesure)* ; confection, **prêt-à-porter.** – Défilé de mode, présentation de mode.

4 Dessinateur, modéliste ; **styliste.** – Habilleuse. – Marchand de modes [vx], modiste.

5 **Mannequin,** modèle, top model [anglic.] ; anglic. : cover-girl. – Gravure de mode *(une gravure de mode)* [fam., péj.].

V. 6 **Être à la mode** ; être dans le mouvement, être dans le vent. – Donner le ton, lancer une mode, mettre à la mode ou, sout., en honneur. – Suivre la mode.

7 Se faire, se porter. – Passer de mode ; se démoder.

Adj. 8 **Mode** *(teinte mode, tissu mode, etc.)* ; dernier cri, new-look [anglic., vieilli].

9 **À la mode** ; en cours, en honneur, en vogue ; en faveur [sout.] ; vx : de mode, en règne. – Fashionable [anglic., vieilli]. – Fam., vieilli : dans le vent, *in* (opposé à *out*) [anglic.].

10 **Démodé** ; dépassé, désuet **206,** périmé, suranné, vieillot.

521 MODÈLE

N. 1 **Modèle** ; archétype, prototype [didact.] ; original *(un original ; l'original).* – Étalon, forme, gabarit, maquette, **matrice,** moule, parangon, patron **489,** type ; canevas [THÉÂTRE] ; paradigme [GRAMM.].

2 DR. – Modèle déposé ; modèle de fabrique.

3 Formulaire [DR.] ; protocole. – Canon [didact.], coutume **165, norme 559,** règle, standard ; idéal. – Corrigé *(un corrigé).*

4 **Héros 341.** – Initiateur, maître ; maître à penser.

5 **Plan,** projet **664,** projet-pilote. – Carton, ébauche, épure, esquisse ; maquette.

6 Modelage ou modèlerie [TECHN.]. – Modélisation [didact.]. – Modélisme.

7 Modeleur [TECHN.]. – Modéliste.

V. 8 Modeler sur. – Normer **559, régler.**

9 Édifier ; **donner l'exemple,** donner le ton, faire la leçon, montrer le chemin ou la voie, prêcher d'exemple ; faire école. – Donner pour modèle.

10 **Imiter 379,** reproduire ; prendre pour modèle.

11 Poser [BX-A.] **607.**

Adj. 12 Modèle *(un enfant modèle)* ; idéal, irréprochable, **parfait** ; hors pair. – Édifiant, exemplaire.

13 Archétypique ; standard, **typique.** – Canonique, normatif. – Normé, standardisé. – Fait au moule.

Adv. 14 À titre d'exemple. – **Exemplairement.**

Prép. 15 À l'image de, à l'imitation de, sur le modèle de **379.**

Aff. 16 -type ; -typique.

522 MODÉRATION

N. 1 **Modération** ; calme **89,** lenteur **458.**

2 Mesure, **pondération** ; réserve **714,** retenue ; tempérance **810** ; économie, épargne **281.** – Sens de la mesure ; équilibre.

3 **Patience 601.** – Attention [vieilli], **ménagement,** prévenance **184** ; attentions **52,** égards, **ménagements 184.** – Édulcoration [vieilli].

4 Diminution **220.** – Freinage, **ralentissement.** – Coup de frein ; ralenti *(le ralenti).*

5 Adoucissement, **atténuation,** mitigation [didact.] ; apaisement, assagissement. – Refrènement ou réfrènement, répression [PSYCHOL.] ; refoulement **715.**

6 **Modérabilité,** pondérabilité [didact.].

7 Milieu ; **juste milieu.** – POLIT. : centrisme ; modérantisme [HIST.].

8 Borne, **limite 467,** contrepoids.

9 POLIT. : **modéré** *(un modéré)* ; centriste **708,** modérantiste [HIST.].

10 Modérateur, pondérateur.

V. 11 **Modérer** ; baisser, diminuer **220.9** ; rabattre, réduire, resserrer, **restreindre** ; freiner, **ralentir 471** ; économiser, épargner **869.** – Adoucir, atténuer, mitiger, radoucir [vieilli] ; édulcorer, envelopper. – **Affaiblir** ; attiédir, amortir, assourdir, bémoliser [fig., fam.] **543,** étouffer, tamiser.

12 Mesurer [sout.] ; **pondérer,** tempérer **810.** – Borner, enrayer, limiter **467.7** ; brider **240,** refréner ou réfréner, resserrer [fig.], retenir ; refouler, réprimer ; tenir en bride ; mettre un frein. – **Mettre le holà.**

13 Se modérer, **se tempérer 810** ; se contenir, se freiner [fam.], se maîtriser ; garder son sang-froid ; se contraindre, se faire violence ; s'assagir. – Fam. : arrondir les angles, baisser d'un ton, mettre de l'eau dans son vin **787,** mettre un bémol.

14 Rester dans les limites de ; **ne pas dépasser les bornes.**

15 Apaiser, **calmer 89** ; arraisonner [vieilli], assagir. – Raisonner. – Reprendre [ÉQUIT.].

Adj. 16 **Modéré** ; lent **458,** mesuré, tempéré **810.** – Ralenti.

17 Pondéré, réservé **714, retenu** ; calme **89,** doux, patient **601.** – Économe **281.**

18 **Mitigé** ; édulcoré, enveloppé.

19 **Modéré,** modeste, modique, **raisonnable** ; moyen.

20 Modérable, pondérable.

21 Modérateur ; inhibiteur. – Pondérateur [didact.] ; équilibrant.

Adv. 22 **Modérément** ; posément, raisonnablement **810.** – Mollo [fam.].

23 MUS., ital. : **moderato** ; andante.

523 MODESTIE

N. 1 **Modestie** ; honte [vx], humilité. – Discrétion, effacement, retrait. – **Modération 522,** réserve, retenue ; douceur. – Simplesse [vx], **simplicité,** simplicité antique ou spartiate ; naturel. – Abandon ; résignation, soumission **787.**

2 Mortification ; componction. – Déférence, respect **717.** – Vieilli : décence, honnêteté, pudeur.

3 **Médiocrité,** obscurité. – Faiblesse.

4 Pluriel de modestie [GRAMM.].

5 Humble *(un humble),* obscur *(un obscur),* **petit** *(un petit),* sans-grade *(un sans-grade),* simple *(un simple)* ; gagne-petit. – Petites gens ; piétaille.

V. 6 Rester ou se tenir à sa place. – **Rester dans l'ombre** ; se faire petit [fig.]. – **S'effacer** ; se faire humble, s'humilier [THÉOL. ou vx]. – Faire le modeste.

7 **Baisser les yeux,** courber le front. – S'agenouiller, se courber, se prosterner.

8 Borner ses désirs ; se borner, se contenir, **se modérer.** – *In medio stat virtus* (lat. :« C'est au milieu que se trouve le mérite » [ou : la valeur, la justesse]).

Adj. 9 **Modeste** ; **humble,** petit, obscur, simple. – Effacé, réservé.

10 **Décent,** honnête [vx] ; digne.

11 **Discret,** sobre ; dépouillé, fruste, sans prétention ; informel. – Frugal, maigre ; méchant, médiocre, pauvre.

Adv. 12 **Modestement** ; humblement ; en toute humilité. – Timidement.

13 Sans affectation, sans apprêt, sans cérémonie, sans façons, sans prétention ; sans chichis [fam.]. – À la bonne franquette, à la simplette [région.] ; à la fortune du pot.

14 Médiocrement, pauvrement, petitement.

524 MODICITÉ

N. 1 **Modicité.** – **Bas prix.** – Prix d'ami, prix de faveur. – Prix de fabrique ou d'usine **659.3.**

2 Avilissement (ou : baisse, chute) des prix.

3 Abattement, rabais, **réduction, remise,** ristourne, surremise. – Dégrèvement [DR.]. – Bonification, prime ; déduction **790.1,** escompte. – Réfaction.

4 Braderie, liquidation, **soldes.** – Discount. – **Promotion.**

5 **Affaire** *(une affaire),* occasion ou, fam., occase.

6 COMM. : carnet d'achat, chèque-ristourne.

7 Solderie. – Rabaisseur [rare], **soldeur.** – Gâte-métier.

V. 8 Faire des conditions, **faire un prix.** – Baisser le prix, **diminuer 220.9,** rabattre. – Ristourner.

9 **Casser les prix,** gâter le métier. – Discounter [anglic.]. – Déprécier.

10 **Solder** ; brader, liquider ; bazarder [fam.] ; mévendre [vx]. – Donner, laisser, **sacrifier** ; laisser pour tant *(je vous le laisse pour dix francs).*

11 Défalquer, dégrever.

12 Tomber à rien.

13 **Être donné,** être à la portée de toutes les bourses. – Défier toute concurrence.

14 Avoir à bon compte.

Adj. 15 **Modique** ; modéré, réduit.

16 Avantageux, **bon marché** ; compétitif. – Économique ; **en promotion,** en solde. – Abordable.

Adv. 17 Modiquement.

18 **À bas prix,** à vil prix ; à bon compte, à bon marché, au meilleur prix ; pour rien, **pour une bouchée de pain.**

19 **Au rabais** ; à moitié prix.

525 MOINES

N. 1 **Moine.** – Monachisme [didact.], monacat. – Anachorétisme, **érémitisme** ; cénobitisme. – Vie claustrale ; vie monastique, vie monacale ; vie conventuelle. – Vie cénobitique, vie érémitique. – Vie contemplative (opposé à vie active).

2 Conventualité.

3 Clergé régulier (opposé à clergé séculier). – Béat (*les béats*) [vx]. – Moinaille, moinerie (*la moinerie*) [péj.].

4 Monial [litt.] ; moinillon [par plais.] ; régulier (*un régulier*) ; frocard [péj.]. – Moine mendiant, moine prêcheur, moine hospitalier. – Anachorète **779, ermite,** solitaire ; cénobite, gyrovague [HIST.]. – Père du désert [HIST.].

5 **Moniale,** nonne [vieilli] ; par plais. : nonnain [vx], nonnette ; moinesse [vx et péj.]. – Couventine ; épouse du Christ [fig.]. – Bouddhisme japonais : ama.

6 Islam **440 :** – **derviche** (derviche errant, derviche mendiant ; derviche hurleur ; derviche tourneur) ; calender ou qalandari [HIST.] ; fakir. – Hindouisme **362 : fakir.**

7 Bouddhisme **80 :** – **bonze** ; **lama,** dalaï-lama, panchen-lama. – Chaman. – Bhikkhu **47,** bhiksu. – Talapoin [vx].

8 Communauté, confrérie, congrégation ; **ordre.** – Chapitre, discrétoire ; prieuré. – Islam : tariqa.

9 Catégories déterminées par le Saint-Siège : ordres monastiques, clercs et chanoines réguliers, ordres mendiants, congrégations sacerdotales ou sociétés de prêtres, instituts religieux ou congrégations laïques, instituts séculiers.

10 **ORDRES DE RELIGIEUX**

Annonciade	Hiéronymites
Assomptionnistes	Jésuites
Augustins	Lazaristes
Barnabites	Maristes
Bénédictins	Minimes
Bernardins	Oblats de Marie-Immaculée
Camaldules	Olivétains
Capucins	Oratoriens
Carmes	Passionistes
Chartreux	Pères blancs
Cisterciens	Pères du Saint-Esprit
Cordeliers	Prémontrés
Dominicains ou Frères prêcheurs	Récollets
Ermites de Saint-Jérôme	Rédemptoristes
Eudistes	Salésiens
Franciscains ou Frères mineurs	Servites
Frères de la doctrine chrétienne	Sulpiciens
	Théatins
	Trappistes
	Trinitaires

11 **ORDRES DE RELIGIEUSES**

Augustines	Clarisses	Dames de Saint-Thomas	Sœurs de Saint-Vincent-de-Paul
Bernardines	Dames de l'Assomption	Dominicaines	Ursulines
Calvairiennes	Dames de Saint-Joseph-de-Cluny	Franciscaines	Trinitaires
Capucines		Madelonnettes	Visitandines
Carmélites		Petites Sœurs des pauvres	

12 Fonctions : **abbé,** archimandrite ; **supérieur** (*le supérieur*) ; archimandrite [Églises orientales]. – Chanoine ; capitulant ; grand chantre, doyen, primicier ou princier, théologal. – Cellérier, frère convers, pitancier [vx], portier, procureur, tourier [vx], trésorier ; hebdomadier.

13 Titres : **Dom,** Révérend, Révérend Père. – **Abbé 822,** abbesse ; Père, Mère. – Frère, Sœur.

14 Statut : chanoinesse, oblat ; frère lai.

15 Postulant ; novice.

16 Probation. – Postulat ; alumnat, juvénat, **noviciat.**

17 **Prise d'habit.** – Vœu d'obéissance ; vœu de chasteté, de pauvreté, de silence.

18 Observance **696.8.**

19 Provincialat. – Commanderie, prieuré ; canonicat, chanoinie ; chantrerie.

20 Charte, chartre [vx], règle (*règle de saint Basile, de saint Benoît, etc.*).

21 Heures canoniales (dites : petites heures du bréviaire) ; matines, laudes, primes, tierce, sexte, none, vêpres **508,** complies.

22 **Monastère** ; moinerie, moutier [vx] ; **couvent** ou, vx, convent. – Hindouisme : ashram. – Ermitage. – Bonzerie [vieilli], lamaserie ; dervicherie ; capucinière [vx et péj.], chartreuse ; béguinage.

23 **Abbaye,** archimonastère, collégiale ou église collégiale **465,** commanderie, maison mère, **prieuré.** – Islam : ribat. – Bouddhisme : gompa, vihara.

24 Cellule, chapitre ou salle capitulaire, cloître, scriptorium ; tour. – In pace [vx].

25 Aumusse [vx], cagoule, chape **859,** coule ; camail, mosette. – Cilice [vx], robe de bure ; froc. – Capuce, cuculle, scapulaire ; barbette [vx], béguin, cornette [anc.], guimpe [vx], voile.

26 Tonsure.

V. 27 **Prendre l'habit** ou le voile, prononcer des vœux ; commuer les vœux. – Relever d'un vœu.

28 Se moinifier [par plais. et vx]. – Encapuchonner. – Défroquer, jeter le froc aux orties **701.**

29 Mener une vie de chanoine. – Vivre comme un moine.

Adj. 30 Abbatial. – **Monastique, monacal** ; congréganiste. – Canonial, canonical.

31 Conventuel, communautaire. – Capitulaire, chapitral.

32 Érémitique ; cénobitique. – Ascétique.

33 Cloîtré.

Adv. 34 Conventuellement, monastiquement [rare]. – Capitulairement.

526 MOLLESSE

N. 1 **Mollesse,** moelleux *(le moelleux)* ; flaccidité [litt.], mollasserie [rare]. – MÉD. : atonie, hypotonie **541.**

2 Tendresse (ou : tendreté, tendreur) [rare] ; spongiosité [didact.] ; viscosité. – Élasticité **259,** flexibilité, plasticité, viscoplasticité [PHYS.].

3 Amollissement **303** ; **ramollissement** ; avachissement, relâchement ; détumescence [PHYSIOL.]. – Attendrissement ; blettissement ou blettissure ; bruissage [TECHN.] **372.**

4 Adoucissant *(un adoucissant),* **assouplissant** *(un assouplissant)* ; émollient *(un émollient)* [MÉD.]. – Adoucisseur.

5 Mollasse ou molasse *(la mollasse).* – Molleton ; molleterie ou mollèterie [TECHN.]. – Mollusque [ZOOL.] **527.**

V. 6 Mollir, **ramollir** ; cotonner ; blettir.

7 Amollir, assouplir, **attendrir** ; bruir [TECHN.] ; mollifier [vx] ; mollir *(mollir une amarre, mollir une ligne)* ; avachir, déformer **212** ; paumoyer [TECHN.]. – Désarticuler, désosser **230,** disloquer ; désarêter [rare].

8 Décontracter **298, détendre,** relâcher ; déraidir [litt.], **donner du mou** ; donner du jeu [TECHN.]. – Fluidifier.

Adj. 9 **Mou** ou, vx, mol, mou comme de la guimauve ; fam. : mollasse, ramollo ; distendu, **flasque,** flétri, lâche ; flaccide [litt.] ; atone ou atonique [MÉD.] ; détumescent [PHYSIOL.] ; **désarticulé,** désossé, disloqué ; invertébré. – Cotonneux, spongieux, visqueux ; viscostatique [PHYS.]. – Mollet *(crabe mollet, œuf mollet)* ; moelleux, **tendre.** – Doux ; douillet.

10 Flexible, souple ; **plastique** ; façonnable [TECHN.] ; viscoplastique [PHYS.].

Adv. 11 **Mollement** ; flasquement [rare] ; tendrement [rare] ; moelleusement.

Aff. 12 Malaco- *(malacoderme, malacologie).*

527 MOLLUSQUES ET PETITS ANIMAUX MARINS

N. 1 **Mollusque 873.** – **Amphineures** (aplacophores, monoplacophores, polyplacophores ou chitons), **bivalves** [ou : lamellibranches, pélécypodes] (anisomyaires, cténodontes ou paléotaxodontes, rudistes, taxodontes), **céphalopodes** (ammonoïdes, coléoïdes ou dibranches, bélemnoïdes, sépioïdes, teuthoïdes, nautiloïdes ou tétrabranches ; ammonites, cératites, goniatites ; clyménidés), **gastéropodes** ou, vieilli, gastropodes (opisthobranches, prosobranches, pulmonés), scaphopodes. – Octopodes.

2 BIVALVES

abra ou syndesmie
adacna
anomie
anthracosia
arche
arrosoir
astarté
avicula ou pteria
belon
bénitier
cardite
cerastoderma
chame
chione
clam
congérie
coque
coquille Saint-Jacques (ou pecten, peigne)
couteau ou solen
cyclade
diceras
donax ou flion
dosinia
dreissénie
exogyre
galatée
gryphée
hanon
hippurite
huître
huître perlière (ou méléagrine, pintadine)
isocarde
lavignon
lime
lucine
lutraire
marennes
margaritifera
marteau
modiole
moule
mye ou bec-de-jar
nucule
palourde (ou clovisse, mactre, tapes)
penicillus
pétoncle
pholade
pied-de-cheval
pinne ou jambonneau
praire ou vénus
radiolites
requinia
spondyle
taret
telline
tridacne
trigonie
unio ou mulette
vénéricarde
xylophage
yoldia

3 GASTÉROPODES

actéon
ampoule
ancyle
aplysie ou lièvre de mer
atlante
bellérophon
bernicle (ou bernique, patelle)
bigorneau
bulinus
bulle
bulot
calliostoma
calyptrée
cancellaire
carinaire
casque
cassidaire ou morio

cauri
cavoline
cérithe
chapeau chinois
clausilie
clio
cône
conque
crépidule
cymbium ou yet
cyprée ou **porcelaine**
doris
éolide
firole
fissurelle
fuseau
gibbule
haliotide (ou oreille-de-mer, ormeau)
harpe
janthine
lambis ou strombe
limnée
littorine
murex
nasse
natice
nérite
océnèbre ou tritonalia
olive
ovule
paludine
physe
planorbe
pourpre
scala ou scalaria
succine
triton
troque
turbo
turritelle
vermet
volute

4 **CÉPHALOPODES**

amaltheus
architeuthis
argonaute
bélemnite
calamar (ou calmar, encornet)
chiroteuthis
clymenia
cranchia
élédone
histioteuthis
nautile
ommatostrèphe
onychoteuthis
pieuvre ou poulpe
seiche
sépiole (ou casseron, souchot)
spirule

5 **AMMONITES**

ammonite
cardioceras
hildoceras
hoplites
lytoceras
macrocéphalites
medlicottia
oppelia
orthoceras
pachydiscus
parkinsonia
perisphinctes
phylloceras
pinacoceras
scaphites
tissotia

6 **AMPHINEURES**

chiton ou oscabrion
neomenia
néopilina

7 **MOLLUSQUES TERRESTRES**

arion ou loche
escargot (ou colimaçon, limaçon)
escargot vigneron
hélix ou escargot commun
limace
parmacelle
petit-gris
testacelle
zonites

8 Autres animaux marins. – Échinodermes ou kinorhynques : **pelmatozoaires** (hétérostelés, cystidés, blastoïdes, crinoïdes), **édriastéroïdes** (holothurides, échinides, astérides, ophiurides, ophiocistoïdes).

9 **ÉCHINODERMES**

acanthaster
astérie ou **étoile de mer**
cidaris
clypeaster
comatule ou antédon
encrine ou lis de mer
henricia
luidia
micraster
oursin ou châtaigne de mer
solaster
spatangue
trépang (ou : bêche-de-mer, biche-de-mer)

10 Spongiaires. – Démosponges, éponges calcaires ou calciponges, hexactinellides. – Chaline, clione, **éponge,** euplectelle, geodia, hyalonème, spongille.

11 Cnidaires ou cœlentérés. – **Hydrozoaires** (hydraires, hydrocoralliaires, siphonophores, automéduses), **anthozoaires** (octocoralliaires ou alcyonaires, hexacoralliaires).

12 **CNIDAIRES**

acropore
actinie ou anémone de mer
adamsia
anthoméduse
aurélie
calcéole
corail
cuboméduse
cyanée
dactylozoïde ou machozoïde
dendrophyllie
favosite
fongie ou fungia
gastrozoïde
géryonia
gorgone
hydre
hydroméduse
leptoméduse
lucernaire
madréporaire
méandrine
méduse
millépore
obélie
ortie de mer
pélagie
pennatule ou plume de mer
physalie
polype
porpite
rhizostome ou poumon de mer
sagartia
trachyméduse
tubipore ou orgue de mer
vélelle
vérétille
virgulaire ou funiculine

13 Cténaires ou cténophores. – Béroé, ceste ou ceinture de Vénus, cydippe, eucharis.

14 **Coquillage** ; **coquille** ; frustule, septe. – Apex, columelle, cuticule ou periostracum, écaille, épiphragme, labre, nacre, opercule, protoconque, rostre, spire, valve, valvule. – Byssus ; pédoncule, pied. – Bec-de-perroquet, radula.

15 Ambulacre ; **pore,** test ; oscule ou pore exhalant, ostium ou pore inhalant. – Piquant, radiole, spicule. – Lanterne d'Aristote.

16 Héliciculture, mytiliculture, ostréiculture, spongiculture.

17 **Malacologie** ; conchyliologie.

Adj. 18 **Malacologique** ; conchyliologique. – Malacophile.

19 **Qualifiant les coquilles**

FORME

acarde
ampullacée
bitestacée
bombée
bullée
canaliculée
cataphractée
chambrée
cloisonnée
columellée
conique
conoïde
cucullée
cylindracée
dentelée
déprimée
discoïde
enroulée
entomostracée
épineuse
fasciée
flambée
fruste
fusiforme
globuleuse
lamelleuse
lenticulaire
monothalame
multiloculaire
mutique
nacrée
naviculaire
ombiliquée
operculée
orbiculaire
ostracée
ovale
ovoïde
papyracée
piriforme
polythalame
puppiforme
rostrale
scabre
spirale
striée
tricotée
tubuleuse
tuilée
tuniquée
turbinée
turriculée
variqueuse
ventrue

TYPE

bivalve
conivalve
équivalve
inéquivalve
multivalve
quadrivalve
trivalve
univalve

Aff. 20 Malaco-.

21 -ceras ; -branche, -pode, -valve.

528 MOMENT

N. 1 **Moment,** point, temps, temps T [PHYS.] ; date **610.** – Épisode, étape, phase, stade. – Circonstances **4,** conjoncture, situation **769.** – **Occasion,** opportunité **571.**

2 **Moment crucial,** moment décisif, moment fatidique ; moment charnière ; moment psychologique. – Moment favorable, moment indiqué, moment propice. – L'heure du berger ; l'heure du crime. – L'heure H **421** ; le grand jour, le jour J.

3 Exactitude, ponctualité **644.**

V. 4 C'est le moment, c'est le moment ou jamais, **il est temps** ; l'heure ou le moment est venu ; l'heure est à + n.

5 Arrêter une date, **fixer une date,** prendre date, prendre jour, prendre rendez-vous.

6 Profiter du moment, saisir le moment.

7 **Faire date,** faire époque.

Adj. 8 Momentané ; synchronique [didact.]. – **Ponctuel 644,** précis.

Adv. 9 **À un moment donné,** dans ce moment [litt.] ; sur le moment. – Adonc [vx], **alors.** – Un beau jour, un beau matin ; **une fois,** un jour.

10 À date fixe.

Prép. 11 **Lors de** ; à la date de, en date du. – À l'heure de, à l'instant de, **au moment de** ; sur le coup de ; à l'occasion de.

Conj. 12 Alors que, comme, **lorsque, quand.** – À l'heure où, à l'instant où, au moment où ; vx : au moment que, dans le moment que ; à la minute où, à la seconde où.

13 À partir du moment où ; dès l'instant où, dès la minute où, dès le moment où, **dès que.** – Du moment où [vx], une fois que. – Jusqu'à ce que, jusqu'au moment où.

529 MONNAIE

N. 1 **Monnaie.** – Argent comptant, argent liquide, **espèces,** liquidité *(des liquidités),* numéraire *(le numéraire).* – Monnaie fiduciaire, monnaie de papier ou papier-monnaie ; monnaie de convention, monnaie fictive [vx]. – Monnaie bancaire ou monnaie de banque, monnaie scripturale ; jeu d'écriture. – Monnaie électronique ; monétique.

2 Argent blanc, espèces sonnantes et trébuchantes, monnaie métallique ; espèce [vx]. – Pièce de monnaie ; arg., vx : croix, jaunet, rondin, roue de carrosse.

3 **Menue monnaie,** monnaie d'appoint, piécettes. – Fam. : ferraille, mitraille ; vx : clinquaille ou quincaille, vaisselle de poche ; bigaille [arg.].

4 **Billet de banque** ; fam. : biffeton ou bifton ; arg. : faf (ou : faffe, fafiot). – Anc. : assignat ; bank-note ou banque-note.

5 **Argent 40.** – Fam. : **fric,** monnaie, pognon ; ronds, sous. – Fam., vx : denier, patard, pécune. – Arg. : auber ou aubert [vieilli], **blé,** braise, flouse ou flouze, fraîche, galette, grisbi, oseille, osier, pèse ou pèze, pépètes ou pépettes, picailles ou picaillons, thune ; vx : cigue ou sigue, quibus ; frusquin ou saint-frusquin.

6 **Pièce de monnaie.** – Avers, droit, **face,** obvers, tête ; croix [vx]. – Envers, **pile,** revers. – Tranche ; carnèle ou carnelle, cordon, grènetis ou grèneture. – Champ ; effigie, exergue, légende, millésime.

7 Monnaie droite. – **Fausse monnaie** ; monnaie chargée, monnaie fourrée.

8 PRINCIPALES UNITÉS MONÉTAIRES

Afghanistan : afghani
Afrique du Sud : rand
Albanie : lek
Algérie : dinar algérien
Allemagne : euro
Andorre : euro
Angola : kwanza
Antigua : dollar des Caraïbes de l'Est
Antilles néerlandaises : florin des Antilles
Arabie saoudite : riyal
Argentine : peso
Australie : dollar australien
Autriche : euro
Bahamas (archipel des) : dollar des Bahamas
Bahreïn : dinar de Bahreïn
Bangladesh : taka
Barbade : dollar de la Barbade
Belgique : euro
Belize : dollar de Belize
Bénin : franc C. F. A.
Bermudes : dollar des Bermudes
Bhoutan : ngultrum
Birmanie : kyat
Bolivie : boliviano
Bosnie-Herzégovine : mark convertible
Botswana : pula
Brésil : real
Brunei : dollar de Brunei
Bulgarie : lev
Burkina : franc C. F. A.
Burundi : franc du Burundi
Cambodge : riel
Cameroun : franc C. F. A.
Canada : dollar canadien
Cap-Vert : escudo du Cap-Vert
Carolines : dollar U. S. A.
Cayman : dollar du Cayman
C.E.E. : euro
Chili : peso
Chine : yuan
Chypre : livre cypriote
Colombie : peso colombien
Comores : franc C. F. A.
Congo : franc C. F. A.
Congo (République démocratique du) : franc congolais
Cook : dollar néozélandais
Corée du Nord : won
Corée du Sud : won
Costa Rica : colón
Côte d'Ivoire : franc C. F. A.
Croatie : kuna croate
Cuba : peso cubain
Danemark : krone
Djibouti : franc de Djibouti
Dominique : dollar des Caraïbes de l'Est
Égypte : livre égyptienne
Émirats arabes unis : dirham
Équateur : sucre
Espagne : euro
Estonie : kroon
États-Unis : dollar U. S. A.
Éthiopie : birr
Falkland : livre des Falkland
Fidji : dollar des Fidji
Finlande : euro
France : euro
Gabon : franc C. F. A.
Gambie : dalasi
Ghana : cédi
Gibraltar : livre de Gibraltar
Grande-Bretagne : livre sterling
Grèce : euro
Grenade : dollar des Caraïbes de l'Est
Guadeloupe : euro
Guam : dollar U. S. A.
Guatemala : quetzal
Guinée : franc guinéen
Guinée-Bissau : peso
Guinée équatoriale : franc C. F. A.
Guyana : dollar de Guyana
Guyane française : euro
Haïti : gourde
Honduras : lempira
Hongkong : dollar de Hongkong
Hongrie : forint
Îles Vierges : dollar U. S. A.
Inde : roupie
Indonésie : rupiah
Iran : rial
Irak : dinar irakien
Irlande (République d') : euro
Islande : króna
Israël : shekel
Italie : euro
Jamaïque : dollar jamaïcain
Japon : yen
Jordanie : dinar jordanien
Kenya : shilling du Kenya
Kiribati : dollar australien
Koweït : dinar koweïtien
Laos : kip
Lesotho : loti
Lettonie : lats
Liban : livre libanaise
Liberia : dollar libérien
Libye : dinar libyen
Liechtenstein : franc suisse
Lituanie : litas
Luxembourg : euro
Macao : pataca
Madagascar : franc malgache
Malawi : kwacha
Malaysia : dollar de Malaysia ou ringgit
Maldives : roupie maldivienne
Mali : franc C.F.A.
Malte : livre maltaise
Maroc : dirham
Marshall : dollar U. S. A.
Martinique : euro
Maurice : roupie mauricienne
Mauritanie : ouguiya
Mexique : peso mexicain
Monaco : euro
Mongolie : tugrik
Mozambique : metical
Namibie : rand
Nauru : dollar australien
Népal : roupie népalaise
Nicaragua : córdoba
Niger : franc C. F. A.
Nigeria : naira
Norvège : krone
Nouvelle-Calédonie : franc C. F. A.
Nouvelle-Zélande : dollar néo-zélandais
Oman : rial d'Oman
Ouganda : shilling ougandais
Pakistan : roupie pakistanaise
Panamá : balboa
Papouasie-Nouvelle-Guinée : kina
Paraguay : guarani
Pays-Bas : euro
Pérou : sol
Philippines : peso philippin
Pologne : zloty
Polynésie française : franc C. F. P.
Porto Rico : dollar U. S. A.
Portugal : euro
Qatar : riyal
Rép. centrafricaine : franc C. F. A.
Rép. dominicaine : peso dominicain
Rép. tchèque : koruna
Réunion : euro
Roumanie : leu
Russie : rouble
Rwanda : franc rwandais
Sainte-Lucie : dollar des Caraïbes de l'Est
Saint-Martin : lire
Saint-Pierre-et-Miquelon : euro
Saint-Vincent : dollar des Caraïbes de l'Est
Salomon : dollar des Salomon
Salvador : colón
Samoa : tala
Samoa américaines : dollar U. S. A.
Sao Tomé e Príncipe : dobra
Sénégal : franc C. F. A.
Serbie : dinar serbe
Seychelles : roupie des Seychelles
Sierra Leone : leone
Singapour : dollar de Singapour
Slovaquie : koruna
Slovénie : euro

Somalie : shilling somalien
Soudan : livre soudanaise
Sri Lanka : roupie cingalaise
Suède : krona
Suisse : franc suisse
Surinam : florin de Surinam
Swaziland : lilangeni
Syrie : livre syrienne
Taïwan : dollar de Taïwan
Tanzanie : shilling tanzanien
Tchad : franc C. F. A.
Thaïlande : baht
Togo : franc C. F. A.
Tonga : pa'anga
Trinité-et-Tobago : dollar de Trinité-et-Tobago
Tunisie : dinar tunisien
Turquie : livre turque
Tuvalu : dollar australien
U.E. : euro
Ukraine : hrivna
Uruguay : peso
Vanuatu : vatu
Vatican : euro
Venezuela : bolívar
Viêt Nam : dông
Wallis-et-Futuna : franc C. F. P.
Yémen : rial et dinar
Zambie : kwacha
Zimbabwe : dollar du Zimbabwe

9 Franc, centime ou, vx, sou. – Arg. : balle, bâton, brique.

10 Principales divisions. – Agorot, cent, centavo, centésimo, centime, céntimo, chon, eyrir, fil, fillér, groschen, groszy, jiao, khoum, kopeck, makuta, öre, penny, pesewa, pfennige, piastre, pool, qintar, sen.

11 ANTIQ. – Darique ; sicle. – Drachme ; tétradrachme. – Mine, obole, statère, talent. – Potin. – Aes, as, denier, quinaire, scrupule. – Didrachme. – Aureus ; dupondius, sesterce. – Miliarensis, solidus ; semissis, tremissis ; nummus. – Follis. – Dinar, dirhem.

12 HIST. – Agnel, angelot, angelin, blanc, carolus, denier, douzain, écu, esterlin, franc, liard, livre parisis, livre tournois, louis, maille, marc, moneron, napoléon, obole, pistole, pite, quadruple, seizain, six-blancs, sou, teston.

13 HIST. – Aspre, augustale, belga, besant, carlin, doublon, douro, ducat ou gros, ducaton, escalin, florin, gulden, jacobus, kreutzer, maravédis, monaco, noble, pagode, para, pata ou patard, picaillon, plaquette, quadruple, réal, réis, rixdale, sapèque, sequin, tael, thaler, toman.

14 **Étalon** ; étalon-argent, étalon-or. – Métal étalon ; argentisme, bimétallisme, monométallisme. – Système monétaire ; système monétaire européen (abrév. S.M.E.). – Dollarisation.

15 **Plafond** ; plafond d'émission. – **Plancher** ; liquidité, trésorerie. – Réserves. – Masse de la monnaie, volume de la monnaie.

16 TECHN. : ajustage, monnayage ; **faux-monnayage.**

17 **Monétisation.** – Émission, mise en circulation ; surémission.

18 Convertibilité (opposé à inconvertibilité ou non-convertibilité). – **Cours** ; cours forcé (opposé à cours légal) ; cours libre.

19 Monétarisme [ÉCON.].

20 Institut d'émission ; Banque de France. – L'hôtel de la Monnaie (à Paris) ou la Monnaie.

21 **Porte-monnaie** ; aumônière, bourse, escarcelle, gibecière. – Porte-billets, **portefeuille.** – Sébile, soucoupe ; bassinet [vx], tirelire, tronc. – Tiroir-caisse.

22 Monnayeur [rare].

23 Faussaire, **faux-monnayeur 379.4.**

24 Numismate.

25 Monétariste [FIN.]. – Argentiste. – Bimétalliste, monométalliste.

V. 26 Monnayer, monétiser ; battre ou frapper monnaie. – **Émettre** *(émettre une nouvelle monnaie).* – Démonétiser, retirer *(retirer une monnaie de la circulation).*

27 **Changer,** convertir, échanger.

28 Circuler, passer. – Avoir cours.

Adj. 29 **Monétaire.** – Bimétallique, monométallique.

30 Démonétisé.

31 Bimétalliste, monométalliste. – Inflationniste.

Adv. 32 Pécuniairement. – En espèces ; cash [fam.].

530 MONTAGNE

N. 1 **Montagne.** – Colline, élévation, éminence, hauteur, relief ; cime, sommet.

2 Hautes terres, pays de montagne ; altiplano, highlands, haut plateau, plateau, puna, tepui.

3 Chaîne de montagnes, chaîne de volcans. – Cordillère, sierra ; inselberg, massif. – Djebel.

4 **Mont,** monticule, morne [région.], tertre ; dune, nebka [GÉOMORPH.] ; inselberg. – Montagne à lait, montagne à vaches, petite montagne, montagnette.

5 Val, **vallée,** valleuse [région.], vallon. – Vallée jeune, vallée mûre ; vallée aveugle, vallée morte, vallée sèche ; reculée [région. ou GÉOGR.]. – Vallée glaciaire ; vallée principale, vallée suspendue, vallée tributaire. – Cañon ou canyon **530.** – Fjord.

6 Volcan ; volcan hawaiien, volcan péléen, volcan strombolien, volcan vulcanien **337.** – Cratère ; cratère en aiguille, cratère en coupole, cratère en dôme, cratère égueulé. – Cône de déjection.

7 Glacier, glacier continental ou inlandsis, glacier de piémont, glacier rocheux, montagne de glace [vx] ; névé. – Iceberg, ice-shelf ou shelf.

8 Crêt, crête, ligne de crête, dent, dorsale, éperon, faîte, front, piton, planina, serre. – Aiguille, pic, pointe **637** ; point culminant. – Ballon, croupe, dôme, mamelon ; pain de sucre ; région. : plomb, puy. – Calotte glaciaire, calotte neigeuse.

9 Brèche, cluse, **col,** combe, défilé, **gorge,** porte, seuil, trouée. – Cañon, gorge. – Caverne, **cirque,** crevasse, dépression **167,** faille ; abrupt *(un abrupt),* à-pic *(un à-pic).* – Aven, bétoire, doline, gouffre, igue [région.]. – Ravin, ravine, ravinée.

10 Assises [GÉOL.]. – Étage ; étage collinéen, étage montagnard ; étage alpin, étage sub-alpin. – Base, pied ; contrefort. – Arête, côte, escarpement, flanc, penchant [litt.], thalweg, **versant 158** ; contre-pente, pente, verrou ; région. : adret, soulane, ubac.

11 Avalanche **119** ; éboulement. – Éboulis, pierrier.

12 Orogenèse.

13 **Ascension 531,** course de montagne, escalade, grimpée, trekking, varappe **792.6.** – **Alpinisme,** andinisme, dolomitisme, himalayisme, pyrénéisme. – **Montagnard** ; ascensionniste *(un ascensionniste),* escaladeur, glaciériste, grimpeur, rochassier, varappeur. – Cordée.

V. 14 Couronner, dominer **240, surplomber 204** ; tomber en à-pic. – Se dresser, s'élever, s'ériger. – Culminer ; plafonner.

15 Courir la montagne, faire de la montagne ; varapper. – Ascensionner, escalader, gravir, faire l'ascension de. – Dégringoler, dévaler. – ALP. : dérocher, dévisser.

Adj. 16 **Montagneux,** montueux [vx] – Alpestre, alpin ; andin, hymalayen.

17 Abrupt, accidenté, escarpé, pentu, raide ; hérissé. – Mamelonné, modelé ; en terrasse. – Érosif, gélif [GÉOL.]. – En auge, en U.

18 **Montagnard** ; alpicole, alpigène, monticole, orophile [BIOL.].

Aff. 19 Alti-, alto-, hypso-, oréo-, oro-.

531 MONTÉE

N. 1 **Montée** ; **ascension,** décollage **831,** lévitation **457.** – Ascendance [ASTRON.]. – FAUC. : montant, montée d'essor, montée de fuite ; levade [ÉQUIT.]. – Levage (ou : levée, pousse) [levage de la pâte] ; gonflement.

2 **Escalade,** grimpée ; montaison [ZOOL.]. – Montée, progrès, progression.

3 Élévation, **hausse 56.**

4 Dressage, **élévation,** hissage, levage **489,** montage ; lève [TEXT.].

5 **Édification 150,** élévation, érection. – Exhaussement. – ARCHIT. : surélévation ou surélèvement, surhaussement ; agrandissement ; extension.

6 Altitude, élévation, **hauteur 359.**

7 Culmination, élévation *(une élévation),* hauteur, montée ; côte, grimpée, grimpette [fam.], **montagne 530.**

8 Échelle, **escalier 481** ; ascenseur. – Téléski ou remonte-pente ; monte-pente [rare] ; tire-fesses [fam.].

9 TECHN. – Cric, élingue ou brayer, **levier, treuil,** vérin, winch ; bigue, chèvre, **grue,** mât de levage, pied de chèvre ; moufle, palan. – Élévateur ou appareil élévateur ; monte-charge, monte-fûts, monte-matériaux, monte-sacs. – **Pompe,** pompe aspirante. – Colonne montante.

10 Astre ascendant ou un ascendant [ASTRON.] **49.**

11 Alpinisme **792,** escalade.

V. 12 **Monter** ; décoller, **s'élever,** léviter. – Escalader, gravir. – Remonter.

13 Grimper, varapper ; faire de l'escalade ; ascensionner, faire de l'ascension, faire de la montagne.

14 Se dresser, **s'élever, monter** ; se hausser. – Gonfler, grandir, grossir, monter en graine.

15 Élever ; arborer *(arborer un drapeau),* hausser, hisser, gruter [TECHN.], **lever,** monter, **soulever** ; dresser ; relever. – Aspirer, pomper. – Monter des blancs en neige [CUIS.]. – Faire la courte échelle à qqn. – Cabrer [ÉQUIT.].

16 Élever ; bâtir, **construire.** – ARCHIT. : exhausser, surélever, surhausser.

17 **Atteindre,** s'élever à, monter à ; culminer ; rejoindre. – Monter ; être en hausse.

18 Dominer, surmonter ; dépasser, **surplomber 204.**

Adj. 19 **Ascendant,** montant ; grimpant, grimpeur. – Ascensionnel.

20 Élévateur [TECHN.] ; élévatoire [didact.]. – Édificateur.

21 Culminant, élevé, **haut.**

Adv. 22 Au-dessus. – **En haut,** en hauteur.

23 De bas en haut. – Per ascensum [GÉOL.].

Prép. 24 Sur. – Au-dessus de.

Aff. 25 Sur- ; super-, supra-.

532 MOQUERIE

N. 1 **Moquerie** ; persiflage, plaisanterie, raillerie, risée, satire. – Dérision.

2 Ironie ; causticité, espièglerie, malice. – Dédain **439,** nargue [litt., vx].

3 Gouaille, gouaillerie, goguenardise, goguenarderie [vx] ; gaudissement [litt., vx].

4 Charge, **raillerie,** sarcasme **497 ; pique,** pointe, saillie, trait ; litt. : brocard, lazzi, quolibet ; vx : gaudisserie, gausserie, lardon [fig.], nasarde. – Flèche du Parthe [litt.]. – Ricanement, ricanerie [rare], **rigolade,** rire **132.**

5 **Plaisanterie** ; attrape, blague **132,** camouflet [vx], canular, facétie, **farce,** humbug [rare, vx], malice, tour ; bobard [fam.], galéjade [région.], gausse [vx], mystification **838.** – Mise en boîte [fam.]. – Niche, taquinerie ; pied de nez [fig.].

6 Caricature, farce, satire, sotie ou sottie ; portrait charge. – Épigramme.

7 **Blagueur** [fam.], farceur, galéjeur [région.], plaisantin **132** ; pince-sans-rire. – Moqueur, persifleur. – Vx : brocardeur, gabeur.

8 Dindon de la farce [fam.] ; vx : chouette *(chouette d'une société),* faquin, marotte, plastron. – Tête de Turc.

V. 9 **Moquer** [litt. ou vx], plaisanter, railler, **taquiner** ; fam. : charrier, chambrer, vanner ; vx : chiner, gaber, gausser, goguenarder, nasarder, turlupiner. – Sout. : brocarder, jouer. – Fam. : emboîter [rare], **faire marcher,** mener en bateau, mettre en boîte, promener. – Berner, leurrer **838.**

10 Rire de, rire aux dépens de. – Se rire de [litt.] ; se foutre de [très fam.], se gaudir de [vx], se gausser de [litt.], **se moquer de** ; s'amuser de, se divertir de, se jouer de ; s'offrir ou se payer la tête de [fam.]. – Faire des gorges chaudes de.

11 Persifler, **railler** ; se persifler [vx]. – Charger ; chansonner, caricaturer, satiriser. – Ironiser.

12 Braver [vx], faire la figue à [vieilli], faire nargue [vx], narguer **439,** rire au nez de. – Dauber (qqn) ou dauber sur (qqch ou qqn) [litt.].

13 **Plaisanter** ; galéjer ou galéger [région.], goguenarder [vieilli] ; fam. : blaguer, charrier, rigoler ; vx : chiner, se moquer.

14 Être la fable de ; être la risée de.

Adj. 15 **Moqueur** ; facétieux, farceur, goguenard, malicieux, plaisantin, taquin ; blagueur [fam.], chineur [vx].

16 Persifleur, railleur, sarcastique ; sardonique. – Ironique, **narquois.** – Caustique, mordant **248,** piquant.

Adv. 17 Moqueusement [rare] ; facétieusement, **malicieusement** ; rare : plaisamment, taquinement. – À la blague [fam.].

18 Sarcastiquement ; sardoniquement. – Ironiquement, narquoisement. – Caustiquement, satiriquement.

533 MORALE

N. 1 **Morale** ; PHILOS. : axiologie, **éthique** *(l'éthique),* morale pratique (opposé à morale théorique), morale provisoire (Descartes) ; RELIG. : casuistique *(la casuistique),* théologie morale ; bioéthique ou éthique médicale ; éthologie **873.** – Moralisme [PHILOS.]. – Morale *(une morale),* traité de morale.

2 **Devoir 213,** norme **559 ; vertu 858,** vertu morale ou naturelle (opposé à vertu surnaturelle). – Loi **245,** loi morale (Kant), mœurs, **principe,** règle de vie, valeur morale ; dictamen [rare]. – Code d'honneur ; déontologie.

3 PHILOS. : épicurisme, eudémonisme, hédonisme, stoïcisme, utilitarisme ; progressisme ; solidarisme. – RELIG. : hanafisme, hanbalisme, malékisme ; *halaka* ou *halacha* [hébr.]. – Jansénisme [fig., litt.], **puritanisme,** rigorisme ; **ascétisme** ; dolorisme. – Jésuitisme [souv. péj.]. – Formalisme. – Ouvriérisme.

4 Certificat de moralité. – Bonne conduite, **bonnes mœurs.** – Moralité.

5 **Honnêteté 365,** probité ; droiture, intégrité, intégrité morale, **pureté,** sainteté. – Bienséance, **honneur 366,** honorabilité ; mérite **507.** – Austérité, rigueur, rigueur morale ; justice **451,** loyauté ; **sagesse.**

6 **Moralité** ; licéité [rare].

7 Maxime, **précepte,** proverbe, sentence. – Commandement *(les dix commandements)*

(Deutéronome), Décalogue ; prescription **650** ; axiome, impératif catégorique (Kant). – Catéchisme ; morale [vx], parabole, parénèse [vx], prêche [vx], **sermon** ; admonestation. – Cas de conscience.

8 **Moralité** ; enseignement, instruction ; morale de l'histoire [fam.]. – Apologue, **fable.**

9 Édification, **éducation 253,** instruction. – Moralisation ; sublimation [litt.].

10 **Conscience,** raison pratique, sens moral ; **for intérieur,** lumière intérieure, voix intérieure. – PSYCHAN. : idéal du moi, surmoi. – Voix de la conscience ; cri de la conscience. – Bons sentiments. – Âge de raison.

11 Ascète **47,** guide, **sage** *(un sage),* saint. – Moraliseur [péj., vx] ou moralisateur *(un moralisateur),* prêcheur [fam.], sermonneur [fam.] ; prédicant *(un prédicant)* ; **moraliste.** – Casuiste ; puritain.

V. 12 Moraliser [vieilli], **prêcher 648.** – Catéchiser, édifier, sermonner ; **faire la morale** ou la leçon à qqn ; admonester, gronder. – Civiliser, **éduquer,** instruire, policer ; guider.

13 Moraliser.

Adj. 14 **Moral** ; **éthique,** philosophique.

15 **Juste,** licite **58,** moral ; bienséant, de bon goût, de bon ton. – Édifiant, exemplaire. – Moralisé [litt.].

16 Convenable, **honnête,** honorable, méritoire, **vertueux.** – Élevé, saint. – **Austère,** rigoriste, rigoureux. – Moralisant, moralisateur, prêcheur [fam.], sermonneur [fam.].

Adv. 17 **Moralement** ; éthiquement.

18 **Moralement** ; correctement, dignement, honnêtement, honorablement, vertueusement.

534 MORT

N. 1 **Mort,** mourir *(le mourir)* [litt. et vx]. – **Décès,** trépas ; anéantissement, destruction **205, disparition 228,** fin **315** ; grand saut, grand voyage. – **Repos éternel,** repos des justes ; dernier sommeil, sommeil éternel ; nuit du tombeau.

2 **Agonie** ; **dernière heure, heure suprême.** – **Dernier souffle, dernier soupir** ; dernière goutte d'huile [fig.]. – Chant du cygne.

3 **Pulsion de mort.** – Thanatos (opposé à Éros) [PSYCHAN.].

4 Mortalité, mortinaissance, mortinatalité [SOCIOL.]. – Létalité.

5 **Résurrection,** survie, vie dans l'au-delà ; métempsychose, réincarnation.

6 **La Mort** ; l'Ankou [région.], la Camarde, **la Faucheuse,** la Fossoyeuse, la Nettoyeuse, la Parque. – Ange de la mort, ange exterminateur.

7 Faux, larme d'argent, sablier, squelette, tête de mort ; colonne tronquée, urne cinéraire.

8 MYTH. : **séjour des morts** ; les Enfers, les limbes, le royaume de Pluton, le Tartare ; Achéron, Léthé, Styx. – Val-Hall ou Walhalla. – RELIG. : Enfer **271,** Paradis **591,** Purgatoire.

9 **Esprit** *(un esprit)* ; revenant ; fantôme, spectre. – MYTH. : lares, lémures, mânes, ombres. – Mort-vivant, vampire, zombie.

10 Psychagogie [ANTIQ.]. – **Spiritisme.**

11 **Coma,** coma profond, mort cérébrale. – Léthargie, mort apparente, sidération. – Rigidité cadavérique ; mortification, nécrose, **putréfaction.**

12 **Accident,** noyade, submersion. – Assassinat, **meurtre 169,** mise à mort. – Exécution ; suppression ; extermination. – Immolation, sacrifice. – **Suicide.** – Hara-kiri (ou, plus correct, seppuku).

13 Apoplexie, arrêt cardiaque, asphyxie, embolie, hydrocution ; inanition, inhibition.

14 MÉD. – Euthanasie (opposé à dysthanasie).

15 **Autopsie** ; docimasie [MÉD.].

16 **Agonisant** *(un agonisant),* **mourant,** moribond ; prémourant [DR.]. – **Mort** *(un mort, les morts)* ; noyé, suicidé, trépassé. – **Cadavre, corps.** – Arg. : macchabée, viande froide *(de la viande froide).*

17 **Assassin 169,** tueur ; bourreau.

18 Échafaud. – Champ de bataille ; coupe-gorge. – Mouroir. – Abattoir.

19 Nécrologie ; notice nécrologique (fam., nécro). – Thanatologie.

V. 20 **Mourir** ; décéder, disparaître, expirer, finir, partir, périr, **succomber,** trépasser. – Faire le grand voyage, passer de vie à trépas, quitter la vie ; y rester. – Exhaler le dernier soupir, fermer les paupières ou les yeux ; perdre la lumière, perdre la vie, **rendre l'âme** (aussi : l'esprit, son dernier souffle). – Trouver la mort ou sa fin ; rester sur le carreau. – Mourir de sa belle mort.

21 S'échapper, **s'en aller,** s'effacer ; s'endormir, s'éteindre.

22 Arg. – Calancher, caner, claboter, clamser, **claquer, crever.** – Avaler son bulletin de naissance,

avaler sa chique, **casser sa pipe,** dévisser son billard, endosser la redingote en sapin (aussi : se faire tailler un costume en sapin), gagner la croix de bois, lâcher la rampe, laisser ses os (aussi : ses grègues, ses guêtres, ses houseaux), **passer l'arme à gauche,** sortir les pieds devant, souffler sa camoufle.

23 **Avoir un pied dans la fosse** ou dans la tombe ; sentir le sapin [arg.]. – Sentir la mort prochaine, sentir venir la fin.

24 **Agoniser** ; hoqueter, râler, suffoquer. – Avoir l'âme sur les lèvres ; avoir la mort entre les dents, sur les lèvres. – Être à l'agonie, être aux portes de l'éternité (aussi : de la mort, du trépas, du tombeau), être à la dernière extrémité, **être à l'article de la mort** ; lutter contre la mort, mener le dernier combat ; voir la mort en face. – Il n'y a plus d'huile dans la lampe [loc. prov.]. – *Acta est fabula* (lat., « la pièce est jouée », Auguste).

25 **Monter au ciel** ; être rappelé à Dieu, paraître devant Dieu ; s'endormir dans les bras de Dieu, s'endormir dans la paix du Seigneur. – RELIG. : Dieu a rappelé son serviteur, Dieu l'a rappelé à lui.

26 N'être plus de ce monde ; être dans les bras de la mort. – Ne pas avoir fait de vieux os [fam.]. – Gésir [vx, sauf dans l'inscription tumulaire traditionnelle : **ci-gît**] ; reposer. – Arg. : être guéri de tous les maux (aussi : du mal de dents), habiter boulevard des allongés, **manger les pissenlits par la racine.**

27 Faucher, foudroyer, frapper ; trancher le fil des jours de. – *« Omnia vulnerant, ultima necat »* **811.12.**

28 **Tuer** ; assassiner ; abattre. – Fam. : dépêcher, éliminer, expédier, occire, supprimer, trucider ; envoyer *ad patres,* laisser sur le carreau, rayer de la surface de la terre. – Arg. : bousiller, buter, dézinguer, escoffier [vx], ratatiner, rectifier, refroidir, zigouiller ; faire la peau à, régler son affaire à, ôter le goût du pain à. – Laisser pour mort ; achever. – Euthanasier.

29 Asphyxier, assommer, défenestrer, étouffer, noyer, revolvériser [fam.] ; couper la gorge à. – Abattre ; fam. : **descendre,** flinguer. – Fusiller, faire fusiller ; coller au mur [fam.]. – Étrangler ; fam. : tordre le cou à, serrer le kiki à ; dévisser le coco ou la poire à [arg.]. – Poignarder (arg. : suriner, crever la panse à, faire une boutonnière à ; saigner, trouer).

30 **Mettre fin à ses jours** ; se donner la mort, se suicider. – Fam. : **se brûler la cervelle,** se faire sauter le caisson. – Se jeter par la fenêtre, s'ouvrir les veines, se pendre. – Faire hara-kiri (ou, plus correct, faire seppuku).

31 **Mourir de** + n. *(mourir de douleur, de faim, de peur)* ; être emporté par ; partir de *(partir de la tête, du ventre),* s'en aller de, se mourir de [vx].

Adj. 32 **Mort** ; décédé, trépassé ; sans vie. – Sout. : **défunt** ; feu *(feu ma tante ; ma feue tante).* – Cané [arg.].

33 **Mourant** ; condamné ; très fam. : fichu, flambé, foutu. – Entre la vie et la mort ; plus mort que vif. – Blanc ou pâle comme la mort. – Cadavéreux ; cadavérique.

34 Funéraire, mortuaire ; nécrologique. – Posthume. – Funèbre, lugubre, **macabre.** – D'outre-tombe.

35 Fatal, létal, meurtrier, **mortel** ; mortifère [litt.].

Adv. 36 **Mortellement.** – *Post mortem* (lat., « après la mort »).

Int. 37 À mort ! Au poteau ! Tue ! [vx].

Aff. 38 **Nécro-, thanato-,** tapho- ; -thanasie, -taphe.

535 MOT

N. 1 **Mot** ; **terme, vocable** ; LING. : lexie, synapsie, unité lexicale, unité de signification. – **Parole 595,** verbe ; langue **455.** – Appellation, **nom 554.** – Groupe de mots ; expression, item, locution, syntagme, tour, tournure ; phrase **622,** proposition ; contexte ; paradigme [LING.].

2 **Mot** ; catégorie lexicale, classe de mots, **partie du discours** ; adjectif, adverbe, article, conjonction, interjection, nom ou substantif, préposition, pronom, verbe ; participe passé, participe présent, adjectif verbal ; onomatopée. – Appellatif, déictique, démonstratif, distributif, qualificatif, possessif, présentatif ; exclamatif, interrogatif ; augmentatif, diminutif, intensif. – Mot lexical (opposé à mot grammatical) **346** ; mot ou terme, terme technique, terme consacré ; gros mot **412,** mot tabou **429.** – Autonyme *(un autonyme)* ou autoréférent [LING.]. – Nature ; fonction.

3 **Mot** ; monosyllabe, dissyllabe, trisyllabe, quadrisyllabe, polysyllabe ; tétragramme, trigramme, trilitère ou trilittère **459** ; acrostiche, anagramme ; anacyclique, palindrome. – LING. : morphème-mot, mot-phrase ou

phrasillon **622** ; enclitique, proclitique. – Mot variable, mot invariable, épicène.

4 **Mot** ; **composé** *(un composé),* **dérivé** *(un dérivé)* ; mot hybride ; dénominatif, déverbal, déverbatif, synthème [LING.]. – **Abréviation,** contraction ; acronyme, sigle **765** ; mot-valise.

5 **Mot** ; allophone, homographe, **homonyme,** homophone, paronyme ; **antonyme** ou contraire, **synonyme.** – Calque, équivalent *(un équivalent).* – Doublet. – Variante graphique.

6 **Mot** ; archaïsme, dialectalisme, **emprunt 455,** néologisme, régionalisme ; mot forgé, nom déposé **554.** – Hapax.

7 Base, **racine, radical,** souche, thème ; **étymon** ; **désinence,** particule, **terminaison** ; affixe, infixe, **préfixe, suffixe** ; forme, forme libre, forme liée ; LING. : lexème, monème, morphème ; composant. – Syllabe.

8 Représentation graphique **709** ; écriture **252, graphie,** orthographe ; alphabet, lettre **459** ; hiéroglyphe, idéogramme, pictogramme, sténogramme. – LING. : signifiant ; image acoustique. – **Prononciation** ; phonème ; enclise, proclise ; élision, hiatus, liaison.

9 **Morphologie 346,** morphosyntaxe ; flexion ; accord, conjugaison, déclinaison ; alternance vocalique. – **Formation,** lexicalisation ; **composition, dérivation** ; affixation, infixation, préfixation, suffixation ; abrègement, métaplasme **313,** télescopage, troncation ; élision. – Adjectivation, grammaticalisation, pronominalisation, substantivation.

10 **Sémantisme 753** ; connotation, dénotation, extension ; monosémie, polysémie ; ambiguïté **24** ; analogie, antonymie, synonymie. – Homonymie, homophonie, paronymie. – Autonymie.

11 **Étymologie,** origine ; attestation, datation. – Évolution, filiation ; attraction paronymique, glissement de sens. – Famille de mots.

12 Figure de discours, trope **313.** – **Rhétorique** 729.

13 **Jeu de mots** ; calembour, contrepet, contrepèterie, **équivoque** ; charade, logogriphe, **mots croisés 446,** jeu du pendu ou pendu, rébus.

14 Usage. – **Niveau de langue,** registre verbal. – Hypercorrection. – **Abus de langage 3** ; barbarisme **283.**

15 **Lexique, vocabulaire** ; champ lexical ou champ sémantique **753.** – Terminologie.

16 **Dictionnaire 455,** glossaire, gradus, lexicon [vx], lexique, nomenclature, onomasticon [didact.], répertoire, thésaurus ; apparat [vx], index.

17 **Lexicologie.** – Onomasiologie ; sémasiologie. – **Lexicographie.**

18 Verbalisme [péj.] ; litt. : logomachie, phraséologie. – Nominalisme [PHILOS.]. – Onomatomanie [PATHOL.].

19 Lexicologue ; étymologiste *(un étymologiste).* – **Lexicographe.**

20 Cruciverbiste, mots-croisiste.

V. 21 **Lexicaliser** ; créer, forger ; **dériver** ; adjectiver, adverbialiser, grammaticaliser, pronominaliser, substantiver ; préfixer, suffixer. – Intégrer, introduire, naturaliser ; franciser.

22 Dire ou prononcer un mot ; **articuler 595** ; écorcher, estropier. – Écrire, orthographier.

23 Définir **753** ; comprendre, interpréter **432.**

24 S'employer, **être en usage** ; se perdre, tomber en désuétude, vieillir. – Dériver, provenir.

Adj. 25 **Lexical** (opposé à grammatical **346**), lexicalisé.

26 Dissyllabique, monosyllabique, polysyllabique, quadrisyllabique, trisyllabique. – Anagrammatique ; anacyclique. – **Composé** (opposé à simple), **dérivé,** préfixé, suffixé ; abrégé, contracté ; acronymique. – Déclinable, **variable** ; indéclinable, invariable ; épicène. – Homographique, homonymique, paronymique ; analogique, synonymique.

27 Autonymique, autoréférentiel.

28 Augmentatif, diminutif, intensif, mélioratif, péjoratif, privatif ; connotatif, dénotatif. – **Courant,** usité, usuel ; rare ; didactique, spécialisé, technique, scientifique ; littéraire, poétique ; soutenu ; familier, populaire, vulgaire ; argotique ; ancien, archaïque, inusité, obsolète, vieilli, vieux ; moderne, néologique ; dialectal, régional. – Abusif.

29 Hapaxique ; attesté.

30 **Verbal** ; formel ; textuel. – Lexicaliste ; nominaliste [LING.].

31 Lexicographique, **lexicologique, linguistique** ; étymologique, grammatical, sémantique.

Adv. 32 **Lexicalement,** verbalement **595.** – Littéralement **459,** textuellement, texto [fam.] ; mot à mot, mot pour mot.

33 Étymologiquement, grammaticalement **346,** graphiquement **252,** morphologiquement, phonétiquement, sémantiquement **753.**

Aff. 34 Lexico-, logo-.

35 -gramme, -lexie, -nyme, -nymie.

536 MOTIF

N. 1 **Motif** ; objet, mobile **92,** pourquoi *(le pourquoi),* principe, raison **682,** sujet [vx] ; occasion. – Détermination **716,** impulsion **391.**

2 COMM. – Mobile d'achat ; argument de vente ; argumentaire.

3 But **86,** mobile, **motivation.** – Conviction ; échelle des valeurs ; fondement moral ; raison de vivre. – Bien-fondé ; raison d'être.

4 **Explication,** considération **682.** – Allégation ; alibi, **excuse,** justification, motivation ; justification a priori, justification a posteriori. – Couverture, **prétexte 656,** refuite [vx] ; échappatoire, faux-fuyant. – Raison d'État.

5 DR. – Motif, exposé des motifs ; raison de fait, raison de droit ; attendu *(un attendu),* considérant *(un considérant).*

V. 6 **Motiver** ; causer **92.** – Donner lieu à, donner matière à, prêter à ; donner sujet de, fournir l'occasion de, occasionner.

7 Avoir lieu de, avoir sujet de + inf., avoir matière à ; avoir de quoi + inf. – Avoir de sérieuses raisons (ou : de bonnes raisons, les meilleures raisons du monde) de ou pour ; avoir ses raisons, savoir ce que l'on fait. – Quelle mouche vous (ou le, etc.) pique ?

8 **Expliquer** ; faire raison de [vx], rendre compte ou raison de. – Demander raison de. – Arguer [litt.], **justifier,** motiver.

9 **Argumenter** ; avancer, invoquer, tirer argument de, exciper de [sout. ou DR.]. – Alléguer, arguer, fournir prétexte, **prétexter 656,** prendre prétexte de.

Adj. 10 Fondé, **motivé.** – Compréhensible **425,** explicable ; défendable, justifiable.

11 Motivant [didact., rare], justifiant, justificateur [rare], justificatif. – Motival [DR.]. – Motivationnel [PSYCHAN.].

Adv. 12 **Pourquoi 689.** – À ce titre, à plus d'un titre ; à juste titre, avec raison ou juste raison ; pour le bon motif, pour la bonne cause. – A fortiori, à plus forte raison ; raison de plus.

Prép. 13 **Par, pour.** – En raison de, par la raison de [vx], pour raison de *(pour raison de santé)* ; étant donné, vu ; en conséquence de. – Dans un esprit de, au nom de, au titre de, en vertu de ; pour l'amour de. – En considération de, par considération pour, eu égard à.

14 Sous prétexte de, sous couleur de, sous couvert de, sous le voile de [litt.] ; vx : sous le manteau de, sous ombre de.

Conj. 15 **Parce que, puisque.** – Pour (ou, vx, par) la raison que ; étant donné que, vu que. – D'autant que, d'autant plus que, dans la mesure où. – Sous prétexte que.

16 DR. : attendu que, considérant que.

537 MOUSSES ET HÉPATIQUES

N. 1 **Mousse** ; hépatique, sphaigne. – Tapis de mousse ; sagne, **tourbe.**

2 Anthéridie, archégone, coiffe, sporogone ; anthérozoïde, oosphère ; anneau, capsule, opercule, péristome, **sporange, urne.** – Propagule, protonéma ; rhizoïdes ou poils absorbants. – Amphigastre ; pédicelle, pédoncule.

3 **Bryophytes** ; sciaphytes ou plantes d'ombre ; archégoniates ; andréales, bryales, psilophytales ou rhyniales, sphagnales ; andréacées, bryacées, phascacées. – Jungermanniales, marchantiales.

4 Espèces de mousses. – Aulacomnion, barbula, bryum ou bryon, buxbaumie, dicranum, funaire, hypnum, leucobryum, mousse, polytric.

5 Espèces d'hépatiques. – Anthocéros, marchantia, riccie, sphaigne.

6 Bryologie, muscologie.

7 Bryologue.

Adj. 8 **Moussu,** mousseux [vx] ; muscoïde. – Acrocarpe, pleurocarpe. – Bryologique.

9 Muscicole. – Antimousse.

Aff. 10 Bry-, bryo-, musci-, musco-.

538 MOUVEMENT

N. 1 **Mouvement.** – Bougement [rare]. – **Déplacement** ; course, trajectoire, trajet.

2 PHYS. – Mouvement accéléré, mouvement brownien, **mouvement perpétuel,** mouvement rectiligne, mouvement uniforme, mouvement varié ; mouvement absolu, mouvement relatif ; agitation thermique. – Mouvement alternatif **579.**

3 **Agitation 17,** frémissement, frisson, grouillement, remous ; trépidation, turbulence. – Mouvement sismique **337.**

4 **Changement 104** ; transformation.

5 Activité motrice, **locomotion.** – ÉTHOL. : brachiation, cinèse (opposé à taxie), photocinèse ; akinésie ou acinésie [NEUROL.]. – **Geste** ; gesticulation, gigotement ou gigotage ; mouvement simple, mouvement complexe. – BIOL. : nastie (opposé à tropisme).

6 Branle-bas, **remuement** ; va-et-vient. – Migration **288.** – Circulation, trafic **135.**

7 Mouvement *(mouvement de colère, de surprise, etc.)* ; motion [vx ou didact.] ; impulsion, pulsion **199.**

8 **Mise en mouvement** ; démarrage, mise en marche, mise en route. – Transport **829.** – Incitation **268.**

9 **Moteur** ; propulseur. – Mécanique *(une mécanique).* – Autopropulseur ; véhicule **57.**

10 Mouvant *(le mouvant).* – Mobile *(un mobile).*

11 **Mobilité,** motilité ; motricité.

12 **Rapidité 684,** vitesse. – MUS. : rythme ; mouvement **543.**

13 Énergie ; action, **force 322.**

14 PHYS. – **Mécanique** *(la mécanique)* **496** ; dynamique *(la dynamique,* opposée à *la statique).* – Cinématique ou phoronomie [anc.] ; mécanique des fluides, mécanique physique, mécanique quantique ; mécanique ondulatoire ; théorie cinétique des gaz ; aérodynamique, **thermodynamique 102.** – Principe de moindre action ; loi des aires.

15 Cinésiologie. – Kinésique *(la kinésique).*

16 Art cinétique, cinétisme.

V. 17 **Se mouvoir** ; se déplacer, être en mouvement ; **bouger, remuer.**

18 **Aller,** circuler, migrer **288** ; se promener, voyager **871.** – **Bouger,** se déplacer, se mouvoir, se remuer ; fam. : avoir la bougeotte, gigoter.

19 Accélérer **684** ; **se presser.**

20 **Actionner,** animer, mouvementer [didact.] ; faire fonctionner ou marcher, mettre en marche, mettre en mouvement. – Manœuvrer ; propulser. – Mobiliser, **mouvoir** ; ébranler, faire bouger.

21 **Déplacer** ; commuter, permuter.

22 Agiter **17,** battre, **remuer,** secouer.

23 Inciter à **268, pousser à** ; imprimer une impulsion ou un mouvement à, impulser.

Adj. 24 **Mobile** ; amovible, déplaçable ; meuble [DR.].

25 **Animé, mobile,** en mouvement, remuant, turbide [litt.] ; migrateur. – Mouvementé. – Prompt, rapide **684.**

26 **Changeant 104,** mouvant.

27 TECHN. – **Moteur** ; locomoteur. – Automobile, automoteur, autopropulsé, autotracté, locomobile [vx]. – Propulseur, propulsif.

28 PHYS. – Cinématique, **cinétique** ; **mécanique** ; dynamique (opposé à statique) ; aérodynamique, thermodynamique.

29 **Gestuel,** kinésique ; cinesthésique ou kinesthésique [PSYCHOL.]. – Cinésiologique.

Adv. 30 Dynamiquement, **mécaniquement.** – De son propre mouvement ; motu proprio.

Aff. 31 Ciné-, cinéma(t)-, cinémo-, cinésio-, cinéto- ; kin-, kinési-.

32 -cinèse, -cinésie ; -kinèse, -kinésie ; -mobile.

539 MULTIPLICATION

N. 1 **Multiplication.** – Factorisation ; mise en facteur, mise en facteur commun. – Décomposition ou réduction.

2 Multiplicande ; **multiplicateur** ; **produit.** – Coefficient, facteur ; **exposant,** puissance ; carré, cube. – Multiple, sous-multiple. – Plus petit commun multiple ou P. P. C. M. – Table de multiplication ; table de Pythagore.

3 Accroissement, **augmentation 56** ; prolifération **711,** propagation, pullulement. – BIOL. : multiplication cellulaire. – La multiplication des pains [allus. bibl.].

V. 4 **Multiplier** ; doubler, tripler, quadrupler, quintupler, sextupler, septupler, octupler, nonupler [rare], décupler, centupler. – Carrer, cuber. – Accroître, **augmenter 56.**

5 Se multiplier ou multiplier [absolt], **proliférer,** se reproduire.

Adj. 6 Multiplicatif. – **Multiple.** – Double, triple, quadruple, quintuple, sextuple, septuple, octuple, nonuple, décuple, centuple ; carré, cubique.

Adv. 7 Multiplicativement [didact.]. – Au double, au triple, au quadruple, au quintuple, au centuple.

8 **Fois** *(deux fois trois)* ; multiplié par *(deux multiplié par trois).*

Aff. 9 Multi-.

540 MULTITUDE

N. 1 **Multitude.** – Abondance **1,** nombre, quantité **678.** – Multiplicité ; myriade ; foultitude [fam.]. – Innombrable *(l'innombrable).*

2 Multitude [absolt]. – **Foule,** monde ; peuple ; *vox populi* (lat., « voix du peuple »). – Affluence, **cohue,** concours, masse, presse. – Attroupement, groupe **352,** rassemblement, réunion **725.** – **Assemblée,** société **773.**

3 **Armée 41,** armada, bande, bataillon, **cohorte,** légion, régiment. – Harde, **horde,** meute, troupeau. – Essaim, fourmilière.

4 Prolifération, **pullulement.** – Foisonnement, fourmillement, grouillement. – Encombrement, entassement.

5 Multitude *(une multitude).* – Série **758.** – Cortège, défilé, **kyrielle,** ribambelle ; litanie, théorie [litt.]. – Avalanche, bordée, chapelet, déferlement, déluge, flot, nuée, torrent, volée ; fam. : flopée, tapée.

6 Amas, fatras, monceau *(un monceau de),* tas *(un tas de)* ; fam. : cargaison, matelas.

7 Myriade [vx] ; mille **515,** milliard, milliasse [vx], million ; des dizaines, des douzaines ; des centaines, des milliers, des millions. – Des mille et des cents.

8 **Majorité,** pluralité [vx] **634.** – La plupart, le gros de.

V. 9 **Foisonner,** fourmiller, grouiller, pulluler.

10 Croître. – S'accroître, se développer, **se multiplier.** – Proliférer.

11 **Accumuler,** amasser **61** ; conglober [vx], entasser. – Cumuler.

12 Accourir, **se rassembler.** – Affluer, confluer.

Adj. 13 **Multiple** ; innombrable, nombreux. – Considérable, dense **187.**

14 Force [vx], **maint** [litt. ou vieilli].

Adv. 15 **Énormément** ; à foison.

16 En foule, en masse ; en bande. – En masse, **en nombre.** – En quantité.

17 Beaucoup de, bon nombre de, nombre de, plein de. – Moult [vx ou par plais.].

Aff. 18 Multi-, pluri-, poly- ; pléisto-.

541 MUSCLES

N. 1 **Muscle** ; musculature, système musculaire. – Muscle lisse ou blanc, muscle viscéral ; muscle strié ou rouge, muscle volontaire. – Muscle composé (opposé à simple). – Muscle agoniste ou congénère (opposé à muscle antagoniste).

2 Muscle abaisseur, abducteur, adducteur, constricteur, corrugateur, extenseur, fléchisseur, rotateur, suspenseur, tenseur.

3 Contractilité, élasticité **259,** excitabilité. – Tonicité ou **tonus musculaire** ; adynamie, myotonie ; amyotrophie, amyotrophie distale progressive (amyotrophie de Charcot-Marie), myopathie **482.** – Myogénie ; sens musculaire.

4 Contracture **154,** crampe ; hoquet, spasme ; **claquage.** – **Syncinésie** ; MÉD. : clonie, clonus. – Réflexe myotatique **548.**

5 TÊTE

frontal
orbiculaire des paupières ou palpébral
élévateur de la paupière supérieure
sphincter de l'œil
moteurs de l'œil
obliques de l'œil
releveur superficiel de l'aile du nez et de la lèvre
releveur profond
transverse du nez
dilatateur des narines myrtiforme
petit zygomatique
grand zygomatique
temporal
ptérygoïdien externe et interne
masséter
sphincter labial
orbiculaire des lèvres
abaisseur labial
muscle compresseur des lèvres
buccinateur
canin
risorius
triangulaires des lèvres
carré du menton
muscles de la houppe du menton
groupe des scalènes
peaucier du cou

6 COU

myloglosse
mylo-hyoïdien
digastrique
sterno-cléido-hyoïdien
omo-hyoïdien
fronde

grand droit antérieur
scalène moyen
scalène antérieur
angulaire de l'omoplate
sterno-cléido-mastoïdien
sterno-thyroïdien
thyro-hyoïdien
petit droit postérieur
petit oblique
grand droit
interépineux
transversaire épineux
grand complexus
petit complexus
transversaire du cou
sacro-lombaire
splenius capitis
splenius colli

7 **TORSE**

ANTÉRIEURS

sterno-claviculaire
coraco-claviculaire
grand pectoral
petit pectoral
surcostal
sous-costal
polygastrique
aponévrose du grand oblique
ligne blanche
abdominaux
grand droit de l'abdomen
pyramidal
arcade fémorale
grand dentelé

POSTÉRIEURS

coracoïdien
trapèze
angulaire de l'omoplate
scapulaire
petit rond
grand rond
grand rhomboïde
petit rhomboïde
sous-clavier
grand dorsal
aponévrose lombaire
épi-épineux
petit dentelé
grand oblique
grand dorsal
transverse de l'abdomen
crémaster

8 **BRAS**

ANTÉRIEURS

sous-scapulaire
coraco-brachial
coraco-radial
deltoïde
biceps brachial
brachial antérieur
rond pronateur
brachio-radial
cubito-radial
lombricaux de la main
cubito-métacarpien
long supinateur
premier radial
grand palmaire
petit palmaire
cubital antérieur
premier radial
aponévrose palmaire
fléchisseur commun superficiel
long fléchisseur propre du pouce

POSTÉRIEURS

sous-épineux
triceps brachial
tendon du triceps
long supinateur
anconé
premier radial
extenseur commun des doigts
cubital postérieur
cubital antérieur
long abducteur du pouce
court extenseur du pouce
long extenseur du pouce

9 **FESSES**

grand fessier
moyen fessier
pyramidal
jumeau supérieur
jumeau inférieur
obturateur interne
grand adducteur
carré crural
demi-tendineux

10 **JAMBES**

ANTÉRIEURS

psoas
iliaque
ischio-caverneux
ilio-costal
carré lombaire
ischio-coccygien
sacro-coccygien
tenseur du fascia lata
couturier
pectiné
adducteur de la cuisse
droit antérieur
quadriceps crural
jambier antérieur
tendon rotulien
long péronier latéral
plantaire
lombricaux du pied
extenseur propre du gros orteil
extenseur commun des orteils
pédieux
chair carrée de Sylvius

POSTÉRIEURS

courte portion du biceps
longue portion du biceps
demi-membraneux
plantaire grêle
jarretier
poplité
jumeau externe
jumeau interne
tendon d'Achille
triceps sural

11 **BOUCHE**

cérato-staphylin
péristaphylin
pharyngo-staphylin
adénopharyngien
céphalo-pharyngien
génio-pharyngien
hyo-pharyngien
pétro-salpingo-pharyngien
stylo-pharyngien
cérato-glosse
chondro-glosse
génio-glosse
grand hypoglosse
hyo-glosse
hypsiloglosse
stylo-glosse
génio-hyoïdien
stylo-hyoïdien
sterno-hyoïdien
ary-aryténoïdien
crico-aryténoïdien
hyo-thyréoïdien
releveur de la luette
génio-palatin

12 Muscle cardiaque, myocarde **128.**

13 Glossien, hyoïdien, mastoïdien, palatin, pharyngien, staphylin, thyroïdien, – Intercostal, lombaire, pelvien ; sphincter. – Diaphragme.

14 **Tendon, ventre** ; vaste externe, vaste interne ; aponévrose d'enveloppe, attache, ligament ; gaine, gaine synoviale, membrane ; aponévrose de revêtement ou fascias, aponévrose d'insertion. – Fibre musculaire : champ de Cornheim, sarcolemme, sarcoplasme ; actine, actomyosine, myoglobine, myosine. – **Myofibrille** ; filament primaire, filament secondaire ; sarcomère, énergide ; myoblaste, myosome.

15 **Myologie,** sarcologie [vx].

16 Électromyographie, myographie. – Ergométrie **509,** myodynamie.

17 Ergomètre, myographe, myotonomètre. – Électromyogramme, myogramme.

18 **Musculation** (ou, fam., muscu) ; culturisme ; [anglic.] : body-building, fitness. – **Contraction,** décontraction, dilatation **298,** distension, extension, fasciculation, tension.

19 Myologiste *(un myologiste).*

V. 20 **Muscler.**

21 Bander ses muscles ; contracter, crisper, **tendre** ; décontracter, décrisper.

22 Fam. : avoir des abdos, avoir des biceps ou des biscoteaux **864,** avoir du muscle, être tout en muscle.

23 Se claquer un muscle, se froisser un muscle.

Adj. 24 **Musculaire,** musculeux, myoïde ; musculo-cutané, musculo-membraneux, neuromusculaire ; intermusculaire, intramusculaire. – Fusiforme. – Aponévrotique, ligamenteux, tendineux. – Myographique, **myologique.** – Myogène ; myorésolutif ou décontracturant, myotonique.

25 Abdominal ; bicipital.

26 Contractile. – Clonique.

27 **Musclé 864** ; baraqué [fam.], fort.

Adv. 28 Musculairement [rare].

29 Musculeusement [litt.] ; fortement, **puissamment.**

Aff. 30 My-, myo-.

542 MUSICIENS

N. 1 **Musicien,** musico [fam.] ; instrumentiste ; exécutant, interprète. – Péj. : croque-notes [vx], **massacreur,** musicastre [rare].

2 Concertiste, symphoniste. – Accompagnateur ; soliste ; virtuose. – **Chef d'orchestre 422** ; maestro.

3 **Orchestre** ; orchestre instrumental, orchestre de chambre ; orchestre philharmonique ou philharmonie, orchestre symphonique. – **Trio, quatuor,** quintette, sextuor, septuor, octuor. – Concertino, ripieno.

4 Clique, **fanfare,** harmonie.

5 Bagad. – Cobla ; gamelan, gong, piphat.

6 **Orchestre.** – Cordes : premier violon, deuxième violon ; altiste ; violoncelliste ; contrebassiste ; harpiste. – Vents, bois : flûtiste, hautboïste ou hautbois, clarinettiste, bassoniste. – Vents, cuivres : corniste, trompette ou trompettiste, trombone ou tromboniste, tuba. – Percussions : **percussionniste** ; cymbalier, timbaliste ; vibraphoniste, xylophoniste.

7 **Guitariste,** mandoliniste ; bassiste, contrebassiste ; anc. : cithariste, luthiste. – Sitariste. – **Violoniste** ; violoneux [péj.] ; anc. : vielleur, violiste.

8 Cornettiste, **saxophoniste** ; clairon, sonneur.

9 Harmoniciste.

10 Tambour *(un tambour),* tambour-major ; tambourinaire [anc.] ; batteur ou, anglic., drummer.

11 **Pianiste** ; claveciniste, organiste. – Virginaliste [anc.].

12 Accordéoniste.

13 Cornemuseur ; cabretaïre.

14 **Compositeur** ; arrangeur, orchestrateur.

15 Déchiffrage, **lecture,** lecture à vue. – Improvisation.

16 Exécution, interprétation, **jeu** ; phrasé ; manière, style. – Doigté, virtuosité.

17 Oreille musicale ; oreille absolue.

18 Barré *(un barré)* ; double-corde. – Démanché. – Détaché ; glissando, vibrato.

V. 19 **Jouer** ; exécuter, interpréter, musiquer [vx]. – Improviser. – Faire des gammes. – Canarder [fam.].

20 Déchiffrer, **lire.** – Attaquer. – Donner le *la,* donner le ton ; battre la mesure.

21 Battre, frapper, marteler. – Frotter ; pincer.

22 Corner, sonner. – Vieller. – Pianoter. – Tambouriner.

23 Lier ; détacher. – Lourer ; piquer ; prolonger, tenir une note. – Plaquer un accord.

Adj. 24 **Orchestral** ; philharmonique.

Adv. 25 Allegretto, allegro, andante, andantino, animato, prestissimo, presto ; larghetto, largo, lento ; largando. – Agitato, con brio, con moto, moderato, sforzando, vivace ; rubato. – Accelerando, rallentendo.

26 **EXÉCUTION**

INTENSITÉ

forte	pianissimo
fortissimo	piano
mezzo forte	rinforzando

EXPRESSION

affettuoso	amoroso
amabile	appassionato

cantabile	gravement
dolce	maestoso
dolcissimo	ritardando
con espressione	ritenuto
espressivo	scherzo ou scherzando
con fuoco	sostenuto
furioso	spiritoso
gracioso ou grazioso	

PHRASÉ

legato	staccato
portando	

27 Molto, piu, ma non troppo.

543 MUSIQUE

N. 1 **Musique.** – Art musical, **langage musical.** – Musique sacrée (opposé à musique profane). – Musique folklorique ; musique populaire ; musique traditionnelle ; musique de cour ; musique savante. – Musicalité.

2 Musique vocale, **musique instrumentale.** – **Musique de chambre** (du lat. *musica da camera* opposé à *musica da chiesa)* ; musique d'orchestre. – Musique à programme (opposée à musique pure), musique descriptive ; musique de ballet.

3 Musique baroque, **musique classique,** musique romantique. – **Musique contemporaine** ; musique aléatoire ; musique algorithmique ; musique stochastique ; musique spectrale. – Musique répétitive, musique minimaliste ; musique dodécaphonique, musique sérielle. – Musique concrète ; musique électroacoustique, musique électronique. – *Live electronic music* [angl.]. – Théâtre musical. – Opéra **106** ; jingxi [Chine].

4 Dodécaphonisme, **sérialisme.**

5 Flamenco, musique andalouse ; musique afrocubaine, salsa ; musique tsigane. – Gagaku [Japon].

6 **Jazz** ; style Nouvelle-Orléans ou traditionnel ; dixieland ; Chicago ; swing ; mainstream ou middle jazz ou jazz classique ; be-bop ou bop ; funk, hot ; free jazz ; jazz-rock ; acid jazz. – Style jungle. – Boogie-woogie ; ragtime ; stride. – **Blues,** rhythm and blues.

7 **Country,** country and western ; bluegrass, folk. – Pop ou pop-music. – **Rock and roll** ; hillbilly, rockabilly ; acid-rock, afro-rock, grunge, hard-rock, heavy metal, rock industriel ; punk ; ska ; new wave.

8 Disco, funk, soul music. – House-music ou house, techno. – Raï ; rap ; reggae ; raggamuffin. – World music. – Variétés. – Muzak.

9 Musique militaire.

10 **Échelle** ; échelle diatonique, échelle chromatique, échelle préheptatonique (ditonique, tritonique, tétratonique, pentatonique, hexatonique), échelle heptatonique. – **Gamme** ; gamme naturelle, gamme tempérée ; gamme majeure, gamme mineure ; gamme chromatique, gamme diatonique. – Pentacorde, hexacorde, tétracorde. – Conjonction mélodique, conjonction d'arpège, conjonction harmonique. – Enharmonie.

11 **Degré.** – Tonique ou première, sus-tonique ou deuxième, médiante ou troisième, sous-dominante ou quatrième, dominante ou cinquième, sus-dominante ou sixième, sensible ou septième.

12 Son **781,** son naturel. – Fondamentale ; harmoniques. – **Note** ; do ou ut, ré, mi, fa, sol, la, si (dans les pays de langues et de traditions latines). – A, B, C, D, E, F, G (dans les pays de langues et d'expressions germaniques). – Note réelle, note altérée. – Solmisation [vx].

13 **Altération.** – Bécarre ; bémol, double bémol ; dièse ou dièze, double dièse. – Armature ou armure.

14 Durée, hauteur, intensité, timbre ; accent, valeur. – Consonance, euphonie ; dissonance, frottement. – Fausse note ; canard, couac [fam.].

15 **Tempérament.** – Ton, mode ; tonalité, modalité. – Mode majeur ou majeur, mode mineur ou mineur ; mode dorien, mode lydien, mode mixolydien, mode phrygien ; modes authentes, modes plagaux. – Accident, emprunt ; modulation.

16 Modes et formules modales. – Diêu [Viêt Nam] ; dastgah [Iran] ; patet [Java] ; raga [Inde] ; Islam : avinaz, maqam.

17 **Intervalle** ; intervalle harmonique, intervalle mélodique. – Intervalle chromatique, micro-intervalle ; intervalle simple, intervalle redou-

blé. – Intervalle diminué, intervalle mineur, intervalle juste, intervalle majeur, intervalle augmenté. – Comma ; quart de ton, tiers de ton, demi-ton, **ton** ; seconde, tierce, quarte, quinte, sixte, octave, neuvième, dixième, onzième ; **triton** ou quarte augmentée. – Degrés conjoints, degrés disjoints.

18 **Accord** ; accord parfait, accord parfait majeur, accord parfait mineur ; accord renversé. – Accord brisé.

19 Cluster ; agrégat. – Nuage de sons.

20 **Cadence parfaite,** cadence plagale, cadence complète ; demi-cadence. – Cadence modale ; cadence imparfaite, cadence ouverte ; cadence rompue ou évitée. – Cadence italienne.

21 **Rythme,** tempo ; cadence, mouvement. – **Temps** ; temps faible, temps fort ; contretemps ; syncope. – Battement. – **Mesure** ; mesure binaire, mesure ternaire ; mesure simple, mesure composée ; deux-quatre, trois-quatre, quatre-quatre ; trois-huit, six-huit, douze-huit, etc. – Anacrouse.

22 **Harmonie** ; harmonie consonante, harmonie dissonante. – Chiffrage.

23 Contrepoint ; note contre note, deux notes contre une, quatre notes contre une, syncope, contrepoint à double chœur.

24 **Modalité,** polymodalité. – Tonalité ; bitonalité, polytonalité. – Bithématisme ou dithématisme. – Monodie, polyphonie ; hétérophonie, homophonie. – Polyrythmie. – Athématisme, atonalité.

25 Période, phrase, série. – **Mélodie,** polymélodie ; motif, thème ; sujet, contre-sujet, réponse ; leitmotiv, ritournelle, ostinato. – Basse contrainte ou obstinée. – Variation.

26 **Ornementation** ; fioriture, ornement ; arpège décoratif, appoggiature, gruppetto, mordant, trille ; colorature.

27 **Notation.** – Portée. – Clés de fa, **clé de sol,** clés d'ut. – Liaison, ligature, point. – Barre de mesure, double barre. – Tablature. – Partition.

28 Figure de note ou, plus cour., note. – Ronde, blanche, **noire, croche,** double croche, triple croche, quadruple croche ; note pointée. – Duolet, triolet, quintolet, sextolet. – **Silence** ; pause, demi-pause, soupir, demi-soupir, quart de soupir, huitième de soupir, seizième de soupir ; tacet. – Anc. : notation neumatique, **neume.**

29 Œuvre, opus ou op. – Ouverture, sinfonia ; exposition, réexposition ; développement ; final ; coda. – Prélude, postlude.

30 Concertino, **concerto,** concerto grosso, concertstück. – Suite ; **sonate** ; divertimento, sonatine, rondo ; **symphonie,** symphonie concertante ; poème symphonique. – Toccata, **fugue** ; partita.

31 **Menuet** ; bourrée, courante, écossaise, loure, passacaille, polonaise, sarabande, sicilienne, villanelle **176.**

32 Caprice, cassation [vx], concert. – Fantaisie, ricercare ; transcription, paraphrase ; variations. – Étude, impromptu, nocturne, prélude ; humoresque. – Marche, marche militaire.

33 Déploration, tombeau.

34 Duetto, duo, quatuor, quatuor à cordes, quintette.

35 Adagietto *(un adagietto),* adagio, allégretto, allégro, andante, andantino, largo, lento, presto, scherzo.

36 **Composition.** – Harmonisation, instrumentation, musicalisation ; **orchestration,** réorchestration.

37 Salle de concert **748.** – Conservatoire.

38 **Harmonie, solfège** ; dictée musicale ; analyse musicale. – Composition. – Orchestration. – Histoire de la musique.

39 Harmoniste *(un harmoniste),* mélodiste. – Arrangeur, orchestrateur.

40 **Compositeur 542** ; contrapuntiste ou contrepointiste, polyphoniste. – Symphoniste. – Dodécaphoniste, sérialiste.

41 **Musicologie,** musicologue ; ethnomusicologie ; organologie, organologue.

42 MÉD. : musicothérapie, musicothérapeute *(un musicothérapeute).*

43 MYTH. : Érato, Orphée.

V. 44 Faire de la musique. – Jouer ; interpréter.

45 **Composer** ; écrire. – Harmoniser ; instrumenter, **orchestrer,** réorchestrer. – Contrepointer ; arpéger, fuguer, préluder ; syncoper. – Transposer.

46 **Altérer** ; bémoliser, diéser ; augmenter, diminuer. – Moduler. – Rythmer.

47 Chiffrer *(chiffrer les accords, chiffrer la basse).* – Noter.

48 La musique adoucit les mœurs [prov.].

Adj. 49 **Musical.** – Instrumental, vocal. – Compositionnel [didact.].

50 **Monodique,** polyphonique. – Harmonique ; contrapuntique ou contrapointique. – Mélodique. – Dodécaphonique, sériel.

51 **Concertant,** fugué, symphonique.

52 Tonal ; bitonal, polytonal ; atonal. – Modal. – Naturel ; **tempéré.**

53 Chromatique, diatonique, enharmonique. – Conjoint, disjoint.

54 Euphonique, harmonieux, **mélodieux.** – Consonant, dissonant.

55 **Rythmé,** syncopé ; cadencé. – Métronomique.

56 Musicologique ; ethnomusicologique ; organologique.

Adv. 57 **Musicalement.** – Mélodiquement ; harmoniquement ; rythmiquement.

58 **Harmonieusement,** mélodieusement.

59 A battuta, al tempo. – Da capo. – All'ottava ; loco. – Crescendo, decrescendo ou diminuendo. – Tenuto ; pizzicato.

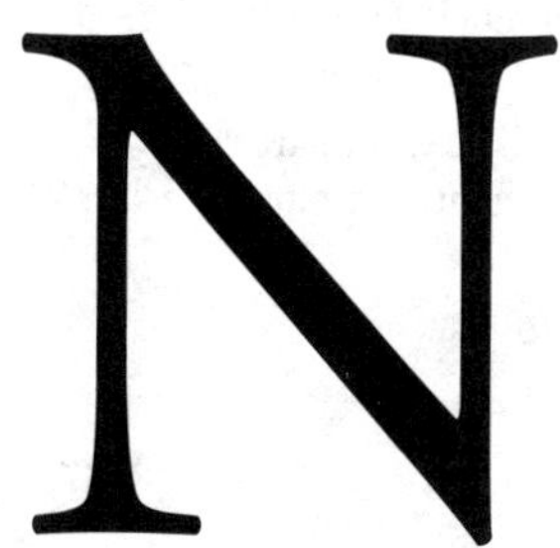

544 NAISSANCE

N. 1 **Naissance,** venue au monde. – **Heureux évènement.** – Nativité [BX-A.].

2 **Enfantement,** engendrement ; mise au monde. – Litt. : génération, procréation.

3 **Gestation, grossesse,** prégnation [vx]. – **Maternité 506.**

4 **Accouchement,** couches, part [vx], parturition [didact.] ; mise bas [ZOOL.] ; délivrance, expulsion. – Accouchement à terme (opposé à avant-terme, post-terme ou à prématuré). – Accouchement sans douleur ; accouchement psycho-prophylactique, eutocie (opposé à dystocie) ; accouchement par les reins [fam.]. – Accouchement sous X. – **Fausse couche** ou avortement involontaire (opposé à **interruption volontaire de grossesse** ou I.V.G.) ; accouchement fœtal. – Césarienne *(une césarienne).*

5 **Douleurs,** mal joli [vx] ; travail [MÉD.]. – Contraction utérine ou **contraction** ; tranchées utérines. – Anesthésie péridurale ou péridurale *(une péridurale).*

6 **Présentation céphalique,** présentation de l'épaule, présentation par la face, présentation par l'occiput, présentation pelvienne, présentation du siège, présentation du sommet, présentation par le tronc.

7 **Cri 168,** cri primal, vagissement.

8 Score (ou indice) d'Apgar.

9 **Liquide amniotique** ; eaux ; poche des eaux. – **Placenta** ; arrière-faix ou délivre *(le délivre).* – Méconium.

10 **Forceps** ou, vx, fers, lacs, ventouse.

11 **Périnatalité** ou période périnatale ; période post-natale ; post-partum [lat.].

12 Fête de la Nativité [RELIG.], **Noël.**

13 Parturiente. – Accouchée *(une accouchée).* – Génitrice, **mère 506** ; maman ; mère porteuse. – Primigeste *(une primigeste),* primipare *(une primipare)* ; multipare.

14 Accoucheur ou médecin-accoucheur, maïeuticien [didact.], **obstétricien** ; matrone [vx], **sage-femme.** – Junon Lucina [MYTH. ROM.].

15 **Bébé, nourrisson 270, nouveau-né,** part [DR., vx]. – **Prématuré** *(un prématuré)* ; grand prématuré ou prématurissime. – Avorton [vx], enfant mort-né.

16 **Natalité,** puerpéralité [didact.]. – Néomortalité ou mortalité néonatale ; prématurité. – Multiparité, primiparité.

17 **Obstétrique.** – Néonatalogie, périnatalogie, tocologie.

V. 18 **Naître,** recevoir l'existence (ou : la vie, le jour), **venir au monde,** voir la lumière ou le jour.

19 **Devoir la vie à,** tenir la vie de.

20 **Enfanter, engendrer,** procréer [litt.] ; donner le jour à, **donner naissance à,** mettre au monde. – **Accoucher** ; être dans les douleurs, être en mal d'enfant, être en travail, faire ses couches [vx]. – Relever de couches. – Arg. et vulg. : lapiner, mettre bas, pisser sa côtelette. – « Tu enfanteras dans la douleur » (la Genèse).

21 MÉD. : accoucher *(accoucher une femme),* délivrer. – Césariser.

Adj. 22 **Natal** ; généthliaque [vx]. – Génératif.

23 **Natal, puerpéral** ; anténatal, néonatal, périnatal, postnatal, prénatal. – **Obstétrical,** tocologique. – Expulsif ; abortif, contragestif.

24 **En gésine** [litt.], en travail ; dystocique, eutocique, ocytocique – Génésique, parturient.

25 Gémellipare, multipare, nullipare, unipare ; primipare, primogeste. – Prématuré ; mort-né, non-viable.

26 **Matriciel, utérin 762** ; utéro-placentaire.

Adv. 27 À terme. – *Postpartum* [lat.].

Aff. 28 Toco- ; -tocique ; -pare.

545 NÉCESSITÉ

N. 1 **Nécessité.** – Destin **358,** fatalité ; inéluctabilité. – PHILOS. : nécessité absolue, nécessité catégorique, nécessité hypothétique ; vérité nécessaire ; réquisit ; l'Être nécessaire. – Nécessitation [LOG.].

2 **Nécessaire** (*le nécessaire,* opposé au contingent). – Besogne [vx], **besoin 603,** *must (un must)* (angl., « ce qui doit être fait ; chose indispensable »), substance [vx]. – Condition nécessaire et suffisante, condition *sine qua non* (lat., « sans laquelle rien n'est possible ») ; passage obligé.

3 Devoir *(le devoir, un devoir),* exigence, **obligation** ; impératif, **ordre** ; impératif catégorique ; loi, règle. – Astreinte, contrainte **565** ; force, **cas de force majeure** ou acte de Dieu [DR.]. – État de nécessité [DR., SC. POLIT.].

4 Nécessitarisme ou doctrine de la nécessité [vx]. – Déterminisme, fatalisme **305** ; prédestinianisme [rare], prédéterminisme.

V. 5 **Nécessiter** ; appeler, impliquer **788,** supposer ; déterminer, motiver **536.** – Commander, **demander,** imposer, réclamer, requérir. – Force est de + inf.

6 Prov. et loc. prov. – Nécessité fait loi ou nécessité n'a pas de loi. – Nécessité est mère d'industrie. – Faire de nécessité vertu.

7 Destiner [vx], **déterminer,** prédestiner **305,** prédéterminer.

8 Astreindre, **contraindre, forcer, obliger 565** ; mettre dans la nécessité de.

9 Avoir le couteau sous la gorge.

Adj. 10 **Nécessaire** ; immanquable, inéluctable, inévitable, obligatoire.

11 Destinal [PHILOS.], **fatidique** ; déterminé, prédestiné, prédéterminé.

12 Contraignant ; impératif, impérieux. – THÉOL. : nécessitant, prédéterminant.

13 Exigé **185, indispensable,** ordonné, requis **133,** de rigueur. – **Essentiel 384,** fondamental, primordial, vital ; de première nécessité.

Adv. 14 **Nécessairement ; par nécessité.** – Fatalement, forcément, immanquablement ; inéluctablement, infailliblement, inévitablement. – Par force ; par la force des choses.

546 NÉGATION

N. 1 **Négation** ; contestation, dénégation ; opposition **572,** réfutation **693** ; condamnation. – Négative *(la négative)* ; négativité [didact.]. – Non *(un non).*

2 **Contradiction** ; antithèse, contrepartie, contrepied ; contraire *(le contraire).*

3 Désapprobation ; récusation, **refus** ; fin de non-recevoir. – **Démenti,** déni.

4 Annulation **31** ; dédit, désaveu ; contremandement [vx]. – Reni [vx], **reniement.** – Contre-lettre [DR.].

5 PHILOS. : négation de la négation ; **négativisme,** nihilisme. – LOG. : négation d'une proposition, principe de la double négation. – Négativation [MÉD.]. – PSYCHIATRIE : délire des négations ou syndrome de Cotard ; négativisme ; négativiste *(un négativiste).* – Apophatisme (ou : théologie apophatique, théologie négative).

6 LING. : négation, double négation ; négation totale, négation partielle. – GRAMM. : **forme négative,** forme interro-négative ; négation simple, négation composée, double négation ; adverbe de négation.

7 DR. – Action négatoire ; peines négatives [vx] ; voix négative.

8 **Négateur** *(un négateur),* négativiste ; contradicteur *(un contradicteur).* – **Renégat,** renieur [vx], traître. – Nihiliste.

V. 9 **Nier ; contester,** contrarier, contrecarrer, disconvenir, s'inscrire en faux ; aller à l'encontre de, s'opposer à **572** ; détruire, ruiner *(ruiner une thèse).* – **Démentir,** opposer un démenti formel, réfuter.

10 **Dire non,** faire signe que non ; répondre par la négative.

11 Dénier, récuser, **refuser 693,** rejeter une demande.

12 **Renier** ; abjurer, trahir **828** ; se dédire, se rétracter. – Annuler **846,** contremander [vx] ; renoncer ; revenir sur sa décision.

13 MÉD. – Négativer ; se négativer.

Adj. 14 **Négatif,** négatoire [didact.]. – Antithétique, privatif [GRAMM.] ; apophatique [THÉOL.].

15 Contestable, niable, réfutable **693.14,** reniable.

16 Critique, dénégateur, détracteur, négateur. – Négativiste [didact.] ; nihiliste [PHILOS.].

Adv. 17 **Négativement** ; dans la négative. – Aucunement, **nullement.**

18 **Non** ; *niet* (russe,« non ») [fam.], **non merci,** non tout court. – Vieilli : nenni, que nenni ; non pas. – Négatif [MIL. ou fam.].

19 **Pas question** ; jamais de la vie, rien à faire ; merci bien. – Du tout, **pas du tout** ; pas le moins du monde, pas pour un sou, pas pour tout l'or du monde, pour rien au monde. – En aucun cas, en aucune façon, en rien. – Fam. : des clous, des nèfles, macache, tintin. – Absolument pas, certainement pas. – **Non plus** ; même pas, pas même.

20 **Ne, ni.** – Ne... goutte [litt.], ne... guère ; vx : ne... mais, ne... mie. – **Ne... pas,** ne... point [litt. ou région.] ; **ne... que.** – Jamais, nulle part, personne, rien **404.**

Prép. 21 Sans.

Conj. 22 Non que, non pas que. – Sans que.

Aff. 23 **Non-** ; dé- ; il-, im-, **in-,** ir-, mal- ; a-, anti-.

547 NÉGLIGENCE

N. 1 **Négligence** ; inattention **394,** insouciance, légèreté.

2 Désaffection, désintérêt. – **Détachement,** incurie, indifférence **401.**

3 Abandon, **indolence,** mollesse, nonchalance, paresse **593** ; laisser-aller, relâchement.

4 Débraillement ou, rare, débraillage, débraillé *(le débraillé),* dépenaillement [fam., vieilli], négligé *(le négligé)* ; ébouriffage ou ébouriffement, ébouriffure [litt.], échevellement. – Bohème *(la bohème).*

5 Fam. : bâclage, bousillage **205,** gâchage ; sabotage.

6 **Omission,** oubli **583.** – Ajournement **724.3** ; procrastination [litt.].

7 **Négligent** *(un négligent)* ; jean-foutre [très fam.].

V. 8 **Négliger** ; bâcler, expédier **684** ; fam. : bousiller **205,** massacrer, torcher, **traiter par-dessus la jambe,** saboter. – Vieilli : donner du samedi, fagoter, traiter par-dessus l'épaule.

9 Laisser dormir, laisser courir l'eau [vx], laisser en souffrance, laisser à la traîne ou laisser traîner ; ajourner **724.11, remettre au lendemain.** – Laisser passer une occasion ou une opportunité, passer à côté de qqch.

10 Se désintéresser de **394,** se détourner de. – Manquer à + inf. [vx].

11 Abandonner **701, délaisser** ; fam. : laisser choir, laisser tomber, plaquer.

12 **Traiter comme quantité négligeable.** – Dédaigner, mépriser **439.** – Ne pas avoir cure de [sout.], ne pas tenir compte de, ne pas faire cas de, passer outre **200** ; faire litière de [vx], passer par-dessus, s'asseoir sur.

13 Laisser de côté ; écarter, excepter.

14 **Négliger de** + inf., manquer à [litt.], omettre de, oublier de **583.**

15 **Se laisser aller,** se négliger **740,** se relâcher ; s'endormir sur le rôti [vx].

Adj. 16 **Négligent** ; je-m'en-foutiste [fam.] ; dédaigneux, désinvolte **394,** écervelé, inattentif, indifférent **401, insouciant,** insoucieux, imprévoyant, oublieux **583** ; indolent, mou, nonchalant, paresseux **276.**

17 **Négligé** ; débraillé, dépenaillé, dépoitraillé [fam.] ; fagoté [fam.] ; ébouriffé, échevelé, hirsute. – Malpropre, sale **740.**

18 Négligé ; abandonné, mis à l'écart. – À l'abandon, en friche.

19 Bâclé **684** ; fam. : torché, torchonné.

Adv. 20 **Négligemment,** négligement [vx] ; mollement, nonchalamment, paresseusement **276,** sans soin.

21 Par manière d'acquit [vieilli]. – À la diable [vx], à la va-comme-je-te-pousse [fam.] ; à la hâte, à la va-vite, à la six-quatre-deux [fam.]. – **À la petite semaine** [fam.].

22 Étourdiment, **inconsidérément,** légèrement ; négligemment [vieilli].

23 À la négligence [vx].

548 NERFS

N. 1 **Nerfs** ; neurone ; terminaison nerveuse. – Extérocepteurs, intérocepteurs ou viscérorécepteurs, propriocepteurs. – Nerfs rachidiens ; nerfs crâniens ; nerfs locaux.

2 **Nerfs rachidiens 242 :** cervicaux, dorsaux, lombaires, sacrés, coccygiens.

3 **Nerfs crâniens 100 :** nerf olfactif, optique ; nerfs oculomoteurs, moteur oculaire commun, moteur oculaire externe, pathétique ; nerf auditif, cochléaire, vestibulaire ; nerf facial, intermédiaire de Wrisberg ; nerf glossopharyngien, grand hypoglosse, pneumogastrique ou nerf vague, spinal ; nerf trijumeau (nerf maxillaire inférieur, nerf maxillaire supérieur, nerf ophtalmique).

4 **Nerfs locaux :** buccal, ciliaire, dental, maxillaire, ptérygoïdien, récurrent, sous-occipital, temporal ; axillaire, brachial, circonflexe, cubital, radial, scapulo-huméral ; intercostal, lombaire, médian, queue de cheval, sacré, sciatique, thoracique ; crural, fémuro-cutané, fessier, génito-crural, honteux, jumeaux, péronier, tibial. – **Plexus :** plexus brachial, cœliaque, crural, diaphragmatique, rénal.

5 **Nerfs sympathiques :** abdominal, cervical, sacré, thoracique ; grand et petit nerf splanchnique ; plexus cardiaque, hypogastrique, mésentérique, solaire. – **Nerfs parasympathiques.** – Ganglions nerveux (ganglion parasympathique, ganglion sympathique) **548** ; ganglion spinal ou rachidien **242** ; ganglion ophtalmique, ganglion optique, ganglion sphéno-palatin.

6 Corpuscule de Meisner, corpuscule de Pacini, terminaison de Krause, terminaison de Rufini, terminaison libre. – Dermatome.

7 Appareil sous-neural ou plaque motrice ; faisceau neuromusculaire, fibre motrice.

8 **Neurones :** neurones sensitifs (aussi : afférents, centripètes) ; neurones moteurs (aussi : centrifuges, effecteurs, efférents), motoneurones, motoneurones gamma ou fusimotoneurones ; neurones mixtes ou sensitivo-moteurs ; neurones d'association ou interneurones ; neurosécréteurs. – Protoneurone sensitif ; deutéroneurone moteur ; neurone connecteur. – Neurones unipolaires ou en T, bipolaires, multipolaires. – Système cholinergique, dopaminergique, indolaminergique ou sérotoninergique, monoaminergique, noradrénergique, etc.

9 **Synapse** ou relais (axo-somatique ou axo-dendritique ; excitatrice ou inhibitrice). – **Neurone :** arborisation terminale ou synaptique, axone ou fibre nerveuse ou cylindraxe, corps cellulaire ou péricaryon, dendrites, névrilème ou membrane, vésicule synaptique ; substance blanche, substance grise, myéline. – **Fibre nerveuse :** endonèvre, épinèvre, périnèvre ; axolemme ou membrane de Mauthner, étranglement de Ranvier, gaine de Schwann ou neurilemme, incisure de Schmidt-Lantermann, neurite, neurofilament. – Fibre de Remak ou fibre amyélinique. – **Corps cellulaire :** corps de Nissl, neurofibrille, neuroplasme, neurotubule. – Névroglie ou glie **821,** astroglie ou macroglie, oligodendroglie ; astrocyte, oligodendrocyte.

10 **Moelle épinière.** – Cavité neurale ou canal neural ; canal rachidien. – Renflement cervical, renflement lombaire ; cône terminal, filum terminal ; méninges. – Colonne de Clarke, commissure blanche, cordon antérieur (aussi : latéral et postérieur), épendyme, hémimoelle, segment, septum médian, sillon médian antérieur et postérieur ; **nerf rachidien,** racine postérieure (sensitive) et antérieure (motrice) du nerf rachidien (aussi : racine médullaire dorsale et ventrale). – Cellule coordonale, neurone hétéromère, neurone tautomère ; faisceau fondamental, zone cornue commissurale de Pierre Marie.

11 Centre extéroceptif, intéroceptif, proprioceptif ; centre somatomoteur, centre viscéromoteur. – **Centres végétatifs médullaires :** centres broncho-pulmonaires **718,** cilio-spinal, pelvi-périnéaux, splanchniques abdominaux, splanchniques pelviens. – Chaîne sympathique latéro-vertébrale.

12 **Voie ascendante :** faisceau cérébelleux croisé (ou faisceau de Gowers), faisceau cérébelleux postérieur direct (ou faisceau de Flechsig), faisceau de Burdach (ou faisceau cunéiforme), faisceau de Goll (ou faisceau gracile), faisceau spinothalamique antérieur (ou de Déjerine antérieur), faisceau spino-thalamique latéral ou système extralemniscal, faisceau triangulaire de Gombault et Philippe, ruban de Reil médian ; faisceaux olivo-spinal, rubro-spinal, spinocérebelleux, tecto-spinal, vestibulo-spinal. – **Voie descendante :** faisceaux pyramidaux (croisés ou directs), faisceaux extra-pyramidaux, voie motrice secondaire.

13 Plaque neurale ou médullaire ; crête neurale, gouttière neurale ; neuropore, tube neural [EMBRYOL.]. – Neuroblaste ; sympathogonie.

14 Neurocrinie, neuroglobuline. – **Médiateurs chimiques** ou neuromédiateurs ou neurotransmetteurs : adrénaline ou épinéphrine **340,** acétylcholine, amine cérébrale ou catécholamine, dopamine, etc. – Neurohormone.

15 **Système nerveux** ou, fam., système. – **Système nerveux central** (aussi : axe cérébro-spinal ou névraxe), **système nerveux périphérique.** – Système nerveux de la vie de relation, système

nerveux végétatif ou neurovégétatif (aussi : système organo-végétatif ou autonome, système nerveux sympathique ou orthosympathique, système parasympathique). – Circuit ; **voie nerveuse.**

16 Cellule cible, organe cible, **récepteur** ; alpharécepteur ou récepteur adrénergique, barocepteur ou barorécepteur, bêtarécepteur, chémocepteur ou chémorécepteur, mécanorécepteur, nocicepteur, phonorécepteur, thermorécepteur, volorécepteur.

17 **Réflexe 705** ; action réflexe ; arc réflexe. – Réflexe bulbaire, médullaire, mésencéphalique, supramédullaire, etc. ; réflexe cutané, musculeux, tendineux, etc. ; réflexe de flexion, d'extension ; réflexe proprioceptif d'étirement. – Réflexe achiléen ; réflexe d'agrippement. – Réflexe monosynaptique ; réflexe myotatique.

18 **Influx nerveux** ou potentiel d'action ; courant d'action, courant de repos, courant local. – Dépolarisation, polarisation **261** ; dénervation, **innervation.** – Convergence ou sommation spatiale, convergence ou sommation temporelle. – Myélinisation ; neurosécrétion. – Médiation chimique ou neuromédiation, neurotransmission.

19 Proprioception, sensibilité proprioceptive. – **Irritabilité** ; nervimotilité.

20 **Névralgie,** névrite ; névrome ; ganglite. – **Nervosité 549** ; **neuropathie,** neurotonie ; neurasthénie **321,** névropathie [vx], névrose, névrosthénie ; asthénie, atonie, vapeurs ; hémiplégie, myélite, paralysie, poliomyélite, polynévrite. – Éréthisme **482,** hyperesthésie, hystérie ; chorée ou danse de Saint-Guy, épilepsie ; maladie de Parkinson.

21 **Neurosciences :** neuroanatomie, neurobiochimie ; neuroendocrinologie, neurohistologie, **neurologie,** neuropathologie, neurophysiologie, neuropsychiatrie, réflexologie ; neuropsychologie ; névrologie. – Neurolinguistique. – Neuropharmacologie. – **Neurochirurgie 114** ; neurotomie, névrectomie, névrotomie, radicotomie. – Somatotopie.

22 Nervisme [SC.].

23 Neurobiochimiste, neurochirurgien, **neurologue,** neuropsychiatre ; neurolinguiste, neuropsychologue.

V. 24 Innerver.

Adj. 25 **Nerveux** ; nerval [vx], neural, neuronal, **neuronique.** – Axonal, dendritique, tronculaire ; myélinisé ou myélinique ; glial, névroglique ; intersynaptique, monosynaptique, polysynaptique, postsynaptique, présynaptique, **synaptique.** – Médullaire, rachidien, spinal, spino-thalamique ; épendymaire ; ganglionnaire ; méningé.

26 Neuroendocrinien, neurohormonal ; vagal. – Antidromique. – anticholergénique, parasympatholytique ; parasympathomimétique ; nervin [PHARM.]. – Réflectif, **réflexe.**

27 **Névralgique,** névritique. – Hystérique ; **nerveux 549,** neurasthénique, névrosé, névrotique ; hémiplégique, paralytique.

28 **Neurologique** ; neuroanatomique, neurobiochimique, neuroendocrinologique, neurohistologique ; **neuropathologique,** neurophysiologique, neuropsychiatrique ; neuropharmacologique ; neurochirurgical. – Neurolinguistique ; neuropsychologique.

Aff. 29 **Neuro-,** névro- ; spino- ; -nèvre.

549 NERVOSITÉ

N. 1 **Nervosité** ; excitation, fébrilité, hystérie [cour.], surexcitation. – Agacement, **énervement,** exacerbation, exaspération, hérissement [litt.], impatience **382.** – Trouble.

2 **Agitation,** animation, effervescence, fièvre [fig.], frénésie, hyperactivité ; émoi **755.**

3 Contraction, convulsion, tic ; crise de nerfs.

4 **Excitabilité,** hyperexcitabilité ; réactivité, sensibilité. – Hyperesthésie ; éréthisme cardiovasculaire [MÉD.], tension ou tension nerveuse.

5 Irritabilité, susceptibilité ; alarmisme, nervosisme ou névrosisme [vieilli], pessimisme **615.** – Névrose ; névropathie.

6 Agacerie, asticotage [fam.], **excitation,** taquinerie, titillation [fig.]. – Guerre des nerfs.

7 Hyperactif, **nerveux** *(un nerveux)* ; fam. : boule de nerfs, paquet de nerfs.

V. 8 **S'énerver** ; fam. : craquer, se mettre en boule ; perdre son self-control.

9 **Avoir les nerfs à vif,** avoir les nerfs à fleur de peau, avoir les nerfs en boule ou en pelote [fam.], avoir les nerfs tendus, avoir ses nerfs. – **Être à bout de nerfs.**

10 Fam. : être sous pression, être sur des charbons ardents, être sur les dents ; devenir ou tourner chèvre. – Vivre sur les nerfs. – Ne pas tenir en place. – Ronger son frein.

11 Il y a de l'orage dans l'air ; il y a de l'eau dans le gaz.

12 Passer ses nerfs sur qqn.

13 **Énerver** ; agacer, crisper, **exaspérer,** excéder, horripiler, impatienter, **irriter 130,** ulcérer ; gonfler [fam.] ; insupporter à [tour critiqué]. – Pousser à bout [fam.].

14 Fam. – **Taper sur les nerfs** (aussi : donner, porter) ; taper ou courir sur le système, courir sur le ciboulot, courir sur le haricot. – **Casser les pieds,** échauffer la bile, échauffer les oreilles, scier le dos ; prendre la tête.

15 Agacer, asticoter, taquiner, titiller, **tourmenter.** – Fam. : bassiner, canuler, cramponner, embêter, seriner. – Très fam. : emmerder, faire braire, faire chier, **faire suer,** faire tartir.

16 **Exciter,** surexciter. – Échauffer, électriser, **émouvoir,** enfiévrer, exalter, griser, transporter.

Adj. 17 **Nerveux** ; émotif, excitable ; hyperémotif, hypernerveux ; caractériel, hystérique, névrosé. – **Coléreux,** irritable, susceptible.

18 Agité, crispé, **énervé,** excité, hyperactif, irrité, stressé, tendu, ulcéré. – Brusque, convulsif, fébrile, fou [fig.] **321,** impatient **382.** – Sur les dents.

19 **Énervant** ; agaçant, crispant, exaspérant, horripilant, insupportable, irritant ; stressant.

20 Fam. : bassinant, collant, **embêtant,** enquiquinant, empoisonnant ; très fam. : chiant, chiatique, emmerdant, tuant ; ennuyant [vx]. – Fam. : **casse-pieds,** crampon, enquiquineur ; casse-cul [très fam.].

Adv. 21 **Nerveusement** ; fébrilement, fiévreusement, impatiemment.

550 NETTOYAGE

N. 1 **Nettoyage** ou nettoiement **669** ; lavage ; décrassage ou décrassement. – Grand nettoyage, nettoyage de printemps.

2 Lessivage, nettoyage *(nettoyage à sec)* ; dégraissage, détachage ; blanchissage.

3 **Vaisselle 848,** plonge [fam.] ; rinçage.

4 Entretien. – Astiquage, fourbissage. – Briquage ou bricage. – **Brossage** ; lustrage. – Cirage, décrottage [vieilli].

5 Déblaiement ou déblayage. – **Balayage,** coup de balai [fam.]. – Dépoussiérage.

6 Dégraissage. – Détartrage ; désencroûtement ; décalaminage [TECHN.]. – Dérouillage ou dérouillement.

7 Vidange **57** ; purge. – Ramonage.

8 Ravalement.

9 Curage, récurage ; grattage. – Décapage ou, TECHN., décapement, raclage. – Abrasion ; abrasement [TECHN.] ; sablage [TECHN.]. – Polissage ; brunissage [TECHN.], glaçage, ponçage **640.**

10 Nettoiement [SYLV.] **18** ; dégagement. – Débroussement ou débroussage, débroussaillement ou débroussaillage, défrichement ou défrichage ; épierrement ou épierrage. – Désherbage ou, rare, désherbement. – Débourbage [TECHN.].

11 Assainissement ; **épuration** ou, rare, épurement ; purification. – Dépollution, décontamination. – Désinfection, détersion.

12 Ramassage des ordures. – Recyclage ; inertage, retraitement des déchets.

13 Poussière ; crasse **740,** souillure. – **Déchet,** détritus, immondices, ordures ; voirie [vx]. – Balayure, nettoyure [rare].

14 Produit d'entretien ; nettoyant. – Lessive, poudre à laver, poudre à récurer, **savon.** – Détergence ; détachant, **détergent,** solvant. – Ammoniac, chlore, eau de Javel, essence de térébenthine. – Cirage, cire, encaustique.

15 **Éponge** ; gratton, grattoir, lavette ; paille de fer ; brosse. – Serviette, torchon ; essuie-tout ; serpillière. – Nénette, peau de chamois. – Brosse ; écouvillon, goupillon.

16 Poudre à récurer. – Papier de verre, pierre ponce ou, rare, ponce, toile émeri ou toile d'émeri.

17 **Balai,** balai-brosse ; balayette, plumeau ; balai mécanique ; aspirateur ; cireuse. – MAR. : faubert ou fauber, lave-pont. – Décrottoir ; paillasson.

18 Évier, bac à vaisselle, bassine ; égouttoir. – Lavoir.

19 **Machine à laver,** lave-linge. – Machine à laver la vaisselle ou lave-vaisselle.

20 Blanchisserie, buanderie, laverie, laverie automatique, **pressing,** teinturerie.

21 Droguerie. – Droguiste *(un droguiste),* marchand de couleurs.

22 Dépotoir, **poubelle.** – Benne à ordures, camion-poubelle ; voiture balai ; Déchetterie [nom déposé]. – Égout, tout-à-l'égout.

23 **Station d'épuration,** usine de retraitement des déchets ; équipement antipollution.

24 **Nettoyeur** *(un nettoyeur)* ; laveur, laveur de carreaux ; plongeur. – Blanchisseur, teinturier ; lavandière, lingère. – Femme de ménage. – Balayeur, technicien de surface. – Éboueur ou, fam., boueux ; égoutier. – Cireur ; décrotteur.

V. 25 **Nettoyer** ; décrasser, décrotter ; dégraisser, dépoussiérer ; curer, écurer [vx], récurer.

26 Balayer, fauberder ou fauberter [MAR.] ; passer l'aspirateur. – Épousseter, faire la poussière [fam.], passer le chiffon. – Battre *(battre un tapis).*

27 Éponger, **essuyer,** lessiver.

28 Détacher ; décaper, désincruster ; déterger. – Détartrer. – Décalaminer, désencroûter ; dérouiller. – Ramoner.

29 Astiquer, briquer [fam.], fourbir ; faire briller, lustrer. – Faire l'argenterie, faire les cuivres. – Cirer.

30 Brosser, frotter. – Gratter, gratteler [TECHN.], racler. – Décaper, poncer. – Polir ; brunir [GRAV., ORFÈVR.], glacer.

31 **Laver 669,** laver à grande eau, relaver ; ébrouer [TECHN.]. – Débarbouiller ; frictionner, savonner ; torcher [fam.]. – Peigner.

32 **Faire la vaisselle** ; faire la plonge [fam.] ; rincer. – Écouvillonner ou goupillonner. – **Faire la lessive** ; essanger [anc.]. – Blanchir.

33 Draguer ; débourber, désengorger, désenvaser. – Vidanger.

34 Raffiner. – Cribler, passer au tamis ou au crible, tamiser ; filtrer. – Recycler.

35 Assainir ; décontaminer, dépolluer ; inerter. – Désinfecter. – **Épurer,** purifier.

36 Débarrasser, ranger ; faire le vide.

Adj. 37 Nettoyant ; autonettoyant.

38 Lavé, nettoyé. – Entretenu, bien tenu ; propret, soigné.

39 Propre **669,** propre comme un sou neuf ; clean (angl., « propre ») [fam.]. – Impeccable ou, fam., impec, net, nickel [fam.]. – Blanc ; immaculé.

Adv. 40 Proprement.

551 NEUF

N. 1 **Neuf** ; région. : nonante ; nonantaine. – Neuvième *(un neuvième de qqch)* ; le nonuple [didact.]. – Nonagénaire *(un nonagénaire).* – Preuve par neuf.

2 Neuvain [LITTÉR.]. – Neuvaine [RELIG.]. – Ennéade [ANTIQ.]. – Ennéagone [GÉOM.].

3 Les neuf chœurs des anges [RELIG.] ; les neuf Muses [MYTH.].

4 **Le neuvième,** le nonantième [région.]. – Nonidi [HIST.] **88.**

V. 5 Nonupler [rare] **539.**

Adj. 6 **Neuf.** – **Neuvième** ; nonantième [région.]. – Ennéasyllabe [LITTÉR.].

Adv. 7 Neuvièmement.

Aff. 8 Ennéa-, nona-.

552 NOBLESSE

N. 1 **Noblesse** ; grandesse [litt.] ; vx : gentilhommerie, gentillesse, naissance, nom, qualité. – Baronnage [FÉOD.], principat ou principauté [vx] ; princerie [fam., vx] ; patriciat [ANTIQ. ROM.]. – **Noblesse oblige** [prov.].

2 Noblesse paternelle, noblesse utérine, noblesse de ventre ; noblesse héréditaire au premier degré ou transmissible ; noblesse graduelle (ou : personnelle, au second degré). – Noblesse chevaleresque, noblesse d'extraction, noblesse de race (ou : de parage, de sang) ; noblesse ancienne ou immémoriale, noblesse d'épée. – Noblesse moderne, nouvelle noblesse, noblesse de robe ou d'offices ; noblesse d'Empire ; noblesse d'agrégation. – Noblesse de cloches ou de la cloche, noblesse militaire, noblesse verrière ; noblesse de finance, noblesse de lettres. – Quartier ou degré de noblesse.

3 **Noblesse** ; dignité, élévation, **grandeur** [sout.] ; vx : magnanimité, sublimité ; **générosité 336,** grandeur d'âme, magnificence [sout.], prodigalité **661.**

4 **Distinction 774,** majesté, prestance. – Allure, classe [fam.] ; gueule [très fam.].

5 Litt. : noblesses, sublimité *(une sublimité)* ; **haut fait 161** ; beau fait [vieilli].

6 Prérogative ; distinction, **privilèges** ou libertés ; privilèges honorifiques, privilèges utiles. – Privilégiature [litt.].

7 Mésalliance ; dérogeance [HIST.] ; déchéance **367,** encanaillement [fam.].

8 **Anoblissement.** – HIST. : **adoubement** ; accolade, colée ou paumée. – Agrandissement [litt.] ; rare : dignification, ennoblissement ; édification **533.**

9 **Lettres de noblesse** ou d'anoblissement ; brevet de noblesse, lettres patentes, lettres royaux [HIST.] ; privilège royal. – Savonnettes à vilain [HIST.].

10 **Seigneurie** ; comté, vicomté ; baronnie, châtellenie ; archiduché, duché, duché-pairie, grand-duché ; principauté [vx] ; FÉOD. : apanage, fief **645** ; pairie. – Biens ou fonds nobles ; HIST. : biens nationaux, majorat. – Nobilité [DR. ANC.].

11 **Nobiliaire** *(un nobiliaire)* ; armorial *(un armorial)* ou livre armorial ; livre d'or [vx].

12 Nom à particule ; fam. : nom à charnière, nom à courants d'air, nom qui se dévisse, nom à rallonges.

13 Armes ou armoiries, armes assomptives, armes parlantes, **blason,** écu, écusson, panonceau [FÉOD.], pennon, pennon généalogique ou héraldique ; bannière [FÉOD.] ; noblesses [HIST.]. – Couronne **70,** diadème [ANTIQ.], tortil ; bandeau royal [HIST.]. – Titre de noblesse ; brevet de noblesse, parchemins.

14 Esprit de caste. – Traditionalisme ; royalisme **808.**

15 **Aristocratie,** noblesse *(la noblesse)* ; privilégiés *(les privilégiés).* – **Chevalerie,** chevalerie errante ; ancienne noblesse ou **noblesse d'épée** ; haute noblesse ou noblesse d'ancienne roche [vieilli]. – **Grands** *(les grands),* noblesse couronnée, noblesse titrée ; noblesse de cour ou noblesse présentée. – Petite noblesse ; **noblesse de robe** ou d'offices ; noblesse de province, noblesse de service. – Gentry [anglic.] ; antiq. rom. : nobilitas (lat. « noblesse ») ; ordre équestre. – Hautes classes [vx].

16 Fam : dessus du panier *(le dessus du panier)* **800.5,** gratin *(le gratin),* haute *(la haute)* [pop.], **beau linge** *(le beau linge),* beau ou grand monde *(le beau monde).* – High society [anglic., vieilli] ; bonne ou, vx, haute compagnie.

17 **Noble** *(un noble)* ; aristocrate *(un aristocrate),* gentilhomme, seigneur ; aristo [pop.] ; dame [HIST.] ou grande dame ; oblate [HIST.] ; banneret *(un banneret)* [FÉOD.], comte, duc **441,** prince ; grand nom. – Prov. : à tout seigneur, tout honneur ; tant vaut le seigneur, tant vaut la terre.

18 **Chevalier** ; HIST. : écuyer, paladin. – HIST. : bachelier, menin, page, varlet. – **Hidalgo,** menin ; lord. – HIST. : boyard, burgrave, hospodar, junker, magnat, margrave, patrice, patricien *(un patricien).* – Blasonné *(un blasonné)* [fam., vieilli]. – Péj. : gentillâtre, noblaillon, nobliau ; hobereau. – Ci-devant *(un ci-devant)* [HIST.]. – **Gentleman 163,** grand seigneur ; gant-jaune [fam., vx], talon rouge *(un talon rouge)* [HIST.].

19 Adoubeur [HIST.].

V. 20 **Anoblir** ; ennoblir [vx]. – HIST. : **adouber** ; accolader [rare] ; donner l'accolade. – Le ventre anoblit [HIST.]. – Titrer ; baronifier ou baroniser [péj.].

21 **Ennoblir** ; agrandir, **élever,** exalter, grandir, magnifier [sout.] ; sublimiser [litt.] ; dignifier [rare] ; édifier ; **idéaliser,** rehausser, relever, sublimer.

22 Recevoir ses lettres de noblesse [sout.] **367** ; s'aristocratiser [vx]. – **Avoir du sang bleu,** avoir de l'état [vx]. – Vivre en gentilhomme [vx]. – Faire le paladin [vieilli], palatiner [rare].

23 **Déroger à noblesse** ou déroger ; déchoir, se déclasser ; forligner [litt.] ; ternir son blason [litt.]. – Redorer son blason. – Se mésallier ; s'encanailler.

Adj. 24 **Noble** ; aristocrate ; **bien né,** titré ; de haut rang, de qualité, de vieille souche [fig.], de haute volée ; de haute ou grande extraction [litt.] ; vieilli : de bonne maison, de condition élevée, de distinction, des plus huppé ou haut huppé ; vx : né *(un homme né),* gentil ; de condition, de haut lignage, de haut parage, de haut lieu, d'illustre descendance ; de maison, de race, de sang.

25 **Aristocratique,** patricien [litt.], princier, racé ; vx : du bel ou grand air *(les gens du bel air)* ; fin de race [péj.].

26 **Noble** ; chevaleresque, grand seigneur ; bon prince ; vx : gentil, magnanime, preux ; gentilhommier [rare] ; gentilhommesque [péj., vx].

27 **Honorable 366,** respectable **717,** vénérable ; sout. : auguste, **digne.**

28 **Anobli** ; adoubé. – De parchemin ou de nouvelle impression *(gentilhomme de parchemin)* [vx].

29 **Nobiliaire** ; baronnial, comtal [rare], ducal, grand-ducal, seigneurial [FÉOD.] ; patricial [ANTIQ. ROM.]. – Royal ; aulique.

30 **Anoblissant.** – Rare : dignifiant, ennoblissant.

Adv. 31 **Noblement** ; aristocratiquement, majestueusement, princièrement, royalement. – **Avec noblesse** ; en grand seigneur.

32 Dignement [sout.] ; litt. : chevaleresquement, grandement, magnanimement.

553 NOIR

N. 1 **Noir** *(le noir)* ; **noirceur.** – Noireté ou noirté [vx, région.] ; nuit, **obscurité 566,** ténèbres ; ténèbre [litt.].

2 **Noir** ; sable [HÉRALD.].

3 Colorants et pigments noirs. – Noir d'animal ; noir de fumée, noir de carbone, noir de gaz ou carbon black, noir de houille ; noir de manganèse, noir minéral, noir de platine, noir d'ivoire ou noir de velours, noir de pêche ; noir de vigne, noir de lie ; noir d'acétylène, noir d'alizarine ; noir d'aniline ou noir inverdissable [TEXT.]. – BX-A. : bistre *(le bistre),* ombre (ou : terre d'ombre, terre à ombrer), noir de liège ou noir d'Espagne, noir de terre.

4 Noir (le noir, opposé au rouge) [JEUX].

5 Noir *(le noir)* ; mélancolie, pessimisme **615.** – Cafard [fam.], spleen.

6 **Noir** *(un Noir)* ; vx ou péj. : nègre *(un nègre,* fém. *négresse),* négrillon *(un négrillon,* fém. *négrillonne).* – Métis *(un métis),* mulâtre *(un mulâtre,* fém. *mulâtresse)* ; moricaud *(un moricaud,* fém. *moricaude)* [péj. et raciste]. – **Négritude** [LITTÉR.].

7 **Noircissure,** salissure **740.** – Bringeure.

8 **Noircissage,** noircissement ; salissement [rare]. – Calcination **311.**

9 MÉD. : mélanisme, mélanodermie **482,** mélanose.

V. 10 **Noircir.** – Assombrir, bistrer, foncer **566,** ombrer. – Charbonner, mâchurer, maculer, **salir 740.** – Pousser au noir, tirer au noir [PEINT.].

11 Noircir ; **bronzer,** hâler, brunir ; tanner.

12 Porter du noir ; être en deuil **331.**

13 Broyer du noir **836** ; avoir un coup de noir ou avoir le noir [fam., vieilli]. – Voir tout en noir.

14 Impers. : faire noir *(il fait noir, noir comme dans un four).*

Adj. 15 **Noir** ; noirâtre, noiraud [vx] ; charbonneux, fuligineux ; bistre, brun **84** ; tête-de-nègre.

16 **Noir comme jais** (ou : comme du jais, comme de l'encre, comme du cirage, comme du charbon, comme un corbeau, comme de l'ébène, comme de la poix). – Bringé **735.15.**

17 Noir, **noir de crasse,** noir de suie ; **sale 740** ; en deuil [fam.]. – Noirci, **sali,** terni.

18 **Noir** ; **basané,** bistré ; bronzé, hâlé ; moricaud, noiraud [fam.]. – Mélanoderme. – Nigritique [didact.].

19 **Noir, obscur 566,** sombre, ténébreux. – Couvert, chargé, lourd.

20 Qualifiant le noir. – [Noir] intense, intégral, soutenu, profond, tranché **159.27.**

Adv. 21 **Noirement** [litt.], sombrement.

22 IMPRIM. : en noir au blanc *(un titre en noir au blanc)* ; en réserve.

Aff. 23 Nigri-, nigro- ; **mélan-,** mélano-.

554 NOM

N. 1 **Nom** ; **appellation, dénomination,** désignation, qualification, titre **822** ; appellatif, **mot 535,** terme, vocable ; dénominatif, **épithète,** qualificatif.

2 **Nom** ou **substantif 346,** ; nom commun, nom propre ; nom concret (opposé à nom abstrait) ; nom collectif (opposé à nom individuel) ; nom comptable ou dénombrable (opposé à nom incomptable ou indénombrable) ; hyperonyme ou générique *(un générique)* opposé à hyponyme ou nom spécifique. – LING. : nominalisation ; nominatif *(le nominatif).*

3 **Nom propre** ; anthroponyme, ethnonyme ou ethnique *(un ethnique),* gentilé, toponyme.

4 **Nom** ; nom de famille, **patronyme,** surnom [vx] ; blase [arg.] ; nom à particule **552,** nom à coucher dehors [fam.]. – **Prénom** ; nom de baptême, nom individuel, petit nom. – **Surnom** ; diminutif, hypocoristique *(un hypocoristique),* sobriquet ; **pseudonyme** ; faux nom, nom d'emprunt, nom de guerre, nom de religion, nom de théâtre. – État civil, **identité 613** ; identification.

5 **Nom** ; intitulé *(un intitulé),* **titre** ; nom commercial, raison sociale ; appellation d'origine ou contrôlée, nom déposé. – Carte de visite.

6 **Nom** ; griffe, paraphe, seing, contreseing, **signature** ; initiale **459.** – Émargement, endos, souscription [rare].

7 Citation, **mention 595.** – **Nomination 266,** titularisation **441.**

8 Adresse, **apostrophe** ; vocatif [GRAMM.].

9 Homonymie **535.**

10 **Anonymat** ; vx : anonyme *(l'anonyme),* anonymie, anonymité ; incognito *(l'incognito).* – Anonymographie [PSYCHIATRIE].

11 **Nomenclature** ; catalogue, énumération, inventaire **126.7, liste,** palmarès, répertoire, rôle [ADMIN.] ; générique *(un générique)* [CIN.] ; terminologie.

12 Anonyme *(un anonyme)* [LITTÉR., PEINT.].

13 **Onomastique** ; anthroponymie, toponymie. – Généalogie **314.**

14 Dénommé *(le dénommé Untel)*, susdit *(le susdit)*, susnommé *(le susnommé)*.

15 **Homonyme** *(un homonyme)*. – Éponyme ; prête-nom **393.9.** – Patron, saint patron.

16 **Signataire** ; cosignataire, soussigné *(le soussigné)*.

17 **Anonyme** *(un anonyme)*.

V. 18 **Nommer,** prénommer, surnommer ; **appeler,** baptiser, dénommer ; débaptiser, rebaptiser ; **qualifier,** traiter de. – **Intituler.** – **Identifier,** reconnaître ; mettre un nom sur.

19 **Nommer** ; citer, désigner, **mentionner,** signaler ; **énumérer,** inventorier, répertorier ; dresser la liste de ; faire l'appel. – **Dire 595** ; appeler les choses par leur nom ou appeler un chat un chat **425.**

20 **Nommer 667, titulariser 822.**

21 Nominaliser [LING.].

22 S'appliquer à, **désigner,** représenter, **qualifier.**

23 **S'appeler,** se nommer, se prénommer ; répondre au nom de ; décliner son identité ou décliner ses nom, prénoms et qualités. – Usurper une identité. – Garder l'anonymat ou, vx, l'anonyme, rester dans l'anonymat ou dans l'ombre.

24 **Signer** ; contresigner, cosigner, émarger, parapher ; apposer sa signature ou sa griffe.

Adj. 25 **Nommé,** prénommé, surnommé ; appelé, baptisé, dénommé, dit ; connu sous le nom de. – Appelé, qualifié, traité de.

26 **Nommé, mentionné,** susdit, susnommé ; nominé [anglic.].

27 **Nominal,** nominatif ; conventionnel, extrinsèque.

28 Anthroponymique, ethnique, patronymique, toponymique. – Homonymique. – Théophore. – Éponyme.

29 **Connu,** reconnu ; signé.

30 Innomé ou innommé. – **Anonyme,** inconnu.

31 Innommable, inqualifiable.

Adv. 32 Nominalement, nominativement ; **nommément.** – En nom propre ; en mon (ton, son...) nom. – De nom (opposé à de fait), en titre.

33 Alias ; autrement appelé, autrement dit.

34 Anonymement, **incognito.**

Aff. 35 Onoma- ; **-nyme,** -nymie, -nymique.

555 NOMBRE

N. 1 **Nombre,** quantité **678,** grandeur [didact.] ; montant, **somme,** total. – **Unité 844.** – Nombre rond, chiffre rond. – Fréquence **326** ; fois *(une fois, deux fois, etc.)*.

2 Chiffre **493.** – Numéro. – Chiffre rond, nombre rond.

3 Nombre naturel ; **nombre cardinal, nombre ordinal.** – Nombre entier, nombre relatif, nombre décimal, nombre fractionnaire ; nombre carré, nombre cube ou cubique ; nombre divisible (opposé à nombre indivisible), nombre congru ; nombre premier, nombres premiers entre eux ; nombres proportionnels, nombres inversement proportionnels ; nombre aliquante, nombre aliquote [vx] ; nombre amiable, nombre multiple, nombres équimultiples ; nombre parfait (opposé à nombre imparfait), nombre pur ; **nombre pair** (opposé à nombre impair) ; nombre algébrique, nombre arithmétique ; nombre positif (opposé à nombre négatif) ; nombre homogène (opposé à nombre hétérogène) ; **nombre réel** ; nombre rationnel ou commensurable (opposé à nombre irrationnel ou incommensurable), nombre transcendant ; nombre infinitésimal ; nombre transfini ou cardinal infini ; nombre aléatoire. – Nombre abstrait (opposé à nombre concret) ; nombre figuré ; nombre imaginaire ; nombre complexe, nombre hypercomplexe ; nombre scalaire, quaternion. – Nombre pi (π) – Antilogarithme **493.**

4 Valeur numérique ; **coefficient,** indice, taux **166.17.** – Rapport **668,** ratio.

5 Quorum, quota, quotité ; *numerus clausus* (lat., « nombre limité »). – Surnombre **294.**

6 Contingent, effectif, **population.**

7 ÉCON. : clignotant, indicateur. – PHYS. : nombre caractéristique, nombre de Mach ; nombre d'Avogadro, nombre de masse, nombre ou numéro atomique. – Nombre d'or [ARCHIT.].

8 Dénombrement, **énumération,** numération [didact.] ; comptabilisation, **comptage, compte,** décompte ; inventoriage [didact.] ; évaluation, supputation. – **Inventaire,** recensement, recension.

9 Arithmétique, calcul numérique **87.** – Comput [RELIG.], computation.

10 Arithmologie ; théorie des nombres. – Statistique ; loi des grands nombres.

11 Numérologie ; arithmomancie ou arithmancie, arithmosophie **235.2.**

12 GRAMM. – Nombre ; **singulier** ; **pluriel 634,** plurier [vx] ; duel, triel.

V. 13 **Dénombrer,** nombrer [vx] ; chiffrer, comptabiliser, compter, évaluer ; supputer. – Faire le compte de, faire le décompte de, faire la somme de ; tenir une comptabilité de. – Annoter [DR., vx], inventorier, **recenser.**

14 **Calculer 87,** mesurer ; computer [vx].

15 **Coûter 659.14** ; se chiffrer à, s'élever à, se monter à [fam.]. – Titrer.

Adj. 16 **Numérique** ; **numéral** ; numéraire, surnuméraire. – Nombrier [GRAMM., rare].

17 Chiffrable, comptable, **dénombrable,** inventoriable, nombrable ; computable.

Adv. 18 Numériquement. – En nombre ; en surnombre **294.** – Combien.

Aff. 19 Arithmo- ; -arithme.

556 NON-CONFORMITÉ

N. 1 **Non-conformité** ; disconvenance, inadéquation, incongruité ; incompatibilité. – Hétérogénéité, **incohérence** ; irrégularité.

2 Différence **216** ; disparité, dissemblance **229,** dissimilitude [rare]. – **Inexactitude,** infidélité, invraisemblance **385.1.**

3 **Désaccord 194,** discordance **224,** disharmonie, divergence. – Dysfonctionnement.

4 Excentricité, marginalité, **originalité** ; atypie [didact.], étrangeté. – Hétérodoxie.

5 **Non-conformisme** ; individualisme, particularisme.

6 **Anomalie,** défaut, défectuosité, vice de forme [DR.]. – Exception. – LING. : idiolecte ; cuir **283,** pataquès.

7 Non-conformiste *(un non-conformiste).* – Brebis galeuse, canard boiteux, mouton noir ; vilain petit canard (allus. à un conte d'Andersen). – Contrevenant. – Dissident, **rebelle 728.**

V. 8 **Contrevenir,** déroger ; se distinguer, se faire remarquer. – Différer de **216** ; faire exception. – **Se rebeller 728** ; entrer en dissidence.

9 **Contraster,** discorder [litt.], diverger, s'opposer **572.** – Dysfonctionner.

10 **Désaccorder** ; désadapter, désajuster. – Altérer **23,** dénaturer. – Fausser, truquer [fam.] ; vicier [DR.].

Adj. 11 **Non conforme** ; disconvenant, inadéquat, **inapproprié,** incongru ; incompatible. – Hétéroclite, hétérogène ; incohérent.

12 Différent **216,** disparate, dissemblable **229,** dissimilaire [rare]. – **Discordant,** divergent.

13 **Anormal,** atypique, hors norme ou hors normes ; anomal [didact.]. – **Spécial,** spécifique ; exceptionnel, inaccoutumé, inhabituel **686.**

14 Fautif, incorrect, **inexact,** infidèle. – DR. : irrégulier, **nul,** vicié, vicieux ; nul et non avenu. – Défectueux. – Désaccordé.

15 Dissident, **rebelle 728.** – À part, étrange, excentrique, original, particulier, **singulier.** – Individualiste, non-conformiste. – Hétérodoxe.

Adv. 16 **Inadéquatement,** incrongrûment. – Anormalement, irrégulièrement. – Incorrectement, inexactement. – Différemment **216,** dissemblablement **229.**

Aff. 17 Dé-, dis-, dys- ; hétéro-.

557 NON-SENS

N. 1 **Non-sens** ; asémanticité [LING.] ; didact. : insignifiance **419, non-signifiance** ; rare : abracadabrance. – Inanité [rare], néant, vacuité, viduité [abusif]. – LOG., LING. : non-pertinence.

2 **Non-sens** ; **absurde** *(l'absurde),* absurdité, inutilité **435, vanité.**

3 **Aberration,** absurde *(l'absurde),* absurdité, illogisme, **incohérence,** irrationalité ; apagogie [LOG.], contradiction, paradoxe ; acte gratuit. – **Déraison 321,** insanité.

4 **Absurdité,** bêtise, idiotie, **ineptie,** sornette, sottise **784** ; **délire,** divagation, élucubration, extravagance ; conte ou histoire à dormir debout, histoire de fous, propos sans suite ; verbalisme [péj.], verbiage **665.** – **Non-sens** ; **erreur** ; barbarisme **346,** contresens, faux-sens **283.**

5 LITTÉR. : absurde *(théâtre de l'absurde)* **817,** nonsense [anglic.].

V. 6 **N'avoir aucun sens,** n'avoir ni queue ni tête, n'avoir ni rime ni raison, ne rimer à rien, ne pas tenir debout. – Ne servir à rien ; ne pas porter ou tirer à conséquence.

7 **Dire n'importe quoi** ; débloquer [fam.], délirer, déparler [région.], dérailler [fam.], déraisonner, disjoncter [fam.], extravaguer, péter les plombs ou les boulons [fam.] ; parler à tort et à travers, raisonner comme un coffre ou comme un tambour [fam.].

Adj. 8 **Asémantique,** dénué (ou : vide, exempt) de sens, insignifiant [rare]. – Non-pertinent, nonsignificatif.

9 **Insensé** ; aberrant, absurde, abracadabrant, alogique, délirant, extravagant, **fou,** ubuesque ; illogique, incohérent ; inepte, saugrenu ; faux ; sans queue ni tête.

10 **Absurde,** gratuit, injustifié. – Inexplicable.

11 **Insignifiant,** négligeable ; creux, **vide 435.**

Adv. 12 **Absurdement** ; bêtement, follement. – Gratuitement, sans raison ; inexplicablement, **sans rime ni raison.** – Inutilement.

558 NORMALITÉ

N. 1 **Normalité.** – Conformité, conventionnalité, normativité [didact.] ; correction, justesse **854.** – Légitimité, régularité, validité [DR.].

2 **Normale** *(la normale).* – État normal ; naturel. – Équilibre ; moyenne.

3 **Ordre 576** ; ordre des choses, ordre de la nature. – Courant *(le courant, le courant des affaires),* ordinaire *(l'ordinaire),* quotidien *(le quotidien).*

4 Habitude **357** ; routine **843.4.**

5 Normalisation ; rectification, régulation, stabilisation. – Légitimation, régularisation.

V. 6 Normaliser ; régulariser, stabiliser. – **Corriger,** rectifier ; assainir, équilibrer. – **Conformer à,** mettre en conformité avec.

7 Aller, **fonctionner,** marcher ; fam. : être sur des rails, rouler. – Fam. : ça baigne, ça marche, ça va, c'est bon, c'est O. K.

8 **Rentrer dans l'ordre,** revenir à la normale.

9 S'adapter, se conformer, se couler dans le moule.

Adj. 10 **Normal** ; naturel. – Conforme **147,** orthodoxe. – Légal, régulier, valide [DR.].

11 Bon, correct. – Moyen. – Équilibré.

12 Classique, coutumier, habituel, usuel ; commun.

Adv. 13 **Normalement,** vraisemblablement ; naturellement. – Comme de raison ; en toute logique.

14 Conformément, correctement. – Comme de juste.

15 Couramment, ordinairement.

559 NORME

N. 1 **Norme** ; canon, standard. – Archétype, modèle, parangon **379.** – Milieu, juste milieu, moyenne *(la moyenne),* normale *(la normale),* ordinaire *(l'ordinaire).*

2 Critère, référence, valeur ; idéal. – Beau *(le beau)* **69** ; bien *(le bien)* **533** ; bon *(le bon),* le bon usage. – Déontologie.

3 Calibre, **étalon.** – TECHN. : forme, gabarit, patron, *pattern* [anglic.], **type.** – Balance, régule [TECHN., anc.].

4 Norme de fabrication (norme AFNOR, norme française ou NF) ; norme de productivité.

5 Canonicité [didact.], **conformité,** normalité, normativité [didact.], régularité ; légalité **245.** – Grammaticalité [LING.].

6 Validité.

7 Normalisation, régularisation, **standardisation** ; unification. – Systématisation [didact.]. – Régulation.

8 Codification, **réglementation** ; légalisation. – Modélisation.

9 Calibrage, étalonnage, formatage[INFORM.].

V. 10 Normer ; fixer une norme. – Codifier, **réglementer** ; légiférer. – Définir. – Breveter.

11 Mettre aux normes, normaliser, régulariser, standardiser ; réguler, unifier. – **Adapter,** ajuster, approprier, conformer ; harmoniser ; faire cadrer avec, régler sur.

12 Calibrer, étalonner ; formater [INFORM.], modéliser.

13 Se conformer à, se régler sur ; se plier à, se soumettre à. – Rentrer dans le rang, revenir à la norme. – Faire comme tout le monde.

Adj. 14 **Modèle,** standard, type. – Coutumier **164** ; usité, usuel ; d'usage, en usage.

15 Naturel, normal ; moyen, ordinaire.

16 Conforme, valide ; canonique, codique [didact.]. – Correct ; bon, exact, juste.

17 Normatif [didact.].

18 Normé **338.**

Adv. 19 Selon ou suivant la norme. – Légalement, légitimement.

Prép. 20 **D'après,** selon, suivant ; en conformité avec ; conformément à.

Aff. 21 Nomo-, **norm-,** normo-, orth-, **ortho-,** typo-.

22 -nome, **-type,** -typie.

560 NOUVEAUTÉ

N. 1 **Nouveauté** ; fraîcheur, jeunesse **445,** modernisme, modernité, nouvelleté [vx], primeur, récence [didact.], verdeur ; hardiesse, originalité ; jamais vu *(du jamais vu)*, neuf *(du neuf)*, nouveau *(du nouveau)*.

2 Création, **innovation 414,** novation ; découverte **179** ; veille technologique ; avant-garde, avant-gardisme **46.** – Commencement **134.**

3 Nouveauté *(une nouveauté)*, primeur [fig.]. – Inédit *(un inédit, de l'inédit)* **469, nouvelle** *(une nouvelle)* **654.** – Article de nouveauté ou de haute nouveauté, **nouveauté***(travailler dans la nouveauté)* **520.**

4 Nouvel An ; printemps **738, renaissance, renouveau.** – Art nouveau **46.** – Pays neuf ; ville nouvelle. – Novale [AGRIC.], terre neuve. – Nova [ASTRON.].

5 Actualisation, aggiornamento ; **modernisation,** remise à neuf **702,** rénovation ; œil ou regard neuf. – Rajeunissement, régénération. – **Remplacement** ; succession ; turnover [anglic.]. – Reconduction, renouvellement **153.**

6 Nouveau *(un nouveau)* **35** ; **néophyte,** novice ; fam. : bizut ou bizuth, bleu *(un bleu)* **134.** – Dernier-né, nouveau-né **270,** nouveau venu **45.** – Homme nouveau [vx], nouveau riche. – Innovateur **414, inventeur.**

V. 7 **Apporter du neuf** ; innover **414,** moderniser, rafraîchir [fig.], relooker [fam.], **renouveler,** révolutionner. – Apporter du sang frais ; apporter un souffle nouveau, faire souffler un vent nouveau sur. – Avoir l'œil neuf [fam.], avoir un regard neuf sur, jeter un jour nouveau sur. – Actualiser, remettre à jour ; **rénover,** remettre à neuf.

8 Créer, inaugurer, instituer, **inventer** ; découvrir **179.** – Réassortir [COMM.], remplacer. – Rajeunir, renaître ; muer. – Faire peau neuve.

9 Commencer **134,** débuter. – Être tout frais de [vieilli], **venir de** ; être nouveau à qqn [vx]. – Tout nouveau tout beau [loc. prov.]. – Vient de paraître, de sortir.

10 Demander des nouvelles de qqn, donner de ses nouvelles. – Fam. : Quoi de neuf ?, rien de neuf.

11 Nover [DR.], **renouveler,** reconduire **153.**

Adj. 12 **Nouveau, récent** ; jeune **445** ; nouveau-né ; frais émoulu ; vert. – Neuf, battant neuf [vieilli], **flambant neuf,** tout beau tout neuf [fam.]. – De la dernière cuvée ; dans la primeur [vieilli], de nouvelle date ou de fraîche date, de toute fraîcheur [vieilli], frais comme un gardon (aussi : une pâquerette, une rose).

13 **Moderne,** modernissime [fam.], moderniste, ultramoderne ; postmoderne ; avant-gardiste ; new-look [anglic.]. – Inconnu, **inédit,** original ; jamais vu, sans précédent ; inattendu, **inhabituel** ; novateur. – Novatoire [DR.]. – Néologique [LING.].

14 Métamorphosé, remis à neuf, renouvelé, rénové. – Autre **23,** second.

Adv. 15 **Nouvellement** ; fraîchement, jeunement [rare]. – De fraîche date, de frais, de neuf ; à neuf. – À peine, **juste,** tout juste ; dernièrement, naguère [litt.] ; récemment **598.**

Aff. 16 Néo-.

561 NUAGES

N. 1 **Nuages** ; nue, nuée [litt.]. – Brouillard **372,** brume, fog, purée de pois [fam.], smog [anglic.]. – Condensation, **vapeur.**

2 Nébulosité, nuaison [MÉTÉOR., vx]. – **Ciel bas,** ciel couvert, plafond bas ; temps bas. – **Éclaircie,** embellie ; [fam.] culotte de gendarme.

3 Banc ou bande de nuages, écharpe de nuages, formation nuageuse. – Panne [rare], queue-de-chat ; **mouton.**

4 Cirrus, cumulus, nimbus, stratus ; altocumulus, altostratus, cirrocumulus, cirrostratus, cumulo-nimbus, nimbo-stratus, stratocumulus. – Nuage d'orage, nuage de pluie, nuage de grêle.

5 Système nuageux. – Tête, corps, traîne.

6 ASTRON. – **Nébuleuse** ; nuage solaire, nuage stellaire **49.**

7 Nuées ardentes [GÉOPHYS.].

8 Zeus ou Jupiter rassembleur de nuées [MYTH.]. – gloire, nimbe [BX-A.].

V. 9 **Ennuager** [litt.]. – S'amasser, s'amonceler ; se dissiper.

10 Menacer. – Se couvrir, se gâter, se rembrunir. – Crever. – Se dégager. – Ciel pommelé et femme fardée ne sont pas de longue durée [prov.].

11 Moutonner, pommeler.

12 Encapuchonner, nimber. – Brouiller ; masquer, obnubiler, obscurcir **566.**

Adj. 13 Nébuleux, **nuageux** ; nébulaire [ASTRON.].

14 Ballonné, cotonneux, floconneux, moutonneux ; brumeux, vaporeux. – **Couvert,** obscurci, opaque ; pesant, plombé.

15 Clair, **dégagé,** sans nuages.

16 HÉRALD. : nébulé, nuagé.

Aff. 17 Néphél-, néphélé-, néphélo-.

562 NUDITÉ

N. 1 **Nudité.** – Dénudation, dénudement [litt.] ; dégagement. – Déshabillage.

2 Adamisme, **naturisme, nudisme,** nu-vitisme [Québec.]. – Streaking [anglic.].

3 Inconvenance, indécence **485.**

4 Académie d'homme, académie de femme, **nu** *(un nu).* – BX-A. : kouros *(un kouros),* putto *(un putto).*

5 Décolleté *(un décolleté)* **859, déshabillé** *(un déshabillé),* dos-nu *(un dos-nu).* – Bikini, monokini, string ; cache-sexe, feuille de vigne.

6 Strip-tease. – Peep-show [anglic.].

7 Adamite, gymnosophiste [HIST.], naturiste, nudiste ; va-nu-pieds **603.** – Camp de nudistes.

8 Effeuilleuse, strip-teaseuse.

V. 9 Être nu comme un petit Jean-Baptiste (ou : comme l'enfant qui vient de naître, comme en sortant du ventre de sa mère, comme la main, comme un ver). – Avoir les bras ou les coudes retroussés, être en bras de chemise.

10 **Se déshabiller** ; vx : se dénuder, se mettre à nu.

11 Découvrir, dénuder, dépouiller, **déshabiller 859,** dévêtir, **mettre à nu,** montrer ; litt. : dévoiler, révéler.

12 Effeuiller la marguerite [fam.] ; déshabiller qqn du regard.

Adj. 13 Nu, tout nu ; fam. : en costume d'Adam, en costume d'Ève, dans l'état de nature, dans le plus simple appareil, *in naturalibus,* à poil. – À demi-nu, à moitié nu ; nu-jambes, nu-pieds, nu-tête.

14 Gymnique [ANTIQ.]. – Adamique.

15 Dépouillé.

Adv. 16 À cru, à nu.

Aff. 17 Gymno-, nudi-.

563 NUTRITION

N. 1 **Nutrition** ; alimentation, consommation. – Absorption, ingestion, ingurgitation, manducation [PHYSIOL.], sustentation **703.** – Assimilation, **digestion 218** ; intussusception [CYTOL.]. – Circulation **742,** respiration **718.**

2 **Alimentation** ; alimentation artificielle [MÉD.]. – **Repas 703** ; régime alimentaire **214.**

3 **Chaîne alimentaire 251** [ÉCOL.]. – Autotrophie, hétérotrophie [BIOL.].

4 Milieu nutritif. – **Nourriture,** réserves nutritives. – Nutriment **218.4.**

5 **Nutritivité** [didact.].

6 **Faim** ; appétit **343** ; L'appétit vient en mangeant [prov.].

7 **Gloutonnerie 342,** gourmandise, tachyphagie, **voracité** ; polyphagie (opposé à oligophagie) [MÉD.] ; suralimentation.

8 **Malnutrition,** misère physiologique, sous-alimentation ; carence alimentaire, dénutrition. – MÉD. : anorexie, athrepsie, atrophie, cachexie, dystrophie ; dysphagie. – Malacie, opsomanie, pica [MÉD., lat.].

9 **Alimentation,** nourrissage, nourrissement [vx] ; gavage. – Eutrophisation [SC.].

10 **Diététique** *(la diététique).*

11 **Nutritionniste** *(un nutritionniste)* ; diététicien *(un diététicien).* – Diététiste *(un diététiste)* [MÉD.].

V. 12 **Nourrir** ; alimenter, allaiter, sustenter ; donner à manger ; entretenir, soutenir. – Emboquer [région.], engaver, **engraisser,** gaver, gorger ; vx : abecquer, embecquer.

13 Absorber, consommer, ingérer, ingurgiter, **manger** ; avaler, gruger [vx].

14 **Se nourrir,** se sustenter, s'alimenter. – Se mettre qqch sous la dent [fam.].

15 **Avoir faim** ; avoir de l'appétit ; fam. : avoir les crocs, avoir la dalle, avoir l'estomac dans les talons.

16 Affamer.

Adj. 17 **Nutritionnel** ; alimentaire, diététique **214.** – Alimentateur [vx], **nourrissant,** nutricier [vx], nutritif ; nourricier, nutricial [ZOOL.]. – Sous-nutritif.

18 **Comestible,** mangeable ; potable **468.17.** – Apéritif, appétissant.

19 Didact. : autotrophe, hétérotrophe. – Eutrophe, oligotrophe.

20 Anorexique, cachectique ; dysphagique.

Aff. 21 **-phage,** -phagie ; **-trophe,** -trophie ; -vore.

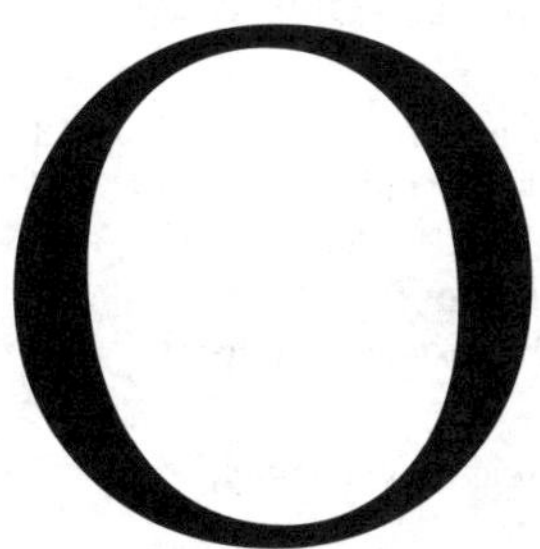

564 OBÉISSANCE

N. 1 **Obéissance** ; discipline, docilité. – Observance, observation [fig.]. – Obédience [vx]. – Vœu d'obéissance [CATH.].

2 **Soumission 787,** subordination, sujétion ; allégeance [sout.]. – Déférence **717,** dévotion [litt.], **dévouement.**

3 Dépendance, passivité ; fig. : malléabilité, souplesse. – État agentique [PSYCHOL.]. – Puissance obédientielle [THÉOL., vx].

4 **Servilité 734.** – Fayotage [arg.], fayoterie [vx].

5 Adepte, **disciple 274.** – Obédiencier [RELIG.].

6 Subalterne *(un subalterne),* **subordonné** *(un subordonné)* ; domestique *(un domestique),* domesticité [litt.], serviteur ; azor [arg., vx]. – Esclave, serf. – Bonne bouche [ÉQUIT.].

7 Sous-ordre *(un sous-ordre),* **exécutant** *(un exécutant).* – Esclave [fig.].

V. 8 **Obéir** ; exécuter un ordre. – Déférer à ; sacrifier à ; se conformer à. – Écouter, **observer,** respecter **717.**

9 **Céder,** obtempérer, plier ; s'incliner, se plier, se soumettre. – Courber l'échine ou la tête **787, filer doux,** marcher au pas ; s'écraser [fam.]. – Ne pas se le faire dire deux fois, se le tenir pour dit.

10 Agir au gré de, céder à, **consentir à 149.** – S'abandonner à, se laisser aller à. – Succomber à.

Adj. 11 **Obéissant** ; discipliné, **docile,** souple ; bête et discipliné ; fayot [arg.]. – Déférent, dévoué, zélé ; soumis **787.** – Fidèle, loyal **472.**

12 De bonne composition, facile ; doux comme un agneau, sage comme une image. – Domestique [ZOOT.].

13 Disciplinable, malléable **407,** maniable. – Gouvernable *(une nation gouvernable)* [vx]. – Domesticable [ZOOTECHN.].

14 Obédientiel [RELIG.].

Adv. 15 Docilement ; aveuglément. – **À la baguette,** au doigt et à l'œil.

16 Sur ordre. – Bon gré, mal gré ; de gré ou de force ; *volens nolens* (lat.,« qu'on le veuille ou non »). – Sur ordre.

Prép. 17 **Aux ordres de,** sous les ordres de.

18 Sous la coupe de. – **À la disposition de.**

Int. 19 À vos ordres !

565 OBLIGATION

N. 1 **Obligation** ; coercition, **contrainte.** – **Force,** pression **614,** violence. – DR. : Astreinte, contrainte par corps.

2 **Obligation** *(une obligation, des obligations)* ; **astreinte,** charge, **contrainte, devoir 213,** responsabilité. – Corvée, tâche, pensum. – Servitude, sujétion **240.**

3 **Obligation** ; **besoin, nécessité.** – Exigence, impératif *(un impératif)* ; force majeure, raison d'État. – Commandement **133,** prescription, loi, règle ; discipline.

4 **Obligation** ; engagement, lien ; promesse **666,** serment. – **Dette,** dû *(un dû)* ; gratitude **348,** reconnaissance.

5 Contrat, convention ; reconnaissance de dette. – Acte, **titre 849.**

6 Obligé *(un obligé)* [sout.], débiteur. – **Obligataire** ou obligationnaire [vx].

V. 7 **Obliger** ; astreindre, contraindre, **forcer** ; mettre dans l'obligation de. – Condamner, réduire ; acculer, sommer ; mettre en demeure, mettre au pied du mur. – **Imposer 870, nécessiter 545.5** ; commander, exiger, ordonner, prescrire.

8 **Obliger** ; **engager, lier** ; assujettir, enchaîner, soumettre ; mettre à la merci de.

9 **Obliger** [sout.] ; **aider 19,** rendre service.

10 **Devoir,** être tenu à + n., être tenu de + inf. ; n'avoir d'autre possibilité ou d'autre ressource que.

11 **Falloir** [impers.] ; il faut, on doit.

Adj. 12 **Obligatoire, obligé** [fam.] ; exigé, **imposé** ; d'obligation, de rigueur. – Exigible. – Contraint, forcé ; de commande. – Incontournable, **indispensable, nécessaire,** vital.

13 Certain, **fatal 305,** forcé, immanquable, inéluctable, **inévitable,** infaillible, sûr.

14 **Astreignant 255, contraignant** ; asservissant, assujettissant. – Coercitif.

15 **Obligé** [sout.] ; dépendant, engagé, lié, tenu. – Redevable ; reconnaissant.

16 Obligeant **76.**

17 Obligataire.

18 MUS. : obligé ou obbligato.

Adv. 19 **Obligatoirement** ; indispensablement, nécessairement. – **Fatalement,** forcément, immanquablement, inéluctablement, **inévitablement,** infailliblement, sûrement ; à coup sûr, à tous les coups [fam.].

20 Obligeamment.

21 De gré ou de force ; par force.

566 OBSCURITÉ

N. 1 **Obscurité** ; noir *(le noir)* **553.1,** ténèbres *(les ténèbres,* vx : *la ténèbre).* – Litt. : la noirceur, la nuit, l'obscur. – **Pénombre** ; ombre, opacité. – Clair-obscur *(un clair-obscur)* **473.3,** demi-obscurité.

2 **Obscurité.** – Nuit ; nuit close, nuit tombée ; nuit noire, nuit d'encre ; arg., vx : borgnon, sorgue. – Combat de nègres dans un tunnel [pop.].

3 **Pénombre.** – **Demi-jour,** jour douteux ; contre-jour. – **Soir 776** ; crépuscule, nuit tombante, tombée de la nuit ; brune *(la brune).* – « Cette obscure clarté qui tombe des étoiles » (Corneille).

4 **Assombrissement,** obscurcissement. – ASTRON. : éclipse, obscuration, offuscation. – Nébulosité [MÉTÉOR.] **561.** – Black-out [HIST., anglic.].

5 **Noirceur, obscurité** (d'une couleur). – Noir *(le noir).* – Obscur *(un obscur),* sombre *(un sombre)* [PEINT.]. – Clair-obscur *(un clair-obscur)* **473.7.** – **Ombre** ; hachure [DESSIN].

6 Nyctitropisme [SC.]. – Nyctalopie [PATHOL.] **840.2.**

V. 7 **Obscurcir** ; assombrir, enténébrer [litt.], obombrer [vx, litt.] ; opacifier. – **Foncer** ; brunir, noircir **553** ; hachurer, ombrager [BX-A.], ombrer (un dessin).

8 **S'obscurcir** ; s'assombrir, s'anuiter [litt.], se brouiller, se voiler. – Faire noir [impers.] ; il fait noir, noir comme dans un four, noir comme dans un tunnel.

9 N'y voir goutte **840.14.**

Adj. 10 **Obscur** ; opaque ; sombre. – Litt. : nuiteux [vx], ombreux, ténébreux ; crépusculaire. – Noir **553** ; noirâtre. – **Foncé,** sombre. – Aveugle [ARCHIT.].

11 **Obscurcissant** ; assombrissant, obscurant [litt.].

12 **Assombri** ; brouillé, chargé, couvert, embrumé ; nébuleux, nuageux.

13 **Nocturne** ; crépusculaire [SC.]. – Nyctalope [didact.].

Adv. 14 **Obscurément** [vx, litt.]. – À la brune, à la nuit tombante, entre chien et loup ; de nuit, nuitamment [litt.]. – À contre-jour.

Aff. 15 Nyct-, nycti-, nycto-.

567 OBSTACLE

N. 1 **Obstacle** ; barrage, blocage, bouclage, obstruction, verrouillage **308.** – **Séparation** ; fig. : cloisonnement, compartimentage ou compartimentation.

2 Barrage, barrière **67,** fossé, mur, saut-de-loup ou, vx, haha ; mur d'airain [fig.].

3 Barre, grillage, grille **756,** herse. – **Barricade,** ligne fortifiée, muraille, rempart ; clôture, fermeture. – **Borne,** butoir, limite **467.** – **Cloison,** écran, paravent, rideau, vitrage.

4 Digue, écluse, goulet. – **Écueil,** récif, rocher.

5 **Course d'obstacles** ; haie **792.** – ÉQUIT. : obstacle ; brook, bull-finch, fossé, haie, mur, **rivière.**

6 **Obstacle** ; bouchon, embouteillage, encombrement, engorgement, retenue ; embarras [vx]. – Barrage de police, cordon de troupes.

7 **Obstacle** ; adversité **11,** contretemps, difficulté **217,** écueil, embûche, empêchement, **entrave,** frein, gêne, grain de sable, impedimenta [pl., litt.], pierre d'achoppement, problème ; vx : encombre, rémora ou rémore. – **Embarras** ; accroc, aria [vieilli]. – Fam. : anicroche, bec ou bec de gaz, cactus, cheveu, hic, os ; vx ou litt. : achoppement, enclouure, traverse.

8 **Obstruction** ; chicane, complication, goulet ou goulot d'étranglement [fig.] ; dédale, détours, labyrinthe ; impasse. – **Contrainte** ; embargo, interdiction **429** ; fig. : bâillon, carcan, chaîne, corset, lien ; corset de fer ; enlisement.

9 Fin de non-recevoir, non, opposition **572,** refus, résistance, restriction.

10 **Empêcheur** [vx], gêneur, importun.

V. 11 **Faire obstacle à** ; accrocher, aheurter [vx], brider, contenir, endiguer, freiner, retenir ; arrêter, stopper. – **Bloquer,** congestionner, embouteiller, encombrer, engorger, **obstruer,** paralyser. – **Condamner,** murer, offusquer [vx]. – Enclouer [ARM.]. – Barrer ou boucher le passage à, couper le chemin ou la route à, empêcher (ou : fermer, interdire) l'accès à.

12 **Former obstacle entre** ; diviser, s'interposer, séparer.

13 Contrarier, contrecarrer, contrer, embarrasser, enliser, gêner ; donner du fil à retordre à, mettre des bâtons dans les roues à ; donner de la tablature à [litt., rare]. – Modérer, refréner ou réfréner, restreindre, retenir ; fig. : brider, endiguer, entraver, étouffer, freiner, museler, paralyser. – **Empêcher de,** mettre son veto à, s'opposer à, traverser [vx].

14 Couper ou rogner les ailes à, lier les mains à [fig.]. – Couper la parole à, faire taire, interrompre, lier la langue à.

15 S'embourber, s'enliser, s'ensabler. – Accrocher sur, **achopper** ou **s'achopper à,** s'aheurter à [vx ou litt.], broncher, buter sur, chopper à, cogner ou se cogner contre, donner dans, heurter, se heurter à, trébucher. – Trouver sur son chemin ou en travers de son chemin ; se casser le nez contre ou sur, trouver porte close.

16 Surmonter un obstacle ; débarrasser, **dégager,** désencombrer, désobstruer ; forcer un barrage, forcer le passage. – **Aplanir,** balayer, franchir, lever, pallier, sauter, surmonter, vaincre ; trouver un biais ; trouver une échappatoire ; trouver un subterfuge ; venir à bout de.

Adj. 17 **Obstrué** ; bloqué, congestionné, encombré, engorgé. – Indisponible.

18 **Infranchissable,** insoluble, insurmontable. – **Sans issue.**

Adv. 19 **Contre vents et marées.**

Prép. 20 **À l'encontre de,** en travers de ; contre ; devant.

568 OBSTINATION

N. 1 **Obstination** ; **entêtement, insistance,** opiniâtreté, persévérance **612,** persistance, **ténacité** ; acharnement. – **Résolution 716,** volonté **870.**

2 Idée fixe – Caprice **90.**

3 **Entêté** *(un entêté)* ; fam. : cabochard, tête de bois (aussi : de cochon, de mule, de pioche) ; mauvaise tête **715.** – Fig. : bloc, mur.

V. 4 **S'obstiner** ; continuer, **s'entêter, insister,** s'opiniâtrer [sout.], persévérer, persister, résister ; **s'acharner** ; passer outre.

5 **Tenir bon** ; demeurer ou rester sur ses positions ; **ne pas céder 693,** ne pas démordre, ne pas lâcher le morceau [fam.]. – Se braquer, **se buter** ; ne vouloir rien entendre.

6 Fam. : **avoir la tête dure,** avoir une tête de cochon ; avoir une rude ou une sacrée caboche.

Adj. 7 **Obstiné** ; persévérant, **opiniâtre,** résolu, **tenace,** volontaire **870.** – **Buté,** cabochard, **entêté, têtu,** têtu comme un âne (aussi : comme une mule, comme un mulet) ; braqué. – Intransigeant **248.**

8 **Obstiné** ; **acharné,** assidu, opiniâtre.

Adv. 9 **Obstinément** ; mordicus [fam.], farouchement, opiniâtrement, résolument.

10 **À tout prix,** à toute force, **coûte que coûte,** de gré ou de force, envers et contre tout, contre vents et marées, **malgré tout.**

569 ODEUR

N. 1 **Odeur** ; odorité [didact.]. – Effluence [rare], effluve, **exhalaison** ; émanation, vapeur. – Odeur sui generis.

2 Arôme, fragrance, **parfum 594,** senteur. – **Bouquet 318,** fumet **333.**

3 **Odeurs primaires** ; camphre, musc, odeur florale ou mentholée, éther, odeur âcre ou putride.

4 **Puanteur** ; infection, pestilence ; punaisie [vx]. – Relent ; miasme, remugle. – Empyreume [CHIM., vx]. – Ozène [PATHOL.].

5 **Odorat,** sens olfactif. – Olfaction [didact.] ; odoration [vx]. – **Osmesthésie** [didact.].

6 **Nez 814.** – **Appareil olfactif.** – Fosses nasales. – Muqueuse olfactive ; membrane ou muqueuse pituitaire. – Nerf olfactif **548.** – Bulbe olfactif, pédoncule olfactif.

7 **Odorisation** (opposé à désodorisation).

8 PATHOL. – **Dysosmie** ; cacosmie, parosmie [MÉD.]. – **Anosmie.**

9 **Osmologie.** – Rhinologie. – Parfumerie **594.8.**

10 **Odorimétrie** ; olfactométrie [SC.].

11 SC. – **Odorimètre,** osmomètre. – Boîte olfactométrique, osmiesthésimètre [PHYSIOL., PSYCHOL.].

12 Olfactène [PHYSIOL.].

13 TECHN. – **Odoriseur** ; assainisseur.

14 **Odorisant** ; assainisseur. – **Désodorisant** ; déodorant [anglic.] ; désodoriseur.

15 **Olfactif** *(un olfactif).*

V. 16 **Exhaler** ; dégager, répandre. – **Parfumer.** – Embaumer, fleurer.

17 **Empester** ; cocoter, puer [fam.]. – Monter au nez, prendre à la gorge.

18 **Empuantir** ; empoisonner ou infecter l'atmosphère.

19 **Respirer 718** ; flairer, humer, renifler, sentir ; inhaler. – **Aspirer par le nez,** inspirer.

20 Avoir du nez, avoir bon nez.

21 Se parfumer ; se mettre de l'odeur [pop.].

22 Désodoriser.

Adj. 23 **Odorant** (opposé à inodore) ; odorifère, odorigène [didact.]. – **Odoriférant.** – **Aromatique** ; odorifique. – Odorisant (opposé à désodorisant) [TECHN.].

24 **Odoratif, olfactif** [didact.]. – BIOL. : osmatique ; macrosmatique (opposé à microsmatique).

25 Parfumé **594.11.** – Litt. : fragrant, fleurant [vx] ; bénéolent [litt., rare].

26 **Malodorant** ; fétide, nauséabond ; puant [fam.], punais [vx]. – **Miasmatique** [litt.] ; ozéneux [MÉD.].

27 Qualifiant les odeurs. – [Odeur] aromatique, balsamique. – [Odeur] capiteuse, entêtante, poivrée. – [Odeur] terreuse, vineuse. – [Odeur] âcre, empyreumatique. – [Odeur] pestilentielle, fétide, nauséabonde, nidoreuse. – [Odeur] méphitique, vireuse.

Adv. 28 **Olfactivement.**

Aff. 29 Osm-, osmo- ; osma-, osmi- ; ozo-.

30 -osmatique, -osmia, -osmie.

570 OISEAUX

N. 1 **Oiseau** ; oiselet, oisillon ; volatile. – Gent ailée [sout., vieilli], avifaune [SC.]. – Volaille.

2 Oiselet [litt.], oisillon.

3 Ornithologie **873.**

4 Colombiformes, échassiers (ardéiformes ou ciconiiformes, charadriiformes, gruiformes ou ralliformes), gallinacés galliformes (cracidés, mégapodidés, phasianidés, tétraonidés), gallinacés tinamiformes, grimpeurs (coliiformes, cuculiformes, piciformes, psittaciformes, trogoniformes), impennes, passereaux (apodiformes, caprimulgiformes, eurylaimiformes, ménuriformes, oscines, tyranniformes), palmipèdes (alciformes, ansériformes, gaviiformes, lariformes, pélécaniformes, podicipitiformes, phœnicoptériformes, procellariiformes), rapaces (accipitriformes ou falconiformes, strigiformes), ratites (aptérygiformes, casuariformes, rhéiformes, struthioniformes). – Oiseaux à bréchet ou carinates, oiseaux sans dents ou néognathes, oiseaux néornites.

5 Oiseaux arpenteurs, oiseaux coureurs ou ratites, oiseaux grimpants, oiseaux nicheurs. – Oiseaux diurnes, oiseaux nocturnes. – Oiseaux chanteurs, oiseaux parleurs.

6 FAUC. – Oiseau de bonne compagnie, oiseau de bon guet, oiseau dépiteux ; oiseau d'escape. – Oiseau ignoble, oiseau noble, oiseau niais, oiseau pillard. – Oiseau de leurre, oiseau de poing, oiseau de travail, oiseau de grand travail. – Oiseaux de haut vol (faucons : gerfaut, hobereau, pèlerin, sacre), de bas vol (autour, épervier).

7 Oiseaux de basse-cour, oiseaux domestiques, oiseaux d'élevage ; **volaille.** – Canard, coq, dindon ou, vx, coq d'Inde, jars ; dinde, oie, pintade, poule ; chapon ou coq vierge, coquart, pouillard. – Dindonneau, oison, poussin.

8 **PASSEREAUX**

accenteur
agrobate
alouette
alpin
ammomane
ani
astrild
babillarde
bec-de-corail
bec-croisé
bengali
bergeronnette ou hoche-queue (bergeronnette cendrée, bergeronnette printanière ou flavéole, bergeronnette grise ou lavandière)
bouscarle
bouvreuil
bruant (bruant jaune, bruant des roseaux, proyer, zizi)
bulbul
calandre
calandrelle
calfat
canari
cardinal
charbonnier
chardonneret
carouge
chocard ou choquard
choucas
cincle
cini
cisticole
cochevis
corbeau
corneille
coucal
coucou
crave
dominicain
érémophile ou hausse-col
étourneau ou sansonnet
durbec
fauvette
fourmilier
franciscain
freux
friquet
geai
geai de montagne ou casse-noix
geai terrestre ou coureur
gobe-mouches
gorgebleue
grimpereau
grisette
grive (draine, grive musicienne, litorne, mauvis)
gros-bec
hypolaïs
jaseur
linotte
locustelle
loriot
lulu
lusciniole
mainate
martinet
mauviette
merle
merleau
merlette
mésange
mime ou moqueur
moineau ou pierrot
monticole
motteux
moucherolle
mouchet
nectariniidé
niverolle ou pinson des neiges
orthotome ou fauvette couturière
ortolan ou, région., becfigue
passerinette
penduline ou rémiz
pie
pie-grièche (ou : écorcheur, oiseau-boucher)
pinson
pipit des prés ou farlouse
pouillot
républicain
roitelet
roselin
rossignol
rouge-gorge
rouge-queue ou rossignol des murailles
rousserolle (ou fauvette des roseaux, effarvatte, turdoïde, verderolle)
serin
sirli
sittelle ou torche-pot
sizerin
spioncelle
tangara
tarier
tarin
tichodrome (ou échelette, grimpereau des murailles)
tourde ou tourdelle
traquet
troglodyte
venturon
verdier

AFRIQUE

amadine ou cou-coupé
coliou
dominicaine
eurylaime
pique-bœuf ou buphage
quéléa
suimanga
tisserin ou euplecte
veuve

AUSTRALIE

oiseau à berceau
drongo
ménure ou oiseau-lyre

AMÉRIQUE

cotinga
fournier (ou dendrocolapte, picucule)
goglu
ministre (ou pape, passerine)
quiscale
troupiale (ou oriole)
tyran

ASIE

martin
mésangeai

9 **GALLIFORMES**

argus
bartavelle
caille
cupidon
dindon
faisan
francolin
faisandeau
gélinotte
paon
pintade
perdrix
roquette
roulroul
tétraogalle (ou grouse, lagopède, poule des neiges)
tétras ou coq de bruyère

10 **PSITTACIFORMES**

amazone
ara
cacatoès
coryllé
inséparable
jaco
jacquot
kakapo
kéa
lori
loricule
loriquet
micropsittiné
papegai
perroquet
perruche
rosalbin

11 **COLOMBIFORMES**

biset
colombe
colombin
ectopiste
ganga
géopélie
goura
palombe
pigeon
ramier
tourterelle

12 **RAPACES**

aigle
aiglon
autour
balbuzard
bondrée
brachyote
busard
buse

butor
charognard
chevêche
chevêchette
chouette
circaète ou jean-le-blanc
condor
crécerelle
crécerellette
duc
effraie
émerillon
émeu
émouchet
épervier
faucon
fauconneau
gerfaut
grand duc
gypaète
harpaye
harpie
hulotte ou chat-huant
hibou
hobereau
lanier
milan
milaneau
moine
pèlerin
percnoptère
phororhachos
pygargue
sacre
sacret
secrétaire ou serpentaire
uraète
urubu
vautour

13 **Pic** ; barbican, dryocope ou pic noir, épeiche, épeichette, jacamar, pic cendré, pic mar, pivert, torcol.

14 OISEAUX DES FORÊTS TROPICALES

araponga ou oiseau-cloche
barbu
brève
cacique ou cassique
calao
céphaloptère
cotinga
courlan
couroucou
diphyllode
drépanornis
épimaque
halcyon
hocco
jacamar
jacana
léipoa
mégapode
paradisier ou oiseau de paradis
quetzal
sifilet
talégalle
toucan
touraco
guêpier améthyste
colibri ou oiseau-mouche
loddigésie
rubis
topaze

OISEAUX DES STEPPES

cariama
glaréole
grue
syrrhapte

15 OISEAUX AQUATIQUES

albatros
brante ou cravant
cat marin
corfou
cormoran
damier ou pigeon des mers
drome ou pluvier crabier
fou
foulque (ou judelle, macroule)
frégate
fulmar
goéland
guillemot
imbrin
labbe ou stercoraire
macareux ou moine
manchot
mergule
mouette
océanodrome
pagodrome
pagophile
pélican
pétrel (pétrel cul-blanc ou océanodrome, pétrel géant ou ossifrage, pétrel des neiges ou pagodrome, pétrel-tempête ou oiseau-tempête)
phaéton
pingouin
plongeon
prion
puffin
skua ou grand labbe
torda

OISEAUX DES COURS D'EAU

anhinga
bergeronnette
cygne
guignette
martin-pêcheur ou meunier
ombrette
pluvian

16 ANATIDÉS

bièvre
canard
canard musqué ou canard de Barbarie
canard percheur ou carolin
canard plongeur ou fuligule
canard siffleur ou dendrocygne
canard des torrents ou merganette
cane
canepetière
canet
canette
chipeau
colvert
dendrocygne
eider
fuligule
halbran
harle
imbrin
macreuse
mandarin
marèque
milouin
milouinan
morillon
nette
nyroca ou fuligule milouin
oie d'Égypte
piette
pilet
sarcelle
souchet
tadorne

17 **Oiseau migrateur** ou voyageur ; voilier, grand voilier.

18 ÉCHASSIERS

aigrette
anastome ou bec-ouvert
avocette
balænicips ou bec-en-sabot
bihoreau ou héron de nuit
blongios
butor
cigogne
combattant
corlieu
courlis
courvite
falcinelle
flamant
garde-bœuf
garzette
héron
héron crabier
ibis
jabirus
jacana
marabout
phalarope
ragami ou oiseau-trompette
savacou
spatule
tantale

19 Oiseaux coureurs. – Outarde ; tinamou autruche, cagou, casoar, émeu, nandou.

20 Oiseaux disparus. – Æpyornis, archéoptéryx, dinornis ou moa, dodo ou dronte, gastornis, hesperornis, ichtyornis.

21 **Aile,** aileron ; envergure. – Barbe, vexille ; duvet, pennage, **plumage** ; camail. – Aigrette,

panache, plumeau, plumet, plumette [rare] ; caroncule, crête. – Cerceau, penne, plume, plumule, rectrice, rémige, tectrice ; phanère. – Rachis, tuyau ; ptéryle. – Fourchette, os pneumatique.

22 Avillon, ergot, griffe, serre ; palmure.

23 **Bec,** gésier, cloaque ; bréchet, jabot ; croupion. – Ingluvie, pelote de régurgitation ; fiente.

24 Paupière nictitante.

25 Aire, **nid** ; nidification [didact.]. – Cage, juchoir, nichoir, perchoir, **volière** ; **colombier.** – Vol *(vol d'oies, de grues)* ; volée *(volée d'étourneaux, de moineaux).*

26 **Couvée,** nichée ; couvaison, ponte. – Béjaune, oisillon.

27 Becquée.

28 Envol, **vol** *(vol faible, puissant ; plané, ramé)* ; volée *(volée de moineaux).* – Migration, vol migratoire.

29 Appeau, appelant, chanterelle, pipeau. – Épouvantail à moineaux, miroir aux alouettes.

30 Ornithologiste ou ornithologue.

V. 31 **Voler,** voler à tire-d'aile ; planer, voltiger. – Prendre son essor ou son vol. – Baisser son vol.

32 Faire la poudrette, secouer les plumes. – Muer, se déplumer, perdre ses plumes ; se remplumer.

33 Nicher. – Brancher, jucher, percher ; déjucher. – Nidifier.

34 Pondre.

35 Becqueter, picorer. – Donner la becquée.

36 Plumer.

Adj. 37 Ornithologique. – Aviaire, avien. – À plumes *(bête à plumes, gibier à plumes).*

38 Alaire ; aliforme, penniforme ; penné.

39 Didact. : nidicole, nidifiant, nidifuge, nidulant.

Aff. 40 Avi-, ornith-, ornitho-.

41 Aéto- ; ansér-, anséri- ; chéno- ; corac-, coraco- ; falcon-, falconi- ; galli- ; psittac-, psittaco- ; struthion-.

42 -ornis, -ornithe.

43 -aète.

44 Ptil-, ptilo-.

45 -ptile ; -rostre.

571 OPPORTUNITÉ

N. 1 **Opportunité** ; bien-fondé, nécessité **545** ; commodité, utilité **847** ; expédience [vx]. – **À-propos** ; adéquation **719.3,** conformité **147.1,** convenance [litt.], intelligence **424,** justesse, pertinence.

2 **Opportunité** ; bienséance, congruence [vx ou litt.] ; correction, décence **177,** savoir-vivre.

3 **Opportunité** ; aubaine, chance **670,** occasion. – Avantage, bénéfice, intérêt, profit, utilité **847.**

4 **Opportunité** ; facilité **302,** possibilité **646.** – Circonstances ou conditions favorables, heureux concours de circonstances ; conjoncture favorable. – Heure ou moment propice ; moment ad hoc ; moment psychologique.

5 **Opportunisme** ; attentisme. – Arrivisme **798.**

6 **Opportuniste** *(un opportuniste),* attentiste *(un attentiste).* – Arriviste *(un arriviste)* **798.**

V. 7 Ne pas laisser passer l'occasion, saisir l'occasion aux cheveux, sauter sur l'occasion [fam.] ; **ne pas rater le coche,** prendre ou saisir la balle au bond (aussi : au vol, à la volée). – Bien choisir son heure (ou : son jour, son moment), s'y prendre au bon moment. – Il faut battre le fer tant qu'il est chaud [prov.].

8 Arriver comme mars ou marée en carême, tomber bien, arriver ou tomber au bon moment ou à point nommé, tomber à pic [fam.] ; tomber juste, tomber pile [fam.], venir à propos. – Être accueilli comme le Messie.

9 **Convenir à 147.11,** aller à, arranger, faire l'affaire de ; agréer à, plaire à. – **Cadrer avec 719.11,** correspondre à, être approprié à ; s'ajuster à, se prêter à. – Être de mise.

Adj. 10 **Opportun** ; commode, utile **847** ; adapté, adéquat, ad hoc, approprié **147.12,** conforme, idoine [sout. ou par plais.]. – De circonstance, de saison.

11 Bienséant, décent, **convenable,** séant [litt.] ; indiqué, recommandé. – De bon ton, de mise.

12 **Opportun** ; congruent ou, vx, congru, judicieux, **pertinent,** topique [didact.].

13 **Opportun** ; bienvenu, bon, favorable, propice.

Adv. 14 Au bon moment, à point, à point nommé, à propos ; pile ; à pic [fam.] ; en temps opportun, en temps utile ; au moment voulu **644.**

15 Convenablement, correctement, congrûment, justement, pertinemment. – Décemment **177.**

16 **À propos,** bien à propos [vieilli]. – À bon escient.

572 OPPOSITION

N. 1 **Opposition** ; antagonisme, divergence **229** ; contradiction, contraste. – Face-à-face, symétrie.

2 Agression, **attaque 50.** – Activisme, fronde, résistance, subversion ; résistance passive.

3 Dénégation, déni, désapprobation, désaveu, **objection,** refus **693,** veto. – Opposition systématique ; esprit de contradiction. – Crise d'opposition [PSYCHOL.].

4 Difficulté, empêchement, entrave, **obstacle 567,** traverse.

5 Envers, **inverse** *(l'inverse),* opposé *(l'opposé)* ; contraire *(le contraire)* ; contre-pied. – Antipode, pendant ; symétrique, vis-à-vis. – Avers, revers ; **endroit, envers** ; pile, face ; recto, verso.

6 Adversité **11, opposition** *(l'opposition)* [POLIT.]. – DR. : partie opposante, tiers opposant. – **Adversaire 146,** antagoniste, contradicteur, objecteur, opposant ; dissident, hérétique. – Forte tête.

V. 7 **S'opposer** ; contraster, détonner, jurer, trancher ; faire pendant à, répondre à ; aller à l'encontre de. – Se contredire.

8 Objecter, **opposer,** répliquer, répondre, rétorquer. – **Contredire, contester,** démentir, désapprouver, réfuter ; s'élever contre, s'élever en faux contre [sout.]. – **Défendre, interdire,** condamner.

9 Agresser, attaquer, contrer ; **s'opposer à,** prendre le contre-pied de. – Fronder. – Heurter de front ; prendre à contre-pied ; rompre en visière à ou avec [sout.].

10 **Affronter,** braver ; se dresser contre, réagir contre, tourner ses armes contre. – **Combattre,** faire face, faire front ; résister, riposter. – Désobéir **200.**

11 Contrecarrer, **empêcher,** entraver, freiner ; barrer l'accès (ou : le chemin, la route) à, faire obstacle à, nuire à. – Mettre des bâtons dans les roues [fam.], susciter des difficultés, tailler des croupières à [sout.]. – Faire de l'obstruction ou de l'opposition.

12 Donner des armes à ou armer contre ; braquer contre, **dresser contre,** élever contre, exciter contre. – Provoquer une levée de boucliers ; semer la zizanie.

13 Désaccorder, diviser.

Adj. 14 **Opposé** ; inverse **436,** symétrique. – Contradictoire, contraire, incompatible, **opposé** ; diamétralement opposé.

15 Adverse, antagonique, antagoniste, **contraire,** contradictoire [vieilli], divergent ; antinomique. – Attentatoire, ennemi, **hostile.** – Défavorable, nuisible, préjudiciable.

16 Adversatif [GRAMM.]. – Opposable [sout.].

Adv. 17 **À l'opposé,** à l'opposite [litt.] ; **en face,** vis-à-vis ; face à face, nez à nez ; dos à dos ; tête-bêche ; en chiens de faïence [fig., fam.]. – **À l'envers,** à rebours ; à contre-courant, à contresens ; MAR. : bout au courant, bout à la lame, bout au vent, à contre-bord ; à contre-voie [CH. DE F.]. – À contre-jour.

18 À contre-pied, à contre-poil, **à rebrousse-poil,** à contre-biais [rare]. – À hue et à dia.

19 Contre vents et marées, envers et contre tout ; envers et contre tous.

20 Par contraste, en opposition, par opposition. – **Au contraire,** bien au contraire, tout au contraire ; **en revanche,** toutefois, par contre [critiqué]. – Néanmoins.

Prép. 21 À l'opposé de, à l'opposite de ; **en face de.**

22 **Contre.** – Au contraire de, **contrairement à,** à l'encontre de, à l'inverse de, en opposition à, par opposition à, versus ; au rebours de. – Contre le gré de.

Conj. 23 Mais, cependant.

Aff. 24 Anti-, contre-, rétro-.

573 OPTIMISME

N. 1 **Optimisme** ; espoir **285** ; assurance, confiance, sûreté de soi. – Outrecuidance, présomption, **témérité 161.**

2 Euphorie, **joie 447.**

3 PHILOS. : leibnizianisme, méliorisme, **optimisme,** spinozisme ; idéalisme. – Utopie.

4 **Optimiste** *(un optimiste).* – Bon vivant ; heureuse nature, heureux caractère.

V. 5 Avoir le moral (aussi : un bon moral). – **Voir la vie en rose,** voir tout en beau ; voir les choses du bon côté ; prendre la vie comme elle vient. – Croire en sa bonne étoile, **faire confiance à l'avenir** ; ne pas se faire de souci, ne pas s'en faire. – Se confier [vx], se fier à **145, se reposer sur,** s'en remettre à. – « Tout est pour le mieux dans le meilleur des mondes » (allus. à Voltaire, parodiant Leibniz dans *Candide*).

Adj. 6 **Optimiste** ; confiant, sûr de soi. – Outrecuidant, présomptueux, **téméraire.**

7 Euphorisant, réjouissant.

8 PHILOS. : leibnizien, méllioriste, **optimiste,** spinoziste ; idéaliste, utopiste.

574 OPTIQUE

N. 1 **Optique** ; optique cristalline, optique électronique, optique géométrique, optique physique ; magnéto-optique, optométrie, optoélectronique ou optronique. – Catoptrique, dioptrique.

2 **Champ** ; angle de champ, profondeur de champ. – Axe focal, focale ou distance focale, plan focal. – Foyer ; centre optique. – Points nodaux.

3 **Lentille** ; lentille à échelons ou lentille de Fresnel ; multiplet, triplet ; ménisque. – **Oculaire** ; oculaire négatif (oculaire de Huygens), oculaire positif (oculaire de Galilée) ; oculaire orthoscopique. – Miroir ; miroir concave, miroir convexe, miroir parabolique, miroir plan, miroir sphérique ; catadioptre, réflecteur. – **Prisme** ; prisme à réflexion totale, prisme de Nicol ; biprisme. – Collimateur.

4 **Jumelle** ; lorgnette, longue-vue ; lunette, lunette d'approche. – **Lunette astronomique** ou réfracteur ; lunette équatoriale ; lunette de Galilée ; lunette terrestre. – Télescope ou réflecteur, radiotélescope.

5 **Microscope** ; microscope à contraste de phase, ultramicroscope. – Microscope électronique (ou : polarisant, protonique). – Compte-fils, **loupe.**

6 Périscope ; diascope, épiscope.

7 Objectif (opposé à oculaire) ; lentille additionnelle ou bonnette. – Œilleton, viseur ; mire. – Lucarne d'entrée, lucarne de sortie ; réticule. – Diaphragme, obturateur **621.**

8 **Verre optique,** verre correcteur **840** ; verre bifocal, verre de contact (aussi : lentille de contact ou lentille cornéenne) ; lentille intra-oculaire. – **Lunettes** ; anc. ou par plais. : bésicles ou besicles, binocle. – Binocle, face-à-main, lorgnon, monocle, pince-nez.

9 Diffraction ; réfraction **221.** – Réflexion.

10 **Effet d'optique** ; anamorphose. – Illusion d'optique **283,** mirage.

11 Aplanétisme, stigmatisme (opposé à astigmatisme).

12 Collimation. – Stéréoscopie.

13 Dioptrie **509.**

14 Opticien.

V. 15 Diffracter, **réfléchir,** réfracter.

16 Mettre au point. – Diaphragmer. – Flouter.

17 **Photographier 621** ; cinématographier **120,** holographier.

Adj. 18 **Optique** ; optoélectronique ou optronique.

19 **Lenticulaire** ; binoculaire, oculaire. – Télescopique.

20 Asphérique, concave, convexe ; équiconcave, équiconvexe, plan-convexe. – Biaxe, biconcave, biconvexe ; bifocal ou à double foyer, homofocal ; antinodal, antiprincipal. – Afocal. – Aplanat, aplanétique.

21 **Anamorphotique,** anastigmatique (ou : anastigmat, anastigmate). – Racémique.

22 Réfléchissant, **spéculaire.** – **Déformant** *(miroir déformant),* grossissant, pancratique, rapetissant. – Antireflet.

23 Focométrique, goniométrique, optométrique. – Diaphragmatique. – Catadioptrique, catoptrique. – Prismatique.

24 Caléidoscopique ou kaléidoscopique ; holographique. – Stéréoscopique.

Adv. 25 **Optiquement.**

Aff. 26 **Opto-.**

27 -opsie, -optrie, -optrique.

575 OR

N. 1 **Or** (symb. Au). – Or pur, or vierge. – Orpiment ; réalgar ; or d'essai. – Monnaie d'or. – Aurification [CHIR. DENT.] **188.** – **Orfèvrerie 70.** – ALCH. : chrysoppée, pierre philosophale.

2 BIJOUT. : or ducat, or fin, or rose ; or filé ; or mi-fin ; or faux. – Or massif ou de Judée, or mat, or moulu.

3 Alliage d'or, **aurure** ; or feuille morte (argent, or) ; or blanc [ou : or jaune, or anglais] (argent, cuivre, or) ; or rouge (cuivre, or) ; or bleu (or, fer) ; or gris (nickel, or, zinc), or gris palladié.

4 MINÉR. : or affiné ou de coupelle ; or argental, électrum ; or de chat (mica lamelliforme). – MÉTALL. : or aigre, or d'apothicaire ; or battu ; or bruni, or poli ; or en chaux. – CHIM. : sels d'or ou hyposulfite d'or, or colloïdal. – Or fulminant [CHIM., MINÉR.]. – Or potable [ALCH.]. – Or radioactif.

5 Feuille d'or. – **Lingot d'or,** or en barre.

6 Mine d'or ; placer. – Paillette, **pépite,** poudre d'or. – Lavage à la batée ; orpaillage. – Batée.

7 Amalgamation ; chloruration, cyanuration ; **coupellation.** – Battage d'or, batte de l'or ; brunissage, polissage. – **Parfilage.**

8 Aurothérapie, **chrysothérapie.** – Teinture d'or d'Helvétius ; sirop d'or de Blégny ; gouttes d'or du g[al] Lamothe.

9 ORFÈVR. : **poinçon** ; grain de remède. – Touchau ou touchaud ; carat. – Aloi [vieilli], concentration, titre.

10 BOURSE : barre d'or ; **étalon or 529,** étalon de change or, étalon dollar or ; franc-or ; encaisse or (opposé à encaisse argent) **40,** valeur or ; **monométallisme** ; bimétallisme.

11 Aureus [ANTIQ.] ; doublon, ducat, lion d'or ou denier d'or fin au lion, souverain ; écu [anc.] ; louis d'or, napoléon ; jaunet [vx et fam.] ; crééside d'or [ANTIQ.]. – Clause-or [DR.].

12 Orfroi [ARCHÉOL., LITURGIE] ; brocart **816,** lamé or ; oripeau. – Cannetille, **fil d'or.** – Damasquinage. – Dorage.

13 **Dorure** ; faux or, simili or ; chrysocale. – Plaqué or, vermeil ; pinchbeck, similor. – Couleur or, vieil or.

14 Eldorado. – La Horde d'or [HIST.] ; **la ruée vers l'or** [HIST.]. – MYTH. : les pommes d'or du jardin des Hespérides ; la Toison d'or. – Veau d'or. – La poule aux œufs d'or.

15 Doreur *(un doreur)* ; **orfèvre.** – Batteur, orbatteur. – Fileur, parfileur, tireur d'or. – **Chercheur d'or,** prospecteur d'or, orpailleur.

16 Saint Jean Chrysostome (« Bouche d'or ») [HIST. RELIG.].

V. 17 Dorer ; **dorer à la feuille** (ou : au mercure, au trempé) ; surdorer ; catir. – Damasquiner. – Redorer. – Aurifier [CHIR. DENT.].

18 **Couvrir qqn d'or.** – Faire un pont d'or à qqn. – Payer à prix d'or ou au poids de l'or. – Promettre des monts d'or. – **Valoir son pesant d'or 111.** – Dormir sur un matelas ou un tas d'or. – Être cousu d'or, rouler sur l'or, nager dans l'or **730** ; faire de l'or. – Redorer son blason [fam.]. – Parler d'or. – La parole est d'argent mais le silence est d'or [prov.].

19 Battre *(battre l'or)* ; coupeller. – Parfiler. – Amatir, dépolir ; donner le mat.

Adj. 20 **Doré** ; doré sur tranche. – Brillant, **clinquant,** rutilant. – Doublé or, **plaqué or.** – Or, **vermeil,** vieil or ; mordoré.

21 **En or,** précieux **677.** – **D'or** *(un cœur d'or)* ; franc comme l'or. – Chryséléphantin *(statue chryséléphantine).*

22 Aureux, aurique ; **aurifère.**

Adv. 23 Ni pour or ni pour argent [vieilli]. – Pour tout l'or du monde (plus fréquent en tournure négative : pas pour tout l'or du monde).

Aff. 24 Auri-, auro- ; chryso-.

576 ORDRE

N. 1 **Ordre,** ordonnance, ordonnancement ; configuration, **disposition,** organisation **577** ; distribution, répartition. – **Architecture** [fig.], contexture, **forme,** plan, schéma, **structure 795** ; schéma directeur. – Armature [fig.], ossature, **squelette,** tissure [rare] ; infrastructure.

2 Balancement, composition, **économie, équilibre 282,** eurythmie, **harmonie,** pondération, proportion, **régularité** ; ensemble, unité **844.** – Architectonie, architectonique *(l'architectonique).*

3 **Agencement,** ajustement, aménagement, arrangement, rangement ; installation, mise en place ; combinaison, coordination. – **Classement,** classification **126,** tri. – Hiérarchie, rang ; ordre alphabétique, ordre lexicographique, ordre numérique.

4 Reclassement, redéploiement, remaniement, réorganisation, restructuration.

5 Alignement, file, **ligne,** rangée ; file indienne ; rang d'oignons. – Ordre de bataille ; ordre dispersé, ordre oblique, ordre profond, ordre serré [MIL.]. – Ordres architecturaux.

6 Antécédence, subséquence ; antériorité **33,** postériorité **647** ; **successivité** ; cyclicité, périodicité **326.** – Ordre chronologique, ordre du jour. – Boucle, **cycle,** enchaînement, déroulement ; série **758,** suite. – Alternance, roulement, tour de rôle.

7 Graduation, **numérotation 112** ; nombre ordinal. – MATH. : ordre (ou relation d'ordre) sur un ensemble (binaire, réflexive ; antisymétrique, symétrique) ; ordre d'une matrice carrée, ordre d'une surface (ou d'une courbe) algébrique.

8 Catégorisation [didact.], **classification,** hiérarchisation ; numération, ordination [MATH.] ; sériation, sérialisation [didact.]. – Taxinomie [SC.] **126.** – Structuration ; **planification.** – Équilibration, harmonisation, symétrisation [didact.], unification.

9 Institution, **loi 245, règle.** – Code, convention, norme **559.** – **Discipline,** subordination.

10 Numéro d'ordre ; combientième *(lecombientième)* [pop.], quantième *(le quantième)* [sout.].

11 Coordinateur, coordonnateur, **organisateur** ; ordonnateur.

V. 12 **Ordonner** ; ordonnancer [litt.], ranger ; mettre en ordre ou en place, mettre de l'ordre. – Débrouiller, démêler, **régler.** – Agencer, arranger, caser, disposer, distribuer, installer, mettre en place, répartir ; combiner, coordonner, organiser **577.**

13 **Classer 126,** grouper, hiérarchiser, sérier, trier ; catégoriser [didact.], classifier, sérialiser. – Coter, indexer ; graduer, numéroter ; folioter, paginer [rare].

14 Codifier, normer **559,** réglementer ; normaliser, **régulariser.** – Discipliner ; rappeler à l'ordre. – Mettre bon ordre dans.

15 Architecturer, structurer **795** ; **composer,** équilibrer, harmoniser, pondérer, proportionner ; unifier.

16 Aligner, mettre en rang.

17 Faire la chaîne ; marcher à la file, en file indienne, à la queue leu leu.

18 Devancer, précéder. – Faire suite à, succéder à ; suivre ; enchaîner. – Alterner, établir un roulement, rouler. – Échelonner, espacer.

Adj. 19 **Ordonné,** organisé, rangé. – **Méthodique,** méticuleux, soigné.

20 Agencé, aménagé, distribué, ordonnancé [litt.], réparti. – Architecturé, structuré ; architectonique, balancé, équilibré, eurythmique, harmonieux, régulier, symétrique.

21 Classé, hiérarchisé ; ordinal [MATH.], sériel. – Classificateur, classificatoire [didact.], combinatoire, numératif, organisant [rare], structurant. – Classable, combinable, ordonnable, organisable.

22 Codifié, conventionnel ; **normal 559,** normatif [didact.].

23 Périodique, successif.

Adv. 24 Harmonieusement, proportionnellement, proportionnément, symétriquement. – Distributivement ; alternativement ; successivement. – Chronologiquement.

25 Antérieurement, d'abord, devant **211,** précédemment ; après, derrière **193,** postérieurement, ultérieurement. – Ci-dessus, en tête, plus haut, supra ; ci-dessous, infra.

26 Organiquement, structurellement.

27 Méthodiquement, **systématiquement** ; méticuleusement, soigneusement.

Aff. 28 Taxi-, taxo- ; -taxe, -taxie, -taxis.

577 ORGANISATION

N. 1 **Organisation.** – Conformation **323,** constitution, **structure 795** ; fig. : armature, charpente, ossature, squelette. – Contexture, trame **816,** texture. – Schème **375.** – Régime **694,** système ; fonctionnement.

2 Agencement, composition, **disposition,** économie, ordonnance ; équilibre, harmonie. – Ordre **576,** place. – Combinaison.

3 **Dispositif,** mécanique *(une mécanique),* mécanisme. – Formation, structuration.

4 Ajustement, aménagement, arrangement, assemblage, assortiment [vx], installation, ordonnancement **576.**

5 Changement **104,** modification, réaménagement, refonte, remaniement, remodelage, **réorganisation,** restructuration **795.** – Équilibration, harmonisation, symétrisation [didact.].

6 Conceptualisation, formalisation ; schématisation.

7 Classification **126** ; ordination [MATH.]. – Classement, rangement.

8 Élaboration, préparation, planification, programmation ; coordination, orchestration. – Dispositions, préparatifs.

9 Conduite, direction **133,** gouvernement ; gestion, management [anglic.]. – Culture d'entreprise.

10 Plan, stratégie, tactique. – Méthode **511,** procédé, procédure. – Calendrier, planning, programme. – Organigramme.

11 Code, règle **696.** – Discipline.

12 Rare : agenceur, aménageur, arrangeur. – Maître d'œuvre.

13 Coordinateur, coordonnateur, ordonnateur, organisateur. – Administrateur, gestionnaire **339,** manager [anglic.] **135.**

14 Classificateur, systématiseur [rare] ; planificateur, programmateur, programmeur [INFORM.].

V. 15 **Organiser.** – Agencer, ajuster, arranger, assembler, combiner ; disposer. – Constituer, établir, **former** ; architecturer, charpenter.

– Assortir ; composer, coordonner, équilibrer, harmoniser.

16 Refondre, remanier, remodeler ; réaménager, **réorganiser,** restructurer **795.**

17 **Conceptualiser 375,** élaborer, formaliser. – Ébaucher, esquisser ; schématiser.

18 Calculer, étudier, préparer **649,** prévoir, **programmer.** – Prendre ses dispositions ; ne rien laisser au hasard.

19 Caresser le projet de **664** ; former ou forger un projet ; monter une affaire. – Machiner, manigancer, ourdir.

20 **Administrer,** gérer **339,** gouverner, manager [anglic.], régir ; orchestrer.

21 Codifier **696,** légiférer, régler, réglementer ; normaliser. – Instituer ; statuer.

Adj. 22 **Organisé.** – Agencé **39,** ajusté, aménagé, arrangé, disposé ; combiné, coordonné, composé. – Bâti, conformé, constitué. – Assorti, équilibré, unifié **844.**

23 Conceptualisé, élaboré, formalisé.

24 Planifié, programmé. – Administré, géré.

25 Méthodique, systématique ; méthodologique. – Organisationnel, prévisionnel, programmatique. – Organique.

Adv. 26 Structurellement.

27 Réglementairement, statutairement.

Aff. 28 Taxi- ; -taxe, -taxie, -taxo.

578 ORNEMENTS

N. 1 **Ornements** ; accessoires. – Enjolivement, enjolivure, fioriture ; fantaisie **165,** garniture. – **Décor,** décoration, ornementation.

2 Fresque ; mosaïque, marqueterie ; tapisserie.

3 **ORNEMENTS**

acanthe
ache
arabesque
baguette
bande
bandeau
bâtons rompus
besants
billettes
boucles
boudin ou tore
boutons
bulle
câble
canaux
cannelure
cavet
chapelet
chevrons
coquilles
corne d'abondance
culots
damier
dards
denticules
dents de scie
doucine
écailles
enroulements
entrelacs
épi
esse
étoiles
festons
feuillages
feuilles d'eau
fleur de lis
flots
fuseaux
godrons
gouttes
grecque
guillochis ou guilloché
guirlande
imbrications
listel ou listeau
losanges
méandres
moulure
natte
nébulés
nervure
nielles
olivier
ondes
oves
palmettes
pampre
perles
piécettes
plate-bande
postes
quart-de-rond
quintefeuille
rai-de-cœur
rayures
réglet
rinceaux
rosaces
ruban
semis
spires
stalactites
talon
têtes de clous
têtes plates
tore de laurier
torsade
trèfles
tresse
vermiculures
volutes

4 **Bouquet,** corbeille, guirlande, panache. – Amande ou mandorle, auréole, nimbe crucifère, putto [ital.].

5 Ajour, crénelure, **découpure,** dentelure. – Cartel, **cartouche,** compartiment, médaille, médaillon. – Bordure, encadrement, filet. – Ornement courant.

6 ARCHIT. : corniche, frise, fronton **39.**

7 IMPRIM. : cul-de-lampe, fleuron, **vignette** ; lettre ornée, lettrine **459.** – Emblème ; **motif** ; armoiries.

8 Fig. : ornement, **parure** ; gloire, lumière, splendeur. – Clinquant *(le clinquant),* kitsch. – Style orné [LITTÉR.].

9 Décoration, ornement [vx], **ornementation** ; embellissement, enjolivement, enrichissement [vieilli].

10 **Design** ou stylique.

11 **Décorateur** ; ornemaniste. – Designer ou stylicien. – Marqueteur ; tapissier.

V. 12 BX-A. – **Orner** ; adorner [vx], **décorer,** ornementer ; ouvrager, ouvrer. – Apprêter, atourner. – Ajourer, damasquiner, damasser, enguirlander, festonner, guillocher, moulurer, quarderonner, rudenter ; clouter. – Historier.

13 Illuminer, pavoiser.

14 Colorer **159,** farder, orner, **parer,** rehausser, revêtir. – Élever, enrichir, relever ; illustrer.

15 Agrémenter, égayer, **embellir 69** ; diaprer, fleurir. – Chamarrer, émailler, empanacher, **enjoliver,** enluminer.

Adj. 16 **Ornemental** ; décoratif.

17 Ornementé ; **décoré,** ouvragé, ouvré. – Surchargé.

18 BX-A. – Enluminé, historié. – Cannelé, chevronné, damassé, denticulé, enguirlandé, festonné, filigrané, fleuronné, godronné, guilloché, palmé, rudenté.

579 OSCILLATION

N. 1 **Oscillation** ; **balancement,** bercement, brandillement [vx], branle, **branlement,** brimbalement, dandinement, dodelinement, **hochement.** – Ballant. – **Ondulation** ; frémissement, frissonnement, **tremblement,** tremblote [fam.], tremblotement, **trépidation** ; secousse.

2 Ballottement, **battement.** – Chancellement, **vacillation,** vacillement. – Fluctuation. – ASTRON. : **libration** *(libration de la Lune),* nutation *(nutation de la Terre)* ; seiche [HYDROL.]. – **Pulsation.** – Nystagmus [MÉD.].

3 Mouvement alterné, **mouvement alternatif 538,** mouvement pendulaire ; mouvement ondulatoire, ondulation ; ondoiement [litt.]. – PHYS. : onde périodique, période **610** ; centre d'oscillation, harmonique *(un harmonique),* oscillation de relaxation, oscillation forcée ; **vibration** ; **son 781** ; infrason, ultrason.

4 **Va-et-vient** ; allées et venues, aller et retour, flux et reflux, navette. – **Roulis, tangage** ; houle. – Dandinette [PÊCHE]. – Dodinage [MEUNERIE].

5 **Balance,** balancier, **bascule, pendule.**

6 Balancelle, **balançoire,** escarpolette ; **berceau,** brandilloire [vx], branloire [vx], hamac. – **Fauteuil à bascule** ; berceuse ou, canad., berçante, rocking-chair **519.**

7 TECHN. – Maître oscillateur ou oscillateur pilote, **oscillateur,** oscillatrice, trembleur, vibrateur, vibreur ; oscillographe, oscillomètre ; oscilloperturbographe. – **Oscilloscope.** – Oscillogramme.

8 Oscillométrie [MÉD.].

V. 9 **Osciller** ; balancer ; baller, brandiller [litt.], branler. – Fam. : **brimbaler** (ou brimballer, bringuebaler ou brinquebaler) ; **dodeliner.** – Chanceler, tanguer, **vaciller** ; basculer, faire la bascule. – Frémir, frissonner **327, trembler,** trembloter, trépider, **vibrer** ; ondoyer, onduler. – **Ballotter** ; être ballant.

10 **Balancer, ballotter,** bercer, branler, brandiller [litt.], dandiner [litt.], dodeliner, dodiner [vx ou litt.], **hocher.** – Donner le branle à, mettre en branle, **secouer.**

11 **Se balancer,** se balancer d'un pied sur l'autre, **se dandiner,** se dodeliner, se dodiner [vx ou litt.], se déhancher, se trémousser.

12 **Aller et venir,** faire des va-et-vient, faire la navette.

Adj. 13 **Oscillant** ; ondoyant ; **vacillant** ; branlant, brimbalant, bringuebalant ou brinquebalant, chancelant, claudicant ; fluctuant **438** ; frémissant, tremblant, vibrant. – **Ballant.**

14 Didact. – **Oscillatoire** ; ondulatoire ; vibratoire. – Vibratile, vibrationnel. – Alternatif ; **pendulaire.**

Adv. 15 **Alternativement.** – De part et d'autre ; d'un côté de l'autre.

Aff. 16 Oscillo-.

580 OS ET ARTICULATIONS

N. 1 **Os** ; os court, os long, os plat ; osselet. – Ossature, **squelette,** système osseux.

2 Os, ossements ; **carcasse 534.**

3 **Tête** ; col, épiphyse, métaphyse ; diaphyse. – Apophyse, arcade, arête, bourrelet **351, crête, épine,** sourcil, tubérosité. – Échancrure ; cavité glénoïde, cotyle, glène ; **cavité,** fosse, fente, trou vasculaire.

4 **Osséine, périoste,** tissus spongieux ; tissu cartilagineux [EMBRYOL.] ; ostéoblaste. – Moelle osseuse – Système de Havers ou ostéole ; canal médullaire, lame osseuse, ostéocyte, ostéoplastes. – Ivoire **188.**

5 **Crâne 814.** – Voûte du crâne, endocrâne ou face endocrânienne, diploé, face exocrânienne, épicrâne, frontal (crête frontale interne, épine nasale du frontal, glabelle), occipital, pariétal, temporal (rocher, écaille, tympanal, mastoïde, zygoma ou apophyse zygomatique, conduit auditif externe), sphénoïde (cube, ailes, apophyses ptérygoïdes), orbite (unguis ou os lacrymal, apophyses orbitaires, arcade orbitaire, arcade sourcilière), cornets inférieurs, ethmoïde (apophyse crista-galli, lame criblée), os planum, os propres du nez, agger nasi, vomer, palatins, arcade jugale, malaire, maxillaire supérieur, maxillaire inférieur, os dentaire. – Os wormiens. – Atlas, axis, colonne cervicale.

6 **CAVITÉS DU CRÂNE**

trou carotidien
trou déchiré antérieur
trou déchiré postérieur
trou occipital
trou ovale
trou sphéno-palatin
trou grand rond
trou petit rond
sinus osseux
sinus ethmoïdal
sinus frontal
sinus maxillaire supérieur ou antre de Highmore
sinus pleural
sinus sphénoïdal
gouttière basilaire
gouttière du sinus longitudinal supérieur
gouttière lacrymale
gouttière olfactive
cavité buccale
fosses nasales
fosses orbiculaires ou orbites
fosses ptérygo-maxillaires
fosse cérébelleuse
fosse condylienne postérieure
fosse jugulaire
fosse pituitaire
fosse temporale
fossettes de Pacchioni
fente sphénoïdale
fente sphéno-maxillaire
impressions digitales
selle turcique
alvéole dentaire

7 **OREILLE**

attique
caisse du tympan
canaux demi-circulaires
étrier
limaçon osseux ou cochlée
marteau
os lenticulaire
vestibule

8 **Gorge.** – Hyoïde, sous-hyoïdien. – Canal carotidien.

9 **Tronc.** – **Ceinture scapulaire** (clavicule, acromion, omoplate : échancrure coracoïdienne, apophyse coracoïde, pilier de l'omoplate, épine de l'omoplate, fosse sous-scapulaire, fosse sus-épineuse, fosse sous-épineuse), **sternum** (fourchette, corps, échancrure claviculaire, poignée du manubrium sternal, échancrures costales, appendice xiphoïde) ; colonne dorsale, **côtes** (vraies côtes, fausses côtes, côtes flottantes, cartilages costaux), thorax ou cage thoracique.

10 **Colonne vertébrale 242** ou rachis : colonne cervicale, dorsale, lombaire. – **Vertèbres :** cervicales (atlas, axis), dorsales, lombaires ; vertèbres sacrées ou sacrum ; vertèbres coccygiennes ou coccyx. – **Moelle épinière 548.**

11 **VERTÈBRES**

corps vertébral
arc hæmal
arc neural
arc pleural
neurépine
trou transversaire
trou vertébral ou rachidien
apophyse articulaire
apophyse épineuse
apophyse semi-lunaire
apophyses transverses
diapophyse
épapophyse
parapophyse
lame vertébrale
pédicule
ligament interépineux
ligament surépineux
ligament intertransversaire

12 **Bassin.** – Grand bassin, petit bassin ou pelvis ou excavation pelvienne ; détroit supérieur ; ceinture pelvienne. – **Os iliaque** ou coxal ; ilion ou aile iliaque, pubis, ischion.

13 **OS ILIAQUE**

SAILLIES

bandelette ilio-pectinée
crête iliaque
épine iliaque
épine sciatique
facette articulaire
lama quadrilatère
ligne innominée
promontoire
sourcil cotyloïdien
symphyse pubienne
tubérosité iliaque
tubérosité ischiaque
tubérosité ischio-pubienne antérieure

CAVITÉS

cavité cotyloïde ou acétabule
échancrure ilio-sciatique
échancrure sciatique
gouttière sus-cotyloïdienne
trou ischio-pubien

14 **Bras 502.** – **Humérus** (trochiter, trochin, col anatomique, gouttière bicipitale, crête sous-trochinienne, fossette coronoïde, fossette radiale) ; **cubitus** (olécrane, bec de l'olécrane, grande cavité sigmoïde, apophyse styloïde), **radius.**

15 **Carpe** (scaphoïde, semi-lunaire, pyramidal, pisiforme, trapèze, trapézoïde, grand os, os crochu) ; canal carpien, condyle carpien. – **Métacarpe** ; métacarpiens. – **Phalanges** ; phalangette, phalangine. – Sésamoïde.

16 **Jambe 502.** – **Fémur** ; grand trochanter, petit trochanter, col du fémur, ligne âpre, espace poplité, échancrure intercondylienne ; rotule. – **Péroné** ou fibula ; malléole externe, col, apophyse styloïde, crête interosseuse. – **Tibia** ; plateau tibial, surface préspinale, surface rétrospinale, espace interglénoïdien, tubercule de Gerdy, malléole interne, épine.

17 **Tarse** ; astragale, calcanéum, cuboïde, scaphoïde, cunéiformes. – **Métatarse** ; métatarsiens ; voûte plantaire. – **Orteils 623.** – Sésamoïde.

18 **Articulations.** – **Synarthrose** ou articulation immobile (synchondrose, synfibrose ou suture) ; articulation semi-mobile (**amphiarthrose,** symphyse) ; **diarthrose** ou articulation mobile (trochléenne, trochoïde, condylienne ; emboîtement réciproque, énarthrose, arthrodie).

19 **ARTICULATIONS**

capsule articulaire
cartilage
cartilage de conjugaison
condyle
disque (disques intervertébraux)
épicondyle
épitrochlée
fibrocartilage

ligament articulaire	pli articulaire
ligament de Chopart ou en Y	surface articulaire
ligaments croisés	synoviale
ménisque	synovie
	trochlée

20 **Sutures** coronale, fronto-pariétale, intermaxillaire, lambdoïde, métopique, osseuse, pariéto-occipitale, sagittale ; synostose. – Astérion, bregma, lambda, ptérion ; **fontanelles** (astérique, bregmatique, lambdatique, ptérique).

21 Articulations atloïdo-odontoïdienne, temporo-maxillaire ; charnière cranio-vertébrale ou occipito-rachidienne.

22 **Articulations du thorax.** – Articulations chondro-sternale, costo-chondrale, costo-vertébrale, sterno-costo-claviculaire.

23 **Articulations du bras.** – **Poignet** ; articulations acromio-claviculaire, carpo-métacarpienne, inter-métacarpienne, médio-carpienne, radio-carpienne, radio-cubitale inférieure, radio-cubitale supérieure. – **Épaule** ; articulations scapulo-humérale, sterno-claviculaire. – **Coude** ; articulations huméro-cubitale, huméro-radiale, radio-cubitale postérieure.

24 **Articulations de la jambe.** – Articulation sacro-iliaque, charnière lombo-sacrée. – **Hanche** ; articulations astragalo-calcanéenne postérieure et antérieure, coxo-fémorale, cunéo-cuboïdienne, intercunéenne, médio-tarsienne ou de Chopart, péronéo-tibiale, scapho-cuboïdienne, scapho-cunéenne, tarso-métatarsienne ou de Lisfranc, tibio-tarsienne (cou-de-pied) ; **genou.**

25 Calcification, **ossification.**

26 Ostéalgie **482,** **ostéite** ; myélosarcome **841,** ostéosarcome ; **fracture** ; déboîtement, luxation. – **Arthrite,** entorse, goutte, **rhumatisme.**

27 Ostéologie ; arthrologie [vieilli], desmologie ou syndesmologie ; rhumatologie. – arthroplastie, ostéoplastie ; ostéotomie **114.**

28 Ostéologue ; rhumatologiste ou rhumatologue. – Ostéopathe [anglic.], ostéopraticien.

V. 29 **Ossifier.**

Adj. 30 **Osseux** ; ossiforme ; interosseux. – Intramédullaire, médullaire **548.** – Bitemporal, maxillo-facial, pétreux, ulnaire ou ulnarien ; clinoïde, styloïde, zygomatique ; innominé *(ligne innominée).* – Ossifluent. – Ostéologique [sc.].

31 Ossu.

32 **Articulaire,** intervertébral ; périarticulaire. – Trochléen.

Aff. 33 Ostéo- ; arthr(o)-.

581 OSTENTATION

N. 1 **Ostentation.** – Éclat, faste, grandeur **552,** magnificence, munificence **661** ; apparat, cérémonie **98,** pompe. – Parade, représentation ; étalage, exhibition, mise en scène, montre ; autocélébration ; fam. : épate, esbroufe, flafla, frime, tralala. – Emphase **347,** enflure, exagération.

2 Manifestation. – **Extériorisation** ; exhibitionnisme ; cabotinage. – Réclame [fig.].

3 Braverie, crânerie, fanfaronnerie [vx], forfanterie ; **vantardise.** – Cuistrerie [péj.]. – **Bravade,** fanfaronnade, rodomontade ; vieilli : craquerie, jactance, gasconnade.

4 Fanfaron, hâbleur, poseur, **vantard** ; fam. : crâneur, craqueur, épateur [rare], esbroufeur, **frimeur,** gascon, m'as-tu-vu. – Fam. et vieilli : avaleur de gens, bravache, capitan, fendant, fendeur, fier-à-bras, fracasse, matamore, pourfendeur, rodomont, traîneur de sabre, tranche-montagne ; dépuceleur de nourrice.

5 Air avantageux, grands airs.

V. 6 Afficher, arborer, exhiber **867** ; étaler ; étaler au grand jour. – Extérioriser ; déballer, déployer, exposer. – **S'afficher,** s'exposer aux regards, se faire voir, se prodiguer, se produire ; se carrer.

7 Trôner ; faire parade, **parader,** pavoiser ; se panader [vx]. – Piaffer, plastronner ; faire la roue, se pavaner, **se rengorger.** – Fam. : frimer ; marcher des épaules, rouler des mécaniques.

8 S'autoproclamer, faire l'important ou l'homme d'importance, **faire le grand seigneur** ou la grande dame ; se donner de l'importance. – Crâner, fanfaronner, gasconner, hâbler ; frimer [fam.] ; la ramener [fam.]. – Fam. : étaler sa marchandise, faire valoir ses choux, faire l'article ; se faire valoir, se mettre en avant.

9 Éblouir ; épater, esbroufer, **en mettre plein la vue.** – Faire du froufrou, faire des effets de manche, jeter de la poudre aux yeux ; faire le joli cœur. – Fam. : faire du chiqué (ou : du cinéma, du cirque). – Fam. : le faire à l'épate, le faire à l'estomac ; épater le bourgeois.

Adj. 10 **Ostentatoire** ; ostentateur [vx].

11 De prestige, somptuaire. – Cérémonieux.

12 Crâne, crâneur ; faraud. – Fanfaron, hâbleur, poseur ; extraverti. – Gascon.

Adv. 13 **Ostensiblement,** au vu ou au vu et au su de tout le monde ; démonstrativement ; manifestement.

582 OSTRACISME

N. 1 **Ostracisme** [didact.], proscription ; bannissement, déracinement, **exil 779,** expatriation ou, litt., expatriement ; ban [DR. FÉOD.]. – Pétalisme [ANTIQ. GR.]. – Peine infamante, peine politique.

2 **Mise au ban,** mise à l'index, mise en quarantaine ; disgrâce, éloignement ; radiation, relégation, renvoi. – Élimination, éviction ou évincement [rare] **292, exclusion 295,** expulsion, marginalisation, rejet ; blackboulage [rare], épuration [didact.], purge ; forclusion [didact.]. – Discrimination *(discrimination raciale),* ghettoïsation, **ségrégation** ; apartheid [spécialt]. – Testing [anglic.].

3 Déportation [DR. ANC.] **208,** déportation simple, relégation [DR. ROM.] ; transportation.

4 **Excommunication** ; anathématisation ou anathémisation ; fulmination **63.** – Exclusive, suspense.

5 RELIG. – Anathème, censure, interdit **429.**

6 DR. : ban, interdiction de séjour **144.** – Anathématisme [RELIG.]. – Lettre de cachet [HIST.].

7 Foudres de l'Église ou du Vatican. – Glaive spirituel.

8 **Intolérance 99,** sectarisme ; exclusivisme [rare].

9 **Racisme,** ségrégationnisme, **sexisme.** – Homophobie. – Testing [anglic.].

10 Épurateur *(un épurateur)* ; excommunicateur *(un excommunicateur)* ; proscripteur.

11 **Banni** *(un banni),* exilé *(un exilé),* proscrit *(un proscrit).* – RELIG. : **anathème** *(un anathème),* excommunié *(un excommunié),* excommunié *toleratus* (lat., « toléré »), excommunié *vitandus* (lat., « qu'on doit éviter »). – Damné, maudit [vx]. – **Paria,** réprouvé *(un réprouvé)* ; intouchable *(un intouchable),* hors-caste. – **Indésirable** *(un indésirable),* **exclu** *(un exclu),* marginal *(un marginal)* **420.**

V. 12 Frapper d'ostracisme, ghettoïser, **mettre au ban,** mettre ou tenir à l'écart ; montrer du doigt **367.** – Chasser, déraciner, expulser **258** ; bannir, **exiler,** expatrier, proscrire [HIST.] ; ostraciser [litt.] ; DR. : déporter, reléguer **208,** transporter ; forbannir [vx].

13 RELIG. : **excommunier** ; anathématiser ; censurer ; frapper d'anathème, retrancher de la communion. – Damner, maudire, **réprouver.** – Boycotter, interdire **429.** – **Mettre à l'index,** mettre en quarantaine.

14 Jeter l'interdit sur **365,** prononcer l'exclusive contre ou pour [litt.]. – RELIG. : fulminer (ou : lancer, prononcer) l'anathème ou l'excommunication. – Jeter l'anathème.

15 **Exclure 295** ; écarter, éliminer, évincer ; disgracier [sout.] **227** ; blackbouler, épurer, placardiser [fam.]. – Excepter, isoler **779,** marginaliser, ségréger ou ségréguer ; forclore [litt.].

Adj. 16 **Ostracisé** [litt.] ; déraciné, expatrié, expulsé ; litt. : fugitif, forclos. – Tricard [arg.]. – Suspens [RELIG.].

17 **Exclusif,** intolérant, intransigeant ; exclusiviste [rare]. – **Raciste,** ségrégationniste ; **sexiste ;** homophobe.

18 RELIG. : anathématique, excommunicatoire ; fulminatoire. – Exilien [HIST.]. – Discriminatoire.

19 Bannissable [DR.].

583 OUBLI

N. 1 **Oubli** *(l'oubli)* ; oubliance [vx]. – Défaillance, distraction, étourderie. – Mauvaise mémoire ; mémoire de lièvre ; mémoire déficiente, incertaine, infidèle, labile ; mémoire lacunaire. – **Amnésie,** dysmnésie [MÉD.] ; oubli à mesure ou amnésie de fixation, paramnésie ou confabulation, perte de mémoire.

2 Lacune, trou de mémoire ; omission, **oubli** *(un oubli).*

3 Oubli des offenses ; amnistie, clémence, **pardon 592.**

4 Oubli de soi ; abnégation, désintéressement **336.**

5 Cervelle d'oiseau, écervelé *(un écervelé),* étourdi, **étourneau 394,** évaporé, éventé, passoire [fam.], tête à l'évent [vieilli], **tête de linotte.**

6 Ténèbres de l'oubli. – **Léthé** [MYTH.].

7 Oubliettes.

V. 8 **Oublier.** – Litt. : boire l'eau du Léthé, désapprendre. – Chasser de son esprit, effacer, ensevelir.

9 Passer l'éponge, **tourner la page.**

10 **Avoir la mémoire qui flanche,** perdre la mémoire. – Avoir la mémoire courte ; payer d'ingratitude. – Avec le temps vient l'oubli.

11 Loc. prov., fam. – **Cela rentre d'une oreille et sort de l'autre** ; il apprend vite et oublie de même. – Il oublierait son nez s'il ne tenait pas à son visage.

12 Négliger **547** ; **omettre.** – Manger la consigne ou la commission [fam.].

13 **Sortir de la mémoire.** – Tomber ou sombrer dans l'oubli. – Fam. : aller rejoindre les vieilles lunes ; passer à la trappe, tomber dans les oubliettes.

14 Se faire oublier. – Fam. : faire le mort, se mettre au vert.

Adj. 15 Oubliable [rare] ; oublié ; estompé *(souvenir estompé).*

16 **Oublieux** ; ingrat.

Adv. 17 Oublieusement [rare].

Int. 18 Fam. : on oublie tout et on recommence ! N'en parlons plus ! Sans rancune !

584 OUTILS

N. 1 **Outil** ; instrument, ustensile **333.** – **Machine 476, machine-outil 518.**

2 **Équipement,** matériel, outillage ; fam. : **attirail,** fourbi, matos, quincaillerie ; arsenal [fig.] **43.** – Boîte ou caisse à outils, armoire à outils, trousse à outils ; râtelier. – Porte-outils.

3 **Hache** ; cognée, merlin ; doloire ou épaule-de-mouton. – **Hachette** (ou hachereau, hacheron). – Herminette. – Coupe-coupe, machette.

4 **Ciseau** ; **burin,** bédane ; gouge ; bec-de-corbin, bédane, ciselet, cisoir, dégorgeoir, ébauchoir, échoppe, fermoir, gougette, matoir, ognette, plane, repoussoir.

5 **Pointe** ; coupe-verre, diamant. – **Poinçon** ; masque, tracelet ou traceret, traçoir ; jablière ou jabloir ; trusquin, rainette ; rouanne.

6 Ciseaux ; cisaille(s) ; cueille-fleurs, cueille-fruits, cueilloir ; élagueur ; sécateur.

7 **Pince,** tenaille. – Davier. – Pince coupante ; bistoquet.

8 **Couteau** ; canif ; cutter. – Couperet. – Écussonoir, entoir, greffoir. – Désoperculateur. – Coupe-papier, grattoir, plioir. – Demi-rond, drayoir ; butoir. – Tournassin. – Amassette. – Paroir.

9 **Lame** ; tranchet. – Alumelle ou allumelle, plane. – Racloir.

10 **Scie à main.** – **Égoïne,** scie à guichet ; scie à chevilles, scie à moulure, scie à placage ; grecque ou scie à grecquer ; scie d'encadreur. – Passe-partout. – **Scie à monture** ; scie à bûches, scie à refendre, scie universelle ; scie à métaux.

11 **Scie mécanique.** – Scie à ruban. – Scie circulaire. – Scie à chaîne. – Scie sauteuse.

12 Affiloir, aiguisoir ou aiguiseur ; fusil, pierre à aiguiser.

13 **Clé** ; clé anglaise, clé à béquille, clé à bougie, clé à chaîne, clé à crémaillère, clé crocodile, clé double, clé à douille, clé dynamométrique, clé à ergot, clé à molette, clé à pipe, clé plate, clé polygonale, clé en tube coudé, clé universelle, serre-tube.

14 **Lime** ; carreau, carrelet ou carrelette, ciroir, demi-ronde, queue-de-rat, râpe, rifloir ou riffloir, tiers-point.

15 Grattoir ; boësse, ébarboir. – Brunissoir, polissoir. – Astic, machinoir. – Égrésoir, grésoir.

16 **Rabot** ; bouvet, colombe, doucine, feuilleret, gorget, guillaume, guimbarde, mouchette, rabotin, riflard ou demi-varlope, tarabiscot, varlope, wastringue.

17 **Marteau** ; asseau, boucharde, brochoir, châsse, ferratier ou ferretier, frappe-devant, laie, mail, martelet, martelette, marteline, matoir, picot, rivoir, rustique, smille, têtu, tille. – Masse, massette ; casse-pierre.

18 **Maillet** ; mailloche. – Dame (ou : demoiselle, hie). – Batte, boursault ou bourseau ; pison ou pisoir. – Fouloir ; repoussoir.

19 **Spatule** ; gâche, truelle, truelle brettée ; demi-lune. – Racle ; curette. – Ripe ; riflard.

20 Râteau ; fourgon, râble, ringard ; rouable. – Cornard.

21 Drille, foreuse, trépan, vilebrequin. – Chignole, perceuse ; aiguille, mèche. – Compas-griffe. – **Foret** ; fraise, percerette. – **Vrille** ; laceret, tarière, taraud. – Alésoir, barre d'alésage. – Bouterolle ; peigne.

22 Tire-clou. – Tournevis.

23 **Chalumeau** ; chalumeau chauffeur, chalumeau soudeur. – **Fer à souder 584,** lampe à souder.

24 **Enclume** ; enclumeau ou enclumot, enclumette ou tas ; bigorne. – Étau, mandrin. – Levier ; résingle.

25 **Pelle** ; pelle à four ; pelle à souffler ; pelle de traction.

26 Pic, pioche ; picot. – **Bêche** ; bêchette, bêcheton. – **Houe** ; binette, sarcloir ; ratissoire. – Déplantoir. – **Râteau.**

27 Estampe ; filière. – Artelle ; damet.

28 Outils préhistoriques : bec, biface ou coup-de-poing, durin, grattoir ; pic. – Percuteur.

29 Travail à chaud, travail à froid. – Ciselage, découpage, dégrossissage, filetage, tournage. – Emboutissage, estampage, forgeage, laminage **510.** – Matriçage, pressage. – Alésage, mortaisage, perçage, poinçonnage. – Taraudage, tranchage, tronçonnage. – Affilage, abrasion, affûtage, repassage. – Ébarbage, burinage, limage **760,** meulage, polissage, ponçage, riflage **505.** – Dressage, rabotage ; contournage. – Avoyage, tensionnage.

30 **Quincaillerie d'outillage,** taillanderie. – Forge.

31 **Outilleur** ; outilleur sur machine, outilleur à la main ; outilleur-ajusteur ou outilleur de précision, fraiseur-outilleur, tourneur-outilleur. – Affûteur, aléseur, fraiseur, forgeur, tourneur.

32 Forgeron, taillandier. – Quincaillier.

33 Homo faber [lat.].

V. 34 **Outiller** ; équiper. – Prov. : Les mauvais ouvriers ont toujours de mauvais outils, Les mauvais ouvriers accusent leurs outils.

35 Fabriquer, façonner, usiner.

36 Avoyer, tensionner.

37 TECHN. – Dégrossir, fileter, tourner. – Emboutir, estamper, forger, laminer, matricer, presser. – Aléser, mortaiser, percer, poinçonner. – Tarauder, trancher, tronçonner. – Affiler, affûter. – Abraser, ébarber, buriner, limer, polir, poncer, raboter, rifler, ruginer.

Adj. 38 **Outillé,** fourni, **monté.**

Aff. 39 Arrache-, coupe-, monte-, serre-, tire-.

585 OUVERTURE

N. 1 **Ouverture,** orifice, trou. – Dégagement, fenêtre, **jour.** – Passage, pas, passe, porte **481** ; brèche, débouché, échappée, perspective, trouée. – Accès, entrée **278** ; issue, sortie **783** ; fig. : bouche, gueule. – Commencement **134.1,** entame ; inauguration.

2 **Bâillement,** béance [fig.], embrasure ; entrebâillement, entrebâillure [litt.], entrouverture [rare]. – Évasement, évasure [rare] ; étampure [TECHN.]. – BOT. : anthèse **318,** aperture.

3 Fente ; crevasse **530,** déchirure, fissure, interstice.

4 GÉOGR. – Embouchure, estuaire **319.** – Col **530,** couloir, goulet, gorge.

5 Arcade **39** ; baie. – Regard, soupirail, trapillon, trappe ; chatière.

6 **Fenêtre 481** ; lucarne, lunette, œil-de-bœuf, vasistas ; imposte. – Guichet, judas, œil *(œil de porte),* œilleton ; trou de serrure. – MAR. : écoutille, écoutillon, écubier, hublot, sabord [anc.]. – TECHN. : ajour, ajourage, fenestration. – FORTIF. : arbalétrière, archère, barbacane, canonnière, créneau, embrasure, mâchicoulis, meurtrière.

7 **Cheminée,** puits de jour, varaigne [région.]. – Barbacane, chantepleure, ventouse. – TECHN. : abée, aspirail, évent, ouvreau, pertuis, tubulure.

8 **Clef** ou clé **760.** – Ouvre-boîtes, ouvre-bouteilles.

9 Ouverture. – Évasement [rare], élargissement **456.3.**

V. 10 **Ouvrir** ; frayer un chemin, ménager (ou : pratiquer, percer) une ouverture. – Entrebâiller, entrouvrir. – Déployer, écarter, étendre ; écarquiller. – Déclore [vx], éclater, **éclore** [BOT.].

11 **Ouvrir** ; crocheter, déclouer, **déverrouiller,** ouvrir la porte ; vx : débâcler, débarrer, déclencher. – « Sésame, ouvre-toi » *(les Mille et Une Nuits),* « Tire la chevillette, la bobinette cherra » (*le Petit Chaperon rouge,* conte de Perrault).

12 Débonder, déboucher, décapsuler, décoiffer ; décapoter, décapuchonner. – Déballer, décacheter, défaire, dépaqueter. – Déboutonner, débrider.

13 **Donner sur,** ouvrir l'accès à. – **Béer,** être ouvert à tous vents.

14 Dessiller, ouvrir les yeux à qqn **274** ; ouvrir l'esprit, ouvrir des horizons.

15 Ouvrir l'œil **52.** – Ouvrir la bouche **595.**

16 **S'ouvrir** ; s'entrebâiller, s'entrouvrir, s'épanouir, s'évaser. – S'étendre, se déplier, se développer. – S'ouvrir sur. – S'épancher, s'ouvrir à qqn.

Adj. 17 **Ouvert,** grand ouvert ; apert [vx]. – Bâillant, **béant,** entrebâillé ; bée *(bouche bée).* – Ajouré, **échancré,** fenestré ; évasé.

18 **Découvert** ; déclaré, franc, manifeste **99.**

19 À ciel ouvert, à découvert. – À cœur ouvert ; à livre ouvert.

P

586 PACTE

N. 1 **Pacte,** pactisation [rare] ; **accord 6,** accord amiable, **alliance,** concordat, entente, gentleman's agreement ou gentlemen's agreement [anglic.], traité ; charte.

2 **Engagement,** promesse **666.** – DR. : **convention,** convention collective, protocole, protocole d'accord ; résolution.

3 DR. – **Contrat** ; compromis de vente ou, absolt, compromis, promesse de vente ou, didact., promesse synallagmatique de vente ; pacte commissoire. – Instrument.

4 **Arrangement 838** ; deal [anglic.], marché.

5 Consentement **149** ; approbation ; signature.

6 Diplomatie ; relations internationales ; politique étrangère **642.**

7 Pactiseur [rare]. – **Négociateur** ; intermédiaire.

8 DR. – **Partie** *(les parties)* ; contractant *(les contractants),* cocontractant *(les cocontractants),* **cosignataire** *(les cosignataires).*

V. 9 **Pactiser** ; conclure, faire un accord. – **Ratifier** ; accepter, acquiescer, acter, **agréer,** approuver, entériner, homologuer, **signer.** – Faire la paix **589.**

10 **Convenir** ; demeurer d'accord de. – **Donner son accord,** donner le feu vert ; donner sa signature, signer des deux mains [fam.], taper dans la main, toper ; bien vouloir, consentir.

11 **Rapprocher.** – **Allier,** lier, marier [fig.].

12 S'allier à, se rallier à, se rapprocher de ; se raccommoder, se raccorder, **se réconcilier.**

Adj. 13 DR. : contractant, cocontractant, **cosignataire.** – Signataire *(les parties signataires).*

Adv. 14 DR. : **conventionnellement** ou par convention. – D'un commun accord.

587 PAIEMENT

N. 1 **Paiement** ou payement ; acquittement, **règlement.** – **Remboursement** ; libération. – Dédouanement ou dédouanage. – Montant, somme.

2 Débours, déboursement, **dépense.** – **Versement,** versement libératoire ; virement.

3 Rente, pension ; paie ou paye **739.** – Dommages et intérêts, indemnité, réparation. – Amende, impôt **317.** – Cotisation, écot, quote-part. – Dépens [DR.], frais. – Soulte [DR.]. – Tribut ; rançon. – Tontine.

4 BOURSE. – Premium. – Prime ; prime d'émission, prime de remboursement. – Déport, report. – Courtage **135** ; remise.

5 Arrhes, denier [vx]. – Acompte, avance, provision. – Caution, gage, **garantie** ; dédit. – Rappel ; solde. – Souscription. – Dépôt ; consigne, consignation.

6 Arrérages, coupon *(coupon de rente).*

7 Délai de paiement ; franchise ou différé d'amortissement ou de remboursement, remise. – Échéance, **terme.** – Facilités de paiement ; crédit **166,** microcrédit, épargne-crédit. – **Traite** ; annuité, mensualité.

8 Addition, facture **659,** note ; douloureuse [fam.]. – Quart d'heure de Rabelais [fam.]. – État de frais ou des dépens [DR.].

9 Acquit, décharge, émargement, quittance, récépissé, reconnaissance de paiement, **reçu,** reçu pour solde de tout compte.

10 Billet, effet de commerce, lettre de change, traite ; reconnaissance de dette.

11 Caisse, caisse enregistreuse, tiroir-caisse.

12 Fam. : cochon de payant ; vache à lait.

V. 13 **Payer** ; fam. : banquer, casquer, cracher, douiller, **raquer** ; aligner, allonger, lâcher. – Régler (une dépense) ; faire face à (une dépense). – **Débourser,** décaisser, dépocher [vieilli] ; payer de ses deniers, passer à la caisse ; délier les cordons de sa bourse ; fam. : cracher au bassinet ou, vx, à l'esquipot, mettre la main à la poche. – Fam. : être de la revue, en être pour ses frais, en être de sa poche ; payer les violons.

14 **Payer comptant** ou, anglic., cash ; vx : payer comme un change, payer en saunier. – Payer argent sous corde [vx], payer argent comptant [vieilli]. – Payer en monnaie de singe. – Être dur à la détente ou à la desserre **61.**

15 Payer qqn de paroles ou de promesses ; payer qqn en coups de gaules ou en soufflets.

16 Appointer, rémunérer, **rétribuer,** salarier ; éclairer [arg.]. – Dédommager, désintéresser, indemniser.

17 Défrayer, faire les frais de [vieilli] ; entretenir, soutenir. – Allouer **241.14,** servir, verser *(allouer, servir* ou *verser une pension, une rente à qqn).*

18 Subvenir à ; fournir à l'appointement de qqch [vx] ; financer, subventionner. – Tenir la bourse ou les cordons de la bourse ; faire bouillir la marmite **739.**

19 Dédouaner. – Acquitter, amortir, éteindre ou, fam., étrangler, honorer, **rembourser,** solder son compte. – S'acquitter, se décharger, se libérer ; rendre. – Être quitte.

20 Payer sa quote-part ; cotiser ; contribuer, participer. – Se cotiser.

21 Arrêter un article ; donner ou verser des arrhes. – Souscrire.

22 **Débiter** *(débiter un compte),* tirer sur. – Escompter *(escompter une traite),* tirer.

23 Se payer ; se rembourser ou, vx, se payer par ses mains.

24 Prov. – Les bons comptes font les bons amis ; vieux amis et comptes nouveaux. – Qui paie ses dettes s'enrichit. – Payez et vous serez considéré.

Adj. 25 **Payé** ; acquitté, réglé ; remboursé. – Escompté.

26 Payant. – Cher **111,** bon marché **524.**

27 Payable. – Solvable. – En votre aimable règlement (*valeur en votre aimable règlement,* formule de courtoisie figurant sur une note, une facture, ou l'accompagnant).

Adv. 28 **Comptant** ou au comptant, en nature ; fam. : cash, recta, rubis sur l'ongle. – Pour solde de tout compte.

29 Au porteur, à vue. – D'avance ; à crédit.

588 PAIN

N. 1 **Pain** ; arg. : bricheton (ou : brife, briffeton), brignolet. – Pain d'avoine, pain bis ou bisaille, **pain blanc,** pain complet, pain de fleur de froment ou fouace, pain de froment, pain de gluten, pain de gruau ou pain mousseau, pain de méteil, **pain noir,** pain d'orge, pain de seigle, pain de son ; pain au levain. – HIST. : pain de munition, pain du roi.

2 **Gros pain** ou pain de campagne (opposé à pain de fantaisie ou, vx, pain riche) ; pain de boulanger, pain industriel (opposés à pain de ménage). – Pain moulé ; **baguette,** bâtard, boulot, ficelle, flûte, parisien, pistolet [belg.] ; boule, galette, **miche,** natte, couronne, saucisson, tourte, tourteau. – Chapati, pita ou pain pita.

3 Pain brié ou, région., pain de Dieppe, pain soufflé ; pain brioché, pain de mie, pain mollet ou pain à la reine, pain viennois. – **Biscotte,** gressin, longuet, pain sec ; biscotin, biscuit ; bretzel ; scone. – Chapelure, panure.

4 Croûte, **mie.** – Bribe, chanteau [vx], croûton, lèche [fam., vx], quignon, tranche ; grignon.

5 Baisure [vx], coquille, grigne, yeux.

6 Mouillette, trempette ; chapon. – Canapé, rôtie, **toast.** – Tartine ; beurrée [vx] ; panini, sandwich **703.**

7 **Boulangerie** *(la boulangerie),* **boulange** *(la boulange)* [fam.]. – Bassinage, délayage, fleurage. – Pâtonnage, pétrissage, soufflage ; fleurage.

8 Farine **676.1** ; balle ou bale, bran ou bren, son. – Levain, levain-chef. – Pousse ou levée. – Panification.

9 Fournil ; fournilles. – Pétrin ; coupe-pâte, paneton ou banneton.

10 Boulangerie *(une boulangerie)* ; paneterie [vx] ; biscotterie. – Huche à pain, maie, panetière.

11 **Boulanger** ; garçon boulanger, mitron ; gindre ou geindre [TECHN.], pétrisseur. – Panetier [vx].

12 **Pain quotidien** ou pain de chaque jour, pain [fig.]. – Nourriture. – Manne, pain du ciel [allus. bibl.].

13 RELIG. CHRÉT. : hostie, pain d'autel ou pain à chanter, pain bénit ; pain azyme **449.** – Impanation ; eucharistie **508,** pain des anges (ou : de l'âme, céleste). – Pains de proposition [JUDAÏSME].

14 *Panem et circenses* (lat., « du pain et les jeux du cirque ») [Juvénal]. – « S'ils n'ont pas de pain, qu'ils mangent de la brioche » [allus. hist.].

V. 15 Boulanger ; panifier.

16 Boulanger le pain, **cuire le pain.** – Malaxer, pétrir ; biller.

Adj. 17 Panaire. – **Boulanger.**

18 Pané. – Boulangé.

19 Panifiable ; boulangeable, pétrissable.

589 PAIX

N. 1 **Paix** ; **concorde,** entente **6.** – Détente ; neutralité, **non-belligérance.**

2 Cessation des hostilités, suspension d'hostilité. – **Cessez-le-feu,** trêve, trêve de Dieu [HIST.]. – **Armistice.**

3 Mission de bons offices, **négociation** (souv. au pl.), offensive de paix, ouvertures de paix, pourparlers de paix. – Conférence de la paix. – Ballet diplomatique [fam.].

4 **Pacte 411** ; [DR. INTERN.] pacte de non-agression, traité de paix ; paix séparée. – Édits de pacification [HIST.], paix de Dieu [FÉOD.]. – Paix fourrée, paix plâtrée [fig. et vx]. – Paix des braves.

5 Paix romaine (lat., *pax romana*). – Paix des dieux (lat., *pax deorum*).

6 **Coexistence pacifique** ; guerre froide **354,** paix armée. – Si tu veux la paix, prépare la guerre (trad. du prov. lat. *Si vis pacem, para bellum*).

7 **Pacifisme** ; neutralisme [POLIT.]. – Mouvement pour la paix.

8 **Pacification.** – Pactisation [rare].

9 **Pacifiste** *(un pacifiste)* ; neutraliste *(un neutraliste)* [POLIT.], non-belligérant *(un non-belligérant),* non-violent *(un non-violent).* – Pacificateur *(un pacificateur),* pactiseur *(un pactiseur)* [rare].

10 Symboles de la paix. – Colombe. – Rameau d'olivier. – Drapeau blanc [signe de reddition ou de demande de trêve].

V. 11 **Pacifier,** rétablir l'ordre. – **Conclure, signer la paix** ; faire la paix, s'asseoir à la table des négociations [fig.] ; **pactiser.** – Désarmer, mettre sur pied de paix [MIL.], poser les armes ; démilitariser, dénucléariser.

12 S'apaiser, se pacifier.

Adj. 13 **Pacifique** ; calme **89,** paisible. – Apaisé, pacifié.

14 **Pacifiste** ; neutraliste, non-violent. – Sur le pied de paix *(armée sur le pied de paix)* [MIL.].

Adv. 15 **Pacifiquement.** – En paix *(vivre en paix).*

590 PAPE

N. 1 **Pape** ; chef de l'Église **567,** souverain pontife ; évêque de Rome **699,** successeur de saint Pierre, vicaire du Christ. – Antipape ; papes d'Avignon [HIST.].

2 Saint-Père, Sa Sainteté (S. S.) **822,** Notre Saint-Père (N. S.-P.), Très Saint-Père.

3 **Papauté, pontificat.**

4 Infaillibilité pontificale.

5 Bénédiction papale, bénédiction urbi et orbi. – Béatification, canonisation. – Décision ex cathedra. – Excommunication **582.** – Réserve (ou : réservat, réservation).

6 Indult. – Motu proprio.

7 Bref, bulle, **encyclique,** lettre apostolique. – Décrétale [vx], rescrit ; clémentine [HIST.].

8 Index. – Syllabus.

9 Clefs de saint Pierre, pallium, tiare. – Mule.

10 Rose d'or.

11 Conclave, Sacré Collège.

12 Consistoire. – Concile œcuménique, synode **725.3.**

13 **Cardinal.** – Conciliaire, conclaviste.

14 Prélat de Sa Sainteté ; protonotaire. – **Nonce, légat,** légat a latere.

15 Camérier, camerlingue, caudataire ; dataire [HIST.]. – Papalin.

16 Camerlinguat, nonciature. – Cardinalat. – Prélature.

17 Cité vaticane, **Vatican** ; États pontificaux ; Saint-Siège. – Curie ; Chambre apostolique, Congrégation de l'index [vx], Congrégation des rites, Congrégation du Saint-Office, tribunal de la Rote ; daterie [HIST.].

18 Denier de saint Pierre. – Annate [HIST.].

19 Concordat [HIST.].

20 Papisme **117,** ultramontanisme. – Gallicanisme.

21 Papiste, ultramontain ; uniate. – Gallican.

V. 22 Être élevé au pontificat. – Tenir chapelle.

Adj. 23 **Papal, pontifical.** – Papable (ou, ital., *papabile*).

24 Cardinalice.

25 Concordataire.

591 PARADIS

N. 1 **Paradis** ; ciel **20.** – Cour céleste, céleste demeure, séjour céleste ; royaume des cieux, royaume de Dieu, royaume éternel. – Cité céleste, cité de Dieu, cité sainte ; Nouvelle Jérusalem, Jérusalem céleste. – Pourpris sacrés, parvis sacrés ; célestes lambris.

2 Saint Pierre ; anges, saints ; bienheureux *(les bienheureux),* élus *(les élus),* justes *(les justes).* – Corps glorieux. – Chemin du Paradis ; **clés du Paradis.** – Pont de Mahomet. – Houri.

3 **Ascension 531,** assomption.

4 Béatitude du ciel, bonheur éternel, félicité éternelle, éternité bienheureuse **287.**

5 Paradis terrestre ; jardin d'Éden, jardin des délices (opposé à vallée de larmes ou de misère).

6 Hindouisme : Brahma-loka ou monde de Brahma **362,** satya-loka ou monde de la vérité.

7 MYTH. – Séjour des dieux ; empyrée. – Séjour ou empire ou rivage ou royaume des morts ; **Enfers 271** ; Champs Élysées ou Champs élyséens ; Walhalla.

V. 8 Aller au Paradis, **monter aux cieux** ; être assis à la droite du Père. – Se recommander à tous les saints du Paradis.

Adj. 9 Paradisiaque.

Adv. 10 **Là-haut.**

592 PARDON

N. 1 **Pardon** ; amnistie, grâce, merci [vx] ; oubli des fautes. – Acquittement, disculpation.

2 THÉOL. – **Absolution,** rémission, rémission des péchés ; sacrement de pénitence ; indulgence partielle opposé à plénière ; justification, rachat, rédemption, salut.

3 **Clémence,** indulgence, mansuétude [litt.], miséricorde, pitié **625** ; générosité **336,** longanimité [litt.], magnanimité [litt.].

4 DR. : adoucissement, libération ; commutation de peine, remise de peine **144.**

5 Réhabilitation. – Rentrée en grâce.

6 **Pardon** [région.], **pèlerinage,** procession ; Grand Pardon **310.** – Pardon d'armes [HIST.], tournoi.

7 HIST. : lettre d'abolition, lettre de grâce, **lettre de pardon,** lettre de rémission.

8 Rémissibilité [didact.].

9 THÉOL. : rédempteur **215,** sauveur.

V. 10 **Pardonner** ; amnistier, gracier. – Accorder l'aman, **faire grâce,** faire quartier [vx], tenir quitte ; libérer. – Blanchir, disculper, innocenter ; réhabiliter. – DR. : commuer une peine, remettre une peine ; adoucir.

11 THÉOL. – **Pardonner** ; **absoudre,** délier ; donner l'absolution ; rédimer, sauver. – Remettre ses péchés à qqn. – « Pardonnez-nous nos offenses / Comme nous pardonnons aussi / À ceux qui nous ont offensés » (Notre Père) **657.**

12 Pardonner ; accorder merci à [vx], **avoir pitié de 625.** – **Excuser** ; accorder les circonstances atténuantes à. – Ne pas vouloir la mort du pécheur [allus. bibl.].

13 Effacer, **oublier** ; passer l'éponge [fam.]. – Admettre, souffrir, supporter, tolérer ; fermer les yeux sur, passer sur ; aplatir le coup [arg.].

Adj. 14 **Pardonné** ; Faute avouée est à demi pardonnée [prov.].

15 Pardonnable ; **excusable** ; amnistiable, graciable ; rémissible [litt.].

16 **Clément,** généreux **336,** indulgent, miséricordieux, pitoyable [vx ou litt.] ; compréhensif, humain, longanime [litt.], magnanime. – Accommodant, complaisant, coulant, laxiste, permissif **58, tolérant.**

17 Absolutoire [DR.].

Adv. 18 **Généreusement 336,** magnanimement. – Sans rancune.

Int. 19 **Pardon !** Mille pardons ! Dieu me pardonne ! ; **Excusez-moi !** Je vous prie de m'excuser ! Pardonnez-moi ! ; Faites excuse [pop.].

20 Pardon ? **680.** – Je vous demande pardon ?

593 PARESSE

N. 1 **Paresse** ; fainéantise, inaction **393,** néantise [rare]. – Fam. : cagnardise [vx], cagne [région.], cosse, **flemme,** flemmingite, rame. – La paresse est la mère de tous les vices [prov.].

2 Apathie, avachissement, lâcheté [vx], mollasserie, **mollesse,** veulerie ; encroûtement ; **laisser-aller,** négligence, relâchement. – Abandon, démission ; **faiblesse,** indifférence **401.** – Facilité ; solution de facilité.

3 Paresse d'esprit, paresse intellectuelle ; indolence, langueur, **nonchalance,** nonchaloir [vx], tiédeur. – Engourdissement, **torpeur** ; lourdeur.

4 MÉD. : atonie, inertie ; paresse intestinale.

5 **Paresseux** *(un paresseux)* ; fam. : fainéant, feignant, feignasse, **flemmard.** – Fam. : clampin, cossard, lambin, lendore [vx], ramier [arg.] ; cancre ; **tire-au-flanc** ou, très fam., tire-au-cul ; cul-de-plomb, poids mort ; inspecteur des travaux finis [fam.], partisan du moindre effort ; fam. : branleur, **glandeur,** glandouilleur, loupeur ; cagne [vx].

6 Chiffe ou chique molle, **larve,** loque, pâte molle ; fam. : mollasse, **mollasson,** mollusque, moule, nouille ; pantin, poupée de chiffon. – Roi fainéant [allus. hist.].

V. 7 **Paresser** ; fainéanter ; fam. : buller, flemmarder, **glander** [fam.], glandouiller [fam.], lambiner, lézarder, traînasser, traîner ; cagnarder [vx], câliner [vieilli], louper [arg., vx]. – S'abandonner, **s'avachir,** se relâcher ; s'acagnarder [fam., vx], se prélasser ; **se laisser aller,** se laisser vivre.

8 Fam. – **Tirer au flanc,** tirer ou battre sa flemme ; coincer ou écraser la bulle, faire du lard, se la couler douce ; avoir la cosse, bayer aux corneilles, traîner la savate ; plaindre ses pas ou sa peine. – Tirer au cul [très fam.]. – Craindre sa peine, plaindre sa peine. – Fam. : ne pas en fiche(r) un coup, **ne pas en fiche(r) une rame,** ne pas en fiche(r) une secousse ; ne pas se casser. – Faire la grasse matinée.

9 Fam. : avoir les côtes en long, avoir les pieds nickelés, **avoir un poil dans la main.** – Se croiser les bras, se les rouler [fam.], se rouler ou se tourner les pouces. – Ne pas faire œuvre de ses dix doigts ; fam. : ne pas se faire d'ampoules, ne pas se fouler la rate.

Adj. 10 **Paresseux** ; paresseux comme un loir (aussi : comme une couleuvre, comme un lézard). – **Apathique,** veule ; cagnard [vx], câlin [vieilli], flemmard [fam.], lambin [fam.], rossard [vieilli]. – Désœuvré, **inactif,** inerte **403,** oisif ; indolent, négligent. – Litt. : sybarite ; pourceau d'Épicure.

11 Endormi, **engourdi,** languide, languissant ; **lent.** – Lourd, lourdaud ; lymphatique, mollasson [fam.], **mou 526.** – Amorphe, atone, avachi.

12 Nonchalant, tiède.

13 MÉD. : atone, inerte, paresseux.

14 HORTIC. : paresseux, tardif.

Adv. 15 **Paresseusement** ; languissamment, mollement ; indolemment, nonchalamment.

594 PARFUM

N. 1 **Parfum** ; fragrance, senteur **569.2** [litt.]. – **Arôme** ; goût **343,** saveur ; flaveur. – Aromate, baume, onguent [vx].

2 **Essence** ; essence de lavande, de violette, de térébenthine, etc. – Huile essentielle ou volatile, oléolat [vx]. – Absolu *(un absolu),* concentré *(un concentré),* extrait *(un extrait).*

3 **Eau** ; eau de lavande, de rose, de santal, etc. – **Eau de toilette** ; eau de Cologne, eau de parfum, eau de senteur ; vinaigre de toilette [vx]. – Lotion après-rasage ; after-shave [anglic.]. – Pop. : odeur, sent-bon.

4 Amande amère, anis, benjoin, bergamote, cachou, camphre, cardamome, cinnamome, citron, citronnelle, coriandre **333,** encens, frangipane, marjolaine, mélisse, menthe, myrrhe, opopanax, origan, romarin, santal, sauge, tabac, vanille, verveine, vétiver ou vétyver. – Ilang-ilang ou ylang-ylang, iris, jasmin, lavande, mille-fleurs, muguet, nard, néroli ou fleur d'oranger, œillet, patchouli, rose, tubéreuse, violette. – Chypre.

5 **Ambre,** castoréum, civette, musc.

6 Acétate de benzyle (jasmin), aldéhyde benjoïque, citral, coumarine, héliotropine, ionone (violette), musc cétone (fleur d'oranger), musc nitré, salicylate de méthyle, essence de mirbane, terpinol, vanilline.

7 **Brûle-parfum,** cassolette. – **Pot-pourri** ; alabastre ou alabastron [ANTIQ.].

8 **Parfumerie.** – Cosmétologie.

9 Parfumeur. – Parfumeur créateur ; nez [TECHN.].

V. 10 **Parfumer 569.19** ; embaumer. – **Aromatiser 343.15.** – Ambrer, musquer.

Adj. 11 **Parfumé** ; fleurant [vx], fragrant [rare].

Aff. 12 Osmo-, osma-.

595 PAROLE

N. 1 **Parole** ; **verbe,** voix ; expression orale ou verbale, **langage parlé** ; chaîne parlée, **discours.** – Oral *(l'oral)* ; oralité ; verbalisation. – **Communication 136,** interlocution [didact.]. – LING. : performance (opposé à compétence).

2 Articulation **425,** phonation, **prononciation** ; débit, **diction, élocution,** fluidité ; dysphonie **839.** – Accent, intonation, ton ; **voix 106.**

3 **Parole** ; expression, **mot 535, phrase 622,** syllabe ; bredouillement **411, cri 168,** exclamation, interjection **431,** onomatopée ; apostrophe, interpellation ; blasphème, insulte **412,** juron ; compliment **471,** conseil **148.** – Gaffe **483,** lapsus, **sortie** ; parole malheureuse (ou : déplacée, incongrue). – Ambages, circonlocution, phrase, précaution oratoire.

4 **Parole** ; **discours,** énoncé, **propos** ; affirmation **13,** allégation, assertion, déclaration, **dire** *(un dire),* énonciation ; dénégation **546.** – Fam. : baratin, bla-bla ou bla-bla-bla, boniment ; baliverne, billevesée, calembredaine, fadaise, sornette ; cancan, commérage, médisance, potin, racontar, ragot **771.**

5 Adresse, allocution, **discours 225,** exposé, laïus [fam.], speech [anglic.], topo [fam.]. – Monologue, tirade ; monologue intérieur, soliloque ; aparté.

6 Causerie, **conversation,** dialogue, entretien ; fam. : bavette, causette, parlotte. – Débat, **discussion,** colloque, conférence ; échange de vues ; palabre [surtout pl.], pourparlers. – Badinerie **628,** duel verbal, joute d'esprit ou joute oratoire.

7 Algarade, attaque verbale, invective, sortie. – Altercation, dispute **168,** prise de bec.

8 **Éloquence 264,** verve ; bagou ou bagout [fam.], faconde [litt.], parole facile ou facilité de parole, repartie, tchatche [fam.] ; **loquacité,** prolixité **665,** volubilité. – Emphase, grandiloquence **347.**

9 Logorrhée ; incontinence verbale, verbomanie, **verbosité** ; flux de paroles. – **Bavardage,** délayage, logomachie, phraséologie, verbalisme, verbiage. – Babil, babillage, bavardage, caquet, caquetage. – Byzantinisme.

10 Déclamation, récitation ; rhétorique **729.**

11 **Parole** ; apophtegme, devise, formule, maxime, pensée, proverbe, **sentence** ; mot d'auteur, mot d'enfant, phrase mémorable ou historique.

12 Parole ; promesse **666.**

13 Parole, bonne parole ; Évangile **815.**

14 **Parleur** *(un parleur)* [rare] ; conférencier, debater [anglic.], débatteur ; prédicateur ; speaker (fém. : speakerine) ; **orateur,** tribun ; rhéteur, rhétoricien **729.**

15 **Discoureur,** laïusseur [fam.], palabreur, parleur, péroreur, phraseur ; faiseur de phrases ; péj. : baratineur, bonimenteur, beau parleur. – Babillard, **bavard** *(un bavard),* jaseur ; crécelle, moulin à paroles [fam.] ; commère [fig.], jacasse, pie, pie jacasse.

16 Parolier ; chansonnier, dialoguiste, librettiste.

17 LING. : **locuteur,** sujet parlant ; interlocuteur.

V. 18 **Parler** ; **s'exprimer** ; ouvrir la bouche, prendre la parole, rompre le silence ; pop. : en placer une, l'ouvrir, ouvrir le bec. – Babiller, gazouiller ; baragouiner, jargonner **455** ; arg. : jacter, jaquetancer, jaspiner.

19 Articuler, **dire,** énoncer, proférer, **prononcer.** – Ânonner, débiter, déclamer, psalmodier, réciter ; claironner, clamer, crier **168** ; avoir le verbe haut. – Chuchoter, murmurer, susurrer ; glisser à l'oreille ; parler à mi-voix, parler à voix basse ; parler entre ses dents (ou : dans sa barbe, dans sa moustache) ; être enroué. – Balbutier, bafouiller, bégayer, bredouiller **839** ; chercher ses mots, rester court, rester sec **766.**

20 **Dire, exprimer,** traduire ; défiler son chapelet, dire ce qu'on a sur le cœur, vider son sac.

21 **Causer, communiquer, converser,** deviser, dialoguer, s'entretenir ; échanger des paroles, parler à bâtons rompus ; fam. : faire la causette, faire un brin de causette.

22 Babiller, **bavarder,** cailleter [vx], caqueter, jaboter, jacasser, jaser, papoter ; fam. : bavasser, bavocher, blablater, mouliner, piapiater, tchatcher ; parler pour ne rien dire. – Cancaner, commérer [rare], jaser, médire ; bonimenter.

23 **Discourir 225,** disserter, laïusser, lantiponner [fam., vx], pérorer, pontifier ; baratiner [fam.]. – Monologuer, soliloquer. – Rabâcher, **radoter,** se répéter ; déparler [région.] ; parler à bon escient, parler d'or.

24 **S'adresser à,** adresser la parole à ; apostropher, appeler, interpeller, haranguer **225** invectiver **412** ; briefer [fam.]. – Donner la parole ou, vx, donner langue ; couper la parole **223** ; fam. : clouer le bec à, river son clou à.

25 Parler pour ou en faveur de ; intercéder, **plaider 626,** se faire l'interprète de.

26 Démutiser.

Adj. 27 **Parleur** ; parlant.

28 **Bavard, causant,** communicatif, expansif ; babillard, disert, **loquace,** volubile ; éloquent **264,** verveux [litt.] ; logorrhéique, prolixe **665,** verbeux ; emphatique **347.**

29 **Oral, verbal** ; parlé. – **Discursif 225,** monologique. – Oratoire, rhétorique **729.**

30 Articulé ; énoncé, prononcé. – Prononçable ; imprononçable. – Articulatoire [LING.].

31 **Dit,** exprimé, traduit. – Dicible [litt.], exprimable, **traduisible** ; **indicible, ineffable,** inexprimable, intraduisible.

32 Phonateur, phonatoire.

Adv. 33 **Oralement, verbalement.**

34 Proverbialement.

Int. 35 Et patati, et patata ! [fam.].

Aff. 36 Loqu- ; loqui- ; -loque, -loquie.

596 PARTICIPATION

N. 1 **Participation,** part. – Collaboration, concours **19,** coopération ; contribution **317.**

2 Adhésion ; affiliation.

3 **Intervention.** – Entremise, intercession. – Médiation, ministère.

4 Appui, **soutien** ; assistance, secours. – Renfort ; coup de main [fam.]. – Complément, supplément ; appoint.

5 Apport, mise de fonds ; souscription **587.**

6 Parrainage, patronage ; partenariat. – Mécénat **675,** sponsoring ou sponsorat.

7 Accointance, **complicité,** connivence ; solidarité. – Entente, intelligence. – Alliance, association ; coalition **694.**

8 Collaborationnisme [HIST.].

9 **Participant.** – Adhérent, membre, sociétaire ; mutualiste. – Adepte, partisan.

10 Concurrent.

11 Coopérateur, **partenaire.** – Actionnaire, adhérent, commanditaire, contributeur, membre, sociétaire. – **Associé,** coassocié, gérant. – Coopérant.

12 Adjoint, auxiliaire, **second** ; vacataire [ADMIN.]. – Aide **19** ; adjudant [litt.], adjuteur [litt., rare] ; adjuvant [litt.], stimulant **793.**

13 **Collaborateur** ; camarade, collègue, compagnon, compère, confrère, consœur.

14 Cinquième roue du carrosse ; mouche du coche [allus. litt.].

15 Entremetteur, médiateur ; boîte aux lettres [fig.]. – Fantoche.

16 Acolyte, affidé, **compère** ; complice.

17 HIST. : collaborationniste ou, fam., collabo.

V. 18 Avoir part à, intervenir dans, **participer à,** prendre part à ; être de la partie, figurer au nombre des. – Assister à qqch.

19 Apporter sa contribution, apporter sa pierre à l'édifice, concourir. – **Aider** ; adjuver [litt., rare]. – Donner un coup de main [fam.].

20 Servir. – Collaborer, coopérer. – Adhérer.

21 Entrer en action (ou : en jeu, en lice, en scène), entrer dans la danse ou le jeu. – Mettre son grain de sel [fam.], placer son mot **156** ; interférer [fig.]. – **Se joindre,** se mêler. – Se mettre à qqch.

22 Contribuer, fournir ; apporter son écot. – Mécéner, sponsoriser.

23 Prendre part à ; fig. : **partager,** s'associer à. – Compatir, entrer dans les peines ou les joies de.

24 Être de connivence, être dans le secret **751.** – Être complice, être de mèche, **prêter la main à,** tremper dans ; conniver [litt., vx]. – Agir de complicité. – Fermer les yeux à ; conniver à [litt.].

25 **Assister qqn** ; appuyer qqn. – Épauler, seconder, soutenir. – Conseiller, donner conseil. – Patronner.

26 Intercéder, prendre fait et cause pour ; faire cause commune. – Faire la courte échelle [fam.] ; se renvoyer l'ascenseur [fam.] **690.12,** se renvoyer la politesse.

27 Associer. – Avoir recours à, mettre à contribution. – Intéresser [ÉCON.].

28 S'associer qqn, s'adjoindre qqn.

29 S'allier, se joindre, **s'unir 725.14,** se lier ; s'accorder, s'entendre. – Se fédérer, se grouper. – S'apparenter.

30 Se mêler. – Se solidariser.

31 S'entremettre, s'immiscer, s'ingérer.

32 **Concerner,** regarder, toucher ; avoir rapport à, avoir trait à. – Participer de [litt.]. – Tendre à.

Adj. 33 Coopératif, coopérateur [rare]. – Connivent [litt., rare].

34 Associatif. – ÉCON. : coopératif, partenarial, **participatif.**

35 Associé. – Confraternel. – Coalisé.

36 Associable.

37 Annexe, d'appoint, auxiliaire, complémentaire ; adjoint. – Second ; accessoire.

Adv. 38 Concurremment, conjointement, ensemble ; de concert.

39 Au nom de. – De la main de.

40 Auxiliairement, accessoirement.

Aff. 41 Aide- ; co-.

597 PARTIE

N. 1 **Partie.** – **Élément,** unité ; membre, pièce ; **fraction 324,** fragment. – Morceau, **part,** portion, quartier, section, tranche ; compartiment. – Lot, parcelle. – Atome, molécule, **particule.**

2 Accessoire, **composant,** organe, rouage. – Pièces détachées.

3 **Chapitre,** livre ; acte, scène ; chant. – **Mouvement,** passage. – MUS. : partie, contrepartie.

4 **Division,** subdivision ; dégroupement, démembrement ; atomisation, fractionnement, fragmentation, **morcellement** ; sectionnement, segmentation. – Déchirement.

5 **Séparation 756** ; partition, scission. – Bipartition, tripartition. – POLIT. : bipartisme, tripartisme. – Répartition ; dispatching [angl.].

6 Combinaison des parties, **composition,** contexture ; coordination, conjonction.

7 Parties du discours. – **Parties du corps** ; parties sexuelles, ou, pop., les parties. – Parties du monde ; continents.

8 Partie ; branche, spécialité.

9 Atomisme [didact.].

V. 10 **Partager** ; **dégrouper** [didact.], diviser, subdiviser ; démembrer, partir [vx] ; isoler, scinder, séparer. – Fractionner, fragmenter, morceler ; sectionner, tronçonner. – Cliver, cloisonner, compartimenter. – Lotir, parceller. – Tomer.

11 Désassembler, **désunir,** détacher, disjoindre, dissocier **230.** – Décomposer, désagréger, disloquer. – Couper, débiter, découper ; trancher. – Découdre, dessouder ; démancher.

12 **Répartir** ; dégrouper, distribuer ; dispenser, disperser. – Départir [litt.], impartir à [rare].

13 **Appartenir,** faire partie de ; participer. – Être juge et partie.

14 Chanter ou exécuter sa partie, connaître ou savoir sa partie.

Adj. 15 **Divisible,** fissible, séparable.

16 Fractionné, fragmenté, morcelé, séparé ; isolé.

17 **Partiel** ; fragmentaire, incomplet.

18 **Séparatif.** – Analytique. – Partitif [LING.].

19 **Biparti** ou bipartite, triparti ou tripartite ; multipartite.

Adv. 20 **En partie,** partiellement, en tout ou en partie ; tout ou partie. – **À part,** en aparté. – **Séparément.**

21 Particulièrement, spécialement.

Prép. 22 Une partie de. – Au nombre de, parmi.

Aff. 23 Mér(o)-, méri(s)- ; -mère, -mérie, -méris.

598 PASSÉ

N. 1 **Passé** *(le passé).* – L'Antiquité, la nuit des temps, la profondeur des siècles, les temps immémoriaux. – L'ancien temps ; le bon temps, **le bon vieux temps** ; le temps jadis ; les vieilles lunes, les lunes d'autrefois. – Enfance **270,** jeunesse **445.**

2 **Passé** *(un passé)* ; antécédents, curriculum vitae. – Casier judiciaire, pedigree [arg.].

3 GRAMM. – Aoriste, imparfait **346,** passé antérieur, passé composé ou, vx, passé indéfini, passé simple (ou : passé historique, vx : passé défini), passé surcomposé, plus-que-parfait.

4 **Le déjà-vu** ; le déjà-vécu [PSYCHOL., rare]. – Précédent *(un précédent)* [DR.] ; les leçons du passé.

5 Antériorité **33.**

6 Souvenir **503** ; oubli **583.** – Nostalgie, regret **697.** – Conservatisme, passéisme. – Archéologie.

7 Aïeux, ancêtres **314.** – Has been *(un has been)* [anglic. fam.].

8 Archéologue. – Conservateur.

V. 9 **Passer** ; **disparaître 228,** filer, fuir ; s'écouler, s'effacer ; s'en aller, s'enfuir, s'envoler.

10 **Appartenir au passé,** remonter loin dans le passé ou dans le temps ; dater, être de l'histoire ancienne. – Avoir fait son temps, avoir vécu ; mourir **534.**

11 Avoir à peine + p. passé, ne faire que de + inf., **venir de** + inf.

12 Se souvenir ; oublier. – Creuser ou fouiller le passé, **regarder en arrière,** se retourner sur son passé ; revenir sur ses pas. – **Regretter** ; vivre dans le passé.

Adj. 13 **Passé** ; accompli, achevé, advenu, échu, écoulé, révolu ; en loc. : sonné, bien sonné *(la cinquantaine sonnée ; cinquante ans bien sonnés).* – Évanoui, fini, mort ; d'antan. – Antédiluvien, historique, **vieux 863** ; dépassé, désuet **206.**

14 Ancien, antérieur, **précédent** ; ci-devant. – Dernier (dans : *l'an dernier, la semaine dernière, etc.*).

15 Nostalgique ; passéiste.

16 Rétroactif. – Rétrospectif.

Adv. 17 Auparavant, **autrefois,** avant, jadis, naguère ; anciennement. – À l'époque [fam.], au temps jadis [litt.], dans l'ancien temps, dans le passé, **dans le temps** [fam.]. – Au bon vieux temps, au temps que la reine Berthe filait [vieilli] ; de mon temps. – À l'aube des temps, dans des temps reculés (ou : lointains, éloignés).

18 **Déjà.** – Antérieurement, précédemment. – Jusqu'à présent, jusqu'ici.

19 **Récemment.** – Ces derniers temps, dans un passé récent ; il n'y a pas si longtemps, il y a peu de temps ; tantôt [vx ou région.], tout à l'heure.

20 Avant-hier, hier ; l'avant-veille, la veille.

21 Une fois, un jour. – **Il était une fois.**

Prép. 22 **Avant 134.** – Avant de, avant que de [litt.].

Conj. 23 Avant que. – Au temps où (ou, vieilli, que), du temps où.

Aff. 24 Ex- ; archéo-, rétro-.

599 PASSE-TEMPS

N. 1 **Passe-temps** ; dérivatif, hobby [anglic.], violon d'Ingres. – Manie, marotte ; **dada** [fam.]. – Activité de loisirs ; amusette, distraction.

2 **Amusement,** délassement, divertissement, distraction, **jeu 446,** occupation, récréation.

3 **Amateurisme,** dilettantisme. – **Collectionnisme,** collectionnite [fam.].

4 Bibelotage ; chinage [fam.].

5 **Activités de loisirs** ; danse **176,** musique **543,** peinture **607,** sculpture **749,** théâtre **817.** – Céramique **813, poterie,** reliure, vannerie. – Bricolage ; jardinage. – Mots croisés. – **Sorties** ; excursion, randonnée ; pétanque ; baignade ; sport **792.**

6 **Cinéphilie,** colombophilie, cynophilie ; aquariophilie ; orchidophilie. – **Bibliomanie,** mélomanie, métromanie [rare]. – Elginisme [didact.].

7 **Collection** ; **philatélie** ; aérophilatélie, **bibliophilie,** cartophilie, copocléphilie, discophilie, érinnophilie, marcophilie, scripophilie.

8 **Album** ; catalogue ; herbier. – **Cabinet** ; anc. : cabinet d'amateur ou de curiosités.

9 **Amateur** ; appréciateur [litt.], chercheur, chineur [fam.], **collectionneur,** connaisseur, curieux, dilettante [litt.], fouineur ; fig. : gourmand, gourmet. – **Aficionado,** fan [anglic., fam.], fanatique ou, fam., fana, passionné.

10 **Amateur de** + n. *(amateur de musique)* – Aquariophile, audiophile, cerf-voliste ou lucanophile, choréphile, cinéphile, colombophile, cynophile, œnophile, orchidophile, publiphile, vidéophile. – Balletomane ou ballettomane, boulomane, mélomane. – Numismate. – Bibeloteur ; chineur. – **Cruciverbiste.**

11 **Collectionneur** ; bédéphile, **bibliophile,** cartophile ou cartophiliste, copoclépile, discophile, érinnophile ou érinnophiliste, glycophile, scripophile. – **Bibliomane.** – **Philatéliste.**

V. 12 Délasser, désennuyer, **distraire,** divertir, égayer, réjouir. – **Faire passer le temps** (à qqn).

13 **Se distraire** ; s'amuser, se délasser, se divertir, jouer ; prendre du bon temps. – Flâner, musarder ; **tuer le temps.**

14 **S'adonner à** ; s'engouer de, se passionner pour, raffoler de. – **Être amateur de** ; adorer, aimer, apprécier, goûter. – Chercher, rechercher ; brocanter, **chiner** [fam.].

15 **Collectionner** ; accumuler, amasser, assembler, colliger [litt.]. – Assortir, rassortir ; compléter ; échanger.

Adj. 16 Collectionnable [rare].

17 **Amateur** *(peintre amateur)* ; engoué, enthousiaste **276,** féru de, friand de, passionné.

Aff. 18 -phile, -philie, -mane, -manie.

600 PASSION

N. 1 **Passion** *(une passion, les passions)* ; passion (opposé à action) [PHILOS.]. – Émotion, sentiment ; désir **199,** inclination, penchant.

2 Émotivité, sensibilité ; sentimentalité. – Sentimentalisme ; sensiblerie.

3 Délire, **enthousiasme,** exaltation **793,** frénésie. – Ardeur, feu, feu sacré, fièvre ; euphorie, **griserie,** ivresse. – Émoi **549,** excitation **462,** fureur, rage, transes, transport ; **élan,** emportement, fougue, véhémence. – Folie ; trouble. – Fig. : brasier ; orage, ouragan.

4 Agitation ; bouillonnement, ébullition, effervescence, frémissement ; fermentation. – Débridement, déchaînement, **embrasement,** emportement, enivrement.

5 Emballement [fam.], engouement, goût, rage. – Adoration **160,** idolâtrie. – Chaleur ; lyrisme.

6 Folie **321, manie,** tic, vice ; fam. : maladie, marotte, péché mignon, toquade.

7 **Passionné** *(un passionné)* ; énergumène, excité *(un excité),* forcené *(un forcené).* – Fam. : aficionado, fan, groupie.

V. 8 **Passionner.** – Échauffer, électriser, embraser, enfiévrer, enflammer, **enthousiasmer,** exalter, exciter **199,** galvaniser, incendier les esprits ; allumer le regard de. – Attiser (ou : déchaîner, exciter) les passions ; jeter de l'huile sur le feu ; fanatiser. – Captiver, fasciner, frapper, prendre aux tripes [très fam.]. – Brûler ; empoigner, tenailler.

9 Affecter, troubler, émouvoir **160,** frapper, impressionner, pénétrer, **remuer** [fam.], toucher ; faire tourner la tête à, retourner. – Impressionner.

10 Avoir le démon de, être adonné à ; avoir dans le sang ou, fam., dans la peau. – Prendre fait et cause ou feu et flamme pour. – S'intéresser, **se passionner** ; s'engouer, s'enthousiasmer, s'infatuer [vx], se jeter à corps perdu dans ; fam. : s'emballer, se toquer.

11 Être hors de soi ; se déchaîner. – N'être pas maître de soi.

Adj. 12 **Passionnant.** – Attachant, attirant, captivant, empoignant, enivrant, **enthousiasmant,** fascinant ; **exaltant,** excitant, piquant, stimulant ; fam. : emballant, palpitant.

13 Furieux [litt.], **impétueux,** véhément ; **débordant,** débridé, délirant, effréné **427.17,** exalté, illuminé. – Ardent, bouillant, brûlant, chaud ; fam. : tout feu tout flamme, volcanique. – Fébrile, fiévreux ; fumant [litt.].

14 Conquis, emballé, électrisé, emporté, ensorcelé ; embrasé, enflammé ; enivré, grisé ; aveuglé.

15 **Amateur,** amoureux, avide, entiché, fanatique, féru, fou ; forcené, frénétique ; fam. : accro, enragé, fan, fana, ivre, mordu, toqué.

16 **Passionnel** ; obsessionnel **321** ; dévorant. – Fanatique. – Maniaque, monomane.

Adv. 17 **Passionnément** ; passionnellement. – Excessivement **294** ; éperdument ; à la folie, à la fureur. – Ardemment, chaudement, follement, fougueusement, frénétiquement, impétueusement, véhémentement [litt.] ; fanatiquement. – Amoureusement.

18 Appassionato (MUS., ital., « avec passion »).

601 PATIENCE

N. 1 **Patience** ; patience d'Allemand [vieilli], patience d'ange. – **Calme 89,** placidité, quiétude [litt.], sérénité, tranquillité ; flegme, impassibilité, imperturbabilité. – Indulgence, mansuétude, **tolérance 650.** – Prov. et loc. prov. : la patience est la vertu des ânes ; « Patience et longueur de temps / Font plus que force ni que rage » (La Fontaine).

2 Constance [litt.], esprit de suite, **persévérance 225.** – Entêtement, **obstination 568,** opiniâtreté, ténacité.

3 Patience ; **constance,** endurance [litt.], longanimité [litt.] ; philosophie [cour.], stoïcisme. – **Courage 161,** force d'âme ; maîtrise de soi, sang-froid, self-control (angl., « contrôle de soi »).

4 Renoncement, **résignation** ; passivité **393.**

5 Ouvrage de patience ; travail de bénédictin.

6 JEUX : patience, réussite. – Crapette. – **Jeu de patience 446** ; casse-tête chinois, puzzle.

7 Souffre-douleur ; bardot [vx], martyr, plastron [vx], tête de Turc [fam.].

V. 8 **Patienter** ; faire patience [vieilli], **prendre patience,** s'armer de patience, se donner patience [vx], se munir de patience ; n'être pas pressé. – Savoir attendre. – Prendre qqch en patience. – Prov. et loc. prov. : il n'est bois si vert qui ne s'allume ; tout vient à point à qui sait attendre ; petit à petit l'oiseau fait son nid.

9 Souffrir [litt.], **supporter,** tolérer ; encaisser [fam.]. – **Prendre son mal en patience** ; prendre son parti de, s'accoutumer à **461,** se faire à ; se faire une raison, **se résigner,** se résoudre à ; faire contre mauvaise fortune bon cœur, faire de nécessité vertu. – Prendre du bon côté **573.** – Tendre l'autre joue [allus. bibl.] **506.**

10 Se contenir, se dominer ; faire bonne contenance, **garder son sang-froid,** garder son self-control.

11 **Persévérer 225** ; s'entêter, s'obstiner **568.**

Adj. 12 **Patient.** – **Calme 89,** placide, quiet [vieilli], serein. – Flegmatique, **impassible,** imperturbable. – Indulgent, **tolérant 650** ; accommodant, doux ; de bonne composition.

13 Assidu, constant ; **infatigable,** inlassable. – Acharné, persévérant **225, tenace** ; entêté, obstiné **568,** opiniâtre. – **Attentif,** méticuleux, minutieux.

14 Constant, **endurant,** longanime [litt.], patient [vx ou litt.], souffrant [vx] ; philosophe [cour.], **stoïque.** – Passif **393,** patient [PHILOS.]. – Résigné.

Adv. 15 **Patiemment.** – **Calmement 89,** placidement, tranquillement. – Philosophiquement, stoïquement.

16 **Obstinément 568,** opiniâtrement, tenacement [litt.] ; persévéramment [rare]. – Pas à pas, petit à petit.

Int. 17 **Patience !** Doucement ! – Il n'y a pas le feu ! [fam.], il n'y a pas le feu au lac ! [fam.] ; chaque chose en son temps ! Il y a un temps pour tout ! – *Wait and see* (angl., « attendre et voir »).

602 PAUCITÉ

N. 1 **Paucité,** peu *(le peu de..., le peu qui..., le peu que...).* – Parcimonie. – Petitesse **616,** insuffisance. – Portion congrue.

2 **Rien** *(un rien)* ; je-ne-sais-quoi *(un je-ne-sais-quoi)* ; petite chose. – Atome, grain, **grain de poussière,** grain de sable ; miette, parcelle. – Goutte d'eau dans l'océan.

3 **Peu** *(un peu de)* ; soupçon, tantinet ; tantet [vx]. – Lueur *(une lueur de).* – Brin, chouia [fam.] ; filet, goutte, gouttelette, **larme,** nuage **561,** soupçon, trait ; bouchée, doigt, pincée. – Touche. – Paille.

4 Moins *(le moins)* **405.** – **Moins que rien,** presque rien, pas grand-chose, peu de chose ; fam. : des clopes, des clopinettes, des clous. – Bagatelle *(une bagatelle),* misère *(une misère).* – Bricoles *(des bricoles),* broutilles ; **queues de cerises.**

V. 5 **Se contenter de peu,** vivre de peu. – N'avoir pas fait une panse d'A.

6 **Amoindrir,** diminuer **220.** – Détailler, lésiner **61,** ménager ; chipoter.

7 Loc. cour. : **c'est mieux que rien.** – Il suffit d'un rien. – Un rien l'habille. – Un tiens vaut mieux que deux tu l'auras. – Parlons peu mais parlons bien. – Il s'en faut (aussi : il s'en est fallu, etc.) de peu.

Adj. 8 Petit ; **minime,** minimal. – Insuffisant.

9 **Rare** ; clairsemé, inabondant, mince [fam.], maigre. – Modeste. – De peu *(un homme de peu ; ce sont gens de peu).*

Adv. 10 **Peu, prou** ; peu ou prou ; guère ; tant soit peu ou un tant soit peu. – Un petit peu de, un tant soit peu de, un tantinet de, un peu de. – Quelque peu.

11 **Guère de,** peu de, bien peu de. – Si peu que rien.

12 **À peine,** légèrement **457.** – À petites doses, au compte-gouttes ; goutte à goutte. – **Au minimum,** chichement.

13 Brièvement, succinctement ; en moins de rien. – Faiblement. – Médiocrement, modérément **522,** moyennement.

14 **Peu à peu** ; au fur et à mesure ; graduellement, insensiblement, progressivement.

15 Sous peu ; incessament, incessamment sous peu [fam.]. – Bientôt. – Il y a peu, récemment.

16 **À un cheveu près,** à un iota près, à un poil près.

Int. 17 Un peu ! [fam.] ; un peu, mon neveu ! [fam.].

Aff. 18 Pauci-.

603 PAUVRETÉ

N. 1 **Pauvreté** ; indigence, impécuniosité [litt.] ; sécheresse [vx] ; pauvreté évangélique [RELIG.]. – **Misère,** pouillerie ou, fam., pouille ; gueuserie [vx]. – Pauvreté n'est pas vice [prov.].

2 **Besoin** *(le besoin)* **488,** dénuement ou, vx, dénûment, détresse **11** ; embarras, **gêne.** – Fam. : débine, **dèche,** poisse [vieilli], purée. – Très fam. : mistoufle, mouise, mouscaille, panade, panne. – Boue [litt.], fange [vx].

3 Disette d'argent ; embarras financiers, **ennuis** ou problèmes d'argent ; soucis d'argent. – Désargentement [fam., vieilli]. – Dette **209.** – Années de vaches maigres [allus. bibl.].

4 ÉCON. : sous-développement, sous-industrialisation ; sous-équipement, sous-investissement. – Paupérisme [ÉCON.].

5 **Appauvrissement** ; ÉCON. : paupérisation. – Clochardisation. – Bidonvillisation [rare].

6 **Pauvre** *(un pauvre)* **625** ; malheureux *(un malheureux),* pouilleux *(un pouilleux),* sans-le-sou [fam.] ; traîne-misère ou, vx, traîne-malheur, **va-nu-pieds** ; meurt-de-faim ; crève-la-faim (ou : crève-de-faim, crève-faim) [fam.] ; fam. et vx : claquedent, claque-faim. – Enfant de la rue ou, vx, de la borne. – **Clochard** ; fam. : cloche, clodo ou clodot ; mendiant **185** ; pauvresse [vieilli]. – **Vagabond** ; chemineau. – **Sans-abri** ou sans-logis *(les sans-abri),* sans domicile fixe *(les sans domicile fixe)* (abrév. S.D.F.).

7 **Mendicité** ; cloche [fam.]. – Vagabondage ; trimard ou trimar [arg.].

8 Asile de nuit, œuvre de bienfaisance **76.** – Soupe populaire ; vx : soupe économique, soupe à la Rumford.

9 Prolétariat ; sous-prolétariat, **quart-monde.** – Économiquement faibles *(les économiquement faibles).*

10 **Tiers-monde,** pays en voie de développement ou P.V.D. ; pays les moins avancés ou P.M.A.

V. 11 Végéter, vivoter [fam.] ; avoir du mal à joindre les deux bouts.

12 N'être pas en fonds ; être à bout de ressources, être à fond de cale [fam.] ; **être à court d'argent** ou, fam., à court ; être léger d'argent [vieilli]. – **N'avoir pas un sou** ou pas un sou vaillant ; fam. : n'avoir pas un centime (ou : pas un kopeck, pas un radis, pas un rond, pas un rotin), n'avoir pas le sou, être sans le sou, être sans un ; être à la côte, être à sec ; fam : être fauché comme les blés, être raide comme un passe-lacet. – Vieilli : avoir la bourse légère, avoir la bourse plate, avoir le gousset vide, n'avoir ni sou ni maille ; n'avoir ni croix ni pile [vx].

13 **Être dans le besoin 488.** – Fam. : battre la dèche, tirer le diable par la queue ; loger le diable dans sa bourse [vieilli]. – **Manger de la vache enragée** ; crier famine **703** ; fam. : n'avoir rien à se mettre sous la dent, tirer la langue ; rôtir le balai [vx]. – Faute d'argent, c'est douleur non pareille [prov., vx].

14 Être sur la paille ou sur le sable. – Être aux abois **11.** – Qui n'a point d'argent en bourse, ait miel en bouche [prov., vx]. – Quand il n'y a plus d'avoine ou de foin dans le râtelier, les chevaux se battent [prov.].

15 **S'appauvrir,** s'endetter **209.** – Avoir connu des jours meilleurs, **tomber dans la misère** ou, fam. et vx, dans la crotte.

16 **N'avoir ni feu ni lieu** ; fam. : être sur le pavé, être à la rue ; traîner la savate [fam.] ; vx : filer la comète ou la cloche.

17 Crier ou pleurer misère. – **Mendier 185.15** ; tendre la main ou le bras. – Être réduit à la besace [vieilli] ou, vx, au bissac.

18 **Appauvrir,** paupériser [ÉCON.] ; sous-prolétariser ; clochardiser.

19 Dépouiller **869.24,** sucer jusqu'au dernier sou [fam.]. – Sucer le sang. – Désargenter [fam.].

Adj. 20 **Pauvre** ; démuni **488, indigent,** misérable, miséreux, nécessiteux ; litt. : besogneux, dénué, marmiteux ; fam. : mouisard [rare], purotin [vieilli] ; vx : disetteux, gueusard ; sous-prolétaire ; pauvre comme Job [allus. bibl.]. – Déshérité, infortuné **11.13.**

21 **Gêné** ; juste, serré ; désargenté, impécunieux [litt.]. – Gêné aux ou dans les entournures [fam.].

22 Fam. – **Raide,** raide comme un passe-lacet ; **fauché 209** ; déplumé, ratissé ; panné ou pané [vieilli].

23 **Déguenillé,** dépenaillé, râpé [fam.] ; loqueteux ; litt. : guenilleux, haillonneux ; en haillons, en guenilles, en loques.

24 ÉCON. : **sous-développé,** sous-industrialisé ; en voie de développement ; sous-équipé.

Adv. 25 **Pauvrement** ; misérablement ; litt. : besogneusement, indigemment ; rare : gueusement. – À l'étroit, dans la gêne ; serré *(vivre serré)* [vieilli].

604 PEAU

N. 1 **Peau** ; **chair,** derme, **épiderme 821.4,** hypoderme, tégument ; pannicule, tissu sous-cutané. – Cuticule ; envie [fam.] ; peau morte. – Arg. : couenne, cuir.

2 **Carnation 159,** coloration, pigmentation, teint ; dépigmentation, dyschromie. – Achromie ou leucodermie, albinisme, argyrie, bronzage, carotinémie, hyperchromie, rubéfaction, vibice [MÉD.], vitiligo.

3 Perspiration, **respiration cutanée** ; moiteur, sueur **340.5, transpiration.** – Démangeaison, inflammation, picotement, prurit ; dermatite ; actinite [MÉD.], coup de soleil. – Chair de poule.

4 Dermogramme, **empreinte digitale** ; crête de la peau [ANTHROP.], dermatoglyphes, patte d'oie, sillon ; bourrelet, pli, **ride,** vergeture ; pore. – Condylome **482,** verrue, papillome

[PATHOL.], papule [MÉD.]. – Bigarrure, marbrure, tavelure. – Cellulite.

5 Dermatologie, dermatographie.

6 Dermatoplastie. – Soins de beauté. – Gommage ; anglic. : lifting, peeling. – Desquamation, exfoliation.

7 **Cosmétique. – Crème** ; crème désincrustante, crème exfoliante, crème hydratante, crème nourrissante ; masque ; pommade ; poudre. – Maquillage. – Épilateur.

V. 8 Chatouiller, démanger, gratouiller [fam.], gratter.

9 Dépiauter, dépouiller, écorcher ; **peler.**

10 Bronzer, brunir, **prendre des couleurs.** – Changer de peau, faire peau neuve. – Se maquiller.

11 Fig. – Avoir la peau dure, craindre pour sa peau, vendre cher sa peau. – Attraper qqn par la peau du cou (aussi : du dos, des fesses) ; coller à la peau. – Avoir qqn dans la peau **27.** – Être bien dans sa peau. – Se mettre dans la peau de (qqn, un personnage).

12 Décolleter, dénuder **562,** montrer sa peau.

Adj. 13 **Cutané** ; percutané, sous-cutané, transcutané ou transdermique. – Dermique ; épidermique, hypodermique. – Dermatotrope ou dermotrope. – Peaucier *(muscle peaucier)* **541.**

14 (Qualifiant la couleur de la peau.) – [Peau] ambrée, basanée, boucanée, bronzée, brunie, burinée, cuite, cuivrée, dorée, hâlée, mate, nacrée, tannée. – [Peau] blanche, claire, ivoirine, neigeuse, olivâtre, opaline, pâle, rose, terne.

15 (Qualifiant la texture de la peau.) – [Peau] diaphane, douce, douillette [vx], éclatante, élastique, ferme, fine, fraîche, laiteuse, lisse, nette, de pêche, pommelée, tendre, tendue, veloutée. – [Peau] bouffie, flasque, gonflée, grumeleuse, parcheminée, plissée, ridée. – [Peau] calleuse, rêche, rude, rugueuse. – [Peau] marbrée, tachée, tavelée, veinée, vergetée. – [Peau] grasse, halitueuse [vx], huileuse, moite ; sèche.

Adv. 16 À fleur de peau. – Entre cuir et chair. – En peau [fam., vx].

Aff. 17 Cuti- ; derm-, dermo-, dermat-, dermato-.

18 -derme, -dermie.

605 PÊCHE

N. 1 **Pêche.** – Pêche statique ou sédentaire (opposé à pêche sportive). – Pêche en eau douce (opposé à pêche en mer). – Pêche côtière ou littorale (opposé à pêche hauturière). – Pêche artisanale ; pêche industrielle. – Pêche de surface ou pélagique ; pêche de fond. – Pêche ou chasse sous-marine. – Chasse maritime. – Halieutique *(l'halieutique).* – Surpêche.

2 **Pêche à la ligne** ; pêche à la ligne flottante ; pêche au coup ; pêche à la pelote ou à la vermée ; pêche à la dandinette ; pêche à la fouette ou à la volante ; pêche au lancer ou casting ; pêche à la mouche ; pêche au trimmer ; pêche à la fouënne. – Pêche au harpon. – Pêche au doigt, pêche au fagot ; pêche au biberon. – Pêche à la botte, wading. – Pêche à la main.

3 **Canne à pêche,** gaule ; moulinet. – **Ligne** ; ligne flottante, ligne de fond ; boulantin, libouret ; bocain ou bauquet ; affale, avançon, bas de ligne ou empile, monture ; hameçon ; palangre, palangrotte. – Bouille, rabouilloir. – Gaffe.

4 Pêche à l'électricité.

5 Pêche au filet. – Pêche à la traîne.

6 Filet ; nasse, gabare ou gabarre, guideau, seine ou senne, traîne (ou traîneau) ; loup ou louve, ravoir. – Balance ou pêchette, bastude ou battude, carrelet (ou : carré, carreau, échiquier, étiquet), caudrette, rissole, truble (ou : bignon, trouble, trubleau, troubleau) ; rafle, verveux. – Épervier, épuisette.

7 Pêche en mer. – Pêche à pied, pêche aux étalières, surf-casting.

8 Pêche en mer artisanale : pêche côtière ; pêche à feu ou pêche au lamparo. – Chalutage. – Pêche hauturière ; grande pêche.

9 **Filet** ; bourse, rets [litt.]. – Araignée, bolier ou boulier ; drège ou dreige ; folle ou mangue ; thonaire. – Tramail, chalut (ou : traille, trale) ; drague. – Aplet, crevettier (ou : bourraque, crevettière, haveneau, havenet, pousseux) ; chalut (ou : traille, trale), combrière. – Filet cernant ou tournant, filet maillant ou droit. – Casier.

10 Pêcherie ; gord, poêle. – Conserverie.

11 Barque ; ligneur. – Barque perlière ; corailleur. – Chaloupe **830** ; plate. – Caïque, carèbe, coble, flambard ; lamparo ; chalut. – **Chalutier,** chalutier-usine, chalutier-senneur ; glacier. – Crevettier, homardier, langoustier, langoustinier, polletais, sardinier, thonier, tuna clipper. – **Navire-usine,** bateau-chasseur. – Garde-pêche.

12 Flotteur ou bouchon, postillon.

13 Foène ou fouine, harpon. – **Hameçon** ; bricole, croc, grappin, pater-noster ; ardillon, ralette. – Armement ; plomb.

14 **Appât,** esche (ou : aiche, èche) ; boette, fleurette ou gueulin, graissin, vermée ou moque. – Amorce, **leurre** ; cigare, cuiller, mouche **417** ; plug, tue-diable.

15 Nasse ; bergat (ou : berga, bergot), bosselle. – Claie ; bourriche ou filoche. – Sentine, **vivier.** – Goujonnière.

16 Aguichage, amorçage ; ferrage.

17 Tenue. – Attaque, touche. – Départ.

18 Réserve de pêche ; parc de mer. – Droit de pêche ; licence de pêche. – Europe bleue.

19 **Pêcheur,** patron pêcheur ; marin pêcheur ; **marin 830** ; chaloupier, chalutier, matelot. – Morutier, notier, sardinier ; terre-neuvas. – Asticotier. – Bassier.

20 Marchand de poisson, **mareyeur 135.**

V. 21 **Pêcher** ; taquiner le goujon [fam.]. – Aller à la pêche.

22 Battre, bouler *(bouler l'eau),* rabouiller [région.].

23 Filer ou mouiller une ligne. – Mollir, relâcher la ligne ; filer la ligne à un poisson ; étaler.

24 Aguicher, aicher (ou : écher, escher), **amorcer,** appâter **53.** – **Ferrer,** gaffer. – Foéner, harponner. – Vaironner.

25 Fatiguer ou travailler un poisson ; échouer un poisson, manœuvrer un poisson.

26 Gober, engamer ; moucheronner ; piquer, toucher. – Blanchir. – Bûcher, fouiller.

27 Assabler. – Virer un filet. – Asséner les filets. – Brider.

28 Caquer *(caquer des harengs),* encaquer.

29 Bourraquer, chaluter. – Épuiseter ou épuiser.

Adj. 30 Halieutique.

31 Chalutable.

606 PÉCHÉ

N. 1 **Péché** ; coulpe [vx ou litt.]. – Immoralité, impiété **398** ; **mal** *(le mal)* [PHILOS., THÉOL.] ; profanation, sacrilège **737.** – Chute ou chute de l'homme [THÉOL.].

2 THÉOL. – **Les sept péchés capitaux** ; orgueil, avarice, luxure, envie, gourmandise, colère **130,** paresse **593.** – Péché de la chair ; fornication. – Péché mortel (opposé à péché véniel) ; cas réservé [DR. CAN.] ; **péché originel** (opposé à péché actuel) ; péché habituel ; péché par omission (opposé à péché par commission). – « Que celui de vous qui est sans péché lui jette la première pierre » (Évangile selon saint Jean).

3 THÉOL. : formel du péché, matériel du péché.

4 Rechute, récidive **704.**

5 Péché ou erreur de jeunesse ; égarement, faiblesse, folie **321,** fredaine, **peccadille.** – Péché mignon.

6 Souillure, **tache,** vice **595** ; boue, fange. – Impénitence [litt.]. – Déshonneur, **honte 367,** infamie ; blâme. – Damnation ; enfer.

7 Peccabilité [THÉOL.] ; **culpabilité.**

8 **Pécheur** ; pécheresse ; pécheur endurci (opposé à pécheur repenti) ; brebis égarée. – **Criminel 169,** méchant **497** ; THÉOL. : fornicateur ; relaps. – THÉOL. : Adam, le vieil homme.

V. 9 **Pécher** ; forfaire, méfaire ; désobéir **200,** se révolter ; offenser Dieu, se souiller ; **faillir,** succomber à la tentation. – Fauter [fam.], forniquer. – Scandaliser. – Avoir la conscience chargée, en avoir lourd sur la conscience.

10 Pécher par, pécher par trop de ou par excès de. – Attenter à, contrevenir à, **manquer à** ; enfreindre, **transgresser,** violer ; profaner **737.** – Encourir un blâme.

11 Pécher ; clocher [fam.].

12 Charger qqn de tous les péchés ; imputer ; **accuser.**

Adj. 13 **Pécheur** ; fautif, peccamineux [rare], vicieux **860** ; impur, sacrilège. – Impénitent. – Impie **398,** infidèle ; damné.

14 Déshonorant, **honteux 367,** ignoble, infâme, scandaleux. – Blâmable, répréhensible.

15 Attentatoire, **immoral** ; peccamineux [litt.].

16 Peccable (opposé à impeccable) [THÉOL.] ; **faillible.**

607 PEINTURE ET DESSIN

N. 1 **Peinture** *(la peinture)* ; **dessin** *(le dessin),* gravure **388.** – Art, **art pictural,** arts plastiques, beaux-arts. – Crayonnage.

2 Peinture figurative (opposé à peinture non figurative), peinture abstraite ; **tendance artistique 46.** – Peinture murale, peinture pariétale, peinture rupestre ; fresque ; camaïeu, grisaille, sgraffito ou sgraffite. – Peinture de chevalet.

– Peinture décorative. – Peinture sur verre ; vitrail. – Enluminure, miniature.

3 **Peinture** *(une peinture)* ; huile *(une huile)* ; fam. et péj. : croûte, peinturage, peinturlure. – Aquarelle *(une aquarelle),* gouache *(une gouache)* ; pastel *(un pastel),* sanguine *(une sanguine)* ; pochade. – **Dessin,** dessin à l'encre ; lavis. – **Gravure** ; aquatinte, eau-forte. – Technique mixte. – Frottage, poncif ; pointillage ; collage, papiers collés ; marouflage. – Dripping [amér.].

4 **Dessin,** dessin linéaire, dessin à main levée, dessin linéaire, dessin ombré, dessin au trait ; dessin aux trois crayons. – Dessin graphique, géométrique, dessin d'architecture. – Dessin d'ornement. – Dessin d'imitation, dessin d'après la bosse ; dessin d'après nature. – Académie **374,** nu ; caricature, charge, silhouette. – Dessin au pochoir. – Perspective, scénographie [vx]. – Trompe-l'œil ; anamorphose. – Calligraphie.

5 **Peinture à l'eau** ; peinture acrylique ; peinture à la colle ou détrempe, tempera, peinture à fresque ; aquarelle, gouache. – **Peinture à l'huile** (de lin, de noix, d'œillette) ; peinture à la cire, peinture à l'encaustique ; peinture à l'œuf ; laque, peinture-émail, peinture-émulsion.

6 Carton, croquis ou, fam., crobar ; bozzetto [ital.], ; ébauche, **esquisse,** étude ; épure, schéma ; crayonnage.

7 **Tableau,** tableautin. – Diptyque, triptyque ; polyptyque ; prédelle ; panneau (jap. : *kakemono, makimono*). – Plafond.

8 **Formats** ; figure, paysage, marine. – Aigle (grand aigle 70 × 94 cm ; petit aigle 45 × 106 cm), carré (56 × 45 cm), cavalier (46 × 62 cm), coquille, couronne (46 × 36 cm), écu (40 × 52 cm), jésus (56 × 76 cm), raisin (50 × 65 cm), soleil (60 × 80 cm), tellière (34 × 44 cm).

9 **Copie 379.3,** faux *(un faux),* réplique, reproduction ; pastiche. – Original *(un original).*

10 **Coup de pinceau,** ; aplat, glacis ; frottis. – Empâtement ; pâte ; demi-pâte, haute-pâte. – Rehaut, repeint ou surpeint ; repentir, **retouche.** – Cerne, contour, délinéation, ligne, méplat, tracé, **trait** ; hachures, pointillés. – Modelé, relief ; morbidesse, vaguesse.

11 **Clair-obscur** ; sfumato [ital.] ; dégradé *(un dégradé)* ; contraste, ombre, ombre portée **566** ; valeur. – **Couleur 159,** coloris, nuance. – Tonalité ; teinte (teinte fondue, plate, vive) ; ton (ton franc, pur ; blafard, clair, dégradé, estompé) ; embu.

12 **Style 729** ; métier. – Facture, **manière,** patte [fam.], touche ; palette *(palette froide, palette chaude ; palette d'un peintre).*

13 **Proportion 323** ; nombre d'or. – **Perspective** ; perspective aérienne, perspective cavalière.

14 **Couleur,** pigment. – Essence minérale, essence de térébenthine. – **Médium** ou liant, véhicule ; colle de peau, enduit. – Fixatif, siccatif ; vernis.

15 **Crayon,** crayon de couleur ; bistre, fusain ou, vieilli, charbon, mine de plomb, pointe grasse ; ponce ou poncette. – Craie, pastel, sanguine. – **Encre de Chine,** sépia. – Plume, **pointe-sèche,** tire-ligne. – Compas. – **Gomme** ; estompe, tortillon.

16 **Pinceau** ; blaireau, brosse ; rouleau ; amassette, **couteau,** couteau à palette ou spatule. – **Aérographe,** pistolet. – Pochoir. – Pantographe. – Chambre noire.

17 **Palette** ; boîte de couleurs ; pincelier. – Pot, tube ; godet. – Appui-main.

18 **Support** ou subjectile. – Bois ; carton, papier ; céramique, porcelaine, verre ; toile, soie ; ciment, pierre ; métal. – Cadre, **châssis** ; encadrement, marie-louise. – Chevalet.

19 **Peintre** ; artiste peintre [vieilli], plasticien ; rapin [fam., vieilli], ; fam. et péj. : barbouilleur, gribouilleur, peintraillon, peintureur, peinturleur ou peinturlureur ; peintre du dimanche. – Peintre militaire, religieux ; peintre d'histoire, de marine ou mariniste, de genre, de fleurs, de nature morte ; animalier, paysagiste ; portraitiste, portraitiste mondain. – Graveur ; aquafortiste, aquatintiste, peintre-graveur. – Peintre verrier. – Aquarelliste, pastelliste. – Fresquiste, muraliste. – Enlumineur, **illustrateur,** miniaturiste, ornemaniste. – Coloriste.

20 **Maître,** petit-maître. – Prix de Rome. – Logiste.

21 Monogrammiste.

22 **Dessinateur** ; crayonneur, fusainiste ou fusiniste. – Caricaturiste ; vignettiste.

23 Encadreur. – Restaurateur. – Galeriste ; conservateur. – Amateur d'art.

24 **Musée 374,** artothèque, pinacothèque. – **Exposition** ; biennale, rétrospective, Salon ; galerie de peinture. – Atelier. – Cimaise. – Accrochage ; vernissage.

V. 25 **Peindre** ; représenter, rendre, reproduire ; figurer, portraiturer. – Croquer, ébaucher, **esquisser,** profiler, relever ; pocher, strapasser. – Réduire, mettre au carreau. – Aller sur le motif, travailler d'après nature.

26 Peindre ; colorier, colorer **159** ; gouacher. – Laver, peindre à fresque. – Fam. : **barbouiller,** gribouiller, peinturer. – Enluminer, historier, orner **578.**

27 **Dessiner** ; charbonner, crayonner, hachurer, pointiller ; délinéer, tracer. – Cerner, ombrer ; nourrir sa couleur, nourrir son trait. – Fouiller, lécher ; accuser les traits. – Empâter, étaler, glacer ; poncer ; dégrader ; réchampir, rehausser, **retoucher.** – Blaireauter, brosser ; pignocher.

28 Fixer ; vernir. – **Gommer** ; estomper.

29 Encadrer **77.16** ; maroufler. – Ravaler, **restaurer.** – Rentoiler.

Adj. 30 **Pictural** ; peinturier [rare]. – Pittoresque. – Perspectif.

31 **Peint** ; aquarellé, gouaché. – Peinturé, peinturluré [fam.].

Aff. 32 -graphie ; -graphique.

608 PÉNÉTRATION

N. 1 **Pénétration** ; intrusion ; incursion, invasion. – Violation [DR.], viol **865.** – Entrée **278,** rentrée. – Imbibition [didact.], imprégnation, **infiltration** ; endosmose [BIOL.].

2 Compénétration [litt.], **interpénétration** ; osmose.

3 **Enfoncement,** engagement ; transpercement [litt.], **traversée.** – Envahissement. – Intromission, **introduction 430** ; infusion [MIN.], injection, inoculation ; insertion. – Perfusion, transfusion.

4 **Insertion** *(une insertion)* ; encart [IMPRIM.], insert [CIN.] ; inclusion. – Infiltrat [PATHOL.]. – Pénétrante *(une pénétrante)* [rare].

5 Pénétrabilité [didact.] ; **perméabilité,** porosité. – Pénétrance [BIOL.].

V. 6 **Pénétrer dans qqch** ou pénétrer qqch ; entrer dans **278,** rentrer dans ; aller dans. – Accéder à, avoir accès à. – Passer à travers, **traverser.** – Violer *(violer le passage).*

7 Se couler, se faufiler, se glisser, **s'enfoncer,** s'engager, s'engouffrer, s'infiltrer, s'insinuer.

8 Percer, perforer, **trouer 585.**

9 **Envahir,** inonder, remplir. – Imbiber, imprégner. – Compénétrer [sout.].

10 Faire pénétrer ; infiltrer, infuser [MIN.], **injecter,** inoculer ; insérer, **introduire** ; insinuer. – Enchâsser, sertir ; incruster ; encarter [IMPRIM.]. – **Inclure** ; faire rentrer, rentrer. – Mélanger **501,** mêler ; incorporer.

11 **Enfoncer,** engager, glisser. – Perfuser, transfuser. – Enter [AGRIC. ou, fig., sout.], greffer, implanter.

12 Se pénétrer ; se compénétrer [litt.], **s'interpénétrer** ; se combiner, se mélanger, se mêler.

13 Comprendre **275,** pénétrer.

Adj. 14 Pénétratif [didact.].

15 **Pénétrant** ; entrant, rentrant. – Perçant, transperçant, traversant.

16 Pénétrable ; traversable. – **Perméable,** poreux.

17 Pénétré ; imbibé, imprégné.

Adv. 18 Intérieurement.

Prép. 19 **Dans** ; vers. – **À travers** ; au travers de. – Au fond de ; à l'intérieur de.

Aff. 20 Trans- ; in-, intra-, intro- ; endo-, ento-.

609 PÈRE

N. 1 **Père** ; géniteur **314** [vx ou par plais.], procréateur ; auteur des jours [litt.].

2 **Père** ; **chef de famille 304,** pater familias [litt. ou HIST.], père de famille.

3 **Paternité** ; autorité parentale, autorité paternelle, puissance paternelle [DR.]. – Agnation [ANTHROP.], paternage [rare], patriarcat [SOCIOL.].

4 DR. – **Paternité** ; paternité légitime, paternité naturelle (opposé à paternité civile). – Confusion de paternité ; désaveu de paternité. – Recherche en paternité, reconnaissance de paternité.

5 **Père naturel,** père putatif [DR.]. – Père adoptif, **père nourricier** (opposé à père biologique), père d'adoption. – Beau-père, parâtre [vx]. – Prov. : Tel père tel fils ; À père avare, fils prodigue.

6 **Père** ; **papa,** papa gâteau. – Fam. : pater, **paternel** *(le paternel),* vieux *(le vieux)* ; arg. : dab, daron, patouse.

7 **Ancêtre,** ascendant ; aïeul (pl., aïeux), bisaïeul (pl., bisaïeux), trisaïeul (pl., trisaïeux). – Arrière-grand-père, **grand-père** ; fam. : bonpapa, grand-papa, papé, papi ou papy, pépé. – **Patriarche.**

V. 8 **Engendrer 544,** procréer. – Adopter, reconnaître (un enfant).

9 Paternaliser [rare] **304.**

Adj. 10 **Paternel,** paterne [vx]. – Paternaliste. – **Patriarcal.**

11 **Ascendant,** ancestral.

Adv. 12 **Paternellement** ; en bon père de famille [DR.]. – **De père en fils.**

Aff. 13 Patri-.

610 PÉRIODE

N. 1 **Période** ; durée **247.** – Âge, cycle, division, **époque 118,** ère **337,** génération. – Fig. : saison, temps **811.** – Fraction de seconde, instant **421** ; battement, intervalle **433** ; laps de temps, **moment 528,** phase.

2 **Année 14** ; pige [arg.]. – Année d'âge ; printemps ; fam. ou arg. : balai, berge, pige. – Année anomalistique, année astronomique, année sidérale, année tropique ou solaire ; année lunaire, année luni-solaire ; année astrale, année planétaire, année synodique.

3 Grande année (ou : année parfaite, année du monde) ; période julienne ; millénaire, millenium [RELIG.] ; **siècle** ; décade, **décennie,** lustre, olympiade [ANTIQ. et mod.], saros, septennat ; quarantenaire.

4 Mois solaire ; lunaison, mois lunaire. – **Mois** ; bimestre, quadrimestre, semestre, trimestre. – **Semaine** ; quinzaine.

5 **Jour,** journée. – Nycthémère [BIOL.] **247.** – Jour astronomique ou sidéral, jour solaire moyen, jour solaire vrai ; jour civil [ASTRON.].

6 **Heure,** plage horaire, plombe [arg.]. – Heure moyenne (ou : sidérale, solaire), heure solaire moyenne, heure solaire vraie ; heure planétaire [ASTROL.]. – Heure d'été, heure d'hiver ; heure légale ; heure locale.

7 **Minute** ; broquille [arg.]. – Seconde **421.**

8 Intersession ; interrègne.

9 **Périodicité 326 ;** saisonnalité. – Mensualité *(une mensualité).* – Annualité [didact.], annuité.

10 Mensualisation.

11 Annalité [DR.].

V. 12 Compter, **mesurer 118.**

13 Mensualiser ; annualiser.

Adj. 14 **Périodique** ; cyclique ; apériodique. – Millénaire. – Séculaire. – Annal, annuaire [rare], **annuel** ; biennal, bisannuel, triennal, trisannuel, quadriennal, quinquennal, lustral [litt.], septénaire, septennal, décadaire [HIST.], décennal, vicennal [didact.], jubilaire.

15 Saisonnier. – **Mensuel,** bimensuel, bimestriel, trimestriel, quadrimestriel, semestriel. – **Hebdomadaire,** bihebdomadaire, trihebdomadaire ; semi-hebdomadaire. – Journalier [rare], **quotidien.** – Horaire.

16 Computable, mesurable. – Chronologique **118.**

Adv. 17 Annuellement ; mensuellement, semestriellement, trimestriellement ; journellement, quotidiennement ; hebdomadairement.

Prép. 18 À l'époque de, **dans la période de,** au temps de.

611 PERMANENCE

N. 1 **Permanence** ; durabilité, identité, immutabilité, invariabilité, persistance, rémanence. – Continuité, **durée,** perpétuité **287** ; permanent *(le permanent)* [sout.].

2 Fixité, **immobilité, 403.** – Fermeté, stabilité. – Statu quo (du lat. *in statu quo ante,* « dans l'état où les choses étaient auparavant »).

3 Habitude **357,** régularité. – Réitération, **répétition 704** ; répétitivité. – *Nil novi sub sole* (lat., « rien de nouveau sous le soleil »). – Monotonie.

4 **Permanence** *(être de permanence)* ; perme ou perm [arg. scol.]. – Salle de permanence [scol.]. – Permanente *(une permanente)* **129.**

5 Conservation, maintenance, perpétuation [litt.], préservation.

6 Immobilisme ; conservatisme, intégrisme, traditionalisme ; réaction, tradition **164.**

7 PHYS. : hystérésis, rémanence.

8 Conservateur *(un conservateur).* – Permanencier [ADMIN.]. – Réactionnaire *(un réactionnaire),* traditionaliste *(un traditionaliste).*

9 Fixateur *(un fixateur),* fixatif *(un fixatif).* – Conservateur *(un conservateur).*

V. 10 Continuer, durer, perdurer [litt. ou vx], permaner ou permanoir [litt., rare], **persister 612,** résister, subsister, tenir.

11 Ne pas bouger d'un poil, ne pas changer d'un iota, ne pas prendre une ride, rester en l'état, rester **376** ou être toujours le même, rester identique à soi-même, rester pareil à soi-même, rester tel quel.

12 Demeurer, demeurer en la place, **rester,** rester à son poste, rester en place ; « j'y suis j'y reste » (Mac Mahon, souvent cité par plais.). – **Répéter.** – Avoir l'habitude de.

13 Affermir, asseoir [fig.] ; conserver, maintenir, préserver ; entretenir. – Immobiliser. – Ancrer, river ; graver dans la pierre (aussi : dans le marbre, dans le bronze).

14 Se maintenir. – S'obstiner **568,** s'en tenir à.

Adj. 15 **Permanent** ; continu, durable, immuable, inaliénable [litt.], invariable, pérenne [litt. ou vx], persistant ; définitif ; de tous les instants ; inextinguible [litt.], rémanent, résistant, tenace, vivace.

16 Égal à soi-même, identique ; ferme, figé, fixe, **stable,** statique ; immobile, inébranlable, sédentaire, stationnaire.

17 Endémique, habituel, itératif, régulier, **répétitif,** stéréotypé, traditionnel, uniforme ; monotone, morne. – Machinal, obsessif, obsessionnel. – Conservateur, intégriste, réactionnaire (ou, fam., réac), traditionaliste.

Adv. 18 **En permanence** ; encore, toujours, encore et toujours. – Sans cesse, sans relâche.

19 **Durablement,** immuablement, invariablement. – Constamment, continûment. – Fermement, inébranlablement [litt.], obstinément. – Habituellement, machinalement, régulièrement ; endémiquement.

20 À demeure ; à perpétuelle demeure [DR.] ; à perpétuité (ou, fam., à perpette) ; **définitivement.**

612 PERSÉVÉRANCE

N. 1 **Persévérance** ; constance, insistance, obstination, opiniâtreté, patience **601, résolution, ténacité.** – Courage **161,** fermeté, **volonté 870.** – **Combativité,** pugnacité. – **Application 255,** assiduité.

2 **Continuité 153.1,** continuation, persistance, suite ; esprit de suite, suite dans les idées.

V. 3 **Persévérer** ; continuer, **poursuivre,** soutenir son effort ; faire, tracer son sillon [loc. fig.] ; avoir de la suite dans les idées. – Prov. et loc. prov. : petit à petit l'oiseau fait son nid ; il n'est pas besoin d'espérer pour entreprendre, ni de réussir pour persévérer. – **Insister,** s'obstiner **568,** s'opiniâtrer, persister ; s'acharner.

Adj. 4 **Persévérant** ; courageux, **résolu 716** ; constant, fidèle, patient ; **obstiné,** opiniâtre, **tenace.** – **Appliqué,** assidu ; **continu,** soutenu, suivi.

Adv. 5 Persévéramment [rare] ; avec persévérance, sans trêve, sans désemparer. – **Patiemment** ; à la longue.

613 PERSONNE

N. 1 **Personne** ; PHILOS. : individu *(l'iité)* [opposé notamm. à divinité et à animalité].

2 **Individu** ; ipse *(l'ipse)* [rare], soi *(le soi),* **sujet.**

3 Âme, **créature,** esprit, **être 297,** être humain, **homme 364,** individu, **mortel,** personnage. – Prochain *(le prochain, notre prochain),* semblable *(notre semblable ; nos semblables).* – Fam. : **bonhomme,** bougre, client, gaillard, indien, pékin, zigue, zigoto ; chrétien, **citoyen,** paroissien ; bipède, particulier, quidam, tête.

4 **Caractère, identité 376,** individualité, ipséité [PHILOS.] ; **personnalité,** personnalité de base, tempérament ; subjectivité. – PHILOS. : conscience, **ego** *(l'ego),* ego transcendantal, je *(le je),* **moi** *(le moi)* ; moi absolu, moi profond, moi superficiel, moi transcendantal.

5 Habitus [SOCIOL.], persona [PSYCHAN.], **rôle** ; comportement, conduite, manières, **style 729.** – Idiosyncrasie [MÉD. ou PHILOS.] ; signalement.

6 THÉOL. : hypostase, personne *(les trois personnes de la Trinité)* ; **incarnation.**

7 GRAMM. : **personne** (première, deuxième, troisième personne ; personnes du singulier, du pluriel). – Interlocuteur, **locuteur 595** ; délocuté [LING.], tierce personne.

8 **Pronoms personnels.** – Je, tu, il, elle, nous, on, vous, ils, elles. – Me, te, se, nous, vous, se. – Moi, toi, soi, lui, elle, nous, vous, eux, elles ; moi je [par plais.]. – Moi-même, toi-même, soi-même, lui-même, elle-même, nous-mêmes, vous-mêmes, eux-mêmes, elles-mêmes. – Fam. : bibi ; ma petite personne, ta petite personne, etc. ; **ma pomme, ta pomme,** etc. – Arg. : mézigue, tézigue, sézigue, etc.

9 Untel. – Monsieur, Madame X. – Fam. : Monsieur Tout-le-monde ; Monsieur Tartempion, Tartempion ; l'individu lambda.

10 *Persona grata* (lat., « personne bienvenue ») opposé à *persona non grata.*

11 Individualisation [PHILOS.], **personnalisation,** singularisation ; identification. – PSYCHIATRIE : dédoublement, **dépersonnalisation,** désagrégation, dissociation, dissolution ; troubles de l'identité (aussi : de la continuité, de la perception, de l'unité) ; schizophrénie **321.**

12 Égocentrisme, **égoïsme 257,** narcissisme, nombrilisme [fam.].

13 Examen de conscience [RELIG.] ; introspection.

14 **Psychologie** ; **caractérologie.** – PHILOS. : idiologie, personnologie. – **Personnalisme.**

V. 15 **Personnaliser** ; individualiser. – Personnifier. – Dépersonnaliser.

Adj. 16 **Personnel** ; **individuel,** particulier, propre. – Individualisé, personnalisé ; individué [didact.]. – Original, particulier, spécial, **unique 844.**

17 Égocentrique, **égoïste,** égotique [litt.], individualiste. – Imbu de soi, plein de soi.

18 Caractérologique, psychologique.

19 Personnaliste [PHILOS.]. – Subjectiviste.

Adv. 20 **Personnellement** ; **en personne** ; en chair et en os, en chair et en âme [vx]. – Pour soi, pour son propre compte. – Par soi-même ; en soi-même ; malgré soi. – **Individuellement.**

Aff. 21 Auto-, idio- ; psycho- ; égo-.

614 PERSUASION

N. 1 **Persuasion** ; assurance, certitude **99,** **conviction,** croyance ; confiance **145,** foi. – **Adhésion.**

2 **Certitude** *(une certitude),* conviction, opinion ; **préjugé.**

3 **Persuasion.** – Insinuation. – Suggestion. – Endoctrinement ; bourrage de crâne [fam.], propagande. – **Dissuasion 231.**

4 **Force de persuasion** ; **éloquence,** emphase, flamme, verve ; argumentation, dialectique, rhétorique ; bagout ou bagou [fam.]. – **Ascendant, influence 407,** pression, séduction. – Ténacité **612.**

5 **Argument,** évidence, **preuve 451,** témoignage ; **pièce à conviction.** – Accent de sincérité, belles paroles, grands mots. – Insinuation, suggestion. – Propagande.

6 Argumentateur, **orateur,** rhéteur, **rhétoricien** ou, rare, rhétoriqueur ; beau parleur ; baratineur [fam.]. – Propagandiste.

V. 7 **Persuader** ; assurer, **convaincre** ; amener à croire, conduire à penser, forcer à croire, gagner à l'idée que. – Péj. : catéchiser, endoctriner ; monter la tête à, nourrir d'illusions ; fam. : bourrer le crâne à, monter le coup à. – Induire en erreur **283.**

8 Convertir, **rallier,** retourner ; gagner à sa cause ; fam. : mettre de son côté, mettre dans sa poche. – Enlever *(enlever un auditoire),* **séduire,** subjuguer.

9 Persuader qqn de + inf. ; convaincre, **décider, déterminer 716** ; faire franchir le pas ; dissuader. – Conseiller **148, encourager 268,** entraîner, exciter, inciter, pousser. – Forcer, forcer la main.

10 **Influencer** ; agir sur, faire pression sur. – **Conseiller,** haranguer, sermonner. – **Amadouer,** cajoler, **endormir,** enjôler, **séduire** ; fam. : baratiner, embobeliner ; promettre monts et merveilles ; **émouvoir,** remuer, toucher.

11 **Inculquer 274,** insinuer, inspirer, **suggérer** ; faire admettre, faire entrer dans la tête ou dans le crâne ; faire accroire, faire croire. – Démontrer, **prouver.**

12 **Être persuadé de qqch** ; adhérer, croire ; être gagné à ; croire dur comme fer que, mettre sa main au feu que, mettre sa main ou sa tête à couper que.

13 Se persuader ; espérer **285,** penser ; s'imaginer.

Adj. 14 **Persuasif** ; **convaincant,** éloquent. – Irréfutable, **probant** ; irrésistible. – Dissuasif.

15 **Persuadé** ; certain, **convaincu,** sûr ; sûr et certain. – **Assuré.**

Adv. 16 Assurément, certainement, sûrement ; sans aucun doute.

615 PESSIMISME

N. 1 **Pessimisme** ; alarmisme, défaitisme ; fam. : à-quoi-bonisme, sinistrose ; catastrophisme. – Dépression **198,** hypocondrie, **mélancolie 836,** neurasthénie. – Angoisse, crainte **619,** inquiétude. – Cafard [fam.], ennui **272,** spleen, tristesse ; désespoir.

2 **Dramatisation** ; exagération **351.**

3 PHILOS. : pessimisme ; **nihilisme,** relativisme, scepticisme. – Cynisme, réalisme.

4 **Pessimiste** *(un pessimiste)* ; alarmiste *(un alarmiste),* défaitiste *(un défaitiste).* – Cassandre [litt.], oiseau de mauvais augure, prophète de malheur. – Râleur.

V. 5 **Craindre le pire,** prendre les choses au tragique. – Voir la vie en noir, voir le revers de la médaille, voir les choses du mauvais côté ; jouer les Cassandre [allus. myth.] ; noircir le tableau. – **Dramatiser** ; exagérer.

Adj. 6 **Pessimiste** ; alarmiste, catastrophiste, défaitiste. – Bilieux, cafardeux [fam.], hypocondriaque, mélancolique. – Maussade, **noir,** sombre.

7 PHILOS. : pessimiste, schopenauérien ; **nihiliste,** relativiste, sceptique. – Cynique, réaliste.

616 PETITESSE

N. 1 **Petitesse** ; étroitesse **289,** exiguïté. – **Médiocrité 500.** – Modicité, simplicité **767** ; sordidité. – **Paucité 602.** – Humilité, **modestie,** obscurité [fig.].

2 **Réductibilité** [didact.]. – **Diminution 220,** réduction. – **Modèle réduit,** miniature.

3 **Petitesse d'âme,** petitesse de cœur, petitesse d'esprit, petitesse de sentiments, petitesse de vue ou étroitesse de vue.

4 Atome, bout, brin, fétu, fragment, morceau, paillette, parcelle, rien, soupçon. – Filet, goutte, larme, larmichette, trait. – Bout, brin.

5 Avorton, demi-portion, freluquet, gringalet, homuncule ou hanarcule, gnome, lilliputien, modèle réduit, nabot, nain, petit-format, pygmée [péj., fam.]. – Crapoussin, marmot, marmouset **270.**

V. 6 **Rapetisser** ; amenuiser, apetisser, diminuer **220,** miniaturiser, réduire, rétrécir, accourcir, raccourcir ; affiner ; désenfler. – Amputer, mutiler, tronquer. – **Abréger,** écourter ; condenser, contracter **154,** résumer **723.**

7 **Se faire tout petit.**

8 **Prendre les choses par leurs petits côtés** ou voir le petit côté des choses, voir ou regarder les choses par le petit bout de la lorgnette.

Adj. 9 **Petit** ; **lilliputien,** nain ; court sur jambes, court sur pattes [fam.], haut comme trois pommes. – Fam. : petiot, pitchoun [région.].

10 **Chétif,** malingre, rabougri, ratatiné.

11 **Étriqué,** étroit, exigu, grand comme un mouchoir de poche [fam.]. – Miniature, **minuscule.** – Rikiki ou riquiqui ; mini [inv.]. – **Infime** ; impalpable, **imperceptible,** infinitésimal, invisible, microscopique. – **Diminué,** raccourci, réduit ; bref. – Court, courtaud [fam.]. – Bréviligne.

12 Dérisoire, **insignifiant,** insuffisant, **maigre,** maigrelet, négligeable, picrocholine *(guerre picrocholine)* [litt.], restreint. – **Mineur,** moindre, secondaire, de second ordre, de second plan ; au petit pied, au rabais.

13 **Bas,** indigne, médiocre, **mesquin,** petit, piètre, sordide, vil.

14 Léger ; **fin,** menu, mince, ténu.

Adv. 15 **Petitement.** – **Chichement,** étroitement, humblement, modestement, pauvrement ; à l'étroit. – **Bassement,** médiocrement, mesquinement, sordidement, vilement ; avaricieusement, ladrement. – À la petite semaine. – Petit *(chausser petit).* – À petits pas, petit à petit.

16 **À dose homéopathique,** au compte-gouttes [fam.]. – En abrégé, en bref, en petit, en raccourci, pour faire court. – À ou sur une petite échelle, en miniature, en réduction.

Aff. 17 **Infra-, micro-, mini-.**

18 Suffixes diminutifs : -eau, -elet, -elette, -elle, -elot, -eron, -et, -ette, -iche, -ichon, -icule, -iculet, -ille, -illon, -in, -ine, -iole, -iquet, -oche, -on, -onnet, -ot, -otte, -ule.

617 PÉTROCHIMIE

N. 1 **Pétrochimie 113,** pétroléochimie ; plasturgie ; gazochimie.

2 Base aromatique, base asphaltique, base paraffinique, base naphténique.

3 **Raffinage** ; épuration **756.6,** lavage ; débenzolinage, dégazolinage, dégoudronnage, déparaffinage, dépropanisation, déméthanisation, désulfuration.

4 Barbotage, craquage (craquage thermique, vapocraquage) ; reformage ; reformage catalytique, reformage à la vapeur.

5 Raffinat. – Gaz de pétrole ; gaz naturel, gaz de Lacq ; G. P. L. (gaz de pétrole liquéfié). – Essence raffinée, essence sans plomb ou sans-plomb, carburant additivé, **supercarburant** ou super. – Biocarburant, biodiesel, Diester [nom déposé]. – Fioul, gazole, kérosène, mazout ; brai, coaltar. – Asphalte, bitume, naphte ; benzine, benzol. – Petrolatum. – Pétrole **618.**

6 **PRINCIPAUX DÉRIVÉS DU PÉTROLE**

acétaldéhyde	ammoniac
acétone	anhydride phtalique
acétylène	butadiène
acide acétique	chlorure de vinyle
acide adipique	cyclododécatriène
acide téréphtalique	cyclohexane
acrylonitrile	cyclooctadiène
alcool butylique	dichloréthane
alcool éthylique	dodécylbenzène
alcool isopropylique	éthylbenzène
alcool méthylique	éthylène

éthylèneglycol	oxyde de propylène
formaldéhyde	paraffine ou alcane
gatsch	para-xylène
glycérol	phénol
isobutylène	propylèneglycol
isoprène	résine de pétrole
méta-xylène	styrène
méthylbutanone	sulfonique
n-butylène	tétrapropylène
noir de carbone	T. N. T. ou trinitrotoluène
oléfines supérieures	toluène-diisocyanate
ortho-xylène	tripropylène
oxyde d'éthylène	

7 **Produits dérivés du pétrole** ; additif, antigel, bitumes, caoutchoucs, colorants, détergents, engrais azotés, explosifs. – Fibres artificielles (rayonne), fibres synthétiques (polyamide, polyester). – Fongicides, insecticides. – Matières plastiques (acétate de cellulose, polyéthylène, polyesters, polystyrène, résine, etc.), plastifiants, résines. – Solvants.

8 Cokerie, distillerie, **raffinerie,** station de traitement.

9 Pétrochimiste, raffineur ; plasturgiste.

V. 10 Distiller, épurer, **raffiner.** – Catalyser, craquer, pyrolyser, reformer.

Adj. 11 Pétrolochimique ou pétrochimique.

618 PÉTROLE

N. 1 **Pétrole 269.** – Champ de pétrole, champ pétrolifère ; **nappe,** poche **151.** – Roche-magasin ou roche-réservoir, roche-mère **337.17** ; piège ; source. – Dôme de sel.

2 **Exploitation pétrolière.** – Réserve *(réserves pétrolières)* ; horizon productif ou producteur. – Habitat.

3 **Prospection** ; prospection géochimique, prospection géophysique. – Exploration ; **forage** ; forage de reconnaissance, foration, sondage ; sondage éruptif. – Forage à percussion, forage électrique, forage rotary ; flexoforage, turboforage.

4 Train de sonde, train de forage ; foret, foreuse, fraise, perforatrice, sonde, sondeuse ; tige de forage, tige carrée ; trépan, tricône. – Pompe à boue ; boues barytées ; cake ; col-de-cygne. – **Derrick,** plate-forme ou tour de forage ; offshore ou off shore *(un offshore).*

5 Arbre de Noël ; bloc obturateur de puits (B. O. P.) ou obturateur. – Manchon, manifold. – Flexible *(un flexible)* ; masse-tige. – Sabot. – Duse ; terminal, tête d'injection ; balancier. – Torche ou torchère.

6 Complétion. – Fracturation, torpillage, waterflooding. – Acidification.

7 Drainage, **pompage.** – Éruption.

8 Distillation, raffinage **617.**

9 Artère, feeder. – Ligne, **oléoduc, pipe-line,** sealine ; gazoduc, méthanoduc, riser. – Navire-citerne **830** ; asphaltier ou bitumier, avitailleur ou mazouteur, **pétrolier,** superpétrolier, supertanker, tanker, tender ; butanier, éthylénier, méthanier. – Camion-citerne, wagon-citerne. – Bidon, citerne, container, fût, jerrican.

10 Pompe à essence, pompe à fioul ; absolt : pompe *(les prix à la pompe).* – Station-service.

11 Baril (de l'amér. *barrel ;* symb. : bbl). – Tonne équivalent pétrole (tep).

12 **Pétrodollar.**

V. 13 Exploiter, forer ; fracturer. – Drainer, pomper. – Torcher.

14 Pétroler.

Adj. 15 Pétrolier ; gazier. – Pétrolifère.

Aff. 16 **Pétro-.**

619 PEUR

N. 1 **Peur** ; alarme, frayeur ; fam. : frousse, **trouille** ; très fam. : jetons, pétoche, suée ; venette [vx]. – Affolement, effarouchement. – Effroi, **épouvante,** horreur, terreur ; peur bleue. – **Panique,** peur panique.

2 **Angoisse,** anxiété, appréhension, **crainte,** inquiétude, trac [fam.] ; affres, hantise, transes ; transissement [rare]. – Crainte servile [vx], défiance **183.** – Peur du gendarme ; la peur du gendarme est le commencement de la sagesse [prov.]. – Crainte de Dieu [RELIG.].

3 PSYCHAN. : hystérie d'angoisse ; angoisse automatique, angoisse somatique. – Raptus anxieux [PSYCHIATRIE].

4 **Phobie.** – Acrophobie, claustrophobie, écophobie, topophobie. – Basophobie, bathophobie. – Agoraphobie, androphobie, gynécophobie, prêtrophobie, sociophobie, xénophobie. – Cynophobie, zoophobie. – Algophobie, cancérophobie, éreuthophobie ou érythrophobie, nécrophobie ou thanatophobie, nosophobie, syphilophobie, taphophobie. – Kaïnophobie ou néophobie. – Pantophobie ; phobophobie. – Aérophobie, anémophobie, bélonéphobie, dipsophobie, sitiophobie, hématophobie ou

hémophobie, hydrophobie, lyophobie, thermophobie, toxicophobie.

5 Couardise, frilosité, **lâcheté 452,** pleutrerie, poltronnerie, pusillanimité [litt.]. – Alarmisme, défaitisme, pessimisme **615.**

6 Crainte, nervosité **549, timidité.**

7 **Peureux** *(un peureux),* trembleur [litt.] ; fam. : froussard, paniquard, péteux, pétochard, trouillard ; capon [vx]. – **Lâche** *(un lâche)* **452,** pleutre, poltron ; fam. : dégonflard, dégonflé *(un dégonflé),* poule mouillée. – Sauvageon.

8 Croquemitaine, fantôme, loup-garou, ogre, père fouettard ; épouvantail.

9 Terrorisme **865.** – Terroriste *(un terroriste).*

V. 10 **Apeurer** ; affoler, alarmer, effaroucher, **effrayer,** épeurer [litt.], paniquer [fam.] ; bouleverser, tournebouler. – **Épouvanter,** terrifier, terroriser ; paralyser, pétrifier ; clouer sur place. – Intimider. – Effarer, interdire, sidérer, stupéfier **805.**

11 **Faire peur** ; faire frayeur [vx], frapper de crainte. – Donner le frisson, faire froid dans le dos, glacer le sang ; ficher ou foutre les jetons [fam.]. – **Menacer** ; faire chanter ; racketter. – Tenir en respect.

12 **Angoisser, inquiéter,** oppresser, transir.

13 **Avoir peur** ; avoir grand-peur [litt.], prendre peur ou, vx, prendre crainte ; s'alarmer, **s'effrayer,** s'inquiéter **785, paniquer** ou, fam., se paniquer ; fam. : angoisser, baliser, fouetter. – Appréhender, **craindre,** redouter. – Frissonner, trembler ; blêmir **71,** pâlir, verdir. – Sauter, sursauter, tressaillir **805.**

14 **Mourir de peur** ; être plus mort que vif ; fam. : avoir les chocottes, **avoir les jetons,** avoir la pétoche ou les pétoches, avoir le trouillomètre à zéro ; arg. : avoir les copeaux, avoir les foies ou les foies blancs, avoir les grelots, les avoir à zéro.

15 Claquer des dents, **trembler comme une feuille** ; avoir la tremblote [fam.]. – Fam. : **avoir des sueurs froides,** suer à grosses gouttes, suer d'angoisse ; ne plus avoir un poil de sec [fam.]. – **Avoir la chair de poule,** avoir les cheveux qui se dressent sur la tête, être glacé d'horreur ; avoir la gorge sèche.

16 **Avoir la peur au ventre,** avoir l'estomac noué. – Très fam. : avoir la chiasse, avoir la colique, faire dans son froc ou dans sa culotte, serrer les fesses.

17 Avoir peur de son ombre. – Mollir, **reculer** ; fam. : caler, caner ou canner [très fam.], se dégonfler **452.**

18 Avoir plus de peur que de mal, en être quitte pour la peur.

Adj. 19 **Peureux** ; appréhensif, **craintif,** défiant **183,** timoré ; fam. : foireux, froussard, trouillard ; **farouche,** sauvage ; rougissant, **timide.** – Capon [vx], couard, frileux [fig.], **lâche 452,** pleutre, poltron ; pusillanime [sout.]. – Alarmiste, défaitiste, pessimiste **615.**

20 Anxieux, **angoissé, inquiet,** intimidé, ombrageux, oppressé. – Mal à l'aise, nerveux **549, timide** ; dans ses (mes, tes, etc.) petits souliers [fam.]. – Affolé, **apeuré, effrayé,** épeuré [litt.]. – Horrifié, paniqué, **terrorisé** ; mort de peur (ou, fam. : de trouille, etc.), transi ; tremblant ; livide, pâle ; blanc comme un linge (ou : comme un mort, comme la mort).

21 **Phobique.** – Claustrophobe. – Androphobe, prêtrophobe, agoraphobe, homophobe, sociophobique ; xénophobe. – Éreuthophobe ou érythrophobe, nécrophobique, nosophobe, nosophobique, sexophobe, syphilophobe. – Hydrophobe, hydrophobique, hygrophobe, lyophobe ; iconophobe, photophobique. – Néophobe.

22 Alarmant, **effrayant,** horrifiant, horrifique [litt., vx], terrifiant ; apocalyptique, horrible, **terrible,** tragique **827** ; effroyable, **épouvantable,** redoutable. – Angoissant, angoisseux [vx], **inquiétant** ; anxiogène [PSYCHIATRIE]. – Intimidant.

Adv. 23 **Peureusement** ; anxieusement, craintivement, timidement ; **lâchement 452,** poltronnement. – Sur la défensive, sur ses gardes.

Prép. 24 **De peur de,** peur de [sout.] ; dans la crainte de, de crainte de.

Conj. 25 **De peur que** ; de crainte que, par crainte que.

Aff. 26 **-phobie** ; **-phobe,** -phobique.

620 PHILOSOPHIE

N. 1 **Philosophie,** science humaine. – **Pensée,** philosophie *(une philosophie),* système, théorie ; conception du monde, vision du monde, *Weltanschauung* (all., même sens) ; thèse philosophique ou, didact., philosophème. – **Sagesse,** sapience [vx] ; art de vivre. – **Doctrine,** idéologie ; école, mouvement.

2 Philosophie spéculative ou théorique ; philosophie générale. – Philosophie de l'histoire.

– Sophistique. – Histoire de la philosophie ; idéologie [anc.].

3 **Métaphysique,** philosophie première (Aristote, Descartes), **ontologie,** ontologisme ; pancalisme [adoption d'un point de vue esthétique sur le monde].

4 **Éthique 533, morale,** philosophie pratique. – Sagesse. – Tutiorisme [il faut déterminer sa conduite d'après l'opinion la plus probable]. – Confucianisme ; bouddhisme **80.**

5 **Esthétique,** esthétique théorique ou générale, esthétique pratique ou particulière ; philosophie des beaux-arts. – Jugement esthétique.

6 Philosophie du droit. – Philosophie politique ; communisme, socialisme **808** ; libéralisme **460.**

7 **Logique 682** ; philosophie analytique. – **Épistémologie** ; philosophie des sciences ; gnoséologie ou gnosiologie [didact.], méthodologie. – Physicalisme (Carnap).

8 Philosophie du langage ; linguistique, sémiotique ; grammatologie **346** ; structuralisme, structure.

9 Psychologie, psychologie structurale (opposé à psychologie fonctionnelle) ; gestaltisme, gestalt [didact.], psychologie de la forme. – Béhaviorisme (ou : behaviorisme, behaviourisme), psychologie du comportement. – Psychanalyse. – Anthropologie, anthropologie structuraliste. – Ethnologie, ethnologie structuraliste.

10 Philosophie de la nature ou, vx, philosophie naturelle, sciences de la nature ; sciences expérimentales. – Méthode expérimentale ; expérience cruciale.

11 Théories de la connaissance. – Associationnisme, **empirisme** ; sensationnisme ou sensualisme [toute connaissance procède des sens] ; illationnisme [la connaissance du monde extérieur n'est pas immédiate et se fait par inférence] ; intuitionnisme. – Agnosticisme, **positivisme** ; empirisme logique, logico-positivisme, néopositivisme, positivisme logique ; **rationalisme** ; panlogisme [tout ce qui est réel est intégralement intelligible et peut être reconstruit par l'esprit selon ses propres lois] ; empiriocriticisme [critique de la valeur objective de la science]. – Apriorisme, **criticisme** ou kantisme, formalisme [l'expérience est régie par des formes et des concepts a priori], idéalisme transcendantal, néocriticisme, transcendantalisme. – Innéisme [innéité des idées ou des aptitudes].

12 Vérité. – Dogmatisme. – Conventionnalisme, probabilisme [l'esprit humain ne peut parvenir à la certitude absolue] ; phénoménisme, phénoménalisme, pyrrhonisme [il n'y a que des apparences], relativisme, **scepticisme** ; époché **395,** suspension du jugement. – Subjectivisme (opposé à objectivisme). – Activisme, pragmaticisme, **pragmatisme, utilitarisme** [l'utile est le vrai et le bien] ; instrumentalisme. – Fidéisme [la foi permet d'accéder à la vérité].

13 Réalité. – Acosmisme [négation de la réalité du monde sensible], essentialisme [l'essence précède l'existence], néoplatonisme, **platonisme,** réalisme [doctrine platonicienne de la réalité des idées] ; **idéalisme** [l'être ramené à la pensée, les choses à l'esprit], immatérialisme. – Matérialisme, naturalisme [rien n'existe en dehors du monde sensible]. – Réalisme spéculatif (opposé à réalisme naïf ou chosisme), substantialisme ; aristotélisme ou péripatétisme ; scolastique. – Conceptualisme, nominalisme. – Solipsisme. – Spiritualisme [l'esprit constitue une réalité substantielle indépendante et supérieure]. – Volontarisme [tout est volonté].

14 Univers. – Monisme ou, rare, unicisme (opposé à dualisme), pluralisme ; holisme. – Atomisme ; monadisme. – Vitalisme. – Mécanisme ; dynamisme, mobilisme ; énergétisme.

15 Condition humaine. – Fatalisme, méliorisme, optimisme, pessimisme ; nihilisme. – Phénoménologie ; existentialisme ; humanisme, humanitarisme, personnalisme [la personne considérée comme valeur suprême]. – Cynisme [mépris des convenances sociales], individualisme ; épicurisme ; eudémonisme [le but de la vie est le bonheur], hédonisme [le but de la vie est le plaisir] ; stoïcisme. – Naturalisme. – Épiphénoménisme [la conscience conçue comme épiphénomène].

16 **Valeur** ; beau **69,** beauté, bien, bon, vérité, vrai. – Archétype **559.1,** concept, **essence,** forme (Aristote), intelligible *(l'intelligible),* Idée (Platon) **375,** type ; abstraction, noème, **universaux** *(les universaux du langage),* universel ; attribut, prédicat ; catégorie, modalité, mode, qualité.

17 **Absolu,** idéal, perfection ; entéléchie. – Cause finale (Aristote), fin, **finalité, sens** ; téléologie ; finalisme ; providence, providentialisme. – **Causalité,** cause **92,** cause première ; principe. – Nécessaire *(le nécessaire),* nécessité. – Contingent *(le contingent),* contingence ; accident **4,** hasard. – Déterminisme ; indéterminisme.

18 **Liberté 462,** libre arbitre ou libre-arbitre ; autonomie. – Loi morale **533,** maxime ; impératif catégorique (Kant), obligation morale.

19 Actualisation ; actualité, **existence** ; actuel *(l'actuel)* ; étant, **être 297,** existant, **objet** ; hypostase, substance **796** ; entité ; immanence. – Transcendance ; chose en soi ou noumène. – Acte, action **7,** pratique, praxis (didact., gr., « action »). – Puissance *(en puissance* opposé à *en acte),* virtuel *(le virtuel),* virtualité.

20 Matière ; empirique *(l'empirique),* nature, **sensible** *(le sensible)* ; cosmos, monde, univers. – Réalité, réel *(le réel)* ; évènement, fait ; apparence, phénomène ; phénoménalité ; épiphénomène. – **Expérience** ; empirie [didact.], observation. – Infini, totalité ; néant. – Espace, temps **811** ; **devenir,** mouvement **538.**

21 Altérité, identité. – **Autrui,** non-moi. – Personne **613, sujet** ; individu, individualité, monade. – Conscience ; je, moi ; *dasein* (all., souv. traduit par « être-là »), pour soi. – Âme, psyché ou psychè ; cogito ; cogito cartésien. – Entendement **275,** esprit *(esprit analytique, esprit spéculatif),* **raison.** – Objectivité, subjectivité.

22 Contemplation, méditation, réflexion, spéculation ; cogitation [vieilli] ; intellection, noèse [didact.] ; analyse, critique, doute. – Cognition [didact.], **connaissance** *(connaissance a priori, a posteriori),* gnosie [didact.]. – Axiome, hypothèse, lemme [didact.], postulat, principe ; thèse ; argument, argumentation, preuve ; certitude, croyance, *doxa* (gr., « opinion »). – Méthode *(méthode déductive, inductive, etc.)* ; ironie socratique, **maïeutique** ; **dialectique.** – Éclectisme ; heuristique. – Péj. : philosophaillerie, philosopherie [vx] ; philosophisme.

23 **Sagesse.** – Calme **89,** impassibilité, imperturbabilité, quiétude, **sérénité** ; égalité d'âme, équanimité ; apathie, **ataraxie** ; constance. – Détachement, indifférence, renoncement **701,** résignation. – Circonspection, **mesure,** modération **522,** pondération, **prudence 674,** réserve **714.** – Étonnement.

24 **Philosophe** ; **penseur.** – Métaphysicien, ontologiste. – Épistémologue ou épistémologiste. – Esthéticien. – Moraliste. – Phénoménologue. – Historien de la philosophie.

25 Philosophe, **sage** ; les Sept Sages de la Grèce [Thalès, Pittacus, Bias, Solon, Cléobule, Myson, Chilon]. – Junzi [confucianisme]. – **Librepenseur** ; Encyclopédiste [HIST.], esprit éclairé. – Péj. : philosophard, philosophe du dimanche, philosophe à la petite semaine, philosophe de quartier ou de comptoir, etc.

26 Académie, Jardin, Lycée, Portique.

V. 27 **Philosopher** ; méditer, penser, réfléchir, spéculer ; cogiter ; philosophailler [péj.]. – Conceptualiser **375.**

28 Se connaître, se pénétrer [vieilli], se saisir. – *Gnôthi seauton* (gr., « connais-toi toi-même », maxime qui figurait sur le fronton du temple d'Apollon à Delphes, reprise par Socrate).

29 Dompter, étouffer, maîtriser **240** ; calmer, modérer **522,** tempérer. – Atteindre à la sagesse ; s'assagir.

30 **Être philosophe,** prendre les choses comme elles viennent. – Se résigner, renoncer **701.**

Adj. 31 **Philosophique** ; philosophe [vieilli en emploi adj.]. – Abstrait, conceptuel, spéculatif, **théorique** ; rationaliste, **rationnel.**

32 Sophistique. – **Métaphysique,** ontologique. – Dualiste, moniste ou, rare, uniciste, pluraliste. – **Matérialiste, idéaliste,** spiritualiste ; atomiste. – Épistémologique, gnoséologique [didact.], méthodologique ; logique ; empirique, empiriste ; positiviste. – Esthétique. – Éthique, **moral.** – Pragmatiste, utilitariste. – Behavioriste ou comportementaliste. – Structuraliste.

33 Cynique ; épicurien, eudémoniste, hédoniste ; stoïcien ; agnostique, probabiliste, pyrrhonien, relativiste, **sceptique** ; didact. : aporétique, éphectique, zététique. – Scolastique. – Phénoménologique ; existentialiste. – **Humaniste,** humanitaire, humanitariste, personnaliste. – Optimiste, nihiliste, pessimiste. – Bouddhique ou bouddhiste ; confucianiste.

34 Averti, avisé, judicieux ; circonspect, posé, prudent **674,** réfléchi, réservé ; mesuré, modéré **522** ; serein. – **Raisonnable, sage.**

Adv. 35 **Philosophiquement,** sereinement. – Prudemment, **raisonnablement, sagement.**

36 Logiquement, rationnellement ; empiriquement. – Dogmatiquement, sceptiquement [rare]. – Dialectiquement.

Aff. 37 Philosophico-.

621 PHOTOGRAPHIE

N. 1 **Photographie** *(la photographie)* ; héliochromie [vx], photographie en couleurs, trichromie ; photographie en noir et blanc. – Holographie. – Daguerréotypie ; stéréoscopie. – Radiographie.

2 Photographie abstraite, photographie artistique, photographie de mode. – Astrophotographie ; chronophotographie.

3 **Appareil,** appareil-photo ou appareil de photo ; détective ou box, Polaroïd [nom déposé], reflex ; Photomaton ; photorama ; caméra **120.** – Cinéthéodolite ; fusil photographique.

4 Bague-allonge, bague de mise au point, **boîtier, chambre noire,** chargeur ou magasin, compte-pose, déclencheur, **diaphragme,** obturateur, posemètre ou cellule, prisme de renvoi, soufflet, télémètre, viseur ; sténopé. – Objectif à immersion, **objectif multiple** ; objectif simple, objectif composé, objectif rectilinéaire ; objectif à courte distance focale **574,** objectif à longue distance focale, objectif à focale variable ; aplanat ou objectif aplanétique ; grand-angulaire, téléobjectif ou, fam., télé. – Fish-eye [angl.], grand-angle, **objectif,** téléobjectif ou zoom ; lentille ; filtre, parasoleil. – Flash ; pied ou trépied.

5 Film, **pellicule** ou, fam., pelloche, plan-film ; bobine, rouleau. – Plaque. – **Surface sensible** ; émulsion ou gélatino-bromure, papier au charbon, papier sensible ; papier mat (opposé à brillant).

6 **Projecteur,** visionneuse ; carrousel ; écran.

7 **Photo** *(une photo),* photographie [sout.] ; cliché [vx], **image,** instantané ; contretype, phototype ; photogramme [CIN.]. – Épreuve, épreuve contact, **négatif 436,** positif, tirage.

8 **Diapositive** (ou, fam. : dia, diapo) ; daguerréotype. – Anaglyphe, hologramme, image plastique, stéréophotographie ; orthophotographie.

9 Montage photographique, photographie retouchée. – Macrophotographie, micrographie, microphotographie ; téléphotographie. – Photographie en pose ; photographie en demi-teinte. – Agrandissement.

10 Chromo, panoramique, photographie ou vue aérienne ; prise de vue. – Photomaton, photo-souvenir, **portrait.** – Photofinish [anglic.]. – Carte postale, poster.

11 Vx : bitume de Judée, collodion, plaque autochrome.

12 Bougé *(un bougé),* flou, halo ; floutage ; grain ; **effets spéciaux.**

13 **Temps d'exposition,** temps de pose ; sous-exposition, surexposition.

14 Armement, chargement, réarmement ; cadrage, **mise au point,** réglage ; pose **273.** – Développement ; affaiblissement, solarisation ; tirage.

15 Laboratoire ; **studio.** – **Bain** ; affaiblisseur, développateur, fixateur, révélateur ; déclencheur. – Nitrate d'argent.

16 Pictorialisme, précisionnisme.

17 Photologie.

18 **Photographe** ; chasseur d'images, photojournaliste, reporter-photographe **654** ; opérateur, paparazzi [péj.], photographe amateur, photofilmeur, photostoppeur ; pictorialiste. – Directeur de la photographie [CIN.]. – Retoucheur ; tireur.

19 **Album de famille** ; portfolio ; sous-verre. – Photothèque.

V. 20 **Photographier, prendre en photo** ou prendre, prendre sur le vif ; immortaliser ; mitrailler [fam.].

21 Armer, charger, réarmer ; cadrer, diaphragmer, mettre au point, **régler** ; poser ; flouter. – Zoomer. – Développer, fixer, insoler, inverser, révéler, tirer ; agrandir, solariser.

22 Se faire tirer le portrait [fam.].

Adj. 23 Photographique. – Photogénique ; photographiable.

24 Anastigmat ou anastigmatique ; antihalo, antivoile. – Sous-exposé, surexposé.

Adv. 25 Photographiquement.

622 PHRASE

N. 1 **Phrase** ; énoncé, période, **proposition** ; unité syntagmatique, unité de discours. – LING. : prédicat, thème ; dictum, modus ou modalité.

2 Phrase ; **phrase simple** (opposé à **phrase complexe**) ; phrase nominale, phrase verbale ; phrase elliptique ; mot-phrase ou phrasillon **535** ; phrase-noyau ou phrase nucléaire [LING.]. – Transformée *(une transformée)* [LING.].

3 Phrase assertive (ou : déclarative, énonciative), exclamative, impérative, interrogative ; phrase affirmative, phrase négative. – Phrase active, phrase passive.

4 Membre, mot **535,** proposition ; syntagme nominal, syntagme verbal ; LING. : constituant immédiat, noyau. – Attribut, complément, sujet, verbe ; complément circonstanciel, complément d'attribution, complément d'objet direct, complément d'objet indirect, complément d'objet second.

5 **Proposition** ; proposition indépendante ; proposition coordonnée, proposition juxta-

posée, proposition incidente (ou : incise, intercalée) ; proposition principale ou **principale** *(une principale)* (opposé à **subordonnée**) *(une subordonnée)* ; conjonctive, relative, interrogative indirecte ; proposition infinitive ou infinitive *(une infinitive),* proposition participe ou participiale. – Proposition complément, circonstancielle, complétive ; causale, comparative, concessive, conditionnelle, consécutive, finale, temporelle.

6 **Syntaxe 346** ; construction, structure **795** ; analyse logique ; construction directe, construction indirecte, inversion ; coordination, juxtaposition, subordination ; hypotaxe, parataxe ; asyndète. – Concordance des temps.

7 **Modalité,** mode, statut ; assertion, exclamation, interrogation, impératif ou ordre ; affirmation, négation. – Voix active ou actif *(l'actif),* voix passive ou passif *(le passif).*

8 Accent, chute, coupe, **intonation,** ponctuation **765,** rythme ; courbe d'intonation, ton ascendant, ton descendant. – LING. : intonème, prosodème.

9 LING. – Structure profonde, structure de surface. – Actualisation, modalité, prédication.

10 **Phrase** [vx] ; construction, diction [vx], expression, **locution,** tour, tournure. – **Cliché,** formule, sentence ; formule figée, phrase toute faite, tour de phrase ; petite phrase. – Phrase [souv. pl.] *(faire des phrases)* ; circonlocution, détour, périphrase.

11 Phraséologie **535** ; style **729,** terminologie ; verbalisme [péj.].

12 Phrasé **543** ; mélodie **106.**

13 Phraseur ; bavard *(un bavard),* parleur *(un parleur).*

V. 14 **Construire** ; coordonner, juxtaposer, subordonner.

15 **Phraser** ; articuler, déclamer.

Adj. 16 **Phrastique,** propositionnel.

623 PIED

N. 1 **Pied** ; cou-de-pied, plante, pointe, talon, voûte plantaire ; **doigt de pied,** orteil, voûte plantaire ; cheville, malléole. – Fam. : panard, patte, paturon, peton ; arg. : arpion, nougat.

2 **Battement de pied,** course, danse, galop, locomotion, **marche** *(marche à pied, marche forcée),* **pas,** piétinement, saut **746,** trépignement, trot. – Boiterie, claudication.

3 Bain de pieds **669,** lavement des pieds [LITURGIE]. – Pédiluve [MÉD., SPORTS]. – Pédicurie [TECHN.], podologie [MÉD.].

4 Marcheur, **piéton.** – Fantassin ; gens de pied (opposé à gens de cheval), piétaille [vx] ; pédestrian [anglic., vx].

V. 5 **Marcher** ; aller à pied, mettre un pied devant l'autre ; partir d'un bon pied (aussi : du pied droit, du pied gauche). – Mettre le pied dehors. – Ne pas mettre les pieds quelque part.

6 **Pédaler, piétiner.** – Battre des pieds, danser. – Piaffer, taper des pieds, traîner des pieds, trépigner. – Boiter, clopiner. Fouler aux pieds. – Achopper [litt. ou vx], buter, glisser. – Dépêtrer (opposé à empêtrer).

7 **Avoir pied, lâcher pied,** lever le pied **189,** mettre (aussi : poser) le pied dans (aussi : sur), mettre pied à terre, perdre pied, prendre pied.

8 Chausser telle pointure *(chausser du 40)* **110.** – Pédicurer.

Adj. 9 Didact. : pédal, pédieux. – **Bipède, quadrupède,** solipède. – Macropode, tétrapode ; apode. – Plantigrade.

Adv. 10 **À pied** ; pédestrement [rare] ; fam. : à pattes, à pinces, pedibus, pedibus cum jambis. – À cloche-pied ; sur un pied. – À pieds joints. – Sur pied. – Sur la pointe des pieds.

11 De la tête aux pieds, de pied en cap, depuis les pieds jusqu'à la tête, des pieds à la tête. – À pieds de bas, en pieds de chaussettes [vieilli].

Int. 12 Au pied !

Aff. 13 Pédi- ; -pède, -pédie, -pode.

624 PILOSITÉ

N. 1 **Pilosité** ; villosité (opposé à glabréité). – Phanères [didact.].

2 **Poil** ; cil, vibrisse ; lanugo [BIOL.]. – Sourcil ; taroupe [rare, vx]. – ZOOL. : **pelage 486** ; barbiche, vibrisse ; jarre, soie.

3 **Cheveu 129** ; poil [litt. ou vx] ; fam. : baguette de tambour, crin, plume, tif ; arg. : crayon, cresson, douille, persil. – Épi, houppe, mèche, touffe.

4 **Chevelure** ; casque, flot [fig.], toison ; fam. : crinière, forêt, tignasse. – Couronne de cheveux, tonsure [fam.].

5 **Barbe** ; barbiche, bouc, collier, impériale *(une impériale),* royale *(une royale)* [anc.] ; fam. : barbichette, barbichon, barbouze. – **Favoris** *(des favoris)* ; fam. : côtelette [vieilli], patte de lapin,

rouflaquette. – **Moustache** ; croc [vx] ; fam. : bacchante. – Duvet.

6 Bulbe, follicule pileux ou follicule pilo-sébacé, racine ; **cuir chevelu,** implantation, système pileux ; kératine, mélanine, pigment. – Pellicule, séborrhée ; pointe. – MÉD. : plique, trichome.

7 Hérissement, horripilation, rebroussement.

8 **Pousse,** repousse. – **Chute des cheveux** ; calvitie.

9 Épilation. – Rasage.

10 MÉD. – Alopécie, atrichie, dépilation, ophiase, pelade, teigne. – Hirsutisme, hyperpilosité, hypertrichose, virilisme pilaire. – Albinisme, canitie, leucotrichie.

11 Tricologie [didact., rare].

12 Barbu *(un barbu),* chevelu *(un chevelu),* moustachu *(un moustachu),* poilu *(un poilu).*

13 Blond *(un blond)* ; blondin *(un blondin)* [vx], blondinet ; blondasse *(un blondasse)* [péj.]. – Roux *(un roux)* ; rouquin [fam.], rousseau *(un rousseau)* [vx]. – Brun *(un brun)* ; brunet *(un brunet).*

V. 14 Pousser ; **repousser.** – Fourcher. – Blanchir. – Tomber. – Se hérisser, se rebrousser.

15 Avoir de la barbe au menton, porter la barbe. – Avoir tous ses cheveux.

16 Devenir chauve, **perdre ses cheveux.** – S'éclaircir ; se clairsemer, se dégarnir, se dénuder, se déplumer [fam.]. – Être chauve ; fam. : avoir la boule à zéro, ne pas avoir un poil sur le caillou.

17 Sortir en cheveux [vx] **129.**

18 Se laisser pousser les cheveux. – Épiler ; raser. – Dépiler [MÉD.].

Adj. 19 **Pileux.** – Capillaire, cilié, pilaire, pilo-sébacé. – Piliforme.

20 Pubescent, tomenteux, villeux ; pilifère [didact.].

21 **Poilu** ; barbichu, chevelu, moustachu, poileux [vx], **poilu,** pubescent, velu. – Ulotriche ou ulotrique [ANTHROP.]. – Glabre, **imberbe.** – **Chauve,** dégarni ; pelé.

22 (Qualifiant les cheveux.) – Bouclés, cotonnés, crêpelés, crépus, frisés, ondés, ondulés. – Gonflants, souples ; raides (fam. : raides comme des cordes, raides comme des baguettes de tambour). – Bien plantés, fournis ; drus, touffus ; clairsemés, rares. – Fins ; épais. – Brillants, soyeux ; ternes. – Gras ; secs. – Fourchus, hérissés. – Tombants.

23 (Qualifiant la couleur des cheveux et des poils.) – Acajou **159,** aile de corbeau, argent, auburn, **blanc, blond** *(blond naturel, vénitien),* blondasse, **brun, châtain,** cendré, cuivré, doré, ébène, gris, grisonnant, de jais, mordoré, de neige, **noir,** d'or, platine, poil-de-carotte [fam.], poivre et sel, queue de vache, rouge, **roux** ; péj. : blondasse, filasse.

24 De tout poil [fig.].

Aff. 25 Pil-, pili-, pilo- ; capill- ; cirr-, cirri-, cirro- ; loph-, lopho- ; lasi-, lasio- ; trichi-, tricho-.

26 -lophe, -lophidé ; -triche, -trichie, -trichite, -thrix.

625 PITIÉ

N. 1 **Pitié.** – Apitoiement, commisération, compassion, sympathie [vx] ; attendrissement. – Bonté **76,** charité **336,** humanité.

2 Clémence, **indulgence,** mansuétude, miséricorde. – **Grâce,** merci [vx], miséricorde, quartier ; ménagement.

3 Condescendance, dédain, mépris **439.**

4 Affliction, détresse, misère **603,** pitié. – Crève-cœur *(un crève-cœur).*

5 Pauvre *(un pauvre),* malheureux *(un malheureux).*

6 Jérémiade, lamentation, plainte.

7 Pietà [ital.] ou Vierge de piété.

V. 8 **Avoir bon cœur** ; s'attendrir. – Compatir, être affecté, prendre part au malheur de, se laisser toucher ; plaindre. – Déplorer, pleurer.

9 Avoir pitié ou, vieilli, grand pitié, **prendre en pitié.** – Faire grâce, gracier ; épargner, ménager. – **Secourir,** venir en aide ; apaiser, consoler.

10 **Faire pitié,** faire peine à voir. – Apitoyer, **attendrir,** émouvoir, fléchir, toucher ; crever ou arracher le cœur, faire mal au cœur, faire monter ou venir les larmes aux yeux, fendre l'âme ou le cœur, prendre aux entrailles, tirer ou arracher des larmes.

11 **S'écouter parler,** se prendre en pitié ; pleurer misère. – Se plaindre.

12 Crier grâce ou merci, demander ou implorer miséricorde ; faire vibrer la corde [fam.]. – Implorer, mendier. – *Miserere nobis* (lat., « ayez pitié de nous »).

Adj. 13 **Compatissant.** – Pitoyable [vx] ; charitable, généreux ; pieux *(pieux mensonge, œuvre pieuse)* ; pie [vx, sauf dans la loc. « œuvre pie »]. – Clément, exorable [rare], miséricordieux ; humain, sensible. – Compassionnel, humanitaire.

14 **Pitoyable** ; maupiteux [vx], piteux ; déplorable, lamentable, malheureux ; déchirant, émouvant, **navrant.** – Misérable **383.**

Adv. 15 Par pitié. – Pitoyablement. – Bonnement, charitablement.

Prép. 16 À la merci de.

Int. 17 Pitié ! Par pitié ! ; De grâce ! Grâce ! – *Kyrie eleison* [LITURGIE]. – C'est pitié ou une pitié, quelle pitié !

626 PLAIDOIRIE

N. 1 **Plaidoirie** ; plaidoyer (opposé à réquisitoire).

2 **Plaidoyer** ; apologie, **défense 182** ; autodéfense. – Discours **225** ; exorde, péroraison. – DR. ANC. : réplique, duplique, triplique ; **joute oratoire.** – Requête [vx], réquisition. – Mercuriale.

3 Art oratoire, **rhétorique 729.** – **Éloquence 264,** éloquence judiciaire. – Genre judiciaire, ton oratoire. – Effet de manches.

4 **Système de défense** ; argumentation, **moyens de défense,** raison de droit, raison de fait. – Défenses ; conclusions en défenses, actes en défenses.

5 **Avocat de la défense,** défenseur ; défense *(la défense ; la parole est à la défense).* – Argumentant [DR., vx] ; **orateur,** rhéteur, tribun ; foudre d'éloquence.

V. 6 **Plaider** ; avocasser [vx]. – **Défendre,** prendre fait et cause pour, prendre parti pour.

7 **Convaincre,** persuader **614.** – **Émouvoir 755** ; enlever, entraîner l'adhésion ; captiver son auditoire. – **Gagner une cause,** avoir gain de cause.

Adj. 8 **Plaidant** (opposé à consultant).

9 **Oratoire,** tribunitien [didact.].

10 **Éloquent,** persuasif.

Adv. 11 **Pro domo** *(plaider pro domo)* [lat., « pour sa propre maison »].

12 Brillamment, éloquemment.

627 PLAINE

N. 1 **Plaine.** – Plaine alluviale, plaine côtière, plaine d'effondrement, plaine d'érosion, plaine fluvioglaciaire, plaine littorale, plaine proglaciaire ou sandr, plaine steppique. – Pénéplaine ; monadnock. – **Plateau** ; bowal.

2 Plaine basse. – Haute plaine ; plateau, haut plateau. – Mesa. – Dépression ; caldeira – Bassin, cuvette. – Marais, marécage **372.**

3 Plaine abyssale, plaine bathyale. – Plateau continental, plate-forme littorale, talus continental. – Plateau sous-marin ; **haut fond** ; platier.

4 Plaine découverte, planure [région.], plat pays ; campagne, champagne ; pleine campagne, rase campagne. – Plaine cultivée ; champ **18.** – Plaine à blé, grenier à blé [fig.]. – Prairie **360** ; pâturage **262.**

5 Plaine steppique ; pampa, steppe. – **Désert 197.**

Adj. 6 Plain [vx], **plat** ; uni.

7 **Champêtre.** – Pampéen, steppique.

628 PLAISANTERIE

N. 1 **Plaisanterie** ; frivolité, futilité.

2 Amateurisme, fumisterie [fam.].

3 **Humour** ; goguenardise. – Espièglerie, **malice.** – Gauloiserie, grivoiserie, paillardise. – Contrepet.

4 **Plaisanterie,** vanne [fam.] ; *private joke* (angl., « plaisanterie d'initiés »). – **Blague** [fam.], calembredaine, histoire drôle, la dernière *(tu connais la dernière ?)* [fam.]. – Astuce [fam.], boutade, calembour, contrepèterie, **jeu de mots,** mot pour rire, trait d'humour ; baliverne(s), billevesée(s) ; billet, bouffonnade, comédie **132.** – Parodie ; zwanze [belg.]. – Bon mot, trait d'esprit **120.** – **Cochonnerie** [fam.], histoire salace, plaisanterie de corps de garde ; gaudriole, gauloiserie, grivoiserie, paillardise. – Attrape **838, canular,** galéjade [fam.], mystification ; poisson d'avril. – Fadaises, fadeurs. – Ana [litt.], **bêtisier,** sottisier. – Les plaisanteries les plus courtes sont toujours les meilleures [prov.].

5 Diablerie, espièglerie, facétie, **farce,** gag, malice, misères, tour ou mauvais tour. – Arlequinade, bobècherie [vx, rare], bouffonnerie, charlotade [fam.], **clownerie,** pasquinade [vx], **pitrerie,** singerie, trivelinade [vx], turlupinade [vx] ; tabarinade [vx]. – **Bêtise,** bourde. – Amusette, amusoire [fam., vx], drôlerie, joyeuseté [fam.] ; badinerie.

6 Lazzi [ital.], mauvaise plaisanterie, quolibet ; **caricature,** portrait-charge **532.** Moquerie, raillerie **439.**

7 **Clown** ; bouffon, comique *(un comique)* **132,** **pitre** ; comédien, histrion [vx ou sout.] ; imitateur.

– Arlequin ; vx : baladin, bobèche, fagotin, gracieux, gracioso [esp.], matassin, pasquin, queue-rouge, trivelin, zani ou zanni [ital.]. – **Auguste,** auguste de soirée, clown blanc, excentrique *(un excentrique)* ; achille, gille. – Bateleur, paillasse [vx] ; saltimbanque. – Fou du roi.

8 Diablotin ; fam. : charlot, diablotin, gugusse, hurluberlu, loustic, **rigolo** *(un rigolo)* ; guignol, pantin, **polichinelle** ; titi parisien. – Amuseur, amuseur public, blagueur [fam.], **farceur** ; boute-en-train, gagman [amér.] ; pince-sans-rire. – Berneur, daubeur. – Caricaturiste, ironiste, satiriste.

9 Fumiste [fam.], plaisant *(un plaisant, un mauvais plaisant),* **plaisantin.**

V. 10 **Plaisanter** ; prendre qqch à la légère, tourner qqch en plaisanterie, traiter ou prendre qqch à la blague. – Badiner, bouffonner [litt.], **rire 132.** – Faire l'imbécile (ou : le malin, le pitre, le zigoto, le zouave, etc.) ; zwanzer [belg.]. – Avoir le mot pour rire, en raconter (ou : en dire, en avoir) de bien bonnes [fam.] ; jouer sur les mots. – Galéjer [fam.], mystifier **838.**

11 **Badiner,** batifoler, blaguer [fam.]. – Se moquer ; berner, dauber.

12 Plaisanter, **taquiner** ; fam. : charrier, chiner ; faire marcher [fam.]. – S'amuser de, se divertir aux dépens de, **se moquer de,** se payer la fiole de [fam.]. – Monter un bateau à [fam.]. – Tirer la langue **439.**

Adj. 13 Comique **132, drôle,** plaisant **629,** spirituel ; carnavalesque, clownesque ; satirique. – Falot [vx], grotesque, **ridicule 731** ; scurille [vx ou litt.].

14 Bouffonnant [litt.], **facétieux,** malicieux, plaisantin. – Badin, évaporé, folâtre, inconséquent.

Adv. 15 **Plaisamment** [litt.]. – Bouffonnement [rare], burlesquement, **légèrement,** malicieusement ; grotesquement, ridiculement. – Par plaisanterie, pour rire ; histoire de rire.

629 PLAISIR

N. 1 **Plaisir** ; délectation, délice, enivrement, pied *(le pied)* [très fam.], plaisance [vx]. – Contentement, **satisfaction 745.** – Bonheur, euphorie, félicité, gaieté, **joie 447,** jubilation, liesse [litt.] ; enchantement, extase. – Aise, bien-être, confort.

2 PHILOS. : épicurisme **620,** eudémonisme, hédonisme. – PSYCHAN. : principe de nirvana, principe de plaisir ; expérience de satisfaction.

3 **Plaisir** *(le plaisir)* ; jouissance, orgasme **763,** volupté. – Débauche, dévergondage, libertinage, luxure **763.** – Concupiscence [litt.], lubricité, sybaritisme [litt.] ; égrillardise [rare], paillardise [fam., vx]. – Érotisme, lascivité ou lasciveté [litt.], **sensualité.**

4 Bon plaisir, bon vouloir ; **arbitraire,** caprice **779.1,** fantaisie. – Car tel est notre plaisir ou notre bon plaisir [anc. ; formule traditionnelle jadis dans les actes royaux] ; si tel est votre plaisir ou votre bon plaisir.

5 Bonheur *(un bonheur),* **plaisir** *(un plaisir),* plaisir des dieux ; menus plaisirs [vx]. – **Amusement,** badinage, batifolage, ébattement, ébats ; délassement, distraction, divertissement ; jeu **446,** passe-temps, récréation, ris [litt.]. – **Délices,** jouissances, plaisirs, réjouissances ; régal. – Bombe [fam.], **fête 309.1,** orgie, ribouldingue [fam.] ; partie de plaisir, partie fine. – Tourbillon des plaisirs.

6 Plaisant *(le plaisant de la chose).* – Agréabilité [rare], **agrément,** raffinement.

7 Débauché *(un débauché),* **libertin,** homme de plaisir ; jouisseur, noceur, sybarite [litt.], viveur ; coureur, tombeur [fam.]. – Fam. : bon vivant, boute-en-train **447,** joyeux drille, joyeux luron. – Amateur **599,** dilettante.

V. 8 **Prendre plaisir à,** se faire un plaisir de, se plaire à ; **aimer,** avoir pour agréable [vx] ; trouver bon. – Avoir ou prendre un malin plaisir à ; **se complaire à** ou dans.

9 **Jouer 446** ; **s'amuser,** s'ébattre, s'ébaudir ou s'esbaudir [litt.], s'égayer ; se désennuyer, **se distraire,** se divertir, se récréer ; prendre du bon temps, prendre ses ébats ; ne pas s'en faire, se faire du bon sang. – **Rire 132,** sourire ; jubiler, se réjouir. – Rougir de plaisir. – Badiner, batifoler, folâtrer. – S'enivrer, s'étourdir ; s'éclater [très fam.]. – **Jouir** ; mourir de plaisir ; vulg. : prendre son pied, s'envoyer en l'air.

10 Bien vivre, **faire la fête 309,** faire la vie ; festoyer ; très fam. : faire la bringue (aussi : la bamboche, la bamboula, la fiesta, la foire, la noce, la nouba) ; mener joyeuse vie, mener une vie de bâton de chaise ; **s'en donner à cœur joie** ; fam. : s'en donner à gogo, s'en payer une tranche **132.** – Faire bombance [fam.], faire carrousse [vx ou litt.], faire chère lie [vx].

11 **Plaire** ; faire la joie de, faire plaisir à. – Complaire, contenter, **satisfaire 745.** – Dérider, désopiler **132.**

12 **Plaire** ; charmer, **séduire** ; attirer, fasciner ; émouvoir, troubler.

13 **Enchanter,** enivrer, enthousiasmer, exalter, ravir ; faire chaud au cœur.

Adj. 14 **Plaisant** ; attachant, attirant, attractif, attrayant, séduisant.

15 **Agréable, bon,** délectable, délicieux, exquis. – **Beau 69** ; **sublime.** – Satisfaisant **745.**

16 **Amusant,** divertissant ; drôle **132,** facétieux, spirituel. – De plaisance *(navigation de plaisance, maison de plaisance).*

17 Content, gai, heureux ; heureux comme un poisson dans l'eau [fam.] ; **joyeux 447,** radieux, sémillant [litt.], souriant ; à l'aise. – Enchanté, extatique, **ravi,** transporté ; au septième ciel.

18 Jouisseur, **libertin,** luxurieux **763,** sensuel, voluptueux ; concupiscent [litt.], dévergondé, libidineux ; égrillard, paillard [fam., vx]. – Érotique, lascif [litt.], **sensuel.**

19 PHILOS. : cyrénaïque, **épicurien,** eudémoniste, hédoniste.

Adv. 20 **Plaisamment** ; **agréablement,** délicieusement.

21 **Par plaisir,** pour le plaisir. – À plaisir.

22 **Avec plaisir,** de bon cœur, de bonne grâce ; bien volontiers, **volontiers.**

23 **Plaisamment** ; gaillardement [vx]. – Gaiement, heureusement, **joyeusement 447.**

630 PLATITUDE

N. 1 **Platitude** ; **banalité,** médiocrité ; prosaïsme. – Monotonie **843.4.** – Impersonnalité.

2 **Vulgarité** ; trivialité [litt.]. – Facilité [fam.].

3 Inconsistance, insignifiance **419, pauvreté.** – Ânerie, bêtise, connerie [très fam.], niaiserie, **sottise 784** ; prudhommerie [litt.].

4 Fadeur, insipidité.

5 **Banalité** *(une banalité),* évidence, pauvreté, platitude. – Bateau [fam.], **cliché,** déjà-vu, **lieu commun,** poncif, stéréotype, truisme ; idée toute faite, phrase toute faite. – Sentiers battus. – Fadaises.

6 Banalisation, vulgarisation.

V. 7 **Banaliser,** prosaïser [litt.], trivialiser [rare], vulgariser.

8 **Courir les rues,** être sur toutes les bouches. – Tomber à plat ; faire un bide [fam.].

Adj. 9 **Plat** ; **banal,** médiocre, pauvre ; commun, trivial [litt.], vulgaire. – Habituel **164, ordinaire,** usuel ; vieux, vieux comme le monde. – Courant, fréquent, notoire ; bateau [fam.], **stéréotypé.** – Connu, éculé [fam.], rebattu, **ressassé,** usé. – Lourd, maladroit. – Impersonnel.

10 Falot, insignifiant **419,** nul, **quelconque.** – Prosaïque ; superficiel. – Facile **302.**

11 Morne, pâle, **terne** ; triste **836,** tristounet [fam.] ; **monotone,** uniforme. – Aseptisé, incolore, inconsistant. – Fadasse [fam.], fade, **insipide,** plat.

Adv. 12 **Platement** ; **banalement,** communément, prosaïquement, trivialement, vulgairement. – Médiocrement, **pauvrement.**

631 PLOMB

N. 1 **Plomb** (symb. Pb) ; minerai de plomb.

2 **Oxyde de plomb,** oxyde salin ou **minium** ; hydroxyde de plomb, monoxyde de plomb ; plomb brûlé (ou : massicot, litharge) ; cendrée ; dioxyde de plomb ou oxyde puce. – Chlorure de plomb, iodure de plomb, sulfure de plomb ou **galène** ; anglésite ou sulfate de plomb, cérusite ou carbonate de plomb, pyromorphite ou phosphate de plomb. – Sels de plomb ; acétate, nitrate, nitre [vx]. – Plombate, plombite. – Plomb argentifère. – PÉTR. : P. T. M. (plomb tétraméthyle), P. T. E. (plomb-tétraéthyle). – PHARM. : soluté d'acétate basique de plomb ou eau blanche, **extrait de Saturne.** – **Plomb d'œuvre** ; **plomb doux** ; plomb métallique ; plomb durci.

3 Alliages. – **Alliage de Darcet** (bismuth, plomb, étain) ; alliage de Wood (bismuth, plomb, étain, cadmium) ; soudure pour plombiers (étain, plomb) ; **métal à la reine** (étain, antimoine, plomb, bismuth), métal anglais (étain, antimoine, plomb, cuivre) ; potin (cuivre, zinc, plomb, étain). – Alliages antifriction : **cuproplomb** ou métal rose, métal blanc (plomb, étain, antimoine, cuivre).

4 Graphite, plombagine ; **mine de plomb.** – Cristal au plomb, verre au plomb **855.**

5 Fusible **261,** plomb fusible, ou, absolt, plomb *(un plomb, les plombs).* – Plomb scellé ou scellé [DR.]. – **Chevrotine,** plomb de chasse **43.** – Plombure [TECHN.]. – Saumon [MÉTALL.].

6 PATHOL. – Plombémie. – **Saturnisme.** – Plomb des vidangeurs. – Colique de plomb.

7 **Grillage** ; fusion réductrice en four à cuve ; zingage ; raffinage. – **Coupellation.** – Transmutation du plomb en or [ALCH.].

8 **Plomberie.** – Plombage *(plombage d'une dent)* **188** ; obturation. – Lestage.

9 Plombier *(un plombier).* – Plombeur.

V. 10 Plomber [litt.] ; assombrir, foncer. – Ferrer, **plomber** ; alourdir, **lester.** – Vernir [TECHN.] ; protéger [MÉTALL.]. – Obturer, plomber *(plomber une dent).*

11 **Plomber** ; cacheter, **sceller.**

Adj. 12 CHIM. : **plombique,** saturnin.

13 Plombier [vx]. – Plombifère.

14 **Plombé** ; gris **350,** sombre. – Plombé ; livide, pâle.

15 **Plombé** ; clos, scellé.

16 **De plomb** *(soleil de plomb, sommeil de plomb)* ; épais, lourd **636** ; accablant, écrasant.

Aff. 17 Plombo-, plumbo-, plombico-.

632 PLOMBERIE

N. 1 **Plomberie.** – Robinetterie ; tuyauterie [vx]. – Sanitaire.

2 Équipement sanitaire ; **sanitaire** (souv. au pl.). – Bloc *(bloc-bain, bloc-évier, etc.)* ; composant sanitaire. – **Lavabo** ; auge, lave-mains. – **Baignoire 669,** baignoire fauteuil, baignoire sabot ou sabot, baignoire à siège ; baignoire piscine. – **Douche,** douche fixe, douche mobile, douche téléphone. – Collier ou pomme de douche ; douchette. – **Bidet.** – W.-C. ; W.-C. à l'anglaise, W.-C. à la turque. – **Chasse d'eau** ; chasse à réservoir, chasse à air comprimé. – **Évier 519** ; timbre d'office.

3 **Robinet** ; robinet à tournant ou à boisseau [vx] ; robinet à col-de-cygne, cygne ou col-de-cygne ; robinet de puisage, robinet de purge. – Mélangeur, mitigeur, mitigeur thermostatique. – Bec ; brise-jet. – Division ; cannelle, canillon.

4 **Obturateur** ; clapet *(clapet antiretour* ou *clapet de retenue, clapet de réversibilité),* membrane, papillon, piston, soupape. – Crépine ; crépine à clapet. – Bonde, bonde siphoïde. – Crapaudine.

5 Barrage ; barrage de prise. – Garde d'eau ; fermeture hydraulique.

6 **Valve.** – Diviseur de débit, répartiteur. – Compensateur de dilatation. – Réducteur de pression. – Compresseur, surpresseur.

7 Tuyautage ; tuyauterie. – **Canalisation 829.** – Canal, **colonne,** conduite, gouttière, tube, **tuyau** ; branchement. – Conduite de distribution ; conduite ou ceinture d'appartement, conduite d'étage ; conduite principale. – Colonne descendante (opposé à colonne montante). – Tuyau de chute, tuyau de descente ou descente, tuyau d'évacuation. – **Siphon** *(siphon cloche* ou *siphon de cour, siphon panier).* – **Collecteur** ; collecteur d'appareils, collecteur principal. – **Couronne** ; couronne basse, couronne haute. – Piquage.

8 Boisseau. – Cannelle. – Col-de-cygne, lyre de dilatation. – Collet. – **Coude** ; singularité. – Culotte.

9 **Joint** ; Durit, nœud. – Manchon, **raccord** ; raccord réducteur ou réduction, réduction concentrique (opposé à réduction excentrique), raccord en T, raccord « Union ». – Tubulure, piétement. – Ajutage, jet d'eau.

10 Collier, collier de serrage ; bague de collier. – Bride ou collerette. – Gâche.

11 Réservoir. – Nourrice. – Ballon d'eau chaude.

12 Cintrage. – Bridage. – **Assemblage,** joint, posage ; brasage, soudage. – Déboîtement.

13 **Raccordement 9.2** ; piquage. – Bouclage. – Branchement, embranchement.

14 Distribution d'eau ; distribution en chandelle, distribution en parapluie.

15 **Circulation** ; circulation forcée, circulation naturelle.

16 **Purge** ; purge continue. – Vidange **550.**

17 Sac de plombier.

18 Étau-pionnier ou pionnier.

19 Artelle. – Batte ; boursault ou bourseau. – Damet ; mandrin. – **Chalumeau** ; chalumeau chauffeur, chalumeau soudeur. – **Fer à souder 584,** lampe à souder ; appuyoir, attelle ou attelloire, étamoir. – Maillet. – Matoir. – Toupie. – Compas-griffe.

20 Cherche-fuites ; détecteur de fuites de gaz. – **Déboucheur** ; furet, jonc. – Purgeur ; pompe de purge. – Coupe-tube ; fixe-tube ; serre-tube. – Broche. – Chasse. – Éolipile.

21 **Joint** ; joint tournant. – Platine.

22 **Plombier** ; plombier-chauffagiste, plombier-couvreur, plombier-zingueur. – Installateur. – Robinetier. – Tuyauteur.

V. 23 Aboucher, ajointer. – Serrer, mater ; brider. – **Souder.**

24 Brancher, connecter, embrancher ; piquer sur (une conduite) [fam.]. – Raccorder. – Boucler un circuit.

25 **Purger** ; vidanger. – Curer ; déboucher un lavabo.

26 Changer un raccord. – Platiner ; déplatiner.

Adj. 27 Siphonal.

28 Entartré, incrusté ; bouché.

633 PLUIE

N. 1 **Pluie** ; eau de pluie, eau du ciel ; flotte [fam.]. – **Humidité 372,** pluviosité. – Hygrométrie, régime des pluies.

2 **Saison des pluies 738** ; hivernage ; mousson. – Pluviôse [anc.].

3 Ciel bas, plafond bas. – Temps gris, temps nuageux **561,** temps plombé, temps humide, temps menaçant, temps pluvieux.

4 Précipitations ; **averse,** giboulée, grain, grêle, **orage** ; fam. : rincée, sauce, saucée ; dégueuleux [très fam.]. – Petite pluie, pluie fine ; **bruine,** crachin, embruns, lavasse [vx], ondée. – Pluie battante, pluie d'abat, pluie d'orage ; cataracte, déluge. – Giboulée de mars, pluie de la Saint-Médard, pluie de mousson ; pluies cyclonales *(pluies cycloniques* ou *d'ascendance frontale),* pluies de convection, pluies d'instabilité ; pluies orographiques ou de relief.

5 Rideau de pluie, torrent de pluie, trombe d'eau **852.**

6 **Goutte de pluie,** gouttelette. – Grêle, grêlon. – Flocon de neige, neige.

7 Ruissellement. – Flaque, mare, ru [litt.], ruisseau.

8 Abat, **abri,** auvent, bâche, marquise, prélart [TECHN.]. – **Parapluie** ; fam. : pébroc, pébroque, pépin, riflard. – Capote, capuche, capuchon, chapeau. – Ciré **859,** gabardine, **imperméable** ou, fam., imper, manteau de pluie, trench-coat ; botte **110,** caoutchouc, snow-boot [vieilli].

9 **Bassin, citerne,** réservoir ; impluvium [ANTIQ.]. – Caniveau, dégorgeoir, gargouille, gouttière, rigole.

10 MYTH. – Grèce : Isis **236.** – Mésopotamie : Hadad, Techoub. – Inde : Indra. – Scandinavie : Thor ou Donan. – Japon : Susanoo. – Monde précolombien : Tlaloc (Aztèques) ; Chac (Mayas).

11 Baromètre **509,** hygromètre, pluviomètre, pluvioscope, udomètre.

V. 12 **Pleuvoir** ; flotter [fam.]. – Pleuvoir des cordes ou des hallebardes, pleuvoir comme vache qui pisse [fam.] ; tomber dru, tomber à seaux (ou : à torrents, à verse). – Bruiner, crachiner ; fam. : brouillasser, pleuvasser, pleuviner, pleuvoter. – Neiger, neigeoter ; grêler.

13 Dégringoler, ruisseler, **tomber** ; s'abattre. – Cingler, fouetter, frapper au carreau ; fam. : faire des claquettes, ouvrir ses cataractes.

14 Arroser ; fam. : doucher, rincer, saucer. – **Inonder.** – Transpercer, traverser.

15 Annoncer la pluie ; gronder, menacer. – Se charger, se couvrir, se plomber. – Loc. cour. : il y a de l'eau dans l'air ; la lune est dans l'eau.

16 Prov. : Petite pluie abat grand vent ; Pluie du matin n'arrête pas le pèlerin (aussi : Vent du soir et pluie du matin n'étonnent pas le pèlerin).

Adj. 17 **Pluvieux** ; gris, humide.

18 Torrentiel. – Diluvien.

19 Mouillé, rincé, trempé comme un barbet [vx] ; fam. : douché, saucé, **trempé comme une soupe.**

20 Hygrométrique, pluviométrique. – Pluvial, pluviatile, pluvio-nival.

Adv. 21 À flots, à seau, à torrents, à verse. – En pluie.

Aff. 22 Hydr(o)-, hygro-, pluvio-.

634 PLURALITÉ

N. 1 **Pluralité** ; diversité, variété ; complexité, multiplicité. – Majorité [vx]. – Dualité.

2 **Nombre** *(le nombre)* ; duel [LING.], **pluriel,** plurier [vx]. – Pluriel emphatique, pluriel poétique ; pluriel de majesté, pluriel de modestie.

3 D'aucuns ; **certains, divers, quelques-uns** ; des dizaines, des douzaines ; **des centaines, des milliers,** des millions ; des mille et des cents.

4 Dualisme, manichéisme, **pluralisme.** – Pluripartisme [POLIT.].

V. 5 **Mettre au pluriel,** pluraliser ; additionner, multiplier.

6 Se pluraliser ; se complexifier, se diviser, **se multiplier.** – Proliférer.

7 Répéter, renouveler, recommencer.

8 Avoir plusieurs cordes à son arc, **avoir plus d'un tour dans son sac ; y regarder à plusieurs fois.** – Ne pas mettre tous ses œufs dans le même panier **390.**

9 Changer, **diversifier,** varier.

Adj. 10 Plural (*vote plural* [didact.], *jugement plural* [LOG.]). – Pluriel [didact.].

11 **Diversifié, varié** ; complexe, composé ; **multiple.** – **Multiforme,** polymorphe ; plurivalent, plurivoque, polysémique ; polytechnique, polyvalent ; pluridisciplinaire.

12 **Divers,** maints, **plusieurs** ; **nombreux.**

Adv. 13 **À de multiples reprises,** à maintes reprises. – Bien de ou bien des *(bien du bonheur ; bien des fois* **326,** *bien des gens),* bon nombre de, **plein de.**

14 Double, doublement **210.** – Beaucoup, davantage.

Aff. 15 Multi-, pluri-, poly-.

635 POÉSIE

N. 1 **Poésie** ; vers *(les vers)* ; gaie science ou gai savoir [vx]. – Métrique *(la métrique),* prosodie, **versification.**

2 Poésie épique, poésie lyrique, poésie dramatique. – Poésie didactique ; **haute poésie** ou grande poésie ; poésie pure. – Poésie champêtre ; poésie érotique, poésie ionique ou sotadique, poésie légère ; poésie satirique. – Poésie macaronique. – Lettrisme.

3 Rimaillerie [péj.].

4 Poétisation [litt.].

5 **Poème,** poésie ; pièce de vers. – Poème à forme fixe ; poème en prose. – Calligramme.

6 Poésie champêtre : églogue, idylle. – Poésie courtoise et galante : minnesang [all.] ; bergerie, madrigal. – Poésie lyrique : épinicies ; **hymne** ; épithalame ; copla [esp.]. – Ode héroïque. – Poésie satirique : priapée, vers ou poèmes fescennins ; blason, épigramme, épître, sirventès (ou : sirvente, serventois) [Provence]. – Poésie sur des sujets familiers : ode anacréontique ; congé, dit ; impromptu.

7 Poésie de forme fixe. – **Élégie.** – Cantilène, épopée, rhapsodie ; héroïde, ode héroïque. – Palinodie. – Centon.

8 Poésie de forme fixe. – Lai ; triolet ; rondeau, rondel ; virelai. – Ode, odelette ; rotrouenge ou rotruenge. – Ballade, chantefable. – Acrostiche.

9 Poésie de forme fixe. – Canzone [ital.], monostiche, sextine, **sonnet,** terza rima ou tierce rime. – Pantum [emprunté par les romantiques à la poésie malaise]. – Jap. : haiku, **haïkaï.**

10 Poésie chantée. – Villanelle. – Comptine, *lied* [all.], romance. – **Cantique 106.**

11 Poésie dialoguée, théâtre en vers. – Jeu ; jeu parti ou partimen ; tenson. – Poème dramatique. – Renga [jap.]. – Hain-teny [malgache].

12 **Strophe** ; couplet, laisse. – Distique, tercet, quatrain, quintain ou quintil, sizain ou sixain, septain, huitain, neuvain, dizain, onzain, douzain ; triade (strophe, antistrophe, épode). – Strophe carrée, strophe horizontale, strophe verticale. – Envoi ; **refrain.**

13 Mètre, **vers** ; trimètre, tétramètre, pentamètre, **hexamètre** ; sénaire, septénaire, octonaire. – Monosyllabe, dissyllabe, trisyllabe, tétrasyllabe, pentasyllabe, hexasyllabe, heptasyllabe, octosyllabe, ennéasyllabe, décasyllabe, hendécasyllabe, dodécasyllabe ou **alexandrin.** – Anapeste, dactyle, ïambe, spondée, trochée ; hexamètre dactylique. – Vers blancs ; vers libres ; **verset.** – Vers intercalaire.

14 Pied, **syllabe** ; **dodécasyllabe.** – Quantité ; syllabe courte, syllabe longue.

15 Assonance, **rime** ; allitération. – Rime pauvre, rime riche ; rime féminine, rime masculine ; rime redoublée, rime dominante ; rimes croisées, rimes embrassées, rimes plates, rimes mêlées ; rime consonante, rime léonine ou double, rime équivoquée, rime milliardaire, vers holorimes ; rime complexe, rime brisée, rime batelée, rime annexée, rime fratrisée, rime enchaînée ; rime couronnée, rime à double couronne, rime emperière, rime couronnée-annexée, rime senée, rime en écho, rime rétrograde.

16 Figures, tropes **313.** – **Césure,** coupe ; hémistiche ; enjambement, rejet. – Diérèse, synérèse ; **hiatus.** – Cadence, rythme. – Cheville ; licence poétique.

17 **Anthologie,** florilège, silves, spicilège. – Chansonnier, romancero ; recueil. – Divan.

18 **Art poétique,** rhétorique *(une rhétorique)* **729** ; poétique *(la poétique).*

19 Hermétisme, imagisme, ossianisme, pétrarquisme, préciosité, école romane française, symbolisme.

20 **Poète** ; artisan du verbe [litt.], nourrisson des Muses, nourrisson du Parnasse [vx et litt.]. – Aède, rhapsode ; barde, chantre, **troubadour,** trouvère ; fabuliste ; bucoliaste. – Amoriste, félibre, **parnassien,** poète crépusculaire, vers-libriste. – Poète maudit.

21 Rimeur, versificateur ; métromane [vx]. – Fam. : faiseur de vers, métromane, poétereau ou poétriau ; rimailleur [péj.]. – Vx : mâche-laurier, poétastre.

22 Apollon ; les Muses, Polymnie. – **Parnasse** ; Hélicon.

23 HIST. : cours d'amour, jeux floraux, puy.

V. 24 Poétiser [litt.] ; courtiser les Muses ; par plais. : taquiner la muse. – Accorder sa lyre, prendre son luth.

25 Prosodier, rimer, **versifier** ; rimailler [péj.]. – Pétrarquiser, pindariser.

26 Célébrer, chanter.

Adj. 27 **Poétique** ; lyrique. – Métrique, prosodique ; strophique. – Alcaïque, dactylique, ïambique, spondaïque, trochaïque. – Poétisable.

28 Anacréontique, ossianique, parnassien.

Adv. 29 **Poétiquement** ; en prose, en vers.

636 POIDS

N. 1 **Poids** ; **lourdeur,** pesanteur ; consistance, densité **187** ; pondérabilité. – Autorité, **influence 407.** – Pondération **89.**

2 **Poids** ; **masse,** pesant *(valoir son pesant d'or),* valeur pondérale ; faible poids **457** ; poids brut ou poids total (opposé à poids net), poids légal, poids utile, poids vif. – COMM. : tare ; discale ; freinte. – Degré, **titre,** titre pondéral [MONN.].

3 PHYS. – **Poids** ; densité, force, **masse,** pesée, poussée, **pression** ; traction ; poids atomique, poids formulaire, poids moléculaire, poids spécifique ou poids volumique **54.** – Pesanteur ; force d'inertie. – Attraction **54,** attraction universelle, **gravitation.** – Accélération de la pesanteur ; chute libre. – Barycentre, centre de gravité. – **Gravimétrie** [SC.].

4 **Poids** ; corpulence, embonpoint, **grosseur 351,** lourdeur, rotondité [fig.], surcharge pondérale, surpoids.

5 Pondéreux *(les pondéreux)* [TECHN., SC.]. – **Poids** *(un poids)* ; **contrepoids 282,** corps mort [MAR.], estive [MAR., vx], **lest,** poids mort. – Bloc, masse ; plomb.

6 **Poids** *(un poids)* ; **charge,** chargement, faix, fardeau ; boulet [fig.]. – Surcharge, surpoids ; handicap [TURF].

7 MÉTROL. : poids cylindrique, poids à godets, poids à lamelles ; faux poids, poids annexes, tare.

8 **Lestage** ; alourdissement [rare], appesantissement [litt.].

9 **Pesage, pesée 509.2** ; étalonnage, double pesée. – Didact. : barymétrie, **métrologie** ; Poids et Mesures [ADMIN.]. – La pesée ou le pèsement des âmes [MYTH. ÉGYPT.].

10 Appareil de pesage ou de pesée **509.26** ; **balance,** balance de précision, balance Roberval, balance romaine ; balance à bascule ou bascule, poids public [vx] ; pèse-bébé, pèse-personne ; pèse-grains ; peseuse ; pèse-lettres, peson. – MONN. : ajustoir [vx], microbalance, pesette, trébuchet. – SC. : baroscope, pycnomètre **187.5.**

11 Rendement poids ou pondéral ; poids spécifique [AGRIC.].

12 Étalon **509.5** ; poids *(poids de marc, poids royal, poids de roy)* [anc.]. – Unité de masse, unité de poids. – PHYS. : dyne, newton, sthène ; gramme-force, gramme-poids. – **Gramme 509.8** ; décagramme, hectogramme ou hecto, **kilogramme** ou kilo, myriagramme [vx] ; décigramme, centigramme, milligramme, microgramme. – **Livre,** demi-livre, quarteron [vx]. – **Tonne,** tonne métrique ; quintal, quintal métrique. – ORFÈVR. : **carat,** carat métrique, grain [vx] ; denier [TEXT.]. – Vx : denier, marc, once, scrupule. – ANTIQ. : as, drachme **509.23,** mine, sicle, statère, talent.

13 Peseur, peseur juré, vérificateur des poids et mesures.

V. 14 **Peser** ; faire tel poids, peser brut ou, vx, ort, peser net ; titrer, valoir, valoir son pesant d'or (ou, par plais. : son pesant de cacahuètes, de moutarde). – Peser lourd, peser le poids d'un âne mort [fam.] ; faire le poids (plus souv., ne pas faire le poids).

15 **Peser** ; farder [vx] ; faire masse, faire poids, peser de tout son poids. – **Appuyer,** peser contre, peser sur, pousser, presser ; exercer une force (ou : une poussée, une pression) ; faire peser. – Comprimer, écraser ; opprimer.

16 **Alourdir,** charger, **lester,** surcharger ; vx : aggraver, appesantir ; densifier **187.7** ; donner du poids à **384.**

17 S'alourdir, **grossir 351.7,** prendre du poids ; prendre de l'embonpoint. – TURF : dépasser le poids, rendre du poids.

18 **Peser 509.27** ; **évaluer 509.28,** soupeser, tarer, trébucher ; contrepeser, étalonner. – Fig. : mettre en balance **138,** peser le pour et le contre.

19 Contrebalancer, équilibrer **282.**

Adj. 20 **Pesant,** pondérable, **pondéral,** pondéreux ; équipondérant ; barosensible. – Gravimétrique, gravitationnel ou, vieilli, gravifique.

21 **Lourd,** lourd comme du plomb, **pesant** ; gravatif [MÉD.], grave [vx] ; dense **187.10,** massif ; accablant, **pénible.** – Alourdi, appesanti.

22 Corpulent, fort, **gros 351.11.**

Adv. 23 **Pesamment** ; **lourdement** ; de tout son (mon, ton) poids. – Lourd.

24 **Au poids** ; au kilo, à la tonne.

Aff. 25 **Bar-,** baro-, bary- ; **gravi-** ; pycno-.

26 -bare.

637 POINTE

N. 1 **Pointe** ; arête, corne ; **piquant.** – Aiguille, épingle, fuseau.

2 **Aiguille** ; flèche, pic ; clocher. – Cône, **corne,** cornet, pyramide. – Cime, sommité ; apex [SC.] ; cuspide [BOT.]. – **Avancée,** cap, éperon [GÉOGR.]. – Bec, rostre.

3 **Aiguillon** ; ardillon, dard. – Épine, **piquant,** mucron [BOT.]. – **Clou,** crampillon, piton, pointe, punaise, semence ; poinçon, pointeau ; rappointis. – Plume, **pointe sèche,** stylet. – **Fer** *(fer de lance),* fiche ; banderille. – Lance, pique, **poignard.** – Pal, pieu. – Fig. : aiguillon, **fer de lance.**

4 **Dent, griffe** ; artichaut **67, barbelé,** chardon, hérisson, herse. – Croc, **crochet,** fourche, grappin. – Carde, étrille, fourchette, peigne, râteau.

5 Point de côté, pointe au cœur ; élancement. – **Picotement** ; picotis, **piqûre.**

6 **Pique** ; **moquerie,** picoterie [litt., vx], pointe d'ironie [fig.] ; épigramme, **saillie,** trait **628.** – Mordant.

7 **Pointe** ; acmé, paroxysme ; pointe de vitesse ; heure de pointe.

8 Fig. : pointe *(pointe du progrès)* ; avancée, **avant-garde.**

9 TECHN. : **appointage** ; affilage, **affûtage,** aiguisage, émoulage.

10 Indentation.

11 Affileur, affûteur, aiguiseur, émouleur, **rémouleur,** repasseur. – Picador.

V. 12 Appointir, rappointir [TECHN.] ; **appointer** ; affiler, affûter, **aiguiser,** émoudre, empointer [TECHN.], épointer [rare], rémouler, repasser.

13 Percer, piquer, poinçonner ; buriner, ciseler, échopper, étamper, ficher, graver **70.** – Becqueter, picorer.

14 **Aiguillonner,** épingler [fam.], piquer, piquer au vif ; pointer.

Adj. 15 **Pointu** ; acéré, affilé, affûté, aigu, **aiguisé, effilé,** subulé [SC. DE LA V.] ; biacuminé [BOT.], bicuspide [ANAT.]. – Piquant ; blessant, **mordant 497.**

Aff. 16 Acut(i)- ; apic(o)- ; bélon(o)-, béloni- ; cérat(o)-, céro- ; dory- ; stylo- ; hélo- ; gomph(o)- ; plectr(o)- ; raphi-.

17 -centèse, -cère, -corne ; -raphe.

638 POISSONS

N. 1 **Poisson.** – Ichtyologie.

2 **Chondrichtyens** ; raie ou hypotrème (dasyatidé, mobulidé, myliobatidé, pristidé, rajidé, rhinobatidé), requin ou pleurotrème (carcharhinidé, cétorhinidé, hétérodonte, hexanchiforme, isuridé, odontaspidé, orectolobidé, pristiophoridé, rhincodontidé, scyliorhinidé, scymnorhinidé, sphyrénidé, squalidé, squatinidé).

3 **Ostéichtyens** ; chondrostéen (acipenséridé, polyodontidé), crossoptérygien (actinistien, rhipidistien), dipneuste, holostéen (amiidé, lépisostéidé, polytéridé), téléostéen (acanthuridé, ammodytidé, anabantidé, anguillidé, athérinidé, bélonidé, blennidé, bothidé, carangidé, centrarchidé, cépolidé, cératiidé, characidé, chétodontidé, cichlidé, clupéidé, cobitidé, cottidé, cyprinidé, cyprinodontidé, dactyloptéridé, échénéidé, élopidé, engraulidé, ésocidé, exocétidé, gadidé, gastérostéidé, gobiésocidé, gobiidé, gymnotidé, istiophoridé, labridé, lophiidé, molidé, mormyridé, mugilidé ou mullidé, murénidé, ophidiidé, ostéoglossidé, ostracionidé, pégasidé, percidé, pleuronectidé, polynémidé, pomacentridé, salmonidé, sciénidé, scombrésocidé, scombridé, scorpénidé, serranidé, siluridé, soléidé, sparidé, sphyrénidé, stomiatidé, syngnathidé, tétraodontidé, trachinidé, triglidé, zéidé).

4 Ordres fossiles. – Ostracodermes. – Placodermes (antiarches, arthrodires, holocéphales, ichtyotomes, protosélaciens).

5 **POISSONS D'EAU DOUCE**

able	apron
ablette	aspe

barbeau
blageon (ou soffie, soufie)
bondelle
bouvière
brème
brochet
cagnotte
calamoichthys
carassin
carpe
chaboisseau
corégone
épinoche ou cordonnier
épinochette
gardon
glane
goujon
grémille ou perche goujonnière
hémichromis
hotu ou nase
ide ou mélanote
lavaret
loche ou barbote
omble
ombre
orfe
palée
perche
perche arc-en-ciel
perche black-bass (ou perche noire, perche truitée)
périophthalme
poisson-chat ou silure
poisson rouge (ou carassin, cyprin)
queue-de-voile
rotangle
sandre ou perche-brochet
tanche
toxotes
scalaire
truite
uegitglanis
vairon
vandoise

INDE

oiseau à berceau
drongo
ménure ou oiseau-lyre

INDO-MALAISIE

gourami
macropode ou poisson-paradis

ASIE

anabas ou perche grimpeuse
combattant
notoptère
Chine :
catostome
macropode

AMÉRIQUE DU SUD

anableps
anchovette
arapaïma ou pirarucu
candiru
feux-de-position
lépidosirène
lépisostée ou lépdostée
léporin

AUSTRALIE

barramunda

AMÉRIQUE DU NORD

amie
dallia
doré
érythrinus
maskinongé ou maskinonge
œil de paon
platy
pœciliidé

TROPIQUES

cichlidé
coffre
danio
gambusie
géophage
guppy
gymnote ou anguille électrique
molly
mormyre
nannostome
oscar
piranha ou piraya
porte-épée (ou xipho, xiphophore)
prêtre ou trogne
tilapie

AFRIQUE

alestes
clarias
gymnarche
hétérobranche
hydrocyon
latès
malaptérure
pantodon
perche du Nil
polyptère
protoptère

EUROPE CENTRALE

coméphore

6 **POISSONS DE MER**

aiglefin (ou aigrefin, cabillaud, églefin)
ânon
albacore (ou germon, thon blanc)
alose
allache
amphisile
anchois
antennaire
athérine
badèche
balaou
banane de mer
bar ou loup
barbue
barracuda ou bécune
baudroie
bécasse de mer ou trompette de mer
bigoula
blennie ou baveuse
bogue
bonite ou thon
bonite à dos rayé ou pélamide
bourgette ou buhotte
cabot
callorhynque
capelan
capitaine
carangue
cardine (ou fausse limande, limande salope, limandelle)
castagnole
cavillone
céteau
chabot ou chaboisseau
chauliodus
chauve-souris de mer
chimère
chinchard ou sévereau
cépole (ou demoiselle jarretière)
cératias
cernier ou mérou des Basques
céteau
chauliodus
chromis ou petite castagnole
chrysostome ou opah
cicerelle
cœlacanthe ou latimeria
congre
coquette
coracin ou corb
coffre
congre
coquette
corydoras
coryphène
cotte
cténolabre
crapaud de mer
crénilabre ou paon de mer
cycloptère (ou : lump, mollet, poule de mer)
cynoglosse
dactyloptère
daurade ou dorade
daurade grise (ou : canthare, cantre, griset)
daurade rose ou rousseau
demi-bec
denté
donzelle
entélure ou vipère de mer
équille
espadon ou poisson-épée
exocet ou poisson volant
fierasfer ou aurin

flet
flétan ou elbot
gadicule
girelle
globe
gobie
grinde
grondin ou trigle
hareng
hippocampe ou cheval des mers
hirondelle de mer ou grande castagnole
gonelle ou papillon de mer
labre
lançon
liche
lieu
limande
lingue ou julienne
loche de mer ou motelle
lote
lotte
louvaréou
lune (ou môle, poisson-lune)
macaire, makaire ou marlin
maigre (ou courbine, haut-bar, sciène)
malthe
maquereau
merlan
merle
merlu ou colin
merluche
mérou
monacanthidé
mordocet
morue ou cabillaud
motelle
mulet rouge ou rouget
murène
myctophidé
nason
némichthys
oblade
ogac ou morue du Groenland
ombrine
opisthoprocte
orphie
pageot
pagre
palomète
pégase
perdrix de mer ou marbré
perroquet de mer
phylloptéryx
picarel ou jarret
pilchard
plie ou carrelet
poisson-clown ou amphiprion
poisson pilote ou fanfre
porte-écuelle ou barbier
poutassou
ptéroïs
rascasse (ou crapaud de mer, scorpène, scorpion de mer)
régalec ou roi des harengs
rémora ou sucet
rochier (ou roucaque, rouquier)
rouget de sable (ou barbet, barbier)
sabre
saint-pierre (ou dorée, zée)
sanglier
sar
sardine
saumon
saurel
scare ou poisson perroquet
sébaste
serran
sole
souris de mer
spet ou brochet de mer
sprat
surmulot
targeur ou sole de roche
tarpon
tétrodon
thazard
thonine
turbot
uranoscope
vipère de mer ou entélure
vive
voilier
zancle

7 **POISSONS MARINS CARTILAGINEUX**

aiguillat
ange
bélouga ou béluga bleu (ou peau bleue, requin bleu)
céphaloptère (ou mante, raie cornue)
cétorhinidé
chien bleu (ou chien espagnol, chien de mer)
diable de mer
dormeur
émissole
griset ou requin à maquereaux
humantin (ou centrine, cochon de mer)
laimargue
liche
marteau ou requin-marteau
milandre ou hâ
mourine ou aigle de mer
oxyrhine ou requin-taupe bleu
pastenague
pèlerin ou requin-pèlerin
perlon
poisson-scie
raie
raie électrique ou torpille
renard marin
requin ou, didact., pleurotrème
requin-baleine
requin blanc
requin-citron
requin-lézard ou requin à collerettes
requin-scie
requin-taureau
roussette ou saumonette
touille (ou requin-taupe, lamie)
sagre
squale ou requin bouclé

8 Poissons migrateurs. – Alose, anguille ou, région., pimperneau, civelle ou pibale, éperlan, muge ou mulet gris, saumon. – Bélouga ou béluga, esturgeon, huso huso, spatule, sterlet.

9 **Arête,** épine dorsale ; actinotriche, lépidotriche, rayon de soutien ; arc branchial. – Boucle, denticule, **écaille** *(écailles cosmoïdes, écailles ganoïdes, écailles élasmoïdes, écailles placoïdes)* ; carapace osseuse.

10 **Branchie,** fente branchiale, lamelle branchiale, opercule, ouïe ; orifice hyoïdien, spiracle ou évent.

11 **Barbe,** barbillon, bourgeon du goût, moustache, palpe labial. – Muscle électrogène.

12 Aileron, **nageoire** *(nageoire abdominale, anale, caudale, dorsale, pectorale, pelvienne ; nageoire hétérocerque, homocerque).* – Sac aérien, vessie natatoire. – Neuromaste.

13 **Fraie** [TECHN.], montaison, remonte ; frayère. – Frai ; ponte. – Alevin, frai *(le frai, du frai),* nourrain. – Laitance, laité.

14 **Fretin,** menuaille, menuise, poiscaille [fam.], poissonnaille [fam.] ; blanchaille. – Poisson de fourrage. – Banc de poissons.

15 **Pêche 605.** – Poissonnerie.

16 **Aquarium 262,** alevinier [TECHN.], bassin, vivier. – Alevinage, pisciculture ; pisciculteur.

17 Côtelette, darne **333, filet,** hure, parure ; museau, queue.

18 Chagrine, galuchat.

19 Ichthys [ICON.].

V. 20 Frayer. – Aleviner, **empoissonner** ; rempoissonner.

Adj. 21 **Poissonneux.**

22 Écailleux, écaillé [vx], macropode, squamifère, squameux, squamiforme.

23 Didact. : amphibiotique ou amphidrome, amphihalin ; anadrome ou potamotoque (opposé à catadrome).

24 **Ichtyologique** [didact.].

Aff. 25 Pisci-.

26 Carchar- ; cyprin-, cyprini-.

27 Pinni-, pinno- ; ptérygo-. – Squam-, squami-.

28 -lophus ; -ptéryge, -ptérygie, -ptérygien, -ptéryx.

639 POITRINE

N. 1 **Poitrine** ; thorax ; buste, torse. – Vx : corsage, pis, sein *(le sein).* – Poumons **718.** – Poitrail (d'un animal).

2 **Poitrine, seins** ; gorge [litt. ou vieilli] ; vx : mamelle [MÉD.], tétin [vx]. – Fam. : doudounes, nénés, oranges, tétines [péj.], tétons ; œufs au plat, planche à pain. – Arg. : flotteurs, lolos, **nichons** ; boîte à lait ou à lolo.

3 **Mamelle** [vx] ; glande galactophore ou mammaire ; aréole [ANAT.], bouton de sein, mamelon, tétin [vx] ; canal excréteur ou galactophore, pore galactophore.

4 Stéthomètre [vx] **509.**

5 Mastopathie.

6 MÉD. : mastologie, sénologie. – Mamilloplastie, mammoplastie **114.**

7 Mastologue, sénologue.

V. 8 **Plastronner** ; poitriner [fam., vieilli] ; bomber la poitrine **312,** bomber le torse ; dresser, redresser le buste.

9 Tétonner [fam.] ; prendre de la poitrine.

10 Allaiter, donner le sein ; sucer le sein, téter.

Adj. 11 Poitrinaire **482.**

12 Mammaire ; mamillaire ; mamellaire [vx]. – Mamelliforme [rare].

13 Mamelu, tétonneuse [vx], tétonnière [fam.].

Aff. 14 Stétho- ; mamm-, mammo- ; mast-, masto-.

640 POLI

N. 1 **Poli** *(le poli)* ; bruni *(le bruni d'une pièce d'orfèvrerie),* brunissure [TECHN.], fourbissure [rare], lissé *(le lissé),* **patine,** polissure [vx]. – Taille adoucie, taille polie brillante ou mate, velouté *(le velouté).* – **Brillant,** éclat, **lustre** ; clarté **473,** netteté.

2 **Polissage** ; TECHN. : adoucissage, brunissage, éclaircissage [vieilli], égrisage, **émerisage,** grattebossage, grésage, rodage, surfaçage ; calandrage, **glaçage,** lissage, lustrage ; limage, meulage, ponçage. – **Astiquage 550,** fourbissage, fourbissement [rare].

3 **Abrasion,** attrition [PHYS.], érosion, **usure 28** ; abrasement, frottement **329.**

4 **Abrasif** ; bort, Carborundum [non déposé], colcotar ou rouge d'Angleterre, corindon granulaire, **émeri,** grès, kieselguhr ou kieselgur, ponce, tripoli ; égrisé ou égrisée, **papier-émeri, papier de verre,** pierre à polir, **pierre ponce,** poudre de diamant, poudre d'émeri, poudre de ponce, **toile émeri.** – Cire, silicone ; **polish.**

5 **Polissoir,** polissoire ; brunissoir, gratte-bosse ou gratte-boesse [MÉTALL.] ; lisse *(une lisse),* lissoir, lustroir ; aléseuse, gréseuse, polisseuse, ponceuse, surfaceuse ; tour à polir, touret. – Affiloir, **fraise, lime, meule,** râpe, ripe. – TECHN. : demi-ronde, queue-de-rat, rifloir, tiers-point. – **Brosse** ; brosse à cirer, à frotter, à lustrer, à reluire ; chiffon, Nénette [non déposé], tampon ; peau de chamois ; brosseuse, cireuse, frotteuse, lustreuse.

6 Polisseur ; brunisseur, frotteur, fourbisseur.

V. 7 **Polir** ; adoucir, brillanter, brunir, doucir, égriser, gréser, **patiner,** satiner ; calandrer, lisser, lustrer, moirer ; donner du brillant. – **Abraser,** aiguiser, aléser, émorfiler, fraiser, limer, meuler, **poncer,** tripolir ou tripolisser ; passer à l'émeri. – Éroder, **user.**

8 **Astiquer,** briquer [fam.], fourbir, **frotter 329** ; faire briller, faire reluire ; faire + n. d'objet recevant le poli *(faire les cuivres).* – Cirer.

9 **Polir** [fig.] ; affiner, fignoler, lécher [fig.], **peaufiner** ; donner le ou du poli ; « Vingt fois sur le métier remettez votre ouvrage, Polissez-le sans cesse et le repolissez » (Boileau).

Adj. 10 **Poli** ; adouci, brossé, bruni, **lustré,** poncé, satiné. – Brillant, lisse, uni. – Polissable.

11 **Abrasif,** récurant.

Aff. 12 Ambly-, amblyo- ; léio-, lio- ; plani- ; -plane.

641 POLICE

N. 1 **Police** ; arg. : flicaille, rousse. – Force publique, **forces de l'ordre.** – Gendarmerie **41.2,** maréchaussée [vx ou par plais.].

2 **Police administrative** ; police municipale, police nationale ; police rurale ; police sanitaire. – **Police judiciaire** ou P. J. ; identité judiciaire. – Police internationale ; Interpol.

3 **Compagnie républicaine de sécurité** ou C. R. S. *(une C. R. S.)* ; police militaire ou P. M. – Brigade des mœurs, brigade des stupéfiants ou, fam., brigade des stups, police des jeux, police mondaine ; brigade de répression du banditisme ou brigade antigang. – Police de l'air et des frontières ou P. A. F. ; police des aérodromes, police des ports ; **police de la route.** – Police secours.

4 Direction générale de la sécurité extérieure ou D. G. S. E., Direction générale de la Sûreté nationale ; **contre-espionnage,** Direction de la surveillance du territoire ou D. S. T. ; **police politique** ; Renseignements généraux. – Police secrète ou, fam., la secrète. – Groupe de sécurité de la présidence de la République. – Direction de la réglementation.

5 **Escorte,** garde d'honneur, garde prétorienne, garde républicaine. – Brigade, **patrouille** ; corps. – Service d'ordre ou S. O. – Milice.

6 Agent de police ou **agent,** gardien de la paix, **policier** ; agent de la circulation, îlotier, motard, policier en civil ; brigadier, brigadier-chef, officier de police judiciaire, sergent de ville [vx] ; angl. : constable, coroner ; assistante de police ; contractuel. – **C. R. S.** *(un C. R. S.)* [abusif], garde républicain, gendarme **41** ; garde mobile, mobile ou, fam., moblot. – Alguazil, bobby, carabinier, shérif. – Milicien ; prétorien [ANTIQ. ROM.].

7 Fam. : **flic,** flicaillon, pandore, perdreau, **poulet,** vache ; hirondelle. – Arg. : bourre, cogne, keuf, poulaga, poulard, poulardin, poulmann, saute-dessus. – Fam. : aubergine, primevère.

8 **Indicateur** ou, fam., indic, informateur ; fam. : mouchard, mouton.

9 **Commissaire de police** ; arg. : condé, lardu ; arg. : cardeuil, quart, quart d'œil. – Inspecteur divisionnaire, inspecteur de police, inspecteur principal. – Préfet de police ; ministre de l'Intérieur.

10 **Détective,** détective privé ou privé *(un privé)* ; limier, fin limier.

11 **Douanier,** garde-frontière ; garde maritime, garde de navigation ou garde-canal. – **Garde** ; garde champêtre, garde forestier, garde-rivière ; garde-chasse, garde-pêche ; anc. : messier, verdier ; garde particulier.

12 **Gardien** ; surveillant, vigile ; litt. : argus, cerbère. – Fig. : ange gardien, chien de garde. – **Garde du corps** ; gorille [fam.]. – Gardien de nuit, veilleur de nuit ; convoyeur de fonds.

13 Gardien de prison **136.** – Eunuque, muet du sérail.

14 Espion **41.**

15 Garde *(la garde d'un immeuble),* gardiennage, **surveillance.** – Espionnage ; filature ; flicage [fam.].

16 Policologie.

V. 17 Garder, **surveiller 207** ; fliquer [fam.]. – Épier, guetter ; **espionner,** filer, pister ; filocher [arg.].

Adj. 18 Policier *(un régime policier).*

642 POLITIQUE

N. 1 **Politique** *(la politique)* ; affaires publiques ; police [vx] ; politicaillerie [péj., fam.]. – **Pouvoir** *(le pouvoir)* ; les allées du pouvoir.

2 **Parlement** ; élection **260,** législature. – Assises, **session,** session parlementaire ; ordre du jour. – **Procédures législatives** ; première lecture, seconde lecture ; concertation, débat **156, délibération.** – Décret, loi **245,** ordonnance, résolution, traité ; projet de loi. – Amendement, motion, motion de censure, motion d'ordre, question de confiance, veto ; rappel à l'ordre ; compte rendu des débats parlementaires. – Consensus ; obstruction, obstructionnisme. – Trêve des confiseurs [fam.].

3 Cuisine électorale ; **manœuvre politique.** – Lobbying. – Noyautage. – **Clientélisme,** patronage. – Népotisme ; corruption. – Personnalisation du pouvoir.

4 **Investiture,** passation des pouvoirs ; couronnement, sacre ; destitution. – Changement de régime, **crise,** démission du gouvernement, dissolution de l'Assemblée, remaniement ministériel, renversement du ministère ; vacance du pouvoir. – Pouvoirs exceptionnels, pleins pouvoirs. – Continuité de l'État.

5 **Parti** ; syndicat ; comité directeur, comité central ; cellule. – **Militant,** militant de base. – Réunion ; meeting ; congrès.

6 Politique *(une politique)* ; doctrine ; plate-forme électorale, **programme.** – Ligne politique, ligne ; stratégie, tactique. – Attentisme, immobilisme ; opportunisme ; aventurisme.

7 Nationalisation (opposé à privatisation) ; **libéralisation.** – **Décentralisation,** régionalisation.

8 **Conflit social,** mouvement social ; contestation, mécontentement, revendication. – **Manifestation** ou, fam., manif, troubles ; **grève,** grève générale, grève tournante, grève du zèle. – Action, action psychologique ; militance [fam.].

9 Politique extérieure ou étrangère ; **affaires étrangères,** relations internationales ; diplomatie ; Realpolitik. – Annexionnisme, **expansionnisme,** politique d'expansion ; immixtion, ingérence ; guerre froide. – Unilatéralisme. – Neutralité, non-ingérence. – Coexistence pacifique, détente. – Autodétermination ; balkanisation. – Alignement ; non-alignement. – Théorie des dominos. – **Traité** ; **accord** ; accords bilatéraux, bilatéralisme ; collaboration, coopération ; reconnaissance diplomatique.

10 **Corps diplomatique** ; **diplomate,** émissaire, envoyé, plénipotentiaire ; **ambassadeur, consul,** vice-consul ; attaché culturel, attaché militaire, chargé d'affaires. – Ambassade, consulat. – Légation, **mission,** mission diplomatique.

11 Agitation, déstabilisation, **subversion** ; agitation et propagande ou agit-prop. – Action directe, insurrection, **révolution 728,** révolte ; contre-révolution ; guerre civile. – Complot, conjuration, conspiration ; **coup d'État,** pronunciamiento, putsch. – Épuration ; purge.

12 **Engagement,** politisation, prise de conscience. – Civisme **125.** – Dépolitisation ; indifférentisme.

13 Politologie ou politicologie, **science politique,** systémique *(la systémique).* – Anthropologie politique, économie politique, géopolitique, philosophie politique, sociologie politique ; kremlinologie, soviétologie ; pékinologie.

14 Contestataire, **manifestant** ; **gréviste,** piquet de grève. – **Agitateur,** fomentateur, trublion **201.8** ; casseur. – Insurgé, révolté, **révolutionnaire** ; conjuré *(un conjuré),* conspirateur, putschiste.

15 Politicien **708, politique** *(un politique).*

16 Géopoliticien, **politologue** ; kremlinologue, soviétologue.

V. 17 **Politiser.** – Dépolitiser.

18 **Légiférer 559.10** ; mettre aux voix, se prononcer ; amender ; censurer, repousser un projet de loi. – **Siéger** ; ouvrir la séance ; monter à la tribune.

19 Donner les pleins pouvoirs à, **instituer** ; couronner, mettre sur le trône, sacrer. – **Destituer** ; mettre en minorité.

20 **Administrer,** gérer ; décider **716,** gouverner, présider à ; représenter.

21 Nationaliser ; **libéraliser,** privatiser ; décentraliser. – Déstaliniser.

22 Annexer, envahir. – Balkaniser. – Normaliser ses relations avec.

23 Contester, **manifester,** revendiquer. – Agiter, déstabiliser. – S'insurger, se rebeller, **se révolter.** – Prendre le pouvoir.

24 Noyauter. – Récupérer.

Adj. 25 **Politique** ; géopolitique, sociopolitique.

Adv. 26 **Politiquement.** – Administrativement.

643 POLYCHROMIE

N. 1 **Polychromie 159.13.** – Bichromie, trichromie, quadrichromie. – Iridescence [litt.].

2 **Bariolure** ; bigarrure, chamarrure ; chinure, jaspure, marbrure ; panachure [didact.]. – **Moucheture** ; rare : tacheture, grivelure, maille, ocellure. – **Rayure,** tigrure, zébrure. – Diaprure, moirure.

3 **Bariolage** ; bariolis, chamarrage, chinage ; panachage. – **Chatoiement 473.6** ; moirage.

4 **Tache** ; miroir, ocelle. – **Bande,** raie ; zébrure. – **Reflet** ; irisation **473.5,** irisement [litt.].

5 Patchwork [anglic.]. – **Habit d'arlequin** [litt.]. – Habit de lumière [TAUROMACHIE].

6 **Arc-en-ciel** ; écharpe d'Iris [litt.]. – **Spectre solaire** [PHYS.] **473.17.**

7 Kaléidoscope.

V. 8 **Colorer 159.20** ; barioler, bigarrer, billebarrer [vx], chamarrer, marqueter ; diaprer. – **Chiner,** jasper, marbrer ; panacher. – **Moucheter,** oceller, tacheter ; rare : mailler, tiqueter, truiter. – **Rayer,** tigrer, zébrer.

9 **Iriser,** moirer. – Brillanter [litt.].

10 **Chatoyer** ; miroiter.

Adj. 11 **Polychrome,** polychromé ; multicolore, polycolore ; de toutes les couleurs. – Bariolé, billebarré [litt.], chamarré. – Diapré, jaspé, marbré, marqueté, moucheté. – **Bicolore,** tricolore. – Tacheté ; grivelé, tigré, ocellé ; rare : maillé, tiqueté, truité. – Rayé ; tigré, zébré. – Bayadère (en appos. : *étoffe bayadère*). – Gorge-de-pigeon.

12 **Versicolore** ; chatoyant, irisé, moiré. – Litt. : iridescent, opalescent. – Kaléidoscopique.

Aff. 13 Chromat-, chromato-, chrom-, chromo-.

14 -chrome, -chromie ; -colore.

644 PONCTUALITÉ

N. 1 **Ponctualité** ; **exactitude,** précision ; constance **153.6,** régularité ; **assiduité,** rigueur, sérieux **759** ; exactitude (ou : ponctualité, précision) d'horloge, exactitude militaire ; régularité de métronome.

2 Opportunité **571** ; expédience [vx].

V. 3 Avoir une ponctualité ou une exactitude d'horloge, respecter les horaires ; avoir avalé une pendule [fam.] ; **être réglé comme du papier à musique** (ou : comme une horloge, comme un métronome). – Être ou rester dans les temps. – **Être à l'heure,** ne pas arriver en retard ; arriver à point nommé **571,** arriver à temps. – « L'exactitude est la politesse des rois » (phrase de Louis XVIII passée en proverbe).

Adj. 4 Ponctuel ; **exact,** réglé, régulier ; assidu, constant **153.23,** zélé. – Sérieux **759** ; fiable **145.**

5 Opportun **571,** adéquat, convenable, expédient [litt.].

Adv. 6 **Ponctuellement** ; **exactement** ; assidûment, constamment **153.27,** régulièrement, toujours, tout le temps ; recta [fam.].

7 **À l'heure, à l'heure convenue** (ou : dite, fixée, prévue), à l'heure militaire ; à l'heure H, au jour J, au moment souhaité, au moment voulu, à temps, dans les temps, en temps et lieu, en temps et (en) heure ; **en temps voulu** ; à l'heure exacte (ou : juste, précise, sonnante, tapante), à l'heure pétante [fam.].

8 Opportunément, à point, **à point nommé, à temps,** au bon moment, au moment opportun, en temps opportun, **en temps utile** ; pile ; à pic [fam.].

9 Juste à temps ; à la dernière heure, au dernier moment, in extremis. – Au moment critique, au moment crucial, au moment décisif.

645 POSSESSION

N. 1 **Possession** *(la possession)* ; détention. – Occupation. – Disposition, jouissance, jouissance légale, usage. – Usufruit ; nue-propriété ou nue propriété [DR.]. – **Propriété** ; **appartenance 396.6.** – Appropriation **869** ; usucapion [DR.].

2 DR. – Possession utile ; possession de bonne foi. – Animus (opposé à corpus), *animus possissendi* (lat., « intention de posséder »).

3 Possession *(une possession)* ; avoir, **bien** ; mien *(le mien ; le mien et le tien).* – Propriété ; capital, patrimoine. – Actif (opposé à passif). – Biens, chevance [région., vx], **fortune.** – Biens propres ou propres *(les propres)* ; acquêts. – Biens patrimoniaux ; biens réservés.

4 Bien-fonds, **bien immeuble,** immeuble ; **bien meuble** ; fonds. – Tréfonds. – Bien corporel, bien incorporel.

5 Copropriété, multipropriété ; copropriété divise ou indivision forcée. – Indivision.

6 DR. : propriété artistique et littéraire, propriété commerciale, propriété industrielle.

7 Acquisition **191** ; entrée en possession, prise de possession. – DR.Acquisition à titre particulier, acquisition à titre universel. – Mise en possession ; cession **101,** donation **241** ; ensaisinement [FÉOD.]. – Maintenue *(la maintenue).* – Envoi en possession ou saisine héréditaire.

8 Titre de propriété ; certificat de propriété.

9 DR. : inaliénabilité, insaisissabilité. – Homestead [DR., anglic.].

10 Possessivité **27** ; captativité. – Acquisivité [vx].

11 **Possédant** *(un possédant)* ; propriétaire ; multipropriétaire. – Propriétaire foncier ; tréfoncier. – Capitaliste *(un capitaliste).*

12 Détenteur, possesseur, propriétaire ; copropriétaire, indivisaire [DR.] ; nu-propriétaire [DR.].

13 Dépositaire ; usager. – Usufruitier. – Fermier, locataire ; emphytéote [DR.].

V. 14 **Posséder** ; avoir, détenir ; tenir. – Prov. : un tiens vaut mieux que deux tu l'auras ; mieux vaut tenir que courir ; qui terre a guerre a.

15 Bénéficier de, **disposer de** ; jouir de, user de. – Être à la tête de. – Avoir pignon sur rue [vieilli] **730.** – **Avoir du bien.**

16 Acheter, **acquérir 191.** – Prescrire [DR.]. – Prendre possession de ; s'emparer de **869.** – Investir.

17 Obtenir ; **recevoir,** recueillir. – Entrer en jouissance de, **entrer en possession de** ; hériter de **101.** – Recouvrer **722,** récupérer, ressaisir.

18 Mettre en possession ; nantir.

19 DR. : saisir **209.**

20 Échoir à, revenir à. – **Appartenir à** ; être à ; DR. : compéter à [vieilli], obvenir à.

Adj. 21 Pourvu ; **nanti 730** ; possessionné [vx].

22 DR : possessionnel ; possessoire. – Usufructuaire. – Patrimonial.

23 DR. – Appartenant ; afférent.

24 **Possédable** ; appropriable [DR.] **869.**

25 DR. : acquérant, acquisitif.

Adv. 26 DR. – Possessoirement. – Patrimonialement.

27 En commun, **en propre.** – DR. : indivisément ou par indivis [DR.], en copropriété, en toute propriété, par divis. – À titre précaire.

646 POSSIBILITÉ

N. 1 **Possibilité** ; opportunité [anglic.]. – Faisabilité [didact.] ; plausibilité, vraisemblance **854.**

2 Possibilité *(une possibilité)* **291** ; alternative. – Possible *(un possible)* ; champ ou sphère du possible.

3 Aptitude **424, capacité,** faculté **858,** potentialité. – Art, chic, don ; fig. : moyen, outil.

4 **Choix 116,** latitude, liberté **462,** loisir. – Autorisation **58,** permission ; blanc-seing, carte blanche. – Droit ; autorité **59,** pouvoir, qualité ; pleins pouvoirs.

5 Prov. : quand on veut on peut ; qui peut le plus peut le moins.

V. 6 **Pouvoir** ; **pouvoir qqch à,** pouvoir qqch sur ; réaliser (ou : remplir, réunir) les conditions pour ; n'être pas en peine pour (ou de) + inf. – **Faire son possible.**

7 Se réserver la possibilité ou le droit de ; s'autoriser à, se réserver de.

8 **Cela se peut** (ou, fam. : ça se peut, litt. : il se peut), c'est du domaine ou dans l'ordre du possible ; cela (fam., ça) peut se faire ; cela (fam., ça) se pourrait bien ; il pourrait se faire que.

Adj. 9 **Possible** ; contingent, éventuel, potentiel, virtuel ; vraisemblable ; probable. – Aléatoire, facultatif.

10 Possible ; envisageable, exécutable, **faisable,** praticable, réalisable ; jouable [fam.]. – Autorisé **58,** licite, permis.

11 À même de **424,** capable de, susceptible de ; armé pour **649,** outillé.

Adv. 12 Possiblement [rare] ; en puissance (opposé à en acte) [PHILOS.]. – Probablement, selon toute vraisemblance, vraisemblablement ; sans doute ; **peut-être.**

13 **Dans la mesure du possible** ; autant que possible ou, litt., autant que faire se peut ; si possible ou, litt., si faire se peut ; du mieux possible. – Au possible.

Prép. 14 Dans le cas de, en état de, en mesure de, en passe de, en situation de [fig.]. – Au pouvoir de, du ressort de. – Dans les cordes de.

Aff. 15 -able, -ible, -uble.

647 POSTÉRIORITÉ

N. 1 **Postériorité.** – Subséquence [DR.].

2 Conséquence **254,** subséquence [litt. ou vx].

3 Développement, **suite** ; lendemain. – Héritage, succession ; reste, retombée(s), éclaboussures, séquelle(s). – Devoir de mémoire ; lieu de mémoire.

4 **Avenir,** futur **332,** lendemain, surlendemain.

5 Ajournement, **délai,** remise, renvoi, report, retard, retardement [vx], surséance [vx], sursis ; atermoiement, procrastination [didact.], temporisation.

6 Postdate ; parachronisme.

7 *Addenda* [lat.], **ajout,** post-scriptum (abrév. P.-S.), postface. – DR. : apostille, codicille.

8 GRAMM. – Apodose ; postposition ; suffixation, suffixe **346.**

9 Arrière-goût, réminiscence, ressouvenir, **souvenir 503.**

10 Successivité [didact.] **576.**

11 Dernier *(le dernier).* – Benjamin, cadet, **dernier-né,** *junior* [lat.], petit dernier [fam.], puîné *(le puîné)* ; juveigneur [DR. FÉOD.].

12 Descendant **314.** – Successeur ; épigone [litt.].

V. 13 Succéder à, **suivre** ; s'ensuivre.

14 Passer après ; attendre.

15 Ajourner, différer, reculer, **remettre,** reporter, repousser, retarder, surseoir [litt.].

16 Atermoyer, **attendre 51,** temporiser ; attendre la suite des évènements.

17 Postdater. – Postposer [GRAMM.] ; suffixer [LING.].

Adj. 18 **Postérieur** ; ultérieur. – Posthume.

19 Prochain, suivant ; à venir, futur **332.** – Consécutif, successif.

20 *A posteriori* [lat., didact.] ; *ex post* (opposé à *ex ante*) (lat., « d'après ») [ÉCON.].

21 Dilatoire.

Adv. 22 **Après,** postérieurement, ultérieurement. – Posthumement [litt.]. – *A posteriori* [lat., didact.].

23 À la suite, par la suite, après coup, après quoi, **ensuite, puis** ; dans la foulée, là-dessus, sur ce, sur ces entrefaites.

24 Dès lors ; à partir de ce moment. – **Désormais,** dorénavant.

25 Consécutivement, conséquemment, subséquemment [vx]. – *Post hoc, ergo propter hoc* (lat., « après cela, donc à cause de cela ») **92.** – Et tout ce qui s'ensuit ; ainsi de suite, *et cætera (etc.)* [lat.].

26 Demain, après-demain. – Plus tard ; avant longtemps, **un jour.** – Avant peu, dans peu, sous peu, prochainement, tantôt [vx], tout à l'heure, un de ces quatre matins, un de ces soirs. – Bientôt, dans un instant, incessamment. – À bref délai.

27 *Sine die* (lat.,« sans qu'une date soit fixée »).

Prép. 28 À la suite de, **après 193,** ensuite de [litt.], passé ; au bout de. – Après la pluie le beau temps [prov.].

29 De, **depuis** ; à compter de, à dater de, à partir de. – Au-delà de, delà [vx].

Conj. 30 **Après que,** une fois que. – Aussitôt que, dès l'instant où, dès que ; **depuis que.**

Aff. 31 Après-.

32 **Post-,** rétro- ; arrière-.

648 PRÉDICATION

N. 1 **Prédication** ; kérygme [didact.] ; mission. – **Catéchèse.**

2 **Apostolat** ; missionnariat ; ministère de la parole. – Mission.

3 **Bonne Nouvelle,** bonne parole. – Parole **475,** parole divine, manne céleste.

4 Homilétique [didact.]. – **Éloquence de la chaire.**

5 Prédication ; homélie, **prêche,** prône, **sermon** ; station. – Oraison funèbre, panégyrique. – Conférence, entretien spirituel. – Péj. : capucinade ; prêchi-prêcha.

6 Prosélytisme. – Croisade ; dragonnade [HIST.].

7 Christianisation. – Islamisation. – Judaïsation.

8 Édification, moralisation **533.** – Catéchisation. – **Catéchisme** ou, fam. et enfant., caté, instruction religieuse [anc.] ; instruction familière [vx].

9 Catéchuménat.

10 Séminaire ; écoles du dimanche. – École talmudique (yeshiva). – École coranique (medersa ou madrasa).

11 Homiliaire, sermologue, sermonnaire.

12 **Prédicateur,** prédicant [vx] ; ministre de la parole, sermonnaire ; conférencier, prêcheur de morale. – Frère prêcheur ; dominicain, oratorien **525.** – Missionnaire ; missionnaire botté [HIST.].

13 Apôtre ; les douze apôtres, les princes des apôtres (saint Pierre et saint Paul). – **Catéchiste** ; catéchète, évangéliste.

14 Catéchumène. – **Converti** ; judaïsant, néophyte ; prosélyte. – Marrane.

V. 15 **Prêcher** ; prêcher dans le désert ; prêcher ou porter la bonne parole. – Exhorter, **sermonner** ; monter en chaire ; tonner du haut de la chaire.

16 Convertir ; dragonner [HIST.]. – Catéchiser, évangéliser. – Christianiser **117** ; catholiciser. – Islamiser **440.** – Judaïser **449.**

Adj. 17 Apostolique, charismatique. – Catéchétique.

18 Catéchistique. – Sermonnaire.

19 Chrysologue.

Adv. 20 Apostoliquement.

649 PRÉPARATION

N. 1 **Préparation** ; analyse, étude, examen ; conception, ébauche, élaboration, mise en route ou en train. – **Maturation** ; méditation, réflexion ; incubation, mûrissage, mûrissement ; préméditation.

2 **Organisation 577,** agencement, aménagement, arrangement, canevas, combinaison ; plan, planning ; organisation du travail, plan de travail, programme ; fig. : branle-bas, plan de bataille, stratégie, tactique. – Confection, mise au point ; préparage [TECHN.].

3 **Préparatifs** ; préliminaires, prémices ; manœuvres ou travaux d'approche. – Aménagements, apprêts, arrangements, dispositions ; appareil [vx ou litt.].

4 **Préparation** ; apprentissage **35,** conditionnement, entraînement **792,** initiation. – SPORTS : entraînement ; training [anglic.]. – **Formation,** instruction, stage ; exercice, expérience, manœuvre ; acheminement [vx]. – RELIG. : alumnat, juvénat.

5 **Introduction** ; avant-propos, commencement **134,** début, discours préliminaire, préambule, préface ; préalable, prélude.

6 Préparateur ; préparateur en pharmacie.

7 **Instructeur** ; éducateur, entraîneur, formateur, moniteur ; enseignant **274,** professeur. – Coach.

8 **Organisateur** 577 ; agent, fomentateur, fomenteur, instigateur, machinateur.

9 **Stagiaire** ; apprenti **266,** élève ; débutant, novice.

V. 10 **Préparer** ; apprêter, arranger, calculer, combiner, concerter, concevoir, disposer, mettre au point, orchestrer, **organiser.** – AGRIC. : défoncer, défricher. – **Étudier,** examiner, mettre à l'étude ; amorcer, débrouiller, dégrossir, ébaucher, engager, entamer. – Fam. : concocter, goupiller, mijoter, mitonner ; machiner. – Monter, mûrir, ourdir, préméditer, régler, tramer ; travailler à ; mettre au point, mettre sur pied.

11 **Instruire 253** ; accoutumer, éduquer, entraîner, exercer, façonner, former, faire la leçon à, inculquer ; catéchiser [fig.], chauffer [fam.]. – **Dresser** ; assouplir, familiariser, habituer, mettre en état, prédisposer, rompre à ; déniaiser, dégourdir, dégrossir.

12 **Aplanir** ; déblayer, faciliter, frayer le chemin, préparer la voie ; amener à, destiner à, mener à.

13 **Se préparer** ; s'apprêter, se disposer à ; méditer, réfléchir. – **S'entraîner,** s'exercer, se mettre en état ou en mesure de ; se faire la main, faire ses premières armes.

14 **Apprendre.** – **Éprouver,** essayer, tâter de, tâter le terrain. – **Être prêt à,** être en état de.

Adj. 15 **Préparatoire** ; éducatif **253,** formateur, formatif [rare], initiatique, instructif. – Préalable, préliminaire.

16 **Préparé** ; averti, capable, compétent, entendu, formé, informé, initié, instruit ; expérimenté, expert, habile ; profès [RELIG.]. – **Prêt** ; à point, chauffé à blanc, mûr.

650 PRESCRIPTION

N. 1 **Prescription** ; disposition, injonction, instruction, recommandation ; assignation. – **Consigne,** mot d'ordre. – RELIG. : indiction, indict [vx].

2 Commandement **133,** gouverne [litt.], loi, maxime, précepte, **règle 696** ; devoir **213,** norme **559.** – Code, **règlement,** statut. – Instructions, marche à suivre ; formalité [DR.] ; étiquette, protocole.

3 Ordonnance [MÉD.], prescription.

4 Prescripteur *(un prescripteur)* [ÉCON.].

V. 5 **Prescrire,** recommander ; **commander 133,** enjoindre, exiger, fixer, imposer, **ordonner,** sommer, vouloir **870** ; astreindre, **contraindre,** obliger **565.** – Assermenter.

6 **Décréter,** disposer, édicter, établir, proclamer, promulguer, prononcer, régler ; assigner ; réglementer, statuer.

7 **Demander,** exiger **545,** imposer, réclamer.

Adj. 8 Prescriptible [litt.] ; exigible.

9 Prescrit. – Canonique, **réglementaire.**

10 Impératif, impérieux.

651 PRÉSENCE

N. 1 **Présence.** – Actualité **652,** contemporanéité [didact.] **768** ; immédiateté.

2 PHILOS. : *Dasein,* être-là *(l'être-là),* présence au monde. – THÉOL. : présence de Dieu, présence réelle.

3 Présence à soi-même ; présence d'esprit.

4 Apparition **34,** manifestation. – LING. : occurrence ; cooccurrence.

5 Assistance [vieilli], présence **52.** – **Assiduité.** – Omniprésence, ubiquisme, ubiquité.

6 Assistance, auditoire, **public** ; galerie, parterre. – Assistant, auditeur, comparant [DR.], participant, présent *(les présents),* spectateur ; écoutant [vx]. – **Témoin 451.**

7 Appel, émargement, pointage ; inventaire **490.** – Feuille de présence, jeton de présence. – Temps de présence ; droit de présence.

V. 8 Être là ; paraître ; honorer de sa présence ; assister à. – **Faire acte de présence,** faire de la présence ; faire une apparition. – Se produire en personne (ou, vieilli : en corps, en pied). – DR. : comparaître, comparoir.

9 Arriver ; fam. : s'amener, se pointer ; montrer le bout de son nez **278.**

10 Répondre à l'appel, répondre présent ; pointer. – Se compter.

11 Mettre en présence ; confronter.

Adj. 12 **Présent.** – Ici présent. – Le (ou la) présent(e) + n. *(le présent pli, la présente lettre).* – En présence. – *In praesentia* (métaphore *in praesentia*) [RHÉT., lat.].

13 Omniprésent ; rare : ubique, ubiquiste, ubiquitaire. – Assidu.

Adv. 14 **Ici,** céans [vx], **là** ; *hic et nunc* (lat., « ici et maintenant »). – Ci-après, ci-devant ; supra.

Prép. 15 **En présence de,** en la présence de [vx], pardevant *(par-devant notaire)* [DR.]. – Sous les yeux de, face à, à la vue de, au vu et au su de ; fam. : à la barbe de, au nez de, au nez et à la barbe de.

Int. 16 Présent ! – Oui !

652 PRÉSENT

N. 1 **Présent** *(le présent)* ; l'actualité, le temps présent ; « le vierge, le vivace et le bel aujourd'hui » (Mallarmé).

2 GRAMM. – Présent de l'indicatif, présent historique ou présent de narration **346** ; conditionnel présent, impératif présent, infinitif présent, participe présent, subjonctif présent.

3 Actualisation **560, mise à jour** ; réactualisation, remise à jour.

4 Contemporain *(un contemporain, les contemporains).*

5 Contemporanéité [didact.] **768, modernité** ou modernisme. – Postmodernité.

V. 6 **Il est l'heure de,** il est temps de ; l'heure est à, l'heure est venue de, le moment est venu de.

7 Être en train de + inf.

8 **Vivre au jour le jour,** vivre dans l'instant ; ne pas se soucier du lendemain. – *Carpe diem* (Horace, « cueille le jour présent »), « Cueillez dès aujourd'hui les roses de la vie » (Ronsard).

9 Actualiser, **mettre à jour** ; réactualiser, remettre à jour. – Suivre l'actualité, se tenir au courant. – Être à la page, **vivre avec son temps** ; fam. : être dans le mouvement, être dans le vent **520.**

Adj. 10 **Présent** ; **actuel,** contemporain, en vigueur, vivant *(langue vivante)* ; courant *(les affaires courantes),* en cours ; immédiat. – D'actualité ; d'à présent, de l'heure, du jour.

11 **Moderne,** nouveau **560** ; postmoderne ; dernier cri, au goût du jour, à la mode. – À jour.

Adv. 12 **Maintenant** ; *hic et nunc* (lat., « ici et maintenant »), ici et maintenant, ores [vx], présentement [sout.] ; à cette heure [vx]. – **Aujourd'hui,** au jour d'aujourd'hui [pop.], la veille de demain [vx]. – Le jour même ; il ne faut pas remettre au lendemain ce qu'on peut faire le jour même [prov.].

13 Au moment où je vous parle, au moment présent ; à l'heure où nous sommes, **à l'heure qu'il est** ; pour l'heure, **pour l'instant,** pour le moment ; dans l'immédiat.

14 Ce coup-ci, **cette fois-ci.**

15 **Actuellement** ; à l'époque actuelle, à l'heure actuelle, à présent ; de nos jours, **en ce moment,** ces temps-ci. – Par les temps qui courent ; dans la conjoncture actuelle, dans l'état actuel des choses.

16 D'emblée, illico, **immédiatement** ; sur le champ, à l'instant **421,** dans le moment même, **tout de suite.**

17 Dès à présent, d'ores et déjà.

18 **Au jour le jour,** au jour la journée [vieilli].

Conj. 19 À présent que, **maintenant que.** – Voici que.

653 PRÉSERVATION

N. 1 **Préservation** ; défense, protection **671,** sauvegarde, sauvetage. – **Économie,** épargne **281.**

2 **Préservation** ; conservation, entretien, garde, maintenance. – Garantie, protection. – Aide, secours, soutien. – Garantique [INFORM.].

3 **Préservation** ; continuation **153.10,** immortalisation, maintenance [vx], perpétuation.

4 **Préservation** ; immunisation **381,** vaccination **498** ; prévention. – Hygiène ; hygiénisme. – Isolement, quarantaine ; cordon sanitaire.

5 **Mise à l'abri** ; emmagasinage, ensilage, entreposage, stockage **489.**

6 **Préservation** ; dessiccation, embaumement, momification. – Empaillage ou empaillement, naturalisation, taxidermie.

7 Défenseur, gardien, **protecteur** ; sauveteur, sauveur. – Conservateur, surveillant. – Garant ; caution.

8 **Préventeur** ; préventologue. – Hygiéniste.

9 Embaumeur. – Empailleur, naturaliste, taxidermiste.

10 **Préservateur** ; conservateur. – Préservatif *(le vaccin est un préservatif)* [vx], vaccin ; antidote, panacée, remède. – Préservatif.

11 **Abri,** protection, refuge. – Réserve ; parc naturel.

V. 12 **Préserver,** protéger ; abriter, couvrir, défendre **801,** garer, mettre à l'abri, sauvegarder.

13 **Préserver** ; conserver, entretenir, garder, maintenir ; continuer, immortaliser [rare], perpétuer. – Assurer, garantir.

14 **Préserver** ; économiser, épargner, ménager, mesurer.

15 **Préserver** ; immuniser, vacciner.

16 Écarter, enrayer, neutraliser, prévenir.

17 Embaumer, momifier. – Empailler, naturaliser.

18 **Préserver de** ; garantir de, garder de, mettre en garde contre, précautionner contre [vx], prémunir contre, soustraire à. – Épargner à, éviter à, exempter de, sauver à [vx].

19 **Se préserver** ; s'abriter, se défendre, se garantir, se garder, se mettre à l'abri, se protéger.

20 **Se préserver de** ; se garder de, se pourvoir contre, se prémunir contre ; obvier à.

21 Demeurer, durer ; se perpétuer, persister, subsister.

Adj. 22 **Préservé** ; mis à l'abri, protégé, sauvegardé, sauvé. – Conservé, intact.

23 Embaumé, momifié. – Empaillé, naturalisé.

24 **Conservateur** ; conservatoire. – Préventif ; vx : préservateur *(mesures préservatrices)*, préservatif *(remède préservatif)*. – Protecteur ; salvateur.

25 Économe, ménager [vx].

Adv. 26 Préventivement. – Précautionneusement.

Aff. 27 Garde- ; pare- ; -fuge.

654 PRESSE

N. 1 **Presse** *(la presse)*. – Presse écrite ; presse audiovisuelle, presse parlée. – Liberté de la presse ; délit de presse.

2 Presse locale, presse régionale, presse nationale, presse internationale. – **Presse quotidienne,** presse mensuelle ; presse gratuite. – Presse d'information, presse d'opinion ; presse du cœur, presse féminine, presse masculine ; presse spécialisée, presse technique.

3 **Journal** ; fam. : **canard,** feuille. – Péj. : feuille de chou, torchon ; péj. et vulg. : torche-cul. – Arg. : baveux, cancan, papier. – Quotidien *(un quotidien)* ; journal du soir ; journal à gros tirage ; tabloïd.

4 Bulletin, illustré *(un illustré)*, magazine, publication, **revue.** – Organe ; journal d'entreprise, journal interne ; journal officiel. – Gazette [vieilli] ; dazibao [Chine]. – Journal lumineux ; transparent. – Journal télévisé **681** ; journal parlé.

5 **Périodique** *(un périodique)* **654.23** ; hebdo *(un hebdo)* [fam.], newsmagazine [anglic.], quinzomadaire [fam.], mensuel *(un mensuel)*. – Hors-série.

6 **Édition** ; fascicule, livraison.

7 **Information 136,** nouvelle. – Scoop ou exclusivité ; fait divers ou fait-divers.

8 **Article,** papier [fam.]. – Analytique *(un analytique)*, article de fond ; enquête, **reportage** ; interview ; articulet, brève, entrefilet ; communiqué, dépêche ; échos ; marronnier. – Commentaire, **éditorial** ou édito, leader. – Billet, bloc-notes, chronique ; lettre ouverte, tribune libre. – Feuilleton ; horoscope ; mots croisés. – Titre, intertitre ; pavé ; encadré. – Tourne *(la tourne ; suite d'un article à la tourne)*.

9 **Rubrique** ; courrier des lecteurs, locale *(la locale)* [fam.], rubrique des chiens écrasés.

10 **Publicité 675** ; encart ; insertion, placard publicitaire, pleine page. – Carnet mondain ; **petites annonces.**

11 Revue de presse. – Campagne de presse.

12 Titre ; bandeau, gros titre, **manchette, une** *(la une)* ; cinq colonnes à la une ; article de tête, ouverture. – Colonne, corps du journal ; chapeau. – Appel ; ours ; N. D. L. R. (note de la rédaction). – Coupure de journal ou de presse.

13 Bouillon.

14 **Journalisme** ; enquête, reportage ; photojournalisme, photoreportage ; couverture *(couverture d'un évènement)*.

15 Le journalisme, **la presse.** – Service de presse ; société de rédacteurs. – Agence de presse. – Secrétariat de rédaction ; desk [anglic.].

16 **Journaliste** ; vx : nouvelliste, publiciste ; agencier. – **Correspondant** *(un correspondant)*, correspondant de guerre, envoyé permanent, envoyé spécial, reporter ; fait-diversier, localier [fam.]. – Commentateur, éditorialiste ; billetiste ou billettiste, chroniqueur, échotier, soiriste [vx] ; **critique,** salonnier [vx]. – Courriériste ; feuilletoniste.

17 Péj. – Articlier, journaleux, pisseur de copie ou pisse-copie [très fam.], **plumitif 252** ; vx : feuilliste, folliculaire, gazetier ; arg. : canard, chieur d'encre, griffonneur de babillard.

18 **Rédaction** *(la rédaction)* ; pigiste [fam.], rédacteur, rédacteur en chef, secrétaire de rédaction ; correcteur. – Gérant.

19 Cameraman, radioreporter. – Présentateur, speaker.

20 Annoncier, typographe **388.**

21 Crieur, porteur ; kiosquier, **marchand de journaux.** – Abonné *(un abonné).*

22 **Kiosque,** maison de la presse. – Hémérothèque.

V. 23 Annoncer, **informer** ; chroniquer [fam.]. – Couvrir *(couvrir un évènement),* enquêter ; interviewer. – **Commenter,** éditorialiser. – Pisser de la copie [très fam.] ; journaliser [fam., vx]. – Boucler.

24 Bouillonner.

25 Abonner.

26 Avoir une bonne ou une mauvaise presse **227.**

Adj. 27 **Journalistique.**

28 **Périodique** ; **quotidien** ; hebdomadaire ; bimensuel ; mensuel ; bimestriel, trimestriel. – Apériodique.

Adv. 29 À la pige [fam.].

655 PRÉTENTION

N. 1 **Prétention** ; immodestie, présomption, vanité ; mégalomanie. – Fatuité, importance, infatuation, **suffisance** ; bouffissure, boursouflure, enflure **581.** – Narcissisme.

2 Arrogance, outrecuidance, superbe ; air d'importance.

3 Petit maître ; vx : aliboron, maître Aliboron. – Geai paré des plumes du paon [allus. litt.], paon qui se mire dans sa queue ; narcisse *(un narcisse).* – Punais *(un punais)* [vx].

V. 4 Prétendre ; compter, espérer, penser. – S'autoproclamer, se flatter de, se prévaloir de, se targuer de ; se faire fort de.

5 **Se vanter** ; fam. : se donner du jabot, se faire mousser. – Faire l'avantageux, faire son quelqu'un, trancher du personnage. – Faire des bulles [fam.], sonner ce que l'on dit, ramener sa science [fam.]. – Promettre plus de beurre que de pain [fam.].

6 Se parer des plumes du paon, se pousser du col ; s'envoyer des fleurs [fam.]. – S'enivrer de son vin, s'en faire croire ; s'écouter pisser [très fam.]. – Fam. : avoir la grosse tête, **s'y croire** ; ne plus se sentir ; ne plus se sentir pisser [très fam.]. – Ne pas se moucher du pied ou du coude [fam.], ne pas se prendre pour de la crotte de bique [fam.] ; se croire sorti de la cuisse de Jupiter. – Se mirer, se mirer dans ses plumes, se regarder le nombril [fam.].

7 **Se surestimer, se vanter** ; ne douter de rien [fam.], vouloir péter plus haut que son cul [très fam.]. – Qui lui piquerait la peau il n'en sortirait que du vent [vieilli].

8 Prendre de haut, regarder par-dessus l'épaule.

9 Infatuer [sout.].

Adj. 10 **Prétentieux,** présomptueux. – Vain [vieilli], **vaniteux** ; fat, infatué, infatué de sa personne, plein de soi-même. – Avantageux, suffisant ; arrogant, outrecuidant, puant [fam.].

Adv. 11 **Prétentieusement** ; péremptoirement, présomptueusement. – Vaniteusement.

656 PRÉTEXTE

N. 1 **Prétexte** ; (bonne) excuse ; cause, **motif 536,** raison. – Argument, **explication,** justification ; **alibi.**

2 **Prétexte,** faux prétexte ; allégation, échappatoire, (mauvaise) excuse, faux-fuyant **316,** faux motif, faux-semblant, mauvaise raison, refuite [litt. ou vx], stratagème, subterfuge ; biais, moyen, porte de sortie **783.** – **Fausseté** ; mensonge **504,** ruse, tromperie. – **Dissimulation,** couvert, couverture ; apparence.

3 **Prétexte** ; lieu, matière, **sujet, occasion** ; point de départ. – BX-A. : Prétexte, sujet.

V. 4 **Prétexter** ou prétexter de, prétexter que + ind. **373** ; **alléguer,** arguer de, **invoquer,** faire valoir, mettre en avant ; se retrancher derrière ; excuser, justifier. – Prendre, tirer prétexte de ; s'autoriser de, exciper de [litt.], profiter de, se servir de, tirer argument de.

5 **Prétendre,** feindre, simuler ; **faire semblant.** – Dissimuler **751.**

6 **Prétexter** ; causer, motiver, **occasionner** ; donner lieu, donner matière, fournir prétexte à.

Adj. 7 **Prétexté** ; prétendu, soi-disant ; feint, simulé. – Fallacieux, **faux,** mensonger.

Adv. 8 Prétendument, **soi-disant.**

Prép. 9 Sous (le) prétexte de ; sous couleur de, sous (le) couvert de, sous le manteau de [vx] ; sous ombre de [vx], sous le voile de [litt.].

657 PRIÈRE

N. 1 **Prière.** – **Oraison,** orémus [fam., vieilli] ; éjaculation [vx], oraison jaculatoire. – Contemplation, méditation, recueillement. – Extase, ravissement ; illumination, vision béatifique. – Darsana (sanskr., « vision mystique »).

2 **Prière** ; **chapelet.** – Prière d'adoration, prière de louange ; prière d'intercession ; prière d'action de grâces. – Ex-voto. – Déprécation, obsécration ; **invocation,** supplication.

3 **Oratoire,** sacrarium [ANTIQ. ROM.]. – Chapelle, église **567.**

4 Orant [litt.], priant [vx].

5 Neuvaine, triduum. – Chemin de croix.

6 Messe **508.** – Récollection, retraite spirituelle. – Prédication **648.**

7 Litanies. – **Chapelet,** rosaire ; dizaine ; moulin à prières.

8 **Cantique 106,** psaume ; hymne. – Cantique des cantiques, De profundis.

9 Ave ou **Ave Maria** (lat., « Je vous salue Marie »), Salutation angélique, Magnificat ; Pater Noster (lat., « Notre Père »), Oraison dominicale ; **Credo** (lat., « Je crois ») ou symbole de la foi ; doxologie ; angélus, laudes. – Patenôtre [vieilli].

10 Bénédicité ; grâces.

11 Prières de la messe. – Confiteor ; anamnèse, préface, prière eucharistique ; offertoire, secrète [vx]. – Alleluia, gloria, Kyrie ou Kyrie eleison ; benedictus, sanctus. – Capitule. – Absoute ; mémento.

12 Heures canoniales. – Prime, tierce, laudes, matines ou office de lectures ; sexte, none, complies, vêpres. – Prier-Dieu [HIST.].

13 Bréviaire ou livre d'heures ; horologe. – Antiphonaire, diurnal ; temporal, vespéral. – Sacramentaire [vx]. – Hymnaire, psautier.

14 Cantillation, **psalmodie.** – Tadjwid.

15 Judaïsme **449.** – Alenou, Kaddish.

16 Islam **440.** – Salat ; subh, zuhr, asr, marhrib, icha. – Dhikr, hadhra ; madih. – Khutba ; adhan.

17 Bouddhisme **80,** hindouisme **362** dhyana (méditation), samadhi (concentration), stuti (louange).

18 Prieur, prieure.

V. 19 **Prier** ; être en prière, faire oraison [vx]. – Élever son âme, se recueillir ; se prosterner. – Adorer ; bénir Dieu, rendre grâces à Dieu.

20 Faire ses dévotions ou ses prières. – Défiler son chapelet, dire son bréviaire ; fam., vieilli : dire des orémus. – Psalmodier.

Adj. 21 Contemplatif, méditatif. – En prière.

22 Invocatoire.

658 PRINCIPE

N. 1 **Principe.** – Base, fondement ; cause première **92,** origine, point de départ ; **centre 96,** clé de voûte, pierre d'angle ou pierre angulaire.

2 Loi ; règle **696,** règle de jeu, règle de vie ; système **807,** théorie. – Définition, proposition. – Convention. – Axiome, postulat. – Dogme, vérité de foi ; vérité première. – Morale **533.**

3 LOG. : assomption ; **principe logique** ou **premier** ; principe d'identité ou de non-contradiction, principe de contradiction ou de contrariété, principe du milieu exclu ou du tiers exclu ; axiomatique, axiomatique formelle.

4 PHILOS. : Leibniz : principe de continuité, principe des indiscernables, principe de raison ; Kant : principe pratique, principe de substance.

5 PSYCHAN. : principe de constance ou de nirvana, **principe de plaisir,** principe de réalité. – Principe de Peter [SOCIOL.].

6 PHYS. : principe d'Archimède, principe de la conservation de la masse, principe d'inertie ; principe d'incertitude, principe de relativité.

7 Conventionnalité ; conventionalisme ou conventionnalisme.

8 Axiomatisation.

V. 9 **Axiomatiser** [didact.] ; admettre, convenir, **postuler** ; partir du principe ou de l'idée que, prendre pour hypothèse que **802.** – Partir d'un principe, poser en fait.

Adj. 10 **Principiel** [didact.], premier ; définitoire. – Conventionnel, définitionnel. – Axiomatique, hypothétique. – Axiomatisable.

11 **Principal** ; basal, basique [anglic. critiqué], essentiel, fondamental, primordial ; de principe.

Adv. 12 Dans l'absolu, en principe, en théorie, sur le papier, théoriquement. – En droit (opposé à en fait).

13 Axiomatiquement [didact.].

14 **Principalement** ; essentiellement. – Capitalement [vx], fondamentalement.

659 PRIX

N. 1 **Prix.** – Coût, montant, **valeur.** – **Tarif,** taux. – **Cours 81,** cote ; change, cours de change.

2 Prix brut, prix net, **prix de revient.** – **Prix coûtant,** prix de fabrique ou d'usine **524** ; **prix de détail, prix de gros.** – Prix hors taxe ou, abrév.,

H. T., prix toutes taxes comprises ou, abrév., T. T. C. – Prix affiché ; prix fixe. – Prix imposé, prix libre ; prix plafond, prix plancher ; prix garanti. – Prix d'ami ; dernier prix.

3 Blocage, fixation, indexation des prix ; tarification, taxation **222.** – Fluctuation des prix ; augmentation **56,** élévation ou **hausse des prix,** valse des étiquettes [fam.] ; litt. : enchérissement, renchérissement ; inflation, hyperinflation ; stagflation ; **baisse des prix** ; déflation ou, terme critiqué, désinflation.

4 Décote, moins-value, réfaction.

5 Majoration, plus-value.

6 Indice des prix. – Coût de la vie.

7 Appréciation, cotation, **estimation,** évaluation, prisée [vx]. – **Mise à prix.** – Enchère, folle enchère ; surachat, surenchère.

8 Marchandage **135,** barguignage [vx], maquignonnage.

9 Devis. – **Facture 587,** note ; total. – Bordereau, étiquette.

10 Cote, mercuriale ; prix courant.

V. 11 **Coûter, valoir.** – Revenir à. – Monter à ; s'élever à, faire *(faire tel prix).*

12 Baisser, diminuer **220.** – Augmenter **56,** enchérir, renchérir, surenchérir.

13 Apprécier, coter, estimer, évaluer, faire l'estimation de, priser [vx]. – **Dire un prix,** donner un prix, faire son prix ; mettre à prix ; facturer, tarifer ou tarifier, taxer. – Indexer.

14 Convenir d'un prix, débattre d'un prix. – Négocier **135,** traiter. – **Marchander** ; fam. : bibeloter, chipoter ; vx : barguigner, marchandailler. – Enchérir sur qqn, surenchérir. – Majorer ; revaloriser, valoriser.

15 Y mettre le prix.

16 Être dans les prix de.

17 Ne pas avoir de prix.

Adj. 18 Vénal [ÉCON.].

19 Tarifaire. – Tarifé ; taxé.

20 À prix d'argent [vieilli], moyennant finance, à titre onéreux.

660 PROBABILITÉ

N. 1 **Probabilité.** – Chance **358,** éventualité **291** ; possibilité **646.** – Crédibilité, recevabilité, **plausibilité,** vraisemblance **854.** – Certitude **99.**

2 **Prévision,** pronostic ; présomption, spéculation, supposition **802,** supputation. – Prospective **332.**

3 MATH. – Calcul des probabilités **87,** théorie des probabilités (ou les probabilités) ; loi des grands nombres, loi des probables ; statistique *(la statistique).* – Probabilité d'un évènement.

4 Probabilisme [PHILOS.].

5 Probabiliste [PHILOS.]. – Prospectiviste, statisticien ; actuaire.

V. 6 **Conjecturer** ; se perdre en conjectures. – Présumer, pronostiquer, supposer **802,** supputer. – Apprécier, calculer, estimer, évaluer, peser, soupeser ; peser les chances, peser le pour et le contre.

7 Faire ou émettre une hypothèse ; gager, parier. – S'attendre à, se douter de.

8 **Menacer** ; fam. : pendre au nez comme un sifflet de deux sous.

Adj. 9 **Probable.** – Plausible, vraisemblable ; acceptable, admissible, recevable, soutenable. – Présumable. – DR. : présomptif, putatif.

Adv. 10 **Probablement,** probable [fam.] ; selon toute probabilité ou selon toute vraisemblance, vraisemblablement ; sans doute ; peut-être.

11 Conjecturalement [litt.], par hypothèse.

661 PRODIGALITÉ

N. 1 **Prodigalité** ; largesse, magnificence, munificence [litt.]. – Générosité **336.** – Abondance **1.**

2 **Dilapidation,** dissipation ; gabegie, gaspillage ou, fam., gaspi ; coulage ou, vx, coule [fam.]. – Vie large.

3 Prodigalités ; dons **241,** largesses, libéralités ; **dépenses effrénées 191,** dépenses inconsidérées, dépenses somptuaires [emploi critiqué] ; folles dépenses ; dépense de nabab ; vx : magnificence, somptuosité. – Écu changé, écu mangé [prov., vx].

4 Oniomanie [didact.].

5 **Bourreau d'argent,** panier ou sac percé *(un panier percé)* ; mange-tout [vx] ; fouille percée [arg.] ; décheur [arg.] ; flambeur [arg.] ; cigale [allus. litt.].

V. 6 **Prodiguer 191** ; dilapider, dissiper ; claquer [fam.], flamber [vieilli] ; engouffrer, engloutir, dévorer ; fam. : croquer, manger ; **entamer** ; ébrécher, écorner. – Gaspiller.

7 Distribuer ou répandre à tort et à travers, jeter au vent. – **Donner sans compter,** ne pas regarder à la dépense, verser l'or à pleines mains. – Litt. : épancher *(épancher ses bienfaits),* épandre, faire largesse.

8 Faire des extra ; **faire des folies.** – Se fendre [fam.].

9 Faire de la dépense [vieilli] **191** ; dépenser sans compter ; **brûler la chandelle par les deux bouts 294,** manger son bien par les deux bouts ; jeter l'argent par les fenêtres ; avoir les poches percées ; manger son blé en herbe ou en vert ; vx : manger le vert et le sec, prendre le chemin de l'hôpital. – Fam. : l'argent lui brûle les mains, lui coule des doigts, lui fond dans les mains.

10 Avoir des goûts de luxe [fam.]. – **Mener grand train,** ne pas lésiner, vivre sur un grand pied ; mener la vie à grandes guides [sout.] **730,** vivre au-dessus de ses moyens ; faire le grand seigneur, vivre comme un prince. – S'endetter **209.** – Loc. prov., vieilli : boire sa fortune, faire bonne chère et petit testament.

Adj. 11 **Prodigue** ; dépensier, dilapidateur, dissipateur. – **Généreux 336,** large, libéral ; munificent [litt.] ; gaspilleur. – À père avare, fils prodigue ou fils dissipateur [prov.].

12 Somptuaire *(édit, loi somptuaire)* [didact.].

Adv. 13 **Prodigalement** [sout.], à pleines ou, vx, à belles mains, à profusion **1,** sans compter ; effrénément [vx]. – Magnifiquement, somptueusement, royalement **730** ; avec faste ou munificence [litt.].

Int. 14 Au diable l'avarice ! [souv. par plais.].

662 PRODUCTION

N. 1 **Production** ; coproduction. – Confection, fabrication, concrétisation, réalisation ; actualisation [PHILOS.] **34.2.** – Accomplissement, édification, effectuation. – Émission.

2 **Création** ; conception, élucubration [vx], procréation [litt.] ; fig. : accouchement, enfantement, engendrement. – THÉOL. : génération, procession. – **Élaboration,** formation, genèse. – Recréation ; reproduction.

3 Invention **414.1** ; établissement, fondation, **instauration,** institution.

4 Reproduction. – Accroissement, **augmentation 56,** fructification, multiplication ; industrialisation.

5 Créé *(le créé).* – Ouvrage, production, **produit** ; artefact. – Travail. – Artisanat, industrie ; culture **18,** élevage **262.**

6 Rendement [ÉCON.] ; sous-production [ÉCON.], surproduction [ÉCON.]. – Production intérieure brute (P. I. B.), production nationale brute (P. N. B.) ; ***output*** (anglic., « résultat d'une production »).

7 PHILOS., ÉCON. – Forces productives ; mode de production, rapports de production ; fonction de production ; moyens de production.

8 PÉTR. : horizon productif ou producteur ; essai de production.

9 **Productivité,** rendement ; efficace [didact.]. – Fécondité **711.15,** fertilité. – Créativité, inventivité. – Compétitivité.

10 Productibilité ; fabricabilité [TECHN.].

11 **Génie** *(génie chimique, génie civil, génie génétique, etc.).* – Didact. : créatique, productique ; ergonomie ; chrématistique [vx]. – Productivisme [didact., péj.].

12 **Créateur, producteur** ; coproducteur [CIN.]. – Auteur, concepteur, ingénieur, inventeur ; innovateur, novateur ; fondateur ; promoteur. – Fabricant, fabricateur [vx], facteur *(facteur d'orgues)* ; ouvrier, prolétaire, travailleur ; industriel *(un industriel)* ; élucubrateur [rare]. – Démiurge [litt.], dieu **236,** Dieu **215** ; père.

13 Créaticien [didact.].

V. 14 **Produire** ; émettre. – Établir, fonder, instaurer, instituer ; causer **92.9.** – PHILOS. : actualiser, amener à l'être, faire venir à l'être. – Recréer, reproduire.

15 Accomplir, effectuer, **faire,** réaliser ; concrétiser. – Fam. : accoucher, pondre.

16 **Créer,** élaborer, former **323.11** ; engendrer, générer. – Confectionner, **fabriquer,** forger [fig.] ; édifier. – Manufacturer, usiner. – Fam. et péj. : bidouiller, bricoler.

17 Débiter, sortir ; mettre sur le marché. – Industrialiser. – COMM. : produire, coproduire, financer.

18 **Fructifier,** proliférer ; donner, fournir, porter, rapporter, rendre, travailler ; avoir tel rendement.

Adj. 19 **Productif** ; sous-productif, surproductif ; productiviste. – Efficace ; ergonomique ; fig. : fécond, fertile, fructueux, généreux, prodigue, fructifiant, proliférateur. – Créatif, inventif. – Démiurgique [didact.].

20 Créateur, recréateur [rare]. – Fécondateur [fig.]. – Engendreur [rare], générateur [LING. ou vx], procréateur, reproducteur.

21 Compétitif.

22 Artisanal, industriel.

23 **Créé,** engendré, généré [anglic.]. – Artificiel.

24 Productible ; fabricable [TECHN.].

Adv. 25 **Productivement.** – Fertilement [rare]. – Inventivement.

26 Artificiellement ; artisanalement, industriellement.

663 PROFANE

N. 1 **Profane** *(le profane)* ; incroyance **398.** – Monde *(le monde),* siècle *(le siècle).* – HIST. RELIG. : nation *(les nations),* païen *(les païens)* ; gentilité, paganisme **700.** – Gentil *(un gentil),* païen *(un païen)* ; laïc *(un laïc).*

2 Mondanité, sécularité ; **laïcité.**

3 **Sécularisation.** – Laïcisation. – THÉOL. : profanation ; exécration.

4 Sacrilège, violation **865.** – Profanation.

5 **Arts profanes.** – Musique profane (opposé à musique sacrée) **543.** – Théâtre profane (opposé à théâtre sacré) **748.**

V. 6 Désacraliser. – Séculariser ; laïciser. – LITURGIE : exécrer, **profaner.**

Adj. 7 **Profane.** – Mondain, séculier. – Lai [vx], laïc.

8 Gentil (fém. gentile), païen.

9 Exécratoire.

Adv. 10 Séculièrement. – Ici-bas (opposé à là-haut).

664 PROJET

N. 1 **Projet** ; conseil [vx] **148, dessein 870,** idée, **intention,** propos, résolution **716** ; **plan,** programme. – **But,** objectif, visée, vue ; aspiration, idéal. – **Désir 199,** velléité.

2 **Projet** ; avant-projet, contre-projet, devis, **étude, programme, proposition** ; projet de loi. – Brouillon, **ébauche,** esquisse, essai **812,** linéaments ; premier crayon [litt.], premier jet. – Cadre, **canevas, schéma,** trame ; grandes lignes, idée générale ; résumé, synopsis [CIN.], topo. – **Concept.**

3 **Projet** ; dessin, image, **projection,** représentation ; croquis ou, fam., crobar(d), épure, **maquette 521.1, plan,** tracé. – Devis.

4 Projet ; **calcul 51, préméditation.** – Combinaison, combine [fam.], **complot,** conspiration **642,** machination, manigance.

5 **Projet** ; **chimère,** fantasme ou, litt., phantasme, rêve, **utopie** ; château en Espagne, songe creux.

6 Abstraction, **conception** ; spéculation. – Organisation **577.8,** planification. – Imagination. – Ambition.

7 Avenir, futur **332.** – Prévision, prospective.

8 Chef de projet ; **concepteur,** designer [anglic.] ; projeteur ; planificateur, planiste. – Rapporteur.

9 **Rêveur,** utopiste ; songe-creux, visionnaire.

10 Instigateur, promoteur. – Comploteur, conspirateur.

V. 11 **Projeter** ; **envisager,** méditer de, penser à, se proposer de, songer à ; **avoir l'intention de 428,** avoir en vue de, compter faire, faire le projet de ; caresser un projet, se promettre de **666.** – **Décider.** – Prévoir, **programmer** ; construire l'avenir.

12 Calculer, **préméditer** ; spéculer, supputer.

13 **Concevoir,** former, **imaginer,** réaliser ; conceptualiser, formaliser. – Arranger, combiner **795.13,** échafauder, **élaborer,** forger, goupiller [fam.], machiner, manigancer, monter, ourdir, préparer, tramer ; dresser un plan, dresser ses batteries, poser des jalons. – **Comploter,** concerter, se concerter, conspirer. – Organiser **577.15,** planifier.

14 **Ébaucher,** esquisser ; schématiser. – Développer, étudier, remanier, travailler.

15 **Ambitionner,** aspirer à, **désirer,** prétendre à, viser à ; avoir des vues ou des visées sur. – Attendre **51,** escompter, **espérer 285.**

16 **Imaginer 378,** s'imaginer, **rêver** ; bâtir des châteaux en Espagne, tirer des plans sur la comète ; bâtir sur le sable ; vendre la peau de l'ours avant de l'avoir tué.

17 Projeter, rapporter, tracer.

Adj. 18 **Projeté** ; prévu, **programmé** ; caressé, **envisagé,** imaginé. – **En projet** ; à l'étude ; **ébauché,** esquissé. – Conçu, pensé.

19 Concevable, **envisageable,** possible **646.10,** prédictible [didact.], prévisible, annoncé. – **En vue.**

20 Programmatique.

Adv. 21 À court terme, à long terme.

665 PROLIXITÉ

N. 1 **Prolixité** ; diffusion [péj., vx], longueur, verbosité, volubilité **264.** – **Abondance 1,** surabondance ; exubérance.

2 **Loquacité** ; garrulité [rare], logorrhée ; fam. : bagout, caquet ; tchatche [arg.] ; bavarderie ou bavardise [vx].

3 **Délayage,** remplissage ; rabâchage, radotage. – Amplification [RHÉT.], développement.

4 **Bavardage** ; babillage [litt.], cailletage [litt.], caquetage [fam.] ; arg. : bagoulage, clapet, jactance, jaspin, pia-pia. – Clabauderie [litt.], **commérage 227.**

5 Effusion ; bavardages, **longueurs,** phraséologie. – Laïus [fam.], tartine [fam.], **tirade** ; roman-fleuve [fig.]. – Pléonasme, répétition ; digression. – Circonlocution, périphrase.

6 Flux de paroles ; babil [litt.], jacassement, jacasserie [fam., vx], ravauderie ou ravaudage [litt., vx]. – **Baratin** [fam.], bla-bla [fam.] ; discutaillerie [péj.], **verbiage.** – Cancan.

7 **Bavard** ; babillard [litt.] ; crécelle [fam.] ; fam. : moulin à paroles, robinet d'eau tiède. – **Discoureur,** jaseur, palabreur, phraseur ; fam. : baratineur, laïusseur. – Arg. : bavocheur, jaspineur, rouleur. – Péj. : baveuse [arg.], caillette [litt.], concierge, pie borgne, **pipelette** [fam.]. – Commère.

V. 8 S'épancher, **s'étendre.** – Amplifier [RHÉT.], **développer** ; paraphraser. – Broder ; digresser [didact.] ; se perdre dans les détails, sortir du sujet. – Rabâcher, radoter, **se répéter 704.9** ; faire des redites. – Parler pour ne rien dire.

9 Fam. : avoir la langue bien pendue (ou : bien affilée, bien déliée), **n'avoir pas la langue dans sa poche** ; fam. et vieilli : avoir bon bec, avoir une bonne ou une fameuse platine, avoir une fière tapette ; être vacciné avec une aiguille de phonographe.

10 **Bavarder** ; babiller [litt.], cailleter [litt.], jaser ; fam. : caqueter, **jacasser,** papoter ; laïusser [fam.], lantiponner [fam., vx], **pérorer.** – Noyer sous un flot de paroles. – Arg. : bagouler, bavasser, bavocher, blablater, jaquetancer, jaspiner, mouliner. – Cancaner, commérer [fam., vx].

Adj. 11 **Prolixe** ; **bavard,** diffus [litt.], verbeux ; fam. : délayé, filandreux. – De longue haleine [sout. et vieilli] **247, long** ; longuet [fam.], sans fin. – Redondant ; périphrastique [LING.] ; hors sujet.

12 **Bavard,** babillard [litt.], intarissable, loquace, volubile ; baveux [fam.] ; bavard comme une pie ou comme un perroquet. – Communicatif **136, expansif** ; causant [pop.]. – Cancanier.

Adv. 13 Prolixement [litt.] ; bavardement [rare]. – En détail, *in extenso* (abrév. : i. e.). – Etc.

666 PROMESSE

N. 1 **Promesse** ; **engagement** ; serment, vœu [sout.]. – **Parole,** parole donnée **472,** parole d'honneur. – Litt. : **foi 320,** foi jurée.

2 **Assurance** ; affirmation.

3 **Contrat moral, lien** ; **confiance 145,** fidélité, **loyauté.** – FÉOD. : foi et hommage, fraternité d'armes. – Fiançailles. – Contrainte, **obligation 565** ; dû.

4 RELIG. – **Profession** *(profession de foi, profession religieuse),* promesse ou vœu d'obéissance **525** ; **vœux** *(vœux de baptême, vœux perpétuels)* ; renouvellement.

5 DR. – **Acceptation, compromis 141,** promesse de vente ; option, promesse d'achat, promesse d'action. – **Contrat,** convention ; contrat de garantie ; assurance, gage **752, garantie,** porte-fort. – Stipulation [DR. ROM.].

6 Décision, **résolution 716.**

7 **Accomplissement 5,** réalisation. – Chose promise, chose due [prov.].

8 Dédit, défaillance [DR.], **dégagement,** rupture **828.**

9 Promesse de ; annonce, **espérance,** espoir **285.**

10 **Prometteur** *(un prometteur)* [rare]. – Femme de parole, homme de parole.

11 Vieilli : **promis** *(le promis),* promise *(la promise)* ; **fiancé** *(les fiancés).* – Profès *(un profès)* [RELIG.]. – Stipulant [DR.].

V. 12 **Promettre** ; affirmer, **assurer, jurer que.**

13 Respecter sa promesse (ou : ses engagements, sa parole), **tenir parole** (ou : sa parole, ses engagements, ses promesses) ; **être esclave de sa parole** ; n'avoir qu'une parole.

14 **Accomplir 233** ; honorer (ou : réaliser, remplir) son contrat.

15 **Donner sa parole,** engager sa parole ou son honneur ; **s'engager** ; prononcer ses vœux [RELIG.]. – Donner des apaisements, donner des gages.

16 **Se promettre de** + inf. ; décider, prendre la résolution de **716** ; **faire** ou **former le vœu de** ; faire ou former le projet de **664.**

17 **Promettre de** + inf., **s'engager à** + inf. – Prendre un engagement ; prendre une option sur [DR.].

18 **Promettre la lune 474,** promettre monts et merveilles, promettre des monts d'or ; promettre plus de beurre que de pain **655.** – Il ne faut pas lui en promettre [loc. fam.].

19 Promettre qqn à qqn ; **destiner, vouer** ; fiancer. – Se promettre l'un à l'autre.

20 Se promettre + n. *(se promettre fidélité)* ; **se jurer.**

21 Manquer à sa promesse (ou : à ses engagements, à sa parole) **828.** – Se dégager de **461, retirer sa promesse 31.**

22 **Annoncer,** indiquer, **présager.** – Ça promet ! [loc. fam., souv. iron.].

Adj. 23 **Promis** ; **engagé** ; **fiancé** ; profès [RELIG.].

24 **Ferme** ; dû. – Sûr.

25 **Prometteur** ; plein d'avenir.

26 **Votif** ; propitiatoire **477.**

Adv. 27 **Sur parole** ; sur l'honneur **366.**

Prép. 28 **En foi de.** – **Sous promesse de.**

Int. 29 Foi de + n.

667 PROMOTION

N. 1 **Promotion** ; **avancement** ; ascension, élévation. – RELIG. : collation, ordination. – Accréditation **58.** – Élection **116.**

2 Accession à un poste, admission. – Nomination, titularisation. – Ascenseur social.

3 Avènement. – Couronnement, **intronisation,** sacre ; investiture.

4 **Ambition 199** ; **arrivisme,** carriérisme.

5 MIL. – Galon ; fam. : ficelle, sardine. – Barrette [RELIG.].

6 **Arriviste,** carriériste ; jeune loup. – Panier de crabes.

7 **Promotion** ou promo [fam.] **274.** – Récipiendaire [litt.] ; homme de fortune [vx].

V. 8 **Promouvoir** ; élever, **nommer** ; avancer [vx] ; appeler à une fonction ; titulariser ; élire **116** ; couronner, **introniser,** sacrer ; investir ; RELIG. : consacrer, ordonner ; cardinaliser [didact.] ; conférer l'ordre.

9 **Avancer** ; progresser. – **Arriver,** réussir **798** ; gravir les degrés de l'échelle sociale, progresser dans l'échelle sociale. – Avancer (ou : s'élever, monter) en grade, passer à l'échelon supérieur ; fam. : avancer ou monter d'un cran, prendre du galon. – **Avoir le vent en poupe 798** ou dans le dos, avoir de l'avenir ; faire une belle carrière, faire son chemin ; faire son trou [fam.], se faire une place au soleil ; emporter ou gagner son bâton de maréchal.

10 Accéder ou parvenir à la dignité (ou : au rang, au titre) de.

11 **Ambitionner 199.** – Jouer des coudes ; fam. : avoir les dents longues (aussi : les dents qui rayent le parquet, les dents qui raclent le plancher, les dents qui traînent par terre).

Adj. 12 **Promotionnel.**

13 **Promu** ; titularisé **822.**

14 Promouvable. – **En crédit,** en faveur **366.**

668 PROPORTION

N. 1 **Proportion** ; proportionnalité ; **rapport.** – Balance, équilibre **282,** harmonie, mesure. – Régularité, symétrie.

2 **Proportions** ; dimensions. – Ampleur, étendue. – PHYS., CHIM. : loi des proportions définies ou loi de Proust, loi des proportions multiples ou loi de Dalton.

3 Proportion [vieilli], comparaison ; **analogie 753.** – Proportion [MATH.] ; égalité **256.** – ARCHIT. : proportion, proportion divine ou proportion dorée, **nombre d'or.**

4 **Coefficient, pourcentage,** taux. – Titre *(titre d'une solution)* [CHIM.]. – Coefficient de proportionnalité de deux suites proportionnelles [MATH.]. – Proportionnalité de l'impôt [DR.].

5 DR. : représentation proportionnelle *(représentation proportionnelle approchée, représentation proportionnelle intégrale)* ou **proportionnelle** *(la proportionnelle)* – Proportionnalisme [POLIT.].

6 Compas de proportion [TECHN.]. – Triangle égyptien ou **triangle de Pythagore** [ARCHIT.].

7 Proportionnaliste *(un proportionnaliste)* [POLIT.].

V. 8 **Proportionner** ; équilibrer ; doser, mesurer. – Harmonier [vx], harmoniser ; accorder, assortir, coordonner.

9 Se proportionner à [vx].

Adj. 10 **Proportionné** ; équilibré, harmonieux, mesuré. – Assorti.

11 **Proportionnel** (MATH. : *moyenne proportionnelle* ou *géométrique ; nombres proportionnels ; quatrième proportionnelle*) ; relatif.

12 Proportionnable à [didact.]. – Proportionnaliste.

Adv. 13 **Proportionnellement** ; proportionnément [rare]. – Comparativement, relativement.

14 À proportion, en proportion. – D'autant. – Au pourcentage.

Prép. 15 À raison de ; au prorata de ; en comparaison de. – Selon, suivant.

Conj. 16 À proportion que.

669 PROPRETÉ

N. 1 **Propreté** ; asepsie, hygiène, salubrité. – Blancheur **71,** netteté, **pureté.** – Propre *(le propre* opposé *au sale).*

2 Hygiène publique, salubrité publique, mesure de salubrité publique. – Prophylaxie ; hygiénisme. – Ultrapropreté.

3 Ablution, bain, douche, lavement, savonnage, soin du corps, **toilette** ; heure du bain, bain du dimanche [vieilli]. – Lavement des pieds [allus. bibl.].

4 Désinfectant, nettoyant ; solvant **496.1.** – Dentifrice, **savon,** savonnette, sels de bain, shampooing ; produits de beauté.

5 Éponge, **gant,** lave-dos, pierre ponce ; brosse (brosse à dents, brosse à cheveux), cure-dents ; décrassoir [vx], peigne. – Papier hygiénique.

6 Lessiveuse ; aquamanile, **baignoire,** bidet, évier, lavabo, lave-mains [vieilli], pédiluve, rince-doigts, sabot, tub ; piscine. – Piscine probatique.

7 Cabinet de toilette **519, salle de bains** ; bains-douches, bains publics, bain turc, hammam, thermes ; lavatory [vieilli]. – Bain à remous, Jacuzzi [nom déposé], spa.

8 Hygiéniste.

V. 9 **Laver, nettoyer,** tenir propre ; décrotter [fam.]. – Assainir, décontaminer, pasteuriser, purifier, stériliser.

10 Abluer, ablutionner, lotionner, **savonner,** toiletter ; changer, torcher [très fam.] ; bouchonner, étriller, frictionner. – Hygiéniser [rare].

11 Faire ses ablutions, faire sa toilette ; se laver ; fam. : se bichonner, se débarbouiller, se pomponner. – Passer à la douche, prendre un bain ou une douche ; se baigner, se doucher ; se brosser les dents, se faire un shampooing, se nettoyer les oreilles, etc. – Sentir bon le propre [fam.].

Adj. 12 Aseptisé, hygiénique. – Ultrapropre. – Net, **propre,** propre comme un sou neuf ; blanc, impeccable, immaculé, **pur,** sans tache. – *Clean* (anglic., « propre »), présentable, propret, soigné.

13 Antiseptique, germicide, lustral, prophylactique ; hygiéno-diététique [didact.], sanitaire.

14 Lavable, nettoyable.

Adv. 15 Hygiéniquement [didact.], **proprement,** sainement ; purement.

16 Soigneusement.

670 PROSPÉRITÉ

N. 1 **Prospérité** ; abondance **1,** aisance, réussite **798,** richesse **730,** sécurité.

2 **Épanouissement,** floraison, luxuriance, splendeur [fig.] ; efflorescence [fig., litt.].

3 Béatitude, bonheur **447,** contentement, délices, douceurs, enchantement, euphorie, félicité, félicités, jouissances, **prospérités** [vx], ravissement, sérénité. – Belle vie ; jours heureux, jours sereins ; lit de roses.

4 **Aise,** aises, bien-être, confort ; bonne condition, bonne forme, bonne santé.

5 **Agrément,** agréments, avantage, plaisance [vx ou poét.], plaisir **629.** – Éden, paradis ; Eldorado, pays de cocagne.

6 Chance ; bonne étoile, bonne fortune, providence ; fam. : baraka ; bol, pot, veine. – Aubaine, bénédiction (*une bénédiction,* fig.), miracle ; opportunité ; coup de chance, heureux hasard **358** ; jour de chance.

V. 7 **Prospérer** ; avoir le vent en poupe, s'épanouir, progresser.

8 Avoir une mine florissante, être en forme **743.** – Couler des jours heureux, se la couler douce [fam.], se donner du bon temps, être comme un coq en pâte, être heureux comme un roi, jouir ou profiter de la vie, ne pas être à plaindre, savourer l'existence, vivre des jours filés d'or et de soie [vx].

9 **Prospérer** ; prendre bonne tournure, bien tourner.

10 **Avoir de la chance** ; avoir du bonheur [vx], avoir de la corde de pendu, avoir la main heureuse, être aimé des dieux, être né coiffé, être né sous un astre favorable ou sous une bonne étoile, jouer de bonheur. – La chance lui sourit, tout lui sourit. – Croire en son étoile.

Adj. 11 **Prospère** [vieilli, litt.] ; bénéfique, faste, favorable, heureux, propice, providentiel.

12 Heureux, heureux comme un poisson dans l'eau ; bienheureux, comblé, épanoui, heureux, radieux, ravi, resplendissant.

13 À l'aise, aux anges, comblé, radieux ou rayonnant.

14 **Florissant** ; beau, robuste.

15 **Fortuné,** heureux, nanti.

16 **Chanceux,** heureux ; favorisé par le sort ; favori ou protégé des dieux ; miraculé [fig.] ; fam. : chançard, veinard, verni. – Arg. : doré, vergeot.

17 **Prospère** ; à l'abri du besoin, à l'aise, arrivé, fortuné, nanti, pourvu, riche **730.**

Adv. 18 **Prospèrement** [rare] ; avec succès **798.**

19 En abondance, à foison, à profusion.

20 **Avec bonheur,** heureusement, sous d'heureux auspices ; par bonheur, **par chance** ; par bonne encontre [vx].

671 PROTECTION

N. 1 **Protection** ; appui, assistance, assurance, défense, garantie, garde, prévention, sauvegarde, secours, surveillance, vigilance. – Vidéosurveillance. – Protection rapprochée. – **Surprotection** ; maternage.

2 **Protection** ; conservation, préservation **653,** sécurité **752,** tutelle. – Immunité.

3 **Protection** ; aide **19,** appui, bienveillance, soutien, support. – **Mécénat.**

4 **Protection** ; asile, chape, couverture, refuge. – **Armure,** bouclier, carapace, cuirasse. – Abri, bastion, blindage, fortifications, rempart. – Écran, **paravent,** rideau. – **Garantie,** sauvegarde, soutien ; palladium [ANTIQ.].

5 Balustrade, garde-corps, parapet, rambarde. – Casque, gant, manicle ou manique, lunettes, **masque** ; protège-cheville ; casquette, chapeau **859,** visière ; plastron ; scaphandre. – **Ceinture de sécurité.**

6 MIL. : défense antiatomique, parapluie nucléaire ; protection aérienne ou antiaérienne. – Contre-mesure.

7 Coupe-feu, pare-feu, pare-étincelles ; garde-cendre. – Pare-boue.

8 **Protection** ; mécénat. – Népotisme ; favoritisme.

9 **Protection** ; gardiennage. – Protectionnisme. – Protectorat. – HIST., RELIG. : gardiennat ; protectorerie.

10 **Protection** ; contraception ; prophylaxie ; vaccination.

11 **Protections** *(une protection, des protections)* ; appui. – **Bouclier,** défenseur, garant, mainteneur [litt., rare], pilier, **protecteur,** sauveur, sauveteur.

12 **Gardien** ; surveillant, vigile ; convoyeur de fonds. – **Concierge,** huissier, portier ; cerbère [litt.]. – Agent, **gardien de la paix,** gendarme, policier ; garde républicain. – **Garde du corps,** gorille [fam.] ; ange gardien [par plais.], chien de garde [fig.].

13 Licteur [ANTIQ. ROM.], prétorien [ANTIQ. ROM. ou péj.] ; escorte, garde prétorienne [ANTIQ. ROM. ou péj.]. – HIST. : janissaire, mamelouk (ou : mameluck, mameluk).

14 Éclaireur, guetteur, patrouille, patrouilleur **207** ; guet [anc.], piquet *(piquet de soldats, piquet d'incendie)* ; garnison ; ronde, **sentinelle.**

15 **Protecteur** ; bienfaiteur **76,** providence. – POLIT. : protecteur ; médiateur, ombudsman.

16 Protectionniste.

17 **Protégé** ; chouchou [fam.], favori, poulain. – Client [ANTIQ.].

V. 18 **Protéger** ; abriter, assurer, bastionner [fig., litt.], couvrir, défendre, garantir, garder, garer, parer contre, prémunir contre, préserver **653,** sauvegarder, sauver, secourir, soutenir, surveiller.

19 Materner ; **surprotéger.** – Prendre sous son aile ou sous sa protection.

20 **Immuniser,** vacciner.

21 **Protéger** ; appuyer, encourager, pousser, recommander.

22 **Blinder,** cuirasser **418,** fortifier, renforcer. – Caparaçonner.

23 **Veiller sur** ; faire le guet ; monter la garde. – Prendre soin de ; servir de paravent à ; faire un bouclier de son corps à.

24 **Se protéger** ; s'assurer, se garantir, se garder, se garer, se prémunir, se préserver. – Éviter, détourner, **parer.** – Zapper.

25 Se barder, se blinder, se couvrir, **se cuirasser,** se défendre.

26 Prendre ses précautions **674** ; ouvrir le parapluie [fam.].

Adj. 27 **Protégé** ; assuré, garanti, préservé ; mis à l'abri. – Surprotégé.

28 **Gardé** ; abrité, couvert, défendu.

29 **Protecteur,** tutélaire ; vigilant.

30 **Protectif** [litt.] ; défensif, préventif. – Immunisant ; prophylactique.

31 Antiatomique ; antiradiation. – Parasismique. – Pare-flamme.

32 Protectionniste. – Protectoral [HIST.].

33 Assurable.

Adv. 34 **Préventivement.** – Précautionneusement. – Vigilamment [rare].

Prép. 35 **Sous la protection de** ; sous les auspices de ; sous l'égide de. – Fig. : à l'ombre de ; sous l'ombre de.

Aff. 36 **Protège-** *(protège-dents)* ; anti- *(antidérapant, antirouille, antivol)* ; brise- *(brise-soleil)* ; contre- *(contre-feu)* ; coupe- *(coupe-feu)* ; garde- *(garde-fou)* ; para- *(paratonnerre)* ; pare- *(pare-balles).*

672 PROXÉNÉTISME

N. 1 **Proxénétisme** ; traite des Blanches, traite des femmes.

2 **Prostitution.** – Arg. : abattage, bisness (ou : biseness, bizness, business), tapin. – Racolage ; racolage passif. – Arg. : passe *(une passe)* ; comptée. – ANTIQ., ETHNOL. : prostitution rituelle, prostitution sacrée.

3 Anc. : maison close, maison de prostitution, maison de tolérance ou, absolt, maison ; gros numéro, lanterne rouge. – **Lupanar** ; vulg. : bordel, boxon ; clandé ; bobinard ; chabanais, taule ou tôle. – Hôtel de passe ; maison d'abattage. – Maison à parties. – Eros-center.

4 **Proxénète** (arg. : proxo), souteneur ; homme *(l'homme d'une fille, son homme)* ; protecteur. – Fam. : maquereau ou mac ; arg. : dos d'azur, dos vert ; varveau, barbillon ou barbiquet ; brochet, goujon, hareng ; poiscaille, poisson, sauré ; marlou ; alphonse, jules, prosper ; Monsieur, papa, proxémaq.

5 **Entremetteuse** ; fam. : maquerelle, mère maquerelle. – Sous-maîtresse. – Arg. : Madame, maman, maca.

6 **Prostituée** ; fille ; sout., souv. par plais. : courtisane, péripatéticienne ; respectueuse [allus. litt.]. – Litt. : catin, hétaïre, odalisque. – Belle-de-nuit ; belle-de-jour [rare]. – Call-girl ; escort girl. – **Demi-mondaine** [vieilli] ; poule de luxe.

7 Vieilli. – Femme de trottoir ; femme de plaisir, femme publique ; femme de mauvaise vie, femme de petite vertu ; anc. : femme en carte, fille en carte. – **Fille de joie** ; marchande d'amour. – Vénus de barrière [vieilli ou litt.]. ; mademoiselle du Pont-Neuf ; petit métier.

8 Pop. – **Putain,** pute ; frangine. – Arg. : gagneuse, gagne-pain ; bifteck, casse-croûte. – Abatteuse, allumeuse, michetonneuse, persilleuse, tapineuse ; chandelle, grue. – Horizontale, paillasson, poule, sauterelle d'édredon. – Péj., vulg. : grognasse, pétasse, pouffiasse, putasse.

9 **Arpenteuse,** galérienne, marcheuse, piétonnière, trottin ; bucolique. – **Voiturière** ; amazone, roulante, rouleuse.

10 **Occasionnelle** *(une occasionnelle)* ; fin de mois, ménagère, tricoteuse. – Grisette, lorette.

11 **Entraîneuse** ; échassière [arg.].

12 **Prostitué** ; travesti **763** ou, fam., travelo. – Arg. : tapineur, travailleur, truqueur ; michetonneur. – Castor, nourrice, reine, rivette.

13 Michette.

14 Gigolo.

15 **Client.** – Arg. : branque, cave, **miché,** micheton.

16 Anc. : brigade mondaine ou, fam., la mondaine.

V. 17 **Prostituer** ; arg. : maquer, maquereauter.

18 **Se prostituer.** – Arg. : arpenter, putasser, turbiner ; faire la fenêtre (ou : l'asphalte, le ruban, le tapin, le trottoir, la verdure) ; vieilli : battre l'antif, être sur le sable, piler le bitume.

19 **Racoler.** – Arg. : raccrocher, **tapiner,** trottiner ; michetonner.

Adj. 20 Racoleur ; putassier [pop.].

673 PROXIMITÉ

N. 1 **Proximité** ; contiguïté, mitoyenneté, voisinage ; promiscuité. – Tangence [GÉOM.], tangentialité [rare]. – Approche ; imminence **332.**

2 Coudoiement, frôlement ou frôlage **91** ; coude-à-coude *(un coude-à-coude)* **137.**

3 Juxtaposition, **rapprochement 685** ; accolement [litt.].

4 **Environnement 280** ; alentours, environs, parages ; banlieue, côte (opposé à arrière-pays) **695.** – Ceci (opposé à cela).

5 Proxémique *(la proxémique)* [didact.]. – Loi de proximité [PSYCHOL.].

6 **Prochain** *(le prochain)* **719.6,** proches *(les proches),* proximité *(la proximité)* [vx]. – **Voisin** *(un voisin)* ; côtoyeur [rare].

V. 7 **Avoisiner,** jouxter ; circonvoisiner [litt.]. – Confiner à ou avec, voisiner avec.

8 Border, longer. – Friser, frôler, raser, serrer. – Côtoyer **158,** coudoyer. – Avoir le nez dessus [fam.].

9 Approcher, imminer [litt.].

10 Accoler, juxtaposer, **rapprocher 685.**

Adj. 11 **Proche** ; adjacent, attenant, avoisinant, contigu, voisin ; mitoyen ; limitrophe ; circonvoisin [litt.]. – Proximal (opposé à distal) [didact.] ; tangent [GÉOM.]. – Prochain ; imminent ; récent.

Adv. 12 **À proximité** ; à côté, près, tout près ; **à deux pas,** à la porte ; tout au proche [vx] ; porte à porte. – À un jet de pierre ; à portée de la main, sous la main. – Au premier plan. – Voici (opposé à voilà).

13 Tout contre, contre à contre, côte à côte, coude à coude, dos à dos, flanc à flanc, flanc contre flanc, nez à nez **211.24** ; de front ; à touche-touche [fam.] ; bord à bord, bout à bout. – Rasibus [fam.].

14 De proche en proche, peu à peu **602.14.**

15 Ci-après, ci-contre, ci-dessous, ci-dessus.

Prép. 16 **À proximité de** ; au côté de, aux côtés de, auprès de, **près de** ; à côté de, au bord de ou sur le bord de, le long de, aux portes de, contre, non loin de, au ras de ; vx : jouxte, lez (ou : lès, les) *(Villeneuve-lès-Avignon),* proche. – À portée de.

Aff. 17 Juxta-.

674 PRUDENCE

N. 1 **Prudence** ; attention, circonspection, précaution, prévoyance, réflexion, vigilance. – Cautèle [vx]. – Prudence est mère de sûreté [prov.].

2 **Défiance 183,** méfiance. – Pusillanimité **452.**

3 **Attention 52,** diplomatie, ménagement. – **Modération 522,** réserve **714,** retenue. – **Pondération,** sagesse.

4 Disposition, garantie, mesure ; mesures préventives, **prévention.** – DR. : mesure éducative, mesure de sûreté. – Prophylaxie [MÉD.].

5 Précaution oratoire **729** ; circonlocutions, détours.

V. 6 **Faire attention,** faire gaffe [fam.]. – Se défier **183,** se méfier ; se garder, être sur ses gardes, se garder ou se tenir à carreau [fam.]. – **Veiller 52,** veiller au grain. – Avoir la prudence du serpent. – Avoir l'œil au bois [vx]. – Chat échaudé craint l'eau froide [prov.].

7 **Prendre garde** ; se mettre en garde. – Dresser ses batteries. – S'armer, s'assurer, se défendre, se garantir, se précautionner [vx ou litt.], se prémunir ; se mettre à couvert ; s'entourer de précautions, prendre ses précautions, prendre ses sûretés [vx] ; **assurer ses arrières** ; ne pas mettre tous ses œufs dans le même panier ; avoir ou tenir deux fers au feu. – Préparer ou tâter le terrain.

8 Prendre des gants, y mettre des formes. – **Tourner sa langue sept fois dans sa bouche.** – Répondre en Normand. – Prov. : deux précautions valent mieux qu'une ; trop de précautions nuit.

9 Avancer à pas comptés, **marcher sur des œufs** ; vieilli : agir avec poids et mesure, n'agir ou ne marcher qu'avec règle et compas, tout faire par compas et par mesure ; aller à tâtons **395,** tâtonner ; jouer serré.

10 Mettre en garde **63,** précautionner [vx].

Adj. 11 **Prudent** ; provident [vieilli] ; méfiant **183.** – Attentif **52, circonspect,** précautionneux ou, vieilli, précautionné, vigilant.

12 Modéré **522,** réservé **714** ; **pondéré 89,** raisonnable, réfléchi, sage. – Compétent **747,** expérimenté **649** ; entendu [vieilli].

13 Averti, avisé, mis en garde.

14 **Calculateur** ; cauteleux [vx]. – Réticent ; temporisateur.

15 **Pusillanime** [litt.] **452,** timoré.

Adv. 16 **Prudemment,** prudentement [vx] ; précautionneusement, sagement. – Par mesure de précaution. – Diplomatiquement.

Int. 17 Prudence ! – Méfiance ! – Attention ! **52**

675 PUBLICITÉ

N. 1 **Publicité** ; pub [fam.] ; autopublicité, contre-publicité ; P.L.V. (publicité sur le lieu de vente). – **Marketing** ; marketing téléphonique ou télémarketing, télévente ; relations publiques.

2 Publicité collective ou publicité compensée, publicité comparative. – Publicité abusive, publicité mensongère ; publicité clandestine, publicité subliminale. – **Mécénat,** sponsoring [anglic.].

3 **Campagne de publicité,** lancement publicitaire, promotion des ventes. – Enquête, étude de marché, étude de motivation, **sondage.** – Achat d'espace, affermage ; médiaplanning. – Panel. – Campagne de presse **654.**

4 **Publicité** *(une publicité)* ; pub *(une pub)* [fam.] ; page de publicité, réclame, spot publicitaire ; message publicitaire, **slogan** ; jingle [anglic.]. – Jeu-concours.

5 Espace publicitaire. – Dépliant, encart publicitaire, **prospectus,** tract ; autocollant, sticker ; packaging (angl., « emballage ») ; échantillon gratuit. – **Annonce,** insertion, publicité rédactionnelle ou rédactionnel *(un rédactionnel)* ; publi-information, publireportage ; logo ; accroche. – Mailing ou, recomm. off., publipostage. – **Affiche 387,** affichette, barre-la-route ; enseigne, enseigne lumineuse ; afficheur [TECHN.].

6 Journée promotionnelle ; exposition-vente, foire-exposition, **salon** ; stand ; présentoir, surmontoire.

7 Image de marque, notoriété **341, réputation** ; diffusion, rayonnement, retentissement ; part de marché.

8 Agent de publicité, médiaplanneur, publiciste [abusif], **publicitaire** *(un publicitaire),* téléopérateur, télévendeur. – Attaché de presse ; affichiste, concepteur-rédacteur, créatif *(un créatif)* ; démonstrateur, homme-sandwich. – Agence-conseil en publicité, **agence de publicité** ; régie, régie de presse. – **Annonceur** ; mécène, sponsor. – Afficheur.

V. 9 Publier ; diffuser, disséminer, **propager,** répandre ; tracter. – Généraliser, **vulgariser.**

10 **Annoncer,** lancer, promouvoir ; sponsoriser (ou : commanditer, parrainer). – Afficher, placarder. – Matraquer.

Adj. 11 Publicitaire.

12 Publiphile, publiphobe. – Intoxiqué.

Adv. 13 **Publicitairement.**

676 PULVÉRULENCE

N. 1 **Pulvérulence** ; **poudre** ; farine *(farine de froment, farine d'os)* ; fécule, fleur *(fleur de soufre)* [CHIM.]. – Poussier, **poussière** ; cendre, cendre d'orfèvre [ORFÈVR.] ; sable. – Efflorescence [CHIM.], poudrée [rare]. – Poudroiement [litt.].

2 **Poudres** *(les poudres)* ; coton-poudre, poudre à canon, poudre noire ; pulvérin [TECHN.]. – Égrisée ou égrisé [TECHN.].

3 Pollen ; pruine ou fleur [didact.]. – Poudrette [AGRIC.].

4 **Poudre de riz** ; poudre de talc ou talc ; fard-poudre ; poudre à la maréchale [vx]. – MÉD. ANC. : poudre de capucin, poudre de sandaraque. – Poudre de perlimpinpin [fam.]. – Poudre à éternuer.

5 ASTRON. : poussière cosmique, poussière interstellaire **49.**

6 Héroïne **825,** poudre [fam.] ou, arg., blanche.

7 **Pulvérisation** ; désagrégation **205** ; broiement, broyage, pilonnage ; râpage. – TECHN. : bocardage, égrugeage, granulage ou granulation, grenage, mouture, trituration. – Effritement. – Broyabilité [TECHN.], friabilité.

8 Pulvérisation, **vaporisation** ; nébulisation. – Poudrage [AGRIC.], talquage [TECHN.] ; enfarinement [rare].

9 **Broyeur,** concasseur ; meule, **moulin,** moulinette, pilon ; râpe. – TECHN. : bocard, égrugeoir, meuleton, triturateur ; pulvériseur [AGRIC.]. – Mortier.

10 **Pulvérisateur** ; aérosol, atomiseur, nébuliseur, **vaporisateur** ou vaporiseur ; AGRIC. : soufreuse, poudreuse ; sableuse [TECHN.].

11 **Poudrier.** – Farinier. – Corne à pulvérin [vx], poire à poudre. – Cendrier ; garde-cendre **671.**

12 Nuage de poussière, tourbillon de poussière. – Cendrée, limaille, **mouture,** raclure, râpure, sciure **74** ; égrugeure [TECHN.].

13 PATHOL. : coniose, pneumoconiose **482** ; asbestose, byssinose, pollinose, silicose.

14 Didact. : aéroscope, coniomètre.

15 **Poudrière** ou poudrerie. – Meunerie, minoterie, **moulin.** – TECHN. : féculerie, râperie.

V. 16 **Pulvériser** ; atomiser, désagréger ; **broyer,** piler, pilonner ; **moudre,** mouliner. – TECHN. : bocarder, brésiller, écacher, égruger, granuler, grener ou grainer **345,** léviger, porphyriser, triturer ; effriter, **émietter,** râper ; **réduire en miettes** (ou en cendres, en poussière).

17 Poudrer, **saupoudrer.** – Talquer ; fariner ou, vieilli, enfariner ; sabler ; empoussiérer, poudroyer [litt.] ; polliniser [litt.].

18 **Pulvériser** ; vaporiser.

Adj. 19 Pulvérulent ; poudreux ; **en poudre.** – Efflorescent, pruiné ou pruineux [didact.].

20 Friable.

21 **Poussiéreux,** cendreux, sablé, sableux ; gris de poussière. – Vx : poudré à blanc, poudré à frimas ; poudrederizé ou poudrerizé.

22 **Farineux** ou, didact., farinacé ; **féculent** [vx] ou, didact., féculoïde. – Pollinique [BOT.]. – Pulvérateur [ZOOL.].

Aff. 23 Pulvi- *(pulvifère).*

677 QUALITÉ

N. 1 **Qualité,** valeur, prix **659** ; mérite.

2 **Correction.** – Excellence, précellence ; beauté **69,** optimum, perfection, pureté, succulence **343** ; irréprochabilité.

3 Cercle de qualité.

4 Appellation d'origine, **label,** marque ; écolabel, écoproduit, écorecharge ; millésime. – Appellation contrôlée ou appellation d'origine contrôlée (A. O. C.). – Cachet, contrôle, estampille. – Le fin du fin **800,** la fleur ; une merveille. – À bon vin point d'enseigne [prov.].

5 **Bon faiseur** *(un bon faiseur),* fée *(une fée, des doigts de fée),* maître.

6 Griffe, patte, savoir-faire, touche, tour de main **10.5.**

7 Agréeur *(un agréeur)* ; contrôleur ; qualiticien.

V. 8 Améliorer ; optimiser, optimaliser. – Abonnir, bonifier ; **s'améliorer.**

9 N'avoir pas son pareil. – Fam. : le moule en est cassé, on n'en fait plus.

10 Apprécier, estimer **26.** – Faire cas de.

11 Millésimer. – Contrôler ; estampiller.

Adj. 12 De choix, **de qualité** ; de haute tenue ; de haute futaie. – De prix, de valeur ; précieux. – De classe, de haut vol, de haute volée.

13 Hors classe, hors ligne, hors pair. – De premier ordre. – De la plus belle eau. – **Supérieur 800.19** ; extrafin, superfin, surfin ; surchoix. – Haut de gamme.

14 Appréciable, estimable ; **remarquable,** exceptionnel. – Inappréciable, inestimable ; incomparable. – Admirable. – À se mettre à genoux devant [fam.]. – Au-dessus de tout éloge.

15 Beau **69.14, bon.** – Excellent, parfait ; sans bavure [fam.]. – Merveilleux, miraculeux ; divin. – Délicieux, exquis. – Fam. : chouette, épatant. – Ravissant. – Délicat **184.10.** – Choisi ; réussi. – Fini.

16 **Convenable** ; correct, honnête. – Acceptable, admissible, passable, présentable, recevable, sortable ; supportable, tolérable.

17 **Conforme 147.12,** dans les règles, régulier. – Correct, comme il faut [fam.]. – Impeccable, irrépréhensible, irréprochable. – Exemplaire.

Adv. 18 **Bien** ; assez bien, pas mal ; joliment. – Artistement, divinement, merveilleusement, **parfaitement.** – À merveille, à ravir ; comme un ange.

19 **Mieux.** – Le mieux du monde. – Pour le mieux.

20 De main de maître. – Correctement.

678 QUANTITÉ

N. 1 **Quantité** ; grandeur, nombre. – Degré, **proportion,** valeur.

2 **Longueur 470,** poids **636,** surface, temps, volume. – **Capacité,** charge, contenu **152,** débit.

3 **Mesure 509** ; étalon, unité. – Quantité *(une quantité)* ; longueur *(une longueur),* mesure *(une mesure),* volume *(un volume)* ; dose.

4 **Échantillon** ; fraction **324,** morceau, segment. – Quantum [PHILOS.] ; **quantum** (pl. : quanta ou quantums) [PHYS.] ; théorie des quanta ; quanton. – Quantum de temps

[INFORM.]. – Quantième *(quantième du mois, quantième perpétuel)*.

5 **Bouchée,** gorgée ; filet, goutte, larme, nuage, soupçon ; poignée. – Assiettée, bolée, cuillerée, platée, poêlée ; brouettée **152.3,** charretée, palanquée ; cuvée, fournée ; brassée, jonchée ; vx ou dial. : grangée, hottée, jattée, marmitée, panerée ; chiée [vulg.]. – **Collection** [fig.], ribambelle [fam.] **1.**

6 Portion, ration. – **Quota** ; contingent, pourcentage, quorum [DR.], taux. – Quotité [DR.] ; **quote-part** ; tantième.

7 **Quantification** [ÉCON.] ; échantillonnage. – Quantification [PHYS.] ; fragmentation.

8 LOG. : quantité *(quantité d'une proposition, d'un terme)* ; extension. – **Calcul des prédicats,** quantification. – Quanteur, quantificateur ; quantificateur existentiel (∃, il existe au moins un), quantificateur universel (∀, pour tout).

9 LING. : quantité *(quantité d'un son)* ; durée. – Quantité objective opposée à quantité subjective. – **Quantifieur,** quantificateur ; quantitatif.

10 Quantitativiste *(un quantitativiste)* [ÉCON.].

V. 11 **Quantifier** ; contingenter, échantillonner, étalonner. – Compter, **mesurer,** peser. – Fractionner, morceler, segmenter. – Multiplier ; élever au carré.

12 Faire nombre.

13 La quantité ne fait pas la qualité [loc. prov.].

Adj. 14 Quantitatif (*théorie quantitative ; analyse quantitative* [CHIM.]).

15 **Quantique** *(physique quantique ; nombres quantiques)*.

16 Quantifieur [LING.].

17 Quantifié. – Quantifiable [didact.].

18 Certains, divers, **plusieurs,** quelques. – Quant ou quante *(quante fois, toutes et quantes fois)* [vx].

Adv. 19 **Combien.** – Assez, tant ; moins, plus ; beaucoup, peu ; en quantité négligeable. – Bien des, quantité de. – **En quantité,** en quantité industrielle [fam.] ; à poignées. – À quantité égale.

20 **Quantitativement.**

679 QUATRE

N. 1 **Quatre.** – Le quadruple ; quarantaine ; quarantenaire, quarante. – **Quart** ; quartier **324** ; quadrant [vx]. – Quarte [MUS.] **459.**

2 Quatre-de-chiffre [CHASSE].

3 **Quatuor** ; quadruplé *(des quadruplés)*. – RELIG. : les quatre cavaliers de l'Apocalypse ; les quatre évangélistes. – **Tétralogie** ; quadrivium [HIST.]. – Les quatre éléments ; les quatre points cardinaux **221.** – La semaine des quatre jeudis.

4 Quatrain [LITTÉR.]. – JEUX : **carré,** quadrette, quarte, quaterne [vx] ; quarté. – Quadrige [ANTIQ.], quadruplette [anc.]. – Quatre-épices, quatre-quarts **662,** quatre-mendiants ou mendiant.

5 Le quatrième. – Quartidi [HIST.] **88.**

6 **Quadruplement** ; inquartation ou inquart [ORFÈVR.]. – Quadripartition [didact.].

V. 7 Quadrupler **539.**

Adj. 8 Quatre ; quarante. – Quadrigémellaire [didact.], **quadruple.** – Quadripartite ou quadriparti, tétramère [ZOOL.].

9 **Quatrième** ; quart *(le quart monde, Quart Livre, etc.)* [vx].

Adv. 10 **Quatrièmement** ; quarto [rare]. – Quater [lat., rare]. – Quadruplement.

Aff. 11 Quadri-, tétra-.

680 QUESTION

N. 1 **Question** ; interrogation ; demande. – Problème. – **Curiosité 174.**

2 Question ouverte, question fermée, question rhétorique. – Question-réponse. – Question éliminatoire, question piège ; question subsidiaire. – Question indiscrète. – Question, question préalable ; question de principe. – Question métaphysique.

3 **Questionnaire** ; formulaire ; test ; Q. C. M. (questionnaire ou questions à choix multiple), quiz. – Concours, contrôle **155,** épreuve, **examen,** oral *(un oral)*.

4 GRAMM. – Interrogation directe, interrogation indirecte ; interrogation partielle, interrogation totale ; forme interrogative, forme interro-négative, interrogative *(une interrogative)*. – **Point d'interrogation 765.11** ; adjectif interrogatif, adverbe interrogatif, pronom interrogatif. – Intonation ascendante [PHON.].

5 Charade, colle [fam.], devinette, **énigme,** logogriphe, rébus ; mystère **751.**

6 Séance de questions ; conférence de presse. – Entretien, entrevue **156, interview** [anglic.].

7 **Enquête,** étude de marché, sondage, sondage d'opinion ou gallup [vieilli].

8 **Interrogatoire,** interrogat [DR., vx], contre-interrogatoire ; inquisition. – DR., HIST. : question *(la question)* ; question ordinaire, question extraordinaire ; question de l'eau.

9 **Questionnement** ; ironie socratique, maïeutique. – Mise en question, problématisation ; remise en cause, remise en question.

10 **Questionneur** *(un questionneur)* ; interviewer ou intervieweur. – **Interrogateur** ; examinateur.

V. 11 **Interroger,** questionner ; **poser une question** ; soulever une question, soulever un problème. – Assaillir de questions, bombarder de questions [fam.], mitrailler de questions, **presser de questions.** – Poser une colle, poser une devinette ; jouer aux devinettes.

12 Procéder à un interrogatoire, soumettre à un interrogatoire, soumettre à la question **801.**

13 **Interviewer** [anglic.]. – **Sonder** ; faire un sondage.

14 Mettre en question, problématiser ; remettre en cause, remettre en question. – Faire question, **poser problème.**

15 Consulter, demander conseil. – **Se renseigner** ; prendre des renseignements ; s'enquérir, s'informer.

Adj. 16 Interrogant [vx ou litt.], interrogatif ; interrogateur, questionneur. – Demandable [rare] ; discutable. – **Curieux.**

Adv. 17 **Interrogativement.**

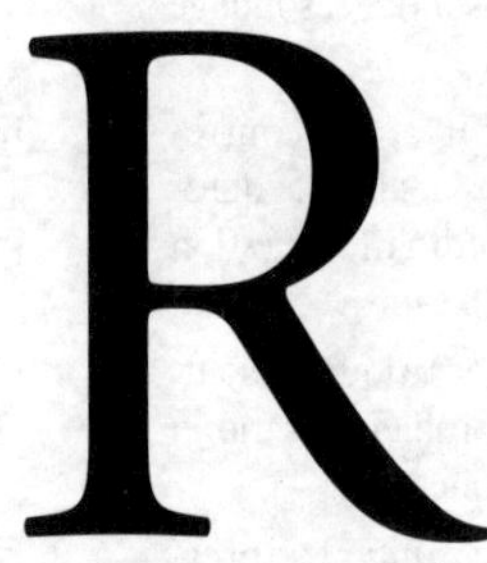

681 RADIOTÉLÉVISION

N. 1 **Radiotélévision.** – **Radio** ou radiodiffusion, radiophonie [rare] ; T. S. F. ; les ondes. – Multidiffusion.

2 **Télévision** *(la télévision),* T. V. [anglic.], tévé [fam.] ; petit écran. – Télévision en couleurs, télévision en noir et blanc ; télévision haute-définition (T.V.H.D.). – **Télédiffusion,** télédistribution (ou : télévision par câble, le câble) ; Eurovision, mondovision. – Péritélévision.

3 Poste récepteur ou **récepteur,** radiorécepteur ; poste à galènes, poste à lampes, poste à transistors ; poste *(un poste)* [fam.], **radio** *(une radio)* [fam.], transistor [vieilli], tuner ou syntoniseur. – Autoradio, radio portative, radioréveil, radiosecteur.

4 **Téléviseur** ; télérécepteur ; fam. : **télé,** télévision *(une télévision),* téloche. – Télécommande, télécran, tube cathodique ; décodeur. – **Antenne,** antenne collective, antenne parabolique, trombone.

5 Relais de télévision, satellite ; **émetteur,** réémetteur ; câblodistributeur, câblo-opérateur – Voiture d'enregistrement, voiture-radio ; régie, **studio** ; auditorium.

6 **Station** ; radio libre, radio locale, radio-pirate, station périphérique. – Canal, **chaîne** ; chaîne à péage, chaîne privée (opposé à chaîne publique).

7 **Fréquence 261,** radiofréquence. – Grandes ondes, petites ondes ou ondes moyennes, ondes courtes, micro-ondes ; modulation de fréquence (ou : bande FM, FM).

8 Friture, **grésillement,** parasite. – Antibrouillage, antiparasite.

9 **Programmation** ; contre-programmation.

10 Direct *(un direct),* opposé à différé *(un différé).* – Rediffusion, retransmission. – Podcasting.

11 **Programme** ; programme minimum. – Case horaire, tranche ; avant-soirée, prime time [anglic.] ; temps d'antenne.

12 **Bulletin d'informations,** flash d'information **136,** insert, journal parlé, radio-journal [vieilli] ; message radiodiffusé ; radioreportage ; micro-trottoir. – **Émission.** – Dramatique *(une dramatique),* radiothéâtre. – Palmarès ; hit-parade, top 50. – Jeu radiophonique.

13 Journal télévisé (abrév. J.T.), téléreportage ; documentaire, **magazine.** – **Téléfilm** ; docufiction, feuilleton, reality-show [anglic.] ou télévérité, série télévisée, sitcom [anglic.], soap opera [anglic.], télé-réalité. – Émission de variétés, show [anglic.] ; jeu télévisé. – Spot publicitaire **675.**

14 Disc-jockey ou D. J. [anglic.], metteur en ondes, radioreporter, radioteur [fam.]. – Radio-amateur ; **auditeur.**

15 Téléaste, téléreporter ; producteur, **réalisateur.** – Programmateur. – Animateur ; annonceur, **présentateur,** speaker (fém. : speakerine). – Technicien ; ingénieur du son, opérateur, perchman. – Antenniste. – Téléspectateur.

16 **Audience.** – Audimétrie ; audimètre **55** ; Audimat. – Avant-soirée, prime time [anglic.].

17 Droit à l'antenne ; droit de réponse.

V. 18 **Radiodiffuser** ; diffuser, émettre. – Passer à la radio ; causer dans le poste [fam., par plais.]. – Capter.

19 Téléviser ; **programmer** ; rediffuser, reprogrammer, retransmettre ; podcaster. – Câbler. – Crypter. – Passer à la télé. – Zapper.

Adj. 20 Radiotélévisé. – **Radiophonique.** – Télédiffusé, télévisé ; cathodique [fam.], **télévisuel.** – Duplex, multiplex. – Télégénique.

Adv. 21 Radiophoniquement. – En différé (opposé à en direct).

682 RAISONNEMENT

N. 1 **Raisonnement** *(le raisonnement)* ; analyse, argumentation, dialectique ; enchaînement des idées. – Conceptualisation, formalisation ; généralisation ; synthèse. – **Rationalisation.**

2 **Raisonnement** *(un raisonnement)* ; raisonnement analytique, raisonnement synthétique ; raisonnement a priori ou apriorisme, raisonnement a posteriori ou apostériorisme, raisonnement a contrario, raisonnement ad hoc ; raisonnement par analogie ou analogisme, raisonnement apagogique ou apagogie, raisonnement circulaire, raisonnement expérimental, raisonnement par récurrence ; **raisonnement par l'absurde.** – Démarche logique, **déduction, démonstration** ; abduction (Peirce), induction, induction amplifiante ou induction baconienne, inférence ; exemplification.

3 **Logique** *(la logique)* ; logique appliquée, logique formelle ou symbolique, logique générale, logique mathématique.

4 **Compréhension** ; connaissance, intellection. – Pensée, méditation, raisonnement, réflexion ; calcul, spéculation ; considération, délibération ; cogitation. – **Ratiocination** [litt.] ; argutie(s), ergotage, logomachie ; élucubration ; **sophisme.** – Casuistique **373,** pilpoul [hébr., RELIG.], scolastique, sophistique.

5 **Construction de l'esprit** ; abstraction, **idée 375,** principe. – Enthymème, sorite, syllogisme.

6 **Raison** *(la raison)* ; pensée, pensement [vx], penser [vx] *(le penser).* – Entendement, intellect, intelligence **424,** logos [gr.]. – Bon sens, sens commun ou sens [vx] ; voix de la raison. – Jugement, judiciaire [vx]. – La déesse Raison [HIST.], culte de la déesse Raison [HIST.].

7 **Raison** ; **faculté discursive.** – Pensée formelle [PSYCHOL.], pensée rationnelle, pensée scientifique.

8 Argumentateur, dialecticien, logicien. – Raisonneur ; chicaneur, discutailleur, ergoteur, palabreur, ratiocineur [litt.] ; casuiste, **sophiste** ; abstracteur de quintessence ; esprit faux.

V. 9 **Raisonner** ; argumenter, philosopher **117.** – **Analyser,** conceptualiser, formaliser, généraliser. – **Démontrer,** établir, prouver **99** ; conclure, déduire, induire ; tirer des conséquences. – Construire, échafauder un raisonnement. – Rationaliser. – Avoir de la suite dans les idées.

10 Ratiociner [litt.] ; disputer, palabrer **156.** – Fam., péj. : pinailler ; chercher la petite bête, couper les cheveux en quatre **316.**

11 **Réfléchir** ; spéculer ; fam. : cogiter, gamberger, ruminer. – Considérer, consulter [vx], peser ; délibérer.

Adj. 12 **Raisonné** ; pensé, réfléchi ; sage, sensé.

13 **Rationnel** ; logique. – Cartésien, rationaliste.

14 **Analytique,** synthétique ; logique, méthodique ; déductif, inductif ; apriorique ou aprioritique ; dialectique, spéculatif ; discursif. – Apostérioriste, aprioriste.

15 Pensant, raisonnant [litt.] ; doué de raison, **intelligent.** – Raisonneur, ratiocineur.

16 **Raisonnable** ; judicieux, légitime ; pertinent.

17 Démontrable, **rationalisable.**

Adv. 18 **Raisonnablement,** intelligemment, sagement.

19 **Rationnellement** ; logiquement, méthodiquement ; analytiquement, synthétiquement ; dialectiquement ; discursivement. – Empiriquement, expérimentalement ; formellement, conceptuellement.

683 RANG

N. 1 **Rang.** – Degré, échelon, gradation, grade, niveau ; plan *(plan inférieur, plan médian, plan supérieur, etc.).* – Tour ; phase, stade.

2 Cote, immatriculation, matricule, **numéro.** – **Note.**

3 **Catégorie,** classe **201** ; gamme ; bas de gamme, haut de gamme. – **Statut,** *status* [SOCIOL., lat.] ; dignité, grade, titre **822.** – Fonction, classification.

4 Rang, **niveau social** ; degré de l'échelle sociale. – Condition, état [vx], être [vx], extraction, milieu ; standing [anglic.] **769** ; vx : lieu *(de bas lieu, de haut lieu),* lignage, parage.

5 **Hiérarchie** ; préséance. – Échelle de valeurs.

6 Barreau, degré, **échelon,** étage, gradin, marche, **palier** ; cran. – Couche, étage, tranche ;

colonne, ligne, rangée. – Compartiment, rayon.

7 Prochain, suivant. – Premier, dernier ; nième *(le nième).* – Quantième *(le quantième)* ; combien *(le combien)* [fam.], combientième *(le combientième)* [pop.].

8 **Nombre ordinal 555** ; adjectif numéral **346,** ordinal.

9 Arrangement, échelonnement, ordonnance **576,** ordonnancement, placement, positionnement [anglic.] ; étagement. – Classement, **graduation** ; hiérarchisation. – Cotation, notation, numérotage, numérotation.

10 Avancement, promotion **667.** – Dégradation, rétrogradation ; MIL. : cassation, casse [vx]. – Destitution **292,** limogeage, révocation.

V. 11 **Ranger** ; distribuer, placer, répartir ; placer, positionner.

12 **Hiérarchiser** ; échelonner, étager, graduer. – Subordonner. – « Les premiers seront les derniers. » (la Bible.)

13 **Classer,** ordonnancer, ordonner **576** ; sérier. – Coter, numéroter ; donner une note, noter. – Promouvoir ; élever ou hausser au rang de. – Dégrader, rétrograder.

14 Immatriculer, matriculer.

15 Avoir rang de ; se ranger ou prendre rang parmi. – Se positionner [anglic.]. – Devancer, précéder **33** ; succéder à, suivre.

16 Tenir son rang.

17 **Monter en grade.** – Rétrograder ; déchoir, déroger.

Adj. 18 **Rangé** ; **ordonné.** – Échelonné, hiérarchisé. – Étagé, en gradins, en paliers.

19 Hiérarchique. – Ordinal [GRAMM.].

20 Premier **842** ; unième, deuxième, troisième, etc. – Dernier ; avant-dernier, pénultième ; antépénultième. – Nième (aussi : énième), quantième [litt., vieilli]. – Précédent, suivant ; subséquent [vx, litt.].

21 Déclassé, réformé. – Revalorisé.

Adv. 22 **Dans l'ordre** ; par ordre de préséance, par ordre de priorité. – Au fur et à mesure, successivement ; par degrés, par étapes. – À tour de rôle ; chacun son tour, tour à tour, l'un après l'autre. – Hiérarchiquement.

23 En rang ; en rang d'oignons.

24 À l'arrière, **derrière 193,** en arrière, en arrière-garde. – À la queue, à la traîne, en retard ; dans les choux [fam.]. – En avant, en tête ; d'abord.

25 Ci-après, ci-dessous **203,** *infra* [lat., didact.], plus bas, plus loin. – *Supra,* plus haut.

684 RAPIDITÉ

N. 1 **Rapidité,** vélocité, vitesse.

2 **Célérité** ; agilité **10,** prestesse [litt.], promptitude.

3 Activité ; **hâte,** précipitation, presse ; impatience **382.**

4 Diligence **774,** empressement.

5 **Vivacité** ; volubilité **595** ; didact. : tachyphémie (ou : tachylalie, tachylogie, tachyphasie, tachyphrasie). – Impétuosité, violence **865.**

6 Intelligence **424, rapidité d'esprit.** – Fuite des idées (PSYCHIATRIE : tachypsychie).

7 Fugitivité **421** [sout.] ; éphémérité [rare]. – Concision **142.**

8 Allure, régime, **train.** – Petite vitesse, grande vitesse, vitesse de croisière. – Excès de vitesse.

9 Accélération. – MÉD. : hypercinésie ou hyperkinésie.

10 TECHN. : cinémomètre ; accélérographe, cinémographe.

11 Coureur de vitesse, sprinter **792.**

12 Rapide *(un rapide)* ; bolide, fend-la-bise.

V. 13 Être rapide à ; avoir vite fait de + inf., **avoir tôt fait de** + inf. – Aller vite en besogne, **ne pas perdre de temps,** ne pas traîner. – **Faire vite,** faire satin [litt.] ; fam. : faire fissa, faire vinaigre.

14 **Aller plus vite que la musique** (ou : que les violons) [fam.] ; **brûler les étapes.**

15 **Abattre du travail** ou de la besogne, cravacher [fam.]. – Mettre les bouchées doubles.

16 Enlever, **expédier,** trousser [vieilli]. – **Bâcler 684,** brocher [vieilli], torcher [fam.]. – Lire en diagonale. – Fam. : manger au lance-pierres **703,** manger sur le pouce.

17 **Aller bon train,** aller grand train [vx], aller vite, aller plus vite que le vent. – Allonger le pas, forcer le pas.

18 **Courir,** filer ; courir de toute sa vitesse ou de toute la vitesse de ses jambes, courir comme un chat maigre, fendre l'air ou la bise, filer comme un zèbre ou comme un bolide ; fam. : courir comme un dératé, galoper ; brûler le pavé [vx].

19 **Bondir,** sauter, voler. – Fam. : s'engouffrer, débouler.

20 **Faire de la vitesse** ; fam. : mettre le pied au plancher, appuyer sur le champignon, écraser le champignon. – Fam. : démarrer sec ; **mettre les gaz,** mettre la gomme, mettre toute la gomme. – MAR. : forcer ou faire force de rames, forcer de vapeur, forcer de voiles ; enlever la nage [SPORTS].

21 **Accélérer** ; fam. : bomber, bourrer, foncer, gazer, speeder ; passer la vitesse supérieure, passer la surmultipliée. – Franchir le mur du son.

22 Se dépêcher, **se hâter,** se presser ; faire hâte de [vieilli] ; fam. : s'activer, **se grouiller,** se manier ou se magner, se manier ou se magner le train (ou, vulg. : le cul, le popotin). – Lutter de vitesse [vx]. – Ne faire qu'aller et venir [fam.].

23 S'éclipser **189.8.** – Fam. – Caleter ou calter, détaler, **filer,** filocher ; se casser, se tailler, se tirer, trisser ou se trisser ; s'envoler. – Avoir un train à prendre [fig., fam.].

24 **Activer,** précipiter ; **brusquer,** forcer. – Hâter qqn de + inf. [vx], presser qqn de + inf.

25 **Devancer,** gagner de vitesse [vieilli], prendre de vitesse.

26 Ne pas faire long feu. – S'enlever ou s'arracher comme des petits pains [fam.].

27 Il ne faut pas confondre vitesse et précipitation [prov.].

Adj. 28 **Rapide,** véloce, vite [vx ou SPORTS] ; ailé [litt.], léger.

29 Diligent **52,** empressé, prompt.

30 Agile **10,** alerte, dynamique, preste, **vif 276.** – Actif, dégourdi, éveillé, intelligent **424.** – Volubile **595.**

31 Impatient **382, pressé,** speed ou speedé [fam.] ; impétueux, fougueux.

32 Brusque, **hâtif** [litt.], prompt, soudain ; fulgurant, foudroyant.

33 **Bref, éphémère,** furtif, fugitif **421.10.**

34 **Concis 142,** précis ; expéditif, télégraphique. – Compendieux [vx], court, succinct, sommaire. – Cursif [didact.].

35 Accéléré, enlevé, **soutenu** ; effréné **427.17.**

36 Fam. : envoyé, expédié. – **Bâclé 547** ; torché [fam.], troussé [vieilli].

37 N. + éclair ou -éclair *(visite éclair, guerre-éclair, voyage éclair).*

Adv. 38 **Rapidement** ; promptement, **vite,** vitement [vx] ; rondement, vivement. – Diligemment, prestement. – MUS. : allegro, presto, prestissimo.

39 Sur-le-champ, toutes affaires cessantes ; tambour battant. – Fam. : rapido presto, rapidos, subito, subito presto.

40 En un instant **421,** en un moment ; **en un rien de temps,** en moins de deux, en moins de temps qu'il n'en faut pour le dire, en moins de temps qu'il n'en faut pour cuire des asperges [vx] ; en cinq sec ; **en un clin d'œil,** en un cil d'œil [vx]. – Du soir au matin [fig.].

41 **En un tournemain** ; en deux temps trois mouvements ; en deux coups de cuillère à pot [fam.].

42 Expéditivement [litt.], **hâtivement,** précipitamment.

43 **À la hâte, en hâte,** en toute hâte, en vitesse, de vitesse [vx], en quatrième vitesse [fam.]. – En catastrophe, **en coup de vent.**

44 Fam. : à la six-quatre-deux, **à la va-vite** ; fam. : vite fait, vite fait sur le gaz ; vite fait, bien fait [fam.].

45 À pas de géant, à toutes jambes ; grand'erre [vx]. – Au pas de charge, au pas de course, au pas de gymnastique.

46 Au trot, au galop. – **À bride abattue** ; vx : à franc étrier, à étripe-cheval ; ventre à terre [fam.]. – À tire-d'aile ou à tire-d'ailes.

47 À grande vitesse, à la vitesse grand V [fam.]. – À tombeau ouvert. – Sur les chapeaux de roue [fam.].

48 **À toute allure,** à toute vitesse ; fam. : à toute barde, à toute berzingue, à toute bise, à toute biture, à toute blinde, à toute pompe, à toute vapeur.

49 À plein régime, à pleine vitesse ; à pleins gaz, à pleines voiles. – Plein pot [fam.].

50 Fam. : – **à fond,** à fond la caisse ou à fond de caisse, à fond les manettes, à fond les manivelles, **à fond de train.** – À un train d'enfer [fam.].

51 Avec la rapidité de ou rapide comme l'éclair (ou : la foudre, une flèche).

52 Comme une bombe [fam.], comme une fusée ; comme une traînée de poudre.

53 En grande hâte ou grand'hâte [vx] ; au plus vite, dare-dare [fam.]. – D'urgence.

54 Brièvement **142,** compendieusement [vx], sommairement. – Cursivement [didact.] ; au courant de la plume, **au fil de la plume,** à trait de plume [vx].

Int. 55 Et plus vite que ça ! **Et que ça saute !** [fam.].

Aff. 56 Tachy-.

685 RAPPROCHEMENT

N. 1 **Rapprochement** ; approche, confluence, convergence, regroupement. – Approchement [vx]. – Accostage [MAR.]. – Adduction [didact.].

2 Accouplement, assemblage, conjonction, jonction, **rassemblement,** réunion ; juxtaposition.

3 Conciliation, médiation **141** ; ralliement.

4 Rapprochement ; **comparaison 138,** confrontation ; mise en parallèle, mise en relation.

5 **Proximité 673** ; contact. – Point de confluence, point de convergence, point de jonction, point de rencontre.

6 Adducteur [ANAT.]. – Asymptote [MATH.].

V. 7 **Rapprocher** ; approcher, avancer. – Accoupler, assembler, conjoindre [litt.], coupler, joindre, juxtaposer, rassembler, **réunir** ; faire se rencontrer. – Confondre, fondre, fusionner, **mêler,** unir **725.** – Presser, serrer ; plier, replier.

8 Rapprocher. – Mettre en contact, mettre en rapport, mettre en relation. – Lier, réunir, unir ; **accorder,** concilier.

9 Rapprocher ; assimiler, **comparer** ; mettre en parallèle.

10 **Se rapprocher de** ; s'approcher de. – S'acheminer vers, s'avancer vers, **se diriger vers 221** ; aller vers, marcher vers, venir. – Aller sur *(aller sur la cinquantaine).*

11 Être sur les talons de, être aux trousses de ; **presser,** serrer ; gagner sur, rejoindre.

12 **Arriver à 45** ; atteindre, gagner, joindre, rallier [litt.] ; regagner. – Frôler, longer, raser, serrer. – Toucher au but **86** ; JEUX : chauffer, brûler. – MAR. : ranger ; attaquer ; **accoster.**

13 Confluer, **converger.** – Se rejoindre, se réunir. – Se serrer, s'unir. – Se confondre, se fondre, se mêler.

14 Se rapprocher ; se lier. – **S'allier à 586** ; se raccommoder, se réconcilier.

Adj. 15 Rapproché ; prochain, **proche 673.** – Approchant. – Adjacent, attenant, avoisinant, contigu, limitrophe, **voisin.**

16 Juxtaposant [LING.] **455.**

Adv. 17 Près, de près. – Bord à bord, bout à bout ; **côte à côte 158,** coude à coude.

Prép. 18 **Près de,** à proximité de **673.** – À, vers, sur ; dans la direction de, du côté de.

686 RARETÉ

N. 1 **Rareté** ; paucité **602.** – Originalité, singularité, unicité **844** ; anormalité **32,** étrangeté, monstruosité. – Inhabitude [rare].

2 Accident **4,** anomalie, **exception.**

3 Bibelot, **curiosité,** objet de collection, pièce de musée, **pièce rare, rareté** *(une rareté),* spécimen, trouvaille. – Vintage [anglic.]. – Denrée rare, fruit rare ; oiseau rare, **perle rare** ; merle blanc, phénix ; mouton à cinq pattes.

4 **Raréfaction.** – SYLVIC. : coupe sombre ; éclaircissement.

V. 5 **Se raréfier,** se faire rare, ; se clairsemer. – Ne pas se rencontrer à tous les coins de rue, ne pas se trouver sous le pas d'un cheval. – Espacer ses visites, se faire (ou être) d'une grande rareté [fam. ou vx].

6 Ça arrive ; **il arrive que.**

7 **Raréfier** ; éclaircir [SYLVIC.].

Adj. 8 **Rare,** rarescent [litt.], rarissime ; épisodique, **occasionnel.** – Inaccoutumé, inhabituel, insolite, inusité. – Raréfiable ; en voie de disparition.

9 Isolé, particulier, singulier, **unique** ; anormal, bizarre, curieux ; fam. : pas (ou peu) banal, pas (ou peu) commun. – Ce qui est rare est cher [loc. cour, par allus. au sophisme classique : « ce qui est rare est cher ; or un cheval bon marché est rare ; donc un cheval bon marché est cher »].

10 Clairsemé, éclairci, espacé, **raréfié.**

Adv. 11 **Rarement,** rarissimement [litt.] ; épisodiquement, occasionnellement. – **Exceptionnellement** ; sout. : par exception, par extraordinaire.

12 **Parfois,** quelquefois ; de fois à autre [vieilli], des fois, par moments, de temps à autre, **de temps en temps.** – Une fois ; une fois n'est pas coutume [prov.]. – Peu, guère ; au compte-gouttes, avec des élastiques [fam.].

Conj. 13 Pour une fois que.

687 RÉACTION

N. 1 **Réaction** ; choc en retour, conséquence, contrecoup, effet **254.1,** fruit [fig.], résultat, retentissement, séquelle, suite ; résultante. – **Contrepoids** ; compensation, contrepartie ; équilibre, neutralisation.

2 **Rétroaction** ; effet rétroactif. – Renvoi ; rebond, rebondissement, rejaillissement, retour, ricochet ; ressac, ressaut. – Réfraction ; réflexion,

répercussion, réverbération ; écho. – Réaction en chaîne.

3 **Réaction** ; échange **690.4,** réciprocité. – Force contraire, opposition, résistance **715** ; rénitence [vx ou MÉD.].

4 **Réflexe 705** ; réaction, automatisme. – Réplique, réponse, riposte ; repartie.

5 **Stimulation 793** ; impulsion **391.**

6 POLIT. – **Réaction** ; conservatisme, droite. – Réactionnaire *(un réactionnaire).*

V. 7 **Déclencher** ; amener, appeler, déterminer, engendrer, impliquer, occasionner, provoquer, susciter. – Éveiller, faire naître.

8 **Réagir à** ; s'opposer à, répliquer à, répondre à, riposter à. – Répondre aux aides [ÉQUIT.].

9 **Réagir sur,** se répercuter sur, rétroagir sur ; influer sur, peser sur ; faire effet sur.

10 **Réagir contre** ; s'opposer à, résister à. – Changer d'attitude, se cabrer, se défendre, se dresser, s'insurger, se rebeller, se rebiffer [fam.], se redresser, regimber **715,** se révolter.

11 **Contrebalancer** ; balancer, contre-peser, équilibrer **282,** neutraliser ; refouler, repousser.

12 **Réfléchir,** refléter, renvoyer, retourner, répercuter, réverbérer.

13 **Stimuler** ; encourager, exciter.

14 **Se modifier** ; changer ; s'altérer, muer, se transformer.

15 **Répondre** ; réfuter, repartir [litt.], rétorquer.

16 **Réagir** ; ne pas se laisser abattre, se secouer [fam.] ; remonter le courant ou la pente, reprendre le dessus.

Adj. 17 **Réactif** ; réactionnel [didact.] ; réactionnaire [POLIT.].

18 **Réflexe** *(un mouvement réflexe)* ; contraire, inverse, opposé. – Réflexogène, répercussif [vx]. – Rétroactif.

19 **Consécutif à,** résultant de.

20 **Réciproque** ; mutuel. – Réversible.

Adv. 21 **Réactivement** [didact.] ; rétroactivement.

22 **Réciproquement** ; mutuellement.

Aff. 23 Contre-, rétro- ; réflexo-.

688 RÉCEPTION

N. 1 **Réception** ; acceptation, admission. – **Accueil 368** ; intégration, intronisation.

2 Réception ; cérémonie d'accueil. – Jour de réception ou, absolt, jour *(le jour de Mme X)* [vx].

3 ADMIN. – Recouvrement ; encaissement ; perception **317.**

4 PHYSIOL. – Chémoréception (ou : chémoception, chémosensibilité, chimiosensibilité).

5 **Récepteur 681** ; récepteur téléphonique ou récepteur de téléphone **809** ; poste récepteur. – Réceptrice [MÉCAN.].

6 PHYSIOL. : centre récepteur, récepteur **548.** – Accepteur [CHIM.].

7 **Accusé de réception,** avis de réception, récépissé, récépissé-warrant ; quittance, **reçu** ; acquit, décharge, reconnaissance.

8 Réception *(la réception)* ; accueil, bureau d'accueil, **entrée.** – ADMIN. : bureau de la recette, recette, recette buraliste. – Recettes publiques. – **Hospice** ; centre d'accueil, centre d'hébergement, foyer.

9 **Dépôt** ; consigne, entrepôt, magasin **490** ; décharge. – Recette [IMPRIM.]. – Réceptacle, récipient **151.**

10 **Recevabilité** ; acceptabilité ; admissibilité. – Réceptibilité [didact.]. – Réceptivité [MÉD.].

11 **Réceptionniste** ou, plus rare, réceptionnaire ; hôtesse, hôtesse d'accueil. – Hôte.

12 **Bénéficiaire,** dépositaire, destinataire, donataire. – Réceptionnaire [DR.]. – ADMIN. : encaisseur, garçon de recette, percepteur, **receveur** ; caissier, trésorier. – LING. : récepteur **136.**

13 Récipiendaire. – Admissible *(un admissible),* reçu.

V. 14 **Recevoir** ; réceptionner. – **Admettre** ; accepter, adopter, agréer, intégrer, prendre.

15 **Accueillir,** recueillir ; donner l'hospitalité à. – Introniser, recevoir ou admettre en son sein. – Donner audience à. – Inviter ; recevoir.

16 Encaisser ; **percevoir,** toucher. – Hériter qqch de qqn ; gagner, **obtenir.**

17 Essuyer, recevoir, **subir,** supporter. – Fam. : attraper, prendre, ramasser ; se payer, se prendre, se ramasser, se recevoir *(se recevoir des coups)* ; écoper **160,** encaisser ; déguster, trinquer.

Adj. 18 **Reçu** ; accepté, admis, adopté, pris.

19 Recevable ; **acceptable,** admissible.

20 Réceptif ; sensible **755.**

21 Récepteur [TECHN.]. – Chémorécepteur [PHYSIOL.].

Int. 22 Bienvenue !

689 RECHERCHE

N. 1 **Recherche** *(la recherche).* – Investigation ; étude, examen ; méditation, réflexion **682,** spéculation ; analyse, dissection [fig.]. – Affectation **12.**

2 **Heuristique** *(l'heuristique).* – Recherche scientifique ; recherche pure ou fondamentale ; recherche appliquée ; recherche-développement. – Recherche-action ou action research [anglic.] ou intervention psychosociologique [PSYCHOSOCIOL.]. – Recherche opérationnelle [ÉCON.]. – Recherche minière.

3 **Recherche** *(une recherche)* ; **enquête,** contre-enquête ; investigation, instruction [DR.].

4 **Prospection** ; fouille, perquisition ; fam. : chasse, pêche ; fouine, furetage. – Poursuite, traque ; battue, chasse à l'homme ; course-poursuite. – Recherche en paternité [DR.]. – **Avis de recherche.**

5 Consultation, sondage. – Consultation de fichier [INFORM.]. – Dépistage ; auscultation, observation ; docimasie [MÉD.].

6 Expérience, expérimentation, test ; **essai,** tentative **812.** – Contrôle, vérification **155.** – Méthode à double insu ou à double anonymat [MÉD.] ; méthode aveugle [PSYCHOL.].

7 Centre de recherche ; **laboratoire de recherche.**

8 **Centre national de la recherche scientifique** (C. N. R. S.) ; Institut national de la recherche agronomique (I. N. R. A.) ; Agence nationale de valorisation de la recherche (A. N. V. A. R.) ; Institut national de recherche en éducation et formation (I. N. R. E. F.) ; Office national d'études et de recherches aérospatiales (O. N. E. R. A.) ; Direction des recherches, études et techniques d'armement (D. R. E. T.) ; Bureau de recherches géologiques et minières (B. R. G. M.) ; Direction des recherches et moyens d'essai (D. R. M. E.).

9 **Chercheur** *(un chercheur),* enseignant-chercheur ; fondamentaliste *(un fondamentaliste).* – Attaché de recherche ; chargé d'études.

10 Dépisteur, investigateur ; explorateur.

11 Enquêteur ; sondeur ; perquisiteur [rare], perquisitionneur. – Fam. : fouilleur, fouineur ; rat de bibliothèque. – Chasseur de têtes ; agent de recherches ou détective privé.

V. 12 **Rechercher** ; faire de la recherche ; chercher [absolt]. – Explorer ; prospecter ; faire des recherches. – Compulser, consulter, éplucher [fam.]. – Se documenter, s'enquérir, s'informer.

13 **Expérimenter,** mettre à l'épreuve, tester. – Contrôler **155, vérifier.**

14 **Enquêter,** investiguer, sonder ; mener une enquête ; aller sur le terrain ; chercher une piste.

15 **Fouiller** ; fam. : farfouiller, fouiner, fourgonner, fourrager, fureter, ratisser ; passer au peigne fin. – Perquisitionner.

16 Chercher (qqn, qqch), rechercher (qqn, qqch) ; quérir [litt.]. – **Aller** ou **partir à la recherche de** ; partir en quête de, se mettre en quête de.

17 Pister, pourchasser, **poursuivre,** traquer. – Battre la campagne, battre les buissons [VÉN.] ; faire une battue. – Remuer ciel et terre. – Chercher une aiguille dans une botte de foin [fam.].

18 **Chercher à,** essayer de, s'efforcer de, s'évertuer à, s'ingénier à, tendre à, viser à.

Adj. 19 Recherché.

20 Exploratoire.

690 RÉCIPROCITÉ

N. 1 **Réciprocité.** – Interaction ; corrélation, correspondance, dépendance, interdépendance, liaison, rapport, **relation 698.** – Symbiose, synergie.

2 Réciprocité diplomatique ; réciprocité législative.

3 Entraide **19** ; fraternité, mutualité, **solidarité.** – Esprit de corps, esprit d'équipe ; mutualisme, solidarisme. – Un pour tous, tous pour un (loc. prov. prise pour devise par de nombreux corps et collectivités : scouts, francs-maçons, notamm.).

4 **Échange** ; un prêté pour un rendu. ANTHROP. : contredon, don, potlatch ; théorie de l'échange et de la réciprocité. – Accord bilatéral [DR.].

5 Réciproque *(la réciproque).* – Action en retour, **retour** ; fam. : retour de bâton, retour de chaise, retour de manivelle ; retour à l'envoyeur.

6 Loi du talion **144** ; « Œil pour œil, dent pour dent » (la Genèse).

7 L'un l'autre ; les uns les autres.

V. 8 Converger ; **correspondre 698.**

9 Fraterniser, se solidariser ; **partager 336,** se serrer les coudes.

10 S'entre-déchirer, s'entre-dévorer, s'entretuer. – S'entre-regarder.

11 **Se venger** ; payer quelqu'un de retour, rendre coup pour coup, rendre à qqn la monnaie de sa pièce, rendre la pareille, renvoyer la balle.

12 Renvoyer l'ascenseur ; réciproquer [région. ou vx]. – Passe-moi la casse, je te passerai le séné [loc. prov.].

Adj. 13 **Réciproque** ; **mutuel,** partagé. – Respectif ; symétrique. – **Bilatéral** ou synallagmatique [DR.].

14 Solidaire **6,** uni.

Adv. 15 **Réciproquement** ; mutuellement, solidairement. – Respectivement.

16 **En échange** ; à charge de revanche, en retour. – **Donnant donnant.**

17 Et inversement, vice versa ; dans les deux sens.

Aff. 18 Co- ; entre-.

691 RÉCIT

N. 1 **Récit** ; exposition, narration ; rapport, relation ; compte-rendu, exposé, rappel des faits. – Diégèse ou diegesis [LITTÉR.].

2 Légende, **mythe,** récit de fondation. – **Histoire 363** ; historiographie.

3 **Mensonge 504,** racontage [vx], racontar [fam.] ; conte bleu, histoire à dormir debout [fam., péj.]. – Bruit public, on-dit *(un on-dit),* **rumeur.**

4 Récit, **roman,** roman épistolaire, roman-fleuve ; *monogatari* [jap., LITTÉR.] ; cycle, saga ; chanson de geste, **épopée.** – Bande dessinée (abrév. B.D.) ; manga ; cinéroman, photoroman ou photorécit, roman-photo.

5 **Conte,** conte de fées ; apologue, fable, parabole ; exemple, fabliau, lai. – Historiette, **nouvelle** ; anecdote, histoire ; ana [vx].

6 Belles-lettres, **littérature.** – Littérature de colportage, paralittérature. – Roman d'aventures, roman de cape et d'épée, roman de chevalerie, roman-feuilleton, roman historique, roman de mœurs, roman noir, roman pastoral, roman picaresque, roman policier ou, fam., polar, roman de science-fiction ; politique-fiction ; roman d'éducation, roman personnel, roman psychologique. – Roman à l'eau de rose ; roman de gare. – Roman à clef ; roman à thèse. – Roman didactique.

7 **Biographie,** notice nécrologique ; *jataka* [sanskr.], récit hagiographique, vie *(vie de saints).* – Annales, chronique. – **Autobiographie,** confessions, Mémoires, souvenirs ; récit ou relation de voyage ; carnets, journal ou journal intime.

8 MUS. – Récitatif ; récit [vx].

9 Action, fable [didact.] ; canevas, fil du récit, **intrigue, trame** ; argument, histoire, scénario, scénar [fam.] ; lignes de force. – Sujet ; matière. – Plan ; contexture, **structure 795.** – Chapitre, épisode, scène ; péricope [didact.] ; coup de théâtre ; description **196,** portrait ; thème.

10 Novélisation, romançage [rare].

11 **Conteur, narrateur,** raconteur, récitant, récitateur [vx]. – Auteur, fabuliste, nouvelliste, **romancier** ; biographe, diariste, mémorialiste ; anecdotier, chroniqueur, journaliste **654** ; historien **363.8,** historiographe ; rapporteur.

V. 12 Conter, **dire,** narrer, **raconter,** rapporter, relater, révéler ; faire l'historique de qqch, retracer ; exposer, rendre compte. – Romancer.

13 **Décrire 196,** dépeindre, raconter qqn ou qqch.

14 **Mentir 504** ; fam. : en raconter, raconter des craques, raconter des histoires.

Adj. 15 Littéraire ; **narratif.** – Épique [didact.] ; picaresque. – Autobiographique, biographique, hagiographique, historique **363.15.** – Romancé, **romanesque.**

16 Racontable, romançable. – Ineffable, inracontable.

17 Décadent, populiste, **romantique, réaliste,** surréaliste.

Adv. 18 Narrativement.

692 RECTITUDE

N. 1 **Rectitude.** – **Alignement,** enfilade ; réglure [TECHN.]. – **Raideur,** rigidité.

2 **Droite** *(une droite)* ; axe, diamètre **97,** flèche, ligne **466,** ligne directrice ; tiret, trait. – Rai, rayon ; **raie,** rayure **466.5.** – Corde [MATH.]. – GÉOM. : segment ; section droite d'un cylindre ou d'un prisme ; faisceau de droites.

3 **Cordeau,** fil à plomb. – **Niveau,** nivelle, simbleau [TECHN.]. – **Règle 696,** réglet.

4 **Rectification** ; correction, redressement. – **Dressage,** nivellement, planage. – **Érection,** redressement.

5 Droiture [litt.] **365.** – **Droit chemin 858,** droite voie **451.** – Droit-fil, ligne [fig.].

V. 6 **Aligner, tracer au cordeau,** tirer au cordeau, tringler [TECHN.] ; axer, mettre la barre droite [MAR.]. – Couper net, trancher net ; **équarrir.**

7 **Aplanir,** planer ; mettre de niveau, niveler [TECHN.].

8 **Rectifier, redresser** ; corriger. – Découder, défausser, dégauchir, détordre. – **Déplier,** déplisser, déployer, dérouler.

9 **Dresser** ; ériger, lever **531, mettre d'aplomb.** – Rigidifier, tendre. – Mettre sur pied, remettre sur pied.

10 **Aller de droit-fil.** – Se dresser, se redresser, **se tenir droit,** se tenir raide ; se tenir debout.

Adj. 11 **Droit** ; droit comme un cierge (ou : comme un échalas, comme un i, comme un jonc, comme un peuplier, comme un piquet, comme une statue) ; direct, rectiligne. – **Raide,** rigide, roide [vx] ; planté comme un piquet ; inflexible.

12 Axial, coaxial ; diamétral, horizontal, vertical ; **à angle droit,** d'équerre, orthogonal. – Plain [vx], **plan.** – **Aligné** ; tendu, tiré au cordeau.

Adv. 13 **Droit** ; **tout droit,** droit devant, sans détour ; en droite ligne, en droiture [vx], en ligne directe ; droit comme une flèche. – À vol d'oiseau. – **Directement,** droitement [vx], rectilignement ; rigidement. – À pic, à plomb ; à l'horizontale, à la verticale. – **D'aplomb,** debout.

Prép. 14 Dans le droit-fil de.

Aff. 15 **Orth-,** ortho- ; rect-, recti-, recto-.

693 REFUS

N. 1 **Refus** ; fin de non-recevoir, inacceptation, négative *(la négative),* **non** *(un non),* réponse négative ; **rebuffade.** – Exclusion, mise à l'écart, **rejet** ; récusation [DR.].

2 **Refus** ; nolition **870** ; **interdiction,** veto. – **Refus de** [+ n. ou inf.] *(refus d'obéissance, refus d'obtempérer, refus de comparaître)* ; réticence **438.**

3 **Refus** ; contestation, condamnation, désapprobation, **inacceptation,** protestation **194.**

4 Dénégation, déni, **négation.** – Refus psychologique ; refus de + n. *(refus du réel, refus du temps),* conduites de refus ; fuite, négativisme, refoulement.

5 Contestataire, protestataire ; contradicteur. – Négateur. – Négativiste.

6 Refus ; **rebut** ; laissé-pour-compte. – Refus *(enfoncer un pieu jusqu'à refus)* [TR. PUBL.].

V. 7 **Refuser** ; **décliner,** opposer un refus, répondre par la négative ou négativement **546** ; persister dans un refus, se tenir dans la négative [rare].

8 **Refuser** ; **écarter 295.8, rejeter,** renvoyer, **repousser** ; retoquer [fam.] ; dédaigner, mépriser ; laisser pour compte.

9 **Éconduire,** rabrouer, rembarrer ; fam. : envoyer paître ou promener, envoyer au diable. – Blackbouler, récuser [DR.]. – Ajourner ; fam. : coller, recaler.

10 Essuyer un refus, se heurter à un refus.

11 Refuser qqch à qqn ; défendre, **interdire 429** ; empêcher, priver.

12 **Refuser de** + inf. *(refuser d'obéir, de se soumettre),* se refuser à ; **s'opposer,** se rebeller, se rebiffer, regimber, **résister,** se révolter ; ruer dans les brancards [fam.] ; ne pas céder **568.**

13 **Refuser** ; combattre, **contester,** dénier, **nier,** protester, récuser, réfuter ; mettre en doute ; démentir, s'inscrire en faux contre. – Dénier, **nier** ; **ignorer** ; vouloir ignorer, être sourd à, faire la sourde oreille.

14 TECHN. – Refuser ou refuser l'obstacle (en parlant d'un cheval) [ÉQUIT.]. – Refuser (en parlant du vent) [MAR.]. – Refuser (en parlant d'un pieu) [TR. PUBL.].

Adj. 15 **Refusé,** ajourné ; fam. : blackboulé, collé, recalé. – Laissé pour compte.

16 Refusable [plus souv. en tournure négative] ; **inacceptable,** inadmissible, irrecevable. – **Contestable,** récusable, réfutable.

17 **Négatif,** négatoire. – Rédhibitoire.

18 **Désobéissant** ; **insoumis,** rebelle, récalcitrant, réfractaire.

Adv. 19 **Négativement,** nenni [vx], **non** ; ne pas, ne point.

694 RÉGIME

N. 1 **Régime** ; système de gouvernement.

2 Constitutionnalisme [vx], régime constitutionnel. – État de droit.

3 **République.** – Présidentialisme, régime présidentiel. – Collégialité, gouvernement collégial, présidence collégiale. – Bicéphalisme.

4 **Démocratie,** démocratie directe, démocratie semi-directe ; démocratie représentative ; **parlementarisme,** régime parlementaire, régime semi-parlementaire ou semi-présidentiel. – Monocaméralisme, bicaméralisme.

5 Bipartisme, tripartisme ; multipartisme, **pluralisme,** pluripartisme. – Confessionnalisme ; laïcité. – **Théocratie.**

6 **Fédéralisme** ; municipalisme ; polycentrisme.

7 **Monarchie** ; royauté ; absolutisme, monarchie absolue, monarchie constitutionnelle, monarchie tempérée, régime de droit divin. – Bonapartisme.

8 **Aristocratie 552** ; féodalité.

9 Consulat, principiat. – Ministériat, polysynodie. – **Oligarchie.** – Dyarchie, tétrarchie, pentarchie, polyarchie. – Duumvirat, triumvirat.

10 **Capitalisme 808.** – Ploutocratie ou, vx, timocratie.

11 **Socialisme 808** ; collectivisme, **communisme** ; autogestion. – Démocratie populaire. – **Centralisme,** centralisme bureaucratique, jacobinisme ; étatisme, statocratie [didact., rare]. – Postcommunisme.

12 Anarchisme **201.**

13 Conservatisme (opposé à modernisme et à réformisme).

14 **Autoritarisme 133.** – Autocratie, monocratie ; despotisme, dictature, **tyrannie** ; despotisme éclairé ; bonapartisme, césarisme ; caporalisme, militarisme. – Fascisme [cour.] ; totalitarisme. – Régime musclé, régime policier.

15 **Colonialisme, impérialisme,** néocolonialisme. – Paternalisme. – Esclavagisme.

16 **Démocratisation.** – Présidentialisation. – Bureaucratisation, technocratisation ; centralisation. – Bipolarisation. – Fascisation.

17 Chef d'État. – Président de la République ; Premier ministre **708,** président du Conseil [anc.].

18 Empereur ; monarque, **roi** ; prince ; régent. – Consul [ANTIQ.]. – ANTIQ. : dyarque, oligarque. – Souverains étrangers. – Raïs [ar.] ; chah ou shah [persan]. – Éthiopie : négus, ras. – Japon : mikado [vieilli] ou empereur. – Pharaon [ANTIQ.]. – Monde arabo-musulman : émir. – Bachagha, agha, caïd ; cheikh. – **Calife, sultan** ; bey, khédive, vizir.

19 Autocrate, despote, dictateur, **tyran.** – Démagogue. – Junte.

20 **Gouverneur 133** ; préfet, sous-préfet, superpréfet. – Préfecture, sous-préfecture. – ANTIQ. : préteur, satrape, stratège ; archonte, éphore. – HIST. : doge [Venise] ; stathouder [Pays-Bas] ; voïvode [Balkans].

21 **Technocrate.** – Énarque.

22 **Démocrate** *(un démocrate)* ; républicain.

23 **Parti,** parti politique ; majorité, majorité présidentielle, majorité gouvernementale ; opposition. – Cartel, formation, front, **mouvement,** rassemblement, union. – Association, ligue, organisation. – Organisation non gouvernementale ou O.N.G.

V. 24 Démocratiser.

Adj. 25 **Démocratique,** parlementaire ; républicain ; multipartite. – Monocaméral, bicaméral.

26 Conservateur ; moderniste, réformiste.

27 Autogestionnaire ; **socialiste.** – Collectiviste, **communiste.** – Postcommuniste.

28 Impérial, **monarchique,** royal. – Oligarchique. – **Aristocratique.** – Féodal.

29 Antidémocratique. – Inconstitutionnel. – Autocratique, despotique, dictatorial, **tyrannique** ; bonapartiste. – Cour. : fasciste ou, fam., facho ; totalitariste.

30 **Colonialiste,** impérialiste, néocolonialiste.

Adv. 31 Démocratiquement.

32 Autocratiquement, **despotiquement,** tyranniquement.

Aff. 33 -isme ; -archie, -cratie, -virat.

34 -iste ; -arque, -crate ; -cratique.

695 RÉGION

N. 1 **Région** ; province **355** ; localité. – Contrée, partie du monde, région du monde. – Poét. : cieux, climats **127.**

2 **Territoire** ; pays **124.** – Domaine, royaume ; **aire.**

3 Sol **337,** terrain, **terre 813,** terroir.

4 Frontière ; lisière, marche. – Côtes, rivages ; bord de mer ; front de mer. – Arrière-pays, hinterland.

5 Environs **280** ; voisinage. – Parages.

6 **Coin,** endroit, lieu. – Zone.

7 ADMIN. – Département. – Canton, district ; préfecture **708,** sous-préfecture. – Circonscription, généralité [vx]. – **Région** ; capitale régionale, métropole. – **État,** État souverain ; pays.

8 **Régionalisme,** provincialisme ; chauvinisme, nationalisme **808.** – Esprit de clocher.

9 Géographie régionale. – Particularisme régional.

10 Didact. – Territorialité ; provincialité.

11 **Provincial** *(un provincial)* ; Armoricain [vx], Alsacien, Angoumoisin, Aquitain, Ardennais, Aunisien, Auvergnat, Basque, Béarnais, Beauceron, Berrichon, Bourguignon, Breton, Champenois, Charentais, Corse, Dauphinois, Franc-Comtois, Francilien, Gascon, Girondin, Languedocien, Limousin, Lorrain, Lyonnais, Morvandiau, Normand, Picard, Poitevin, Provençal, Rhônalpin, Roussillonnais, Saintongeais, Savoyard ou Savoisien, Vendéen, Vosgien.

12 **Régionaliste** *(un régionaliste ; les régionalistes)* **808.** – Autonomiste, séparatiste.

V. 13 **Régionaliser** (opposé à centraliser), décentraliser ; localiser. – Désenclaver. – Provincialiser [rare].

14 Avoisiner ; environner.

Adj. 15 Régional ; local ; provincial.

Adv. 16 **Régionalement.** – Localement, territorialement. – Provincialement.

696 RÈGLE

N. 1 **Règle.** – Maxime, précepte, principe. – Consigne, directive, instruction **511.4.** – Commandement, règle.

2 Loi **245, règlement** ; règle [RELIG.]. – Prescription, rescrit [HIST.] ; décret, édit, ordonnance.

3 Convention **163,** principe. – Coutume **164,** habitude **357,** tradition, us [vx], **usage** ; droit coutumier, us et coutumes **98.**

4 Canon, modèle **521** ; idéal **379.** – **Code,** règles *(règles de l'art* ou *du métier, règles du genre, règles du jeu, etc.).* – Règle d'or, règle des règles ; règle des trois unités **729.**

5 Formule, module ; modulor [BX-A.], nombre d'or. – Les quatre règles **87.**

6 Il n'y a pas de règle sans exception [prov.] ; L'exception confirme la règle [loc. prov.].

7 Éthique, morale **533 ; déontologie.**

8 **Discipline,** ligne de conduite, règle de vie. – RELIG. : discipline, observance **525.**

9 **Codification,** réglementation ; édiction [ADMIN.]. – Normalisation, régulation. – Moralisation.

10 **Régularité** ; conformité, normativité ; canonicité [didact.] ; orthodoxie. – Conventionnalité [didact.]. – Moralité.

11 Conformisme, traditionalisme ; académisme. – Didact. : réglementarisme ; normativisme. – Conventionnalisme [PHILOS.].

12 Codificateur, réglementateur [vx]. – Réglementariste [didact.] ; normativiste. – Conformiste ; moraliste. – Conventionnaliste [PHILOS.].

V. 13 **Régler,** réguler ; régulariser. – Codifier, normer. – Conformer, normaliser. – Discipliner, moraliser.

14 Réglementer, statuer ; décréter, édicter. – Instituer, institutionnaliser. – Ordonner, prescrire.

15 Faire autorité, faire foi.

16 Observer une règle, vivre selon la règle [fig.]. – S'assujettir (ou : se conformer à, se soumettre) à une règle. – Se faire une règle (ou : un catéchisme, un évangile) de.

17 Prendre pour modèle **379, se régler sur,** suivre l'exemple de.

18 Se mettre en règle avec. – Mettre les formes, y mettre les formes.

Adj. 19 **Réglé** [sout.] ; codifié ; **réglementé.** – Ordonné, organisé, régulier [vx]. – Réglé comme une horloge, réglé comme du papier à musique.

20 Décrété, édicté, ordonné, prescrit. – Canonial.

21 Déontologique, éthique. – Disciplinaire, **réglementaire** ; statutaire.

22 Normatif, prescriptif.

23 Conforme, **normal,** réglementaire, régulier ; canonique. – Académique ; péj. : conventionnel, convenu, politiquement correct. – En règle. – **De règle,** de rigueur.

24 Bienséant, convenable, convenant **163.** – Moral ; fam. : *recta* (lat., « tout droit »), régulier, réglo.

25 Conformiste, traditionaliste.

Adv. 26 Réglementairement ; conventionnellement, institutionnellement, légalement.

27 Réglément [vx], régulièrement ; comme il se doit, dans les formes, dans les règles ; pour la bonne règle.

28 Formellement, protocolairement **98.** – Civilement **163.**

29 Déontologiquement, éthiquement, moralement.

30 Coutumièrement, en règle générale, généralement, habituellement, traditionnellement.

Prép. 31 D'après, selon, suivant. – Conformément à, en conformité avec.

697 REGRET

N. 1 **Regret** ; deuil, nostalgie. – Regrets éternels **331.**

2 **Remords,** repentance [litt.], repentir ; attrition [RELIG.], contrition [litt.], syndérèse [vx, THÉOL.] ; componction [RELIG.]. – Confusion, **honte,** humiliation. – Examen de conscience, retour sur soi-même ; aveu, **confession** ; condamnation, critique, reproche ; mortification.

3 Déception **178,** déplaisir **192, peine.**

4 **Pénitent,** repentant *(un repentant).*

V. 5 **Regretter** ; avoir le regret de, être au regret de. – Avoir regret à qqn ou à qqch [vx] ; avoir regret que, **déplorer que.** – Pleurer sur, se lamenter, se plaindre ; porter le deuil de. – Être au désespoir de.

6 **Regretter,** se repentir ; venir à résipiscence [litt.] ; s'en vouloir de ; fam. : se mordre la langue ou les lèvres, se mordre les doigts ou les pouces. – **Avoir mauvaise conscience,** avoir un poids sur la conscience, ne pas avoir la conscience tranquille.

7 Battre sa coulpe, dire son peccavi, faire son mea culpa ; se couvrir la tête de cendres, se frapper la poitrine. – Demander grâce, demander merci [vieilli], **demander pardon.** – Faire pénitence, se mortifier.

8 **Déplorer,** reprocher **710** ; condamner, critiquer, désapprouver **194** ; épingler [fam.].

Adj. 9 **Regrettable** ; déplorable, détestable ; fâcheux, malencontreux, malheureux. – Funeste, **honteux** ; désolant, navrant. – Désagréable, ennuyeux **272.**

10 Contrit [litt.], regretteur [rare], **repentant** ; bourrelé de remords. – Confus, désolé, **honteux** ; contrarié, fâché **130,** marri [vx], navré. – Inconsolable, nostalgique **272.**

11 **Regretté.**

Adv. 12 Regrettablement [litt.] ; **fâcheusement, malheureusement.** – À regret ; à contrecœur **62,** de mauvaise grâce, de mauvais gré.

13 Nostalgiquement.

698 RELATION

N. 1 **Relation** ; connexion, connexité [litt.], corrélation, **rapport** ; interrelation. – **Correspondance,** liaison, lien **787.** – LING. : référent (ou : référé, référence) **753.** – Analogie, identité, similitude ; affinité, filiation, parenté **304.**

2 Association, **réunion 725,** union. – **Attachement,** rattachement ; apparentement. – Solidarité.

3 **Dépendance** ; interdépendance, réciprocité **690.** – Consécution, enchaînement, suite. – MATH. : application **493,** fonction ; covariance.

4 Conséquence, **corrélat,** corollaire. – Covariant [MATH.].

5 PHILOS. : causalisme, déterminisme.

V. 6 **Relier.** – Connecter, corréler, lier. – **Rapporter à,** rattacher à, référer à (qqch) ; LING. : référer à ou avoir pour référent. – Affilier, apparenter, **rapprocher.** – Joindre, réunir, unir ; enchaîner.

7 **Correspondre.** – Coexister. – Se ressembler ; ressembler à.

8 **Dépendre de** ; découler de, s'ensuivre. – Causer **92,** déterminer, entraîner.

9 Interagir. – Covarier [MATH.].

Adj. 10 **Relatif,** relationnel ; corrélatif, corrélationnel ; consécutif, conséquent. – Affilié, apparenté ; **lié,** rattaché, relié ; connectif, connexe, solidaire. – Analogue, identique, similaire. – **Correspondant,** équivalent ; réciproque. – Associable, associatif ; applicable [GÉOM.].

11 Dépendant, **interdépendant** ; interactif. – Causal, déterminé.

Adv. 12 **Relativement** ; corrélativement. – Comparativement. – Identiquement, similairement.

13 **Relationnellement** ; corrélationnellement. – Solidairement. – Réciproquement.

Prép. 14 **En fonction de,** en proportion de ; **par rapport à.**

Aff. 15 Co- ; inter-.

699 RELIGIEUX ET MINISTRES DES CULTES

N. 1 **Religieux** ; **ministre du culte.** – Clerc, ecclésiastique ; homme de Dieu ou homme d'Église, religieux *(un religieux),* gens d'Église [vx]. – **Prêtre.**

2 **Clergé** *(le clergé)* **525,** clergé séculier (opposé à clergé régulier) ; péj. : calotte *(la calotte),* prêtraille *(la prêtraille).* – Épiscopat *(l'épiscopat).* – HIST. : bas clergé, haut clergé.

3 Cléricature, prêtrise. – Ministère sacré, **sacerdoce.** – Apostolat. – Profession religieuse ou vœux de religion.

4 Consécration ; ordination, sacrement de l'ordre. – DR. CAN. : admittatur ou celebret **58,** exeat, suspense, suspense *a divinis.*

5 Ordres de l'Église catholique. – Ordres mineurs ou ministères institués ; lectorat, acolytat, ostiariat [vx], exorcistat [vx]. – Ordres majeurs ; **épiscopat, presbytérat,** diaconat, sous-diaconat [vx]. – Aumônerie, chapellenie, vicariat.

6 Anc. : acolyte, exorciste ou exorciseur, lecteur, portier. – Pape (évêque de Rome) **590 ; évêque, prêtre** ; diaconesse, diacre, sous-diacre [anc.]. – Aumônier, chapelain, **curé** ; desservant, marguillier [anc.], vicaire, prieur **657.** – Archevêque, coadjuteur, métropolitain. – Péj. : curaillon, cureton ; arg., vieilli : corbeau, ratichon. – Suspense *(un suspense)* [DR. CAN.].

7 Archiprêtre ; archevêque, patriarche, primat.

8 Appellatifs. – Monsieur l'Abbé, **Père,** mon père, Révérend, mon révérend ; Mère, ma mère, Sœur, ma sœur. – Abba (araméen, « père »).

9 Prédicateur **648.** – Confesseur, directeur de conscience ; médecin des âmes, médecin spirituel, pasteur des âmes. – Presbytre [rare].

10 HIST. – Abbé crossé et mitré. – Prêtre assermenté, prêtre constitutionnel, prêtre jureur ; prêtre insermenté, prêtre réfractaire ; prêtre abdicataire. – Patarin.

11 Églises d'Orient. – Papas, pope ; hiérodiacre, hiéromoine. – **Métropolite.**

12 Églises protestantes. – **Pasteur** ; doyen, inspecteur ecclésiastique ou surintendant. – Ministre de l'Évangile.

13 Église anglicane. – Clergyman.

14 Judaïsme **449.** – Rabbi [docteur de la loi], nassi [patriarche] ; **rabbin,** Grand Rabbin ; lévite [HIST.]. – Cohen [sacrificateur] [vx] ; mohen [circonciseur]. – Rabbinat.

15 Islam **440.** – **Imam** ; aga khan, bab [vx]. – **Mollah** ou mulla, ouléma. – **Ayatollah** ; marabout. – Hodjatoleslam, mufti [jurisconsulte] ; hodja. – Khatib [prédicateur].

16 Bouddhisme **80.** – Lama ; **dalaï-lama.**

17 Hindouisme **362.** – Adhavaryu [officiant du yajurveda]. – **Gourou** ou **guru,** swami.

18 Chaman ou shaman.

19 Circonscription ecclésiastique ; cure, **diocèse,** évêché, archevêché. – Inspection.

20 Bénéfice ecclésiastique **645** ; aumônerie, cure, maison curiale, maison presbytérale, **presbytère.** – Évêché.

21 Bénéfice, prébende, temporel ; dîme [HIST.]. – Bénéficier, prébendé, prébendier.

22 Institutions. – Conseil œcuménique des Églises. – Église catholique : conseil épiscopal, conseil presbytéral. – HIST. : conseil de fabrique, fabrique, marguillier ou bureau des marguilliers. – Église protestante : conseil presbytéral, consistoire, synode. – Judaïsme : sanhédrin, synhédrion [anc.] ; consistoire israélite.

23 Congrégationalisme ; presbytérianisme. – Cléricalisation.

24 Barrette, mitre. – Croix pectorale, encolpion. – Judaïsme : éphod, taleth.

25 ANTIQ. ROM. – Prêtres de la cité : **pontife,** grand pontife ; augustale, flamine ; fétial, épulon, luperque, prêtresse, vestale ; sacrificateur, victimaire. – Dionysos : bacchante, thyiade. – Cybèle : corybante. – Attis : galle, archigalle. – Mars : salien. – Cérès : arvale.

26 ANTIQ. GR. – Mystère d'Éleusis : hiérophante, mystagogue ; kéryke, hiérokêrux. – Hiérodoule, hiéromnémon ; hiérogrammate.

27 Celtes. – **Druide,** druidesse ; barde.

28 **Culte 173.** – **Direction spirituelle, prédication 648.** – Administration des sacrements ; absolution, baptême, mariage, onction ; bénédiction, consécration. – Circoncision. – Sacrifice. – Divination **235** ; prédiction. – Exorcisme.

V. 29 Ordonner prêtre. – Cléricaliser.

30 Coiffer la mitre, entrer dans les ordres. – Porter soutane.

31 Célébrer les mystères, officier. – Prêcher. – Baptiser, circoncire. – Bénir, consacrer ; oindre. – Absoudre.

Adj. 32 **Clérical.** – Cathédral **465,** presbytéral ; archiépiscopal, épiscopal, vicarial. – Métropolitain *(évêque métropolitain)* [DR. CAN.], patriarcal. – Ministériel.

33 Paroissial ou parochial.

34 Suspens [DR. CAN.].

700 RELIGION

N. 1 **Religion.** – Religion dogmatique, **religion révélée** ; religion messianique ; religions du Livre. – Religion ésotérique, religion initiatique, religion à mystères, religion occulte. – Religion naturelle ou loi naturelle, religion positive.

2 Conviction, croyance, **foi 320,** religion. – Pensée.

3 **Confession** ; culte **173, église,** religion ; école. – **Secte.**

4 **Dogme,** vérité de foi ; mystère. – Article de foi ; confession de foi. – Credo.

5 Schisme ; hérésie.

6 Théisme ; dualisme ou manichéisme, **monothéisme, polythéisme,** panthéisme. – Animisme, fétichisme, magisme [vx] **477,** totémisme ; chamanisme ou shamanisme. – Astrolâtrie, idolâtrie.

7 Agnosticisme ; **athéisme 398.** – Paganisme.

8 Judaïsme **449,** christianisme **117** ; mormonisme ; islam **440.** – Bouddhisme **80,** hindouisme **362,** jaïnisme, mazdéisme, parsisme, sikhisme, tantrisme ; védisme. – Confucianisme. – Taoïsme. – Shintô, shintoïsme. – Zoroastrisme. – Druidisme.

9 Orphisme [ANTIQ. GR.]. – Mithriacisme ou mithraïsme [ANTIQ. PERSE].

Adj. 10 **Religieux.** – Confessionnel (opposé à laïque).

11 Théiste ; dualiste, manichéiste ; monothéiste, panthéiste, polythéiste. – Animiste, fétichiste.

12 Déiste. – Athée ; agnostique. – Païen.

701 RENONCIATION

N. 1 **Renonciation** ; **abandon** ou abandonnement, délaissement ; cession, résiliation. – Abdication, **démission,** désengagement, désistement, retrait ; abstention. – Abjuration, apostasie, désaveu, rejet, **reniement 828,** répudiation.

2 **Renoncement** ; **abandon,** abdication, capitulation, reddition, **résignation,** soumission 787 ; défaitisme, fatalisme. – **Découragement,** faiblesse **452** ; apathie, relâchement.

3 **Renoncement, renonciation** ; abandon de soi, **abnégation,** abstinence, ascèse **47,** dépouillement, désintéressement, **détachement,** indifférence **401,** oubli de soi. – Compromission, concession, privation, sacrifice ; retraite.

4 DR. : renonçant, renonciateur ; renonciataire. – **Défaitiste.**

V. 5 **Renoncer** ; **abandonner,** délaisser, lâcher, **laisser,** quitter, résilier ; se défaire, se départir, se dépouiller, se dessaisir, **se détacher** ; dire adieu à ; se désaccoutumer, se déshabituer.

6 **Arrêter,** cesser, dételer [fam.]. – **Abdiquer,** se démettre, démissionner, **se désister,** se récuser, se résigner, se retirer.

7 Abjurer, apostasier **398, rejeter, renier.**

8 **Renoncer à** ; s'abstenir de, se passer de, **se priver de** ; fam. : se brosser, faire ceinture, faire (ou : mettre, tirer) une croix sur. – Renoncer à soi-même, renoncer au monde ; se dévouer, s'immoler, **se sacrifier** ; faire don de sa personne. – Se retirer du monde, vivre en ermite ; mourir au monde.

9 **Renoncer** ; **abandonner 181,** abdiquer, **capituler 180,** désespérer, reculer ; s'avouer vaincu, baisser les bras, déclarer forfait, déposer les armes, jeter le manche après la cognée ; se décourager, se relâcher. – **Se résigner,** se résoudre à **716** ; se faire une raison.

Adj. 10 Renonciatif. – **Démissionnaire.** – Battu ; défaitiste, fataliste.

11 Dissuasif **231.**

702 RÉPARATION

N. 1 **Réparation** ; arrangement **576,** colmatage, rafistolage [fam.], rajustement [rare], recollage, reconstitution. – Reconstruction, réédification, réfection, remontage, replâtrage [fig.], **restauration 722,** retapage [fam.] ; remise à neuf, remise en état ; anastylose [BX-A.]. – Restitution, rétablissement.

2 **Raccommodage,** raccoutrage [TECHN.], rapetassage [fam.], rapiéçage ou rapiècement, rapiécetage [rare], ravaudage, remmaillage ou remaillage, rentrayage, stoppage ; rempaillage. – Rhabillage [HORLOG.].

3 Réhabilitation, **rénovation** ; ragrément ou ragréage [TECHN.] ; **ravalement,** restauration.

4 Restauration artistique. – Atelier de restauration [BX-A.] ; désentoilage, dévernissage, réintégration, rentoilage.

5 Carénage [MAR.], raccastillage [MAR., vx], radoub [MAR.] ; renflouement.

6 Chirurgie restauratrice ou réparatrice **114** ; lifting [anglic.].

V. 7 **Réparer** ; arranger, colmater, rafistoler [fam.], rajuster, rebâtir, recoller, reconstituer, reconstruire, réédifier, **refaire,** remonter, **restaurer,** retaper [fam.]. – Rabibocher [fam.], raccommoder. – Remettre à neuf ; remettre debout, remettre en état. – Replâtrer [fig.], faire du replâtrage [fam.].

8 Apiécer [vx], **raccommoder,** raccoutrer [TECHN.], rapetasser [fam.], rapiécer, rapiéceter [rare], ravauder, recoudre, remmailler, rentraire ou rentrayer, **repriser,** stopper ; rempailler. – Rhabiller [HORLOG.].

9 Reconvertir, réhabiliter ; ragréer [TECHN.], ravaler, renformir [TECHN.], **rénover.**

10 **Restaurer** [BX-A.], rentoiler, dérestaurer [TECHN.].

11 Caréner [MAR.], raccastiller [MAR., vx], radouber [MAR.] ; renflouer.

Adj. 12 **Réparateur.** – **Réparable.** – Rénové.

703 REPAS

N. 1 **Repas** ; repus [vx]. – Petit déjeuner ou, fam., petit déj, breakfast [anglic.] ; **déjeuner** ou, vx, dîner ; goûter ou, enfant., quatre heures, five-o'clock [anglic.], déjeuner dînatoire, **dîner,** souper. – Médianoche [vx ou litt.] ; réveillon.

2 Casse-croûte, collation, dînette [fam.] ; fam., vx : croustille, fricotis. – Ambigu *(un ambigu)* [anc.]. – Anglic. : brunch ; lunch. – Pique-nique. – Buffet ; buffet chaud, buffet froid ; buffet campagnard.

3 Banquet, **festin** ; fam. : balthazar [vieilli], **gueuleton** ; vx : frairie, gaudéamus, gobichonnade, régal. – Par plais., vieilli : collation de moine, déjeuner de chasseur, dîner d'avocat. – Agapes [sout.]. – Repas de fiançailles, repas de noces ; repas d'affaires. – Miséricorde [dans certains ordres religieux]. – Vx : franche lippée, repue franche. – Cène [RELIG.].

4 Fam. : bombance **426,** ripaille ; péj. : bâfrée, mangerie [litt.], ventrée ; péj. et vx : bâfre, godaille ou gogaille. – Ribote [fam. et vx].

5 Nourriture **75** ; chère, subsistance, viande [vx] ; vieilli : boire *(le boire),* manger *(le manger),* le boire et le manger ; litt. : manne, pain, pitance, viatique ; fam. : bectance, **bouffe,** bouffetance, boustifaille, croque, croûte ; par plais. : pâtée, pâture.

6 Ordinaire, table. – Fam. : cuistance, frichti, fricot, popote, tambouille ; péj. : graille, graillon, mangeaille, ragougnasse, ratatouille, rata.

7 **Aliment,** comestibles, **denrée alimentaire,** nutriment [didact.], provisions de bouche, victuailles, vivres. – En-cas, casse-croûte ou, fam., casse-dalle, cheeseburger [anglic.], hamburger [anglic.], panini, sandwich ; briffeton [arg.]. – Panier-repas.

8 Mets, pièce, **plat** ; service. – Amuse-bouche ou amuse-gueule, hors-d'œuvre, entrée, relevé, pièce de résistance, plat principal, entremets, salade, fromage **328,** dessert. – Carte, menu.

9 Portion, **ration.** – Bouchée ; becquée [fam.], lippée [vx]. – Assiettée, platée [fam.].

10 Desserte [vx]. – Bribe, relief, reste, rogaton [fam.].

11 Appétit, **faim** ; fringale. – Faim de loup ou d'ogre, faim-valle [vx ou MÉD.]. – Voracité.

12 Appétit d'oiseau, petit appétit ; chipotage, grignotage. – Frugalité, sobriété **771.** – Voracité.

13 Didact. – Absorption, ingestion, ingurgitation ; manducation.

14 PATHOL. – Boulimie, polyphagie, tachyphagie. – Anorexie.

15 **Table.** – Cantine, mess, réfectoire, restaurant ; cafétéria ; anglic. : fast-food, self-service. – Soupe populaire.

16 **Maître de maison** ; amphitryon [par plais.], amphitryonne [litt.]. – ANTIQ. ROM. : architriclin, triclinaire *(un triclinaire).*

17 Aubergiste, restaurateur, tavernier [anc. ou par plais.]. – Maître d'hôtel ; chef de rang, garçon, serveur ; sommelier.

18 **Cuisinier** ; chef, maître queux [vx ou litt.] ; maître de la grande soupière [HIST.] ; MAR. : coq, maître coq ou maître-coq **830** ; traiteur **333.**

19 Dîneur, soupeur. – **Consommateur,** mangeur [rare]. – Commensal [sout.], **convive,** hôte, pensionnaire ; couvert [spécialt]. – Bouche à nourrir ; écornifleur [vx], parasite [péj.], pique-assiette [fam.].

20 Fine gueule, **gastronome,** gourmet **343.** – **Gourmand.** – Belle ou bonne fourchette **342** ; **glouton,** goinfre ; péj. et fam. : bâfreur, bouffeur, crevard, morfal ; très fam. : bouffetripe, boustifailleur, fripe-sauce, gros boyau ; vx : briffaud, briffeur, gobichonneur. – Petite bouche ; pignocheur [fam., vieilli].

21 Carnassier ; végétalien, végétarien.

V. 22 **Déjeuner,** dîner, souper ; réveillonner. – Collationner ; luncher [vx] ; pique-niquer.

23 Tuer le veau gras [allus. biblique], mettre les petits plats dans les grands **368.** – **Régaler,** tenir table ouverte, traiter. – Pendre la crémaillère. – Mettre le couvert ou la nappe.

24 S'attabler, se mettre à table ; sortir de table.

25 Consommer, **manger** ; absorber, avaler, gober, ingérer, ingurgiter ; happer, laper. – Croquer, dévorer, mordre (ou dévorer) à pleines dents, grignoter, gruger [vx], **mâcher,** mastiquer, ronger, sucer, suçoter. – Très fam. : affûter ses meules, jouer des orgues de Turquie (ou : des dents, des badigoinces).

26 S'alimenter, **se nourrir,** se restaurer, se sustenter [sout.]. – S'assouvir, se repaître ; se caler les amygdales [fam.].

27 **Casser la croûte** (ou : la dalle, la graine), donner un coup de fourchette, manger un morceau. – Fam. : becqueter (ou béqueter, ou becter), **bouffer,** boulotter. – Fam. : se donner de qqch par les joues, se mettre qqch dans le cornet ou derrière la cravate.

28 **Goûter à,** prendre de, tâter de. – Déguster, savourer. – Fam. : pêcher au plat, mettre cinq et retirer six, écumer la marmite ; estropier un anchois ; nettoyer un plat.

29 Être porté sur la bouche ou, fam., sur la gueule ; **avoir un joli coup de fourchette,** ne pas se laisser abattre, mâcher ou manger de haut, ruer bien en cuisine [vx] ; s'en donner à bouche que veux-tu. – Avoir un estomac d'autruche, avaler la mer et les poissons (surtout condit.) *(il avalerait la mer et les poissons),* faire ventre de tout. – Avoir toujours le morceau au bec. – Mettre tout à profit, rembourrer le pourpoint [par plais., fam.].

30 Faire belle chère ou chère lie ; festiner [rare], **festoyer.** – Faire bombance ou ripaille, faire gaudeamus [vx] ; se taper la cloche ou la cerise [fam.].

31 Faire honneur à un repas, à un plat. – Manger à s'en crever la panse [fam.]. – Fam. et péj. : s'empiffrer, se gaver, se goberger, se goinfrer ; s'en fourrer jusque-là, s'en foutre plein la lampe ; manger à s'en faire péter la sous-ventrière. – Creuser sa fosse avec ses dents.

32 Manger avec un lance-pierres, mettre les morceaux en double ; manger sur le pouce. – Gargoter [vx], bouffer ou manger comme un chancre [pop.].

33 Grignoter, **manger du bout des dents,** manger comme un moineau ; fam. : chipoter, mangeotter, pignocher.

34 **Jeûner** 47 ; faire maigre (opposé à faire gras). – Sauter un repas. – Avoir le ventre creux ; n'avoir rien dans le cornet [fam.].

35 N'avoir rien à se mettre sous la dent. – Fam. : danser devant le buffet, dîner par cœur, manger des briques, manger avec les chevaux de bois. – Fam. : se bomber, se brosser le ventre, se la sauter, se serrer d'un cran ; se coucher bredouille. – Tromper le diable. – Prov. : faute de grives, on mange des merles.

36 Avoir faim (ou, fam. : les crocs, la dalle, la dent) ; **avoir un creux.** – Avoir l'estomac dans les talons, avoir une faim de loup, crever de faim [fam., fig.]. – Claquer du bec, crier famine. – Fam. : la sauter, la sauter à pieds joints. – Ventre affamé n'a point d'oreilles [prov.].

37 Caler, être rassasié. – Avoir les yeux plus gros que le ventre.

38 **Alimenter,** nourrir, repaître, restaurer, soutenir, sustenter [sout.]. – Avitailler [MAR., AÉRON.], ravitailler ; rationner. – Rassasier ; fam. : engaver, engraisser, gaver, gorger.

Adj. 39 Prandial [MÉD.]. – Alimentaire.

40 Alimenté, nourri. – Rassasié, repu ; gavé, gonflé, plein comme une outre. – Affamé ; vx : affriandé, alouvi ; famélique [litt.].

41 Alabile [rare], nourricier, **nutritif** ; nutricier [vx]. – **Comestible,** mangeable [cour.] ; bouffable [fam.].

42 Bourratif ; fortifiant, **nourrissant.** – Substantiel ; riche ; allus. litt. : gargantuesque, pantagruélique. – Frugal, sobre.

43 Appétissant.

Adv. 44 À la bonne franquette ; au hasard de la fourchette, à la fortune du pot.

45 À la diète, au régime. – À jeun.

Aff. 46 -phage, -vore.

704 RÉPÉTITION

N. 1 **Répétition** ; recommencement **134,** renouvellement. – Itération [didact.], réitération [sout.]. – Répétitivité [didact.] ; récidivité. – **Périodicité** ; annualité. – Récurrence, récursivité [didact.]. – Itérabilité [PHILOS.]. – **Rechute,** récidive.

2 **Rabâchage,** radotage. – Psittacisme **379.1.** – MÉD. : écholalie, palilalie.

3 Redite, **redondance** ; battologie **435,** pléonasme, tautologie **313.** – Périssologie. – Allitération, assonance ; anaphore ; anadiplose, épanalepse ; antanaclase. – *Bis repetita placent* (lat., « les choses répétées plaisent »). – Doublon **210.**

4 **Éternel recommencement** ; allus. myth. : rocher de Sisyphe, toile de Pénélope, tonneau des Danaïdes. – Éternel retour **287** ; palingénésie [didact.].

5 Leitmotiv, refrain, rengaine, ritournelle ; scie [fam.]. – Cadence, **cycle,** période **610,** variation ; phase. – Reprise ; écho.

6 **Répétition** ; répète [fam.] ; filage, répétition générale ; générale *(la générale)* [fam.].

7 Répétitorat.

8 **Répétiteur.** – Rabâcheur, radoteur. – Récidiviste.

V. 9 **Répéter 326,** répéter à satiété, répéter sur tous les modes, répéter sur tous les tons ; rebattre les oreilles (à qqn de qqch). – Se répéter ; rabâcher, **radoter,** ressasser ; seriner. – Bourdonner [vx], chanter toujours la même antienne [vx].

10 **Recommencer,** refaire, reprendre ; remettre sur le tapis. – Revenir à la charge, revenir sur. – Itérer [vx], réitérer [sout.] ; **récidiver.** – Tourner en rond. – Doublonner.

11 C'est son cheval de bataille, c'est son dada. – C'est toujours la même chanson (ou : la même histoire, la même rengaine, le même refrain). – Faire chorus.

Adj. 12 **Répétitif** ; fréquent, routinier. – Fréquentatif, itératif, réitératif [didact.].

13 Répété, **réitéré** ; doublé, redoublé. – Pléonastique, redondant, tautologique. – Palingénésique.

14 Réitérable [rare], répétable. – Renouvelable.

15 Périodique, **récurrent,** récursif [didact.]. – Obsessionnel.

16 Musique répétitive [MUS.] **459.**

Adv. 17 **À nouveau,** de nouveau ; encore, encore et toujours, encore un coup, encore une fois ; de plus belle.

18 **Bis.** – Rebelote [fam.]. – À répétition. – De même, **idem.** – Des fois, parfois, souvent.

Int. 19 Bis !

Aff. 20 Bi-, re-.

705 RÉPONSE

N. 1 **Réponse** ; solution ; explication, résultat, C. Q. F. D. (ce qu'il fallait démontrer) ; fin mot *(le fin mot de l'histoire).*

2 Repartie, **réplique 156,** rétorsion, riposte **707** ; écho, retour [litt.] ; retour de bâton, retour de manivelle. – Réponse du berger à la bergère [fam.] ; réponse de Normand. – Droit de réponse [DR. et PRESSE].

3 **Réaction,** réflexe ; réponse réflexe. – CYBERN. : réponse harmonique ou fréquentielle ; réponse indicielle, réponse impulsionnelle ; courbe de réponse. – Temps de réponse [didact.].

4 **Réponse** (à une lettre). – Bulletin-réponse, coupon-réponse ; carte-réponse, enveloppe-réponse. – **Rescrit** [DR. CAN.].

5 Réponse [MUS.] ; **répons** [LITURGIE et MUS.] **106.3.**

6 **Répondeur,** répondeur automatique, répondeur-enregistreur, transpondeur [TECHN.].

7 Répondant [DR.]. – Interlocuteur.

V. 8 **Répondre 439.6,** repartir, répliquer, rétorquer, riposter ; récrire [vx].

9 Objecter, protester, récriminer **710, réfuter.**

10 Expliquer ; donner ou fournir une réponse ; donner la solution, trouver la solution ; solutionner [emploi critiqué].

11 Répondre ; obéir, réagir **687.**

12 Avoir du répondant, avoir la réplique facile, **répondre du tac au tac.** – Avoir réponse à tout. – Faire les demandes et les réponses.

13 Donner la réplique. – Répondre du bout des lèvres. – Avoir le dernier mot. – Répondre la messe [LITURGIE].

14 Accuser réception ; R. S. V. P. (Répondez s'il vous plaît).

15 **Répondre de** ; être responsable de.

16 **Se répondre** ; se correspondre.

Adj. 17 Rare et litt. – Répondeur ; répliqueur.

18 Répondant [PSYCHOL., rare].

706 REPOS

N. 1 **Repos** ; arrêt, halte, immobilité, inaction **393.**

2 **Césure,** pause ; battement, coupure, entracte, intermède, interruption **223.8,** pause, relâche, répit, trêve.

3 **Repos** ; délassement, détente, farniente [fam.], relâchement, relaxation. – Récréation, mi-temps. – Kief [rare et litt.]. – **Tranquillité** ; accalmie, calme **89,** décontraction, paix, quiétude [litt.], sérénité.

4 **Repos** ; congé ; jour chômé, jour férié **310,** jour de liberté, jour de sortie ; jour de fermeture, jour de relâche ; pont ; congé ou repos hebdo-

madaire, week-end ; dimanche, repos dominical ; sabbat ou shabbat. – Vacances ; congés payés. – Fam., vx : campo ou campos. – MIL. : permission ; fam. : perm ou perme. – Disponibilité [ADMIN., MIL.].

5 **Repos.** – Hibernation. – Friche, jachère.

6 **Loisir** ; liberté, oisiveté ; heures ou moments de liberté, temps disponible ou libre. – **Distraction** ; passe-temps **599** ; délassement, détente, récréation ; interclasse ou intercours.

7 **Maison de repos 353** ; station climatique, station thermale ; villégiature. – Reposoir [vx] ; étape, halte, relais ; reposée [CHASSE]. – Oasis de paix.

8 Salle de repos. – Divan, lit de repos. – Fauteuil **519** ; chaise longue ; méridienne.

9 **Oisif** ; inactif. – **Permissionnaire** [MIL.].

V. 10 **Reposer** ; défatiguer, délasser, détendre, récréer ; remettre en forme.

11 **Donner congé à** ; donner campo à [fam., vx]. – Mettre en disponibilité [ADMIN., MIL.].

12 **Se reposer** ; reposer. – Se défatiguer, se délasser, se détendre, se relaxer ; se prélasser. – **Récupérer,** se refaire, se remettre, se restaurer ; reconstituer ou réparer ses forces. – S'arrêter, reprendre haleine **718,** respirer un moment, souffler un peu.

13 Prendre sa retraite ; se donner campos [fam., vx], se mettre au vert [fam.]. – Faire relâche ; faire le pont.

Adj. 14 **Reposant** ; délassant. – Apaisant, calmant, lénifiant, tranquillisant. – **De tout repos.**

15 **Au repos,** en repos. – **En congé** ; en disponibilité [ADMIN., MIL.].

16 **Tranquille** ; quiet [litt.] ; peinard [pop.], pépère [fam.].

17 **Reposé** ; apaisé, calme, délassé, détendu, dispos, frais, gaillard, ragaillardi [fam.], revigoré.

Adv. 18 **À tête reposée.** – Calmement, tranquillement.

Int. 19 Du calme ! La paix ! – Basta !

707 REPRÉSAILLES

N. 1 **Représailles** ; rétorsion, revanche **726.** – **Réparation,** vengeance ; vindicte [vx]. – Vindicte publique [DR.].

2 **Vengeance,** vendetta. – Loi du talion : « œil pour œil, dent pour dent » (Lévitique). – **Contre-attaque 50,** réplique, riposte ; défense **182.** – DR. ANC. : droit de représailles ou droit de marque.

3 **Représaille** [rare]. – **Ressentiment** ; rancune. – Inimitié **410** ; aversion **62,** hostilité.

4 Revanchisme ; feud [ANTHROP.].

5 Rare : **vengeur** *(un vengeur),* vengeresse *(une vengeresse).* – Revanchiste *(un revanchiste).*

6 Voceratrice [région.].

7 Litt. : le feu du ciel ou la vengeance céleste. – MYTH. : les Érinyes ou Érinnyes (Alecto, Mégère, Tisiphoné) ou, par antiphrase, les Euménides (les « Bienveillantes ») ; les Furies.

V. 8 **Venger qqn 726.** – Revancher [pop., vx]. – Sout. : punir, réparer, venger ; laver une injure, un outrage. – Tirer vengeance de.

9 **Se venger** ; se revancher [litt., vx] ; prendre sa revanche. – Faire payer, régler son compte à qqn, rendre la pareille à qqn ; rendre à qqn la monnaie de sa pièce ; **répliquer 705,** riposter. – Revaloir qqch à qqn.

10 **Exercer des représailles contre,** user de représailles à l'égard de ; régler ses comptes [fam.] ; rétorquer [vx ou litt.]. – **Crier** (ou : demander, réclamer) **vengeance** ; demander ou exiger réparation.

11 Subir des représailles ; **expier 299** ; **compenser 139,** dédommager, payer, **réparer.**

Adj. 12 Vengeur ; vengeresse ; **vindicatif.** – Revanchard [péj.].

Adv. 13 Vindicativement [sout.].

14 **En revanche.** – En représailles, par droit de représailles, par représailles.

Int. 15 Vengeance !

708 REPRÉSENTANTS

N. 1 **Représentant,** représentant de la nation ou du peuple ; élu *(un élu),* élu du peuple, magistrat, mandataire. – Candidat.

2 Homme politique, **politicien** ; dirigeant, homme d'État. – Fam. et péj. : politicailleur, politicaillon, politicard.

3 **Député,** parlementaire ; **sénateur.** – Eurodéputé. – Boîtier [anc.] ; parlementaire en mission. – Interpellateur, rapporteur.

4 Pouvoir exécutif, pouvoir judiciaire, pouvoir législatif. – Séparation des pouvoirs.

5 **Parlement** ; **chambre,** chambre basse (opposé à chambre haute), chambre des représentants, corps législatif. – En France : Chambre des dépu-

tés ou Assemblée nationale ; Sénat. – Assemblée constituante, Assemblée législative. – Chambre d'enregistrement. – Hémicycle, tribune.

6 Délégation parlementaire, **groupe parlementaire,** intergroupe ; **commission,** sous-commission, commission d'enquête ; députation.

7 **Chef d'État,** chef de l'État, président de la République. – Présidence de la République. – Vice-président.

8 **Gouvernement,** pouvoir politique **59** ; cabinet, cabinet ministériel, département ministériel ; **ministère,** superministère ; chancellerie ; secrétariat général du gouvernement, secrétariat général de la présidence de la République. – Conseil de cabinet, **Conseil des ministres** ; comité interministériel.

9 **Premier ministre,** président du Conseil [anc.] ; **ministre,** ministre délégué, ministre d'État, secrétaire d'État, sous-secrétaire d'État.

10 Garde des Sceaux **451,** ministre de la Justice ; ministre des Affaires étrangères ; ministre de l'Éducation nationale ; ministre des Finances (aussi, fam. : le grand argentier) ; ministre de l'Intérieur.

11 Hôtel de ville, **mairie** ; municipalité. – Conseil municipal.

12 Conseil général, Conseil régional ; comité économique et social.

13 Conseiller municipal, édile [sout.] ; **maire,** maire adjoint. – Conseiller général ; conseiller régional.

14 **Syndicat** ; intersyndicale *(une intersyndicale)* ; coordination. – Syndiqué *(un syndiqué).*

15 Délégation, députation, **législature,** magistrature, mandature ; **mandat,** mandat impératif, mandat représentatif. – Portefeuille ministériel ou portefeuille ; maroquin [fam.].

16 Représentativité.

V. 17 **Faire de la politique,** se mêler de politique ; se lancer dans la politique ; ceindre l'écharpe tricolore.

18 Se syndiquer.

19 Déléguer, **élire 642,** mandater.

Adj. 20 **Parlementaire,** sénatorial.

21 Gouvernemental ; interministériel, ministériel ; présidentiel. – Fam. : ministrable, premier-ministrable, présidentiable.

22 Officiel, semi-officiel.

Adv. 23 Ministériellement.

709 REPRÉSENTATION

N. 1 **Représentation** ; description **196,** évocation, expression. – **Figuration,** imitation **379** ; préfiguration ; mimêsis [didact.], théâtre **817.** – **Incarnation,** personnification. – Expression, **image,** reflet.

2 **Représentation** ; écriture **252,** notation, signalisation, **symbolisme** ; idéographie, pictographie ; transcription, translitération ou translittération. – Art, **art figuratif,** iconographie **374,** iconologie, illustration, imagerie, peinture, sculpture. – Mythologie.

3 **Figure, signe 765, symbole** ; attribut, emblème, insigne ; armoiries, blason, enseigne. – **Allégorie,** image, métaphore **313** ; fable, mythe, parabole. – Courbe, diagramme, **figure, graphique,** schéma, tableau, tracé ; carte, plan ; maquette. – Idéogramme, pictogramme.

4 **Reproduction** ; chromo, dessin, **image,** effigie, photographie **621,** portrait, tableau **607** ; caricature. – **Figure,** figurine, mannequin, poupée, sculpture **749,** statue, statuette. – Icône, idole, simulacre.

5 **Représentant** ; exemple, spécimen, **type** ; étalon, **modèle 521,** parangon [sout.]. – Caractère, caractéristique, indice, marque, **signe,** symptôme.

6 GRAMM. : antécédent, pronom **346.**

V. 7 **Représenter** ; **figurer,** matérialiser, **symboliser** ; préfigurer. – **Incarner,** personnifier ; concrétiser. – **Désigner,** signifier **753.**

8 **Représenter** ; **décrire,** dépeindre, **exprimer,** peindre, rendre ; montrer sous les traits de. – **Évoquer,** suggérer. – Écrire, **noter,** traduire, transcrire.

9 **Représenter** ; imiter, refléter, **reproduire** ; dessiner, peindre, tracer, sculpter ; photographier. – Interpréter.

10 Remplacer **797.**

Adj. 11 **Représentatif** ; caractéristique, topique [didact.], typique.

12 **Figuratif** ; allégorique, emblématique, **symbolique** ; métaphorique. – Imagé. – **Conventionnel.**

13 **Descriptif,** évocateur, expressif.

Adv. 14 **Figurativement** ; allégoriquement, métaphoriquement, **symboliquement** ; conventionnellement.

710 REPROCHE

N. 1 **Reproche** ; **blâme,** remontrance, **réprimande** ; avertissement **63,** mise en garde ; litt. : admonestation, objurgation ; admonition [DR., RELIG.] ; vx : répréhension, représentation.

2 Sout. ou litt. : **gronderie** ou, vx, gronde, mercuriale, **semonce** ; fam. : attrapade ou attrapage, douche, **engueulade** [très fam.] **168,** lavage de tête, savon ; vieilli : abattage, galop, gourmande ; fam., vieilli : engueulage ou engueulement, enguirlandage ou enguirlandement.

3 Reproche ; doléance, **plainte 194,** récrimination, vitupération. – **Grief** ; chef ou grief d'accusation, sujet de mécontentement. – Animadversion [litt.].

4 **Reproche** ; **critique** *(une critique),* objection, observation, remarque, réserve.

5 **Critique** ; désapprobation **572, réprobation** ; condamnation **144** ; autocritique ; fustigation [litt.]. – Accusation, imputation ; autoaccusation. – Foudres [sout.] ; vx : pouilles, vitupère.

6 Murmure de désapprobation. – Huées **168,** sifflets. – Bronca, tollé.

7 **Diatribe 225,** factum.

8 **Sermonneur** ; moralisateur *(un moralisateur),* prêcheur [fam.] ; vitupérateur [litt.] ; vx : admoniteur, moraliseur, remontrant.

V. 9 **Reprocher** ; faire des reproches ; faire des observations ; épingler [fam.] ; accabler (ou : agonir, assassiner) de reproches ; jeter (tel reproche, telle accusation) au nez (ou : à la face, à la figure, à la tête, dans les jambes) de qqn [fam.] ; remontrer qqch à qqn [litt.].

10 **Blâmer 367** ; gronder, **réprimander** ; sout. : admonester, gourmander, morigéner ; litt. : fustiger, houspiller, objurguer, tancer, vitupérer ; fam. : attraper, **disputer, enlever** [vx], remonter les bretelles ; très fam. : engueuler, enguirlander, ramoner ; vieilli : quereller, semoncer ; vx : relever, sabouler.

11 Avertir **63** ; corriger, reprendre ; mettre en garde, rappeler à l'ordre ou au devoir ; catéchiser, chapitrer, moraliser [vieilli], raisonner, **sermonner** ; faire la leçon ou la morale.

12 Jeter la pierre. – Dire ou **chanter pouilles** [litt.] ; débiter (ou : défiler, dévider) son chapelet de reproches [fam.] ; vx : chanter sa gamme à qqn, chanter goguettes à qqn, chanter Ramona [arg.].

13 **Critiquer 227** ; attaquer ; litt. : fouetter, fustiger, pourfendre ; censurer [rare], sabrer [vieilli], tympaniser [vx] ; fam. : abîmer, assaisonner, criticailler ou critiquailler, dézinguer ; fusiller de critiques, lapider. – **Désapprouver 572.8,** condamner, réprouver ; improuver [vx] ; huer **367.** – Accuser, incriminer.

14 **Récriminer** ; **se plaindre,** râler [fam.] ; pester **416,** tonner ; fulminer [litt.] **130.** – Élever la voix **168.**

15 **Faire** ou **tenir grief de qqch à qqn 720** ; faire un crime de qqch à qqn, savoir mauvais gré de qqch à qqn ; faire honte de qqch à qqn. – Imputer à grief qqch à qqn [litt.] ; imputer à crime ou à faute qqch à qqn [vieilli].

16 **Faire les gros yeux 868.** – Tirer (ou : chauffer [vx], frotter) les oreilles ; fam. : laver la tête, **passer un savon,** sonner la cloche ou les cloches ; vieilli : donner sur les doigts ou sur les ongles, savonner la tête [fam.] ; pop. : remonter les bretelles à, souffler dans les bronches de.

17 **Faire le procès de** ; avoir ou trouver à redire ou à reprendre à **194** ; chercher des noises à.

18 **Se critiquer** ; s'autocritiquer [abusif] ; culpabiliser.

19 Encourir les foudres de qqn. – Fam. : en prendre ou en avoir pour son grade, en prendre pour son rhume, recevoir son paquet ; se faire appeler Arthur ou Jules, se faire appeler de noms d'oiseaux ; se faire doucher [vieilli].

Adj. 20 Récriminateur ou récriminatoire [rare] ; houspilleur [litt.] ; rare : blâmant, gourmandeur, morigénateur, remontreur, répréhensif, vitupérant ; enguirlandeur [fam., rare].

21 **Critique,** criticailleur, critiqueur [rare], malveillant **497** ; improbateur [vieilli].

22 **Désapprobateur,** réprobateur ; rare : improbatif, objurgateur.

23 **Blâmable,** répréhensible ; critiquable ; de vitupère [vx], reprochable ; imputable. – Rare : grondable, réprimandable.

Adv. 24 **Critiquement** [sout.], sévèrement ; vertement.

25 Répréhensiblement [rare].

711 REPRODUCTION

N. 1 **Reproduction** ; génération (génération asexuée, génération sexuée). – **Multiplication,** prolifération, proligération [BIOL.], propagation. – Conservation de l'espèce ; sélection naturelle. – Peuplement, repeuplement.

2 **Reproduction asexuée** ou agamie [BIOL.] ; bouturage [BOT.], microbouturage ou micropropagation [BOT.], gemmation ; bourgeonnement, gemmiparité ; méiose **94,** mitose, scissiparité ou fissiparité. – **Reproduction sexuée** ; reproduction cytogamique ; isogamie ; hétérogamie (anisogamie et oogamie). – **Parthénogenèse,** parthénogenèse arrhénotoque ou arrhénotoquie. – Reproduction extraspécifique ; autoreproduction ; réplication, reproduction réplicative ; duplication chromosomique.

3 Génitalité ; **sexualité 763** ; bisexualité [BOT., ZOOL.], gonochorisme ou gonochorie [opposé à hermaphrodisme].

4 Oviparité, ovoviviparité, paraviviparité, viviparité.

5 **Croisement,** mélange **501,** métissage, télégonie [didact.] ; hybridisme, polyhybridisme. – Clonage [GÉNÉT.].

6 Hybride *(un hybride).* – Clone [GÉNÉT.].

7 Appareil génital **763,** appareil reproducteur ; sexe, parties honteuses. – **Gonade,** ovaire, testicule. – Follicule primordial, granulosa. – **Follicule de De Graaf** ou follicule ovarien. – Germen (opposé à soma) ; **gamète 94,** ovule, spermatozoïde ; gamétocyte, oocyte ou ovocyte, spermocyte ; œuf fécondé ou zygote **265** ; premier globule polaire ; bande chromosomique, **chromosome 361** ; agamète.

8 ZOOL. : **accouplement,** appariement, rapprochement sexuel, saillie ; **coït 763,** copulation, rapport sexuel. – Saison des amours ; œstrus ; rut.

9 Procréatique *(la procréatique).* – **Procréation,** procréation médicalement assistée ; I. A. D. (insémination artificielle avec donneur), **insémination,** insémination artificielle, insémination avec donneur anonyme ; fécondation in vitro (abrév. F.I.V.), fivete (fécondation in vitro et transfert embryonnaire). – Congélation d'embryons. – Location d'utérus. – Banque du sperme.

10 Nidation, ovulation **306** ; **conception** ; **fécondation,** fécondation croisée, fécondation externe, fécondation interne. – Gestation, gravidité [didact.], **grossesse,** maternité, prégnation [ZOOL., vx] ; grossesse extra-utérine, grossesse multiple, grossesse nerveuse. – Embryogenèse **265,** formation, genèse.

11 **Stérilité** ; infécondité ; anovulation ; agénie, aspermie **364.** – Impuissance.

12 **Contraception** ; méthodes contraceptives. – Contraception orale ; minipilule, **pilule,** pilule du lendemain, pilule normodosée. – Diaphragme, pessaire, stérilet ; gel spermicide, ovule, pommade. – **Préservatif** ; condom (fam. : capote anglaise, capote). – *Coitus interruptus* ou coït interrompu ; méthode d'Ogino-Knaus ; méthode du mucus ; méthode des températures. – CHIR. : ligature des trompes, ovariectomie ; vasectomie ou vasotomie.

13 **Avortement** ; interruption volontaire de grossesse (I.V.G.) ; aspiration ou méthode Karman. – Avortement thérapeutique ; fausse couche **544.** – Avorteur, faiseuse d'anges [fam.].

14 Limitation des naissances, régulation des naissances ; planning familial.

15 **Fécondité,** prolificité [didact.], reproductibilité [didact.]. – **Démographie,** natalité (opposé à dénatalité). – DÉMOGR. : sex ratio ; taux de fécondité, **taux de natalité,** taux brut de reproduction, taux net de reproduction.

16 **Mère 506 ; père 609.** – Mère gigogne. – Mère porteuse, ventre à louer [fam.] ; donneur de sperme.

17 Déesse de la Fécondité ; Déesse mère **236.** – Cybèle ; Anaïtis (Iran), Ishtar (Babylone), Tanit (Carthage), Tiki (Océanie) ; Boukhis, Osiris, Sebek ou Sobek (Égypte).

18 Darwinisme, **évolutionnisme,** transformisme. – Malthusianisme.

V. 19 **Se reproduire** ; se multiplier, se perpétuer ; proliférer, se reproduire comme des lapins [fam.] ; « Croissez et multipliez-vous » (la Genèse). – Générer, **engendrer** ; procréer ; pondre [fam.]. – Faire des enfants ; faire souche, perpétuer la race.

20 **Ensemencer,** inséminer, planter la petite graine [par plais.] ; féconder ; engrosser [fam.]. – **Croiser,** hybrider, métisser. – Cloner [GÉNÉT.].

21 **Être enceinte,** porter un enfant ; attendre un heureux évènement, être dans un état intéressant [vieilli] ; être enceinte ou grosse des œuvres de qqn ; vulg. : être en cloque, avoir un polichinelle dans le tiroir.

Adj. 22 **Reproducteur** ; génésique [didact.] ; génital, sexuel **763.**

23 BIOL. – Sexué ; agame, asexué, parthénogénétique. – Bisexué, hermaphrodite. – Dizigote ou bivitellin, monozygote ou univitellin.

24 **Enceinte,** gravide, grosse ; ZOOL. : gestant, plein *(femelle gestante, femelle pleine).*

25 Nullipare, primipare, unipare [ZOOL.] ; primigeste ; multipare. – Fissipare, ovovivipare, ovipare, vivipare.

26 Prolifique. – Infécond, **stérile.** – Bréhaigne *(jument bréhaigne)* [ZOOL., VX]. – Impuissant **364.**

27 Eugénique, sélectif. – Malthusianiste. – Contraceptif.

Adv. 28 Génitalement, sexuellement **763.**

Aff. 29 Génito-, géno- ; -gène, -génique, **-pare** ; -gamie, -génie.

712 REPTILES

N. 1 **Reptile.** – Lépidosauriens, squamates ou saurophidiens. – Anapsides, diapsides. – Fossiles : archosauriens, euryapsides, ichtyosaures, synapsides.

2 **Serpent,** serpenteau. – Serpents ou ophidiens ; boïdés, colubridés, cænophidiens, élapidés, hénophidiens, scolécophidiens, typhlopidés, vipéridés.

3 SERPENTS

ammodyte
anaconda ou eunecte
ancistrodon ou mocassin
aspic ou serpent de Cléopâtre
bitis
boa
boa constrictor
bongare ou krait
boomslang
bothrops (ou fer-de-lance, trigonocéphale)
cobra (ou naja cracheur)
coronelle
couleuvre
couleuvreau
crotale ou serpent à sonnette
diamantin
esculape
hamadryade ou cobra royal d'Asie
hétérodon
lachesis
mamba
molure
pélamide
péliade ou bérus
python
serpent corail
vipère
vipère à cornes ou céraste
vipereau
zamenis

4 **Lézard.** – Agamidés, caméléontidés ou chamæléonidés, cordylidés, geckonidés, iguanidés, iguaniens ou iguanoïdes, lacertidés, lacertiliens ou sauriens, scincidés, scincomorphes, téjidés ou téiidés, varanidés. – Anguidés, anguimorphes, gerrhonotidés.

5 LÉZARDS

acanthodactyle
agame
algiroïde
ameive
amphibolure
amphisbène
anolis
calote
caméléon
cyclure
dragon de Komodo
dragon volant
fouette-queue
gecko
gymnodactyle
hattéria
héloderme
iguane
lézard
liolème
margouillat
moloch
ophisaure
orvet ou serpent de verre
psammodrome
scinque
seps
stellion
téju ou tupinambis
tokay
varan
zonure

6 **Crocodile.** – Crocodiliens, crocodilidés, eusuchiens, gavialidés.

7 Alligator, caïman, **crocodile,** gavial, jacaré.

8 **Tortue.** – Athèques, chéloniens, cryptodires, émydidés, pleurodires.

9 Espèces de tortues. – Caouane, caret, chélydre, cistude, malaclemys ou tortue diamantée, matamata, podocnemis, tortue, tortue-luth.

10 ORDRES FOSSILES

anomodontes
bauriamorphes
cératopsiens
cœlurosaures
cotylosauriens
cynodontes
diadectomorphes
dinocéphales ou tapinocéphales
dinosaures ou dinosauriens
eosuchiens
mésosuchiens
ornithischiens ou avipelviens
ornithopodes
phytosauriens
placodontes
plésiosauridés
prosauropodes
protosuchiens
pseudosuchiens
ptérosauriens
sauripelviens ou saurischiens
sauropodes
sphénacodontes
stégosaures
thériodontes
thérocéphales
théromorphes ou pélycosauriens
théropodes
tritylodontes

11 REPTILES FOSSILES

ankylosaure
brachiosaure
brontosaure ou apatosaure
camarasaure
camptosaure
cœlurosaure
cynodonte
dicynodonte
dimétrodon
diplodocus
docodonte
hadrosaure
hypsilophodon
ichtyosaure
iguanodon
mésosaurien
nodosaure
nothosaurien
paréiasaure
plésiosaure
pliosaure
ptéranodon
ptérodactyle
rhamphorhynque
stégosaure
titanosuchiens
tricératops
typhlopidé
tyrannosaure

12 Anneau, enroulement, nœud, repli ; dépouille, écaille, mue. – Cou, capuchon ; **crochet, dard,** dent, langue bifide ; cascabelle.

13 **Carapace,** dossière, plastron ; bec corné.

14 Morsure, piqûre ; sifflement. – Reptation. – Autotomie.

15 **Erpétologie** ou herpétologie, ophiologie ou ophiographie.

16 Ophiolâtrie [didact.].

17 **Charmeur de serpents,** psylle [ANTIQ.]. – Ophite [RELIG.].

V. 18 Se lover ; **ramper,** serpenter ; se tordre, se tortiller. – Faire peau neuve, muer.

19 Darder, mordre, piquer ; enlacer, étouffer. – Fasciner, hypnotiser.

Adj. 20 **Reptilien** ; crocodilien, ophidien. – Testacé.

21 Ophiophage.

Aff. 22 Ophio- ; -saure, -saurien.

713 RÉPULSION

N. 1 **Répulsion** ; repoussement [sout. ou TECHN.] ; **rebut** [vx ou litt.], recul, rejet **295.1.** – **Éloignement 263.1** ; éjection **258.1.**

2 **Repoussement** ; **refus 693.1,** rebuffade. – Répudiation ; **exclusion** ; renvoi. – Ostracisme **582.**

3 Distance, éloignement. – PHILOS. : *Repulsion* ou *Abstossung* [all., « répulsion »] (Hegel). – Aversion **62.1,** dégoût, **répugnance.** – **Exécration.**

4 **Rebut, rejet.** – Refusé *(un refusé).*

5 TECHN. : repousseur, **répulsif** *(un répulsif).*

6 Repousseur [TECHN.]. – **Repoussoir** [souv. fig.].

V. 7 **Repousser** ; **rebuter** [litt.]. – Chasser, détourner, **écarter, éloigner 263,** rechasser ; **refouler,** résister à **715.**

8 Éconduire, évincer, **exclure 295,** récuser, **refuser 693, rejeter,** répudier ; éjecter **258.**

9 **Jeter au rebut, mettre au rebut** ; mettre à l'écart. – Rendre ; évacuer, rejeter. – Se défaire de.

10 **Se rebuter de** ; être rebuté de [vieilli] ou, mod., par.

11 Décourager, rabrouer, rembarrer [vx].

12 Repousser, répulser [rare]. – **Rebuter,** répugner. – **Éloigner** ; arrêter. – Écœurer, dégoûter.

Adj. 13 **Répulsif** [litt.] ; **repoussant.** – **Rebutant** ; **rébarbatif 272** ; répugnant.

14 **Répulsif** *(forces répulsives)* [PHYS.]. – Répugnatoire [ZOOL.].

15 Rejetable ; récusable. – Exécrable [litt.].

16 Repoussé ; rejeté ; exclu.

Adv. 17 **Répulsivement.** – Dégoûtamment [vx].

18 Au rebut ; à l'écart.

Prép. 19 Loin de ; hors de ; à l'opposé de.

Aff. 20 Anti- ; -phobie.

714 RÉSERVE

N. 1 **Réserve** ; décence, dignité **552, retenue** ; maintien, **tenue** ; pudeur **177** ; componction **620, timidité 819** ; discrétion, savoir-vivre, tact, vérécondie [vx]. – Modération **522,** pondération ; sout. : mesure, sobriété. – Obligation de réserve.

2 Réserve ; **circonspection,** défiance **183.1,** prudence **674.**

3 Flegme, impassibilité **89,** sang-froid ; froideur ; introversion [PSYCHOL.].

4 **Réserve** *(une réserve, des réserves),* réticence **194,** restriction ; critique **710,** remarque.

5 DR. – **Réserve** ; clause restrictive ; réserve du droit des tiers ; DR. INTERN. : réserve à la signature, réserve de ratification.

6 DR. – Biens réservés **645,** réserve héréditaire ou réserve ; réserve coutumière [anc.].

V. 7 Être (ou : demeurer, se tenir) sur la réserve, **rester sur son quant-à-soi 183** ; garder ou conserver ses distances. – Se méfier.

8 Se contenir, se dominer **240,** se maîtriser, se posséder, se retenir ; s'observer, se surveiller. – Se modérer **522.**

9 Réserver ou différer sa réponse (aussi : son avis, son jugement), s'abstenir de tout commentaire.

10 **Faire des réserves** ; émettre des doutes **395** ; trouver à redire à **194.** – Mettre de la mauvaise grâce ou de la mauvaise volonté à **715,** se faire prier.

11 S'entourer de précautions ; assurer ses arrières [fam.] **674, mettre des conditions,** se réserver un droit de regard sur.

12 DR. – Faire ses réserves. – Réserver un droit.

Adj. 13 **Réservé,** mesuré, modéré, pondéré **522** ; continent [vieilli], sobre [sout.]. – Circonspect, **prudent 674** ; méfiant **183.**

14 Distant, froid, introverti ou, didact., introvertif, renfermé, secret **751.** – Impassible ; de glace, de marbre.

15 Discret ; bien élevé **163** ; décent, pudique.

16 **Réservé,** mitigé ; dubitatif **395,** sceptique.

Adv. 17 **Sous toutes réserves** ou sous toute réserve ; sous condition, sous réserve ; sous bénéfice d'inventaire. – **Conditionnellement.**

18 Discrètement ; décemment, pudiquement.

715 RÉSISTANCE

N. 1 **Résistance 778.2** ; **opposition.** – Non-acceptation, non-exécution, refus **693** ; désobéissance **200.** – Rare : rechignement, regimbement ; réserve **183, réticence.**

2 Résistance passive ; désobéissance civile, **non-violence.** – Droit de résistance à l'oppression [DR.].

3 Résistance active ; **défense 182,** défensive [MIL.] ; lutte armée, résistance **354.** – Insurrection, mutinerie, **rébellion,** sédition **728.**

4 Levée de boucliers, réaction ; veto **693.** – Accroc, difficulté, **obstacle 567.**

5 PSYCHAN. – **Résistance** ; conduite de refus, contrôle, mécanisme de défense, réticence ; censure. – Cour. : barrage, **blocage,** refoulement **182.**

6 Force d'inertie, **immobilisme.**

7 Résistance [litt.] ; **fermeté,** ressort. – **Courage,** cran [fam.] **161.** – Acharnement, **entêtement,** opiniâtreté, ténacité ; **combativité,** pugnacité [litt.] **354.** – Rare : rétivité ou rétiveté.

8 **Résistance** ; endurance **864.** – Résistance physiologique [PHYSIOL.].

9 Réfractaire *(un réfractaire),* regimbeur [rare]. – **Bourrique,** crapaud [vx] ; mauvaise tête **200,** tête dure ; tête de bique (ou : de cochon, de lard, de mule, de mulet) ; tête de bois (ou : de fer, de pioche).

10 Résistant *(un résistant).* – HIST. : franc-tireur, maquisard, partisan *(un partisan),* patriote ; le Maquis, **la Résistance** ; Forces françaises de l'intérieur ou F. F. I. (fam. : fifis), Forces françaises libres ou F. F. L., Mouvements unis de la Résistance ou M. U. R. – Fedayin ou feddayin [mot arabe, HIST.]. – Antigone *(une Antigone)* [allus. litt.].

11 **Immobiliste** *(un immobiliste),* réactionnaire *(un réactionnaire),* réac *(un réac)* [fam.].

V. 12 **Résister** ; lutter, ne pas se laisser faire, tenir tête ; se battre. – Ruer dans les brancards. – Montrer les dents, regimber ; se cabrer, se rebiffer, **se regimber.** – Se raidir.

13 Rechigner, **renâcler** ; faire des difficultés ou des embarras ; faire des emballes [fam., vx] ; faire la sourde oreille, se faire tirer l'oreille ; mettre de la mauvaise grâce ou de la mauvaise volonté à ; se faire tenir à quatre [vx]. – **Traîner les pieds 458,** freiner des quatre fers ; fam. : n'y aller que d'une fesse, y aller avec des pieds de plomb.

14 Attendre de pied ferme, **faire face,** faire front ou tête ; tourner visage à l'ennemi [vx]. – Soutenir le choc, **tenir bon** ou ferme, tenir le coup [fam.] ; ne pas céder, ne pas céder d'une semelle ou d'un pouce. – Avoir la peau ou le cuir dur.

15 Se défendre contre **182** ; rendre le combat [vx]. – Prendre le maquis [HIST.]. – **S'insurger,** se mutiner, se révolter **728.**

16 **Faire barrage,** faire barre à [vieilli], faire obstacle, faire obstruction ; mettre des bâtons dans les roues ; opposer un tir de barrage à [fig.]. – **Refuser 183,** repousser. – Mettre son veto à ; s'opposer à **572.8.**

17 **Résister** ; endurer, souffrir [sout.], soutenir, **supporter.** – Fam. : tenir *(tenir le vin),* tenir la distance.

Adj. 18 **Résistant** ; récalcitrant, réfractaire, réticent, rétif ; vx : difficile à ferrer, dur à l'éperon. – Coriace, **entêté,** obstiné, tenace, têtu **568** ; inébranlable, inflexible ; intraitable, intransigeant.

19 **Résistant** ; rebelle, révolté **728.** – HIST. RELIG. : insermenté, réfractaire *(prêtre réfractaire)* **699.**

20 Immobiliste ; réactionnaire, réac [fam.].

21 **Résistant** ; endurant ; invincible **864.** – Inexpugnable ; **imprenable.**

22 **Défensif 801** ; PSYCHAN. : réactionnel, résistanciel.

23 Résistible [litt. ou vx].

Adv. 24 Pied à pied [MIL.]. – À pied ferme [vx], de pied ferme.

25 À contrecœur **192,** à son corps défendant ; la mort dans l'âme.

716 RÉSOLUTION

N. 1 **Résolution** *(la résolution)* ; constance, **détermination, fermeté,** opiniâtreté, ténacité, **volonté 870** ; caractère, force de caractère, esprit de décision.

2 **Résolution** *(une, des résolutions)* ; **décision,** dessein, **intention 428, projet,** propos ; conseil [vx] **148,** programme, vœu.

3 Jusqu'au-boutiste [fam.].

V. 4 **Résoudre de** + inf. ; arrêter, **décider,** déterminer ; prendre un parti, une décision, faire un choix **116.** – Délibérer, statuer. – **Avoir l'intention de** ; prendre, former la résolution de, projeter **664,** se promettre de. – Résoudre (qqn) à ; persuader **614.**

5 Être prêt à tout ; **vouloir** ; savoir ce que l'on veut, avoir des idées arrêtées, camper ou rester sur ses positions.

6 Se décider à ; **se résoudre à** ; se résigner à **149,** finir par, en venir à.

Adj. 7 **Résolu** ; **décidé, déterminé,** prêt à tout ; **énergique, ferme,** hardi, inébranlable, opiniâtre, persévérant **225,** tenace ; **de caractère** *(homme, femme de caractère).* – **Résolu à** ; prêt à, résigné à.

8 **Résolu** ; assuré, **convaincu,** pénétré.

9 Résoluble ; décidable.

Adv. 10 **Résolument** ; décidément, énergiquement, fermement, hardiment ; carrément [fam.], farouchement, rondement ; sans hésitation, **sans hésiter,** sans barguigner. – **Coûte que coûte 568.**

717 RESPECT

N. 1 **Respect** ; considération, **estime.** – Déférence, révérence, vénération ; culte, piété.

2 Respect humain ; respect de la dignité de la personne (Kant). – Respect des lois.

3 Respectabilité ; dignité, honorabilité **366.** – Inviolabilité.

4 Égard, empressement **163** ; obséquiosité.

5 **Salut** ; baisement ; agenouillement, génuflexion, inclination ; litt. : prosternation ou prosternement ; coup de chapeau. – Dans les formules de politesse : mes respects **741** ; considération distinguée, respectueuse (ou : haute, parfaite) considération, sentiments fidèles et respectueux ; soumissions.

6 Personnage *(un personnage),* figure *(une figure),* grand seigneur *(un grand seigneur),* sommité *(une sommité).*

7 Porte-respect. – Chaperon, duègne **671.**

V. 8 **Respecter** ; honorer, révérer, vénérer. – **Considérer,** faire état de, tenir compte ; déférer à. – Se conformer à **741.4.**

9 Apprécier, attacher du prix ou de l'importance à, considérer, **estimer** ; avoir une haute idée de, faire grand cas de. – **Distinguer** ; mettre sur un piédestal, porter aux nues ou au pinacle **341.**

10 Adresser ses hommages, rendre hommage **471,** rendre les honneurs ; montrer des égards, s'empresser ; **saluer.** – Fléchir ou plier les genoux ; s'agenouiller, s'incliner, se prosterner. – Rester nu-tête ; mettre chapeau bas, tirer son chapeau ; se découvrir. – Baiser les mains (ou : les pieds, le sol), embrasser les genoux.

11 Commander (ou : attirer, forcer, imposer) le respect, **en imposer** [fam.]. – Intimider ; tenir en respect **619.** – Avoir du crédit, inspirer la confiance ; avoir la cote, être en considération ou en cour.

Adj. 12 **Respectable** ; estimable, recommandable, honorable, vénérable ; auguste, majestueux. – Sacré, saint, sacro-saint [fam.] ; inviolable. – Méritant.

13 Respecté.

14 **Respectueux** ; déférent, plein d'égards, révérencieux ; obséquieux. – Humble ; docile, soumis.

15 Révérenciel. – Honorifique.

Adv. 16 **Respectueusement,** révéremment [rare], révérencieusement ; humblement.

17 Sauf votre respect [fam.], avec ou **sauf le respect que je vous dois** ; vx ou litt. : respect de vous, révérence parler, sauf révérence, sous votre respect.

18 Respectablement.

Conj. 19 Au respect de ; en considération de, par considération pour.

Int. 20 Chapeau bas !

718 RESPIRATION

N. 1 **Respiration** ; haleine, souffle, souffle vital **862.4** ; bouffée **20.4.** – Respir ou respire [vx].

2 MÉD. : **respiration 128** ; respiration externe ou pulmonaire, respiration interne (ou : cellulaire, tissulaire) ; respiration aérienne, respiration aquatique [ZOOL.]. – Respiration courante, respiration forcée. – Respiration costale, respiration diaphragmatique abdominale ; respiration glosso-pharyngée ou frog.

3 **Aspiration,** inhalation, **inspiration.** – Exhalation, **expiration.** – Éternuement, sternutation [MÉD.]. – MÉD. : réflexe de Breuer, réflexe de Hering ; gasp [anglic.].

4 **Essoufflement** ; anhélation [rare], haleine courte, **halètement.** – **Étouffement,** suffocation ; oppression **240.** – Hoquet.

5 **Échanges respiratoires** ; hématose **742.10,** ventilation alvéolaire ; artérialisation. – **Bronchodilatation** ; ampliation, bronchectasie [MÉD.].

6 ZOOL. : **branchies,** ouïes ; lamelle branchiale ; sac aérien.

7 **Appareil respiratoire** ; sphère O. R. L. – **Nez 814.6** ; fosses nasales, pharynx, larynx, trachée ou trachée-artère. – **Arbre bronchique** ; bronches, bronchioles ; rameaux, ramuscules. – **Poumons** ; coffre [fam.]. – Plèvre ; diaphragme.

8 Nerf pneumogastrique ou nerf vague **548.** – Centres respiratoires [NEUROL.].

9 **Asphyxie** ; anoxie ou hypoxie, hypercapnie, hypoventilation ; acidose gazeuse. – **Hyperventilation** ; hypocapnie (opposé à hypercapnie) ; alcalose gazeuse.

10 **Air 20** ; air alvéolaire ; gaz carbonique **335,** oxygène.

11 Respirabilité.

12 **Quotient respiratoire.** – Capacité inspiratoire (CI), capacité pulmonaire totale (CT), capacité résiduelle fonctionnelle (CRF), capacité vitale (CV), volume courant (VC ou VT), volume de réserve expiratoire (VRE), volume expiratoire maximal par seconde (VEMS), volume de réserve inspiratoire (VRI), volume résiduel (VR) ; coefficient de ventilation pulmonaire de Grehant, rapport de Tiffeneau. – Spirométrie.

13 MÉD. : **bruits respiratoires** ; bruit laryngo-trachéal, murmure vésiculaire [vieilli, rare], reniflement. – **Râle 168,** râle ou souffle caverneux, râle sibilant, ronchus ou râle ronflant, **ronflement,** sifflement **764,** stertor ; cornage.

14 **Apnée,** apnée adrénalinique, apneusis, brachypnée, bradypnée, dyspnée, hyperpnée, orthopnée, polypnée ou tachypnée. – Hypoventilation ; respiration de Cheyne-Stokes. – **Eupnée.**

15 Asthme **482,** bronchiolite, **bronchite,** broncho-pneumonie, pleurésie, pneumonie. – Pharyngite, rhino-pharyngite.

16 **Auscultation.** – Bronchoscopie, pleuroscopie, trachéoscopie. – Pneumographie.

17 CHIR. – Pneumotomie **114,** trachéotomie. – Pneumothorax artificiel ou, fam., pneumo.

18 **Respiration artificielle** ; assistance respiratoire ou ventilation assistée, **réanimation** ; oxygénothérapie ; **bouche-à-bouche.**

19 Oto-rhino-laryngologie ; phtisiologie [vx], **pneumologie.**

20 Oto-rhino-laryngologiste ou O. R. L *(un O. R. L.)* ; phtisiologue, **pneumologue 498.**

21 **Respirateur** ; poumon artificiel ou **poumon d'acier.** – Inhalateur.

22 Bronchoscope, pleuroscope, **stéthoscope.** – Pneumographe. – Spiromètre.

V. 23 **Respirer** ; aspirer, inhaler, **inspirer** ; exhaler, **expirer 534.24,** insuffler, souffler. – S'oxygéner.

24 Prendre un bol d'air, prendre le frais ; s'oxygéner [fig.]. – Reprendre haleine.

25 Soupirer ; renifler ; corner, **râler, ronfler,** siffler ; avoir le nez bouché. – Éternuer.

26 Anhéler [rare], haleter, panteler [litt.] ; avoir le souffle court, souffler comme un bœuf ou comme un phoque [fam.]. – **Étouffer,** perdre haleine ou son souffle, suffoquer ; s'essouffler. – **S'asphyxier** ; s'époumoner.

27 Cracher ses poumons [fam.], tousser.

28 Flairer **569,** humer.

Adj. 29 **Respiratoire** ; aspiratoire, expiratoire. – Aspirateur, expirateur. – MÉD. : **pneumologique** ; bronchial, cardio-pulmonaire, médiastinal, pleural, pulmonaire, trachéal ; branchial [ZOOL.].

30 ZOOL. : apneustique ; dipneumone, tétrapneumone ; apneustique, hémipneustique, holopneustique.

31 BIOL. : **aérobie** (opposé à anaérobie), oxybiotique (opposé à anoxybiotique).

32 **Essoufflé,** haletant, pantelant [litt.], poussif. – MÉD. : bronchique, pulmonique ; dyspnéique. – MÉD. : sibilant, stertoreux, striduleux.

33 Asphyxiant, **étouffant,** oppressant, suffocant ; aérocontaminant ; sternutatoire. – Irrespirable (opposé à respirable).

Adv. 34 À perdre haleine ; à pleins poumons.

Aff. 35 Broncho-, pneumo- ; -pnée.

719 RESSEMBLANCE

N. 1 **Ressemblance** ; analogie, **similitude** ; air de famille, parenté ; proximité. – Équivalence **256,** parité. – Homogénéité, uniformité, unité **844.**

2 Liaison, lien, rapport, **relation.** – **Accord 6,** affinité, harmonie, sympathie, unisson.

3 Adéquation, conformité ; concordance, **correspondance** ; parallélisme. – Fidélité, vérité **854,** vraisemblance.

4 Naturel *(le naturel),* **vrai** *(le vrai)* **854,** vraisemblable *(le vraisemblable).*

5 Équivalent *(l'équivalent),* homologue *(l'homologue),* **même** *(le même),* pareil *(le pareil),* semblable *(le semblable)* ; pendant *(le pendant).*

6 Congénère, pair ; **parent,** prochain *(le prochain).* – « Hypocrite lecteur, mon semblable, mon frère » (Baudelaire). – Alter ego [lat.] ; clone, double *(un double),* jumeau, ménechme [sout., rare], **sosie.**

7 Copie **379, image,** portrait, reflet, réplique ; masque. – Modèle **521.**

8 Apparence, faux-semblant, **illusion 283, imitation,** manière (*une manière de* + n.), simulacre ; trompe-l'œil.

V. 9 **Ressembler à.** – Se confondre, **se ressembler,** se ressembler comme deux gouttes d'eau. – Être du même moule, être de la même mouture, être du même tonneau, être le portrait craché ou tout craché de, être tout le portrait de. – Tenir de ; être du côté de *(être du côté de son père, être du côté de sa mère),* tenir de **304.** – Évoquer, **rappeler.** – On dirait (telle chose, telle personne).

10 **Équivaloir 256** ; fam. : c'est bonnet blanc et blanc bonnet, c'est du pareil au même, c'est tout comme ; très fam. : c'est kif-kif bourricot.

11 **S'accorder** ; cadrer, concorder, correspondre, coïncider. – Faire la paire avec. – Prov. : Qui se ressemble s'assemble ; Les grands esprits se rencontrent.

12 Accorder, conformer, harmoniser, **unir** ; assimiler.

13 Calquer, copier, **imiter 379.**

Adj. 14 **Ressemblant** ; **analogue,** apparenté, approchant, proche, similaire, voisin ; comparable, **semblable.** – Fidèle, juste, naturel, vrai **854,** vraisemblable. – Homogène, un, uniforme.

15 Égal, équivalent, **identique 376,** même, pareil.

Adv. 16 Semblablement ; **de même** ; à l'avenant ; de la même façon, de la même manière.

Prép. 17 À l'exemple de, à la façon de, **à la manière de** ; à l'image de, à l'instar de, sur le modèle de.

Conj. 18 **Comme** ; de même que.

Aff. 19 Simil- ; équi-, iso- ; homo- ; quasi-.

720 RESSENTIMENT

N. 1 **Ressentiment** ; acrimonie, aigreur, amertume, rancœur, **rancune** ; dépit. – Exaspération, indignation, ulcération. – Adversité **11** ; animosité, hostilité **146.** – Irrémission [litt.].

2 **Reproche** ; colère **130,** foudres ; défaveur, disgrâce.

3 Revanche. – Peine du talion (« œil pour œil, dent pour dent »). – **Règlement de comptes.** – Vendetta. – Revanchisme.

4 Revanchard *(un revanchard)* **726,** revanchiste, vengeur ; haineux *(un haineux)* [vx], haïsseur [litt.]. – MYTH. : Érinye ; Alecto, Mégère, Tisiphone. – Némésis [MYTH.].

V. 5 Avoir une dent contre ; garder rancune, **tenir rigueur,** en vouloir à ; se ressentir [absolt]. – Faire à qqn un crime de, faire (ou : imputer, tenir) grief de, **reprocher** ; fam. : dire à qqn ses quatre vérités, en dire de dures ; incendier qqn.

6 **Garder sur le cœur** ; fam. : ne pas avaler, en avoir gros sur la patate, trouver saumâtre ; rager, râler. – Fam. : remâcher, ressasser, ruminer. – Prendre la mouche ; se formaliser. – Se bloquer.

7 **Rester sur le cœur** (ou : sur l'estomac, en travers de la gorge). – Exaspérer, indisposer, irriter, ulcérer.

8 Nourrir une haine éternelle pour, vouer une haine farouche (ou : féroce, mortelle, etc.) à. – Détester [vx], envoyer au diable, maudire, vouer aux gémonies.

9 **Crier vengeance,** demander raison (ou : réparation, satisfaction). – Fam. : attendre (ou : rattraper, retrouver) au tournant, garder un chien de sa chienne à qqn.

10 Revancher **726,** venger ; laver un outrage. – Prendre sa revanche, tirer vengeance, **se venger.** – Faire payer cher, ne pas manquer qqn. – Revaloir, rendre la pareille (ou : coup pour coup, le mal pour le mal, la monnaie de sa pièce). – La vengeance est un plat qui se mange froid [loc. prov.].

11 Ne pas l'emporter au paradis *(il ne l'emportera pas au paradis !).* – Ne rien perdre pour attendre.

12 Fam. – Cracher, vider son sac.

Adj. 13 Rancuneux [litt.], **rancunier** ; haineux, vindicatif ; revanchard. – **Amer.**

14 **Susceptible** ; fam. : chatouilleux, ombrageux.

15 Irréconciliable.

Adv. 16 Irréconciliablement.

17 Aigrement ; méchamment.

721 RESTE

N. 1 **Reste** *(le reste, le reste de)* ; reliquat, **restant,** solde, soulte [DR.]. – Excédent, surcroît, surplus ; fam. : rab, rabiot.

2 **Différence** ; complément, excès.

3 **Reste** *(un reste, des restes).* – Relent, **séquelle,** trace. – Débris, déchet, **résidu.** – Reliefs ou, vx, relief, rogaton [fam.] ; miette, quignon. – **Chute** ; copeau, sciure ; barbes, morfil, limaille. – **Scorie** ; mâchefer. – Brin *(brin mal venu),* chaume, éteule [litt.] ; glane *(la glane).* – Chicot, moignon. – **Dépôt, sédiment** ; culot, marc. – Souche, talon.

4 **Décombres,** gravats, ruines, vestiges. – Dépouille, ossements ; cendres, reliques.

5 Restes diurnes [PSYCHAN.].

6 Et le reste. – Et ce qui s'ensuit, et cætera. – Et tout le bataclan, et tout le saint-frusquin, et tout le toutim, et tout le tremblement.

V. 7 **Rester** ; demeurer.

8 **Faire des restes** ; finir les restes ; jeter les restes. – Racler les fonds de tiroirs.

9 Devoir du reste, **être en reste de.** – N'être jamais en reste. – Demander son reste. – **Ne pas attendre son reste,** partir ou filer sans demander son reste. – Jouir de son reste [vx]. – Se ficher du quart comme du reste [fam.].

10 Rester en travers de la gorge. – Rester sur le carreau, **y rester 534.**

11 **Il reste** [impers.] ; il reste que, reste que ; il demeure que ; toujours est-il que. – **Il en restera toujours quelque chose.** – Après vous, s'il en reste. – « Et s'il n'en reste qu'un... » **842.3.**

Adj. 12 **Restant** ; demeurant, rémanent. – Laissé pour compte.

Adv. 13 **De reste, du reste, d'ailleurs** ; au reste [litt.], au surplus, au sus du reste.

14 **Au demeurant** ; tout bien considéré.

722 RESTITUTION

N. 1 **Restitution,** rétrocession ; remboursement **587.**

2 Compensation, **dédommagement** ; réparation ; indemnisation ; désintéressement. – Rendu [rare ; surtout dans les loc. prov. : un prêté pour un rendu et ami au prêter, ennemi au rendre]. – DR. : compensation légale, compensation conventionnelle, compensation judiciaire. – **Dommages-intérêts** ou dommages et intérêts **144, indemnité,** intérêts compensatoires ; prestation compensatoire. – Soulte ; HIST. : composition, wergeld. – Fiducie.

3 DR. : **revendication 185.1.** – Recours ; action possessoire **645.5,** complainte, dénonciation de nouvel œuvre, réintégrande.

4 **Récupération,** recouvrement (ou : recouvrage, recouvrance) ; reprise. – DR. : droit de reprise ou de répétition, droit de retour ; réméré [DR.].

5 Rare : rendeur, restituteur. – Héritier fiduciaire ou fiduciaire *(un fiduciaire),* héritier grevé **101.10.**

6 Revendiquant [DR.], revendiqueur [rare]. – Héritier fidéicommissaire ou, vieilli, fidéicommissaire *(un fidéicommissaire).*

V. 7 **Restituer** ; rendre, rétrocéder ; recéder, redonner ; remettre, rembourser **587.** – Rendez à César ce qui appartient à César et à Dieu ce qui appartient à Dieu (Évangile selon saint Matthieu, passé en proverbe).

8 Faire restitution de qqch à qqn [vx].

9 Acquitter, payer une dette. – Compenser, **réparer** ; payer les pots cassés.

10 **Dédommager,** indemniser ; désintéresser. – Réintégrer dans ses biens.

11 Recouvrer, **récupérer,** ravoir [rare] ; reprendre ; rempocher ; réméré [DR.]. – Rentrer en possession de ; se ressaisir de [DR.].

12 Retourner ; faire retour *(bien qui fait retour à son possesseur).*

Adj. 13 DR. : **restitutoire** ; compensateur (ou : compensatif, compensatoire).

14 DR. : **restituable** ; compensable. – Recouvrable, récupérable.

15 Indemnisable ou indemnitaire [DR.].

16 Rétrocédant [DR.].

Adv. 17 En compensation ou à titre de compensation, en contrepartie, **en dédommagement,** en échange, en remplacement **587** ; **en retour** ou, vx, de retour.

723 RÉSUMÉ

N. 1 **Résumé** ; analyse, synthèse ; argument, réduction de texte, synopsis. – Récapitulatif *(un récapitulatif),* récap [fam.] ; **bilan,** total ; bulletin d'informations **654.** – Plan, projet ; briefing [anglic.]. – Aphorisme, formule, épigraphe.

2 Abréviation ; diminutif. – Condensé *(le condensé).* – Citation, **extrait,** passage.

3 Abrégé *(un abrégé),* **aide-mémoire,** compendium [vx], digest [angl.], enchiridion [didact., rare], épitomé [didact.], **manuel,** mémento, précis *(un précis)* ; éléments, rudiments. – **Bréviaire,** catéchisme, vade-mecum.

4 Abstract [angl.], **compte-rendu,** recension. – **Sommaire,** table des matières ; sous-titre ; quatrième de couverture. – **Anthologie,** chrestomathie [didact.], morceaux choisis.

5 Condensation, simplification. – Récapitulation.

V. 6 **Résumer** ; récapituler. – **Condenser,** ramasser, resserrer ; analyser, synthétiser ; simplifier. – **Abréger,** diminuer **220.9,** écourter, raccourcir.

Adj. 7 **Résumé** ; analysé, synthétisé ; **abrégé,** condensé, diminué, raccourci, réduit. – Bref, compendieux [didact.], court, succinct.

8 Abréviatif, récapitulatif.

Adv. 9 **Brièvement 142,** compendieusement [vx], rapidement, succinctement.

10 **En résumé** ; en abrégé, en raccourci, **en somme,** en substance ; en un mot, en un mot comme en cent ou en mille [fam.] ; au résumé [vx]. – **Bref,** pour tout dire.

724 RETARD

N. 1 **Retard** ; arriéré *(un arriéré, de l'arriéré),* demeure [DR.], inexactitude [litt.], lenteurs. – Microretard [TECHN.] ; désheurement [CH. DE F.]. – Retard industriel, retard technologique ou *gap* [anglic., « trou »].

2 **Délai,** grâce, répit, **sursis** ; moratoire [DR.]. – Quart d'heure académique, quart d'heure de politesse.

3 Décalage, **ralentissement 458,** retardation [didact.] ; action retardatrice [MIL.]. – **Ajournement,** remise, renvoi, surséance [didact.]. – Prolongation, prorogation.

4 Atermoiement, **hésitation 438** ; temporisation. – Lambinage [fam.], lanternement [rare], traînassement, traînasserie.

5 **Retardataire** *(un retardataire)* ; clampin, dernier *(le dernier),* lanterne rouge, serre-file, traînard, traîneur ; tardillon [fam.].

6 Report d'incorporation [MIL.] ; exception dilatoire [DR.]. – Manœuvre ou réponse dilatoire. – Billet de retard [TRANSP.].

7 **Obstacle 567.** – Retardateur [CHIM.] ; ligne de retard [ÉLECTRON.].

8 Tardiveté [rare]. – L'esprit de l'escalier.

V. 9 **Retarder** ; attarder [sout.], freiner, ralentir. – Apporter du retard à qqch, faire durer, faire traîner, faire traîner en longueur, tirer en longueur. – **Prolonger,** proroger [didact.].

10 **Ajourner,** arriérer, décaler, **différer,** reculer, remettre, renvoyer, reporter, repousser, retarder, surseoir à. – Donner ou accorder un délai.

11 **Hésiter,** temporiser, tergiverser. – Faire attendre, faire patienter, faire poser [vieilli].

12 **S'attarder,** se désheurer [rare], se mettre en retard, prendre du retard. – Lambiner [fam.], lanterner, mettre du temps [fam.], musarder, traînailler, traînasser, **traîner.**

13 Accuser du retard, arriver ou **être en retard,** avoir du retard ; retarder de (tant de temps). – Avoir dépassé l'heure. – Fam. : arriver après la bataille ; arriver comme les carabiniers, comme les carabiniers d'Offenbach [allus. à l'opéra bouffe *les Brigands*].

14 Manquer qqn ou qqch de peu. – Avoir un métro de retard, retarder [fam.].

15 Se faire attendre, **se faire désirer 199** ; tenir qqn en suspens.

16 **Il n'est plus temps de** + inf. ; il est tard de + inf. [vx]. – Il se fait tard.

Adj. 17 **Retardataire** ; inexact, retardé, tard venu, **tardif** ; posthume. – Sursitaire. – À retardement *(bombe à retardement)* ; retard *(pénicilline retard)* [PHARM.].

18 Déphasé, désuet **206,** rétrograde.

19 Retardant [PHARM.], retardateur. – **Dilatoire,** temporisateur, temporiseur [vx].

Adv. 20 **En retard** ; à la bourre [arg.]. – À la dernière minute, in extremis ; **enfin,** finalement.

21 À la queue, à la traîne ; **trop tard.**

22 En différé (opposé à en direct) [RADIO, TÉLÉVISION].

23 **Tard,** tardivement ; sur le tard [vieilli] ; mieux vaut tard que jamais [prov.]. – À une heure avancée, à une heure indue, à pas d'heure [fam.] ; avant dans la nuit [litt.].

Int. 24 **Enfin !** Ouf ! Tout de même ! Ce n'est pas trop tôt !

725 RÉUNION

N. 1 **Réunion.** – Adjonction **9,** mélange **501** ; intégration. – **Association,** rassemblement **352** ; agroupement [vx]. – Liaison, relation ; concours [vx], rencontre **137, union.** – Accumulation, entassement ; agglomération **845,** agrégation. – Assemblage, **jonction** ; articulation, coordination, corrélation ; conjonction. – Fusionnement ; annexion, rattachement. – Absorption,

fusion ; synthèse. – Colligation [LOG.] ; condensation [PHYS., PSYCHAN.].

2 **Groupement.** – **Collectivité 772,** communauté, ensemble ; groupe, équipe, famille ; nation, société **773.** – Corporation, fédération, organisation ; organisation non gouvernementale ou O.N.G. ; commission, syndicat, parti ; groupuscule.

3 **Assemblée** ; aréopage [litt.]. – Concile, conclave, synode ; sanhédrin. – Colloque, congrès, symposium ; forum, meeting, table ronde ; jamboree ; jam-session. – **Réception** ; bal, banquet **703** ; partie de campagne, partie fine.

4 Union libre ; concubinage ; hymen [litt.], **mariage 491.** – Union sacrée [HIST.]. – L'union fait la force [loc. prov.].

5 **Trait d'union** ; copule [LING.]. – **Attache** ; amarre, cordage, liure ; ancre ; bride, chaîne ; joint, jointure, lien ; charnière, cheville ; ligament. – Soudure ; brasure.

6 Associabilité [rare]. – **Réunionnite** [fam.] ; convivialité. – Unionisme [POLIT., vx].

7 TECHN. : réunissage ; boulonnage, épissure ; soudage.

8 Réunisseur ou réunisseuse [TECHN.].

9 Congressiste.

V. 10 **Réunir,** associer ; coaliser, unir ; mêler, rassembler. – Annexer, rattacher **423.**

11 **Joindre,** rejoindre. – Accoupler, coupler. – Agglutiner ; conglutiner [MÉD.]. – Concentrer. – Grouper, masser.

12 **Attacher, lier,** nouer ; raccorder, relier ; accouer, harder [VÉN.] ; agrafer, épingler ; boulonner, brêler, claveter, clouer, épisser, jointoyer, riveter, river, visser ; corder [litt.], encorder ; cramponner. – Assembler ; coller, souder ; boutonner, coudre. – Souder ; braser.

13 **Fusionner** ; confondre [litt.]. – Agglomérer, conglomérer ; agréger, amalgamer.

14 **S'attrouper, se grouper,** se rassembler, se réunir. – Se joindre à ; s'associer à, s'agréger à [litt.] ; s'unir. – Confluer.

15 Être liés comme les doigts de la main.

Adj. 16 **Réuni** ; assemblé, attaché, joint, lié. – Confondu.

17 **Groupé,** rassemblé ; relié. – Combiné. – Inséparable.

18 Réunissable [rare].

Adv. 19 **Conjointement, ensemble.** – À la fois.

20 D'une seule voix, d'un commun accord. – En chœur, **main dans la main.** – **Aussi.**

Prép. 21 Avec.

Conj. 22 Et, ou.

Aff. 23 Co-, col-, com-, con-, cor- ; syn-, sym-, syl- ; -syndèse.

726 REVANCHE

N. 1 **Revanche** ; compensation **139,** contrepartie ; paiement de retour ou en retour ; réponse **705.** – **Échange,** équivalence, réciprocité **690, retour** ; égalité **256.**

2 **Représailles 707,** vengeance. – Prov. : la vengeance est un plat qui se mange froid ; vx : à beau jeu, beau retour ; le retour vaudra pis que matines.

3 **Partie** ; manche *(deuxième manche)* **446.** – **Belle** *(la belle)* ; SPORTS : match retour, revanche.

4 **Revanchisme.** – Rancune **720.**

5 **Revanchiste** *(un revanchiste)* ; **revanchard** *(un revanchard)* [péj.]. – Rare : **vengeur** *(un vengeur).*

V. 6 **Prendre sa revanche.** – Pop., vx : revancher, se revancher ; répondre **705.** – **Venger 707.**

7 Jouer la belle (ou : la dernière manche, la troisième manche). – Damer le pion à qqn. – **Reprendre l'avantage.**

8 Fam. – Attendre là *(je t'attends là),* attendre à la sortie, attendre au passage (ou : au tournant, au virage), rattraper ou retrouver au tournant, **retrouver** *(on se retrouvera !, je vous retrouverai !).* – **Ne rien perdre pour attendre** *(tu ne perds rien pour attendre).* – Rira bien qui rira le dernier [loc. prov.].

9 **Se venger** ; se revancher [litt., vx]. – Se dédommager *(se dédommager d'un affront).*

Adj. 10 **Revanchiste** ; revanchard [péj.]. – Vengeur, **vindicatif** ; rancunier **720.**

Adv. 11 **En revanche 690.16** ; en contrepartie, en échange, **en retour.** – À charge de revanche, à titre de réciprocité.

12 Vindicativement [sout.].

727 REVÊTEMENT

N. 1 **Revêtement** ; garniture. – **Enveloppe,** membrane, pellicule, tégument ; couverture. – Face **211.1,** surface ; subjectile [TECHN.]. – Coffrage, protection, renfort ; conditionnement, emballage **151.1,** empaquetage. – Couche, manteau [fig.] ; patine.

2 **Peau 604** ; membranule [ANAT.], pelure. – Barde ; **carapace,** cocon, coque, **coquille,** cuirasse, derme, duvet, écaille, épiderme, **peau,** plume.

3 Croustade, croûte ; **dépôt.**

4 ANAT. – Aponévrose, diaphragme, endocarde, épendyme, épicarpe, méninges, pannicule, péricarde, périchondre, périoste, péritoine, plèvre ; muqueuse. – Cortex **100,** écorce cérébrale [vieilli].

5 BOT. – Bale ou balle, bogue, bourre, brou, cannelle, **capsule,** coiffe, cosse, cuticule, duvet, écale, écalure, **écorce 37,** épicarpe, glume, glumelle, gousse, grume, involucre **318,** liège, regros, spathe, teille, tunique, volve, zeste.

6 Apprêt, badigeon, **enduit,** fond, teinture ; glaçure, lut ; brou, cire, encaustique. – Cellophane [nom déposé]. – Émail, laque, mosaïque, peinture **709,** staff, stuc, vernis. – Fard, pommade ; brillantine, gel, Gomina [nom déposé]. – Colophane ou arcanson [MUS.]. – Asphalte **136,** blanc de chaux, calcin, **ciment,** coaltar, corroi, gobetis [TECHN.], mortier, **plâtre,** tarmacadam. – TECHN. : brasque, braye.

7 Carpette, chemin *(chemin d'escalier, chemin de table),* descente de lit, linoléum, moquette, revêtement de sol, **tapis.** – MAR. : garniture, natte, paillet.

8 Parement, parquet **481,** radier [TECHN.]. – Lambris, **plafond 481** ; couvrement [ARCHIT.] ; toiture. – Boisage, bordage [MAR.], cailloutage, empierrage, pavage ; briquetage, crépi, empierrement, hourdage, hourdis, limousinage, mortier, pisé, rocaillage, rudération, torchis ; émaillage.

9 Ardoise, bardeau, chaume, glui [vx], paille, tôle ondulée, **tuile,** zinc. – Adobe, azulejo, **brique,** briquette, **carreau,** dalle, tomette ; boutisse. – TECHN. : bandage, couchis.

10 Maçonnerie, marqueterie, orfèvrerie.

11 Ravalement, **recouvrement, revêtement.** – Apprêtage, badigeonnage, enrobage ; asphaltage, boisage, bétonnage, bousillage, cailloutage, carrelage, chaulage, chemisage, cuvelage ou cuvellement, dallage, empierrage, empierrement, hourdage, lambrissage, lutage, pavage, placage, plâtrage, vernissage ; TECHN. : émaillure, enduction, enduisage, planchéiage, rusticage. – Argenture, dorage, dorure, platinage ; damasquinage, émaillage. – REL. : cartonnage, couvrure.

12 Asphalteur, badigeonneur, barbouilleur, bitumier, briquetier, calfat, carreleur, peintre **709,** paveur, piseur, tapissier, tuilier, stucateur.

V. 13 **Revêtir** ; **couvrir,** endosser. – Draper, habiller **18,** parementer, parer. – Bâcher, bander, banner, caparaçonner, cuirasser, enchemiser, emmailloter, emmitoufler, masquer, voiler.

14 Appliquer, **coucher sur,** étaler, **étendre,** garnir, répandre ; inonder, joncher, parsemer, submerger. – Broder. – Couvrir.

15 Ardoiser, carreler, chauler, cimenter, crépir, cuveler, galipoter, glaiser, lambrisser, piser, planchéier, plâtrer, stuquer, tapisser. – Emmieller, encrer, encroûter, ensoufrer, ensuifer, gazer, glacer, gluer, gommer, poisser, poudrer, saupoudrer, soufrer, terrer. – Beurrer, farder, farter, graisser, huiler, lubrifier, oindre, pommader ; empoisser, encoller ; mégir ou mégisser [TECHN.] ; brillanter, cirer, encaustiquer, laquer ; glycériner, paraffiner, stéariner. – Badigeonner, enduire, engluer, maquiller, tartiner. – Glacer, vernir, vernisser ; peindre, peinturer ; blanchir, noircir, vermillonner. – Asphalter ; caoutchouter ; caillouter, empierrer, graveler. – Métalliser, plaquer ; argenter **40,** chromer, cuivrer, dorer **575,** nickeler, zinguer. – Calfater, étouper, mastiquer ; calfeutrer, capitonner. – Maroufler, rentoiler.

Adj. 16 Amplectif [SC.]. – Membraneux, membraniforme [didact.].

17 Incrustant.

Adv. 18 Superficiellement.

Aff. 19 Couvre-, épi-.

728 RÉVOLUTION

N. 1 **Révolution** ; insurrection, rébellion **200, révolte,** subversion [litt.] **572.2,** coup d'État [vx]. – **Révolte** ; mutinerie, sédition, soulèvement [fig.]. – **Guerre civile 354,** guerre intestine ; guerre révolutionnaire.

2 **Coup d'État 642,** pronunciamiento, putsch.

3 HIST. – La révolution française ou, absolt, **la Révolution** ; la révolution russe ou révolution d'Octobre. – La révolution des œillets (Portugal, 1974) ; la révolution de velours (Europe orientale, notamment Tchécoslovaquie, à partir de 1989).

4 **Révolutionnaire** *(un révolutionnaire)* ; agitateur *(un agitateur),* gauchiste *(un gauchiste),* gaucho *(un gaucho)* [fam.]. – Mutiné *(un mutiné),* révolté *(un révolté)* ; factieux *(un factieux)* [péj.], insurgé *(un insurgé),* mutin *(un mutin),* rebelle *(un rebelle),* séditieux *(un séditieux)* ; putschiste *(un putschiste).* – Jacobin *(un jacobin)* [HIST.].

5 POLIT. – **Révolutionnarisme** ou révolutionarisme, gauchisme [péj.]. – Jacobinisme [HIST.].

6 **Révolutionnarisation** [didact., POLIT.].

V. 7 **Subvertir** [didact.], révolutionner [vx].

8 **Se révolter** ; se mutiner, se soulever, se rebeller.

Adj. 9 **Révolutionnaire,** subversif. – Insurrectionnel ; factieux, séditieux. – Révolutionnariste [POLIT.].

Adv. 10 **Révolutionnairement.**

729 RHÉTORIQUE

N. 1 **Rhétorique** ; éloquence ; vx : art de bien dire, art de persuader ; *ars dicendi* (lat., « art de dire »), *ars loquendi* (lat., « art de parler »). – Sophistique.

2 Gr., vx : éthos, ithos, pathos.

3 Vx. – Genre judiciaire, genre délibératif, genre démonstratif ou épidictique. – Éloquence du barreau ou éloquence judiciaire, éloquence de la tribune ou éloquence politique, éloquence de la chaire ou éloquence religieuse, éloquence académique, éloquence militaire.

4 Rhétorique, **stylistique** ; poétique, sémanalyse, sémiologie, sémiotique. – Stylistique génétique ; stylistique expressive : stylistique comparée, phonostylistique ; stylistique de l'écart : stylistique des intentions, stylistique des effets.

5 **Invention.** – **Lieux** ou topoï : définition, description ; division ; genre, espèce ; antécédents, conséquents ; cause, effet ; comparaison, exemple ; contraires, circonstances. – **États de question :** état conjectural, état de qualité, état définitif. – **Formes de raisonnement :** syllogisme (prémisses : majeure, mineure ; conclusion), sorite, épichérème, dilemme, enthymème, enthymème apparent, maxime.

6 **Disposition.** – Exorde ; *captatio benevolentiæ* [lat.], insinuation, proposition, division ou partition. – Narration, confirmation, réfutation. – Récapitulation ; péroraison, digression. – Dialogisme [rare].

7 **Élocution** ; figures de rhétorique **313,** fleurs de rhétorique, tropes. – **Action** ; effet de manche, geste, mouvement oratoire. – **Mémoire.**

8 **Argumentation** ; amplification, développement ; composition, rédaction. – Conviction, **persuasion 614** ; séduction.

9 Lieu (ou : **lieu commun,** topique, topos) ; cliché. – **Argument,** argument personnel ou ad hominem, preuve ; parallèle, portrait, tableau ; précaution oratoire.

10 **Style** ; caractère, caractéristique, façon, forme **359, manière,** modalité, mode ; espèce, genre, sorte. – Crayon, **écriture,** plume ; encre *(de la même encre, de sa plus belle encre),* palette [fig.] ; patte ; langage, parler ; accent, **ton.** – **Facture,** faire, technique ; moyen, méthode **511,** procédé.

11 Vx : style simple, style tempéré, style sublime ; style élevé.

12 **Orateur,** rhéteur [litt.] ; avocat **835,** parlementaire, tribun ; prédicateur. – Speaker (fém. : speakerine). – Écrivain **252,** poète ; rhétoriqueur [vx] ; félibre [région.]. – Chambre de rhétorique [HIST.].

13 Logographe [vx], rhétoricien, sophiste. – Sémiologue, sémioticien ; stylisticien.

V. 14 **Discourir,** haranguer, plaider ; parler **595.** – Convaincre, persuader **614** ; plaire **629,** séduire.

Adj. 15 **Rhétorique** ; oratoire ; topique ; scripturaire [didact.]. – Poétique, sémiologique, sémiotique, stylistique.

16 Filé *(métaphore filée).*

730 RICHESSE

N. 1 **Richesse** ; fortune, prospérité **670** ; opulence [sout.] **1.1.** – Âge d'or **363.4** ; siècle d'or ; années de vaches grasses [allus. bibl.].

2 **Aisance,** bien-être **745,** confort. – Les vaches grasses [allus. bibl.].

3 Faste, **luxe,** somptuosité ; magnificence [sout.] **661.** – Vie de château, vie de cocagne.

4 **Enrichissement** ; capitalisation **281.** – Développement, expansion **298 ;** dragon, tigre. – Chrématistique *(la chrématistique)* [ÉCON.].

5 Didact. : **ploutocratie** ou, vx, timocratie. – Mur de l'argent **67.10.**

6 MYTH. : Ploutos ou Plutus **236** ; Mammon.

7 **Richesses** ; biens **645,** ressources ; trésors ; **fortune** ; fam. : galette, magot, sac ; vx : pécune, pérou ; pactole ; argent **529, or** ; capital.

8 **Eldorado** ; californie [vx] ; pays de cocagne. – Pays riche ; pays développé.

9 **Possédant** *(un possédant),* rentier ; notable *(un notable)* **59.** – Fam. : nabab **822,** richard ; **crésus,** satrape ; ploutocrate ; milord ; oncle d'Amérique ; marquis de Carabas [allus. litt.]. – Péj. : parvenu *(un parvenu)* ; nouveau riche ; B. O. F. (pour *beurre, œufs, fromage,* allus. aux trafiquants de denrées alimentaires au marché noir, pendant la Seconde Guerre mondiale) [fam.]. – Fils de famille, gosse de riches [fam.].

10 **Les classes aisées** ; le grand monde. – Les puissances d'argent ; les deux cents familles, les plus grandes fortunes de France. – Grande famille *(une grande famille).* – La jeunesse dorée.

V. 11 **S'enrichir** ; prospérer **670** ; s'engraisser [fam.] ; capitaliser **281** ; remplir son escarcelle ; gagner des fortunes, gagner des mille et des cents. – **Faire fortune** ou, fam., de l'or ; hériter **241.** – Adorer le veau d'or [allus. bibl.].

12 Fam. – **Faire son beurre** (ou : son blé, son oseille) ; s'en mettre plein les poches, se remplir les poches ; faire son sac [arg.]. – Arrondir sa pelote, faire venir l'eau au moulin, mettre du beurre dans les épinards **739.** – Épouser le sac, redorer son blason **366.**

13 Avoir de quoi vivre, n'être pas à plaindre ; **être à l'abri du besoin,** être à son aise ; être au-dessus du vent [fam., vieilli] ; avoir du pain cuit sur la planche [vx] ; vivre de ses rentes.

14 Avoir de l'argent devant soi, **être en fonds,** avoir le portefeuille (ou, vieilli, la bourse, le gousset) bien garni ; avoir des rentes ; **avoir de la fortune** ou, fam., de la galette ; regorger de biens ou de richesses ; brasser des millions, nager dans l'opulence ou dans l'or ; avoir la ceinture dorée [vieilli] ; avoir des écus [vx], remuer l'argent ou, vx, les écus à la pelle.

15 Fam. : avoir du foin dans ses bottes, avoir le sac, crever d'argent, être au pèze [arg.].

16 Mener la vie à grandes guides [sout.] **661,** mener grand train ou grande vie, **rouler carrosse,** vivre sur un grand pied, vivre comme un seigneur (ou : un prince, un roi).

17 Fam. – **Mener une vie de château,** mener la vie de palace ; mener une vie dorée sur tranche ou dorée sur toutes les coutures ; vivre des jours filés d'or et de soie [vx] ; **rouler sur l'or.**

18 Prov. et loc. prov. : l'argent ne fait pas le bonheur ; contentement passe richesse ; bonne renommée vaut mieux que ceinture dorée **341.** – Le bien ou la fortune vient en dormant ; qui paie ses dettes s'enrichit. – On ne prête qu'aux riches. – « Il est plus aisé pour un chameau d'entrer par le trou d'une aiguille que pour un riche d'entrer dans le royaume de Dieu » (Évangile selon saint Matthieu).

Adj. 19 **Riche** ; aisé, fortuné, opulent [sout.], renté [vieilli]. – Huppé ; privilégié ; prospère **670** ; fam. : argenté ou, vieilli, argenteux, cossu, **friqué,** galetteux, nanti, rupin ; vx : calé, pécunieux. – **Milliardaire,** millionnaire, multimillionnaire ; souv. par plais. : archimillionnaire, richissime ; riche à milliards, riche à millions, **riche comme Crésus** ou, vx, comme un crésus. – Cousu d'or ; plein aux as ; doré sur tranche.

20 Fastueux, **luxueux,** somptueux ; de luxe ; princier ; onéreux.

21 Confortable *(revenu confortable),* substantiel.

22 Didact. : ploutocratique ou, vx, timocratique.

Adv. 23 **Richement** ; fastueusement, luxueusement, royalement, somptueusement ; opulemment [rare] ; coûteusement.

24 Abondamment **1,** amplement, largement. – Confortablement, grassement.

Aff. 25 Plouto- ; timo-.

731 RIDICULE

N. 1 **Ridicule** *(le ridicule),* ridiculité [litt., vx] ; risibilité [rare]. – Moquerie, ridicule [vx]. – Le ridicule ne tue pas ou ne tue plus [loc. prov.].

2 Ridicule *(un ridicule),* ridiculité *(une ridiculité)* [vx]. – **Défaut,** manie, travers ; tic. – Bizarrerie **321,** étrangeté, excentricité **556.4.** – Bouffonnerie, clownerie, pitrerie.

3 Charge. – **Caricature,** portrait charge ; parodie, satire **532.**

4 Ridicule *(un ridicule)* [vieilli] ; **bouffon** [fam.], Chinois de paravent [fam., vieilli], grotesque [BX-A.], personnage de comédie. – Jocrisse ; histrion ; mijaurée, pecque [vx].

V. 5 **Ridiculiser,** tourner en ridicule ou en dérision, traduire en ridicule [vx] ; charger ou couvrir de ridicule, jeter ou répandre le ridicule sur ; rire aux dépens de **532.** – Bafouer, outrager ; dégrader **227.**

6 **Pousser le ridicule jusqu'à** ; se donner le ridicule de [litt.]. – Donner la comédie à ses dépens, **prêter à rire** ; défrayer la chronique ou les conversations **290.9,** être la fable ou la risée de. – Perdre la face ; être à encadrer [fam.]. – Fam. et iron. : avoir l'air fin, avoir bonne mine.

7 Moquer [vieilli], nasarder [fig.], persifler, railler **439,** rire aux dépens de ; goguenarder, gouailler. – Faire des gorges chaudes de ; se gausser de, se moquer de. – Caricaturer, draper ; chansonner [vieilli]. – Berner, mystifier **838.**

Adj. 8 **Ridicule.** – Absurde, saugrenu ; fam. : impayable, inénarrable. – Dérisoire **616.12,** moquable [litt.], risible ; burlesque, grotesque **628** ; fam. : tarte, tartignole ; très fam. : cucul, cucul la praline ou la noisette.

Adv. 9 **Ridiculement** ; burlesquement, grotesquement. – Risiblement.

732 RIGIDITÉ

N. 1 **Rigidité** ; raideur ou, vx, roideur ; dureté **248,** inflexibilité [rare] ; inextensibilité [didact.]. – Résistance **715,** solidité.

2 MÉD. : ankylose ; torticolis ; **paralysie 482,** tétanie ; rénitence [PATHOL.] ; rigidité cadavérique, rigidité pupillaire [MÉD.].

3 **Raidissement,** tension. – MÉD. : callosité, induration, ossification ; **tétanisation** ; engourdissement. – TECHN. : raidissage, trempe *(trempe de l'acier).* – Amidonnage, **empesage.**

4 **Crampe.** – Didact. : contraction **154,** convulsion, crispation, spasme *(spasme tonique),* tonisme ; contracture, tétanos musculaire ou physiologique ; fibrillation ; érection **763** ; turgescence. – MÉD. : épreintes, ténesme.

5 PHYSIOL. : contractilité, érectilité. – Trempabilité [TECHN.].

6 Rigidité électrique ou diélectrique. – Module de rigidité ou module de Coulomb [PHYS.].

7 Empois. – **Tendeur** ou tenseur ; raidisseur [TECHN.].

8 Didact. : rigidimètre, tensiomètre.

9 Empeseur [TECHN.].

V. 10 **Rigidifier** ; **raidir** ou, vx, roidir ; bander, contracter, crisper ; figer, **paralyser** ; engourdir. – MÉD. : indurer ; tétaniser. **Durcir,** tremper [TECHN.] ; **tendre.** – TECHN. : donner du dur, tensionner ; étarquer [MAR.]. – **Amidonner,** empeser ; baleiner.

11 **S'ankyloser,** s'ossifier [MÉD.]. – Rassir ou se rassir.

12 Avoir avalé son parapluie ou sa canne [fam.].

Adj. 13 Rigide ; **raide** *(raide comme un mannequin, raide comme un passe-lacet, raide comme un pieu, comme un piquet)* ; roide [vx] ; **droit** *(droit comme un cierge, droit comme un I),* souple commme un verre de lampe [fam.] ; impliable, indéformable, inflexible [rare]. – **Dur** ; dur comme du bois, dur comme du marbre ; duraille [fam.], duret [vx], semi-rigide ; calleux, gourd, pote *(main pote)* [rare]. – PATHOL. : rénitent, tonique.

Adv. 14 **Rigidement** ; raidement ; roidement [vx].

733 ROTATION

N. 1 **Rotation** ; giration, **révolution 225.** – Tourbillonnement, tournoiement. – Roulement. – Circonvolution, **enroulement.**

2 Retournement, tournement [rare] ; contournement. – Tournage ; tournerie [TECHN.]. – **Torsion 212,** tors [TEXT.].

3 Rotation ; **demi-tour, tour,** virevolte, virevousse [vx], volte [ÉQUIT.], **volte-face.** – CHORÉGR. : **pirouette, ronde 176.**

4 **Mouvement circulaire** [MÉCAN.]. – PHYS. : force rotatrice, vitesse angulaire, vitesse de rotation.

5 ANAT. – Pronation, supination.

6 **Axe, centre,** pivot. – **Cylindre, hélice,** hélice circulaire, spirale. – Orbe, orbite. – **Anneau,** boucle, **cercle 97** ; spire, torsade, **vis,** vrille. – TECHN. : crapaudine, gond.

7 Gyrostat [MÉCAN.]. – **Roue** ; **disque.** – **Bille, boule.** – Poulie, roulement à billes, tambour, volant. – Rotacteur [RADIOTECHN.]. – Porte à tambour **308.**

8 Girouette ; roulette, **toupie.** – **Manège.** – Meule, moulin, **rouet.** – Moulin à prières [RELIG.]. – Tour, touret, tournassin, tourniquet, tournette. – Tournebroche ; tournedisque. – Centrifugeuse. – Rotative ou, fam., roto [IMPRIM.].

9 Gyroscope **221** ; gyrolaser. – Gyrophare.

10 GÉOGR. – **Tourbillon** ; gouffre [vx], maelström ou malstrom, remous, trombe, vortex.

11 ANAT. : pronateur ou muscle pronateur, rotateur ou muscle rotateur, supinateur ou muscle supinateur. – Rotationnel *(le rotationnel d'un vecteur)* [MATH.].

12 Derviche tourneur **525.** – Valseur.

13 TECHN. – Rotativiste, tourneur.

V. 14 **Tourner** ; pirouetter, **virer,** virevolter, virevousser [vx], vriller ; basculer, **pivoter.** – Tournailler, tourniller ; fam. : tournicoter, tourniquer.

15 **Tourbillonner** ; **tournoyer.** – Valser.

16 **Contourner,** faire le tour de. – Donner du tour à [MAR.].

17 **Tourner** ; **retourner.** – **Tordre,** retordre ; tortiller, tourniller ; boudiner [TECHN.]. – Tournasser [TECHN.]. – **Rouler** ; **enrouler.** – Centrifuger.

18 Entourer ; capeler [MAR.].

Adj. 19 Tournant ; **pivotant.** – Circulaire, **giratoire.** – Didact. : **rotatif,** rotationnel, rotatoire, tourbillonnaire. – Rotary [TECHN.]. – CHIM. : dextrogyre, lévogyre. – Tourneur.

20 ANAT. : pronateur **541,** rotateur, supinateur. – Rotacé [BOT.]. – Rotifère [ZOOL.].

Adv. 21 Rotativement [litt.]. – Circulairement.

Aff. 22 Gyr-, gyro- ; gir- ; hélic-, hélici-, hélico- ; spir-, spiro-.

23 Gyre, -gyrie ; -gire ; -spire.

734 ROTURE

N. 1 **Roture** ; artisanat ou, rare, artisanerie, bourgeoisie [HIST.], paysannat ou paysannerie [vx] ; prolétariat [vx] **480** ; servilité. – Caste.

2 Roture [péj.] ; banalité, trivialité, vulgarité **226** ; prosaïsme. – Litt. : bourgeoisisme, plébéianisme ; béotisme, philistinisme.

3 HIST. : capitation, fouage, **taille** ; FÉOD. : **cens,** fournage, minage, vingtain ; banalité. – **Corvée** [HIST.], prestation [FÉOD.]. – Droit de cuissage (ou : de culage, de jambage) [FÉOD. ; abusif].

4 **Roture** *(la roture)* ; tiers état [HIST.] ; prolétariat [ANTIQ. ROM.]. – Masse, multitude, petits *(les petits),* **peuple,** populaire *(le populaire),* rue *(la rue)* ; commun *(le commun)* [vx] ; gens du commun, gens de peu ou de rien, petites gens ; tout-venant.

5 Bas-fonds, lie *(la lie),* **populace,** racaille, ramas, ramassis, rebut, tourbe, vulgaire *(le vulgaire)* ; vulgum pecus ; populo *(le populo)* [fam.] ; vieilli : canaille, écume, plèbe.

6 **Roturier** *(un roturier)* ; plébéien [litt.] ; bonhomme [vx]. – Bourgeois *(un bourgeois)* ; vilain [HIST.] ; « Oignez vilain, il vous poindra, poignez vilain, il vous oindra » [prov., et chez Rabelais] ; FÉOD. : censitaire *(un censitaire),* fouagiste, tenancier. – Prolétaire *(un prolétaire)* [ANTIQ. ROM.]. – Croquant, **rustre** *(un rustre)* ; manant [litt.], pétrousquin [arg., vx].

Adj. 7 **Roturier** ; mal né ; de bas étage, de basse ou de médiocre condition, de condition modeste, de peu de condition ; de basse extraction [litt.] ; vx : abject, crasseux. – Taillable et corvéable à merci [HIST.] **309.**

8 **Populaire** ; plébéien [litt.]. – Commun, trivial ; bourgeois [péj., vieilli]. – Bas, grossier, peuple *(des façons peuple),* rustaud [fam.], vulgaire ; sout. : béotien, philistin. – Poissard [LITTÉR.], populacier [litt.].

9 Ancillaire [sout.].

Adv. 10 Roturièrement [rare] ; **populairement.** – Péj. : bourgeoisement, trivialement, vulgairement **630** ou *vulgo* [lat., même sens] ; plébéiennement [rare].

735 ROUGE

N. 1 **Rouge** *(le rouge)* **159.6,** rougeur *(la rougeur)* [litt.] ; pourpre *(la pourpre),* pourprin *(le pourprin)* ; rose *(le rose),* roseur [rare]. – Gueules [HÉRALD.].

2 Pigments et colorants rouges. – Origine minérale : cinabre, hématite, sanguine, scarlet ; rouge de cadmium, rouge de chrome, rouge de cobalt, rouge de mercure, rouge de molybdène ; oxydes de fer rouges, minium, vermillon d'antimoine, mine orange ; pourpre de Cassius ou pourpre minéral *(le pourpre de Cassius),* rouge d'Andrinople ; ocres **84.2** sandix [ARCHÉOL.]. – Origine végétale : carthamine, garance, orcanette, orseille, rocou, santal rouge, tournesol rouge, sang-dragon ou sang-de-dragon ; bois de campêche (ou bois bleu, bois d'Inde, bois noir), campêche, bois de Pernambouc. – Origine animale : carmin, kermès, pourpre *(la pourpre).* – Origine organique : rouge para, rouge de toluidine, rouge Lithol, rouge C, rouge Fanal ; quinacridone, tétrachloro-iso-indolinone, pérylène [CHIM.]. – Origine synthétique : alizarine, azoïque rouge, érythrosine ou fluorescéine, éosine, fuchsine, magenta, phtaléine, rosaniline, roséine, safranine, ponceau ; pyoctanine [PHARM.].

3 TECHN. : **rouge à polir** ; colcotar ; rouge d'Angleterre, rouge de Prusse.

4 Rougissement ; didact. : érubescence, rubescence ; rosissement. – Éreutophobie ou érythrophobie.

5 **Rougeur,** rubéfaction [MÉD.], inflammation **482,** feu [vx] ; enluminure [litt.] ; **couperose,** purpura [MÉD.] ; rougeole. – Rougeoiement.

V. 6 **Rougir** ; rougir comme une écrevisse (ou : comme un coq, une tomate, un homard, un coquelicot, une pivoine) ; rougir jusqu'aux yeux, rougir jusqu'au blanc des yeux, rougir jusqu'aux oreilles ; avoir le feu aux joues ; piquer un fard [fam.] ; s'empourprer [sout.]. – Rougir de honte **367** ; rougir de timidité **819** ; rougir de plaisir **629.** – Voir rouge [fam.] **130.**

7 Rougir, **rougeoyer.**

8 **Rougir** ; empourprer, enluminer **159,** pourprer [vx] ; embraser, enflammer **311,** ensanglanter, incendier. – Couperoser, rubéfier [didact.] ; congestionner.

9 Chauffer au rouge ; chauffer à blanc, porter au rouge [MÉTALL.].

Adj. 10 **Rouge,** rougeâtre ; pourpre, litt. : pourpré, purpurin ; vx : pourpreuse [fém.], pourprin ; purpuracé [didact.] ; vineux ; carminé, corallin [litt.], sanglant [litt.], **vermeil** ; **rose,** rosé ; incarnadin, incarnat. – Roux, rubigineux.

11 **Rougeaud** ou, région., rougeot, rouget [fam.], rubicond ; sanguin. – Empourpré, **cramoisi,** écarlate ; cuivré ; didact. : érubescent, rubescent ; enluminé. – Couperosé ; congestionné ; enflammé, irrité. – **Roux 84.10,** rouquin [péj.].

12 **Bordeaux** *(veste bordeaux),* grenat, lie-de-vin, rubis ; magenta ; amarante, andrinople carmin, cinabre, corail, nacarat, sang, **vermillon** ; capucine, cerise, coquelicot, fraise, garance, géranium, groseille, ponceau, **tomate** ; écrevisse ; brique ; rouille.

13 Rouge andrinople (ou : andrinople, rouge d'Andrinople), rouge feu, rouge pompéien, rouge turc. – Rouge-orange, orangé, safrané ; rouge abricot, carotte, tango.

14 Rougissant. – Rubéfiant [MÉD.].

15 ZOOL. : aubère, rouan. – Bringé **553.**

Adv. 16 Au rouge *(chauffer au rouge).*

Aff. 17 Érythr-, érythro-.

S

736 SACRÉ

N. 1 **Sacré** *(le sacré)* ; divin *(le divin),* religieux *(le religieux)* **700.** – Fig. : intangible *(l'intangible)* ; surnaturel *(le surnaturel)* **477.**

2 **Divinité 236,** sacralité [didact.] ; sacramentalité. – Ihram (ar., « le fait de déclarer sacré ») **440.**

3 Théophanie **236.**

4 Surnature. – Amérique du Nord : manitou ; Chine : tao ; Empire inca : huaca ; Inde : atman ; Polynésie : mana.

5 **Sacralisation,** tabouisation **429** ; sanctification. – Bénédiction **590,** consécration, dédicace. – Onction, sacre.

6 **Sanctuaire** ; saint, saint des saints.

7 ANTIQ. ROM. : putéal *(un putéal)* ; pomœrium ou pomerium ; bâton augural ou *lituus* ; fanum. – ANTIQ. GR. : temenos. – Voie sacrée.

8 Villes sacrées : Ayodhya, Délos, Delphes, Jérusalem, La Mecque, Médine, Pachacamac. – Montagnes sacrées : Ayers Rock ; Chomo lhari, Emei shan, Hua shan, Tai shan, Wutai shan ; Meru. – Fleuves sacrés : Gange, Yamuna (ou : Jumna, Jamna), Sarasvatis.

9 Arbres sacrés : pipal, shikimi. – Pierres sacrées : bétyle, cromlech, dolmen, menhir, pierre levée ; omphalos [ANTIQ. GR.] ; Pierre noire.

10 Arts sacrés ; iconographie **374.** – Musique sacrée (opposé à musique profane) **543.** – Danse sacrée **176.**

11 Judéo-christianisme : Écritures. – Hindouisme : smriti, sruti.

12 Langues sacrées : avestique, pali, sanskrit védique ; bohairique, copte, grec byzantin, guèze, hébreu ancien ou biblique ; arabe littéral (ou : classique, coranique, littéraire).

V. 13 **Sacraliser** ; tabouer [rare], tabouiser [litt.]. – Consacrer, diviniser. – Bénir ; oindre. – Inaugurer [vx], introniser ; sacrer.

Adj. 14 **Sacré** ; **consacré** ; bénit. – Intangible, interdit, inviolable, tabou ; inaccessible, invisible, occulte **477.**

15 **Saint** *(guerre sainte* ou *sacrée, ville sainte),* sacro-saint [fam.].

16 Sacral, sacramentel [litt.] ou sacramental [vx].

Aff. 17 Sacro-.

737 SACRILÈGE

N. 1 **Sacrilège** ; **profanation.** – Atteinte, attentat, offense, outrage.

2 **Blasphème 412,** jurement ; simonie. – Iconoclase [HIST.].

3 Hérésie. – Sabbat. – Crime de lèse-majesté.

4 Exécration [LITURGIE].

5 Bûcher ; excommunication.

6 **Sacrilège** *(un sacrilège)* ; **profanateur.** – Blasphémateur ; iconoclaste ; idolâtre ; pécheur.

V. 7 **Profaner,** transgresser, violer. – Pécher. – Attenter à, outrager. – Contaminer, polluer, salir, **souiller,** ternir, vicier. – Blasphémer, jurer.

8 Sentir le fagot [fam.].

9 Excommunier.

Adj. 10 **Sacrilège** ; **hérétique,** profanateur, simoniaque.

11 Blasphématoire, profanatoire. – Exécratoire [LITURGIE].

738 SAISONS

N. 1 **Saison** ; trimestre. – Basse saison, haute saison ; intersaison, pleine saison ; saison des pluies **633,** saison sèche ; **mousson,** mousson d'été, mousson d'hiver. – Le cycle des saisons, la ronde des saisons.

2 **Printemps** ; bourgeonnement **79,** dégel, regain ; litt. : le mai, le renouveau ; la belle saison, demi-saison, la saison des amours, la saison nouvelle. – Point vernal ; équinoxe de printemps.

3 **Été** ; canicule **102** ; beaux jours, belle saison ; grandes vacances. – Alpage. – Solstice d'été.

4 **Automne** ; été indien, été de la Saint-Martin ; arrière-saison, demi-saison. – « Les sanglots longs Des violons De l'automne » (Verlaine). – Équinoxe d'automne.

5 **Hiver** ; hiver astronomique, hiver austral, hiver boréal, hiver météorologique ; la mauvaise saison, la saison froide, la saison morte ou la morte-saison ; hivernage. – Sports d'hiver **792.** – Solstice d'hiver.

6 Estivation [ZOOL.] ; hibernation ou, vx, hivernation, hiémation [didact.].

7 Estivage **262.** – Hivérisation [TECHN.].

8 Estivant *(un estivant)* ; hivernant *(un hivernant).*

V. 9 ZOOTECHN. – Estiver. – Dessaisonner (ou : désaisonner, dessoler).

10 **Hiberner 403,** hiverner ; prendre ses quartiers d'hiver.

Adj. 11 **Saisonnier** ; trimestriel. – Équinoxial. – Printanier, vernal. – Estival ; caniculaire. – Automnal. – Brumal [rare] ; hibernal [didact.], hiémal [litt.], hivernal.

12 De saison *(un temps de saison)* ; de fin de saison.

Adv. 13 En saison. – À contre-saison, hors saison.

739 SALAIRE

N. 1 **Salaire** ; rémunération, rétribution. – **Gain(s),** revenu(s) **730.**

2 ÉCON. – Salaire direct, salaire indirect ou social ; salaire de base, salaire fixe. – Salaire brut (opposé à salaire net) ; salaire imposable, salaire réel. – **Minimum vital,** revenu minimum d'insertion (abrév. R.M.I.) ; S.M.I.G. *(salaire minimum interprofessionnel garanti)* [anc.], S.M.I.C. *(salaire minimum interprofessionnel de croissance).* – **Pouvoir d'achat 191.** – Salariat.

3 ÉCON. – Fourchette des salaires, éventail des salaires ; salaires différentiels. – Échelle mobile des salaires.

4 **Salaire** ; salaire de ministre ; salaire de famine ou de misère ; paye ou paie. – Appointements, émoluments ; traitement. – Honoraires. – Cachet, cacheton [fam.]. – Vacation. – Gages. – Solde ; demi-solde.

5 Allocation ; allocation de chômage. – Pension ; pension de retraite. – Indemnité journalière (d'un demandeur d'emploi) ; indemnité parlementaire. – Parachute doré. – Jeton de présence (ou, absolt, jeton).

6 **Droits** ; droits d'auteur, droits d'exploitation. – Royalty ou royalties [anglic.], royautés.

7 Prestation ; prestations sociales.

8 Fixe *(un fixe).* – Gratification, **prime,** sursalaire. – COMM. : courtage, **pourcentage** ; commission, ducroire, guelte, pourboire, service ; sou du franc. – Avantages en nature.

9 **Bulletin de paie,** feuille d'émargement, fiche de salaire, note d'honoraires. – Facture **587.**

10 **Salarié** *(un salarié).* – Allocataire *(un allocataire),* érémiste *(un érémiste),* RMiste ou RMIste, indemnitaire *(un indemnitaire),* pensionné *(un pensionné),* prestataire *(un prestataire).*

V. 11 **Payer 587** ; sous-payer, surpayer ; faire un pont d'or. – Appointer, **honorer, salarier,** solder [vx, ou fr. d'Afrique], rémunérer, rétribuer. – Allouer, doter, pensionner, **indemniser** ; gratifier, primer. – Faire la paie.

12 **Recevoir des appointements** ; émarger ; palper [pop.]. – Toucher son salaire ou sa solde ; toucher sa journée, son mois, sa semaine. – Cachetonner.

13 **Gagner sa vie** ; fam. : gagner son bifteck, gagner son pain, gagner son bœuf [pop.] ; gagner son pain à la sueur de son front ; perdre sa vie à la gagner. – **Arrondir ses fins de mois** ; mettre du beurre dans les épinards [fam.] **730** ; faire bouillir la marmite.

Adj. 14 **Salarial.** – Allocataire, émolumentaire [DR.], indemnitaire.

15 Salarié ; **payé,** rémunéré (opposé à bénévole) ; gagé [sout.]. – **Forfaitaire** ; au pair.

16 **Lucratif,** rémunérateur, rentable. – Payant.

Adv. 17 **Forfaitairement, salarialement.** – À forfait, à gages, aux pièces, au rendement *(salaire au rendement),* à la tâche, au temps *(salaire au temps)* ; à la journée, au mois, à la semaine. – Au cachet, à la pige.

18 En espèces, en liquide, en nature.

740 SALETÉ

N. 1 **Saleté** ; crasse [fam.], malpropreté ; pouillerie [fam., vx]. – Impureté, insalubrité, sordidité [didact.]. – Encrassement, salissement [rare] ; **pollution.** – Infection, puanteur.

2 Éclaboussure, jaunissure, maculature, moucheture, mouillure, noircissure, salissure, saloperie [très fam.], **souillure,** tavelure, ternissure ; **tache.** – Patrouillage [vx].

3 **Crasse** ; fam. : caca, crotte ; merde [très fam.]. – Poussière. – Boue, bourbe, fange, gadoue, margouillis [fam.]. – Cambouis.

4 Détritus, immondice, **ordure** ; eaux sales, eaux troubles.

5 Vermine. – Plique, trichoma ou trichome.

6 Bauge, chenil [litt.], crapaudière, écurie, **porcherie** [fam.] ; écuries d'Augias. – Galetas, gourbi [très fam.], taudis ; cloaque, souille ; nid à microbes, nid à vermine. – Sentine [litt.].

7 Décharge, dépotoir, tas d'ordures ; poubelle ; caniveau, fosse à purin.

8 Salisseur [rare]. – Fam. et péj. : **cochon,** paquet de linge sale, pourceau, sac-à-puces, sagouin, salisson [région.] ; péj. et très fam. : dégueulasse, porc, saligaud, salopiaud. – Gaupe [vx], guenillon, guenipe, maritorne, salope [très fam., vx], **souillon** ; cendrillon.

V. 9 **Salir** ; souiller. – Crasser [rare], crotter [fam.], dégueulasser [très fam.], éclabousser, embarbouiller, embouer [vx], **encrasser,** entartrer, gâter, mâchurer, maculer, poisser, **tacher,** troubler ; noircir, ternir. – Cochonner ; faire des pâtés **252.** – **Contaminer,** empoisonner, polluer ; dégrader.

10 Se négliger. – Chlinguer [très fam.], puer [fam.], sentir le fauve, ne pas sentir la rose [fam.] ; n'être pas à prendre avec des pincettes. – Avoir les ongles en deuil.

Adj. 11 **Sale,** sordide ; fam. : caca [enfant.], cacaboudin [enfant.], cracra, crade, cradingue, **crado,** crapoteux, craspect, pouacre [vx, fam.], salingue [fam.]. – **Boueux,** fangeux, poussiéreux, terreux ; **crasseux,** douteux, graisseux, poisseux. – Croupi, encrassé, **pollué, souillé, taché,** terni, troublé.

12 Ignoble, immonde. – **Dégoûtant,** dégueulasse [fam.], dégueu [fam.] ; ord [vx], repoussant, répugnant.

13 Impur, insalubre ; infect.

14 Négligé ; **malpropre,** mal tenu, sale comme un cochon (ou : un goret, vx : une huppe). – Barbouillé, crotté [fam.] ; breneux [vx], chassieux, morveux ; très fam. : merdeux, pisseux. – Croûteux, galeux, pouilleux, vermineux. – Indécrottable.

15 Salissant.

Adv. 16 Salement ; comme un cochon [fam.], malproprement. – Crasseusement [rare] ; sordidement.

741 SALUTATIONS

N. 1 **Salutations** ; civilité [litt. ou sout.] **163,** compliment, devoir, hommage.

2 **Salutation** [vx] ; salut.

3 Accolade, baisement [vx], bigeade [région.], embrassade [fam.], embrasse [vx], embrassement [litt.]. – Inclination de tête, inflexion de tête.

4 Agenouillement, génuflexion, prosternation.

5 **Poignée de main,** shakehand ou shake-hand [vx ou par plais.]. – Coup de chapeau ; signe de la main, signe de la tête. – **Baiser 91** ; fam. : bécot, bise, bisou, poutou. – Courbette, révérence, saluade [vx] ; salamalecs *(faire des salamalecs)* [fam., péj.]. – Rond de bras [rare], rond de jambe. – Baisemain.

6 Salut à la chinoise, salut à l'indienne, salut à la japonaise, salut oriental. – Baiser de paix. – Salut scout. – Salut olympique. – Salut fasciste.

7 MIL. – Salut militaire ; salut au drapeau. – Batterie, salve, feu de salve **820,** sonnerie.

8 RELIG. – Baisement, baise-pied [vx].

9 Formules de salut. – **Salut** [fam.]. – **Bonjour,** bonsoir ; hello [anglic.]. – Adieu, à bientôt, **au revoir** ; fam. : bye ou bye-bye, ciao. – Bon + n. *(bonne nuit).*

10 Anc., sout. : Dieu vous garde ; salut ; salut et bénédiction ; salut et fraternité. – Ave *(Ave Maria)* [RELIG.] **657.** – *Ave Caesar, morituri te salutant* [HIST.].

11 Salutations épistolaires. – Au plaisir de vous lire, au plaisir de vous revoir. – Mes meilleures salutations, mes salutations distinguées, mes sincères salutations. – Ma considération distinguée, ma considération la plus distinguée. – Mes sentiments affectueux, mes sentiments sympathiques (ou : mes sentiments de cordiale sympathie, mes sentiments très cordiaux). – Mes sentiments dévoués, mes sentiments tout dévoués. – Mes sentiments distingués (ou : très distingués, les plus distingués, les meilleurs). – Mes

sentiments respectueux. – Ma sympathie très respectueuse, ma plus respectueuse sympathie, toute ma sympathie. – Mon respect ou mon profond respect ; mes hommages ou mes plus respectueux hommages. – Mon meilleur souvenir. – Civilités empressées [vieilli]. – Tout dévoué, tout à vous. – Baisers, gros baisers, mille baisers, tendres baisers.

12 Congratulations ; compliments. – Félicitations **471** ; condoléances.

13 **Salueur** *(un salueur).* – Baiseur *(un baiseur)* [vx], embrasseur *(un embrasseur).*

14 Génuflecteur [didact.].

V. 15 **Saluer** ; saluer bien bas, saluer jusqu'à terre. – Échanger des saluts, répondre à un salut ; dire bonjour. – S'entre-saluer.

16 Offrir ou présenter ses civilités [litt. ou sout.] ; présenter ses respects (ou : ses compliments, ses hommages). – Faire ses baisemains [fig., vx].

17 MIL. : saluer du drapeau, saluer de l'épée ; présenter les armes.

18 Lever ou ôter son chapeau. – Baisser ou incliner la tête.

19 Dire bonsoir, dire bonne nuit. – Dire au revoir ; dire adieu, faire ses adieux. – Prendre congé. – Tirer sa révérence [par plais.].

20 Faire une révérence, fléchir le genou.

21 Se courber, s'incliner. – S'agenouiller, se prosterner **657.** – Se découvrir.

22 Accoler, baiser [vx], biger [région.], **embrasser,** enlacer, étreindre, serrer dans ses bras. – Fam. : baisoter [vieilli], bécoter, biser, bisouter. – Donner l'accolade ; sauter dans les bras de. – Baiser la main, faire un baisemain à qqn. – Présenter la main, serrer la main (ou, arg. : la cuiller, la pince.).

23 Accepter (ou : agréer, recevoir) des salutations, daigner accepter des salutations.

Adj. 24 **Salueur.** – Embrassant [vieilli] ; embrasseur. – Affectionné [vx].

Adv. 25 (Dans une formule épistolaire.) – **Amicalement** (ou : cordialement, sympathiquement) vôtre ; sincèrement vôtre.

Int. 26 Chapeau bas ! – Messieurs, saluez !

742 SANG

N. 1 **Sang** ; hémoglobine [fam.], raisin ou raisiné [arg.]. – **Sang artériel,** sang hématosé, sang rouge ; sang noir, sang réduit, **sang veineux.**

2 **Cellule sanguine 94,** élément figuré du sang ; hématocytoblaste. – **Globules blancs** ou leucocytes ; **globules rouges** ou hématies ; **plaquettes sanguines,** thrombocytes, globulins [rare] ; **hémoglobine.** – Système tampon ; réserve alcaline.

3 **Hématies** ou érythrocytes ; érythroblaste ou normoblaste, mégaloblaste. – **Hémoglobine.** – Acanthocyte, dacryocyte, drépanocyte, elliptocyte ou ovalocyte, gigantocyte, leptocyte ou platocyte, macrocyte, microcyte, microsphérocyte, normocyte, réticulocyte, sidérocyte, sphérocyte.

4 **Leucocytes 381** ; mononucléaires (lymphocytes, monocytes), polynucléaires (neutrophiles, éosinophiles ou acidophiles, basophiles) ; lymphoblaste. – Basocyte, éosinocyte ; métamyélocyte, myélocyte, promyélocyte ; corps de Döhle.

5 **Plaquettes** ; mégacaryoblaste, mégacaryocyte.

6 **Plasma** ; albumines, globulines ; cryofibrinogène, fibrinogène ; cryoprécipité lyophilisé.

7 **Caillot sanguin** ou coagulum, cruor [vx], réticulum fibrineux ; croûte [MÉD.]. – Liquor [PHYSIOL.]. – **Sérum,** sérum sanguin ; sérum antilymphocytaire (S. A. L.), sérum artificiel, sérum thérapeutique. – Fibrine, prothrombine, thrombine, thromboplastine ou thrombokinase ; accélérine, proaccélérine, proconvertine ; facteur antihémophilique A et B, facteur Hageman, facteur Stuart, facteur stabilisant de la fibrine (F.S.F.), plasma-thromboplastine-antécédent (P.T.A.). – Agglutinine, agglutinogène ou facteur de groupe.

8 **Lymphe 340** ; lymphe interstitielle ; lymphocyte. – Système lacunaire ; capillaire lymphatique, vaisseau lymphatique ; vaisseau chylifère ; grande veine lymphatique. – Troncs collecteurs ; citerne de Pecquet, canal thoracique ; troncs jugulaire, cervical transverse, sous-clavier, récurrentiel, mammaire interne, latéro-trachéal, médiastinal antérieur, intercostal. – Ganglions lymphatiques.

9 Artères, **vaisseaux,** veines. – Cœur **128.**

10 **Circulation,** circulation lymphatique. – Battement, pulsation ; **pouls.** – Autohémolyse, hémolyse ; thrombolyse. – Basophilie ; hémocompatibilité, **incompatibilité sanguine** ; réponse immunitaire. – Diapédèse, hématose **718,** osmose ; irrigation ; démargination, ischémie. – Érythropoïèse, granulopoïèse,

hématopoïèse ou hémopoïèse, leucopoïèse, lymphogenèse, lymphopoïèse.

11 Fibrino-formation, thrombino-formation, thromboplastino-formation ; agglutination **352** ; **coagulation** ; hémostase spontanée. – Hémodilution.

12 Ecchymose, hématome. – Hémorragie, **saignement** ; menstrues [vieilli], règles **306.** – Agrégation plaquettaire ; maladie hémolytique du nouveau-né ; acidose métabolique, alcalose métabolique.

13 Ponction veineuse, **prise de sang,** saignée [anc.] ; autotransfusion, exsanguination, exsanguino-transfusion, polytransfusion, **transfusion sanguine** ; don du sang ; sérothérapie, sérovaccination ; perfusion. – Cytaphérèse, leucophérèse ; échange plasmatique, plasmaphérèse ; fractionnement **324.** – Hémodialyse.

14 Groupage sanguin, hémoculture, numération globulaire ; forcipressure. – **Hémogramme,** ionogramme, myélogramme, splénogramme, thromboélastogramme (TEG).

15 **Groupe sanguin** (groupes A, B, AB, O). – Système ABO, système Rhésus ; système Diego, système Dombrok, système Duffy, système Duzo, système Hh, système HLA ou groupe tissulaire, système Kell, système Kidd. – Rhésus négatif, rhésus positif ; facteur A, facteur B, **facteur Rhésus.**

16 Formule leucocytaire, formule sanguine. – Concentration corpusculaire moyenne en hémoglobine (CCMH), teneur globulaire moyenne en hémoglobine (TGMH), **volémie,** volume globulaire (VG), volume globulaire moyen (VGM). – Pression hydrostatique, pression oncotique, **tension osmotique.** – Équilibre acido-basique, pH sanguin ; hématocrite. – Coagulabilité, hypercoagulabilité. – Temps de Howell, temps de Quick, temps de saignement ; vitesse de sédimentation globulaire ; **débit cardiaque.** – Pouvoir oxyphorique ; potentiel zêta ; delta cyoscopique corrigé.

17 CONSTANTES SANGUINES

adrénalinémie
amylasémie
barbitémie ou barbiturithémie
calcémie
carotinémie
chlorémie ou chlorurémie
cholalémie
cholestérolémie
chromie
citrémie
créatininémie
cuprémie
fibrinogénémie ou fibrinémie
glycémie
insulinémie
iodémie
kaliémie
lipidémie
natrémie
oligosidérémie
oxalémie
oxycarbonémie
pénicillinémie
phosphorémie
plombémie
protidémie
pyruvicémie
urémie
uricémie

18 **Anticoagulant** *(un anticoagulant),* anticoagulant circulant, décalcifiant ; antifibrinolytique, antiprothrombinase ou antithromboplastine. – Hypoprothrombinémiant ; agrégant, antiagrégant plaquettaire.

19 Antiglobuline, antiplasmine, antirhésus ou anti-Rh, antithrombine, autoagglutinine, gammaglobuline antirhésus, haptoglobine, héparine, héparinoïde, immunoglobuline, plasmocyte.

20 Hématimètre, osmomètre ; cellule de Malassez. – **Garrot.**

21 **Hématologie,** hémobiologie, hémodynamique, hémotypologie, immunohématologie ; sérologie ; hémovigilance. – Artériographie, thromboélastographie ; gazométrie sanguine. – Autohémothérapie **774.**

22 Hématologue ou hématologiste, hémobiologiste.

23 **Donneur,** donneur universel, donneur universel dangereux ; **receveur,** receveur universel.

24 Animal à sang froid ou poïkilotherme, animal à sang chaud ou homéotherme.

V. 25 **Saigner 72** fam. : pisser le sang, saigner comme un bœuf. – Cailler, **coaguler,** figer.

26 Transfuser. – Défibriner [MÉD.].

27 Ensanglanter.

28 Se cailler, **se coaguler,** se figer.

Adj. 29 **Sanguin** ; hématique, hématologique. – Artériel, capillaire, veineux. – Circulatoire. – Fibrineux ; drépanocytaire, érythroblastique, érythrocytaire, globulaire, granuleux ou granulocytaire, leucocytaire, lymphocytaire, normocytaire, plaquettaire, plasmocytaire.

30 Transfusionnel.

31 Érythropoïétique, hématogène, **hématopoïétique** ou hémopoïétique, leucopoïétique, lymphogène ; fibrinolytique. – Hémocompatible, incoagulable, polyagglutinable ; cruenté, polytransfusé ; isogroupe. – Aleucémique ; déplaquetté. – Défibriné [MÉD.].

32 Sanguinaire **865.** – Didact. : hématophage ou sanguinivore ; sanguicole.

33 En sang, **ensanglanté,** saignant, sanglant, sanguinolent.

Aff. 34 Héma-, hémato-, **hémo-** ; érythro-, leuco-, lympho-, séro-.

35 -émie ; -poïèse, -poïétique.

743 SANTÉ

N. 1 **Santé** ; forme **864.1,** équilibre, tonus, vitalité. – **État** ; état général, état de santé, forces. – Complexion [vx], constitution, diathèse [MÉD.], idiosyncrasie, nature, naturel *(le naturel),* tempérament. – Biorythme.

2 Santé mentale ; une âme saine dans un corps sain (Juvénal, en lat., *mens sana in corpore sano*).

3 **Belle mine,** belle venue, embonpoint [vx], **forme,** longévité, **prospérité,** salubrité, santé d'athlète (ou : de cheval, de fer), santé florissante, teint frais. – Verdeur, vigueur. – Fam. : forme olympique, grande forme ; frite, pêche, pep's.

4 Bilan de santé ou *check-up* [angl.] ; bulletin de santé, carte sanitaire, patente de santé. – Maison de santé **321.**

5 Immunité ; immunisation.

V. 6 **Aller bien.** – Absolt et fam. : aller, baigner, boumer, gazer. – Absolt : aller et venir, se maintenir.

7 Avoir une santé robuste, jouir d'une bonne ou d'une belle santé ; avoir bon pied bon œil [fam.] ; avoir le coffre solide [fam.]. – Avoir la santé, crever ou péter de santé [fam.], regorger de santé, respirer la santé ; prospérer ; avoir des couleurs (ou : le teint frais, les joues roses, les ongles roses) ; fam. : avoir la truffe humide, avoir le poil brillant, avoir une bonne balle. – Être dans son assiette, être d'attaque. – Tenir la forme ; se porter à ravir, **se porter bien,** se porter comme un charme.

8 Garder la forme, ménager sa santé ; se conserver, se maintenir en forme. – Recouvrer la santé.

9 Quand la santé va tout va [prov.] ; Quand l'appétit va tout va [prov.].

10 **Boire à la santé de qqn,** boire une santé [litt.], porter la santé de qqn, porter une santé, trinquer **75.**

Adj. 11 **Sain,** sain et sauf, **valide.** – **Bien portant,** en bonne santé, **en forme.** – Alerte, allègre, dispos [rare], florissant, frais, frais comme une pâquerette ou comme un gardon, frais et dispos, léger, pétulant, poupin, prospère ; ingambe, sémillant. – Dru [litt.], **fort,** fringant, gaillard, généreux [fig.], plein de sève, solide, tonique, vaillant [fam.], vert, vif, **vigoureux** ; fait à chaux et à sable ; solide comme le Pont-Neuf. – Increvable [fam.].

12 Idiosyncrasique, tempéramental.

13 Sanitaire. – Salubre, salutaire.

Adv. 14 **Sainement** ; gaillardement, prospèrement [rare]. – Infatigablement.

Int. 15 À votre bonne santé ! À votre santé ! **75.** À la vôtre ! Santé !

744 SATIÉTÉ

N. 1 **Satiété.** – Comblement, réplétion. – Contentement **149,** satisfaction. – **Saturation 427** ; blasement.

2 Assouvissement ; assouvissance [litt.].

V. 3 **Assouvir,** contenter, repaître, satisfaire. – **Combler,** remplir ; gaver, gorger.

4 Se gaver [fam.], se gorger, **se repaître** ; se goberger [fam.].

5 **N'en plus pouvoir.** – Avoir la peau du ventre bien tendue [fam.], en avoir eupour son argent. – Avoir son content de ; avoir sa dose [fam.].

6 **Saturer** ; arriver à saturation, avoir sa suffisance de qqch [vx]. – En avoir ras le bol (ou : ras la casquette, ras le pompon) [fam.] ; en avoir ras le cul [vulg.]. – Avoir fait le tour de. – **Être blasé,** être revenu de tout.

7 **La coupe est pleine** ; la mesure est comble. – C'est assez.

Adj. 8 Assouvi ; contenté, comblé, satisfait ; **rassasié,** repu.

9 Gavé, gavé comme une oie ; gorgé, plein **1** ; plein comme un œuf, plein comme une outre, rempli.

10 Blasé, **dégoûté,** écœuré ; froid, indifférent, revenu de tout.

Adv. 11 **À satiété** ; à ne plus savoir qu'en faire.

12 Abondamment. – Complètement, entièrement **823,** pleinement, **tout à fait.** – **Jusqu'au dégoût,** jusqu'à l'écœurement, jusqu'à plus faim, jusqu'à plus soif.

13 Assez, bien assez, **suffisamment,** en suffisance.

14 À fond, **tout son soûl.**

Prép. 15 Assez de, trêve de.

Int. 16 Brisons-là ! Ça suffit ! – N'en jetez plus ! N'en jetez plus, la cour est pleine ! [pop.].

Aff. 17 Sur-.

745 SATISFACTION

N. 1 **Satisfaction** ; contentement, soulagement. – Béatitude, **bonheur,** euphorie, **joie 447,** jouissance, **plaisir 629** ; aise [litt.], bien-être, confort. – Satiété **744,** saturation [fig.].

2 Apaisement, assouvissement, **contentement,** étanchement ; défoulement. – Compensation, **consolation** ; gratification [de l'angl.]. – Exaucement.

3 Autosatisfaction ; estime de soi, **fierté** ; suffisance, **vanité 655.**

4 Satisfaction [litt.] ; **réparation.** – Satisfaction ou satisfaction sacramentelle ; pénitence.

5 Satisfecit [litt., vx], témoignage de satisfaction [MIL.]. – Congratulations, **félicitations 471.**

6 Acceptabilité, admissibilité, satisfiabilité [LOG.].

V. 7 **Satisfaire** ; combler, contenter, gratifier [de l'angl.]. – Couronner les vœux de, dépasser l'espérance de. – Faire plaisir à, faire la joie ou le bonheur de ; dilater le cœur.

8 Accorder ou donner satisfaction à, **satisfaire** ; arranger, contenter. – Faire droit à ; faire face à, répondre à **705.** – Réparer, satisfaire [litt.].

9 **Exaucer,** satisfaire ; passer une envie à, répondre au désir de. – **Assouvir** ; désaltérer, étancher, rassasier, soûler. – Se soulager ; se défouler [fam.].

10 Agréer, **convenir, plaire 629,** suffire **744.** – Aller à *(ça me [te, lui, etc.] va),* aller ou être au gré de [litt.] ; faire l'affaire.

11 **Accomplir,** s'acquitter de ; fournir, pourvoir.

12 Avoir ou obtenir satisfaction, obtenir gain de cause. – **Avoir assez de,** avoir son content, en avoir pour son argent [fam.] ; avoir le bonheur de (+ inf.), jouir de ; être bien aise de ou que, se trouver bien de ; boire du petit lait. – **Se féliciter de,** se louer de (aussi : n'avoir qu'à se louer de), se réjouir de. – Se frotter les mains ; avoir le sourire ; témoigner sa satisfaction ou de sa satisfaction.

13 S'accommoder de, **se contenter de, se satisfaire de.**

Adj. 14 **Satisfaisant** ; gratifiant. – Acceptable, **convenable,** honorable, passable, suffisant ; satisfiable [LOG.]. – Satisfactoire [RELIG.].

15 **Satisfait,** comblé, **content** ; litt. : bien aise, fort aise. – Béat, **heureux, joyeux 447,** jubilant, radieux, ravi, réjoui. – Assouvi, exaucé.

Adv. 16 À satiété ; **assez.** – Suffisamment **744.**

Prép. 17 Au gré de, à la convenance de.

746 SAUT

N. 1 **Saut,** sautillement ; **bond,** bondissement ; haut-le-corps, soubresaut, **sursaut,** tressaillement, tressautement.

2 **Culbute** ; cabriole, gambade, galipette [fam.], pirouette. – Entrechat [CHORÉGR.] **176.** – Saut à la corde. – Saut de la mort ou *salto mortale* **123.** – Plongeon.

3 ÉQUIT. – Ballotade, cabriole, courbette, croupade, pesade, ruade. – **Saut d'obstacles** ; saut de mouton, saut de pie ; caracole, demi-volte, volte ; cavalcade ; voltige. – Course de saut d'obstacles ; steeple-chase ou steeple.

4 Cahot, cahotement, heurt, **secousse.** – **Rebond,** rebondissement. – Saltation [didact.].

5 Saute de + n. *(saute de vent, saute d'humeur)* **104.**

6 **Sauteur** ; acrobate, gymnaste **792.** – Saltateur [ANTIQ.].

7 ZOOL. : salticidé *(les salticidés),* saltigrade *(les saltigrades),* sauteur *(les sauteurs).* – ÉQUIT. : sauteur ou jumpeur, sauteur en liberté, sauteur entre les piliers.

8 Scie sauteuse ou sauteuse [TECHN.].

V. 9 **Sauter** ; **bondir,** faire des bonds ; cabrioler [sout.], sauter comme un cabri. – Sauteler [litt.], sautiller. – Se trémousser.

10 Faire un bond. – Soubresauter [litt.], **sursauter,** tressaillir, tressauter [litt.].

11 S'élancer, **se jeter,** se précipiter ; plonger.

12 **Rebondir,** ressauter. – Cahoter, être secoué.

13 Faire sauter, faire sursauter. – Brimbaler (ou : bringuebaler, brinquebaler), **secouer.**

Adj. 14 Sautillant, tressautant. – Cabrioleur, **sauteur.** – ZOOL. : saltigrade, sauteur.

15 Animé, rythmé, saccadé, **sautillant.**

16 Saltatoire [didact.].

Adv. 17 Par sauts ; par sauts et par bonds. – À cloche-pied.

18 **D'un bond,** d'un saut ; de plain saut [vieilli] ; brusquement, rapidement **684.**

Prép. 19 **Par-dessus** ; au-dessus de. – De, du haut de.

747 SAVOIR

N. 1 **Savoir** ; **connaissance, science** ; vx : clergie, sapience. – Didact. : épistémê, mathésis. – Omniscience ; science infuse [THÉOL.].

2 **Érudition** ; culture générale. – Clartés, connaissances, lueurs, **lumières,** notions. – Acquis, bagage, fonds. – Aperçu, **éléments,** rudiments **134.12** ; teinture, vernis.

3 Art, capacité, technique ; **savoir-faire** ou, angl., know-how.

4 Branche, champ, **discipline,** domaine, secteur de la connaissance.

5 **Sciences** ; sciences abstraites, appliquées, exactes, expérimentales ; sciences mathématiques, naturelles, physiques, techniques ; technoscience ; nanoscience.

6 Humanités **274,** lettres ; **sciences humaines.** – Sciences historiques, morales, politiques, sociales. – PHILOS. : cognitivisme, épistémologie, esthétique, phénoménologie, **philosophie 620,** sciences cognitives, théorétique.

7 **Encyclopédie,** somme, thésaurus, traité, trésor ; bible [fig.]. – Abrégé, **résumé 723,** vade-mecum.

8 Académie, **société savante.**

9 **Savant.** – Connaisseur, expert, homme de l'art, spécialiste. – Autorité **59,** sommité ; puits de science. – **Érudit** ; bénédictin, **clerc.** – Autodidacte. – Docteur, licencié, maître, **professeur** ; académicien. – Mandarin.

10 Péj. – Bas-bleu, **pédant 12.** – Fagotin, singe savant. – Savantasse, savant en us [vx].

V. 11 **Savoir** ; connaître. – **Savoir par cœur,** savoir sur le bout des doigts ou des ongles.

12 Savoir ; être au courant de, **être instruit de.** – En savoir qqch, être bien placé pour le savoir.

13 Avoir une teinture de ; être frotté de [vx].

14 **Faire autorité.** – Dominer ou posséder un sujet ; s'y connaître, s'y entendre ; fam. : en connaître un bout (ou : un morceau, un rayon).

15 Faire étalage de ses connaissances ; pontifier.

Adj. 16 **Savant** ; docte, omniscient ; vx : connaissant, scient. – **Érudit,** lettré, humaniste. – Érudisant [didact.].

17 **Cultivé,** formé, instruit. – Compétent, expert ; qualifié ; expérimenté. – Familier de, ferré sur, versé dans.

18 Averti, informé ; **au courant de,** au fait de.

19 **Cognitif.** – Épistémique, **épistémologique.** – Épistémophilique *(pulsion épistémophilique)* [PSYCHAN.]. – Interdisciplinaire.

Adv. 20 **Savamment** ; doctement.

21 Sciemment ; en connaissance de cause, de science certaine. – À bon escient.

22 Notoirement. – Jusqu'à plus ample informé [DR.].

Aff. 23 Épistémo-, logo- ; **-logie,** -logique, -logue ; -gnosie.

748 SCÈNE

N. 1 **Scène** *(la scène)* ; planches *(les planches),* tréteaux *(les tréteaux)* [anc.].

2 **Plateau.** – Scène tournante, tournette. – Cage de scène.

3 Arrière-scène, lointain (opposé à face) ; avant-scène ou proscenium, rampe [vx] ; **plan,** rue, fausse rue. – Côté cour (opposé à côté jardin). – Trou du souffleur.

4 **Rideau** ou rideau d'avant-scène ; rideau de fer ; manteau d'Arlequin. – Rideau à la française, rideau à la grecque ou à l'allemande, rideau à la guillotine, rideau à l'italienne, rideau à la polichinelle. – Fond ; taps. – Œil.

5 **Théâtre.** – Opéra. – Auditorium, **salle de concert.** – Centre dramatique.

6 Coulisse(s). – **Entrée des artistes,** foyer des artistes. – Promenoir, vomitoire [ANTIQ.] ; vestiaire.

7 **Salle.** – Orchestre, parterre [vx] ; balcon, corbeille, premier balcon ou mezzanine ; galerie, fam. : poulailler ou paradis. – Baignoire ; loge. – **Fauteuil,** fauteuil d'orchestre, strapontin ; gradin, marche.

8 **Décor,** toile de fond ; mansion [HIST.]. – Châssis. – **Accessoire** ; décoration. – Pantalon ; frise, pendillon. – Découverte. – Costières ; trappillon. – Cintres ; patience, rail. – Guinde, portant ; vol. – Gril ; pont.

9 Boîte à lumière, **luminaire,** projecteur ou, fam., projo, spot ; fam. : casserole, gamelle ; herse. – Les feux de la rampe [fig.].

10 Scénographe ; **décorateur** ; éclairagiste. – Accessoiriste, costumier, habilleur. – Cintrier, **machiniste** ou machino. – Ouvreuse, placeuse [rare].

11 **Mise en scène** ou, rare, régie ; conduite.

12 Scénographie. – Scénologie.

V. 13 **Monter sur les planches,** monter sur les tréteaux [vx].

Adj. 14 **Scénique,** théâtral **817.** – Scénographique.

Adv. 15 Scéniquement.

749 SCULPTURE

N. 1 **Sculpture** *(la sculpture)* ; plastique *(la plastique).* – Sculpture sur bois, sculpture sur pierre ; céroplastique, glyptique, toreutique. – Arts plastiques, beaux-arts.

2 Plasticité.

3 Sculptage [rare] ; **modelage,** pétrissage. – Mise en chantier ; épannelage, estampage, refouillement, **taille,** taille en réserve (ou : en sculpture, d'épargne) ; mise aux points ; patinage, polissage ; ripage.

4 Fonte, **moulage.** – Moulage à bon creux, moulage à creux perdu ; fonte à cire perdue, fonte à sable. – Contre-moulage ; surmoulage ; démoulage.

5 **Sculpture** *(une sculpture).* – Bosse, demi-bosse, **ronde-bosse** ; **bas-relief,** bas-relief méplat, demi-relief, haut-relief, relief. – Camée, intaille ; repoussé *(un repoussé).* – Bronze *(un bronze),* marbre *(un marbre),* plâtre *(un plâtre)* ; bois gravé *(un bois gravé)* **388.** – **Monument,** sculpture monumentale ; petite sculpture ; figure grandeur nature, figure petite nature, figure demi-nature. – Mobile *(un mobile).*

6 **Figurine** ; figuline, **statue,** statuette, tanagra [ARCHÉOL.] ; groupe. – Colonne statuaire, statue-colonne ; atlante ou télamon, caryatide ou cariatide. – Canéphore, **idole,** magot ; acrostole, figure de proue. – Chapiteau historié ou narratif ; signal ; fontaine ubérale ; urne.

7 Calvaire ; **stèle.** – Gisant, orant, pleurant, priant **657,** suppliant, transi.

8 Statue équestre, statue pédestre. – **Buste,** hermès ou terme, masque, tête, torse ; écorché *(un écorché).* – Draperie, draperie mouillée.

9 Statuaire *(la statuaire romane).*

10 Contrapposto, hanchement.

11 Piédestal, piédouche, scabellon, **socle,** terrasse.

12 Couture ; épaufrure ; **éclat.**

13 Albâtre, **marbre,** marbre statuaire ; ivoire ; plâtre à modeler ou plâtre de Paris, plâtre à mouler, stuc ; **argile,** terre cuite, terre glaise. – Bois **74.** – Cire, cire à modeler ; pâte à modeler ; papier mâché.

14 **Ciseau 584,** ciselet, ébauchoir, fermoir, gouge, gradine, ognette, poinçon ou pointe, rabotin, rondelle ; boësse, gratte-fond, ripe, spatule. – Mirette. – Boucharde, laie, maillet, mailloche, marteline, **masse,** massette.

15 Armature. – Maquette. – **Moule** ; contre-moule.

16 **Sculpteur** ; HIST. : imagier, entailleur ou tailleur d'images ; sculptier [vx, péj.]. – Bustier, figuriste, **statuaire** *(un statuaire)* ; bronzier, céroplaste ; ciseleur, metteur aux points, modeleur, praticien ; fondeur, mouleur.

17 Cabinet de cire, musée de cire ; **glyptothèque** ; musée lapidaire.

V. 18 **Sculpter** ; ciseler, graver, tailler. – **Modeler,** pétrir. – Dégrossir, épanneler, fouiller, gruger, mannequiner, refouiller, riper. – Hancher.

19 **Mouler** ; couler, jeter une statue. – Contre-mouler ; surmouler.

20 S'épaufrer.

21 Éroder ; ciseler, creuser, **découper,** modeler, sculpter.

Adj. 22 Sculptural ; **plastique** ; statuaire. – Acrolithe, chryséléphantin.

Aff. 23 Glypto-.

750 SÉCHERESSE

N. 1 **Sécheresse** ; **aridité** ; pauvreté, stérilité **389** ; litt. : infécondité, infertilité ; aréisme [GÉOGR.]. – **Desséchement** ou dessèchement, tarissement ; siccité [didact.] ; PATHOL. : anhidrose ou anidrose, xérodermie ; xérophtalmie. – Étanchéité, **imperméabilité.**

2 **Déshydratation** ; dépérissement, étiolement **16,** flétrissure, rabougrissement, racornissement ; brouissure [région.], marcescence [BOT.].

3 **Séchage** ; étendage **806.** – **Dessèchement** ; dessiccation [didact.], lyophilisation ou, didact., cryodessiccation **327** ; momification. – TECHN. : boucanage, saurissage ; sèche *(la sèche des viandes).* – **Assèchement,** drainage, épuisement, tarissement ; assainissement [spécialt] ; exhaure [TECHN.] ; exhaustion [vx] ; wateringue [région.] ; pompage. – Désertification ou désertisation.

4 **Imperméabilisation** ; hydrofugation [TECHN.]. – Étanche *(une étanche)* [TECHN.] ou étanchement [vx] ; calfatage, carénage **702.** – Cale sèche ou cale de radoub.

5 **Évaporation 102** ; perspiration [PHYSIOL.] **372** ; exhalation [spécialt] ; ressuiement [TECHN.]. – Évapotranspiration [didact.]. – Évaporométrie.

6 Déshydratant *(un déshydratant)* ; MÉD. : dessiccatif *(un dessiccatif),* siccatif *(un siccatif).* – TECHN. : dessiccant *(un dessiccant),* siccativant. – Siccativité [TECHN.].

7 **Séchoir** ; sécheuse ; sèche-linge ; sèche-cheveux ou séchoir à cheveux, sèche-mains ; essuie-mains. – Égouttoir ; siccateur [AGRIC.].

8 Étuve, étuveuse ou étuveur. – TECHN. : déshumidificateur, évaporateur, sécheur de vapeur, séchoir à bois. – Drain [AGRIC.] ; TECHN. : pompe d'épuisement ou d'exhaure ; exhausteur. – Étanchoir [TECHN.].

9 Sécheur ou séchoir, hâloir. – Sécherie *(sécherie de poisson)* ; saurisserie. – Station de pompage.

10 **Désert** ; **brousse,** savane ; erg (opposé à hamada) ; sahel ; steppe ; pampa, veld ou velt [GÉOGR.] ; causse ; sécheron [région.] ; sécherie. – Lande ; garrigue, maquis ; brande. – Polder ; sèche *(une sèche)*. – Aridoculture.

11 Fœhn, khamsin ou chamsin, séchard [région.], simoun, **sirocco** ou siroco **852.**

V. 12 **Sécher** ; éponger, **essuyer.**

13 **Assécher,** drainer ; assainir ; déshumidifier [TECHN.], épuiser [vieilli] ; mettre à sec.

14 **Dessécher** ; déshydrater, étioler, faner, flétrir, rabougrir, racornir ; grésiller [vieilli]. – **Brûler 311,** calciner, griller ; région. : brouir, ébarouir.

15 **Lyophiliser** ; étuver ; boucaner, **fumer,** saurir ; havir [rare]. – Momifier.

16 **Imperméabiliser** ; hydrofuger [didact.] ; étancher [TECHN.], calfater ; caréner.

17 Se couronner [ARBOR.] ; sécher sur pied. – Rassir. – Tarir ou se tarir. – Se craqueler **167.** – S'évaporer, s'exhaler.

Adj. 18 **Sec** ; **aride,** ingrat ; **inculte,** incultivable, stérile. – Litt. : infécond, infertile, pelé ; désertique, steppique ; saharien, sahélien, subsaharien ; semi-aride, subaride ; aréique [GÉOGR.]. – **Chaud,** torride.

19 Sec ; **maigre 457,** sécot [fam.]. – Saur ou sauret.

20 Étanche, imperméable, waterproof [anglic.] ; déperlant, hydrofuge [didact.].

21 Xérophile [didact.]. – Anhydre [CHIM.].

22 **Sécheur.** – Déshydratant, desséchant. – MÉD. : anhidrotique, dessiccatif, siccatif ; évaporatoire [TECHN.].

23 **Sec** ; demi-sec ; **brut.**

Adv. 24 À sec ; au sec ; à l'étanche [MAR.]. – Sèchement [vx]. – Par voie sèche [CHIM.].

Aff. 25 Xéro-.

26 Sèche- *(sèche-cheveux)*.

751 SECRET

N. 1 **Secret** ; mystère. – **Dissimulation,** occultation ; non-communication, réticence [litt.]. – Discrétion [vieilli], silence. – Loi du silence, omerta. – Isolement, retraite ; mise au secret **208.**

2 Secret des âmes, secret des cœurs ; intimité. – Fig. : profondeur, tréfonds [litt.] ; dédale ; pli, recoin, repli ; cachette.

3 **Mystère 680,** secret ; arcane [litt.]. – **Coulisses** *(les coulisses de la politique)*, dessous *(les dessous d'une affaire)*.

4 Secret défense [ADMIN.], secret d'État [DR.], **secret professionnel** ; secret des dieux [fam.]. – Sceau ou secret de la confession [RELIG.].

5 Dissimulation **838** ; mystère *(faire des mystères)*, secret *(avoir des secrets)* ; **cachotterie** [fam.].

6 Aparté, conciliabule ; fam. : chuchoterie [vieilli], messe basse.

7 **Anonymat** ; clandestinité.

8 Secret de la comédie [vx], secret de Polichinelle.

9 Chiffre, clef, **code,** combinaison, grille ; cryptogramme.

10 Secret de fabrication ou, vx, de fabrique. – Sceau du secret ou secret [anc.].

11 Impénétrabilité ; fig. : herméticité [rare], obscurité. – Confidentialité.

12 Ésotérisme, hermétisme, occultisme.

13 Homme de confiance ou, vx, de secret. – **Dissimulateur** ; **cachottier** [fam.], mystérieux *(un mystérieux)* [rare]. – Hermétiste ; occultiste.

V. 14 **Garder un secret** ; garder pour soi. – Emporter son secret dans la tombe.

15 **Cacher,** dissimuler, occulter ; taire, tenir secret. – Vx ou litt. : celer, receler. – Dérober ou soustraire à la vue.

16 Refouler, renfermer, rentrer. – Enfouir [fig.]. – Contenir ; concentrer [vx ou litt.].

17 **Camoufler,** masquer, voiler ; déguiser. – Fig. : couvrir, envelopper, obscurcir. – Étouffer ; faire le silence sur.

18 Faire des mystères ou, fam., des cachotteries. – Cachotter [vx, rare]. – Il y a anguille sous roche.

19 Cloîtrer, isoler. – Mettre au secret **208** ; mettre au trou [fam.].

20 Cryptographier [didact.].

21 Être dans la confidence ou le secret, être dans la bouteille [fam.] ; être dans le secret des dieux.

Adj. 22 **Confidentiel,** secret ; top secret [anglic.], ultra-confidentiel.

23 Caché, **clandestin,** furtif, secret, subreptice [sout.].

24 Souterrain, ténébreux ; underground [anglic.]. – Sourd [litt.].

25 Ignoré, inconnu ; **anonyme.**

26 Énigmatique, **mystérieux** ; cryptique. – Impénétrable, inviolé ; fig. : ésotérique, hermétique, occulte. – Chiffré, codé ; cryptique.

27 Mystérieux. – Cachottier [fam.], dissimulé.

28 Discret, secret [vx] ; **réservé.** – Dissimulé ; introverti [didact.], renfermé, rentré ; fam. : boutonné jusqu'au menton. – Impénétrable, indéchiffrable. – Fuyant, **insaisissable.**

Adv. 29 **Secrètement** ; furtivement, subrepticement [sout.]. – En secret ; **en cachette,** en catimini, à la dérobée, en fraude [fig.]. – Fam. : en douce, en tapinois.

30 Sous la courtine [vieilli], sous le manteau. – Dans la coulisse, dans l'ombre.

31 Anonymement, **clandestinement** ; incognito.

32 Obscurément ; **mystérieusement.** – Ésotériquement, hermétiquement, occultement [litt.].

33 Silencieusement, sourdement. – En sourdine ; à la sourdine [vx]. – Sans bruit, sans tambour ni trompette ; à la cloche de bois [fam.].

34 En dessous, par en dessous. – Dans sa barbe, sous cape.

35 **Intérieurement** [fig.] ; en son for intérieur, in petto. – Au fond de son cœur, au plus profond de son être, dans le secret de son cœur. – En soi-même, par-devers soi ; à part soi ; entre Dieu et soi. – *Inter nos* [lat.], entre nous.

36 **Confidentiellement.** – Fam. : entre quatre-z-yeux ; de bouche à oreille, dans le tuyau de l'oreille.

37 Sous le sceau du secret, sous la foi du secret.

Int. 38 Fam. : motus ! Motus et bouche cousue !

752 SÉCURITÉ

N. 1 **Sécurité** ; paix **589,** sûreté, tranquillité. – **Salut.** – Ordre public **576,** sécurité publique.

2 **Sécurité** ; abandon, assurance, ataraxie, calme, confiance **145,** quiétude, sérénité, tranquillité.

3 **Sécurité,** sûreté ; marge ou volant de sécurité. – Planche de salut.

4 **Fiabilité** ; efficacité, habileté, infaillibilité, précision, solidité, **sûreté.**

5 **Garantie** ; caution, gage, garant, protection **671.**

6 **Sécurisation** ; apaisement, sauvegarde **671,** sauvetage, soulagement. – Mise à l'abri, mise en sécurité. – Vidéosurveillance. – Protection rapprochée.

7 **Abri,** asile, havre [fig., litt.], refuge **653.**

8 Sécuritarisme.

V. 9 **Sécuriser** ; apaiser, calmer, rasséréner, rassurer, réconforter, soulager, tranquilliser. – Le plus sûr serait de + inf.

10 **Ramener le calme,** rétablir l'ordre, rétablir la paix ; calmer ou rasseoir les esprits ; pacifier.

11 **Assurer la sécurité de,** fiabiliser ; mettre à l'abri du danger, mettre en lieu sûr ; protéger.

12 **L'échapper belle,** réchapper de, retomber sur ses pieds, se tirer d'affaire ; sauver sa peau [fam.]. – **Être hors d'affaire,** être hors de danger ; être arrivé à bon port. – **Se rasséréner,** se rassurer, se remettre. – Dormir sur ses deux oreilles.

Adj. 13 **De sécurité** *(dispositif de sécurité)* ; sécuritaire. – **Sûr** ; à toute épreuve.

14 **Fiable** ; assuré, confirmé, éprouvé, infaillible ; digne de confiance. – **Sans danger** ; de père de famille *(placements de père de famille)* ; de tout repos.

15 **Imprenable,** inattaquable, inviolable ; invulnérable. – **Solide** ; bâti sur du roc (ou sur le roc).

16 **Sécurisant** ; apaisant, calmant, rassurant, tranquillisant.

17 Rassurant. – Prudent, **pondéré,** raisonnable, réfléchi. – Calme **89,** coi, confiant, paisible, quiet, rasséréné, rassuré, serein, tranquille.

18 **En sûreté** ; à l'abri, à couvert, en lieu sûr ; gardé, protégé ; sous clef. – Hors d'affaire, hors d'atteinte, **hors de danger** ; sain et sauf, sauf, sauvé.

Adv. 19 Calmement, paisiblement, **sereinement,** tranquillement ; en toute quiétude. – **En toute sécurité.** – En confiance **145.**

20 **Sûrement** ; infailliblement ; à coup sûr.

21 Pour plus de sûreté ; **par mesure de sécurité** ; par précaution **674.**

22 **En lieu sûr** ; à bon port ; à pied sec.

Prép. 23 **À l'abri de** ; hors d'atteinte de ; hors de portée de.

753 SENS

N. 1 **Sens** ; **contenu 152,** signification, valeur. – Force, impact, portée ; conséquence, implication. – Clef, **explication 432,** solution. – Caractère, esprit, idée **375** ; implicite *(l'implicite).*

2 **Sens** ; **acception,** définition, dénotation [LING.], **signification.** – Sens abstrait (opposé à sens concret) ; sens large (opposé à sens strict) ; sens littéral (opposé à sens dérivé), sens propre (opposé à sens figuré) **313.** – Équivalence, équivalent *(un équivalent),* **synonyme** *(un synonyme)* **535** ; traduction. – Antonyme, contraire *(un contraire).* – Contresens **283,** faux-sens ; non-sens **557.**

3 LING. – **Sémantisme** ; compréhension, contenu explicite, contenu implicite, contenu sémantique ; monosémie, polysémie ; connotation ; double sens **24.** – Champ, champ sémantique ou notionnel, réseau ; analogie, antonymie, synonymie ; extension. – Signification ; référence. – Signifiant *(un signifiant),* signifié *(un signifié)* **375** ; référent *(un référent)* ou référé. – Sémantème, sème, sémème.

4 **Sens** ; sémantisme [LING.], **signification,** signifiance ; **pertinence,** raison d'être.

5 **Explication** ; explicitation ; **définition,** exégèse **432,** glose, périphrase ; **légende.** – **Dictionnaire,** glossaire, lexique.

6 Didact. – **Sémantique** *(la sémantique)* ; onomasiologie, sémasiologie. – Sémiologie, sémiotique **709** ; lexicologie.

7 Sémanticien, sémiologue, sémioticien ; lexicographe, lexicologue.

V. 8 **Signifier** ; avoir le sens de, **vouloir dire** ; **désigner,** correspondre à, équivaloir à, traduire, se traduire par.

9 **Signifier** ; dénoter, connoter, **exprimer, indiquer, marquer,** révéler, témoigner, traduire. – **Évoquer, suggérer,** laisser deviner, laisser entendre, laisser supposer ; insinuer ; faire allusion à. – **Annoncer,** augurer ; entraîner, **impliquer.**

10 **Signifier** [souv. négativement] ; **avoir un sens,** rimer à, vouloir dire.

11 **Définir, expliquer,** expliciter, préciser ; gloser sur, interpréter **432** ; démêler, éclaircir, élucider, **résoudre** ; donner la signification de.

12 Comprendre par, entendre par ; **interpréter,** prendre dans le sens de.

Adj. 13 **Significatif** ; éloquent, **expressif,** parlant ; lourd de sens ; **révélateur** ; **pertinent.** – Évocateur, suggestif.

14 **Défini,** déterminé ; explicite, manifeste, patent. – Implicite, sous-entendu, suggéré.

15 Signifiant ; porteur de sens, prégnant ; sémantique. – Asémantique **557.**

16 Sémantique, sémique ; bisémique, monosémique, polysémique ; **équivoque,** univoque **425** ; à double sens **25.** – Sémiologique, sémiotique.

17 Analogique, **synonyme,** synonymique. – **Antonyme,** contraire.

18 Définitionnel, **explicatif.**

Adv. 19 Significativement ; pertinemment ; clairement, expressément, **formellement** ; implicitement. – Sémantiquement.

20 Exactement, **littéralement 459,** précisément, proprement ; à la lettre, à proprement parler ; dans toute l'acception ou la force du terme. – Au sens large ou, lat., *lato sensu,* au sens strict ou, lat., *stricto sensu* ; dans un certain sens.

754 SENSATION

N. 1 **Sensation** ; affect, percept. – Sensation externe (sensation visuelle, auditive, olfactive, gustative, tactile) ; sensation interne. – Didact. : cénesthésie ou, vx, cœnesthésie, kinesthésie, synesthésie ; MÉD., PSYCHOL. : allesthésie, autocinétisme, esthésie, somatognosie, somesthésie, stéréognosie.

2 **Sens** ; les cinq sens distingués par Aristote (vue **868,** ouïe **55,** tact ou toucher **824,** odorat **569,** goût **343**) ; sixième sens. – **Organes des sens** ; œil, oreille, peau (papille de la peau ; corpuscules de Meissner, corpuscules de Krause) **604,** nez, langue (papilles filiformes, papilles fongiformes). – Nerf **548** ; nerf sensitif ; fibre sensitive, fibre nerveuse ; récepteur sensoriel ; terminaison nerveuse.

3 **Impression** ; aperception [PHILOS.], **perception** ; gnosie [didact.]. – Proprioception. – Excitabilité, réceptivité ; didact. : aperceptivité, sensorialité, sensoricité.

4 État de conscience, **conscience** ; attention **52,** hypervigilance. – **État second,** hallucination. – Image éidétique, persistance rétinienne ; rémanence.

5 **Sensation,** impression, instinct, intuition, feeling [anglic.] ; sixième sens. – Pressentiment, prescience [sout.].

6 Sensation(s) forte(s) ; **émotion,** impression ; admiration, intérêt. – **Choc,** commotion, traumatisme.

7 **Stimulation 793,** stimulus. – Excitant *(un excitant),* stimulant *(un stimulant).*

8 Neurophysiologie, psychophysiologie, psychologie, psychologie différentielle. – Esthésiologie, sensorimétrie.

9 Intuitionnisme, **perceptionnisme,** sensationnalisme, sensationnisme [HIST. DE LA PHILOS.], sensibilisme [didact.].

10 Échelle d'intervalle, échelle de Fechner [PSYCHOL.].

V. 11 **Sentir,** ressentir ; éprouver, percevoir, saisir.

12 **Affecter,** exciter, frapper, impressionner, stimuler ; **troubler les sens.**

13 Émouvoir ou, fam., émotionner.

14 **Faire sensation** ; faire de l'effet **254,** faire impression, faire scandale.

Adj. 15 **Sensible** ; attentif, conscient.

16 Sensible ; concret, palpable, **perceptible,** tangible ; corporel, matériel **492.8.**

17 Sensitif ; **émotif,** intuitif, intuitionnel [didact.] ; nerveux **549,** viscéral.

18 Perceptif ; aperceptif [PHILOS.], psychoaffectif ; didact. : cinesthésique, **kinesthésique,** neuropsychologique, somesthésique ; sensitométrique, sensorimétrique.

19 Sensationniste, sensualiste [didact.].

Adv. 20 **Sensiblement** [vx] ; perceptiblement.

21 **D'instinct,** intuitivement ; au feeling [anglic.].

Aff. 22 Esthési-, esthésio-.

23 -esthésie.

755 SENSIBILITÉ

N. 1 **Sensibilité** ; affectivité, sensibilisme [didact., vx], sensitivité [rare], sentiment *(le sentiment).* – Vie affective, vie sentimentale. – Feeling [anglic., fam.], **intuition 434** ; corde sensible, fibre + adj. *(fibre paternelle, fibre patriotique, etc.).* – **Âme,** âme sensitive (Aristote) [PHILOS.], désir, instinct ; conscience, esprit, tréfonds de l'âme. – **Cœur,** courage [vx], entrailles, poitrine, sein, tripes, viscères.

2 **Émotivité,** hyperémotivité, hypersensibilité, impressionnabilité [litt.], sensibilité à fleur de peau ; susceptibilité, vulnérabilité. – Romantisme, **sentimentalisme,** sentimentalité ; sensiblerie [péj.]. – Sentiments *(prendre qqn par les sentiments),* grands sentiments.

3 Altruisme, **humanité** ; pitié **625,** sympathie ; délicatesse, douceur, tendresse.

4 Affect, affection, **émotion, sentiment** ; impression, sensation **754** ; intuition, pressentiment. – Disposition, élan, **inclination,** passion **600** ; accès, bouffée [fig.], pulsion. – Attendrissement, émoi, saisissement, trouble.

5 **Sensibilité** ; excitabilité, réceptivité. – Didact. : sensibilité différentielle, sensibilité discriminative ou épicritique, sensibilité extéroceptive, sensibilité intéroceptive, sensibilité proprioceptive. – Didact. : cénesthésie, esthésie **754,** hyperesthésie, kinesthésie.

6 Acuité des sens, délicatesse, finesse.

7 MÉD. – Sensibilisation ; allergie, anaphylaxie.

8 Sensibilité politique, tendance.

9 Sensible *(un sensible)* ; sentimental *(un sentimental).* – Écorché vif, sensitive *(une sensitive)* ; personnalité sensitive [PSYCHIATRIE]. – **Romantique** *(un romantique),* sentimentaliste. – Douillet *(un douillet),* petite nature [fam.].

V. 10 **Sentir** ; éprouver, faire l'expérience de, **ressentir.** – Compatir, palpiter, s'émouvoir, se troubler ; blêmir, pâlir, rougir. – Avoir l'épiderme sensible [fam.]. – Sentir, percevoir.

11 Affecter, **émouvoir,** pénétrer, remuer, **toucher** ; aller (droit) au cœur, attendrir ; frapper, impressionner, troubler. – Attacher, captiver, empoigner ; enflammer, exciter.

12 Affectiviser [litt.], sentimentaliser [litt.] ; sensibiliser. – Faire du sentiment [fam.], faire jouer ou faire vibrer la corde sensible.

13 Sensibiliser [MÉD.].

Adj. 14 Sensitif ; **affectif,** émotionnel, viscéral.

15 **Sensible** ; émotif, émotionnable [fam.], impressionnable ; hypersensible, ultrasensible. – Fleur bleue, romanesque, **romantique,** sentimental, sentimentaliste.

16 Altruiste **336,** compatissant, généreux, **humain.**

17 Accessible, **ouvert,** réceptif. – Chatouilleux, délicat, **susceptible,** vulnérable.

18 Ému, impressionné, remué, **touché,** troublé ; dans tous ses (mes, tes, etc.) états.

19 Sensible ; **émouvant,** touchant, troublant. – Fam., péj. : à l'eau de rose, à la guimauve ou guimauve.

20 Délicat, **fin,** sensitif [vx]. – Douillet, fragile, vulnérable.

21 MÉD. : anaphylactique, sensibilisé ; esthésiogène [PHYSIOL.].

22 Sensibilisable. – Sensibilisateur.

Adv. 23 **Sentimentalement** ; émotivement, sensiblement [vx]. – Généreusement, humainement ; délicatement, doucement, tendrement. – De tout cœur, du fond du cœur ; avec âme.

756 SÉPARATION

N. 1 **Séparation.** – Scission ; sécession. – Disjonction, division **237,** partition **597** ; désunion. – **Clivage** ; délimitation, différenciation **216.** – Discrimination **582.** – Sélectivité.

2 **Démarcation** ; ligne de démarcation ; borne, frontière ; clôture, porte, sas. – Barrière, grille, cloison. – Rideau de fer [HIST.], mur, muraille. – Ais [IMPRIM.].

3 **Espacement,** interstice, intervalle **433.**

4 **Rupture** ; arrachement [litt.] ; divorce **238.**

5 Diérèse [MÉD. et litt.].

6 **Clarification, dépuration** [didact.], épuration ; décantage, décantation, distillation ; défécation [CHIM.]. – **Battage** [AGRIC.] ; débrasage, dessoudure ; décuvage ou décuvaison ; égrappage ou éraflage [ŒNOLOGIE]. – CHIM. : crémage, élution. – Extraction **301.**

7 **Séparatisme.** – Découplage ; coupure [fig.]. – Séparation de l'Église et de l'État [HIST.].

8 **Séparabilité** ; ségrégabilité [TECHN.].

9 **Séparateur** ; centrifugeuse, décanteur, dépurateur. – **Filtre,** tamis ; crible, cribleur [AGRIC.]. – Affineur.

10 Séparatiste *(un séparatiste)* ; autonomiste, dissident **572,** sécessionniste.

V. 11 **Séparer** ; écarter, éloigner **263,** espacer. – Cliver, **cloisonner,** compartimenter. – Délimiter **467,** isoler **779.** – Couper de, mettre à part. – Cloîtrer ; mettre au secret **208.** – Exiler, expatrier.

12 **Dégrouper, désunir,** fractionner **324,** scinder, sectionner. – Cisailler, rompre, scier, trancher. – Disjoindre, dissocier **230** ; diviser.

13 **Découpler,** désaccoupler ; déparier ou désapparier, dépareiller ; démarier [vx].

14 Se diviser, se dédoubler.

15 **Se séparer** ; se quitter, faire ses adieux ; se démarier [vx] ; couper le cordon ombilical. – S'écarter, partir ; fam. : s'arracher, se tirer ; abandonner **701.** – Rompre les rangs, se débander [fam.].

16 **Se séparer de** ; se débarrasser de, se défaire de ; se démunir de, se dessaisir de [litt.]. – Se déprendre de [litt.].

17 Classer, classifier, **trier** ; départager. – Différencier, discerner **275, distinguer** ; faire le départ. – Discriminer.

18 **Extraire,** ôter, soustraire **790.**

19 Affiner, épurer ; éluer [CHIM.], filtrer, purger, raffiner.

20 Séparer le bon grain de l'ivraie [allus. bibl.].

Adj. 21 **Séparé (de)** ; coupé de ; éloigné ; isolé. – Cloisonné, compartimenté.

22 Discontinu **223,** discret [didact.] ; fractionné.

23 Divisible, **séparable** ; fissible [PHYS.] ou, didact., fissile.

24 Séparatif. – Discriminant.

25 Séparatiste, **sécessionniste.**

Adv. 26 **Séparément** ; **indépendamment.** – À part.

Aff. 27 De- ou dé- ; dia-, dialy-, dis-.

757 SEPT

N. 1 **Sept.** Vx ou région. : septante, septantaine. – Septième *(un septième)* ; septuple *(le septuple).*

2 Septuor [MUS.].

3 GÉOM. : heptaèdre, heptagone. – MUS. : note sensible ou sensible, septième de dominante **459.** – LITTÉR. : heptamètre ; septain **635.** – Septennat.

4 Les sept péchés capitaux **605.** – Les sept merveilles du monde.

5 Septième *(le septième).* – Le septième art **120.** – Septidi [HIST.] **88.**

6 Septennalité [didact.].

V. 7 Septupler **539.**

Adj. 8 **Sept.** – Septuple. – GÉOM. : heptaédrique, **heptagonal,** heptangulaire. – Septennal. – Heptacorde [MUS.]. – Septénaire [LITTÉR.].

9 **Septième.** – Septimain [RELIG.].

Adv. 10 **Septièmement,** septimo [lat., rare].

Aff. 11 **Hepta-,** sept(i)-.

758 SÉRIE

N. 1 **Série,** suite. – Chaîne, succession ; cycle. – Consécution [didact.], enchaînement. – Combinaison.

2 Alignement **692, chaîne,** enfilade, **file,** haie, suite ; guirlande. – Rang, **rangée** ; queue.

3 Bande, caravane, **colonne,** convoi, cordon *(cordon de troupes, cordon sanitaire),* cortège [litt.], défilé, escorte, litanie [vx], monôme [arg. scol.], **procession,** séquelle [vieilli], théorie ; chaîne humaine. – Dynastie **314,** lignée.

4 Bordée, salve ; **train** [fig.], vague, volée ; cascade, carrousel, festival [fam.], récital [fig.]. – Kyrielle **540,** ribambelle [fam.] ; toute la lyre [fam.].

5 Assortiment, assortissement [vx], **collection,** jeu, lot, ribambelle [fam.]. – Fig. : arsenal, batterie, brochette, chapelet. – Gamme, nuancier ; échantillonnage.

6 **Liste,** listing [anglic.], nomenclature, répertoire ; énumération.

7 Assemblage, association, concaténation [didact.], **réunion 725.**

8 Filière. – Effet de domino, réaction en chaîne ; ricochet. – Carambolage. – Série noire.

9 MATH. – Série ouverte, série fermée. – Série géométrique, suite géométrique.

10 JEUX – Tierce, quarte ou quatrième, quine, quinte flush, séquence, série impériale, suite, suite royale, etc.

11 Album, recueil **469** ; série télévisée **681,** serial [anglic.].

12 **Accumulation,** cumulation [litt.].

13 Répétition. – MUS. : sérialisation [rare], sériation [didact.].

14 MUS. : dodécaphonisme, sérialisme.

V. 15 Aligner, échelonner, ranger ; sérialiser [rare], sérier. – Accouer, assembler, associer, concaténer [didact.], **grouper,** réunir. – Collectionner **599.**

16 Suivre l'alignement. – Faire la chaîne, prendre la file. – Processionner [rare].

17 Faire boule de neige [fam.]. – S'enchaîner, **se succéder** ; se suivre de près.

Adj. 18 Sériel [didact.] ; **de série.**

19 Caténaire [didact.], processionnel [litt.], séquentiel ; processionnaire [didact.].

20 Successif. – À répétition.

21 Énumérateur ; énumératif.

Adv. 22 En chaîne, en enfilade, **en file,** en file indienne, **en rang,** en rang d'oignons ; l'un après l'autre, les uns derrière les autres, à la suite l'un de l'autre, un par un. – **À la file,** à la queue leu leu, à la queue. – Processionnellement [litt.].

23 À la chaîne ; en cascade, **en série.** – D'affilée, coup sur coup. – Cumulativement [rare].

24 Treize à la douzaine.

759 SÉRIEUX

N. 1 **Sérieux** *(le sérieux)* ; dignité, gravité, sériosité [vx] ; austérité, componction [litt.], sévérité. – Grandeur, majesté, **noblesse 552** ; solennité ; hiératisme. – Réserve, **sobriété 771** ; flegme, impassibilité.

2 Maintien, rigueur, **tenue** ; raideur, rigidité. – Froideur, sécheresse. – Emphase **347,** gourme [vx], **pédantisme.** – Genre sérieux [LITTÉR.].

3 **Application,** conscience, scrupule ; ardeur, diligence, zèle. – Attention, circonspection, soin. – Pondération, **sagesse.** – Esprit de sérieux [souv. péj.].

4 Poids, portée ; **importance 384.**

V. 5 Garder ou tenir son sérieux ; **ne pas badiner** ou ne pas plaisanter (ou, fam. : blaguer, plaisanter, rigoler, etc.), ne pas plaisanter sur tel chapitre ; être à cheval sur les principes ou sur le règlement. – Avoir de la tenue ; fam. : avoir avalé un parapluie (aussi : un manche à balai).

6 **Prendre au sérieux** ; solenniser [litt.]. – Se prendre au sérieux.

7 **S'aggraver,** s'intensifier, se compliquer, se détériorer ; empirer **16,** redoubler ; prendre un mauvais tour, prendre mauvaise tournure.

Adj. 8 **Sérieux** ; digne, grave ; auguste [litt.], austère, sévère. – Imposant, majestueux, **noble,** solennel ; hiératique. – Réservé, **sobre** ; flegmatique, impassible ; de marbre. – Droit, rigoureux.

9 Collet-monté, empesé, **figé,** guindé, raide, rigide ; coincé [fam.]. – Sérieux comme un pape [fam.]. – Affecté, compassé. – De glace, froid, glacial, **sec** ; rabat-joie **836** ; pète-sec [fam.].

10 Doctoral, gourmé, **pédant,** pédantesque, prudhommesque [litt.], sentencieux ; emphatique **347,** pompeux, ronflant.

11 Appliqué, **consciencieux,** sérieux, scrupuleux ; circonspect, minutieux. – Diligent, zélé. – Pondéré, posé, **prudent 674,** réfléchi, sage ; pensif. – Préoccupé, soucieux.

12 Crédible, digne de foi, **solide,** sûr. – Ponctuel, régulier.

13 Honnête, rangé [fam.], vertueux ; raisonnable, **sage.**

Adv. 14 **Sérieusement** ; consciencieusement, scrupuleusement, soigneusement ; posément, sagement. – Dignement, **gravement,** sévèrement ; sobrement. – Pensivement.

15 Majestueusement, **noblement,** solennellement. – Pompeusement, sentencieusement **347.**

16 Froidement, sèchement.

760 SERRURERIE

N. 1 **Serrurerie.** – Grosse serrurerie ; serrurerie du bâtiment.

2 Serrurerie de charronnage [anc.], serrurerie de voiture ; lormerie ; serrurerie d'art ou décorative. – Quincaillerie, ferronnerie, **métallerie.**

3 Charpentes de fer ; châssis ; balcon, grille, porte, rampe ; espagnolette. – Ferrure de voiture. – Ancre ; bride, valet. – **Fer forgé 307,** ferrure ; **applique.** – Bosse, écusson, embase, ferrage à fleur, ferrage à retrait, patère ; couronnement, enroulement.

4 Bloc de sûreté. – **Serrure 308.5.** – Serrure de verrouillage, **verrou.** – Bouton ; vertevelle ou vervelle. – **Crémone** ; garnitures ; boîte de crémone, chapiteau, conduit, gâche de crémone ; tringle. – **Loquet.** – Targette. – Chaîne.

5 **Cadenas.** – Cadenas à goupille ; cadenas à chiffre, cadenas à viroles chiffrées ; cadenas à combinaison, cadenas à secret. – Anneau, anse, arceau ; crochet.

6 **Coffre,** coffre-fort, coffre de sûreté.

7 **Serrure.** – **Boîte,** coffre ; faux-fond, fond, palâtre ou palastre. – Platine, rebord, têtière ; têtière affleurante, têtière à la suisse. – Couverture, foncet, tôle de protection. – Pilier, pilier percé. – Loquet, clenche. – **Pêne** ; pêne battant, pêne en bord ou en dedans du bord, demi-tour (ou : loquet, pêne à demi-tour), dormant ou pêne dormant, gros pêne, pêne à nervure, pêne à pignon, pêne à ressort ; queue d'un pêne, talon d'un pêne, tête d'un pêne. – Ève, ève de pêne. – Cramponnet, picolet. – Équerre, fourchette. – **Gâche** ; arrêt de pêne, gâche à mentonnet, mentonnet ; auberon, empênage, mortaise. – **Gorge** ; délateur, pilier de gorge, prisonnier de passage des gorges. – Butée, butée de demi-tour. – **Barillet,** canon, cylindre, rotor, stator ; broche. – **Tac.** – **Fouillot.** – **Ressort** ; ressort du fouillot, ressort de gorge, ressort du pêne, ressort de tac.

8 **Défenses,** gardes ; cames, ergots, râteau. – Couvre-barbe, planche. – **Cache-entrée** ; faux-fond, fond de cuve, rouet, secret.

9 Serrure à un pêne ; bec-de-cane, bénarde, camarde ; serrure demi-tour, serrure à pêne dormant, serrure tour et demi. – Serrure à pênes multiples ou multipoint.

10 Serrure à broche, à clenche, à moraillon, à pompe ; serrure à housset ou à houssette. – Serrure tubulaire.

11 Serrure alphabétique, serrure à combinaisons. – Serrure à secret. – Chogramme.

12 Bouton de coulisse ou coulisse, bouton de serrure, **bouton de verrou** ; clenche. – Bouton de condamnation, bouton-poussoir. – Faux bouton, bouton fixe. – Béquille. – **Poignée** ; bec-de-cane, olive. – Loquet, loqueteau ; poucier. – Tirage. – **Heurtoir** ; racle, racloire.

13 **Entrée de clef,** entrée de serrure. – Plaque d'entrée, plaque de propreté.

14 **Clé** ou **clef** ; caroube ou caroublé [arg.]. – Anneau, boucle, embase. – Balustre, branche ou tige, canon, forure. – Panneton ; hayve ou have, museau, silhouette, variure. – Dent, encoche ; bouterolle. – Bouton.

15 Clef individuelle, passe général, passe partiel. – Bénarde ; bénarde à gorges, bénarde taillée chiffrée. – Clef de sûreté ; clef à béquille, clef cannelée, clef à diamant, clef à double panneton, clef à pompe. – Clef paracentrique, clef paracentrique de sûreté. – Ferme-porte ; gâche automatique.

16 Fausse clé ou fausse clef ; carreau, crochet, **passe-partout,** rossignol ; pince-monseigneur. – Fam. : parapluie, passe.

17 **Porte-clé** ou porte-clés, porte-clef ; clavier [vx].

18 Ferrière, sac de serrurier.

19 **Enclume de serrurier,** tour. – Étau ; perçoir. – Marteau **584** ; martoire. – Chasse-carrée. – Archet, chignole ; foret. – Scie à métaux. – Lime ; lime bâtarde ou bâtarde. – Oreille d'âne. – Pinces, tenailles ; goulues. – Tranchet d'enclume. – Burin ; langue-de-carpe, contre-poinçon. – Racle, racloire. – Ciseau. – Visserie ; boulon, broche, contre-écrou, écrou, goupille, piton, rivet, vis, virole ; lacet.

20 **Charnière,** genouillère, **gond,** paumelle, penture ; charnon, nœud. – Étoquiau ou estoquiau, étrier. – Bourdonnière, crapaudine.

21 Blindage. – **Fermeture** ; verrouillage. – Condamnation.

22 **Ouverture 585** ; crochetage **869.**

23 Débillardement.

24 **Serrurier.** – Ferronnier ; ferronnier d'art, ferronnier de bâtiment. – **Métallier.**

25 Ajusteur. – Lormier. – Quincaillier. – Taillandier.

V. 26 Façonner, **forger.** – Percer ; contre-percer. – Boulonner, river. – Ajuster ; empêner.

27 Encastrer, larder, mortaiser. – Débillarder *(débillarder un fer plat).*

28 **Blinder.** – Gonder.

29 **Fermer,** fermer à double tour. – Cadenasser. – **Verrouiller** ; pousser le verrou. – Donner un tour de clef, fermer à clef. – Condamner. – Brouiller, fausser, mêler.

30 **Ouvrir.** – Décadenasser. – Déclencher. – Décondamner. – Déverrouiller ; tirer le verrou. – Faire sauter (ou forcer) une serrure ; crocheter.

Adj. 31 Cadenassé ; verrouillé. – Condamné. – Blindé.

32 Ciselé, découpé, foré, forgé, repoussé.

33 Crochetable. – Incrochetable.

761 SERVILITÉ

N. 1 **Servilité** ; bassesse, petitesse, platitude [vieilli], vilenie ; humilité. – Complaisance, obséquiosité.

2 Adulation, cajolerie, courtisanerie, flagornerie, **flatterie.**

3 Servilités. – Amadouement [vx], cajolerie, câlinerie ; **compliment 163,** douceurs, flatterie, parole confite ou emmiellée ; fam. : coup d'encensoir, pommade. – Cabriole, courbette, génuflexion, prosternation.

4 Eau bénite ou, vieilli, eau bénite de cour, langue dorée. – Blandices [litt.] ; encens, miel, sucre.

5 Abaissement, aplatissement, avilissement ; mortification.

6 **Courtisan** ; béni-oui-oui [fam.], bouche de miel, donneur de bonjours. – Cajoleur *(un cajoleur),* enjôleur *(un enjôleur)* ; complimenteur, encenseur *(un encenseur),* louangeur *(un louangeur).* – Litt. : adulateur, flagorneur. – Génuflecteur [rare] ; fam. : lécheur, lèche-bottes ; très fam. : lèche-cul, lèchefrite.

7 Homme-lige ou homme lige [litt.] ; péj. : laquais, larbin, **valet,** porte-coton [vx] ; valetaille. – Fig. : caudataire, thuriféraire. – Fam. : carpette, pied-plat.

8 Lettre servile [LING. SÉMITIQUE] **459.**

V. 9 **Courtiser,** faire la cour ou sa cour, faire du plat [litt.] ; flagorner, savoir sa cour [litt.]. – Faire des ronds de jambe. – Fam. : lécher, faire de la lèche, lécher les bottes de, vaseliner ; cirer les chaussures ou, arg., les pompes à. – Vulg. : lécher le cul à. – Fam. : caresser dans le sens du poil ; hurler avec les loups.

10 Aduler, complimenter, donner du plat de la langue, **encenser, flatter,** louanger ; fayoter [arg.]. – Fig. : caresser, cajoler, câliner, flatter, peloter [fam.], passer la main dans le dos de ; fam. : chatouiller l'épiderme, faire du rentre-dedans, gratter la couenne, passer la brosse à reluire ou de la pommade. – Monseigneuriser [vieilli], donner du Monsieur gros comme le bras.

11 Dire amen, **filer doux 564** ; se faire petit. – Faire le chien couchant, faire le valet, ramper, valeter [vx] ; s'aplatir, se mettre à plat ventre. – Courber le front (ou : le dos, l'échine, la tête), fléchir les genoux ; se courber, se ployer, se prosterner. – **Avoir l'échine souple,** avoir les reins souples.

12 Être aux genoux ou aux pieds de ; être à la dévotion de qqn ; fam. : être à la botte de. – Vx : baiser le babouin, passer sous la fourche.

13 Prov. – Caresse de chien donne des puces ; Tel rit qui mord. – « Apprenez que tout flatteur / Vit aux dépens de celui qui l'écoute » (La Fontaine).

Adj. 14 **Servile.** – Bas, vil ; plat, **rampant** ; souple. – Soumis.

15 Encenseur, enjôleur, louangeur ; doucereux, mielleux, patelin. – Flagorneur, obséquieux ; lèche-bottes [fam.], lèche-cul [vulg.] ; hypocrite **373.**

Adv. 16 **Servilement** ; **bassement,** platement, vilement. – En esclave.

17 Obséquieusement ; flatteusement.

762 SEXE

N. 1 **Sexe** ; appareil génital, tractus génital ; parties honteuses [vieilli], parties sexuelles (absolt, les parties). – Périnée.

2 **Sexe 763** ; cinquième membre, membre, membre viril ; vit [litt.] ; ithyphalle [didact.], **phallus.** – Vulg. : **bite** ou bitte, queue, zob ; enfant. : quéquette, zézette, **zizi.**

3 **Pénis,** verge. – Couronne, frein, **gland,** prépuce ; méat urinaire ; sillon balano-préputial ; corps de la verge, ligament suspenseur de la verge, racine de laverge ; albuginée, corps caverneux, corps spongieux, gouttière dorsale, gouttière urétrale. – **Tuniques** ; peau, dartos pénien, couche celluleuse, enveloppe fibro-élastique.

4 Étui pénien [ETHNOL.].

5 **Testicules** ; vulg. : **couilles,** roubignolles, roupettes, valseuses. – Albuginée **821,** corps de Highmore ; peau ou **scrotum,** dartos, tunique celluleuse sous-cutanée, tunique fibreuse superficielle, crémaster, tunique fibreuse profonde, tunique vaginale ; ligament scrotal ; **bourse.** – Cellules de Leidig, cul-de-sac de la tunique vaginale, réseau testiculaire ou, lat., *rete testis,* tissu interstitiel ; canalicule séminipare, tube droit, tube séminifère.

6 **Voie séminale,** conduit séminifère, voie spermatique ; canal déférent (portions épididymo-testiculaire, funiculaire, inguinale, iliaque, pelvienne), canal ou cône efférent, canal éjaculateur, épididyme, vésicule séminale. – **Urètre** ; canal inguinal, utricule prostatique, veru-montanum.

7 Bulbe de l'urètre ; glande de Cowper ou glande bulbo-urétrale ; concrétions prostatiques ou sympexions, **prostate.**

8 **Sperme** ; liquide spermatique, semence ; vx : humeur prolifique, liqueur séminale ; **foutre** [vulg.]. – Spermine [BIOL.]. – Éjaculat. – **Spermatozoïde** ou, vx, spermie ; spermatide, spermatocyte du premier ordre, spermatocyte du deuxième ordre, spermatogonie ; acrosome, flagelle.

9 Androgène **340** ou hormone mâle, androstènedione, déhydroépiandrostérone (DHA), épiandrostérone, **testostérone.**

10 **Sexe** ; **vulve** ; vulg. : con, cramouille. – Grandes lèvres, petites lèvres, nymphes ; méat urinaire, vestibule ; bulbe vestibulaire, fossette naviculaire, fourchette vulvaire.

11 **Mont de Vénus** ou pénil. – Vulg. : **chatte,** foufounette, minette. – Pilosité **624,** poils pubiens, toison ; touffe [fam.].

12 **Clitoris** ou, vulg., clito ; capuchon, corps caverneux, gland.

13 **Vagin** ; cloison recto-vaginale, cloison urétrovaginale, glandes de Bartholin ou vulvo-vaginales, **hymen.**

14 **Utérus** ; **matrice** [vieilli ou MÉD.] ; litt., vieilli : entrailles, ventre, sein. – Utérus bicorne, utérus biloculaire. – Cavité utérine, corps de l'utérus, isthme, membrane caduque ou déciduale, muqueuse utérine ou endomètre, museau de tanche ; **col de l'utérus,** endocol, exocol ; cul-de-sac antérieur, cul-de-sac de Douglas, cul-de-sac latéral, cul-de-sac postérieur. – Glande utérine ; glandes de Skène.

15 Trompes utérines ou **trompes de Fallope** ; ampoule, isthme, mésosalpinx, partie interstitielle, pavillon.

16 Estradiol ou œstradiol **340** ; progestérone ou, vieilli, lutéine.

17 Glande sexuelle ou gonade **711** ; ovaire, testicule. – Gamète ou cellule sexuelle ; hormone sexuelle.

18 Caractère sexuel (primaire, secondaire). – Spermatogenèse, spermiogenèse ; ovogenèse. – Puberté **445.** – Andropause ; ménopause.

19 Ambiguïté sexuelle, androgynie, gynandrie, hermaphrodisme ou bisexualité.

20 Spermogramme ou spermocytogramme.

21 Sexualisation [didact.].

22 **Érection,** tumescence ; détumescence. – **Éjaculation** ; éjaculation *ante portas* (lat., « devant les portes »), éjaculation précoce, éjaculation retardée. **Pollution** [vx] ; perte séminale ou spermatorrhée.

23 Fécondation **711** ; œstrus, ovulation ; cycle œstral ; anovulation.

24 Détermination du sexe ; sexage [AGRIC.].

25 Aspermatisme **482** ou aspermie, asthénospermie, azoospermie, oligospermie, polyspermie ou superfécondation ; hémospermie. – Anéjaculation ; anérection, **impuissance.** – Priapisme ; satyriasis. – Stérilité.

26 **Castration,** émasculation. – Circoncision. – Féminisation. – Masculinisation, virilisation.

27 Sexualisme [didact.].

28 Androgyne *(un androgyne),* bisexuel *(un bisexuel, une bisexuelle),* hermaphrodite *(un hermaphrodite)* ; transsexuel *(un transsexuel).*

V. 29 Sexualiser [didact.].

30 Être en érection. – Arg. : **bander** ; débander.

31 **Éjaculer.** – Vulg. : **décharger,** foutre.

32 Décalotter. – **Castrer,** châtrer, émasculer. – Circoncire.

Adj. 33 **Sexuel** [BIOL.]. – Gynécologique.

34 Balanique, funiculaire, pénien, testiculaire. – Éjaculatoire ; **séminal,** spermatique ; séminifère, séminipare. – Phallique. – Ithyphallique.

35 Clitoridien, vaginal, vulvaire, vulvo-vaginal. – Endocervical, intracervical ; extra-utérin, intra-utérin, **utérin** ; hyménéal, périovulaire, salpingien.

36 Anovulatoire ; œstrogénique, œstroprogestatif. – Cataménial, intermenstruel, **menstruel** ; emménagogue ; leucorrhéique. – Dysménorrhéique, ménorragique, métrorragique. – Ménopausique.

37 Sexué.

38 Impuissant. – Stérile.

Adv. 39 Sexuellement **763.**

763 SEXUALITÉ

N. 1 **Sexualité,** vie sexuelle ; bisexualité, hétérosexualité, homosexualité. – Stade oral **270.2,** stade anal, stade génital [PSYCHAN.]. – BIOL. : intersexualité, parasexualité. – Éros (opposé à Thanatos) [PSYCHAN.].

2 Sexualisme [litt.].

3 **Sexisme** ; antisexisme. – Féminisme **306.6,** antiféminisme. – Homophobie.

4 **Sexe** *(le sexe)* **762** ; fam. : la bagatelle, la gaudriole ; très fam. : la chose, le cul, la fesse. – Érotisme, pornographie.

5 **Désir 199,** libido [PSYCHAN.] ; appétit sexuel, instinct sexuel, nature ; démon de midi. – Chaleurs, **excitation,** œstrus, rut.

6 **Plaisir 629,** volupté ; orgasme ; petite mort.

7 Débauche, dépravation, incontinence, **intempérance,** libertinage, luxure **475** ; obscénité. – Priapisme ; nymphomanie. – Abstinence, **chasteté 108,** continence. – Morale sexuelle ; diaconales [RELIG.].

8 **Coït** ; accouplement, conjonction [vieilli], copulation, union génitale ; **acte sexuel** (absolt, l'acte), rapports, rapports sexuels, relations intimes, relations sexuelles ; **amour,** amour physique (opposé à amour platonique). – Fam. : coucherie, fornication ; **baise** [vulg.]. – **Possession** ; intromission, pénétration.

9 **Défloration,** déniaisement, dépucelage [fam.] ; nuit de noce. – Droit de cuissage [allus. hist.].

10 **Viol** ; séduction dolosive [DR.]. – Harcèlement sexuel. – Attentat aux mœurs ; attentat à la pudeur. – Inceste.

11 Attouchement **91.**

12 **Fellation.** – Anilinctus ; cunnilingus ou cunnilinctus.

13 Partie carrée, partie fine ; vulg. : **partouze.** – Ballets bleus, ballets roses. – **Orgie** ; ANTIQ. : bacchanales, priapées.

14 **Homosexualité** ; inversion. – **Pédérastie,** uranisme [litt.]. – **Lesbianisme,** saphisme [litt.], tribadisme [vx].

15 **Perversion** ; déviation, tendance, **vice,** vice contre nature. – Érotomanie **27.** – Algolagnie, **masochisme, sadisme,** sado-masochisme. – Urolagnie ou ondinisme. – Coprolalie, **scatologie.** – Pédophilie ; transsexualisme, travestisme (ou : transvestisme, éonisme). – **Sodomie** ou sodomisation. – Échangisme, triolisme ; exhibitionnisme, fétichisme, voyeurisme ; gérontophilie, nécrophilie, zoophilie ou bestialité.

16 **Masturbation,** onanisme, plaisir solitaire ; autoérotisme.

17 Aphrodisiaque *(un aphrodisiaque).*

18 **Hétérosexuel** *(un hétérosexuel)* ou, fam., hétéro. – **Homosexuel** *(un homosexuel)* (ou, fam., homo) ; homophile, inverti *(un inverti),* **pédéraste** (ou, fam. et péj., pédé), uraniste. – Fam. : gay [amér.], pédale ; folle, tante ; lopette. – **Lesbienne,** tribade [vx] ; gouine, gousse [arg.].

19 Castrat, eunuque.

20 Vierge. – Fam. : puceau, pucelle. – demi-vierge [vx].

21 Partenaire sexuel. – **Amant 27,** maîtresse.

22 **Masochiste** *(un masochiste)* ou, fam., maso, **sadique** *(un sadique),* sado-masochiste *(un sado-masochiste)* (ou, fam., sado-maso). – Masturbateur, **onaniste.** – Érotomane ; exhibitionniste, voyeur ; fétichiste ; échangiste. – Sodomite ; travesti ou, fam., travelo. – Zoophile.

23 Obsédé sexuel ou **obsédé.** – Coq, **satyre** ; fam. : chaud lapin. – Débauché. – **Nymphomane** ou, fam., nympho. – Débauchée ; bacchante ou ménade, messaline ; péj. : gourgandine, Marie-couche-toi-là. – RELIG. : incube, succube.

24 Sexualisation. – Érotisation.

25 Érotologie, **sexologie,** sexonomie.

26 Anaphrodisie, anorgasmie. – Frigidité.

27 Sexothérapie.

28 **Sexologue** ; sexothérapeute. – Sexeur [AGRIC.].

29 Scène primitive ou originaire [PSYCHAN.].

V. 30 **Désirer 199** ; avoir qqn dans la peau [fam.].

31 Attoucher **91.**

32 Coïter, **faire l'amour** ; connaître [litt.] ; vulg. : **baiser,** faire la bête à deux dos, niquer. – Péj. : copuler ; s'accoupler. – **Coucher avec qqn** ; couchailler [fam.]. – Forniquer [RELIG., souv. par plais.] ; fauter.

33 Pénétrer ; **posséder,** prendre. – Honorer (une femme) [fam.].

34 Sodomiser ; enculer [vulg.].

35 Se masturber ; se branler [vulg.].

36 Forcer, violer.

37 **Déflorer,** déniaiser [fam.], dépuceler [fam.].

38 **Jouir 629** ; fam. : prendre son pied.

39 Céder, succomber ; **accorder ses faveurs** ; avoir une faiblesse pour ; se donner, se livrer.

40 Perdre sa virginité **306.7** ; perdre sa fleur d'oranger [arg.].

41 Être de la jaquette flottante. – Arg. : être jazz tango, marcher à voile et à vapeur.

42 Érotiser, sexualiser. – Désexualiser.

Adj. 43 Sexué ; asexué.

44 **Sexuel** ; psychosexuel, sexologique ; charnel, **physique,** vénérien [vx]. – Libidinal ; bucco-génital, coïtal, **génital,** masturbatoire. – Érogène. – Sexualiste [litt.].

45 **Érotique,** pornographique ou, fam., porno ; classé X [CIN.], *hard* [anglic.]. – Égrillard, gaulois, graveleux, salace ; **obscène.** – Sensuel. – Aphrodisiaque.

46 Dévergondé, incontinent, libidineux, lubrique, **pervers,** vicelard [fam.], vicieux ; bestial. – Sexophobe. – **Sexy** [anglic.].

47 **Hétérosexuel** ; **homosexuel** ; bisexuel. – Lesbien, saphique.

48 Frigide ; impuissant **762.**

Adv. 49 Sexuellement ; physiquement. – Bestialement.

Aff. 50 Sex-, sexo-.

764 SIFFLEMENT

N. 1 **Sifflement** ; sibilation [didact.], sifflet. – Chant **170,** stridulation **794.**

2 **Bruissement,** chuintement. – **Sifflotement,** sifflotis [rare]. – **Frouée,** frouement, pipée [CHASSE] **107.**

3 MÉD. – **Sifflement** ; sibilance, sibilation. – **Bruit sibilant,** râle sifflant. – **Cornage,** sifflage. – Sifflement d'oreilles **55.**

4 LING. – **Sifflante** *(une sifflante)* ou consonne sifflante ; sifflante sonore *(une sifflante sonore)* [z], sifflante sourde *(une sifflante sourde)* [s] ; chuintante *(une chuintante).* – Assibilation. – Chuintement.

5 **Coup de sifflet** ; appel, appel de sifflet, huchement [vx]. – **Signal** ; coup de sifflet final [SPORTS]. – **Sifflets 748.**

6 **Sifflet** ; sifflet à bec, sifflet cylindrique, sifflet à roulette. – **Sifflet à air comprimé,** sifflet à vapeur. – **Sifflet d'alarme,** sifflet avertisseur, sirène ; sifflet de manœuvre. – Pipeau, sifflet de chevrier. – **Appeau** ; appeau à sifflet, appeau à languette.

7 Siffleur *(un siffleur).* – Sifflet *(un bon, un mauvais sifflet)* [SPORTS].

V. 8 **Siffler** ; siffler en paume, siffler entre ses dents, siffler dans ses doigts. – Siffler « Sur le bord » [MAR.]. – **Appeler** ; hucher [CHASSE ou vx]. – Siffloter. – Frouer, piper [CHASSE].

9 **Siffler** ; LING. : assibiler, **chuinter.**

10 **Siffler** ; conspuer **412,** chahuter.

Adj. 11 **Siffleur.** – Chuintant, sibilant, sifflant. – **Aigu,** strident.

765 SIGNE

N. 1 **Signe** ; **signal, marque** ; indication, indice. – Signe distinctif, signe particulier ; signe diacritique [LING.]. – Signe de reconnaissance. – Signe indicatif. – Signalement.

2 Annonce, promesse [fig.], signe précurseur ; présage. – Prodrome ; symptôme **482.7.** – Signe sensible [THÉOL.]. – Empreinte, enseigne [vx], preuve.

3 Écriture **459, code** ; langue, langage *(langage des sourds-muets)* ; nom **554.**

4 Attribut, badge, emblème. – Chiffre **112,** sigle.

5 Icône, pictogramme, **symbole** ; sigle. – Cryptogramme.

6 Signal sensoriel ; signal lumineux, signal optique.

7 Appel, cri.

8 Geste, mimique. – Clin d'œil, coup de coude, signe de la main. – Hochement de tête, signe de tête. – Bras d'honneur. – Poing levé **753.** – Inclinaison **741,** inclination ; salut militaire.

9 RELIG. : baiser ou geste de paix, élévation des mains, imposition des mains ; signe de la croix.

10 **Signe de ponctuation.** – Arobase ou arrobe, astérisque, barre de fraction, barre oblique, comma, crochet, esperluette ; guillemet, parenthèse ; point, deux-points, point d'exclamation, point d'interrogation, points de suspension ou, VX, points suspensifs, point-virgule ; slash ; tiret, virgule ; égal, moins, plus. – Accent *(accent aigu, accent grave, accent circonflexe),* cédille, tilde, tréma.

11 Paraphe, **signature 554** ; cachet, sceau, signet. – Griffe, marque **359.** – Initiale, monogramme.

12 Plan **709** ; diagramme **338,** schéma ; légende. – Signage [BÂT.].

13 **Enseigne,** pancarte, panonceau ; anc. : bouchon (de paille) [débit de boissons], carotte [bureau de tabac]. – Affiche, panneau. – Bannière, drapeau, étendard, fanion, flamme, pavillon, pavois ; sceptre. – Armoiries, blason.

14 Disque, fanal, **feu,** fusée, lanterne **250,** projecteur, sémaphore, voyant ; clignotant, feu de position, flèche, phare. – Amer, balise, bouée.

15 Avertisseur, cloche, gong, Klaxon, sifflet, sirène, sonnerie.

16 Signifère [ANTIQ. ROM.].

17 Démonstration ; étalage, expression, **manifestation,** protestation, témoignage.

18 Notation, transcription ; **représentation 140.** – Signalisation ; ponctuation. – Balisage ; marquage. – Compostage.

19 Sémiologie ou sémiotique, signalétique ; sémiographie. – Iconologie [PALÉONT.]. – Vexillologie. – MÉD. : séméiologie, symptomatologie.

V. 20 Faire un signe. – Faire signe. – Joindre le geste à la parole. – Donner le signal ; n'avoir qu'un geste à faire.

21 **Désigner,** indiquer. – Mentionner, mettre en lumière, signaler. – Appeler ou attirer l'attention ; avertir.

22 Baliser, signaliser ; ponctuer. – Badger, composter.

23 Signer ; laisser son empreinte, marquer, poinçonner ; émarger, parapher.

24 Opiner ; cligner de l'œil. – Mettre un genou à terre. – Se frapper la poitrine. – Sauter en l'air, se frotter les mains. – Mettre le doigt sur la bouche. – Croiser les doigts, toucher du bois. – Hausser les épaules, se laver les mains ; hausser les sourcils. – Lever les yeux ou les bras au ciel ; se tordre les mains ou les bras. – Faire les cornes, faire la figue [litt.], faire la nique [fam.], faire un pied-de-nez, tirer la langue. – Fam. : faire de l'œil à qqn, faire du pied ou du genou.

25 Déceler, dénoter, manifester, marquer, révéler, signaler ; témoigner. – Annoncer, présager **332.**

26 **Figurer,** représenter **709.** – Coder.

Adj. 27 **Signalétique** ; codé. – Signalisateur.

28 Indécodable.

29 Symptomatique. – Prodromique.

30 Gestuel. – Iconique, symbolique ; héraldique. – Emblématique, siglique. – Indiciaire, indiciel [didact.].

Prép. 31 Sous le signe de.

766 SILENCE

N. 1 **Silence** ; mutisme. – **Calme 89,** paix, tranquillité.

2 **Silence** ; silence religieux ; **règle du silence.** – Silence pythagorique [didact.]. – La parole est d'argent, le silence est d'or [prov.].

3 **Silence radio** [MIL.]. – Cône de silence [AÉRON.]. – Zone de silence [PHYS., RADIOTECHN.].

4 **Silence** *(un silence, des silences)* ; interruption, temps d'arrêt. – **Pause** ; aposiopèse [RHÉT.], réticence. – Minute de silence.

5 MUS. – **Silence** *(un silence)* ; **pause,** demi-pause. – **Soupir** ; demi-soupir, quart de soupir, huitième de soupir, seizième de soupir.

6 **Mutisme** ; mutacisme [didact.]. – Aphasie **839** [MÉD.]. – Mutité **803** ; audimutité [MÉD.]. – Aphonie [MÉD.].

7 Flocage, **insonorisation,** isolation phonique [TECHN.]. – Dôme de silence [TECHN.].

8 Bâillonnement.

9 **Silencieux** *(un silencieux ;* surtout pl. *les silencieux),* taiseux [région.] ; silenciaire [rare, litt.].

V. 10 **Garder** ou observer le silence ; avoir un bœuf sur la langue, avaler sa langue, mettre sa langue dans sa poche ; avoir perdu sa langue ; demeurer bouche close, ne pas desserrer les dents ou les lèvres. – Ne dire mot, ne pas piper mot, ne pas souffler mot. – **Rester coi,** rester court, rester sans voix. – Être à quia. – **Faire silence** ; déparler [vx, rare]. – Se taire, se tenir coi.

11 Entendre une mouche voler ; entendre trotter une souris. – Un ange passe [loc. fam.].

12 **Imposer le silence,** réduire qqn au silence ; clouer le bec, couper la chique [fam.]. – Clore la bouche, fermer la bouche ; bâillonner, museler [fig.] ; couper court, rabattre le caquet [fam.]. – Silencer [rare, litt.].

13 **Insonoriser,** isoler.

14 S'amuïr [PHON.].

Adj. 15 **Silencieux** ; discret, réservé, réticent ; fermé, muré, taciturne. – **Muet** ; muet d'admiration (ou : de peur, de stupeur, etc.) ; muet comme une carpe, muet comme la tombe.

16 **Muet** ; **mutique** ; aphasique [MÉD.]. – **Aphone** [MÉD.].

17 **Calme,** paisible, tranquille.

18 **Insonore.** – Feutré, ouaté.

Adv. 19 **Silencieusement.** – À bas bruit, à petit bruit ; **sans bruit.** – En sourdine. – En silence, **sans mot dire.**

20 **Intérieurement** ; en soi-même, in petto ; **dans son for intérieur.**

Int. 21 **Silence !** Chut ! – **Motus,** motus et bouche cousue ! **751.**

767 SIMPLICITÉ

N. 1 **Simplicité** ; simplicité antique ou spartiate ; naturel. – Austérité, sévérité, sobriété **771** ; rusticité [litt.]. – Dépouillement [cour.].

2 Simplicité ; humilité, modestie **523.** – Bonhomie.

3 Droiture, sincérité **854.**

4 **Simplicité** ; idiotie, imbécillité, niaiserie, simplesse [litt., vx], sottise **784.**

V. 5 **Simplifier.** – Couper, retrancher de, sabrer dans [fam.] ; élaguer, émonder.

6 Faire simple ; vivre simplement.

Adj. 7 **Simple** ; humble, modeste. – Médiocre, pauvre **603** ; frugal, maigre. – Austère.

8 Banal, brut, fruste. – Plat, prosaïque, terre à terre, vulgaire. – Grossier, négligé.

9 Agreste, champêtre, rustique.

10 Naturel, simple. – Droit, franc, sincère. – Bon, bonasse, bonhomme, brave. – Candide, enfantin **270,** ingénu, innocent, naïf ; **simple,** simplet.

11 Simplifiant [litt.], simplificateur, simpliste ; manichéen. – Simplifiable.

Adv. 12 **Simplement** ; modestement. – Tout bonnement, en toute simplicité.

13 Médiocrement, pauvrement, petitement **616.**

14 **Simplement** ; franchement. – Vx : bonnement, naïvement. – Sans détour.

15 Sans affectation, sans apprêt, sans cérémonie (ou : chichis, façons, luxe, prétention).

16 Fam : à la bonne franquette, à la fortune du pot. – À la simplette [région.].

768 SIMULTANÉITÉ

N. 1 **Simultanéité** ; coexistence, contemporanéité, coprésence [didact.]. – Concomitance [didact.], synchronie. – RELIG. : multiprésence, ubiquisme ; **omniprésence,** ubiquité [litt.]. – Simultanéité réelle ou apparente [INFORM.].

2 **Coïncidence,** synchronisme ; concours de circonstances **122** ; conjonction, rencontre, télescopage.

3 MUS. : consonance, **harmonie 543,** symphonie, unisson. – Simultanée *(une simultanée)* [JEUX].

4 CIN. : **synchronisation** ou, fam., synchro ; postsynchronisation. – Enseignement simultané (opposé à individuel) ; traduction simultanée.

5 LING. : état de langue, synchronie. – Synopse [RELIG.] ; **synopsis,** tableau synoptique ; isochrone ou courbe isochrone.

6 Simultanéisme [LITTÉR.].

V. 7 **Coexister** ; coïncider, se rencontrer, se télescoper. – Être en phase, être dans le rythme. – Loc. cour., fam. (par plais.) : les grands esprits se rencontrent.

8 Faire concorder, faire correspondre ; **synchroniser.** – Joindre [DR.]. – Courir deux lièvres à la fois.

Adj. 9 **Simultané** ; **coexistant,** concomitant, contemporain. – Conjoint, synchrone, synchronique ; synoptique. – Compossible [PHILOS.]. – Ubique [rare] ; ubiquiste ou ubiquitaire.

10 Simultanéiste [LITTÉR.].

Adv. 11 **Simultanément** ; concomitamment [litt.], concurremment, parallèlement, synchroniquement. – En direct (opposé à en différé). – Conjointement, **ensemble 725** ; à l'unanimité, à l'unisson.

12 Au même instant, au même moment, dans le même temps, **en même temps** ; de front ; **à la fois,** tout à la fois [litt.]. – Du même coup, par la même occasion. – En parallèle, en simultané.

Prép. 13 **Avec,** en compagnie de.

Conj. 14 **En même temps que** ; dans la minute même où [sout.]. – Alors que [vieilli], **comme, quand** ; au moment où ; cependant que [litt.], **pendant que,** tandis que. – Bien que, quoique.

15 Aussi longtemps que, tant que.

Aff. 16 **Co-,** syn- ; iso-.

769 SITUATION

N. 1 **Situation** ; assiette [vx], **emplacement,** géolocalisation, implantation, localisation, **position** ; position relative ; éloignement **263,** proximité **673.** – Situation ; exposition, **orientation** ; configuration, disposition, site **695.** – Placement, positionnement ; **localisation.** – MATH. : topologie (ou : géométrie de situation [vx], *analysis situs*) ; topographie.

2 **Situation** ; **état, position** ; condition, destinée, sort ; **place,** rang, standing ; classe sociale ; situation de famille. – Carrière, emploi **266.**

3 **Situation** ; circonstances **122, conjoncture,** état de choses, paysage ; statu quo. – Bilan.

4 Coin, endroit, **lieu, place,** siège, théâtre **817,** zone. – **Ordre, place,** plan, rang ; degré, échelon **683,** niveau ; place d'honneur, premier plan, second plan ; arrière-plan. – Pole position ; position stratégique.

5 **Position** ; **attitude,** pose, posture, station, tenue ; aplomb, assiette, équilibre **855.**

6 **Repère** ou point de repère ; amer, borne, jalon, point ; nord, points cardinaux, soleil 777 ; degré, méridien, parallèle ; antipode, apex, axe, centre, extrémité, foyer, milieu, pôle, sommet ; point d'intersection, point d'origine. – **Coordonnée,** mesure **509,** paramètre ; abscisse, cote, ordonnée ; altitude, latitude, longitude ; angle. – Système de coordonnées.

7 Situationnisme [PHILOS., POLIT.].

8 Positionniste [BANQUE]. – Situationniste ou, fam., situ [PHILOS., POLIT.].

V. 9 **Situer** ; asseoir, camper [vieilli], disposer, établir, implanter, **installer, mettre, placer,** poster ; mettre en place ; exposer, **orienter** ; **localiser,** positionner, repérer. – Camper ou planter le décor.

10 **Se situer** ; camper, être, gîter, se placer, **se tenir,** se trouver ; être à proximité de **280** ; avoir vue sur, donner sur, être exposé à *(être exposé au nord),* reposer sur. – **S'établir,** s'implanter, **s'installer,** prendre pied, prendre place ; camper, demeurer, rester ; se faire une place au soleil. – Se blottir, se pelotonner.

11 **Se situer** ; **s'orienter,** se repérer, se retrouver ; se perdre, perdre le nord ou la boussole.

12 Être assis (ou, vulg., avoir le cul) entre deux chaises, être en porte-à-faux ; être dans une bonne (une mauvaise) passe, être mal en point, être en mauvaise posture, être dans de sales draps ou, par antiphrase, dans de beaux draps. – Être en situation de, être bien (mal) placé pour ; être aux premières loges **211.**

Adj. 13 **Situé** ; assis, campé, **établi,** fixé, **placé,** planté, posé, posté, sis ; exposé, **orienté** ; relatif à. – Local ; positionnel [PHILOS.]. – Localisable, situable.

14 Localisateur [didact.].

Adv. 15 Çà, là, çà et là, de-ci de-là, par-ci, par-là. – Céans, ici, à cet endroit. – Ailleurs, autre part, nulle part, quelque part ; au-delà, en deçà ; là-bas, loin, au bout du monde. – En haut, en bas. – Dedans, dehors ; au-dedans, au-dehors. – Devant, derrière, en queue, en tête. – Dessus, dessous. – Loin, près ; alentour, côte à côte. – En travers, tête-bêche. – Partout. – Sur cour, sur jardin, sur mer.

16 À califourchon, à croupetons, à cloche-pied, à genoux, à plat ventre, debout, en chien de fusil, sur le dos, sur son séant [vx], sur une jambe.

17 À disposition, à poste. – En place, en position, en porte-à-faux ; **en situation,** in situ ; en temps et en lieu. – Par endroits, localement.

Prép. 18 En situation de ; en mesure de, en passe de. – Par rapport à, relativement à ; au niveau de. – À côté de, en face de, vis-à-vis de. – Sous, sur.

Aff. 19 Entre-.

770 SIX

N. 1 **Six** ; demi-douzaine, sixaine ou sizaine [vx]. – Sextuple *(le sextuple)* ; sixième *(un sixième).*

2 Sextuplé *(des sextuplés).* – MUS. : sextette ou, angl., sextet, **sextuor.**

3 GÉOM. : hexaèdre, rhomboèdre ; hexagone. – Hexagramme. – MUS. : sextolet **459** ; hexacorde ; **sixte,** sus-dominante. – LITTÉR. : hexamètre **635,** sénaire [ANTIQ.] ; sextine, sizain ou sixain. – Sextidi [HIST.] **88** ; semestre.

4 Sixième *(le sixième).* – Le sixième sens **434.**

5 Sexennalité [didact.].

V. 6 Sextupler **539.**

Adj. 7 **Six.** – Sexpartite. – Sextil *(année sextile, aspect sextil)* [didact.] ; bisextil *(année bissextile)* **88** ; **semestriel** ; sexennal [didact.]. – GÉOM. : hexaédrique, hexagonal, sexangulaire.

8 Sixième.

Adv. 9 **Sixièmement,** en sixième lieu, sexto [lat., rare].

Aff. 10 Hexa-, sex-, six-.

771 SOBRIÉTÉ

N. 1 **Sobriété** ; frugalité, tempérance **810** ; économie, modération **522.**

2 Diététique **214.** – Diète, **régime** ; privation, sevrage ; RELIG. : abstinence, carême, jeûne, jours maigres, maigre *(le maigre),* pénitence, ramadan. – HIST. : carême civique, Pâque républicaine.

3 Circonspection, **délicatesse 184,** discrétion, ménagement, mesure, retenue, sobriété, tact.

4 Classicisme, concision **142,** dépouillement, sévérité, **simplicité** 767, sobriété.

V. 5 **Se passer de,** se priver de, résister à, se sevrer ; faire (ou : mettre, tirer) une croix sur [fam.] **701.** – **Jeûner** ; faire maigre ou maigre chère, manger maigre. – Se serrer la ceinture [fam.] ; surveiller sa ligne ; bouder contre son ventre [vx].

6 Vivre de pain et d'eau ; faire pénitence ; manger son pain à la fumée ou à l'odeur du rôt [vx]. – Vivre ou se contenter de peu ; éviter les excès. – Être à la diète, **être au régime** ; être à jeun.

Adj. 7 **Sobre,** sobre comme un chameau [fam.]. – Frugal, tempérant **810** ; économe, **modéré,** abstème [sout.], abstinent, continent ; antialcoolique.

8 **Diététique 214,** équilibré, frugal, hygiénique, sobre ; acalorique, maigre.

9 Délicat **184,** discret, modeste, réservé. – Avare, circonspect, **mesuré.**

10 Classique, concis **142,** dépouillé, sévère, **simple,** sobre.

Adv. 11 **Sobrement** ; frugalement, maigre *(manger maigre)* ; modérément. – Discrètement, sagement ; simplement.

772 SOCIABILITÉ

N. 1 **Sociabilité.** – **Civilité 163,** savoir-vivre, urbanité ; entregent [vx] ; affabilité, **amabilité,** aménité **163.** – Philanthropie ; mondanité.

2 **Sociabilité,** socialité ; adaptabilité, souplesse **564** ; associabilité [rare]. – Didact. : grégarisme, grégarité ; **instinct grégaire.**

3 **Convivialité,** entente **26** ; communion, échange, partage ; mise en commun.

4 **Socialisation** ; adaptation, **éducation 253.**

5 **Socialisation** ; grégarisation [didact.]. – **Rassemblement,** réunion **725,** union. – Alliance, **association.** – Contrat social ou pacte social (Rousseau).

6 Cohabitation. – Cellule familiale, **famille,** fratrie, ménage ; clan, **communauté,** phratrie, tribu. – Corps social, **société** 773, société civile ; collectivité **352.9.** – **État,** nation ; patrie. – Lien social.

7 Coopération **19.** – **Fédération,** mutuelle *(une mutuelle),* syndicat ; gilde ou guilde ; hanse [HIST.] **135.** – Mutualité [rare].

8 Commerce, compagnie **137, fréquentation** ; relation. – Ami *(un ami)* **26** ; connaissance *(une connaissance)* ; relations mondaines ; bureau d'esprit [vx], salon *(salon littéraire).* – Vie sociale.

9 Entrevue, rencontre, **visite.** – **Rendez-vous** ou, abrév., R.-V. ; fam. : rancart (ou : rancard, rencart, rencard), rendève [arg.].

10 Mondanités, **réception** ; bal, soirée ; cocktail, goûter **703.** – **Invitation.**

V. 11 **S'associer,** se lier, se marier, se rapprocher. – Lier amitié **26.** – Se coaliser, se grouper **352.19,** se liguer, s'unir, se regrouper ; se réunir ; faire salon. – Vivre en société ; cohabiter.

12 Aller voir, faire une visite, **rendre visite à,** visiter, passer, venir ; voisiner [litt.]. – Fréquenter ; avoir commerce avec **137.** – Aller dans le monde, fréquenter les salons, se plaire en compagnie ; rare : mondaniser, salonner. – Avoir du liant.

13 Convier, **inviter** ou prier [vieilli] ; garder, retenir *(retenir qqn à dîner).* – Recevoir, régaler, traiter [litt.] ; festoyer [vx]. – Donner ou faire une fête. – Avoir son jour, tenir salon.

Adj. 14 **Sociable** ; accort, affable, aimable, amène **163,** avenant ; engageant, liant ; accostant [vx], d'un abord facile ; accessible. – Convivial.

15 **Mondain,** salonard ou salonnard [fam. et péj.] ; salonnier.

16 Civil, social.

Adv. 17 Civilement **163,** sociablement ; affablement, aimablement.

18 En compagnie, en société.

19 Socialement.

773 SOCIÉTÉ

N. 1 **Société** ; communauté. – État, État-nation, nation, nationalité, pays **124.** – Collectivité, **corps social,** société civile. – Opinion publique.

2 Civilisation *(une civilisation),* culture *(une culture).*

3 ZOOL. : colonie, société.

4 Société primitive, société féodale, société moderne ; société d'abondance ou de consommation, **société industrielle,** société postindustrielle ; société d'assistance. – Société de masse. – Multiculturalisme, société multiconfessionnelle, société multiraciale, société pluriculturelle ou multiculturelle. – Communautarisme.

5 Cellule familiale, **famille 304** ; clan, phratrie, tribu.

6 Caste, **classe** ou classe sociale, couche de population ; condition, état social, milieu social ou **milieu,** rang. – Microcosme ou microsociété.

7 **Peuple** ; bas peuple, menu peuple ; populace [péj.], populo [pop.] ; la masse, les masses ; les basses classes ; **prolétariat,** lumpen-prolétariat, sous-prolétariat ; paysannerie. – **Classe moyenne** ; **bourgeoisie** ; bourgeois, petit-bourgeois ; cadres, cadres supérieurs, fonctionnaires **641,** professions libérales. – Grande bourgeoisie ou haute bourgeoisie. – Technostructure ; hauts fonctionnaires ; **élite** *(l'élite, les élites).* – Intelligentsia. – **Le pouvoir,** les pouvoirs publics ; les hautes sphères [fam.]. – Contre-société. – Lutte des classes.

8 Collectif *(un collectif),* **groupe,** groupement, groupuscule, secte. – Corporation, gilde, syndicat. – Confédération **694,** fédération.

9 Socialisation.

10 Socialité [vx], **sociabilité 772.** – Contrat social.

11 **Sociologie** ; sciences sociales. – Socio-analyse, sociométrie ; sociolinguistique.

12 Sociocentrisme, sociolâtrie ; sociologisme. – Culturalisme [ANTHROP.].

13 Sociologue. – Sociométriste.

V. 14 Socialiser.

Adj. 15 **Social,** sociétal [didact.] ; civil, public ; **collectif,** communautaire ; communautariste. – Castique, clanique. – Culturel, biculturel, interculturel, multiculturel ; pluriethnique ; **socioculturel,** sociodémographique, socio-économique, sociogéographique, sociohistorique.

16 Sociologique ; sociologisant. – Sociométrique.

Adv. 17 Socialement. – Sociologiquement.

18 Culturellement.

Aff. 19 Socio-.

774 SOIN

N. 1 **Soin.** – Attention **52** ; **application** ; zèle. – Concentration, conscience, **sérieux,** vigilance **674** ; diligence **684.** – Intérêt, **scrupule.**

2 **Méticulosité,** minutie **184.** – Exactitude, précision, rigueur. – **Conscience professionnelle.**

3 Soin [vx], **souci 785.**

4 Inquiétude, **sollicitude** ; délicatesse, ménagement, précaution **674** ; obligeance **163,** prévenance.

5 Distinction **552,** élégance, style. – Affectation, préciosité.

6 **Soins** [vx] ; civilités, hommages, respects.

7 **Petits soins** ; cajolerie, douceur, gâterie. – Attentions, égards, **empressement,** prévenance, sollicitude.

8 Effort **255,** peine, soin [litt.].

9 **Devoir 213,** responsabilité ; tâche, travail.

V. 10 **Soigner** ; cajoler, **choyer,** couver, dorloter, **gâter** ; fam. : bichonner, chouchouter ; ménager, mignoter [vx]. – Combler d'attentions, soigner aux petits oignons [fam.] ; **être aux petits soins,** s'affairer auprès de qqn.

11 **Avoir soin de** + n. – Prendre soin de ; prendre grand soin de.

12 **Se soucier de 785** ; s'occuper de, se préoccuper de ; faire attention à **52,** prendre garde à **674** ; s'attacher à, s'intéresser à.

13 Avoir le soin de ; avoir la responsabilité de. – Veiller sur ; conserver, **entretenir.**

14 Soigner ; cultiver, **travailler** ; affiner, **châtier,** ciseler, peaufiner, peigner, perler, polir. – Raffiner **184** ; détailler, finir ; fam. : chiader, **fignoler,** lécher. – Faire un travail de fourmi.

15 Mijoter **333,** mitonner. – Concocter.

16 Avoir soin de + inf., **prendre soin de** + inf., veiller à. – Prendre le soin de ; **prendre la peine de.** – Mettre du soin à, s'appliquer à. – Tâcher de ; s'ingénier à ; se vouer à **255.**

17 Soigner que [vx] ; avoir soin que, prendre soin que ; **faire en sorte que.**

18 Soigner de [vx] ; être en soin de [vx], être préoccupé de.

19 Iron. : soigner ; arranger **205.**

Adj. 20 **Soigneux** ; appliqué, attentif **52,** consciencieux, sérieux, vigilant **674.** – **Méticuleux,** minutieux **184,** rigoureux. – Précautionneux, scrupuleux, zélé. – **Maniaque,** pointilleux, sourcilleux, tatillon, vétilleux.

21 **Attentionné,** prévenant ; diligent **684,** empressé.

22 Étudié, **fini,** fouillé, poussé, recherché ; chiadé [fam.]. – **Exact,** précis.

23 Concocté ; mitonné.

24 **Soigné.** – Distingué, élégant, stylé, tiré à quatre épingles. – Péj. : affecté, apprêté **184.**

Adv. 25 **Soigneusement** ; attentivement, consciencieusement, scrupuleusement, sérieusement ; diligemment. – Méticuleusement, minutieusement. – Exactement, fidèlement, précisément, rigoureusement. – **Délicatement 184,** précautionneusement. – **Amoureusement 27,** jalousement, précieusement.

26 Avec soin, **avec grand soin.**

Prép. 27 Aux bons soins de.

775 SOINS DU CORPS

N. 1 **Soins** ; médication, **traitement** ; automédication ou autoprescription. – **Cure,** postcure. – Acharnement thérapeutique ; expectation ou expectative.

2 **Indication** ; contre-indication absolue, contre-indication relative ; posologie.

3 **Thérapeutique** ou thérapie ; thérapeutique étiologique, thérapeutique symptomatique ; physiothérapie, thérapeutique physiopathologique ; thérapeutique mécanique adjuvante, thérapeutique substitutive. – Pharmacologie. – Chronothérapie.

4 Aérothérapie, barothérapie, climatothérapie, héliothérapie. – **Balnéothérapie,** crénothérapie, fangothérapie, hydrothérapie, thalassothérapie, thermalisme. – Algothérapie, apithérapie, aromathérapie, bufothérapie, phytothérapie, thermothérapie. – Bioénergie, étiopathie, **naturopathie ;** oligothérapie.

5 Chimiatrie, **chimiothérapie.** – Antibiothérapie, bactériothérapie, biothérapie, calcithérapie, chrysothérapie, corticothérapie, cytothérapie, hormonothérapie, immunothérapie, insulinothérapie, malariathérapie ou impaludation thérapeutique, mésothérapie, métallothérapie, œstrogénothérapie, opothérapie, oxygénothérapie ou oxygénation, pyrétothérapie, séro-anatoxithérapie, **sérothérapie,** sulfamidothérapie, **vaccinothérapie,** vitaminothérapie. – Autohémothérapie. – Isothérapie ou isopathie.

6 Médecine nucléaire. – Actinothérapie, bêtathérapie, buckythérapie, chromothérapie, **cobaltothérapie,** curiethérapie ou gammathérapie, endocuriethérapie, endoradiothérapie, neutronothérapie, photothérapie, plésiocuriethérapie, **radiothérapie,** radiothérapie de contact ou contacthérapie, radiothérapie de convergence ou cyclothérapie, téléradiothérapie. – Ultrasonothérapie.

7 Diathermie, électrothérapie.

8 Auriculothérapie, chiropraxie, **kinésithérapie,** mécanothérapie, ostéopathie, réflexothérapie, shiatsu.

9 Mise en observation ; nursing ou nursage [anglic.]. – **Réanimation** ; assistance circulatoire, assistance respiratoire ou ventilation assistée, déchocage, insufflation, respiration artificielle. – Bouche-à-bouche. – Premiers secours, **secours.** – Secourisme.

10 Gymnastique corrective, réadaptation fonctionnelle, **rééducation motrice.**

11 Chimioprévention, séroprévention ; **vaccination.** – Atropinisation, recalcification, reminéralisation, vitaminisation. – Décontamination. – **Désensibilisation** ; immunostimulation **381.**

12 Diathermocoagulation, **électrochoc** ; vieilli : faradisation, fulguration, galvanisation. – Liposuccion.

13 **Acupuncture,** curiepuncture, digitopuncture, puncture. – Moxabustion. – Pédicurie.

14 Balnéation. – Affusion ; illutation. – **Bain,** bain de boue, bain de vapeur, douche ; boues activées.

15 Bain de bouche, gargarisme ; **lavement,** purgation ou purge. – Fumigation.

16 Élongation, manipulation vertébrale, **massage,** traction vertébrale. – Compression, **friction,** révulsion, tamponnage ; onction.

17 **Injection,** piqûre ; injection intramusculaire ou intramusculaire *(une intramusculaire),* injection intraveineuse ou intraveineuse *(une intraveineuse)* ; infiltration, instillation, **perfusion.** – Saignée [anc.]. – Scarification.

18 Coton hydrophile, gaze, mèche, **pansement,** sparadrap, spica, tulle gras ; plâtre. – Poire à injections, poire à lavements ; bock à injections ; clystère [anc.]. – Fumigateur, insufflateur, irrigateur, nébuliseur, pulvérisateur, **seringue,** siphon. – Cure-oreille ; cure-ongles.

19 **Appareil orthopédique** ; bas à varices, ceinture de grossesse, ceinture orthopédique, corset orthopédique, genouillère, gouttière, lombostat, mentonnière, minerve, suspensoir. – Alaise ou alèse.

20 Appareil de Bird, poumon d'acier, respirateur ; tente à oxygène. – Bombe au cobalt.

21 Aérium, préventorium, **sanatorium** ou, fam., sana, solarium. – Établissement thermal, **station thermale.** – Centre de dépistage ; **clinique 498.32, hôpital,** hôtel-Dieu, infirmerie, maternité, policlinique, polyclinique. – Maison de santé ; anc. : asile (de vieillards ; d'aliénés ou, fam., de fous). – Anc. : lazaret, léproserie, maladrerie.

22 **Thérapeute.** – Guérisseur, rebouteux. – Bandagiste, panseur. – Aide-soignant, garde-malade, **infirmier, infirmière** ; sœur hospitalière.

23 Curiste *(un curiste).*

V. 24 **Soigner,** traiter ; assister.

25 Mettre en observation. – Mettre à la diète, soumettre à un régime.

26 **Injecter,** instiller, pulvériser ; purger, résorber ; oxygéner, ventiler ; scarifier. – Désensibiliser, impaluder, **immuniser** ; décontaminer. – Bander, panser ; appareiller. – Frotter, masser. – Rééduquer.

27 Guérir **353,** sauver, secourir.

Adj. 28 Curatif, **médicinal, thérapeutique,** thérapique. – Biothérapique, chimiothérapique, électrothérapique, héliothérapique, hydrothérapique, photothérapique, physiothérapique, radiothérapique, sérothérapique ; **thermal,** thermoclimatique. – Posologique.

29 Immunisant, immunostimulant ; préservatif [litt., vieilli]. – Compressif, contentif. – Amaigrissant, amincissant. – Antirides.

Aff. 30 -thérapie, -thérapique, -thérapeute.

776 SOIRÉE

N. 1 **Soirée** ; après-dîner, **soir,** vêprée ou vesprée [vx]. – Passée *(la passée)* [CHASSE].

2 **Après-midi** ; l'aprème [arg. scol.] ; matinée (opposé à soirée) [SPECT.], relevée *(à deux heures de relevée)* [vx]. – LITURGIE : none ; complies, vêpres.

3 Goûter, quatre heures *(le quatre heures)* [enfant.]. – Cinq-à-sept *(un cinq-à-sept)* [fam.].

4 **Soir.** – Chute du jour, déclin du jour ; coucher du soleil, l'heure du berger ; brunante [canad.], la brune [vieilli], couchant, **crépuscule.**

5 **Nuit** ; arg. : borgnon, sorgue ; nuit d'encre, nuit noire ; nuit polaire. – **Obscurité 566,** pénombre, ténèbres. – Nuitée.

6 **Minuit** ; les douze coups de minuit ; l'heure du crime.

7 Serein [litt.] ; soleil de minuit. – Sérénade ; dîner, médianoche [vx], réveillon, **souper** ; sommeil **780.**

8 **Noctambule,** nuiteux *(un nuiteux),* réveillonneur ; couche-tard [fam.]. – Nuitard [fam.] ; veilleur de nuit. – « Veilleur où en est la nuit ? » (Isaïe).

V. 9 Il fait noir, **il fait nuit,** il fait nuit noire ; il se fait nuit [fam.].

10 S'endormir ; dormir **780.** – Passer une nuit blanche, veiller. – Dîner, souper ; réveillonner.

11 Être du soir ; faire de la nuit le jour et du jour la nuit.

Adj. 12 Crépusculaire, vespéral [litt.]. – **Nocturne** (opposé à diurne) ; rare : nocturnal, nuital.

Adv. 13 **L'après-midi** ; p. m. (anglic., du lat. *post meridiem,* « après midi »). – Cet après-midi, c't aprème [arg. scol.] ; tantôt [région.].

14 **Le soir,** en soirée. – À la brunante [région.], à la brune [vieilli] ; entre chien et loup, à la nuit tombante. – À l'heure où les lions vont boire [litt. ou par plais.] ; à la passée [CHASSE]. – **Tard 724** ; à une heure tardive.

15 Au soir *(hier au soir),* soir *(hier soir, demain soir).*

16 De nuit, **la nuit,** en pleine nuit ; nocturnement [rare], nuitamment. – À la nuit close [litt.], à la nuit tombée. – De jour comme de nuit, nuit et jour.

Int. 17 Bonsoir ! Bonnes vêpres ! [vx]. – Bonne nuit !

Aff. 18 Noct-, nyct-.

777 SOLEIL

N. 1 **Soleil** *(le Soleil).* – Poét. : l'astre du jour ; le char du Soleil. – Rien de nouveau sous le soleil [loc. prov.].

2 Lumière solaire ; spectre solaire. – **Rayonnement** ; rai [litt. et vx. ; parfois écrit *rais* au sing.], rayon. – Ardeur, chaleur **102** ; canicule. – Soleil ardent, radieux ; soleil de plomb. – Énergie solaire **269** ; four solaire ; héliotechnique *(l'héliotechnique).*

3 ASTRON. : anthélie, **halo,** lueur antisolaire ou gegenschein, parhélie, paranthélie. – Rayon vert.

4 **Ensoleillement 127** ; insolation [BOT.]. – GÉOGR. ou région. : **adret,** endroit, soulane (opposés respectivement à : **ubac,** envers, ombrée) ; cagnard.

5 Course du soleil. – Levant **221,** orient ; couchant, occident, ponant [vx ou litt.] ; midi *(le midi).* – **Coucher 776,** crépuscule, crépuscule du soir [vx] ; **aube 494,** crépuscule du matin [vx], **lever du jour,** point du jour, pointe du jour [litt.].

6 Jour solaire **610.** – Année solaire, année luni-solaire ; année tropique, année sidérale ; temps solaire moyen. – Équinoxe, solstice. – **Éclipse** *(éclipse de soleil).* – Système solaire **49.** – Héliocentrisme.

7 Disque **49,** limbe ; couronne ; chromosphère, photosphère. – **Activité solaire** ; éruption, éjection. – Facule, filament, grains de riz, granule, plume polaire, protubérance, spicule, tache. – Vent solaire ; héliosphère, héliopause. – Aurore polaire ; **aurore boréale,** aurore australe.

8 ASTRON. – Actinométrie **509,** héliométrie ; héliographie. – Coronographe, héliographe, héliostat, héliomètre, hélioscope, spectrohéliographe.

9 MÉTÉOR. – Héliométéorologie. – Héliophotomètre, solarimètre ou pyranomètre ; solarigraphe ou pyranographe.

10 BOT. – Héliotropisme. – Héliotrope ; tournesol.

11 Héliothérapie **775** ; hélioprophylaxie. – Centre héliomarin ; cure héliomarine. – Solarium ; bain de soleil ; coup de soleil, insolation **102.**

12 MYTH. – Grèce : Apollon **236,** Hélios, Hélios Phoibos (« le Brillant »), Phaéton (« Celui qui brille »), Phoibos. – Rome : Phébus ou Phœbus. – Égypte : Rê ; Aton, Horus, Khepri ; Amon-Rê. – Mésopotamie : Shamash. – Perse : Mazda. – Inde : Surya. – Japon : Amaterasu. – Amérique du Nord : Wakan Tauka. – Mexique : Huitzilopochtli, Kinich Ahau. – Pérou : Inti. – Celtes : Cernunnos.

13 ANTIQ. GR. : héliée ; héliaste (aussi : juge héliaste). – Héliopolis (gr., « cité du soleil »). – HIST. : le Roi-Soleil (Louis XIV).

14 Hélium [CHIM.].

V. 15 **Briller,** étinceler, luire, rayonner ; resplendir. – Chauffer **102** ; fam. : cogner, taper ; litt. : darder ses rayons, jeter ses feux.

16 **Ensoleiller.** – Brunir, dorer, hâler, jaunir. – Mûrir ; brouir [région.], brûler, griller. – Insoler [TECHN.], solariser [PHOT.].

17 Poindre, se lever. – Se coucher.

Adj. 18 Solaire. – Ensoleillé ; clair, lumineux.

19 SC. NAT. : héliophile (opposé à héliophobe, photophobe, sciaphile) – ASTRON. : antisolaire ; héliaque *(lever, coucher héliaque d'un astre)* ; héliocentrique ; héliosynchrone. – TECHN. : antisolaire ; héliothermique, héliothermodynamique.

Aff. 20 Héli(o)- ; -hélie.

778 SOLIDITÉ

N. 1 **Solidité** ; consistance **187,** dureté, fermeté **259** ; didact. : cohérence, cohésion ; épaisseur (opposé à fluidité). – Équilibre, stabilité **611** ; aplomb ; assiette [litt.].

2 Force, **résistance 322** ; didact. : résistibilité, résistivité **261** ; robustesse. – PHYS. : coercitivité, rigidité **732** ; durabilité [didact.] **247.** – Degré de dureté ; échelle de dureté de Mohs.

3 Didact. : inaltérabilité, **indestructibilité,** inébranlabilité, inusabilité.

4 **Solidification** ; durcissement ; **épaississement** ; caillage, caillement ; **coagulation** ; conglutination [didact.] ; congélation, cristallisation ; prise [TECHN.] ; figement [rare] ; didact. : figeage, gélatinisation, gélation, gélification. – Point de solidification. – Didact. : coagulabilité, hypercoagulabilité, hypocoagulabilité. – Eutexie [CHIM.].

5 **Gélifiant** *(un gélifiant)* ; fécule, pectine.

6 **Raffermissement,** affermissement ; **consolidation 791,** renforcement ; TECHN. : renforçage, renformis, renfort.

7 **Solide** *(un solide)* **338.**

8 **Caillot** ; coagulum ; grumeau **345** ; caillebotte ; concrétion ; agglomérat, agrégat **352.**

V. 9 **Solidifier** ; rigidifier ; congeler ; **épaissir,** lier ; engrumeler [rare] ; didact. : gélatiniser, gélifier ; conglutiner [MÉD.].

10 **Raffermir** ; affermir ; **consolider,** fortifier, renforcer ; renformir [TECHN.] ; armer, bétonner, cimenter, sceller ; jumeler [TECHN.] ; stabiliser **282.**

11 **Durcir,** prendre, prendre corps ; se cristalliser, se figer, geler ; se caillebotter, se cailler, se grumeler ; **coaguler** ; indurer [MÉD.] ; se concréter [litt.] ; se concrétionner [rare].

12 **Résister 715,** tenir, tenir bon, tenir contre vents et marées.

Adj. 13 **Solide** ; solidien (opposé à gazeux et à liquidien) [didact.] ; ferme, stable ; **résistant** ; consistant, fort, robuste **864** ; costaud [fam.] ; bâti à chaux et à sable [vieilli] ; dur, dur comme du bois ; épais ; didact. : cohérent, cohésif.

14 Inaltérable, **indestructible,** inébranlable ; incassable, indéchirable, insécable, inusable ; litt. : inentamable, infrangible.

Adv. 15 **Solidement** ; fermement. – Indestructiblement, inébranlablement [litt.] ; stablement [rare] ; en dur *(bâtir en dur).*

Aff. 16 Stéréo-.

779 SOLITUDE

N. 1 **Solitude** ; isolement, isolation [vx] ; retraite **701** ; réclusion ; claustration [litt.].

2 Abandon, délaissement, déréliction [litt.] ; isolisme [didact. et vx].

3 Célibat **93.** – Exil ; quarantaine. – Traversée du désert [fam.] **197.**

4 Solitarisme [PSYCHIATRIE]. – **Insociabilité 420.**

5 Solitude [vieilli] ; ermitage, recès ou recez [vx ou litt.] ; thébaïde ; désert. – Retranchement, tanière, tour d'ivoire ; fig. : bulle, cocon. – Isoloir.

6 **Isolationnisme** [POLIT.]. – Splendide isolement [allus. hist.].

7 Solipsisme [PHILOS.] ; solipsiste *(un solipsiste).*

8 **Solitaire** *(un solitaire)* ; reclus. – Anachorète, ermite **525.**

9 Isolationniste.

10 Isolat.

11 **Soliste.**

V. 12 **Isoler,** reclure ; cloîtrer.

13 **Abandonner,** esseuler [rare].

14 **S'isoler** ; se retirer. – S'enfermer ; se cantonner, se claquemurer, se claustrer, se cloîtrer, se confiner ; s'enterrer [fam.]. – Prendre ses distances ; rester à l'écart, rester dans l'ombre. – Faire le vide autour de soi. – **Faire une retraite.** – Renoncer au monde.

15 Rentrer dans sa coquille. – Rester dans son coin (ou : sa tanière, sa tour d'ivoire), vivre dans sa bulle **401.** – Faire cavalier seul ; faire solo.

Adj. 16 **Seul** ; esseulé. – Abandonné, délaissé ; abandonnique [PSYCHOL.].

17 **Solitaire.** – Isolé, cloîtré, reclus [litt.].

18 Écarté, perdu, reculé ; retiré. – Désert **197,** infréquenté.

Adv. 19 En solitaire, **seul.** – Solitairement. – Isolément.

20 Hors du monde.

780 SOMMEIL

N. 1 **Sommeil** ; repos **706,** nuit, somme *(un somme)* ; dodo [enfant.]. – Sommeillement [litt.], somnescence [rare].

2 **Sommeil** ; sommeil léger, sommeil lourd ou de plomb, sommeil réparateur. – Demi-sommeil, premier sommeil ; sommeil lent ; sommeil rapide ou paradoxal.

3 **Hibernation,** sommeil hiémal ; dormance.

4 Sommeil artificiel ; anesthésie **114** ; hypnose **397,** hypnotisme, magnétisme [anc.], mesmérisme, narcose, sommeil hypnotique. – Sommeil pathologique ; hypersomnie, léthargie, narcolepsie ; maladie du sommeil **482.** – **Torpeur.**

5 **Assoupissement,** endormement [vx], endormissement, ensommeillement, somnolence ; perte de conscience. – Hypnagogisme.

6 Méridienne [litt.], sieste ; dormette [fam.] ; très fam. : ronflette, roupillon ; schlof ou schloff [arg.].

7 **Rêve 394,** songe ; cauchemar. – Onirisme.

8 Somnambulisme ; somniloquie.

9 **Somnifère** ; anesthésiant, anesthésique, barbiturique, calmant, dormitif [vx], hypnotique,

narcotique, somnigène, soporatif [vx], soporifique, tranquillisant.

10 Berceuse.

11 **Lit 519** ; dormeuse [vx], hamac, litière, natte, paillasse ; berceau, dodo [enfant.]. – **Chambre** ou **chambre à coucher** ; dortoir ; dormoir [anc.].

12 **Dormeur** ; ronfleur, roupilleur [pop.] ; fam. : couche-tôt, lève-tard ; fig. : loir, marmotte.

13 Somnambule ; noctambule [anc.].

14 **Endormeur** ; anesthésiste **114.** – Hypnotiseur, magnétiseur.

V. 15 **Avoir sommeil** ; dormir debout, être envahi ou gagné par le sommeil, piquer du nez [fam.] ; tomber de sommeil, ne pas tenir debout. – Bâiller ; avoir les yeux qui se ferment, papilloter. – Le marchand de sable est passé [fam.].

16 **S'endormir** ; s'assoupir, s'ensommeiller ; s'abandonner au sommeil, glisser dans le sommeil, tomber dans les bras de l'orfèvre [arg.] ; s'écrouler [fam.].

17 **Dormir** ; reposer [litt.] ; faire dodo [enfant.]. – Être dans les bras de Morphée [litt., souv. par plais.] ; pop. : en écraser, pioncer, roupiller ; très fam. : faire schlof, ou schloff, schloffer [rare]. – Dormir comme un loir (ou : une marmotte, une souche), dormir à poings fermés, dormir du sommeil du juste, dormir tout son soûl. – Dormir d'un trait, ne faire qu'un somme. – Faire le tour du cadran [fam.].

18 **Somnoler** ; sommeiller. – Faire la sieste, faire un (petit) somme. – Pop. : faire ou piquer une ronflette, piquer un roupillon. – Faire la grasse matinée.

19 Ronfler ; ronfler comme une toupie, comme une toupie d'Allemagne [vx].

20 Rêver ; cauchemarder [fam.].

21 Se coucher ; aller se coucher, aller au dodo [enfant.], aller au lit ; nuiter [litt.]. – Se glisser dans les draps ; fam. : se pieuter, se plumarder ; très fam. : mettre la viande dans les bâches (ou : les bannes, les toiles, le ou les torchon(s), etc.), se bâcher, se mettre au paddock (ou : au page, au pageot, au pieu, au plumard, au plume), se pageoter, se pager, se pagnoter, se plumer.

22 S'aliter **482.**

23 **Endormir** ; bercer ; apaiser, assoupir, calmer, ensommeiller. – **Anesthésier 114** ; chloroformer, éthériser [anc.] ; hypnotiser, magnétiser.

Adj. 24 **Endormi** ; assoupi, dormant, engourdi de sommeil, plongé dans le sommeil ; ensommeillé, sommeilleux, somnolent.

25 **Endormant** ; apaisant, assoupissant, berçant, calmant, dormitif. – **Somnifère** ; barbiturique, hypnotique, narcotique, sédatif, soporifique, soporatif [vx] ; torpide [litt.]. – Hypnique, morphéique ; hypnagogique, hypnoïde, hypnopompique.

26 Onirique ; cauchemardesque.

27 Somnambule ; somnambulesque, somnambulique.

Adv. 28 Profondément endormi ; en plein sommeil.

29 En dormant. – En rêve ou songe.

Aff. 30 Hypn-, hypno-, somn-, somni- ; narco-.

31 -somnie.

781 SON

N. 1 **Son** ; bruit **83.** – Sonorité, timbre. – Cri **168.** – **Musique 543.**

2 SC. – **Onde sonore** ; fréquence sonore, vibration sonore [PHYS.]. – Son complexe, son fondamental ; son pur, son simple [PHYS.]. – **Son subjectif** ; son aural, son intra-aural. – Sons aigus, sons graves, sons du médium. – **Harmonique** *(un* ou *une harmonique)* [MUS.] ; son entretenu ou musical, son hululé. – **Infrason,** ultrason.

3 **Dissonance** ; discordance **224** ; cacophonie. – Canard, couac *(un couac)* ; fausse note. – **Sifflement 764.** – Effet Larsen ou larsen.

4 **Résonance,** réverbération sonore. – **Écho.**

5 **Euphonie.** – **Consonance,** consonance parfaite (opposé à consonance imparfaite) ; consonance mixte ; accord [MUS.].

6 **Voix** ; tessiture **106,** timbre, ton. – Diapason, registre *(registre aigu, haut, moyen, grave).* – Son de la voix ; son articulé. – **Chant.** – **Cri,** son inarticulé.

7 Voix de basse, de stentor ; voix de rogomme ; voix de crécelle, voix de fausset ; voix de gorge, voix de nez, voix de tête, etc.

8 LING. – **Phonème 535.** – **Consonne 459** ; dentale *(une dentale),* palatale *(une palatale),* vélaire *(une vélaire)* ; liquide *(une liquide)* ; consonne mouillée ; alvéolaire *(une alvéolaire),* postalvéolaire *(une postalvéolaire)* ; bilabiale *(une bilabiale),* labiale *(une labiale),* labiodentale *(une labiodentale)* ; occlusive *(une occlusive),* constrictive *(une constrictive),* composée *(une composée)* ; nasale *(une nasale),* latérale *(une latérale),* médiane *(une médiane)* ; chuintante *(une chuintante),* explosive *(une explosive),* fricative *(une*

fricative), sifflante *(une sifflante)*, spirante *(une spirante)*, vibrante *(une vibrante)* ; click [PHON.]. – **Voyelle** ; voyelle antérieure ou palatale, postérieure *(une postérieure)* ou vélaire, labiale *(une labiale)* ou arrondie *(une arrondie)*. – Voyelle ouverte (opposé à voyelle fermée). – Voyelle accentuée, voyelle non-accentuée ou atone. – Voyelle brève, voyelle longue. – **Diphtongue,** triphtongue. – Semi-consonne, yod *(un yod)*. – Semi-voyelle. – Phonogramme [PHON.].

9 **Intensité sonore** ; audibilité **55** ; sonie [SC.]. – Amplitude sonore ; niveau, **volume sonore.** – Relief sonore ; quadriphonie, stéréophonie (opposé à monophonie) [TECHN.]. – Modulation. – Crescendo *(un crescendo,* opposé à *decrescendo)*.

10 **Source sonore.** – Signal sonore ; bouée sonore [TECHN.]. – **Bip** *(un bip)*, bip-bip *(un bip-bip)*.

11 **Mur du son** ; barrière sonique, mur sonique. – **Bang** *(un bang)*.

12 PHYS. – Bel, **décibel** (symb. dB) ; phone *(un phone)*, sone *(un sone, une sone)* ; **hertz** (symb. Hz).

13 **Magnétophone** ; baladeur, lecteur de cassettes, magnétocassette ; Walkman [nom déposé, anglic.]. – **Sonagraphe** ou sonographe [didact.].

14 **Amplificateur,** ampli [fam.] ; booster [anglic.] ; **sonorisation,** sono *(la sono)* [fam.]. – **Enceinte acoustique,** balance ; baffle, **haut-parleur.** – Haut-parleur de graves ; boomer, woofer [anglic.]. – Haut-parleur d'aigus ; tweeter [anglic.]. – Mégaphone, porte-voix. – **Microphone** ; micro, micro canon, micro directionnel [TECHN.] ; micro-cravate.

15 **Hifi** *(la hifi)*. – Chaîne haute-fidélité, chaîne, disque compact ou compact *(un compact)*, minichaîne ; électrophone, mange-disque, pick-up, tourne-disque ; phonographe [vx]. – **Radio,** tuner [anglic.] ; radiophonie [vx] **681.** – Diapason. – Sonar, radar [TECHN.].

16 Échomètre, sonomètre [PHYS.]. – Sirène [PHYS.].

17 Sonométrie ; phonométrie.

18 **Acoustique** *(l'acoustique)* ; électroacoustique *(l'électroacoustique)*. – Phonétique *(la phonétique)* ; orthoépie [didact.]. – Orthophonie.

19 **Archives sonores** ; phonothèque, sonothèque ; cassettothèque, discothèque.

20 **Enregistrement 273** ; phonocontrôle [TECHN.], reproduction sonore. – Prise de son. – Phonogénie.

21 **Bande sonore,** piste sonore. – **Bande magnétique** [TECHN.], cassette. – **Disque** ; audiodisque, disque noir, disque compact ; microsillon [vx].

22 Sonagramme ou sonogramme [didact.].

23 **Ingénieur du son,** preneur de son ; sonoriste *(un sonoriste)* [TECHN.]. – Phonéticien [LING.]. – **Orthophoniste,** phoniatre ; phonologue. – Audiophile.

V. 24 **Sonner** ; sonnailler [rare] ; tinter ; biper. – Bruisser [rare], bruire. – Retentir, résonner.

25 **Émettre,** produire, rendre un son ; nasaliser [PHON.]. – Enrouer. – **Sonoriser** ; bruiter [TECHN.] **83.**

26 **Parler 595** ; articuler, prononcer. – **Moduler.** – Phonétiser [LING.].

Adj. 27 **Acoustique 55,** sonore. – Audible, perceptible.

28 **Phonique** [didact.] ; monophonique ; monaural. – Quadriphonique, stéréophonique. – **Sonique** ; supersonique, subsonique ; infrasonique. – **Phonométrique,** sonométrique [TECHN.].

29 **Phonétique** ; phonématique, phonémique [LING.]. – Phonologique. – **Euphonique** (opposé à cacophonique) ; harmonique [MUS.].

30 Qualifiant le son. – Eurythmique, mélodieux. – Argentin, clair, cristallin. – Cuivré, délié, flûté. – Perçant, sifflant, strident. – Mat, plein, sourd ; assourdi, dévoisé. – Caverneux, creux. – Tonitruant. – Inaudible, mourant. – Détonant, discordant, etc.

31 Qualifiant la voix. – Grave, profonde **106.** – Aiguë, criarde, perçante, pointue, stridente ; nasillarde. – Cassée, éraillée, rauque, sourde, voilée ; rémisse [vx]. – Blanche.

Adv. 32 **Sonorement** [rare]. – À mi-voix, en sourdine. – Phonétiquement. – Euphoniquement.

Aff. 33 **Audio-** ; son-, sono- ; **phon-,** phono-.

34 -phone, -phonie.

782 SON GRAVE

N. 1 **Son grave** ; note grave, ton grave [MUS.]. – Registre grave.

2 **Voix grave 106** ; voix de basse, basse *(une basse)* ; basse noble *(une basse noble* ou *basse profonde)* ; basse-taille *(une basse-taille)* [vx] ; basse chantante *(une basse chantante)*. – Baryton, baryton-basse, baryton martin.

3 MUS. – **Grave** *(le grave,* opposé à *l'aigu).* – Gravité *(gravité de la voix)* [vx]. – **Basse***(une basse)* **422** ; basse fondamentale ; basse continue *(une basse continue)* ou continuo *(un continuo).*

V. 4 **Barytonner 106.** – Descendre.

Adj. 5 **Grave** ; barytonnant [rare], bas ; dévoisé. – **Caverneux,** profond ; sourd.

Adv. 6 Gravement [rare]. – **Bas.**

7 En sourdine ; à mi-voix.

Aff. 8 Bary-.

783 SORTIE

N. 1 **Sortie** ; émergence, émersion, éruption, explosion, jaillissement, jet, **surgissement.** – Échappement ; dégorgement, écoulement **468,** effusion, épanchement, extravasation ou extravasion ; débordement, déversement, résurgence [HYDROL.]. – Émanation **335, émission,** production ; effluence [rare], effluve, exhalaison **569.**

2 **Départ 189** ; échappade [litt.], escapade, évasion, fugue, fuite. – Exit *(l'exit d'un comédien)* **783.17,** sortie de scène ; fausse sortie. – Exil **582,** exode ; expatriation.

3 Sortie ; parution, **publication 469.**

4 Éjection **258,** projection. – Élimination, épuration, évacuation, expression [MÉD.], **extraction 301.** – Déjection, excrétion **296,** purge, vidange.

5 Élargissement [litt.], **libération 461,** mise en liberté.

6 Exportation **135.**

7 **Issue, sortie** ; issue de secours ; débouché, dégagement, ouverture, passage, porte **481,** porte de dégagement, porte de sortie ; voie de dégagement.

8 Droit de sortie ; permission de sortie ou, fam., perm ; exeat *(un exeat)* [vx ; lat., « qu'il sorte »]. – Bon de sortie [COMM.].

9 Conduit d'écoulement, déchargeoir, dégorgeoir, déversoir, éjecteur, évacuateur, purgeur, trop-plein, tuyau de décharge. – Effluveur, émanateur.

10 Excroissance **78,** saillie ; ARCHIT. : forjet ou forjeture, surplomb **204.** – Output [anglic.], produit de sortie [INFORM.] ; **résultat.** – Sorties (opposé à rentrées) [COMM.].

11 Sortant *(les entrants et les sortants).* – Émigré, exilé **288.**

12 Exportateur **135.** – Videur.

V. 13 **Sortir** ; déboucher, issir [vx ou litt.], ressortir.

14 Émaner, sourdre ; **se dégager,** s'exhaler. – S'écouler, se répandre, s'extravaser ; déborder, sortir de son lit.

15 Exploser, fuser, gicler, **jaillir,** rejaillir, ressurgir ou resurgir, saillir, **surgir** ; forjeter [ARCHIT.].

16 **Apparaître** ; affleurer, émerger. – Paraître, sortir **469.**

17 **Sortir** ; s'absenter, quitter un lieu. – Exit + n. de personne *(exit la marquise)* [indiquant la sortie d'un personnage dans le texte d'une pièce de théâtre, ou par plais.]. – S'en aller, **partir 189** ; déserter, s'échapper, s'évader ; émigrer, s'exiler, s'expatrier.

18 Être de sortie [fam.].

19 **Se sortir de** ; se libérer de, se tirer de [fam.]. – Se ménager ou se réserver une issue ; se ménager ou se réserver une porte de sortie.

20 Faire sortir ; débucher [VÉN.], débusquer, **déloger** ; forlancer [VÉN.] ; évacuer. – Chasser **292,** expulser ; fam. : fiche (ou : ficher, flanquer) à la porte, sortir, vider.

21 **Débarrasser de,** purger de ; vidanger. – Éjecter, projeter.

22 Dégager, **émettre,** exhaler, exsuder, produire. – Déverser ; dégorger, rejeter, répandre, verser.

23 Exprimer [litt.], **extraire,** ôter de, retirer de. – Déterrer, exhumer ; mettre au jour. – Éditer, publier.

Adj. 24 **Sorti de** ; issu de. – Effluent, résurgent. – HÉRALD. : issant, contre-issant. – **Extérieur 300,** extérieur à.

25 Éruptif, explosif.

26 Exportable. – Éjectable.

27 Exportateur **135.** – Évacuateur, excréteur **296.**

Adv. 28 Au-dehors ; **dehors,** en dehors ; à l'extérieur.

Prép. 29 Au sortir de [litt.] ; à la sortie de. – **Au bout de,** à l'extrémité de.

30 Au-dehors de, en dehors de, **à l'extérieur de,** hors de.

Int. 31 Dehors ! Par ici la sortie ! [fam.].

Aff. 32 Ex-, exo-.

784 SOTTISE

N. 1 **Sottise.** – Crétinisme, débilité, déficience, idiotisme, oligophrénie [didact.] ; arriération ou insuffisance mentale, déficit intellectuel, retard **724,** simplesse [litt.].

2 **Bêtise,** faiblesse ou lenteur d'esprit, **idiotie,** imbécillité, inintelligence, stupidité. – Balourdise, gaucherie **483** ; niaiserie, nigauderie, simplicité ; jobarderie, jobardise ; légèreté **394.** – Abêtissement ; abrutissement, hébétude, stupeur.

3 **Absurdité** *(une absurdité),* ânerie, crétinerie, fadaise, ineptie ; très fam. : connerie, couillonnade, couillonnerie. – **Bévue,** impair, maladresse ; fam. : bourde **283,** brioche, gaffe. – Bêtisier, sottisier.

4 Baliverne, billevesée [litt.], chanson [vx], faribole, propos en l'air ; calembredaine, **sornette,** platitude. – Balançoire [fam.], blague **504,** craque [fam.], fagot [vx].

5 Abruti, arriéré, attardé, débile mental, demeuré, **idiot,** simple ou pauvre d'esprit, taré ; fig. : primate, sous-développé ; oligophrène. – Bon ou propre à rien, incapable, minus, nullité ; fam. : emplâtre, ganache.

6 **Sot,** triple sot ; benêt, bêta, crétin, dadais, **imbécile,** nigaud ; péronnelle [fam.]. – Vx : dandin, niquedouille, nicaise. – Très fam. : con, conard ou connard, couillon.

7 Injures. – Animal, pécore ; **âne,** bourrique, bourriquet ; veau ; autruche, bécasse, buse, **corniaud,** dinde, dindon, grue, oie, serin ; huître [vx], moule. – Banane, citrouille, **cornichon,** gland, navet, noix, **patate,** poire, truffe ; croûte, croûton ; nouille, œuf ; **andouille,** saucisse. – Pantoufle, savate ; cloche, cruche, **gourde** ; bûche, manche.

V. 8 Abêtir, abrutir, **hébéter,** idiotifier, idiotiser [fam.]. – Aveugler **64,** brouiller l'esprit ; émousser, engourdir, ramollir **526.**

9 **Faire sotte figure** ; rester les bras ballants. – N'y comprendre goutte (ou, fam. : que couic, que dalle) ; ne rien bitter [arg.], nager [fam.].

10 Fam. – Avoir du fromage blanc à la place du cerveau ou sous la casquette, **en tenir une couche,** n'avoir pas de plomb dans la cervelle ; n'avoir pas inventé la poudre (aussi : l'eau tiède, le fil à couper le beurre), **n'être pas aidé.** – Être bouché, **être dur à la détente,** n'être pas une flèche ; raisonner comme un coffre (ou comme un tambour, comme une pantoufle).

11 En faire de belles, faire des siennes ; **faire l'idiot** (ou : le Jacques, le mariolle, le sot). – Bêtifier [fam.], gâtifier [vx]. – Bêtiser [rare] ; vx : conter des fagots, débagouler ; déconner [très fam.].

Adj. 12 **Bête** ; bête à manger du foin, bête comme ses pieds ; **idiot, imbécile,** inintelligent, sot, stupide ; nice [vx] ; très fam. : con, con comme un balai. – Fam. : abruti, ballot, bêta, bêtassou.

13 Borné, bouché. – Bonasse, crédule, jobelin [vx], **naïf,** neuneu [fam.], niais, niaiseux [canad.], nunuche [fam.], **simple,** simplet. – Balourd, gauche, lourd, maladroit **483,** pesant.

14 Fumeux, vaseux, vasouillard [fam.]. – **Abêtissant,** bêtifiant.

Adv. 15 Sottement ; **bêtement,** inintelligemment.

785 SOUCI

N. 1 **Souci** ; alarme [litt.], anxiété, tracas ; fam. : bile, cassement de tête ; agitation, nervosité **549,** tracassin [fam., vx]. – Malaise, tension, tourment. – Appréhension **619,** crainte, hésitation **438,** **incertitude,** perplexité.

2 Problème ; aria [litt.], bâton dans les roues, **difficulté 217,** ennui **272,** obstacle **567,** ombre au tableau, tintouin [fam.] ; contrariété, embarras. – **Désagrément,** insatisfaction **416,** – Idée fixe, obsession ; fixette [fam.]. – Soucis matériels.

3 Cure [vx], soin, **sollicitude.** – Hantise, obsession, préoccupation.

V. 4 **S'inquiéter,** se miner, se morfondre, **se tracasser** ; se faire du souci ou des soucis. – Fam. : **se faire du mauvais sang,** se faire un sang d'encre, se manger ou se ronger les sangs ; se biler, se faire de la bile, se faire de la mousse, se faire des cheveux, se faire des cheveux blancs, se faire du mouron, se frapper ; se mettre martel en tête. – **Être dans l'embarras** ; être rongé de souci.

5 Appréhender, craindre **619.** – Envisager le pire. – Fam. : être aux cent coups, être dans les transes.

6 **Se soucier de, s'inquiéter de,** s'en faire pour [fam.]. – Avoir cure de [vx] ; veiller à ; se mettre en peine de ou pour.

7 Alarmer, assombrir, **inquiéter, préoccuper,** soucier [vieilli], tarabuster [fam.], tourmenter, **tracasser,** travailler, troubler ; insécuriser ; donner à penser, tenir en souci [vx] ; mettre en peine. – Compliquer la vie ou l'existence, donner de la tablature [litt.], donner du fil à retordre, mettre des bâtons dans les roues.

8 Contrarier, **ennuyer 272,** importuner ; fam. : chiffonner, embêter.

Adj. 9 **Soucieux** ; **anxieux,** bileux [fam.], curieux [vx], **inquiet,** obsédé, ombrageux ; alarmiste, défaitiste.

10 Chiffonné [fam.], embarrassé, ennuyé **272,** tourmenté, **tracassé** ; angoissé, nerveux **549,** tendu. – Impatient **382** ; insatisfait **416.** – Hésitant **438,** incertain, **indécis,** perplexe.

11 Assombri, chagrin, **sombre** ; mal à l'aise ou mal à son aise. – Pensif, rêveur, songeur.

12 Soucieux ; attentif ; obsédé par, **préoccupé par.**

13 **Inquiétant,** préoccupant, troublant. – Affolant, alarmant ; angoissant, **grave,** menaçant ; sinistre, sombre. – Contrariant, souciant [fam.] ; fâcheux, malencontreux. – Anxiogène [PSYCHIATRIE].

14 Dérangeant, **importun,** incommodant, inopportun, intempestif, tracassier.

Adv. 15 **Soucieusement** [rare] ; anxieusement, inquiètement [rare].

786 SOULAGEMENT

N. 1 **Soulagement** ; apaisement, calme **89,** détente, réconfort, soulas [vx] ; euphorie. – Délivrance, **libération 461** ; catharsis [didact.], purgation. – Répit.

2 **Consolation,** rassérénement [rare], soulagement. – **Aide 19,** assistance, secours, soutien ; adoucissement, allégeance [litt. ou vx], **allègement 457,** atténuation. – Décharge [litt.] ; pardon **592.** – Aumône, charité. – Bons offices, **service** ; coup de main [fam.].

3 Antidote, palliatif, **remède 499** ; baume ; défouloir [fam.]. – Dédommagement ; fiche de consolation [vx], lot de consolation.

V. 4 **Soulager** ; apaiser, **calmer 89,** détendre, rasséréner [litt.] ; rassurer, tranquilliser. – **Consoler** ; sécher les larmes, soulager le cœur. – Réconforter, redonner confiance, remonter [fam.] ; mettre du baume au cœur. – **Guérir 353,** panser [fig., litt.], remédier à, verser de l'huile sur les plaies, verser du baume ; faire du bien.

5 **Adoucir 89,** assoupir, calmer, endormir, modérer. – Atténuer, diminuer.

6 **Aider 19,** assister, soutenir ; donner un coup de main [fam.], prêter main-forte, prêter secours, rendre service.

7 Alléger **457,** soulager. – Débarrasser, décharger, **délivrer,** libérer de **461.**

8 Pousser un soupir de soulagement ; respirer [fam.].

9 Se soulager, soulager son cœur ; épancher son cœur **145.**

Adj. 10 **Soulagé** ; consolé, rassuré, réconforté, tranquillisé. – Consolable.

11 **Consolant,** consolateur, consolatif [litt., rare], consolatoire [litt.]. – **Rassurant,** tranquillisant. – Apaisant, calmant **89,** lénifiant, lénitif [litt.]. – Réconfortant, revigorant **353.**

Int. 12 Ouf !

787 SOUMISSION

N. 1 **Soumission** ; asservissement, assujettissement, subordination, sujétion ; domesticité [litt.]. – Captivité [litt.] **208,** chaîne [fig.], enchaînement, lien ; submission [vx]. – Aliénation [PHILOS.] ; assuétude [litt.], dépendance.

2 **Esclavage 734,** hilotisme ou ilotisme [ANTIQ. GR.], servage, **servitude.** – HIST. : féodalité, **vassalité.** – FÉOD. : tenure **645,** mouvance.

3 Docilité, servilité **761** ; submissivité [didact.]. – Obéissance **564.**

4 Acceptation, admission, **consentement 149** ; résignation. – Abandon.

5 Soumissions [litt., vx] ; **respects** *(mes respects)* **717.**

6 Asservi *(un asservi)* [litt.], captif *(un captif),* **esclave.** – ANTIQ. GR. : hiérodule, hilote ou ilote.

7 **Négrerie** ou nègrerie [vx].

8 **Sujet** ; tributaires *(les tributaires)* [vx] ; gouvernés *(les gouvernés)* **694.** – FÉOD. : corvéable *(un corvéable),* feudataire, hommager *(un hommager),* homme lige ou homme-lige, homme de mainmorte (ou mainmortable, mainmortaillable), **serf,** tenancier, **vassal.** – Gens de mainmorte [FÉOD.].

9 Domestique *(un domestique),* **serviteur 481** ; gens de maison ; fam. et péj. : laquais, larbin. – Subalterne *(un subalterne),* subordonné *(un subordonné)* ; péj. : sous-fifre, sous-ordre. – Employé **266.**

10 Âme damnée de qqn, homme fait à la main de [vx] ; suivant *(un suivant)* [litt.] ; suiveur. – Péj. : chose ou créature de qqn, fantoche, jouet, mannequin, marionnette, pantin. – Péj. : béni-oui-oui [fam.], cire molle, girouette.

11 Capitulard *(un capitulard)* **180.**

V. 12 **Se soumettre** ; s'incliner ; s'écraser [fam.]. – **Courber la tête** ou l'échine **564,** fléchir ou ployer les genoux. – Baisser l'oreille, porter bas l'oreille ; adopter un profil bas.

13 Consentir **6,** obéir **564.** – Capituler, céder, céder de guerre lasse ; mettre les pouces. – Baisser pavillon, mettre pavillon bas. – Fam. : baisser son pantalon (ou : sa culotte, son froc), baisser la lance [vx].

14 Changer de chanson ou de note [vieilli] ; mettre un bémol, mettre une sourdine. – **Mettre de l'eau dans son vin 522,** en rabattre [fam.]. – Rentrer dans le rang. – Se départir de ses prétentions ; rendre des points. – Faiblir **303,** mollir.

15 **Passer sous le joug** [litt.], passer sous les fourches Caudines [allus. hist.] ; trouver son maître. – Tomber en esclavage.

16 Être comme un chien à l'attache, être sous le collier ou le joug, **vivre dans les chaînes.** – Subir le joug, traîner sa chaîne ou son lien. – **Faire corvée** [vx].

17 S'aliéner à, **s'asservir à,** s'assujettir à, s'inféoder à ; s'attacher au char de. – Baiser les pieds de qqn **761** ; se dévouer corps et âme à qqn [vx] **336,** accoler la botte ou la cuisse à qqn. – Se mettre la corde au cou **491.**

18 **Dépendre de,** relever de. – Être à la solde de qqn. – Être toujours pendu aux basques ou aux oreilles de qqn, ne rien voir que par les yeux de qqn.

19 **Se laisser faire,** se laisser manger ou tondre la laine sur le dos, se laisser mener par le bout du nez, se laisser mener par le nez comme un buffle [vx], se mettre à tout [vx].

Adj. 20 **Soumis** ; **docile 564,** souple, souple comme un gant ou plus souple qu'un gant. – Du bois dont on fait les flûtes ou, vx, les vielles ; de cire. – Servile **314.** – Inconditionnel.

21 **Asservi,** assujetti, esclavagé [litt.], inféodé ; sous tutelle **59.** – Domestiqué, **dominé,** dompté, maîtrisé, vaincu **180** ; conditionné.

22 Aliéné à, esclave de, prisonnier de, serf de, sujet à [vx]. – **Dépendant de,** tributaire de. – Subordonné ; second.

23 Aliénant ou aliénateur ; litt. : asservissant ou asservisseur, assujettissant, astreignant, **contraignant,** oppressant [vieilli].

24 Taillable et corvéable à merci [HIST. ou fig.] ; FÉOD. : mainmortable, mortaillable.

Adv. 25 En esclave. – Dépendamment [rare].

Prép. 26 **Sous la coupe de** (ou : la férule, la griffe, la houlette, le joug, la main, la puissance) de ; vx : sous la couleuvrine de ; sous le contrôle de, **sous l'emprise de.**

788 SOUS-ENTENDU

N. 1 **Sous-entendu,** sous-entente [vx] ; **allusion,** insinuation ; restriction mentale, réticence [litt.]. – Implicite *(un implicite, l'implicite)* ; latence ; contenu latent **152.2** ; présupposé. – Non-dit.

2 Possibilité **646,** potentialité, **virtualité.** – Compréhension **275,** contenu, substance, teneur ; immanence. – Structure profonde (opposé à structure de surface) [LING.]. – Effacement [LING.], ellipse.

3 LING. : **connotation** ; rhétorique connotative. – Sursignification, valeur additionnelle. – Trait connotatif ; niveaux de langue, affixes. – RHÉT. : litote, prétérition **313.**

4 **Implication 753.** – Déduction, induction ; syllogisme **729.** – Relation de présupposition [LING.].

5 **Présupposition 802** ; antériorité logique, prémisse ; hypothèse, supposition ; prénotion [PHILOS.].

6 MATH. : fonction implicite ; équation implicite. – RELIG. : foi implicite, foi populaire.

7 **Sens caché** ; allégorie, symbolisme. – Ésotérisme **751.**

8 Silence **766.**

9 Évocation, suggestion. – Indication, **indice,** signe. – Geste **765,** signal ; clin d'œil, regard de connivence ; **sourire entendu.** – Intonation, ton, voix ; c'est le ton qui fait la chanson [prov.].

V. 10 **Sous-entendre.** – Laisser deviner, laisser entendre, laisser supposer ; faire entendre, **insinuer** ; suggérer, souffler. – Faire allusion à.

11 **Présupposer,** supposer **802.**

12 **Impliquer** ; comporter, comprendre, contenir, enfermer, inclure, renfermer ; entraîner, nécessiter, signifier **753** ; informer.

13 Découler, résulter ; se déduire.

Adj. 14 **Sous-entendu.** – Non-dit, insinué, signifié.

15 Implicite ; contenu, potentiel, virtuel ; caché, enfoui, **latent,** sous-jacent **203,** subjacent [litt.] ; en sommeil. – Effacé, éludé.

16 Inexprimé, informulé, non-dit, non-exprimé, non-formulé, **tacite 766** ; évasif. – Allusif.

17 **Présupposé,** supposé ; déduit. – Impliqué.

18 Perlocutoire [LING.].

19 Inévitable, nécessaire.

Adv. 20 **Implicitement,** tacitement [sout.].

21 Allusivement, évasivement.

789 SOUS-ESTIMATION

N. 1 **Sous-estimation** ; erreur d'appréciation, rabaissement [litt.], sous-évaluation. – **Diminution 220,** réduction ; affaiblissement, atténuation ; insuffisance, lacune, manque **488.**

2 Dénigrement, dépréciation, **dévalorisation** ; décri, discrédit.

3 **Contempteur** *(un contempteur),* dénigreur, détracteur.

V. 4 **Sous-estimer,** sous-évaluer ; dépriser, méjuger [rare], mésestimer [rare], rabaisser [litt.] ; sous-noter [scol.] ; **diminuer 842,** réduire ; minimiser, ramener à ; affaiblir, atténuer. – Ne pas estimer à sa juste valeur, ne pas faire justice à. – Attacher peu d'importance à, ne pas faire grand cas de, tenir en piètre estime, tenir pour moins que rien ; ravaler au rang ou au niveau de.

5 Déprécier, **dévaloriser.** – Déconsidérer, décrier, dénigrer, discréditer **227.**

Adj. 6 **Sous-estimé** ; mésestimé, minimisé, sous-évalué. – Dénigré, déprécié, discrédité, méprisé **439.**

7 Dépréciatif.

790 SOUSTRACTION

N. 1 **Soustraction.** – Décompte, diminution **220** ; retrait, retranchement ; distraction [litt. ou DR.], prélèvement ; fig. : coupe claire, coupe sombre. – Compte à rebours. – **Déduction,** déduit [rare, litt.], défalcation, remise.

2 Différence ; **retenue.** – Exception. – Moins *(mettre un moins devant un chiffre),* signe moins.

3 **Prise,** vol **869.**

4 Déductibilité. – Réductibilité [didact.].

V. 5 **Soustraire** ; distraire [litt. ou DR.], enlever, ôter, prendre, **retirer, retrancher** ; **prélever.** – Poser une soustraction ; poser, retenir. – Excepter.

6 Rabattre, **réduire** ; diminuer **220.** – Décompter ; déduire de, **défalquer de.**

7 Dérober, **prendre,** voler **869.** – Confisquer, enlever.

8 S'échapper **783,** s'évader, **se soustraire à.**

Adj. 9 **Soustractif.**

10 **Déductible,** retirable [rare].

Adv. 11 **Moins.**

Prép. 12 **Moins** *(trois moins deux égale un)* ; **ôté de** *(deux ôté de trois).* – À l'exception de, sauf **295.**

Conj. 13 D'autant moins que.

791 SOUTIEN

N. 1 **Soutien** ; appui ou, vx, appuiement, soutènement ; consolidation **778,** renforcement ; TECHN. : renforçage, renfort ; TECHN. : **étayage** (ou : étaiement, étayement) ; enchevalement, étançonnement, étrésillonnement ; soutènement marchant ; tuteurage [HORTIC.] ; VITIC. : accolage, échalassage ou échalassement, paisselage ; MAR. : accorage, haubanage. – Adossement ; accoudement ; agrippement. – DR. : droit d'appui, servitude d'appui.

2 **Appui,** support ; point d'appui ; assise, **base,** fond *(fond de lit)* **203,** fondation, fondement, siège, socle, soubassement ; TECHN. : embasement, empattement, platée, plate-forme ; assiette, embase [TECHN.] ; pied, trépied ; pied-chariot [CIN.] ; piédestal, piédouche, socle ; pivot, pivoterie ; monture ; châsse [TECHN.] ; soutien [HÉRALD.]. – Chevalet ; lutrin **519.** – Portance [TECHN.].

3 TECHN. – **Étai** ; accotement, accotoir, étançon, étrésillon, épontille, étance, chèvre ; MAR. : accore, billot, épaulette, hauban, suspente, tin, trésillon.

4 ARCHIT. – Armature **795,** bâti, carcasse, ossature ; **charpente 505,** châssis, comble, ferme ; boisage, coffrage ; butée ou buttée, contre-boutant, contrefiche, contrefort, culée, renfort ; contremur ou contre-mur, épaulement ; portant *(un portant)* ; **arc-boutant,** arc de décharge ; cintre, **clef de voûte** ; colonne **432** ; atlante, caryatide, télamon ; abloc, pile, pilotis ; jambage, jambe de force, jambe sous-poutre ; console, corbeau, modillon ; tasseau, taquet ; madrier, poutre, poutrelle ; chevalement ; potence ; linteau, poitrail.

5 **Tuteur** ; échalas, paisseau, treillage, treillis.

6 Accoudoir ; accotoir ; balustrade, rampe, parapet ; appui de fenêtre, banquette [ARCHIT.].

7 Orthèse ; **bâton,** canne **75** ; CHIR. : attelle **114,** éclisse ; béquillon [TECHN., vx] ; appui crânien ; suspensoir.

8 Bretelles, corset **262, gaine,** sangle *(sangle abdominale),* **soutien-gorge** ou, vx, maintien-gorge ; soutiens [vieilli].

9 Atlas [MYTH.].

V. 10 **Soutenir** ; porter, supporter ; maintenir, tenir, retenir ; charpenter. – Faire support à.

11 Consolider ; adosser, **appuyer** ; accoter, baser ; ARCHIT. : arc-bouter, bouter, buter, contre-bouter ou contrebuter ; TECHN. : chevaler, étançonner, empatter, épauler, étançonner, **étayer,** étrésillonner ; MAR. : accorer, béquiller, haubaner ; armaturer [rare].

12 VITIC. : échalasser, paisseler ; HORTIC. : ramer, tuteurer.

13 S'accouder à ; **prendre appui sur** ; porter sur, reposer sur.

Adj. 14 De soutien *(tissus de soutien)* ; d'appui *(mur d'appui)* ; portant *(mur portant)* ; butant ou buttant [ARCHIT.].

15 Suspenseur **541** [ANAT.].

Adv. 16 À hauteur d'appui.

Aff. 17 Soutien- *(soutien-pieds)* ; appui-, appuie- *(appui-bras, appui-tête),* porte- *(porte-bagages),* repose- *(repose-tête),* sous- *(sous-poutre).*

792 SPORTS

N. 1 **Sport** *(le sport)* ; activité physique, exercice ; éducation physique, culture physique ; compétition. – Sport professionnel, sport amateur ; sport de loisir, sport de masse. – Handisport. – Sport de compétition, de haute compétition.

2 **Sport** *(un sport ; les sports)* ; sports d'équipe, sports individuels. – Sports d'hiver ; sports de glace. – Sports nautiques. – Sports équestres. – Sports de balle. – Sports de combat. – Sports mécaniques, sports motorisés ; sports aériens. – Sports olympiques.

3 **Athlétisme** ; course, course à pied ; concours (lancer ; saut). – Triathlon, heptathlon, décathlon ; pentathlon [anc.].

4 **Courses** ; **course de plat** ; course de vitesse (100 m, 200 m, 400 m), course de demi-fond (800 m, 1 500 m, mile[1 609 m]), course de fond (5 000 m, 10 000 m), **marathon** (42,195 km) ; courses de relais (4 x 100 m ; 4 x 400 m) ; **course d'obstacles** (100 m haies ; 110 m haies, 400 m haies, 3 000 m steeple) ; cross-country. – Footing, jogging, marche. – Foulée ; échappée, remontée ; emballage, sprint.

5 **Lancers** ; lancer du disque, du javelot, du poids, du marteau. – Jet, lancer ; moulinet, volte.

6 **Sauts** ; saut en hauteur, saut en longueur, triple saut ; tumbling ; saut à la perche. – Appel, élan ; planche d'appel ; pied d'appel ; ciseau ; rouleau ventral ; fosbury flop.

7 **Gymnastique.** – Exercices au sol. – Exercices aux agrès ; exercices masculins (anneaux, cheval-d'arçons, barres parallèles, barre fixe) ; exercices féminins (barres asymétriques, poutre) ; exercices mixtes (cheval de saut). – Gymnastique rythmique, sportive ; acrosport. – Aérobic, fitness, stretching. – Trampoline.

8 Chandelle ou poirier **282** ; roue, rondade ; lune, soleil. – Renversement, rétablissement ; culbute, roulade ou roulé-boulé ; salto ou saut périlleux. – Tractions (ou, fam., pompes).

9 **Haltérophilie.** – Épaulé-jeté, arraché ; développé [anc.]. – Dévissé, jeté. – **Culturisme** ; body-building [anglic.], gonflette [fam.] ; **musculation.**

10 **Sports de balle.** – Football ; rugby à quinze (ou rugby), rugby à treize (ou jeu à treize) ; football américain. – Basket-ball, handball, volley-ball ; beach-volley ; water-polo. – Baseball, softball ; cricket, crosse, hockey sur gazon, rink-hockey. – Polo. – Golf. – Tennis ; deck-tennis ; badminton ; half court ; squash ; racquet-ball ; tennis-ballon. – Tennis de table (ou, cour., et moins correct, ping-pong). – Pelote basque (ou pelote).

11 **Football** ou, fam., foot ; ballon rond *(le ballon rond)* opposé à ballon ovale (le rugby). – Coup d'envoi, engagement. – Shoot, tir ; boulet de canon [fam.] ; talonnade ; tête. – Dribble, feinte, passe ; tacle. – Fauchage, hors-jeu ; main. – Pénalité ; corner, coup franc, penalty ; tir au but. – Sortie, sortie en touche. – Plongeon.

12 **Rugby** ; ballon ovale *(le ballon ovale).* – Botte ou coup de botte ; coup de pied placé, coup de pied de renvoi, coup de pied de transformation, coup de pied de volée, drop ou drop-goal ; en-avant *(un en-avant)* ; changement de pied, feinte de passe. – Essai, ouverture, percée. – Placage. – Mêlée, mêlée fermée, mêlée ouverte ou maul, mêlée à cinq mètres ; mur. – Ligne de touche ; touche.

13 **Tennis.** – **Service,** service américain, service droit, service plat, service renversé. – Balle de jeu, balle de match ; ace, balle de service,

balle de set. – Coup droit, drive ; demi-volée, **passing-shot** ; reprise de volée, revers, **smash** (opposé à lob), slice ; volée basse, volée haute ; amorti, brossage ou lift (opposé à chop ou coupé). – **Tie-break** ou jeu décisif ; double, mixte, simple.

14 **Volley-ball.** – Collé, contre (ou : block, bloc), doublé, feuille morte. – Rotation. – Double-faute, let ou net.

15 **Sports de combat.** – **Arts martiaux** ; aïkido, eskrima, hsing-i, jiu-jitsu, **judo,** karaté, kendo, kung-fu, taekwondo, tai-chi-chuan ou tai-chi. – **Boxe** ; boxe anglaise ; boxe américaine ou full-contact ; boxe française, chausson, savate. – ANTIQ. : ceste, pancrace, pugilat. – **Lutte** ; lutte libre, lutte gréco-romaine ; lutte bretonne ou gouren. – Catch. – Sambo, sumo, wushu.

16 **Boxe anglaise.** – Combat ; corps à corps, clinch. – Reprise ou round. – Knock-out ou K.-O., knock-down ; break. – Allonge, garde, fausse garde ; contre *(un contre),* coup d'arrêt, riposte ; blocage ; chassé, esquive, parade ; coup bas, **crochet,** cross, direct, droit ou droite, jab, une-deux *(un une-deux),* uppercut, swing. – Victoire aux points ; victoire par K.-O.

17 **Escrime.** – Armes ; épée, fleuret, sabre. – Assaut, attaque en flèche, botte, touche ; coup droit, coup double, coup fourré ; coup de manchette, coup de revers, écharpe. – Garde ; garde haute, garde basse. – Salut d'armes. – Phrase d'armes ; ligne haute, ligne basse ; prime, seconde, tierce, quarte, quinte, sixte, septime, octave, supination. – Dégagement.

18 **Judo.** – Chute, clé, **prise** ; projection, strangulation. – Ceinture blanche, jaune, orange, verte, bleue, marron, noire ; dan, kyu.

19 **Tir.** – **Tir aux armes à feu** ; tir au pistolet, tir à la carabine ; ball-trap, skeet ou tir sur plateaux d'argile, tir à la fosse. – **Tir à l'arc** ; discipline olympique ou tir F. I. T. A. ; tir fédéral ; tir au beursault ou beursault ; tir en campagne ou field, tir sur cibles animalières ou tir chasse. – Kyudo. – Cible ; carte de tir, blason.

20 **Sports équestres** ; **équitation.** – Dressage, jumping, saut d'obstacles ; concours complet. – Airs de haute école ; airs relevés ou sauts d'école ; courbette, croupade ; airs bas ; appuyer *(l'appuyer),* piaffer *(le piaffer)* ; cabriole, demi-pirouette, demi-volte. – Polo. – Courses ; courses de plat ; courses de galop, courses de trot attelé, de trot monté ; courses d'obstacles. – Rodéo.

21 **Sports d'hiver.** – **Sports de neige** ; ski ; luge ; motoneige, motoneigisme. – **Sports de glace** ; patinage ; hockey sur glace, bandy. – Curling. – Bobsleigh ou bob. – Skeleton.

22 **Patinage.** – **Patinage artistique** ; figures imposées, programme court, patinage libre. – Axel, boucle *(un boucle),* boucle piqué, flip, salchow ; pirouette, saut, saut piqué. – **Patinage de vitesse,** short-track.

23 **Ski.** – **Ski alpin** ; combiné alpin, combiné nordique, **slalom,** slalom spécial, slalom géant, super-géant ou super-g ; **descente,** kilomètre lancé. – Ski acrobatique ; ski artistique ; free-style [anglic.] ; ski de ballet ; hot-dog [anglic.]. – **Ski nordique** ; ski de fond ; saut à ski ; biathlon.

24 Allègement, angulation, anticipation, avalement ; dégagement, op traken ; conversion, pivotement. – Dérapage latéral, dérapage oblique. – Position en œuf, schuss. – Braquage, contre-virage, stem ou stemm, stemmchristiania, virage amont (opposé à virage aval) ; christiania. – Godille. – Chasse-neige. – Traversée ; trace directe. – Pas alternatif, pas des patineurs, pas tournant, stakning, stawug ; télémark.

25 **Alpinisme** ; rare : andinisme, himalayisme, pyrénéisme. – **Ascension** ; escalade, varappe. – Cramponnage, coincement, prise, verrouillage ; cordée, encordement, rappel ; dépitonnage ; pitonnage. – Trek ou trekking. – **Spéléologie** ou, fam., spéléo. – Canyonisme ou canyoning [anglic.].

26 **Cyclisme.** – Courses cyclistes sur route ; course contre la montre. – Courses cyclistes sur piste ; vitesse, poursuite, demi-fond, tandem, course à l'américaine ; kilomètre lancé ; keirin. – Cyclo-cross. – Bicross, mountain bike, vélo tout-terrain (ou V. T. T.).

27 Sport automobile ; automobilisme ; formule 1, rallye. – Autocross, karting, stock-car. – **Motocyclisme** ; enduro, moto-cross, trial, vitesse ; motoball.

28 **Sports nautiques** ; aviron (ou, vieilli, rowing) ; canoë, kayak, canoë-kayak, canyonisme ou canyoning [anglic.]. – Rafting, tubing. – Voile ; yachting, navigation de plaisance ; régate ; planche à voile, funboard, kitesurf (abrév. kite). – Surf. – Ski nautique ; monoski ; barefoot. – Motonautisme.

29 **Aviron.** – Embarcations de tourisme, de compétition ; yole de mer ; outrigger. – Bateaux armés en pointe : skiff, double skull ou deux sans

barreur, quatre sans barreur. – Bateaux armés en couple : deux sans barreur, deux avec barreur, quatre sans barreur, quatre avec barreur, huit avec barreur.

30 **Voile** ; yachting, navigation de plaisance. – Régate ; parcours olympique ; course-croisière ou course au large. – Monotype ; série à restrictions ; jauge.

31 **Natation.** – Nage ; brasse ; brasse papillon ou papillon ; **crawl,** dos crawlé ; nage indienne. – **Plongeon** ; épreuves de tremplin ; épreuves de haut vol ; coup de pied à la lune, demi-vrille, saut de l'ange, saut de carpe, saut périlleux, tire-bouchon. – Canyonisme ou canyoning [anglic.].

32 **Parachutisme** ; vol relatif, voltige ; voile-contact ; biathlon. – Sky-surfing. – Ouverture commandée ; chute libre. – Parachute ascensionnel, parapente.

33 **Vol à voile** ; vol libre ; vol à moteur. – Aile libre, Deltaplane [nom déposé] ; U. L. M. (ultra-léger motorisé) ; planeur.

34 **Voltige aérienne** ; glissade sur l'aile, looping, piqué, renversement, ressource, retournement, tonneau, virage à la verticale, vrille.

35 Entraînement ; assouplissement, échauffement. – Surentraînement.

36 **Arbitrage** ; chronométrage. – Contrôle. – Pénalisation, pénalité ; disqualification. – Avertissement, arrêt de jeu ; carton jaune, carton rouge.

37 Égalisation, match nul. – Présélection, sélection ; **qualification.** – Performance, **record,** sans-faute *(un sans-faute).* – Contre-performance, élimination. – Grand chelem [rugby, tennis].

38 Épreuve, partie ; épreuve contre la montre, **match,** match amical ; rencontre, rencontre amicale. – Manche, set ; mi-temps, prolongations. – Challenge, **championnat,** concours, critérium, tournoi ; omnium [vx]. – Coupe du monde, internationaux. – Finale, demi-finale, quart de finale, huitième de finale. – Épreuve éliminatoire, épreuve qualificative ; prologue ; match de barrage ; tournoi de consolation. – Derby, grand prix, prix ; open.

39 Jeux Olympiques ou J. O., jeux Paralympiques, olympiade ; olympisme. – ANTIQ. : jeux Delphiques, jeux Pythiques, jeux Isthmiques, jeux Olympiques.

40 **Sportif** *(un sportif),* sportsman [vieilli] ; **joueur.** – Coéquipier, équipier ; remplaçant. – Compétiteur, concurrent ; quart de finaliste, demi-finaliste, finaliste ; barragiste.

41 Amateur ; professionnel. – Amateurisme ; professionnalisme.

42 **Catégories d'âge** ; poussin, benjamin, minime, cadet, junior, senior, vétéran.

43 **Gagnant,** vainqueur **861** ; challenger (opposé à tenant), **champion 800,** recordman. – Lanterne rouge [fam.], perdant **180.**

44 Attaquant, défenseur ; locomotive [fam.]. – Finisseur.

45 **Athlète.** – **Coureur** ; sprinter ; miler ; coureur de fond ou fondeur ; marathonien ; relayeur ; crossman. – Peloton ; peloton de tête. – Jogger ; marcheur. – Biathlète, triathlète, heptathlonien, décathlonien ; pentathlonienne [anc.]. – **Lanceur** ; discobole [ANTIQ.]. – **Sauteur** ; perchiste.

46 **Gymnaste** ; gymnasiarque [ANTIQ.]. – Trampoliniste.

47 **Haltérophile.** – **Culturiste** ; body-builder [anglic.].

48 Basketteur, handballeur, volleyeur. – Hockeyeur. – Poloïste. – Golfeur. – Pongiste. – Pelotari.

49 **Footballeur** ; avant-centre, avant, ailier, libero, milieu de terrain, arrière, gardien de but ou goal ; attaquant, défenseur ; buteur ou marqueur ; dribbleur, passeur, stoppeur, tireur. – Aile, défense, intérieur.

50 **Rugbyman** ; quinziste, treiziste. – Demi, **demi de mêlée,** demi d'ouverture, **pilier,** talonneur, trois-quarts ; pack ; botteur, verrouilleur.

51 **Tennisman** ; lifteur, renvoyeur, serveur, volleyeur. – Ramasseur de balles. – Cordeur.

52 **Judoka, karatéka** ; aïkidoka, kendoka. – Lutteur. – Catcheur. – Sumotori.

53 **Boxeur** ; pugiliste [vieilli]. – Poids mouche (48 kg à 50, 802 kg), coq (50, 803 kg à 53, 524 kg), plume (53, 525 kg à 57, 153 kg), super-plume (57, 154 kg à 58, 967 kg), léger (58, 968 kg à 61, 235 kg), super-léger (61, 236 kg à 63, 503 kg), welter (63, 504 kg à 66, 678 kg), super-welter (66, 679 kg à 69, 853 kg), moyen (69, 854 kg à 72, 575 kg), mi-lourd (72, 576 kg à 79, 379 kg), lourd-léger (79, 380 kg à 86 ,183 kg), lourd (plus de 86, 184 kg). – Challenger, tenant du titre. – Cogneur, puncheur (opposé à styliste). – Entraîneur, manager ; sparring-partner.

54 **Escrimeur** ; épéiste, fleurettiste, sabreur ; tireur. – Maître d'armes ; prévôt.

55 Tireur, archer.

56 **Cavalier,** écuyer. – Poloïste. – Jockey. – **Cheval de course** ; galopeur, trotteur ; bottom-weight (opposé à top-weight) ; favori, outsider.

57 Bobeur, curleur, hockeyeur, lugeur, **patineur.**

58 **Skieur** ; descendeur, slalomeur ; fondeur. – Ouvreur, pisteur. – Lugeur. – Motoneigiste. – **Patineur** ; hockeyeur ; curleur ; bobeur.

59 **Alpiniste** ; andiniste, himalayiste, pyrénéiste ; escaladeur, grimpeur, marcheur, varappeur ; dépitonneur, premier de cordée ; glaciériste, rochassier ; **guide,** sherpa. – **Spéléologue,** spéléiste. – Trekker.

60 **Pilote automobile,** pilote de course. – **Motocycliste,** enduriste, trialiste.

61 Coureur cycliste, **cycliste** ; descendeur, grimpeur, poursuiteur, rouleur, routier, sprinter, tandémiste ; cyclotouriste ; vétéciste, vététiste.

62 **Rameur,** sculler ; barreur. – Canoéiste, kayakiste ; canotier. – Plaisancier, yachtman ; équipier, barreur, navigateur ; chef de bord ou skipper. – Surfeur ; véliplanchiste ou planchiste.

63 **Nageur** ; brasseur, crawleur, dossiste, papillonneur. – Plongeur.

64 **Parachutiste,** parapentiste.

65 Association, **club,** fédération, ligue. – **Équipe,** formation, poule.

66 Capitaine ; entraîneur, coach [anglic.].

67 **Arbitre** ; juge d'arrivée, juge de touche, jury.

68 Première division, seconde division, division d'honneur. – Résultats, **score** ; classement, palmarès ; médaille d'or, médaille d'argent, médaille de bronze.

69 Amateur. – Aficionado, spectateur, **supporter** [anglic.] ou supporteur, tifosi *(les tifosi).*

70 Alpenstock [vx], bloqueur ou frein, canne, corde, crampon, étrier, marteau, mousqueton, **piolet,** piton.

71 **Balle, ballon,** palet ; batte, crosse, raquette.

72 **Agrès** ou appareil, anneaux, barres asymétriques, barres parallèles, barre fixe, cheval-d'arçons ou cheval-arçons, cheval de saut, **corde,** corde lisse, corde à nœuds, espalier, exerciseur, gueuse, porte-mains, portique, poutre, sandow, trapèze. – Trampoline, tremplin. – Barre à disques, **haltères.** – Home-trainer, vélo d'appartement. – Punching-ball.

73 Épée, fleuret, sabre. – Contre-pointe, dragonne, **lame,** mouche, pointe, pommeau ; plastron.

74 **Parachute.** – Planeur.

75 Motoneige ou motoski. – Patins à glace, **skis,** véloski ou ski-bob. – Canon à neige.

76 Planche à voile ; canoë, catamaran, **voilier 830.**

77 Amazone, bombe, culotte de cheval, jodhpurs ; étriers, fers, longe, mors, **selle.**

78 Aire, circuit, lice, **piste, stade,** terrain de sport ; champ de courses, hippodrome. – **Court,** gazon, quick, terre battue. – **Gymnase,** salle de sports ; cordes, ring ; salle d'armes ; piscine ; patinoire ; vélodrome. – Arène ou arènes ; ANTIQ. : palestre, xyste.

79 Filet ; panier ; **but,** cage ; barre transversale, montants, poteaux ; bois *(les bois)* [fam.]. – Lucarne. – Ligne de but, ligne de limite, ligne de milieu, ligne de touche, surface de but. – **Ligne d'arrivée,** ligne de départ ; starting-block. – Plongeoir, plot. – Podium.

80 Fair-play, sportivité. – Vista. – Sportmanie [vx, rare].

V. 81 S'échauffer, **s'entraîner,** se mettre en condition. – Concourir, disputer, **jouer,** participer ; rencontrer.

82 **Escalader,** gravir, grimper, varapper ; dépitonner, dévisser, s'encorder, pitonner.

83 **Courir,** relayer, sprinter. – Décramponner, distancer, doubler ; se détacher, **s'échapper,** emmener la course ; remonter. – Sauter.

84 **Attaquer,** contre-attaquer, défendre, passer à l'offensive.

85 Bétonner, bloquer, centrer, croiser la passe, dégager, dégager en touche, faucher, feinter la passe, **intercepter, marquer, passer,** ratisser, recentrer, réceptionner, remettre en jeu, **shooter,** tacler, talonner, tirer ; démarquer ; être à contre-pied. – Aplatir, botter, effondrer la mêlée, ouvrir, percer, plaquer, raffûter, talonner, transformer. – Amortir, brosser, choper, coiffer la balle, couper la balle, driver, lifter, lober, monter au filet, monter à la volée, mordre à la ligne, **servir,** slicer, **smasher,** volleyer. – Dribbler, lancer en chandelle, pivoter. – Contrer. – Renvoyer, stopper. – Crosser. – Buter.

86 **Boxer** ; baisser sa garde, encaisser, jeter l'éponge, knock-outer [fam.]. – Catcher. – Dégager, se fendre, parer, tirer, toucher. – Étrangler, immobiliser, projeter ; chuter.

87 **Monter** ; ambler, brider, cadencer, caracoler, enrêner, éperonner, galoper, piquer, pirouetter, volter.

88 **Skier** ; anguler, déraper, descendre, glisser, godiller.

89 **Pédaler** ; chasser, coller.

90 Surfer. – Ramer ; barrer ; canoter. – Nager.

91 **Gagner,** vaincre **861** ; avoir la gagne [fam.] ; contrôler, mener. – **Battre un record** ; se classer, se qualifier ; défendre son titre, mettre son titre en jeu ; coiffer qqn au poteau, éliminer. – **Perdre 180** ; abandonner, déclarer forfait. – Égaliser.

92 **Entraîner,** surentraîner.

93 Arbitrer. – Avertir, disqualifier, pénaliser.

Adj. 94 **Sportif** ; médico-sportif ; omnisports ; olympique, préolympique ; paralympique. – Antisportif.

95 Acrobatique, **athlétique,** footballistique, gymnique, spéléologique, tennistique ; équestre, hippique.

96 Physique (opposé à technique).

97 Indoor [anglic.].

Adv. 98 Sportivement ; acrobatiquement.

99 Au finish.

793 STIMULATION

N. 1 **Stimulation** ; **encouragement 268, excitation,** exhortation, **incitation,** invitation ; émulation.

2 **Stimulation** ; **activation,** intensification. – Dopage ou doping [anglic.].

3 **Stimulation** ; **excitation,** impulsion **391.** – Neurostimulation [MÉD.].

4 Excitabilité [PHYSIOL.].

5 **Stimulant** *(un stimulant)* ; **aiguillon,** éperon ; coup de fouet ; aides [ÉQUIT.]. – **Stimulus** *(des stimuli* ou *des stimulus),* stimulus signal.

6 **Stimulant** *(un stimulant)* ; cordial [vieilli], dopant, euphorisant, excitant, excitatif, **fortifiant 499,** réconfortant, reconstituant, remontant [fam.], **tonique** ; MÉD. : analeptique, psychoanaleptique, psychotonique, tonicardiaque ou cardiotonique. – Dope [arg.], drogue **825.**

7 **Stimulateur** *(un stimulateur),* stimulateur cardiaque ou pacemaker [anglic.].

8 PHYSIOL. : stimuline **340** ; biostimuline, gonadostimuline, mélanostimuline.

9 BOT. : stimule.

V. 10 **Stimuler** ; aiguillonner, **encourager,** éperonner, **exciter,** fouetter, réveiller ; émoustiller **199.** – Animer, échauffer, électriser, enflammer, enivrer, **exalter 276,** exciter, griser, galvaniser, surexciter, survolter [fam.].

11 **Stimuler** ; **fortifier, tonifier,** vivifier ; ragaillardir, **revigorer 353** ; fam. : ravigoter, regonfler, remonter, requinquer, retaper ; donner un coup de fouet, redonner des forces, remettre en forme. – **Doper.**

12 **Stimuler** ; **activer,** aviver, **exciter, intensifier** ; accélérer, **accroître, augmenter 56.7,** relever. – Affiler, affûter, aiguiser, attiser. – Faciliter.

13 **Stimuler** ; **exciter,** piquer, faire réagir. – Déclencher, éveiller, **provoquer 92.9** ; faire naître.

14 Mettre en appétit ; faire venir l'eau à la bouche.

Adj. 15 **Stimulant** ; **encourageant,** entraînant, **exaltant,** excitant ; piquant, excitateur.

16 **Stimulant,** stimulateur [litt.] ; excitatif [MÉD.], **excitant** ; dopant. – **Fortifiant,** tonifiant, vivifiant. – Stimugène [PHARM.].

17 BOT. : stimuleux.

Aff. 18 Excito-.

794 STRIDENCE

N. 1 **Stridence 781** ; acuité [didact., vx], strideur [litt., vx], stridulation [didact.] **570.** – **Grincement.** – Sifflement **764.**

2 MÉD. – **Stridulation** ; sifflement, stridor congénital ou stridor des nouveau-nés. – Respiration striduleuse. – Laryngite striduleuse.

3 **Hauteur d'un son 543.** – Oxyphonie [MUS.]. – **Voie de fausset.**

V. 4 **Strider** [litt., rare], striduler [rare]. – **Siffler.** – Arracher, casser, percer les oreilles ; crever le tympan [fam., fig.] **83.**

Adj. 5 **Strident** ; stridulant, stridulatoire [didact.] ; striduleux [MÉD.]. – **Grinçant** ; sifflant. – **Haut** ; aigre, **aigu,** suraigu. – Déchirant, **perçant.**

Adv. 6 **Haut** ; aigu *(parler aigu),* pointu *(parler pointu).*

Aff. 7 Oxy-.

795 STRUCTURE

N. 1 **Structure** ; configuration, conformation, figure, forme **323,** morphologie. – Agencement, arrangement, combinaison, **composition,** disposition, édifice [litt.], organisation **577** ; fig. : contexture, texture, tissure [vx]. – Appareil, **dispositif.**

2 Armature, **charpente** ; fig. : carcasse, ossature, squelette. – Architecture [fig.] ; didact. : architectonie, architectonique *(l'architectonique).*

3 **Schéma** ; arbre [didact.], arborescence, canevas [fig.], paradigme, réseau, schème ; planning, organigramme. – Dessin, ébauche, esquisse ; plan. – Structure logique [INFORM.].

4 Complexion, **constitution.** – Nature, type ; idiosyncrasie, personnalité **613,** thymie.

5 **Formation** ; étagement, chevauchement, enchaînement, enchevalement [TECHN.], enchevêtrement, engrenage, enlacement, entrecoupement, entrecroisement, entrelacement, entrelardement, entremêlement [vx], étagement, maillage ; enchevauchure, enchevêtrure, endenture. – Enfilade.

6 Entrelacs ; lacis, nœud ; filet, treillis. – Fig. : rhizome.

7 Loi, ordre. – Corps, ensemble, groupe, organisme, **système 807.**

8 Grammaire **346** ; syntaxe. – LING. : structure profonde, structure de surface.

9 **Infrastructure.** – Complexe, entreprise, établissement, institution. – Réseau *(réseau ferroviaire, hydrographique)* ; structure d'accueil, structure de production et d'échange.

10 PHILOS. : infrastructure ; superstructure.

11 Structuralisme [LING.]. – Structurologie [GÉOL.].

12 **Structuration** ; **construction,** échafaudage, **édification,** formation, montage ; planification.

V. 13 **Structurer** ; agencer, ajuster, aménager, architecturer, arranger **576,** articuler, classer, combiner, **composer,** construire, disposer, échafauder, édifier, élaborer, établir, ordonner, **organiser.**

14 Aligner, chaîner, enfiler. – Enchevaucher, entrecouper, entrecroiser, entrelacer, entremêler, entretoiser ; enclaver, larder, mailler, mélanger, mêler, natter.

15 S'agencer ; se chevaucher, se croiser, se recouvrir. – S'entremêler dans [fig.].

Adj. 16 Composé, **organisé,** structuré. – Fig. : charpenté ; ossaturé, vertébré.

17 Composant, structurant [didact.]. – **Constitutif.**

18 Structural, structurel. – Structuraliste [didact.]. – Infrastructurel.

19 Formalisable, structurable.

Adv. 20 Didact. : structuralement, structurellement. – Architectoniquement, architecturalement.

796 SUBSTANCE

N. 1 **Substance** ; consubstantialité **215,** substantialité ; corporéité. – Substrat, substratum ; monade. – Entité ; matière, nature, principe, réalité. – Corps **492.** – Substance (opposé à espèces) [THÉOL.].

2 **Essence,** essentialité ; quintessence. – Quiddité. – **Être 297,** chose en soi ; en-soi *(l'en-soi),* pour-soi *(le pour-soi).* – Fond, matière ; permanence.

3 Substantialisation, substantification. – Réification. – Transsubstantiation [THÉOL.] **23.4.**

4 Réalisme, substantialisme.

V. 5 Substantialiser, substantifier ; matérialiser **492.** – Essentialiser. – Réifier.

Adj. 6 **Substantiel,** substantialiste, substantif [PHILOS.], substantifique [litt.] ; consubstantiel. – Essential [PHILOS.], essentiel, nouménal ; infus, inné ; inhérent, intrinsèque ; permanent.

7 Corporel ; concret, matériel. – Naturel [cour.], réel.

Adv. 8 **Substantiellement** ; essentiellement, intrinsèquement. – **En substance.** – Corporellement. – Par soi.

797 SUBSTITUTION

N. 1 **Substitution** ; commutation [didact.], **échange,** interversion, intervertissement [rare], inversion **436,** permutation, **remplacement** ; échange standard. – DR. : subrogation, subrogation personnelle, subrogation réelle. – Changement **104,** transposition. – Tour de passe-passe. – Identification [PSYCHOL.] **376** ; transfert [PSYCHAN.].

2 Rotation **733,** roulement, **tour** ; turnover [anglic.] ; **tour de rôle** ; tour de + n. désignant une obligation à remplir *(tour de garde, tour de veille, etc.).* – Relais, relève. – **Intérim,** régence **694.**

3 Substitutivité [CHIM.]. – Substituabilité [LING.].

4 **Compensation,** contrepartie ; un prêté pour un rendu. – Ersatz, substituant *(un substituant)* [CHIM.], **succédané.** – Dérivé de substitution, produit de remplacement, produit de substitution. – Postiche, prothèse. – Substitué *(un substitué),* substitut. – Objet transitionnel [PSYCHAN.].

5 DR. : substitution d'enfant ou de part, substitution de fidéicommis, substitution vulgaire. – DR. : peine de substitution ou substitut à l'emprisonnement **208.** – Fiducie [FIN.]. – Substitution de numéro [HIST.].

6 Intérimaire, régent, **remplaçant,** substitut, suppléant, **successeur** ; dauphin. – Double *(un double),* doublure. – DR. : mandataire, **représentant,** subrogé ; subrogé tuteur. – Boîtier [HIST.], lieutenant [vx]. – **Bouc émissaire,** fusible [fam.], lampiste [fam.].

V. 7 **Substituer** ; commuer [didact.], **échanger,** intervertir, inverser, permuter, **remplacer** ; changer, transposer. – Subroger [DR.].

8 Relayer, relever ; **remplacer,** représenter, suppléer [litt.] ; faire fonction de, **se substituer à,** tenir lieu de ; succéder à. – Prendre la place de. – Renverser. – Usurper.

9 Entrer ou se mettre dans la peau de qqn, se mettre à la place de qqn. – Camper un personnage. – Doubler (un acteur).

10 **Alterner** ; se relayer, se remplacer. – Céder la place, passer la main. – Un clou chasse l'autre [loc. prov.].

11 Gagner au change. – Changer son cheval borgne pour un aveugle, lâcher la proie pour l'ombre ; perdre au change.

Adj. 12 **Substitutif** ; commutatif ; alternatif ; subrogatoire [DR.]. – Substituant. – Assimilateur.

13 Commutable, échangeable, permutable, **remplaçable,** substituable. – Équivalent **256.** – Remplacé, substitué.

Adv. 14 Par voie de substitution ; par procuration.

15 Alternativement, **à tour de rôle,** tour à tour ; chacun à son tour, ou, plus fam., chacun son tour ; successivement.

Prép. 16 **Au lieu de,** à la place de, en lieu et place de ; en remplacement de. – Pour. – À défaut de **488,** au défaut de [vx].

Aff. 17 Pro-, vice-.

798 SUCCÈS

N. 1 **Succès** ; réussite, victoire **861.** – Bonne ou heureuse tournure ; dénouement heureux, issue favorable ou heureuse. – Exploit, performance, prouesse, tour de force. – JEUX, SPORTS : chelem (ou : schelem, schlem), grand chelem ; triplé.

2 Bonheur, **fortune,** prospérité **670.**

3 **Succès** ; adhésion du public, emballement, engouement **276.** – Admiration, adoration, **adulation,** culte, idolâtrie. – Audience, **consécration,** cote, crédit, faveur.

4 **Succès** ; célébrité, gloire **341,** notoriété, **popularité,** prestige, renom, renommée, réputation, retentissement. – Apothéose, triomphe ; apogée de la gloire, top niveau (semi-anglic., pour rendre l'anglais *top level,* « plus haut niveau »).

5 **Acclamation** [souv. pl.], applaudissements, ban, bravo, félicitations, hourra, ovation, triomphe, vivat. – Honneur **366,** lauriers, trophée. – **Récompense** ; couronnement, décoration, prix. – CIN. : oscar ; césar, palme d'or.

6 **Succès** ; best-seller, gros tirage. – Fam. : hit, tube. – Box-office ; hit-parade, palmarès [recomm. off.].

7 **Succès amoureux** (ou : féminins, galants) ; conquête amoureuse ; bonne fortune [vieilli].

8 Triomphalisme.

9 Célébrité *(une célébrité),* gloire *(une gloire)* **341** ; grand homme, personnalité ; **révélation.** – Numéro un *(le numéro un de la pop music).* – **Étoile,** star, starlette, vedette.

10 Triomphaliste.

V. 11 **Réussir** ; accomplir **5,** réaliser ; mener à bien ou à bonne fin ; bien mener sa barque, réussir son coup. – Remporter un succès ; se qualifier. – Avoir du succès, obtenir un immense succès, remporter un vif succès, rencontrer le succès, se tailler un beau succès. – Devancer, primer, surpasser ; l'emporter sur **861.**

12 **Réussir** ; aboutir, marcher [fam.], se réaliser, succéder [vx], tourner bien ; faire florès [litt., vieilli]. – Prospérer **670.** – Fam. : aller ou marcher comme sur des roulettes, casser la baraque, faire un malheur ou un massacre, faire un tabac, partir (ou se vendre) comme des petits pains. – **Tenir l'affiche** [SPECT.]. – L'affaire est faite ; fam. : l'affaire est dans le sac, c'est du tout cuit, c'est dans la poche.

13 **Réussir à** ; être bénéfique à, succéder à [vx].

14 **Réussir** ; arriver, parvenir, triompher ; atteindre son but ou son objectif.

15 Avoir le vent en poupe, aller loin ; **aller** ou **voler de succès en succès,** se couvrir de gloire ou de lauriers ; **percer.**

16 Faire mouche, mettre dans le mille ; gagner le jackpot ou le gros lot, faire sauter la banque **446.**

17 Se faire un nom, se faire une place au soleil ; emporter ou gagner son bâton de maréchal ; arriver en haut de l'échelle, atteindre le top niveau [fam.] ; fam. : avoir ou tenir le pompon, décrocher la timbale.

18 **Plaire** ; avoir la cote [fam.]. – Être la coqueluche de, faire fureur ; avoir le monde à ses pieds, briller au firmament, être à son apogée ou à son zénith, être au sommet de la vague.

19 Applaudir, applaudir à tout rompre, **ovationner** ; porter aux nues, porter au pinacle ; porter en triomphe. – Starifier, stariser. – **Primer,** récompenser.

20 **Séduire** ; plaire ; briser les cœurs, faire tourner les têtes.

21 Exulter, **triompher** ; chanter victoire **861.**

22 Avoir la tête qui tourne, ne plus se sentir [fam.]. – S'enorgueillir de, se faire gloire de, se glorifier de.

Adj. 23 **Célèbre 341,** célébré, fêté, glorifié, lancé, loué, populaire, prééminent, reconnu, triomphant, triomphateur. – **À succès** *(auteur à succès),* en vogue ; couru.

24 **À succès** *(film à succès)* ; **culte** ou **-culte** [app.] *(film-culte, roman-culte).* – À la mode, en vogue.

Adv. 25 Victorieusement **861** ; **triomphalement.**

Int. 26 Un ban pour X !

799 SUCRERIE

N. 1 **Sucrerie** ; confiserie, douceur, friandise, gâterie ; bonbon.

2 **Sucre** (sucre de betterave, de canne, d'érable) ; sucre brut, sucre candi, sucre raffiné, sucre roux ; casson, cassonade, vergeoise. – Sucre cristallisé ou en poudre, sucre glace, sucre semoule. – Sirop de sucre ; clairce, vesou. – Mélasse ; bagasse, pulpe.

3 Stades de la cuisson du sucre : nappé, petit filet, grand filet ou lissé, petit perlé, grand perlé ou soufflé, petit boulé, grand boulé, petit cassé, grand cassé, **caramel clair, caramel foncé.** – Sucre coulé, sucre filé, sucre rocher, sucre tourné ou massé, sucre soufflé.

4 Canard, chien noyé.

5 **Bonbon** ; berlingot, pain de sucre ou, fam., enfant de chœur, papillote, pastille, **sucette** ; chewing-gum, gomme, guimauve, pâte d'amande, pâte à mâcher, pralin, réglisse, sucre d'orge, sucre de pomme [vx]. – Angélique, caramel, dragée, fruit déguisé, macaron, massepain, nougat, pâte de fruits. – Condit, confit, **confiture,** gelée, marmelade. – **Chocolat 330.7** ; chocolat blanc, chocolat au lait, chocolat noir.

6 **Crème** ; crème anglaise, crème au beurre, crème Chantilly, crème fouettée, crème pâtissière. – **Entremets** ; beignet, blanc-manger, bugne, charlotte, chouquette, clafoutis, compote, crêpe, far, flan, merveille, mont-blanc, œuf à la neige, omelette sucrée, oreillette, pain perdu, pet-de-nonne, plum-pudding, profiterole, riz au lait, sabayon, savarin, soufflé aux fruits, tiramisu. – Pâtisserie, viennoiserie ; biscotin, **biscuit 588,** brioche, brownie, cookie, fondant, frangipane, **gâteau,** tarte, tartelette ; allumette, baba, boudoir, bûche, chausson, chou, couque, feuillantine, financier, forêt-noire, jalousie, kouing-amann, madeleine, meringue, mille-feuille, moka, paris-brest, pain d'épice, pain de Gênes, pithiviers, polonais, religieuse, quatre-quarts, saint-honoré. – **Glace,** sorbet ; banana split, cassate, bombe, parfait, pêche Melba, tranche napolitaine, vacherin. – Gâteau sec, **petit-four** ; bouchée, calisson, conversation, croquet, friand, frison, langue-de-chat, luxembourgeois, mirliton, pain d'amande, palet, petit-beurre, rocher, sablé, soupir, tortillon.

7 Pâte à brioche, pâte brisée ou à foncer, pâte à choux, pâte à crêpes, pâte feuilletée, pâte à génoise, pâte sablée.

8 Saccharification. – **Cristallisation,** cuite. – Caramélisation.

9 Biscuiterie, confiserie, pâtisserie. – Chocolaterie. – Raffinerie ; sucraterie.

10 Confiseur, pâtissier ; biscuitier. – Chocolatier.

V. 11 Sacchariner, **sucrer** ; adoucir, édulcorer ; pincer [CUIS.]. – CUIS. : candir, glacer, napper ou masquer, saupoudrer ; abricoter, caraméliser, meringuer. – Chemiser [CUIS.].

12 Saccharifier.

13 Pâtisser.

Adj. 14 **Sucré** ; saccharin. – Caramélisé. – Doux, sirupeux.

15 Saccharifère, **sucrier.** – Sucrant.

16 Saccharifiable.

Aff. 17 **Saccharo-.**

800 SUPÉRIORITÉ

N. 1 **Supériorité** ; excellence, éminence, précellence. – Primauté ; prédominance, prééminence, prépondérance, préséance ; primat [sout.]. – Perfection, transcendance. – Suprématie.

2 Distinction, **majesté,** superbe. – **Puissance** ; ascendant, empire, influence **407.** – Autorité **59,** commandement, pouvoir ; domination **240.** – Prestige.

3 Atout ; plus *(un plus)* [fam.]. – **Prérogative,** priorité, primeur ; avantage, passe-droit, privilège.

4 **Nec plus ultra** ; fin du fin. – Fam. : nec *(le nec),* top *(le top).* – Top niveau. – Summum **427,** zénith.

5 **Élite** ; crème, fleur ou fine fleur, gotha ; fam. : dessus du panier, gratin. – **Aristocratie,** noblesse **552** ; haute société ou, pop., la haute ; jet-society ou jet-set [anglic.].

6 Les grands de ce monde, les grands de la Terre.

7 **Grand,** grand homme ; grand bonhomme [fam.]. – Oiseau rare ; perle, perle rare.

8 Champion ; fam. : as, bête *(une bête),* crack. – Caïd, chef ; reine, roi *(la reine* ou *le roi des, de...).* – Numéro un ; *number one* (anglic. fam., « numéro un ») ; le meilleur, le premier. – Fort en thème ; bête à concours, premier de la classe. – Arg. scol. : bottier, cacique. – Major.

9 Étoile, vedette. – Soliste ; *prima donna* (MUS., ital., « première dame »). – Danseur ou danseuse étoile ; *prima ballerina assoluta* [danse].

10 **Supérieur** *(un supérieur)* ; chef, gradé, maître, directeur, doyen, principal. – Commandant **133.** – **Sommité 384** ; magnat, ponte ; fam. : gros bonnet, huile, grosse légume.

11 GRAMM. : comparatif de supériorité ; majoratif, mélioratif, superlatif. – MATH. : majorant ; plus (noté +).

V. 12 **Primer** ; prédominer, prévaloir.

13 **Dominer** ; avoir la haute main sur, contrôler. – Être au-dessus de la mêlée ; être à cent pieds au-dessus ; dépasser qqn de cent coudées. – **Culminer 204,** tenir le haut du pavé, trôner. – Éclipser ; surplomber.

14 Avoir de la classe [fam.]. – Avoir de la branche [vieilli].

15 **Gagner,** triompher, vaincre ; battre, battre à plate couture. – Avoir l'avantage, avoir le dessus ; l'emporter. – Fam. : enfoncer ; en remontrer ; faire la pige à. – Devancer **211,** distancer **232,** doubler ; fam. : gratter, coiffer au poteau.

16 Briller, **exceller.** – Sublimer, transcender. – Surpasser ; battre des records. – **Se dépasser,** se surpasser ; s'élever.

17 Monter sur le podium ; monter sur le pavois. – Avoir les honneurs de la première page **341.**

18 Estimer, surestimer. – **Élever,** élever au rang de. – Mettre sur un piédestal, porter aux nues, porter au pinacle.

Adj. 19 **Supérieur** ; éminent ; souverain, **suprême,** suréminent ; transcendant. – Trois-étoiles *(restaurant trois-étoiles).* – Prime, **premier.** – Fondamental, majeur, prépondérant ; prédominant.

20 Beau, **grand,** noble, fin ; distingué, prestigieux ; auguste. – Insigne, renommé ; émérite. – **Inégalé** ; exceptionnel, hors ligne, hors pair, sans pareil. – Inégalable.

21 Fort, fortiche [fam.] ; puissant.

22 **Parfait** ; absolu ; accompli, consommé. – Perfectif [LING.].

23 Supérieur ; **suffisant.** – Fier, hautain ; condescendant, dédaigneux.

Adv. 24 **Supérieurement.** – Éminemment. – Excellement.

25 Bien, mieux ; davantage, **plus.** – Dessus ; en sus de.

Prép. 26 Au meilleur de. – En haut de, au-dessus de ; **sur.**

Aff. 27 Arch-, archi-, épi-, **extra-,** hyper-, super-, supra-, sur-, sus-, ultra- ; primo- ou primi-.

28 -archie, -arque.

801 SUPPLICE

N. 1 **Supplice** ; torture, tourment ; calvaire **243,** chemin de croix, crucifiement, martyre ; enfer ; vx : géhenne, gêne. – Supplice chinois.

2 Anc. – Écartèlement, écorchement, empalement, énervation, essorillement, tenaillement ; flagellation, fustigation ; question ; estrapade de mer, estrapade de terre ; supplice de la cale ;

supplice de l'eau ; supplice de la cangue ou cangue. – Crucifixion ; lapidation. – Autodafé, supplice du feu. – Supplices éternels [RELIG.]. – Coup de grâce [vx].

3 **Électrocution,** gégène [arg. mil.] ; fusillade ; gazage ; empoisonnement ; **décapitation,** décollation, guillotinage (ou : guillotinade, guillotinement [rare]) ; **pendaison** (ou, vx : branchage, penderie, suspension) ; lynchage ; étranglement ou strangulation ; décimation [ANTIQ. ROM.].

4 Chaise électrique ; échafaud, gibet, piquet ou poteau d'exécution, potence ; croix ; vx : bois de justice ou justice, fourches patibulaires ; pilori ; guillotine (ou, vx : louisette, louison), rasoir national [par plais.] ; arg. : abbaye de monte-à-regret, béquille (ou : béquillarde, béquilleuse) ; bûcher ; anc. : chevalet, pal, roue.

5 Corde ; hart [vx] ; anc. : cravate de chanvre. – Brodequins, carcan, collier, frontal *(un frontal).* – Cordon coulant ou, vx, cordon ; garrot ou garrotte, lacet. – Tenailles ; fouet **160.**

6 Billot, hache ; lunette, couperet. – Bâillon, poire d'angoisse.

7 Fer ardent ou fer chaud [DR. ANC.]. – Fer rouge ; ferrade. – Plomb fondu.

8 Massacre **534,** septembrisades [HIST.] ; déportation, **extermination** ; ethnocide, génocide **169.**

9 **Immolation** ; sacrifice ; égorgement **169.** – Martyre ; baptême du sang ; jeux du cirque.

10 **Cruauté 497,** sadisme ; inhumanité, sauvagerie ; barbarie **865** ; primitivisme ou primitivité [didact.].

11 RELIG. – Martyrologe, passionnaire. – Martyrologie.

12 Place de Grève ou Grève [HIST.]. – Gémonies [ANTIQ. ROM.].

13 Camp de concentration, camp d'extermination, camp de la mort.

14 **Bourreau 497** ; exécuteur ou maître des hautes œuvres ; exécuteur de la haute justice [vx] ; tortionnaire *(un tortionnaire)* ou, rare, tortureur **865** ; kapo [HIST.] ; bourreleur [rare] ; boucher, massacreur, septembriseur ou septembriste [HIST.] ; vx : charlot-casse-bras, questionnaire, tourmenteur.

15 Fusilleur ; guillotineur, décolleur [vx] ; pendeur [vx] ; lyncheur ; étrangleur **169,** flagellateur, fustigateur [litt.] ; lapidateur ou, rare, lapideur ; martyriseur [litt.] ; sacrificateur ; immolateur [vx]. – Peloton d'exécution.

16 **Supplicié** *(un supplicié)* ; patient *(un patient)* ; martyr ; victime ; hostie [vx] ; bestiaire [ANTIQ. ROM.]. – **Déporté** *(un déporté)* ; concentrationnaire *(un concentrationnaire).* – Martyrologiste [RELIG.].

17 MYTH. : Danaïdes, Sisyphe, Prométhée, Tantale **870.**

V. 18 Supplicier ; **torturer,** tourmenter ; mettre au supplice ; rare : bourreler, tortionner ; gêner [vx]. – Martyriser, persécuter, victimiser [anglic.] ; victimer [vx]. – Vx : géhenner, justicier.

19 Exposer *(exposer en place publique),* marquer au fer rouge, mettre au pilori ou, vx, pilorier, traîner sur la claie ; mettre au piquet [MIL., vx] ; mettre à la question ou, vx, questionner.

20 Flageller, fouetter **160** ; vx : fouailler, fustiger ; démembrer, écarteler, rouer [anc.] ; écorcher vif, empaler ; vx : essoriller, estrapader, tenailler.

21 Mettre à mort ; exterminer, massacrer, septembriser [HIST.] ; faire voler les têtes ; mettre à mort. – Sacrifier ; égorger **169,** immoler.

22 Électrocuter, gégèner [arg. mil.] ; gazer ; fusiller ; décapiter, guillotiner ; décoller [vx] ; raccourcir [fam.] ; béquiller [arg.] ; pendre ; brancher [vx] ; étrangler ou, sout., stranguler ; emmurer vivant ; empoisonner ; crucifier, lapider ; décimer [ANTIQ. ROM.].

23 Passer par les armes ; pendre haut et court ; faire danser la carmagnole [vx] ; disloquer les membres ; couper ou trancher la tête ; mettre la corde au cou, mettre la hart au col [vx] ; brûler vif ; livrer aux bêtes.

24 Éternuer dans le sac (ou : le son, la sciure, le panier) [arg., vx].

25 Être au supplice, porter sa croix **299** ; souffrir le martyre ; souffrir comme un martyr.

Adj. 26 Suppliciant ou, rare, suppliciateur, torturant ; martyrisant ; crucifiant.

27 Cruel, sadique ; inhumain ; barbare.

28 Martyrologique [RELIG.].

Adv. 29 Tortionnairement [rare].

802 SUPPOSITION

N. 1 **Supposition** ; conjecture, hypothèse. – Croyance, **opinion,** position. – Préjugé, présomption. – Anticipation, **prédiction,** préfiguration, pressentiment **434,** prévision ; annonce, prophétie. – Supputation ; pari.

2 **Présupposition** ; prémisse, présupposé *(un présupposé),* supposé [rare]. – LOG. : assomption, définition. – Axiome, postulat **658.**

3 Didact. : **hypothèse de travail,** hypothèse directrice, hypothèse heuristique. – DR. : présomption absolue ou irréfragable, présomption simple, présomption de fait ou de l'homme ; présomption d'origine [MIL.].

4 Abstraction, spéculation, **théorie.** – Éventualité, **possibilité 646,** probabilité, virtualité. – Prédictibilité ; imprédictibilité.

V. 5 **Supposer** ; présumer, présupposer ; conjecturer, inférer, supputer ; poser ; préfigurer. – Admettre ; partir du principe que.

6 Échafauder, imaginer **378** ; préjuger de, spéculer sur. – Bâtir ou échafauder des hypothèses, émettre une hypothèse. – En être réduit aux hypothèses ; se perdre en conjectures.

7 **Supposer** ; deviner, pressentir prévoir ; annoncer, prédire **235.** – Gager que, parier sur ; s'avancer, se hasarder ; oser croire. – Essayer, tenter **279.** – Douter, mettre en doute.

8 Loc. prov. – Avec des si, on mettrait Paris dans une bouteille.

Adj. 9 **Supposé** ; **censé,** présumé, prétendu ; soi-disant.

10 Conjectural, **hypothétique** ; putatif [litt.], théorique. – Casuel, douteux, **incertain.**

11 Suppositif [GRAMM.] ; hypothético-déductif.

12 **Supposable** ; présumable, probable ; admissible, vraisemblable. – Prédictible.

Adv. 13 Censément, conjecturalement, hypothétiquement, **théoriquement** ; par supposition. – Probablement, sur le papier, virtuellement.

803 SURDITÉ

N. 1 **Surdité 482** ; agnosie auditive [didact.], dureté d'oreille ; cophose [didact.].

2 **Surdité partielle** ; hypoacousie, subsurdité ; surdité progressive. – **Surdité congénitale** ou de naissance ; surdité complète ; surdi-mutité **766.** – **Surdité corticale** ou psychique ; surdité mélodique et tonale ou surdité musicale ; amusie, anesthésie auditive ; surdité verbale. – **Surdité traumatique** ou accidentelle ; surdité professionnelle. – **Surdité fonctionnelle** ; surdité centrale. – Surdité de transmission, surdité de perception ; **surdité mixte.** – **Surdité sénile** ; presbyacousie. – Surdité psychogénique ; fausse surdité.

3 **Prothèse auditive** ; audiophone, Sonotone [nom déposé] ; cornet acoustique [anc.], trompe [vx].

4 **Cophochirurgie** ; myringoplastie, tympanoplastie.

5 **Alphabet des sourds-muets.** – Langage des sourds-muets, langue des signes. – Chirologie.

6 **Otalgie** ; otite aiguë, otite chronique ; otorrhée. – Otospongiose, tympanosclérose [PATHOL.].

7 **Malentendant** *(un malentendant)* ; sourd *(un sourd)* **55,** sourd-muet *(un sourd-muet)* ; sourdingue *(un sourdingue)* [fam.].

8 Degrés de surdité. – Sourd total ou profond ; demi-sourd grave, demi-sourd léger, malentendant.

9 **Dialogue de sourds** [fig.]. – Il n'est pire sourd que celui qui ne veut pas entendre [prov.]. – Ce n'est pas tombé dans l'oreille d'un sourd [loc. fam.].

V. 10 **Avoir l'oreille dure** (ou : insensible, paresseuse) ; avoir les oreilles bouchées, avoir les portugaises ensablées [fam.]. – Perdre l'ouïe. – **Faire la sourde oreille 693,** faire le sourd [fig.]. – Se boucher les oreilles [fig.].

11 **Assourdir.** – Abasourdir.

Adj. 12 **Sourd** ; dur d'oreille, mal-entendant, sourdaud [vx, région.] ; dur de la feuille, sourd comme un pot [fam.], sourdingue [fam.]. – Sourd-muet ou sourd et muet.

13 **Assourdissant** ; abasourdissant.

Adv. 14 **Sourdement.** – En sourdine.

Aff. 15 Surdi- ; copho-.

804 SURESTIMATION

N. 1 **Surestimation** ; majoration, surcote, surévaluation. – Surfacturation. – Idéalisation, mythification, valorisation.

2 Emphase, hyperbole [RHÉT.] ; apologie, dithyrambe, panégyrique. – **Exagération, excès 294** ; abus **3,** démesure, outrance. – Mégalomanie, présomption **655.**

3 Exagérateur *(un exagérateur),* hâbleur.

V. 4 **Surestimer** ; majorer **56.8,** surévaluer, surfaire [litt.] ; idéaliser, magnifier, mythifier. – Agrandir, **amplifier** ; enfler, gonfler, grossir **351.** – Surfacturer. – Se faire des illusions, se monter la tête, se monter le bourrichon [fam.] ; avoir les yeux plus gros que le ventre [fam.].

5 Monter en épingle ; fam. : faire tout un cinéma, tout un fromage, toute une histoire, tout un plat de qqch ; faire d'une mouche un éléphant. – Se faire un monde, se faire une montagne de qqch.

6 Noircir le tableau **615,** pousser au noir.

7 **Exagérer 294,** forcer, outrer ; forcer le trait, forcer la dose [fam.], forcer la note [fam.].

Adj. 8 **Surestimé,** surévalué, surfait [litt.]. – Abusif, **démesuré,** disproportionné, immodéré, outré. – Énorme, exorbitant, extravagant ; **exagéré, excessif 294.** – Emphatique, hyperbolique [RHÉT.]. – Exagératif [vx].

9 Élogieux, laudateur ; exagérateur [vx], hâbleur.

10 Mégalomane, présomptueux.

Adv. 11 Exagérément, **trop** ; abusivement, outre mesure. – Emphatiquement.

805 SURPRISE

N. 1 **Surprise** ; **étonnement** ; abasourdissement, ahurissement, ébahissement, effarement, hébètement, saisissement, stupéfaction, stupeur ; confusion, consternation ; émerveillement, épatement [fam., rare], fascination ; perplexité **438.**

2 Bonne surprise, mauvaise surprise ; bombe [fig.], coup de théâtre, **évènement 290.1** ; jamais vu *(du jamais vu)*. – Boîte à surprise ; pochette-surprise.

3 Surprise stratégique [MIL.], surprise tactique [MIL.] ; razzia.

V. 4 **Surprendre** ; **étonner,** frapper, saisir ; déconcerter, décontenancer, dérouter. – Intriguer, piquer la curiosité de. – Éblouir, émerveiller, fasciner ; épater [fam.].

5 Abasourdir, ahurir, ébahir, éberluer, hébéter, interloquer, méduser, souffler, **stupéfier,** suffoquer ; confondre, consterner ; paralyser **403,** statufier [fig.]. – Fam. : asseoir, ébouriffer, époustoufler, estomaquer, renverser, **sidérer,** tourneboulег. – **Couper le souffle** ; fam. : couper la chique ou le sifflet, en boucher un coin ; en mettre plein la vue [fam.] **581.**

6 **S'étonner** ; s'ébaubir [litt.], s'émerveiller.

7 **Rester cloué sur place,** rester en arrêt (aussi : être, tomber), rester sur le cul [très fam.]. ; en rester ou en être comme deux ronds de flan [fam.], en rester bête ou tout bête ; se trouver bête. – Arrondir les yeux, écarquiller les yeux, ouvrir des yeux ronds **868.** – Perdre ses moyens ; avoir les bras qui en tombent. – Être sous le choc **115.25, ne pas en revenir** ; ne pas en croire ses oreilles ou ses yeux. – Tomber à la renverse [fig.], tomber sur le derrière [fam.] ; tomber de la lune, tomber des nues, tomber de (son) haut.

8 **Sursauter,** tressaillir ; sauter au plafond ou en l'air [fam.].

9 Faire le surpris [vieilli].

10 Surprendre ; **prendre au dépourvu** ou à l'improviste, prendre par surprise. – Faire une surprise à qqn. – Faire l'effet d'une bombe, **faire sensation,** faire un boum [fam.]. – Jaillir de sa boîte comme un diable, jaillir comme un diable.

11 Être pris de court, ne pas s'attendre à.

Adj. 12 **Surpris** ; **étonné,** frappé ; déconcerté, décontenancé, dérouté. – Abasourdi, ahuri, ébahi, éberlué, hébété, **stupéfait** ; coi [litt.] **766,** interdit, pantois, stupide [vx] ; consterné, effaré. – Fam. : baba, épaté, époustouflé, estomaqué, médusé, scié, **sidéré,** soufflé, suffoqué.

13 **Surprenant** ; **étonnant,** frappant ; confondant, déconcertant, déroutant ; ahurissant, effarant, époustouflant, renversant, sciant [fam.], **stupéfiant.** – **Imprévu,** inattendu, inopiné.

Adv. 14 **Par surprise** ; **à l'improviste,** impromptu ; sans crier gare, sans prévenir. – À brûle-pourpoint.

806 SUSPENSION

N. 1 **Suspension** ; accrochage, ; étendage (du linge). – Pendaison **801,** suspension [vx].

2 CHIM. – Suspension ; émulsion, solution **113** ; colloïde ; coacervat. – Crémage.

3 MÉCAN. : suspension **57** ; suspension à la cardan ou cardanliaison au sol ; ressort à lames.

4 Suspenseur *(un suspenseur)* [BOT.].

5 Câble, corde, étendoir, fil, liure, pendis [TECHN.], siccateur [AGRIC.]. – **Attache** ; anneau de suspension, bélière ; accroche [vx] ; clou, cran, croc, crochet, dent [TECHN.], esse [spécialt] ; portant *(un portant)* [TECHN.] ; **crémaillère,** crémaillon [rare] ; accroche-plats ou accroche-plat ; bouquetier, porte-bouquet ; porte-serviettes. – **Penderie 519,** tringle ; cintre ; patère, porte-chapeau, portemanteau ; malle-penderie. – TECHN. : porte-bride, porte-étriers, porte-

étrivière, porte-harnais ; porte-mousqueton [anc.]. – TECHN. : **allonge,** pendoir ; suspensoir [MAR.]. – Baudrier, ceinturon ; porte-clés, porte-manchon [vx]. – Point de suspension [MÉCAN.].

6 Accrocheuse *(une accrocheuse)* [rare]. – Harnais de sécurité. – Crampon [BOT.] ; byssus, sole pédieuse.

7 Stalactite (opposé à stalagmite).

8 Pendant *(un pendant)* **70, pendant d'oreille,** pendentif. – Pendouillis [fam.].

9 **Lustre 250,** suspension ; lustrerie [vx].

10 Balancelle, **balançoire,** brandilloire [vx].

11 Pendeur [TECHN.].

12 **Suspendre** ; pendre ; accrocher, attacher ; vx : appendre, crocher. – Étendre (du linge).

13 Pendiller, pendouiller [fam.] ; pendeloquer [rare]. – Se balancer **579.**

Adj. 14 **Suspendu** ; accroché, pendu.

15 **Suspenseur** *(muscle suspenseur),* suspensif.

16 CHIM. : colloïdal, suspensoïde.

Adv. 17 En suspension ; en l'air ; en hauteur **204.**

Aff. 18 Porte-, sus-.

807 SYSTÈME

N. 1 **Système** ; organisation, structure. – Appareil, appareillage, dispositif. – Assemblage, **combinaison,** composition, montage ; plan.

2 **Théorie,** thèse **802.** – Doctrine, dogme ; corps de doctrine. – Idéologie, **philosophie** ; école. – Système philosophique **620** ; système scientifique.

3 Système formel ; système hypothético-déductif **682.**

4 Système de forces **496.** – Système d'équations **493** ; système clos [PHYS.]. – Système métrique **509.** – LING. : système de la langue ; système phonologique, système syntaxique. – INFORM. : système informatique ; système expert, système d'exploitation.

5 Système économique **460,** système dirigiste **222** ; système politique **808,** système social ; système électoral. – Système d'éducation **253.** – Système monétaire **529.**

6 Système galactique **49,** système solaire **777.** – Système atomique **513** ; système nerveux ou, fam., système *(le système, taper sur le système)* **548,** système ou appareil respiratoire **718,** etc.

7 Gouvernement **694,** institutions ; POLIT. : pouvoir, régime ; absolt, système *(se faire récupérer par le système).*

8 Astuce, **combinaison** ; combine [fam.]. – Procédé, recette ; fam. : technique, **truc,** système D, système débrouille.

9 Axiomatique, **systématique,** taxinomie **126.** – Logique.

10 Systémique.

11 Axiomatisation [didact.], formalisation, globalisation ; construction [fig.]. – Mathématisation. – Classification.

12 Systématisme ; logicisme [didact.]. – Doctrinarisme, dogmatisme ; esprit de système.

13 Doctrinaire, systématiseur [rare]. – Systématicien [SC.], systémicien [TECHN.].

V. 14 Systématiser ; **généraliser.** – Axiomatiser, formaliser, théoriser, rationaliser. – Postuler.

15 Doctriner [rare], dogmatiser [rare] ; ériger en système, faire un système de ; se faire un système de.

Adj. 16 **Systématique** ; méthodique. – Méthodologique, systématisé ; formel. – Cohérent, homogène.

17 Hypothétique ; didact. : théorématique, thétique. – Déductif, discursif ; logique.

18 Formalisant, formalisateur, globalisant [didact.].

19 Doctrinal, dogmatique. – Doctrinaire. – Idéologique.

20 Antisystématique, asystématique.

Adv. 21 **Systématiquement.** – Automatiquement ; par principe, par système. – Doctrinairement, doctrinalement.

Aff. 22 Taxi-, taxo-.

23 -isme.

808 SYSTÈMES POLITIQUES

N. 1 **Système politique** ; **doctrine,** dogme, idéologie, théorie, thèse.

2 **Opinion politique** ; bord, couleur, tendance ; allégeance, appartenance. – Orthodoxie.

3 Apolitisme. – Non-alignement ou non-engagement.

4 Progressisme ; **gauche.** – Collectivisme **222.3, communisme,** égalitarisme ou socialisme égalitaire ; **socialisme,** socialisme scientifique, socialisme utopique ; postcommunisme.

– **Anarchisme** ou anarchie, anarcho-syndicalisme. – Anticapitalisme. – Internationalisme. – Altermondialisme.

5 Associationnisme, blanquisme, fouriérisme, guesdisme, radicalisme, **radical-socialisme,** saint-simonisme ; fabianisme, municipalisme, trade-unionisme, **travaillisme** ; austro-marxisme, spartakisme, spontanéisme. – Bolchevisme, léninisme, **marxisme-léninisme,** stalinisme ; castrisme, jdanovisme, sandinisme, titisme. – Eurocommunisme ; néocommunisme.

6 **Syndicalisme.** – Mutuellisme [HIST.].

7 Anticléricalisme, laïcisme ; républicanisme.

8 **Extrême gauche,** gauchisme, ultra-gauche ; conseillisme, révolutionnarisme ; babouvisme, maoïsme, trotskysme ou trotskisme.

9 Dérive ; dérive droitière ; déviationnisme, **dissidence,** révisionnisme ; fractionnisme, scission. – Courant *(un courant).*

10 **Centre** ; centre-droit, centre-gauche ; centrisme. – Démocratie sociale, social-démocratie.

11 Conservatisme ; **droite.** – Droitisme ; réaction *(la réaction).* – **Libéralisme 460,** ultralibéralisme ; élitisme ; anticommunisme, maccartisme ou maccarthysme. – Gaullisme ; démocratie chrétienne.

12 **Extrême droite,** nouvelle droite.

13 **Fascisme,** franquisme, hitlérisme, **nazisme** ou national-socialisme, néofascisme, néonazisme, pétainisme. – Négationnisme, révisionnisme. – Antiparlementarisme.

14 Corporatisme. – **Populisme ;** national-populisme. – Boulangisme ; poujadisme. – Justicialisme, péronisme ; agrarisme, ruralisme ; ouvriérisme.

15 **Nationalisme** ; campanilisme, régionalisme ; chauvinisme, **patriotisme.** – Souverainisme. – Eurocentrisme ou européocentrisme.

16 Autonomisme, **indépendantisme,** séparatisme ; irrédentisme ; anticolonialisme, anti-impérialisme.

17 Sionisme **449.**

18 Pangermanisme ; austroslavisme, panslavisme ; panarabisme, panislamisme **440,** pantouranisme ; panafricanisme ; panaméricanisme.

19 **Cosmopolitisme,** mondialisme ; supranationalisme. – Altermondialisme.

20 **Interventionnisme** ; tiers-mondisme. – Atlantisme.

21 **Isolationnisme,** neutralisme ; cartiérisme.

22 Aristocratisme, **monarchisme,** royalisme, ultraroyalisme.

23 **Extrémisme,** fanatisme, intégrisme, maximalisme, radicalité. – Doctrinalisme, doctrinarisme, **dogmatisme,** sectarisme ; fondamentalisme. – Modérantisme.

24 Activisme ; **militantisme.**

25 Activiste *(un activiste),* **militant** ; adhérent, membre, partisan, sympathisant. – Déviationniste, dissident. – Opposant.

26 **Communiste** ou, fam. et péj., coco ; bolchevik [HIST.], eurocommuniste, gauchiste, néocommuniste, postcommuniste, rouge *(un rouge)* [fam.]. – **Socialiste** ; égalitariste. – **Anarchiste** ou, fam., anar, anarcho-syndicaliste, libertaire ; situationniste ; révolutionnaire. – Écologiste ou, fam., écolo **251.**

27 Autonomiste, **indépendantiste,** séparatiste. – Nationaliste.

28 **Fasciste ;** néofasciste. – **Nazi** ou national-socialiste ; néonazi. – Franquiste.

29 **Monarchiste,** royaliste ; absolutiste ; ultra *(un ultra).*

V. 30 Politiser.

31 Militer ; avoir sa carte (d'un parti).

32 Généraliser, mondialiser, régionaliser.

Adj. 33 Militant. – Apolitique.

34 Progressiste. – Radical, radical-socialiste ou, fam., rad-soc ; **socialiste** ; blanquiste, fouriériste, guesdiste, saint-simonien. – Trade-unioniste, travailliste.

35 Marxien ; marxiste. – Bolchevique, **communiste,** léniniste, marxiste-léniniste, stalinien ; austro-marxiste, castriste, sandiniste, titiste ; prosoviétique ; spontanéiste ; anarchiste. – Postcommuniste. – Anticapitaliste, mutuelliste ; internationaliste. – Altermondialiste.

36 **Gauchiste** ; maoïste ou, fam., mao, prochinois ; trotskyste ou trotskiste. – Babouviste.

37 **Centriste** ; social-démocrate.

38 **Droitier** ou droitiste, réactionnaire ou, fam. et péj., réac ; démocrate-chrétien ; gaulliste. – Anticommuniste.

39 **Fasciste ;** néofasciste. – Hitlérien, **nazi** ou national-socialiste ; néonazi. – Pétainiste. – Franquiste.

40 **Populiste** ; corporatiste. – Antiparlementariste. – Justicialiste, péroniste ; agrarien, ruraliste ; ouvriériste.

41 **Nationaliste** ; régionaliste. – Souverainiste.

42 Autonomiste, **indépendantiste,** séparatiste ; irrédentiste ; anticolonialiste, anti-impérialiste ; indigéniste.

43 Sioniste.

44 Pangermaniste ; panarabiste, panislamiste, pantouraniste ; panafricaniste.

45 Mondialiste ; supranationaliste.

46 **Interventionniste** ; tiers-mondiste. – Atlantiste.

47 **Isolationniste,** neutraliste.

48 Doctrinal ; systématique.

49 Doctrinaire, **dogmatique,** sectaire. – Extrémiste, fanatique, intégriste, maximaliste, **radical.** – Modéré.

50 Local, mondial, régional.

Adv. 51 Politiquement.

52 Doctrinairement, doctrinalement. – Dogmatiquement ; radicalement.

53 Mondialement, régionalement **695.**

809 TÉLÉCOMMUNICATIONS

N. 1 **Télécommunications** ou télécoms ; **téléphone** (ou : phonie, téléphonie), téléphonie sans fil ou radiotéléphonie ; péritéléphonie ; GPRS, GSM ; audiovidéographie. – **Télégraphie,** télégraphie à bras, télégraphie Morse, télégraphie optique [anc.], télégraphie pneumatique [anc.] ; radiotélégraphie ; télétypie. – Citizen band (ou : C. B., bande de fréquences publiques, bande publique). – Radioguidage. – Radioélectricité.

2 **Téléphone** ; fam. : bigophone, grelot, tube. – Téléphone cellulaire, téléphone mains libres, téléphone mobile ou mobile, téléphone portable ou portable, téléphone sans fil, téléphone de voiture ; UMTS ; talkie-walkie ou, vx, walkie-talkie ; téléphone à pièces, téléphone à carte ; radiotéléphone. – Interphone.

3 **Internet,** toile *(la Toile),* Web ou WWW ; Intranet. – Webcam. – Fournisseur d'accès. – Blog, weblog [anglic.] ou blogue, courriel, messagerie électronique, e-mail [anglic.] ou Mél., Minitel [nom déposé] ; ADSL, WAP ; courrier électronique, paiement électronique, télémessagerie, télépaiement ; message multimédia ou MMS ; FTP. – Spam. – Annuaire électronique.

4 **Cabine téléphonique,** Publiphone [nom déposé], téléphone public ; Taxiphone [nom déposé]. – Cybercafé.

5 **Télégraphe** ; émetteur télégraphique ou, rare, transmetteur. – Appareil de Chappe, héliographe ; téléscripteur ou Télétype ; bélinographe, phototélégraphe.

6 **Poste téléphonique** ; cadran, combiné, commutateur, crochet commutateur ou support commutateur, écouteur ou récepteur, modulateur, radiorécepteur ; conjoncteur, prise murale. – Boîte vocale, composeur de numéros, détourneur d'appels, **répondeur automatique,** téléphonomètre, transpondeur ; table d'écoutes.

7 Standard. – Central téléphonique ; bureau télégraphique. – **Relais,** satellite de télécommunications, tour hertzienne. – Routeur.

8 Onde directe, onde radioélectrique. – **Sonnerie,** tonalité ; signal d'occupation. – Bruit **83,** parasite.

9 **Ligne** *(ligne télégraphique, ligne téléphonique).* – Ligne en dérangement, ligne occupée. – Circuit aérien ou ligne aérienne ; groupe de voies, lignes groupées ; ligne directe, téléphone rouge.

10 Réseau international (ou l'international), réseau régional, réseau interurbain, réseau urbain. – Haut débit. – Wi-Fi.

11 Câblage, **émission** ; numérotation. – Modulation.

12 **Liaison téléphonique** ; intercommunication ; radiocommunication, radiomessagerie. – Cyberespace.

13 **Appel,** communication **136,** téléphonage [vx] ; fam. : coup de fil, coup de téléphone. – Chat. – Audioconférence ; message téléphoné. – Téléachat.

14 **Télégramme** ; câblogramme ou câble, dépêche télégraphique, mandat télégraphique ; petit bleu [vieilli, fam.] **157** ; bélinogramme, phototélégramme ; radiogramme ou radiotélégramme.

15 Horloge parlante, réclamations, renseignements, réveil téléphonique.

16 Indicatif d'appel, **numéro de téléphone** ; annuaire, liste téléphonique. – Carte de téléphone ou Télécarte, jeton de téléphone.

17 Radio (ou : radiotélégraphiste, opérateur radioélectricien), télégraphiste, **téléphoniste** ; standardiste. – Radionavigant, radionavigateur. – Cibiste ; sans-filiste [fam.]. – Cybernaute, internaute ; blogueur.

18 **Correspondant,** téléphoneur [rare].

V. 19 **Téléphoner** ; **appeler,** rappeler ; donner ou passer un coup de fil [fam.] ; arg. : bigophoner, filer du grelot, tuber. – Être en ligne. – Composer le numéro de téléphone ; décrocher, raccrocher. – Établir la communication. – Installer une ligne. – Mettre qqn sur écoutes. – Chatter.

20 Câbler, **télégraphier.**

Adj. 21 **Téléphonique** ; radioélectrique, radiotéléphonique ; télégraphique.

22 En ligne ; hors ligne.

Adv. 23 Téléphoniquement ; télégraphiquement. – Au bout du fil [fam.].

Int. 24 Allô ! Allô ?

810 TEMPÉRANCE

N. 1 **Tempérance** ; mesure, **modération 522,** pondération ; philosophie [cour.], sagesse, tempérament [vx]. – Modestie **523,** simplicité **767** ; discrétion, réserve **714,** retenue ; circonspection, prudence **674** ; patience **601.** – Économie **281.**

2 Équilibre, **le juste milieu.** – Médiocrité [vx] ; *aurea mediocritas* (lat., Horace, « la juste mesure qui vaut de l'or »).

3 **Assagissement.** – Autodiscipline ; maîtrise de soi, **self-control** (angl., « contrôle de soi »).

4 Renoncement **701.** – Frugalité, **sobriété 771** ; ascétisme **47** ; chasteté **108.** – Diète, **régime.** – Abstinence, continence.

5 Modérateur *(un modérateur)* **522** ; philosophe [cour.], **sage** *(un sage)* ; ascète. – Société de tempérance [vieilli].

V. 6 **Tempérer** ; **adoucir,** attiédir, calmer **89,** corriger, modérer **467.8.**

7 **Se tempérer** ; se modérer **522** ; **garder la mesure.** – Tenir le juste milieu ; mesurer ses expressions ou son langage ; savoir raison garder [vx].

8 **S'abstenir,** se restreindre, se priver [fam.] ; se borner, se limiter. – Faire maigre chère, vivre de peu. – **Se mettre au régime** ; se serrer la ceinture [fam.]. – Économiser **281.**

9 S'assagir, se dompter ; **se calmer,** se contenir, se retenir ; **se contrôler,** se posséder.

Adj. 10 **Tempéré** ; mesuré, **modéré.** – Philosophe [cour.], réfléchi, **sage** ; maître de soi ; pondéré, posé, **raisonnable** ; circonspect, prudent **674** ; patient **601.** – Modeste **523,** simple ; discret, retenu. – Équilibré, médiocre [vx].

11 Ascétique **47, tempérant** ; frugal, **sobre 771.** – Abstinent **701,** austère. – Économe **281.**

12 Modérateur, pondérateur [litt.].

Adv. 13 Mesurément, **modérément** ; philosophiquement [cour.], sagement ; posément, **raisonnablement.** – Modestement **523,** simplement ; discrètement ; prudemment **674** ; patiemment **601.**

14 Frugalement, **sobrement.**

811 TEMPS

N. 1 **Temps** ; temporalité, durée. – Cours du temps **293,** fil du temps, marche du temps ; course ou fuite du temps. – Chronologie **118** ; calendrier **88.**

2 Gain de temps, perte de temps ; lutte contre le temps. – Temporisation. – Injures, ravages du temps ; outrages des ans ; « pour réparer des ans l'irréparable outrage » (Racine).

3 Emploi du temps, agenda ; anglic. : planning, timing ; menu [fam.]. – Budget-temps [STAT.]. – Mi-temps *(un mi-temps),* tiers-temps *(un tiers-temps),* plein-temps *(un plein-temps), full time job* (angl., « travail à temps complet »). – Passe-temps.

4 SC. – Temps absolu, temps local, temps propre ; dilatation des temps ; espace-temps ; quatrième dimension **219.3.** – ASTRON. : équation du temps ; temps civil, temps des éphémérides, temps légal, temps sidéral, temps solaire moyen ou astronomique, temps solaire vrai ; temps atomique (TA), temps atomique international (TAI), temps universel (UT ou TU), temps universel coordonné (UTC).

5 GRAMM. – **Temps grammatical** ; temps composé **346,** temps simple, temps surcomposé ; conjugaison. – Temps primitif ; temps primaire ou principal, temps secondaire. – Attraction temporelle, concordance des temps, valeurs des temps. – Complément circonstanciel de temps, conjonction temporelle, proposition subordonnée temporelle ; adverbe temporel.

6 Temporisateur, temporiseur.

V. 7 **Passer** ; s'écouler, fuir ; se passer.

8 Exister ; avoir lieu, se dérouler, s'inscrire dans le temps.

9 Gagner du temps, perdre du temps, perdre son temps ; manger du temps ; perdre sa vie à la gagner. – Il n'y a pas de temps à perdre ; le temps presse, l'heure tourne. – Rattraper ou regagner le temps perdu. – Courir après le temps, lutter contre le temps.

10 **Avoir le temps** ; avoir tout son temps, avoir du temps devant soi, avoir du temps à perdre. – **Prendre son temps 458,** prendre le temps de, ne pas plaindre son temps [fig., vx]. – Prendre du bon temps, prendre le temps de vivre. – Vivre de l'air du temps.

11 Trouver le temps long ; pousser le temps avec l'épaule [vx], tromper le temps, tuer le temps. – Passer le temps ou son temps à, passer le plus clair de son temps à.

12 Le temps presse ; le temps nous est compté ; un jour pousse l'autre. – « Tout s'écoule », « on ne se baigne jamais deux fois dans le même fleuve » (Héraclite). – *Fugit irreparabile tempus* (lat., « le temps fuit irréparablement », Virgile) ; *omnia vulnerant, ultima necat* (lat., « toutes blessent, la dernière tue », inscription traditionnelle jadis sur les cadrans solaires, les horloges). – « Ô temps, suspends ton vol » (Lamartine). – Le temps, c'est de l'argent (trad. de l'angl. *time is money*). – « Patience et longueur de temps font plus que force ni que rage » (La Fontaine).

Adj. 13 **Temporel,** temporaire. – Séculier, terrestre.

Adv. 14 Temporellement ; **au fil du temps,** avec le temps ; jour après jour, de jour en jour. – En temps ordinaire ; de tout temps, en tout temps.

15 Temporairement. – À mi-temps, à plein temps ou à temps complet ; à temps perdu.

Prép. 16 En temps de, en période de ; au cours de, dans le cours de, durant, **pendant.** – Au temps de.

Conj. 17 Alors que, comme, lorsque, **quand.**

Aff. 18 Chrono- ; -chrone.

812 TENTATIVE

N. 1 **Tentative** ; approche, avances [litt.], démarche, ouverture, prise de contact ; travaux d'approche. – Requête **185,** sollicitation.

2 **Essai** ; entreprise ; dessein, plan, projet ; **poursuite, recherche, velléité** ; **manœuvre, tentative.** – Essai [SPORTS].

3 **Commencement 134.1,** début ; ébauche, esquisse, tâtonnement ; fig. : balbutiement, bégaiement, premiers pas.

4 **Épreuve,** expérience ; apprentissage **35,** expérimentation **689,** mesure, test, vérification ; ballon d'essai, coup d'essai, lancement ; dernière carte [fig.].

5 **Initiative** ; innovation, originalité. – **Audace 161** ; décision, énergie **7,** résolution, esprit d'initiative. – **Curiosité** ; fig. : appétit, avidité, soif.

6 **Pionnier** ; découvreur, défricheur, explorateur. – **Audacieux,** intrépide.

V. 7 **Tenter** ; entreprendre, faire des démarches ; aborder, attaquer, commencer, débuter, ébaucher, esquisser ; oser. – **Essayer** ; faire l'essai de, s'essayer à, expérimenter, hasarder **358.7,** se hasarder, tâter de. – S'embarquer ou s'engager dans, faire un essai ou une tentative, se jeter ou se lancer dans, se mettre à ; tâtonner. – Sonder, tâter le terrain, tenter l'aventure, tenter le coup [fam.]. – Qui ne risque (ou : ne hasarde, ne tente) rien n'a rien [prov.].

8 **Tenter de** ; s'appliquer à, chercher à, tâcher de, travailler à, viser, vouloir faire. – S'aviser de, se mêler de, s'occuper de ; goûter de, tâter de. – **S'aventurer** ; se hasarder à, se risquer à **390** ; ouvrir la voie.

Adj. 9 **Audacieux,** décidé, déterminé, énergique, entreprenant **279,** résolu.

10 **Nouveau 414.10** ; neuf, novateur.

Adv. 11 **Audacieusement.**

12 **En tâtonnant,** à tâtons.

813 TERRE

N. 1 **Terre 355** ; glèbe [litt.]. – Litt. : terre mère, terre nourricière.

2 Terre arable, terre meuble ; terre battue, terre franche. – Terre maigre, terre grasse ; terre légère, terre lourde.

3 **Motte** ; semelle. – Billon, butte, chaussée, levée. – Déblai, remblai ; jectisse. – Banquette, terrasse, terre-plein.

4 Alluvions [surtout pl.], boulbène, ergeron, limon, lœss (ou terre jaune), marne ; **poussière.** – **Boue** *(boue minérale, boues rouges),* bourbe ; poto-poto [Afrique].

5 Humus ; **terreau,** terreau de couche, terreau de feuilles ; terre de bruyère. – Mor, mull.

6 Caillou, gravier, moellon, sable *(banc de sable).*

7 Alios, grès **337** ; bétain.

8 Tuf, tuffeau (ou tufeau). – Minéral **517,** roche. – Terres rares.

9 Bourbier, fondrière, ornière.

10 **Argile** ; argile grasse, argile maigre. – Argile à blocaux, argile à silex. – Argile ocreuse, barbotine, bol *(bol d'Arménie, bol oriental, bol de Sinope),* sil, smectite ; argile blanche, boucaro, glaise ou terre glaise, kaolin, terre anglaise, terre de Lorraine ; argile rouge (ou terre rouge), *terra rossa* [ital.] ; argile smectique, terre à foulon, terre pourrie. – Argile à faïence, argile figuline ou terre à potier, terre de barre [Afrique], terre à pipes. – Brique.

11 Modelage, sculpture **749.** – **Céramique.** – Terre cuite. – **Faïence,** grès, majolique ou maïolique ; émail. – Biscuit, **porcelaine** ; coquille d'œuf, japon ; saxe ou porcelaine de Saxe, porcelaine de Sèvres ; figuline [vx ou TECHN.]. – Craquelé, fritte **855,** imari [jap.].

12 Alluvionnage, limonage, marnage ; sablage. – Amendement **18.**

13 Enterrage, terrage. – Enterrement **331.** – Embourbement [rare], enlisement.

14 Terrassement. – Ameublissement, hersage, labourage.

15 Poterie ; faïencerie, grèserie. – Céramographie. – Briqueterie, tuilerie.

16 Pédologie ; agrologie.

17 Céramiste, potier.

V. 18 **Terrer** (ou terrailler) ; sabler, sablonner. – AGRIC. : chausser, rechausser.

19 Embourber, enliser.

20 **Débourber,** curer. – Déblayer.

21 Enfouir, **enterrer,** mettre en terre **331.**

22 **Déterrer,** excaver, exhumer.

23 Travailler la terre ; terrasser. – Ameublir, remuer, retourner. – Gratter, fouiller, fouir.

24 Céramiser.

25 S'embourber, s'enliser.

Adj. 26 **Terreux.** – Argileux, argilifère ; caillouteux, calcaire, crayeux, limoneux, sablonneux, schisteux, siliceux ; poussiéreux. – Tufacé. – Terraqué [litt.]. – Boueux, bourbeux, fangeux ; poussiéreux. – **Humique,** lœssique. – Eutrophe, fulvique. – Sableux ; argilacé, bolaire, tufier.

27 **Fécond, fertile** ; gras, riche ; aride, avare, ingrat, pauvre. Collant, compact, lourd ; sec. – Perméable ; imperméable.

28 Humicole, terricole ; terrier – Terrien.

Adv. 29 En pleine terre (opposé à sous abri, sous châssis, en serre).

30 À terre, par terre.

Aff. 31 Agri-, agro-, géo-, pédo- ; -gée.

814 TÊTE

N. 1 **Tête** ; vx : cap, chef. – Fam. : boule, caboche, **caillou** ; très fam. : bouillotte, cabèche, ciboulot, citrouille, cafetière, calebasse, carafe, carafon, cassis, citron, coloquinte, fiole, pomme, terrine, tirelire. – Port de tête ; signe de tête. – Vertèbres cervicales **580.10** ; atlas, axis ; nuque.

2 **Tête, crâne** ; boîte crânienne ; voûte crânienne ; épicrâne, péricrâne. – Cerveau **100,** cervelle, méninges. – Os du crâne ; os frontal, malaire, pariétal, occipital, temporal ; os wormiens ; occiput, sinciput. – Mal de tête, migraine ; prise de tête [fam.] ; MÉD. : céphalée, encéphalalgie.

3 **Tête, visage** ; faciès, **figure** ; mine, physionomie ; frimousse, minois, museau ; mufle, trogne. – Fam. : bille, binette, bobine, bouille, portrait, trombine, trombinette, trompette ; très fam. : bougie, fraise, gueule, poire, tronche ; très fam. et péj. : groin, hure. – Fam. et péj. : face de crabe, face d'œuf, face de rat ; gueule d'empeigne ; tête à gifles, à claques. – Bonne mine, teint fleuri. – Sale tête ; masque ; mauvaise mine, mine de papier mâché.

4 **Portrait,** profil ; galerie de portraits ; trombinoscope [fam.]. – **Masque.** – Bal de têtes **309,** dîner de têtes. – Mascaron [ARCHIT.]. – Marotte ; tête à perruque. – Tête de Turc.

5 **Tête, face.** – **Os de la face** ; os ethmoïde, frontal, malaire, temporal ; os du nez et des cornets inférieurs ; unguis, vomer ; os palatin. – **Front,** arcade sourcilière, glabelle, tempes. – **Nez** ; appendice nasal ; arg. fam. : blair, patate, pif, quart-de-brie, tarin, truffe ; nez aquilin, nez bourbonien, nez grec. – Narines ; fam. : trous de nez ; arg. fam. naseaux. – **Oreilles** ; portugaises [arg. fam.]. – **Yeux** ; arg. fam. : calots, mirettes, quinquets. – **Joues** ; **pommettes** ; bajoues, fossette. – **Bouche** ; fam. : bec, margoulette ; gueule [très fam.]. – **Lèvres,** lippe [litt. ou vieilli] ; fam. : babines, badigoinces [vx]. – **Dents 188.** – **Men-**

ton, double menton. – Mâchoire, maxillaire. – **Cou** ; col [litt. ou vx], collet ; colback [pop.]. – **Gorge,** gosier ; fam. : dalle, gargamelle, gargoulette, goulot, kiki, sifflet ; gavion ou gaviot [pop., vx]. – Pomme d'Adam.

6 Céphalométrie **509,** craniométrie. – Métoposcopie ; morphopsychologie. – Physiognomonie [anc.].

7 (Tête de + n., ou tête + adj., dans des loc. fam. dénotant différents défauts ou traits de caractère) – Tête brûlée (bravade, mépris du danger). – Tête de bois, tête de fer, tête de pioche ; tête de mule (entêtement). – Tête de cochon, tête de lard (mauvais caractère). – Tête de linotte, tête de moineau, tête de piaf ; tête en l'air (étourderie, distraction). – Tête molle (sottise ; manque de rigueur intellectuelle).

V. 8 **S'entêter** ; avoir la tête dure, n'avoir qu'une idée en tête, n'en faire qu'à sa tête ; agir sur un coup de sa tête. – Avoir la tête fêlée, être tombé sur la tête. – Monter la tête à qqn. – Avoir la tête près du bonnet.

9 Avoir de la tête ; avoir la tête sur les épaules ; avoir la tête froide. – Ne rien avoir dans la tête, avoir la tête vide ; n'avoir pas de plomb dans la tête, n'avoir pas de tête. – Avoir la tête à l'envers, perdre la tête. – Avoir une idée derrière la tête ; tourner (qqch, une idée, etc.) dans sa tête ; se creuser la tête ; se mettre martel en tête. – Passer par la tête, sortir de la tête.

10 Casser la tête (ou, fam., la gueule) à qqn ; fam. : faire une grosse tête à qqn, lui fendre la tête, lui mettre la tête au carré.

11 Faire un signe de tête, secouer la tête ; dire oui (ou non) de la tête ; branler le chef, opiner du bonnet. – Se jeter tête baissée **386,** tête la première. – Se taper la tête contre les murs.

12 **Tenir tête** ; faire front.

13 Faire la tête (fam. : faire la gueule). – Se payer la tête de qqn.

14 Se cacher ou se voiler la face.

15 Changer de visage. – Défigurer, transfigurer ; maquiller. – Dévisager, envisager [vx].

Adj. 16 Céphalique. – Acrocéphale, brachycéphale, dolichocéphale. – Facial ; auriculaire, buccal, nasal, oculaire. – Cervical ; guttural ; jugulaire.

17 Entêté, têtu **568.**

18 Têtard *(saule têtard).* – Étêté *(arbre étêté).*

Aff. 19 Per os (lat., « par la bouche »).

Aff. 20 Céphal-, cranio- ; méning-, méningo- ; -céphale, -céphalie.

815 TEXTES SACRÉS

N. 1 **Textes sacrés** ; textes religieux. – Canon *(canon des Écritures).*

2 Judéo-christianisme. – **Bible** ou livres hébraïques ; Bible des Septante. – Ancien Testament ou Ancienne Alliance. – **Pentateuque** ; Genèse, Exode, Lévitique, Nombres, Deutéronome. – Prophètes ; Josué, les Juges, Samuel I, Samuel II, les Rois I, les Rois II. – Écrits ou Hagiographes ; Psaumes, livre de Job, Proverbes, Cantique des cantiques, Ecclésiaste, Ecclésiastique ou Siracide ; Chroniques, Esdras-Néhémie ; livre de Ruth, livre des Lamentations, livre d'Esther, livre de Daniel. – Livre de Baruch.

3 Judaïsme **449.** – **Torah** ou Pentateuque. – **Talmud** (hébr., « étude ») ; Talmud babylonien, Talmud palestinien ; Gemara, mishna. – Massore ; tossafot. – Haggada, Halaka.

4 Christianisme **117.** – **Écriture** (les Écritures, les Saintes Écritures). – **Bible** *(la Bible, la Sainte Bible),* Livre *(le Livre, le Saint Livre)* ; Ancien Testament, Nouveau Testament ou Nouvelle Alliance. – **Les quatre Évangiles** ; Évangile selon saint Marc, Évangile selon saint Matthieu, Évangile selon saint Luc, Évangile selon saint Jean. – Évangiles apocryphes ; Protévangile de Jacques. – Actes des Apôtres.

5 Islam **440.** – **Coran** ; sourate ; aya (verset) ; al-fatiha (première sourate). – **Sunna** (ar., « précepte ») ; hadith (tradition) ; qudsi (récit sacré), nabawi (récit prophétique). – Kalam (ar., « parole sur Dieu ») ; mère du livre ou livre exemplaire.

6 Écrits mystiques. – Judaïsme : Sefer yetsira (Livre de la création), **Zohar** (Livre de la splendeur). – Christianisme orthodoxe : philocalie. – Islam : Andarz.

7 Hindouisme **362.** – Sruti (littérature révélée). – **Veda** ; Atharvaveda (Veda des formules et des incantations), Rigveda (Veda des hymnes), Samaveda (Veda des mélodies), Yajurveda (Veda des formules sacrificielles). – Brahmana (commentaires). – Upanisad.

8 Hindouisme. – Smriti (tradition). – **Sutra** (préceptes). – Grihya-sutra (traité des rites domestiques), Dharma-sutra (règles du droit), Kama-sutra (règles de l'amour), Yoga-sutra. – Bhasya (commentaires sur les sutra). – Dharmasarstra (jurisprudence).

9 Hindouisme. – Purana *(Grand Purana, Purana secondaire* ou *Upa-Purana)* ; Bhagavata-Purana,

Visnu-Purana. – **Mahabharata** ; **ramayana** ; Pancatantra.

10 Parsisme : Bundahishn ou Bundehish.

11 Sikhisme : Adi Granth ou Granth Sahib.

12 Jaïnisme : Agama.

13 Bouddhisme **80.** – Tipitaka ; Vinaya-pitaka (règles de vie monastique), Sutta-pitaka (discours du Bouddha), Abhidhamma-pitaka. – Commentaires theravada : Visuddhi-magga ; Abhidhamma-avatara ; Milindapanha ; Sri Lanka : dipavamsa, Mahavamsa. – Commentaires mahayana : Prajnaparamita ; Avatamsaka-sutra, Saddharma-pundarika-sutra, Sukhavati-vyuha-sutra. – Commentaires madhyamika : Mula-madhyamaka-karika, Sunyata-saptati.

14 Bouddhisme. – Jataka (récit des vies du Bouddha). – Vie du boudhha Gautama : Vinaya, Sutta-pitaka, Buddhacarita. – Chine : sutra du Lotus.

15 Tantrisme : **Tantra** ; Guhya-samaja-tantra ; Bka-gyur ; Bstan-gyur.

16 Taoïsme. – Liezi (Livre du maître Lie), Tao-tö-king ou Daodejing (Livre du Tao et du Tö, de l'Être et de l'Existence, de l'Absolu et de la Manifestation), Zhuangzi (Livre du maître Zhuang). – Shujing (Livre des documents) ; Yijing (Livre des mutations) **235.**

17 Shinto. – Kojiki (Recueil des choses anciennes), Nihongi (Chroniques du Japon). – Engishiki (Règlements de l'ère Engi).

18 Mazdéisme : Avesta.

19 Rome : Livres sibyllins.

20 Égypte : Livre des morts, Textes des sarcophages, Textes des pyramides.

21 Scandinavie : Edda ; saga.

22 Empire maya : Chilam Balam, Popol Vuh.

23 Java : Jago, Panataram.

Adj. 24 Scripturaire **252.** – Biblique ; deutérocanonique. – Évangélique. – Talmudique. – Coranique. – Védique.

816 TEXTILE

N. 1 **Textile.** – Drap, étoffe, **tissu** ; tiretaine [anc.]. – Chiffon. – Fil **165.**

2 Fibres textiles ; microfibre ; aloès, chanvre, **coton,** jute, kapok, lin ; crin, raphia ; **laine,** ploc, poil, **soie.** – Textiles artificiels ; Fibranne, rayonne, viscose. – Textiles synthétiques ; Dacron, Dralon, Nylon, polyamide, polyester, Rhodia, Tergal.

3 **Cotonnade,** draperie, **lainage, soierie.** – Agnella, barège [vx], blanchet, bouracan, burat [anc.], bure, cachemire, camelot, cheviotte, cobourg, droguet [vx], **laine,** lambswool, mérinos, mohair, moire [vx], shetland, vigogne. – Laine cardée ; cadis, coating, flanelle, ratine. – Laine foulée ; loden, molleton. – Angoratine, castorine, crin, crinoline [vx], chameau, chèvre, lama. – Bombasin, chantoung, levantine [anc.], **soie.** – Barège, cellular, **coton,** cottonne ou cotonnette [vx], filoselle, grisette, guingan [vx], indienne, percale, suédine, veloutine ; linon.

4 **Brocart** ; brocatelle, samit [anc.]. – Côtelé, côteline, gros-grain ; crêpe, crêpeline, crépon ; cloqué, gaufré. – Croisé ; coutte, finette, futaine [anc.], lustrine. – **Damas** ; basin. – **Satin** ; andrinople, satinette. – **Serge,** sergé ; denim ou jean, drill, gabardine, twill ; anc. : anacoste, lingette, saye, sayette. – **Taffetas** ; armoise ou, vx, armoisin. – Bâche, **toile** ; alpaga, batiste, boucassin [anc.], buratin, calicot, coutil, crétone, faille, grain de poudre, ikat, madapolam, moleskine ou molesquine, natté, percaline, popeline, reps, treillis. – Foulard, tussor. – **Velours** ; milleraies. – **Chiné,** fileté, lamé ; alépine, bayadère, batik, fil-à-fil, gloria, grisaille, pékin ; écossais, jacquard, lampas, lampas à parterre ou à jardin, vichy ; marengo, pied-de-poule, prince-de-galles, tweed ; façonné. – Chintz, fantaisie, **imprimé,** liberty, pékin [anc.], perse. – Déjeuner de soleil [fig.].

5 Filasse, étoupe ; bourre, **peluche,** ouate, ouatine ; thibaude. – Charpie.

6 Étamine, tamise [anc.] ; mousseline, organdi, tulle, gaze, **voile.** – Guipure, **dentelle.** – Ruban, tresse ; galon, passement.

7 Câble, cordage, **corde,** cordon, ficelle, toron.

8 Armure, croisure, texture [vx], tissage, tissure [vieilli] ; écheveau ; **chaîne, trame** ou duite. – Côte.

9 Apprêt, corps, tombant.

10 Texturisation ou texturation. – Contexture, duitage. – Clairière ou clairure, décochement.

11 **Filature** ; acidage, brisage, battage, cardage, épaillage, peignage ; étirage, doublage. – Effilement. – Bobinage, boudinage, cannetage, envidage, filage, guipage, moulinage ; dévidage, éboulage ou éboulure. – Flambage (ou : grillage, gazage). – Mercerisage. – Cordage, commettage.

12 **Tissage** ; brochage, ourdissage, tramage. – Feutrage, foulonnage. – Aiguilletage. – Écatissage, moirage, ratinage, veloutage.

13 Blanchiment, teinture **159.**

14 Aiguilletage.

15 Industrie textile. – Corderie, passementerie, rubanerie, tissanderie [vx]. – Tissuterie.

16 Filature ou, vx, filerie, filière, filterie ou fileterie, tréfilerie, tirerie. – Ouaterie. – Sayetterie [anc.].

17 Filoir, **métier à tisser** ; bobinoir, guipoir, ouvreuse, réunisseuse, renvideur ; banc d'étirage. – Fuseau, quenouille, rouet ; doitée, mouilloir. – Peigne ; ros [vx]. – Laineuse, ratineuse.

18 Empeignage. – Ensouple. – Chef de pièce, chemin. – Laize ou lé. – Métrage **509.2.**

19 Coupe, coupon ; tirelle. – Lambeau, pan ; recoupe, retaille.

20 Brocheur, **tisserand,** tisseur ; canut. – Fileur (ou : filandier, filateur), filassier, lissier. – Coutier, passementier, rubanier, tissutier [techn.], veloutier ; vx : droguetier, futainier, tiretainier.

21 Biffin [fam.], chiffonnier, chineur.

V. 22 Texturer ou texturiser. – Merceriser.

23 Ourdir (un fil) ; écacher (un fil). – Érailler, parfiler ; guiper.

24 Éfaufiler, **effiler** ; effranger.

25 Empeigner. – Étoffer [vx], **tisser** ; entre-tisser, enverser. – Catir. – Tresser, tortiller ; commettre. – Aiguilleter. – Bobiner ; dévider.

26 Filocher, guiper, foularder. – Apprêter ; floquer, fouler, moirer, ouater, ouatiner, ratiner, tamiser, velouter. – Gaufrer, imprimer. – Lamer, pailleter.

27 Amidonner, **empeser,** engommer. – Aiguiller la soie, dégraisser, détacher, terrer ; désamidonner.

28 **Chiffonner,** friper, froisser, plisser ; mettre en tapon.

29 Décharger, dégorger, déteindre. – Se délaver.

30 Faner. – Décatir. – Effilocher. – Démailler.

Adj. 31 Textile.

32 Écru.

33 Câblé, cardé, mouliné, peigné, retors, tors. – **Filé, tissé.**

34 Mercerisé ; aiguilleté, boutonné, broché, brodé, cannelé, chevronné, chiné, cloqué, côtelé, coutissé, damassé, façonné, fileté, gaufré, granité, gratté, lampassé, matelassé, moucheté, pékiné, piqué, satiné, sergé, suédé. – Moiré. – Ouaté.

35 Creux **167.15** ; tombant. – Ample, **étoffé** ; gonflant ; frisé. – Cuit.

36 Ouateux, laineux, velouteux ; carteux.

37 Chiffonné, fripé, froissé.

38 Filamenté, filasseux [rare] ; filamenteux.

39 Froissable ; infroissable.

Aff. 40 **Fili-.**

817 THÉÂTRE

N. 1 **Théâtre** *(le théâtre)* ; art dramatique.

2 HIST. : drame liturgique ; jeu, miracle, mystère.

3 **Tragédie 827** ; ANTIQ. : dithyrambe, prétexte. – Tragi-comédie.

4 **Drame,** drame bourgeois, drame sérieux ; mélodrame. – Drame burlesque. – Moralité [HIST.]. – *Sewamono* [jap.].

5 **Comédie 132.** – Comédie de caractères, comédie de mœurs ; comédie d'intrigue, comédie romanesque, comédie à tiroirs, imbroglio ; comédie larmoyante, comédie sérieuse ; comédie héroïque ; comédie-ballet. – Commedia dell'arte ; arlequinade, bouffonnerie, caleçonnade, **farce,** pantalonnade. – ANTIQ. : drame satyrique, exode. – HIST. : monologue comique ; pastorale, sotie. – Proverbe. – **Théâtre de boulevard** ; vaudeville.

6 Féerie.

7 Jap. : kabuki, nô.

8 **Mime,** pantomime.

9 **Théâtre de marionnettes** ; guignol *(le guignol),* karagöz, polichinelle. – Castelet. – **Marionnette,** pantin ; marionnettes à gaine, marionnettes à tige.

10 Psychodrame. – Happening.

11 **Pièce** ou pièce de théâtre ; acte, scène **748.** – Entrée, sortie ; fausse sortie. – Didascalie, indication scénique.

12 Saynète, **sketch.** – Dialogue ; stichomythie. – Monologue.

13 **Action dramatique.** – Exposition ; nœud ; crise ; dénouement ; épisode, péripétie. – HIST. : antistrophe, strophe ; parabase ; catastrophe.

14 Règle des trois unités (unité de lieu, de temps et d'action) ; bienséances.

15 Théâtralisation. – Théâtralité.

16 Filage, **répétition** ou, fam., répète, répétition générale ou générale ; couturière [anc.].

17 **Représentation,** spectacle. – Création.

18 **Séance** ; matinée, nocturne, soirée. – Avant-première, première ; dernière ; relâche ; reprise. – **Saison.** – Tournée. – Soirée d'adieu.

19 Les trois coups ; brigadier. – Lever de rideau, baisser de rideau. – **Changement de décor,** changement à vue. – **Entracte,** intermède.

20 Directeur artistique. – **Metteur en scène,** régisseur. – Marionnettiste.

21 **Acteur** ; figurant. – Souffleur.

22 Emploi, **rôle** ; rôle-titre ou rôle titulaire, second rôle ; personnage **613.** – Contre-emploi. – Figuration.

23 Spectateur ; auditoire, **public** ; claque *(la claque).*

24 **Applaudissements,** applaudissements nourris, bravos ; bis *(un bis),* rappel ; tabac [fam.] **798.** – **Huées,** sifflets ; four [fam.] **249.**

V. 25 Théâtraliser.

26 **Mettre en scène** ; monter une pièce ; donner, représenter.

27 Faire, interpréter, **jouer,** tenir un rôle.

28 Filer une scène, **répéter.**

29 Fam. : faire un four, jouer devant les banquettes. – Passer la rampe ; faire un tabac [fam.].

30 **Applaudir,** bisser, claquer ou frapper dans les mains, rappeler, trisser. – **Huer,** siffler. – Chuter.

Adj. 31 **Théâtral** ; comique [vx], dramatique [didact.], scénique.

32 Comique **132.** – Dramatique, mélodramatique ; tragi-comique. – Tragique **827.**

Adv. 33 **Théâtralement** ; dramatiquement [didact.], scéniquement **748.**

Int. 34 **Bravo !** – Hou ! Rideau !

818 THÉOLOGIE

N. 1 **Théologie.** – Théologie apophatique ou négative, dogmatique (ou : théologie sacrée, théologie révélée), théologie morale, théologie naturelle ou théodicée, théologie de la parole, théologie spéculative ou théologie scolastique, théologie positive, théologie physique. – Théologie de la mort de Dieu. – Théologie de la libération. – Théomythologie.

2 Dogmatique, théologie canonique. – Théologie conciliaire, patristique ; théologie scripturaire. – Apologétique ; casuistique, catéchétique, christologie, ecclésiologie, mariologie, pastorale, patrologie, sotériologie. – Symbolique.

3 Mystique ; philocalie.

4 État théologique (A. Comte) [PHILOS.].

5 Dépôt de la Foi ou de la Révélation ; **Révélation** *(révélation primitive, révélation mosaïque, révélation chrétienne)* ; les trois Révélations. – Définition, dogme, vérité de foi ; foi.

6 Catéchisme, **credo 217,** profession de foi ; **confession.** – Canon ; droit canon.

7 Définition ; dogmatisation.

8 **Théologien** ; docteur, Père de l'Église. – Apologiste, casuiste, scolastique. – Canoniste ; liturgiste. – Controversiste ; dogmatiste, dogmatiseur [vx]. – Théologal.

9 Somme théologique, dogmatique ; **symbole** *(symbole des Apôtres, symbole de Nicée, symbole de saint Athanase).* – Canon des Écritures ; livres carolins [HIST.]. – Lettre pastorale ou mandement. – Controverse.

10 Canonicité. – **Orthodoxie, hétérodoxie.** – Hérésie.

11 Théologie catholique. – Notes de l'Église. – Apostolicité, catholicité, unité, sainteté.

12 **Mystères** ; émanation, Incarnation, Rédemption, Résurrection, résurrection générale ou résurrection de la chair, Trinité ; mystère de l'eucharistie ; mystère pascal. – Saints mystères, mystères sacrés ; culte **173,** liturgie, messe **508.**

13 Transsubstantiation ; consubstantiation ou impanation (Luther) ; présence réelle mais spirituelle (Calvin). – Coexistence, consubstantialité.

14 **Vertu 858.** – Vertu théologale ; foi, espérance, charité.

15 Faute, **péché 606,** péché actuel, péché capital, péché habituel, péché véniel. – Péché capital ; orgueil, avarice, luxure, envie, gourmandise, colère **130,** paresse **593.** – Chute, péché originel. – Damnation, enfer **271.**

16 **Rédemption,** rémission des péchés. – Justification par la foi seule, salut par la foi. – Grâce irrésistible. – Prédestination ; serf arbitre (Luther).

17 Opération du Saint-Esprit. – **Grâce** ; grâce actuelle, grâce congrue, grâce d'état, grâce efficiente, grâce habituelle ou sanctifiante, grâce suffisante ; grâce inamissible, grâce nécessi-

tante ; état de grâce. – Effusion, illumination, inspiration ; charisme ; don des langues ou glossolalie, miracle, prophétie, vision. – **Dons du Saint-Esprit** ; sagesse, intelligence, science, conseil, force, piété, crainte de Dieu.

18 Sacramentalité. – **Sacrement 173,** sacramental *(un sacramental)* ; caractère, signe sensible.

19 Gloire de Dieu.

20 **Exégèse,** herméneutique. – Anagogie, figurisme, gématrie ; origénisme ; fondamentalisme.

21 Controverse, disputation [vx]. – Libre examen. – Islam : idjam (consensus), qiyas (raisonnement par analogie).

22 **Preuves de l'existence de Dieu** ; preuve a priori, preuve a posteriori, preuve ontologique ; preuve par la cause efficiente, preuve par la contingence du monde, preuve cosmologique, preuve par le mouvement ; preuve par la diversité des degrés de perfection, preuve par la finalité, preuve téléologique. – Preuve physicothéologique.

23 Théories chrétiennes sur la liberté : augustinisme, congruisme, jansénisme ; pélagianisme ; molinisme. – Calvinisme, cryptocalvinisme, gomarisme ; arminianisme, grundtvigianisme, luthéranisme, zwinglianisme. – Sur la nature de Dieu : monarchianisme ou sabellianisme, monophysisme, monothélisme ; arianisme, subordinatianisme. – Sur la foi : quiétisme ou molinosisme ; illuminisme ; fidéisme. – Sur l'eucharistie : consubstantialisme.

24 **Ésotérisme, gnose** ; kabbale. – Théosophie.

25 Irénisme ; interconfessionnalisme, œcuménisme.

V. 26 Théologiser [vx] ; spiritualiser. – Dogmatiser.

27 Approcher les sacrements. – Être muni de tous les sacrements [fam., le plus souv. par plais.].

Adj. 28 **Théologique.** – Apologétique, christologique ; patristique. – Exégétique, herméneutique ; kérygmatique.

29 Théologal.

30 Dogmatique ; canonial, **canonique.** – Confessionnel.

31 Pneumatique ; mystique. – **Sacramentel.** – Baptismal, eucharistique.

Adv. 32 Théologiquement. – Dogmatiquement.

819 TIMIDITÉ

N. 1 **Timidité** ; discrétion. – Réserve, retenue ; **effacement 523,** inhibition. – Circonspection, prudence **674,** pusillanimité. – Appréhension, crainte **619,** malaise, timidité [vx]. – Pudeur ; vergogne.

2 Timidité *(une timidité)* ; gaucherie **483.**

3 Bluff, **intimidation.** – Procédé d'intimidation.

V. 4 **Se faire tout petit** [fam.]. – S'écarter, s'effacer, se retirer, se tenir à l'écart. – Se tenir ou rester sur son quant-à-soi. – Vivre dans l'effacement.

5 Perdre contenance ; se troubler. – **Être dans ses petits souliers,** ne pas savoir où se mettre ou sur quel pied danser, rentrer dans un trou de souris. – On le ferait passer par le trou d'une aiguille [loc. fam.]. – Rougir, rougir de timidité ; devenir cramoisi ou écarlate, piquer un fard [fam.] ; trembler, sursauter, tressaillir. – Bafouiller ; avoir perdu la parole ou sa langue, ne pas desserrer les dents ; parler entre ses dents, manger ses mots.

6 **Intimider** ; bluffer [fam.], impressionner. – Tenir en respect.

Adj. 7 **Timide** ; discret, réservé, retenu, vergogneux [vx] ; complexé, inhibé ; coincé [fam.]. – Circonspect, hésitant, prudent ; pusillanime, timoré. – Craintif.

8 Intimidé ; effarouché. – Embarrassé, emprunté, **gauche** ; gêné, mal à l'aise. – Confondu, confus, déconcerté, interdit, transi. – **Effacé,** falot, insignifiant, terne.

9 Intimidant. – Intimidateur [rare].

10 Intimidable [rare].

Adv. 11 **Timidement.** – Discrètement ; sur la pointe des pieds, sans tambours ni trompettes. – Furtivement ; en catimini [fam.], à la dérobée **751.**

820 TIR

N. 1 **Tir** ; tiraillage. – Tir à + n. d'arme *(tir à l'arc, au fusil, au pistolet, etc.).* – Catapultage, jet **258.7, lancement,** projection. – **Pointage** ; mire [vx], visée.

2 **Coup, coup de feu** ; décharge, détonation, explosion, **feu,** mitraillade ; **rafale,** salve.

3 Mitraillage ; **bombardement,** canonnade, canonnage ; pilonnage ; fauchage. – Fusillade ; feu nourri, tir nourri.

4 Exercice de tir. – **Tir réel** ; **tir à blanc 487.** – Conduite de tir ; cinétir.

5 **Feu croisé,** feu de salve, feu de peloton ; anc. : feu de file, feu de rang.

6 **Tir direct,** tir de plein fouet. – Tir fichant, tir fusant, tir percutant, tir plongeant ; tir masqué. – Tir en mitrailleuse ou par rafales. – Tir à mitraille.

7 Tir de flanquement ou de face ; tir d'écharpe, tir de flanc ou de revers, tir de front. – Tir au jeter.

8 Tir d'appui direct. – Tir d'appui indirect ; contrebatterie ou tir de contrebatterie, tir de harcèlement, tir d'interdiction. – Tir de cloisonnement ; tir de contre-préparation, tir de neutralisation. – Tir de destruction ou de démolition. – **Concentration de feux** ; conduite de feu ; discipline du feu. – Tir d'opportunité. – Tir de ratissage.

9 **Artillerie** ; batterie. – Arme **43,** arme de jet, arme à feu. – **Lanceur,** lanceur d'engins ; lance-bombe, lance-flammes, lance-grenades, lance-missiles, lance-roquettes. – Rampe, rampe de lancement. – Projectile **43.**

10 Banc d'épreuve ; cinémitrailleuse. – Goniomètre.

11 Approvisionnement, **armement,** chargement ; alimentation. – Mise à feu. – Mise en batterie.

12 **Ligne de mire, ligne de tir.** – Angle de tir ou angle au niveau. – Angle de chute ; angle de transport ; **trajectoire 221.3** ; dérivation, déviation, écart, élévation.

13 **Champ de tir** ; butte de tir. – Stand de tir ou stand ; pas de tir. – Angle mort ; espace mort.

14 **Cible** ; mouche, noir *(un noir),* visuel *(un visuel)* ; **impact** ou point d'impact. – Carton ; objectif, point de mire. – Avion-but, avion-cible.

15 **Poudrerie** ; cartoucherie.

16 Balistique.

17 **Tireur** ; fusil *(un bon fusil).*

18 **Tirailleur** ; mitrailleur. – **Artilleur 42** ; artificier, canonnier, chargeur, pourvoyeur.

19 Balisticien.

V. 20 **Tirer,** tirailler ; battre, contrebattre. – Tirer à boulets rouges [anc., auj. fig.]. – Catapulter, jeter, **lancer,** projeter.

21 Partir ; **faire feu,** faire long feu. – Détoner, éclater, exploser.

22 **Armer** *(armer un pistolet)* ; approvisionner, **charger.** – Alimenter *(alimenter un tir).*

23 **Pointer,** viser **221.24** ; mirer [vx]. – Ajuster son coup ou son tir ; faire mouche.

24 **Bombarder,** canonner, pilonner. – Mitrailler ; arg. : arroser, sulfater. – Atteindre, coiffer *(coiffer un objectif).*

25 Tirer sur ; faire feu sur. – Fusiller. – Arg. : arquebuser, brûler, flinguer **534.33,** revolvériser [fam.], rifler.

Adj. 26 Balistique.

Adv. 27 Balistiquement [didact.].

Int. 28 Feu !

821 TISSUS VIVANTS

N. 1 **Tissus vivants.** – Cytologie, **histologie** ou histiologie. – Histopathologie.

2 Bioélément. – **Fibre** ; fibre conjonctive, fibre musculaire (ou : cellule musculaire, myome) **541,** fibre nerveuse ou axone, fibrille conjonctive. – **Cellule 94,** cellule nerveuse ou neurone **541,** cellule osseuse ou ostéoblaste **580,** cellule sanguine **742,** histiocyte. – Appareil de Golgi, centrosome ou sphère attractive, chondriome (chondrioconte, chondriomite, mitochondrie), lysosome, noyau, nucléole, réticulum ; tonofibrille.

3 Texture, trame ; assise, **couche,** stratification ; gaine. – Feuillet, follicule, lacis, papille, réseau. – Substance intercellulaire, système lacunaire, système lymphoïde ; structure interstitielle.

4 **Épiderme** ; chorion, couche basale, couche cornée, couche épineuse (aussi : corps muqueux, réseau de Malpighi), couche kératogène, stratum *(stratum granulosum, stratum lucidum).* – Épithélium, fausse membrane, membrane cellulaire ou plasmaderme, **membrane,** membrane vacuolaire ou tonoplaste, membranule, **muqueuse,** musculeuse, **peau 604,** pellicule, plaque muqueuse, réticulum, tunique. – Albuginée, aponévrose, arachnoïde, cartilage, couche de capsule de Bowman ou de Müller, cuticule, diaphragme, dure-mère, endartère ou intima, endocarde, endomètre, endothélium, épendyme, fascia, glie ou névroglie, média, méninges **100** ; mésentère, mésothélium, péricarde, périchondre, périnèvre, périoste, péritoine, pie-mère, sclérotique.

5 EMBRYOL. **265.** – Ectoderme, endoderme, mésoblaste ou mésoderme, mésenchyme.

6 **Histogenèse,** histogénie ; **culture cellulaire,** culture de tissus, culture in vivo ; clone, explant. – Acinèse ou amitose, caryocinèse ou mitose, méiose ; cytodiérèse, cytopoïèse [vieilli], histopoïèse, organogenèse.

7 Épithélialisation [PATHOL.], régénération.

8 Histolyse. – Autolyse, blettissement [BOT.] **330,** carnification, cytolyse, dégénérescence, destruction, lyse **205.**

Adj. 9 Histiocytaire, histochimique, histogène, **histologique,** histométrique, tissulaire.

10 Organique ; cellulaire. – Cartilagineux, osseux ; glandulaire, lymphoïde ; musculaire ; nerveux.

11 Conjonctif ou connectif. – Fibreux, fibro-hyalin, muqueux, musculeux, séreux, séro-fibreux, tendineux. – Fibrillaire, lamellaire ou lamelleux, membrané, membraneux, pavimenteux, réticulaire ou réticulé, scléreux, stratifié, trabéculaire. – Aponévrotique, endothélial, épithélial, malpighien, mésothélial, parenchymateux.

12 Contractile, élastique, érectile.

Adv. 13 Cellulairement **94,** histologiquement.

Aff. 14 Celluli-, cellulo- ; hist-, histio-, histo-.

822 TITRES

N. 1 **Titre** ; appellation **554,** dénomination, désignation, **qualification.** – Épithète, dénominatif *(un dénominatif),* **qualificatif** *(un qualificatif)* ; nom. – Titulature [didact.].

2 **Dignité,** qualité **661,** rang ; grade. – Fonction, charge **266.** – Titulariat [DR.].

3 **Dignitaire 342** ; autorité **59.**

4 Titres nobiliaires. – **Prince,** prince consort, princesse ; dauphin ; diadoque ; archiduc, archiduchesse ; grand-duc, grande-duchesse ; kronprinz ; tsarévitch ; hospodar ; voïvode [HIST.], infant ; chérif ; maharadjah (ou : maharajah, maharadja), maharané (ou : maharanie, maharani). – **Duc** ; marquis ; comte, comtesse ; vicomte ; baron ; châtelain, chevalier ; damoiseau, damoiselle ou demoiselle [HIST.] ; vidame [HIST.] ; connétable, pair ; seigneur. – **Lord** ; baronnet [anglic.], milord [vx], milady ; burgrave, landgrave ; magnat [HIST.].

5 Titres des gouvernants. – **Président,** présidente ; empereur, **roi** ; régent ; grand-duc ; dame [FÉOD.] ; margrave, rhingrave ; tsar ; stathouder ou stadhouder ; radjah (ou : radja, rajah), rani ; khan ou kan ; khalife (aussi : calife) ou commandeur des croyants, émir ; khédive ; bey ; schah (ou : chah, shah) ; mikado ; négus. – HIST. : pharaon ; archonte ; consul, patrice ; nobilissime. – **Gouverneur** [HIST.] ; nabab, pacha, vali ; efendi ou effendi.

6 Titres ecclésiastiques. – **Pape** ; patriarche ; exarque ; aga khan ; imam ; pandit. – Monsignor ou monsignore ; cardinal ; archevêque, archevêque-évêque, évêque ; archidiacre ; chanoine, prélat ; abbé, frère, père ; moine **525.** – HIST : grand aumônier de France, gonfalonier de l'Église.

7 Titres universitaires. – Recteur ; chancelier d'université ; doyen ; professeur **274** ; ater.

8 **Docteur** ; docteur d'université ; docteur d'État, docteur de troisième cycle. – Agrégé *(un agrégé),* capésien ou certifié *(un certifié),* doctorant.

9 Chef de clinique **498** ; archiatre [vx].

10 Dignités militaires. – Maréchal de France ; Amiral de France **672.**

11 Titres honorifiques. – Grand Maître. – Grand-Croix (ou : Grand Cordon, G. C.) ; Grand Commandeur ou G. C. ; Commandeur ou C. ; Grand Officier ou G. O. ; Officier ou O. ; Chevalier.

12 Décorations. – Décoration, **médaille** ; rosette. – Couronne civique [ANTIQ. ROM.] ; carte civique [HIST.]. – Ordre de chevalerie, ordre de mérite. – Ordre national du Mérite, ordre des Palmes académiques, ordre du Mérite agricole ou, fam., poireau, ordre du Mérite maritime ; Légion d'honneur, médaille militaire. – Chevalier **822,** officier, commandant, grand officier, grand-croix.

13 Appellations. – **Son Altesse** ou S. A., Sa Majesté ou S. M., Sa Très Gracieuse Majesté ou S. T. G. M., Sire ; Sa Hautesse ou S. H. ; Madame, Mademoiselle, Monsieur ; Sa Grâce ou S. Gr., Sa Seigneurie. – Votre Honneur. – Maître. – Vénérable Maître ou Vénérable.

14 Appellations. – **Sa Sainteté** ou S. S. **590,** Notre Saint-Père ou N. S.-P., Très Saint-Père ; Sa Béatitude. – Son Éminence (ou : S. Ém., S. É.) ; Son Excellence (ou : S. Exc.), Sa Grandeur [vieilli] ; Monseigneur ou Mgr, Nosseigneurs [rare] ou NN. SS. ; Sa Révérence [vx]. – Révérend Père ou R. P., Très Chers Frères ou TT. CC. FF.

15 Appellations. – **Monsieur** ou M. ; messire [vieilli] ; vx : messer, sieur ; vx : honorable homme ou bourgeois, noble homme. – Don ou dom [litt.] + n. – Esquire (abrév. : esq.).

16 Titre de noblesse ou titre nobiliaire ; lettres de noblesse ; HIST. : commission, patente ; acte, brevet, **écrit** ; attestation **99.** – **Diplôme.**

V. 17 **Titrer** [vx] ; nommer, titulariser **667.** – Appeler ; monseigneuriser [par plais., vx]. – Donner de ou du + n. à *(donner de l'Excellence)* [fam.].

Adj. 18 **Titulaire** ; en titre, en pied ; titularisé. – Attitré, patenté. – Honoraire **342,** *honoris causa* (lat., « pour marquer sa considération à »).

19 Titré.

20 Sérénissime. – Éminentissime, révérendissime ; souv. par plais. : excellentissime, illustrissime.

Adv. 21 Titulairement.

Prép. 22 **À titre de** ; en qualité de, en tant que ; comme ; ès qualité de [didact.].

Aff. 23 Suffixes servant à composer des noms, soit de dignités, soit de terres associées à un titre. – **-at** *(califat ; marquisat ; décanat ; gouvernorat)* ; **-é** *(papauté ; comté)* ; **-ie** *(baronnie ; nabadie)* ; **-ure** *(prélature ; propréture).*

24 Arch-, **archi-,** archie- ; -archique, -arque ; **vice-.**

823 TOTALITÉ

N. 1 **Totalité** *(la totalité)* ; entièreté ; litt. : complétude, intégrité, plénitude ; **exhaustivité,** intégralité. – Globalité ; universalité.

2 Somme, total, tout *(le tout)* ; **ensemble,** intégrale *(l'intégrale des œuvres).* – Complexe **140.**

3 Tout le monde ; chacun, tout un chacun ; *tutti quanti* (ital., « tous tant qu'ils sont »). – Le Tout- + n. *(le Tout-Paris, le tout-cinéma).* – POLIT. : plénum, réunion plénière.

4 **Tout,** toutes choses ; le toutim et la mèche [arg.]. – Macrocosme, monde, **univers** ; le Grand Tout.

5 Rassemblement, **réunion 725** ; synthèse.

6 **Universaux** [PHILOS.]. – PHILOS. : globalisme, universalisme ; loi de totalité.

7 Totalitarisme [POLIT.].

V. 8 **Totaliser,** faire le total. – Achever, compléter, complémenter, épuiser, parachever, parfaire. – Examiner sous ou sur toutes les coutures ; faire le tour de la question. – Globaliser, **synthétiser.**

9 C'est tout ou rien. – C'est tout l'un ou tout l'autre [fam.].

Adj. 10 **Tout** *(toute la journée, tous les jours).* – Tout ce qu'il y a de + n. pl. *(tout ce qu'il y a de gens)* ; chaque.

11 **Complet,** entier, intégral, plénier ; exhaustif ; synthétique. – Plein *(plein emploi, pleine peau).* – Plein *(plein comme un œuf).*

12 **Total** ; global, molaire [PHILOS.], universel. – Absolu, totalisant [LOG.].

13 Totalitaire. – Universaliste.

Adv. 14 **Complètement, entièrement,** intégralement, totalement ; exhaustivement. – Pleinement. – Universellement.

15 Tout *(un fauteuil tout neuf).* – Du tout au tout, en tout, en tout point, tout à fait. – En bloc, *in globo* (ital., « dans sa globalité ») ; à cent pour cent, de A à Z, de A jusqu'à Z, de bout en bout.

16 **En entier, en totalité,** *in extenso* (lat., « au complet, en entier », littéralt, « dans l'extension »).

17 De la cave au grenier, de fond en comble, d'outre en outre [litt.], **de part en part.** – De haut en bas, de pied en cap, des pieds à la tête.

18 **Au complet, au grand complet.**

19 Au total, en somme ; pop. : total, totalité.

20 Tout compris, T. T. C. (toutes taxes comprises).

21 Arg. : et le toutim, et tout le toutim **721.**

22 Indissolublement **844,** inséparablement.

Aff. 23 Olo-, holo-.

824 TOUCHER

N. 1 **Toucher** *(le toucher),* sensibilité tactile **755** ; attouchement [rare], tact [vx]. – **Contact.**

2 **Tactilité,** tangibilité [didact.].

3 **Toucher** *(un toucher)* ; attouchement ; maniement [vx]. – **Effleurement,** frôlement ; **caresse 91.**

4 MÉD. – **Palpation** ; doigté *(un doigté),* palper *(un palper),* toucher ; toucher rectal, toucher vaginal.

5 NEUROBIOL. – **Corpuscule du tact** ; corpuscules de Pacini, corpuscules de Meissner, corpuscules de Golgi-Muzzoni, corpuscules de Krause, corpuscules de Ruffini, corpuscules ou disques de Merkel. – **Main 479.** – **Peau 604.**

6 Attoucheur *(un attoucheur)* [rare].

V. 7 **Toucher** ; attoucher [litt. ou vx]. – **Effleurer,** frôler ; caresser ; peloter [pop.]. – **Passer la main**

sur, porter la main. – **Palper** [MÉD.], tâter ; manier [vx], tripoter [fam.], tripatouiller [très fam.].

Adj. 8 **Tactile.** – Palpable, sensible, **tangible.**

Adv. 9 **Tactilement** ; tangiblement [didact. ou litt.]. – **À touche-touche,** à la touchette [fam.] ; au coude à coude. – À pleine(s) main(s).

10 À tâtons.

825 TOXICOMANIE

N. 1 **Toxicomanie,** toxicophilie ; polytoxicomanie. – Alcoolisme, alcoomanie ou alcoolomanie ; tabagisme, nicotinisme. – Barbiturisme, cannabisme, cocaïnisme, cocaïnomanie, éthéromanie, héroïnomanie, morphinomanie, opiomanie, opiophagie. – Paradis artificiels [litt.].

2 Dopage ou doping.

3 **Accoutumance 357,** addiction [anglic.], dépendance, toxicodépendance ; état de manque. – Cure de désintoxication, décrochage [fam.].

4 **Drogue** ; arg. : **came,** camelote, dope, schnouff. – Narcotique, stupéfiant ; drogue douce, drogue dure ; analgésique, euphorisant, hallucinogène.

5 Cannabis, chanvre indien ; **haschisch** (ou, fam. : hasch, shit) ; **marijuana** (ou : marihuana, marie-jeanne, herbe) ; kif. – Tabac ; cigarette.

6 Mescaline, peyotl, psilocybine ; champignon hallucinogène.

7 **Cocaïne** (ou, arg. : blanche, neige, coco, coke) ; crack [amér.], diamorphine, **héroïne,** morphine, **opium,** procaïne. – Alcaloïde.

8 **Amphétamines** (ou, fam. : amphés, speed), barbituriques, dextromoramide, ecstasy, laudanum, L. S. D. ou lysergamide, méthadone, péthidine, phénadone.

9 Caféine, théine ; nicotine.

10 Arg. – Prise (ou : reniflette, sniff) ; shoot ou fix. – Défonce, flash, fumette ; trip (angl., « voyage ») ; descente, flip. – Taffe [fam.].

11 Dose létale, **overdose** [anglic.].

12 Fumerie d'opium. – De l'amér. : **joint,** stick. – Shilom. – Seringue ou, arg., shooteuse.

13 Trafic de drogue. – Narcodollar.

14 **Toxicomane** ou, fam., toxico, toxicophage. – **Drogué** *(un drogué)* ; arg. : camé, junkie ou junky [amér.]. – Barbituromane, cocaïnomane, éthéromane, héroïnomane, morphinomane, opiomane, opiophage. – Alcoolique ; fumeur.

15 **Revendeur** ; passeur, pourvoyeur, **trafiquant** ; arg. : contact, dealer [anglic.], fourmi. – Narcotrafiquant ; gros bonnet de la drogue.

V. 16 **Se droguer** ; arg. : se camer, se défoncer, s'envoyer en l'air, se flasher. – Arg. : se piquer, se shooter ; fumer, priser, sniffer.

17 Arg. – Partir, **planer** ; flipper ; redescendre. – S'accrocher ; décrocher.

18 Dealer [arg., anglic.].

Adj. 19 Toxicomaniaque ; addictif ; accro [fam.], **dépendant.**

20 Hallucinogène, psychédélique. – Toxicomanogène. – Antidrogue.

Aff. 21 -mane, **-manie.**

826 TRACTION

N. 1 **Traction** ; tiraillement, trait [vx ou TECHN., dans qqs emplois : *animal de trait,* opposé à *animal de bât* et à *animal de selle*]. – **Attraction 54** ; extraction **301.** – Force de traction ou force tractrice **322.**

2 Traction animale, trait ; traction électrique, traction mécanique, traction à vapeur. – Traction avant [AUTOM.]. – **Remorquage** ou remorque, tirage [vx], tractage, traînage [rare] ; touage ou, vx, toue [MAR. ou TECHN.] ; MAR. : déhalage, **halage.**

3 TECHN. : traction ; étirage **816,** tirage ; tirerie ; filage, tréfilage ou tréfilerie. – Étirement **298.**

4 **Traction** *(une traction)* ; tirade ; tirée [région.] ; tirette [fam.]. – MÉD. : traction rythmée ou rythmique de la langue, tractions vertébrales.

5 **Tracteur 834.** – TECHN. : mototracteur ; locotracteur ; locomotive **832,** locomotrice. – **Remorqueur 830.**

6 TECHN. : banc à étirer, banc d'étirage, banc fileur ; étire ; étireuse, tréfileuse, tréfiloir.

7 Tracteur [didact.] ; tireur. – TECHN. : étireur, tireur d'or ; fileur, tréfileur. – Haleur. – CH. DE F. : tractionnaire. – Tractoriste. – Traîneur.

8 Tirant, tirette ; tirasse. – Tiroir.

V. 9 **Tirer** ; tracter, traire [vx ou AGRIC.]

10 **Tirer** ; remorquer, **traîner.** – MAR. : **haler,** remorquer, touer ; déhaler. – Tractionner [CH. DE. F.].

11 **Étirer** ; allonger, détirer [rare], élonger [TECHN.] ; étendre **298,** détendre. – TECHN. : filer, tréfiler.

Adj. 12 **Tracteur** *(véhicule tracteur).* – MÉCAN. : tractif, tractoire.

13 **Tractable.**

14 **Étirable 259** ; élastique ; ductile [didact.].

15 **Tiré,** étiré, tendu ; TECHN. : filé, laminé, trait *(argent trait).*

Aff. 16 Tracto- ; tire-.

827 TRAGIQUE

N. 1 **Tragique** *(le tragique d'une situation, de qqch)* ; pathétique *(le pathétique).*

2 Litt. : pathétisme, pathos.

3 LITTÉR. – Tragique *(le tragique)* ou genre tragique (opposé à le comique). – Drame, mélodrame ou, fam., mélo, tragédie **817,** tragi-comédie ; tragédie lyrique. – Drame bourgeois, drame romantique.

4 **Drame** *(un drame),* **tragédie** *(une tragédie).* – Calamité, cataclysme, catastrophe, désastre, sinistre. – **Accident,** naufrage ; avarie, dommage, perte, ravage(s) ; accidentologie ; sinistralité. – Infortune, **malheur** ; épreuve, revers, vicissitude ; coup du sort, injure(s) du sort.

5 Adversité **11,** fatalité ; malédiction, mauvais œil, mauvais sort. – **Malchance** ; cerise [vieilli], guigne, guignon ; manque de chance ou, fam., de pot ; fam. : déveine, poisse ; scoumoune ou schkoumoune [arg.].

6 Affliction **836,** désolation, **détresse,** misère. – Épouvante, **peur 619,** terreur.

7 Tragédien ; tragique *(un tragique ; les tragiques grecs).*

V. 8 **Tourner au tragique** ; tourner à la tragédie, tourner au drame.

9 Atteindre, **frapper,** frapper de plein fouet, tomber sur, toucher. – **Affliger,** éprouver ; **abattre,** déconfire, **dévaster,** ensanglanter, **ruiner.** – Bouleverser, désemparer, désespérer. – Nuire à ; porter malheur (à).

10 Dramatiser, prendre au tragique.

Adj. 11 **Tragique** ; **catastrophique,** cataclysmique ou cataclysmal, désastreux, **dramatique** ; ruineux. – Fatal, fatidique, funeste ; maléfique, néfaste, pernicieux. – Impitoyable, implacable, inexorable. – Irrémédiable, irréparable.

12 Dangereux, **grave 759,** sérieux ; critique.

13 Affreux, atroce, épouvantable, **terrible.** – Déplorable, lamentable. – **Affolant,** alarmant, angoissant **619, inquiétant, terrifiant.** – Accablant, décourageant, désespérant. – Cruel, déchirant, pathétique ; bouleversant.

14 LITTÉR. : **tragique 817** ; tragi-comique. – Dramatique, mélodramatique ou, fam., mélo *(une histoire mélo, un film mélo).*

15 **Malheureux 836,** misérable. – Affligé, désolé. – Affolé, angoissé, apeuré **619,** éperdu, épouvanté, **terrifié,** terrorisé.

Adv. 16 **Tragiquement** ; dramatiquement, épouvantablement, pathétiquement. – **Malheureusement.**

828 TRAHISON

N. 1 **Trahison** ; félonie, forfaiture, infidélité [litt.], **traîtrise.** – **Déloyauté,** fourberie, mauvaise foi, perfidie. – Dissimulation **373,** duplicité, fausseté.

2 Abandon, défection, démission, **désertion** ; atteinte à la défense nationale, atteinte à la sûreté de l'État, **haute trahison.**

3 Infidélité ; adultère **491,** cocuage.

4 Apostasie, dédit, pirouette [fam.], reniement, retournement, **rétractation,** revirement, révocation ; palinodie [litt.]. – **Parjure.**

5 **Délation,** dénonciation, mouchardage [fam.] ; arg. : balançage, casserole [vx] ; arg. [surtout scol.] : cafardage, caftage ou cafetage, rapportage.

6 **Tromperie 838,** perfidie, scélératesse ; doublage [arg.]. – Imposture, mystification. – Fam. : **coup de Jarnac,** coup de poignard dans le dos ; arg. : coup de chien, coup de pied en vache, crasse ou, vx, crasserie, flanche à la mie de pain. – Baiser de Judas. – Embuscade, guet-apens, piège **175,** souricière, traquenard.

7 Félon, infidèle, **traître** ; faux frère, faux ami, fourbe. – Intrigant. – Infidèle [litt.], parjure ; apostat, renégat.

8 Délateur, dénonciateur, **donneur** [fam.], sycophante [litt.] ; arg. : balanceur, bourrique, casserole, cuisinier [vx], macaron [vx], matuche, musique. – Indicateur ou, fam, indic, informateur ; fam. : **mouchard,** mouche, mouton ; arg. : friquet ; arg. [surtout scol.] : cafard ou cafardeur, cafteur ou cafeteur, capon, rapporteur. – Collabo [HIST., péj.].

9 Déserteur, transfuge ; **vendu** [fam.]. – Agent double, agent secret, espion ; sous-marin ou taupe.

V. 10 **Trahir** ; dénoncer, signaler ; **livrer,** remettre ; fam. : donner, moucharder, vendre. – Arg. [surtout scol.] : cafarder, cafter ou cafeter. – Arg. : balancer, balanstiquer, manger sur l'orgue de qqn. – Arg. : aller à la marmite, faire le pain avec la police. – Divulguer ; fam. : bouffer (ou : casser, cracher, lâcher, manger) le morceau, déballer (ou : lâcher, sortir) le paquet, vendre la mèche (ou : la calebasse, le fourbi, le truc) ; passer à table [fam.].

11 **Passer à l'ennemi,** retourner sa veste, tourner casaque, virer de bord ; changer son fusil d'épaule.

12 Faillir, forfaire à, manquer à *(manquer à sa parole, à son devoir, aux obligations de sa charge),* rompre (ou : trahir, violer) un engagement ; déchoir, forligner [vx] **552.** – **Renier,** reprendre sa parole ; se dédire, se parjurer, se rétracter ; se délier.

13 Donner un coup de canif ou d'épingle dans le contrat [fam.]. – Charrier [arg.], cocufier, tromper **491.**

14 Abandonner, **déserter,** lâcher, laisser tomber ; arg. : chier du poivre. – Se défiler, s'esquiver.

15 Servir qqn à plats couverts. – Faire un enfant dans le dos à qqn [fam.], frapper par-derrière. – Doubler [fam.]. – Tricher.

16 Mentir. – Trahir *(trahir l'esprit)* ; **dénaturer,** fausser. – *Traduttore traditore* (ital., « traducteur, traître »).

Adj. 17 **Traître** ; déloyal, félon, infidèle, **perfide** ; sans foi. – Adultère.

18 **Trompeur 838** ; artificieux, fourbe, hypocrite **373,** mensonger. – Captieux, fallacieux, illusoire, insidieux.

Adv. 19 **Traîtreusement** ; trompeusement.

829 TRANSPORTS

N. 1 **Transport** ; **port,** portage [vx] ; voiturage [vx] **833.** – **Acheminement,** transfert ; traite [vx]. – Circulation, mouvement **538, trafic.** – **Messageries.**

2 **Déplacement** ; déménagement. – Fam. : **transbahutement, trimbalage** (ou : trimballage, trimbalement, trimballement).

3 Chargement ; **embarquement** ; débarquement ; déchargement. – **Transbordement.**

4 **Fret 135.** – Destination, **expédition, réception.** – Import ; export.

5 **Transports,** transports aériens **831,** transports maritimes et fluviaux **830,** transports terrestres **833** ; transports combinés [DR. INTERN.] ; téléphérage ou téléférage ; câblage [spécialt]. – Souv. au pl. : **communication 136, liaison.** – **Desserte,** voie *(voie de communication)* ; ligne, réseau.

6 **Traversée** ; circuit, itinéraire, parcours.

7 **Arrêt,** escale, station. – Arrivée **45,** départ **189,** terminus. – Changement, **correspondance.**

8 Horaire, horaire d'arrivée, horaire de départ, horaire de passage ; tableau horaire. – Vitesse de croisière.

9 Souv. au pl. : **moyen de communication,** moyen de transport, **transport en commun.** – **Véhicule** ; **courrier.** – Machine. – Navette. – Convoi, attelage, train *(un train de véhicules).*

10 Mal des transports.

11 TECHN. – **Transporteur** ; convoyeur **489.** – Chargeur ; transbordeur.

12 **Coffre.** – Barrique, benne, cadre [TECHN.], conteneur ou **container 151.4.** – Caisse, caisson.

13 Câble **261,** canalisation, **conducteur, conduite** ; **ligne,** vecteur. – Pipeline ou pipe-line **618** ; carboduc, gazoduc, oléoduc.

14 **Bagage,** bagage accompagné, bagage à main, **colis,** courrier **157, envoi,** malle, **paquet,** sac de voyage, valise. – Charge, **fardeau** ; cargaison, **marchandises 490.**

15 **Titre de transport** ; billet, billet open, contremarque ; aller *(un aller),* retour ; aller et retour ou, fam., aller retour ; carte de transport, coupon annuel, coupon mensuel. – Compostage.

16 COMPTAB. : **transport, coût de transport,** frais de transport. – COMM. : bon de transport, droit de circulation. – Contrat de transport [DR.] ; avarie. – Tarif ; voyageur-kilomètre [ADMIN.].

17 **Compagnie,** compagnie ou entreprise de transport ; coursier international.

18 **Transporteur** ; chargeur ; convoyeur. – **Fréteur, loueur,** voiturier. – **Affréteur.** – Commissionnaire de transport ; courtier de fret. – Expéditeur ; destinataire. – Contrôleur.

19 **Passager,** usager, voyageur.

V. 20 **Transporter** ; **porter.** – Emmener, **emporter** ; fam. : balader, bringuebaler ou brinquebaler, promener, traîner, **transbahuter,** trimbaler ou trimballer.

21 **Acheminer,** diriger vers, envoyer, expédier. – **Apporter, porter à.** – Convoyer.

22 **Déplacer,** déménager ; **transborder,** transférer ; bouger [fam.]. – Embarquer ; débarquer.

23 **Conduire, mener,** porter [litt.].

24 **Se transporter** ; se diriger **221.20.** – Avancer vers ; **aller à.**

25 **Affréter** ou prendre à fret ; **fréter** ou donner à fret.

26 Être transporté, **voyager** *(denrées voyageant par avion).*

Adj. 27 **Transporteur,** transbordeur

28 **Transportable** ; **déplaçable,** portable.

29 **Transporté** ; déplacé.

30 Express.

830 TRANSPORTS MARITIMES ET FLUVIAUX

N. 1 Transports par eau ou par l'eau, **transports maritimes** ou par mer, **transports fluviaux.** – Marine **672, marine marchande** ou marine de commerce. – **Flotte** ; batellerie, cale. – **Navigation** ; radionavigation **207.** – Transport **829** ; croisière.

2 **Bateau, bâtiment** ; **navire** ; vaisseau ; péj. : baille, rafiot. – Navire-jumeau ou, anglic., sister-ship.

3 **Paquebot,** transatlantique *(un transatlantique)* ; transport de troupes [MIL.] ; négrier [anc.]. – **Aéroglisseur,** hovercraft, hydroglisseur ; aquaplane, Naviplane [nom déposé].

4 **Cargo** ou navire de charge ; bateau-citerne, navire-citerne ; **roulier.** – **Liner** (ou : cargo de ligne, navire de ligne) ; **tramp.** – Cargo polyvalent ; motorship (abrév. : M/S). – Anc. : steamer, vapeur *(un vapeur).*

5 Cargos. – **Asphaltier** ou bitumier, **charbonnier, minéralier,** minéralier-vraquier ou, anglic., obo ; **vraquier** (ou self-trimmer, [anglic.], transporteur en vrac). – Transporteurs de gaz : butanier, éthylier, méthanier, propanier. – **Pétrolier, tanker** ; superpétrolier ou supertanker ; avitailleur ou mazouteur ; ravitailleur ; porte-conteneurs, roll on-roll off ou, fam., roro. – **Bananier, céréalier** ; navire-base ; grumier.

6 **Transbordeur** (ou : car-ferry, **ferry, ferryboat,** train-ferry). – **Accon** ou acon ; allège, chatte. – **Bac,** traille ; bachot, va-et-vient ; traversier [canad.]. – Porte-barges.

7 **Péniche** (ou : bateau de canal, péniche flamande) ; coche d'eau [anc.]. – **Chaland,** chaland-citerne, chaland-coffre ; sapine (ou : sapinette, sapinière). – **Barge** ; remorqueur. – **Radeau.**

8 **Embarcation.** – Barque, canot, chaloupe ; vedette ; Zodiac [nom déposé]. – Fam. : **coque** (ou : coque de noix, coquille de noix). – Litt. : esquif, **nacelle.**

9 Bateau-mouche ou, anc., mouche, house-boat.

10 **Armement** ; équipement. – Apparaux ; gréement.

11 Bord ; bâbord, tribord. – Dunette. – Timonerie. – Compartiment ; logement ; **cabine.** – **Cale** ; citerne, cuve ; feeder.

12 **Acconage** ou aconage, roulage ou roll on-roll off **489.** – Flottage. – **Bornage** [anc.] ou navigation côtière, cabotage ; batelage. – Commerce triangulaire [HIST.].

13 Navigation, **pilotage 221.15.** – Routage. – **Abordage,** accostage, appontage. – Éclusée.

14 **Ligne,** lignes « navette », lignes « tour du monde ». – Route, **traversée 871.** – Escale.

15 **Port** ; port fluvial, port maritime ; hoverport. – Bassin, darse ou darce ; rade. – **Quai,** appontement. – **Embarcadère** ; **débarcadère.** – Gare maritime ; voie de quai ou voie de port. – Garage à bateaux ; pont-garage. – **Écluse** ; bief ; vantellerie ou vannellerie.

16 **Canal** ; chenal, passe. – **Voie navigable** ; cours d'eau, fleuve, rivière. – Lac. – Mer **319** ; eaux territoriales [DR. MAR.].

17 **Navigabilité.** – Innavigabilité.

18 **Cargaison** ; **fret 135** ; aliment [DR. MAR.] ; **batelée,** pontée. – **Jauge** ; **charge,** plein *(le plein),* tonneau. – **Jaugeage, tonnage.** – Port en lourd. – Lourd *(du lourd).* – **Vrac** *(vrac liquide, vrac sec).*

19 DR. MAR. – **Documents de bord** ; **connaissement,** manifeste. – Délivraison. – **Ancrage, batelage,** droit de port ; billet de bord, billet lombard [HIST.]. – **Affrètement, nolisement,** sous-affrètement ; charte-partie. – Conférence. – Vente fas (angl. : *free alongside,* « franco le long du navire »), vente fob (angl. : *free on board,* « franco à bord »). – Quarantaine. – Baraterie. – Pavillon, pavillon de complaisance ; port d'attache.

20 Avarie. – Épave.

21 **Gens de mer** (ou : marins du commerce, marins marchands) ; **marin,** navigateur. – **Équipage,** monde. – **Patron** ; **capitaine,** patron au bornage ou capitaine côtier (opposé à capitaine au long cours) ; second capitaine ou second ; bosco

ou maître de manœuvre. – **Matelot** ; manœuvrier ; chef mécanicien ; calier, cambusier.

22 **Batelier, marinier** ; naute [HIST.] ; passeur ; gondolier. – **Pilote,** pilotin ; litt. : nautonnier, nocher. – **Timonier** ou homme de barre. – Acconier (ou : aconier, stevedore [anglic.]).

23 Garçon, steward. – **Coq,** maître-coq (ou : chef, maître coq) **703.**

24 DR. MAR. – **Chargeur,** commissionnaire-chargeur. – Réceptionnaire, subrécargue [anc.] ; sapiteur. – **Armateur, fréteur** ; affréteur.

25 Compagnie de navigation. – Chantier naval.

26 Voyageur **871** ; **passager.**

V. 27 **Naviguer** ; **voguer** [litt.]. – Cingler, courir, marcher ; croiser ; culer. – **Caboter.** – Battre pavillon.

28 **Aborder,** accoster, débarquer ; être à quai. – Affourcher, ancrer, mouiller ; jeter l'ancre. – **Appareiller** ; déborder ; embarquer.

29 Charger ; **barroter.** – Décharger. – Avarier.

30 DR. MAR. – **Fréter** ; affréter, **noliser.**

31 Écluser. – Router.

32 Accastiller.

Adj. 33 **Marin,** marinier [vx], **maritime,** nautique, **naval.** – **Fluvial,** fluviomaritime.

34 **Navigable.** – Abordable [rare] ; accostable. – Innavigable.

35 Transatlantique, transmanche. – Traversier.

36 **Marchand** ; transporteur. – Polytherme. – Sous-palan [DR. MAR.].

Aff. 37 **Naut-,** nauto- ; -naute, -nautique, -nautisme. – Fluvio-.

831 TRANSPORTS PAR AIR

N. 1 Transports par air ; **transport aérien.** – **Aviation** ; aviation civile, aviationcommerciale ; poste aérienne **136.** – Astronautique **48** ; aérostation. – Aéronautique ; avionique [TECHN.].

2 **Avion** ; appareil, zinc [fam.] ; didact. :aérodyne, **aéronef** ; vx : aéroplane, machine volante ; coucou [fam. et péj.]. – Avionnette ; monoplace, biplace ; U. L. M. – Avion à hélice(s) ; monomoteur, bimoteur, trimoteur, quadrimoteur. – Monoplan, biplan, triplan. – Bipoutre *(un bipoutre).* – Deux-ponts. – Avion à réaction ; monoréacteur ; biréacteur, triréacteur, quadriréacteur, hexaréacteur. – Hydravion ; planeur. – Giravion ; autogire, hélicoptère, girodyne ; combiné *(un combiné),* convertible *(un convertible).* – Aérostat ; **ballon** ; ballon dirigeable ou dirigeable ; anc. : montgolfière, saucisse [fam.], zeppelin.

3 Avion de ligne ou avion commercial ; avion d'affaires ; avion-taxi. – **Charter** ou, DR., avion nolisé. – **Gros-porteur** ou jumbo-jet, moyen-porteur ; court-courrier, court-moyen-courrier, **long-courrier,** moyen-courrier ; Airbus [nom déposé]. – **Avion-cargo,** avion-citerne ou avion-ravitailleur. – Bombardier d'eau, Canadair [nom déposé]. – MIL. : bombardier ; ailier, chasseur, intercepteur.

4 Fuselage ; **carlingue** ; **cockpit,** poste de pilotage ; cabine, habitacle ; passerelle ; **soute.** – Bec, queue. – Aile ; aérofrein ou, anglic., spoiler, aileron, bec d'attaque, volet hypersustentateur ; dérive, gouverne de direction, gouverne de profondeur ; empennage. – Train d'atterrissage. – Réacteur ; turbopropulseur, turboréacteur ; statoréacteur.

5 **Emport** *(capacité d'emport)* ; charge marchande.

6 **Navigation aérienne.** – **Vol** ; approche ; atterrissage ; amerrissage ; décollage ; prise de piste. – Capotage ; déportement. – Déroutement ou déroutage ; détournement. – Crash. – Figures aériennes : carrousel, chandelle, looping, tonneau, vrille.

7 Espace aérien ; ligne aérienne. – DR. AÉRIEN : Manifeste ; **plan de vol.**

8 **Aérodrome.** – Champ d'aviation ; champ d'atterrissage, **piste** *(piste d'atterrissage, piste de décollage).* – Tour de contrôle ; radar **207.**

9 **Aéroport** ; aérogare, jetée, **satellite,** tarmac, terminal ; salle d'embarquement. – Navette. – **Escale, transit** ; consigne. – Douane, zone franche ; duty free [anglic.].

10 Billet apex, billet ipex ; billet open, billet stand-by. – Classe affaires **871,** classe touriste.

11 Construction aéronautique, **avionique** ou aéroélectronique.

12 Compagnie aérienne ; avionnerie [canad.]. – Flotte, flottille ; escadrille.

13 Aéro-club. – Baptême de l'air.

14 **Aviateur** ; vieilli : aéronaute, aérostier ; pilote d'essai, pilote de ligne. – **Commandant de bord, pilote** ; copilote ; navigateur, radionavigant ou radionavigateur. – **Équipage** ; hôtesse de l'air, steward. – Personnel rampant ou personnel au sol (opposé à personnel navigant ou volant) ; navigant *(un navigant),* rampant *(un rampant).*

15 **Avionneur** ; constructeur d'avions. – Aérianiste [DR.].

V. 16 Affréter. – DR.Charteriser ou noliser.

17 **Embarquer** ; débarquer. – Faire escale ; transiter.

18 Voler ; **naviguer.** – **Décoller, prendre l'air,** s'envoler. – Planer, plafonner ; piquer. – Amerrir, **atterrir.** – S'écraser ; fam. : casser du bois, se crasher.

19 Dérouter. – Détourner.

Adj. 20 **Aérien** ; aéronautique ; de l'air *(médecine de l'air).* – Aéroportuaire.

21 Navigant ou volant (opposé à rampant). – Aéroporté, aérotransporté, héliporté, hélitransporté, hélitreuillé.

22 Aéropostal. – TECHN. : commuter ou troisième niveau.

23 Aérianiste [DR.].

24 Aérostatique. – Supersonique.

Aff. 25 **Aéro-.**

832 TRANSPORTS PAR RAIL

N. 1 **Transport par rail** ou transport ferroviaire. – Absolt : **le chemin de fer,** le fer, **le rail, le train.**

2 Transport rail-route. – **Ferroutage,** railroute ou rail-route. – DR. INTERN. : transports combinés **829** ; T.I.R. (transit international par la route) ; autoroute roulante, système kangourou, système piggy-back.

3 **Réseau ferré** ; chemin de fer, **voie ferrée** ; anglic., vx : railroad, railway. – **Voie** ; longrine, **rail, traverse,** voie courante. – Voie déviée, voie directe, voie libre ; évitement de circulation ou, anc., garage actif, voie d'évitement, **voie de garage.** – Contre-rail, **contre-voie,** ligne à double voie, monorail ; ornière.

4 **Départ 189** ; arrivée **45** ; **passage** ; desserte cadencée. – **Aiguillage** ou aiguille ; cabine ou poste d'aiguillage, P.A.R. (poste d'aiguillage et de régulation), P.R.S. (poste tout relais à transit souple) ; bouton d'itinéraire, combinateur, levier de manœuvre, **sauterelle,** verrou ; **enclenchement, verrouillage.** – **Signalisation 63** ; portique *(portique à signaux).* – Anc. : cloche d'annonce ou d'avertissement ; préannonce ; signal de clôture, signal fermé, signal ouvert ; **fanal.**

5 **Triage.** – Alternat, **branchement,** californien, **chevauchement** ou pose à joints alternés, débranchement ; faisceau ; faisceau de débranchement, faisceau de réception, voie ou faisceau de formation, voie ou faisceau de triage ; évite-bosse ou évite-butte. – Bosse de débranchement ou butte de gravité.

6 Déraillement **212.3** ; catastrophe ferroviaire. – **Détournement** ; **rebroussement.** – Désheurement.

7 **Dédoublement** *(dédoublement d'un train)* ; forcement. – Quadruplement.

8 Ligne de chemin de fer, **ligne** ; **grande ligne** [souv. au pl.], ligne de banlieue. – Tête de ligne ; terminus ; direction **221.**

9 **Train** ; **convoi, rame.** – **Matériel roulant.** – Coupe ; tranche. – Train pair ; train impair. – Train de secours. – Train supplémentaire. – Dur *(un dur)* [arg.].

10 **Traction 826.** – **Attelage,** attelage automatique. – **Locomotive** ou **machine,** locomotive Diesel, locomotive électrique, locomotive à vapeur [arg.] ; locomoteur ; **automotrice,** motrice ; machine haut-le-pied ; trolley. – Barre, chaîne, coupleur, crochet, tendeur ; tampon. – Bogie ou boggie, brancard, caisse, châssis, longeron.

11 **Chemin de fer.** – **Métro** (ou, vx : métropolitain, chemin de fer métropolitain), métro aérien, métro souterrain. – **Tramway** ou, fam., tram ; trolleybus ou, fam., trolley. – Chemin de fer à crémaillère, **funiculaire** ou chemin de fer funiculaire, **téléphérique.** – **Train-ferry** (ou : ferry, transbordeur) **830.**

12 **Direct** ou train direct, **omnibus** ou train omnibus ; **express, rapide** ou train rapide, **T.G.V.** (train à grande vitesse) ; **autorail** ou micheline ; **correspondance** ; tortillard. – Interurbain ou chemin de fer interurbain. – Train sur coussin d'air ; aéroglisseur, Aérotrain [nom déposé]. – Chemin de fer hydraulique, **turbotrain.** – Chemin de fer à voie étroite ; chemin de fer Decauville, chemin de fer portatif. – Train automoteur.

13 **Train de voyageurs, train de marchandises,** train de messagerie, train mixte ; train autocouchette ou **train-auto** ; train-poste. – Train-parc.

14 **Voiture, wagon.** – Voiture-bar ou, anc., wagon-bar, **voiture-lit** ou, anc., wagon-lit, voiture-restaurant ou, anc., wagon-restaurant ; grill-express. – Anc. : pullman ou voiture pullman. – Voiture-salon.

15 Tête de train, tête ; queue de train, queue. – **Compartiment,** single. – Couloir, bagagerie ; plate-forme ; impériale. – Banquette, **couchette,** place assise, place debout ; coin couloir, coin fenêtre.

16 Allège postale, **voiture-poste** ou, anc., wagon-poste ; fourgon, plat *(un plat),* remorque, wagon couvert. – **Citerne** (ou **wagon-citerne,** ou, anc., wagon-réservoir), **wagon-foudre** ; tombereau ou **wagon-tombereau, wagon-trémie** ; wagon-écurie.

17 Transbordeur ou chariot transbordeur. – **Draisine** ; chasse-pierres. – MIN. : berline, coke-car. – Lorry ; truck, **wagonnet.** – Monorail *(un monorail).* – Chariot.

18 Benne, cabine.

19 **Gare,** gare d'arrivée, de départ, gare terminus ; **terminus, tête de ligne** ; gare frontière. – Gare de marchandises, gare de voyageurs. – Gare de bifurcation, gare commune, gare de jonction, gare de passage ; gare de triage. – Bouche de métro, station ; interstation.

20 **Passage à niveau.** – Pont **834, pont-rail** (ou pont ferroviaire, ou, anc., passage inférieur), viaduc ; saut-de-mouton. – Pont roulant, pont tournant. – Passage à cabrouets.

21 **Indicateur des chemins de fer** ; indicateur Chaix, le Chaix ; horaire. – Avis-train.

22 **Billet 829,** coupon [belg.] ; billet ou ticket de quai. – Pemière classe, seconde classe ; supplément, surclassement.

23 **Compagnie des chemins de fer** ; les chemins de fer *(employé des chemins de fer)* ; Société nationale des chemins de fer français (S. N. C. F.).

24 **Cheminot,** traminot ou, vx, wattman ; agent de conduite, **conducteur,** conducteur de maœuvres, conducteur de route ; chauffeur, **mécanicien** ou, fam., mécano. – **Aiguilleur,** caleur ou enrayeur, **coupeur** ou dételeur, freineur ; anc. : garde-frein ou serre-frein. – Ambulant *(un ambulant).* – Chef de train ; **chef de gare.** – **Garde-barrière.**

V. 25 Transporter. – Ferrouter [TECHN.].

26 **Circuler, rouler.** – Entrer en gare ; être en gare ou à quai. – Partir. – Dérailler.

27 **Desservir.**

28 Conduire ; manœuvrer. – Garer, diriger sur une voie de garage. – Former ; dédoubler un train.

29 Dévoyer. – Différer *(différer un wagon).*

30 Éclisser, verrouiller.

Adj. 31 Ferré ; **ferroviaire.** – Ferroutier [TECHN.] ou rail-route **833.**

32 Funiculaire ; à crémaillère.

33 **Direct, omnibus** ; intervilles. – Autocouchette (ou : autocouchettes) ; porte-autos.

34 Permanent *(train permanent),* régulier. – En partance. – À supplément.

35 Bondé, à vide.

36 Bivoie ; monorail *(train monorail).*

Adv. 37 En tête ; en queue.

Int. 38 **En voiture !** – Attention au départ ! – Fermez les portières, s'il vous plaît !

833 TRANSPORTS PAR ROUTE

N. 1 **Transport 829** ; transport par route ou **transport routier** ; absolt : la route (opposé notamm. à rail [*le rail*]). – Vx : carrossage, roulage, **voiturage.** – Covoiturage. – **Camionnage** ; remorquage. – Brouettage, charriage, charroi. – Ferroutage **832.**

2 Véhicules. – Automobile **57** ou, fam., auto, **voiture.** – Fam. : bagnole, bahut, caisse, chignole, tire ; fam., péj. : charrette, clou, guimbarde, sabot, tacot ; tapecul, veau ; épave, tas de tôle ou tas de ferraille, poubelle ; très fam. : chiotte, tinette. – Bolide [fam.], teuf-teuf [enfant.] ; mécanique *(une belle mécanique)* [fam.].

3 **Voiturette** ; trivoiturette ; fam. : pot de yaourt, trottinette. – Vx, rare : cycle-car, quadricycle, quadrillette.

4 Autoroutière *(une autoroutière),* citadine *(une citadine),* commerciale *(une commerciale),* **familiale** ou voiture familiale, **routière** *(une routière),* sportive *(une petite sportive),* vireuse *(une bonne vireuse)* ; voiture de tourisme ; grand tourisme ou, abrév., G.T. – Compact ou compacte *(une compacte).*

5 **Cylindrée** *(grosse, petite cylindrée)* ; diesel *(une diesel),* traction avant **826.2** ; turbo *(une turbo).* – Tout-terrain *(un tout-terrain),* buggy, Jeep [nom déposé], land, **quatre-quatre** ou 4 × 4 ; autoneige [canad.]. – Custom ; kart ou karting, stock-car.

6 **Utilitaire** ou véhicule utilitaire ; camionnette, fourgonnette, pick-up ou camionnette de ramassage, plateau. – Messager [vx].

7 Véhicules industriels. – **Remorque, semi-remorque** ; diplory ou diplorry. – Bétaillère, **fourgon,** van. – Camion, poids lourd ou, arg., gros-cul ;

citerne ou camion-citerne ; grumier. – Tracteur, tractochargeur [TR. PUBL.] ; mototracteur ; train routier.

8 **Autocar** ou, car ; pullman ou autocar pullman. – **Autobus, bus.** – Microbus, **minibus,** minicar, van. – **Camping-car,** mobile home [anglic.] ; caravane, roulotte, verdine.

9 **Taxi** ou, vx : auto-taxi, taximètre. – Voiture de grande remise, voiture de place.

10 Ambulance ; corbillard. – Voiture ou fourgon cellulaire, voiture pie ; car de police. – Dépanneuse ; voiture-école.

11 **Chariot 489** ; benne, binard, **tombereau.** – Cabrouet, **charrette,** haquet ; téléga ou télègue. – Diable, fardier, trinqueballe ou triqueballe.

12 **Porte-bagages.** – Plate-forme, impériale.

13 Cycles et motocycles. – Anc. : bicycle, célérifère ; **bicyclette, vélo,** vélo tout chemin ou V.T.C., vélo tout-terrain ou V.T.T., vélocipède [anc. ou par plais.] ; tandem, triplette [anc.] ; **tricycle, triporteur** ou, fam., tri. – Bicross, mountain bike [anglic.], vélocross. – Anc. : cyclo-pousse, rickshaw [Orient, Extrême-Orient], vélopousse, **vélotaxi** ou vélo-taxi. – **Deux-roues** ; autocycle [vx], **cyclomoteur** ou, fam., cyclo, Mobylette [nom déposé], moto, motocyclette [ADMIN.], motoneige (ou : motoski, skidoo) [canad.], scooter, side-car (ou : sidecar, side), **vélomoteur.** – Fam. : **bécane** ; pétrolette.

14 Voitures hippomobiles. – Américaine, **berline,** berlingot, boghei (ou : boghey, boguet, buggy), **break,** brougham, derby, dog-cart, limonière, mail-coach ou mail, tapecul [fam.], **tilbury, victoria** ; carriole, maringote ou maringotte, patache. – Cab, **cabriolet, calèche, carrosse,** coupé, dorsay, duc, landau, milord, petit duc, phaéton **57,** tandem. – Chaise de poste, **coche,** dame-blanche, **diligence** ; **malle** ou **malle-poste.** – **Fiacre,** omnibus, vélocifère.

15 Anc. – Voiture à bras ; **chaise à porteurs,** filanzane, palanquin ; pousse ou **pousse-pousse** ; vinaigrette.

16 Routes. – Infrastructure, **réseau routier** ; pont routier ou pont-route, tunnel, viaduc. – Gare routière. – Nœud de communications ; carrefour **171.13,** croisement ; saut-de-mouton. – Antenne, bifurcation, bretelle, embranchement, patte-d'oie.

17 **Voie rapide,** voie express ou route express. – Voie principale, voie secondaire. – **Autoroute,** autostrade.

18 Périphérique ou boulevard périphérique ; anneau, rocade ; radiale (opposé à pénétrante **608.4**). – Transversale *(une transversale).*

19 **Route** ; **chemin,** passage, piste, ruelle **289.3,** sentier, traverse (ou chemin de traverse, route de traverse), voie, voie de terre. – **Départementale** *(une départementale)* ou route départementale ; **nationale** (ou : route nationale, R. N.) ; chemin vicinal.

20 Route. – Accotement, chaussée **834.** – Billard ; cahot, cassis, dos-d'âne ; fondrière, nid-de-poule, ornière.

21 **Circulation** ; bouchon, embarras de la circulation [sout.] ; **embouteillage.** – **Trafic** ; capacité *(capacité d'une route)* [TR. PUBL.], débit.

22 Déviation **212** ; itinéraire ou voie de dégagement, route barrée. – Barrière de dégel **67.12.**

23 Garage, autoport ; station-service. – Restoroute ; motel.

24 DR. – Congé, licence ; coordination. – Bureau de fret.

25 Carte routière **387.**

26 Éducation routière. – Automobilisme ; cyclisme, motocyclisme ; motoneigisme [canad.].

27 **Conducteur** ; usager de la route. – **Chauffeur** ; chauffard [péj., fam.]. – **Automobiliste.** – Deux-roues *(un deux-roues)* ; **cycliste** (ou, vieilli : bicyclettiste, bicycliste), cyclotouriste **792.61** ; cyclomotoriste ; **motard,** motocycliste, motoneigiste [canad.], scootériste, side-cariste ou sidecariste, vélomotoriste ; vélocipédiste [vieilli ou par plais.].

28 **Routier** ou chauffeur routier ; **camionneur** ; citernier. – Autocariste. – Chauffeur de taxi ou, fam., taxi. – Anc. : messager, roulier, voiturier, voiturin. – Roulottier.

29 **Charretier, cocher,** cornac, muletier, postillon. – Caravanier, chamelier. – ANTIQ. : aurige, automédon.

30 Chauffard.

31 **Piéton.** – Colporteur ; chemineau **603** ; pèlerin [vx] ou voyageur **871** ; trimardeur. – Routard.

32 Porteur ; anc. : portefaix.

33 Carrossier. – Motociste, vélociste.

V. 34 **Transporter** ; **acheminer, camionner,** carrosser [vx], **véhiculer, voiturer** ; brouetter, **charrier, rouler.** – Rouler carrosse [fig., vieilli].

35 Charger ou prendre en charge *(taxi qui charge un client).* – **Conduire** (qqn) ; accompagner, reconduire.

36 Rouler ; **circuler** ; conduire. – Aller à bicyclette ou à vélo, cycler [vx], pédaler. – Cartayer.

37 Prendre la route. – Se mettre en route ou en chemin.

Adj. 38 **Routier** ; **terrestre.** – Autoroutier. – Rail-route **832.**

39 **Automobile,** voiturier.

40 Tous terrains ou tout terrain ; quatre-quatre.

41 Automobilisable. – **Carrossable,** cyclable, motocyclable, praticable, viable.

42 **Cycliste.** – Tricycle [TECHN.]. – Vélocipédique [vieilli ou par plais.].

Aff. 43 Auto- **57** ; **cyclo-,** cycl-.

44 -cycle.

834 TRAVAUX PUBLICS

N. 1 **Travaux publics,** bâtiment et travaux publics (B.T.P.). – Ponts et Chaussées. – Ingénierie. – Génie civil. – Voirie, réseaux divers ; V.R.D. (voirie et réseaux divers).

2 Géomécanique ; mécanique des roches, mécanique des sols. – Œdométrie.

3 Ouvrage d'art ; construction **39.**

4 **Route 845** ; autoroute ; antenne, bretelle ou bretelle de raccordement. – Chaussée ; voie de circulation ; accotement, bande, bas-côté, bord 77. – Banquette *(banquette de sûreté)* ; garde-corps ou garde-fou, lisse, parapet. – Pavage, revêtement **727,** rudération. – **Tranchée** ; zone de déblai. – **Tunnel,** tunnel immergé.

5 **Pont** ; passerelle, pont autoroutier, pont-aqueduc ou aqueduc, pont ferroviaire, viaduc. – Arrière-bec, avant-bec, brise-glace, défense, éperon, patte-d'oie.

6 **Barrage** ; digue, vergne. – Coupure étanche, membrane d'étanchéité ; avant-radier, arrière-radier, parafouille. – Contre-pente. – Bâtardeau ou batardeau, hausse ou haussoir ; enrochement. – Gabion.

7 **Canal** ; adducteur, émissaire ; watergang. – Duit. – **Puits** ; puits d'amarrage, puits d'ancrage, puits drainant, puits de décompression, puits filtrant, puits de reconnaissance. – Réservoir de chasse. – Épanchoir, trop-plein. – Drain ; siphon.

8 Assainissement. – **Caniveau,** égout ; cunette. – **Fossé** ; nause, revers d'eau. – Guideau ou guide-eau. – Rigole ; dalot, goulette ou goulotte. – Saignée. – Barbacane ou chantepleure. – Chéneau ; gargouille.

9 **Écluse** ou sas à air. – Ascenseur à poissons.

10 **Vanne** ; vanne de chasse, vanne de compensation ou déchargeur, vanne de prise d'eau. – Vannette.

11 **Fondation,** infrastructure. – Assiette, emprise. – **Palier** ; berme, plate-forme, tablier. – Superstructure ; membrure.

12 **Appui,** soutènement, travure ; abloc, butée, contrefort, culée. – **Pilier** ; piédroit, pile, pile-culée, pylône.

13 **Paroi** ; mur de soutènement, perré ; mur ou paroi moulée.

14 **Talus** ; retroussis, rideau. – Terre-plein ; terrasse, remblai, zone de remblai ; taquet, témoin.

15 **Ouverture.** – Barbacane, chartière.

16 Trou ; cavage, excavation. – Souchet, sous-cave.

17 Déblai ; cavalier.

18 **Charpente** ; caisson, coffrage. – Rouet, sonnette. – Treillis ; lattis.

19 Arcade, arche **39.18,** arche de décharge, **voûte** ; travée. – Calotte, cintre.

20 **Dragage,** papillonnage ou papillonnement ; dérochement, dévasement. – Calibrage ; dérivation. – Drainage ; wateringue. – Rabattement de nappe.

21 Dérochage ou déroctage. – Abattage mécanique. – Préconcassage. – Épinçage.

22 **Terrassement** ; mouvement des terres. – Travail en butte (opposé à travail en fouille). – Excavation, fouille ; décaissement ou encaissement. – Forage ; vibroflottation. – Havage. – Purge. – Déblai. – Bardage.

23 **Remblai** ou remblayage. – Consolidation ; compactage, corroyage, régalage.

24 Blindage, coffrage ; décintrage, décoffrage. – Clayonnage. – **Étayage,** étaiement ou étayement, étrésillonnement ; amarrage, ancrage ; ferraillage, haubanage. – Recepage. – Lançage ; mise en fiche ; battage de pieux, pilotage, piquetage. – Fascinage. – Muraillement.

25 **Asphaltage, bétonnage,** gravillonnage, gunitage. – Cure du béton ; essorage par le vide ; mise en tension préalable. – Enrobage, fillerisation ; fluatation. – Injection, répandage ; imprégnation, pénétration, semi-pénétration.

26 Chantier. – Carrière **518.1,** chambre d'emprunt. – Décharge.

27 Bouteur ou **bulldozer,** décapeuse ou scraper, excavateur, excavatrice, traxcavator ou trax, trommel débourbeur. – Dérocheuse ou dérocteuse, dragline, drague ; désintégrateur. – Défonceuse portée ou ripper, défonceuse tractée ou rooter. – Tunnelier. – Haveuse, haveuse intégrale, haveuse universelle ; trancheuse. – Piocheuse, scarificateur. – Tritureuse. – Pelle mécanique, **pelleteuse.** – Grue automotrice, grue autoroutière ; bardeur. – Chargeuse, chargeuse-pelleteuse ou tractopelle, rétrochargeuse ; chouleur, loader. – Chargeur-transporteur ou tractochargeur ; dumper ou tombereau. – Chaland ; chaland basculeur ou à basculement. – **Bétonneuse** ou bétonnière portée ; camion malaxeur. – Épandeuse ; projeteuse. – Remblayeuse ; compacteur, grader ou niveleuse, grenouille, **rouleau compresseur,** rouleau tandem, tracteur poussant ou pousseur ; tractochargeur, tractogrue, tractopelle. – Point à temps.

28 Brise-béton, marteau perforateur, **marteau piqueur,** marteau pneumatique ; pistolet. – Lance. – Chasse-vase ; écope. – Prédoseur. – Répandeuse. – Profileur ; calibre, cerce. – Demoiselle ou dame, hie ; pilette, pilon. – Avant-pieu, casque ou chapeau de battage ; mouton. – Bouclier d'avancement. – Coulotte.

29 Compressimètre **509.25,** dynamomètre à corde vibrante ou témoin sonore, lysimètre, œdomètre, pénétromètre, porosimètre. – Sonnette.

30 Fraise. – Aiguille, fleuret ; pince à purger. – Fiche à dents. – Molette.

31 Fer *(un fer)* ; cerce, rond à béton. – Cône d'ancrage. – Acier de couture ; acier crénelé.

32 Buton ou button, étai, étrésillon, étrier ; racinal, sabot. – Pieu, pilot ; palplanche ; bouquet de pieux, palée **67.3** ; pilotis. – Balise, piquet, perche. – Fascine.

33 **Poutre** ; cantilever, poutre-caisson, poutrelle, solive ; poutre armée, poutre composée, poutre en treillis ; bow string [anglic.]. – **Traverse** ; chapeau, chevêtre, ventrière ; longeron.

34 Câble, hauban, tirant ; chaîne.

35 Cadette. – Radier. – Claveau ou voussoir ; dalle orthotrope. – Tétrapode.

36 **Béton** ; béton armé ou armé, béton précontraint ; béton asphaltique, béton bitumineux, béton cyclopéen, béton goudronneux, béton de terre. – **Asphalte, bitume** ou chape souple, bitume goudron ; émulsion routière, enrobé. – Liant ; liant hydrocarburé. – Clinker asphalt. – Granulat ; gravier, gravillon, sable. – **Ciment** ; farine ou filler. – Gunite, mortier. – Concassé, criblures de pierres, macadam, mignonnette. – Parpaing. – Sol-ciment.

37 Ingénieriste, **ingénieur,** ingénieur des ponts et chaussées. – Conducteur de travaux ; conducteur d'engin, grutier ; pontier. – Terrassier. – Ouvrier ; bardeur, cylindreur, piqueur ; asphaltier, bitumier, cimentier ; ferrailleur.

V. 38 Mettre en chantier. – **Terrasser** ; dégravoyer. – Déchausser. – Claquer un terrain. – Excaver. – Haver, saigner. – Affouiller. – Dérocter. – Épincer ou épinceter.

39 **Draguer** ; dérocher, dévaser. – Drainer ; étancher un canal.

40 Chabler, guinder. – Barder.

41 Blinder ; cintrer, **coffrer.** – Décintrer, décoffrer.

42 Clayonner. – Fasciner. – Butonner, **étayer,** étrésillonner, saboter. – Ferrailler. – Haubaner. – Receper ; piloter. – Murailler.

43 Encaisser ; **endiguer,** vergner. – Vantiler ou vantiller.

44 Couler du béton ; ficher. – Asphalter, **bétonner,** bitumer, **goudronner** ; fluater, gravillonner, guniter. – Remblayer ; compacter, corroyer, damer, pilonner, régaler ; se consolider.

45 Ausculter ; instrumenter. – Calibrer. – **Baliser,** piqueter. – Jalonner.

Adj. 46 Armé, blindé ; précontraint. – Enrobé.

835 TRIBUNAL

N. 1 Tribunal.

2 **Juridiction inférieure.** – Tribunal administratif, tribunal judiciaire. – Tribunal de droit commun, tribunal d'exception. – Tribunal civil. – Tribunal correctionnel, tribunal des conflits, tribunal pour enfants, tribunal de police. – Tribunal maritime, tribunal militaire.

3 **Juridiction supérieure.** – Chambre, cour ; cour d'appel, cour d'assises, Cour de cassation ; Cour de sûreté de l'État. – Cour internationale de justice. – **Chambre** ; première chambre, deuxième chambre, etc. ; chambre d'accusation ; chambre civile, chambre criminelle, chambre des requêtes.

4 **Tribunal de droit commun** (opposé à tribunal d'exception) ; juridiction du premier degré ;

tribunal de grande instance (ou, anc., de première instance, d'arrondissement) ; justice de paix [anc.]. – **Tribunal de deuxième instance** ou du deuxième degré ; cour d'appel, Cour de cassation.

5 **Tribunal d'exception** ; conseil des Prud'hommes, tribunal de commerce, tribunal paritaire des baux ruraux, commission de la Sécurité sociale, juridiction des loyers, juridiction des enfants, juridiction des tutelles.

6 HIST. – L'Aréopage ; tribunal aulique ; tribunal de Sainte-Vehme. – RELIG. : **tribunal de l'Inquisition** ou Saint-Office, pénitencerie ; tribunal ecclésiastique.

7 **Partie** (opposé à tiers) ; partie adverse, partie civile, partie plaignante. – Loc. prov. : on ne peut être juge et partie. – **Ministère public,** partie publique ; parquet, parquet général, petit parquet.

8 Vieilli : basoche [fam.], **gens de robe.** – Homme de loi. – Attorney.

9 **Magistrat,** robin [vx]. – Alderman ; corregidor [HIST.]. – **Magistrat assis,** magistrat du siège ; **juge** ; chat fourré [arg.] ; juge de paix, juge aux affaires familiales, juge d'application des peines. – Président, vice-président. – HIST. : alcade, viguier.

10 **Magistrat debout,** magistrat du parquet ; plaidant ; plaideur. – Avocat demandeur (opposé à avocat défenseur). – Avocat général, **procureur général,** substitut ; **accusateur public** [HIST.].

11 **Codemandeur,** demandeur, demanderesse ; contestant, **plaignant,** requérant.

12 **Défendeur** (opposé à demandeur), défenderesse, intimé ; accusé, inculpé, mis en examen, prévenu. – Coupable **144.**

13 **Avocat de la défense,** défenseur. – Avocat commis d'office, avocat plaidant, avoué plaidant. – Avocaillon ; arg. et péj. : babillard, **bavard,** baveux, bêcheur, blanchisseur. – Avocat à la Cour, avocat au Conseil d'État, avocat à la Cour de cassation. – Maître ou, abrév., M[e] *(Maître Untel, avocat à la Cour).*

14 **Barreau** ; bâtonnier. – Ordre des avocats ; conseil de l'ordre. – Assistance judiciaire.

15 **Témoin,** témoin à charge, témoin à décharge ; déposant, intervenant.

16 Jury de jugement ; jury d'assises. – **Juré** ; juré titulaire, juré suppléant.

17 **Magistrature** ; magistrature assise, magistrature debout ; judicature ; avocasserie [vx]. – Bâtonnat.

18 **Robe** ; épitoge, **toge.** – Rabat. – Mortier, toque. – Hermine.

19 **Palais de justice** ; tribunal ; greffe du tribunal. – **Salle d'audience,** prétoire. – **Barre** ; banc des accusés, banc des avocats, barreau ; parlote [fam.]. – Lit de justice [HIST.].

V. 20 **Être de la juridiction de** ; être de la compétence de, être du ressort de.

Adj. 21 **Judiciaire.** – Inquisitorial.

22 Accusatoire ; décisoire ; exécutoire.

23 Curule [ANTIQ. ROM.].

836 TRISTESSE

N. 1 **Tristesse** ; abattement, affliction, mélancolie, morosité ; neurasthénie ; désespoir, pessimisme **615.** – Alanguissement, langueur, mal-être, mal-vivre, spleen, **vague à l'âme.** – Humeur noire, lypémanie [rare] ; amertume, anxiété **785,** maussaderie, taciturnité.

2 Chagrin, ennui **272, malheur,** misère ; désolation, douleur **243, peine,** souffrance. – Déception **178,** désappointement ; découragement, démoralisation ; nostalgie, regret **697** ; **deuil 331,** solitude.

3 **Larmes,** pleurs [litt.], sanglots ; cris. – Jérémiade, lamentation, **plainte 168.3,** pleurnicherie [fam.]. – Élégie [LITTÉR.].

4 **Austérité,** gravité **759,** sérieux *(le sérieux de),* sévérité, tristesse.

5 Banalité, grisaille, tristesse ; fadeur, **monotonie 272,** platitude.

6 Figure de carême, **triste sire.** – Père la joie [vx], **rabat-joie.** – Fam. : bonnet de nuit, éteignoir, pisse-froid, pisse-vinaigre. – Le chevalier de la Triste-Figure (Don Quichotte). – Empêcheur de tourner en rond, **trouble-fête.**

V. 7 **Attrister,** contrister [litt.] ; affliger, chagriner, consterner, désoler, éprouver, navrer, **peiner** ; briser le cœur, fendre le cœur. – Assombrir, **ennuyer 272.** – Abattre, accabler, anéantir, décourager, démonter, **démoraliser.**

8 Languir, peiner, **souffrir 243** ; désespérer. – **Broyer du noir,** voir la vie en noir ; fam. : cafarder, déprimer ; être dans ses idées [vx]. – Être dans un triste état ; être au plus bas ; fam. : être au trente-sixième (ou dans le troisième) dessous, toucher le fond. – Avoir triste allure,

faire triste figure, **faire triste mine** ; fam. : faire une figure d'enterrement, faire une figure de croque-mort. – **Avoir le moral à zéro,** ne pas avoir le moral ; avoir la mort dans l'âme, avoir le cœur gros, avoir le cœur lourd, en avoir gros sur le cœur ou, fam., sur la patate ; avoir l'âme en deuil. – Avoir le vin triste [fam.] **441.** – Se faire du souci **785,** se sentir tout chose.

9 **Pleurer** ; chialer [fam.], chouiner [fam.], chigner [vx] ; larmoyer, **pleurnicher** [fam.], sangloter. – Pleurer à chaudes larmes, pleurer comme une madeleine [fam.], pleurer toutes les larmes de son corps ; fondre en larmes ou en pleurs ; avoir les larmes aux yeux. – **Gémir,** se lamenter.

Adj. 10 **Triste** ; triste à pleurer, triste comme la mort, triste comme la pluie ; tristâtre [rare], tristouillet (ou tristouillard, tristouille) [fam.], tristounet [fam.]. – Chagrin, dolent, **malheureux** ; attristé, contristé [litt.] ; affecté, consterné, désolé, navré, **peiné.** – Abattu, défait, prostré ; **désespéré,** inconsolable ; pessimiste **615.** – Aigri, amer, marri [vx], renfrogné, soucieux **785.** – Triste comme un bonnet de nuit, triste comme un éteignoir, triste comme une porte de prison. – Déçu **178,** désabusé ; découragé. – Nostalgique **697.**

11 **En larmes,** éploré, larmoyant, pleurnicheur ; geignard [fam.], grognon, **plaintif.**

12 **Triste** ; noir, ombrageux, rembruni, sombre ; dépressif, mélancolique ; cafardeux [fam.], morose ; alangui, languissant. – Renfermé, **taciturne 766.15.**

13 Austère, grave, **sérieux 759.7,** sévère. – Funèbre, lugubre, maussade, **sinistre.**

14 **Attristant** ; affligeant, consternant, désolant, navrant ; chagrinant, déchirant, **douloureux 243,** poignant ; déprimant, éprouvant. – Décourageant, démoralisant, démoralisateur. – Calamiteux, cruel **497, funeste,** grave.

15 **Angoissant,** lugubre, sinistre. – Dramatique, mélodramatique (fam. : mélo), pathétique, **tragique 827.** – Élégiaque [LITTÉR.].

16 **Banal,** ennuyeux **272** ; ennuyeux comme la pluie ; fade, grisâtre, plat, terne. – Maussade, morne.

17 Triste ; lamentable, méprisable, pitoyable. – **Déplorable,** regrettable **697.**

Adv. 18 **Tristement** ; cruellement, douloureusement **243,** péniblement ; misérablement ; lugubrement. – Malheureusement. – Plaintivement ; inconsolablement ; amèrement.

837 TROIS

N. 1 **Trois** ; MATH. : cube, puissance trois ; racine cubique. – Triple *(le triple)* ; tiers *(un tiers).* – Règle de trois.

2 Triade, triplet [MATH.] ; **trilogie,** triptyque ; trivium [HIST.]. – Triduum [RELIG.].

3 JEUX : brelan, terne. – SPORTS : tiercé, triplé. – LITTÉR. : tercet, terza rima. – MUS. : tierce **433,** triton ; terzetto, triolet **459.** – Triangle [GÉOM.]. – ARCHIT. : trèfle, trilobe.

4 **Trio** ; trijumeau [rare], triplé *(des triplés)* ; triplette. – Triumvirat [ANTIQ.]. – Trinité [THÉOL.] **117.** – Trière [ANTIQ.].

5 Ménage à trois ; triolisme.

6 Troisième *(la troisième, le troisième).* – Tridi [HIST.] **88.** – Triplicata.

7 **Triplement.** – Tiercement [vx], tripartition [didact.].

8 Triplicité [didact.].

V. 9 **Tripler 539** ; cuber [MATH.]. – Tiercer [vx].

10 Frapper les trois coups [SPECT.].

Adj. 11 Trois. – **Ternaire** ; didact. : triadique, trilogique, triparti ou tripartite. – Cubique [MATH.] ; **triple** ; triangulaire **338** ; tridimensionnel.

12 THÉOL. : trin, **trinitaire.** – Triumviral [ANTIQ.].

13 Tertiaire, tiers *(tiers état, Tiers Livre, etc.)* [vx], **troisième.**

Adv. 14 **Troisièmement** ; tertio. – Ter [lat.] ; **triplement.**

Int. 15 Troiz' [enfant.].

Aff. 16 Tri-.

838 TROMPERIE

N. 1 **Tromperie** ; mystification. – Dissimulation, duplicité **25,** feinte ; hypocrisie **373,** tartuferie ou tartufferie ; matoiserie [vx]. – Déloyauté, fourberie, perfidie ; félonie, traîtrise. – Fam. : bidonnage, bluff, triche.

2 **Trahison 828.** – Litt. : forfaiture **169,** prévarication.

3 Comédie, invention, **mensonge 504** ; altération ; altération des faits, altération de la vérité. – Duperie, supercherie, tricherie, tromperie ; fraude [vieilli], piperie [vx]. – Imposture, charlatanisme. – Double-rambot [arg.].

4 Artifice, finasserie, finesse [vieilli], **ruse,** stratagème ; coup fourré, mauvais tour.

5 Dol ou manœuvre dolosive [DR.], manœuvre frauduleuse, maquignonnage [fig.]. – **Arnaque 485,** escroquerie **284,** filouterie [vieilli], filoutage [rare].

6 **Blague 132,** canular, farce. – Attrape, facétie, malice, niche, tour ; fumisterie [fig., fam.], mystification. – Poisson d'avril.

7 **Illusion** ; leurre, tromperie [vx]. – Faux-semblant, trompe-l'œil **379.** – Poudre aux yeux, poudre de perlimpinpin, tour de passe-passe.

8 Adultère, inconstance **850,** infidélité.

9 Dupeur, imposteur, mystificateur ; **tricheur,** bluffeur [fam.]. – Finaud **316,** finasseur ou finassier [vieilli], rusé ; fam. : rusé compère, vieux renard. – À trompeur, trompeur et demi [prov.].

10 Farceur, **blagueur,** plaisantin ; fumiste, plaisant *(mauvais plaisant).*

11 Dupe ; victime. – Fam. : gobeur, gogo, jobard, niais, nigaud **284.**

V. 12 Abuser, duper, **feinter,** interpoler, mystifier, séduire [vx], tromper ; niquer [très fam.] ; litt. : amuser, jouer ; faire voir (ou montrer) la lune en plein midi. – En faire accroire [litt.].

13 Circonvenir [litt.], envelopper ; bercer, endormir. – Enjôler, **flatter,** musiquer [vieilli] ; enganter [vieilli]. – Fam. : emberlificoter, embobeliner, embobiner, emmitonner [vx], entortiller ; dorer la pilule à. – Désinformer ; bourrer le crâne (ou, très fam., la caisse, le mou). – Aveugler **64,** leurrer, tromper ; illusionner [rare]. – Jeter de la poudre aux yeux [fam.].

14 **Arnaquer,** escroquer.

15 **Attraper qqn,** blaguer qqn. – Faire une niche, jouer un tour, monter un bateau à. – Emmener à la campagne (ou : à cheval, à pied), **faire marcher,** mener en barque ou en bateau. – Se jouer de, se moquer de. – Canuler [arg. scol.].

16 Tromper *(tromper la faim, tromper l'attente, tromper le temps)* [sout.] ; divertir [vx], faire diversion.

17 Fam. : **donner dans le panneau,** mordre à l'appât ou mordre à l'hameçon ; tomber dans la nasse ; avaler des couleuvres, avaler le goujon ; très fam. : se faire avoir dans les grandes largeurs, se faire avoir jusqu'au trognon ; vulg. : l'avoir dedans (ou : dans le baba, dans le baigneur, dans le bazar, dans l'os, etc.). – Servir d'appeau ; se laisser prendre à l'appeau. – Vx, fam. : tomber dans le godan, donner dans la bosse.

Adj. 18 Double, duplice [didact. ou litt.] ; **hypocrite.** – Déloyal, fourbe, perfide ; traître.

19 Finaud, **rusé,** trompeur ; artificieux.

20 Faux, frelaté.

21 Faux, **mensonger.** – Captieux, spécieux, tendancieux ; fallacieux. – Insidieux. – Charlatanesque.

22 Faux, **illusoire 283,** trompeur ; mystifiant. – Sophistiqué. – Clinquant.

23 Berné, **feinté,** dupé, trompé ; arg. : bonnard, fait bonnard, marron, fait marron. – Cocu [fam.], cornard [très fam.].

Adv. 24 Faussement, menteusement [rare], trompeusement [litt. ou sout.] ; fallacieusement.

839 TROUBLES DE LA PAROLE

N. 1 **Mutisme, mutité** ; mussitation, mutacisme ; audi-mutité, surdi-mutité **803** ; **aphasie, aphonie.**

2 **Logorrhée,** verbigération [PSYCHIATRIE] ; délire verbal, incontinence verbale.

3 **Blésité** ou **blèsement,** zézaiement, zozotement [fam.] ; chuintement, clichement, deltacisme, gammacisme, iotacisme, lambdacisme ou labdacisme, mutacisme ou mytacisme, rhotacisme ou rotacisme ; grasseyement. – Bafouillage, **bégaiement 595** ; bradylalie ou bradyphémie, tachylalie (ou : tachylogie, tachyphasie, tachyphrasie). – **Nasillement,** rhinolalie. – Hémiphonie.

4 MÉD. – **Logopathie** ; alexithymie, dyslogie, dysphasie ; dysgraphie, **dyslexie,** dysorthographie, paralexie ; agraphie ou surdité verbale, alexie ou cécité verbale, amusie ou surdité musicale, aphasie ou, vx, aphémie. – **Dysphonie** ; dysarthrie, dyslalie, dystomie ; dysphémie, ululation ; anarthrie.

5 Agrammatisme ou dysgrammatisme, paragrammatisme, paraphasie, paraphrasie ; schizoparaphrasie, schizophrasie ; détresse verbale. – Psittacisme.

6 Écholalie **704,** hapaxépie (ou : haplolalie, haplologie), logoclonie, palilalie. – Lapsus.

7 Orthoépie, **orthophonie** ; logopédie.

8 **Aphasique** *(un aphasique),* **muet** *(un muet),* sourd-muet *(un sourd-muet).* – **Bègue** *(un bègue),* blèse [rare] ; bafouilleur, bégayeur [rare]. – **Dyslexique** *(un dyslexique).*

9 Orthophoniste.

V. 10 **Bégayer** ; bléser, zézayer, zozoter [fam.] ; chuinter, clicher, grasseyer ; nasiller, nasonner.

11 Délirer **321,** radoter. – Bafouiller, bredouiller.

Adj. 12 **Muet,** sourd-muet ; aphone ; aphasique. – Logorrhéique.

13 **Bègue** ; blèse [rare], zozoteur [fam.]. – **Dyslexique.**

Aff. 14 Logo- ; -lalie, -phonie.

840 TROUBLES DE LA VISION

N. 1 **Troubles de la vision** ; ophtalmie, panophtalmie ; lagophtalmie.

2 **Troubles fonctionnels des yeux** ; amétropie ; astigmatisme, hypermétropie, macropsie, myopie, presbytie ; emmétropie. – **Amblyopie** ou malvoyance **482.16,** héméralopie ; hémianopsie. – Exophorie, hétérophorie. – **Daltonisme,** dichromatisme ; achromatopsie, acyanopsie, deutéranopie, dyschromatopsie, érythropsie, photopsie, xanthopsie. – Nyctalopie. – Vision dédoublée ; **dipoplie,** polyopie. – **Strabisme** ; strabisme convergent, strabisme divergent ; loucherie ou louchement ; coquetterie dans l'œil [fam.]. – Agnosie visuelle, amaurose, cécité corticale [MÉD.] ; **cécité 64.1.**

3 Buphtalmie, enophtalmie, exophtalmie. – Kératocône. – Mydriase (opposé à myosis). – Cycloplégie, ophtalmoplégie. – Allophtalmie, hétérochromie. – Synchisis. – Œil aphake.

4 **Maladies des yeux.** – Cataracte, choroïdose, granulations trachomateuses. – Glaucome, staphylome, trachome. – Taie ; albugo, leucoma ou leucome. – Conjonctivite, conjonctivite granuleuse, kérato-conjonctivite ; ophtalmoconiose, ophtalmie des neiges ; épisclérite, kératite ; fovéite, rétinite ; larmoiement. – Cécité des rivières, onchocercose.

5 **Blépharite,** blépharo-conjonctivite, blépharophtalmie, lagophtalmie. – Chassie, pyophtalmie, pyose. – Chalazion, compère-loriot ou orgelet, grain d'orge. – Blépharospasme, blépharotic **868.7.** – Ectropion [MÉD.]. – Trichiasis [MÉD.].

6 Énucléation. – Œdipisme [didact.].

7 Lentilles ou verres de contact **422, lunettes,** verres correcteurs. – Œil de verre, prothèse oculaire. – Anomaloscope [OPT.].

8 Ophtalmologie, cryo-ophtalmologie.

9 Cryochirurgie, microcoagulation au laser, photocoagulation. – Ophtalmoplastie. – Angiographie oculaire, rétinographie. – Ophtalmoscopie, orthoscopie, skiascopie. – Gymnastique oculaire ; orthoptie. – Contactologie.

10 Ophtalmomètre, ophtalmoscope.

11 Oculiste **868.16.** – Oculariste.

12 **Braille** *(le braille)* **252,** alphabet braille, écriture braille, impression ou écriture anaglyptique. – Cécographie [didact.].

13 Loucheur ; louchon.

V. 14 **Avoir une mauvaise vue** ; avoir la vue basse ou courte, voir trouble ; avoir un voile devant les yeux ; avoir des mouches ou des mouches volantes devant les yeux. – N'y voir goutte.

15 **Loucher** ; converger, diverger ; bigler [fam.]. – Avoir une coquetterie dans l'œil ; fam. : avoir un œil qui dit zut ou merde à l'autre, avoir les yeux qui se croisent les bras, avoir un œil à Paris et l'autre à Pontoise, avoir un œil qui joue au billard et l'autre qui compte les points.

16 Éborgner ; crever l'œil de. – Énucléer. – **Aveugler 64.**

Adj. 17 Amétrope (opposé à emmétrope), astigmate, hypermétrope, myope, myope comme une taupe, presbyte ; daltonien ; nyctalope.

18 Strabique ; bigle, louche [vx] ; fam. : louchard. – Fam. : **bigleux,** binoclard, miro. – Borgne, monophtalme [didact.]. – **Aveugle,** malvoyant, non-voyant.

19 Éraillé ; injecté de sang. – Chassieux, larmoyant. – Glaucomateux.

20 Ophtalmologique **868.29** ; oculistique, ophtalmique.

Adv. 21 **Aveuglément** [vx]. – À l'aveugle [vx], à l'aveuglette **64,** à tâtons.

Aff. 22 Bléphar-, bléphari-, blépharo- ; kérat-, kérato- ou cérato- ; ophtalm-, ophtalmo- ; -ophtalmie.

841 TUMEUR

N. 1 **Tumeur** (ou : néoplasie, néoplasme) ; lésion tumorale. – Tumeur bénigne (opposé à tumeur maligne ou **cancer**) ; tumeur érectile, tumeur mixte ; tumeur encéphaloïde, tumeur fasciculée, tumeur sessile. – Bubon, enflure, **excroissance,** flegmon, grosseur, nodosité, nodule, tubercule, tubérosité ; induration, intumescence, néoformation.

2 Apudome, cholangiome, corticosurrénalome, dysembryome, ecchondrome, enchondrome, énostose, exostose, gliome, hépatome, **kyste,** myome, névrome, tératome, verrucosité, **verrue** ; éphélide, **polype.**

3 **TUMEURS BÉNIGNES**

acanthome
adénofibrome ou
fibroadénome
adénome
angiome
arrhénoblastome
astrocytome
botryomycome
chondroblastome
chondrome
chordome
condylome acuminé ou
crête-de-coq
craniopharyngiome
cylindrome
cystadénofibrome ou
fibroadénome géant
cystadénome
déciduome
endométriome
épendydome
épulis
fibrome
fibromyome
hémangiome
histiocytome
kérato-acanthome
léiomyome
léprome
lipome
lymphangiome
marisque
médullosurrénalome
mélanome de Spitz ou
mélanome juvénile
méningiome
molluscum
myxome
neurinome ou
schwannome
odontome
œil-de-perdrix
ostéome
papillome
rhabdomyome
tumeur de Brenner
verrue séborrhéique
xanthome

4 **TUMEURS MALIGNES**

adénocarcinome
angiosarcome
branchiome
cancroïde
carcinome ou
épithélioma
chondrosarcome
choriocarcinome
cystadénosarcome
endothéliome ou
mésothéliome
fibrosarcome
hémangio-endothéliome malin
hépatocarcinome
hidradénome
léimyosarcome
liposarcome
lymphome
lymphome ou tumeur
de Burkitt
lymphosarcome
mélanome malin ou
nævo-carcinome
myélome
myélosarcome
myosarcome
myxosarcome
ostéosarcome
phyllode
réticulosarcome
rétinoblastome
rhinocarcinome
sarcome
sarcome d'Ewing
séminome
squirre
tumeur d'Abrikossov
tumeur de Bowen

5 VÉTÉR. – Capelet, éparvin, éponge, grenouillette, jarde, molette, suros, tare, trichobézoard ou ægagropile, vessigon.

6 Cancérogenèse ou carcinogenèse, oncogenèse ; **cancérisation** ou dégénérescence, carcinomatose ou carcinose, enkystement, gonflement, hypertrophie, **métastase,** prolifération ; involution tumorale.

7 **Biopsie** ; carcinolyse, énucléation, résection.

8 Cancérologie ou, VX, carcinologie, oncologie.

9 Cancérologue, oncologiste.

10 Cancéreux *(un cancéreux).* – Cancérophobie.

V. 11 Se cancériser ; dégénérer.

Adj. 12 **Tumoral** ; **néoplasique. – Cancéreux,** cancériforme, carcinoïde, carcinomateux, précancéreux. – Adénoïde, adénomateux, épithéliomateux, exostosant, lépromateux, papillomateux, polypeux, **sarcomateux,** squirreux, verruqueux. – Acuminé, anaplasique ou indifférencié, enclavé, enkysté, invasif, pulsatile, térébrant, villeux.

13 **Cancérogène,** carcinogène, cocarcinogène, oncogène.

14 Cancérologique, oncologique. – Antinéoplasique ou anticancéreux ; biopsique.

Aff. 15 Cancéro-, carcino- [VX], onco- ; **-ome.**

U

842 UN

N. 1 **Un** *(un ; un un ; le un)* ; unité. – L'Un [PHILOS.].

2 **Un à un,** un par un. – L'un après l'autre. – L'un, l'une ; les uns, les unes ; l'un l'autre. – Comme pas un. – Tant l'un *(deux francs l'un),* tant l'unité, tant la pièce.

3 Un ; **un seul.** – Un pour tous, tous pour un **216.3** ; « Et s'il n'en reste qu'un, je serai celui-là » (V. Hugo).

4 JEUX. – **Un** *(le un)* ; **as.** – Manillon ; anc. : ambesas, baste, besas, bezet, spadille. – Parier à dix, cent, *n* contre un.

5 Singleton [MATH.].

6 Premier *(le premier).* – Primidi [HIST.] **88.**

7 SC. ÉDUC. – Primaire *(le primaire)* ; première *(la première),* première supérieure. – Première ou première classe [TRANSP.]. – Premier de l'an.

8 **Unicité.** – Unicisme ; uniciste *(un uniciste).* – Uniformité **843.**

V. 9 **Unifier** ; **unir.** – Uniformiser.

Adj. 10 **Un.** – Une fois ; pour une fois, pour un coup [fam.] ; une fois n'est pas coutume [prov.].

11 Un *(page un, chambre un).* – Unième **683.**

12 Un *(être un ; la République une et indivisible).* – Ne faire qu'un (avec) ; n'être qu'un ; c'est un [vx]. – Monoplace.

13 **Unique** ; inégal ; sans équivalent, sans pareil ; à nul autre pareil.

14 **Premier** ; prem's [enfant.].

Adv. 15 **Uniquement,** seulement.

16 Premièrement. – Primo [lat.]. – Unièmement *(en vingt, trente, etc., et unième position).*

17 D'abord ; en premier [fam.].

Int. 18 Et d'un !

Aff. 19 Uni- ; mono- ; primo-.

843 UNIFORMITÉ

N. 1 **Uniformité** ; homogénéité, unité **844.** – Ressemblance **719,** similitude. – Unanimité ; accord.

2 Constance, **continuité 153,** fixité, permanence, persistance.

3 Harmonisation, régularisation, régulation, **uniformisation.**

4 **Monotonie** ; ennui **272,** grisaille ; ronron [fam.], **routine 558.4,** train-train, train-train quotidien. – « Métro, boulot, dodo » (Pierre Béarn ; repris comme slogan en mai 1968, puis passé en loc.) ; un jour pousse l'autre.

5 Uniforme *(un uniforme)* **18.**

6 Uniformitarisme ou actualisme [SC.].

V. 7 **Uniformiser** ; régulariser, réguler, standardiser. – Accorder **6, harmoniser** ; ajuster, assortir.

8 S'uniformiser. – **Se confondre avec,** ressembler à **719.** – Se rapprocher de. – La nuit, tous les chats sont gris [prov.].

Adj. 9 **Uniforme** ; homogène, régulier ; indifférencié. – Un **842,** unique. – Même, pareil, **semblable 719,** similaire. – Indistinct.

10 Constant, **continu 153,** fixe, permanent, stable. – Immuable, inaltérable, inébranlable, invariable.

11 **Monotone,** routinier.

12 Unanime **6.**

Adv. 13 **Uniformément,** uniment [litt.]. – Constamment **611,** régulièrement ; monotonement [rare].

Aff. 14 Mono- ; uni-.

844 UNITÉ

N. 1 **Unité** ; cohérence, homogénéité ; harmonie. – Identité ; conformité, uniformité. – Unicité [didact.] ; consubstantialité [THÉOL.]. – Indivisibilité [didact.].

2 DR. : indivisibilité ; indivision.

3 **Unification.** – Accord, cohésion, consensus, **unanimité.** – Union. – Uniformisation.

4 **Unité** *(une unité)* ; élément. – Objet, pièce. – Corps simple, monade [PHILOS.] ; entité indivisible [PHILOS.], l'Un. – **Atome,** molécule. – Unité linguistique ; monème **535, morphème,** phonème, phrase **622.** – Singleton.

5 Individu **613.** – **Classe,** ensemble, société.

6 Unité de mesure **509** ; étalon.

7 Règle des trois unités [LITTÉR.].

8 Unicisme [MÉD.]. – Unanimisme [LITTÉR.]. – PHILOS. : unitéisme ; monadisme ; **monisme.** – RELIG. : socinianisme, unitarisme.

9 **Unité naturelle** ; **unité administrative** (ou : nationale, politique, territoriale). – Grandes unités, petites unités [MIL.]. – Unité de contrôle [INFORM.]. – Unité de production. – U. E. R. (unité d'enseignement et de recherche), U. F. R. (unité de formation et de recherche). – U. V. (unité de valeur).

10 C'est un, ce n'est qu'un [vx], c'est tout un ; « un pour tous, tous pour un » **690.3.**

11 **Moniste,** socinien, unitaire, unitarien, unitariste. – Uniciste [MÉD.].

V. 12 **Unifier** ; homogénéiser, uniformiser. – Équilibrer, harmoniser, régulariser.

13 **Unir** ; faire l'unité, maintenir l'unité. – Fusionner, intégrer **423,** mêler. – Confondre, joindre, rapprocher **673,** réunir.

14 **S'unifier,** s'unir ; ne faire qu'un avec. – Être d'accord, être en accord ; s'accorder **6.**

Adj. 15 **Unitaire** ; unifié. – Élémentaire, **simple** ; incomplexe, non composé ; indécomposable, indivisible, irréductible ; indissociable. – Indivis [DR.].

16 **Unique,** unaire [didact.] ; singulier. – Homogène ; uniforme.

17 Unitif [rare].

Adv. 18 **À l'unité.** – Une fois pour toutes.

19 Uniformément, uniment ou tout uniment, semblablement.

20 À l'unisson, comme un seul homme.

21 Indissolublement, inséparablement.

22 DR. : par indivis, indivisément.

Aff. 23 Mono-, mon-, monarch- ; uni-.

845 URBANISME

N. 1 Urbanisme. – Architecture **39.**

2 **Urbanisation** ; sururbanisation. – Urbanisation sauvage. – Rurbanisation.

3 **Urbanification.** – Zonage ou zoning ; agencement **577,** aménagement, arrangement, distribution ; végétalisation. – Lotissage [TECHN.], lotissement.

4 Rénovation, sauvegarde.

5 Aménagement du territoire. – Remembrement.

6 **Agglomération 845.** – Bourg, bourgade, hameau, localité, **village.**

7 Agglomération urbaine, **ville 356** ; conurbation, mégalopole ou mégapole, ville tentaculaire. – Ville-champignon. – Ville-dortoir, ville-satellite ; ville résidentielle. – **Bidonville,** favela [Brésil]. – Tissu urbain.

8 Ville fortifiée. – Casernement ; ville de garnison.

9 **Commune** ; communauté urbaine ; lieu-dit. – Intercommunalité. – Diocèse, **paroisse.** – HIST. : ville franche, ville libre, ville ouverte. – **Capitale** ; chef-lieu ; préfecture, sous-préfecture. – Métropole ; métropole d'équilibre, métropole régionale.

10 **Subdivision** ; circonscription, district. – Arrondissement ; canton ; département ; région.

11 Hôtel de ville, **mairie 708.**

12 **Quartier 845,** secteur. – **Centre-ville** ; ville basse (opposé à ville haute) ; vieille ville ; casbah [Maghreb]. – Lotissement. – Îlot, **pâté de maisons.** – **Banlieue,** ceinture, couronne, faubourg [vieilli], périphérie. – Cité *(une cité ; les cités, les cités de banlieue).*

13 **Place.** – Parc **443.2,** square ; espace vert.

14 **Artère** ; allée, avenue, boulevard, cours, mail, **rue** ; passage, ruelle, venelle, voie. – Cul-de-sac, **impasse** ; villa. – Voie piétonnière ou piétonne. – Chaussée, trottoir ; caniveau.

15 **Enceinte,** murs, remparts ; porte.

16 Axe routier, **route.** – **Autoroute** ; bretelle ; rocade ; boulevard circulaire, boulevard périphérique. – **Chemin,** sente [région.], sentier, voie.

17 Bifurcation, **carrefour,** embranchement, patte-d'oie ; rond-point. – Tournant, **virage** ; lacet. – Dos-d'âne.

18 Cadre de vie, environnement. – Végétalisation. – Écologie **251.**

19 **Urbaniste** ; aménageur *(un aménageur),* aménagiste [TECHN.] ; paysagiste.

20 **Citadin** ; **banlieusard,** faubourien [vieilli] **355** ; bourgeois [HIST.] ; bourgadier [région.].

V. 21 **Urbaniser.** – Aménager, arranger, distribuer ; végétaliser. – Lotir.

22 Exproprier. – Frapper d'alignement. – Remembrer.

Adj. 23 **Urbanistique** [didact.]. – Environnemental [didact.]. – Écologique.

24 **Urbain** ; intercommunal, interurbain, rurbain, suburbain. – Villageois. – Troglodytique.

25 Piétonnier. – Routier.

26 Extra-muros (opposé à intra-muros).

27 Aménageable. – Carrossable, cyclable.

846 USAGE

N. 1 **Utilisation** ; emploi ; maniement, manipulation, manœuvre ; usage, user *(l'user)* [litt. ou vx].

2 Action **7,** application, expérimentation, mise en pratique.

3 **Consommation** ; dépense **191.** – Absorption **563.**

4 Affectation, destination ; fonction, rôle, **usage,** utilisation. – Utilité **847.** – Intervention.

5 Usage ; **disposition** *(avoir la disposition de).*

6 DR. – Consomptibilité ou consumptibilité. – Jouissance **645,** usufruit.

7 **Utilisation** ; exploitation, mise en exploitation, mise en jeu, mise en œuvre, mise à profit, mise en valeur.

8 Sous-exploitation, sous-utilisation. – Surexploitation. – Faire-valoir [AGRIC.]. – ÉCON. : emploi **266,** plein-emploi ; sous-emploi. – ÉLECTR. : coefficient d'utilisation, facteur d'utilisation.

9 Notice d'utilisation ; instructions, mode d'emploi.

10 **Utilisateur** ; usager. – Consommateur [ÉCON.]. – Usufruitier [DR.].

11 Exploitant, exploiteur [vx]. – Manipulateur, opérateur.

V. 12 **Utiliser** ; consommer, dépenser ; absorber. – Emprunter, prendre ; faire emploi ou usage de. – **Employer** ; manier, manipuler, manœuvrer. – Réemployer, remployer, réutiliser. – Sous-employer, sous-exploiter, sous-utiliser. – Surexploiter.

13 Disposer de, jouir de, user de. – Avoir l'emploi de.

14 **Utiliser** ; exploiter, faire valoir, mettre à profit. – Profiter de, se servir de, tirer avantage (ou : parti, profit) de.

15 **Recourir à** ; avoir recours à, se servir de. – Mettre à contribution, mettre en œuvre, mettre en pratique.

Adj. 16 **Utilisé** ; courant, fréquent **357,** pratiqué, d'usage courant, en usage, **usité,** usuel.

17 **Utilisable** ; disponible, employable, exploitable, praticable, usager [vx], valable, valide. – Précieux, **utile.**

18 DR. – Consomptible ou consumptible. – Usufructuaire ; usufruitier.

19 **Utilisateur** ; consommateur.

Adv. 20 Valablement, validement ; efficacement, utilement.

847 UTILITÉ

N. 1 **Utilité** ; efficacité **7,** fonction, mérite **507,** nécessité **545,** valeur.

2 **Utilisation 846** ; commodité, convenance, usage ; vx : secours *(être de secours à qqn),* service.

3 **Utilité** ; avantage, bénéfice, bienfait, intérêt, profit. – Utilité publique.

4 **Aide 19,** appui, assistance, bienfait, faveur, soutien.

5 **Utilité** *(une utilité, des utilités)* [vx ou litt.] ; utile *(l'utile)* ; joindre l'utile à l'agréable [loc. cour.]. – Service.

6 Aide-mémoire, vade-mecum. – Nécessaire. – Utilitaire *(un utilitaire)* ou véhicule utilitaire.

7 ÉCON. – Désidérabilité ou utilité ; utilité directe, utilité indirecte ; utilité individuelle, utilité sociale ; utilité cardinale, utilité ordinale.

8 **Utilitarisme** ; matérialisme, positivisme. – **Utilitariste** *(un utilitariste).*

V. 9 **Servir à** ; convenir à, faire l'affaire de, satisfaire ; avoir (ou : offrir, présenter) des avantages pour ; être de secours à [vx]. – **Servir** ; resservir.

10 **Servir de** ; faire fonction ou office de, tenir lieu de.

11 **Utiliser 846** ; employer.

Adj. 12 **Utile** ; avantageux, commode, convenable, efficace, expédient [sout.], favorable, fructueux, profitable, salutaire.

13 **Utile** ; capital, essentiel **545.13,** indispensable, irremplaçable, nécessaire, précieux. – Utile (opposé à nuisible). – D'utilité publique.

14 **Serviable 19** ; dévoué, obligeant, secourable, utile.

15 **Utilitaire** *(véhicule utilitaire, programme utilitaire)* ; fonctionnel, pratique.

16 **Utilitaire** ; positif, pragmatique, pratique. – **Utilitariste** ; intéressé, matérialiste, prosaïque, terre à terre.

Adv. 17 **Utilement** ; avantageusement, efficacement, avec profit, profitablement ; fonctionnellement. – **Utilitairement.** – **Utile** *(voter utile).* – En temps utile **571.**

V

848 VAISSELLE

N. 1 **Vaisselle,** vaissellerie ; vaisselle de table ; batterie de cuisine ; platerie. – Vaisselle de toilette. – Service de table ; service à + n. *(service à café, service à dessert).* – **Couvert** *(dresser le couvert)* ; table.

2 **Assiette** ; assiette creuse ou assiette à soupe, assiette plate ; assiette à dessert, assiette à fromage. – Assiette à alvéoles ; assiette à escargots, assiette à huîtres. – Anc. : **écuelle,** gamelle. – Auge [par plais. ou péj.].

3 Soucoupe ou sous-tasse ; dessous-de-verre.

4 **Tasse** ; mazagran. – Déjeuner ou tasse à déjeuner, tête-à-tête. – **Bol.** – Biberon **270.10.**

5 **Verre** ; gobelet, godet, pot, **timbale** ; quart. – Verre à bière, **chope,** pot à bière ; verre à grog. – Verre à orangeade, verre à whisky. – **Verre à pied** ; verre à eau. – Verre à vin ; verre à bordeaux, verre à bourgogne, verre à chambertin, verre à vin d'Alsace ; verre à porto ; coupe à champagne ou, absolt, coupe, flûte à champagne ou, absolt, **flûte.** – Verre à dégustation, verre à liqueur, verre à vodka ; dé à coudre [fam.].

6 HIST. et BX-A. – **Vase à boire** ; hanap ; tasse. – Verre d'eau (carafe à eau, carafe à fleur ou fleurs d'oranger, plateau, sucrier, verre).

7 ANTIQ. et ARCHÉOL. – **Calice** ; canthare, coupe à lèvres, patère, phiale, rhyton.

8 Coupe, pied, piédouche [didact.].

9 Anc. : **aiguière** ; bassin ; fontaine de table ou fontaine. – Jardinière. – Cratère [ANTIQ.].

10 TECHN. – Bombe (ou : bombonne, bonbonne) ; chevrette [anc.].

11 **Bouteille 75.** – Boîte-boisson, cannette ou canette, chopine [fam.], fiasque, fiole ; topette [anc.]. – Gourde, **flacon,** flasque.

12 **Carafe,** carafon ; quart ; cruche, cruchette, cruchon, **pichet** ; broc à eau ou broc, buire [anc.]. – Alcarazas (ou, rare, alcaraza, alcarraza), gargoulette [région.].

13 Bec, goulot. – Anse.

14 **Couvert** *(des couverts en argent)* ; couvert à + n. de mets *(couvert à poisson)* ; **couteau, cuiller** ou cuillère, **fourchette.** – Couteau à fromage, couteau à poisson. – Cuiller de table ; cuiller à soupe ou à bouche, cuiller à dessert. – Petite cuiller ; cuiller à moka, cuiller à café. – Cuiller à sirop ou diablotin. – Fourchette à dessert, fourchette à escargots.

15 Cuilleron, manche ; dent *(dents d'une fourchette)* ; lame, tranchant.

16 **Pince** ; pince à cornichons, pince à sucre ; pince à glace. – Pince à homard. – Casse-noisettes, casse-noix. – Pique, pique-olive.

17 Louche. – **Pelle** ; pelle à gâteau, pelle à tarte. – Pelle à poisson.

18 Plats de service. – **Plat** ; plat creux, plat plat. – Ravier. – **Jatte** ; légumier, saladier ; **soupière.** – Compotier.

19 **Plateau** ; plateau à + n. d'un mets.

20 Couvre-plat ; **cloche** ; cloche à fromage.

21 **Coupe,** coupelle ; ramequin. – **Coquetier** ou, archaïsmes, coquetière, ovier ; œufrier.

22 Beurrier, saucière. – Moutardier, **poivrier** (ou : moulin à poivre, poivrière), salière. – Burette, guédoufle [vx ou région.] ; huilier, vinaigrier. – Sucrier. – Drageoir ; bonbonnière.

23 Plat de cuisson ; plat à feu ; plat à gratin, terrine. – **Moule** ; moule à + n. *(moule à cake, à manqué, à tarte, etc.).* – Tourtière. – **Plaque** ; plaque à pâtisserie, plaque à rôtir.

24 **Casserole.** – **Marmite,** cocotte, faitout ou fait-tout. – Braisière, daubière ; tajine ou tagine [Afrique du Nord] ; mijoteuse.

25 **Poêle** ; sauteuse ou sautoir ; crêpière. – **Poêlon** ; caquelon, cassolette. – Friteuse.

26 Autocuiseur, Cocotte-Minute [nom déposé]. – Couscoussier. – Poissonnière, turbotière.

27 **Bouilloire,** coquemar [anc.], marabout ; samovar. – Cafetière, chocolatière, **théière,** tisanière.

28 Anc. : chaudron ; crémaillère. – Barbecue, gril, rôtissoire. – **Four 109** ; tandoor [Inde].

29 Couteaux d'office. – **Couteau de cuisine** ; couteau à beurre, couteau à huîtres ou ouvre-huîtres ; couteau à tartiner, couteau à zester ; couteau à trancher, tranchelard ; parepain.

30 **Fouet** ; batteur. – Presse-agrumes **301.** – Spatule. – Aiguille à brider, lardoire. – Éminceur, râpe.

31 Égouttoir ; couloire, **passoire** ; passette, passe-thé ; panier à salade. – Chinois, tamis. – Écumoire.

32 Décapsuleur ou ouvre-bouteilles ; tire-bouchon. – Ouvre-boîtes.

33 **Vaisselier.** – Crédence ; dressoir. – Accroche-plats. – Argentier.

34 TECHN. – Grosserie [ORFÈVR.] ; vaisselle plate ; vaisselle montée. – **Orfèvrerie** ; **argenterie,** dinanderie ; hanaperie [anc.]. – **Coutellerie.** – Cristallerie, gobeleterie, verrerie. – Arts de la table.

35 **Orfèvre.** – Dinandier. – Anc. : hanapier ou hennepier. – Coutelier. – Cristallier, gobeletier, verrier **855.15.** – Porcelainier.

36 Argentier [HÔTELLERIE]. – Garde-vaisselle [HIST.].

Adj. 37 ORFÈVR. – En bosse ou en relief. – Plaqué ; ciselé, décoré, godronné.

849 VALEURS MOBILIÈRES

N. 1 **Valeurs mobilières** ; valeur. – Valeur de Bourse. – Produit boursier.

2 **Titre** ; coupon [anc.]. – Titre de participation, titre de placement. – Titre nominatif ; titre au porteur. – Titre orphelin ; titre syndiqué. – Titrisation.

3 **Action** ; action d'apport, action de capital, action industrielle ou part de fondateur. – Action gratuite, action de jouissance [anc.], action préférentielle ; action à dividende prioritaire ou, abrév., A. D. P., action de priorité. – Stock-option.

4 **Obligation** ; obligation convertible ou échangeable [anc.], obligation à coupon zéro, obligation indexée, obligation à lot, obligation participante [vx], obligation à taux flottant ou variable ; obligation indemnitaire.

5 **Bon** *(un bon)* ; bon du Trésor. – **Rente** ; rente perpétuelle.

6 Papier financier ; **portefeuille.** – Fonds commun de gestion de trésorerie ; fonds commun de placement ou, abrév., F. C. P.

7 Capitaux à risque. – Capital mobilier.

8 **Valeur** ; valeur faciale ou nominale (opposé à valeur du cours). – Valeur ferme, valeur stable ; valeur volatile. – Coupure ; rompu *(un rompu).*

9 **Dividende,** produit financier, quote-part des bénéfices ; intérêt ; dividende fictif (opposé à dividende réel). – Arrérages ou, canad., arriérages. – Boni, revenant-bon [vieilli]. – Annuité fixe (opposé à annuité variable). – Coupon.

10 **Taux** ; taux apparent ou facial. – Taux nominal annuel brut (T.N.A.B.) ; taux de rendement actuariel annuel brut (T.R.A.A.B.) ; taux de rendement actuariel annuel net (T.R.A.A.N.).

11 **Actionnariat.** – Portage.

12 Scripophilie.

13 Attribution gratuite. – Tirage.

14 **Émission.** – **Souscription 81** ; souscription à titre irréductible (opposé à souscription à titre réductible).

15 Dématérialisation des titres. – Mise au nominatif (opposé à mise au porteur).

16 Émetteur [FIN.] ; souscripteur.

17 **Actionnaire** ; obligataire, porteur ; nominee [anglic.]. – Rentier. – Tour de table.

18 Scripophile.

19 Gérant de portefeuilles.

V. 20 Souscrire.

21 Porter un titre.

22 Passer le dividende.

Adj. 23 Obligataire *(emprunt obligataire).*

24 Majoritaire *(actionnaire majoritaire).*

25 Scripophilique.

850 VARIATION

N. 1 **Variation** ; impermanence [litt.], inconstance **223** ; instabilité, mobilité, variabilité, versatilité. – Alternance. – Variance [SC.] ; covariance [STAT.].

2 **Bigarrure,** chatoiement **473,** diaprure [litt.].

3 Changement **104,** transformation ; **fluctuation,** oscillation, vacillement [fig.] ; modulation. – Conversion, métamorphose, mue, mutation ; différenciation [didact.]. – **Devenir** ; développement, évolution, progression **344** ; nouvelle donne.

4 Aggravation **16,** altération ; amélioration **353,** rectification. – Augmentation **56** ; diminution **220.**

5 Aléas, **vicissitudes** ; écart, saute de + n., dans qqs loc. *(saute d'humeur ; saute de vent).* – Retournement, **revirement,** volte-face ; bascule, jeu de bascule. – Jean qui pleure et Jean qui rit.

6 Variable *(une variable).*

7 **Variante,** variété ; avatar, nuance, variation ; variations pour + n. d'instrument de musique *(variations pour piano, pour guitare)* – Radiation adaptative ou évolutive [BIOL.]. – *Varia* (lat., « choses diverses »).

8 Variateur [MÉCAN.].

V. 9 **Varier ; changer 104,** fluctuer, muer ; tourner à, virer à. – Devenir.

10 Se corriger, se modifier, **se transformer.** – S'amender, s'améliorer **353** ; s'aggraver **16,** se détériorer.

11 Se dédire, **se rétracter** ; faire marche arrière. – Osciller. – « Tel qui rit vendredi dimanche pleurera » (prov., versifié par Racine).

12 Changer **104,** modifier, moduler ; bigarrer, **diversifier,** nuancer, **varier.** – Alterner. – Agrandir, augmenter **56** ; diminuer **220,** réduire.

Adj. 13 **Variable** ; instable, mobile, versatile ; capricieux **90,** fantaisiste, fantasque, **inconstant 104,** lunatique. – Changeant, chatoyant **159,** fluctuant, mouvant, papillonnant, vacillant.

14 **Altérable,** changeable **104,** métamorphosable, modifiable, transformable. – Modificatif [rare].

15 **Varié** ; divers, diversiforme, inégal ; bigarré, diapré ; versicolore.

16 Modificatif [rare]. – *Variorum (édition variorum)* [lat.] **469.**

Adv. 17 **Variablement** ; inégalement.

Aff. 18 Apo-, multi-, poly-. – Pœcilo-, poïkilo-.

851 VEILLE

N. 1 **Veille** ; état de veille, vigilance **52.**

2 **Insomnie,** nuit blanche ; agrypnie [vx]. – Sommeil agité ou inquiet ou troublé. – Noctambulisme.

3 **Éveil,** veiller *(le veiller)* [anc.]. – **Réveil.** – Fig. : résurrection, retour à la vie.

4 **Bâillement,** étirement ; pandiculation.

5 **Veille,** veillée ; soirée **137.** – Nocturne *(une nocturne)* **748** ; nocturnal [RELIG.], nuitée [Suisse], quart [MAR.], service de nuit. – **Réveillon** ; vx : médianoche **703,** minuit.

6 **Veilleur** ; veilleur de nuit. – Couche-tard [fam.], noctambule ; fam. : fêtard, noceur, teufeur ; réveillonneur. – **Insomniaque,** insomnieux [rare]. – Lève-tôt [fam.].

7 **Réveil,** réveille-matin ; chant du coq, réveil en fanfare. – MIL. : clairon, diane [anc.]. – Rare : éveilleur, réveilleur.

V. 8 **Veiller** ; ne pas dormir, ne pas fermer l'œil de la nuit, passer la nuit, passer une nuit blanche. – Ne dormir que d'un œil ; dormir en gendarme ou les yeux ouverts, être sur le qui-vive, ouvrir l'œil **52.**

9 Noctambuler [litt.] ; faire la fête, réveillonner, veiller [vx].

10 **Chercher le sommeil,** compter les moutons [fam.], se tourner et se retourner dans son lit, ne pas trouver le sommeil. – Ne plus en dormir ; perdre le sommeil.

11 **Réveiller** ; éveiller, secouer [fam.], tirer du sommeil. – MIL. : sonner la diane [anc.], sonner le réveil. – Faire lever, lever, tirer du lit. – Ne réveillez pas le chat qui dort [loc. prov.].

12 Empêcher de dormir ; agiter, exciter, troubler.

13 **Se réveiller** ; s'éveiller ; s'arracher du sommeil, se secouer. – Ouvrir un œil ou les yeux, reprendre conscience ; bâiller ; s'ébrouer, s'étirer, se frotter les yeux. – **Se lever,** sauter du lit, sortir du lit.

14 Fig. : ressusciter, revivre ; se ranimer.

Adj. 15 **Réveillé** ; éveillé, vigile [PHYSIOL.]. – **Insomniaque,** insomnieux ; agité, excité **549.**

16 **Matinal,** matineux [vx] ; lève-tôt [fam.]. – Couche-tard [fam.] ; usé par les veilles.

17 **Nocturne,** de nuit.

852 VENT

N. 1 **Vent.** – **Air,** brise, souffle ; aquilon, zéphyr [litt.] ; zeph [fam.]. – Bise, courant d'air ; vent coulis. – **Bouffée,** bourrasque, pointe, rafale, risée, saute.

2 Météore aérien [vx] ; perturbation, turbulence ; coup de tabac, coup de torchon, grain **633,** tourmente. – Cyclone, ouragan, **tempête,** tornade, trombe, typhon. – Force de Coriolis.

3 Accalmie, bonace, **calme 89,** calme blanc, calme plat. – Œil du cyclone. – Pot-au-noir [MAR.].

4 Vent du nord, vent haut ; nordet (vent du N.-E.), noroît (vent du N.-O.). – Vent du sud, vent bas ; suet (vent du S.-E.), suroît (vent du S.-O.). – Vents planétaires ; easterlies, westerlies.

5 Vent d'amont ou de terre, vent d'aval ou de mer, vent du large. – MAR. : vent portant, vent en poupe [vieilli] ; vent debout, vent contraire ; près, près bon plein, petit largue, largue ou vent de travers, grand largue, vent arrière. – Bord du vent, au vent ; bord sous le vent ; lit du vent.

6 Alizé, contre-alizé, mousson, vents étésiens [didact.]. – Bora, bise, blizzard. – Harmattan, khamsin, simoun, sirocco ou siroco ; autan, cers, fœhn, galerne, labé, largade, levant, mistral, montagnère, pampero, ponant, poulain, tramontane, vaudaire [région.].

7 Rose des vents. – Aire de vent, rhumb ou rumb.

8 Échelle de Beaufort : 0 (calme ; mer lisse), 1 (très légère brise ; petites rides), 2 (légère brise ; friselis), 3 (petite brise ; petits moutons isolés), 4 (jolie brise ; moutons nombreux), 5 (bonne brise ; moutons serrés), 6 (vent frais ; traînées d'écume), 7 (grand frais ; traînées très nettes), 8 (coup de vent), 9 (fort coup de vent), 10 (tempête), 11 (violente tempête), 12 (ouragan).

9 MYTH. – Grèce : Zéphyr **236** ; Borée, Notos. – Rome : Éole. – Égypte : Amon, Chou. – ICONOGR. : bouche de vent, tête de vent.

10 Éolienne **269,** moulin à vent. – Bateau à voiles ; marine à voile.

11 **Girouette 221** ; manche à vent ou à air.

12 Éventail **20,** ventilateur. – Soufflet. – Tube porte-vent (d'un orgue).

13 Abat-vent, abrivent, contrevent, paravent **671.**

14 Anémographe, anémomètre **509.** – Anémoscope.

15 Éolisation [GÉOL.] ; ventilement [rare]. – Ventilation.

V. 16 Souffler, **venter.** – Loc. fam. Il fait un vent à décorner les bœufs ou, fam., les cocus (aussi : tous les cocus).

17 Bruire, bruisser, gémir ; bramer, hurler, mugir, rugir, siffler.

18 Cingler, couper, fouetter, glacer, mordre, pincer, piquer.

19 Se lever ; forcir, fraîchir. – Faire rage. – S'apaiser, se calmer ; avaler, **calmir,** mollir, tomber, se mourir ; s'apaiser, se calmer. – Descendre, redescendre ; sauter, tourner. – MAR. : anordir ; adonner, refuser. – Petite pluie abat grand vent [prov.].

20 MAR. – Lofer ; venir au vent, serrer ou pincer le vent ; remonter au vent, gagner au vent. – Laisser porter, abattre.

Adj. 21 **Venté, venteux,** éventé [litt.], ouvert aux quatre vents ou à tous les vents ; battu des vents. – Calme ; encalminé [MAR.].

22 Éolien.

23 Didact. – Anabatique, catabatique. – Laminaire ; géostrophique.

Adv. 24 En plein vent. – Au vent, sous le vent. – Contre vents et marées.

Int. 25 Bon vent ! – Du vent ! **272.**

Aff. 26 Anémo-.

853 VENTRE

N. 1 **Ventre** ; litt. ou vieilli : entrailles, flanc, giron, sein **639.** – Fam. : buffet, burlingue, caisse, paillasse ; pop. : baquet, bocal.

2 Ventre. – Fam. : **bedaine** ; ballon [vieilli], bedon, bedondaine [vieilli], bide, bidon, brioche, panse ; berdouille [arg., vx].

3 **Estomac 218.** – Abdomen, épigastre, hypogastre ; hypocondre. – flanc **158.** – Bas-ventre, petit ventre [vx] ; nombril, ombilic [didact.] ; aine. – **Viscères** ; entrailles, intestins, tripes [fam.] ; **gros intestin** ; cæcum, côlon, rectum ; **intestin grêle** ; duodénum, iléon, jéjunum. – Péritoine ; épiploon, mésentère.

4 **Obésité 351,** ventrosité [vx]. – Bedonnement [rare], **embonpoint.**

5 Ventriloquie [didact.].

6 Éventration ; étripage [fam.], éviscération.

7 Fam. : Bibendum, poussah, sac à tripes.

8 Ventriloque *(un ventriloque).*

V. 9 Bedonner ; avoir du ventre, prendre de l'embonpoint ou du ventre. – Faire ventre ; tout fait ventre [loc. prov., fam.].

10 **Ramper,** ventrouiller [fam., rare]. – Courir ventre à terre [fig.].

11 Étriper **169,** éventrer, éviscérer. – Fam. : crever la paillasse, étripailler.

12 Se coucher sur le ventre, se flâtrer [CHASSE]. – Se mettre à plat ventre devant qqn [fig.].

Adj. 13 Ventral ; **abdominal,** alvin, cœliaque, estomacal, intestinal.

14 Pansu, **ventru** ; entripaillé [litt.]. – Fam. : bedonnant, ventripotent ; berdouillard [arg., vx].

Adv. 15 Ventralement [didact.]. – À plat ventre.

Int. 16 Ventrebleu !

854 VÉRITÉ

N. 1 **Vérité** *(la vérité)* ; didact. : authenticité, objectivité, positivité, validité, véracité, véridicité, vérifiabilité. – Crédibilité, **possibilité 646,** vraisemblance.

2 Existence, **réalité.** – **Exactitude,** justesse ; *adæquatio rei et intellectus* (lat., « adéquation de la chose et de l'idée »).

3 Vérité pragmatique, vérité révélée ; vérité formelle, vérité matérielle, vérité ontologique ; vérité historique. – La stricte vérité, **la vérité toute nue,** la vérité vraie [fam.].

4 Vérité *(une vérité).* – Proposition vraie ; **dogme,** loi, principe **658.** – Demi-vérité ; vérité cachée. – Vérité première ; tautologie, truisme ; **lapalissade,** vérité de La Palice. – Vérité d'Évangile.

5 Prov. ou loc. prov. : la vérité sort de la bouche des enfants ; *in vino veritas* (lat., « la vérité est dans le vin »). – Toute vérité n'est pas bonne à dire [prov.]. – « Vérité en deçà des Pyrénées, erreur audelà » (Pascal).

6 Le réel, **le vrai** ; le fait (opposé au droit).

7 Franchise, **sincérité 472,** véridiction [didact.] ; parler vrai, transparence.

8 Sérum de vérité ; penthotal.

9 Caméra-vérité, cinéma-vérité, roman-vérité. – Tranche de vie [LITTÉR.].

10 LOG. – **Critère de vérité,** foncteur de vérité, table de vérité, valeur de vérité ; modalité aléthique.

11 LITTÉR. : naturalisme, **réalisme,** vérisme. – PHILOS. : objectivisme, positivisme, vérificationnisme.

V. 12 S'avérer. – **Être,** exister **297.8** ; avoir lieu. – Faire vrai, sonner juste.

13 **Vérifier** ; contrôler ; sourcer.

14 Dire la vérité, dire le vrai ; dévoiler, **révéler.** – **Avouer,** convenir, lâcher le morceau [fam.], se confesser. – Se montrer sous son vrai jour.

15 **Avoir raison,** être dans le vrai. – Contrôler, vérifier.

16 Démêler le vrai du faux, **faire éclater la vérité,** rétablir la vérité ou les faits. – Mettre au jour, mettre à nu ; **démasquer.** – Prêcher le faux pour savoir le vrai.

17 Dire à qqn ses vérités ou ses quatre vérités. – Il n'y a que la vérité qui blesse [prov.].

18 Désabuser, **désillusionner,** détromper.

Adj. 19 **Vrai** ; avéré, véridique, **véritable** ; incroyable mais vrai. – **Exact,** juste ; démontré, établi. – Incontestable, indéniable, indubitable, irrécusable, irréfutable **99.**

20 Concret, existant, matériel **492.8, réel** ; effectif, objectif, positif.

21 **Vraisemblable** ; admissible, crédible, croyable, recevable, vérifiable. – Approché.

22 Authentique, franc, **sincère** ; lucide. – LITTÉR. : naturaliste, **réaliste,** vériste.

23 LOG. : aléthique, vériconditionnel ; valide. – Vérificatif.

Adv. 24 **Vraiment** ; véridiquement, véritablement. – Vraisemblablement.

25 Effectivement, objectivement, positivement, **réellement.**

26 Authentiquement, franchement, **sincèrement,** vrai *(dire vrai).*

27 **Exactement,** justement. – Certainement **99,** indubitablement.

28 À la vérité, **à vrai dire,** au vrai. – **En vérité** ; en fait, en réalité.

855 VERRE

N. 1 **Verre.** – Pâte de verre. – Verre d'Alsace ; **verre de Bohême, verre de Venise** ; cristal, cristal de Baccarat ; cristallin ou, vx, semi-cristal. – Porcelaine de Réaumur, verre blanc ; crown ; **verre d'albâtre** ou pâte de riz ; aventurine ; opaline, verre opale, verre opalin ; hyalite (verre noir), jais français ; aventurine. – Verre au plomb ; cristal au plomb. – Verre de fougère ; blanc de lait ; craquelé ; verre cathédrale.

2 **Verre plat** ; verre de vitrage ; glace flottée ou, angl., float-glass ; verre double ou plaque ; verre coulé ou laminé ; verre mousseline. – **Verre creux** ; verre d'emballage. – **Verre technique** ; verre de silice ; verre au fluor ; verre de fluophosphate ; verre laser. – **Verre optique** ; verre sodocalcique ; verre photochromique ; vitrocéramique ; fibres optiques ; verre semi-conducteur ; verre de chalcogénure.

3 Verre neutre. – Verre filé ; **verre soufflé.** – **Verre armé** ; verre perforé ; verre dépoli, verre poli. – Verre athermane. – Verre soluble. – **Verre de sécurité** ; verre sandwich ou feuilleté. – Verre mousse ou multicellulaire. – Verre organique.

4 **Fibre de verre** ; verranne. – Fibre textile ; fibre isolation. – Laine de verre, ouate de verre, soie de verre.

5 GÉOL. : verre naturel ; **obsidienne** (verre volcanique), pechstein ou rétinite ; fulgurites, tectites ; cristal de roche, quartz hyalin. – MÉTALL. : verre métallique ou alliage amorphe. – Verre d'antimoine, verre d'arsenic, verre de cuivre, verre de plomb.

6 Fiel de verre ; groisil (ou : graisin, grésil).

7 **Papier de verre** ou papier verré. – Verrage.

8 **Vitre** ; **vitrail** ; glace, **miroir 574.** – Pan de verre ou rideau de verre. – Verrerie de table ; cristaux de Bohême. – Verre d'eau.

9 **Fusion** ou fonte ; affinage ; braise. – Étirage ; laminage. – Dégazage, frittage ; doucissage, polissage **640.** – Brassage, guinandage, maclage. – Flottage. – Trempage ; titanisation. – Aluminisation (ou : aluminiage, aluminure). – Pressage, pressage par poinçon et matrice ; **soufflage,** soufflage en manchon, soufflage en plateau. – **Moulage** ; moulage à la cire perdue, moulage-modelage.

10 VERR. : **coupe-verre, diamant,** molette. – Canne ; mors. – Manchon. – Bouilloneur, cordeline ; guinand.

11 Vitrification ; vitrage. – Verrière. – Maison de verre.

12 Verre *(un verre).* – **Verre de lampe,** verre de montre ; verre de lunettes. – Verre à eau **848** ; verre à pied, verre à pattes [vieilli]. – Petit verre [fam.]. – Verrine ou vérine. – Véraille ; verroterie.

13 Verrée [PHARM.] **509.**

14 **Verrerie** ; cristallerie. – Bouteillerie, flaconnage, gobeleterie. – Vitrerie.

15 Verrier ; maître verrier. – **Souffleur de verre** ; fileur de verre. – Verreur. – Vitrier.

V. 16 **Verrer** [TECHN.]. – Être verré [ORFÈVR.].

17 **Mettre sous verre.** – Vitrer ; vitrifier.

18 Brasser, macler ; fritter, mouler, presser ; **souffler.** – Ouvrir la bosse. – **Céramiser 813.**

19 Se briser comme du verre **325.** – Ne pas être en verre [fam.].

Adj. 20 **Verré** ; vitré. – Vitrifié.

21 Verrier.

22 **Cristallin** ; translucide, transparent. – Vitreux.

23 Vitrifiable. – Vitrificateur.

856 VERS

N. 1 **Ver 873.** – **Annélides** ou vers annelés (polychètes, oligochètes, achètes ou hirudinées), **némathelminthes, plathelminthes** ou platodes ; archiannélides. – **Vermidiens :** brachiopodes, bryozoaires, chétognathes, échiuriens, priapuliens, rotifères, siponculiens. – Helminthe [MÉD. ou litt.].

2 acanthocéphale ou échinorhynque
amphistome
anguillule
ankylostome
aphrodite
arénicole
ascaris ou ascaride
bilharzie ou schistosome
bonellie
bothriocéphale
branchiomma
cestode
convolute
crania
cristatelle
digène
distome
douve
dracunculus
échinocoque
enchythrée
eunice
filaire
flustre
gastrotriche
géphyrien
gnathobdelle
gordiacé
hermelle
hermione
hétérakis
hétérodère
ligule
lineus
lingule
lombric ou ver de terre
métacercaire
naïs
nématode
némerte
nephthys
néréide ou néréis
onchocerca
oxyure
palolo
périnéréis
placobdelle
planaire (ou ver plat, plathelminthe)
platynéréis
pseudophyllide

rhynchobdelle	trichine
rhynchonelle	trichocéphale
sabelle	tubifex
sangsue	turbellarié
serpule	tylenchidé
sipunculide	tylenchus
spirographe	ver à queue
spirorbe	ver à tête noire
strongle	ver de fumier
syngame	ver de vase
térébelle	ou vaseux

3 Cysticerque, entoprocte, hydatide, microfilaire, miracidium, rédie ; cucurbitain. – Helminthiase.

4 Atrium, cestode, lophophore, néphridie, proglottis, scolex.

5 **Helminthologie.** – Hirudiniculture.

Adj. 6 **Vermiforme** ; helminthoïde. – Helminthique.

Aff. 7 Helminth-, -helmintho- ; hirudini-.

8 -helminthe, -helminthique.

857 VERT

N. 1 **Vert** *(le vert)* ; rare : verdeur, verdure, viridité ; didact. : glaucescence, glaucité. – Sinople [HÉRALD.] **159.4.**

2 Colorants et pigments verts. – Terres vertes, terre de Cassel ; vert aquatique, vert végétal ; vert malachite, de montagne ; vert de chrome, de cobalt ; vert de vessie ; vert anglais, vert Brunswick, vert Véronèse ; vert molequin ou vert de mauve ; verdet ; vert de méthyle ; pyoctanine [PHARM.].

3 **Verdure 360,** végétation ; chlorophylle. – Plante verte.

4 Verdissage [rare]. – Verdissement ; **verdoiement.**

5 Deutéranopie [PATHOL.] **840.2.** – Deutéranope.

6 Vert *(un Vert, les Verts)* ; écologiste **251.**

V. 7 **Verdir,** reverdir, verdoyer. – Se vert-de-griser.

8 Verdir ; blêmir **619, pâlir 71.10.**

Adj. 9 **Vert** ou, vx, verd ; rare : verdoré, viride ; vx : verdelet, verdet. – Verdasse, **verdâtre** ; glauque, glaucescent [didact.], olivâtre ; smaragdin [didact.]. – Verdi, vert-de-gris, vert-de-grisé. – Verdissant, verdoyant, viridant [rare].

10 Vert doré, vert-jaune ; vert pâle, vert tendre ; vert foncé, vert sombre ; vert acide, vert brillant, vert cru, vert vif.

11 Vert absinthe ; vert bouteille ; vert tilleul ; vert céladon ; vert Nil ; vert amande, vert artichaut, vert asperge, vert épinard, vert olive, vert pistache ; vert bronze ; vert émeraude, vert jade ; aigue-marine. – Vert mousse ; vert pomme ; vert prairie, vert printemps.

Adv. 12 Vertement [litt.]. – Au vert *(se mettre au vert).*

13 En vert ; en herbe.

Aff. 14 Chlor-, chloro-, glauc-, glauco-.

858 VERTU

N. 1 **Vertu** ; moralité **533,** sagesse ; angélisme, perfection. – Austérité, **sévérité.** – Degrés de la vertu.

2 Vertus intellectuelles ; vertus morales (ou : naturelles, cardinales), vertus surnaturelles ou infuses. – THÉOL. : **vertus théologales** (foi, espérance, charité ou amour) ; **vertus cardinales** (justice, prudence ou sagesse, tempérance **810,** force ou courage).

3 Aptitude, capacité, possibilité **646,** potentialité, **qualité 677,** vertu.

4 **Courage 161,** fermeté, force d'âme ; cœur [vx], vertu [vx].

5 **Chasteté 108,** fidélité, honneur [litt.], innocence, pudeur, **vertu.**

6 **Hypocrisie 373,** pharisaïsme [litt.], tartufferie ou tartuferie **838.**

7 **Vertu** *(une vertu)* [fam.] ; dragon de vertu ou d'honneur, prix de vertu. – Fleur de lis, Lucrèce [allus. myth.], rosière [vx] ; **ange,** colombe ; sainte-nitouche [fam., péj.]. – Hypocrite, petit saint, pharisien [litt.], tartuffe ou tartufe. – Philanthrope ; **saint homme.**

8 THÉOL. : Dominations, Vertus **29,** Puissances.

V. 9 Faire de nécessité vertu.

Adj. 10 **Vertueux** ; méritant, sage ; angélique, parfait, saint. – Austère, sévère.

11 **Chaste 108,** immaculé, innocent, pudique, pur, **vertueux,** vierge.

12 Édifiant, **exemplaire,** moral **533.**

Adv. 13 Vertueusement [litt.] ; honnêtement **365,** moralement **533.** – **Chastement 108,** innocemment, purement.

859 VÊTEMENT

N. 1 **Vêtement** ; habit. – Fam. : chiffon, fringue, frusque [vieilli], nippe, pelure, sape.

2 Péj. – **Fripes,** haillons, loques, guenilles ; vx : hardes, oripeaux. – Cache-misère [fam.]. – Défroque.

3 Atours [litt.]. – **Affaires,** effets [sout.]. – Garde-robe ; trousseau.

4 Ajustement, habillement ; mise, **tenue** ; costume, toilette, vêtement *(le vêtement)* [litt.], vêture [vx ou litt.] ; parure. – **Accoutrement,** affublement [litt. ou rare] ; [fam., péj.] : attifement, fagotage, harnachement. – Déguisement.

5 Essayage. – Déshabillage.

6 **Tenue de ville.** – **Ensemble** *(un ensemble)* ; complet, costume ; tailleur.

7 Chandail, jersey, lainage, **pull** ou **pull-over,** ras-du-cou, tricot ; cardigan, gilet ; surchemise ; anglic. : sweater, sweatshirt ou sweat-shirt. – **Chemise** ; chemisette, liquette [fam.] ; polo ; cache-cœur, chemisier, **corsage** ; basquine [anc.] ; caraco [anc.] ; guimpe.

8 Blouse, casaquin [anc.], marinière. – Tunique ; cotte [anc.]. – ANTIQ. : angusticlave, chiton, dalmatique, laticlave, péplum ; bliaud [HIST.].

9 **Veste,** veston ; blazer, jaquette, saharienne ; casaque ; kabig ; boléro, spencer. – Anc. : pourpoint, redingote.

10 **Robe** ; robe chasuble, robe sac ; fourreau ; robe longue ; friponne *(la friponne)* [anc.] ; anc. : circassienne, levantine. – **Jupe,** jupette, minijupe ; jupe-culotte ; basquine. – Surcot [anc.].

11 **Pantalon** ; fam. : culbutant, falzar, fendant, fendard, **froc,** futal, grimpant. – Blue-jean ou jean ; corsaire. – Anc. : **chausses** ; bas-de-chausses, haut-de-chausses ou grègues ; culotte. – Bermuda.

12 **Imperméable** ou, fam., **imper** ; ciré, gabardine, trench-coat ou, fam., trench. – Anorak ; **blouson** ; fam., vx : pet-en-l'air, rase-pet. – **Manteau** ; pardessus ; loden, raglan ; manteau de fourrure, pelisse ; himation [ANTIQ.]. – **Trois-quarts** ; caban, canadienne, duffel-coat ou duffle-coat [anglic.], paletot, parka ; saie ou sagum [ANTIQ.]. – **Cape** ; burnous, mante [anc.], mantelet, poncho ; anc. : houppelande, pèlerine. – ANTIQ. : toge ; chlamyde.

13 **Lingerie** ; linge de corps, sous-vêtement ; dessous *(les dessous)*. – Culotte, **slip** ; string [anglic.]. – Gaine ; gaine-culotte ou panty. – Bustier, guêpière ; anc. : corselet, **corset.** – Body [anglic.] ou justaucorps, chemise-culotte, combiné. – Combinaison, jupon ; secrète *(la secrète)* [anc.]. – Soutien-gorge. – **Bas,** demi-bas ; collant ; jarretière [anc.] ; jarretelle ; porte-jarretelles. – Socquette.

14 Caleçon ; arg. : calebar, calcif ou calecif. – Slip ; slibard [arg.]. – Débardeur, gilet de peau, maillot ou tricot de corps, marcel, **tee-shirt** ou T-shirt [anglic.]. – **Chaussette** ; fixe-chaussettes [anc.].

15 **Chemise de nuit,** nuisette ou, anglic. vieilli, baby-doll ; **pyjama** ; liseuse. – Peignoir, **robe de chambre,** saut-de-lit ; douillette. – Déshabillé, négligé *(un négligé)*.

16 **Layette** ; barboteuse, brassière, grenouillère.

17 **Tenue de sport** ; sportswear [anglic.]. – Jogging [anglic.], **survêtement** ou, fam., survêt, training [anglic.]. – Pantalon de golf ou knickerbockers [anglic.] ; fuseau de ski. – Amazone ; riding-coat [anglic.]. – Cuissard, flottant, short. – Maillot de bain ; bikini, monokini ; combi-short ; cache-sexe, string [anglic.].

18 **Bleu de travail,** combinaison, cotte, salopette. – Blouse, sarrau ou sarrot, vareuse ; tablier.

19 Tenue ou habit de cérémonie (aussi : de gala, de soirée). – **Smoking** ou, fam., smok ; frac, queue-de-morue, queue-de-pie. – Vêtement de deuil.

20 **Uniforme.** – MIL. : capote, dolman [anc.] ; treillis. – RELIG. : aube ; camail, mosette ou mozette ; chape, chasuble ; rochet, surplis ; **froc, soutane.**

21 Parties d'un vêtement. – **Corps** ; **devant, dos** ; manche ; basque, pan ; capuchon. – Ceinture, dessous-de-bras, encolure. – Retroussis. – Épaulette ; poche ; **col,** collet ; collerette, fraise. – Fermeture Éclair [nom déposé], Zip [anglic., nom déposé].

22 Anc. : cage, cerceau, **crinoline,** faux-cul [fam.], panier, tournure, **vertugadin.**

23 Ornements des vêtements. – Affûtiaux [fam.], fanfreluche. – **Ruban** ; faveur, galant. – Anc. : falbala, pretintaille. – **Garniture,** passementerie ; dentelle **165.**

24 MIL. – **Insignes** ; chevron, épaulette, fourragère ; galon ou, arg., sardine.

25 **Accessoires.** – **Chapeau,** couvre-chef ; fam. : bada, galure, galurin ; arg. : bitos, doulos. – Chapeau mou, **feutre** ; albanais, bicoquet, borsalino. – **Haut-de-forme** ; ascot, bolivar, claque, gibus, huit-reflets, tube. – Canotier, panama.

– Sombrero ; stetson. – Béret, **casquette** ; toque ; **bonnet** ; cagoule ; passe-montagne ; capuche, capuchon, chaperon [anc.]. – **Coiffe** ; anc. : bavolet, guimpe, hennin.

26 RELIG. – Cornette ; scapulaire. – Calotte ; kippa [judaïsme].

27 MIL. – Képi ; casquette, fromage blanc [arg. mil.]. – Anc. : bicorne, tricorne.

28 **Écharpe** ; cache-col, cache-cou, cache-nez ; mantille. – Châle ; fichu, pointe ; modeste *(la modeste)* [anc.]. – **Foulard** ; carré ; pochette ; mouchoir. – **Gant,** mitaine ; moufle ; manchon. – **Cravate,** régate ; jabot, lavallière ; nœud papillon.

29 Bouton de manchette. – **Ceinture,** ceinturon, cordelière ; bretelles.

30 **Sac à main** ; réticule. – **Éventail.** – **Ombrelle** ; en-cas, en-tout-cas ; parapluie ; fam. : pébroque, riflard. – Canne. – Face-à-main, lorgnon, monocle **574.**

31 **Mouche** ; assassine *(l'assassine),* discrète, galante.

32 **Penderie 519** ; dressing-room [anglic.]. – Vestiaire. – Patère, portemanteau. – **Cintre** ; valet de nuit.

V. 33 **Habiller** ; costumer [vx], vêtir. – Accoutrer, affubler ; fam., péj. : arranger, attifer, corseter, fagoter, ficeler, harnacher. – Costumer, **déguiser,** travestir.

34 Déshabiller **562,** dévêtir.

35 **Porter** (un vêtement) ; avoir sur soi. – Revêtir ; endosser, enfiler, mettre, passer.

36 **S'habiller,** se vêtir ; fam. : se fringuer, se nipper. – Se costumer, se déguiser.

37 S'apprêter, s'arranger, se parer, **se préparer.** – S'endimancher ; se mettre sur son trente-et-un [fam.], se pomponner [cour.].

38 **S'accoutrer,** s'affubler, s'attifer [fam., péj.].

39 Agrafer, boutonner. – Déboutonner, dégrafer.

40 Tomber la veste [fam., région.]. – Se débrailler, se dépoitrailler.

Adj. 41 Vestimentaire.

42 **Habillé 520,** vêtu. – Court-vêtu, en petite tenue.

43 Élégant **233** ; arrangé [vx], bien mis. – Endimanché.

44 Costumé, **déguisé,** travesti.

45 **Accoutré** ; fam., péj. : arrangé, attifé, attifé comme l'as de pique, fagoté, ficelé comme un saucisson.

46 **Débraillé,** négligé. – Déguenillé, dépenaillé ; haillonneux [litt.], loqueteux ; grunge [anglic.].

860 VICE

N. 1 Vice [litt.] ; amoralité, **immoralité.** – **Mal,** malice [vx], malignité [PHILOS.] ; méchanceté **497** ; mauvais penchant. – Perversion, perversité ; bassesse, rouerie. – Boue, fange ; lèpre [litt.].

2 Dépravation, dévergondage, **inconduite,** libertinage, licence ; lubricité. – **Débauche,** luxure **475,** stupre [litt.] ; impureté, turpitude [litt.].

3 Vice contre nature [vx] ; **péché 606,** tache, tare. – L'oisiveté est la mère de tous les vices [prov.].

4 Faible, faiblesse, **manie,** travers, vice.

5 **Défaut 32.4,** défectuosité, imperfection, malfaçon, vice. – Vice apparent, vice caché ; vice de construction, vice de raisonnement ; vice de forme [DR.], vice rédhibitoire.

6 **Vicieux** *(un vicieux)* ; pourceau, pourceau d'Épicure [litt.].

V. 7 Vicier [litt.] ; **corrompre,** perdre, pervertir ; débaucher, dénaturer, dépraver, **dévergonder,** dévoyer. – Séduire, suborner [sout.]. – Gangrener, gâter, pourrir.

8 Se rouler (aussi : se vautrer) dans la fange. – **S'égarer,** être sur la mauvaise voie ou sur la mauvaise pente. – Démériter.

Adj. 9 **Vicieux** [litt.] ; amoral, **immoral,** pervers, sadique. – Criminel, mauvais, méchant **497** ; diabolique, satanique.

10 Débauché, dénaturé, dépravé, déréglé, **dévergondé,** dévoyé ; **corrompu,** perdu, perverti, vicié [rare] ; gâté, pourri. – Immonde, impur.

11 **Libertin,** libidineux, lubrique, luxurieux **475** ; cochon [fam.]. – Incorrigible. – **Impudique,** lascif ; libidineux, licencieux, lubrique, salace, vicieux ; vicelard [fam.] ; fangeux [litt.]. – Dissolu *(une vie dissolue).*

12 ÉQUIT. : vicieux ; ombrageux, rétif.

13 Viciable [rare].

14 Corrupteur, viciateur [rare].

Adv. 15 **Vicieusement** ; **mal** ; méchamment **497.** – Lubriquement, luxurieusement **475.**

861 VICTOIRE

N. 1 **Victoire** ; réussite, **succès 798,** triomphe.

2 Victoire ; conquête. – Victoire à la Pyrrhus [allus. hist.].

3 **Butin,** dépouilles opimes [ANTIQ. ROM.], prise de guerre. – **Trophée** ; trophée d'armes ; faisceau de drapeaux, trophée de drapeaux.

4 Palmes ; lauriers de la victoire. – V de la victoire. – Arc de triomphe.

5 Triomphalisme. – Invincibilité.

6 **Vainqueur** *(un vainqueur)* ; gagnant ; triomphateur. – Conquérant, conquistador [HIST.]. – Tombeur [fam.].

V. 7 **Gagner** ; l'emporter, réussir, **triompher, vaincre.** – Gagner la bataille, gagner la partie, remporter une victoire. – *« Veni, vidi, vici »* (lat., « je suis venu, j'ai vu, j'ai vaincu », Jules César).

8 **Dominer,** dominer la situation ; avoir l'avantage, avoir le dessus.

9 **Battre,** vaincre. – Triompher de, venir à bout de. – Assujettir, dominer **240,** soumettre, soumettre par les armes. – Mettre hors de combat, mettre hors d'état de nuire ; mettre à bas.

10 Se rendre maître de.

11 Chanter ou crier victoire ; ne pas avoir le triomphe modeste.

12 Porter en triomphe.

Adj. 13 **Victorieux** ; vainqueur ; couronné, couvert de lauriers. – Conquérant, triomphant ; triomphateur.

14 **Triomphal.**

Adv. 15 Victorieusement ; triomphalement.

Int. 16 Victoire !

862 VIE

N. 1 **Vie.** – Génération, reproduction **711** ; **naissance 544** ; viabilité. – Croissance.

2 Élan vital, force vitale ; esprits vitaux [vx]. – Activité vitale, fonction vitale, mécanisme vital ; constitution, organisation **577.** – Battements de cœur, pouls **128,** respiration **718.**

3 **Vie** ; énergie, force, santé **743,** tonus, **vigueur 864,** vitalité, vivacité. – Tant qu'il y a de la vie, il y a de l'espoir [prov.].

4 Principe de vie, souffle de vie, souffle vital ; **âme, esprit 297.4** ; archée [ALCH.].

5 Droit de vie ou de mort. – Question ou affaire de vie ou de mort. – Tête *(répondre de qqch sur sa tête).*

6 Survie ; survivance. – Résurrection ; reviviscence [litt., rare].

7 **Vie** ; carrière [vx], **existence.** – Cours de la vie ; fil des jours, fil du temps **811,** trame des jours. – Choses de la vie ; aléas de la vie. – Destin **305,** destinée, état, sort ; c'est la vie [loc. cour.]. – Ligne de vie.

8 **Durée moyenne de vie** ; espérance de vie, longévité **247.** – Demi-vie *(demi-vie d'une espèce animale)* [SC.]. – Élixir de longue vie ; essence de vie [PHARM., anc.].

9 Assurance sur la vie ou, cour., assurance-vie. – Certificat de vie [DR.].

10 **Vie** ; **biographie 691,** vie de + n. *(Vies des hommes illustres).* – **Autobiographie,** confession, journal, journal intime, mémoires. – Curriculum vitae. – État civil.

11 **Vie courante, vie quotidienne.** – Vie civile (opposé à vie militaire) ; vie active, vie professionnelle ; **vie publique** ; vie sociale.

12 **Vie privée.** – Vie conjugale **491,** vie domestique, vie de famille. – Vie affective, intérieure, morale, spirituelle ; vie intellectuelle, vie de l'esprit. – Vie religieuse ; vie régulière (opposé à vie séculière) ; vie contemplative **525.**

13 **Vie de** + n. ; vie d'artiste, vie de bohème ; vie de château, vie de cocagne ; vie de bâton de chaise, vie de débauche, vie de patachon ; vie de chien. – Double vie *(mener une double vie).*

14 **Mode de vie** ; **conditions de vie** ; mœurs. – **Savoir-vivre 163.** – Bien-vivre, art de vivre ; dolce vita (ital., « vie douce », « douceur de vivre »).

15 **Niveau de vie,** standard de vie (calque de l'angl. *standard of living*), **train de vie.** – Coût de la vie ; vie chère. – Cadre de vie.

16 Le vivre (dans le vivre et le couvert) ; vivres *(des vivres)* **703.**

17 **Vie** ; activité **7, animation,** mouvement **538.**

18 RELIG. – **Vie éternelle** ; « Je suis la Résurrection et la Vie » (Évangile selon saint Jean). – Arbre de vie (Genèse). – Parole de vie.

19 Vie *(vie des étoiles, vie des atomes),* demi-vie ou période d'un élément radioactif (calque de l'angl. *half-life*).

20 Être **297.1,** être vivant, vivant *(le vivant).* – Âme *(un bourg de deux mille âmes)* [litt.] **355** ; vivant *(un vivant, les vivants)* ; survivant *(un survi-*

vant). – Vif *(donation entre vifs ; le mort saisit le vif)* [DR.].

21 Biologie, immunologie **381,** physiologie. – Écologie **251.**

V. 22 **Vivre** ; **être, exister** ; être encore de ce monde (région. : être encore du monde, être du monde). – Fournir sa carrière [vx]. – Durer, s'entretenir, subsister. – Avoir la vie dure, avoir la vie chevillée au corps.

23 **Donner la vie à,** faire naître ; accoucher de **544,** enfanter, engendrer ; nourrir. – **Animer, créer,** faire vivre.

24 Rappeler à la vie, rendre à la vie ; redonner ou rendre vie à ; **ranimer,** réconforter ; sauver **671.** – Vivifier ; revivifier. – Laisser la vie ou la vie sauve à ; épargner.

25 **Naître,** venir au monde, voir le jour. – Renaître, ressusciter, revivre. – Donner signe de vie. – Prendre vie, **s'animer.**

26 **Vivre** + adv. *(vivre maritalement),* vivre en + n. *(vivre en ermite, en bon père de famille)* ; passer sa vie à + inf., en + n. *(passer sa vie à démarcher vainement, en démarches vaines ; y passer sa vie).*

27 Prendre la vie comme elle vient. – Jouir de la vie. – Couler d'heureux jours, filer des jours heureux **447.** – Voir la vie en rose ou, plus rare, en bleu ; voir la vie en noir. – **Vivre sa vie.** – Faire la vie ; mener grande vie (aussi : grand train, joyeuse vie, la belle vie, la vie de château). – Brûler sa vie ; brûler ses bottes [fam., vx]. – Se laisser vivre, vivoter ; croupir, végéter.

28 **Gagner sa vie** (aussi, fam. : son bifteck, son bœuf, sa croûte), subvenir à ses besoins. – **Vivre de** + n. *(vivre de ses rentes ; vivre de l'air du temps).*

Adj. 29 **Vivant** ; vif (vx, sauf en loc. : mort ou vif, plus mort que vif) ; au monde, en vie. – Reviviscent.

30 Vital ; biotique **251.** – Physiologique. – Viable. – Viager *(rente viagère).*

Adv. 31 La (sa, ta, etc.) vie durant. – À perpétuité ; à vie *(condamnation à vie).*

Aff. 32 Bio- ; -bie, -biose, -biotique, -bium.

863 VIEILLESSE

N. 1 **Vieillesse** ; âge avancé, âge certain, grand âge ; absolt : âge *(l'âge, les atteintes de l'âge* **863.4***).* – **Troisième âge,** quatrième âge. – Arrière-saison, hiver [fig.] **738,** penchant de l'âge, soir ou crépuscule de la vie [litt.], **vieux jours.** – **Ancienneté 28,** caducité.

2 **Vieillissement** ; affaiblissement **303,** déclin, **décrépitude.** – Involution ou régression sénile ; **sénescence.** – Si jeunesse savait, si vieillesse pouvait [prov.].

3 Présénilité, **sénilité** ; gérontisme, sénilisme [MÉD.]. – Retour d'âge.

4 Litt. : fardeau des ans, froid ou glaces de l'âge, injures (ou : outrages, ravages) du temps.

5 **Vieillard,** vieux *(un vieux)* ; vieux de la vieille ; personne âgée, vieille personne ; vieilles gens. – Géronte [vx], homme d'âge, tête chenue ; barbon, grison. – Sexagénaire, septuagénaire, octogénaire, nonagénaire, centenaire. – Fam. : grand-mère, grand-père, mémé, papet [région.], pépé. – Péj. : antiquité, croulant, ruine, vieillerie, vioque [pop.]. – Péj. : vieux barbon, vieux beau, vieux birbe, vieux coquard, vieux croûton, vieux débris, vieux gaga, vieux gâteux, vieux grison, vieux pépère, vieux radoteur, vieux roquentin [vx], vieux schnock, vieux singe, vieux tableau ; vieille baderne, vieille barbe, vieille ganache. – Péj. : vieille bique, vieille chouette, vieille mémère, vieille peau, vieille sorcière, vieille taupe, vieille toupie.

6 Aïeul, ancêtre **314, ancien** ; aîné. – Doyen, doyen d'âge ; vétéran ; patriarche. – Mathusalem, Nestor [vx]. – Les vingt-quatre vieillards de l'Apocalypse.

7 Retraité *(un retraité)* **266.**

8 Gérontocratie [POLIT.].

9 **Gériatrie,** gérontologie [MÉD.].

V. 10 **Vieillir** ; envieillir [vx]. – Avancer en âge, **prendre de l'âge,** prendre un coup de vieux [fam.]. – Baisser, décliner. – S'affaiblir **303,** se décatir ; se rouiller ; se casser, se voûter. – Trembler, sucrer les fraises [fam.]. – Blanchir sous le harnais ; grisonner.

11 **Être âgé,** être dans l'âge ou sur l'âge, être sur le retour, **se faire vieux.** – Ne plus être de première fraîcheur [fam.].

12 Être encore vert ; n'avoir pas d'âge.

Adj. 13 **Vieux** ; âgé, sur le retour ; vieilli. – Centenaire, macrobite [vx]. – Hors d'âge, sans âge ; vieux comme Adam, comme Hérode, comme Mathusalem ; antique [fam. et péj. s'agissant d'une personne]. – Chenu ; à la barbe fleurie. – Prov. : On n'apprend pas à un vieux singe à faire la grimace ; « Onques vieil singe ne fit belle moue » (Rabelais).

14 Vénérable.

15 **Sénile** ; **gâteux,** gaga [fam.]. – Croulant [fam.], décati, décrépit. – Impotent ; goutteux, podagre [vx].

Adv. 16 Sénilement.

Aff. 17 Géronto-.

864 VIGUEUR

N. 1 **Vigueur** ; force, puissance, puissance musculaire ; force herculéenne ou titanesque, toute-puissance. – Condition physique, forme ; constitution de fer. – Allant, ardeur, dynamisme, **énergie,** mordant, muscle [fig.], nerf, punch, ressort, tonus, verdeur, vivacité ; trop-plein d'énergie [fam.]. – Tonicité.

2 Endurance, résistance ; fermeté. – Énergie du désespoir. – Second souffle; regain d'énergie.

3 Carrure, corpulence, **robustesse.** – Virilité.

4 Lutte pour la vie (trad. de l'angl. *struggle for life*). – Épreuve de force, **exploit,** manœuvre ou tour de force, travail de Romain ou de Titan.

5 Colosse, force de la nature, fort-à-bras *(un fort-à-bras)* [vx], géant, hercule, homme à poigne, lion, taureau ; fam. : armoire à glace, costaud *(un costaud),* fort des Halles, gros bras, hercule de foire, malabar ; mastard [pop.] ; vx : bouleux *(un bouleux).* – Fig. : débardeur, déménageur.

6 Fort (*le fort* opposé à *le faible)* ; sexe fort (opposé à sexe faible). – Loi de la jungle, **loi du plus fort.** – Prov. : Au plus fort la poche, La raison du plus fort est toujours la meilleure (emprunté à La Fontaine) ; L'union fait la force [prov.] **352.1.**

7 Body-building [angl.], musculation.

8 Anabolisant [MÉD.]. – Fortifiant *(un fortifiant).*

V. 9 Avoir du sang ou, litt., du vif-argent dans les veines. – Fam. : soulever qqch avec le petit doigt ; avoir des biceps ou des biscoteaux, avoir du biceps.

10 Décupler ses forces, enforcir, forcir, renforcir.

11 Forcer **322.17** ; s'efforcer. – Fam. : mettre la gomme ou le paquet ; se défoncer, se donner à fond. – Faire force de rames (ou : de vapeur, de voiles), forcer de rames **684.**

12 **Résister,** tenir, tenir la distance ou la route [fam.], tenir le choc ou le coup.

13 Cuirasser, endurcir, **fortifier,** muscler, renforcer, revigorer, tonifier ; doper [fam.] ; recharger les accus [fam.]. – **Encourager,** fouetter, fouetter le sang, galvaniser, stimuler.

Adj. 14 **Fort,** fort comme un bœuf (ou : un bûcheron, un cheval, un roc, un taureau, un Titan, un Turc), puissant, **vigoureux** ; dur comme un chêne, plein de sève. – Dans la fleur de l'âge, dans la force de l'âge. – Dans toute sa puissance ; omnipotent.

15 Mâle [fig.], vaillant ; courageux **161.** – **Énergique,** fringant, gaillard, gonflé à bloc [fam.], plein d'énergie, tonique, vert, vif, vif comme la poudre. – Athlétique, sportif.

16 Aguerri ; endurant, infatigable, inusable. – Imbattable, invincible, invulnérable. – Irrésistible ; imparable.

17 Corpulent, membru ; bâti ou taillé en force, de forte constitution, robuste, solide, solide comme un roc ou un chêne, trapu, vigoureux ; bien bâti, bien campé, bien charpenté, bien découplé, bien membré, bien taillé, de belle venue ; carré des épaules. – Fam. : baraqué, costaud ou costeau, solide comme le Pont-Neuf ; pop. : balèze (ou : balès, balaise), maous. – Râblé, râblu, reinté. – Musclé, musculeux, ; fortiche [fam.].

18 Colossal, herculéen.

19 Dur, **fort, intense,** marqué, net.

Adv. 20 À bout de bras, à la force des bras, à la seule force du poignet ; à l'arraché. – **De vive force.**

21 **Vigoureusement** ; énergiquement, fermement, fort, **fortement, puissamment,** robustement, solidement, vivement. – **Brutalement,** durement, en force, rudement, violemment.

865 VIOLENCE

N. 1 **Violence** ; impétuosité, intensité **427,** véhémence ; virulence ; force, vigueur **864** ; énergie du désespoir. – **Abus 3,** excès **823** ; exacerbation.

2 Brutalité, férocité, force brutale ; brusquerie. – Cruauté **497** ; barbarie.

3 **Colère 130,** emportement, fureur, furie, rage.

4 **Frénésie,** furia [litt.] **276,** passion **600** ; **déchaînement,** immodération [vieilli] **426** ; déraison, folie furieuse **321.**

5 Violence verbale **412** ; **agressivité,** animosité, âpreté, dureté **248,** méchanceté **497,** venimosité.

6 Viol, **violation,** transgression **200.**

7 **Acte de violence,** exaction, maltraitance, mauvais traitements, sévices ; voie de fait. – Bagarre, coup **160.** – **Agression,** attaque **50** ; **viol** ; attentat à la pudeur avec violence ; derniers outrages [sout.] ; vx : forcement, violement ;

crime **169,** meurtre. – **Attentat** ; terrorisme. – Persécution, répression, torture **801.** – Dragonnade [HIST.].

8 Intimidation, manœuvre ou tentative d'intimidation. – Incitation à la violence ; provocation. – Escalade de la violence.

9 Masochisme, sadisme **763.**

10 **Contrainte** ; coercition. – Oppression. – Politique d'agression ou de violence (opposé à politique défensive). – Despotisme, dictature, tyrannie **694.**

11 Criminologie ; victimologie. – Éthologie.

12 **Violent** *(un violent)* ; brute ; exalté *(un exalté),* forcené *(un forcené),* fou furieux *(un fou furieux).*

13 Agresseur ; violenteur [fam.]. – Bourreau, tortionnaire *(un tortionnaire)* ou, rare, tortureur ; kapo [HIST.]. – HIST. : dragons, missionnaires bottés. – Despote, dictateur, tyran ; terroriste *(un terroriste).* – Provocateur *(un provocateur).*

14 Victime ; martyr *(un martyr).*

V. 15 **Violenter** ; brutaliser, malmener, maltraiter, molester ; bousculer ; attaquer **50, agresser,** frapper ; battre **160,** fouailler [vieilli], fustiger [vx]. – Martyriser, persécuter, opprimer, tyranniser **240** ; supplicier, torturer **801.**

16 Faire violence à qqn. – Contraindre, **forcer,** obliger **565** ; outrager, violer ; tuer **169.**

17 **Recourir à la violence,** user de violence ; redoubler de violence, répondre à la violence par la violence. – En venir aux extrémités ; **employer la manière forte** ; mater une révolte dans le sang.

18 **Éclater,** se déchaîner, s'emporter ; fam. : avoir la rage, avoir la haine ; ne plus se connaître. – Se révolter **715.**

19 **Déclamer contre** ; aboyer contre, déblatérer contre, fulminer contre, vitupérer contre ; injurier **412,** invectiver.

20 Faire rage.

21 Se faire violence **341** ; se dominer, se maîtriser. – Refréner ou réfréner **522,** réprimer.

22 À battre faut l'amour [prov.].

Adj. 23 **Violent** ; brutal ; barbare, cruel, sanguinaire ; belliqueux.

24 **Intense 427,** véhément ; immodéré **426** ; ardent, éperdu, frénétique, passionné, passionnel **600.**

25 **Agressif,** brusque ; acerbe, corrosif, cuisant, venimeux, virulent. – Fam. : sanglant, de tous les diables.

26 **Coléreux 130,** emporté, volcanique ; impétueux. – Enragé, exalté, fanatique ; forcené, furieux ; fou **321.**

27 Tourmentant, torturant ; crucifiant, martyrisant.

28 Coercitif, contraignant ; oppressif ou opprimant, répressif. – Attentatoire à.

29 **Bousculé,** brusqué, contraint, forcé ; malmené, maltraité, molesté. – Outragé ; **violé,** violenté. – Martyrisé, persécuté ; torturé.

Adv. 30 **Violemment,** de vive force ; à force [vx] ; fort ; brutalement.

31 **Manu militari** ; par le fer et par le feu. – À la cravache. – À la hussarde. – À la dragonne [vx].

32 **Agressivement,** âprement, véhémentement [litt.], vivement **427** ; abruptement, cavalièrement. – Crûment, outrageusement.

866 VIOLET

N. 1 **Violet** *(le violet)* **159** ; améthyste *(l'améthyste d'une étoffe),* lilas, pourpre *(le pourpre),* zinzolin.

2 Colorants et pigments violets. – Origine minérale : violet cristallisé ou cristal violet, violet de cobalt, violet d'outremer. – Origine organique : violet de méthylène, violet d'anthraquinone. – Origine animale : pourpre *(la pourpre)* **735.** – Origine végétale : violet de gentiane. – Pyoctanine [PHARM.].

3 Violette *(une violette)* **318.** – Violet *(du violet)* ou bois violet **74.**

V. 4 **Violeter** [rare] ; violacer. – Se violacer.

Adj. 5 **Violet** ; violacé, violâtre [rare]. – Violine ; **mauve,** mauvâtre [rare] ; pourpre **735.12.**

6 Améthyste ; aubergine, cassis, prune, pruneau [vx] ; zinzolin ; lilas, pensée ; **lie-de-vin** ; parme.

Adv. 7 Violâtrement [rare].

867 VISIBILITÉ

N. 1 **Visibilité.** – Didact. : observabilité, perceptibilité.

2 Visibilité atmosphérique. – Limite de visibilité. – **Échelle de visibilité :** 0 (objets visibles jusqu'à 50 m), 1 (jusqu'à 200 m), 2 (jusqu'à

500 m), 3 (jusqu'à 1 km), 4 (jusqu'à 2 km), 5 (jusqu'à 4 km), 6 (jusqu'à 10 km), 7 (jusqu'à 20 km), 8 (jusqu'à 50 km), 9 (au-delà de 50 km) [MÉTÉOR.]. – Distance de visibilité. – Pilotage sans visibilité ou P. S. V. [AVIAT.].

3 **Visible** *(le visible* opposé à *l'invisible).* – Apparence ; aspect, forme **323,** œil [fig.]. – Panorama, vue **868.11.** – Champ visuel.

4 **Visualisation.** – Apparition **34.1.** – Matérialisation **492.5.**

V. 5 **Faire voir** ; faire apparaître. – Exhiber **581,** exposer, **montrer** ; découvrir ; mettre au jour ou au grand jour. – Visualiser **868.**

6 **Apparaître** ; se montrer. – Se découvrir, se dévoiler. – Frapper l'œil, frapper les regards, **sauter aux yeux** ; fam. : crever les yeux, se voir comme le nez au milieu de la figure.

Adj. 7 **Visible** ; sensible **492.8.** – Apparent, évident, **manifeste** ; ostensible, voyant.

8 Discernable, distinguable, **observable** ; apercevable [rare].

Adv. 9 **Visiblement** ; manifestement ; ostensiblement. – Visuellement ; de visu (lat., « par la vue »).

10 En évidence, en vue.

11 Dans le champ (opposé à hors champ) [PHOT.].

868 VISION

N. 1 **Vision** ; œil, regard, vue. – **Perception 754.3.** – Visualisation.

2 **Vision** ; vision binoculaire, vision chromatique, vision périphérique, vision stéréoscopique ; vision diurne ou, didact., photoscopique, vision nocturne ou, didact., scotopique, vision vespérale ou mésopique. – Vision lointaine (opposé à vision rapprochée).

3 Disparation rétinienne, convergence rétinienne, **persistance rétinienne.** – Photoréception. – Phosphène. – Accommodation, réflexe photomoteur. – Oculogyrie, oculomotricité.

4 **Champ visuel** ; angle optique, axe optique, axe visuel, cône optique, rayon visuel. – Ligne de visée, plan de visée ; **cible,** point de mire **54.14.**

5 **Œil, yeux** ; pop. : calots, coquillards [vieilli], **mirettes,** quinquets ; châsses [arg.].

6 Iris, prunelle, pupille, rétine ; ANAT. : macula ou tache jaune, point aveugle. – Membrane choroïde ou choroïde *(la choroïde),* membrane conjonctive ou conjonctive *(la conjonctive),* épisclère *(l'épisclère),* sclérotique *(la sclérotique)* ; uvée ; blanc de l'œil, cornée ; procès ciliaire. – Chambre de l'œil ; corps hyaloïde, **cristallin** *(un cristallin),* humeur aqueuse, humeur vitrée ou corps vitré. – Fond de l'œil ; nerf optique ; bâtonnet rétinien, cône ; pourpre rétinien. – Coque oculaire, globe oculaire ; nerf oculomoteur. – Canal lacrymal, caroncule lacrymale, glande lacrymale ; larmier. – Cil ; corps ciliaire, muscle ciliaire ; sourcils ; glabelle, taroupe. – Arcade sourcilière, **orbite.** – Paupière.

7 Battement, **clignement,** clignotement, papillotement ou papillotage ; cillement [sout.] ; blépharotic **840.5.** – Clin d'œil, œillade. – Coup d'œil.

8 Allure, **aspect 323.4.**

9 **Panorama,** paysage **695, vue** ; point de vue. – Scène, **spectacle,** tableau. – Servitude de vue [DR.].

10 **Image 374,** tableau synoptique. – **Plan 120,** prise de vues. – Vue photographique ; panoramique *(un panoramique)* **621.**

11 **Vision** ; illusion d'optique, mirage. – **Hallucination 321,** zoopsie.

12 Visiophone. – Visionneuse.

13 Ophtalmologie ; oculistique *(l'oculistique)* [rare]. – Optométrie, ophtalométrie. – Dioptrique *(la dioptrique)* [OPT.] **473.18.**

14 **Oculiste,** ophtalmologiste ou ophtalmologue, optométriste.

15 Visuel *(un visuel).*

16 Voyeur *(un voyeur)* ; mateur [fam.]. – Observateur *(un observateur)* ; regardeur [vx, litt.], spectateur ; badaud ; témoin oculaire. – Mireur [TECHN.].

V. 17 **Voir** ; apercevoir, entrevoir, entrapercevoir ; voir de ses propres yeux. – Discerner, distinguer ; remarquer ; aviser [vx]. – Visionner ; visualiser [PSYCHOL.].

18 **Regarder** ; braquer les yeux sur, diriger ses regards vers, jeter un œil ou un regard sur, suivre des yeux ; embrasser du regard ; examiner, **observer** ; contempler, mirer [vx]. – Guigner, lorgner ; fam. : **mater,** reluquer, viser, zieuter ; se rincer l'œil [fam.]. – Viser.

19 Faire de l'œil ; œillader [vx].

20 Écarquiller les yeux, **ouvrir de grands yeux** ou des yeux ronds **805.8** ; rouler ou, fam., vieilli, ribouler des yeux ; érailler [vx]. – **Faire les gros yeux 710** ou, vx, faire des yeux de basilic, froncer les sourcils. – **Cligner des yeux,** clignoter ; ciller [sout.] ; papilloter.

21 Avoir une bonne vue. – Avoir le compas dans l'œil ; avoir le coup d'œil, avoir l'œil américain.

– Ne pas avoir les yeux dans sa poche ; avoir l'œil à tout **52.**

22 **Attirer l'attention,** attirer l'œil. – Crever les yeux [fam.], sauter aux yeux. – Taper dans l'œil [fam.] **629** ; donner dans la vue [vieilli] ; plaire, séduire ; éblouir.

23 **Montrer 867.5,** mettre sous les yeux ; étaler, exhiber, exposer. – Visualiser.

24 **Se donner en spectacle,** se faire remarquer ; se faire voir, se montrer. – En mettre plein la vue [fam.] **581.**

Adj. 25 **Visible,** visible à l'œil nu ; apparent, discernable, évident, manifeste. – Ostensible ; voyant ; spectaculaire.

26 Montrable, **présentable,** regardable.

27 **Optique 574** ; panoramique ; didact. : panoptique, synoptique.

28 **Visuel** ; **oculaire,** binoculaire, monoculaire ; intraoculaire, irien ; palpébral. – Emmétrope [PHYSIOL.]. – Oculistique, ophtalmique, ophtalmologique.

Adv. 29 **Visuellement** ; oculairement. – De vue ; de visu (lat., « par la vue »).

30 À vue d'œil, à vue de nez [fam.], à vue de pays [vx]. – À première vue ; tout d'une vue. – À l'œil nu ; à vue.

Prép. 31 Aux yeux de, sous l'œil de. – Au spectacle de, à la vue de. – Au vu de, au vu et au su de.

Aff. 32 **Oculi-,** oculo-, ophtalmo-, opto-.

33 -ope, -opie, -opsie, -optre, -optrie, -optrique, -scope, -scopie.

869 VOL

N. 1 **Vol** ; appropriation, dessaisissement, subtilisation, volerie [litt.] ; emparement [rare] ; soustraction [DR.]. – **Escroquerie 284** ; vieilli : filouterie, flibusterie ou flibuste. – Piratage, plagiat **379.1.**

2 Détroussement ou, rare, détroussage, larronnerie [vx] ; fam. : barbotage ou barbottage, carottage, **chapardage,** escamotage, fauche ou fauchage ; arg. : chourave, entaulage ou entôlage, grinche.

3 Vol qualifié, vol simple ; vol domestique, vol à l'étalage ou, arg., achat à la course, vol au rendez-moi ; vol à l'américaine, vol à l'escalade, vol à la tire [fam.] ou, arg., tire ; arg. : coup d'arraché, coup de vague, vol à l'esbroufe ou à la bousculade [vieilli]. – Banditisme **169.**

4 **Cambriolage,** vol avec effraction ; crochetage ; fric-frac [fam.] ; arg. : casse ou cassement ; attaque ou vol à main armée, **hold-up** ; braquage [fam.]. – Rançonnement ; **racket.**

5 Maraudage ; brigandage ou briganderie, déprédation, **pillage** ou, vx, pillerie, saccage ou, vx, saccagement ; mise à sac ou sac, rafle, razzia ; butinage [vx] ; piraterie. – **Braconnage** ; rare : filetage, panneautage. – Grappillage. – Gratte [fam.].

6 **Enlèvement,** rapt ; kidnapping, kidnappage [rare] ; ravissement [vx].

7 **Vol** ; maraude, picorée [vx] ; fier coup ou, arg., beau *(un beau)* ; butin, larcin, prise, rapine ou, vx, rapinerie ; magot [fam.]. – Arg. : affure ou afure, nougat ; fade, pied.

8 Cleptomanie ou kleptomanie.

9 **Voleur** ; bandit, gangster **169,** malfaiteur, truand ; malandrin [litt.] ; larron [vieilli] ; vx : détrousseur, escamoteur, subtiliseur. – Fam : barboteur ou barbotteur, chapardeur, **faucheur** ; malfrat. – Arg. : batteur, poisse. – Vx : brigandeau, friponneau, larronneau, volereau.

10 **Pickpocket** ; coupeur de bourses, tire-laine [litt.] ; vide-gousset ; arg., vx : piquouse (ou : picouse, piquouze). – Rat ou souris d'hôtel ; voleur de grand chemin. – **Cambrioleur,** crocheteur, dévaliseur [vx] ; casseur [fam.] ; arg. : fricfraqueur, monte-en-l'air [vieilli]. – **Racketteur,** rançonneur [rare]. – Miquelet [vx] ; clephte ou klephte [HIST.].

11 **Braconnier** ; panneauteur [rare] ; grappilleur. – Maraudeur, picoreur [vx] ; brigand, pillard, pilleur ; vx : fourrageur, pandour, rapineur, routier ; **pirate** ; flibustier [HIST.] ; boucanier, écumeur de mer, forban.

12 **Ravisseur** ; kidnappeur.

13 **Escroc 284** ; aigrefin, chevalier d'industrie, filou ; accapareur, trusteur [fam.] ; fam. : combinard, écornifleur, estampeur.

14 **Contrebandier** ; bandolier ou bandoulier [vx]. – HIST. : barbet, bootlegger, faux saunier ou faux-saunier. – Receleur. – **Compilateur,** plagiaire **379.4.**

15 Cleptomane ou kleptomane.

16 Milieu *(le milieu),* la pègre *(la pègre).*

V. 17 **Voler** ; dérober, prendre, subtiliser ; extorquer, soustraire ; confisquer ; DR. : détourner, distraire, divertir, receler ; filouter [vieilli] ; brigander [vx] ; grappiller.

18 Fam. – Barboter ou barbotter, calotter ou carotter, **chaparder,** chiper, choper, escamoter, faire ou refaire, faucher, flibuster, piquer, soulever, volatiliser ; écornifler, gratter. – Rafler, souffler.

19 Arg. – Asphyxier, chouraver ou **chourer,** cravater, grinchir ; taxer ; vx : agripper, poisser.

20 **S'emparer de,** se saisir de ; faire main basse sur, mettre la main sur.

21 **Cambrioler,** fricfraquer [arg.] ; mettre à sac, **piller,** pilloter [vx], razzier, saccager ; butiner [vx].

22 **Braconner** ; marauder, pirater ; resquiller ; vx : larronner, picorer, rapiner. – Faire danser l'anse du panier. – Fam. : manger la grenouille, **partir avec la caisse** ; faire la souris [vx].

23 Dépouiller, **dévaliser** ; détrousser ; par euph. : délester, dessaisir, soulager ; tirer [arg.]. – Écorcher *(écorcher le client),* **escroquer 838,** frauder ; friponner [vx]. – Fam. : truander ; estamper, plumer ou déplumer, ratiboiser, ratisser ; voracer. – Entauler ou entôler [arg.]. – Rançonner, racketter.

24 Faire ou vider les poches de qqn [fam.] ; tondre la laine sur le dos de qqn.

25 **Enlever,** kidnapper, ravir [litt.].

26 Prov. – L'occasion fait le larron. – Bien mal acquis ne profite jamais ; ce qui vient du diable retourne au diable. – Les receleurs font les voleurs. – Qui vole un œuf vole un bœuf. – Quand un voleur vole l'autre, le diable s'en rit.

Adj. 27 **Volé** ; approprié [DR.], dérobé, pris.

28 Volable ; appropriable [DR.].

29 **Illégal.** – Interlope.

30 **Malhonnête 485,** scélérat, véreux ; déprédateur, effractionnaire [DR.].

Int. 31 La bourse ou la vie ! [souv. cité par plais.]. – Au voleur !

870 VOLONTÉ

N. 1 **Volonté** *(la volonté)* ; volition, vouloir *(le vouloir)* [didact.] ; libre arbitre. – PHILOS. : nolonté ; nolition.

2 **Volonté** ; détermination, résolution **716.** – **Fermeté,** opiniâtreté, **persévérance 612,** ténacité ; obstination ; entêtement. – **Caractère** ; énergie morale, force d'âme. – Volontarisme.

3 **Volonté** *(une, des volontés)* ; résolution ; dessein, **intention 428,** projet, propos. – Velléité. – Vouloir- [+ inf.] *(vouloir-apprendre, vouloir-paraître, vouloir-vivre, etc.).* – **Désir 199, souhait,** vœu ; dernières volontés.

4 **Choix 116** ; rare ou vx en emploi autonome : discrétion, gré, guise. – Arbitraire ; bon plaisir, bon vouloir. – **Caprice 90,** coup de tête, fantaisie, lubie.

5 **Volontariat.** – **Bonne volonté,** mauvaise volonté. – Intentionnalité, **préméditation.**

6 **Volontaire** *(un volontaire).* – Velléitaire *(un velléitaire).*

V. 7 **Vouloir** ; **désirer 199,** souhaiter. – Ambitionner **664,** briguer, convoiter, viser ; aspirer à, prétendre à ; avoir des prétentions, des visées sur. – Avoir l'intention de, faire exprès de ; préméditer.

8 **Décider,** se déterminer, prendre une résolution, la résolution de. – Insister, s'entêter, s'obstiner **568,** tenir bon, ne pas démordre. – Quand on veut, on peut [loc. prov.].

9 **Bien vouloir 6.** – Faire les quatre ou les trente-six volontés de qqn, passer à qqn ses quatre (ou ses trente-six) volontés.

10 Imposer, ordonner, prescrire ; imposer sa volonté. – Forcer, influencer **407,** obliger. – Défendre, interdire **429.** – **Refuser 693** ; résister **715,** s'opposer **572.7.**

Adj. 11 **Voulu, volontaire** ; délibéré, intentionnel, prémédité. – Arbitraire.

12 PSYCHOL. : volitif, volontaire.

13 **Décidé, déterminé, résolu.** – Volontaire ; opiniâtre, tenace ; entêté, obstiné, têtu ; buté. – Velléitaire ; capricieux.

Adv. 14 **Volontairement** ; délibérément, intentionnellement, **exprès,** sciemment ; à dessein. – Librement, de plein gré. – Arbitrairement.

15 **Volontiers 629** ; *sponte sua* (lat., « de sa propre volonté »). – Bon gré, mal gré ; *nolens, volens* (lat., « bon gré, mal gré »).

16 **À volonté** ; ad libitum ou, abrév., ad lib (lat., « à volonté »). – Au choix. – À ma (à ta, sa, etc.) guise.

Prép. 17 Au gré de (qqn), à la discrétion de (qqn).

Int. 18 Fam. : je veux ! (aussi, par plais. : je veux, mon neveu !).

871 VOYAGE

N. 1 **Voyage** ; déplacement, périple ; circuit, tour ; tournée. – Marche, **cheminement.** – Exode *(l'exode des vacanciers),* transhumance [par plais.]. – Errance [litt.] ; odyssée ; pérégrinations.

2 **Tourisme, voyage** ; agritourisme, écotourisme ; chemin, itinéraire, parcours, route, trajet ; fam. : trimard, trotte. – Aller ou aller simple ; aller et

retour ou aller retour ; allées et venues, navette, va-et-vient. – Covoiturage.

3 Voyage d'agrément. – Voyage de noces. – Voyage d'affaires ; voyage de stimulation ; voyage d'études ; voyage d'information. – **Voyage organisé** ; voyage surprise ; voyage éclair. – Dépaysement. – Décalage horaire.

4 Pérégrination [vx], tour du monde. – **Croisière,** croisière maritime ; voyage au long cours ; passage, traversée. – **Navigation** ; navigation intérieure ; navigation de plaisance.

5 Autotour, croisière automobile [vieilli], **raid** *(raid automobile),* rallye. – **Cyclotourisme.** – **Auto-stop** ou, fam., stop.

6 **Exploration** ; campagne, expédition, incursion [vx], mission ou voyage scientifique, reconnaissance ; didact. : circumnavigation, périple.

7 **Pèlerinage** ; hadj ou hadjdj [Islam].

8 Balade, déambulation (ou, rare, déambulage, déambulement), **promenade** ; pérambulation [didact. ou litt.] ; **excursion,** marche, randonnée ; ascension **530.13,** grande randonnée. – Équipée, **sortie,** virée [fam.] ; échappade ou échappée [litt.] **783.2,** vadrouille [fam.].

9 **Locomotion,** moyens de locomotion, transport **829.**

10 **Agence de voyages,** syndicat d'initiative. – **Réservation** ; surréservation ; location. – **Billet,** billet circulaire, billet de groupe, billet à tarif réduit.

11 **Bagage,** bagages ; bagage à main, **sac** ; besace, musette ; sacoche ; sac à dos ; **malle,** sac de voyage, trousse de voyage, **valise** ; fourre-tout [fam.] ; attirail, barda [fam.].

12 Chèque de voyage, **traveller's cheque** [anglic.] ou traveller's check [amér.]. – Provisions, provisions de bouche, viatique [vx]. – Carte, guide. – **Passeport** ; visa.

13 **Souvenir,** souvenirs *(boutique de souvenirs).* – **Notes de voyage** ; récit de voyage. – Carnet de bord.

14 Préparatifs. – Départ **189,** embarquement ; arrivée **45,** débarquement. – Destination ; point de chute.

15 **Horaires.** – Correspondance. – Desserte. – Transit. – Stand-by *(un stand-by)* [anglic.].

16 **Voyagiste** ; agent de voyages, tour-opérateur. – **Accompagnateur,** guide, sherpa. – **Bagagiste,** porteur.

17 **Touriste,** voyageur ; aoûtien, juillettiste ; passager, compagnon de voyage. – Auto-stoppeur ou stoppeur, routard [fam.], trimardeur [pop.]. – Excursionniste, marcheur, promeneur, randonneur ; navigateur. – **Pèlerin** ; hadji ou hadj [Islam].

18 **Explorateur** ; **aventurier,** bourlingueur [fam.], globe-trotter. – Gens du voyage ; nomades. – Pérégrin [vx], vagabond **603.6** ; chemineau [vx].

V. 19 **Voyager** ; partir, battre le pays, voir du pays ; faire du chemin, faire le tour du monde, pérégriner [vx ou litt.]. – S'aérer, changer d'air, se dépayser.

20 **Voyager** ; courir le monde, être toujours par monts et par vaux (ou : par voies et par chemins, sur les chemins et les routes) ; fam. : avoir la bougeotte, rouler sa bosse ; fam. : bourlinguer, trimarder. – **Vagabonder** ; nomadiser [didact.]. – Aller (aussi : partir) à l'aventure, aller à la découverte. – Parcourir ; explorer, visiter.

21 **Se déplacer** ; se balader [fam.], **se promener** ; ambuler [litt.], déambuler, errer, flâner, **marcher** ; cheminer ; excursionner, randonner.

22 **Naviguer** ; croiser *(croiser dans l'Atlantique).* – **Rouler** ; circuler. – Faire de l'auto-stop ou du stop.

23 **Faire ses bagages** ; faire ses adieux, se mettre en marche ou en route ; démarrer. – Se diriger vers, se rendre à, se transporter vers ; aller à, faire route vers. – Transiter ; faire escale ou halte.

24 **Réserver,** retenir ; louer, organiser, préparer, programmer.

25 **Acheminer,** conduire, voiturer [rare] ; fam. : balader, faire voir du pays à, trimbaler ou trimballer. – Transborder, transférer, transporter.

26 **Dépayser.**

27 Prov. – Les voyages forment la jeunesse. – Qui veut voyager loin ménage sa monture.

Adj. 28 **Voyageur** *(pigeon voyageur)* ; voyager *(une personne voyagère)* [vx]. – **Itinérant,** mobile, nomade ; errant, vagabond ; bourlingueur [fam.] ; vx : déambulatoire, pérégrin.

29 Dépaysant, exotique. – Touristique.

30 **En partance.**

Adv. 31 À cheval. – Pédestrement ; à pied, pedibus [fam.], pedibus cum jambis [fam.]. – Par air **831.** – Par mer **830.** – Par la route **833.** – Par le train **832.**

Prép. 32 **À destination de** ; en partance pour.

Int. 33 **Bon voyage !** Bonne route !

Z

872 ZÉRO

N. 1 **Zéro** ; double zéro, triple zéro. – Point d'origine ou origine, point de départ ; zéro des cartes ou zéro hydrographique. – PHYS. : zéro mécanique ; point zéro, zéro absolu. – Année zéro ; zéro heure ou **minuit.** – Point zéro ou P. Z. [MIL.].

2 N. + – zéro *(croissance zéro, degré zéro, désinence zéro, etc.).* – Aleph-zéro [MATH.]. – Bulle *(la bulle)* [fam.], zéro pointé. – Zéro *(un zéro),* zéro en chiffre [vx].

3 Ensemble vide [MATH.] ; nullité [didact.] ; inexistence **404.** – Zéro acoustique ou antiformant [PHON.].

4 Zérotage [SC.].

5 Appareil de zéro [MÉTROL.].

V. 6 Partir de zéro ; **repartir de zéro** ; remettre les compteurs à zéro [fam.]. – Zéroter [SC., rare]. – Ajouter des queues aux zéros.

7 Compter pour zéro. – **Avoir le moral à zéro** ; avoir le trouillomètre à zéro [fam.], les avoir à zéro [très fam.].

Adj. 8 Zéro [fam.] ; **aucun, nul** ; pas le moindre, pas le plus petit, pas un.

9 **Inexistant 404** ; négatif. – CHIM. : nullivalent ou zérovalent, nullivariant. – Nullipare [MÉD.].

Adv. 10 Sans le moindre, sans le plus petit.

11 À zéro.

Aff. 12 Non-, nulli-.

873 ZOOLOGIE

N. 1 **Zoologie** ; zoographie [vx] (ou morphologie, zoologie descriptive, zoomorphie [vx]) ; zoochimie. – Phylogénie, zoobiologie, zoogénie [vx]. – **Écologie, éthologie** ; zoogéographie. – Zootechnie.

2 Cétologie, conchyliologie, **entomologie,** faunistique, helminthologie, **herpétologie** ou erpétologie, hippologie, ichnologie, ichtyologie, malacologie, mammalogie, myrmécologie, ophiologie, **ornithologie,** paléontologie ou **paléozoologie,** primatologie, prostitologie, etc.

3 Zoopsychiatrie, zoopsychologie. – Zoosémiotique.

4 **Règne animal** ; milieu animal ; **faune,** faunule, microfaune ; population, race ou forme géographique ; édaphon. – **Écosystème** ; **biotope 251,** isolat, **niche écologique,** zoocénose ou biocénose animale.

5 **Empire** ou région ; empire africo-malgache ou éthiopien, empire antarctique, empire australo-papou, empire boréal ou holarctique, empire indo-malais ou oriental, empire néotropical, empire polynésien.

6 **Animal** *(animal à sang chaud, à sang froid),* animalcule, bestiole, **bête, créature** ; aumaille, bestiaux, **bétail 262,** gibier, pécore [vx], volaille. – Amphibien, crustacé **172,** insecte **417,** **mammifère 486,** mollusque **527,** oiseau **570,** **poisson 638,** reptile **712,** ver **856.** – Zooplancton **22.** – Amniote ou allantoïdien.

7 Agrégation, **commensalisme,** esclavagisme, **grégarisme,** inquilisme, mutualisme, symbiose, trophallaxie ; confinement, effet de groupe ; dispersion. – Communauté ou société animale ; colonie, **essaim.** – Insectes sociaux ; caste.

8 **Animalité,** bestialité ; instinct. – Concurrence vitale, lutte pour la vie, **sélection naturelle.**

– **Acclimatation,** séclusion ; naturalisation. – **Acclimatement,** accommodat, morphose, somation ; régression, substitution. – Néoformation, novation, **raciation, spéciation.** – Hypertélie. – Bioélectricité.

9 **Jardin d'acclimatation,** jardin zoologique (ou : parc zoologique, zoo), **ménagerie,** parc animalier, réserve. – **Vivarium** ; aquarium, insectarium, paludarium, terrarium. – **Muséum** ; **zoothèque.** – Société protectrice des animaux.

10 **Classification,** nomenclature, systématique, taxinomie, **zootaxie.** – Classe, **embranchement, espèce,** famille, genre, groupe, ordre, sous-embranchement, tribu, variété.

11 Analyse génétique. – **Affinité** ; **amixie** ; syngaméon ou espèce syngamique. – Clé dichotomique, critère mixiologique. – Degré, grade d'évolution ; taxon, jordanon ; linnéon [vx], phylum. – Archétype ; types panchroniques ; formes affines.

12 Créationnisme, **darwinisme, évolutionnisme** ou transformisme (opposé à fixisme), **finalisme,** holisme, **lamarckisme,** mutationnisme, néodarwinisme, néolamarckisme, providentialisme. – Abiogenèse, aristogenèse, **biogenèse,** hologenèse, orthogenèse.

13 **Lois de la biologie animale** ou, vieilli, zoonomie ; loi des radiations évolutives, loi d'irréversibilité, loi d'augmentation de la taille, loi de diminution du nombre des organes, loi des changements de milieu, loi des connexions, loi de récapitulation.

14 Zooanthropologie. – Zoonomie [mod.], zoophilie.

15 **Naturaliste,** primatologue, **zoologiste** ou, rare, zoologue ; **zootechnicien.** – Empailleur, taxidermiste ou naturaliste.

V. 16 Accoupler, croiser, métisser, reproduire, sélectionner. – Castrer, châtrer, hongrer.

17 Affaiter, apprivoiser, domestiquer, dompter, dresser.

18 Nourrir, paître [vx] ; abecquer, agrainer, allaiter, embecquer, gaver, mettre au vert.

Adj. 19 Zoologique ; zootechnique.

20 Ovipare, ovovivipare, vivipare. – Mammifère.

21 Chasseur, fouisseur, grimpeur, **migrateur,** rongeur. – **Carnassier,** herbivore, frugivore, ichtyophage, insectivore, **omnivore,** rhyzophage.

22 Dangereux, **fauve,** féroce, **nuisible,** parasite, **prédateur,** venimeux ; inoffensif, utile ; apprivoisé, **domestique,** féral, sauvage.

23 **Aquatique,** ammodyte, amphibie, **marin,** terrestre. – Anthropophile, **arboricole,** cavernicole, coprophile, détriticole, **dulcicole,** épiphylle, fongicole, héliophile, humicole, inquilin, lignicole, limnicole, lucifuge, myrmécophile, paludicole, palustre, rhéophile. – Eurybiote, euryèce ; sténobiote, sténoèce. – Inféodé ; naturalisé, subspontané. – **Grégaire,** solitaire. – Ectotherme, endotherme.

24 Artiodactyle, **didactyle,** isodactyle, tétradactyle, pentadactyle. – **Digitigrade, plantigrade,** tardigrade. – Anoure, dasyure, macroure. – **Bipède,** cornupède, fissipède, lagopède, palmipède, pinnipède, quadrupède, solipède ; bimane, quadrumane, pédimane.

25 Annelé, articulé, **invertébré, vertébré.** – Gyrencéphale, lissencéphale. – Échinoderme, **pachyderme.** – Chiroptère, hyménoptère, lépidoptère, névroptère.

26 Aberrant *(genre, ordre aberrant)* ; syngamique. – Vicariant *(espèce vicariante).* – Cladistique *(classification cladistique).*

Aff. 27 **Zo(o)-.**

28 -céphale, -cole, -dactyle, -derme, -oure, -pare, -pède, -penne, -phage, -pode, -ptère, -vore.

Index

A

a- 2.14 ; 404.15 ; 488.20
a
de a à z 5.24 ; 823.15
aa 337.7
abaca 37.21
abaissable 195.18
abaissant 367.14
abaissée
abaissée d'aile 232.3
abaisse-langue 498.17
abaissement
diminution 220.4
descente 195
indignité 367.4
abaissement 338.12
abaisser
diminuer 405.7
faire descendre 195.14
humilier 367.8
abaisser (s') 405.10
abaisseur 195.6 ; 541.5
abandon
trahison 828.2
confiance 145.3
cession 101.2
à l'abandon 547.18
abandonnataire 101.9
abandonnateur 101.8
abandonné
désuet 206.8
négligé 547.18
solitaire 779.16
abandonnement
renonciation 701.1
confiance 145.3
éviction 292.3
abandonner
renoncer 701.9
négliger 547.11
trahir 828.14
céder 101.10
abandonner (s') 426.10
paresser 593.7
s'épancher 156.16
s'abandonner à 145.13 ; 564.10
abandonnique 779.16
abaque
boulier 87.9
table 338.11
t. d'architecture 39.15
abasourdi 805.12
abasourdir
rendre sourd 803.11
étonner 805.5
abasourdissant 803.13
abasourdissement 805.1
abat
abri 633.8
abattage 205.5
abat-jour 250.16
abats 333.8
abattage
t. d'arboriculture 36.8
abattage mécanique 834.21
avoir de l'abattage 277.5
abattant 519.9
abattée 212.3
abattement
diminution 220.4
tristesse 836.1
destruction 205.5
abatteuse 672.8
abattis
t. d'arboriculture 36.14
t. de gastronomie 333.8
abattoir
massacre 354.1
établissement 262.11
abattre
détruire 205.19
tuer 534
désespérer 198
t. de marine 212.17
abattre de la besogne 7.10
abattre des kilomètres 263.9
ne pas se laisser abattre 687.16
abattre (s') 633.13
abattu 836.10
a battuta 543.59
abattures 486.24
abat-vent 109.16
abba 699.8
abbatial 525.30
abbatiale 465.2
abbaye 465.2
abbaye de monte-à-regret 801.4
abbé 525
abbesse 525.13
abc 459.13
apprendre l'abc 35.4
abcès 482
abdicataire 292.13
prêtre abdicataire 699.10
abdication
abandon 452.2
renonciation 701.1
démission 292.3
abdiquer 701.9
démissionner 292.11
abdomen
estomac 853.3
t. de zoologie 417.17
abdominal 541.25 ; 853.13
nerfs sympathiques 548.5
nageoire abdominale 638.12
abdominaux 541.7
abdos
avoir des abdos 541.22
abducteur 541
abduction 682.2
abécédaire 459.13
recueil 469.9
abecquer
nourrir 262.27 ; 563.12
abée 585.7
abeillage 317.11
abeille 267.7 ; 417.7
abélie 38.6
abélien 493.9
Abénakis 371.7
aberrance 32
aberrant
anormal 32.13
erroné 283.17
insensé 557.9
aberration 32 ; 557.3
inexactitude 283.5
aberration chromosomique 361.9
aberrer 32.10
abêtir 784.8
abêtissant 784.14
abêtissement 784.2
abhaya-mudra 80.13
Abhidhamma-avatara 815.13
Abhidhamma-pitaka 815.13
abhorrer
détester 62.5 ; 410.6
abiétacée 37.11
abîme
gouffre 405.2
distance 232.4
enfer 271.7
mise en abîme (ou : abyme, abisme) 396.4
le fond de l'abîme 249.13
abîmer
détériorer 205.15
déshonorer 710.13
abîmer (s')
s'engloutir 228.7
se dégrader 205.24

absinthe 318.10
absolu
n.m. **620.17**
t. de parfumerie 594.2
dans l'absolu 658.12
adj.
extrême 467.15 ; 800.22
t. de philosophie 462.36
absolument
intensité 427.27
affirmation 13.13
absolument pas 546.19
absolution 592.2
culte 699.28
donner l'absolution 592.11
absolutisme
monarchie 694.7
despotisme 413.7
absolutiste 808.29
absolutoire 592.17
absorbable 54.14
absorbat 113.3
absorber
inclure 396.11
manger 563.13
apprendre 35.4
absorption
intégration 423.1
nutrition 846.3
absorption digestive 218.1
absorptivité 113.11
absoudre 699.31
pardonner 592.11
absoute 657.11
prière des morts 331.5
abstème 771.7
abstenir (s')
ne pas agir 231.9 ; 438.6
ne pas voter 260.26
se priver 810.8
s'abstenir de 701.8
s'abstenir de tout commentaire 714.9
abstention
renonciation 701.1
neutralité 401.6
t. de politique 260.10
abstentionnisme 260.10
abstentionniste
n. 260.11
adj. 260.31
abstinence
renoncement 701.3
expiation 299.1
régime 771.2
abstinent
chaste 108.7
sobre 771.7
Abstossung 713.3
abstract 723.4
abstracteur
abstracteur de quintessence 682.8
abstractif
abstrait 380.15
idéal 375.23
abstraction 375
immatérialité 380.1
inintelligibilité 411.2
faire abstraction de 295
abstraction 46
abstraire 380.12
abstrait 380.15
inintelligible 411.14
non figuratif 46.17
sciences abstraites 747.5
abstraitement
idéalement 380.17
théoriquement 375.29
abstrus
complexe 217.19
inintelligible 411.14
absurde
impossible 378.13 ; 385.8
ridicule 731.8
absurdement 557.12
faussement 283.19
absurdité 32.2
fausseté 283.11
inintelligibilité 411.2
abura
balsa 74.13
acajou 37.18
abus 3 ; 294.4
démesure 426.1
abus d'autorité 169.8
abus de confiance 284.6
abus de droit 413.6
abus de langage 455.5
abuser 3
excéder 294.7
escroquer 284.10
abuser de 426.6
abuser (s')
s'illusionner 283.15
se méprendre 432.18
abuseur 3.5
abusif 3
excessif 294.14 ; 426.13
abusivement 3 ; 432.22
immodérément 426.14
abusus non tollit usum 3.1
abyme
mise en abyme 396.4
abyssal 319.29
plaine abyssale 627.3
abysse
bas 405.2
profondeurs 203.9
abyssin 486.8
acacia
bois 74.11
arbre 37.15
académicien 747.9
académie
société 137.6 ; 274.5 ; 352.10
représentation 562.4 ; 607.4
académique
régulier 696.23
conventionnel 347.12
maillot académique 176.19
quart d'heure académique 724.2
académisme 696.11
t. de peinture 46.11
acagnarder (s') 593.7
acajou
bois 74.13
arbre 37.18
couleur 84.12 ; 624.23
acalculie 87.10
acalorique 771.8
acalyptères 417.8
acanthacées 318.22
acanthaster 527.9
acanthe 318.10
ornements 578.3
feuille d'acanthe 39.15
acanthocéphale 856.2
acanthocine 417.3
acanthocyte 742.3
acanthodactyle 712.5
acarde 527.19
acariâtre 217.23 ; 248.11
misanthrope 420.10
acaridés 417.12
acariens 417.12
acariose 482.35
acaule 318.47
accablant
pesant 636.20
chaud 102.23 ; 127.21
accablé 198.10
accablement
fatigue 303.2
désespoir 272.3
accabler 198
Acca Larentia 236.17
accalmie
bonace 852.3
guérison 353.4
calme 89.3
accaparement 490.7
accaparer 490.20
accapareur
abusif 3.16
escroc 869.13
accastiller 830.32
ériger 150.7
accéder
arriver 45.8
à un poste 667.10
consentir 149.10
accelerando 56.19 ; 542.25
accélérateur 57.3
accélérateur de particules 513.10
accélération
vitesse 496.8
tenue de route 57.12
accélération angulaire 509.10
accélération de la pesanteur 636.3
accélération gravitationnelle 54.2
accéléré
n.m.
t. de cinéma 120.11
adj. 684.35
accélérer
se presser 538.19
appuyer sur le champignon 57.25
accélérine 742.7
accélérographe 684.10
accéléromètre 509.26
accensement 18.13
accent
signe 765
prononciation 595.2
t. de musique 543.14
accent d'intensité 427.8
accenteur 570.8
accentuation
intensification 427.5
d'une lettre 459.2
accentué 459.21
voyelle accentuée 781.8
accentuel 459.21
accentuer
renforcer 384.10 ; 427.11
une lettre 459.18
acceptabilité 688.10
t. de grammaire 346.14
acceptable
bon 677.17
tolérable 177.9
acceptant 149
acceptation
accord 6.3
consentement 149.1

acceptation en blanc 66.27
accepté 688.18
accepter
accorder 6.12
autoriser 58.11
consentir 149.7
accepter (s') 149.13
accepteur 149.6
t. de banque 66.36
accepteur d'hydrogène 94.3 ; 113.4
accepteur d'oxygène 113.4
acception
consentement 149.1
sens 753.2
accès
entrée 278
crise 243.5 ; 321.3
avoir accès à 608.6
accessible
approchable 278.17
sociable 772.14
intelligible 425.14
accession 9.1
à un poste 667.2
accessit 274.12 ; 471.6
accessoire
n.m. 748.8
adj. 4.5 ; 419.12
accessoirement 596.40
éventuellement 4.6
accessoiriste
décorateur 748.10
t. de cinéma 120.27
accident 4
contingence 4
rareté 686.2
blessure 72.7
accident d'automobile 57.13
accident de terrain 402.4
par accident 358.13
accidenté
inégal 402.10 ; 530.17
blessé 72.21
accidentel 4 ; 122.10
fortuit 358.10
accidentellement 4.6 ; 358.12
par hasard 291.14
accidenter 72.14
accidentologie 57.13
drame 827.4
accipitriformes 570.4
accises 317.5
accisien 317.27
acclamateur 471.8
acclamation 798.5
enthousiasme 447.6
louange 471.1
acclamer 431.11 ; 471.13
glorifier 341.12
acclimatation
adaptation 251.5 ; 357.8
acclimatement 873.8
acclimatement
adaptation 251.5 ; 357.8
acclimatation 873.8
acclimater 127.16
acclimater (s') 251.13 ; 280.8
s'habituer 357.18
accointance
accord 6.1
complicité 596.7
bonne intelligence 26.2
accointé 26.7
accointer (s')
fréquenter 137.13
se prendre d'amitié 26.7
accolade 741.3
étreinte 91.2
anoblissement 552.8
t. d'architecture 39.21
en accolade 333.52
accolader 552.20
accolage 791.1
accolé 9.18
accolement 673.3
accoler
joindre 158.12 ; 673.10
saluer 741.22
accommodable 141.19
accommodant
patient 302.24 ; 601.12
conciliant 141.22 ; 149.16 ; 592.16
accommodat 873.8
accommodation
accoutumance 251.5
de la vision 868.3
accommodement
réconciliation 6.2
accord amiable 141.2
accommoder 333.37
accommoder (s')
s'accorder 6.9
se réconcilier 141.16
s'accommoder de 745.13
accompagnateur
de voyage 871.16
musicien 542.2
t. de Bourse 81.28
accompagné 137.19
accompagnement 137.2
appui 487.8
t. de musique 106.3
t. de grammaire 346.8
accompagner 137
appuyer 487.30
conduire 833.35
accompli
supérieur 800.22
passé 598.13
fait 5
accomplir 5
achever 315.16
réussir 798.11
accomplir (s') 5.18 ; 5.19 ; 293.11
accomplissement 5 ; 315.2 ; 666.7
accon 830.6
acconage 830.12
acconier
manutentionnaire 489.16 ; 830.22
accorage
soutien 791.1
chargement 489.3
accord 6
concordance 6 ; 143.1
autorisation 58.1
compromis 141.1
t. de grammaire 346.5
t. de musique 543.18
d'un commun accord 725.20
d'accord 6.16 ; 149 ; 844.14
accordailles
réconciliation 6.2
fiançailles 98.11 ; 491.13
accordance 6.1
accordé 143.13
conforme 147.12
accordéon 422.16
accordéoniste 542.12
accorder
mettre d'accord 6 ; 143.7
autoriser 58.11
concéder 141.15
donner 241.14
t. de grammaire 346.17
t. de musique 422.30
accorder que 149.11
accorder (s') 6.7
s'harmoniser 719.11 ; 844.14
tomber d'accord 6.9 ; 141.16 ; 596.29
s'accorder comme chien et chat 194.9
accordeur 422.28
accordoir 422.26
accore 791.3
accorer
appuyer 791.11
entreposer 489.18
accort
sociable 772.14
hospitalier 368.10
courtois 163.10
accortise 163.1
accostable
hospitalier 368.10
navigable 830.34
accostage
rapprochement 685.1
pilotage 830.13
rencontre spatiale 48.5
accostant 772.14
accoster
arriver 45.10 ; 685.12
accoster qqn 137.16
accotement 77.4 ; 158.4
route 834.4
accoter 158.12
accotoir 519.21 ; 791
accouchée 544.13
accouchement
d'un enfant 544.4
d'une idée 662.2
accoucher
d'un enfant 544 ; 862.23
d'une idée 662.15
accoucheur
obstétricien 544.14
gynécologue 498.28
accoudement 791.1
accouder (s') 502.12
prendre appui sur 791.13
accoudoir 791.6
accotoir 519.21
accouer
grouper 352.15 ; 758.15
attacher 725.12
accouplement
jonction 685.2
saillie 210.3 ; 711.8
accoupler
joindre 210.6 ; 352.15
faire se reproduire 873.16
accoupler (s')
doubler 210.6
faire l'amour 763.32
accourcir
rapetisser 616.6
abréger 142.5
accourir 540.12
accoutré 859.45
accoutrement 859.4
accoutrer 859.33
accoutrer (s') 859.38
accoutumance 825.3
habitude 164.3
accoutumé
habitué 326.12 ; 357
insensible 418.19
comme à l'accoutumée 147.16

accoutumer
habituer 164.13 ; 357.20
accoutumer (s')
s'entraîner 35.5
s'habituer 357.18
accréditation
autorisation 58.1
promotion 667.1
ouverture de crédit 166.12
accrédité 166.25
autorisé 58.20
accréditement 145.8
accréditer
croire sur parole 145.14
faire crédit 166.27
accréditeur 166.25
accréditif 66.21
lettre accréditive 166.20
accrescent 318.45
accrêté 312.10
accrétion 56.1
accro
dépendant 825.19
amateur 600.15
accroc
obstacle 567.7 ; 715.4
accrochage
bataille 354.7 ; 487.14
suspension 806.1
exposition 607.24
accroche
suspension 806.5
t. de publicité 53.4
accroché 806.14
accroche-cœur 129.4
accroche-plats
attache 806.5
vaisselier 848.33
accrocher
suspendre 806.12
attirer 53.5
accrocher sur 567.15
accrocher (s')
s'efforcer 255.5
s'intoxiquer 825.17
accrocheur
n.m.
fonceur 255.4
adj.
tentant 53.10
accrocheuse 806.6
accroire
en faire accroire 838.12
faire accroire 614.11
s'en laisser accroire 283.15
accroissement 344.3
accumulation 8.2
augmentation 539.3
accroître
augmenter 56.7
multiplier 539.4
déployer 298.11
accroître (s') 298.12
se multiplier 540.10
accroupir (s') 502.14
se pencher 195.12
accroupissement 195.4
accru
n.m.
t. d'arboriculture 37.5
adj.
augmenté 56.16
accrue 298.5
accu 261.13
accueil
réception 368 ; 688
lieu 464.3
faire mauvais accueil 409.4
bureau d'accueil 688.8
terre d'accueil 288.13
accueillant
facile à vivre 302.23
hospitalier 368.10
accueillir 278.14 ; 688.15
recevoir 45.12
acculer
exaspérer 467.8
obliger 565.7
acculturation 371.20
identification 376.8
intégration 423.1
acculturer 288.22
accumulateur 261.13 ; 476.12
accumulation 8.2
groupement 352.1
t. de rhétorique 313.5
accumuler 540.11
entasser 352.17
garder une poire pour la soif 281.12
accus 261.13
accusateur
accusateur public 835.10
accusatif 346.5
accusation 451.7
critique 710.5
agressivité 50.7
accusatoire 835.22
accusé 144.19
défendeur 835.12
accusé de réception 688.7
accuser
montrer 14.8
reprocher 144.26 ; 710.13
accuser les traits 607.27
ace 792.13
acébutolol 499.5
acée 318.50
Acehs 371.12
acéphale 484.9
acéphalie 484.4
acéracée 37.11
acerbe 420.11
agressif 865.25
haineux 497.11
acerdèse 516.5
acéré 248.11
pointu 637.15
acéreuse 37.27
acéros 318.21
acertainer ou **acertener** 99.4
acescence 343.6
acétabulaire 22.3
acétabule 580.13
acétabuloplastie 114.17
acétaminophène 499.5
acétate
alcool 113.8
oxyde de plomb 631.2
acétate d'alpha-tocophérol 499.6
acétate d'hydroxocobalamine 499.6
acétate de benzyle 594.6
acétate de cellulose 617.7
acétate de rétinol 499.6
acétate de sodium 499.6
acétazolamide 499.5
acétifier 113.20
acétimètre 509.26
acétique 113.8
acide acétique 617.6
acéto- 113.29
acétomètre 509.26
acétone 617.6
acétonémie 482.25
acétonurie 296.10 ; 482.25
acétylcholine
base 94.15
médiateurs chimiques 548.14
nerf accélérateur 128.10
acétylcholinestérase 94.24
acétylcholinomimétique 94.33
acétyl coenzyme A 94.24
acétylcystéine 499.5
acétyle 113.9
acétylène 617.6
gaz parfait 335.2
combustibles liquides 269.6
acétylsalicylique
acide acétylsalicylique 499.5
achalandage 191.11
achalandé 490.27
achalander 490.18
achalasie 482.23
Achantis 371.11
achards 333.27
acharisme 440.2
achariste 440.7
acharné
infatigable 601.13
obstiné 568.8
combatif 255.9
acharnement
obstination 568.1
combativité 255.3
acharnement thérapeutique 775.1
acharner (s')
persévérer 612.3
s'obstiner 568.4
s'efforcer de 255.5
s'acharner sur 11.16 ; 160.12
achat 81.15 ; 191
achat à la course 869.3
achat d'espace 675.3
ache
ornement 578.3
fleur 318.20
Achéens 371.16
achélie 484.4
acheminement
exercice 649.4
transport 829.1
acheminer 871.25
déplacer 829.22
transporter 833.34
s'acheminer vers 685.10
Achernar 49.5
Achéron 271.8
séjour des morts 534.8
acherontia 417.11
achetable 191.31
acheté 191.27
acheter 135.24 ; 490.21
acquérir 645.16
acheter (s') 191.19
achètes 856.1
acheteur 191.9
acquéreur 101.9
clientèle 135.20
achevage 315.10
achevé 5
passé 598.13
achevé d'imprimer 469.13
achèvement 5 ; 315.10
achever
finir 5.16 ; 315 ; 823.8
tuer 534.27

achille
couteau 43.3
Achille
héros 236.41
clown 628.7
la colère d'Achille 130.2
achillée 318.10
acholie 482.23
achondrite 49.11
achondroplase 361.9
achoppement 567.7
pierre d'achoppement 385.2 ; 567.7
achopper 567.15
glisser 119.16
achopper sur 249.10
achopper (s') 385.6
Achoura 310.6 ; 440 ; 440.18
achromatopsie 159.18 ; 840
troubles fonctionnels des yeux 840.2
myopie 482.27
achromatopsique 482.74
achrome 482.67
achromie 482.17
carnation 604.2
achromique 482.67
Achur 440.18
Achura 310.6 ; 440 ; 440.18
achylie 482.23
aciclovir 499.5
aciculaire 37.27
acidage 816.11
acidalie 417.11
acidanthera 318.17
acide
adj. 343
n.m. 113 ; 468.5
acide gras 94.7
vert acide 857.10
acidifiant 113.25
acidification 618.6
acidifier 113.20
acidimètre
instrument de mesure 509.26
alcoomètre 187.5
acidimétrie 113.16 ; 509.25
acidité 113.11
acid jazz 543.6
acido-alcalin 113.23
acido-basique
équilibre acido-basique 742.16
acidocétose 482.25
acidophile
glucidique 94.33
leucocytes 742.4
acido-résistance 512.7
acido-résistant 512.17
acidose
asphyxie 718.9
acidose métabolique 742.12
acid-rock 543.7
acidulé 343.23
acier
métal 307.1 ; 510.2 ; 834.31
couleur 73.8
aciérage 510.8
aciération
ferrage 307.12
métallisation 510.8
aciéré 510.19
aciérer 307.18
métalliser 510.15
aciéreux 510.19
aciérie 307.13
usine 464.5
aciériste 307.15 ; 510.14
acinaciforme 37.27
acinèse 821.6
acinésie 538.5
acinétien 512.5
acineuse 340.16
acinus 330.2
acipenséridé 638.3
acisperme 318.10
aclinique 478.15
acmé
sommet 427.4 ; 637.7
t. de rhétorique 225.11
acné 482.17
acnéique 482.67
acolytat 699.5
acolyte
religieux 508.9 ; 699.6
compagnon 19.15 ; 596.16
Acomas 371.7
acompte 587.5
acon 830.6
aconage 830.12
aconier
manutentionnaire 489.16 ; 830.22
aconit 318.25
a contrario 682.2
acoquiner 357.21
acoquiner (s') 26.7
acosmisme 620.13
à-côté 419.2
acotylédone 360.15
acou- 55.23
acouchi 486.5
acoumètre
instrument de mesure 509.26
audiomètre 55.8
acoumétrie 509.25
audiométrie 55.10
à-coup
saut 223.7
cahot 115.6
acouphène 55.6
acous- 55.23
-acousie 55.24
acousticien 55.16
acoustique
n.f. 55.11 ; 781.18
adj. 55.19 ; 781.27
enceinte acoustique 781.14
zéro acoustique 872.3
-acoustique 55.24
acoustiquement 55.22
acousto-optique 55.20
acqua-tofana 267.6
acquérant 645.25
acquéreur 101.9
acheteur 191.9
acquérir 645.16
acquêt
acquêts 491.8
bien 645.3
achat 191.3
acquiesçant 149.17
acquiescement
accord 6.3
consentement 149.1
acquiescer
affirmer 13.7
consentir 6.12 ; 149.10 ; 586.9
acquis
n.m. 361.5
adj.
su 99.8 ; 747.2
acheté 191.27
acquisitif 191.28 ; 645.25
acquisition
possession 645.7
apprentissage 35.1
t. d'informatique 408.21
acquisivité 645.10
acquit
accusé de réception 688.7
reçu 587.9
acquit-à-caution 317.24
par manière d'acquit 547.21
acquitté 587.25
acquittement
pardon 592.1
paiement 587.1
verdict d'acquittement 451.14
acquitter
payer 587.19 ; 722.9
libérer 461.15
acquitter (s')
accomplir 5.14 ; 745.11
tenir sa parole 472.10
rembourser 587.19
acra 333.11
acrasié 512.5
acre 509.22
acré 431.6
âcre 340.17 ; 569
acide 343.23
âcreté 343.5
acridiens 417.1
acrimonie
inhospitalité 409.1
dureté 248.1
ressentiment 720.1
acrimonieux 248.11
haineux 497.11
revêche 409.10
acro- 134.32 ; 467.20
acrobate
sauteur 746.6
équilibriste 282.12
acrobatie
finesse 316.10
exercice 123.6
acrobatique 123.22
athlétique 792.95
acrobatiquement 792.98
acrocarpe 537.8
acrocéphale 814.16
acrocéphalie 484.4
acrocine 417.3
acrocomia 37.19
acrocyanose 482.13
acrodynie 482.40
acrolithe 749.22
acromégalie 484.4
acromion 580.9
acronycte 417.11
acronyme 459
abrégé 220.6
mot 535.4
acronymique 535.26
acropète 318.45
acrophobie 619.4
acropole 481.6
acropore 527.12
acrosome 762.8
acrosport 792.7
acrostiche 635.8
mot 459.5 ; 535.3

note 587.8
additionnable 8.10
additionnel 8.10 ; 9.19
procédure 451.6
additionnement 8.1
additionner
ajouter 9.12
sommer 8.7 ; 87.12
additionneur 8.5
additionneuse 8.5
additivé 617.5
additivement 8.11 ; 9.21
additivité 8.6 ; 9.10
adducteur
muscle 541 ; 685.6
canal 834.7
adduction 685.1
adduit 8.3
adèle 417.11
adelphophagie 318.38
adénilique 94.11
adénine 94.15
adéno- 340.19
adénocarpe 38.6
adénofibrome 841.3
adénohypophyse 340.2
adénoïde 841.12
adénomateux 841.12
adénome 841.3
adénomectomie 114.13
adénopathie 482.31
adénopharyngien 541.11
adénosine 94
adénosine-triphosphatase 94.24
adénovirus 512.3
adent 505.9
adénylcyclase 94.24
adéphage 417.31
adepte
croyant 320.8
participant 596.9
disciple 564.5
adéquat
de circonstance 122.9
conforme 147.12
opportun 571.10
adéquatement
justement 143.14
conformément à 147.15
adéquation
concordance 143.1
conformité 147.1
opportunité 571.1
adextre 10.17
adextré 246.7
adhan 440.23 ; 657.16
Adhara 49.5
adhavaryu 699.17
adhérence 482.43
adhérent 596
militant 808.25
adhérer 596.20
être persuadé de qqch 614.12
consentir à 149.10
adhésif 9.20
adhésion 596.2
persuasion 614.1
consentement 149.1
adhésivité 321.7
ad hoc 571
de circonstance 122.9
• raisonnement 682.2
ad hominem 729.9
adiabatique 102.28
adiabatisme 102.11
adiantum 360.9
adiaphore 401.18
adiaphorie 401.5
adibuddha 80.9
adieu 431.8
salut 741.9
dire au revoir 741.19
dire adieu 701.5
dire adieu à sa vie de garçon 491.22
soirée d'adieu 817.18
faire ses adieux 189.9 ; 756.15
Adi Granth 815.11
ad infinitum
infiniment 406.12
à tout jamais 287.18
Adioukrous 371.11
adipeux
graisseux 151.17
gros 351.14
adipique 617.6
adipose 482.25
adiposité 351.5
Aditi 236.21 ; 362.16
adiyne 113.30
adjacent
proche 673.11 ; 685.15
adjal 440.24
Adjars 371.14
Adjas 371.11
adjectif 346.11
mot 535.2
adjectival 346.20
adjectivation 535.9
adjectivé 346.20
adjectivement 346.25
adjectiver 346.18
lexicaliser 535.21
adjoindre 9
additionner 8.7
joindre à 396.12
adjoindre (s') 596.28
accompagner 137.12
s'adjoindre qqn 9.16
adjoint
n. 9.11 ; 596.12
adj. 9.18 ; 19.15 ; 596.37
adjonctif 9.20
adjonction 9
réunion 725.1
addition 8.1
adjudant 41.15
second 596.12
adjudant-chef 41.15
adjudicataire 191.9
adjudicateur 135.5
adjudication
soumission 279.2
vente 135.5
adjuger 241.14
adjupète 41.15
adjuration 185.1
adjurer 133.17
prier 185.12
adjuteur
adjoint 9.11
second 596.12
adjuvant
n.m.
additif 8.3 ; 9.7 ; 499.28
personne 596.12
adj. 9.20
adjuvat 9.9
adjuver
aider 19.18 ; 596.19
ad libitum
à plaisir 1.19
à volonté 870.16
facultatif 462.37
ad litem 451.35
admettre
recevoir 278.14 ; 368.6 ; 688.14
supposer 658.9 ; 802.5
supporter 149.7 ; 592.13
adminicule 451.13
administrateur 577.13
gestionnaire 339.17
administrateur judiciaire 451.21
administratif
tribunal administratif 835.2
unité administrative 844.9
administration
gestion 339.2
service public 59.7 ; 208.6 ; 266.8
médication 499.12
administrativement 642.26
administré 577.24
administrer
gérer 339.22 ; 577.20 ; 642.20
donner 160.11 ; 499.26
admirable
bon 677.15
beau 69.15
admirateur 268.8
admiratif 276.10
admiration 276.2
succès 798.3
considération 366.6
admirativement 27.31
admirer 276.8
admis 164.20
reçu 688.18
autorisé 58.21
admissibilité 745.6
recevabilité 688.10
admissible
n. 688.13
adj. 177.9 ; 660.9 ; 688.19
admission
de qqn 278.2 ; 667.2 ; 688.1
de qqch 149.2
admittance 261.9
admittatur 699.4
permis 58.6
admixtion 9.1
admonestation 63.5
reproche 710.1
sermon 533.7
admonester
mettre en garde 63.13
blâmer 710.10
prêcher 533.12
admoniteur 710.8
admonition
admonestation 63.5
conseil 148.1
reproche 710.1

A.D.N. 94.12
adné 103.16
adobe 727.9
adolescence 445.2
adolescent 445
Adonaï 215.7
adonc 254.13
à un moment donné 528.9
adonies 310.8
adonis
plante 318.25
papillon 417.11
homme 69.4 ; 364.5
Adonis 236.37
adonner
consacrer 600.10
t. de marine 852.19
adonner (s') 599.14
adopté 688.18
adopter
une idée 149.8
un projet de loi 260.25
une personne 688.14
un enfant 314.13 ; 609.8
adoptianisme 117.2
adoptif 304
légitime 314.16
adoption
d'une idée 116.1 ; 149.2
d'un enfant 314.3
adorable 69.17
adorablement 76.11
adorateur
fidèle 320.8
adulateur 27.8
adoration
dévotion 173.3 ; 320.5
adoré 27.13
adorer
un dieu 173.18 ; 657.19
une personne 27.16 ; 366.13
une activité 599.14
adorner 578.12
adossement 791.1
adosser 791.11
adosser (s') 242.5
adoubé 552.28
adoubement 552.8
adouber
armer chevalier 552.20
déplacer 446.37
adoubeur 552.19
adouci 640.10
adoucir
calmer 522.11 ; 786.5 ; 810.6
atténuer 30.9 ; 640.7
réchauffer 102.20 ; 127.17
édulcorer 799.11
adoucissage 640.2
adoucissant
n.m. 526.4
adj. 499.33
adoucissement
réchauffement 102.7
amélioration 353.3
allégement 522.5 ; 592.4 ; 786.2
adoucisseur 526.4
adoxa 318.28
adoxus 417.3
A.D.P. 94.4
ad patres 534.27
Adrastée 49.10
adrénaline
médiateurs chimiques 548.14
hormone 340.3
adrénalinémie 742.17
adrénergique 128.10
adressage 408.21
adresse 10
intention 428.5
finesse 316.6
ruse 316.10
agilité 302.4
discours 136.4 ; 225.3 ; 264.1
communiqué 136.5
indication de domicile 157.7
jeu d'adresse 446.2
adresser 157.15
adresser (s') 595.24
adret
versant 530.10
ensoleillement 777.4
adroit
habile 264.8 ; 316.18
agile 10.17
adroitement
agilement 10.22
finement 184.13 ; 233.16
ADSL 809.3
adsorbable 54.14
adsorbat 113.3
adsorber 54.8
adsorption 113.13
adstrat 455.1
adulaire 474.12
pierre fine 517.4
adulateur 761.6
adulatif 471.20
adulation
succès 798.3
flatterie 761.2
aduler
encenser 761.10
honorer 366.13
adultat 495.1
adulte
n. 364.3 ; 495.3
adj. 417.22
adultération 485.5
adultère 27.4 ; 828 ; 838.8
adultérer 485.10
adultérin 314
adultisme 495.1
advection 127.8
advenant 290.12
advenir 4.4
arriver 290.8
adventice
n.f. 128.2
adj. 300.14
idée adventice 375.3
herbes adventices 360.1
adventiste 117
advenu 598.13
adverbe 346.11
le pourquoi et le comment 122.3
mot 535.2
adverbial 346
adverbialement 346.25
adverbialisé 346.20
adverbialiser 346.18
lexicaliser 535.21
adversaire
n.
contradicteur 572.6
ennemi 11.11 ; 146.12 ; 354.15
adj.
ennemi 146.22
rival 446.25
adversatif 572.16
adverse
contraire 572.15
hostile 146.22
combattant 354.29
partie adverse 146.12 ; 835.7
adversité **11**
adversaire 572.6
obstacle 11.1 ; 567.7
malchance 827.5
ad vitam aeternam
indéfiniment 406.14
à tout jamais 287.18
adynamie
tonus musculaire 541.3
fatigue 303.2
aède 106.20
poète 635.20
aeg- 486.34
ægagropile 841.5
ægeria 417.11
aego- 486.34
ægopodium 318.20
ægosome 417.3
ælie 417.5
æpyornis 570.20
aér- 20.23
aérage 518.3
aération
respiration 20.6
climatisation 109.3
aéraulique 20.18 ; 20.8 ; 335.3
aéré 20.17
aérer 20.12
aérer (s')
voyager 871.19
aéri- 457.17
aérianiste 831
aérien
éthéré 380.14 ; 457.10
léger 20.17
t. d'aviation **831**
t. de botanique 37.27
poste aérienne 136.11 ; 157.10
sac aérien 638.12 ; 718.6
aériennement 20.20
aérifère
t. de physiologie 20.17
sac aérifère 22.2
aériforme
gazeux 335.20
aérien 20.17
aérium 775.21
aéro- 20.23 ; 127.23 ; 831.25
aérobic 792.7
aérobie 512.18 ; 718.31
t. de biologie 20.17
aérobiologie 20.8
aérobiose 512.7
aéro-club 831.13
aérocolie 482.21
aérocontaminant 718.33
aérocyste 22.2
aérodigestif 218.24
aérodrome 831.8
aérodynamique
n.f. 20.8 ; 538.14
adj. 20.18 ; 538.28
aérodyne 831.2
aéroélectronique 20.8
avionique 831.11
aérofrein 831.4
aérogare 831.9
aérogastrie 482.21
aérogénérateur 269.8
aéroglisseur 832.12
paquebot 830.3

aérogramme 157.2
Aérographe 607.16
aérographie 20.8
aérolite ou **aérolithe**
météorite 49.11
mégalithe 517.3
aérologie 20.8 ; 127.9
aérologique 20.18
aéromancie 20.10
astromancie 235.2
aéromancien
n.m. 20.11 ; 235.14
adj. 20.19
aéromobile 20.18
aéronaute 20.11
aviateur 831.14
astronaute 48.10
aéronautique
n.f. 20.8
adj. 831.1 ; 831.20
aéronavale 41.2 ; 43.12
aéronef 831.2
aéronome 49.26
aéronomie 20.8
astronomie 49.1
aérophilatélie 157.12
collection 599.7
aérophobie 619.4
aérophone 422.1
aéroplane 831.2
aéroport 831.9
aéroporté 831.21
aéroportuaire 831.20
aéropostal 831.22
postal 157.16
aéroscope 676.14
aérosol
pulvérisateur 676.10
aérien 20.17
aérospatial 48.14
aérospatiale 48.9
aérostat 457.5
avion 831.2
aérostation 831.1
aérostatique
n.f. 20.8 ; 335.3
adj. 20.18 ; 831.24
aérostier 831.14
aéroterrestre 41.24
aérothérapie 775.4
aérotherme 109.8
Aérotrain 832.12
aérotransporté 831.21
aes 529.11
aeschne 417.14
Aëtas 371.12
-aète 570.43
æthus 318.20
aéto- 570.41
Afars 371.11
affabilité 302.5
sociabilité 772.1
courtoisie 163.1
affable
facile à vivre 302.23
sociable 772.14
hospitalier 368.10
affablement 772.17
affabulateur 378.7
affabulation
création 378.3
vue de l'esprit 375.8
affabuler 378.10
affacturage 66.9
affadi 500.13
affadir 62.10
affadissement
fadeur 343.6
appauvrissement 500.1
affaibli 220.18
affaiblir
diminuer 23.9 ; 405.9 ; 789.4
fragiliser 325.5
modérer 89.10 ; 522.11
affaiblir (s')
vieillir 863.10
faiblir 303.8
dépérir 16.8
affaiblissant 303.23
affaiblissement
atténuation 220.1 ; 621.14 ; 789.1
fragilisation 16.2 ; 325.2 ; 863.2
affaiblisseur 621.15
affaire
entreprise 135.11 ; 279.1
monter une affaire 577.19
transaction 135
litige 451
combat 487.14
l'affaire est dans le sac 798.12
ce n'est pas une affaire 302.17
faire l'affaire 571.9 ; 745.10 ; 847.9
les affaires sont les affaires 135.26
tirer d'affaire 19.22
se tirer d'affaire 461.20 ; 752.12
régler son affaire à 534.27
affairé 7.15 ; 135
affairement 7.1
affairer (s')
grouiller 17.11
agir 7.10
être aux petits soins 774.10
affaires
activités économiques 135
objets personnels 859.3
affaires courantes 652.10
affaires publiques 642.1
affaires étrangères 642.9
affaireux 135
affairisme 135.6
affairiste 135.19
affaissé 195.17
affaissement
effondrement 119.4 ; 167.2 ; 195.4
affaiblissement 383.2
affaisser 195.14
affaisser (s') 303.12
se pencher 195.12
s'écrouler 119.15
fléchir 383.7
affaiter 873.17
affale 605.3
affalement
descente 195.1
vacillement 119.4
affaler 195.14
affaler (s') 119.15
affamé 703.40
avide 199.13
affamer 563.16
affameur 488.6
affect
sensation 754.1
émotion 755.4
affectation 12
simagrées 347.2 ; 689.1 ; 774.5
simulation 98.14 ; 184.3 ; 373.2 ; 379.1
t. d'informatique 408.21
sans affectation 523.13 ; 767.15
affecté
affligé 836.10
feint 12.12 ; 373.19 ; 379.9
maniéré 98.27 ; 347.13 ; 774.24
affecter
troubler 600.9 ; 754.12 ; 755.11
affliger 625.8
feindre 12 ; 373.14 ; 379.6
affectif 755
vie affective 862.12
affection
maladie 482.1
affect 755.4
amour 26.1 ; 27.1 ; 53.2
affectionné
amical 26.11
salueur 741.24
affectionner 26.9
affectiviser 755.12
affectivité 755.1
affectueusement 91.11
affectueux 91.9
amical 26.11
affenage 262.13
affener 262.27
afférence 100
afférent
t. d'anatomie 100.7 ; 548.8
t. de droit 645.23
affermage 18.13
t. de publicité 675.3
affermir
consolider 611.13 ; 778.10
raffermir 259.8 ; 353.17
aguerrir 268.9
affermissement
raffermissement 778.6
assouplissement 259.5
affété 184.11
recherché 12.13
afféterie
affectation 12.1 ; 184.3
affettuoso 542.26
affeurage 317.11
affiche
enseigne 765.13
imprimé 387.1
prospectus 675.5
tenir l'affiche 798.12
afficher
exhiber 12.9 ; 581.6
placarder 675.10
afficher (s') 581.6
affichette 675.5
afficheur
organe d'affichage 675.5
colleur d'affiches 675.8
affichiste 675.8
affidavit 81.21
affidé
n.
compère 596.16
homme de confiance 472.7
adj.
de confiance 145.24
affilage 584.29
appointage 637.9
affilé 637.15
affilée (d')
consécutivement 153.30
en série 758.23
affiler 584.37 ; 793.12
aiguiser 637.12

affileur 637.11
affiliation 596.2
affilié 314.15
lié 698.10
affilier 314.12
relier 698.6
affiloir 584.12
polissoir 640.5
affin
assorti 147.12
t. de mathématique 143.11
affinage 328.3 ; 510.4
fusion 855.9
affinement
amincissement 220.3
raffinement 184.1
affiner
peaufiner 640.9 ; 774.14
épurer 510.16 ; 616.6 ; 756.19
affiner (s') 220.9
affineur
filtre 756.9
fromager 328.9
affinité
analogie 147.4 ; 698.1 ; 719.2
harmonie 6.1 ; 26.1 ; 53.2
t. de biologie 873.11
t. de chimie 113.11
affirmable 13.10
affirmant
n.m. 13.5
adj. 13.10
affirmateur 149.6
affirmant 13.5
affirmatif
adj. 13.10
adv. 13.12
affirmation **13** ; 99.3
parole 595.4
affirmative 13.1
affirmativement 13.11
affirmer 13.6
certifier 99.4
promettre 666.12
affirmer (s') 13.9 ; 300.13
affixal 346.20
affixation
jonction 9.2
morphologie 535.9
affixe
t. de linguistique 346.4 ; 535.7 ; 788.3
t. de mathématique 493.4
affleurant 760.7
affleurement
aplanissement 505.11
t. de géologie 516.3 ; 518.2
affleurer 337.27
apparaître 783.16
affleureuse 505.15
afflictif 144.9
affliction
désespoir 272.3
détresse 827.6
désolation 198.2
affligé
malheureux 827.15
désespéré 198.10
infortuné 11.27
affligeant 836.14
affliger
attrister 198.5 ; 243.12 ; 836.7
mortifier 47.8
affliger (s') 198.7
affluence
foule 540.2
afflux 45.3
affluent 319.6
affluer
converger 540.12
couler 319.22 ; 468.10
afflux 45.3
affolant
inquiétant 785.13
terrible 827.13
alarmant 21.14
affolé
épouvanté 619.20 ; 827.15
entiché 27.26
affolement 619.1
affoler
terrifier 321.21 ; 619.10
aguicher 199.11
affoler (s') 21.13
affolir 32.11
afforage 317.11
afforestation 36.2
affouage 317.11
affouager 36.25
affouillement 319.16
érosion 337.4
affouiller 337.26
creuser 167.11
terrasser 834.38
affourage 262.13
affouragement 262.13
affourager 262.27
affourcher 830.28
affranchi
n. 461.11
adj. 461.22
affranchir
libérer 400.11 ; 461.14 ; 462.19
informer 136.14
timbrer 157.15
t. d'arboriculture 36.21
affranchissant 461.25
affranchissement
libération 400.5 ; 461 ; 462.2
paiement des frais de port 157.9
affranchisseur 461.9
affres 243
angoisse 619.2
affrètement 830.19
affréter 829.25 ; 831.16
fréter 830.30
affréteur 829.18
armateur 830.24
affreusement
extrêmement 294.20 ; 427.31
épouvantablement 453.12
affreux
laid 453.8
terrible 827.13
affriandé 703.40
affriander
intéresser 199.11
appâter 107.22
affriolant
attirant 53.9
désiré 199.16
affrioler
attirer 53.5
intéresser 199.11
affront 412 ; 439
agressivité 50.7
faire affront 367.8
affrontement 115.12 ; 146
t. de chirurgie 114.5
affronter 572.10
agresser 50.16
t. de chirurgie 114.33
affruiter 330.22
affublement 859.4
affubler 859.33
affubler (s') 859.38
affure 869.7
affusion 173.7
toilette 468.6
bain 775.14
affût
d'un canon 43.10
guet 51
à l'affût 52.8 ; 107.32 ; 174.9
affûtage 584.29
appointage 637.9
affûté 637.15
affûter
aiguiser 584.37 ; 637.12
attiser 793.12
affûteur
rémouleur 637.11
outilleur 476.2 ; 584.31
affûtiaux 859.23
Afghan 455.14
afghani 529.8
afibrinogénémie 482.19
aficionado
passionné 600.7
amateur 599.9
supporter 792.69
afin
afin de 86.13 ; 428.16
afin que 86.16 ; 428.17
aflatoxine 267.5
Afnor 559.4
afocal 574.20
a fortiori 536.12
Africain 371.5
africanisme 455.4
africaniste 455.12
africo-malgache 873.5
Afrikaans 455.14
afro 129.20
afro-asiatique 455.14
afro-rock 314.7
after-shave 129.7
eau de toilette 594.3
afure 869.7
afzelia 37.20
aga khan
imam 440.11 ; 699.15
titre 822.6
agaçant
énervant 382.13 ; 549.19
déplaisant 192.12
agacé 382.12
agacement 192.2 ; 382
nervosité 549.1
agacer 549
exaspérer 382.5
fâcher 130.10
agacerie
douleur externe 243.2
excitation 549.6
Agama 815.12
agame
n.m. 712.5
adj. 318.46 ; 711.23
agamète
gonade 711.7
cellule 94.1
agamidé 712.4
agamie 711.2
agammaglobulinémie 482.19
immunodépression 381.6

agapanthe 318.17
agapanthie 417.3
agape 342
festin 703.3
agar-agar 499.9
agaric 103.6
agaricacée 103.5
agaricale 103.5
agate
bille 345.2
pierre 517.4
agathis 37.21
agave 318.17
âge 14 ; 28 ; 495 ; 610 ; 863
deuxième âge 270
troisième âge 863.1
bel âge 445.1
fleur de l'âge 445.1
glaces de l'âge 28.2 ; 863.4
il y a bel âge 247.12
âgé 28.12 ; 863
agélène 417.13
Agena 49.5
agence 464.10
fonds de commerce 135.11
banque 66.4
Agence nationale de valorisation de la recherche 689.8
agencé 576.20
organisé 577.22
agence-conseil 675.8
agencement 150.2
structure 795.1
urbanification 845.3
agencer 150.8
ordonner 576.12
organiser 577.15
agencer (s') 795.15
agenceur 577.12
agencier 654.16
agenda
calendrier 88.4
cahier 252.7
livre de comptes 387.3
emploi du temps 811.3
agénésie 484.4
ageniaspis 417.7
agénie 711.11
agenouillement 741.4
salut 717.5
agenouiller (s') 502.14 ; 523.7 ; 741.21
saluer 717.10
agenouilloir 465.13
agent 15
celui qui agit 5.10 ; 7 ; 92.4 ; 346.8
cause 391.2
agent thérapeutique 499.1
représentant 135.17 ; 148.7 ; 339.17
agent chimique 43.17 ; 113.4
agent naturel 15.3
agent de police 641.6 ; 671.12
agent de change 66.31 ; 81.25
agent de maîtrise 266.15 ; 480.7
agent secret 41.13 ; 828.9
agent double 25.7
agent électoral 260.17
agent public 266.17
ageratum 318.10
ageusie 482.29
agger nasi 580.5
aggiornamento 560.5
agglo 74.14
agglomérat 345.6
composé 352.6
combiné 140.5
agglomération
agglutination 352.1 ; 725.1
ville 845
aggloméré
t. de mines 518.5
charbon aggloméré 269.5
agglomérer
attacher 352.16
fusionner 725.13
agglutination
groupement 352.1
coagulation 742.11
immunité 381.1
agglutiner
attacher 352.16
joindre 725.11
mélanger 501.12
agglutinine
caillot sanguin 742.7
gamma-globuline 381.12
agglutinogène
caillot sanguin 742.7
allergène 381.10
aggravant 16.11
aggravation 16
accroissement 344.3
recrudescence 427.6
t. de religion 63.5
aggrave 63.5
aggravement
accroissement 344.3
aggravation 16.1
aggraver
intensifier 427.13
alourdir 636.15
aggraver (s') 16.5 ; 759.7
se détériorer 850.10
agha 694.18
agile
léger 457.13
alerte 10.18
vif 684.30
agilement 10.23
agilité
souplesse corporelle 10.2 ; 457.1 ; 684.2
vivacité intellectuelle 302.4
agio 166.17
a giorno 250.30
au jour 473.38
agiotage 135.6
boursicotage 81.4
agioter 81.29
agioteur 135.19
spéculateur 81.26
agir
opérer 7.10 ; 15.6 ; 511.9 ; 674.9
influencer 407.14 ; 614.10
influer 7.12 ; 322.14
agissant 7.14
agissements 7.8
agitable 17.14
agitant 17.15
paralysie agitante 482.37
agitateur
émeutier 7.9 ; 201.9 ; 642.14
baguette de verre 17.6 ; 85.10
t. de chimie 113.17
agitation 17
mouvement 17 ; 85.12 ; 538
fébrilité 549.2
inquiétude 17.4 ; 416.1 ; 785.1
soulèvement 146.4 ; 202.3 ; 642.11
agitato 17.16 ; 542.25
agité 17.12
réveillé 851.15
énervé 549.18
agiter
remuer 17.7 ; 85.14 ; 501.15 ; 538.22
soulever 642.23
agiter (s')
faire 15.7
grouiller 17.11
agit-prop
manipulation 407.2
subversion 642.11
Aglaé 236.32
aglagla 327.23
aglaia 37.21
aglaope 417.11
aglie 417.11
aglosse 484.9
aglossie 484.4
aglyphe 188.31
agnat 314.7
agnathie 484.4
agnation
paternité 609.3
parenté 314.3
agnatique 314.15
agneau
personne douce 27.13
agneau pascal 215.9
doux comme un agneau 564.12
agneau de Dieu 215.9
agnel 529.12
agnelée 486.17
agneler 486.28
agnella 816.3
agni 236.22 ; 362.16
Agnis 371.11
agnosie
amnésie 397.5
surdité 803.1
troubles fonctionnels des yeux 840.2
agnosique 397.16
agnosticisme
athéisme 700.7
positivisme 620.11
scepticisme 395.6
agnostique 700.12
sceptique 395.16 ; 620.33
Agnus Dei
credo 508.7
agneau de Dieu 215.9
cantique 106.5
agonie 534
agonisant 534.16
agoniser 534.24
agoniste 541.1
agora 225.13
agoraphobe
phobique 619.21
asocial 420.9
agoraphobie
phobie 619.4
insociabilité 420.1
agorot 529.10
agouti 486.5
agrafage 388.3
agrafe
attache 70.9 ; 308.6
ornement 39.21
t. de chirurgie 114.23

agrafer
attacher 308.12 ; 388.20 ; 725.12 ; 859.39
alpaguer 44.11
agrainage 107.5
agrainer 873.18
appâter 53.7 ; 107.22
agraire 18.25
agrammatical 32.16 ; 346.23
agrammaticalité 346.14
agrammatisme 839.5
agrandi 56.16
agrandir
élargir 23.9 ; 456.4
déployer 298.11
ennoblir 552.21
t. de photographie 621.21
agrandir (s') 456.4
agrandissement
augmentation 56.1
extension 298.3
édification 531.5
ennoblissement 552.8
t. de photographie 621.9
agranulocytose 482.19
agrape 308.6
agraphie 459.12
écriture 252.8 ; 839.4
agrarien 18.28 ; 808.40
agrarisme 808.14
agravitation 457.2
agravité 457.2
agréabilité 629.6
agréable 69.18 ; 629.15
attirant 53.9
agréablement 629.20
agréage 6.5
agréation
contrat 6.5
adoption 149.2
agréé 149.19
agréer
approuver 6.12 ; 149.7 ; 688.14
plaire 571.9 ; 745.10
agréeur 677.7
agrégant 742.18
agrégat 345.6 ; 543.19
caillot 778.8
agrégatif 274.15
agrégation
groupement 725.1 ; 742.12 ; 873.7
concours 274.7
agrégé 822.8
agréger
attacher 352.16
fusionner 725.13
agréger (s') 725.14
agrément
approbation 149
attrait 302.3 ; 447.3 ; 629.6 ; 670.5
jardin d'agrément 443.3
voyage d'agrément 871.3
agréments 670.5
agrémenter
adjoindre 9.12
embellir 378.9 ; 578.15
agrenage 107.5
agrener 107.22
agrès
gréement 489.9
t. de sports 792.72
agresser 50 ; 160.16
attaquer 205.20
s'opposer à 146.15
agresseur 50 ; 865.13
agressif
querelleur 130.11 ; 205.25 ; 497.11 ; 865.25
violent 50.20 ; 354.28 ; 427.23
agression 412 ; 50 ; 354.5
acte de violence 865.7
agressivement 160.26 ; 865.32
à l'attaque ! 50.23
agressivité 865.5
malveillance 497.2
violence verbale 412.5
agreste 18.26 ; 767.9
agri- 18.29 ; 813.31
agricole 18.25 ; 490.25
agriculteur 18.16
agriculture 18 ; 251.10
agrier 18.14
agrile 417.3
agrion 417.14
agriote 417.3
agrippement 791.1
agripper
manier 479.10
chourer 869.19
agritourisme 871.2
agro- 18.29 ; 813.31
agroalimentaire 18.1
agrobate 570.8
agrobiologie 251.10
agriculture 18.1
agrochimie
chimie 113.1
agriculture 18.1
agrochimique 18.25
agro-industrie 18.1
agrologie 813.16
agriculture 18.1
agrologique 18.25
agromane 18.16
agromyze 417.9
agronome 18.16
agronomie
botanique 79.1
agriculture 18.1
agronomique 18.25
agropastoral 262.31
agrostemma 318.8
agrostis 360.7
agrotis 417.11
agroupement 352.8
réunion 725.1
agrouper 352.15
agrume 37 ; 330.9
agrypnie 851.2
aguerri 354.30 ; 418.19 ; 864.16
aguerrir
insensibiliser 418.12
habituer 357.20
armer 354.26
aguerrir (s') 354.25
s'habituer 357.18
aguerrissement 357.9
aguets
aux aguets 51.11 ; 52.8 ; 183.11
agueusie 343.8
aguichage 605.16
aguichant
attirant 53.9
désiré 199.16
sensuel 475.12
aguicher
attirer 53.5
intéresser 199.11
amorcer 605.24
aguicheur 53.10
aguicheuse 199.8
ah 168.24 ; 431.2
aheurter 567.11
aheurter (s') 567.15
ahimsa
karma 362.6
ascèse 47.1
ahonter 367.9
Ah Puch 236.28
Ahura-Mazda 236
ahuri 805.12
ahurir 805.5
ahurissant 805.13
ahurissement 805.1
aiche 605.15
aicher 605.24
aide- 19.34 ; 596.41
aide 19
soutien 268.3 ; 302.9 ; 786.2 ; 847.4
impôt 317.10
subvention 596.12
personne 9.11 ; 266.16
t. d'équitation 793.5
à l'aide 19.33 ; 21.17 ; 431.3
venir en aide 625.9
aide de camp 19.13 ; 41.14
aidé 19.29
aide-comptable 19.34 ; 87.11
aide-cuisinier 19.34
Aïd-el-Adha 310.6 ; 440
Aïd-el-Fitr 310.6 ; 440
Aïd-el-Kébir 310.6 ; 440
Aïd-el-Séghir 310.6 ; 440
aide-maçon 19.34
aide-major 19.34 ; 114.27
aide-mémoire 723.3 ; 847.6
mnémotechnie 503.6
aide-ouïe 19.34
aider 19
assister 148.10 ; 268.11 ; 565.9 ; 786.6
contribuer 302.13 ; 596.19
aider (s') 19.25
aide-soignant 775.22
aiélé 74.13
aïeul
ancien 863.6
ancêtre 609.7
aïeule 506.6
aigle
oiseau 570.12
aigle de mer 638.7
personne perspicace 10.8 ; 424.7
format 607.8
lutrin 519.11
aiglefin 333.13
aiglon 570.12
à l'aiglon 129.20
aigre
aigu 794.5
piquant 343.23
désagréable 497.11
aigre-doux 497.11
aigrefin
escroc 284.7 ; 869.13
poisson 638.6
aigrelet 343.23
aigrement 720.17
aigremoine 318.27
aigrette
héron 570.18
panache 570.21
t. de botanique 318.4
aigreur
acidité 343.5
amertume 249.7 ; 720.1
aigri
déçu 178.7

triste 836.10
insatisfait 416.7
aigrissement 249.7
aigu 427.15 ; 781 ; 794
angle aigu 30.2
aiguayer 262.26
aigue 319.1
aigue-marine 857.11
pierre fine 517.4
aiguière 848.9
aiguillage
gouvernail 221.10
départ 832.4
aiguille
feuille 37.9
sommet 530.8
tige d'acier 165 ; 584.21 ; 848.30
t. d'architecture 39.10
aiguille aimantée 221.8
chercher une aiguille dans une botte de foin 385.5 ; 689.17
aiguille 114.26
aiguillée 165.18
aiguiller
diriger 221.18
éduquer 253.7
aiguiller la soie 816.26
aiguilletage 816
aiguilleté 816.33
aiguilleter 816.24
aiguillette
bijou 70.9
t. de boucherie 333.7
t. de couture 165.3
nouer l'aiguillette 477.21
herbe aux aiguillettes 318.20
aiguilleur 221.11
cheminot 832.24
aiguillier 165
aiguillon
pointe 637.3
impulsion 793
t. de zoologie 417.17
aiguillonner 637.14
impulsion 391.12 ; 793.10
aiguillonnier 417.3
aiguisage 637.9
aiguisé 637.15
aiguiser
épointer 637.12
stimulation 174.8 ; 793.12
aiguiseur 584.12
rémouleur 637.11
aiguisoir 584.12
aïkido 792.15
aïkidoka 792.52
ail 333.27
ailante 37.20
aile
position 158
membre 570.21
t. de zoologie 417.17
t. d'architecture 39.16 ; 481.11
aile de corbeau 624.23
en avoir dans l'aile 303.10
donner des ailes 276.7
voler de ses propres ailes 400.10 ; 462.23
ne plus battre que d'une aile 249.10
prendre sous son aile 671.19
ailé 457.10
aileron
côté 158.3
membre 502.2 ; 570.21 ; 638.12
ailette
aile 158.3
brûleur 109.16
ailier
t. d'aviation 831.3
t. de sports 792.49
aillade 333.26
ailler 326.21 ; 333.44
aillerie 326.21
ailleurs 769.15
loin 263.14
être ailleurs 394.4
d'ailleurs 721.13
ailurope 486.14
aimable 772.14
aimablement 772.17
aimant
attraction 54.6
t. d'électricité 261.12 ; 478.4
aimantation
attraction 53.3
t. d'électricité 261.6 ; 478.1
aimanté 54.11
aimanter 478.12
électriser 261.22
aimé 27
aimer 27
désirer 199.10
s'adonner à 599.14
aimer (s') 6.11
aine 853.3
aîné 14.5
ancien 863.6
aînesse 33.1
Aïnous 371.13
ainsi
semblablement 376.17
par conséquent 254.10
ainsi de suite 647.25
ainsi que 256.31
aïoli 333.26
air 20
apparence 323.4 ; 581.5
gaz 20.1 ; 335.2 ; 852.1
chant 106.11
mal de l'air 482.38
avoir l'air mais pas la chanson 24.8 ; 25.9
fendre l'air 684.18
avoir l'air de 373.12 ; 731.6
libre comme l'air 462.29
à l'air 300.16
air du temps 520.1
airain
bronze 82.1
préhistoire 363.4
âge du bronze 82.6
airain 82.11
âge d'airain 14.7
airbag 57.11
aire
surface 219.3
territoire 695.2
nid 570.25
airelle 330.13
ais 756.2
aisance
abondance 670.1 ; 730.2
adresse 10.2 ; 302.4
lieux d'aisances 296.16
aise
n.f.
plaisir 629.1 ; 745.1
aisance 670.4
à son aise 462
à l'aise 456.5
adj.
fort aise 447.14 ; 745.15
aisé
facile 302.18
riche 730.19
aisément 302.27
aisselle 318.3
aissette 18.15
aïstopodes 68.2
aizos 371.11
Ajax 236.41
ajointer 632.23
ajonc 38.4
ajoupa 481.3
ajour
fenêtre 585.6
découpure 578.5
ajourage 585.6
ajouré 585.17
ajourer 578.12
ajourné 693.15
ajournement
délai 647.5
ralentissement 724.3
ajourner 724.10
remettre 647.15
ajout 9.3
addition 8.1
ajoutage 9.4
ajoute 9.3
ajouté 9
additionnel 8.10
ajoutement 9.3
ajouter
additionner 8.7
joindre à 396.12
ajouter (s') 9.16
ajouture 9.3
ajustage 529.16
ajusté 143.13
conforme 147.12
ajustement
harmonisation 147.5
tenue 859.4
ajuster
rendre juste 147.9 ; 559.11
adapter 323.15 ; 795.13
ajuster (s') 6.13
ajusteur 760.25
ajustoir
instrument de mesure 509.26
balance 636.10
ajutage 632.9
akène 330.2
Akhas 371.13
akinésie 538.5
Akkadien 355.8
aksobhya 80.7
akvavit 75.13
alabandine 516.5
pierre fine 517.4
alabastre 594.7
alabastron 594.7
alabile 703.41
alacre 277.6
alacrité
entrain 277.1
joie 447.1
Alains 371.16
alaire 570.38
lame alaire 265.7

alaise 505.8
Alakalufs 371.8
Alamar 49.5
alambic 113.17
alambiqué
complexe 140.12 ; 411.15
affecté 12.13 ; 347.11
alambiquer
compliquer 140.9 ; 217.13
alangui
bas 303.20
triste 836.12
alanguir (s')
faiblir 303.8
lambiner 458.14
alanguissement 458.8
accablement 303.2
alanine 94.10
iminazol alanine 94.10
alaria 22.4
alarmant 21.14
inquiétant 785.13
alarme 21
peur 619.1 ; 785.1
avertissement 21.1 ; 63.1
système d'alarme 21.5
donner l'alarme 21.9
d'alarme 21.16
alarmer 21
inquiéter 785.7
alarmer (s') 21.13
avoir peur 619.13
alarmisme
pessimisme 615.1
lâcheté 619.5
alarmiste 615
soucieux 785.9
alastrim 482.20
alaterne 38.4
alaüs 417.3
alawite 440.7
albacore 638.6
albanais 859.25
Albanais 455.14
albâtre
couleur 159.28
matière 749.13 ; 855.1
albatros 570.15
albe 71.11
alberge 330.8
albergier 37.13
Albert
le Petit Albert 477.15
le Grand Albert 477.15
albescent 71.12
albi- 71.17
albification 71.4
albinisme 482.17
carnation 604.2
Albireo 49.5
albizzia
arbre 37.17
arbuste 38.9
alboka 422.7
albraque 518.6
albuginé 340.17 ; 762
blanchâtre 71.12
albugineux 71.12
albugo 840.4
album
catalogue 469.8
disque 273.8
album de famille 621.19
albumen 330.4
albumine
protide 94.8
plasma 742.6
albuminurie 296.10
albuminurique 482.71
albumose
protide 94.8
gamma-globuline 381.12
albumosurie 296.10
alcade 835.9
alcaïque 635.27
alcali- 516.16
alcalifiant 113.25
alcalimètre 509.26
alcalimétrie 113.16 ; 509.25
alcalin
acide 113.23
minéral 516.10
alcaliniser 499.26
alcalinité 113.11
alcalino- 516.16
alcalo- 516.16
alcaloïde 825.7
alcalose 482.19
alcalose gazeuse 718.9
alcalose métabolique 742.12
alcane 617.6
alcaptonurie 296.10
alcaraza 848.12
alcazar 481.6
alchémille 318.27
alchimie 477.1
alchimique 477.24
alchimiste 113.19 ; 477.19
alciformes 570.4
alcool
boisson 75.13 ; 441.4 ; 468.5
t. de chimie 113.8 ; 617.6
alcoolémie 441.6
alcoolique 441
toxicomane 825.14
alcoolisation 75.22 ; 113.14
alcoolisé 75.36
alcooliser 113.20
alcoolisme 441
toxicomanie 825.1
alcoolo 441.7
alcoologie 441.6
alcoologue 441.9
alcoolomane 441.8
alcoolomanie 441.5
toxicomanie 825.1
alcoolo-résistant 512.17
alcoomètre
instrument de mesure 509.26
pèse-alcool 187.5
alcoométrie 509.25
Alcor 49.5
alcôve 481.21
alcoylation 113.14
alcoyle 113.9
Alcyon 235.5
alcyonaires 527.11
Aldébaran 49.5
aldéhyde 594.6
al dente 333.48
Aldéramin 49.5
alderman 835.9
aldin 459.8
aldolase 94.24
aldolisation 113.14
aldose 94.5
aldostérone 340.3
ale 318.50
bière 75.10
aléa
hasard 291.3
accident 358.2
vicissitudes 850.5
alea jacta est 305.14
aléatoire 358
accidentel 4.5
musique aléatoire 543.3
valeur aléatoire 493.6
aléatoirement 358.12
par hasard 291.14
Alecto 707.7
Cerbère 271.8
Alenou 657.15
kaddish 449.11
alentour 769.15
d'alentour 280.11
pl.
environnement 280.1 ; 673.4
aléochare 417.3
aleph-zéro 872.2
alépine 816.4
alerce
arbre 37.19
bois 74.11
alerte
n.m. 63 ; 168.7 ; 743.11
adj. 10.18 ; 457.13
d'alerte 21.16
alerter
avertir 63.10
alarmer 21.9
alésage 584.29
alèse 505.8
aléser 584.37
polir 640.7
aléseur 518.8
outilleur 584.31
aléseuse 476.10
polissoir 640.5
alésoir 584.21
alestes 638.5
aléthique 854.23
modalité aléthique 854.10
aleucémique 742.31
aleurite 318.11
aleurode 417.5
aleurodidés 417.4
alevin 638.13
alevinage 638.16
aleviner 638.20
alevinier 262
aquarium 638.16
alexandra 75.14
alexandrin 635.13
alexandrite 517.4
alexie 839.4
alexipharmaque 267.9
alexitère 267.9
alexithymie 839.4
alezan 84.13
alfa 360.7
alfacalcidol 499.6
al-fatiha 440
Coran 815.5
alfisol 337.16
algacé 22.8
algal 22.8
alganon 208.13
algarade 595.7
altercation 146.2

algarobille 330.15
algazelle 486.6
algèbre 87.1
algébrique 459.1
algébriquement 87.16
Algénib 49.5
Algérie 529.8
algérien 355.7
algésie 243
algésiogène 243.13
algide 327.18
algidité 327.5
algie 243 ; 482.85
Algieba 49.5
alginate 22.2
algine 22.2
alginique 22.8
-algique 482.86
algique 243.13
algiroïde 712.5
algo- 22.9 ; 243.16
algobactéries 512.4
algoculture 22.6
algol 408.16
Algol 49.5
algolagnie 763.15
algologie
botanique 79.1
algoculture 22.6
algologique 22.8
algologue 22.7
algonquien 455.14
Algonquien 371.7
algophobie 619.4
algorigramme 408.17
algorithme
programme 87.8
banque de données 408.17
algorithmique 408.27
musique algorithmique 543.3
algothérapie 775.4
alguazil 641.6
algue 22 ; 79.4
algueux 22.8
alhagi 38.8
alias 554.33
alibi
excuse 536.4
prétexte 656.1
aliboron
maître Aliboron 377.4 ; 655.3
aliboufier 38.9
alidade 509.26
aliénabilité 101.7
aliénant 787.23
aliénataire
acquéreur 101.9
héritier 241.11
aliénateur 101.8
contraignant 787.23
aliénation
folie 321.1
cession 101.1 ; 787.1
aliéné
fou 321.13
cédé 787.22
aliéner 101.11
acheter 135.24
aliéner (s') 787.17
aliéniste 498.29
alifère 417.32
aliforme 570.38
aligné 692.12
alignement
chaîne 758.2
rectitude 692.1
guillochage 466.3
frapper d'alignement 845.22
aligner
ordonner 576.16 ; 692.6 ; 795.14
payer 587.13
aligot 333.12
aliment 218.4 ; 703.7
édulcorant 214.4
alimentaire 703.39
nutritionnel 563.17
carence alimentaire 563.8
chaîne alimentaire 251.3
alimentateur 563.17
alimentation 563
alimenté 703.40
alimenter 703.38
nourrir 563.12
alimenter (s')
se nourrir 563.14 ; 703.26
alinéa 466.3 ; 469.13
alios 813.7
aliquante
nombre aliquante 555.3
aliquote
nombre aliquote 555.3
alise 330.13
alisier 74.11
alisma 360.8
alismatales 79.4
alité 482.60
alitement 482.8
aliter (s') 780.22
garder le lit 482.51
alizarine 735.2
alizé 852.6
Alkaïd 49.5
alkanna 318.6
alkékenge 318.30
alkylation 113.14
allache 638.6
Allah 215.7 ; 236.5 ; 440.20
allaise 319.17
allaitement 270.7
allaiter 270.16 ; 639.10
allant 277
vigueur 864.1
entrain 277.1
allantoïde 265.8
allantoïdien 873.6
alléchant
attirant 53.9
désiré 199.16
allèchement 53.3
allécher
attirer 53.5
intéresser 199.11
allecula 417.3
allée 443.4
artère 845.14
allées
allées et venues 579.4
allégation
affirmation 13.1
prétexte 656.2
allège
transbordeur 830.6
voiture-poste 832.16
allégé 457.12
allégeance
soumission 564.2
opinion politique 808.2
allégement 457.4
consolation 786.2
soulagement 461.8
t. de sport 792.24
alléger 457.9
délivrer 786.7
allégir 457.9
t. de menuiserie 505.23
allégorie
figure 709.3
tropes 313.4
nature morte 374.8
allégorique 709.12
allégoriquement 709.14
allègre
alerte 277.6
joyeux 447.14
allègrement
vivement 277.9
joyeusement 447.18
allégresse 447.2
allegretto 542.25
allégretto 543.35
allegro 277.10
rapidement 684.38
allégro 543.35
variation 176.14
alléguer
argumenter 536.9
affirmer 13.6
prétexter 656.4
allèle 361.3
allélique 361.21
allélomorphe 361.3
alleluia
exclamation 106.5 ; 447.19 ; 657.11
t. de botanique 360.8
allemand 455.14
Allemand 355.5
patience d'Allemand 601.1
aller
convenir 558.7 ; 571.9 ; 745.10
se déplacer 538.18 ; 829 ; 871
aller bien 147.11 ; 743.6
aller bon train 684.17
aller et venir 579.12 ; 743.6
aller et retour
oscillation 160.13 ; 579.4
voyage 829.16 ; 871.2
allergène 381.10
allergide 381.6
allergie 755.7
aversion 62.1
allergique 381.20
allergisant 381.21
allergologie 498.6
immunologie 381.2
allergologue 381.17
allesthésie 754.1
alleu 18.13
alleutier 462.13
alliage
mélange 501.1
aurure 575.3
alliaire 318.26
alliance
groupement 352.10 ; 596.7
pacte 6.5 ; 586.1
mariage 491.9
bijou 70.2
Ancienne Alliance 815.2
Nouvelle Alliance 117 ; 815.4
par alliance 314.18

allié 354.15
affilié 314.15
allier
réunir 501.13
unir 141.15 ; 586.11
allier (s')
se joindre 6.9 ; 9.16 ; 141.16 ; 596.29
se marier 491.22
s'allier à 586.12 ; 685.14
alligator 712.7
allitération
mot 459.5
figures de diction 313.2
allitisation 337.3
allo- 23.19 ; 216.16
allô 431.3 ; 809.24
alloanticorps 381.11
Allobroge 371.16
allocataire 739
allocation 739.5
aides 19.7
allocentrisme 336.1
allochtone 251.16
allocortex 100.15
allocutaire 136.9
allocutif 346.6
allocution 136 ; 225.3
allodial 18.28
allogamie 318.38
allogène
différent 216.11
étranger 288.25
allographe 459.3
allogreffe 114.16
allométrie 104.4
allonge
ajout 9.3 ; 66.23
t. de sport 792.16
allongé 470.11
allongement
dans le temps 247.4
dans l'espace 298.3 ; 470.3
allonger 470
prolonger 247.9
déployer 298.11
ajouter 9.14 ; 501.14
payer 587.13
allonger un coup 160.11
allonger (s') 259.9 ; 470.8
allopathe 498.31
allopathie 498.8
allopathique 498.38
allopatrique 361.22
allophone
mot 535.5
lettre 252.3
allophtalmie 840 ; 840.3
troubles de la vue 482.27
allopurinol 499.5
allose
t. de cytologie 94.5
allosome 361.3
allotir
entreposer 489.18
pourvoir de 241.20
allotissement
emmagasinage 489.5
échantillon 490.2
allotropie 104.4
all'ottava 543.59
allotypie 381.4
allouche 330.13
allouer
payer 587.17 ; 739.11
donner 241.14
all right 6.16
allumage
combustion 131.2
moteur 57.3
allumé 321.23
allume-cigare 57.11
allume-feu 311.7
allume-gaz 335.5
allumelle
lame 505.16 ; 584.9
allumement 131.2
allumer
enflammer 131.21
éclairer 250.23 ; 473.29
susciter 199.11 ; 475.8
allumette 311.7
gâteau 799.6
allumeur 131.13
allumeuse 199.8
putain 672.8
allure
apparence 300.3 ; 323.4
vitesse 684.8
alluré 233.12
allusif 788.16
allusion
sous-entendu 788.1
tropes 313.4
allusivement 788.21
alluvial 337.31
plaine alluviale 627.1
piémont alluvial 319.5
alluvion 319.17 ; 337.15
alluvionnage 813.12
alluvionnement 337.4
alluvionner 337.27
allyle 113.9
Almal 49.5
almanach
calendrier 88.4
catalogue 469.8
almée 176.22
almicantarat 49.21
almude 509.23
alocasia 318.32
aloès
fleur 318.17
fibre 816.2
alogique 557.9
aloi 575.9
de bon aloi 490.26
alone 37.18
alopécie 624.10
alors
par conséquent 254.10
à un moment donné 528.9
alors que 768.14 ; 811.17
alose 638.6
alouate 486.14
alouette 570.8
alourdi 636.20
alourdir 636.16
densifier 187.7
plomber 631.10
alourdir (s')
grossir 351.9 ; 636.17
augmenter 187.9
alourdissement 636.8
alouvi 703.40
aloyau 333.7
alpaga
mammifère 486.6
tissu 816.4
alpage
herbage 360.5
pré 262.17
alpague 44.1
alpagué 44.16
alpaguer 44.11
al pari 81.39
alpenstock 792.70
alpestre 530.16
alpha 134.3
alpha tocophérol 214.7
alphabet
lettre 252.3 ; 459.1
alphabétique 252.19
ordre alphabétique 576.3
alphabétiquement 459.24
alphabétisation 459.12
alphabétisé 274.22
alphabétisme
lettre 459.1
écriture 252.2
alpha-cétoglutarique 94.13
alphanumérique
numérique 112.6
littéral 459.19
binaire 408.27
Alphard 49.5
alpharécepteur 548.16
alpheus 172.3
alphonse 672.4
alphonse lavallée 330.14
alphorn 422.7
alpicole 530.18
alpigène 530.18
alpin 530.16
alpinia 318.32
alpinisme 792.25
ascension 530.13
alpiniste 792.59
alpinum 443.2
alpiste 360.7
alprazolam 499.5
alquifoux 516.5
Alsacien 695.11
à l'alsacienne 333.51
alsine 318.8
alsophila 417.11
alstonia 37.20
alstrœmeria 318.17
Al Suhaïl 49.5
Altaï 474.7
altaïens 371.14
altaïque
langues altaïques 455.14
Altaïr 49.5
al tempo 543.59
alter- 23.19
alter ego
parent 719.6
ami 26.6
altérabilité 325.1
altérable 325.9
altération
changement 32.6 ; 850.4
t. de musique 543.13
altération de la vérité 504.3 ; 838.3
altercation 146.2 ; 595.7
altéré
dénaturé 23.15
assoiffé 75.32
altérer
modifier 23.9 ; 104.16
détériorier 32.12 ; 201.11 ; 205.15
t. de musique 543.46
altérer (s') 205.24
se modifier 687.14
altérité 23
autrui 620.21
altermondialisme
gauche 808.4
cosmopolitisme 808.19
altermondialiste 808.35
alternance 223.4
variation 850.1

successivité 576.6
alternance vocalique 535.9
alternant 223.16
alternaria 103.8
alternariose 79.16
alternat 223.4
inverse 436.3
alternateur
réacteur 261.17
centrale 269.7
alternatif
substitutif 797.12
changeant 104.22
oscillatoire 579.14
inverse 436.12
alternative 646.2
choix 116.3
alternativement 576.24
à tour de rôle 797.15
irrégulièrement 223.19
alterne 37.27
angle alterne 30.2
culture alterne 18.2
alterner 797.10
diversifier 850.12
échanger 104.17
alterniflore 318.45
altérocentrisme 336.1
altesse 822.13
althæa 318.18
alti- 530.19
altier 312.10
altimètre
instrument de mesure 509.26
radiosonde 207.8
altimétrie 509.25
géographie 337.1
altimétrique 337.30
altiplano 530.2
altise 417.3
altiste 542.6
altitude
hauteur 359.1 ; 531.6
alto- 530.19
alto 422.3
altocumulus 561.4
altostratus 561.4
altrose 94.5
altruicide 257.3
altruisme 27.2
générosité 336.1
altruiste
humain 755.16
généreux 336.10
alucite 417.11
aludel 113.17
aluette 446.3
alumelle
lame 505.16 ; 584.9
aluminate 516.5
alcool 113.8
alumine 517.4
aluminerie 464.5
aluminiage 855.9
aluminisation 855.9
aluminium 113.7
bronze d'aluminium 82.2
aluminium hydroxyde 499.5
aluminothermique 307.3
aluminure 855.9
alumnat
école 274.5
noviciat 525.16
alun 516.5
alunière
mine 516.2
gisement 518.2
alunifère 516.11
alunir 474.16
atterrir 48.13
alunissage
débarquement 45.2
atterrissage 48.5
alunite 516.5
Alurs 371.11
alvéolaire
phonème 781.8
ventilation alvéolaire 718.5
alvéole
boîte 151.2
creux 167.1
alvéole dentaire 188.5
alvéolite 482.26
alvéolo-dentaire 188.28
alvin
abdominal 853.13
gastrique 218.24
alyssum 318.26
alyte 68.3
ama 525.5
amabile 542.26
amabilité 184
sociabilité 772.1
courtoisie 163.1
amabilités 76.4
amadine 570.8
amadou 311.7
amadouage 491.1
amadouement 761.3
amadouer
apaiser 89.7
influencer 614.10
amaigrir 220.12
t. de menuiserie 505.23
amaigrissant 303.23 ; 775.29
amaigrissement 220.3
t. de menuiserie 505.11
Amalécite 371.16
amalgamation
coupellation 575.7
grillage 510.5
amalgame
intégration 423.1
mélange 501.1
amalgamer
fusionner 725.13
fondre 510.16
Amalthée 49.10
aman 592.10
amandaie 18.10
amande
fruit 330.6
ornement 117.21 ; 578.4
amande amère 369.4 ; 594.4
amande mystique 215.12
amandier 37.17
amandon 330.6
amanite 103.6
amanitine 267.4
amant 27 ; 91.5 ; 763.21
amantadine 499.5
amarantacées 318.9
amarante 318.9
amarante
bois 74.13
couleur 159.28 ; 735.12
amarescent 343.24
Amaretsu 236.34
amariner (s') 319.28
amarinier 37.15
amarrage
étayage 834.24
rencontre spatiale 48.5
amarre 725.5
amaryllidacée 318.17
amaryllis
fleur 318.17
papillon 417.11
amas 540.6
tas 352.7
amas globulaire 49.13
amasser
réunir 352.17 ; 490.20
thésauriser 61.6
amasser (s') 561.9
amassette
couteau 584.8 ; 607.16
amasseur 61.3
amateur 599 ; 792
dilettante 629.7
cabinet d'amateur 599.8
amateurisme 599.3 ; 792.41
amathie 377.1
amatir 575.19
amativité 27.1
amaurobius 417.13
amaurose 840
troubles de la vue 482.27 ; 840.2
amaurotique 482.74
amazone
perroquet 570.10
prostituée 672.9
vêtement 859.17
t. d'équitation 792.77
amazonite 517.4
ambages
sans ambages 24.4 ; 425.18
ambassade 642.10
ambassadeur 642.10
ambérique 333.17
ambesas 842.4
ambi- 25.22 ; 501.23
ambiance 20.5
environnement 280.2
ambiance sonore 83.4
d'ambiance 250.28
ambiant 280.9
ambiantal 280.9
ambidextérité 246.2
ambidextralité 246.2
ambidextre 246 ; 479.19
ambidextrie 246.2
ambigu
n.m. 703.2
adj. 24 ; 25 ; 432.20
ambiguïté **24** ; 25
sémantisme 535.10
lever une ambiguïté 425.10
ambigument 24.17
ambitieusement 199.19
ambitieux 199
ambition 667.4
conception 664.6
ambitionner 664.15 ; 667.11
viser à 86.8
ambitus 106.15
ambivalence **24** ; 25.1
ambivalent 25.16
ambigu 24.14
ambler 792.87
ambly- 640.12
amblyo- 640.12
amblyope 482.74
amblyopie 840
troubles de la vue 482.27 ; 840.2

amblypyge 417.12
amblystome 68.2
Amboinais 371.12
amboine 37.20
ambon 465.12
Ambos 371.11
ambre 337.23 ; 594.5
ambre gris 296.3
ambré 159.28 ; 444.11 ; 604.14
ambrer
jaunir 444.6
parfumer 594.10
ambrette 330.7
ambrevade 330.7
ambrosien 508.3
chant ambrosien 106.4
ambulacre 527.15
ambulance 114.31 ; 833.10
ambulancier 114.28
ambulant 832.24
marchand ambulant 135.16
ambulatoire 482.63
ambuler 871.21
amburbiales 173.11
amé 26.6
âme
cœur 755.1
esprit 380.3 ; 430.4 ; 620.21
individu 15.4 ; 355.1 ; 862.20
pièce 43.10 ; 422.22 ; 505.7
chargé d'âmes 304.13
âme damnée 148.7 ; 472.7 ; 787.10
sans âme 248.9 ; 418.15
vague à l'âme 836.1
avoir l'âme sur les lèvres 534.24
rendre l'âme 534.20
vendre son âme au diable 186.12
fendre l'âme 625.10
amébée 156.20
ameive 712.5
amélanche 330.15
amélanchier 38.4
amélie 484.4
améliorant 353.19
améliorateur 353.19
amélioration 850.4
croissance 293.3
amélioré 74.30
améliorer 293.10
améliorer (s') 677.8
se transformer 850.10
améliorissement 353.2
amen 761.11
amenage 505.11
aménagé 576.20
organisé 577.22
aménageable 845.27
aménagement 577.4
urbanification 845.3
aménager 795.13
aménageur 577.12
urbaniste 845.19
aménagiste 845.19
amendable 245.58
amende 317.22
peine pécuniaire 144.8
faire amende honorable 299.6
amendement
modification 7.5
Parlement 642.2
projet de loi 245.29
amender
modifier 245.51 ; 642.18
rendre meilleur 253.8
rendre fertile 18.21
amender (s') 850.10
amène
sociable 772.14
délicat 184.10
amener
causer 92.9
déclencher 687.7
amener à 268.10 ; 649.12
amener à soi 54.8
mandat d'amener 44.3
amener (s') 651.9
aménité
sociabilité 772.1
bienfaisance 76.2
amensal 318.48
amensalisme 318.38
amentifère 318.47
amentiflore 79.4
amenuisé 289.8
amenuisement 220.1
amenuiser
réduire 220.11
raboter 505.23
amer
adj.
au goût 343
triste 416.7 ; 720.13 ; 836.10
amer
n.m.
repère 765.14
amèrement
tristement 836.18
méchamment 497.12
américain
à l'américaine 333.51
nuit américaine 120.11
plan américain 120.11
Américain 355.10
américaine
n.f. 833.14
américanisation 371.20
américanisme 455.4
americano 75.14
américium 113.7
amérin 343.24
amérindien 455.14
Amérindien 371.5
amerrir
naviguer 831.18
atterrir 48.13
amerrissage
navigation aérienne 831.6
atterrissage 48.5
amertume
goût 343.5
sentiment 416.1 ; 720.1
amétaboles 417.1
améthyste
pierre fine 517.4
violet 866.1
amétrope 840.17
amétropie 840.2
ameublement 481.35
mobilier 519.1
ameublir 813.23
labourer 18.20
ameublissement
t. d'agriculture 18.4
t. de droit 491.7
ameuter 107.19
Amharas 371.11
amherstia 37.20
ami 26.6
fréquentation 772.8
hospitalier 368.10
bon ami 27.9
petit ami 27.9
ami ami 26.6 ; 26.7
amiable
nombre amiable 555.3
à l'amiable 141.23 ; 238.19
amiablement 141.23
amiante 517.2
amibe 512.1
amibiase 482.35
amibien 482.78
bactérien 512.15
amiboïde 512.15
amical 26.11
amicale
n.f. 26.3 ; 352.10
amicalement 26.13 ; 741.25
amicalité 26.4
amicoter 26.8
amicrobien 512.16
amict 508.10
amide 113.8
amidisme 80.1
amidon 94.5
amidonnage 732.3
amidonner 816.26
rigidifier 732.10
amie 491.19
amiète ou **amiette** 27.9
amignarder 91.6
amiidé 638.3
amiloride 499.5
aminche 26.6
amincir
désépaissir 220.12
alléger 457.9
amincissant 775.29
amincissement
rapetissement 220.3
contraction 289.6
amine 113.8
amine cérébrale 548.14
aminé
acide aminé 214.5
amino- 113.29
aminoacide 94.10 ; 94.24
aminoacidurie 296.10
aminogène 113.9
aminopénicillanique
acide aminopénicillanique 94.10
aminophylline 499.5
amino-polymérase
acide amino-polymérase 94.24
amiodarone 499.5
amiral
amiral de France 41.17 ; 822.10
à l'amiral 333.51
amirauté 41.7
Amis 371.12
amish 117.8
Amitabha 80.7
amiteusement 26.13
amiteux 26.11
amitié **26** ; 26.5
affection 53.2
amour 27.1
lier amitié 772.11
se prendre d'amitié 26.7
amitose
division cellulaire 265.3
mitose 94.27
histogenèse 821.6

amitotique 94.32
amitriptyline 499.5
amixie 873.11
ammodyte 873.23
ammodytidé 638.3
ammomane 570.8
Ammon
corne d'Ammon 100.15
ammoniac 617.6
détergent 550.14
gaz ammoniac 335.4
ammonites 527.1
Ammonites 371.16
ammonium 113.9
ammoniurie 296.10
ammonoïdes 527.1
ammophila 360.7
ammotréchidés 417.12
amnésie 397.5
oubli 583.1
amnésique 397.16
amnicole 251.16
amnioblaste 265.8
amniocentèse 265.10
amniographie 265.10
amnios 265.8
amnioscopie 265.10
amniote 873.6
amniotique 265.15
cavité amniotique 265.8
liquide amniotique 265.8 ; 544.9
ponction amniotique 265.10
amnistiable 592.15
amnistie
pardon 583.3 ; 592.1
amnistier
pardonner 592.10
libérer 461.12
amoché 72.21
amocher 205.16
enlaidir 453.6
amochir 453.6
amodiataire 18.16
amodiation 18.13
exploitation minière 518.1
amodier 101.11
amœbée 156.20
Amoghasiddhi 80.7
amoindrir 602.6
réduire 220.11
amoindrissement 220.1
amok 321.3
amollir
attendrir 526.7
fatiguer 303.16
amollir (s') 383.7
amollissant 127.21
amollissement
ramollissement 526.3
fatigue 303.2
appauvrissement 383.2
Amon 236.10 ; 852.9
amonceler
entasser 352.17
thésauriser 61.6
amonceler (s') 561.9
amoncellement
tas 352.7
accumulation 8.2
Amon-Rê 777.12
amont 204.1
vent d'amont 852.5
en amont de 204.26
amopétale 318.47
amoraïm 449.7
amoral 860.9
amoralité 860.1
amorçage 605.16
amorce 134.9
leurre 605.14
amorce détonante 43.14
amorcer 605.24
entreprendre 134.17
appâter 53.7
amoriste 635.20
amoroso 542.26
amoureusement 27.31
amorphe 323.21
cristallographique 517.21
engourdi 593.11
alliage amorphe 855.5
amorphocéphale 417.3
amorphophallus 318.32
amorti 792.13
amortir 115.30
rembourser 587.19
t. de sport 792.85
amortissable 31.14
amortissant 115.33
amortissement 39.21 ; 209.15
amortisseur
pare-chocs 115.16
ressort 259.4
tenue de route 57.12
amour 27 ; 600.5
considération 366.6
amour
coït 763.8
attirance 53.1
désir 199.5
amour courtois 27.3 ; 163.3
amour de soi 27.2
amour filial 304.6
amour maternel 506.4
amour physique 763.8
lettre d'amour 27.5
saison des amours 738.2
faire l'amour 27.24 ; 763.32
à battre faut l'amour 865.22
amouracher (s')
s'éprendre 27.17
séduire 27.19
amour-en-cage 318.30
amourer 27.16
amourer (s') 27.17
amourette
caprice 90.2
aventure 27.11
plante 360.8
amourettes 333.8
amoureusement 27.31
passionnément 600.17
soigneusement 774.25
amoureux 27.8
amour-propre 312.1
amovibilité 104.8
amovible
transformable 104.23
mobile 538.24
amoxicilline 499.5
A.M.P. 94
ampélidacée 38.3
ampélophage 417.31
ampélopsis 38.4
ampère 261.10 ; 509.11
ampèremètre
instrument de mesure 509.26
intensimètre 261.11 ; 427.9
ampérométrie 113.16
amphétamines 825.8
amphi- 25.22
amphi 274.8
amphiarthrose 580.18
amphibie 251.16
aquatique 873.23
amphibien
animal 873.6
batracien 68.1
amphibiotique 638.23
amphibolique 24.13
amphibologie
ambivalence 25.1
ambiguïté 24.1
amphibologique
ambivalent 25.16
ambigu 24.13
amphibolure 712.5
amphidontidé 486.4
amphidrome 638.23
amphigastre 37.27
sporange 537.2
amphigouri 24.4
bafouillage 411.3
jargon 347.6
amphigourique
inintelligible 411.15
ambigu 24.13
théâtral 347.12
amphihalin 638.23
amphimalle 417.3
amphineures 527.1
amphipnous 638.5
amphipodes 172.2
amphiprion 638.6
amphisbène 712.5
amphisile 638.6
amphistome 856.2
amphithallisme 103.4
amphithéâtre
salle de classe 274.8
tribune 225.13
amphithériidé 486.4
Amphitrite 319.19
amphitryon
hôte 368.3
maître de maison 703.16
amphitryonne 703.16
amphiume 68.3
ampholyte 113.4
amphore 331.13
capacité 509.24
amphotère 113.23
amphotéricine 499.5
amphotriche 512.18
ampicilline 499.5
ample
riche 1.13
large 456.6
amplectif 727.16
amplement
abondamment 1.17
largement 456.9
ampleur 219.1
amplexicaule 37.27
t. de botanique 360.15
ampli
amplificateur 781.14
chaîne haute-fidélité 273.5
ampliatif 9.20
ampliation 56.1
t. de droit 388.9
t. de médecine 718.5

anarchique 201.14
anarchiquement 201.17
anarchisme
individualisme 400.3
régime politique 694.12
anarchiste
libertaire 462.17 ; 808.26
anarcho-syndicalisme
808.4
anarcho-syndicaliste
808.26
anarthrie 839.4
anasarque 482.82
anaspidacés 172.2
anaspis 417.3
anastatique 318.27
anastigmat 621.24
anamorphotique 574.21
anastigmatique 621.24
anamorphotique 574.21
anastome 570.18
anastomose 114.15
anastomose
porto-cave 114.15
anse d'anastomose 103.3
anastomoser 114.33
anastrophe 313.3
anastylose 702.1
anathématique 582.18
anathématisation 582.4
anathématiser 410.10
blâmer 194.12
excommunier 582.13
anathématisme 582.6
anathème
jeter l'anathème 582.14
anathémisation 582.4
anathémiser 367.9
anatidés 570.16
anatife 172.3
anatocisme 66.13
anatomie 498.7
anatomie comparée 138.2
anatomie pathologique 498.7
anatomique 498.38
anatomiquement 498.39
anatomopathologie 498.7
anatonose 79.8
anatoxine 267.5
désinfection 512.10
anax 417.14
ancestral
antique 28.11
ascendant 609.11
ancêtre
ascendant 314.5
initiateur 33.7
vieillard 863.6
anche 422.21
anchois 638.6
anchorelle 172.3
anchovette 638.5
anchusa 318.6
ancien
antérieur 28.4
inusité 535.28
vieux 863.6
à l'ancienne 28.19
anciennement 28.17
ancienneté 28
antériorité 33.1
vieillesse 863.1
ancillaire 734.9
ancistrodon 712.3
ancivisme 125.1
ancolie 318.25
anconé 541.8
ancrage 830.19
fixation 834.24
puits d'ancrage 834.7
ancre 760.3
lever l'ancre 189.11
ancrée
croix ancrée 171.20
ancrer
inculquer 611.13
fixer 830.28
ancyle 527.3
andain
herbage 360.5
récolte 18.8
andante 543.35
t. de musique 522.23
andantino 543.35
Andarz 815.6
andésite 337.17
andin 530.16
andinisme
ascension 530.13
alpinisme 792.25
andiniste 792.59
andira 37.19
andouille 784.7
andouiller 486.20
andouillette 333.9
andragogie 253.3
-andre 364.12
andréacées 537.3
andréales 537.3
andrène 417.7
-andrie 364.12
andrinople 159.28
andro- 364.12
androcée 318.5
androconie 417.17
androctonus 417.13
androgamie 491.21
androgène 762.9
hormone androgène 340.3
androgyne 484.6 ; 762.28
androgynie 762.19
androïde 371.27
andrologie 498.5
Andromède
Persée délivrant Andromède 374.6
andropause 762.18
androphobe 619.21
androphobie 619.4
andropogon 360.7
androsace 318.24
androstane 94.17
androstène 94.14
androstérone 340.3
-ane 94.36
âne 784.7
équidé 486.11
ignorant 377.4
passer du coq à l'âne 375.21
anéanti
détruit 404.10
disparu 228.13
anéantir 228.10
fatiguer 303.16
détruire 205.14
anéantissement
mort 534.1
inconscience 397.7
destruction 205.1
anecdote
évènement 290.1
histoire 691.5
anecdotier 363.10
anecdotique 122.10
histoire anecdotique 363.2
ânée 152.3
anéjaculation 762.25
anémiant 303.23
anémie 482.19
fatigue 303.2
anémique 482.68
anémo- 852.26
anémographe 852.14
anémomètre
instrument de mesure 509.26
vent 852.14
anémométrie 509.25
anémone 318.25
anémone de mer 527.12
anémophilie 318.38
anémophobie 619.4
anémoscope 852.14
anencéphale 100.28 ; 484.9
anencéphalie 484.4
anérection 762.25
anergate 417.7
anergie 381.6
anergique 381.20
anergisant 381.21
ânerie
absurdité 784.3
maladresse 283.9
sottise 630.3
ânesse 486.11
lait d'ânesse 75.6
anesthésiant
n.m. 780.9
adj. 397.20
anesthésie
sommeil 780.4
insensibilisation 418.5
anesthésie auditive 803.2
anesthésie épidurale 114.19
anesthésie générale 114.19
anesthésie locale 114.19
anesthésie péridurale 544.5
anesthésie-réanimation 498.6
anesthésie régionale 114.19
anesthésie tronculaire 114.19
anesthésier 114.32
anesthésiologie 498.6
anesthésiologiste 114.28
anesthésique
adj. 397.20
n.m. 499.5 ; 780.9
anesthésiste 114
endormeur 780.14
anesthésiste-réanimateur 114
aneth 318.20
anévrismal ou **anévrysmal** 482.66
anévrysme 482.13
anfractueux 167.15
anfractuosité
dénivellation 402.4
creux 167.1
ange 29
esprit 380.4
être spirituel 29.1
personne parfaite 858.7
ange déchu 186.3
ange exterminateur 534.6

ange gardien 641.12 ; 671.12
ange noir 186
ange rebelle 186
ange tutélaire 591.2
bon ange 29.6
mauvais ange 186.3
hiérarchie des anges 29.5
neuf chœurs des anges 551.3
aux anges 447.13 ; 670.13
un ange passe 766.11
voir des anges violets 160.19
comme un ange 677.19
lit à l'ange 519.13
patience d'ange 601.1
angéiologie 128.15
angéite 482.13
angelin 529.12
angélique
n.f.
plante 318.20
angélique
immatériel 380.14
vertueux 858.10
angéliquement 29.14
angélisé 29.13
angéliser 29.11
spiritualiser 380.10
angélisme 858.1
angélité 29.2
angélologie 29.2
angélophanie 29.3 ; 34.4
angelot 529.12
chérubin 270.3
angelus 657.9
angi- 128.27
angiectasie 482.13
angine 482.20
angine de poitrine 482.13
angio- 128.27
angiocardiographie 128.16
angiocarpe 103.16
lichen 463.1
angiocholite 482.23
angiograghie 840.9
angiologie 498.6
cardiologie 128.15
angiome 128.2 ; 841.3
angiorraphie 114.18
angiosarcome 841.4
angioscintigraphie 498.16
angiospermes 79.4
angiotensine 340.3
angiotomie 114.14
anglais 455.14
parquet à l'anglaise 481.30 ; 505.4
passe anglaise 446.10
verre anglais 159.8
vert anglais 857.2
anglaise 129.4
écriture 252.4
à l'anglaise 632.2
jardin à l'anglaise 443.2
Anglais 355.5
les Anglais débarquent 306.15
anglaiser 262.26
angle
équerre 509.26
figure 338.4
faire l'angle avec 30.9
à l'angle de 30.13
sous l'angle de 30.13
fermer un angle 308.17
pierre d'angle 30.7 ; 658.1
seconde d'angle 30.6
angle de chute 30.4 ; 119.11 ; 820.12
anglé 30.10
angler 30.9
Angles 371.16
anglésite 631.2
anglet 39.21
coin 30.7
Angleterre 328.6
anglican 117.14
Église anglicane 117.8
anglicanisme 117.5
anglicisant 455.24
anglicisme
langue 455.4
t. de linguistique 313.3
angliciste 455.12
anglo-arabe 486.11
anglo-chinois
parc anglo-chinois 443.2
anglophone 455.11
anglo-saxon
unités anglo-saxonnes 509.17
angoissant
inquiétant 785.13
terrible 827.13
effrayant 619.22
angoisse
pessimisme 615.1
détresse 198.1
peur 21.2
angoisse automatique 619
angoisse somatique 619
angoissé 619.20
tracassé 785.10
angoisser 619.12
inquiéter 21.11
angoisseux 619.22
Angolais 355.7
adj.
angor 482.13
angoratine 816.3
angoumoisin 695.11
angræcum 318.21
anguidés 712.4
anguillade 160.4
anguillard 68.3
anguille 638.8
matraque 43.4
anguille électrique 638.5
il y a anguille sous roche 751.18
vif comme une anguille 277.6
anguillère 262.9
anguillidé 638.3
anguillule 856.2
anguillulose 482.35
anguimorphes 712.4
angulaire 30
adj.
distance angulaire 30
écart angulaire 30
figure angulaire 30
pierre angulaire 384.4 ; 658.1
angle d'un bâtiment 39.16
secteur angulaire 30.3
angulaire
n.m.
angulaire de l'omoplate 541.6 ; 541.7
grand angulaire 621.4
angulairement 30.11
angularité 30
angulation 792.24
anguler 792.88
anguleusement 30.11
anguleux 30.10
angusticlave 859.8
anhélation 718.4
anhéler 718.26
anhidrose ou **anidrose** 750.1
anhidrotique 750.22
anhistorique 287.11
anhydrase 94.24
anhydrase carbonique 94.24
anhydre 750.21
anhydride phtalique 617.6
anhydride sulfureux 335.2
ani 570.8
anicroche 567.7
anictérique 482.70
anidrose → anhidrose
ânier 262.24
anilinctus 763.12
aniline 159.9
arsenic 267.4
anilisme 267.2
anilocre 172.3
animadversion
haine 62.4
impopularité 410.3
animal
bestial 475.11
magnétisme animal 478.3
règne animal 873.4
animaux domestiques 170.1
animaux sauvages 170.2
animalcule
micro-organisme 512.1
animal 873.6
animalcule spermatique 265.5
animalculiste 265.13
animalier
peintre 607.19
éleveur 262.21
parc animalier 873.9
animalité 873.8
humain 371.1
personne 613.1
animateur
instrument 15.4
instigateur 391.11
réalisateur 681.15
animation
agitation 17.1
vivacité 277.2
t. de cinéma 120.1
animato 542.25
animé 496.15 ; 538.25
alerte 277.6
animelles 333.8
animer
créer 297.11
actionner 538.20
encourager 407.11
animer (s') 862.25
animisme 700.6
animiste 700.12
animosité
malveillance 497.2
ressentiment 720.1
inimitié 410.1

anonymie 554.10
anonymité 554.10
anonymographie 554.10
anophèle 417.9
anophtalmie 484.4
anoploures 417.1
anorak 859.12
anorchidie 484.4
anordir 852.19
anorexie 321.10
malnutrition 563.8
anorexigène 499.33
anorexique 563.20
anorgasmie 763.26
anormal 32.3 ; 556.13
anormalement 32.18
inadéquatement 556.16
anormalité 32
rareté 686.1
anosmie 482.29 ; 569.8
anosmique 482.75
anosodiaphorie 401.4
anosognosie 397.5
anostracés 172.2
anote 482.75 ; 484.9
anou 236.10 ; 236.15
anoure
didactyle 873.24
batracien 68.1
anovulation 762.23
stérilité 711.11
anovulatoire 762.36
anoxémie 482.19
anoxémique 482.68
anoxie 718.9
anoxybiotique 718.31
anse 848.13
cadenas 760.5
ansé
croix ansée 171.20
ansér- 570.41
ansériformes 570.4
ansérine 94.8
-ant 15.11 ; 293.16
antagonique
autre 23.13
contraire 572.15
antagonisme
opposition 572.1
affrontement 115.12
antagonisme microbien 512.7
antagoniste
contraire 572.6
en opposition 146.12
Antaisakas 371.12
antalgie 243.4
antalgique
n.m. 243.13
adj. 499.33
antan (d')
préhistorique 33.22
passé 598.13
antanaclase
redondance 704.3
figures de construction 313.3
antarctique 221.29 ; 327.6
cercle antarctique 97.4
plaque antarctique 337.11
empire antarctique 873.5
Antarès 49.5
ante 39.14
anté- 33.34 ; 211.29
antébois 77.10
antécédemment 33.24
antécédence
successivité 576.6
antériorité 33.1
antécédent
fait antérieur 33.5
t. de grammaire 346.8
antécesseur 33.7
Antéchrist 186.3
antédiluvien 206.10
passé 598.13
antédon 527.9
Antée 236.40
antéfixe 39.21
antéhistorique 33.22
antéhypophyse 340.2
antémémoire 408.8
antenais 33.22
anténatal 544.23
antennaire
poisson 638.6
fleur 318.10
antenne
appendice sensoriel 417.17
capteur d'ondes électromagnétiques 207.7
antenne chirurgicale 114.31
antenne collective 681.4
avoir des antennes 434.6
antenniste 681.15
antennule 172.4
antependium 211.5
antépénultième 683.20
final 315.19
lettre 459.2
antéposer 211.17
antéposition 33.8
antérieur 33.17
précédent 598.14
voyelle antérieure 781.8
antérieurement 576.25
avant 33.24
déjà 598.18
antériorité **33** ; 598.5
successivité 576.6
antériorité logique 788.5
antéro- 33.34 ; 211.29
Antes 371.16
anth- 318.49
anthacifère 151.17
anthaxie 417.3
-anthe 318.49
anthélie 777.3
anthélix 55.3
anthème 318.49
anthémis 318.10
anthère 318.5
anthericum 318.17
anthéridie 537.2
anthérozoïde 537.2
anthèse 585.2
anthestéries 310.8
anthicidés 417.2
anthidie 417.7
anthocéros 537.5
anthocérotées 79.4
anthologie 635.17
anthoméduse 527.12
anthonome 417.3
anthophage 417.31
anthophile 318.40
anthophore 417.7
anthozoaires 527.11
anthracénique
huile anthracénique 369.2
anthracite
gris clair 350.12
combustible 269.5
anthraciteux 131.7
anthracnose 79.16
anthracoïde 482.82
anthracosauriens 68.2
anthracose 482.31
anthracosia 527.2
anthraquinone
violet d'anthraquinone 866.2
anthrax 417.9
croûte 482.16
anthrène 417.3
anthribidé 417.2
anthropien 371.17
anthropo- 371.33
anthropobiologie 371.22
anthropogenèse 371.22
anthropogénie 371.22
anthropoïde 371
anthropologie 371.22
anthropologie culturelle 164.11
anthropologie économique 371.22
anthropologie physique 371.22
anthropologie politique 642.13
anthropologie religieuse 371.22
anthropologie structuraliste 620.9
anthropologique 371.30
anthropologiquement 371.32
anthropologiste 371.24
anthropologue 371.24
anthropométrie 509.25
anthropométrie judiciaire 169.14
anthropomorphe 486.14
anthropomorphisme 371.19
anthroponyme 554.3
anthroponymie 554.13
anthroponymique 554.28
anthropophile 251.18 ; 873.23
anthropopithèque 337.23
homme préhistorique 371.17
anthuridé 172.2
anthurium 318.32
anthyllis 318.27
anti- 60.18 ; 572.24
protège- 671.36
antiacarien 417.26
antiacide 499.5
antiacnéique 499.5
antiaérien 182.29 ; 671.6
antiagrégant
anticoagulant 742.18
analgésique 499.5
antialcoolique 771.7
antiallergique 499.33
antiangoreux ou **antiangineux** 499.5
antiarche 638.4
antiarine 267.4
antiaris 37.18
antiarythmique 499.5
antiasthmatique 499.32
analgésique 499.5
antiatome 513.3
antiatomique 182.29 ; 671.31
antibactérien
stérile 512.16
analgésique 499.5
antibiogramme 512.10
antibiose 251.4
antibiothérapie 775.5
antibiotique
désinfection 512.10
analgésique 499.5

antibois 77.10
antibrouillage 681.8
antibrouillard 57.5
anticancéreux 499.32 ; 841.14
anticapitalisme 808.4
anticapitaliste 222.14 ; 808.35
antichambre 51 ; 185 ; 481.24
antichar 182.29
antichoc 115
anticholergénique 548.26
anticholinestérase 94.24
antichrèse 209.6
anticipation 33.8 ; 60
prévision 332.4
figures de pensée 313.5
anticipatoire
précoce 33.19
avant-coureur 60.12
anticipé 60.10
anticiper
avancer 33.14 ; 60.7
anticité 182.29
anticlérical 398.10
anticléricalisme 398.11 ; 808.7
anticlinal 337.13
anticoagulant 499 ; 742.18
anticœur 128.4
anticolonialisme 808.16
anticolonialiste 808.42
anticomanie 28.6
anticommunisme 808.11
anticommuniste 808.38
anticonformisme 462.9
anticonformiste 462
anticonvulsivant 499.5
anticorps 381
protide 94.8
anticorpuscule 513.3
anticryptogamique 103.18
anticyclone
haute pression 127.8
calme plat 89.3
anticyclonique 127.19
antidate 60.3
antidater
avancer 33.14 ; 60.7
antidémocratique 694.29
antidéplacement 338.12
antidépresseur 499.5
antidiabétique 499.5
antidiarrhéique 499.5
antidiphtérique 499.32
antidiurétique 499.5
antidote 267.9
médicament 499.1
remède 786.3
antidotisme 267.8
antidouleur
n.m. 499.5
adj. 499.33
antidrogue 825.20
antidromique 548.26
antiélectron 513.4
antiémétique 499
antiémétique
n.m. 499.5
adj. 499.33
antiengin 182.29
antienne
hymne 508.8
cantique 106.5
chanter toujours la même antienne 704.9
antienzyme 94.23
antiépileptique 499.5
antiesclavagiste 461.9
antif (battre l') 672.18
antiféminisme 763.3
antiféministe 306.18
antiferromagnétisme 261.2
antifibrinolytique 742.18
antifongique
n.m. 499.5
adj. 103.18 ; 499.32
antiforces 182.29
antiformant 872.3
anti-G 48.4
combinaison anti-G
antigang 641.3
antigel 617.7
antigène 381
antigène Gregory 381.10
antigénicité 381.4
antigénique 381.19
antiglobuline 742.19
gamma-globuline 381.12
antigonadotrope 499.5
Antigone 715.10
antigoutteux 499.5
antiguérilla 182.29
antihalo 621.24
antihémorragique 214.7
antihistaminique
n.m. 499.5
adj. 499.34
antihypertenseur 499.5
anti-impérialisme 808.16
anti-impérialiste 808.42
anti-infectieux 499.5
anti-inflammatoire 243.7
analgésique 499.5
antijeu 446.39
anti-JKa 381.12
anti-JKb 381.12
anti-K 381.12
anti-Lea 381.12
anti-Leb 381.12
anti-Lebh 381.12
anti-Lebt 381.12
antilépreux 499.5
anti-Lex 381.12
antilithique 499.33
antilocapridé 486.3
antilogarithme
nombre cardinal 555.3
algorithme 493.3
antilope 486.6
anti-M 381.12
antimatière 513.3
antimense 508.11
antimicrobien 512.16
antimigraineux 499.5
antimissile 182.29
antimoine 113.7 ; 516.5
bronze à l'antimoine 82.2
jaune d'antimoine 444.2
vermillon d'antimoine 735.2
verre d'antimoine 855.5
antimousse 537.9
antimuon 513.4
antimyasthénique 499.5
antimycosique 499.32
cryptogamique 103.18
antinéoplasique 499.32 ; 841.14
antineutrino 513.4
antinévralgique 499.33
antinodal 574.20
antinomie 385.3
antinomique 572.15
antiochien 508.3
antiontif 346.6
antipaludéen 499.5
antipape 590.1
antiparallèle 338.16
antiparasitaire 499.5
antiparasite 681.8
antiparkinsonien 499.5
antiparlementarisme 808.13
antiparlementariste 808.40
antiparticule 513.3
antipathie 263.4
haine 62.4
inimitié 410.1
antipathique 192.14
méchant 497.9
antipathique à 410.17
antipathiquement 410.16
antipatriote 125.7
antipatriotisme 125.2
antipéristaltique 218.12
antiperspirant 499.33
antiphallinique 267.17
antiphonaire 657.13
missel 508.13
psautier 106.6
antiphone
hymne 508.8
cantique 106.5
antiphonie 106.5
antiphrase 313.4
antiplasmine 742.19
antipode
inverse 572.5
repère 769.6
antipodes 263.5
aux antipodes 232.13
antipodisme 123.8
antipodiste 123.15
antipoison 267.17
antipoliomyélitique 499.32
antipollution 550.23
antiprincipal 574.20
antiprotéase 381.14
antiprothrombinase 742.18
antiproton 513.4
antiprurigineux 499.33
antiputride 499.33
antipyrétique
n.m. 499.5
adj. 499.33
antipyrine 499.5
antiquaille 206.3
ancien 28.5
antiquaillerie 206.3
ancien 28.5
antiquaire 28.6
historien 363.8
descriptif 196.4
antiquark 513.4
antique
n. 28.5 ; 459.8
adj. 28.11 ; 206.10 ; 363.16
à l'antique 28.19
antiquement 28.17
antiquisant 28.15
antiquité 28 ; 363.3
vieillard 863.5
de toute antiquité 28.18 ; 287.16
Antiquité 598.1
Antiquité assyrienne 363.3
Antiquité classique 363.3
Antiquité grecque 363.3

antiquomanie 28.6
antirabique 499.32
antirachitique 499.32
antiradar
n.m. 207.9
adj. 207.23
antiradiation 671.31
antireflet 574.22
antirejet 499.5
antireligieux 398.9
anti-Rh 742.19
antirhésus 742.19
anticorps 381.11
antirhumatismal 499.5
antirides 775.29
antisatellite 182.29
antisciens 355.14
antiscorbutique 499.32
antisémite 288.18
antisémitisme 449.21
antisepsie 498.6
antiseptique 669.13
antisérum 381.15
antisexisme 763.3
antisocial 420.9
antisolaire 777.19
lueur antisolaire 777.3
anti-sous-marin 207.23
antispasmodique
n.m. 499.5
adj. 89.17 ; 499.33
antisportif 792.94
antistreptolysine 381.12
antistrophe
action dramatique 817.13
strophe 635.12
antisudoral 499.33
antisystématique 807.20
antitétanique 499.32
antithermique 499.33
antithèse
contradiction 546.2
figures de pensée 313.5
antithétique 546.14
antithrombine 742.19
antithromboplastine 742.18
antitoxine
gamma-globuline 381.12
antidote 267.9
antitoxique 267.17
antitragus 55.3
antitrust 460.4
antituberculeux 499.5
antitussif
analgésique 499.5
sédatif 499.33
antiulcéreux 499.5
antivariolique 499.32
antivénéneux 499.34
antipoison 267.17
antivenimeux 499.34
antiviral
n.m. 499.5
adj. 499.28 ; 512.16
antivirus 408.19
antivitamine 94.21
antivoile 621.24
antonomase 313.4
antonyme
n.m. 535.5 ; 753.2
adj. 753.17
antonymie
sémantisme 535.10 ; 753.3
antre 486.18
antre pylorique 218.7
antrectomie 114.13
antrite 482.30
antrustion 462.13
Anuaks 371.11
Anubis 236.28
anuiter (s') 566.8
anurie 296.10 ; 482.24
anurique 482.77
anus 296.12
appareil digestif 218.5
anus artificiel 114.21
anuscope 498.18
A.N.V.A.R. 689.8
anxiété
mise en doute 395.2
souci 785.1
angoisse 619.2
peur 21.2
anxieusement
soucieusement 785.15
peureusement 619.23
anxieux
soucieux 785.9
angoissé 619.20
désireux 199.15
anxiogène
inquiétant 785.13
effrayant 619.22
anxiolytique
n.m. 499
adj. 89.17
anydrisation 113.14
A.O.C. 677.4
aoriste 598.3
aorte 128.8
aortique 482.66
orifice aortique 128.5
aortite 482.13
aortographie 498.16
août 88.8
aoûtat 417.13
aoûtement 330.18
aoûter 330.22
aoûteron 18.16
aoûtien 871.17
Apaches 371.7
apagogie
raisonnement 682.2
aberration 557.3
apagogique 682.2
apaisant
rassurant 89.15
consolant 786.11
reposant 706.14
apaisé
reposé 706.17
pacifique 589.13
apaisement
repos 89.4
contentement 745.2
soulagement 786.1
apaiser 89.7
sécuriser 752.9
calmer 522.15
apaiser (s') 319.25 ; 589.12
calmir 852.19
apanage 552.10
apanteles 417.7
apareunie 484.4
aparigraha 362.6
aparté 751.6
discours 595.5
en aparté 597.20
apartheid
mise au ban 582.2
ségrégation 288.11
apathie 458.2
indifférence 403.4
ataraxie 620.23
apathique 393.15
inerte 303.20
calme 89.13
apatite 517.9
apatosaure 712.11
apatride 124.4 ; 288.6
apatura 417.11
Apennins 474.7
apepsie 218.3
aperceptif 754.18
aperception 434.4
impression 754.3
aperceptivité 754.3
apercevable 867.8
apercevoir
voir 868.17
percevoir 275.10
apercevoir (s') 179.7
aperçu 375.5
éléments 747.2
description 196.1
apérianthé 318.45
apériodique 282.19
périodique 610.14 ; 654.28
apéritif
n.m. 75.16
adj. 340.13 ; 563.18
apert 585.17
aperture 585.2
apesanteur 48.7 ; 457.2
équilibre 496.6
apétale 318.47
apetisser 616.6
à-peu-près 24.3
apeuré
malheureux 827.15
angoissé 619.20
apeurer 619.10
inquiéter 21.11
apex
pointe 637.2
d'un arbre 37.5
d'une coquille 527.14
d'une dent 188.5
t. d'astronomie 49.21
t. de médecine 128.4
apexien 128.24
choc apexien 115.8 ; 128.12
aphake 482.74
œil aphake 840.3
aphanus 417.5
aphaque 482.74
aphasie 839
inconscience 397.5
mutisme 766.6
aphasique
n. 839.8
adj. 766.16 ; 839.12
aphélandra 318.22
aphélie 49.20
aphéline 417.7
aphémie 839.4
aphérèse 119.6
abrégé 220.6
figures de diction 313.2
aphididés ou **aphidiens** 417.4
aphlogistique 131.29
aphodius 417.3
aphone
muet 766.16 ; 839.12
aphonie
mutisme 766.6 ; 839.1
mutité 482.29
aphorisme 142.3
résumé 723.1

aphoristique 142.8
aphotique 251.15
aphrodisiaque
n.m. 763.17
adj. 199.16 ; 763.45
aphrodisie 199.5
aphrodisies 310.8
aphrodite 856.2
Aphrodite 27.15 ; 236.13 ; 319.19
aphrophore 417.5
aphte 482.16
aphteux 482
virus aphteux 512.3
aphyllophorales 103.5
à-pic 530.9
apic 637.16
apical 204.21
apicole 262.32
apiculteur 262.22
apiculture 262.2 ; 417.28
apidés 417.6
apidiologie 417.27
apiécer 702.8
Apis 236.29
apithérapie 775.4
apitoiement 625.1
apitoyer 625.10
APL 408.16
aplacophores 527.1
aplanat 574.20
objectif 621.4
aplanétique 574.20
objectif aplanétique 621.4
aplanétisme 574.11
aplanir 302.14 ; 692.7
égaliser 256.15
t. de menuiserie 505.23
aplasie
embryopathie 265.11
malformation 484.4
aplasique 482.80
aplat 607.10
aplati 289.8
aplatir
amocher 205.16
t. de sport 792.85
aplatir (s')
s'humilier 405.10 ; 761.11
tomber 119.18
aplatir le coup 592.13
aplatissage 289.1
aplatissement 761.5
étroitesse 289.1
aplet 605.9
aplomb
équilibre 282.1 ; 769.5 ; 778.1
confiance en soi 59.4 ; 145.5 ; 161.2
d'aplomb 282.17 ; 692.13
aplysie 527.3
apnée 482.32 ; 718.14
apnée adrénalinique 718.14
apneumone 417.32
apneusis 718.14
apneustique 718.30
apo- 404.15 ; 850.18
apoastre 49.20
Apocalypse 117.21 ; 374.3
les vingt-quatre vieillards de l'Apocalypse 863.6
les quatre cavaliers de l'Apocalypse 679.3
apocalyptique 619.22
apocope
retranchement 119.6 ; 220.6 ; 228.2
t. de phonétique 313.2
apocrine 340.16
apocrite 417.7
apocrites 417.6
apocynacées 318.13
apode 623.9
apodème
appendice 172.4 ; 417.17
apodictique 99.3
apodie 484.4
apodiformes 570.4
apodose 647.8
rythme 225.11
apoenzyme 218.13
apoferritine 94.9
apogamie 318.38
apogée
sommet 5.7 ; 427.4
t. d'astronomie 49.20
être à son apogée 341.31 ; 798.18
apolitique 808.33
apolitisme 808.3
apollinien 236.47
apollon 417.11
Apollon 236.34
beau gosse 69.4
Parnasse 635.22
apologétique
n.m. 818.2
adj. 471.21 ; 818.28
apologie
éloge 471.4
plaidoyer 626.2
louange 225.5
apologique 471.20
apologiste
laudateur 225.12 ; 471.8 ; 472.7
t. de théologie 818.8
apologue
moralité 533.8
conte 691.5
apolune
orbite 49.20
éclipse 474.6
aponévrose 541 ; 727.4
épiderme 821.4
aponévrotique 821.11
musculaire 541.24
aponévrotomie 114.14
aponogéton 318.36
apophatique 546.14
théologie apophatique 818.1
apophatisme 546.5
apophtegme
parole 595.11
aphorisme 142.3
apophyge 39.21
apophyse 39.21
os 78.5 ; 580.3
apoplectique 482.47
apoplexie
t. de botanique 318.37
t. de médecine 482.47 ; 534.13
aporétique
sceptique 620.33
complexe 217.19
aporia 417.11
aporie
contradiction 385.3
complication 217.3
aporisme
contradiction 385.3
complication 217.3
aposélène
orbite 49.20
éclipse 474.6
aposématique 379.2
aposiopèse
silence 766.4
figures de pensée 313.5
apostasie 398.4
démission 181.3
rétractation 828.4
apostasier
abjurer 398.13
renier 181.8
rejeter 701.7
apostat
hérétique 398.8
déserteur 181.4
traître 828.7
apostème ou **apostume**
grosseur 351.2
bosse 78.4
aposter 207.19
a posteriori 647
justification a posteriori 536.4
raisonnement a posteriori 682.2
apostériorisme 682.2
apostérioriste 682.14
apostille
ajout 647.7
augmentation 56.4
marge 77.13
apostiller 77.18
allonger 56.9
apostolat 648.2
sacerdoce 699.3
apostolicité 818.11
apostolique 590 ; 648.17
apostoliquement 648.20
apostrophe
invective 168.6
t. de linguistique 313.5 ; 346.8 ; 595.3
apostropher
injurier 412.9
s'adresser à 595.24
adresser la parole 156.15
apostume → apostème
apothécie 103.3
apothème 338.7
apothéose
conclusion 315.6
succès 798.4
honneurs 341.7
apothéoser 341.12
apothicaire 499.21
or d'apothicaire 575.4
apothicairerie 499.22
apôtre 117.18 ; 648.13
partisan 472.7
Actes des Apôtres 117 ; 815.4
bon apôtre 373.9
les douze Apôtres 244.3
apotropaïque 477.27
apotropée 173.12
apparaître
exister 4.4 ; 297.10
paraître 34.7
se montrer 278.12 ; 473.31 ; 867
apparat 98.3
ostentation 581.1
dictionnaire 535.16
tenue d'apparat 98.15
en grand apparat 98.30
apparaux 830.10
appareil
apparat 98.3
aspect 323.4

avion 169.2
collection 352.5
dispositif 795.1 ; 807.1
machine 476.1
préparatifs 649.3
t. d'architecture 39.5
t. de gastronomie 333.2
t. de sport 792.72
appareil acoustique 55.9
appareil circulatoire 128.1
appareil cyclopéen 39.5
appareil de Bird 775.20
appareil de Chappe 809.5
appareil de levage 489.9
appareil de Golgi 821.2
appareil de photo 621.3
appareil de transport 489.7
appareil dentaire 188.15
appareil digestif 218.5
appareil Flaman 273.7
appareil génital 711.7 ; 762.1
appareil olfactif 569.6
appareil polygonal 39.5
appareil réglé 39.5
appareil reproducteur 711.7
appareil respiratoire 718 ; 807.6
dans le plus simple appareil 562.13
pierre d'appareil 517.2
appareillable 114.35
appareillage
système 807.1
agencement 150.2
construction 39.5
appareiller
assortir 352.15
t. d'architecture 39.24 ; 517.15
t. de chirurgie 114.33 ; 775.26
t. de navigation 830.28
appareilleur
tailleur de pierre 517.14
auxiliaire médical 114.28
appareil-photo 273.6
appareil 621.3
apparemment 25.20
apparence
illusion 404.2 ; 719.8
aspect extérieur 300.3 ; 373.5 ; 867.3
t. de philosophie 4.1 ; 620.20
apparent
visible 867.7 ; 868.25
simulanéité apparente 768.1
apparenté
relatif 698.10
ressemblant 719.14
affilié 314.15
apparentement 260.6
réunion 698.2
apparenter 314.12
relier 698.6
apparenter (s') 596.29
appariement
doublement 210.3
accouplement 711.8
apparier
grouper 352.15
annexer 9.13
doubler 210.6
appariteur 274.14
apparition 34
manifestation 477.8 ; 867.4
arrivée 45.1 ; 278.1
apparoir 34.10
appartement 481.18
réception 137.11
appartement de garçon 93.4
appartenance 396.6
opinion politique 808.2
possession 645.1
relation d'appartenance 493.4
appartenant 645.23
appartenir 597.13
appartenir à 152.8 ; 396.14 ; 645.20
appartenir (s')
être libre 462.23
se dominer 240.17
appas 69.9
attrait 53.4
appassionato
t. de musique 542.26 ; 600.18
appât 605.14
appeau 107.7
appâter 53.7 ; 107.22
amorcer 605.24
appauvri 220.18
appauvrir 603.18
appauvrir (s') 603.15
baisser 383.7
appauvrissement 383.2 ; 603.5
érosion 337.4
appauvrissement des sols 251.9
appeau 107.7 ; 570.29
sifflet 764.6
se laisser prendre à l'appeau 838.17
servir d'appeau 838.17
appel
vérification 651.7
incitation 268.2 ; 391
signal 63.3 ; 168.7
t. de droit 144.17 ; 185.2 ; 451.16
t. des télécommunications 809.13
t. d'informatique 408.21
t. de sport 792.6
t. de chasse 107.11
t. de jeux 446.9
appel au peuple 185
appel d'air 20.3
appel du ciel 305.2
faire appel 451.31
faire l'appel 554.19
manquer à l'appel 2.7 ; 181.5
répondre à l'appel 651.10
appelable 185.26
appelant 570.29
appeau 107.7
appelé
n.m. 41.10
adj. 116.12 ; 199.17 ; 554.25
autrement appelé 554.33
appeler
nécessiter 92.12 ; 545.5
attirer 53.7
vouer 305.7
déclencher 687.7
demander 185 ; 199.9
t. d'informatique 408.25
appeler aux armes 43.21
appeler à la guerre 354.23
appeler à la prudence 21.9
appeler à une fonction 667.8
appeler (s') 554.23
appellatif
mot 535.2
nom 554.1
appellation
titre 822.1
nom 554.1
t. de droit 185.2
appellation contrôlée 75.12 ; 677.4
appellation d'origine 554.5 ; 677.4
appendice
ajout 9.3
additif 8.3
carapace 172.4
appendice nasal 814.5
appendice vermiculaire 218.9
appendice xiphoïde 580.9
appendicectomie 114.13
appendicite 482.23
appendre 806.12
appentis 481.12
appenzell 328.6
appertisation 333.4
appesanti 636.20
appesantir 636.15
appesantir (s') 458.15
appesantissement 636.8
appétence 199.3
appéter 199.11
appétissant 703.43
comestible 563.18
désiré 199.16
appétit
faim 563.6
désir 199.3
sens 475.5
appétit charnel 27.12
appétit d'oiseau 703.12
appétit de connaissances 174.2
appétit sensuel 199.5
appétit sexuel 763.5
mettre en appétit 199.11 ; 793.14
appétition-aversion 62.3
applaudi 268.14
applaudimètre 471.7
applaudir 268.12
ovationner 798.19
féliciter 366.14
applaudir à 149.10
applaudir à tout rompre 471.13 ; 798.19
applaudissable 471.22
applaudissant 471.19
applaudissement 268.4 ; 479.6
acclamation 798.5
pl. 471.3 ; 817.24
applaudisseur 471.8
applicable 698.10
application
attention 52.1 ; 759.3 ; 774.1
persévérance 612.1
mise en pratique 846.2
t. de mathématique 493.4 ; 698.3
application bijective 493.4
application de la peine 144.15

application identique 376.4
application inverse 493.4
application involutive 493.4
application linéaire 493.4
application réciproque 493.4
application surjective 493.4
application symétrique 493.4
applique
suspension 250.11
t. de décoration 760.3
appliqué
consciencieux 759.11
persévérant 612.4
soigneux 774.20
appliquer
agir 15.6
cogner 160.11
t. de droit 144.29
appliquer (s')
travailler à 255.6
tenter de 812.8
entreprendre de 279.11
appoggiature 543.26
appoint 596.4
d'appoint 596.37
appointage 637.9
appointement 587.18
appointements 266.12 ; 739.12 ; 739.4
appointer 637.12
payer 739.11
rétribuer 587.16
appointir 637.12
appontage 830.13
appontement 830.15
apport 596.5
marché 135.12
participation 81.7
apporter
causer 92.9
importer 430.8
acheminer 829.21
apposer 9.13
apposition
fonction 346.8
figures de construction 313.3
approuver 13.7
appréciable
mesurable 509.31
bon 677.15
louable 507.15
appréciateur
juge 450.6
amateur 599.9
appréciatif 450.14
appréciation
évaluation 87.4
estimation 450.2 ; 659.7
jugement d'appréciation 450.4
apprécié
jugé 450.13
estimé 366.28
apprécier
évaluer 450.7 ; 659.13 ; 660.6
estimer 677.10 ; 717.9
goûter 599.14
appréhendé 44.15
appréhender
comprendre 275.9 ; 425.13
craindre 619.13 ; 785.5
arrêter 44.11
appréhender que 434.7
appréhensif 619.19
appréhension
compréhension 275.3 ; 425.5 ; 434.5
crainte 619.2 ; 785.1 ; 819.1
arrestation 44.1
apprenant 35.3
apprendre
assimiler 35.4
enseigner 274.17
essayer 649.14
annoncer 63.11
apprendre à vivre à qqn 160.15
apprenti 35.3
débutant 134.14
stagiaire 649.9
apprenti sorcier 390.6 ; 477.18
apprentissage 35
épreuve 812.4
entraînement 357.7
apprêt 816.9
enduit 727.6
affectation 12.1
apprêts 649.3
sans apprêt 386.10 ; 523.13 ; 767.15
apprêtage 727.11
apprêté 184.11
soigné 774.24
recherché 12.13
apprêter
falsifier 504.15
tisser 816.25
cuisiner 333.37
apprêter (s')
se préparer 649.13 ; 859.37
apprêteuse 476.9
appris
bien appris 163.11 ; 253.11
apprivoisé 873.22
apprivoiser 873.17
approbateur 149.6
approbatif 149.17
affirmatif 13.10
approbation
affirmation 13.1
accord 6.3 ; 58.5 ; 149.1 ; 586.5
approbativement 149.20
approbativité 149.5
approbatur 58.5
approchant
ressemblant 719.14
proche 685.15
comparable 138.11
approche
proximité 673.1
rapprochement 685.1
avance 487.13
approches 182.12
travaux d'approche 649.3 ; 812.1
approché
vraisemblable 854.21
indéterminé 395.17
approchement 685.1
approcher 673.9
progresser 344.7
aborder 45.8
approcher de 77.17
approcher les sacrements 818.27
approcher (s') 54.10
se rapprocher 685.10
appropriable 869.28
possédable 645.24
appropriation
mémorisation 503.4
vol 869.1
possession 645.1
approprié 571
conforme 147.12
volé 869.27
approprier 559.11
approuvé 149.19
approuver
accord 6.12 ; 58.12 ; 149.7 ; 586.9
encouragement 268.11
approuver qqn de 471.15
approvisionné 490.27
approvisionnement 490.9
armement 820.11
approvisionnements 41.6
approvisionner 490.18
armer 820.22
approvisionneur 490.15
approximatif 383.10
approximation
calcul 509.3
évaluation 87.4
mesure 219.6
approximativement 383.14
grosso modo 351.18
environ 395.20
appui
soutien 19.1 ; 268.3 ; 302.9 ; 596.4 ; 791 ; 847.4
protection 671
t. de défense 487.8
t. de travaux publics 834.12
servitude d'appui 245.27 ; 791.1
d'appui 791.14
appui- ou **appuie-** 791.17
appui-bras 791.17
appuiement 791.1
appui-main 607.17
appui-tête 791.17
accotoir 519.21
appulse 474.6
appuyé 347.11
appuyer
confirmer 143.6
soutenir 19.19 ; 302.13 ; 596.25 ; 671.21 ; 791.11
encourager 268.11
t. de défense 182.22 ; 487.30
t. de sports 792.20
t. de chasse 107.19
appuyer sur le champignon 57.25 ; 684.20
appuyer (s') 145.13
appuyoir 632.19
apraxie 403.3
apraxique 403.13
âpre
haineux 497.11
dur 248.8
ligne âpre 580.16
âprement 865.32
après- 332.23 ; 647.31
après
adv. 576.25 ; 647
prép. 193.23 ; 332.21
par après 332.15
d'après 143.18 ; 147.17 ; 379.13 ; 432.17
après coup 647.23
après que 190.15 ; 332.22 ; 647.30

après quoi 647.23
après toi ! 33.32
après vous ! 33.32 ; 721.11
après-demain
un jour 647.26
ensuite 332.15
après-dîner 776.1
après-guerre 354.12
après-midi 776.2
après-midi 776.13
après-rasage 129.7
après-ski 110.6
âpreté
froid 327.1
agressivité 865.5
âpreté au gain 61.2
a priori 33.28 ; 450
raisonnement a priori 682.2
apriorique 682.14
apriorisme 291.5
raisonnement 682.2
empirisme 620.11
aprioriste 291.5
analytique 682.14
aprioritique 682.14
apron 638.5
à-propos
présence d'esprit 424.3
opportunité 571.1
apside 49.20
apsidospondyles 68.1
apte 10.19
apte à 286.16
aptère 417.32
insecte 417.1
aptérygiformes 570.4
aptérygotes 417.1
aptitude
possibilité 646.3
faculté 10.3 ; 302.7 ; 424.2
t. de droit 245.15
apudome 841.2
apurement 155.3
apurer 155.15
apurinique
acide apurinique 94.12
apus 172.3
apyre
incombustible 131.29
ignifugé 311.31
apyrétique 482.61
aqua- 319.34 ; 468.19
aquacole 356.16
aquaculteur 262.23
aquaculture 262.3
aquafortiste 607.19
aquamanile 669.6
aquaplanage ou **aquaplaning, aquaplanning** 57.13
aquaplane 830.3
aquarelle 607
aquarellé 607.31
aquarelliste 607.19
aquariophile 599.10
aquariophilie
élevage 262.3
passe-temps 599.6
aquarium 262.7 ; 638.16
zoo 873.9
aquastat 109.15
aquatile 319.29
aquatinte 607.3
aquatintiste 607.19
aquatique 319.29
marécageux 372.18
liquide 468.16
vert aquatique 857.2
aquatubulaire 109.8
aquavit 75.13
aqueduc
oreille interne 55.3
pont 834.5
aqueduc de Sylvius 100.3
aqueux
humide 372.17
liquide 468.16
aquatique 319.29
aqui- 468.19
aqua- 319.34
aquicole 262.31 ; 356.16
aquiculteur 262.23
aquiculture 262.3
aquifère
humide 372.17
liquide 468.16
aquatique 319.29
-eux 151.17
aquifoliacée 38.3
aquilin 814.5
aquilon
glace 327.7
vent 852.1
Aquitain 695.11
à-quoi-bonisme 615.1
aquosité 372.1
ara 570.10
arabe
cheval 486.11
arabe 508.14
langue 455.14
arabe littéral 736.12
Arabe 371.10
arabesque 162.3 ; 176.16 ; 578.3
arabette 318.26
arabica 75.4
Arabie Saoudite 529.8
arabinose 94.5
arabisation 371.20
arable 18.27 ; 813.2
arachide 330.6
arachiclique
acide arachiclique 94.7
arachnéen 457.11
arachnide 417.12
arachnoïde
méninges 100.18 ; 821.4
arachnoïdien 100.26
aragonaise 176.6
aragonite 517.4
araignée
arachnide 267.7 ; 417.12
filet 605.9
araignée de mer 172.3
araignée du matin, chagrin ; araignée du soir, espoir 285.1
avoir une araignée dans le plafond 321.20
araire 18.15
arak 75.13
Arakanais 371.13
arales 79.4
araliacée 38.3
araméen
langue 455.14
Araméen 355.8 ; 371.16
arancaria 37.16
aranéides 417.12
aranéidés 417.12
aranéisme 267.2
aranéomorphes 417.12
Arapahos 371.7
arapaïma 638.5
araponga 570.14
araschnia 417.11
arasement 505.5
araser
égaliser 256.15 ; 505.26
aratoire 18.25
Aratos 49.28
Araucans 371.8
araucaria 37.19
araucariale, 79.4
arbalète
pistolet 43.5
arc 42.3
arbalétrier 42.8
arbalétrière 585.6
arbith 449.11
arbitrable 141.19
arbitrage 141.4 ; 792.36
arbitragiste 81.25
arbitraire
n.m. 90.1 ; 116.4 ; 413.2 ; 629.4 ; 870
adj. 90.9 ; 169.27 ; 413.15
arbitrairement 90.11
exprès 870.14
injustement 413.18
arbitral 141.18
arbitre 141.10 ; 792.67
autorité 59.10
serf arbitre 818.16
franc arbitre 462.1
libre arbitre 116.4 ; 462.1 ; 620.18 ; 870.1
arbitrer 141.14 ; 792.93
préférer 116.10
arbitrium brutum 462.1
arbor- 37.29
arboré 37.26
arborer
lever 531.15
s'afficher 581.6
arborescence
schéma 795.3
arbre 37.1
arborescent 37.25
arboretum
jardin 443.2
plantation 36.16
arboricole
n.m. 355.3
adj. 18.25 ; 37.28 ; 873.23
arboriculteur
agriculteur 18.16
sylviculteur 36.19
arboriculture 36
agriculture 18.1
arborisation 37.1
minéraux 517.13
arborisation terminale 548.9
arboriser (s') 37.24
arbouse 330.13
arbousier 38.4
arbovirose 482.20
arbovirus 512.3
arbre 37
bois 74.1
structure 795.3
t. de mathématique 87.8
t. de technique 57.3 ; 476.12
arbre aux anémones 38.7
arbre aux fraises 38.4

arbre à cames 57.3
arbre à laque 38.8
arbre à papier 38.5
arbre à perruque 37.17 ; 718.7
arbre de Jessé 37.4 ; 215.5 ; 374.4
arbre de la Liberté 37.4 ; 462.18
arbre de Moïse 38.5
arbre de soie 38.9
arbre de vie 37.4 ; 100.7 ; 862.18
arbre franc 36.11
arbre généalogique 314.4
arbre impudique 38.9
arbre saint 38.9
arbrisseau 38.1
arbuste 38
arbustif 38.11
arc
arme 42.3 ; 162.2 ; 337.8
t. d'anatomie 580.11
t. d'architecture 39.18
t. de géologie
t. de géométrie
arc branchial 265.6 ; 638.9
arc de décharge 791.4
arc de triomphe 861.4
arc vertébral 242.2
avoir plusieurs cordes à son arc 634.8
tir à l'arc 820.1
arcab 49.5
arcade
ouverture 585.5
t. d'anatomie 580
t. d'architecture 39.18
arcade dentaire 188.1
arcade fémorale 541.7
arcade sourcilière 814.5 ; 868.6
Arcadie 374.6
arcanderie 485.5
arcane 751.3
arcanson 727.6
arcature
arcade 162.5
arc 39.18
arc-boutant
arcade 162.5
arc 39.18
arc-bouter 39.25
appuyer 791.11
arc-de-cloître 39.19
arc-doubleau
arcade 162.5
arc 39.18
arceau
arcade 162.5
arc 39.18
arc-en-ciel 127.6 ; 473.17 ; 643.6
arch- ou **archi-** 59.26 ; 800.27 ; 822.24
archaïque 206.10
antique 28.11
t. de linguistique 535.28
archaïsant 28.15
archaïsme
ancienneté 28.1
figures de construction 313.3 ; 455.4
archange 29.5
archangélique 29.12
arche
mollusque 527.2
voûte 834.19
arche d'élevage 262.5
arche de Noé 201.6
arche sépulcrale 331.13
archée
araignée 417.13
t. d'alchimie 862.4
archégone
androcée 318.5
sporange 537.2
thalle 22.2
archégoniates 537.3
archéo- 28.20 ; 598.24
archéobactéries 512.4
archéocérébellum 100.7
archéocortex 100.15
archéohyracidé 486.4
archéolambdidé 486.4
archéologie 598.6
histoire 363.1
archéologue 598.8
historien 363.8
archéomagnétisme 478.2
archéoptérix 337.23 ; 570.20
archépallium 100.15
archer 792.55
chevalier 42.8
archère 585.6
archet
de violon, etc. 422.25
outil 760.19
archéterie 422.27
archetier 422.28
archétype
modèle 620.16
t. de biologie 873.11
t. de psychanalyse 503.2
archétypique 521.13
archevêché 699.19
archevêque 822.6
évêque 699.6
archiannélides 856.1
archiatre 498.25 ; 822.9
archicomble 1.16
archicortex 100.15
archicube 274.15
archidiacre 822.6
archiduc 822.4
archiduché 552.10
archiduchesse 822.4
-archie 59.27 ; 694.33 ; 800.28
archiépiscopal 699.32
archière 182.13
archifou 321.23
archigalle 699.25
archimage 477.19
archimagie 477.1
archimandrite 525.12
archimillionnaire 730.19
archimonastère 525.23
archine 509.21
archipel 319.8
archiplein 1.16
archiprêtre 699.7
-archique
-archie 59.27
archi- 822.24
architecte 39.23
constructeur 150.6
architecte paysagiste 443.11
Grand Architecte de l'Univers 215.1
architecte d'intérieur 519.31
architectonie 39.2
équilibre 576.2
charpente 795.2
architectonique
n.f. 39.1 ; 576.2 ; 795.2
adj. 39.26 ; 576.20
architectoniquement 39.29 ; 795.20
architectonographe 39.23
architectonographie 39.1
architectonographique 39.26
architectural 39.26
architecturalement 39.29 ; 795.20
architecture 39
structure 795.2
agencement 150.2
art de construire 845.1
architecture d'intérieur 519.29
architecturé 576.20
architecturer
organiser 577.15
structurer 795.13
ordonner 39.24
architeuthis 527.4
architrave
corniche 77.10
façade 39.12
architriclin 703.16
archivage 126.10
archivé 126.19
archiver 363.14
cataloguer 126.17
enregistrer 273.18
archives 363.6
archives sonores 781.19
image d'archives 120.15
archiviste 126.12
archiviste-paléographe 363.9
archivolte 39.21
archonte
gouverneur 694.20 ; 822.5
archonte polémarque 354.20
archosauriens 712.1
arciforme 162.11
arçon
vider les arçons 119.17
arct- ou **arcto-** 486.34
arctia 417.11
arctique 221.29 ; 327.6
cercle arctique 97.4
arctostylopidé 486.4
Arcturus 49.5
arcure 162.1
ardéiforme 570.4
ardélion 435.7
ardemment
énormément 427.27
chaudement 102.29
passionnément 600.17
Ardennais 695.11
ardent
intense 427.15
chaud 102.24
incandescent 131.27
éclatant 473.33
impatient 382.11
enthousiaste 276.9
passionné 600.13
éloquent 264.10
mal des ardents 267.2
fer ardent 801.7
arder 131.24
ardeur
chaleur 102.1
courage 161
désir 199.5
enthousiasme 7.1
passion 600.3
ardillon
aiguillon 637.3
hameçon 605.13

ardoise
n.f. 252.7 ; 517.2 ; 727.9
adj. 73.8 ; 159.28
ardoiser 727.15
ardoisière 518.2
ardre 131.24
ardu
difficile 217.18
inintelligible 411.14
are 509.7
arec 37.20
arécacée 37.11
arégénératif 482.68
aréique
sec 750.18
désertique 197.8
aréisme
sécheresse 197.3 ; 750.1
areligieux 398.6
arénacé
granuleux 345.11
minéral 517.20
arénaire 123.20
arenaria 318.8
arénavirus 512.3
arène 792.78
aréneux 345.11
arenga 37.21
arénicole
n.f. 856.2
adj. 356.16
arénite 337.15
aréolaire 97.15
aréole
cercle 97.5
t. d'anatomie 639.3
aréomètre
instrument de mesure 509.26
densimètre 187.5
aréométrie 509.25
aréopage 352.9
assemblée 725.3
conseil 148.6
tribunal 835.6
aréquier 37.20
Arès 236.24 ; 354.21
arête
arête de poisson 638.9
bord 77.1
t. de géologie 530.10
t. de géométrie 30.2
Aréthuse 236.42
argali 486.6
arganier 37.18
argas 417.13
argémone 318.26
argent 40
n.m. 159.4 ; 516.5 ; 730
adj. 159.28
payer argent comptant 587.14
prendre pour argent comptant 64.10 ; 145.19
l'argent lui brûle les mains 661.9
âge d'argent 363.4
en avoir pour son argent 745.12
être à court d'argent 603.12
manger son argent 191.14
mur de l'argent 730.5
noces d'argent 88.7 ; 491.11
âge d'argent 14.7
argentage 40.6
argental
or argental 575.4
argentan ou **argenton** 40.2
argentation 40.6
argenté
gris 40.8
blanc 71.15
riche 730.19
bijouterie en argenté 70.14
argenter 727.15
orfévrer 70.20
argenterie 848.34
faire l'argenterie 40.7 ; 550.29
argenteux 40.9
riche 730.19
argenti- 516.16
argentier 848
argentier vaisselier 519.4
le grand argentier 708.10
argentifère
métallifère 516.11
argenteux 40.9
argentin
couleur 40.9
son 781.30
Argentin 355.10
argentique
minéral 516.10
argenteux 40.9
argentisme 529.14
argentiste 529.25
argenteux 40.9
argentite 516.5
argento- 40.10 ; 516.16
argentopyrite 40.1
argenture 40 ; 70.16
recouvrement 727.11
argilacé 159.28
terreux 813.26
argile 813.10
terre cuite 749.13
argileux 813.26
argilifère 813.26
arginase 94.24
arginine 94
argiope 417.13
argol
bois 131.7
bouse 296.3
argomuche 455.3
argon 113.7
gaz rare 335.2
argonaute 527.4
argot 455.3
argotique 455.19 ; 535.28
argotisant 455.11
argotiser 455.15
argotisme 455.4
argotiste 455.12
argotologie 455.7
argousier 38.4
argousin 208.17
argue 476.9
arguer 536
arguer de 656.4
argule 172.3
argument
preuve 614.5 ; 620.22
prétexte 656.1
résumé 691.9
t. de mathématique 493.2
argument de recherche 408.17
tirer argument de 536.9 ; 656.4
argumentaire 536.2
argumentant 626.5
argumentateur
sophiste 682.8
orateur 614.6
argumentation
raisonnement 682.1
preuve 620.22
dialectique 614.4 ; 729.8
argumentation juridique 626.4
argumenter
invoquer 536.9
raisonner 682.9
argus 570.9
gardien 641.12
argutie 316.8
ratiocination 682.4
argynne 417.11
argyre 516.17
argyresthia 417.11
argyrie 267.2
carnation 604.2
argyrisme ou **argyrose** 267.2
argyrite 516
argyro- 516.16
argyronète 417.13
argyroplocé 417.11
Arhat 80.9
aria
souci 785.2
embarras 567.7
mélodie 106.11
Ariane
fil d'Ariane 19.5 ; 221.7
arianisme 117.2 ; 818.23
aride
sec 750.18
désert 197.8
improductif 389.12
climat aride 127.1
aridité
sécheresse 750.1
insensibilité 418.2
stérilité 389.2
aridoculture 750.10
ariel 49.10
arien 117.11
Ariétides 49.12
ariette 106.11
arille 330.3
arioso 106.11
aristide 360.7
aristo 552.17
aristocrate
n. 552.17
adj. 552.24
aristocratie 694.8
élite 800.5
aristocratique 552.25 ; 694.28
aristocratiquement 552.31
aristocratiser (s') 552.22
aristocratisme 808.22
aristogenèse 293.6
darwinisme 873.12
aristolochiales 79.4
aristotélisme 620.13
arithmancie 555.11
astromancie 235.2
arithme 555.19
arithmétique 555.9
calcul 87.1
scolarisation 274.6
arithmétiquement 87.16
arithmo- 555.19
arithmologie 555.10
arithmomancie 555.11
astromancie 235.2
arithmosophie 555.11
arlequin 628.7
arlequin de Cayenne 417.3

manteau d'Arlequin 748.4
arlequinade
farce 628.5
comédie 817.5
armada 540.3
armadillo 172.3
armagnac 75.13
armateur 830.24
armature
structure 577.1
soutien 791.4
t. de musique 543.13
armaturer 791.11
arme 43
armée 41.1
artillerie 820.9
arme à feu 311.8
arme offensive 50.9
pl.
armoiries 552.13
escrime 792.17
armes à pied 41.3
à armes égales 256.28
à armes courtoises 472.16
aux armes 21.17 ; 43.25 ; 354
donner des armes à 572.12
faire ses premières armes 445.9 ; 649.13
fléau d'armes 42.1
métier des armes 354.13
présenter les armes 366.16 ; 487.26 ; 741.17
rendre les armes 180.9
armé
n.m. 834.36
adj. 834.46
armé pour 646.11
verre armé 855.3
armée 41 ; 354.17 ; 540.3
Armée du salut 117.8
armement
armes 43.1
chargement d'une arme 820.11
t. de pêche 605.13
t. de marine 830.10
armement ancien 42
arménien
n. 455.14
adj. 117.9
Arménien 355.6
armer
renforcer 778.10
équiper en armes 43
charger une arme 820.22
t. de photographie 621.21
armer contre 572.12
armer (s') 43.24 ; 354.26
prendre garde 674.7
s'armer de courage 161.8
s'armer de patience 601.8
armet 42.7
armeuse 476.9
armillaire 103.9
arminianisme 818.23
arminien 117.13
armistice
défaite 354.8
cessez-le-feu 589.2
armoire 519.2
armoire à glace 359.3 ; 864.5
armoire à outils 584.2
armoiries
blason 552.13
figure 709.3
vignette 578.7
armoise
fleur 318.10
épice 333.27
armoisin ou **armoise** 816.4
armorial 552.11
armoricain 695.11
à l'armoricaine 333.51
armure
cuirasse 42.7 ; 43.1
protection 204.3
t. de physique 307.2
t. de musique 543.13
t. de textile 816.8
armurerie 43.18
aciérie 307.13
armurier 43.19
A.R.N. 94.12
arnaque 838.5
arnaqué 284.14
arnaquer 838.14
arnaqueur 284.7
Arneb 49.5
arnica 318.10
arobase 765.10
arobe 509.23
arol 37.16
aromate
parfum 594.1
épice 333.27
condiments 343.4
aromathérapie 775.4
aromaticité 113.11
aromatique 569
aromatiser 594.10
arôme
teneur 322.10
parfum 569.2 ; 594.1
arpège 543.26
arpéger 543.45
arpent 509.22
arpentage 509.2
arpenter
mesurer 509.28
marcher 672.18
arpenteur 509.27
oiseaux arpenteurs 570.5
arpenteuse
chenille 417.20
prostituée 672.9
chenille arpenteuse 417.19
arpète
apprenti 35.3
représentant 135.17
couturier 165.22
arpion 623.1
-arque 59.27 ; 800.28 ; 822.24
arqué 502.17
courbe 162.11
arquebuse 42.5 ; 43.5
arquebuser 820.25
arquepincer 44.11
arquer 162.8
arquer (s') 162.10
arrachage
extraction 188.18 ; 301.1
t. d'agriculture 18.4
arrache- 584.39
arraché
n.m. 792.9
à l'arraché 864.20
coup d'arraché 869.3
adj.
extirpé 301.13
arrache-clou 301.5
arrachement
séparation 756.4
arrachage 301.1
arrache-pied (d') 255.12
travailler d'arrache-pied 266.24
arracher
extraire 301.9
supprimer 205.23
arracher aux griffes de la mort 353.17
arracher le cœur 625.10
arracher (s')
se séparer 756.15
déguerpir 189.10
se démener 255.5
s'arracher comme des petits pains 684.26
s'arracher de 301.12
s'arracher du sommeil 851.13
s'arracher les cheveux 198.7 ; 217.11
s'arracher les yeux 410.7
arracheur 295.7 ; 301.8
arracheur de dents 188.19
arracheuse 301.5
arrachis 36.14
extraction 295.3
arraisonner 522.15
arrangé
organisé 577.22
ordonné 126.18
amoché 72.21
accoutré 859
mariage arrangé 491.6
arrangeable 141.19
arrangeant 302.24
conciliant 141.22
arrangée 417.11
arrangement
organisation 577.4
préparatif 649.2
compromis 702.1
pacte 586.4
arrangement à l'amiable 6.2
arranger
structurer 795.13
maltraiter 72.19
satisfaire 745.8
préparer 649.10
réparer 702.7
soigner 774.19
régler 141.14
arranger (s')
s'accorder 6.9
se réconcilier 141.16
se préparer 859.37
ne pas s'arranger 16.5
arrangeur
aménageur 577.12
orchestrateur 542.14
arrérager 209.21
arrérages 587.6
impayé 209.7
dividende 849.9
arrestation 44
arrestation arbitraire 208.2
arrestation illégale 169.7
arrestographe 245.47
arrêt
fin 315.3
repos 706.1
jugement 451.14
arrestation 44.1
escale 829.7
arrêt cardiaque 534.13
arrêt de pêne 760.7

arrêt de travail 389.4 ; 393.3
être en arrêt 805.7
mandat d'arrêt 133.5
être aux arrêts 208.24
arrêté
n.m. 245.30
arrêté d'expulsion 44.3
arrêté de compte 66.18
adj.
limité 467.12
appréhendé 44.15
arrête-bœuf 318.27
arrêter
déterminer 716.4
renoncer 701.6
entraver 567.11
emprisonner 44.11
arrêter son esprit sur qqch 52.5
arrêter un article 587.21
arrêter un choix 116.8
arrêter (s') 51.8 ; 315.13
se reposer 706.12
faire étape 355.27
s'arrêter à 52.5 ; 116.8
arrêtiste 451.19
juriste 245.47
arrêtoir 78.8
cran d'arrêt 467.6
arrhénathérum 360.7
arrhénoblastome 841.3
arrhénotoquie ou **parthénogenèse arrhénotoque** 711.2
arrhes 587
arriérages 849.9
arriération 784.1
arrière- 193.26 ; 647.32
arrière
n.m.
derrière 221.5
défense 182.20
joueur 792.49
arrière gauche 334.6
arrière ! 263.16 ; 431.4
à l'arrière 683.24
à l'arrière-plan 232.14
en arrière 193.19 ; 263.10 ; 683.24
regarder en arrière 598.12
pl.
arrières 193.1 ; 354.10
assurer ses arrières 714.11
arriéré
n.m.
dette 209
retard 724.1
adj.
rétrograde 206.9
attardé mentalement 784.5
arrière-bec 834.5
arrière-boutique 193.2
arrière-bras 502.2
arrière-cabinet 193.2
arrière-chœur 193.4
arrière-corps
façade 211.2
structure 39.16
bordure 505.7
arrière-cour 481.13
poupe 193.2
arrière-cousin 314.7
arrière-cuisine 193.2 ; 333.30
arrière-faix
annexes embryonnaires 265.8
liquide amniotique 544.9
arrière-fond 193.3
arrière-garde
n.f. 193.9 ; 487
en arrière-garde 683.24
arrière-goût 647.9
arrière-grand-mère 506.6
arrière-grand-père 609.7
arrière-main 211.7
arrière-neveu 314.7
arrière-nièce 314.7
arrière-pays 193.2 ; 430.5
environnement 673.4
arrière-pensée 375.6
intention 428.3
arrière-plan
second plan 769.4
arrière-fond 193.3
arrière-port 193.2
arriérer 724.10
arrière-radier 834.6
arrière-saison
automne 738.4
vieillesse 863.1
arrière-salle 193.2
arrière-scène 193.2
plan 748.3
arrière-train 193.6
arrimage 489.3
arrimer 489.17
arrivage 45.4 ; 278.8
arrivant
n. 34.6 ; 278.8
adj. 45.15
arrivé
n. 34.6 ; 45.6
adj.
arrivant 45.15
installé 495.7
parvenu 670.17
arrivée 45 ; 871.14
entrée 34.3 ; 278.1
arriver
parvenir 86.7
apparaître 278.12
avoir lieu 5.18
réussir 667.9 ; 798.14
arriver à 685.12
arriver comme les carabiniers 724.13
arriver en haut de l'échelle 341.17 ; 798.17
être arrivé à bon port 752.12
il arrive que 686.6
arrivisme
opportunisme 571.5
ambition 667.4
arriviste 667.6
opportuniste 571.6
arrobe 765.10
arroche 318.9
arrogance 655.2
dureté 248.1
hauteur 312.2
arrogant
antipathique 192.14
orgueilleux 312.11
prétentieux 655.10
arroger (s') 413.11
arrondi
n.m. 162.2
adj.
courbe 162.13
labial 781.8
arrondir
augmenter 56.7
courber 162.8
arrondir les angles 30.9 ; 522.13
arrondir sa pelote 730.12
arrondir ses fins de mois 739.13
arrondir (s')
grossir 351.9
se courber 242.9
arrondissage 162.7
arrondissement
augmentation 56.1
subdivision administrative 845.10
arrosage
irrigation 372.6
pot-de-vin 241.4
arrosement
humidification 372.6
toilette 468.6
arroser
asperger 372.13 ; 468.9
inonder 633.14
bombarder 820.24
surpayer 241.19
arroser un évènement 309.17
arroser (s')
s'arroser le gosier 75.27
arroseur 372.9
arrosoir
ustensile d'arrosage 372.9
mollusque 527.2
arroyo 319.4
ars dicendi 729.1
ars loquendi 729.1
arsenal
assortiment 352.5
amas 1.3
matériel 584.2
manufacture d'armes
arsenic 113.7 ; 267.4 ; 516.5
verre d'arsenic 855.5
arsenical 516.10
fer arsenical 307.4
arsenicisme 267.2
arsénico- 516.16
arsénieux 516.10
arsénifère 516.11
arsénio- ou **arséno-** 516.16
arsénique 113.8
arséno- → **arsénio-**
arsine 335.6
arsouiller (s') 441.12
art
beaux-arts 607.1 ; 709.2
chic 646.3
savoir-faire 10.3 ; 747.3
métier 266
homme de l'art 266.19 ; 498.23 ; 747.9
livre d'art 469.9
art cinétique 538.16
art culinaire 333.1
art de vivre 620.1 ; 862.14
art dentaire 114.2 ; 188.13
art des jardins 443.1
art déco 46.12 ; 519.27
art dramatique 817.1
art lyrique 106.7
art militaire 354.13
art musical 543.1
art nouveau 560.4
art oratoire 626.3
art pictural 607.1
art poétique 635.18
art poliorcétique 487.20
grand art 477.1
septième art 120.1
pl.
arts plastiques 607.1 ; 749.1

arts profanes 663.5
arts sacrés 736.10
Artaban
fier comme Artaban 312.10
artabotrys 38.9
art des jardins **443**
artefact 662.5
artel 222.8
artelle 584.27
chalumeau 632.19
artémésies 310.8
artémia 172.3
Artémis 236.14
artère
vaisseau 128 ; 742.9
canalisation 618.9
route 845.14
artéri- ou **artério-** 128.27
artérialisation 718.5
artériectomie 114.13 ; 128.18
artériel
cardiaque 128.24
sanguin 742.29
élasticité artérielle 128.3
artério- → **artéri-**
artériographie
électrocardiographie 128.16 ; 498.16
hématologie 742.21
artériole 128.2
artériologie 128.15
artériopathie 482.13
artérioscléreux 482.66
artériosclérose 482.13
artériotomie 128.18
artérite 482.13
artéritique 482.66
arthr- ou **arthro-** 580.33
arthralgie 482.11
arthralgique 482.65
arthrectomie 114.13
arthrite
rhumatisme 580.26
algésie 243.3
arthritique 482.65
arthritisme 482.11
arthro- → **arthr-**
arthrobranchie 172.4
arthrocentèse 114.7
arthrodèse 114.6
arthrodie 580.18
arthrodires 638.4
arthrographie 498.16
arthrologie 580.27
arthropathie 482.11
arthroplastie 114.17 ; 580.27
arthropode **172 ; 417**
arthrose 482.11
algésie 243.3
arthrosique 482.65
arthrospore 103.3
arthrostomie 114.15
arthrotomie 114.14
Arthur
se faire appeler Arthur 710.19
artichaut
n.m.
pièce de fer 637.4
plante potagère 333.17 ; 443.5
adj.
vert 857.11
article
n.m.
arme 43.1
article de loi 245.33
déterminant grammatical 346.10 ; 535.2
article de presse 225.9
marchandise 490.1
pl.
articles organiques 245.6
article de foi 320.4 ; 700.4
faire l'article 135.27 ; 581.8
articlier 654.17
articulaire 580
apophyse articulaire 580.11
articulation
réunion 725.1
prononciation 595.2
t. d'anatomie 502.1 ; 580.18
articulatoire 595.30
articulé
n.m.
t. de zoologie 873.25
articulé dentaire 188.2
adj.
intelligible 425.14
prononcé 595.30
type de feuille 37.27
articuler
structurer 150.8 ; 795.13
prononcer 425.9 ; 535.22 ; 781.26
articulet 654.8
artifice
adresse 10.1
ruse 838.4
feu d'artifice 309.12 ; 311.6
artificiel
factice 12.12
fabriqué 159.7 ; 662.23
lumière artificielle 250.27 ; 473.2
paradis artificiels 825.1
artificiellement 662.26
artificier
sapeur-pompier 311.16
tirailleur 820.18
artificieusement 316.23
artificieux
habile 316.19
hypocrite 373.16
trompeur 838.19
artillerie 43 ; 820.9
infanterie 41.3
artilleur
fantassin 41.12
tirailleur 820.18
artiodactyle
digitigrade 873.24
carnivore 486.3
artisan
meneur 15.4
main-d'œuvre 480.1
artisan créateur 70.19
artisanal 662.22
artisanalement 662.26
artisanat
métier 266.2 ; 662.5
ensemble des artisans 480.2
artisanerie 734.1
artiste 69.11
interprète 432.10
artiste capillaire 129.12
artiste lyrique 106.17
vie d'artiste 862.13
artistement 69.21
parfaitement 677.18
artistique 46.14
artothèque 607.24
arum 318.32
arvale 699.25
Arvernes 371.16
arvicole 356.16
Arya Samaj 362.1
ary-aryténoïdien 541.11
Aryens 371.16
aryle 113.9
arythmie 128.13 ; 482.13
arythmique
saccadé 402.11
hypertendu 482.66
as
champion 424.7 ; 800.8
unité de poids 636.12
monnaie 82.5 ; 529.11
carte à jouer 446.4
as du volant 57.22
carré d'as 446.7
attifé comme l'as de pique 859.45
asa fœtida ou **ase fétide** 499.9
Asamskrita 80.8
asaret 360.8
asbeste 517.2
asbestose 676.13
ascaride 856.2
ascaridiase ou **ascaridiose** 482.35
ascaris 856.2
ascendance
filiation 314
t. d'astronomie 531.1
ascendance thermique 127.8
pluie d'ascendance frontale 633.4
ascendant
n.m.
influence 240.2 ; 407.1
ancêtre 314.5 ; 609.7
exercer de l'ascendant sur 407.15
adj.
croissant 344.11
montant 531.19
ancestral 609.11
ligne ascendante 314.2
ascenseur
élévateur 489.10
escalier 481.29
toboggan 195.6
ascenseur à poissons 834.9
ascenseur social 667.1
se renvoyer l'ascenseur 596.26
ascension
montée 531
élévation 667.1
escalade 792.25 ; 871.8
ascension droite 49.21
faire l'ascension de 530.15
Ascension
fête religieuse 117 ; 310.3
élévation de Jésus-Christ au ciel 591.3
œuvre d'art 374.3
ascensionnel 531.19
ascensionner 530.15 ; 531.13
ascensionniste 530.13
ascèse **47**
renoncement 701.3
ascète 47.7 ; 108.4
sage 533.11 ; 810.5
ascétère 47
ascétique 47 ; 525.32
tempérant 810.11

ascétiquement 47.13
ascétiser 47.8
ascétisme 47
puritanisme 533.3
sobriété 810.4
continence 108.2
ascidie 318.3
Asciens 355.14
ASCII
code ASCII 408.9
ascitique 482.82
asclépiadacées 318.34
Asclépios 236.33
asco- 103.19
ascogène 463.6
ascolichen 463.1
ascomycètes 79.4
champignon 103.7
ascophyta 103.8
ascorbate 499.6
ascorbique
acide ascorbique 214.7 ; 499.6
acide ascorbique-oxydase 94.24
ascospore 103.3
ascot 859.25
ascothoraciques 172.2
asdic 207.6
-ase 94.36
ase fétide → asa fœtida
aséismique 337.31
aséité 215.13
aselle 172.3
asémanticité 557.1
asémantique 557.8 ; 753.15
asepsie 498.6
propreté 669.1
aseptisation 512.10
aseptisé
stérilisé 669.12
impersonnel 419.13 ; 630.11
aseptiser
désinfecter 114.33 ; 512.13
Ases 236.24
asexué 711.23 ; 763.43
Ashantis 371.11
ashkénaze 449.29
Ashkénaze 449.24
ashram 47.4 ; 362.11
monastère 525.22
Ashtart 236.21
asianique
langues asianiques 455.14
Asiate 371.5
Asiatique 371.5
asile
maison de santé 775.21
refuge 356.2 ; 368.4 ; 671.4
asile de fous 321.11
asile de nuit 603.8
dernier asile 331.14
terre d'asile 288.13
asile
mouche 417.9
asilidés 417.8
asiminier 38.7
asinien 486.31
asismique 337.31
Ask 236.9
Asmats 371.12
Asmodée 186.4
asociabilité 420.1
asocial
n. 420.3
adj. 420.9
asocialité 420.1
asopia 417.11
asparagine 94.10
asparagopsis 22.4
aspartame 499.6
édulcorant 214.4
aspartate 94.19
aspartique
acide aspartique 94.10
aspe 638.5
aspect
forme 323.4
perspective 158.5 ; 868.8
t. de linguistique 346.4
sous un certain aspect 30.12
aspectuel 346.12
asperge
n.f.
personne grande 359.3
plante potagère 333.17
adj.
vert asperge 857.11
aspergée 468.6
asperger
humidifier 372.13
arroser 468.9
aspergeraie, aspergerie ou **aspergière**
gazon 360.6
champ 18.10
aspergès 468.6
aspergillales 103.5
aspergillose 482.36
aspérité
inégalité 402.1
bosse 78.1
aspermatisme 482.33
impuissance 762.25
aspermie 482.33
stérilité 711.11
impuissance 762.25
aspersion
arrosement 468.6
t. de liturgie 98.5 ; 173.7
aspersoir 508.12
aspérule 318.28
asphaltage 834.25
recouvrement 727.11
asphalte
enduit 727.6
supercarburant 617.5
bitume 834.36
asphalter 727.15
goudronner 834.44
asphalteur 727.12
asphaltier 830.5
navire 618.9
ouvrier 834.37
asphaltique 834.36
asphérique 574.20
asphodèle 318.17
asphygmie 128.13
asphyxiant
toxique 335.23
étouffant 718.33
asphyxie
anoxémie 534.13 ; 718.9
étouffement 205.7
t. de botanique 79.16
asphyxier
gazer 335.17
étouffer 169.22 ; 534.28
asphyxier (s') 718.26
aspic
serpent 712.3
canon 42.5
outil 518.8
en aspic 333.52
aspidiotus 417.5
aspidistra 318.17
aspidosperma 37.11
aspirail
cheminée 585.7
brûleur 109.16
aspirant
n.m.
élève officier 41.15
adj.
qui aspire 54.11
pompe aspirante 531.9
aspirateur
n.
appareil ménager 550.17
adj.
qui aspire 54.11 ; 718.29
aspirateur 550.26
aspiration
respiration 20.6 ; 718.3
avortement 711.13
espoir 285.1
désir 199
intention 428.1
idéal 664.1
aspiratoire
attractif 54.11
respiratoire 718.29
aspirer
pomper 54.8 ; 531.15
inspirer 20.14 ; 718.23
aspirer par le nez 569.19
aspirer à 199.9 ; 285.4 ; 870.7
asplenium 360.9
aspre 529.13
asque 463.2
spore 103.3
asr 657.16
assabler 605.27
assacu 37.19
assagir
apaiser 89.7
calmer 522.15
assagir (s') 620.29
se tempérer 522.13
se calmer 810.9
assagissement 810.3
atténuation 522.5
assaillant
n. 50.10
adj. 50.18 ; 487.41
assaillir
attaquer 50.13
assiéger 487.31
assaillir de questions 680.11
assainir
normaliser 558.6
assécher 750.13
nettoyer 550.35 ; 669.9
assainissement
assèchement 18.4 ; 750.3
évacuation des eaux souillées 834.8
nettoyage 550.11
assainisseur 569.13
assaisonnement 333.2
assaisonner
épicer 333.37 ; 343.16
contaminer 482.58
critiquer 710.13
assassin
n.m. 534.17
secte des assassins 440.2
n.f.
assassine 859.31
assassinat
meurtre 534.12
homicide 169.3
assassiner 534.28
ennuyer 272.9
tuer 169.22

assaut
attaque 50.1 ; 487.14
t. d'escrime 792.17
d'assaut 50.21
faire assaut d'amabilité 163.7
faire assaut d'esprit 424.9
asse 18.15
asseau 584.17
assèchement
séchage 750.3
travaux des champs 18.4
assécher 750.13
assemblage
système 807.1
réunion 725.1
agencement 150.2
parquet à assemblage 505.4
assemblage combustible 131.9
assemblé
n.m. 176.16
assemblée
foule 540.2
conseil 148.6
meeting 137.10
Chambre 708.5
assembler
grouper 352.15
attacher 725.12
rapprocher 685.7
assembler (s') 148.14
assembleur 408.12
assembleur 352.13
ouvrier du livre 388.16
assembleuse 352.14 ; 476.10
assener ou **asséner** 160.11
t. de pêche 605.27
assentiment
accord 6.3
consentement 149.1
assentir 149.10
asseoir
affermir 769.9
faire durer 611.13
surprendre 805.5
t. de construction 150.9
t. d'arboriculture 150.9
asseoir un impôt 317.34
asseoir (s')
s'asseoir sur 200.5 ; 547.12
assermenter 650.5
asserter 13.6
assertif 13.10
assertion
affirmation 13.1
modalité 622.7
assertivité 13.4
assertorique
jugement assertorique 450.4
asservi 787
asservir
subordonner 405.8
soumettre 240.12
asservir (s') 787.17
asservissant
astreignant 565.14
contraignant 787.23
asservissement 240.5
soumission 787.1
asservisseur
n.m. 240.7
adj. 787.23
assez 745.16
combien 678.19
suffisamment 744.13
assez bien 677.19
assibilation 764.4
assibiler 764.9
Assidéens 449.25
assidu 651.13
persévérant 612.4
habitué 357.11
assiduité
constance 153.6
persévérance 612.1
ponctualité 644.1
assidûment 644.6
assiégé
n. 50.12
assiégeant
n. 50.10
adj. 50.18 ; 487.41
assiéger 487.31
assiette
base 791.2
position 769
stabilité 282.1
assiette à soupe 848.2
assiette de l'impôt 317.5
assiette politique 260.11
être dans son assiette 743.7
garder son assiette 282.14
assiettée
bouchée 678.5
poignée 152.3
assignat 529.4
assignation
attribution 241.8
prescription 650.1
t. de droit 451.6
assignation à résidence 208.3
assigner
attribuer 241.14
prescrire 650.6
t. de droit 451.26
assigner à résidence 208.19
assigner un terme à 467.7
assimilabilité 423.5
assimilable
comparable 138.11
digérable 218.22
intégrable 423.12
assimilant 423.13
assimilateur 797.12
assimilatif 423.13
assimilation
apprentissage 35.1
comparaison 138.1
digestion 218.1
intégration 423.1
assimilation chlorophyllienne 79.9
assimilatoire 423.13
assimilé
intégré 423.11
compris 275.14
assimiler
intégrer 423.8
digérer 218.19
apprendre 35.4
assimiler (s') 423.10
Assiniboins 371.7
assis 495.7
établi 769.13
assise
base 791.2
t. d'anatomie 821.3
assise génératrice 74.2
assises
congrès 642.2
t. de géologie 530.10
assistanat 19.11
assistance
aide 19
auditoire 651.5
participation 596.4
assistance à personne en danger 19.3
assistance judiciaire 835.14
assistance respiratoire 718.18 ; 775.9
assistant
n. 19.14 ; 274.14 ; 498.25 ; 651.6
assistante de police 641.6
assistante maternelle 270.9
assistante sociale 19.14
assistant-réalisateur 120.26
assisté 19.17
assister
soigner 775.24
aider 19.18
assister à 596.18 ; 651.8
assister qqn 19.23
associabilité
réunionnite 725.6
sociabilité 772.2
associable 596.36
correspondant 698.10
associatif 352.22
t. de mathématique 493.9
associatif
aires associatives 100.16
association
réunion 725.1
généralisation 275.4
collaboration 7.7
alliance 596.7
ligue 694.23
association de consommateurs 191.6
association de malfaiteurs 169.8
association médicamenteuse 499.2
association microbienne 512.7
association secrète 137.7
aire d'association visuopsychique 100.16
règle de libre association 375.14
associationniste 222.14
associationnisme 222.3
corporatisme 352.12
t. de philosophie 620.11
associé
n. 596.11
adj. 352.23
associer
rassembler 352.18
allier 501.13
agencer 150.8
associer (s') 596 ; 772.11
s'attrouper 725.14
s'adjoindre 9.16
assoiffé 75.32
assoiffé de sang 497.10
assoiffer 75.31
assolement 18.2
assoler 18.20
assombri
obscur 566.12
soucieux 785.11
assombrir
foncer 553.10
obscurcir 566.7

alarmer 785.7
attrister 836.7
assombrir (s') 566.8
assombrissant 566.11
assombrissement 566.4
assommant 272.13
assommé
accablé 11.27
assommement 272.4
assommer
ennuyer 272.9
estourbir 160.12
assommoir
cabaret 75.19
piège 107.5
coup d'assommoir 290.5
assomptif 291.12
assomption
supposition 802.2
t. de logique 658.3
Assomption 591.3
Assomption de Notre-Dame 310.4
assomptionniste 525.10
assonance
redondance 704.3
rime 635.15
assonancé 143.12
assorti 143.13
organisé 577.22
approvisionné 490.27
assortiment
mélange 234.3
collection 758.5
cocktail 501.5
livres d'assortiment 469.11
assortir
accorder 143.7
grouper 352.15
colorer 159.20
approvisionner 490.18
assortir (s') 490.18
assortissage 490.2
assortissement
collection 758.5
échantillon 490.2
assortisseur 490.16
assortisseuse 476.7
assoti 27.26
assoupi
somnolent 397.15
endormi 780.24
assoupir
calmer 89.10
endormir 780.23
assoupir (s')
s'endormir 780.16
lambiner 458.14
assoupissant 780.25
assoupissement
relâchement 394.1
somnolence 780.5
assouplir
amollir 526.7
déraidir 259.8
habituer 649.11
assouplir (s') 35.5
assouplissant 526.4
assouplissement 259.5 ; 792.35
Assour 236.10
assourdi 781.30
assourdir
abasourdir 803.11
atténuer 522.11
ennuyer 272.9
assourdissant 803.13
bruyant 83.19
assouvi
rassasié 744.8
satisfait 745.15
assouvir 744.3
exaucer 745.9
assouvir (s') 703.26
assouvissance 744.2
assouvissement
satiété 744.2
calme 89.4
satisfaction 745.2
assuétude 787.1
assujetti
n.
t. de droit 317.32
adj.
soumis 787.21
assujettir
obliger 565.8
soumettre 240.12
assujettir à l'impôt 317.33
assujettir (s') 696.16
s'asservir 787.17
assujettissant
astreignant 565.14
contraignant 787.23
assujettissement
asservissement 240.5
soumission 787.1
assumer
assumer la charge de qqn 19.23
assumer un rôle 59.14
assumer (s') 149.13
s'appartenir 462.23
assurable 671.33
assurance
conviction 99.1
promesse 666
confiance en soi 145.5
assurance sur la vie 862.9
assurance tous risques 57.18
aller d'assurance 107.27
en toute assurance 145.28
assurance-crédit 209.6
assurance-vie 862.9
assuré
confirmé 99.8
garanti 671.27
sûr de soi 145.23
assurément 614.16
certes 99.10
assurer
certifier 99.4
persuader 614.7
garantir 653.13
assurer (s')
se protéger 671.24
prendre garde 674.7
s'assurer la main 479.14
s'assurer sur 145.13
assyllabie 459.12
assyrien 363.3
Assyrien 355.8
assyriologie 363.2
astacicole 262.32
astaciculteur 262.23
astaciculture 262.3
astacidés 172.2
astarté 527.2
Astarté 27.15
astasie 282.3
astate 113.7
astatique 282.19 ; 496.15
astaxanthine 94.20
astér- 49.37
aster 318.10
astéracées 318.10
astérides 527.8
astérie 527.9
astérion 580.20
astérisque 765.10
astéro- 49.37
astéroïde 49.6
asteya 362.6
asthén(o)- 405.23
asthénie 405.1
neuropathie 548.20
fatigue 303.2
asthénospermie 762.25
asthénosphère 337.10
asthmatiforme 482.76
asthmatique 482.76
asthme 718.15
astic 584.15
asticot 417.20
asticotage 549.6
asticoter 549.15
asticotier 605.19
astigmate 840.17
malvoyant 482.74
astigmatisme 574.11
myopie 482.27
astilbe 318.29
astiquage 640.2
astiquer 550.29 ; 640.8
cirer 110.19
astomie 484.4
astr- 49.37
astragale
t. d'anatomie 580.17
t. d'architecture 39.15
astral
cosmique 49.33
corps astral 380.3
lampe astrale 250.11
astrantia 318.20
astrapothérien 486.4
astrapothériidé 486.4
astre
étoile 49.4
célébrité 341.11
astre ascendant 531.10
l'astre au front d'argent 40.5
l'astre aux cornes d'argent 474.1
Astrée 236.19
astreignant 565.14
laborieux 255.10
contraignant 787.23
astreindre
obliger 565.7
prescrire 650.5
astreinte
contrainte 565
t. de droit 144.8
astriction 289.6
astrild 570.8
astringence 154.6
astringent
n.m. 154.4
adj. 154.16
astro- 48.17 ; 49.37
astrobiologiste 49.26
astrochimie
chimie 113.1
astronomie 49.1

astrochimiste 49.26
astrocyte 548.9
astrocytome 841.3
astroglie 548.9
astrolâtrie 700.6
astrologie 235.3
astrologien 235.12
astrologique 235.18
astrologue 49.27
alchimiste 477.19
astromancie 235.2
astromancien 235.14
astrométrie 509.25
astronomie 49.1
astrométriste 49.26
astronaute 48.10
cosmonaute 49.26
astronauticien 48.11
astronautique 48 ; 49.1
transport aérien 831.1
astronef 48.2
astronome
astrophysicien 49.26
astrologue 235.12
Astronomia nova 49.28
astronomie 49
scolarité 274.6
astronomie nautique 48.8
astronomique 49.33 ; 811.4
jour astronomique 610.5
astrophotographie 621.2
astrophysicien 49.26
astrophysique 49.1
astrotaxie 221.12
astuce
plaisanterie 628.4
truc 316.10
astucieusement 316.23
astucieux
intelligent 424.11
ingénieux 316.19
Asvin 236.33 ; 362.16
asymbolie 397.5
asymétrie
dissemblance 229.1
inégalité 402.1
asymétrique 402.12
discordant 224.10
asymptomatique 498.37
asymptote 338.7 ; 685.6
asynchronisme 60.2
asyndète
syntaxe 622.6
figures de construction 313.3
asystématique 807.20
asystolique 482.66
-at 499.39 ; 822.23
atacamite 516.5
Ataouats 371.13
Atar 311.14
ataraxie 401.5
calme 89.1
sagesse 620.23
ataraxique 418.14
ataval 361.20
atavique 304.14
héréditaire 361.20
atavisme
hérédité 361.1
air de famille 304.9
-ate 94.36 ; 113.30
atèle 486.14
atéleste 417.3
atelier
lieu de travail 464.6
corporation 137.7
cours 274.10
studio d'artiste 607.24
atelier de couture 165.20
atelier de restauration 702.4
Atelier du Sculpteur 49.15
atemporalité 287.1
atemporel 287.11
aténolol 499.5
ater 822.7
atermoiement
hésitation 438.3
t. de droit 209.13
atermoyer
attendre 647.16
tergiverser 438.5
ateuchus 417.3
athalie 417.7
athanor 477.14
atharvaveda 815.7
Athasbacans 371.7
athée 398.9 ; 700.12
athéisme 700.7
incroyance 398.1
athéistique 398.16
athématisme 543.24
Athéna 236
athénienne 519.8
athèques 712.8
athérine 638.6
athérinidé 638.3
athérix 417.9
athermane
conducteur 102.28
verre soufflé 855.3
athérogène 482.66
athéromateux 482
athérome 482.13
athérosclérose 482.13
athérure 486.5
atheta 417.3
athlète 792.45
athlétique 792.95
énergique 864.15
athlétisme 792.3
athous 417.3
athrepsie 482.40
malnutrition 563.8
athrepsique 482.79
athyrium 360.9
atimie 227.7
-ation 7.18 ; 104.29
atlante
mollusque 527.3
t. d'architecture 749.6
atlantisme 808.20
atlantiste 808.46
atlantosaure 337.22
atlas
t. d'anatomie 580
recueil de cartes 469.8
Atlas 791.9
géant 236.40
Atlas
satellite de Saturne 49.10
Atman 736.4
samsara 362.5
atmo- 20.23 ; 127.23
atmosphère 20.2 ; 49.22
air 335.2
environnement 280.2
atmosphère explosive 131.11
atmosphère péricapillaire 128.2
atmosphérique
aéraulique 20.18
climatique 127.18
électricité atmosphérique 261.1
pression atmosphérique 322.2
visibilité atmosphérique 867.2
atoll 319.8
atomaria 417.3
atome
particule 113.2 ; 513.3 ; 597.1
parcelle 616.4
atome-gramme 509.15
atomicité 113.11
atomique 113.24 ; 513.14
énergie atomique 269.12
guerre atomique 354.2
unité de masse atomique 509.8
masse atomique 113.6 ; 509.4
atomisation
fractionnement 597.4
désintégration 205.3
atomisé 202.12
atomiser
pulvériser 676.16
détruire 205.14
atomiseur 676.10
atomisme 597.9
t. de science 513.1
t. de philosophie 620.14
atomisme mental 375.14
atomiste
t. de science 513.11
t. de philosophie 620.32
atomistique
n.f. 513.1
adj. 513.14
Aton 236.34 ; 777.12
atonal 543.52
atonalité 543.24
atone
amorphe 593
inaccentué 459.21
monocorde 781.8
t. de médecine 526.9
atonie 303.2
t. de médecine 526.1
atonique 482.80
mou 526.9
Atonis 371.12
atopie 381.6
atopique 381.20
atourner 578.12
atours 859.3
atout
avantage 800.3
coup 160.4
t. de jeux 446
atoxique 267.17
A.T.P. 94
atrabilaire
coléreux 130.11
atrabile
bile noire 340.4 ; 468.4
mauvaise humeur 420.2
atrax 417.13
âtre 481.34
feu 311.3
cheminée 109.13
brûleur 109.16
atrésie 482.41
atrésié 482.80
atrichie 624.10
malformation 484.4

atrium
cour 481
ver 856.4
-atriyne 113.30
atroce 827.13
atrocement
douloureusement 243.15
excessivement 294.20
atrophiant 482.81
atrophie
rapetissement 220.3
malnutrition 563.8
maladie 482.42
atrophié 220.17
atrophier 482.56
atrophique 482.80
atropine
empoisonnement 267.4
analgésique 499.5
atropinisation 775.11
atropos 417.11
Atropos 271.8
atta 417.7
attabler (s') 703.24
attachant
attirant 53.9
passionnant 600.12
attache
trait d'union 725.5
tendon 541.14
attaché
n. 498.25
adj.
adjoint 9.18
assemblé 725.16
dévoué 472.13
attaché culturel 642.10
attaché de presse 675.8
attaché de recherche 689.9
attaché militaire 642.10
attachement
réunion 698.2
amour 27.1
amitié 26.1
attacher
lier 725.12
soumettre 240.13
suspendre 806.12
attacher son regard sur 52.5
attacher de l'importance à 384.9
attacher du prix 717.9
attacher peu d'importance à 789.4
attacher (s')
s'appliquer à 52.6
s'éprendre de 27.17
s'attacher qqn 9.16
s'attacher au char de 787.17
attacus 417.11
attagène 417.3
attaquable
faible 303.22
discutable 395.13
annulable 31.13
vulnérable 50.21
attaquant
n. 50.11 ; 792
adj. 50.19
attaque 50
agression 865.7
commencement 134.9
injure 412.4
attaque à main armée 169.10
attaque verbale 595.7
angle d'attaque 30.4
à l'attaque 50.23
être d'attaque 743.7
attaquer
commencer 134.17
agresser 865.15
critiquer 710.13
attaquer la mémoire de qqn 227.19
attaquer (s') 50.16
attardé
n. 784.5
adj.
rétrograde 206.9
attarder 724.9
attarder (s') 724.12
s'éterniser 247.11
s'attarder sur 458.15
atteindre
toucher 86.7
gagner un lieu 45.8
s'élever à 531.17
atteindre qqn dans sa dignité 439.11
atteindre son objectif 798.14
atteint
fou 321.23
atteint de 482.59
atteinte
injure 412.2
t. de zoologie 72.8
atteinte à la défense nationale 828.2
atteinte à la sûreté de l'État 169.5
atteinte illégale à la liberté individuelle 208.2
attélabe 417.3
attelage 829.9
attelage automatique 832.10
atteler (s')
s'appliquer à 52.6
se mettre à 279.10
attelle
outil 632.19
t. de chirurgie 791.7
attelloire 632.19
attenant
proche 673.11 ; 685.15
attendant 51.11
attendre
différer 647
espérer 285.4
languir 247.8
attendre après 199.9
attendre au passage ou *au tournant* 726.8
attendre de pied ferme 715.14
faire attendre 724.11
sans attendre 421.16
savoir attendre 601.8
attendre (s')
s'attendre à 660.7
ne pas s'attendre à 805.11
attendrir
amollir 526.7
émouvoir 755.11
attendrir (s') 76.8
avoir bon cœur 625.8
attendrissant 27.28
attendrissement
amollissement 526.3
apitoiement 625.1
attendu
n.m.
t. de droit 536.5
adj. 51.10
prép. 451.15
attendu que 122.16 ; 536.16
attensité 52.2
attentat
outrage 737.1
manœuvre 279.3
acte terroriste 865.7
attentat aux mœurs 169.9 ; 763.10
attentat à la liberté 208.2
attentat à la pudeur 763.10
attentatoire
ennemi 572.15
immoral 606.15
t. de droit 413.15
attentatoire à 865.28
attente 51
espoir 285.1
guet 207.2
dans l'attente de 51.12
en attente 438.11
salle d'attente 464.11 ; 481.24
tenir dans l'attente 382.6
attenter
outrager 737.7
attaquer 205.20
contrevenir à 169.26
attentif 52.11 ; 601.13
sensible 754.15
préoccupé 785.12
prudent 674.11
soigneux 774.20
délicat 184.10
attention 52
n.f.
application 774.1
conscience 754.4
vigilance 21
délicatesse 184
int. 63.22 ; 431.3
attention au départ 189.18
faire attention à 774.12
à l'attention de 52.14
attention flottante 52.2
attirer l'attention 868.22
appeler l'attention 765.21
demander l'attention 52.10
détourner l'attention 394.8
faire attention 183.11 ; 674.6
attentionné 52.12 ; 774.21
attentisme 51.3
programme 642.6
attentiste
n. 571.6
attentivement 52.13
soigneusement 774.25
atténuation
allègement 786.2
adoucissement 522.5
atténuation de peine 144.16
atténué 250.28
atténuer
adoucir 786.5
modérer 522.11

attereau 333.11
atterrant 11.26
atterré 198.10
atterrer 11.17
atterrir 45.10 ; 48.13
atterrissage
débarquement 45.2
vol 48.5
feu d'atterrissage 311.6
atterrissement 319.17
attestation
diplôme 274.7
affirmation 13.2
brevet 822.16
datation 535.11
attestation d'achat 191.8
attesté 535.29
certifié 99.8
attester
confirmer 13.8
certifier 99.4
atticisme 184
langue 455.5
attiédir
chauffer 102.20
modérer 522.11
attiédissement 102.7
chauffage 109.1
attifé 859.45
attifement 859.4
attifer 859.33
attifer (s') 859.38
attiger 294.8
Attikameks 371.7
attique 481.15 ; 580.7
attirable 54.14
attirail
équipement 584.2
bagage 871.11
attirance 53
attraction 54.1
désir 199.3
attirant 54
désiré 199.16
attirement 53.3
attirer
occasionner 92.9
amener à soi 54.7
séduire 53
attiser
aviver 311.23
stimuler 793.12
attiser les passions 600.8
attitré 357.26
titulaire 822.18
attitude
position 769.5
t. d'astronautique 221.1
t. de danse 176.16
atto- 509.36
attorney 835.8
attouchement 763.11 ; 824
toucher 479.7
attoucher 763.31
toucher 824.7
attoucheur
n. f. 824.6
attractant
n.m. 54.4
adj. 54.11
attracteur 54.11
attractif 54.11
attirant 53.9
attraction 54
gravitation 636.3
attirance 53.1
fascination 407.3
numéro 123.5
zone d'attraction commerciale 135.20
centre d'attraction 96
attractivité
attirance 53.3
charisme 407.4
attraire
attirer 54.7
t. de droit 451.26
attrait
attraction 54.1
charme 53.4
désir 199.3
attraits 69.9
attrapade
gronderie 710.2
engueulade 168.6
attrapage 710.2
attrape
outil 301.5
farce 628.4
jeu 446.23
attrape-minon 373.9
attraper
imiter 379.8
ramasser 688.17
contracter 482.53
surprendre 179.9
réprimander 710.10
escroquer 284.10
capturer 44.11
attraper froid 327.16
attraper qqn 838.15
attraper qqn par la peau du dos 604.11
attraper (s')
se disputer 146.17
attrayant
attirant 53.9
plaisant 629.14
attremper
tremper le fer 510.16
chauffer progressivement 109.23
attribuer
imputer 366.18
octroyer 241.14
attribuer (s') 413.11
s'attribuer qqch 9.16
attribut
emblème 709.3
t. de grammaire 622.4
t. de logique 4.1 ; 620.16
attribut du sujet 346.8
attributif 4.5
attribution 241.8
attribution gratuite 849.13
attristant 836.14
atterrant 11.26
attristé
triste 836.10
infortuné 11.27
attrister
déplaire 192.8
décevoir 416.5
désoler 198.6
attrition
t. de physique 329.4
t. de médecine 72.3
t. de théologie 697.2
attroupement 352.8
foule 540.2
attrouper (s') 725.14
atypie 556.4
atypique
hors norme 556.13
t. de médecine 498.37
atypus 417.13
Atys 236.37
aubade 494.3
berceuse 105.2
aubader 494.7
aubain 288.3
aubaine
chance 571.3
t. de droit 317.11
droit d'aubaine 288.9
profiter de l'aubaine 358.9
aube
début 134.2
aurore 777.5
robe 508.10
à l'aube des temps 598.17
aubépine 38.4
auber 529.5
aubère
adj. 735.15
auberge 368.4
ne pas être sorti de l'auberge 217.12
aubergine
n.f.
légume 333.17
auxiliaire de police 641.7
adj.
violet 866.6
aubergiste 368.5 ; 703.17
auberon 760.7
aubert 529.5
aubier
bois 37.6 ; 74.2
aubour 38.4
auburn
brun 624.23
châtain 84.10
auchénorhynques 417.4
aucuba 38.4
aucun 404.4 ; 872.8
d'aucuns 634.3
aucunement
jamais 404.12
négativement 546.17
audace
hardiesse 390.1
aplomb 145.5
avoir l'audace de 390.10
audacieusement 279.16 ; 812.11
imprudemment 390.16
audacieux 812
courageux 161.9
imprudent 390.12
au-dedans 396.20
au-dehors 258.14
dehors 783.28
au-delà 769.15
hors 32.21
loin 263.14
au-delà de 190.13 ; 232.18
au-delà de toute expression 427.37
vie dans l'au-delà 534.5
au-dessous 203.20
au-dessus
dessus 204.22
en haut 531.22
au-dessus de 746.19 ; 800.26
être au-dessus du lot 341.19
être au-dessus du vent 730.13
au-devant
aller au-devant de 163.9
audi- 55.23
audibilité 55.5
intensité sonore 781.9

simple 767.7
honnête 533.16
austérité
sérieux 759.1
sobriété 767.1
rigueur morale 533.5
ascétisme 47.1
austral
adj. 49.35 ; 221.29
poisson austral 49.15
hiver austral 738.5
australien 455.14
Australien 355.11 ; 371.5
australo-
empire australo-papou 873.5
australopithèque 371.17
austrégale
n.f. 141.9
austrègue 141.11
austro-asiatique
langues austro-asiatiques 455.14
austro-marxisme 808.5
austro-marxiste 808.35
austroslavisme 808.18
ausweis 58.6
aut(o)- 257.10 ; 613.21
autan 852.6
autant
d'autant moins 216.13
d'autant moins que 790.13
d'autant plus 216.13
d'autant plus que 8.14 ; 536.15
autant que 256.31
d'autant que 536.15
d'autant 668.14
autarcie 400.2
autel 465.11
autel expiatoire 299.4
élever des autels à qqn 341.13
conduire à l'autel 491.25
Autel 49.15
auteur
créateur 414.5
agent 7.9
romancier 691.11
auteur à succès 798.23
auteur des jours 609.1
Auteur de la nature 215.2
droits d'auteur 469.20 ; 739.6
édition à compte d'auteur 469.4
mot d'auteur 595.11
auteur-compositeur 105.9
authente
modes authentes 543.15
authenticité
vérité 854.1
fidélité 472.4
authentifié 99.8
authentifier 155.14
authentique
certain 297.13
sincère 854.22
testament authentique 101.6
authentiquement
existentiellement 297.14
sincèrement 854.26
autisme 321.7 ; 418.3
autiste
n. 321.14
adj. 418.16
autistique 321.25
auto- 833.43
auto 57
auto-tamponneuse 115.16
autoaccusation 710.5
autoagglutination 381.1
autoagglutinine 742.19
gamma-globuline 381.12
autoalarme ou **auto-alarme**
signal d'alarme 21.5
détecteur 207.5
autoanticorps 381.11
autoantigène 381.9
autoassemblage 94.27
autobiographie
biographie 363.6
vie 862.10
autobiographique 691.15
autobus 833.8
autocar 833.8
autocariste 833.28
autocélébration 581.1
autocéphale
église autocéphale 117
autochenille 43.11
autochir 114.31
autochrome
plaque autochrome 621.11
autochtone
n. 355.4
adj. 251.16 ; 371.29
autocinétisme 754.1
autoclave 113.17
autocollant 675.5
autocompatibilité 318.38
autocontrôle 81.7
autocopiant 388.12
autocopie 388.7
autocopier 388.19
autocouchette ou **autocouchettes**
train de voyageurs 832.13 ; 832.33
autocrate 413.9
chef 240.6
tyran 694.19
autocratie
autoritarisme 694.14
illégitimité 413.7
autocratique 694.29
autocratiquement 694.32
autocritique
critique 710.5
expiation 299.1
autocritiquer (s') 710.18
autocross 792.27
autocuiseur 848.26
autocycle 833.13
autodafé 801.2
ordalie 311.12
incinération 205.7
autodéfense
défense 182.1
plaidoyer 626.2
autodestruction 205.12
autodétermination 400.5
indépendance 462.2
autodéterminer (s') 462.22
autodiagnostic 498.10
autodidacte 747.9
autodigestion 218.1
autodiscipline
discipline 253.2
assagissement 810.3
auto-école 57.19
autoécologie 251
autoédition 469.4
autoépuration 251.3
autoérotisme 763.16
autofécondation 318.38
autofertile 318.46
autofertilité 318.38
autogame 318.46
autogestion
socialisme 694.11
gérance 339.2
autogestionnaire
socialiste 694.27
gestionnaire 339.31
autogire 831.2
autographe 252
autogreffe 114.16
autohémolyse 742.10
autohémothérapie
hématologie 742.21
vaccinothérapie 775.5
auto-immun 381.20
auto-immunisation 381.5
auto-immunitaire 482.68
immunologique 381.19
auto-immunité 381.5
gravité 482.9
auto-incompatibilité 318.38
auto-induction 261.8
auto-infection 482.20
auto-intoxication 267.1
autolyse 821.8
automate 476.4
automation
automatisation 476.3 ; 480.9
automation ou **automatisation** 408.1
automatique
n.f. 408.2
adj. 357.27 ; 408.26 ; 476
automatiquement 408.29 ; 476.22
par habitude 357.35
automatisation 476.3 ; 480.9
informatique 408.1
automatisé 476.19
automatiser 476.17
automatisme
réflexe 687.4
automatisation 476.3
automédication 775.1
automédon 833.29
automéduses 527.11
automitrailleuse 43.11
automnal 738.11
automne 738.4
âge 14.3
maturité 495.1
automobile 57
n.f. 833.2 ; 833.4
adj. 57.31 ; 538.27 ; 833.39
automobilisable 833.41
automobilisme 792.27 ; 833.26
automobile 57.1
automobiliste 57.22
conducteur 833.27
automorphisme 493.4
automoteur
moteur 538.27
blindé 43.11
train automoteur 832.12

automotrice 832.10
automutilation 72.5
autonastie 79.11
autoneige 833.5
autonettoyant 550.37
autonome 462
indépendant 400.12
système nerveux autonome 548.15
autonomie 462
indépendance 400.2
liberté 620.18
autonomisation 35.1
autonomiser (s') 400.8 ; 462.22
autonomisme
indépendantisme 400.4 ; 462.12 ; 808.16
autonomiste
n. 400.6 ; 462.15 ; 695.12 ; 808.27
adj. 462.31 ; 808.42
autonyme 535.2
autonymie 535.10
autonymique 535.27
autopalpation 498.11
autoplastie 114.17
autoport 833.23
autoportrait 374.7
autoprescription 775.1
autoproclamer (s') 655.4
faire l'important 581.8
autopropulsé
moteur 538.27
éjectable 258.11
autopropulseur
n.m. 258.6 ; 538.9
adj. 258.12
autopropulsion 258.2
autoprotection
signal d'alarme 21.5
défense 182.1
autopsie 534.15
examen 498.11
autopsier 498.35
autopublicité 675.1
autor
d'autor 59.24
autoradio
récepteur 57.11 ; 681.3
autorail 832.12
autoréférent 535.2
autoréférentiel 535.27
autorégulation 251.3
autoreproduction 711.2
autorisable 58.23
autorisation 58 ; 462.7
permission 646.4
consentement 149.1
autorisé 58 ; 59.22
faisable 646.10
autoriser 58
consentir 149.7
autoriser (s') 646.7
s'autoriser à 58.17 ; 462.21
autoritaire 59.19 ; 133.24 ; 413.16
dominateur 240.19
autoritairement 59.24
injustement 413.18
autoritarisme 59.5 ; 133.2 ; 240.4 ; 694.14
autoritariste
n. 59.11
adj. 59.20 ; 240.19
autorité 59
pouvoir 133.1 ; 800.2
ascendant 384.3
personne 384.5 ; 747.9 ; 822.3
faire autorité 59.18 ; 696.15 ; 747.14
d'autorité 59.24
autorité de justice 451.2
autorité judiciaire 451.2
autorité parentale 609.3
autorité paternelle 609.3
autorité politique 59.1
autoroute
route 834.4 ; 845.16
voie rapide 833.17
autoroute roulante 832.2
autoroutier
routier 833.38
routière 57.32
pont autoroutier 834.5
autoroutière 833.4
autosatisfaction
fierté 312.1 ; 745.3
autositaire 484.9
autosome 361.3
autosomique 361.21
autostérile 318.46
auto-stop 871
autostrade 833.17
autosuggestion 407.3
autosuggestionner (s') 407.19
auto-tamponneuse 115.16
auto-taxi 833.9
autotomie 72.5 ; 712.14
autotour 871.5
autotracté 538.27
autotransfusion 742.13
autotrophe 79.23 ; 563.19
autotrophie
parasitisme 251.4
photosynthèse 79.9
chaîne alimentaire 563.3
autour 570.6
autour (de) 280
autovaccin 499.11
autovaccination 499.13
autovérificateur 207.10
autre
n. 23.7 ; 216.5 ; 288.2
adj. 23.13 ; 216.11 ; 229.7
autrefois 28.17 ; 598.17
d'autrefois 28.11
autrement 23.16 ; 229.11
différemment 216.13
autre part 769.15
Autrichien 355.5
autruche
oiseau 570.19
personne sotte 784.7
estomac d'autruche 342.10
autrucherie 262.5
autrui 23.7 ; 620.21
étranger 216.5
autruicide 257.3
auvent 481.13
abri 633.8
balcon 39.13
Auvergnat 695.11
auvier 37.16
auxiblaste 37.8
auxiliaire
n. 19.15 ; 266.17 ; 346.12 ; 596.12
adj. 596.37
auxiliairement 596.40
auxine 340.3
auxospore 512.6
avachi
penché 195.17
bas 303.20
mou 593.11
avachir 526.7
avachir (s')
se pencher 195.12
se laisser aller 593.7
avachissement
ramollissement 526.3
mollesse 593.2
inaction 393.2
aval
accord 166.15
donner son aval 149.9
aval
en aval 195.20
vent d'aval 852.5
en aval de 203.24
avalaison
descente 195.2
torrent 319.4
avalanche
chute de neige 119.7 ; 530.11
multitude 1.3 ; 540.5
avalement 792.24
avaler
manger 563.13 ; 703.25
apprendre 35.4
avaler les mots 411.10
ne pas avaler 720.6
avaler, avoir avalé sa canne 732.12
faire avaler à qqn des poires d'angoisse 160.16
avaler son bulletin de naissance 534.22
avale-tout 342.4
avaleur 342.4
avaleur de sabres 123.19
avaliser
accréditer 58.12 ; 166.27
avaliseur 166.25
avaliste 166.25
avance 60
anticipation 33.24 ; 60.1 ; 190.2
paiement 166 ; 587.5
d'avance 33.24 ; 60.16
avancé 60.10 ; 211
avancée
mouvement 211.11 ; 344.2 ; 487.13
saillie 190.2 ; 211.1 ; 637.2
percée 637.8
avancement
mouvement 211 ; 293.3 ; 344.2
promotion 266.10 ; 507.7 ; 667.1
avancer 60
argumenter 13.6 ; 536.9
anticiper 33.14
aller 211.13 ; 344.7 ; 685.7 ; 829.25
promouvoir 266.27 ; 667
payer 166.27
avancer (s') 685.10
se porter en avant 45.9
aller jusqu'à dire, à supposer qqch 802.7
ne pas s'avancer 438.6
avances 163.4 ; 279
tentative 812.1
avançon 605.3
avanie
affront 439.5
injure 412.1
avant- 33.33 ; 211.30
avant
n.m.

commencement 33.3
front 354.10
t. de sport 50.10 ; 792.49
partie antérieure 211.1 ; 221.5
aller de l'avant 161.7 ; 293.9
adv.
devant 190.12 ; 211.18
antérieurement 33.24 ; 598.17
prép. 33.30 ; 211.28 ; 598.22
en avant de 33.30
avant même de 60.17
avantage
prérogative 800.3
opportunité 571.3
agrément 302.3
avoir l'avantage 240.9 ; 800.15 ; 861.8
prendre l'avantage 33.12
avantages 69.9
avantages en nature 739.8
théorie des avantages comparatifs 138.12
avantager 413.12
appuyer 19.19
avantageusement
utilement 847.17
honorablement 366.30
avantageux
profitable 19.28 ; 524.16 ; 847.12
sûr de soi 655.10
avant-bassin 211.3
avant-bec 834.5
avant-bras 211.30
bras 502.2
avant-centre 792.49
avant-cœur 128.4
avant-corps 481.11
façade 211.2
structure 39.16
avant-cour 481.13
façade 211.2
avant-coureur 60.12 ; 211.12
précoce 33.19
avant-courrier 211.12
précoce 33.19
avant-dernier 683.20
avant-dire 225.8
avant-fossé 182.8
avant-foyer 211.5
brûleur 109.16
avant-garde
pionnier 414.5
précurseur 60.5
innovation 560.2
troupes 487.8
d'avant-garde 60.10 ; 332.13
avant-gardisme 560.2
avant-gardiste
inventif 414.11
moderne 560.13
avant-goût 33.6
avant-guerre 354.12
avant-hier 598.20
dernièrement 33.26
avant-main 211.7
avant-midi 494.1
avant-pays 211.4
avant-pied 211.7
avant-pieu 834.28
avant-port 211.3
avant-poste 211.4
troupes 487.8
avant-première
séance 817.18
projection 120.19
avant-projet 664.2
avant-propos 211.8
introduction 649.5
préface 225.8
avant-radier 834.6
avant-rasage 129.7
avant-scène 211.3
théâtre 748.3
avant-soirée
programme 681.11
audience 681.16
avant-solier 39.13
avant-terme
en avance 60.13
accouchement 544.4
avant-texte 252.5
avant-toit 211.3
avant-train 211.7
avant-veille 598.20
dernièrement 33.26
avare
n. 61.3
adj. 61.9
avarement 61.10
avarice 61
péché capital 606.2
épargne 281.1
avaricieusement
petitement 616.15
parcimonieusement 61.10
avaricieux 61.9
avarie 830.20
transport 829.16
avarier 830.29
avaro 11.2
Avatamsaka 80.2
Avatamsaka-sutra 80 ; 815.13
avatar
variante 850.7
déformation 323.6
mésaventure 11.2
avatara 362.3
Ave 741.10
ave Cæsar 741.10
Ave Maria 657.9
credo 508.7
avec 725.22 ; 768.13
aveline 330.6
avelinier 37.13
aven
excavation 167.3
gouffre 530.9
fontaine 319.3
avenant
sociable 772.14
hospitalier 368.10
courtois 163.10
délicat 184.10
avenant (à l') 376.17 ; 719.16
avènement
apparition 34.1
intronisation 667.3
avénette 360.7
avenir 332 ; 647.4 ; 664.7
avoir de l'avenir 667.9
d'avenir 332.13
Avent
fête chrétienne 310.3
aventure
évènement 290.1 ; 358.2 ; 386.3
liaison 27.11
dire la bonne aventure 235.16
d'aventure 291.14 ; 358.13
aventure (à l') 358 ; 390.17 ; 871.20
aventuré 358.11
aventurer 358.7
aventurer (s') 390.8
tenter 812.8
se mettre en danger 175.10
aventureusement 358.14
aventureux 358.11
audacieux 386.15
imprudent 390.12
aventurier
escroc 485.7
explorateur 871.18
aventurine 517.6
verre 855.1
aventurisme 642.6
avenu
non avenu 389.18
nul et non avenu 31.12 ; 451.34 ; 556.14
avenue 845.14
averdupois 509.6
avéré
concret 297.13
vrai 854.19
certifié 99.8
avérer (s')
apparaître 34.10
être 854.12
se vérifier 155.16
avers
inverse 572.5
devant 211.1
monnaie 529.6
averse 633.4
aversion 62
répugnance 713.3
inimitié 410.1
averti
compétent 316.19 ; 620.34 ; 747.18
prévenu 63.19 ; 674.13
un homme averti en vaut deux 63.9
avertir 63.10
conseiller 231.7
alerter 21.9
avertissement 63 ; 231.2
alerte 21.1
conseil 148.1
reproche 710.1
pénalité 792.36
avertisseur
n.m. 21.5 ; 57.10 ; 207.5
personne 63.9
adj. 63.18
avestique 736.12
aveu
proclamation 13.3
remords 697.2
consentement 149.1
donner son aveu à 149.10
pl.
aveux 169.13
aveuglant
violent 427.23
lumineux 473.33
aveugle 64.11
obscur 566.10
ignorant 377.10
à l'aveugle
vallée aveugle 530.5 ; 840.21

aveuglé 600.14
aveuglement 64
illusion 283.12
imprudence 390.1
aveuglément 64.13 ; 840.21
docilement 564.15
aveugler 64.6 ; 840.16
boucher 308.13
aveugler (s') 64.8
s'illusionner 283.15
aveuglette
à l'aveuglette 358 ; 386.6 ; 840.21
aveulir 303.16
avi- 570.40
aviaire 482.48 ; 570.37
aviateur 41.12 ; 831.14
aviation 831
forces aériennes 41.5
aéronavale 43.12
aviation militaire 41.5
avicennia 38.9
avicole 262.32
avicula 527.2
aviculture 262.2
avide 199.13
amateur 600.15
impatient 382.10
avidement 199.19 ; 342.13
impatiemment 382.15
avidité 199
impatience 382.1
gloutonnerie 342.1
avidya 362.4
avien 570.37
avifaune 570.1
avili 367.16
infériorisé 405.17
avilir 367.8
avilir (s') 367.11
s'inférioriser 405.10
avilissant
infériorisant 405.18
déshonorant 367.14
avilissement 524.2 ; 761.5
humiliation 367.4
avillon 570.22
avinaz 543.16
aviné 441.18
avion 831
aéronavale 43.12
avion de chasse 43.12
avion-but 820.14
avion-cargo 489.14
charter 831.3
avion-cible 820.14
avion-citerne 831.3
avionique 831
avionnerie 831.12
avionnette 831.2
avionneur 831.15
avion-ravitailleur 831.3
avion-taxi 831.3
avipelviens 712.10
aviron 792
avirulent 512.16
avis
information 63.4 ; 148.1
opinion 6.10 ; 450.3 ; 450.8
avis aux amateurs 63.22
avis d'opéré 81.21
avis de recherche 689.4
avis de réception 688.7
lettre d'avis 157.4
avisé 674.13
habile 316.18
de bon conseil 148.18
aviser
apercevoir 868.17
informer 63.10 ; 136.14 ; 148.10
s'aviser de 179.7 ; 812.8
aviso 43.13
avis-train 832.21
avitailler 703.38
avitailleur
navire 618.9
pétrolier 830.5
avitaminose 482.25
avivé 74.6
avivement 114.7
aviver
intensifier 427.11
enthousiasmer 276.7
stimuler 793.12
avocaillon 835.13
avocasser 626.6
avocasserie
ruse 316.9
magistrature 835.17
avocat
défenseur 225.12 ; 729.13
auxiliaire de justice 451.20 ; 626.5 ; 835
fruit 330.16
banc des avocats 835.19
avocat-conseil 451.20
conseil 148.7
avocatier 37.17
avocette 570.18
avodiré 37.18
Avogadro
nombre d'Avogadro 113.10 ; 555.7
avoine
argent 603.14
céréale 262.19 ; 360.7
coup 160.5
avoir
n.m. 166.11 ; 339.15 ; 645.3
v.
posséder 645.14
tromper 64.10 ; 284.10 ; 838.17
en avoir assez 62.8 ; 272.8
avoir à 213.6
avoir sur soi 859.35
avoisinant
environnant 280.9
proche 673.11 ; 685.15
avoisiner 673.7 ; 695.14
avorté 249.19
avortement 711.13
avortement involontaire 544.4
avortement thérapeutique 711.13
avorter
s'inachever 392.15
échouer 249.14
avorteur 711.13
avorton
malformation 484.6 ; 544.15
chétivité 303.6 ; 616.5
avouable 365.13
avoué 451.21
avocat de la défense 835.13
avouer
révéler 854.14
affirmer 13.6
convenir 149.11
avoyage 584.29
avoyer 584.36
avril 88.8
en avril ne te découvre pas d'un fil 127.13
avulsion
extraction 188.18 ; 295.3
ablation 114.12
avunculaire 314.15
avunculocal 491.30
awalé 446.15
axe 733.6
figure 338.4
repère 769.6
axe du monde 49.21 ; 221.4
axe quaternaire 517.10
axe ternaire 517.10
axe routier 845.16
axé 514.13
axel 792.22
axénie 512.9
axénique 512.16
axénisation
désinfection 512.10
vaccination 499.13
axer
aligner 692.6
diriger 221.18
axérophtol 214.7
axial
central 514.13
à angle droit 692.12
directionnel 221.28
axifuge 496.2
axile 514.13
axillaire 37.27
nerfs locaux 548.4
axiologie 533.1
axiomatique
n.f. 87.1 ; 658.3 ; 807.9
adj. 658.10
axiomatiquement 658.13
axiomatisable 658.10
axiomatisation 658.8 ; 807.11
axiomatiser 658.9
généraliser 807.14
axiome 493.2 ; 658.2
affirmation 99.3
théorème 338.3
axipète 496.2
axis 486.6
tête 814.1
crâne 580.5
colonne vertébrale 580.10
axolemme 548.9
axolotl 68.3
axonal 548.25
axone
synapse 548.9
fibre 821.2
axonométrie 39.4
axonométrique 39.26
axopode 512.6
aya 440
Coran 815.5
ayatollah 440
imam 440.11 ; 699.15

B

faire la bamboche 629.10
bambocher 426.8
bambocheur 309.15
bambou 360.7
t. de menuiserie 74.11
coup de bambou 321.20
bamboula
fête 309.1
faire la bamboula 629.10
Bamboula 371.6
bambusaie 360.6
Bamiléké 371.11
Bamongo 371.11
Bamoum 371.11
ban
applaudissement 471.3 ; 798
exil 429.2 ; 582
mettre au ban 144.28
banal
ordinaire 419.13
plat 630.9
banalement 630.12
banalisation 630.6
habitude 326.7
banaliser 630.7
banalité
platitude 419 ; 630
servitude 734
banalités 435.5
banana split 799.6
banane
fruit 330.16
injure 784.7
chignon banane 129.3
fiche banane 261.19
banane de mer 638.6
bananeraie 18.10
bananier
arbre 37.18
cargo 830.5
banc
amas 319.5 ; 561.3
siège 519.20
banc à étirer 826.6
banc d'essai 48.6 ; 155.12
banc d'épreuve 820.10
banc des accusés 835.19
banc-d'œuvre 465.13
banc stérile 516.3
bancable 191.31
compensable 66.50
bancaire 66.49
bancal 502.17
discordant 224.10
bancarisation 66.3
bancariser 66.48
bancelle 519.20
banco 446.3
bancoulier 37.20
bancroche 502.17
banc-titre 120.14
bandage 114.23
sédimentation 65.8
bandagiste 775.22
bande 65
lanière 65.1 ; 289.5 ; 338.9 ; 578.3
groupe 352.9 ; 540.3 ; 758.3
en bande 540.16
bande annonce 120.6
bande chromosomique 711.7
bande FM 65.7 ; 326.5 ; 681.7
bande magnétique 273.9 ; 781.21
bande sonore 120.16 ; 781.21
bandé 65.10
bandeau
bande 65.3
titre 654.12
moulure 505.6 ; 578.3
coiffure 129
bandeau sur les yeux 64.8
bande dessinée 691.4
bandelette
bande 39.21 ; 65.3
t. d'anatomie 100.17 ; 265.4
bande-ourlet 165.5
bander
couvrir 114.33 ; 727.13
serrer 65.9
raidir 541.21 ; 762.30
bander son esprit vers 52.6
bandereau 65.2
banderille 637.3
banderole 65.4
bandicoot 486.13
bandière 65.4
bandit
voleur 869.9
criminel 169.17
bandit manchot 446.11
banditisme 169.15 ; 869.3
grand banditisme 169.15
bandolier 869.14
bandonéon 422.16
bandoulier 869.14
bandoulière 65.2
bandy 792.21
bang
mur du son 781.11
onomatopée 83.23
Bangala 371.11
bangiacée 22.3
Bangladesh 529.8
Bangladeshi 355.9
banian 37.20
Banjarais 371.12
Banjaras 371.13
banjo
luth 422.3
carter 57.5
bank-note 529.4
banlieue
environnement 673.4
quartier 845.12
banlieusard 845.20
banne
corbeille 151.5
mettre la viande dans les bannes 780.21
banneau 151.5
banner 727.13
banneret 552.17
banneton 588.9
corbeille 151.5
bannette 151.5
banni 288.4 ; 582.11
bannière
banderole 65.4
enseigne 765.13
la croix et la bannière 171.16
bannir
mettre au ban 582.12
exiler 288.21
bannissable 582.19
bannissement 367.5 ; 429.2
ostracisme 582.1
banquable 191.31
compensable 66.50
banque 66
établissement 66
fonds 446
banque de données 408.17
banque-note 529.4
faire sauter la banque 446.38 ; 798.16
banquer 587.13
banqueroute
échec 249.1
non-paiement 209.9
banquet
festin 309.9 ; 703.3
banquette
siège 57.11 ; 519.20
banquette de sûreté 834.4
jouer pour les banquettes 249.14
banquier 66.31 ; 446.27
banquier en valeurs 81.25
banquise 327.6
banquiste 123.13
bantou 455.14
Bantou 371.11
Banyankoré 371.11
baobab 37.18
Baoulé 371.11
Bapedis 371.11
baphia 37.18
Baphomet 186.4
baptême
cérémonie 173.8 ; 699.28
début 134.10
baptême de 311.8 ; 801.9 ; 831.13
nom de baptême 554.4
sacrement du baptême 173.14
baptisé
oint 173.24
nommé 554.25
baptiser 98.19
nommer 554.18
baptismal 818.31
baptiste 117.8
baptistère 465.2
baquet
cuve 519.25
ventre 853.1
siège 57.11
bar
unité de mesure 20.7 ; 127.12 ; 509.10
bar
poisson 638.6
bar
débit de boisson 75.19 ; 333.13
baragouin
bafouillage 411.3
langue 455.1
baragouiner
bafouiller 411.10
parler 595.18
baragouineur 411.7 ; 455.13
baraka 670.6
avoir la baraka 305.9
baraque 481.2
casser la baraque 798.12
baraqué 864.17
musclé 541.27

barrière 835.19
agrès 123.12 ; 446.23
t. d'architecture 39.6 ; 481.8
barre à mine 307.10 ; 518.8
barre d'alésage 584.21
barre de mesure 543.27
barre oblique 765.10
coup de barre 111.2
homme de barre 830.22
faire barre à 715.16
avoir barre 133.21 ; 221.19 ; 575.5
barré
n.m. 542.18
adj. 516.14
mal barré 16.10
barreau
d'une échelle 683.6
d'un tribunal 835.14
barreau de combustible 131.9
éloquence du barreau 225.13 ; 729.3
barreaudé 67.18
barrefort 74.6
barre-la-route 675.5
barrement 66.7
barrer
balustrer 67.15
fermer 308.11
faire obstacle à 567.11
barrer un chèque 66.45
barrer (se) 189.10
barrette
bonnet 699.24
ruban 667.5
épingle 129.9
barreur 792.62
barricade 567.3
barrière 67.1
barricader 308.11
barricader (se) 430.12
barrière 67
clôture 67 ; 308.7
obstacle 217.6 ; 567.2
interdiction 429.5
t. de biologie 100.3 ; 265.8
barrière de confinement 269.7
barrière sonique 781.11
barringtonia 38.9
barrique
conteneur 829.12
tonneau 75.18
plein comme une barrique 441.18
barrir 170.6
barrissement 170.2
barriste 123.14
barrit 170.2
barroter 830.29
bartavelle 570.9
Baruch
livre de Baruch 815.2
bary- 636.25 ; 782.8
barycentre 96.4
poids 636.3
barye 20.7 ; 509.10
barylambdidé 486.4
barymétrie 509.25
pesage 636.9
baryon 513.4
barytine 516.5
baryton
voix grave 782.2
soprano 106.18
barytonnant 106.30
grave 782.5
barytonner 106.25 ; 782.4
baryum 113.7
bas 859.13
bas à varices 775.19
bas de laine 281.7
bas
adj.
bas breton 411.3
bas âge 270.21
par l'intensité 303.20
son bas 782
par la qualité 452.7 ; 734.8 ; 761.14
par la position 195.3 ; 203 ; 405
mise bas 544.4
mettre bas les armes 180.8
être au plus bas 836.8
être tombé bien bas 303.10
mettre bas 486.28 ; 544.20
mettre à bas 205.19 ; 861.9
mettre chapeau bas 717.10
bas les pattes 479.24
à bas 168.5 ; 431.5
au bas de 195.23 ; 203.24
en bas de 195.23 ; 203.24
par en bas 203.19
d'en bas 203.21
basal 658.11
basalte 337.17
basane 160.15
basané 84.11 ; 604.14
basaner 84.8
basanite 337.17
bas-bleu 747.10
bas-côté 77.4 ; 158.4
bascule
appareil 509.26 ; 579.5 ; 636.10
renversement 850.5
faire la bascule 579.9
basculer
tomber 119.16
changer 104.18 ; 436.10
bas-de-casse 459.3
bas-de-chausse
guêtre 110.9
pantalon 859.11
base
assise 39.15 ; 203.2 ; 530.10 ; 791.2
principe 658.1
lieu 41.19 ; 134.11
t. de mathématique 493.2
t. de chimie 94.15 ; 113.4 ; 617.2
base de données 408.17
base-ball 792.10
baselle 360.8
baser 791.11
bas-fond 167.2
basic 408.16
basicité 113.11
baside 103.3
basidio- 103.19
basidiolichen 79.4 ; 463.1
basidiomycètes 79.4 ; 103.5
basidiospore 103.3
basilaire 100.6
basilic
plante 318.16
reptile 186.10
arme 42.5
basilique
t. d'anatomie 128.9
t. d'architecture 465.2
basin 816.4
basique
acide 113.23
principal 658.11
basitone 318.48
basket 110.6
basket-ball 792.10
basketteur 792.48
basmati 360.7
basoche 835.8
basocyte 742.4
Basogas 371.11
basophile 742.4
basophilie 742.10
basophobie 619.4
Basoukous 371.11
bas-perchis 36.17
basque
n.m.
langue 455.14
basque
n.f.
vêtement 859.21
être toujours pendu aux basques de 137.12 ; 787.18
Basque 371.15 ; 695.11
basquine 859
bas-relief 78.8
sculpture 749.5
bas-rouge 486.9
basse 782
soprano 106.18
mélodie 543.25
basse-cour 262.6
oiseaux de basse-cour 570.7
basse-fosse 221.5
cellule 208.10
bassement
petitement 616.15
servilement 761.16
bassesse 367
servilité 761.1
immoralité 860.1
basset 486.9
basse-taille 78.8
soprano 106.18
bassette 446.3
bassia 37.20
bassier 605.19
bassin
récipient 151.4 ; 848.9
dépression 167.2
os 580.12
bassin d'alimentation 319.6
bassin minier 518.2
bassinage 372.6
bassinant
lassant 272.13
importun 415.15
bassine 550.18
bac 519.25

bassiner
humidifier 372.13
ennuyer 272.9
bassinet
porte-monnaie 529.21
bac 519.25
bassinoire 109.10
bassin-versant 319.6
bassiste 542.7
basson 422.7
bassoniste 542.6
Bassoutos 371.11
basta 431.4 ; 706.19
bastaing 74.6
baste
carte 842.4
récipient 151.5
interjection 431.2
Bastet 236.33
bastide 182.9
ferme 481.4
bastille
bastide 182.9
prison 208.9
bastillé 208.26
bastilleur 208.18
bastillon 182.9
basting 74.6
bastingage 67.7
bastion
protection 671.4
bastide 182.9
bastionner
protéger 671.18
fortifier 182.23
baston 146.8
bagarre 160.7
bastonnade 160
bastonner
corriger 115.22
fouetter 160.22
bastringue
instrument 509.26
bruit 83.9
bal 176.21
bastude 605.6
bat 115.2
bataclan 201.6
et tout le bataclan 721.6
bataille 146.8 ; 354
jeu de cartes 446.3
bataille rangée 487.15
arriver après la bataille 724.13
champ de bataille 354.10 ; 534.18
en bataille 129.17
batailler
s'efforcer de 255.5
combattre 354.23
batailleur
battant 115.19
belliqueux 354.28
bataillon
armée 540.3
formation 41.8
bataillon de discipline 144.21
Bataks 371.12 ; 371.13
bâtard
n.
enfant 314
n.m.
pain 588.2
adj. 501
bâtarde
écriture 252.4
instrument 760.19
batardeau
corbeille 151.5
barrage 67.6 ; 834.6
bâtardise 314.3
Batave 355.5
batavia 333.20
bâté
âne bâté 377.4
bateau 830
monter un bateau 504.20 ; 838.15
batée 575.6
Batékés 371.11
batelage 830
batelée
charge 152.3
cargaison 830.18
bateleur
clown 628.7
forain 123.13
batelier 830.22
batellerie 830.1
Baten Kaïtos 49.5
Batesos 371.11
Batetelas 371.11
bathmotrope 482.66
bathophobie 619.4
bathyal
plaine bathyale 627.3
bathyergidé 486.5
bathymètre 509.26
bathymétrie 509.25
bathynellacés 172.2
bathynome 172.3
bathyphante 417.13
bâti
n.m.
t. de menuiserie 505.5
t. de couture 165.19
adj. 69.16 ; 864.17
mal bâti 484.7
bâti sur du roc 752.15
batifolage
joie 447.1
plaisir 629.5
batifoler
jouer 629.9
badiner 628.11
batifoleur 447.15
batik 816.4
bâtiment 39.6
bateau 830.2
bâtiment de guerre 43.13
bâtiment et travaux publics 834
bâtir
une théorie 802.6
une construction 39.24 ; 150.7
un patron 165.27
bâtir sur le sable 664.16
bâtissable 150.12
bâtissage
construction 150.1
couture 165.13
bâtisse 39.6 ; 481.11
bâtisseur
constructeur 150.6
architecte 39.23
batiste 816.4
Bat-mitsva 449.9
bâton
soutien 791.7
argent 529.9
bâton augural 235.6 ; 736.7
bâtons rompus 505.4 ; 578.3
parler à bâtons rompus 595.21
bâton de maréchal 41.20
gagner son bâton de maréchal 667.9
faire sauter le bâton 240.16
vie de bâton de chaise 426.3
mettre des bâtons dans les roues 217.15 ; 572.11 ; 785.7
bâton-d'or 318.26
bâton-du-diable 417.15
bâtonnat 835.17
bâtonner 160.22
bâtonnet 868.6
bâtonnier 835.14
bâtonniste 115.19
batoude 123.12
batrachotoxine 267.4
batracien 68
battade 115.7
battage 115.3
travaux des champs 18.4
battage d'or 575.7
battage de pieux 834.24
battaison 115.3
battant 115
volet 308.4
pêne battant 760.7
batte
maillet 584.18
balle 792.71
battement
rythme 579.2 ; 610.1
repos 706.2
battement de cœur 862.2
battement de mains 83.11
batterie
d'un circuit 261.13
de cuisine 366.9 ; 848.1
d'une armée 182.13
de tir 820.9
d'orchestre 422.9
de voiture 57.3
série 352.5 ; 758.5
élevage en batterie 262.1
batteur 542.10
orfèvre 575.15
batteuse 476.6
battoir
battant 115.15
main 479.1
battologie
redondance 435.6 ; 704.3
battre
vaincre 538.22 ; 800.15
frapper 160 ; 865.15
pulser 128.23
travailler 307.18 ; 510.16 ; 575.19
fabriquer 454.11 ; 529.26
battre de l'aile 249.10 ; 303.10
battre en retraite 180.7 ; 487.34
battre froid 226.6 ; 409.4
battre l'eau avec un bâton 435.9
battre le pays 871.19

à battre faut l'amour 865.22
battre (se)
se bagarrer 146.17
se battre pour 15.7
se battre contre 354.22
se battre l'œil 401.12
s'en battre les flancs 401.12
battu
n.m.
t. de danse 176.16
adj. 180.10 ; 701.10
sentier battu 630.5
terre battue 813.2
battude 605.6
battue 107.4
prospection 689.4
batture 115.3
baudet 377.4
baudrier
courroie 65.2
attache 806.5
baudroie 638.6
baudruche 97.9
ballon de baudruche 448.2
bauge 356.3
tanière 486.18
porcherie 740.6
Bauhaus 46.12
bauhinia 38.9
baume 499.9
mettre du baume au cœur 786.4
baumé 187.5
baumier 37.18
bauquet 605.3
bauriamorphes 712.10
bauxite 516.5
bavard
n. 835.13
adj. 595 ; 665
bavard comme une pie 665.12
bavardage 665.4
verbosité 595.9
bavardement 665.13
bavarder 595.22
converser 156.13
bavarderie 665.2
bavardise 665.2
bavasser
bavarder 595.22 ; 665.10
bave 340.4
Bavendas 371.11
baver 340.11
en baver 217.11
baver sur 227.15
bavette
tablier 270.15
conversation 595.6
pièce de voiture 57.5
bavette à bifteck 333.7
tailler une bavette 156.14
baveuse 638.6
baveux
n.m. 654.3 ; 835.13
adj. 340.15
bavocher
bavarder 595.22 ; 665.10
bavocheur 665.7
bavochure 77.13
bavolet 859.25
bavure
maladresse 283.9
erreur 483.3
sans bavure 677.16
Baxtyaris 371.13
bayadère
danseuse 176.22
tissu 816.4
Bayas 371.11
bayer
bayer aux corneilles 393.9 ; 593.8
Bayer 49.28
bayou 372.4
bayoud 79.16
bazar 201.6
fonds de commerce 135.11
bazarder 524.10
bazooka 43.8
B.C.B.G. 233.1
B.D. 691.4
beach-volley 792.10
beagle 486.9
béance 585.2
béant 585.17
béarnais
sauce béarnaise 333.26
Béarnais 695.11
béat
n.
moine 525.3
adj. 745.15
béatement 447.18
béatification 590.5
glorification 341.6
béatifier 341.12
béatifique
vision béatifique 397.7 ; 657.1
béatitude 447
satisfaction 745.1
prospérités 670.3
béatitude du ciel 591.4
Sa Béatitude 822.14
beatnik 445.4
beau
n.
valeur 453.1 ; 559.2
vol 869.7
t. d'affection 27.13
adj.
supérieur 800.20
ensoleillé 127.20
de valeur 677.16
plaisant 69
prospère 670.14
int.
tout beau 89.19 ; 431.4
vieux beau 12.6 ; 863.5
faire beau 127.14
porter beau 233.10
voir tout en beau 573.5
beauceron
chien 486.9
Beauceron 695.11
beaucoup 634.14
énormément 427.27
infiniment 406.13
beaucoup de 540.17
beau-fils 314.8
beau-frère 314.8
beaujolais 75.12
beau-père
père naturel 609.5
beaux-parents 314.8
beauté 69
femme 306.4
qualité 69 ; 215.13 ; 677.2
produits de beauté 669.4
beaux-arts
peinture 607.1
sculpture 749.1
beaux-parents 314.8
bébé 544.15
nourrisson 270.3
be-bop 543.6
bec
pointe 637.2
obstacle 567.7
outil 505.16
t. d'architecture 211.2
t. de musique 422.21
t. de plomberie 632.3
t. de zoologie 417.17 ; 570.23
bec corné 712.13
bec de l'olécrane 580.14
bec de gaz 250.13
avoir bec et ongles 497.8
avoir bon bec 665.9
clouer le bec 308.14
rester le bec dans l'eau 249.15
tenir le bec dans l'eau 51.9
tomber sur un bec 249.12
coup de bec 439.4 ; 497.8
bécane
ordinateur 408.3
bicyclette 833.13
bécarre 543.13
bécasse 784.7
bécasse de mer 638.6
because 92.21
bec-croisé 570.8
bec-de-cane 760
bec-de-corail 570.8
bec-de-corbin
ornement 39.21
outil 505 ; 584.4
bec-de-jar 527.2
bec-de-lièvre 484.5
bec-de-perroquet
mollusque 527.14
maladie 482.11
bec-en-sabot 570.18
becfigue 570.8
bêchage 18.4
béchamel 333.26
bêche 18.15 ; 584.26
bêche-de-mer 527.9
becher 113.17
bêcher
creuser 18.20 ; 167.11
critiquer 227.13
bêcheton 584.26
bêchette 584.26
bêcheur 835.13
béchique 89.17
bécif 59.24
béclométasone 499.5
bécot
baiser 91.3 ; 741.5
bécotage 91.4
bécoter
enlacer 91.7
embrasser 741.22
bec-ouvert 570.18
becquée 570.27
ration 703.9
donner la becquée 570.35
becquerel 509.14
becquet 57.5
becqueter
picorer 570.35 ; 637.13
manger 703.27
embrasser 91.7
bectance 703.5
bécune 638.6
bedaine 853.2
bédane
ciseau 505.16 ; 584.4

bedeau 508.9
bédégar 417.7
bédéphile 599.11
bédéthèque 469.19
bedon 853.2
bedondaine 853.2
bedonnant
joufflu 351.14
ventru 853.14
bedonnement 853.4
bedonner 853.9
bédouins 197.6
arabes 371.10
bée 585.17
bouche bée 585.17
béer 585.13
beffroi 39.11
bégaiement
commencement 134.2
blésité 839.3
bégayer 839.10
dire 595.19
bégayeur 839.8
bégonia 318.33
bégoniacée 318.33
bègue
n. 839.8
adj. 839.13
béguètement 170.1
bégueter 170.5
bégueule 108
hypocrite 373.17
bégueulerie
hypocrisie 373.2
affectation 12.1
chasteté 108.1
béguin
vêtement 525.25
passion 27 ; 90.2
béguinage 525.22
béguine 525.11
behaviorisme ou **béhaviorisme** 620.9
behavioriste 620.32
béhénique 94.7
beige 159.28
beigne
bosse 78.4
coup 160.3
beignet
gâteau 333.11 ; 799.6
coup 160.3
beine 360.6
beira 486.6
beisa 486.6
béjaune
oiseau 570.26
jeune homme 35.3 ; 445.3
Bektachiyya 440.5
bel 781.12
bel canto 106.7
bêlant 486.30
belargus 417.11
bêlement 170.1
bélemnite 527.4
bélemnoïdes 527.1
bêler 170.5
belette 486.7
belga 529.13
Belge 355.5
belgicisme 455.4
bélial 186.4
bélier
animal 262.12
machine 476.11
Bélier (le)
constellation et signe zodiacal 88.9
bélière 806.5
Belinda 49.10
bélinogramme 809.14
bélinographe 809.5
bélionote 417.3
belladone 318.30
bellâtre
adulte 495.3
beau gosse 69.4
Bellatrix 49.5
belle
n.f.
femme 306.4
t. d'affection 27.13
revanche 726.3
évasion 461.2
en dire de belles sur qqn 227.15
en faire de belles 784.11
de plus belle 704.17
belle-dame 417.11
belle-de-jour
liseron 318.34
prostituée 672.6
belle-de-nuit
mirabilis 318.33
prostituée 672.6
belle-famille 304.1
belle-fille 314.8
bellement 69.21
belle-mère 506.5
beaux-parents 314.8
bellérophon
mollusque 527.3
Bellérophon
divinité 236.41
belles-lettres 691.6
belle-sœur 314.8
belletière 107.5
bellevue
en bellevue 333.51
belli- 354
bellicisme 354.14
belliciste
n. 354.19
adj. 354.28
bellicosité 354.14
belligène 354.31
belligérance
acte de belligérance 354.5
belligérant
n.m. 354.15
adj. 354.29
belliqueusement 354.33
belliqueux 354.28
violent 865.23
bellissime 69.16
bellone 236.24
bellot
n.
t. d'affection 27.13
adj. 69.16 ; 270.18
belluaire 123.20
belon 527.2
bélon 637.16
bélonéphobie 619.4
béloni- 637.16
bélonidé 638.3
bélonogaster 417.7
bélostomatidés 417.4
bélostome 417.5
belote 446.3
bélouga 486.15 ; 638
bel paese 328.6
Belunais 371.12
belvédère 481.16
balcon 39.13
Belzébuth 186.4
Bembas 371.11
bembex 417.7
bème 509.21
bémol 543.13
mettre un bémol 522.13 ; 787.14
bémoliser 220.15
modérer 522.11
bénarde 760
bénédicité 657.10
bénédictin 525.10
historien 363.8
savant 747.9
travail de bénédictin 601.5
bénédictine 75.13
bénédiction 670.6
sacralisation 736.5
liturgie 508.4
bénédiction nuptiale 491.5
benedictus 657.11
cantique 106.5
bénéfice
utilité 847.3
recette 339.8
bénéfice d'inventaire 245.20
sous bénéfice d'inventaire 714.17
bénéfice ecclésiastique 699.20
bénéficence 76.2
bénéficiaire 66.38 ; 241.24 ; 688.12
bénéficier 699.21
bénéficier de 645.15
bénéfique
de grand secours 19.28
être bénéfique à 798.13
bénéfiquement 19.30
bénéolent 569.25
benêt 784.6
bénévolat 19.11
bénévole
n. 19.15
adj. 19.27 ; 336.12 ; 739.15
Bengalais 355.9
bengali
oiseau 38.8
langue 455.14
Bengali 355.9
béni 173.24
bénignement 76.11
bénignité
d'une maladie 482.9
insignifiance 419.1
bonté 76.1
bénin
sans gravité 482.63
insignifiant 419.12
bon 76.9
bénincase 333.18
Béninois 355.7
béni-oui-oui 149.6
courtisan 761.6
bénir
sacraliser 736.13
baptiser 173.21
savoir gré 348.4
bénir qqn de 471.15
bénir Dieu 657.19
bénissage 471.1
bénissement 471.1
bénit 736.14
eau bénite 761.4
pain bénit 588.13

bénitier
mollusque 527.2
bassin 465.11
grenouille de bénitier 320.10
benjamin
dernier-né 647.11
enfant 304.4
t. de sport 792.42
benjoin 594.4
benne 518.7
coffre 829.12
benne à ordure 550.22
benoît
calme 89.13
bon 76.9
hypocrite 373.18
benoîte 318.27
benthique 319.29
benthos 251.8
benzène
huile brute 369.2
combustibles liquides 269.6
benzénisme 267.2
benzine 617.5
benzo- 113.29
benzoate 113.8
benzodiazépine 499.5
benzol 617.5
benzolisme 482.19
empoisonnement 267.2
benzopyrène 267.4
benzoyle 113.9
benzyle 113.9
béotien 418.8
ignorant 377.4
populaire 734.8
Béotiens 371.16
béotisme 734.2
obscurantisme 377.3
Beowulf 236.8
béquet 57.5
béquillard 342.3
béquillarde 801.4
béquille
jambe 502.3
guillotine 801.4
t. de serrurerie 760.12
béquiller
soutenir 791.11
manger 342.7
guillotiner 801.22
béquilleur 342.3
béquilleuse 801.4
béquillon 791.7
berbère 455.14
Berbères 371.10
berbéridacée 38.3 ; 318.25
berbéris 38.4
bercail
meute 486.16
foyer 304.8
domicile 356.2
berçant 780.25
berçante
balançoire 579.6
balancelle 519.19
berce 318.20
berceau
matin 134.2
arcade 162.5
lit 519.13
berceau d'élevage 262.5
au berceau 270.21
bercelonnette 519.13
bercement 579.1
bercer
balancer 270.16 ; 579.10
flatter 838.13
bercer (se) 285.7
berceuse 105.2 ; 270
balancelle 519.19
Bercy
fièvre de Bercy 441.3
berdouillard 853.14
berdouille 853.2
béret 859.25
beretta 43.7
berga 605.14
bergamasque 176.9
bergamote 594.4
cerise 330.12
bergamotier 37.17
bergat 605.14
berge 14.4
rivage 319.8
voie sur berge 77.7
berger 262.24
chien 486.9
l'heure du berger 776.4
adoration des bergers 117.21 ; 374.3
coup du berger 446.14
bergerade 262.25
bergère
femme 306.4
fauteuil 519.18
bergerette 262.25
bergerie 262.25
poésie champêtre 635.6
t. des beaux-arts 374.7
enfermer le loup dans la bergerie 390.7
bergeronnette 570.8
berger 262.24
bergeronnette printanière 570.8
bergerot 262.24
bergot 605.14
bergsonien
intuition bergsonienne 434.2
bériberi 482.25
berkélium 113.7
berline 518.7
break 57.6
berlingot
berline 833.14
bonbon 799.5
berlue 204.4
berme 77.5
fondation 834.11
bermuda 859.11
bernardin 525.10
bernardine 525.11
bernard-l'hermite 172.3
berne
drapeau en berne 331.21
berné 838.23
berner
moquer 532.9
tromper 284.10
berneur 628.8
bernicle ou **bernique** 527.3
bernique 431.2
non 404.11
béroé 527.13
berquinade 262.25
Berrichon 695.11
Bertha
la grosse Bertha 43.8
berthe 454.5
bertholletia 37.19
bertillonnage 169.14
bérus 712.3
béryl 516.5
pierre fine 517.4
bérylium 113.7
berzingue
à toute berzingue 684.48
Bès 236.27
besace
valise 151.6
bagage 871.11
être réduit à la besace 603.17
besace d'angle 30.7
en besace 30.11
besaiguë 505.16
besant 529.13
besants 578.3
besas 842.4
besi 330.11
bésicles ou **besicles** 574.8
bésigue 446.3
besogne
nécessaire 545.2
activité 7.7
aller vite en besogne 684.13
abattre de la besogne 684.15
tailler de la besogne 480.13
besogner 266.24
besogneusement 603.25
besogneux 603.20
besoin
nécessaire 545.2
état de manque 488.4
désir 199.3
être à l'abri du besoin 730.13
être dans le besoin 603.13
subvenir aux besoins de qqn 19.23 ; 336.9
subvenir à ses besoins 862.28
faire ses besoins 296.20
bessemer 510.10
besson 304.4
bestiaire 123.20
supplicié 801.16
bestial
pervers 763.46
impudique 399.9
bestialement 763.49
impudiquement 399.11
bestialité
animalité 873.8
perversion 763.15
bestiau
tête de bétail 262.4
animal 873.6
bestiole 873.6
bestion 211.2
best-seller 469.11
succès 798.6
bêta
n.m. 784.6
adj. 784.12
rayon bêta 513.8
bêtabloquant
n.m. 499.5
adj. 499.36

coiffer 129.13
bichonner (se) 669.11
bichromie 643.1
bicipital 541.25
bicolore 643.11
biconcave 162.14 ; 574.20
bicontinu 153.25
biconvexe 162.14 ; 574.20
bicoque 481.2
bicoquet 859.25
bicorne 859.27
utérus bicorne 762.14
bicross
bicyclette 833.13
cyclisme 792.26
biculturel 773.15
bicuspide 637.15
bicycle 833.13
bicyclette 833.13
bicyclettiste 833.27
bicycliste 833.27
bidasse 41.11
bide
ventre 853.2
échec 249.2
mensonge 504.8
faire un bide 630.8
bidens 318.10
bidet
cheval 486.11
meuble 519.26
t. de menuiserie 505.18
bidimensionnel 219.10
bidoche 333.6
bidon
ventre 853.2
mensonge 504.8
récipient 618.9
bidonnage 838.1
bidonnant 132.11
bidonner 75.26
bidonner (se) 132.7
bidonville 845.7
bidonvillisation 603.5
bidouiller 662.16
-bie 251.23 ; 862.32
Biedermeier 46.11
bief 830.15
bielle 476.12
biélorusse 455.14
Biélorusse 355.6
bien
n.m.
norme 365.5 ; 559.2 ; 620.16
objet 491.8 ; 552.10 ; 714.6 ; 730
adj. 233.13
adv. 677.19 ; 800.25
homme de bien 365.6
souverain bien 365.5
arbre de la science du bien et du mal 37.4
bien mal acquis ne profite jamais 869.26
manger son bien par les deux bouts 661.9
dire du bien de qqn 471.11
faire du bien 786.4
être bien avec 26.8
pour le bien de 86.13
bien que 768.14
bien des 634.13 ; 678.19
bien-aimé 27.13
bien-être
plaisir 629.1
aise 670.4
aisance 730.2
bien-faire 76.2
bienfaisance 19.9 ; 76.2
bienfaisant
généreux 336.10
honnête 365.9
bienfait 336.3 ; 847
faveur 241.6
bienfaiteur 241.10
protecteur 671.15
défenseur 268.7
bien-fondé 571.1
bien-fonds 645.4
bienheureux 670.12
Paradis 591.2
bien-jugé 451.1
biennal 610.14
biennale 607.24
bienséance 817.14
bonnes manières 163.2
décence 177.1
bienséant 163.12 ; 696.24
convenable 571.11
bientôt 421.19
un jour 647.26
à bientôt 741.9
bienveillance
protection 671.3
bonté 76.1
bienveillant 336.11
bienfaisant 76.10
les Bienveillantes 707.7
bienvenir 368.7
bienvenu
opportun 571.13
hôte 368.3
bienvenue 45.17 ; 368.11 ; 688.22
bien-vivre 862.14
bière
cercueil 331.13
mettre en bière 331.31
bière
boisson 75.10 ; 85.6
petite bière 419.3
verre à bière 848.5
biface 584.28
biffer
rayer 466.10
effacer 31.11
biffeton 529.4
biffin
soldat 41.12
chiffonnier 816.20
biffure 466.5
effacement 31.3
bifide 37.27
langue bifide 712.12
bifilaire 210.9
biflore 318.45
bifocal 574
bifoliolé 37.27
bifonctionnel 113.24
biforme 323.21
bifteck 672.8
gagner son bifteck 739.13
bifton 529.4
bifurcation
croisement 171.2
tournant 212.8
carrefour 845.17
bifurquer 212.19
big bang 230.2
théorie du big bang 49.24
big crunch 49.24
bigaille 529.3
bigame 491.28
bigamie 491.21
bigarade 330.9
bigaradier 37.17
bigarré
divers 234.7
varié 850.15
bigarreau 330.12
bigarrer
diversifier 850.12
colorer 643.8
bigarrure
diversité 234.1 ; 850.2
maladie 79.16
bigeade 741.3
biger 741.22
bighorn 486.6
bigle 840.18
bigler 840.15
bigleux 840.18
bigne
bosse 78.4
gifle 160.3
bignole 481.39
bignon 605.6
bignone 38.7
bignonia 38.7
bignoniacée 38.3
bigophone 809.2
bigophoner 809.19
bigorne
argot 455.3
enclume 584.24
bigorneau
mollusque 333.13 ; 527.3
soldat 41.12
bigorner 205.16
bigot 320.10
bigotement 320.17
bigoterie 320.6
affectation 98.14
bigotisme 320.6
bigoudi 129.8
bigoula 638.6
bigre 431.2
bigrement 427.32
bigue
levier 531.9
appareil de levage 489.9
biguine 176.10
Biharis 371.13
bihebdomadaire 610.15
bihoreau 570.18
bijagos 371.11
bijectif 493.9
bijection 493.4
bijou **70**
t. d'affection 27.13
bijouterie 70
bijoutier 70
bikini
déshabillé 562.5
tenue de sport 859.17
bilabiale 781.8
bilabié 318.45
bilan
situation 769.3
résumé 723.1
comptabilité 339.15
bilan d'énergie 269.2
bilan de santé 498.9
bilatéral
réciproque 690.13
latéral 158.17
accord bilatéral 690.4
bilatéralement 158.20
bilatéralisme 642.9
bilatéralité 158.7
bilboquet
jouet 448.9
t. d'imprimerie 388.17
bile
sucs digestifs 218.13

vomissure 296.6
souci 785.1
échauffer la bile 549.14
se faire de la bile 785.4
biler (se) 785.4
bileux 785.9
bilharzie 856.2
bilharziose 482.35
biliaire 340.14
gastrique 218.24
vésicule biliaire 218.10
bilié 218.25
bilieux
coléreux 420.10 ; 615.6
t. de médecine 340.15
biligénie 218.15
bilinga
bois 74.11
arbre 37.18
bilingue 455.21
bilinguisme 455.8
biliogenèse 218.15
bilirubine 94.22
bilirubinurie 296.10
bill 245.30
billard
jeu 446.21
table d'opération 114.25
route 833.20
billard électrique 446.21
salle de billard 481.20
c'est du billard 302.17
dévisser son billard 534.22
billbergia 318.32
bille
tronçon 74.6
tête 814.3
jouet 448.2
billeau 74.8
billebarré 643.11
billebarrer 643.8
billebaude
à la billebaude 107.31
chasse à la billebaude 107.3
billebauder 107.18
biller 588.16
billet
imprimé 387.1
article 654.8
ticket 831.10 ; 832.22 ; 871.10
billet à ordre 166.20
billet de banque 529.4
billet doux 157.1
billette
bûche 74.8
ornement 578.3
t. de métallurgie 510.7
billettiste 654.16
billevesée
sornette 784.4
bavardage 419.6
balivernes 435.5
billion 515.1
billon
bûche 74.6 ; 311.3
t. d'agriculture 18.5
billonner
cultiver 18.20
débiter 36.26
billonnette 37.8
billot
caisse 151.5
bâton 791.3
tronc 801.6
biloculaire
utérus biloculaire 762.14
biloquer 18.20
bimalléolaire 72.20
bimane 479.18
didactyle 873.24
bimas 371.12
bimbelot 448.1
bimbeloterie 419.5
bimensuel 610.15
périodique 654.28
bimestre 610.4
bimestriel 610.15
périodique 654.28
bimétallique 529.29
bimétallisme
étalon 529.14
t. de Bourse 575.10
bimétalliste
n. 529.25
adj. 529.31
bimillénaire 515.5
bimoléculaire 113.24
bimoteur 831.2
bin's 201.5
binage 18.4
binaire 408.27
double 210.9
t. de mathématiques 493.9
binard 833.11
binational 124.15
binaural 55.20
binauriculaire 55.20
binche
point de binche 165.8
biner
doubler 210.6
creuser 18.20 ; 167.11
binet 250.8
binette
tête 814.3
outil 18.15 ; 584.26
bineuse 476.6
bing 431.7
badaboum 83.23
Bingas 371.11
bingo 446.13
Binh Xuyen 80.4
biniou 422.15
Binjwars 371.13
binoclard 840.18
binocle 574.8
binoculaire
lenticulaire 574.19
visuel 868.28
binôme
couple 26.6
t. de mathématiques 493.2
binomial
valeur binomiale 493.6
binoter 18.20
binturong 486.7
binz 201.5
bio- 251.23 ; 862.32
bioacoustique 55.11
bioastronome 49.26
bioastronomie 49.1
biocarburant
pétrole 131.6
supercarburant 617.5
biocatalyseur 94.23
biocénose 251.8
biocénose animale 873.4
biocénotique 251.2
biochimie 113.1
biochimie médicale 498.3
biochimique 94.34
biochimiste 94.29
chimiste 113.18
bioclimat 251.6
bioclimatologie 127.9
bioclimatologique 251.21
biocompatibilité 381.4
biocompatible 381.19
biodégradabilité 205.11
biodégradable 205.27
biodégradation 251.3
biodiesel
pétrole 131.6
supercarburant 617.5
biodiversité 251.3
bioélectricité 873.8
bioélément 821.2
bioénergie 775.4
bioéthique
n.f. 498.3 ; 533.1
adj. 498.36
biogaz 269.6
biogène 251.14
biogenèse 873.12
biographe 363.10
conteur 691.11
biographie 363.6
vie 862.10
biographique 691.15
biologie 862.21
embryologie 265.12
biologie médicale 498.3
biologie moléculaire 94.28
biologique 251.21
biologiste 265.13
bioluminescence 473.15
bioluminescent 473.34
biomagnétisme 478.3
biomasse 269.4
organisme vivant 251.8
biomatériau 114.22
biome 251.6
biomédical 498.36
biométéorologie 127.9
bionomie 251.1
bionte 251.23
bioprécurseur 499.2
biopsie 498.13 ; 841.7
biopsie du trophoblaste 265.10
biopsique 841.14
radiologique 498.37
biorhiza 417.7
biorientation 221.16
biorythme
périodicité 326.3
santé 743.1
biorythmique 251.21
bios I 94.21
biosciences 498.3
-biose 251.23 ; 862.32
biosphère 251.7
biosphérique
cycle biosphérique 251.3
biostimuline 793.8
biosynthèse 94.25
biote 251.8
biotechnologie 94.28
biothérapie 775.5
biothérapique 775.28
biotine 499.6
vitamines 214.7
-biotique 862.32
biotope 873.4
biotype 126.5
patrimoine génétique 361.4
organisme vivant 251.8
biovigilance 94.28
bip 781.10
biparti 597.19
divisé 237.7

bipartisme 694.5
bipartite 597.19
bipartition
division 237.2 ; 597.5
t. de biologie 94.27
bipède 623.9
didactyle 873.24
individu 613.2
biper 781.24
biphasé 261.24
biplace 831.2
biplan 831.2
bipolaire 548.8
bipolarisation 694.16
bipoutre 831.2
biprisme 574.3
bique 486.11
vieille bique 863.5
biqueter 486.28
birbe
vieux birbe 863.5
biréacteur 831.2
biréfringence 473.16
birgue 172.3
biribi 144.21
birman
animal 486.8
langue 455.14
Birman 355.9 ; 371.13
biroute 221.9
birr 529.8
bis
n.m. 817.24
adv. 210 ; 704
bis repetita placent 704.3
bis
adj. 159.28
pain bis 588.1
bisacodyl 499.5
bisaïeul 609.7
bisaïeule 506.6
bisaiguë 505.16
bisaille 588.1
bisannuel 610.14
Bisayans 371.12
bisbille
brouille 194.2
altercation 146.2
biscornu 78.17
biscoteaux 541.22
biscotin
biscotte 588.3
crème 799.6
biscotte 588.3
biscotterie 588.10
biscuit
céramique 813.11
gâteau 799.6
biscuiterie 799.9
biscuitier 799.10
bise
vent 852
rapidité 684.18
caresse 91.3
à toute bise 684.48
biseau
biais 30.8
ciseau 505.16
biseauter 446.39
bisémique 753.16
biseness 672.2
biser
enlacer 91.7
embrasser 741.22
biset 570.11
bisette 165.3
bisextil 770.7
bisexualité 763.1
bisexué 711.23
bisexuel 25 ; 762.28
bisiallitisation 337.3
bismuth 113.7 ; 516.5
bismuthinite 516.5
bismuthisme 267.2
bisness 672.2
bison 486.6
bisou
baiser 91.3 ; 741.5
bisouter
enlacer 91.7
embrasser 741.22
bisque 333.26
bisquer 416.6
bissac 151.6
au bissac 603.17
bissectrice 338.7
bisser
acclamer 471.13
applaudir 817.30
bissexte 88.10
bissextile
année bissextile 770.7
biston 417.11
bistoquet 584.7
bistouille 75.13
bistouri 114.26
bistourner 212.15
bistre
couleur 553.15 ; 553.3
crayon 607.15
bistré
noir 553.18
basané 84.11
bistrer
noircir 553.10
brunir 84.7
bistroquet 75.19
bistrot 75
style Bistrot 519.27
bistrotier 75.20
bisulfate 499.6
bisulfure 444.2
rouille 307.5
bit 408.15
bite 762.2
bitemporal 580.30
bitestacée 527.19
bithématisme 543.24
bitis 712.3
bitonal 543.52
bitonalité 543.24
bitos 859.25
bittacus 417.16
bitter 275.9
bitube 43.8
bitume 617.5
béton 834.36
bitume de Judée 621.11
bitumer 834.44
bitumier
bateau 618.9 ; 830.5
ouvrier 834.37
bitumineux 834.36
biture 441.3
à toute biture 684.48
biturer (se) 441.12
-bium 862.32
biunivoque 493.9
bivalence 210.3
bivalent 113.24
bivalves 527.1
bivitellin 711.23
bivoie 832.36
bivouac 41.19
bivouaquer 41.23
biwa 422.4
bizarre 32
unique 686.9
bizarrement 32.19
bizarrerie 90.3
défaut 731.2
bizarroïde 32.14
bizut
néophyte 560.6
apprenti 35.3
débutant 134.14
bizutage 35.2
Bka-brgyud-pa 80.4
Bka-gyur 815.15
blabère 417.16
bla-bla
parole 595.4
bavardage 665.4
blablater
bavarder 595.22 ; 665.10
black
carbon black 553.3
Black 371.6
black-bottom 176.10
blackboulage 582.2
blackboulé 693.15
blackbouler
exclure 582.15
évincer 292.6
se faire blackbouler 249.12
Blackfoot 371.7
Black Hawk 371.7
black jack 446.3
black-out
assombrissement 566.4
silence 182.2
black-rot 79.16
blafard 159.28
blanc 71.13
blageon 638.5
blague
plaisanterie 628.4
moquerie 532.5
tromperie 504.7 ; 838.6
à la blague 432.16 ; 532.17
blaguer
plaisanter 532.13
badiner 628.11
blaguer qqn 838.15
blagueur 838.10
rigolo 628.8
blair 814.5
blaireau
mammifère 486.7
pinceau 129.8 ; 607.16
blaireauter 607.27
blaise 302.32
blâmable 710.23
honteux 606.14
blâmant 710.20
blâme
sanction 63.5
jugement 367.5 ; 710.1
blâmer 710.10
mettre en garde 63.13
blanc
à blanc 102.20 ; 427.12
blanc 71
n.m.
couleur 71 ; 159
intervalle 433.2 ; 488.3
blanc de chaux 727.6
adj.
propre 669.12
innocent 108.8
blanc comme la mort 619.20
carte blanche 646.4
blanc étoc 36.3

colère blanche 130.2
voix blanche 106.16
bruit blanc 83.2
Blanc 371.6
blanc-bec 445.3
blanchaille 638.14
blanchâtre 71.12 ; 159.28
blanchement 71.16
blanchet
n.m. 816.3
adj. 71.12
blanchet-blanchet 388.5
blancheur 71
propreté 669.1
chasteté 108.1
blanchiment 71.4 ; 816.13
blanchir
devenir blanc 71
disculper 592.10
nettoyer 550.32
cuire 333.40
t. de menuiserie 36.26 ; 505.23
blanchir du foie 452.6
blanchis 36.10
blanchissage 550.2
blanchiment 71.4
blanchissant 71.14
blanchissement 71.4
blanchisserie 550.20
blanchisseur
avocat 835.13
nettoyeur 550.24
blanchoiement 71.1
blanchon 486.7
blanchoyant 71.14
blanchoyer 71.9
blanc-manger 799.6
blanc-seing 646.4
avoir blanc-seing 462.24
blandices 761.4
blanque 249.14
blanquette 330.11
blanquisme 808.5
blanquiste 808.34
blaps 417.3
blarine 486.10
blase 554.4
blasé
dégoûté 744.10
indifférent 401.16
blasement
dureté 418.2
ennui 272.1
blaser 418.12
blaser (se) 418.9
blason
armoiries 552.13 ; 765.13
poème 471.4 ; 635.6
ternir son blason 552.23
blasonné 552.18
blasonner
louer 471.9
t. d'héraldique 196.12
blasphémateur
incroyant 398.6
sacrilège 737.6
blasphématoire 398.17 ; 737.11
blasphème 398.5 ; 737.2
blasphémer 412.10
profaner 737.7
blastocèle 265.8
blastocladiales 103.5
blastocyste 265.5
blastogenèse 265.2
blastogénétique 265.15
blastoïdes 527.8
blastomère 265.5
blastomycète 103.5
blastomycose 482.36
blastophaga 417.7
blastula 265.5
blatèrement 170
blatérer 170
blatte 417.16
blattoptéroïdes 417.1
Blaue Reiter 46.12
blazer 859.9
blé
plante 360.7
argent 529.5
manger son blé en herbe 661.9
bléchard 453.9
blèche 303.19
bled 355.20
trou 263.5
bledius 417.3
blême 159.28
blanc 71.13
blêmir
pâlir 71.10 ; 619.13 ; 755.10
blende 516.5
blennidé 638.3
blennie 638.6
blennorragie 482.18
bléphar- 840.22
blépharite 482.28 ; 840.5
blépharo- 840.22
blépharophtalmie 840.5
blépharorraphie 114.18
blépharospasme 840.5
blépharospora 103.9
blépharotic
clignement 868.7
blépharite 840.5
blesbok 486.6
blèse 839
blèsement 839.3
bléser 839.10
blésité 839.3
blessable 72.23
blessant 248.11
injurieux 412.12
blessé
n. 72.11
adj. 72.21
blesser
frapper 72.14 ; 115.23
offenser 192.7
porter préjudice 412.8 ; 439.11
blesser la pudeur 226.5 ; 399.5
blesser (se) 72.15
blessure 72
lésion 72.1 ; 115
souffrance morale 192.3
blet 330.24
bletia 318.21
blette 333.17
blettir 526.6
blettissement 821.8
maturation 330.18
blettissure 526.3
bleu 73
n.m.
débutant 35.3 ; 134.14
couleur 73 ; 159
ecchymose 72.9
missive 157.2
fromage 328.2
soldat 41.11
requin 638.7
bleu de travail 859.18
cuisson au bleu 333.48
passer au bleu 228.9
faire la bleue 2.7 ; 488.7
adj.
colère bleue 130.2
conte bleu 691.3
bleuâtre 73.7
bleubite 41.11
bleuet 318.10
bleuir
devenir bleu 73.6
t. de métallurgie 510.16
bleuissage
bleuissement 73.4
affinage 510.4
bleuissant 73.7
bleuissement 73.4
bleuissure 73.5
bleuité 73.1
bleusaille
jeune génération 445.7
combattant 41.11
bleuté 73
bleuter 73.6
bliaud 859.8
blindage
protection 671.4
fermeture 760.21
blinde
à toute blinde 684.48
blindé
n.m. 41.3
adj. 43.11 ; 834.46
blinder
rendre insensible 418.12
renforcer 671.22 ; 760.28
blissus 417.5
blitzkrieg 354.2
blizzard 852.6
froid 327.7
bloc
ensemble 352.6
masse 337 ; 516.4 ; 636.5
prison 208.11
bloc de sûreté 760.4
bloc opératoire 114.31
en bloc 823.15
blocage
barrière 67.1
obstacle 567.1
blocage d'un compte 66.18
blocage des prix 222.4
bloc-bain 632.2
bloc-cylindres 57.3
blockhaus 182.11
bloc-moteur 57.3
bloc-notes 252.7
blocus 50.3 ; 182.9
blog 809.3
blogue 809.3
blogueur 809.17
bloiement 518.4
blond
n. 444.1 ; 624.13
adj. 84.10 ; 159.28 ; 444.12 ; 624.23
blondasse 624
blond 444.5
blondasserie 444.1
blonde
femme 306.4
t. de couture 165.3
blondelet 444.8
blondeur 444.1
blondin
n.m.
couleur 624.13
appareil 489.14
adj. 444.8

blondinet
n.m. 624.13
adj. 444.5
blondinette 306.4
blondir
jaunir 444.6
cuire 333.40
blondissant 444.10
blondoiement 444.1
blondoyant 444.10
blongios 570.18
bloody mary 75.14
bloom 510.7
bloqué 567.17
bloquer
obstruer 308.11 ; 567.11
t. de sport 792.85
t. de vénerie 107.26
bloquer les prix 222.13
bloquer (se) 720.6
bloqueur 792.70
blottir (se) 769.10
blouse 859
blouses blanches 498.22
blouser 284.10
blouser (se) 483.14
blouson 859.12
blouson doré 445.4
blouson noir 445.4
bluegrass 543.7
blue-jean 859.11
Blue-Ray 273.8
blues 105.5
ennui 272.1
blue tongue 482.48
bluet 318.10
bluff 504.8
intimidation 819.3
bluffer
intimider 819.6
tromper 284.10
bluffeur 838.9
boa 712.3
boarmie 417.11
bob 792.21
bobard 532.5
raconter des bobards 504.20
bobby 641.6
bobèche
plaisanterie 628.7
disque 250.8
bobècherie 628.5
bobeur 792
bobinage 261.16
filature 816.11
bobinard 672.3
bobine
tête 814.3
cylindre 476.12 ; 621.5
bobine de fil 165.18
bobiner 816.24
bobinette 308.5
bobineuse 476.9
bobinoir 816.17
bobo
douleur 243.1
bleu 72.9
bobonne 306.5
Bobos 371.11
bobosse 78.10
bobsleigh 792.21
bobtail 486.9
bocage
haie 67.5
bois 37.22
bocain 605.3
bocal 151.4
conserve 333.5
se rincer le bocal 75.27
bocard
broyeur 676.9
moule 510.10
bocardage
pulvérisation 676.7
concassage 510.3
bocarder 676.16
boccage 67.5
Bochimans
Bédouins 197.6 ; 371.11
bock 114.24
bock à injection 775.18
bodhi 80.8
bodhisattva 80.9
bodoni 459.8
Bodos 371.13
body 859.13
body-builder 792.47
body-building
musculation 541.18
haltérophilie 792.9
boësse 584.15
ciseau 749.14
boette 605.15
bœuf 486.6
fort comme un bœuf 864.14
gagner son bœuf 739.13
bof 431.2
bog 446.3
boggie 832.10
boghead 337.23
combustible solide 269.5
boghei 833.14
bogie 832.10
bogomile 117.12
bogomilisme 117.2
bogue
enveloppe 727.5
poisson 638.6
t. d'informatique 408.19
boguet 833.14
bohairique 508.14 ; 736.12
bohème 547.4
vie de bohème 862.13
bohême 117.13
Bohême
cristaux de Bohême 855.8
boïdés 712.2
boire
n.m.
le boire et le manger 703.5
boire
v.t. 75 ; 441.10 ; 468.13
boire à la santé de qqn 743.10
boire comme un trou 426.8
boire du petit-lait 312.8 ; 745.12
boire jusqu'à la lie 315.16
boire l'eau du Léthé 583.8
bois 74
arbre 37 ; 74
corne 486.20
instrument 422.7
bois de chauffage 131.7
bois de justice 801.4
bois gravé 749.5
bois sur pied 36.13
être du bois dont on fait les flûtes 787.20
être de bois 418.9
boisage 727
charpente 791.4
boisé
planté 37.26
étayé 505.28
boisement 37.22
boiser
planter 36.20 ; 74.20
étayer 505.21
boiserie 505.4
boiseur 74.19
boisseau
mesure 509.23
tuyau 632.8
boisselée 509.22
boissellerie 74.5
boisson 75
liquide 468.5
être pris de boisson 441.14
bois-veiné 417.11
boîtage 151.8
boîte
contenant 151 ; 584.2
lieu de travail 274.5 ; 464.1
boîte aux lettres 157.6
boîte à gants 57.11
boîte à musique 448.8
boîte crânienne 814.2
boîte de couleurs 607.17
boîte de Pandore 174.2
boîte vocale 809.6
mettre en boîte 532.9
boîte-boisson
bouteille 848.11
verre 75.17
boitement 502.5
boiter
claudiquer 502.9 ; 623.6
boiterie 502.5 ; 623.2
boiteuse 176.9
boiteux
bancal 484.6 ; 502.17
discordant 224.10
boîtier 151.4
boit-sans-soif
ivrogne 441.7
buveur 75.21
bol
pilule 499.14
chance 670.6
récipient 848.4
argile 813.10
bol alimentaire 218.4
au bol 129.20
bolaire 813.26
bolchevik 808.26
bolchevique 808.35
bolchevisme 808.5
bolduc 65.3
bolée 678.5
boléro
danse 176.10
vêtement 859.9
bolet 103.6
bolide
météore 49.11
véhicule 684.12
bolier 605.9
bolitophage 417.3
bolivar 859.25
bolívar 529.8
boliviano 529.8
Bolivien 355.10
bollandiste 363.8
bolognais
à la bolognaise 333.51
bolomètre 509.26
bolson 197.2
bombacacée 37.11
bombage 162.4
bombance 703.4
bombarde 476.11
arquebuse 42.5

bombardement 820.3
bombarder 205.19 ; 820.24
bombardier
avion 43.12 ; 831.3
insecte 417.3
bombardon 422.6
bombasin 816.3
bombe
projectile 43.16
évènement 290.5
fête 309.1
récipient 848.10
bombe volcanique 337.7
bombé 162.11
bombée 527.19
bombement 162.4
bomber
courber 162.9
aller vite 684.21
bomber la poitrine 312.8
se bomber 703.35
bombina 68.3
bombinator 68.3
bombonne 151.4 ; 848.10
bombycidés 417.10
bombylidés 417.8
bombyx 417.11
bon
n.m.
qualité 365.9 ; 620.16
titre 849.5
adj.
conforme 147.13 ; 559 ; 571.13
plaisant 427.18 ; 629.15
juste 80.3
généreux 76.9 ; 336.11
bon à graver 388.11
bon à rien 435.7
bon de caisse 166.20
trouver bon 149.7
bonace
calme 852.3
calme plat 89.3
bonapartisme 694.7
bonapartiste 694.29
bonard 76.9
bonasse
naïf 784.13
bon 76.9
bonassement 76.11
bonasserie 76.1
bonbon 799.1
bonbonne 151.4
verre 75.17
bonbonnière
boîte 848.22
maison 481.19
bon-chrétien 330.11
bond 176.16
saut 746.1
faire faux bond 181.6
bonde 308.2
lâcher la bonde à 461.17
bondé 832.35
bondelle 638.5
bonder 1.10
bondérisation 510.4
bondériser 510.15
bondieusard 320.10
bondieusarderie 320.7
bondieuserie 320
bondir 259.10
sauter 746.9
faire bondir 130.10
bondissement 746.1
bondon 328.6
bondonner 308.13
bondrée 570.12
bonellie 856.2
bonenfantisme 76.1
bongarçonnisme 76.1
bongare 712.3
bongo 422.11
bon-Henri 318.9
bonheur
joie 290.6 ; 447.2
succès 670 ; 745.1 ; 798.2
bonheur d'expression 264.2
bonheur éternel 591.4
au petit bonheur 358.15
par bonheur 358.13 ; 670.20
bonheur-du-jour 519.11
bonhomie 767.2
bonté 76.1
bonhomme
n.m. 613.2 ; 734.6
aller son petit bonhomme de chemin 500.9
grand bonhomme 800.7
adj. 767.10
boni 849.9
boniface 76.9
bonification
gratification 241.2
réduction 524.3
bonifier 76.8
s'améliorer 677.8
boniment 123.4
parole 595.4
bonimenter 595.22
bonimenteur
imposteur 504.12
discoureur 595.15
bonite 638.6
bonjour 431.8
salut 741.9
bonnard 838.23
bonne 481.39
bonne d'enfant 270.9
bonne
avoir à la bonne 26.7
bonne-grâce 67.9
bonne-maman 506.6
bonnement
tout bonnement 767.12
bonnet
estomac 486.23
coiffure 859.25
bonnet blanc et blanc bonnet 719.10
bonnet jaune 80.4
bonnet de nuit 836.6
gros bonnet 59.9
bonnet-de-prêtre 38.4
bonneteau 446.3
bonneterie 165.1
bonneteur 446.27
bonnetier 165.23
bonnetière 519.2
bonnette
t. d'optique 574.7
t. de fortifications 182.10
bon-papa 609.7
bonsaï 36.11
bonsoir 776.17
salut 741.9
bonté **76**
charité 336.2
pitié 625.1
bonté divine 431.2
bontebok 486.6
bonus 241.2
bonze 525.7
bonzerie 525.22
boogie-woogie 543.6
bookmaker 446.27
booléen
calcul 87.6
mathématique 493.9
boolien 493.9
boom
croissance 56.2
augmentation 298.4
boomer 781.14
boomerang 448.2
effet boomerang 115.11
boomslang 712.3
booster 391.9
bootlegger 869.14
boots 110.3
bop 543.6
bopyre 172.3
boqueteau
bois 37.22
haie 36.17
bora 852.6
borain 518.10
borassus 37.18
borate 113.8
borborygme 83.12
bord **77**
limite 467.1
opinion politique 808.2
bord du vent 852.5
bord à bord 673.13 ; 685.17
bordage 77.11
plafond 727.8
borde 481.4
bordé 77
bordeaux
couleur 159.28 ; 735.12
vin 75.12
bordée
kyrielle 540.5
bordée d'injures 412.3
tirer une bordée 475.7
bordel
établissement 672.3
désordre 201.6
bordelaise 75.17
bordéleux 201.14
bordélique 201.14
border 77.16 ; 165.27
bordereau 66
inventaire 490.14
facture 659.9
borderie 481.4
bordier 77.15
bordj 182.8
bordure
bord 77.1
découpure 578.5
bordure continentale 77.9
borduré 77.19
bordurer 77.16
bordurier
frontalier 77.15
contigu 467.13
bore 113.7
boréal 49.15 ; 49.35 ; 221.29
empire boréal 873.5
hiver boréal 738.5
borée
insecte 417.16

tourner 97.13
encercler 487.31
enfermer 208.21
terminer 654.23
friser 129.13
boucler sa ceinture 57.26
boucler son budget 339.27
boucler un circuit 632.24
la boucler 308.14
bouclette 129.4
bouclier
arme défensive 42.7 ; 182.17 ; 671.4
engin de travaux publics 834.28
levée de boucliers 715.4
Bouddha 80.12 ; 80.9 ; 236.5
bouddhique 80.15 ; 620.33
bouddhisme 80 ; 700.8
éthique 620.4
bouddhiste 80.15 ; 80.5 ; 620.33
bouddhologie 80.1
bouder 192.10 ; 416.6
s'isoler 420.6
bouder contre son ventre 771.5
bouder qqn 409.5
bouderie 410.4
boudeur 420.10
boudeuse
meuble 519.18
boudi 431.2
boudin
laideron 453.4
ornement 505.6 ; 578.3
ressort 259.4
rouleau de cheveux 129.4
boudinage 816.11
boudiné 78.16
boudiner 733.17
boudineuse 476.9
boudoir
pièce 481.21
gâteau 799.6
boue
gadoue 468.5 ; 740.3
abjection 367.2
boues activées 775.14
boues barytées 618.4
bouée
radiosonde 207.8
feu 765.14
bouée sonore 781.10
boueux
n.m. 550.24
adj. 740.11
bouffable 703.41
bouffant
vêtement 165.4
papier 388.12
bouffe
n.f. 703.5
adj. 132.11
bouffée
vent 852.1
respiration 718.1
émotion 755.4
bouffée de chaleur 102.5
bouffer
manger 342.7
casser la croûte 703.27
bouffer du curé 398.15
bouffetance 703.5
bouffe-tout 342.4
bouffetripe 703.20
bouffeur 342.4
gastronome 703.20
bouffeur de curé 398.10
bouffi 78.16 ; 351.15
orgueilleux 312.11
bouffir 351.8
bosseler 78.11
bouffissure
grossissement 351.3
bosse 78.4
prétention 655.1
bouffon 321.16 ; 731.4
comique 132.11
clown 628.7
bouffonnade 628.4
bouffonnant 628.14
bouffonnement 628.15
bouffonner 628.10
bouffonnerie
ridicule 731.2
farce 628.5
comédie 817.5
boufre 431.2
bougainvillée ou **bougainvillier** 38.7
bouge
courbure 162.4
logement 481.2
bougé
n.m. 621.12
adj. 17.13
bougement 538.1
bougeoir 250.7
bougeotte
avoir la bougeotte 538.18 ; 871.20
bouger
changer 104.18
se mouvoir 538.17
agiter 17.7
bougie
chandelle 250.6 ; 473.13
filtre 113.17
physionomie 814.3
sonde 498.19
d'allumage 57.3
unité de mesure 509.18
bougnat 75.19
bougon
n.m.
fromage 328.4
adj.
grognon 192.15 ; 420.10
bougonnement
plainte 192.4
bafouillage 411.3
bougonner
se plaindre 192.11
bafouiller 411.10
bougre 431.2
individu 613.2
bougrement 427.32
boui-boui 75.19
bouif 110.13
bouillabaisse
confusion 501.5
plat 333.14
bouillant
brûlant 102.22
impatient 382.11
passionné 600.13
bouille
hotte 151.5
physionomie 814.3
bidon 454.5
t. de pêche 605.3
bouilleur 18.16
bouilleur de cru 75.20
bouilli 333.21
bouillie
réduire en bouillie 205.18
avoir de la bouillie dans la bouche 411.10
bouillie pour les chats 411.3
bouillir
bouillonner 85.15 ; 102.18 ; 468.12
d'impatience 382.8
de colère 130.8
cuire 333.40
bouilloire 848.27
bouillon
bouillonnement 85.7 ; 468.5
écume 319.11
échec 249.2
invendu 654.13
potage 333.23
bouillon d'onze heures 267.6
bouillon de culture 249.12 ; 512.2
bouillon-blanc 318.22
bouillonnant 85.17
bouillonné 165.4
bouillonnement
agitation 17.3
bulles 85.12 ; 468.5
trouble 600.4
bouillonner
froncer 162.8
former des bulles 85.14 ; 319.20
être agité 130.8
se vendre mal 654.24
bouillonneur 855.10
bouillotte
physionomie 814.1
récipient 109.10
jeu 446.3
bouillotter 85.15
boujaron 509.23
boukha 75.13
boukhis 711.17
boulaie 36.16
boulance 119.7
boulange
boulangerie 588.7
bois de boulange 74.10
boulangé 588.18
boulangeable 588.19
boulanger
n. 588.11
adj. 333.51 ; 588.17
boulanger
v. 588.15
boulangerie 588.10 ; 588.7
boulangisme 808.14
boulant 119.25
boulantin 605.3
boulbène 813.4
boule
grosseur 351.2
sphère 97.9
tête 321.18 ; 624.16 ; 814.1
suffrage 260.10
de pain 588.2
jeu 446.11 ; 446.22
boule d'amortissement 39.21
boule de cristal 235.6
boule de neige 758.17
en boule 130.6 ; 549.8
boulé 799.3
bouleau
bois 74.10
arbre 37.15

bouledogue 486.9
bouler 605.22
bouleraie 36.16
boulet
poids 636.6
de houille 131.7 ; 518.5
de canon 43.15 ; 227.15 ; 820.20
bille 448.2
bouletage 518.4
boulette
petite boule 345.2
erreur 283.9 ; 483.4
mets 333.11
boulette empoisonnée 267.6
boulette d'Avesnes 328.6
boulette de Cambrai 328.6
boulette de Thiérache 328.6
bouleux 864.5
boulevard 833.18 ; 845.14
boulevard extérieur 300.2
boulevard des allongés 331.14 ; 534.26
boulevari 83.10
bouleversant 427.19
terrible 827.13
bouleversé 115.36
bouleversement 104.3 ; 202.2
désordre 201.1
intervertissement 436.2
bouleverser
désorganiser 202.4
déséquilibrer 17.8
boulier 87.9
boulimie 321.10
gloutonnerie 342.1
boulimique 342.13
boulin 167.8
boulingrin 443.7
boulisterie 157.10
Boulle 519.27
boulocher 345.9
boulodrome 446.29
boulomane 599.10
boulon 476.12
t. de serrurerie 760.19
boulonnage 725.7
boulonner
visser 725.12 ; 760.26
travailler 266.24
boulot
travail 266.4
pain 588.2
petit boulot 266.4
boulotter 703.27
boum
bruit 83.23 ; 119.29 ; 431.7
réunion 137.11 ; 309.11
t. de Bourse 81.12
boumer 743.6
bouque 289.4
bouquer
voler un baiser 91.7
t. de chasse 107.23
bouquet
d'arbres 36.17
de fleurs 172.3 ; 318.2
de pieux 834.32
arôme 343.2 ; 569.2
bouquet garni 333.27
bouquet
crevette 172.3
bouquetier 806.5
bouquetière 333.51
horticulteur 318.40
bouquetin 486.6
bouquin
bouc 486.5
livre 469.1
bouquinage 486.25
bouquiner
saillir 486.27
lire 469.25
bouquinerie 469.19
bouquineur 469.18
bouquiniste 469.17
bouracan 816.3
bourbe
boue 813.4
crasse 740.3
bourbeux 813.26
bourbier 813.9
lac 319.2
bourbillon 482.45
bourbonien 814.5
bourbouille 482.17
bourdaine 38.4
bourdalou
ruban 65.3
urinal 519.25
bourdante 483.5
bourde
absurdité 784.3
bévue 483.5
farce 628.5
bourdon
manque 283.7 ; 488.3
insecte 417.7
cloche 465.10
corde grave 422.24
chant 106.3
ganse 165.3
bourdonnant 83.19
bourdonnée 171.20
bourdonnement 417.21
insectes 170.4
bruit de fond 83.3
bourdonner
insectes 170.8
gronder 83.15
converser 156.13
bourdonnière 760.20
bourg 845.6
bourg pourri 260.21
bourgade 845.6
bourgadier 845.20
bourgage 481.36
bourgeois 355.3
roturier 734.6
peuple 773.7
à la bourgeoise 333.51
bourgeoise 491.19
bourgeoisement 734.10
bourgeoisie
roture 734.1
peuple 773.7
bourgeoisisme 734.2
bourgeon
commencement 134.2
bouton 78.5
formation végétale 37.9
bourgeon charnu 482.16
bourgeon du goût 638.11
bourgeonnement
printemps 738.2
reproduction asexuée 711.2
période végétative 79.6
bourgeonner 79.21
bourgette 638.6
bourgogne
vin 75.12
verre 848.5
bourguignon 695.11
à la bourguignonne 333.51
bourguignonne 75.17
Bouriates 371.14
bourlingue 292.1
bourlinguer
évincer 292.6
voyager 871.20
bourlingueur 871.18
bournonite 516.5
bourrache
plante 318.6
tisane 75.7
bourrage
bourrage de crâne 407.2 ; 504.3 ; 614.3
bourraque 605.9
bourraquer 605.29
bourrasque
vent 852.1
orage 130.5
bourratif 703.42
bourre
n.f.
rembourrage 727.5
duvet 486.20
déchet 816.5
retard 724.20
bourre
n.m.
policier 641.7
bourré 441.18
bourreau 144.18 ; 801.14 ; 865.13
bourreau d'argent 191.10 ; 661.5
bourrée
fagot 311.4
danse 176.9 ; 543.31
bourreler 801.18
bourrelé de remords 697.10
bourrelet
grossissement 351.3
pli 604.4
t. d'anatomie 580.3
bourrelet du corps calleux 100.10
bourreleur 801.14
bourrer
v.t.
remplir 1.10 ; 152.7
bourrer de coups 115.22 ; 160.15
bourrer le crâne 407.10 ; 614.7 ; 838.13
bourrer le mou 378.11
v.i.
se hâter 684.21
s'engorger 505.27
forcer l'arrêt 107.26
bourrer (se)
dévorer 342.6
s'enivrer 441.12
bourriche
corbeille 151.5
appât 605.14
bourrichon 378.11
bourricot 486.11
bourride 333.14
bourrin 486.11
bourrique
âne 486.11
sot 784.7
méchant 828.8
entêté 715.9
faire tourner en bourrique 321.21
bourriquet
treuil 518.7

bourru 420.10
lait bourru 454.1
boursault ou **bourseau**
maillet 584.18
chalumeau 632.19
bourse
renflement 37.8
scrotum 762.5
allocation d'études 19.7
filet 605.9
porte-monnaie 529.21 ; 603.12
gibecière 107.6
t. d'entomologie 417.18 ; 417.24
Bourse 81
Bourse de commerce 135.4
Bourse de marchandises 81.1 ; 135.4
Bourse du travail 81.1
bourse-à-pasteur 318.26
bourseau → **boursault**
boursicaut ou **boursicot** 281.7
boursicotage 81.4 ; 281.2
boursicoter
jouer en Bourse 81.29
épargner 281.10
boursicoteur 81.26
boursicotier 81.26
boursier
n.m.
élève 274.15
agioteur 81.25
adj. 81.35 ; 849.1
boursiller 339.28
boursouflage 78.9
bosse 78.1
extension 298.3
boursouflement 78.1
boursoufler
gonfler 78.11 ; 298.11 ; 351.8
exagérer 347.9
boursouflure
gonflement 78.4 ; 351.3
prétention 655.1
grandiloquence 347.1
bouscarle 570.8
bousculade 201.4 ; 869.3
bousculer
désorganiser 202.4
violenter 865.15
bouse 296.3 ; 486.24
bouseux 418.8
paysan 18.17
bousier 417.3
bousillage
pisé 727.11
destruction 205.4
gâchis 547.5
bousiller
tuer 534.27
gâcher 249.9 ; 483.17 ; 547.8
détruire 205.16
bousilleur 205.13 ; 483.9
bousin 83.9
boussole 49.15
magnétisme 221.8
boussole d'inclinaison 221.8
boussole de déclinaison 221.8
perdre la boussole 769.11
boustifaille 703.5
boustifailler 342.7
boustifailleur 703.20
boustrophédon 252.2
bout 315.5
extrémité 300.2
frontière 467.2
bout d'essai 120.9
bout de bois 441.3
bout de gras 156.14
bout de temps 247.12
bout du monde 232.13 ; 263.5 ; 769.15
ne pas voir plus loin que le bout de son nez 64.8
à bout 130.10 ; 303.19 ; 467.8 ; 549.13
à bout de bras 502.18 ; 864.20
à bout de course 315.22
à bout de forces 303.19
au bout 315.16
au bout de 247.22 ; 647.28 ; 783.29
au bout du fil 809.23
au bout du rouleau 11.20 ; 303.19 ; 467.10
de bout 519.13
de bout en bout 5.24 ; 823.15
sur le bout des doigts 747.11
à tout bout de champ 153.28 ; 287.15
bout à 572.17
bout à bout 165.6 ; 673.13 ; 685.17
haut bout 59.14 ; 204.14
mettre les bouts 189.11
être à bout 11.20 ; 382.8 ; 467.10
boutade
plaisanterie 132.3 ; 628.4
caprice 90.2
boutargue 333.14
bout de chou 270.4
bout-de-pied 519.20
bout-de-zan 270.4
boute-en-train
bon vivant 447.9
libertin 629.7
rigolo 628.8
boute-feu ou **boutefeu**
belliciste 354.19
arquebuse 42.5
bouteille
flacon 151.4 ; 848.11
ancienneté 495.4
boisson 75.1 ; 75.17
bouteille à l'encre 140.10
bouteille à la mer 157.1
bouteille à neutrons 513.10
bouteille de Leyde 261.13
en bouteille 151.13
à la bouteille 75.37
dans la bouteille 751.21
vert bouteille 857.11
bouteiller 75.20
bouteillerie 855.14
bouter 791.11
bouterolle
foret 584.21
clé 760.14
bouteur 834.27
boutique 464.13
fonds de commerce 135.11
boutiquier 135.16
boutisse 727.9
boutoir
coup de boutoir 497.3
bouton
grosseur 78.5 ; 78.7 ; 482.16
ornement 578.3
insigne 107.14
de vêtement 118.7 ; 308.6
de fleur 318.3
de porte 760
bouton d'itinéraire 832.4
bouton de manchette 70.9 ; 859.29
bouton de sein 639.3
bouton embryonnaire 265.5
bouton pression 308.6
serrer le bouton à qqn 240.13
bouton-d'or 318.25
bouton-de-guêtre 103.7
boutonné 816.33
réservé 751.28
boutonner
v.t.
fermer 308.12 ; 725.12 ; 859.39
v.i.
former des boutons 318.41
boutonneux 482.67
jeune 445.3
boutonnière
d'un bouton 165.5
blessure 72.10 ; 534.28
incision 114.22
bouton-poussoir 760.12
boutou 486.15
bouturage 36.4
reproduction asexuée 711.2
bouture 37.5
bouturer 36.21
botaniser 79.19
bouverie 262.8
tanière 486.18
bouvet
rabot 584.16
ciseau 505.16
bouvetage 505.11
bouveter 505.23
bouveteuse 476.10
raboteuse 505.15
bouvier
vacher 262.24
Bouvier (le)
constellation 49.15
bouvière 638.5
bouvillon 417.7
bouvreuil 570.8
bouzouki 422.4
bovarysme
insatisfaction 416.1
inaccomplissement 392.5
bovidé 486.3
bovin
bœuf 262.32
personne bornée 418.8
boviste 103.6
bow string 834.33
bowal 627.1
bowette 518.6
bowling 446.21
bow-window 481.31
box
stalle 262.6 ; 486.18
compartiment 57.15 ; 114.31
appareil photo 621.3
boxe 792.15
boxer
v. 792.86

boxer
n.m. 486.9
boxeur 792.53
battant 115.19
box-office 120.18
succès 798.6
boxon 672.3
boy 176.22
boyard 552.18
boyau
tranchée 182.12
zone d'action 487.16
gros boyau 703.20
boyau de chat 114.22
boyauter (se) 132.7
boycott ou **boycottage** 429.3
boycotter 582.13
bozzetto 607.6
bracelet
bijou 70.4
menottes 44.5
bracelet-montre 70.4
brachial 502.16 ; 541.8
nerfs locaux 548.4
brachiation 538.5
brachio- 502.20
brachiopodes 856.1
brachio-radial 541.8
brachiosaure 712.11
brachy- 421.22
brachyblaste 37.8
brachycéphale 814.16
brachycères 417.8
brachycerus 417.3
brachydactylie 484.4
brachylogie 142.1
brachylogique 142.7
brachymélie 484.4
brachyne 417.3
brachyodonte 188.31
brachyœsophage 484.5
brachyote 570.12
brachypnée
apnée 718.14
t. de médecine 482.32
braconidés 417.6
braconnage
pillage 869.5
chasse 107.1
braconner 869.22
chasser 107.18
braconnier 869.11
bractée
paille 360.3
t. de botanique 318.5
bractéole 318.5
bradel 469.2
brader
déprécier 220.16
vendre 135.24
solder 524.10
braderie 524.4
brady- 458.28
bradycardie 128.13 ; 482.13
bradycinésie ou **bradykinésie** 458.2
bradylalie
lenteur d'esprit 458.3
blésité 839.3
bradypepsie 218.3
bradyphémie 839.3
bradypnée
apnée 718.14
t. de médecine 482.32
bradypodidé 486.3
bradypsychie 458.3
brahea 37.19
Brahma 236.32 ; 591.6
brahman 362.3
brahmacarya 362.11
karma 362.6
brahma-loka 362.10 ; 591.6
brahman 236.4 ; 362.3
yang 80.6
brahmana 362
veda 815.7
brahmane 362.13
brahmanisme 362.1
Brahmo Samaj 362.1
Brahouis 371.13
brai 617.5
braie 182.10
braillard 83.20 ; 168.11
nourrisson 270.3
braille 840.12
écriture 252.1
braillement
oiseaux 170.3
cri 168.4
brailler
aboyer 107.26 ; 170.7
crier 83.17 ; 168.15
chanter mal 106.27
brailleur 168.20
braiment 170.1
brain-trust 266.15
braire
âne 170.5
crier 168.14
chanter faux 106.27
faire braire 549.15
braise
tison 311.4
argent 529.5
t. de verrerie 855.9
être sur de la braise 382.8
braisé 333.50
braiser 333.40
braisière 848.24
brame ou **bramement** 170.2
bramée 170.2
bramer 852.17
animaux sauvages 170.6
crier 168.14
chanter faux 106.27
bran 588.8
brancard
civière 114.24
longeron 832.10
brancardage 114.4
brancarder 114.34
brancardier 114.28
branchage
branches 37.8
pendaison 801.3
-branche 527.21
branche
d'un arbre 37.8
d'une clé 760.14
d'un chandelier 250.7
d'une croix 171.4
subdivision 597.8
discipline 747.4
lignée 314.4
secteur de production 266.3
distinction 233.9 ; 800.14
t. de mathématiques 406.4
branche charpentière 37.8
vieille branche 26.6 ; 28.4
branchement 408.21
décharge électrique 261.20
canalisation 632.7
triage 832.5
brancher
connecter 261.23 ; 632.24
pendre 801.22
percher 570.33
branchette 37.8
branchial 718.29
fente branchiale 638.10
lamelle branchiale 638.10 ; 718.6
branchie 638.10 ; 718.6
crustacés 172.4
branchiome 841.4
branchiomma 856.2
branchiopodes 172.2
branchiostégite 172.4
branchioures 172.2
branchu 37.25
brandade 333.14
brande
désert 750.10
fourré 38.2
brandebourg 165.3
brandillement 579.1
brandiller 579.9
brandilloire
balançoire 579.6 ; 806.10
brandillon 502.2
brandir 17.7
brandon
flamme 311.4
bougie 250.6 ; 473.13
brandy 75.13
branlant
oscillant 579.13
instable 325.10
titubant 303.19
branle
mouvement 104.1 ; 579.1
danse 176.9
mettre en branle 7.11 ; 279.8 ; 579.10
branle-bas
chahut 201.7
remuement 538.6
organisation 649.2
branle-bas de combat 487.9
branlement 579.1
branler
osciller 579.9
balancer 579.10
menacer ruine 325.7
branler au manche 325.7
branler le chef 814.11
branler (se) 763.35
branleur 593.5
branloire 579.6
branque
fou 321.23
client 672.15
brante 570.15
Braos 371.13
braquage
des roues 57.12 ; 221.16 ; 792.24
vol 869.4
braque
chien 486.9
fou 321.23 ; 390.14
braqué 568.7
braquer
pointer 221.18 ; 868.18
tourner 57.25 ; 212.19
rendre hostile 572.12
braquer (se) 568.5
bras
membre 502 ; 580.14
élément mécanique 476.12
agent 7.3 ; 15.2

détroit 289.4
d'un siège 519.21
d'une croix 171.4
du transept 465.5
bras d'honneur 412.3 ; 765.8
bras de fer 446.23
bras dessus bras dessous 502.18
bras droit 19.15 ; 246.6
bras mort 319.6
bras séculier 451.2
bras spiral 49.13
gros bras 864.5
à bras-le-corps 502.18
à bras ouverts 368.11 ; 502.18
à bras raccourcis 160.16 ; 502.18
en bras de chemise 562.9
avoir le bras long 59.14 ; 407.16
tendre les bras 185.13 ; 368.7
brasage 632.12
braser
attacher 725.12
aciérer 307.18
brasero
feu 311.3
poêle 109.10
brasier
feu 311.3
passion 600.3
brasillant 473.33
brasillement 473.6
brasiller 473.28
brasque 727.6
brassage
mixité 501.3
fusion 855.9
affinage 328.3
brassard 331.21
brasse
mesure 470.5 ; 509.17 ; 509.21
nage 792.31
brassée
quantité 678.5
charge 152.3
brasser
mélanger 501.15 ; 855.18
t. de marine 221.18
brasser de l'air 17.7 ; 20.15
brasser des millions 730.14
brasserie
ferme 18.12
bar 75.19
brasseur 792.63
brasseur d'affaires 135.18 ; 279.6
brasseyer 221.18
brassicaire 417.11
brassier 18.16
brassière 859.16
brassin 519.25
brassolis 417.11
brasure
soudure 725.5
coulée 510.7
braule 417.9
braunite 516.5
bravache
imprudent 390.6
vantard 581.4
bravade
menace 63.6
vantardise 581.3
agressivité 50.7
brave
courageux 161.5 ; 161.9
bon 76.9 ; 365.9 ; 767.10
brave homme 365.6
bravement 161.12
braver
défier 200.5 ; 532.12 ; 572.10
affronter 50.17 ; 161.7 ; 390.10
braverie 581.3
bravissimo 431.5
bravo ! 471.25
bravo 168.24
bravo ! 471.25 ; 817.34
bravoure 161.1
morceau de bravoure 264.2
braye 727.6
brayer 531.9
break
voiture 57.6 ; 833.14
interruption 792.16
breakdance 176.10
breakfast 703.1
brebis 508.15
brebis égarée 606.8
brebis galeuse 556.7
brèche
ouverture 585.1
col 530.9
t. de géologie 337.17
battre en brèche 205.19
sur la brèche 15.8
brèche-dent 188.30
bréchet 570.4
bec 570.23
bredouille 703.35
perdant 249.17
bredouillement
bafouillage 411.3
parole 595.3
bredouiller 839.11
bafouiller 411.10
dire 595.19
bref
n.m. 133.5 ; 590.7
adj.
momentané 421.12 ; 684.33
court 142.7 ; 616.11 ; 723.7
voyelle brève 781.8
adv.
en bref 220.23 ; 616.16
bregma 580.20
bregmatique 580.20
bréhaigne 711.26
brelan 837.3
main 446.7
brêler 725.12
breloque 70.10
brème 638.5
bren 588.8
breneux
excrémenteux 296.28
malpropre 740.14
brenthidés 417.2
brésil 74.12
Brésilien 355.10
brésiller 676.16
brésillet 74.12
bressant
à la Bressant 129.20
bretauder 262.26 ; 486.29
bretèche 182.13
bretelle
bande 65.2 ; 165.5 ; 859.29
défense 182.12
voie 833.16 ; 834.4 ; 845.16
remonter les bretelles 710.10
bretellé 505.29
bretesse 182.13
bretessée 171.20
breton
cheval 486.11
langue 455.14
bas breton 411.8
lit breton 519.13
à la bretonne 333.51
Breton 371.15
provincial 695.11
bretteler
tailler 517.15
entailler 505.25
bretter
déniveler 402.7
rayer 466.10
bretzel 588.3
breuil
charmille 67.5
t. de chasse 107.9
breuvage 75.1
brève
oiseau 570.14
brève
nouvelle 654.8
brevet
diplôme 274.7
d'invention 179.4
d'un privilège 822.16
brevet d'études professionnelles 274.7
brevet de noblesse 552.13 ; 552.9
brevet technique supérieur 274.7
breveter
réglementer 559.10
inventer 179.6
brévétoxine 267.5
bréviaire 657.13
aide-mémoire 723.3
bréviligne 616.11
brévistylé 318.46
B.R.G.M. 689.8
briarée 236.40
bribe 703.10
partie 324.3
mie 588.4
bric
de bric et de broc 229.9
bric-à-brac 201.6
mélange 234.3
désordre 224.3
bricage 550.4
bricheton 588.1
bricolage 599.5
bricole
courroie 65.2
chose sans importance 419.2 ; 435.4 ; 602.4
hameçon 605.13
bricoler 662.16
bridage
assemblage 632.12
t. de cuisine 333.2
bride 632.10
attache 725.5
fer forgé 760.3
à bride abattue 684.46
avoir la bride sur le cou 462.23
lâcher la bride 461.17
mettre la bride au cou 240.13
rendre la bride 461.13

tenir en bride 240.14 ; 429.12
tenir la bride haute 240.13
brider
étriquer 289.7
retenir 567.11 ; 567.13
modérer 240.10 ; 522.12
réunir 632.23
serrer 605.27
coudre 333.37
harnacher 792.87
bridge
prothèse 188.15
jeu 446.3
bridger 446.33
bridgeur 446.26
brie 328.6
fromage affiné 328.2
brié 588.3
briefer 595.24
briefing
résumé 723.1
condensé 142.4
brièvement 142.10 ; 723.9
momentanément 421.20
au fil de la plume 684.54
brièveté 421.3
concision 142.1
brifaud ou **briffaud**
glouton 342.3
gastronome 703.20
brife 588.1
briffaud → **brifaud**
briffer 342.7
briffeur
gastronome 703.20
glouton 342.3
briffeton ou **brifton**
aliment 703.7
pain 588.1
brigade 352.9
escorte 641.5
équipe 480.5
brigadier
grade 41.15 ; 641.6
bâton 817.19
brigadier-chef
grade 41.15
agent 641.6
brigand 111.4
escroc 485.7
braconnier 869.11
brigandage
faute 485.4
pillage 869.5
brigandeau 869.9
brigander 869.17
briganderie 869.5
Brigitte 236.32
brignolet 588.1
briguer
vouloir 870.7
désirer 199.10
monter en grade 266.26
brik
conserve 333.5
t. de cuisine 333.11
brillamment 626.12
brillance
éclat 427.3
luminosité 473.8
brillant
n.m.
éclat 640.1
faux éclat 64.4
diamant 70.12 ; 517.6
adj.
scintillant 575.20 ; 640.10
lustré 624.22
lumineux 473.33
intelligent 424.11
glacé 621.5
brillantage 70.15
brillanter
polir 517.18 ; 640.7 ; 727.15
donner de l'éclat 473.27 ; 643.9
tailler 70.22
brillantine
enduit 727.6
shampooing 129.6
brillantiner 129.15
briller
exceller 800.16
rayonner 49.31 ; 473.28 ; 777.15
réfléchir 517.18
se faire remarquer 341.19 ; 424.9
quêter 107.26
briller par son absence 2.7
brimade 497.3
brimbalant 579.13
brimbalement 579.1
brimbaler ou **brimballer**
secouer 746.13
osciller 579.9
agiter 17.7
brimbelle 330.13
brimborion 419.5
brimer 439.8
maltraiter 497.7
rudoyer 248.6
brin
quantité 602.3 ; 616.4 ; 721.3
tige 37.2 ; 360.3
brin mal venu 721.3
beau brin de fille 69.3
brindes
être dans les brindes 441.14
brindezingue
n.f.
ivresse 441.3
adj.
fou 321.23
ivre 441.18
brindille 37.8
bringé 486.32 ; 735.15
noir 553.16
bringeure
pelage 486.20
noircissure 553.7
bringue
fête 309.1
festin 342.2
faire la bringue 309.19 ; 629.10
bringuebalant 579.13
bringuebaler ou **brinquebaler**
acheminer 829.21
osciller 579.9
agiter 17.7
secouer 746.13
bringuer 309.19
bringueur 309.15
brinquebalant 579.13
brinquebaler → **bringuebaler**
brio 277.2
intelligence 424.1
aisance 302.4
métier 10.3
avec brio 366.30
brio
con brio 277.10 ; 542.25
brioche
gâteau 799.6
ventre 853.2
maladresse 483.6 ; 784.3
brioché 588.3
briquage 550.4
brique
n.f.
matériau 727.9 ; 813.10
argent 529.9
fromage 328.4
manger des briques 703.35
adj.
rouge 84.11 ; 159.28 ; 735.12
briquer 550.29
astiquer 640.8
brosser 329.27
briquet 486.9
briquetage 727.8
briqueté 84.11
briqueterie 813.15
briquetier 727.12
briquette
tuile 727.9
bois 131.7
charbon 518.5
de la briquette 500.8
bris 36.14
cassure 324.5
casse 205.4
brisage 816.11
brisance 230.2
brisant 230.13
briscard 28.4
brise- 205.28
protège- 671.36
brise
air 20.1
vent 852.1
brisé
n.m. 176.16
adj. 205.26 ; 303.21 ; 505.29
ligne brisée 212.5 ; 466.4
pâte brisée 799.7
brise-béton 834.28
brise-bise
jalousie 67.9
rideau 481.32
brisées
copeau 37.7
t. de chasse 107.8
marcher sur les brisées de 379.5
brise-glace 834.5
brise-jet 632.3
brise-lames 67.6
brisement
fraction 324.1
casse 205.4
briser 205.17 ; 223.12
scinder 230.9
se libérer 461.18
briser là 223.11 ; 315.17
briser (se) 319.24 ; 325.8 ; 855.19
se cogner contre 115.26

brise-soleil 671.36
brise-tout 483.9
brisis 30.7
brisque 446.3
bristol 388.12
brisure
discontinuité 223.5
rupture 230.3
faille 325.3
casse 205.4
brisures 330.7
british thermal unit 509.17
brittonique 455.14
brize 360.7
broc 848.12
brocaille 510.11
brocante 28.6
foire 135.12
brocanter
faire des achats 191.21
s'adonner à 599.14
brocanteur 28.6 ; 519.32
commerçant 135.16
brocard
chevreuil 74.15
moquerie 439.4 ; 532.4
brocarder 532.9
brocardeur 532.7
brocart 40.3 ; 816.4
fil d'or 575.12
brocatelle 816.4
broccio 328.4
brochage
d'un livre 388.3
d'une étoffe 816.12
t. de chirurgie 114.6
broche
à rôtir 333.53
bijou 70.9
bois 74.15
défense 188.4
aiguille à tricoter 165.14
d'une serrure 308.6 ; 760.7
d'une prise électrique 261.19
t. de chirurgie 114.23
broché
tissé 816.33
relié 469.2
brocher
assembler 352.16 ; 388.20
bâcler 684.16
ferrer 262.26
brochet
poisson 638.5
proxénète 672.4
brochet de mer 638.6
brochette
file 758.5
petite broche 333.11
brocheur
de livres 388.16
d'étoffes 816.19
brocheuse 476.10
assembleuse 352.14
brochoir 584.17
brochure 469.1
brocolis 333.17
brodé
filé 816.33
cousu 165.33
brodequin
chaussure 110.4 ; 110.7
supplice 801.5
broder
amplifier 8.8 ; 378.9 ; 504.19 ; 665.8
orner 727.14
coudre 165.17 ; 165.25
broderie
couture 165.1 ; 165.3
t. d'horticulture 443.7
brodeur 504.12
brodiea 318.17
brogne 74.3
broiement
pulvérisation 676.7
mastication 188.17
déchirure 72.3
broïl 107.9
broker 81.25
bromate 113.8
brome
substance 113.7
plante 360.7
broméliacées 318.32
broméliales 79.4
bromique 113.8
bromisme 267.2
bromius 417.3
bromo- 113.29
bromocriptine 499.5
bromphéniramine 499.5
bromuration 113.14
bromure
sel 40.4 ; 499.6
papier 388.10
bronca 710.6
bronchectasie
échanges respiratoires 718.5
bronchite 482.31
broncher
vaciller 119.16
achopper 567.15
ne pas broncher 401.14
bronches 718.7
bronchial 718.29
bronchiectasie 482.31
bronchioles 718.7
bronchiolite 718.15
bronchiolo-alvéolite 482.31
bronchique 718.32
bronchite 482.31 ; 718.15
bronchiteux 482.76
bronchitique 482.76
broncho- 718.35
bronchodilatateur 499.5
bronchodilatation 718.5
bronchopathie 482.31
broncho-pneumonie
bronchite 482.31 ; 718.15
broncho-pneumopathie 482.31
bronchorrhée 482.32
bronchoscope 718.22
bronchoscopie 718.16
bronchotomie 114.14
bronco 486.11
brondir 83.15
brondissement 83.8
brontosaure 337.23 ; 712.11
bronzage
bronze 82.1
carnation 604.2
bronze 82
métal 82.1
couleur 84.12
sculpture 749.5
âge du bronze 82.6 ; 363.4
de bronze 418.15
vert bronze 82.3 ; 857.11
bronzé
brun 84.11
insensible 418.15
bronzer
donner l'aspect du bronze à 82.8
hâler 604.10
bronzerie 82.1
bronzette 84.3
bronzeur 82.7
bronzier 82.7
sculpteur 749.16
bronzomanie 84.3
brook 567.5
broquille 610.7
brosimum 37.19
brossage
nettoyage 550.4
coiffage 129.10
brosse 129.8
pinceau 607.16
éponge 550.15
brosse à cheveux 669.5
brosse à dents 188.11
manier la brosse à reluire 471.14 ; 761.10
en brosse 129.20
être en brosse 441.14
brossé
poli 640.10
coiffé 129.18
brossée
volée de coups 160.5
défaite 180.1
brosser
décrire 196.9
nettoyer 550.30
coiffer 129.13
brosser le tableau de 196.9
brosser (se) 701.8
se brosser le ventre 703.35
se brosser les dents 669.11
brosseur 329.21
brosseuse 640.5
brou
teinture 727.5
enveloppe de la noix 330.3
brou de noix 84.2 ; 159.28
brouet
bouillon 468.5
civet 333.12
brouettage 833.1
brouette 489.7
brouettée
quantité 678.5
charge 152.3
brouetter
manutentionner 489.17
transporter 833.34
brougham 833.14
brouhaha 83.5
brouillage
bruit 83.3
inaudibilité 411.6
brouillamini 201.5
brouillard 372.3
nuages 561.1
brouillarder 372.16
brouillardeux 372.19
brouillasse 372.3
brouillassé 372.19
brouillasser 372.16
pleuvoir 633.12
brouille 194.2 ; 410.4
faire à la brouille 44.12
brouillé
désuni 194.14
inintelligible 411.13
œuf brouillé 333.24
brouiller
mêler 501.15
rendre trouble 64.6

désunir 146.18
brouiller les cartes 24.8
brouiller (se)
se disputer 194.10
se fâcher 410.9
brouillerie
brouille 194.2
altercation 146.2
brouilleur
guerre électronique 207.9
t. de défense 182.16
brouillon
n.m.
premier état d'un écrit 664.2
adj.
qui manque d'ordre 201.14
brouir
dessécher 750.14
ensoleiller 777.16
brouissure 750.2
broum ! 83.23
broussaille 38.2
feu de broussailles 311.5
brousse
type de végétation 38.2
fromage 328.4
broussin 74.3
broussonetia 38.5
broutage 262.16
broutard 262.4
brouter 262.30 ; 360.14
broutille
petite pousse 37.8
fait sans importance 419.2 ; 602.4
brownie 799.6
brownien
mouvement brownien 513.5 ; 538.2
browning 43.7
broyabilité 676.7
broyage
pulvérisation 676.7
concassage 510.3
broyat 499.2
broyer
concasser 676.16
détruire 205.17
broyer du noir 553.13 ; 836.8
broyeur 476.9
moule 510.10
broyeuse 476.6
brr ! 327.23 ; 431.7
badaboum 83.23
bru 314.8
bruant 570.8
brucelles 188.12
brucellique 482.69
brucellose 482.20
bruche 417.3
bruchidés 417.2
brugnon 330.8
brugnonier 37.13
bruguiera 37.20
bruine
brouillard 372.3
averse 633.4
bruiner 633.12
bruineux 372.19
bruir
humidifier 372.13
attendrir 526.7
bruire 83.14
sonner 781.24
bruissage 526.3
bruissant 329.35
bruyant 83.19
bruissement 764.2
bruit léger 83.6
gazouillis 106.22
bruisser
sonner 781.24
bruire 83.14
bruit 83
son 168.5 ; 781.1
brouillage 809.8
bruit de fond 83.3
bruit du galop 128.12
bruit public 691.3
faux bruit 504.6
à bas bruit 107.33 ; 766.19
à grand bruit 83.22
sans bruit 751.33 ; 766.19
à petit bruit 766.19
à beau bruit 107.33
faire du bruit 83.14 ; 384.8
faire plus de bruit que de besogne 83.14
bruitage 83.4
bruital 83.21
bruiter
redire 379.7
émettre 781.25
bruiteur 83.13
brûlage 131.5
inflammation 311.2
brûlant 102.22
brûlé 311.32
cuit 333.49
brûle-bout 250.8
brûlée 160.5
brûlement 131.5
incinération 205.7
brûle-parfum 594.7
brûle-pourpoint
à brûle-pourpoint 421.17 ; 805.14
brûler
chauffer 102.18
calciner 131.20
endolorir 243.12
brûler de 199.9
brûler la chandelle par les deux bouts 294.11 ; 661.9
brûler les étapes 684.14
brûler les planches 311.26
brûler sa vie 862.27
brûler ses chances 205.14
brûler vif 801.23
se brûler la cervelle 534.29
se brûler les ailes 227.23 ; 311.28
se brûler les doigts 311.28
brûle-tout 250.8
brûleur 109.16 ; 131.13
brûlis 18.11
brûlot 311.5
brûlure 72.2
brumaille 372.3
brumaire 88.8
brumal 738.11
brumasse 372.3
brume
nuages 561.1
aveuglement 64.1
brumer 372.16
brumeux 372.19
couvert 561.14
brumisateur 372.9
brumisation 372.6
brun 84
patiné 82.10
marron 553.15
pigments bruns 159.8
brunante 776.4
à la brunante 776.14
brunâtre 84.9
brunch 703.2
brune
femme 306.4
nuit 566.3
à la brune 776.14
brunelle 318.16
brunet 624.13
brun 84.6
brunette
femme 306.4
chanson 105.4
bruni
poli 640.1
terni 84.11
brunie 604.14
brunir
polir 640.7
bronzer 604.10
brunissage 640.2
brunissement 84.3
brunisseur 640.6
bronzage 84.3
brunissoir 584.15
polissoir 640.5
brunissure 84.4
poli 640.1
brunizem 337.16
brunswich
vert Brunswich 857.2
brushing 129.2
brusque
impulsif 391.16
hâtif 684.32
agressif 865.25
brusqué 865.29
brusquembille 446.3
brusquement
inopinément 421.17
soudainement 391.18
brutalement 115.39
brusquer
hâter 684.24
bousculer 248.6
froisser 439.11
brusquerie
emportement 391.10
brutalité 865.2
grossièreté 226.1
brut
naturel 516.14
mal dégrossi 767.8
peser brut 636.14
brutal
soudain 421.11
violent 865.23
brutalement
vigoureusement 864.21
violemment 865.30
durement 248.12
brutaliser 865.15
brutalité 865.2
malveillance 497.2
dureté 248.1
brute
violent 865.12
méchant 497.5
bruxellois
à la bruxelloise 333.51
bruyamment 83.22
bruyance 83.1
bruyant 83.19
criard 168.20
bruyère 38.4
terre de bruyère 311.5

dispositif antichoc 115.16
buter
soutenir 791.11
heurter 119.16
tuer 534.27
buter à 86.8
buter sur 249.10 ; 567.15
buter (se)
découvrir 179.5
répugner à 62.6
tenir bon 568.5
buteur 792.49
buthidés 417.12
butin 861.3
vol 869.7
butinage 869.5
butiner 417.30
cambrioler 869.21
butir 170.7
butoir
écueil 385.2
heurtoir 567.3
butomacées 318.12
buton 834.32
butonner 834.42
butor
oiseau 570.12
homme grossier 226.4
buttage 18.4
buttant 791.14
butte 78.2
butte de tir 487.17 ; 820.13
être en butte à 439.13
être en butte à l'adversité 11.20
buttée 791.4
button 834.32
butyle 113.9
butyrate 113.8
butyreux 454.16
butyrique 113.8
butyromètre 509.26
butyrospermum 37.18
buvable
potable 75.35 ; 468.17
buvard 252.7
papier buvard 388.12
buvée 262.19
buvetier 75.20
buvette 75.19
buveur
insecte 417.11
ivrogne 441.7
buvoter 75.25
buxacée 38.3
buxbaumie 537.4
Buyi 371.13
buzuki 422.4
byctiscus 417.3
bye-bye 741.9
byrrhe 417.3
byssinose 676.13
bronchite 482.31
byssus 527.14
byte 408.15
byzantin 140.12
byzantinisme 595.9
byzantinologie 363.2
bzitt ! 83.23
bzz ! 83.23

C

ça 431.2
inconscient 397.8
çà 769.15
çà et là 769.15
cab 833.14
cabale
alchimie 477.1
Talmud 449.5
la cabale des dévôts 320.11
cabaletta 106.11
cabaliste 449.7
cabalistique 449.32
occultiste 477.24
caban 859.12
cabane 208.7 ; 481.3
fête des Cabanes ou des Tabernacles 310.5 ; 449
cabane bambou 208.11
mettre en cabane 208.21
cabaner
retourner 436.10
élire domicile 481.40
cabanon 321.11
cellule 208.10
cabaret
boîte de nuit 105.13
meuble 519.5
cabaret des oiseaux 318.34
cabaretier 75.20 ; 368.5
cabas 151.5
cabèche 814.1
cabécou 328.4
cabère 417.11
cabestan 489.9
cabiai 486.5
cabillaud 638.6
poisson 333.13
cabine 830.11
carlingue 831.4
cabine d'aiguillage 832.4
cabine téléphonique 809.4
cabinet
assemblée 148.6
local professionnel 451.22
petite pièce d'une maison 481.20
meuble 519.3
cabinet d'amateur 599.8
cabinet de cire 749.17
cabinet de lecture 469.19
cabinet de toilette 669.7
cabinet médical 464.11
cabinet ministériel 708.8
cabinet noir 481.21
homme de cabinet 481.38
cabinets 296.16
câblage
émission 809.11
transports 829.5
câble
cordage 816.7
fil électrique 261.19 ; 681.2 ; 809.14
câblé 816.32
câbler
programmer 681.19
télégraphier 809.20
câblodistributeur 681.5
câblogramme 809.14
câblo-opérateur 681.5
cabochard 568.3
caboche
tête 814.1
matière grise 275.5
avoir une rude ou *une sacrée caboche* 568.6
cabochon 70.15
cabossage 78.9
cabosse 330.6
cabossé 78.15
cabosser
déniveler 402.7
bosseler 78.11
cabot
caporal 41.15
cabot
chien 486.9
poisson 638.6
cabotage 830.12
caboter 830.27
cabotin 12.4
cabotinage 581.2
cabrer 531.15
cabrer (se)
tenir tête à 200.6
résister 715.12
cabretaïre 542.13
cabrette 422.15
cabriole
culbute 746.2
sports équestres 792.20
cabrioler 746.9
cabriolet
calèche 833.14
automobile 57.6
cabrioleur 746.14
cabrouet 833.11
cabus
chou cabus 318.26
CAC 40 81.9
caca
merde 296.2
crasse 740.3
cacaber 170.7
caca-boudin 740.11
cacade
abandon 452.2
échec 249.1
caca-d'oie 159.28
cacahouète 330.6
cacao 330.7
cacaoyer 37.19
cacardement 170.3
cacarder 170.7
cacatoès 570.10
cachalot 486.15
cache
mémoire cache 408.8
cache et contre-cache 120.11
caché
disparu 228.13
ignoré 377.11
clandestin 751.23
vérité cachée 854.4
cache-cache 446.23
cache-cœur 859.7
cache-col 859.28
cachectique 563.20
nutrition 482.72
cache-entrée 760.8
cachemire 816.3
cache-misère 859.2
cache-pot 519.25
cacher 64.7 ; 437.3
faire disparaître 228.9

serpent caché sous les fleurs 175.2
cacher (se) 814.14
disparaître 228.8
cacher, cachère ou **kasher** 449.35
cache-sexe 562.5
cachet
médicament 499.14
marque distinctive 233.1
sceau gravé 765.11
au cachet 739.17
lettre de cachet 157.4 ; 582.6
cache-tampon 446.23
cacheter
sceller 308.12
envoyer 157.15
cacheton 739.4
cachetonner 739.12
cachette 751.2
en cachette 751.29
cachexie
malnutrition 563.8
dénutrition 482.25
cachiman 330.16
cachot 208.10
cachotter 751.18
cachotterie 751.5
cachottier 751.13
cachou 159.28 ; 594.4
cachuca 176.6
caciocavallo 328.6
cacique
notable 800.8
major d'un concours 274.16
cacochyme 482.60
cacœcia 417.11
cacographe 252.11
cacographie 252.9
incorrection 283.6
cacophonie
désordre 224.3
vacarme 83.9
cacophonique 224.12
phonétique 781.29
cacosmie
dysosmie 482.29 ; 569.8
cacostomie 482.29
cactacées ou **cactées** 318.7
cactiforme 318.45
cactus 567.7
Cacus 236.22
cadastre 317.23
cadavéreux 534.37
cadavérine 94.10
cadavérique 534.37
cadavre
agonisant 534.16
mort 331.27
Caddie 489.7
cade 369.4
cadeau
don 241.1
gratuité 349.1
ne pas faire de cadeau à 11.16
les petits cadeaux entretiennent l'amitié 26.10
couvrir de cadeaux 336.8
cadeauter 241.20
cadédis 431.6
cadelle 417.3
cadenas 760.5
serrure 308.5
cadenassé 760.31
cadenasser
fermer 308.11
enfermer 208.23
cadenasser (se) 430.12
cadence
rythme 543.21
césure 635.16
cadencé 543.55
pas cadencé 487.2
cadencer 792.87
cadenette 129.3
cadenne ou **cadène** 208.13
mettre à la cadène 208.20
cadet
apprenti 445.5
enfant 304.4
t. de sport 792.42
cadette 834.35
cadi 440.12
cadis 816.3
cadmium 113.7 ; 516.5
jaune de cadmium 159.8 ; 444.2
cadrage
mise en place d'une image 621.14
dispositif de soutènement 518.4
cadran 809.6
cadran lunaire 118.3
cadran solaire 49.18
cadrat 459.7
cadratin 459.7
cadrature 118.7
cadre 77.10
limite 467.1
classes moyennes 773.7
cadre d'encadrement 266.15
cadre de déménagement 489.8
cadre de réserve 41.10
cadre de vie 251.6 ; 280.2 ; 845.18
cadre technique 480.7
cadrer
correspondre 147.11
régler 621.21
faire cadrer avec 559.11
cadrer avec 177.5 ; 571.9
cadreur 120.26
caduc
ancien 28.10
désuet 206.8
inutilisable 435.14
annulé 31.12
mal caduc 482.47
caducée 236.43 ; 498.34
caducifolié 37.25
caducité
ancienneté 28.1
désuétude 206.1
vieillesse 863.1
Cadurques 371.16
cæcilius 417.16
cæcum
estomac 853.3
gros intestin 218.9
cænophidiens 712.2
cafard
pessimisme 615.1
ennui 272.1
dévot 320.10
avoir un cafard dans la tirelire 321.20
cafardage 828.5
cafarder
s'ennuyer 272.8
trahir 828.10
cafardeur 828.8
cafardeux
pessimiste 615.6
triste 836.12
cafardise
bigoterie 320.6
hypocrisie 373.2
café 75.4 ; 330.7
café-au-lait 159.28
caféier 38.9
caféière 18.10
caféine 825.9
antimigraineux 499.5
café-restaurant 75.19
cafetage 828.5
cafeter 828.10
cafétéria 703.15
cafeteur 828.8
cafetier 75.20
cafetière
tête 814.1
bouilloire 848.27
cafouiller
échouer 249.14
hésiter 217.12
cafouilleur 201.8
cafouilleux 201.14
caftage 828.5
cafter 828.10
cafteur 828.8
cage 262.6 ; 356.3
volière 570.25
cage à lapins 356.3
cage à poules 208.10
cage d'ascenseur 151.3
cage de scène 748.2
cage thoracique 580.9
cagée 262.4
cageot
emballage 151.5
personne laide 453.4
cagerotte 328.7
corbeille 151.5
caget 328.7
corbeille 151.5
cagette 151.5
cagibi 481.24
cagna 481.2
cagnard
soleil 777.4
paresseux 593.10
cagnarder 593.7
cagnardise
paresse 593.1
oisiveté 393.4
cagne 593.1
cagneux 502.17
difforme 484.7
cagnotte 638.5
cagot
dévot 320.10
hypocrite 373.9
cagoterie
bigoterie 320.6
hypocrisie 373.2
cagotisme 320.6
cagou 570.19
cagoule 525.25
bonnet 859.25
caguer 249.14
cahara 455.14
cahier
papeterie 387.4
livre 469.12
cahin-caha 217.25 ; 500.9
cahot 115.6 ; 833.20
secousse 746.4
cahotement
secousse 746.4
cahot 115.6
cahoter 115.29
rebondir 746.12

cahute 481.2
caïd 800.8
mandarin 59.9
caïeu 318.3
cailcedrat 37.18
caillage
barattage 454.3
affinage 328.3
caillasse 517.1
caille
oiseau 570.9
femme 306.4
caillé
lait caillé 454.2
caillebotis 505.4
caillebotte 778.8
caillebotter (se) 778.11
caille-lait 318.28
caillement 778.4
cailler 454.12
faire froid 327.13
coaguler 742.25
cailler (se)
avoir froid 327.16
durcir 778.11
se coaguler 742.28
caillère 454.4
cailletage 665.4
cailleter
bavarder 595.22 ; 665.10
caillette 665.7
caillot 778.8
grumeau 345.2
caillot sanguin 742.7
caillou
pierre 345.2
tête 814.1
cailloutage 727.8
caillouter 727.15
paver 517.16
caillouteux 813.26
caïman 712.7
Caingangs 371.8
caïque 605.11
cairn
butte 78.2
tertre funéraire 331.16
caisse
coffre 151.3
véhicule 829.13
recette 587.11
caisse à outils 584.2
caisse claire 422.9
caisse d'épargne 66.5 ; 281.6
caisse de compensation 139.4
caisse de résonance 422.22
caisse du tympan 55.3 ; 580.7
caisse enregistreuse 587.11
caisse-palette 489.8
grosse caisse 422.8
faire la caisse 155.15
caissette 151.5
caissier
receveur 688.12
vendeur 135.17
employé de banque 66.33
caisson
corbeille 151.5
charpente 834.18
coffre 829.12
plafond à caissons 481.30
cajeput 318.19
cajole 306.3
cajoler
pousser son cri (geai) 170.7
caresser 91
cajolerie
douceur 774.7
flatterie 761.2
cajoleur 91.5
courtisan 761.6
cake 618.4
cake-walk 176.10
cakra 362.15
cal 482.16
caladium 318.32
calamagrostis 360.7
calamar 527.4
calament 318.16
calamine 516.5
cambouis 369.3
calamintha 318.16
calamistrer 129.15
calamite
arbre fossile 337.23
batracien 68.3
calamité 11.4
catastrophe 290.5
calamiteux 836.14
calamodius 417.3
calamoichthys 638.5
calamus
calamus scriptorius 100.8
calancher 534.22
calandrage 640.2
calandre 476.9
calandre
oiseau 570.8
insecte 417.3
garniture de carrosserie 57.5
calandré
papier calandré 388.12
calandrelle 570.8
calandrer 640.7
calanthe 318.21
calanus 172.3
calao 570.14
calappe 172.3
calathea 318.36
calbombe 250.6
calcaire 813.26
calcanéum 580.17
calcédoine 517.4
calcémie 742.17
calcéolaire 318.22
calcéole 527.12
Calchaquis 371.8
calcif 859.14
calcifédiol 499.6
calciférol 499.6
calcification
ossification 580.25
éruption dentaire 188.6
calcin 727.6
calcination
combustion 131.2
noircissage 553.8
grillage 510.5
calciné 333.49
calciner
brûler 131.20
prendre feu 311.21
fondre 510.16
calciponges 527.10
calcite 517.4
calcithérapie 775.5
calcitonine
hormone 340.3 ; 499.5
calcitriol 499.6
calcium 113.7
diététique 214.6
calcium edta 499.6
calciurie 296.10
calcul 87
opération arithmétique 112.4
maladie 482.23
intention 664.4
calcul intégral 87.6
calculable 87.14
mesurable 509.31
calculateur
n.m. 87.9
adj. 674.14
calculateur numérique 408.3
calculatrice 87.9 ; 408.6 ; 476.7
calculé
raisonné 511.14
mesuré 509.30
calculer 87.12 ; 511.11 ; 555.14
calculette
calculatrice 87.9 ; 408.6 ; 476.7
calculeux 482.72
caldarium 102.4
étuves 109.19
caldarium 327.8
caldeira 627.2
cale 203.10
transports maritimes 830.1
cale de radoub 750.4
calé
difficile 217.19
riche 730.19
calebar 859.14
calebasse
tête 814.1
cucurbitacées 333.18
calebassier 37.19
calebombe 250.6
calèche 833.14
calecif 859.14
caleçon 859.14
caleçonnade 817.5
caléfaction 102.7
caléidoscopique 574.24
caleil 250.9
calembour 313.2
faire des calembours 24.10
calembredaine
sornette 784.4
bavardage 419.6
plaisanterie 628.4
balivernes 435.5
calen 250.9
calendaire 508.13
jour calendaire 88.10
fêtes calendaires 310.1
calender 525.6
calendes 88.10
calendrier 88
temps 811.1
calenture 321.3
calepin
cahier 252.7
papeterie 387.4
caler
ignorer 377.9
arrêter brusquement 57.24
se caler les amygdales 703.26
se caler les joues 342.9
caleter
déguerpir 189.10
filer 684.23

caleur 832.24
calfat
ouvrier 727.12
oiseau 570.8
calfatage 750.4
calfater 727.15
boucher 308.13
imperméabiliser 750.16
calfeutrer 727.15
calibrage 559.9
t. de travaux publics 834.20
calibre
unité de mesure 509.5
dimension 219.1
arme 43.5
gros calibre 43.10
petit calibre 43.10
calibré 126.19
calibrer 559.12
t. de travaux publics 834.45
calibreuse 505.15
calice
organe floral 318.4
coupe 508.12
caliche 516.5
caliciflore 318.45
calicot
toile 816.4
coursier 135.17
calicule 318.4
calier 830.21
califat 822.23
calife
émir 440.12 ; 822.5
californium 113.7
califourchon (à) 502.19 ; 769.16
caligo 417.11
câlin 91
câlinement 91.11
câliner 91.6 ; 270.16
paresser 593.7
câlinerie 91.1
câlinette 91.2
câlinou 91.2
calisson 799.6
calixtin 117.13
calleuse 604.15
calleux 732.13
call-girl 672.6
calli- 69.23
callianasse 172.3
callicèbe 486.14
callidie 417.3
calligramme 635.5
calligraphe 252.11
calligraphie
typographie 459.9
écriture 252.4
dessin 607.4
calligraphier
écrire 252.13 ; 459.16
callimorphe 417.11
Calliope
Muse 236.11
calliostoma 527.3
calliphoridés 417.8
calliptamus 417.16
calliste 417.3
callistémon 38.9
Callisto
satellite 49.10
nymphe 236.42
callitrichidé 486.14
callitris 37.16
call of more 81.13
callorhynque 638.7
callosité
raidissement 732.3
cal 482.16
calmant 89.16
remontant 499.4
consolant 786.11
calmar 527.4
poissons 333.13
calme 89
n.m.
équilibre 282.7
silence 766.1
modération 522.1
adj.
pacifique 589.13
calme avant la tempête 89.3
calme blanc 852.3
ramener le calme 752.10
calmement 89.18
patiemment 601.15
à tête reposée 706.18
calmer 522.15
soulager 786.4
tempérer 810.6
calmer le jeu 89.8
calmer (se) 89.12 ; 810.9
calmir 852.19
calmir 319.25 ; 852.19
se calmer 89.12
calmos 89.19
lentement 458.23
calo- 102.30
calo 455.3
calocoris 417.5
calogène 102.27
calomel 516.5
calomniateur 227.11
calomnie 504.6
médisance 227.9
agressivité 50.7
calomnié 227.26
calomnier 227.14
agresser 50.16
calomnieusement 227.30
calomnieux
haineux 497.11
diffamatoire 227.29
calophyllum 38.3
caloporteur 102.27
caloptéryx 417.14
calor- 109.28
calori- 102.30
calori- 109.28
calorie 102.12 ; 214.8
frigorie 327.10
grande calorie 102.12
calorifère
n.m. 102.10 ; 109.8
adj. 102.27
calorifiant 102.27
calorification 102.6
calorifique 131.28
calorifère 102.27
diététique 214.11
calorifuge 102.27
calorifugeage 109.4
calorifuger 109.25
calorimètre 102.13
calorimétrie 102.14 ; 131.17 ; 509.25
calorimétrique 102.27
caloriporteur 102.27
calorique
n.m. 102.1
adj. 102.27 ; 214.11
calorisation 510.4
calosome 417.3
calot
bille 345.2 ; 448.2
œil 814.5
calote 712.5
calotin 173.15
dévot 320.10
calotte
courbure 162.5
coup 160.3
chapeau 859.26
t. d'architecture 39.20
t. d'organologie 422.23
calotte glaciaire 327.6
noyaux de la calotte 100.9
calotter
gifler 160.13
voler 869.18
calque
traduction 432.3 ; 535.5
papier 388.9
calquer
imiter 379.5 ; 719.13
calter
déguerpir 189.10
filer 684.23
calva 75.13
calvados 75.13
calvaire
croix 171.8 ; 749.7
supplice 801.1
calvairienne 525.11
calville 330.10
calvinisme 818.23
protestantisme 117.5
calviniste
n. 117.13
adj. 117.24
calvitie 624.8
calycanthe 38.7
calypso 176.10
Calypso
satellite 49.10
divinité 236.42
calyptères 417.8
calyptrée 527.3
camaïeu
monochromie 159.13
tendance artistique 607.2
camail
plumes 570.21
vêtement 525.25 ; 859.20
camaldule 525.10
camarade
entourage 137.4 ; 274.16
ami 26.6
camaraderie
entourage 137.4
amitié 26.1
camarasaure 712.11
camarde
mort 534.6
t. de serrurerie 760.9
camarguais
cheval 486.11
camarilla 137.7
camarine 38.5
camaro 26.6
cambisme 81.16
cambiste
n. 81.25
adj. 81.36
cambium
tissu vasculaire 74.2
bois 37.6
Cambodgien 355.9
cambouis 369.3
crasse 740.3
donner du cambouis 284.10

cambré 162.11
cambrer 162.8
cambrer (se)
se courber 162.10 ; 242.9
cambrien 337.21
cambriolage 869.4
cambrioler 869.21
cambrioleur 869.10
cambrousier 18.17
cambroussard 18.17
cambrure
courbure 162.1
t. de cordonnerie 110.8
cambusier 830.21
came
drogue 825.4
marchandise 490.1
t. de mécanique 476.12 ; 760.8
camé 825.14
camée
camaïeu 350.2
pierre 70.15 ; 749.5
caméléon
reptile 712.5
personne 104.12
Caméléon (le)
constellation 49.15
caméléonesque 104.22
caméléonisme 379.1
caméléontidés 712.4
camélia 38.5
camélidé 486.3
cameline 369.4
caméline 318.26
camellia 38.5
camelot
étoffe 816.3
camelot
marchand 135.16
camelote
marchandise 490.1
drogue 825.4
cameloteur 500.7
camelotier 500.7
camembert 328
camer (se) 825.16
caméra 273.6
appareil 621.3
caméra-vérité 854.9
cameraman 120.27 ; 654.19
camérier 590.15
camérisier 38.4
caméristе 481.39
camerlinguat 590.16
camerlingue 590.15
Camerounais 355.7
Caméscope 273.6
caméra 120.12
camion 833.7
camion-citerne 489.14 ; 618.9
camion-poubelle 550.22
camionnage 489.6
camionner 833.34
camionnette 833.6
camionneur 833.28
camisard 117.13
camisole 321.11
camomille
fleur 318.10
tisane 75.7 ; 499.9
camorra 137.7
syndicat du crime 169.16
camouflage 182.6
camoufle 250.6
camoufler 182.24 ; 751.17
cacher 437.3
camoufler (se) 182.26
camouflet
plaisanterie 532.5
affront 439.5
injure 412.1
camp
côté 41.19 ; 158.8
lieu 208.9 ; 356.5
camp de concentration 801.13
camp retranché 182.8
être en camp volant 355.27
campagnard 355.3
paysan 18.17
habitant 356.10
campagne
lieu 627.4
expédition 354.7 ; 487.15
action 260.17
partie de campagne 309.10
campagne de pêche 44.4
campagne de presse 675.3
battre la campagne 321.18 ; 689.17
être à la campagne 208.25
faire campagne 260.27
campagnol 486.5
campanile
clocher 39.11 ; 465.9
lampion 250.12
campanilisme 808.15
campanulacée 318.34
campanule 318.34
campanuliforme 318.45
campas 371.8
campé 769.13
bien campé 196.13
campêche 84.2 ; 735.2
bois de campêche 74.12
campement 356.5
camp 41.19
détachement 487.23
camper
loger 41.22
se situer 769
décrire 196.10
camper sur ses positions 716.5
camper un personnage 797.9
campeur 356.10
camphosulfonate 499.6
camphre 594.4
odeur 569.3
camphrée 360.8
camphrer (se) 441.12
camphrier 37.20
camping-car 833.8
campo
savane 360.5
repos 706.4
donner campo à 706.11
campode 417.16
camponote 417.7
campos → campo
camptosaure 712.11
campus
école 274.5 ; 464.4
Canadair 831.3
canadianisme 455.4
Canadien 355.10
canadienne 859.12
canaille
populace 734.5
escroc 485.7
canaillerie
escroquerie 284.1 ; 485.5
canal
tube 151.2
voie 319.6
chaîne 681.6
canal de dérivation 212.8
canal déférent 762.6
canal éjaculateur 762.6
canal hépato-cholédoque 218.10
canal inguinal 762.6
canal lacrymal 868.6
canal médullaire 580.4
canal neural 548.10
canal rachidien 548.10
pl.
canaux 578.3
canalete
bois 74.13
arbre 37.19
canalicule
canalicule séminipare 762.5
canaliculée 527.19
canalisable 221.31
canalisation 261.16 ; 632.7
canaliser 468.11
Cananéen 355.8
canapé
meuble 519.14
toast 588.6
canar 518.6
canard
oiseau 570
mensonge 504.6
journal 654.3
note 543.14
sucre 799.4
canard boiteux 556.7
vilain petit canard 556.7
faire des canards 106.27
canarder
jouer 542.19
tirer 107.24
canari
oiseau 570.8
couleur 159.28
canarium 37.20
canasson 486.11
canasta 446.3
cancan
bavardage 595.4
journal 654.3
danse 176
cancanage 227.6
cancaner
crier 170.7
bavarder 227.17 ; 665.10
cancanerie 227.6
cancanier 665.12
cancel 67.3
cancellaire 527.3
canceller
anéantir 228.10
annuler 31.6
cancer
maladie 482.41 ; 841.1
crabe 172.3
Cancer (le)
constellation et signe zodiacal 49.15 ; 88.9
cancéreux 482.80 ; 841
cancériforme 841.12
cancérisation 841.6
cancériser (se) 841.11
cancéro- 841.15
cancérogène 841.13
cancérogenèse 841.6
cancérologie 498.6
cancérologique 841.14
cancérologue 498.29 ; 841.9
cancérophobie 841.10
phobie 619.4

canche 360.7
cancionero 106.13
cancoillotte 328.6
cancre
paresseux 274.16 ; 405.5
avare 61.3
cancrelat 417.16
cancroïde 841.4
candela 473.22 ; 509.13
candélabre 250.7
candeur
naïveté 145.4
innocence 108.1
candi 449
temple 465.3
candida 103.6
candidat 260.14
représentant 708.1
candidature 260.15
faire acte de candidature 260.27
candide 71.15
simple 767.10
innocent 108.8
candidement 145.30
candidose 482.36
candir 799.11
candiru 638.5
candomblé 176.8
Candra 236.26
cane 570.16
cané 534.36
canéficier 38.4
canella 37.19
canepetière 570.16
canéphore 749.6
caner
mourir 534.22
renoncer 452.5 ; 619.17
canet 570.16
canette
oiseau 570.16
bouteille 75.17 ; 848.11
canettière 476.9
canevas
schéma 795.3
projet 664.2
intrigue 691.9
cangue 801.2
caniche 486.9
à la caniche 129.20
caniculaire
saisonnier 738.11
torride 102.23
canicule
été 738.3
rayonnement 777.2
canidé 486.3
canif 584.8
canillon 632.3
canin
n.m.
muscle 541.5
adj. 486.31
canine 486.21
dent 188.3
caninette 550.22
canitie 482.17 ; 624.10
caniveau 167.5 ; 740.7
rue 845.14
canna 318.36
cannabiose 482.31
cannabis
plante 360.8
drogue 825.5
cannabisme 825.1
cannage 519.28
cannaie
champ 18.10 ; 360.6
canne
soutien 791.7
jambe 502.3
bâton 859.30
t. de verrerie 855.10
canne anglaise 114.24
canne à pêche 605.3
canne à sucre 360.7
canne de Provence 360.7
canne-béquille 114.24
canneberge 38.4
cannebière 18.10
canne-épée 43.3
cannelé 578.18
tissé 816.33
cannelle
robinet 632
épice 333.27
t. de botanique 727.5
cannellier 37.20
cannelloni 333.25
cannelure 167 ; 578.3
base 39.15
canner
renoncer 452.5 ; 619.17
garnir 519.35
cannetage 816.11
cannetille 70.16
fil d'or 575.12
fil 165.17
cannette 75.17 ; 848.11
cannibaliser 135.29
canoë 792
canoë-kayak 792.28
canoéiste 792.62
canoïde 486.3
canon
n.m.
modèle 521.3
arme 43
chant 106.3
verre 75.15
t. de serrurerie 760
t. de théologie 818.6
adj. 245.36
canon à électrons 513.10
canon à neige 792.75
canon des Écritures 818.9
voûte en canon 39.19
cañon 530
passage 289.3
excavation 167.3
canonial 696.20
canonique 818.30
légal 245.56
canonical 525.30
canonicat 525.19
canonicité
conformité 559.5
orthodoxie 818.10
légalité 245.42
canonique
typique 521.13
réglementaire 650.9
t. de musique 106.29
peine canonique 144.10
théologie canonique 818.2
âge canonique 495.2
canoniquement
légalement 245.60
pénalement 144.37
canonisation 590.5
canoniser 471.9
canoniste
théologien 818.8
législateur 245.47
canonnade 820.3
canonnage 820.3
canonner 820.24
canonnier 820.18
canonnière
meurtrière 182.13
navire 43.13
voûte 39.19
jouet 448.4
canope 331.13
canopée 251.7
Canopus 49.5
Canossa
aller à Canossa 299.7
canot 830.8
canoter 792.90
canotier
chapeau 859.25
rameur 792.62
cant
hypocrisie 373.2
affectation 98.14
cantabile 542.26
mélopée 106.13
cantal 328.6
cantate 106.8
cantatille 106.8
cantatrice 106.17
cante jondo ou ***hondo*** 106.10
canter 505.26
canthare 638.6
calice 848.7
cantharellales 103.5
cantharide
insecte 417.3
poison 267.7
cantibay 74.6
cantilène
mélopée 106.13
élégie 635.7
cantilever 834.33
cantillation
psalmodie 106.2 ; 657.14
cantine
malle 151.5
réfectoire 703.15
cantique 635.10 ; 657.8
Cantique des Cantiques 815.2
canton
région 695.7
subdivision 845.10
t. d'architecture 39.20
cantonal
élections cantonales 260.2
cantonnais
riz à la cantonnaise 333.21
cantonnement 41.19
cantonner 355.27
cantonner (se) 430.12
s'en tenir à 467.11
se borner à 64.8
cantonnière
rideau 481.32
ferrure 519.15
cantor
prêtre 508.9
chantre 106.19
cantre 638.6
cantus 106.3
canulant 272.13
canular
blague 838.6
invention 504.7
plaisanterie 628.4
canule 498.19
canuler
ennuyer 549.15
tromper 838.15

canut 816.19
canwood 74.12
canyon 530.5
canyoning
alpinisme 792.25
sport nautique 792.28
canyonisme
alpinisme 792.25
sport nautique 792.28
canzone 635.9
C.A.O. 19.10
mise en page(s) 469.15
Cao Dai 80.4
caoua 75.4
caouane 712.9
caoutchouc
matière 259 ; 617.7
chaussure 110.3 ; 633.8
caoutchouter 727.15
caoutchouteux 259.12
caoutchoutique 259.12
cap
direction 221.1
pointe 319.8
cap
tête 814.1
cap de Diou 431.6
capable 10.19 ; 286.13
agissant 7.14
capacimètre 509.26
capacité
possibilité 10.3 ; 322.8 ; 424.2
contenance 151.7 ; 509 ; 718.12
capacité d'emport 831.5
capacités 302.7
caparaçon
armure 42.7 ; 204.3
caparaçonner
couvrir 727.13
blinder 671.22
cape 859.12
sous cape 751.34
capelan 638.6
capeler 733.18
capelet 841.5
capella
a capella 106.32
Capella 49.5
capendu 330.10
caperlot 41.15
capésien 822.8
capharnaüm 201.6
désordre 224.3
capill- 624.25
capillaire
n.f.
fougère 360.9
adj.
t. de cardiologie 128.24
pileux 624.19
capillaire lymphatique 742.8
vaisseau capillaire 128.1
capillarite 482.13
capillarité 496.4
capilliculteur 129.12
capilliculture 129.1
capistron 41.15
capitaine
officier 41.15
marin 830.21
poisson 638.6
capital
n.m. 645.3 ; 730.7
adj. 384.13
lever des capitaux 66.41
capital mobilier 849.7
petit capital 306.7
capitale
ville 845.9
lettre 459.3
capitale régionale 695.7
capitalement 658.14
capitalisation 281.2
accumulation 8.2
enrichissement 730.4
capitaliser
épargner 66.39 ; 281.10
capitalisme 694.10
capitalisme d'État 222.2
capitalisme libéral 460.1
capitaliste 460.10
possédant 645.11
capitan 581.4
capitation
taille 734.3
impôts généraux 317.10
capiteuse 569.27
Capitole
monter au Capitole 341.21
oies du Capitole 235.5
Capitolin
Jupiter Capitolin 236.10
capiton
bourrelet 351.3
bourre 152.4
capitonnage 519.28
capitonné 519.38
capitonner 727.15
décorer 519.35
capitulaire 245.32 ; 525.31
salle capitulaire 525.24
capitulairement 525.34
capitulant 525.12
capitulard 787.11
lâche 452.4
défaitiste 180.5
capitulation 180.3
abandon 452.2
renoncement 701.2
capitule
inflorescence 318.4
prière 657.11
capituler 787.13
abandonner 452.6
renoncer 701.9
capnode 417.3
capnographe 114.20
capnomancie 235.2
capon
n.m. 452.4 ; 619.7
adj. 452.8 ; 619.19
caponner 452.5
caponnière 77.5
tranchée 182.12
caporal 41.15
dominateur 240.19
caporal-chef 41.15
caporaliser 240.11
caporalisme 240.4
autoritarisme 694.14
capot
couvercle 57.5 ; 204.3
adj.
perdant 249.11 ; 446.9
capotage 57.13
vol 831.6
capote
vêtement 859.20
toit 57.5 ; 633.8
préservatif 711.12
capoter 436.11
capout 205.26
capparidacée 38.3
cappuccino 75.4
câpre 330.7
caprelle 172.3
capri- 486.34
capricant
capricieux 90.9
t. de médecine 402.11
capriccio 90.4
caprice 90
désir 90 ; 104.6 ; 199.2
gravure 374.8
pièce musicale 543.32
caprices de la fortune 305.3
capricieusement 90.11
capricieux 90
variable 850.13
versatile 402.15
capricorne 417.3
Capricorne (le)
constellation 49.15
zodiaque 88.9
Capricornides 49.12
câprier 38.6
câprière 18.10
caprification 330.18
caprifigue 330.17
caprifiguier 37.17
caprifoliacée 38.3 ; 318.28
caprilyque 113.8
caprimulgiformes 570.4
caprin 486.31
caprique 94.7
acide caprique 113.8
capro- 486.34
caprylique 94.7
caps 474.7
capselle 318.26
capside 512.6
capsidés 417.4
capsule
couvercle 727.5
fruit 537.2
habitacle 48.2
capsulectomie 114.13
capsuloplastie 114.17
captateur
abuseur 3.5
escroc 284.7
captatif
possessif 27.27
t. de droit 3 ; 284.13
captatio benevolentiæ 729.6
captation
abus 3.2
tromperie 284.6
captativité 27.7 ; 645.10
captatoire
abusif 3.13
délictueux 284.13
capter
recueillir 468.11
obtenir 284.9
recevoir 681.18
comprendre 275.9
capteur 207.7
capteur solaire 269.8
captieusement 3.18
captieux
trompeur 828.18
mensonger 838.21
menteur 504.22
captif
prisonnier 430.13
esclave 787.6
détenu 208.15
captivant
passionnant 174.10 ; 600.12
attirant 53.9

carcinomatose 841.6
carcinome 841.4
nécrose 482.41
carcinose 841.6
cardage 816.11
cardamine 318.26
cardamome 594.4
cardan 476.12 ; 806.3
-carde 128.27
carde
pointe 637.4
côte 318.3
cardé 816.32
laine cardée 816.3
cardère 318.34
cardeuil 641.9
cardeuse 476.9
cardialgie 482.13
algésie 243.3
cardialgique 482.66
cardiaque
n. 128.22
adj. 128.24
plexus cardiaque 128 ; 548.5
cardiforme 128.25
cardigan 859.7
cardinal
n.m.
oiseau 570.8
religieux 822.6
t. de grammaire 346.11
adj. 384.13
nombre cardinal 555.3
cardinal infini 555.3
les quatre points cardinaux 679.3
cardinalat 590.16
cardinale 42.5
cardinalice 590.24
pourpre cardinalice 508.10
cardinaliser 667.8
cardine 638.6
cardio- 128.27
cardioceras 527.5
cardiogénique
choc cardiogénique 115.8
cardiogramme 128.17
cardiographe 128.20
cardiographie 128.16
cardioïde 128.25
cardio-inhibiteur
fibre cardio-inhibitrice 128.10
cardiologie 128.15 ; 498.7
cardiologue 128.21 ; 498.27
cardiomégalie 482.13
cardiomyopathie 482.13
cardiopathie 128.13 ; 482.13
cardio-pneumo-entérique 100.4
cardio-pulmonaire
cardiaque 128.24
respiratoire 718.29
cardio-rénal
cardiaque 128.24 ; 482.66
cardio-respiratoire 128.24
cardioscopie 128.16
cardiosperme 318.36
cardiotomie 114.14 ; 128.18
cardiotonique
tonique 499.30
stimulant 793.6
cardio-training 128.20
cardio-vasculaire
cardiaque 128.24 ; 482.66
éréthisme cardio-vasculaire 549.4
cardite
mollusque 527.2
maladie 482.13
cardon
légume 318.10 ; 333.17
carèbe 605.11
caréliens 371.14
carême 117 ; 299.3
fête chrétienne 310.3
carême civique 771.2
figure de carême 836.6
arriver comme mars en carême 571.8
carénage
carrosserie 57.5 ; 323.5
nettoyage 750.4
carence
manque 488.1
dette 209.9
maladie 482.25
carence alimentaire 563.8
carène 318.4
Carène (la)
constellation 49.15
caréner
carrosser 323.12
réparer 702.11 ; 750.16
carentiel
absent 2.10
maladie 482.64
caressant 91.9
caresse 91 ; 27.6
toucher 824.3
caressé 664.18
caresser 27.18 ; 91
toucher 824.7
caresser dans le sens du poil 761.9
caresser des yeux 442.6
caresser (se) 91.8
caresseur
n.m. 91.5
adj. 91.9
caret 712.9
carex 360.7
car-ferry 830.6
cargaison
multitude 540.6
contenu 152.3 ; 829.15
cargo 489.14 ; 830.4
cari 333.27
cariama 570.14
cariatide
statue 749.6 ; 791.4
danse 176.8
caribe 455.14
caribou 486.6
caribs 371.9
caricatural
imité 379.9
disgracieux 453.9
caricature 532.6
parodie 379.3
portrait 374.7
caricaturer 379.8 ; 731.7
railler 532.11
caricaturiste
imitateur 379.4
farceur 628.8
dessinateur 607.22
caridine 172.3
carie
d'une dent 188.8
d'une plante 79.16
carie dentaire 482.26
carié 482.73
carien 455.14
carieux
maladie carieuse 482.26
carillon
horloge 118.6
instrument à percussion 422.8
carillonner 136.15
carinaire 527.3
carinates 570.4
cariste 489.16
caritatif 19.27
carlin 529.13
carline 318.34
carlingue 831.4
carmagnole 176.9
faire danser la carmagnole 801.23
carme 525.10
Carme 49.10
carmélite
couleur 84.12 ; 159.28
religieuse 525.11
carmin
n.m. 735.2
adj. 159.28
carminé 735.10
carnage 354.1
carnallite 516.5
carnassier 703.21
omnivore 873.21
carnassière
sac 151.6
dent 188.4
carnation 604.2
carnaval 309
carnavalesque 628.13
carne
angle 30.7
carne
cheval 486.11
personne méchante 497.6
carneau 48.6
carnèle
frange 77.14
pièce de monnaie 529.6
carnelle 529.6
carnet
cahier 252.7
papeterie 387.4
mines 518.6
carnets 691.7
carnet d'achat 524.6
carnet de bord 871.13
carnet mondain 654.10
carnet scolaire 274.12
à carnet 166.32
carnier 151.6
carnification 821.8
carnitine 94.10
carnivore
n.m. 486.3
adj. 417.31
plante carnivore 318.1

local 481.24
cave à liqueurs 519.5
de la cave au grenier 823.17
cave
adj.
creux 167.15
caveau
tombe 331.15
cabaret 105.13
cave canem 63.22
caver
creuser 167.11
escroquer 284.10
caverne
cavité 167.7
t. de médecine 482.44
homme des cavernes 371.17
caverneux
creux 167.15
d'un son 781.30
cavernicole 356.16
cavet 578.3
caviarder 228.9
caviidé 486.3
cavillone 638.6
cavioïde 486.3
cavitation 335.9
cavité 580.3
creux 167.1
cavité utérine 762.14
cavitron 114.26
cavoline 527.3
Cayapas 371.8
cayman 529.8
CD 273.8
C.D.D. 266.6
C.D.I. 266.6
CD-ROM 273.8
C.D.U. 126.7
ceanothus 38.7
céans 769.15
céb- 486.34
cèbe 486.36
cébidé 486.14
cébo- 486.34
cébrion 417.3
ceci 673.4
cécidomyidés 417.8
cécidomyie 417.9
cécilies 68.2
cécité
troubles fonctionnels des yeux 840.2
aveuglement 64.1
cécité verbale 839.4
cécographie
braille 840.12
code 252.1
cecropia 417.11
Cécrops 236.41
cédé 101.16
céder
succomber 27.23 ; 53.8
abandonner 149.12 ; 787.13
vendre 101.10 ; 241.13
céder à 564.10
le céder à 405.11
cédérom
disque 273.8
disquette 273.11
cedex 157.7
cédi 529.8
cédille 765.10
cédrat 330.9
cédratier 37.17
cèdre 37.17
cédulaire
impôt cédulaire 317.3
cédule 317.23
céfaclor 499.5
céfalexine 499.5
céfazoline 499.5
cégésimal 509.33
ceindre 97.12
ceinturage 36.6
ceinture
bande 280.4 ; 845.12
vêtement 859.21
ceinture de chasteté 108.2
ceinture de feu 77.9
ceinture de sécurité 57.11 ; 671.5
faire ceinture 701.8
serrer (se serrer) la ceinture 771.5
ceinture de Vénus 527.13
ceinturer 36.23
border 77.16
ceinturon
bandeau 65.3
ceinture 859.29
cela 362.12
céladon 857.11
célastracée 37.11
célastrales 79.4
célébrant 173.15
célébration
culte 173.1
accomplissement 5.3
célèbre 341.25
célébré 798.23
célébrer
accomplir 173.17
vanter 471.9 ; 635.26
fêter 98.18 ; 309.17
celebret 699.4
autorisation 58.6
célébrissime 341.25
célébrité 341
celer 751.15
céleri 333.20
célérifère 833.13
célérité 684.2
céleste 380.14
céleste demeure 591.1
voûte céleste 49.2
cour céleste 591.1
célestine 516.5
pierre fine 517.4
célibat 93
célibataire 93
cella 465.8
cellérier 525.12
cellier 481.24
réserve 490.12
cellobiose 94.5
Cellophane 727.6
cellote 208.10
cellulaire
carcéral 208.28
t. de biologie 94.31 ; 381.11 ; 821.10
cellulairement 208.29
cellular 816.3
cellule 94
compartiment 151.2
pièce 208.10 ; 525.24
groupement 642.5
t. de biologie 94.1
cellule familiale 773.5
celluli- 821.14
cellulite 604.4
cellulo- 821.14
cellulose
tissu vasculaire 74.2
glucide 94.5
cellulosique 94.33
célonite 417.7
célosie 318.9
celte
croix celte 171.3
Celtes 371.16
Celtibères 371.16
cembro 37.16
cément 188.5
cémentation 510.4
cémenter 510.16
cémentite 516.5
cénacle 424.5
société savante 137.6
cendre
éruption volcanique 337.7
pulvérulence 676.1
cendré
couleur 159.28
fromage 328.4
lumière cendrée 474.2
cendres 310.3
décombres 721.4
mort 331.27
se couvrir la tête de cendres 697.7
cendreux 159.28
poussiéreux 676.21
cendrier 676.11
cendrillon 740.8
Cène 117.21
festin 703.3
sacrifice de la Cène 508.4
cenelle 330.17
cénesthésie
sensation 754.1
sensibilité 755.5
cénobite
crustacé 172.3
moine 47.7 ; 525.4
cénobitique 525.32
ascétique 47.10
cénobitisme 47.3
érémitisme 525.1
cénocyte
cellule 94.1
thalle 22.2
cenolestidé 486.2
cénolestoïde 486.2
cénotaphe 331.18
cénozoïque 337.21
cens 317.10
censé 802.9
censément 802.13
censeur 429.9
corps enseignant 274.14
censier 317.23
censitaire 317.32
censive 317.10
censorial 429.18
censurable 429.20
censure 582.5
condamnation 429.3
motion de censure 642.2
censurer
condamner 429.14
critiquer 710.13
cent
nombre **95**
à cent pour cent 823.15
cent
monnaie 529.10
centaine 95.1
des centaines 540.7
Centaure 49.15
combat des Centaures et des Lapithes 374.6

centaurée 318.10
centavo 529.10
centenaire 95.2
vieillard 863.5
commémoration 309.3
-centèse 637.17
centésimal
métrique 509.33
cent 95.5
centésimo 529.10
centi- 95.7 ; 509.36
centiare 509.7
centibar 20.7
centième 95
quotient 324.2
centigrade 95.3
centigramme 509.8
gramme 636.12
centilage 493.6
centile 95.3
centilitre 509.7
centime 509.16 ; 529
centième 95.3
centimètre 509.7
centième 95.3
centimétrique 509.33
céntimo 529.10
centimorgan 361.12
centon 635.7
centr- 96.19
Centrafricain 355.7
centrage 96.6 ; 514.8
central 96.3 ; 514.13
centrale 269.7
coopérative 135.9
centralement 514.14
au centre 96.18
centralien 274.15
centralisateur 96.11
centralisation 96.8 ; 694.16
centralisé 222.18
centraliser
centrer 96.12
régionaliser 695.13
centralisme 222.1
centraliste 96.11
dirigiste 222.14
centralité 96.2 ; 514.6
centranthe 318.34
centrarchidé 638.3
centration 96.6 ; 514.8
centre- 96.19
centre 96
milieu 514.1
parti politique 808.10
centre d'attraction 54.3
centre d'inertie 403.1
centre d'intérêt 174.3
centré 96.15
centrer 96.12 ; 514.9
t. de sport 792.85
centreur 96.10
centre-ville 845.12
centri- 96.19 ; 514.18
centrifugation 96.7 ; 369.8
transmutation 113.13
centrifuge 96.16
force centrifuge 496.2
centrifuger
tourner 733.17
activer 113.20
centrifugeur 96.10
centrifugeuse 96.10
séparateur 756.9
centrine 638.7
centripète 96.16
force centripète 496.2
centrisme 808.10
centriste 808.37
modéré 522.9
centro- 96.19 ; 514.18
centrosome 821.2
centrospermales 79.4
centrum 96.5
centrure 417.13
centumvir 95.4
centuple 95.6
multiple 539.6
centupler 539.4
centurie 95.4
centurion 95.4
cèpe 103.6
cépée 37.5
cependant 572.23
cependant que 768.14
céphal- 814.20
céphalalgie 243.3
cephalanthera 318.21
-céphale 814.20 ; 873.28
céphalée 243.3
-céphalie 814.20
céphaline 94.6
céphalique 128.9 ; 814.16
céphalométrie 814.6
céphalo-pharyngien 541.11
céphalophe 486.6
céphalopode 527.1
céphaloptère
passereau 570.14
poisson 638.7
céphalo-rachidien 100.26
céphalothorax 417.17
céphalotomie 114.14
cèphe 417.7
Céphée 49.15
Céphéide 49.4
cépole 638.6
cépolidé 638.3
céraiste 318.8
cérambycidés 417.2
cérambyx 417.3
céramiales 22.3
céramique 813.11
support 607.18
céramique magnétique 307.5
céramiser 813.24
souffler 855.18
céramiste 813.17
céramographie 813.15
céramométallique 188.29
-ceras 527.21
céraste 712.3
cerastoderma 527.2
cérat 499.8
émulsion 369.6
cératias 638.6
cératiidé 638.3
cératite 527.1
cérato- 840.22
ceratocystis 103.10
cérato-glosse 541.11
ceratophyllus 417.16
cératopogonidés 417.8
cératopsiens 712.10
cérato-staphylin 541.11
cerbère
chien 271.8
gardien 641.12 ; 671.12
cerce
forme 323.7
marteau piqueur 834.28
cerceau
roue 97.2
jouet 448.2
cercéris 417.7
cercis 37.15
cerclage 97.11
contention 114.6
cercle 97
courbe 97.1 ; 338.4
compagnie 137
cercle infernal 97.7
cercle magique 477.11
arc de cercle 162.6
quadrature du cercle 385.3
cercler 97.12
entourer 396.13
cercope 417.5
cercopidés 417.4
cercopithécidé 486.14
cercopithèque 486.14
cercosporella 103.8
cercosporiose 79.16
cercueil 331.13
-cère 637.17
céréale 360.7
céréalier 830.5
cérébelleux 100.26
cérebello- 100.29
cérébral
n. 424.6
adj. 100.26 ; 128.8
cérébralement 275.16
abstraitement 380.17
cérébralisme 275.6
cérébraliste 424
cérébralité 380.1
cérébration 275.4
cérébro- 100.29
cérébroscopie 100.22
cérébro-spinal
cérébral 100.26
axe cérébro-spinal 548.15
cérémoniaire 98.17
cérémonial 98.2
rite 173.1
cérémonialisme 98.12
cérémonie 98
culte 173.1
pompe 12.3 ; 581.1
fête 98.1 ; 309.1
sans cérémonie 767.15
cérémoniel 98.24
cérémoniellement 98.29
cérémonieusement 98.28
cérémonieux 581.11
cérémonial 98.25
Cérès 236.17
cerf 486.6
cerfeuil 318.20
épice 333.27
cerf-volant
insecte 417.3
jouet 448.2
cerf-voliste 599.10
céride 94.6
cérifère 318.47
cérification 79.10
cerisaie 18.10
cerise
fruit 330.12
couleur 159.28 ; 735.12
avoir la cerise 305.10

cerisette 330.12
cerisier 37.13
cérithe 527.3
cérium 113.7
cernage 36.7
cerne
cercle 97.5
d'un arbre 37.6
contour 607.10
cerné 280.10
cerneau 330.3
cernement 36.7
cerner
encercler 487.31
entourer 607.27
t. d'arboriculture 36.23
cernier 638.6
Cernunnos 236.34 ; 777.12
céro- 637.16
céroplaste
insecte 417.5
sculpteur 749.16
céroplastique 749.1
cérostome 417.11
céroxylon 37.19
cerque 417.17
cers 852.6
certain
concret 297.13
affirmation 99.3
évènement certain 493.6
certainement
indubitablement 854.27
certes 99.10
certainement pas 546.19
certains 678.18
certes 99.10
oui 13.12
certificat 274.7
certificat de moralité 533.4
certificat de propriété 645.8
certification 166.15
certifié
n. 822.8
adj. 99.8
certifier 155.14
certitude 99
persuasion 614.1
cérulé 73.7
céruléen 73.7
cérumen 55.7
cérure 417.11
céruse 159.7
cérusite 631.2
cerveau 100
encéphale 100.1 ; 814.2
intelligence 424.6
cerveau brûlé 390.6
cerveau creux 394.3
cervelas 333.9
cervelet 100.2
cervelle
cerveau 814.2
intelligence 275.5
plat 333.8
cervelle d'oiseau 583.5
cervical 548 ; 814.16
cervidé 486.3
cervoise 75.10
césar
récompense 798.5
chef 240.6
césarienne
accouchement 544.4
coupure 114.8
césariser 544.21
césarisme 694.14
césium 113.7
cessant
toutes affaires cessantes 684.39
cessation
arrêt 315.3
extinction 461.6
cesse 315.3
sans cesse 153.30
cesser
finir 315.12
s'interrompre 389.9
cessez-le-feu 589.2
cessibilité 101.7 ; 135.3
cessible 101.17 ; 135.33
cession 101
cessionnaire 101.9
ceste 792.15
cestode 856.2
cestodose 482.35
cestreau 38.7
césure 635.16
cétacé 486.3
céteau 638.6
cétérach 360.9
cétogène
hormone cétogène 340.3
cétogenèse 94.26
cétoine 417.3
cétolisation 113.14
cétologie 873.2
cétonémie 482.25
cétonurie 296.10
cétorhinidé 638.2
cétose 94.5
cétostéroïde 94.14
cetraria 463.3
ceuthorynque 417.3
Ceylanais 355.9
cf 138.8
chabanais
vacarme 83.9
maison close 672.3
chabichou 328.4
chabler 834.40
chablis 36.14
chablon 118.7
chaboisseau 638.5
chabot 638.6
chabraque 486.7
Chac 236.31 ; 633.10
chacal 486.7
cha-cha-cha 176.10
chacone 176.9
chactidés 417.12
chacun 823.3
chærilidé 417.12
chaffs 207.9
chafiisme 440.2
chafiite 440.7
chafouin 373.16
chagrin
n.m.
cuir 345.3
tristesse 785.11 ; 836.2
souffrance 11.6
adj. 420.10
chagrinant 836.14
chagrine 638.18
chagriné
mécontent 192.15
infortuné 11.27
chagriner
attrister 836.7
contrarier 11.17 ; 192.8
t. de tannerie 345.9
chah
roi 694.18 ; 822.5
chahada 320.2
Islam 440.16
chahid 440.9
chahut
désordre 201.7
danse 176.9
chahuter 274.20
siffler 764.10
chahuteur 201.8
chai 481.24
chaille 188.1
chaînage 408.21
chaîne
succession 595.1 ; 758.1 ; 816.8
réseau 464.6 ; 681.6 ; 781.15
lien 208.13 ; 476.12 ; 787.1
bijou 70.3
chaîne alimentaire 251.3
travail à la chaîne 480.6
pl.
équipement spécial 57.8
briser les chaînes 400.10 ; 461.13
maintenir dans les chaînes 240.14
chaîner 509.28
chaînette 70.3
point de chaînette 165.7
voûte en chaînette 39.19
chaîniste 70.19
chair
corps 475.5 ; 492.2
tissu vivant 330.3 ; 604.1
chair à canon 354.16
chair de poule 327.5
en chair et en os 613.19
ni chair ni poisson 24.14
aiguillon de la chair 199.5
en chair et en os 613.19
chaire 465.13
éloquence de la chaire 648.4 ; 729.3
chais 18.12
chaise 519.17
chaise à porteurs 833.15
chaises musicales 446.23
chaise électrique 801.4
avoir le cul entre deux chaises 24.11
chaisier 519.31
chaitophorinus 417.5
chaland
engin 834.27
bateau 830.7
chaland
client 135.20 ; 191.9
chaland-citerne 830.7
chaland-coffre 830.7
chalandise
zone de chalandise 135.20
chalazion 482.28
orgelet 840.5

chalcididés 417.6
chalcidiens 417.6
-chalcite 516.17
chalco- 82.13 ; 516.16
chalcogénure
verre de chalcogénure 855.2
chalcographie 388.5
chalcolithique 363.4
chalcophore 417.3
chalcopyrite 516.5
chalcosine 516.5
Chaldéen 355.8
châle 859.28
chaleil 250.9
chalet 481.5
chalet de nécessité 296.16
chaleur 102
température 131.12 ; 311.1 ; 777.2
ardeur 264.1 ; 276.1 ; 600.5
chaleureusement
chaudement 102.29
amicalement 26.13
chaleureux 102.25
enthousiaste 276.9
amical 26.11
chaleurs 763.5
chalicodome 417.7
chaline 527.10
châlit 519.12
challenger 792
chaloupe
chalutier 605.11
embarcation 830.8
chaloupée 176.10
chaloupier 605.19
chalumeau
paille 360.3
outil 584.23 ; 632.19
chalut 605
chalutable 605.31
chalutage 605.8
chaluter 605.29
chalutier 605
chalutier-senneur 605.11
chalutier-usine 605.11
chamade
sonner la chamade 180.8
chamæléonidés 712.4
chamaille 83.10
chamailler (se)
se disputer 194.10
se bagarrer 146.17
chamaillerie 146.2
chaman 699.18
exorciste 477.18
prophète 235.12
chamanisme 700.6
chamarrage 643.3
chamarré 643.11
chamarrer
colorer 643.8
embellir 578.15
chamarrure 643.2
chambard
chahut 201.7
bagarre 83.10
chambardé 201.16
désorganisé 202.9
chambardement 202.2
chambarder
désorganiser 202.4
changer 104.14
chambellan 98.17
chambertin
verre à chambertin 848.5
chamboulé 202.9
chamboulement
désordre 201.1
bouleversement 202.2
chambouler
mettre sens dessus dessous 201.10
changer 104.14
chambranle
cadre 77.10
bâti 505.5
fenêtre 481.31
chambre
boîte 151.2
pièce 481.20 ; 780.11
détecteur 207.7 ; 513.10
assemblée 148.6 ; 708.5
tribunal 245.45 ; 266.5 ; 835.3
d'une arme à feu 43.10
gîte 107.9
chambre de compensation 139.4
chambre à air 57.8
chambre à gaz 335.6
chambre de l'œil 868.6
chambre forte 66.29
chambre froide 327.8 ; 331.12
chambre noire 607.16 ; 621.4
chambrée 527.19
élevage 262.4
chambre-magasin 516.3
chambrer
enfermer 208.23 ; 430.9
moquer 532.9
tiédir 102.20
chambrette
gîte 107.9
chambrière 481.39
chame 527.2
chameau 417.11 ; 486.6 ; 497.6
vouloir faire passer un chameau par le chas d'une aiguille 385.5
chamelier 262.32 ; 486.31
caravanier 833.29
chamitique 455.14
chamito-sémitique 455.14
chamois
animal 486.6
couleur 444.13
champ
aire 261.8 ; 574.2
terrain 18.10 ; 627.4
t. d'informatique 408.11
champ libre 400.9 ; 461.17 ; 462.23
champ sémantique 753.3
angle de champ 30.3 ; 574.2
profondeur de champ 470.2 ; 574.2
sur-le-champ 421.16 ; 652.16 ; 684.39
champ clos 67.5
champ d'honneur 354.25
champ de Mars 354.10 ; 487.17
champagne
campagne 627.4
champagne
boisson 75.12 ; 85.6
couleur 159.28
champagnisation 85.12
champagnisé 85.6
champart
t. d'agriculture 18.14
t. de fiscalité 317.10
champ-contrechamp 120.11
Champenois 695.11
champenoise 75.17
champêtre 627.7 ; 767.9
agreste 18.26
champi 314.16
champignon 103
végétal 79.4 ; 103.1
accélérateur 57.10 ; 684.20
champignon à chapeaux 323.7
champignonner 103.14
champignonnière 372.4
champignonniste 103.12
champion 59.9 ; 800.8
gagnant 792.43
championnat 792.38
champlever 167.12
Champs élyséens 591.7
Champs Élysées 271.7
chamsin 750.11
chan 455.14
chan 80.2
chançard 670.16
chance 358
probabilité 660.1
opportunité 571.3
la chance lui sourit 670.10
avoir de la chance 305.9 ; 670.10 ; 827.5
coup de chance 670.6
chancel 465.5
chancelant
oscillant 579.13
titubant 303.19
chanceler
osciller 579.9
perdre l'équilibre 282.16
menacer ruine 325.7
chancelier 451.21
chancellement
vacillation 579.2
chute 282.3
chancellerie 451.22
gouvernement 708.8
chanceux 670.16
chancir 205.15
chancissure 372.8
chancre
maladie 79.16
maladie vénérienne 482.18
glouton 342.3
chancrelle 482.18
chandail 859.7
chandeleur 127.13
chandelier 442.3
tronc 37.5
bougeoir 250.7
chandelier d'eau 443.5
chandelle
bougie 250.6 ; 473.13
prostituée 672.8
figure d'acrobatie 792.8 ; 831.6
distribution en chandelle 632.14
donner une chandelle à Dieu et une au diable 373.12
devoir une fière chandelle à qqn 348.5
brûler la chandelle par les deux bouts 294.11 ; 426.8 ; 661.9

chanfrein
biais 30.8
bordure 505.7
chanfreinage 505.11
chanfreiner
tailler 517.15
affranchir 505.22
change
changement 104.1
tour de passe-passe 123.11
cours bancaire 81.16 ; 659.1
bureau de change 66.4
lettre de change 157.4 ; 166.20 ; 587.10
donner le change 25.10
perdre au change 797.11
changé 23.15 ; 216.12
changeable
altérable 850.14
transformable 104.23
changeant 104.22 ; 538.26
indéterminé 395.17
changement 104 ; 538.4
substitution 797.1
fluctuation 850.3
changement à vue 817.19
changement de vitesse 57.3
changer 104 ; 850
substituer 797.7
évoluer 293.9
de l'argent 529.27
changer d'air 20.12 ; 871.19
changer d'avis comme de chemise 90.6
changer de cap 104.20 ; 212.19 ; 221.23
changer de vitesse 57.24
se changer les idées 104.20
changer son cheval borgne pour un aveugle 797.11
changer son fusil d'épaule 104.20 ; 828.11
changer (se) 104.21
chanlatter 505.23
chanoine
abbé 525.12
titre 822.6
chanoinesse 525.14
chanoinie 525.19
chanson 105 ; 106
sornette 784.4
chanson à boire 105.1
c'est le ton qui fait la chanson 788.9
c'est toujours la même chanson 704.11
chanson de geste 691.4
chansonner 105.16 ; 731.7
railler 532.11
chansonnette 105.1
chansonnier 105.9 ; 595.16
anthologie 635.17
chant 106
voix 781.6
sifflement 764.1
au chant du coq 494.9
chant
côté 505.7
chantable 106.31
chantage
manœuvre d'intimidation 63.7 ; 169.10
chantant 106.28
chanteau 588.4
chantefable 635.8
opéra-comique 106.9
chantepleure
cheminée 585.7
caniveau 834.8
chanter 105.14 ; 106.23 ; 635.26
faire chanter 63.15 ; 619.11
faire chanter une gamme à qqn 160.15
chanterelle
champignon 103.6
oiseau 570.29
corde 422.24
appeau 107.7
chanterie 106.21
chanteur 105.8 ; 106.17
chantier 464.8 ; 834.26
chantier naval 830.25
mis en chantier 279.15
chantilly 165.3
chantoir 167.6
chantonnement 106.1
chantonner 106.23
chantoung 816.3
chantourné 519.38
chantournement
liseré 77.12
sciage 505.11
chantourner
border 77.16
affranchir 505.22
chantre 106.19
prêtre 508.9
poète 635.20
chantrerie 106.21 ; 525.19
chanvre 360.8
plante 318.31
textile 816.2
chanvre d'eau 318.16
chanvre indien 825.5
chaos 224.3
chaotique
désordonné 201.14
inégal 402.10
chaotiquement 201.17 ; 202.14
Chaouïas 371.10
chaource 328.6
chapardage 869.2
chaparder 869.18
chapardeur 869.9
chaparral 38.2
chapati 588.2
chape
revêtement 204
vêtement 525.25 ; 859.20
partie du pneu 57.8
chapeau
traverse 834.33
accessoires 671.5 ; 859.25
t. de presse 654.12
chapeaux de roue 57.8 ; 684.47
chapeau bas 471.25 ; 717.20 ; 741.26
chapeau chinois 422.10 ; 527.3
chapeau de mérite 241.2
chapelain 699.6
chapeler 333.37
chapelet
succession 540.5 ; 758.5
objet de piété 657
ornement 578.3
chapelle
lieu de culte 465.2 ; 657.3
cercle 137.7 ; 424.5
édifice 39.7
chapelle ardente 331.12
chapellenie 699.5
chapelure 588.3
chaperon 717.7
bonnet 859.25
chaperonnage 137.2
chaperonner 137.12
chapiteau 123
toit 39.15 ; 204.5
chapiteau narratif 749.6
chapitral 525.31
chapitre
assemblée 525.8
lieu 525.24
division 339.5 ; 469.13 ; 691.9
avoir voix au chapitre 59.14 ; 245.54
chapitrer 710.11
chapon
volaille 570.7
toast 588.6
chaponner 262.26
chaponnière 262.8
chaque 823.10
chaque chose en son temps 601.17
char 43.11
charabia
bafouillage 411.3
langue 455.1
characidé 638.3
charade
énigme 411.4 ; 680.5
jeu de mots 535.13
devinette 446.17
charadriiformes 570.4
charançon 417.3
charango 422.4
charbon
combustible 131.7 ; 269.5
maladie 79.16
mine de plomb 607.15
être sur des charbons ardents 51.7 ; 382.8 ; 549.10
charbonnages 518.2
charbonner
noircir 553.10
dessiner 607.27
charbonnette 74.10
charbonneux 553.15
charbonnier 570.8
cargo 830.5
charcuter
opérer 114.32
gâcher 483.17
charcuterie 333.32 ; 333.9
charcutier 333.33 ; 483.10
chirurgien 114.27
chardon
barbelés 67.4
pointe 637.4
plante 318.10
chardonneret 570.8
charentais
melon 330.8
Charentais 695.11
charentaise 110.5
charge
caricature 374.7 ; 379.3 ; 607.4 ; 731.3
capacité 261.8 ; 513.5 ; 678.2
chargement 152.1 ; 152.3 ; 636.6
moquerie 532.4
fonction 125.4 ; 266.1 ; 822.2
attaque 50 ; 354.7 ; 487.14
faute 144.13
frais 191.1 ; 339.9

en charge de 213.9
prendre en charge 833.35
navire de charge 830.4
charge fiscale 317.2
charge marchande 831.5
chargé
lourd 187.11
assombri 566.12
noir 553.19
être chargé 341.17
chargé d'affaires 642.10
chargé d'âmes 304.13
chargé d'études 689.9
chargé de 213.9 ; 266.29
chargé de cours 274.14
chargé de famille 304.13
chargée 159.27
chargement 489
armement 820.11
embarquement 829.3
charger
caricaturer 379.8 ; 532.11 ; 731.5
en électricité 261.23
attaquer 354.23 ; 487.32 ; 820.22
accuser 144.26
munir 621.21
alourdir 489.17 ; 636.16 ; 830.29 ; 833.35
charger (se)
s'occuper 19.23 ; 279.10
s'alourdir 441.12 ; 633.15
chargeur
d'une arme 43.10
appareil 489.10 ; 621.4
personne qui charge 489.16 ; 820.18 ; 829 ; 830.24
chargeur-transporteur 834.27
chargeuse 476.9
pelleteuse 834.27
chargeuse-pelleteuse 834.27
charia 440.15
chariot
pièce de machine 476.12
voiture 489.7 ; 832.17 ; 833.11
t. de cinéma 120.13
charismatique 648.17
fascinant 407.21
charisme 407.4
grâce 818.17
ascendant 59.4
charitable
bienfaisant 76.10
généreux 336.10
compatissant 625.13
charitablement 625.15
généreusement 336.13
charité 336
vertu 818.14
pitié 625.1
vertu théologale 858.2
charité bien ordonnée commence par soi-même 257.5
charivari
chahut 201.7
vacarme 83.9
clameur 168.5
charlatan 498.26
escroc 284.7
imposteur 504.12
charlatanerie 284.6
charlatanesque
délictueux 284.13
mensonger 838.21
charlatanisme
mensonge 504.1 ; 838.3
Charlemagne
herbe de Charlemagne 318.34
charleston 176.10
charlot 628.8
charlotade 628.5
charlot-casse-bras 801.14
charlotte 799.6
charmant
agréable 69.18
attirant 53.9
délicat 184.10
charme
arbre 37.15 ; 74.11 ; 443.8
charme
attrait 53.4 ; 69.2 ; 184.2
sort 477.5
être sous le charme de 53.8 ; 407.17
se porter comme un charme 743.7
jeter un charme 477.21
quark charme 513.3
charmé 37.3
charmer
attirer 53.5 ; 264.7 ; 407.12
ravir 447.10 ; 629.12
jeter un sort 477.21
charmeraie 36.16
charmes
attrait 53.4
épanchement 91.4
charmeur
n. 264.5 ; 477.18
adj. 53.10
charmille 67.5
haie 443.8
plantation 36.16
charmoie 36.16
charnage 317.11
charnel 475.11
matériel 492.8
sexuel 763.44
charnellement 475.13
matériellement 492.11
charnier 331.14
charnière 514.4 ; 760.20
reliure 469.12
nom à charnière 552.12
charnon 760.20
charnu
ample 1.13
fort 351.13
charnue 37.27
charognard 570.12
charogne 497.6
charolaise 333.7
Charon
satellite 49.10
nocher des Enfers 271.8
charontidés 417.12
charpentage 74.5
charpente
d'un arbre 37.8
structure 39.3 ; 577.1 ; 795.2
assemblage 505.5 ; 791.4
charpenté 795.16
bien charpenté 864.17
charpenter
structurer 577.15
tailler le bois 74.20 ; 505.21
charpenterie 505.1
charpentier
ouvrier 74.19 ; 505.20
insecte 417.7
charpie
compresse 499.15
peluche 816.5
réduire en charpie 205.18
charretée
quantité 678.5
charge 152.3
charretier 833.29
jurer comme un charretier 399.6 ; 431.11
charrette
plan social 292.2
chariot 833.11
charriage 833.1
charrier
exagérer 294.8 ; 467.8
transporter 54.9 ; 833.34
moquer 532 ; 628.12
tromper 491.26 ; 828.13
charroi 833.1
charron 74.19
charronnage 74.5
charrue
unité de mesure 509.22
outil agricole 18.15
charte 525.20
pacte 586.1
loi 245.30
charte-partie 830.19
charter 831.3
chartergue 417.7
charteriser 831.16
chartière 834.15
chartiste
généalogiste 363.9
étudiant 274.15
boursier 81.25
chartre 525.20
chartreuse 481.7
monastère 525.22
terrine 333.11
chartreux 525.10
chat 486.8
Charybde
Tomber de Charybde en Scylla 249.14
chasme 167.3
chassable 107.28
chasse 107
recherche 689.4
t. de défense 182
t. d'imprimerie 459.3
chasse à courre 107.1
chasse à l'homme 689.4
chasse à tir 107.1
chasse maritime 605.1
chasse sous-marine 605.1
chasse d'eau 632.2
droit de chasse 107.14
chassé 176.16
boxe anglaise 792.16
châsse
monture 584.17 ; 791.2
reliquaire 331.13 ; 465.17
chasse-carrée 760.19
chasse-clou 505.16
chassé-croisé 176.16
croisement 171.2
chasse-neige 792.24
chasse-pierres 832.17
chasse-pointe 505.16
chasser
exclure 258.10 ; 292.6 ; 295.8 ; 582.12
repousser 263.7 ; 713.7
dérapage 57.30
poursuivre 107.18 ; 792.89
chasser de gueule 107.26
chasser de race 379.5

châsses 868.5
chasseur
n.
personne 107.16
bâtiment 43 ; 831.3
adj. 873.21
chasseur alpin 41.12
chasseur d'images 621.18
chasseur de mines 43.13
chasseur de têtes 266.21 ; 689.11
chasseur-bombardier 43.12
chasse-vase 834.28
chassie
sécrétion 340.4
pus 296.6
troubles de la vue 840.5
chassieux 296.26 ; 340.15 ; 840.19
châssis
cadre 505 ; 607.18 ; 748.8
de voiture 57.5 ; 476.12 ; 832.10
sous châssis 813.29
chaste 93.10 ; 108 ; 858.11
chastement 93.11 ; 108.10 ; 858.13
chasteté 108
célibat 93.1
sobriété 763.7 ; 810.4
chasuble
soutane 508.10 ; 859.20
chat
mammifère 91.5 ; 486.8
chat perché 446.23
chat fourré 835.9
chat à neuf queues 160.9
avoir un chat dans la gorge 106.27
acheter chat en poche 145.29 ; 191.16
chat échaudé craint l'eau froide 183.15 ; 674.6
quand le chat n'est pas là les souris dansent 2.9
appeler un chat un chat 142.6 ; 425.10 ; 554.19
donner sa langue au chat 377.9 ; 411.9
emporter le chat 209.25
écriture de chat 252.4
maladie du cri du chat 361.9
or de chat 575.4
pas un chat 404.4
chat
t. d'informatique 809.13
châtaigne
marron 330.6
coup 160.4
châtaigne de mer 527.9
châtaigneraie 36.16
châtaignier
bois 74.11
arbre 37.15
pomme 330.10
châtain 84
brun 624.23
chataire 318.16
château 481.6
bastide 182.9
ferme 18.12
château de cartes 325.4 ; 421.2
château en Espagne 378.11 ; 664.5
la vie de château 730.3 ; 862
château fort 481.6
château-la-pompe 75.3
chatée 486.17
châtelain 481.37
duc 822.4
châtelaine 70.3
châtelet
bastide 182.9
château 481.6
châtellenie 451.4
seigneurie 552.10
chat-huant 570.12
châtier
fignoler 774.14
punir 144.28
qui aime bien châtie bien 253.9
chatière 585.5
goulet 289.2
gîte 167.7
fenêtre 481.31
châtieur 144.18
châtiment
pénitence 299.2
punition 144.2 ; 231.2
chatinos 371.8
chatoiement
bigarrure 850.2
scintillement 473.6
bariolage 643.3
chaton
feuillage 37.9
bague 70.2
chatonner 486.28
chatouille 91.2
chatouillement
irritation 243.2
caresse 91.4
chatouiller 604.8
intriguer
caresser 91.6
chatouiller la curiosité 174.8
chatouiller l'épiderme 761.10
chatouilleux
susceptible 720.14 ; 755.17
coléreux 130.11
chatouillis 243.2
chatoyant 159.27
variable 850.13
versicolore 643.12
chatoyer 104.19 ; 643.10
châtrer 873.16
castrer 762.32
t. d'élevage 262.26
chatte 762.11
amoureuse comme une chatte 27.27
chattemite
hypocrite 373.9
faire la chattemite 12.10
chatter 809.19
chatterie 91.2
chatterton 261.15
chat-tigre 486.8
chaud
n.m. 102.1
adj.
température 102.29 ; 109.26 ; 750.18
ardent 27.27 ; 91.9 ; 600.13
faire chaud au cœur 629.13
chaud et froid 327.5
chaudage 71.4
chaude 109.2
thermie 102.12
chaudement 109.27
ardemment 102.29
passionnément 600.17
chaude-pisse 482.18
chauderie 368.4
chaud-froid 333.3
chaudière 109.8 ; 131.15 ; 476.12
chaudiériste 109.22
chaudron
vaisselle 848.28
t. de chasse 107.3
chaudronnerie 510.13
chauffage 109 ; 102
chauffagiste 109.22
chauffard 390.5 ; 833
automobiliste 57.22
chauffe 109.1
chauffé
chauffé à blanc 649.16
chauffe-bain 109.11
chauffe-biberon
biberon 270.10
réchaud 109.9
chauffe-eau 109.11
chauffe-pieds 109.10
chauffer 102 ; 109.23
briller 777.15
chauffer au rouge 102.20 ; 735.9
chauffer à blanc 102.20 ; 276.7 ; 427.12
chaufferette 109.10
chaufferie 109.20
chauffage 109.1
chauffeur 57.22 ; 481.39 ; 833.27
conducteur 832.24
chauffagiste 109.22
chauffeuse
siège 109.17 ; 519.17
chaulage
recouvrement 727.11
blanchiment 71.4
engrais 18.7
chauler 727.15
blanchir 71.9
fertiliser 18.21
chauliodus 638.6
chaume 18.11
reste 721.3
toiture 727.9
chaumière 481.3
chaumine 481.3
chaussant 110.21
chaussé 110.20
chaussée 833.20
route 834.4
artère 845.14
chausse-pied 110.10
chausser 57.28 ; 110.15
terrer 813.18
chausser (se) 110.16
chausses 859.11
chausseterie 165.1
chausse-trappe 107.5
chaussette 859.14
chausseur 110.13
chausson 110.5
gâteau 799.6
boxe 792.15
chaussons de pointe 176.19
chaussure 110
trouver chaussure à son pied 491.22

chienchien 486.9
chiendent
plante 360.8
obstacle 217.6
chienlit 202.3
chiennaille 486.16
chiennée 486.17
chienner 486.28
chier
faire chier 549.15
se faire chier 272.7
chieur 272.6
chieur d'encre 654.17
chiffe 593.6
chiffon
n.m. 640.5 ; 816.1 ; 859.1
adj. 388.12
chiffon de papier 435.4
chiffonnade 333.20
chiffonne 37.8
chiffonné
ennuyé 785.10
froissé 816.37
chiffonner
ennuyer 272.10 ; 785.8
froisser 165.29 ; 816.28
chiffonnier
personne 816.21
meuble 519.3
chiffonnière 519.6
chiffrable
mesurable 509.31
dénombrable 555.17
chiffrage
évaluation 112.2
t. de musique 543.22
chiffre 112
nombre 555.2
code secret 751.9
monogramme 459.4 ; 765.4
impôt sur le chiffre d'affaires 317.3
chiffré 751.26
chiffrement 411.6
chiffrer
évaluer 87.13 ; 509.29 ; 555.13
numéroter 112.5
t. de musique 543.47
chigner 836.9
chignole
outil 584.21 ; 760.19
tacot 833.2
chignon 129.3
chihuahua 486.9
chiisme 440.2
chiite
n. 440.7
adj. 440.26
Chilam-balam 236.8
Chilcotins 371.7
chili con carne 333.12
Chilien 355.10
Chillouks 371.11
Chimbus 371.12
chimère
poisson 638.6
fantasme 64.3 ; 285 ; 664.5
chimérique
abstrait 380.15
imaginaire 378.13
chimiatrie 775.5
chimicage 113.13
chimie **113**
chimiluminescence 113.11
chimio- 113.28
chimioluminescence 473.15
chimioprévention 775.11
chimiosensibilité 688.4
chimiosynthèse 113.13
chimiotactisme 113.15
mouvement d'orientation 221.12
chimiotaxie 113.15
chimiothérapie 775.5
chimiothérapique 775.28
chimiotrophe 512.18
chimiotrophie 251.4
chimiotropisme 113.15
mouvement d'orientation 221.12
tropisme 79.11
chimique 113.22
guerre chimique 354.2
chimiquement 113.27
chimisme 113.13
chimisorption 113.13
chimiste 113.18
chimonanthe 38.5
chimpanzé 486.14
chinage 599.4
bariolage 643.3
Chinantèques 371.8
chinchard 638.6
chinch bug 417.5
chinchilla 486.5
chinchillidé 486.3
chiné 816.34 ; 816.4
papier 388.12
chiner
colorer 643.8
taquiner 532 ; 628.12
brocanter 191.21 ; 599.14
chineur
n.m.
ouvrier du textile 816.21
brocanteur 599
adj.
taquin 532.15
chinois
langue 455
arbuste 38.6
fruit 330.16
passoire 848.31
c'est du chinois 140.10
Chinois 355.9
chinoiser 217.13
chinoiserie 98.23
finesse 184.5
Chinooks 371.7
Chins 371.13
chintz 816.4
chinure 643.2
chionanthus 38.5
chione 527.2
chiot 486.9
chiotte
tacot 833.2
chiottes
toilettes 296.16
chiourme 208.15
chipé 27.26
chipeau 570.16
chiper 869.18
chipie 497.5
chipmunk 486.5
chipolata 333.9
chipotage 703.12
chipoter
ergoter 419.8 ; 602.6 ; 659.14
grignoter 703.33
chips 333.21
chique
chique molle 593.6
avaler sa chique 534.22
chiqué 504.8
improvisé 386.9
faire du chiqué 581.9
chiquement 336.13
chiquenaude
impulsion 391.3
coup 160.4
chiquer 188.23
chiquer (se)
se battre 160.21
s'enivrer 441.12
chiquet
chiquet à chiquet 458.25
chiqueter 333.39
Chiquitos 371.8
chir- 479.25
chira 479.26
chiracanthium 417.13
chiral 436.14
Chiricahuas 371.7
chirie 479.26
Chiriguanos 371.8
chirius 479.26
chiro- 479.25
chirogale 486.10
chirognomonie 479.8
chirographaire 209.32
chirographie 479.8
chirologie 479.8 ; 803.5
chiromancie 479.8
divination 235.2
chiromancien 235.14
chironomidé 417.8
chironomie 479.8
chiropraxie 479.8
kinésithérapie 775.8
chiroptère 486.3 ; 873.25
chirote 479.26
chiroteuthis 527.4
chirou 486.6
chirurgical 114.35
chirurgicalement 114.36
chirurgie 72.12 ; 114 ; 702.6
anatomie 498.7
chirurgien 72.13 ; 114.27
chirurgien-accoucheur 114.27
chirurgien-dentiste
dentiste 188.19
chirurgien 114.27
chirurgique 114.35
chirus 479.26
chitineux 417.17
chiton
vêtement 859.8
mollusque 527.1
chiure 296.3
chlamyde 859.12
chlamydiose 482.18
chlamydomonas 22.4
chlamydophore 486.10
chlamydosperme 79.4
chlâsse 441.18
Chleuhs 371.10
chlinguer 740.10
chloasma 482.17
chlor- 857.14
chloramphénicol 499.5
chlorate 113.8
chlordiazépoxide 499.5
chlore 113.7
gaz 335.2
détergent 550.14

chlorelle 22.4
chlorémie 742.17
chlorhydrate 499.6
sel 113.8
chlorhydrique 113.8
chloridea 417.11
chlorique 113.8
chloro- 113.29 ; 857.14
chloroforme 114.20
chloroformer
anesthésier 114.32 ; 397.10 ; 780.23
abrutir 418.13
chlorométrie 113.16
chlorophane 417.3
chlorophycée 22.3 ; 79.4
chlorophylle
sève 79.14
verdure 857.3
chlorophytum 318.17
chloropidé 417.8
chlorops 417.9
chloroquine 499.5
chlorose
anémie 303.2
t. de phytopathologie 79.16
chlorotique 482.68
chlorprodamide 499.5
chlorpromazine 499.5
chlortalidone 499.5
chloruration 113.14
coupellation 575.7
chlorure 499.6 ; 617.6
chlorure d'argent 40.4
chlorure d'éthyle 335.7
chlorure de plomb 631.2
chlorure de sodium 333.28
chlorurémie 742.17
chlorurie 296.10
chmita 449.6
choanoflagellé 512.5
choc 115
heurt 72.6 ; 160.1 ; 269.1
bouleversement 754.6
opposition 146.5
choc en retour 115.11 ; 687.1
être sous le choc 115.24 ; 805.7
soutenir le choc 715.14
tenir le choc 115.30 ; 864.12
chocard 570.8
chocolat
n.m. 799.5
adj. 84.12 ; 159.28
chocolaterie 799.9
chocolatier 799.10
chocolatière 848.27
Chocos 371.8
chocottes 188.1
avoir les chocottes 619.14
chœur
partie d'une église 465.5
catégorie d'anges 29.5 ; 551.3
chant 106.3
groupe de chanteurs 106.19
groupe 352.10
en chœur 6.17 ; 106.32
chogramme 760.11
choin 360.8
choir
tomber 119.14 ; 195.11
perdre l'équilibre 282.16
choisi 116.12 ; 233.14
convenable 677.16
choisir 116.8 ; 462.22
élire 260.25
bien choisir son heure 571.7
choisisseur 116.6
choix 116
décision 116.1 ; 716.4
possibilité de choisir 234.3 ; 646.4 ; 870.4
assortiment 490.2
qualité 405.16 ; 490.26 ; 677.13
au choix 116.15 ; 870.16
cholagogue 499.30
cholalémie 742.17
cholalique 94.13
cholangiographie 498.16
cholangiome 841.2
cholaturie 296.10
cholécalciférol 214.7
cholécystectomie 114.13
cholécystite 482.23
cholécystographie 498.16
cholécystokinine 340.3
cholécystostomie 114.15
cholédochoplastie 114.17
cholédographie 498.16
cholédoque 218
cholémie 361.9
cholépoïèse 218.15
choléra
maladie 482.20
personne méchante 497.6
cholérèse 218.15
cholérétique
gastrique 218.24
tonique 499.30
cholériforme 482.69
cholérique 482.69
cholestérol 482.25
lipide 94.6
cholestérolémie 742.17
cholestérol-estérase 94.24
choline 94.18
cholinergique 128.10
cholinestérase 94.24
cholinomimétique 94.33
cholique 94.13
Chols 371
cholurie 296.10 ; 482.23
chômage 266.7 ; 393.3
inactivité 389.3
allocation de chômage 739.5
chômé
jour chômé 389.5 ; 706.4
chômedu 393.3
chômer 389.8 ; 393.13
chômeur
inactif 389.7 ; 393.8
licencié 292.5
Chomo Lhari 736.8
chon 529.10
chondre 49.11
chondrichthyen 638.2
chondrioconte 821.2
chondriome 821.2
chondriomite 821.2
chondrite 49.11
chondroblastome 841.3
chondrocalcinose 482.11
chondroglosse 541.11
chondroïde 482.65
chondrologie 498.7
chondromatose 482.11
chondrome 841.3
chondrosarcome 841.4
chondrostéen 638.3
chondrotomie 114.14
chondrus 22.4
Chongs 371.13
Chontales 371
chop 792.13
chope 848.5
choper
voler 869.18
arrêter 44.11
attraper 792.85
chopine
mesure 509.23
bouteille 848.11
chopiner
boire 441.10
boire sec 75.26
chopper
glisser 119.16
achopper 567.15
chop suey 333.12
choquable 115.37
choquant 115
déplaisant 192.12
indécent 399.7
choquard 570.8
choqué 115
choquer 115
cogner 72.18 ; 160.23
déplaire 192.7 ; 224.5 ; 399.5
choquer les verres 75.28
choral 106
chorale 106.19
chorde 265.7
chordome 841.3
choréauteur 176.24
chorédrame 176.5
chorée 482.49
neuropathie 548.20
chorégraphe 176.24
chorégraphie 176
chorégraphique 176.31
chorégraphiquement 176.34
choréogramme 176.5
choréphile 599.10
choreute 106.20
choriocarcinome 841.4
chorion
œuf 265.4
épiderme 821.4
chorionique 265.15
hormone chorionique 340.3
choriorétinite 482.28
choriste 106.19
choro- 251.23
choroïde 100.10
membrane choroïde 868.6
choroïdite 482.28
choroïdose 840.4
chorologie 251.2
Chorotis 371.8
Chors 371.14
chörten 449
temple 465.3
chorthippus 417.15
Chortis 371.7 ; 371.8
chorus
faire chorus 379.7 ; 704.11
chose
n.f.
réalité 297.3 ; 492.2 ; 602.2
esclave 787.10
amour physique 27.27 ; 763.4
chose en soi 375.3 ; 620.19 ; 796.2
de deux choses l'une 295.6

chose promise chose due 666.7
les choses étant ce qu'elles sont 122.12
voir le petit côté des choses 616.8
sentir les choses 434.6
voir les choses du bon côté 573.5
voir les choses du mauvais côté 615.5
adj.
se sentir tout chose 303.11 ; 836.8
chosification 492.5
chosifier 492.6
chosisme
matérialisme 492.3
idéalisme 620.13
chott 319.2
chou
n.m.
plante 318.26
gastronomie 333.17
pâtisserie 799.6
ornement 129.9 ; 165.3
t. d'affection 27.13
feuille de chou 654.3
l'avoir dans le chou 160.16
faire chou blanc 249.12
être dans les choux 217.12 ; 249.14
Chou
t. de la mythologie 236.38 ; 852.9
choucas 570.8
chouchen 75.9
chouchou
protégé 671.17
favori 341.11
chouchouter
soigner 774.10
affectionner 26.9
choucroute 333.12
chouette
n.f.
oiseau 570.12
faquin 532.8
vieille chouette 863.5
chouette
adj.
agréable 677.16
sympathique 336.10
interj. 431.2
chou-fleur
légume 318.26 ; 333.17
chouïa 602.3
chouiner 836.9
chouleur
élévateur 489.10
pelleteuse 834.27
Choulkhane Aroukh 449.6
choupette 129.9
chouquette 799.6
chourave 869.2
chou-rave 333.17
chouraver 869.19
chourer 869.19
chow-chow 486.9
choyer
soigner 774.10
dorloter 91.6
chrématistique
génie 662.11
enrichissement 730.4
chrême 369.7 ; 508.5
chrestomathie
assortiment 116.5
anthologie 723.4
chrétien
n.
individu 613.2
fidèle 117.11
adj.
croyant 117.24
humain 336.11
chrétiennement 117.25
chrétienté 117.1
chrisme 215.11
Christ 117
Fils de Dieu 215.8
christiania 792.24
christianisation 648.7
christianiser 117.22 ; 648.16
christianisme 117 ; 700.8
christique 117.23
christologie 818.2
christologique 818.28
christophore 117.23
Christ-roi
Christ 117.16
Fils de Dieu 215.8
chrom- 159.30 ; 643.13
chromage 510.8
chromat- 159.30 ; 643.13
chromatation 510.4
chromate 444.2
chromater 510.15
chromaticité 159.12
chromatine 361.3
chromatinien 361.3
chromatique
n.f.
science 159.17
adj.
relatif aux couleurs 159.26 ; 868.2
t. de musique 543.53
chromatiquement 159.29
chromatiser 159.20
chromatisme 159.12
chromato- 159.30 ; 643.13
chromatographie 113.16
biochimie 94.28
chromatophore 94.1
chromatopsie 159.19
chrome
métal 113.7 ; 499.6 ; 516.5
pièce métallique 57.5
-chrome 159.31 ; 643.14
chromé 307.23
chromer 727.15
argenter 40.7
métalliser 510.15
chromeux 516.10
-chromie 159.31
chromie 643.14 ; 742.17
chromique 516.10
chromis 638.6
chromisation 510.4
chromite 516.5
sidérite 307.4
chromo- 159.30 ; 643.13
chromo
reproduction 709.4
portrait 621.10
chromodynamique 513.1
chromolithographie 388.5
chromoplastine 94.9
chromoprotéine 94
chromosome 361.3
gonade 711.7
chromosomique 361
duplication chromosomique 711.2
remaniement chromosomique 361.8
chromosphère 49
activité solaire 777.7
chromothérapie 775.6
chrone 811.18
chroniciser (se) 247.10
chronicité 153.5
gravité 482.9
chronique
n.f.
récit 363.6 ; 691.7 ; 815.2
rubrique 654.8
chronique
adj. 153.24 ; 326.15 ; 482.63
chroniquement 153.29
chroniquer 654.23
chroniqueur
historien 363.10 ; 691.11
journaliste 654.16
chrono- 118.16 ; 811.18
chronoanalyseur 118.5
chronogramme 338.11
carré magique 493.7
horaire 118.8
anagramme 459.5
chronographe 118.4
chronographie 363.5
chronographique 118.12
chronologie 118
succession temporelle 363.5 ; 811.1
branche de l'histoire 363.1
chronologique 610.16
historique 363.15
ordre chronologique 576.6
chronologiquement 576.24
historiquement 363.18
chronologiste 363.9
chronométrage 118.2
arbitrage 792.36
chronomètre
montre 118.4 ; 509.26
chronométrer 118.10
chronométreur 118.9
chronométrie 509.25
chronologie 118.1
chronométrique 118.12
chronopharmacologie 499.20
chronophotographie 621.2
chronoscope 118.4
chronostratigraphie 118.2
chronotachygraphe 118.4
chronotachymètre 118.4
chronothérapie 775.3
chronotoxicité 267.10
chronotoxicologie 267.11
chronule 499.12
chrozophora 318.11
chrysalide 417.19
chrysalider (se) 417.30
chrysanthème 331.19
fleur 318.10
chryséléphantin
en or 575.21
plastique 749.22
chrysididé 417.6
chryso- 575.24
chrysobéryl 517.4
chrysocale
dorure 575.13
bronze d'aluminium 82.2

chrysochloridé 486.3
chrysochraon 417.15
chrysocolle 516.5
chrysolithe 517.4
chrysologue 648.19
t. de théologie 264.8
chrysomèle 417.3
chrysomélidé 417.2
chrysomonadale 22.3
chrysomyia 417.9
chrysomyza 417.9
chrysophore 417.3
chrysophycée 22.3
chrysoppée 575.1
chrysoprase 517.4
chrysops 417.9
chrysostome 638.6
saint Jean Chrysostome 264.5 ; 575.16
chrysothérapie 575.8
chimiothérapie 775.5
chthoniidé 417.12
chtonien 271
C.H.U. 498.32
chuchotement 83.7
oiseaux 170.3
chuchoter
bredouiller 411.10
dire 595.19
converser 156.13
chuchoterie 751.6
chuchotis 83.7
chueta 486.12
chuintant
n.f. 764.4 ; 781.8
adj. 764.11
chuintement 764
bruits légers 83.6
blésité 839.3
chuinter
oiseaux 170.7
siffler 764.9
bégayer 839.10
chullpa 331.15
Chulupis 371.8
churrigueresque 39.28
chut 431.4
silence ! 766.21
chute 119
tombée 315.4 ; 776.4
effondrement 195.4 ; 205.2
déchet 721.3
perte d'équilibre 72.7 ; 282.3 ; 496.4 ; 636.3
disgrâce 11.5 ; 227.2 ; 249.1
faute 29.4 ; 367.4 ; 606.1 ; 818.15
fin 225.11 ; 622.8
dépréciation 81.12 ; 195.5
t. de sports 792.18
chute d'eau 319.4
en chute libre 119.26 ; 220.22
chuter 119
tomber 195.11 ; 282.16
échouer 446.32 ; 817.30
t. de sports 792.86
chutney 333.27
chyle 340.4
chyleux 340.15
bilié 218.25
chylifère 742.8
chylification
excrétion 340.9
déglutition 218.12
chyliforme 218.25
chylurie 296.10
chyme 218.4
chymotrypsine 94.24
chymotrypsinogène 94.24
chypre 594.4
Chypriote 355.5
chytridiale 103.5
ci
de-ci de-là 769.15
par-ci par-là 769.15
ciao 431.8
salut 741.9
ci-après 673.15
ici 651.14
infra 203.20
cibiste 809.17
cible
but 86.1
objectif 221 ; 792.19 ; 868.4
cibler 221.24
ciboire 508.12
ciborium 465.11
ciboule 333.27
ciboulette 333.27
ciboulot
tête 814.1
matière grise 275.5
courir sur le ciboulot 549.14
cicadelle 417.5
cicadette 417.5
cicadidé 417.4
cicatrice 72.10 ; 114.22
cicatrisation 353.6
cicatriser
obstruer 308.18
guérir 353.12
cicerelle 638.6
cichlidé 638.5
ostéichtyens 638.3
cicindèle 417.3
cicindélidé 417.2
cicinnobolus 103.8
ciclosporine 499.5
ciconiiforme 570.4
ci-contre 673.15
cicutine 267.4
cidaris 527.9
-cide 205.28
ci-dessous 195.21 ; 576.25
infra 203.20
ci-dessus 204.23 ; 576.25
devant 33.29
ci-devant
n.m. 552.18
adv. 33.23 ; 211.21 ; 651.14
cidex 157.7
cidre 75.9
cidrerie 18.12
ciel
n.m.
éther 20.1 ; 204.8
bleu 73.8
voûte céleste 49.2
séjour divin 11.21 ; 236.44
paradis 591.1
baldaquin 519.15
int. 431.2
lever les mains au ciel 479.10
à ciel ouvert 585.19
ciel pommelé et femme fardée ne sont pas de longue durée 127.13 ; 561.10
au septième ciel 447.13 ; 629.17
feu du ciel 311.9
cierge
plante 318.7 ; 443.5
bougie 250.6 ; 473.13 ; 508.12
droit comme un cierge 692.11
cigale
insecte 417.5
crustacé 172.3
personne dépensière 661.5
cigare 605.14
cigarette 825.5
cigarier 417.3
ci-gît 534.26
épithaphe 331.17
cigogne 570.18
cigue 529.5
ciguë
plante 318.20
empoisonnement 267.4
ci-inclus 152.11
au-dedans 396.20
ci-joint 396.20
cil 512.6
poil 624.2 ; 868.6
ciliaire 868.6
nerf ciliaire 548.4
ciliature 512.6
cilice 47.5 ; 525.25
expiation 299.1
cilié
n.m. 512.5
adj. 37.27 ; 512.18 ; 624.19
cilio-spinal 548.11
cillement 868.7
ciller 868.20
cimaise
cadre 77.10
chapiteau 204.5
bâti 505.5
cimborio 39.11
Cimbres 371.16
cime 37.5 ; 204.6
aiguille 637.2
ciment
enduit 727.6
support 607.18
béton 834.36
cimenter 727.15
raffermir 778.10
cimentier 834.37
cimeterre 42.2
cimétidine 499.5
cimetière 331.14
cimicidé 417.4
cimier 37.5
cinabre
sulfure de mercure 516.5 ; 735.2
couleur 159.28 ; 735.12
cincle 570.8
ciné- 538.31
ciné 120.1
cinéaste 120.26
ciné-club 120.20
cinéma 120
septième art 120 ; 538.31
simagrées 373.7 ; 432.17 ; 504.17 ; 581.9
cinéma-œil 120.3
cinémascope 120.19
cinémathécaire 120.28
cinémathèque 120.20
cinématique
n.f. 496.1
adj. 509.10 ; 538.14 ; 538.28
cinématisation 114.17
cinématographe
audiovisuel 273.3
cinéma 120.1

cinématographie 120.1
cinématographier 120.30
photographier 574.17
cinématographique 120.34
cinématographiquement 120.36
cinéma-vérité 120.3 ; 854.9
cinémitrailleuse 820.10
cinémo- 538.31
cinémographe 684.10
cinémomètre 509.26 ; 684.10
ciné-parc 120.20
cinéphile 120.29
amateur de 599.10
cinéphilie 120.24 ; 599.6
cinéphilique 120.35
cinéplastie 114.17
cinéraire
n.f.
fleur 318.10
cinéraire
adj. 331.35 ; 534.7
cinérama 120.19
cinéroman
roman 691.4
film 120.5
cinèse 538
cinésie 538.32
cinésio- 538.31
cinésiologie 538.15
cinésiologique 538.29
cinesthésique
gestuel 538.29
kinesthésique 754.18
cinéthéodolite 621.3
cinétique 17.2 ; 269.2 ; 538
mécanique 496.13
cinétir 820.4
cinétisme 538.16
tendance artistique 46.13
cinéto- 538.31
cinétropisme 221.12
Cinghalais 371.13
cinglant 243.14
cinglé 321.13
cingler
v.t.
tracer une ligne 466.10
fouetter 115.22 ; 160.22 ; 633.13 ; 852.18
battre 307.18 ; 510.16
v.i.
naviguer 221.23 ; 830.27
cini 570.8
cinnamome 594.4
bois 74.12
arbuste 38.9
cinoche 120.1
cinoque 321.23
cinq 121
n.m.
chiffre 121.1
carte 446.4
adj. 121.8 ; 219.7
cinq-à-sept 776.3
cinq-demi 274.15
cinquain 121.3
cinquantaine
quantité 121.1
âge 495.2
cinquantenaire
anniversaire 88.7
commémoration 309.3
cinquantième 317.10
cinquième
n.m. 121
n.f
classe 274.6
vitesse 57.4
t. de musique 543.11
adj. 121.9
cinquième roue du carrosse 419.4 ; 435.7 ; 596.14
cinquièmement 121.10
cintrage 162.7
assemblage 632.12
cintre
support 791.4 ; 806.5 ; 859.32
échafaudage 834.19
partie d'un théâtre 204.2 ; 748.8
t. d'architecture 39.20 ; 162
cintré
incurvé 162.11
fou 321.23
cintrer
courber 162.8
coffrer 834.41
cintreuse 476.10
cintrier 748.10
cippe 331.17
cirage 110.11 ; 550
être dans le cirage 441.14
circa- 77.22
circadien 326.3
circaète 570.12
circassienne 859.10
circiné
t. de botanique 37.27 ; 97.15
t. de dermatologie 482.67
circon- 77.22 ; 280.13
circoncire 699.31 ; 762.32
baptiser 173.21
circoncis 173.24
circoncision 117.21 ; 449.6
ablation 114.12 ; 762.26
circonférence 338.8
longueur 219.2
bord 77.1
circonférentiel 97.14
circonflexe 548.4
circonlocution
phrase 622.10
parole 595.3
longueurs 665.5
pl. 24.4 ; 674.5
circonscription
région 695.7
diocèse 699.19
découpage électoral 260.21
subdivision 845.10
circonscrire 338.14
limiter 467.7
environner 280.5
circonscrit 280.10
circonspect
réservé 714.13 ; 810.10 ; 819.7
prudent 620.34 ; 674.11 ; 759.11
circonspection 714.2
sagesse 759.3
prudence 674.1
circonstance 122
détail 592.12 ; 729.5
cas 4.2 ; 290.1 ; 528.1 ; 571 ; 769.3
tristes circonstances 11.2
circonstancié 122.11
circonstanciel 122.10
accidentel 4.5
proposition circonstancielle 622.5
circonstancier 122.6
circonvallation 182.7
circonvenir
entourer 467.7
tromper 485.11 ; 838.13
circonvoisin
environnant 280.9
proche 673.11
circonvoisiner 673.7
circonvolution 100
rotation 733.1
télencéphale 100.14
circuit
système nerveux 548.15
ligne 809.9
traversée 829.6
voyage 871.1
piste 792.78
circuit de compensation 139.3
circuit dérivé 212.9
circuit électrique 97.6 ; 261.16 ; 448.7
circuit intégré 408.9 ; 423.6
en circuit fermé 97.16
circulaire
n.f. 157.5
adj. 97.14 ; 162.14 ; 733.19
circulairement 97.16 ; 733.21
circularité 97.1
circulation
échange 829.1
trafic 57.1 ; 538.6 ; 833.21
révolution 632.15
circulation du sang 128.11 ; 563.1 ; 742.10
agent de la circulation 641.6
droit de circulation 829.17
circulatoire 742.29
circuler
passer 97.13 ; 538.18 ; 832.26 ; 833.36 ; 871.22
passer de main en main 529.28
circum- 77.22 ; 97.17
circumambulation 173.11
circumduction 97.6
circumlunaire 48.16
circumnavigation
circuit 97.6
exploration 871.6
circumnutation 79.11
circumpolaire 49.35
circumterrestre 48.16
cire
substance naturelle 131.7 ; 749.13
sécrétion 55.7
bougie 508.5
statue 749.13
produit d'entretien 550.14 ; 640.4 ; 727.6
cire molle 407.9 ; 787.10
ciré
imperméable 633.8 ; 859.12
cirer
les meubles 550.29 ; 640.8 ; 727.15
les chaussures 110.19
flatter 761.9
cireur 110.13
nettoyeur 550.24
cireuse 476.8
polissoir 640.5

balai 550.17
cireux 159.28
jaune 444.7
cirier 38.4
ciroir 584.14
ciron 417.13
cirque 123
spectacle 123.1
désordre 201.6
affectation 373.7 ; 504.17 ; 581.9
t. d'astronomie 49.9 ; 474.7
t. de géographie 97.10 ; 530.9
cirr- 624.25
cirre 318.3
cirrhose 482.23
cirrhotique 482.70
cirri- 624.25
cirripède 172.2
cirro- 624.25
cirrocumulus 561.4
cirrostratus 561.4
cirrus 561.4
cis-aconitique 94.13
cisaille
machine 476.10
pl.
cisailles 18.15 ; 584.6
cisaillement 205.4
cisailler 756.12
ciseau
outil 505.16 ; 749.14 ; 760.19
pl.
ciseaux 114.26 ; 129.8 ; 584.6
exercice de gymnastique 792.6
ciselage 70.16 ; 584.29
ciselé 760.32 ; 848.37
orfévré 70.26
ciseler 637.13 ; 749
orfévrer 70.20
fignoler 774.14
inciser 333.39
ciselet
ciseau 584.4 ; 749.14
ciseleur
sculpteur 749.16
bijoutier 70.19
ciselure 70.16
cisoir 584.4
cissus 360.8
ciste
corbeille 151.5
arbuste 38.6
cercueil 331.13
cistélidés 417.2
cistercien 525.10
cisticole 570.8
cistre
fleur 318.20
instrument de musique 422.3
cistude 712.9
citadelle
bastide 182.9
château 481.6
citadin
n. 355.3 ; 356.10
adj. 356.15 ; 845.20
citadine 833.4
citation
mention 313.4 ; 723.2
honneur militaire 554.7
t. de droit 451.6
cité
société 124.10
ville, quartier 39.9 ; 845.12
cité-jardin 443.2
citer
mentionner 554.19
assigner 451.26
citérieur 158.17
citerne
réservoir 151.4 ; 618.9 ; 633.9
camion 830.11 ; 832.16 ; 833.7
citernier 833.28
cithare 422.3
citharède 106.20
cithariste 542.7
citizen band 809.1
citoyen 124
électeur 260.11 ; 462.13
individu 613.2
citoyenneté 124.5
citral 594.6
citrate 499.6
sel 113.8
citrémie 742.17
citrin 444.7
citrine 517.4
citrique 94.13
acide citrique 113.8
citron
n.m.
agrume 330.9 ; 594.4
insecte 417.11
tête 814.1
voiture 57.6
adj.
couleur 159.28 ; 444.13
citronnade 75.8
citronnelle 594.4
herbes médicinales 318.16 ; 499.9
citronnier 37.17
bois 74.11
citrouille
courge 333.18
grosse tête 814.1
personne niaise 784.7
citrulline 94.10
citrus 37.11
cive 333.27
civelle 638.8
civet 333.12
civette 333.27
civette 594.5
civière 114.24
civil
n.m. 125.9
adj.
courtois 163.10 ; 365.11 ; 772.16
public 773.15
jour civil 610.5
mariage civil 491.4
interdiction civile 429.2
civilement
poliment 163.13 ; 365.18 ; 772.17
t. de droit 696.28
civilisation 773.2
civilisé 253.11
civiliser 533.12
civiliste 245.47
civilité
sociabilité 772.1
courtoisie 233.4
salutations 741.1
pl. 163.3 ; 774.6
civique 125
carte civique 822.12
civiquement 125.11
civisme 124.11 ; 125
engagement 642.12
clabaudage
aboiement 170.1
médisance 227.9
clabauder
aboyer 168.18 ; 170.5
médire 227.15
clabauderie
médisance 227.9
clameur 168.5
bavardage 665.4
claboder 107.26
claboter 534.22
clac 431.7
onomatopée 83.23
clade- 126.23
clade 126.5
cladistique 126.21 ; 873.26
clado- 126.23
cladocères 172.2
cladonie 463.3
cladophora 22.4
cladophorées 22.3
cladosporiose 79.16
cladosporium 103.8
clafoutis 799.6
claie 328.7
clos 67.3
cage 262.6
vivier 605.15
claim 518.1
clain 451.6
clair
n.m.
clarté 99.7 ; 473.7
t. de peinture 607.11
clair de lune 473.2 ; 474.2
passer le plus clair de son temps à 811.11
clair
adj.
lumineux 127.20 ; 250.26 ; 473.33 ; 777.18
pâle 159.27
de peau 71.13 ; 604.14
sonore 781.30
intelligible 275.13 ; 302.19 ; 425
œuf clair 265.4
bleu clair 73.8
c'est clair comme du bouillon d'andouille 140.10
clair comme de l'eau de roche 275.13 ; 302.19 ; 425.15
en clair 425.18
clairce 799.2
claircir 369.14
clairement
nettement 753.19
intelligiblement 275.17 ; 425.17 ; 425.18
clairet 75.12
claire-voie
clôture 67.3
fenêtre 39.12
à claire-voie 67.9
clairière
d'un bois 37.22
d'une étoffe 816.10
clair-obscur
pénombre 473.3 ; 566.1
t. de peinture 473.7 ; 566.5 ; 607.11

clairon
fusil 43.6
musicien 542.8
instrument de musique 422.6
sonnerie 851.7
insecte 417.3
claironner
dire 595.19
crier 168.16
clairsemé
rare 602.9
raréfié 686.10
clairsemer (se)
se raréfier 686.5
perdre ses cheveux 624.16
clairure 816.10
clairvoyance 235.8
intuition 275.2 ; 434.1
clairvoyant 275.15
fin 316.15
voyant 235.13
clam
mollusque 527.2
clam
t. de droit 451.6
clamer
crier 168.16 ; 595.19
t. de droit 451.26
clameur 168.5
bruits confus 83.5
clamp 114.26
clampage 114.6
clamper 114.33
clampin
retardataire 724.5
paresseux 593.5
lambin 458.9
clamser 534.22
clan 352.9
famille 773.5
famille nombreuse 304.7
clandé 672.3
clandestin 751.23
clandestine 318.22
clandestinement 751.31
clandestinité 751.7
clangor 128.12
clanique
social 773.15
familial 304.13
clap 120.13
clap clap 83.23
clapet
soupape 308.2 ; 476.12
langue 665.4
clapier 262.8
clapir 170.5
clapissement 170.1
clapman 120.27
clapotage
mer 468.3
bruits légers 83.6
clapotement 319.13
mer 468.3
clapoter
couler 319.20
gargouiller 83.15
clapotis 319.13
mer 468.3
bruits légers 83.6
clappement 83
clapper 83.15
claquage 541.4
entorse 72.4
claque
coup 160.3
applaudissements 817.23
chapeau 859.25
recevoir une claque 249.12
claqué 303.21
claquedent 603.6
claque-faim 603.6
claquement 83.8
claquemurer 208.23
claquemurer (se) 430.12
s'isoler 779.14
claquer
mourir 534.22
faire un bruit 83.15
se casser 205.22
frapper 160.13
claquer des dents 188.25 ; 619.15
claquer du bec 703.36
claquer la porte 292.11
claquer un terrain 834.38
claquette 120.13
danse à claquettes 176.2
faire des claquettes 633.13
claqueur 471.8
clarias 638.5
clarification 756.6
clarifier
un liquide 468.11
une situation 302.15
clarinette 422.7
clarinettiste 542.6
clarisse 525.11
Clarke
colonne de Clarke 548.10
clarkia 318.19
clarté
luminosité 250.2 ; 640.1
intelligibilité 302.2 ; 425.2
clase 324
faille 325.3
clash
dispute 194.3
altercation 146.2
clasie- 324.21
-clasie 324.21 ; 337.36
-clasique 324.21
clasmatose 94.27
class 233.12
classable 576.21
classe
n.f.
ensemble 126 ; 286.4 ; 773.7
catégorie 831.10 ; 832.22
division (école) 274.15
distinction 233.1
classe laborieuse 480.2
classes aisées 730.10
classe ouvrière 480.2
de deuxième classe 500.14
être de la classe 461.19
faire ses classes 445.9
classe
adj.
distingué 233.12
classé 126.18 ; 576.21
classement
classification 126 ; 576.3
rang 683.9
classer
ordonner 576.13 ; 683.13
grouper 352.15
classeur 126.11 ; 519.9
papeterie 387.4
classicisme 46
simplicité 771.4
classieux 233.12
classificateur 126 ; 576.21 ; 577.14
classification 126 ; 79.3 ; 576
classificatoire 576.21
typique 126.20
classifier 511.12
classer 576.13
trier 756.17
classique
n.m.
œuvre 469.7
adj.
habituel 357.25
sobre 46.15 ; 771.10
classiquement
habituellement 357.31
traditionnellement 164.24
claste 205.28 ; 324.21
-clastie 324.21
clastique 324.21
fractionnaire 324.16
sismique 337.31
dépôt clastique 337.15
clatir 170.5
t. de chasse 107.26
clatissement 170.1
claudicant 579.13
claudication 502.5
marche 623.2
claudiquer 502.9
clause 166.9
clause commissoire 31.4
clause compromissoire 141.2
clause d'agrément 81.21
clause pénale 144.8
clause restrictive 714.5
clause-or 575.11
clausilie 527.3
claustra 67.2
claustral
vie claustrale 525.1
claustration
solitude 779.1
détention 208.1
claustre 67.2
claustrer
kidnapper 169.23
enfermer 208.23
claustrer (se) 779.14
claustrophobe 619.21
claustrophobie 308.9
phobie 619.4
claustrum 100
clausule 315.6
clava 100.5
clavaire 103.6
claveau 834.35
cintre 39.20
clavecin 422.12
claveciniste 542.11
clavelée 482.48
clavelle 172.3
claveter 725.12
clavette 476.12
cheville 505.9
clavicorde 422.12
clavicule 580.9
clavier 422.19
t. d'informatique 408.7
t. de serrurerie 760.17

clavigère 417.3
claviste 388.16
clayère 262.9
clayette 151.5
claymore 42.2
clayonnage 67.14
étayage 834.24
clayonner
clôturer 67.15
étayer 834.42
clé → **clef**
clean 550.39
propre 669.12
clébard 486.9
clebs 486.9
cléchée 171.20
clédar 67.5
clef ou **clé** 585.8
code 751.9
explication 753.1
outil 584.13
t. de musique 422.21 ; 543.27
clef pendante 39.20
clé de voûte 39.20 ; 96.1
clef d'accès 408.18
clef de contact 57.10
clefs de saint Pierre 590.9
prendre la clef des champs 189.11
mettre la clef sous la porte 189.8 ; 308.16
sous clef 752.18
cléistogame 318.46
clématite
arbuste 38.4
fleur 318.25
clémence 592.3
charité 336.2
indulgence 625.2
clément 592.16
bienveillant 336.11
le clément 440.20
clémentine
fruit 330.9
décret 590.7
clémentinier 37.17
clenche 760
à clenche 760.10
cléonine 417.3
clephte 869.10
clepsydre 118.3
clepte 417.7
cleptomane 869.15
cleptomanie 869.8
clerc
savant 747.9
religieux 699.1
employé 451.21
pas de clerc 483.5
clergé 525.3 ; 699.2
classe sociale 286.4
clergie 747.1
clergyman 117.20
clérical 699.32
cléricalisation 699.23
cléricaliser 699.29
cléricature 699.3
clérodendron 38.9
cléroïdés 417.2
clérouquie 288.7
clic 431.7
onomatopée 83.23
clic clac 83.23
cliché
banalité 326.8 ; 630.5
photographie 621.7
clichement 839.3
clicher
t. d'orthophonie 839.10
t. d'imprimerie 388.18
clicheur 388.16
click 781.8
client
personne 613.2
protégé 671.17
acheteur 135.20
clientèle 135.20 ; 191.11
clientélisme 642.3
clifoire 448.4
clignement 868.7
cligne-musette 446.23
cligner
cligner de l'œil 765.24
clignotant
n.m.
signal 57.7 ; 250
t. d'économie 555.7
adj.
discontinu 223.16
clignotement 868.7
clignoter
alterner 223.10
cligner 868.20
climat 127
circonstance 122.1
environnement 280.2
climatérique
âge climatérique 495.2
climatique 127.18
climatiquement 127.22
climatisation 327.3
climatiser 127.17
refroidir 327.15
climatiseur 327.8
climato- 127.23
climatologie 127.9
climatologique 127.18
climatothérapie 775.4
climatron 127.10
climax
pointe 427.4
équilibre 251.3
clinch 792.16
clin d'œil
regard 868.7
signe 765.8 ; 788.9
en un clin d'œil 684.40
clinicat 498.22
clinicien 498.24
clinique
science 498.4
hôpital 114.30 ; 775.21
cliniquement 498.39
clinker asphalt 834.36
clinoïde 580.30
clinomètre 509.26
clinorhombique
n.m. 517.7
adj. 517.21
clinquaille 529.3
clinquant
orné 575.20 ; 578.8
trompeur 838.22
clio
mollusque 527.3
Clio 363.12
Muse 236.11
clione 527.10
clip
film 120.5
bijou 70.7
cliquart 517.2
clique
compagnie 137.5
orchestre 542.4
prendre ses cliques et ses claques 189.12
cliquer 408.25
cliquet 476.12
cliquètement 83.6
cliqueter 83.15
cliquetis 57.4
battement 115.2
bruits légers 83.6
cliquette 422.10
clisse 328.7
clito 762.12
clitocybe 103.6
clitoridectomie 114.13
clitoridien 762.35
clitoris 762.12
clivable
fractionnable 324.17
cristallographique 517.21
clivage
espace 223.5
séparation 756.1
cliver
partager 597.10
séparer 756.11
clivia 318.17
cloaque
orifice 570.23
lieu très sale 740.6
clochard 603.6
clochardisation 603.5
clochardiser 603.18
cloche
sot 784.7
instrument 422.8 ; 465.10
cloche à fromage 848.20
cloche d'annonce 832.4
se taper la cloche 342.9
sonner les cloches à qqn 710.16
à la cloche de bois 751.33
à cloche-pied 746.17
donner un coup de cloche 63.13
cloche
clochard 603.6
pauvreté 603.16
clocher
n.m.
tour 465.9 ; 637.2
v.
mal aller 392.15
pécher 606.11
clocheton 39.11
clochette
fleur 318.4
cloche 508.12
clodo 603.6
cloé ou **cloéon** 417.16
clofibrate 499.5
cloison
séparation 756.2
barrière 67
obstacle 567.3
cloisonné 756.21
cloisonnée 527.19
cloisonnement 67
séparation 567.1
cloisonner
partager 597.10
séparer 756.11
cloisonnisme 46.11
cloître 525.24
cloîtré 525.33
solitaire 779.17
cloîtrer 751.19
interner 430.9

enfermer 208.23
cloîtrer (se) 430.12
s'isoler 420.6 ; 779.14
clonage 711.5
clonazépam 499.5
clone
reproduction 711.6 ; 821.6
ordinateur 408.3
cloner 711.20
clonidine 499.5
clonie
contraction 154.3
syncinésie 541.4
clonique 541.26
clonus
contraction 154.3
syncinésie 541.4
clope
des clopes 404.4 ; 602.4
clopin-clopant 217.25 ; 458.27
clopiner 623.6
clopinette
des clopinettes 404.4 ; 602.4
cloporte 172.3
cloquage 85.13
cloque
bouton 78.5
maladie 79.16
croûte 482.16
être en cloque 711.21
cloqué
bosselé 78.15
globuleux 85.16
textile 816.34
n.m.
étoffe 816.4
cloquer 482.57
bosseler 78.11
cloquer (se) 78.13
clorazépate 499.5
clore
fermer 308.13
finir 5.16 ; 315.15
clos
n.m. 67.3 ; 481.3
le clos et le couvert 356.6
adj.
fermé 67.18 ; 631.15
fini 5.20
lit clos 519.13
closeau 481.3
closerie 481.3
close up 120.11
Clotho 271.8
clotrimazole 499.5
clôture
barrière 67.1
fermeture 308
fin 315.6
clôturer
finir 5.16 ; 315.15
barrer 67.15
clou
pointe 637.3
furoncle 482.16
mont-de-piété 166.22
clou de la soirée 290.2
des clous 602.4
ne pas valoir un clou 500.8
compter les clous de la porte 409.8
se coiffer avec un clou 129.17
mettre au clou 209.26
river son clou à 595.24
cloué
rester cloué sur place 805.7
clouer
pointer 725.12
t. de jeu 446.36
clouer le bec 308.14
clouer sur place 619.10
cloueuse 505.15
clous
passage protégé 833.2
clouter 578.12
clouterie 307.13
clovisse 527.2
clown 123.18
farceur 132.5
clown blanc 628.7
clownerie 123.9 ; 731.2
pitrerie 628.5
clownesque
drôle 628.13
acrobatique 123.22
cloxacilline 499.5
cloyère 151.5
club 424.5 ; 792.65
compagnie 137.6
clubione 417.13
clupéidé 638.3
cluse
excavation 167.3
gorge 530.9
cluster 543.19
clymenia 527.4
clyménidés 527.1
clypeaster 527.9
clystère 775.18
clyte 417.3
clytre 417.3
C.M.P. 94.11
cnémide 110.9
cneorum 38.6
cnidaire 527.12
cnidosporidie 512.5
C.N.R.S. 689.8
co-
relation 698.15
simultanéité 768.16
participation 596.41
coaccusé 144.19
coacervat 806.2
coacétylase 94.24
coach
automobile 57.6
conseiller 649.7 ; 792.66
coactualiser (se) 492.7
coadjuteur
adjoint 9.11
évêque 699.6
coagglutination 381.1
coagulabilité
acidité 113.11
solidification 778.4
volémie 742.16
coagulant 113.4
coagulase 94.24
coagulation 742.11
solidification 778.4
coaguler
durcir 778.11
saigner 742.25
coaguler (se) 742.28
coagulum
caillot 778.8
caillot sanguin 742.7
coalescence 154.5
coalescent 510.19
coalisé 596.35
coaliser
unifier 376.10
réunir 725.10
coaliser (se) 772.11
coalition 596.7
coaltar
enduit 727.6
carburant 617.5
coaptation 114.6
coapteur 114.26
coarctation 482.13
coassement 68.5
animaux 170.2
coasser 170.6
coassocié 596.11
coati 486.7
coating 816.3
coauteur 469.16
coaxial 692.12
cob 486.11
COB 81.24
cobalamine 499.6
cobalt
élément 113.7
minerai 516.5
couleur 857.2
violet de cobalt 866.2
cobaltine 516.5
cobaltothérapie 775.6
cobamide 94.21
cobaye 486.5
cobitidé 638.3
cobla 542.5
coble 605.11
COBOL 408.16
cobourg 816.3
cobra
serpent 712.3
Cobra
tendance artistique 46.13
coca 38.7
cocagne 309.1
pays de cocagne 670.5 ; 730.8
vie de cocagne 862.13
cocaier 38.7
cocaïne 825.7
anesthésique 114.20
cocaïnisation 114.19
cocaïnisme 825.1
cocaïnomane 825.14
cocaïnomanie 825.1
cocarboxylase 94.24
cocarcinogène 841.13
cocard 160.18
cocarde 129.9
avoir sa cocarde 441.14
cocardier 125.10
cocasse 132.11
cocasserie 132.1
coccidés 417.4
coccidiose 482.48
coccinelle 417.3
coccinéllidés 417.2
coccolithe 337.17
coccolithophore 22.4
coccoloba 38.7
-coccus 22.9
coccygien 548.2
vertèbres coccygiennes 580.10

coccyx
colonne vertébrale 242.2 ; 580.10
coche
n.m.
creux 167.4
coche
n.m.
voiture 833.14
coche d'eau 830.7
ne pas rater le coche 571.7
cochenille
bois 74.11
insecte 417.5
teinture 159.9
cochenillier 318.7
cocher
n.m.
conducteur 833.29
cocher
v.
creuser 167.12
Cocher (le)
constellation 49.15
cochevis 570.8
Cochinchinois 355.9
cochléaire
nerfs crâniens 100.4 ; 548.3
cochlée 580.7
oreille externe 55.3
cochlidion 417.11
cochon
n.m.
animal 486.12
adj.
sale 740.8
indécent 399.9 ; 860.11
cochon d'eau 486.5
cochon d'Inde 486.5
cochon de mer 638.7
tête de cochon 715.9
tour de cochon 497.3
écrire comme un cochon 411.11
cochonceté 399.4
cochonnaille 333.9
cochonnée 486.17
cochonner
mettre bas 486.28
salir 483.17 ; 740.9
cochonnerie
médiocrité 500.5
indécence 399.4 ; 628.4
cochonnet
boule 345.2
mammifère 486.12
cochylis 417.11
cocker 486.9
cockpit 831.4
cocktail
mélange 501.5
boisson 75.14
réception 137.11 ; 772.10
cocktail Molotov 43.14
coco
fruit 330.16
homme 364.3
drogue 825.7
communiste 808.26
dévisser le coco 534.28
cocobolo 37.19
cocodès 12.5
cocon
enveloppe 417.18 ; 727.2
solitude 779.5
s'enfermer dans son cocon 430.10
cocontractant
n. 586.8
adj. 586.13
cocooner 430.12
cocooning 304.11
faire du cocooning 430.12
cocorico 494.14
oiseaux 170.3
cocoter 569.17
cocotier 37
secouer le cocotier 292.8
cocotte 848.24
œuf en cocotte 333.24
Cocotte-Minute 848.26
cocu
marié 491.18
feinté 838.23
cocuage 828.3
adultère 491.15
cocufier 491.26 ; 828.13
coda 543.29
conclusion 315.6
variation 176.14
codage 411.6
code
méthode 511.7
devoir 213.2
texte 245
t. de linguistique 455
Code d'exécution des peines 144.24
code d'honneur 533.2
Code de commerce 135.15
Code de la route 57.19
Code pénal 144.24
code postal 157.7
code typographique 469.14
codes 57.7 ; 250
codé
mystérieux 751.26
inintelligible 411.13
code-barres 408.17
codébiteur 66.36
codéine 499.5
codemandeur 835.11
demandeur 185.8
coder 408.25
figurer 765.26
brouiller 411.12
codétenu 208.15
codex
pharmacie 499.20
cahier 252.7
recueil 469.9
codicillaire 9.19
codicille
ajout 9.3 ; 647.7
codicologie 363.5
codicologue 363.9
codificateur 696.12
législateur 245.47
codification 696.9
réglementation 559.8
promulgation 245.39
codifié
normal 576.22
réglé 696.19
codifier 577.21
réglementer 559.10
promulguer 245.51
codique 559.16
codium 22.4
codominance 361.6
coéditer 469.24
coédition 469.4
coefficient 555.4 ; 668.4
algorithme 493.3
coefficient d'absorption 113.10
cœlacanthe 638.6
cœliaque
abdominal 853.13
plexus cœliaque 548.4
cœlifère 417.15
cœliotomie 114.14
cœlosomien 484.6
cœlostat 49.17
cœlurosaure 712
coendou 486
cœnesthésie 754.1
cœnocyte 94.1
cœnocyte
cellule 94.1
thalle 22.2
cœnonympha 417.11
coenzyme 218.13
coenzyme a 94.24
coenzyme q 94.24
coenzyme r 499.6
coéquation 317.15
coéquipier 792.40
coercibilité 335.12
élasticité 259.1
coercible 335.22
élastique 259.11
coercitif 240.20 ; 865.28
astreignant 565.14
coercition
obligation 565.1
contrainte 865.10
domination 240.1
coercitivité 778.2
coéternel 287.11
cœur 128
organe 128 ; 742.9
centre 96.1
sensibilité 755.1
courage 161.1
générosité 336.1
amour 27.13
t. de jeu 446.4
bon cœur 76.1
cœur de pierre 248.4
cœur sec 401.10
l'intelligence du cœur 434.1
ligne de cœur 466.6
avoir le cœur lourd 836.8
avoir mal au cœur 218.20
avoir bon cœur 625.8
avoir du cœur au ventre 161.8
donner du cœur au ventre 268.9
être de tout cœur avec qqn 6.11
s'en donner à cœur joie 629.10
briser le cœur 836.7
faire le joli cœur 581.9
le cœur léger 277.9
de bon cœur 629.22
de tout cœur 755.23
à cœur perdu 427.34
par cœur 503.18
avoir à cœur de 199.9
cœur-de-jeannette 318.26
cœur-poumon 128.20
cœur-poumon artificiel 114.21
Cœurs d'alène 371.7
coexistant 768.9
coexistence 818.13
existence 297.1
simultanéité 768.1
coexistence pacifique 589.6

coexister 768.7
exister 297.8
correspondre 698.7
coffinite 516.5
coffrage 834
revêtement 727.1
charpente 791.4
coffre
contenant 57.11 ; 519.5
poisson 638
thorax 718.7
t. de serrurerie 760
service des coffres 66.6
avoir le coffre solide 743.7
sur les coffres du roi 349.9
coffré 151.13
coffre-fort 66.29
coffrer
enfermer 151.11 ; 834.41
emprisonner 208.21
coffret
contenant 70.17 ; 151.4
livre 469.12
coffretier 505.20
cofinancement 66.11
cofinancier 66.31
cogitation
compréhension 682.4
connaissance 620.22
cogiter
réfléchir 682.11
philosopher 620.27
cogito
métaphysique 297.2
sujet 620.21
cogito ergo sum 297.2
cognac 75.13
cognage 160.7
cognassier 37.13
cognat 314.7
cognation 506.7
cognatique 314.15
cogne
n.f.
coup 160.7
cogne
n.m.
policier 641.7
cognée 36.18
hache 18.15 ; 584.3
cognement 57.4
battement 115.2
bagarre 160.7
cogner
heurter 115 ; 567.15
chauffer 777.15
frapper 160.11
cogner (se)
découvrir 179.5
heurter 115.26 ; 567.15
cogneur 160.10
battant 115.19
boxeur 792.53
cogniticien 408.23
cognitif 747.19
sciences cognitives 747.6
cognition
conceptualisation 275.4
connaissance 620.22
cognitivisme 747.6
cohabitation 356.7
cohabiter
encadrer 280.6
s'associer 772.11
habiter 355.23
cohen
rabbin 699.14
cohérence
concordance 143.1
unité 844.1
intelligibilité 425.2
cohérent
concordant 143.9
systématique 807.16
clair 425.15
cohérer 147.9
cohéreur 207.10
cohésif 778.13
cohésion
unification 844.3
solidité 778.1
cohorte 540.3
cohue 540.2
coi
silencieux 89.13 ; 752.17
stupéfait 805.12
se tenir coi 766.10
coiffage
peignage 129.10
t. de dentisterie 188.18
coiffe
vêtement 859.25
t. de botanique 727.5
t. de reliure 469.12
coiffé 129.18
coiffé avec un pétard 129.17
coiffé comme un chien fou 129.19
être coiffé au poteau 249.15
coiffer
couvrir 204.13
arrêter 44.11
peigner 129.13
coiffer au poteau 800.15
coiffer l'objectif 86.7
coiffer la mitre 699.30
coiffer sainte Catherine 93.7
coiffer (se) 27.17
coiffeur 129.12
coiffeuse 519.6
coiffure 129
chapeau 204.3
coin
angle 30.7
région 695.6
dent 188.4
instrument 36.18
petit coin 296.16
ne pas se rencontrer à tous les coins de rue 686.5
rester dans son coin 420.6
en coin 158.20
coincé
bloqué 329.34
sérieux 759.9 ; 819.7
coincement 792.25
coincer
mettre en échec 249.14
arrêter 44.11
coincer la bulle 593.8
coïncidence 122.2 ; 768.2
accident 358.2
coïncident 338.16
t. de géométrie 143.11
coïncider
équivaloir 376.12
concorder 143.6
coexister 768.7
coin-coin 431.7
oiseaux 170.3
coin-de-feu 519.17
coing 330.15
coït 711.8
coït interrompu 711.12
maladie du coït 482.48
coïtal 763.44
coïter 763.32
coître 79.16
coïtus interruptus 711.12
coïx 360.7
coke
combustible 131.7 ; 269.5
coke
drogue 825.7
coke-car 832.17
cokéfaction 131.2
cokéfier 269.11
brûler 131.20
cokerie 617.8
col- 725.23
co- 352.25
col
passage 585.4
cou 814.5
vêtement 859.21
col anatomique 580.14
col du fémur 580.16
col de l'utérus 762.14
se pousser du col 655.6
cola 330.17
colamine 94.18
colaspidème 417.3
colatier 37.18
colback 814.5
colbertisme 222.1
colchicine
empoisonnement 267.4
antigoutteux 499.5
colchique 318.36
colcotar
abrasif 640.4
rouge à polir 735.3
col-de-cygne 632
-cole 356.18 ; 873.28
colécalciférol 499.6
colectomie 114.13
colée 552.8
coléo- 151.15
coléoïdes 527.1
coléoptères 417.1
coléoptéroïdes 417.1
coléorhize 360.3
colère 130 ; 192.2 ; 865.3
excitation 276.3
enthousiasme 600.3
embrasement 600.4
colérer 130.6
colérer (se) 130.6
coléreusement
impatiemment 382.15
furieusement 130.14
coléreux 865.26
nerveux 549.17
colérique 130.11
colestyramine 499.5
colette 70.15
coleus 318.16
coliade 417.11
colibacillose 482.20
colibacillurie 296.10
colibri 570.14
colifichet
babiole 419.5
vétille 435.4
coliiformes 570.4
colimaçon
spirale 162.3
escargot 527.7
colin 638.6
poisson 333.13
colin-maillard 446.23
colin-tampon
se moquer de qqch comme de colin-tampon 401.12

coliou 570.8
colique
diarrhée 296.11
mal de ventre 482.22
avoir la colique 619.16
empreinte colique 218.10
colis 829.14
colise 638.5
colistine 499.5
colite 482.23
colitique 482.70
collabo 596.17
donneur 828.8
collaborateur 596.13
adjoint 9.11
agent 7.9
collaboration
adjoint 7.7 ; 596.1
trahison 642.9
collaborationnisme 596.8
collaborationniste 596.17
collaborer 596.20
faire 15.7
collage
composition 388.3
peinture 607.3
montage 120.17
collagène 94.8
collagénose 482.11
collant
n.m.
vêtement 859.13
adj.
étroit 289.8
importun 415.15
collante 274.11
collargol 40.4
collatéral
n.m.
bas-côté 465.5
parent 314.7
adj. 158.17
ligne collatérale 314.2
collation
comparaison 138.1
promotion 667.1
repas 703.2
collationnement 155.4
collationner
comparer 138.7 ; 155.13
manger 703.22
colle
punition 274.13
examen 274.11
question 680.5
colle de pâte 415.5
colle de peau 607.14
vivre à la colle 491.23
collé
refusé 693.15
perdant 249.17
volley-ball 792.14
collectage 352.11
collecte
rassemblement 317.18 ; 352.11
quête 508.7
collecter 352.17
collecteur
percepteur 317.28
t. de plomberie 632.7
axe collecteur 319.6
collectif
n.m. 352.4 ; 773.8
adj. 352.20 ; 773.15
collection 599.7
assortiment 352.5
échantillon 490.2
collectionnable 599.16
collectionner
grouper 758.15
entasser 352.17
collectionneur 352.13 ; 599
collectionnisme 599.3
collectionnite 599.3
collectivisation 222.4
collectiviser 222.12
collectivisme 222.3
socialisme 694.11
gauche 808.4
collectiviste
socialiste 694.27
dirigiste 222.14
collectivité
groupement 725.2
famille 772.6
société 773.1
collège
école 274.5
groupe 137.6
commissariat 44.7
Sacré Collège 590.11
collégial
église collégiale 465.2 ; 525.23
collégialité 694.3
collégien 274.15
collègue
collaborateur 596.13
entourage 137.4
collema 463.3
collembole 417
coller
fixer 725.12
convenir 147.11
refuser 693.9
coller à la peau 604.11
coller son nez sur 52.6
coller (se) 91.8
collerette 556
vêtement 859.21
t. de plomberie 632.10
collet
d'une dent 188.5
cou 814.5
vêtement 859.21
piège 107.5
t. de plomberie 632.8
collet monté 12.13
collète 417.7
colleter (se) 146.17
collétie 38.7
colletrotrichum 103.8
colleuse 476.9
t. de cinéma 120.13
colley 486.9
collier
barbe 624.5
supplice 801.5
bijou 70.5
t. de plomberie 632
collier de misère 491.3
grand collier 59.9
être sous le collier 787.16
coup de collier 255.7
colligation 725.1
colliger 599.15
collimateur
gouvernail 221.10
prisme 574.3
collimation 221.16 ; 574.12
colline
butte 78.2
montagne 530.1
collision 57.13 ; 72.7
collisionneur 513.10
collocation
emprisonnement 208.1
t. de droit 126.1
t. de grammaire 346.5
collodion 621.11
colloïdal 806.16
colloïde 806.2
colloque
assemblée 725.3
meeting 137.10
débat 156.6
colloquer
placer 208.19
converser 156.17
t. de droit 209.27
collusion 169
accord 6.3
collutoire 499.15
collybie 103.6
collyre 499.15
colmatage
réparation 702.1
t. militaire 182.6
t. d'agriculture 18.4
colmater
réparer 308.13 ; 702.7
t. militaire 182.24
colobe 486.14
colobidé 486.14
cologarithme 493.3
colombaire 331.14
colombe
oiseau 570.11
symbole 589.10
jeune fille 858.7
outil 584.16
Colombe (la)
constellation 49.15
colombiculture 262.2
Colombien 355.10
colombier 262.8
nid 570.25
colombiformes 570.4
colombin
oiseau 570.11
excrément 296.2
colombine 296.3
colombite 516.5
colombium 516.5
colombophile 599.10
colombophilie 262.2
passe-temps 599.6
colon
pionnier 288.3 ; 355.12
t. de droit 18.16
colón 529.8
côlon
estomac 853.3
gros intestin 218.9
colonaire
pin colonaire 37.16
colonat 124.5
colonel 41.15
colonialisme 298.9
colonialiste 694.30
colonie 352.9 ; 773.3
commensalisme 873.7
colonie de peuplement 355.12
colonie microbienne 512.2
colonie pénitentiaire 208.8
colonisateur 240.7
colonisation 355.15
coloniser 240.12
colonnade 39.12
colonnaire 39.26
colonne
pilier 39
série 758.3
soutien 791.4

commandement d'enfilade 487.10
les dix commandements 215.14 ; 533.7
commander
déclencher 92.12
nécessiter 545.5 ; 565.7
ordonner 59.16 ; 133
commander (se) 240.17
commanderie 525.19
commandeur 822.11
commandant 133.7
Commandeur des croyants 440.12
grand commandeur 822.11
commanditaire 596.11
commanditer 66.42
commando 354.17
comme
conj.
manière 122.16
comparaison 719.18
cause 92.21
intensité 427.38
temps 528.12 ; 768.14 ; 811.17
comme ci comme ça 24.18
faire comme si 25.10
faire comme 379.5
commedia dell'arte 817.5
commélinales 79.4
comméline 318.36
commémoraison 503.5
commémoratif
anniversaire 503.17
fête commémorative 309.3
commémoration 309.3
évocation 503.5
commémorer 309.17
commençant 134.14
commencé 279.15
commencement 134 ; 35.2
commencer 134.16
entreprendre 279.8
commendatio 472.5
commensal 703.19
commensalisme 873.7
commensurable
mesurable 509.31
comparable 138.11
comment 431.9
le pourquoi et le comment 122.3
commentaire 432.2
commentaires 362
chroniques 363.6
Veda 815.7
commentateur
interprète 432.10
journaliste 654.16
commenter
interpréter 432.13
informer 654.23
commérage
parole 595.4
bavardage 665.4
commerçable 135.33
commerçant
n. 135.16
adj. 135.32
commerce 135
relation 137 ; 156.10 ; 772.8
activité 135
effet de commerce 166.20
lettre de commerce 157.4
commercer 135.22
commercial 135.32
marchand 490.24
commerciale 833.4
commercialement 135.38
commercialisable 135.34
commercialisation 135.2 ; 490.7
commercialiser 135.23
commercialiste 245.47
commercialité 135.3
commère 306.5
bavard 665.7
commérer
cancaner 227.17
bavarder 595.22
commettage 816.11
commettre
faire 5.11 ; 7.11
charger de 145.16
tordre 816.24
comminatoire 63.20
commis
employé 266.16
représentant 135.17
commis aux écritures 252.11
commis greffier 451.21
commisération 625.1
commissaire
gradé 41.14
commissaire de police 641.9
commissaire répartiteur 317.29
commissariat 44.7
commission 41.7
commission
assemblée 725.2
désignation 708.6
charge 191.2 ; 739.8
manger la commission 583.12
commissionnaire
représentant 135.17
acheteur 191.9
commissoire
pacte commissoire 586.3
commissural
zone commissurale 548.10
commissure 100.10
moelle épinière 548.10
commissurotomie 114.14 ; 128.18
commode
n.f. 519.3
commode
adj. 149.16 ; 302.20
pas commode 248.11
commodément 302.27
commodité
opportunité 571.1
agrément 302.3
commodités 296.16
commodore 41.14
commotion 115.1
commotionnel 72.20
commotionner
choquer 115.23
blesser 72.14
commuer
substituer 797.7
prononcer une peine 144.29
commun
n.m.
personnes 734.4
les communs 481.12
adj.
usuel 558.12
ordinaire 419.13 ; 630.9
communard 333.34
communautaire 525.31
social 773.15
communautarisme 773.4
communautariste 773.15
communauté
groupe 137.5 ; 355.1
communauté d'esprit 376.2
communauté des fidèles 508.15
communauté urbaine 845.9
commune 845.9
communément 326.20
communiant 173.15
communicabilité 136.12
communicable 136.23
communicant 136.9
communicateur 136.8
communicatif 136.23
bavard 595.28
communication 136
parole 136.1 ; 225.7
relation 809.13 ; 829.5
communicationnel 136.22
communier 508.19
s'aimer 6.11
communion
entente 6.1
acte religieux 449.9 ; 508.4
communion d'idées 376.2
communiqué
annonce 136.5
article 654.8
communiquer 136.13
communisant 222.16
communisation 222.4
communiser 222.12
communisme
socialisme 694.11
gauche 808.4
communiste
socialiste 694.27
dirigiste 222.9
commutable 797.13
commutateur
permutatrice 436.7
interrupteur 261.18
commutatif
substitutif 797.12
mathématique 493.9
justice commutative 451.3
commutation
substitution 797.1
ensemble 493.4
commutatrice 436.7
commuter 436.9
cômos 310.8
compacité 517.8
densité 187.1
compact 187.12
disque compact 273.8
compactage 187.3
remblai 834.23
compacte 833.4
compacter
densifier 187.7
bétonner 834.44

compacteur 834.27
compaction 187.3
compagne
entourage 137.4
concubine 491.19
compagnie 137
groupe 137 ; 772.8
troupe 41.8
firme 135.9
haute compagnie 552.16
de bonne compagnie 177.7
de mauvaise compagnie 420.10
fausser compagnie 181.6 ; 189.8
compagnon
collaborateur 596.13
ami 26.6
compagnon blanc 318.8
compagnon rouge 318.8
compagnonnage 26.1
compagnonner 137.13
compagnonnique 137.22
comparabilité 138.5
comparable 138.11
comparablement 143.16
comparaison 138 ; 685.4
en comparaison de 668.15
comparaître 451.27
comparant
t. de droit 651.6
t. de rhétorique 138.4
comparateur 509.26
comparatif 138.3
adjectif comparatif 346.11
comparatisme 138.2
comparatiste 138.6
comparative
proposition comparative 138.3 ; 622.5
comparativement 138.13
comparé 138.4
comparer 138.7 ; 685.9
comparoir
comparaître 451.27
t. de droit 651.8
compartiment 832.15
partie 597.1
parquet à compartiments 505.4
compartimentage 67.14
compartimentation 567.1
compartimenté 756.21
compartimenter
partager 597.10
séparer 756.11
comparution 451.6
compas 509.26
avoir le compas dans l'œil 434.6
compas-griffe
foret 584.21
chalumeau 632.19
compassé
figé 759.9
guindé 12.14
compasser 509.28
compassion 625.1
compassionnel 625.13
compatibilité 143.1
compatible 147.12
compatir
ressentir 755.10
avoir bon cœur 625.8
compatissant 755.16
compatriote 124.2
compendieusement 142.10
compendieux
résumé 723.7
ramassé 142.8
compendium 723.3
compénétration 608.2
compénétrer 608.9
compensable 66.50 ; 139.14
compensateur 139.6
compensatif
compensatoire 139.12
restituable 722.14
compensation 139
dédommagement 139.1 ; 745.2
palliatif 687.1
t. bancaire 66.8 ; 722.17
compensatoire 139.12
restituable 722.14
compensé 139.11
compenser 139
équilibrer 282.13
compère 596.13
compère-loriot 482.16
blépharite 840.5
compétence
capacité 10.3 ; 322.8
t. de droit 245.15 ; 835.20
t. de linguistique 455.3 ; 595.1
compétent
qualifié 747.17
autorisé 58.20
compéter 645.20
compétiteur
adversaire 11.11
sportif 792.40
compétitif 662.21
bon marché 524.16
compétition 792.1
compétitivité 662.9
compilateur
personne 432.12
programme 408.12
compilation
sélection 116.5
t. d'informatique 408.21
compiler 408.25
compisser 296.19
complainte
chanson 105.4
t. de droit 722.3
complaire 629.11
complaisamment 163.13
complaisance
obligeance 76.2 ; 163.1
flatterie 761.1
complaisant 302.24
secourable 19.26
complanter 36.20
complément
ajout 9.3 ; 721.2
t. de linguistique 346.8 ; 622.4
complémentaire 596.37
additionnel 9.19
complémentairement 139.15
complémenter 823.8
complet
n.m. 859.6
adj. 5.20 ; 823.11
complètement 823.14
énormément 427.27
compléter
achever 823.8
adjoindre 9.12
compléter (se) 139.10
complétion 618.6
accomplissement 5.5
complétive 622.5
complétude 823.1
complexe
n.m. 140.1
groupement 150.10 ; 352.6
adj. 217.19 ; 501.18
complexé 819.7
complexification 140.1
complexifier 140.8
compliquer 217.13
complexifier (se) 634.6
complexion
disposition 286.5
constitution 795.4
complexisme 140.6
complexiste 140.7
complexité 140
difficulté 217.1
complexométrie 113.16
complexus 140.4
grand complexus 541.6
complication
état 140.1
évènement 16.3 ; 217.3
complice
harmonieux 6.14
compère 596.16
complicité 169.11 ; 596.7
complies 657.12
compliment
éloge 163.4 ; 471.4 ; 741.12
discours 225.5
mauvais compliment 439.4
complimenter 163.7
féliciter 471.12
complimenteur 761.6
compliqué 140.12
compliquer 140.9 ; 217.13
se compliquer 16.5
complot
subversion 642.11
crime contre l'État 169.5
comploter 664.13
comploteur 664.10
compograveur 388.16
compogravure 388.5
composition 388.3
componction
réserve 714.1
sérieux 759.1
comporte 151.5
comportement 613.4
comportemental 251.20
comportementaliste 620.32
comporter
inclure 396.10
contenir 151.9
composant 597.2
constitutif 795.17
composante 346.4
composé
n.m.
corps 113.2
mot 535.4
adj.
formé 150.10 ; 795.16
étudié 12.13
composée 318.10
composer
assembler 323.14 ; 352.15 ; 577.15 ; 795.13
rédiger 274.19 ; 543.45
transiger 141.13
déguiser 12.11 ; 504.15
t. d'imprimerie 388.19
composite 501.18
hétérogène 229.9

ordre composite 39.5
compositeur 542.14
amiable compositeur 141.11
composition
structure 577.2 ; 795.1 ; 807.1
élaboration 150.2 ; 543.36 ; 729.8
compromis 141.1
devoir 274.11
t. de mathématiques 493.4
t. d'imprimerie 388.3
de bonne composition 601.12
compositionnel 543.49
compossible 768.9
compost 18.7
compostage
marquage 765.18
fertilisation 18.4
composter 765.22
compote 799.6
compoter 333.40
compotier 848.18
compound 476.21
compoundé
huile compoundée 369.2
compréhensibilité 425.1
compréhensible 275.13 ; 432.20
motivé 536.10
compréhensif 592.16
compréhension 275.3 ; 425.5
comprendre
inclure 396.10 ; 423.9
concevoir 275.9 ; 425.13 ; 434.6
comprenette 275.5
comprenoire 275.5
compresse 499.15
compresser
contracter 154.7
concentrer 187.8
compresseur 632.6
compressibilité 335.12
élasticité 259.1
compressible 335.22
élastique 259.11
compressif 775.29
chirurgical 114.35
compressimètre 509.26
compression
serrement 154.2
friction 775.16
compression numérique 408.21
trouble de compression 72.9
comprimable 259.11
comprimant 154.16
comprimé 499.14
comprimer 322.14
contracter 154.7
compris
inclus 152.9 ; 396.17
saisi 275.14
non compris 295.12
compromettant 227.29
compromettre
exposer 141.12 ; 249.9
discréditer 227.21
compromis 141
n.m. 6.2 ; 141
adj. 227.25
compromission 141.6
compromissoire 141.18
comptabilisation 555.8
comptabiliser 555.13
comptabilité 87.5 ; 339.15
comptable 339.18
comptage 555.8
comptant 587.28
achat au comptant 191.4
compte
calcul 8.4 ; 87.1
état 66.19 ; 339.7
compte rendu 691.1
donner son compte 292.9
être loin du compte 488.8
régler son compte à qqn 707.9
faire le compte de 555.13
ne pas tenir compte de 295.8 ; 547.12
compte tenu de 92.20
à bon compte 524.18
compte-chèques 66.19
compte-courant 66.19
comptée 672.2
compte-fils 574.5
compte-gouttes 509.26
au compte-gouttes 602.12
compte-pose 621.4
compter
calculer 87.13 ; 678.11
comporter 151.9
importer 384.6
projeter 664.11
compter pour du beurre 419.7
compter sur 145.13 ; 286.8
sans compter 661.13
à compter de 647.29
compter (se) 651.10
compte-rendu 723.4
compte-tours
instrument de mesure 509.26
compteur 57.10
compteur 57.10 ; 118.5 ; 232.5
comptine 105.2
comptoir 490.13
firme 135.9
compulser 689.12
compulsif 391.17
compulsion 391.8
compulsionnel 391.17
compulsivement 391.19
comput 88.3
computable 610.16
dénombrable 555.17
computation
comptabilité 87.5
datation 88.3
computer
n.m. 408.3
computer
v. 555.14
computérisation 408.20
computériser 408.24
computiste 88.11
comtal 552.29
comte
noble 552.17
titre 822.4
comté
seigneurie 552.10
comtesse 822.4
comtoise 118.6
con- 725.23
co- 352.25
con
sexe 762.10
personne 784.6
conard 784.6
concassage 510.3
concassé 834.36
concasser 205.17
concasseur 476.9
concaténation
réunion 758.7
multiplicité 140.3
concaténer 758.15
concave 162.14
concavité
courbure 162.1
creux 167.1
concéder 101.10
concéder que 149.11
concélébration 173.1
concélébrer 508.17
célébrer 173.17
concentration
regroupement 96.6 ; 352.1
densité 187.1
attention 52.1 ; 255.1
concentrationnaire 208.28
concentré
n.m. 594.2
adj.
fort 322.17
condensé 187.10 ; 516.14
concentrer
grouper 352.18 ; 725.11
densifier 113.20 ; 187.8
concentrer (se) 52.6
travailler à 255.6
concentrique 97.14
concept
idée 297.5 ; 375.1
valeur 620.16
conceptacle
spore 103.3
thalle 22.2
concepteur 664.8
créateur 662.12
concepteur-rédacteur 675.8
conception
fabrication 662.2 ; 711.10
idée 275.4 ; 375.1
élaboration 649.1 ; 664.6
conception du monde 620.1
conceptualisation 375.13
raisonnement 682.1
conceptualisé 577.23
conceptualiser 375.20
raisonner 682.9
conceptualisme
t. de philosophie 375.11 ; 620.13
conceptualiste 375.26
conceptualité 375.12
conceptuel 375.22
théorique 380.15
stade conceptuel 270.2
conceptuellement 682.19
concerner 596.32
concert 543.32
concert de danse 176.5
de concert 352.24 ; 376.17
concertant 543.51
concertation
délibération 642.2
débat 156.6
concerter
comploter 664.13
préparer 649.10
concerter (se) 148.14
dialoguer 156.17
concertina 422.16
concertino
concerto 543.30
orchestre 542.3

condoléances 163.4 ; 741.12
condor 570.12
condottiere 133.7
conductance 261.9
conducteur
n.
ouvrier 476.2
chauffeur 829.14
t. d'électricité 261.14
adj. 102.28
conducteur d'engin 834.37
conducteur de manœuvres 832.24
fil conducteur 221.7
conductibilité 261.7
conductimétrie 113.16
conduction 102.9
potentiel 261.8
conductivité 261.7
conduire
diriger 221
éduquer 253.7
commander 133
une automobile 57.24
acheminer 871.25
conduire à 92.11 ; 221.26
conduire (se) 177.6
conduit
canal 151.2
chaudière 109.16
conduit auditif 580.5
conduite
direction 221.15
comportement 7.8
canalisation 632.7
conduite intérieure 57.6
agent de conduite 832.24
bonne conduite 533.4
ligne de conduite 466.7 ; 696.8
mauvaise conduite 226.3
condylarthre 486.4
condyle 580.19
condylienne 580.18
condylome 604.4
condylome acuminé 841.3
cône
volume 338.9 ; 637.2
mollusque 527.3
t. de botanique 37.10 ; 318.5 ; 330.2
t. d'anatomie 868.6
cône alluvial 319.5
cône d'ancrage 834.31
cône de déjection 319.5 ; 530.6
confabulation
amnésie 583.1
invention 378.3
confection
réalisation 5.5
production 662.1
prêt-à-porter 520.3
confectionner
accomplir 5.12
faire 150.9
créer 662.16
confectionneur 150.6
confédération
groupe 773.8
population 124.9
confer 138.8
conférence
exposé 225.4 ; 274.10
échange de vues 156.6
conférence de la paix 589.3
conférence de presse 680.6
conférencier
prédicateur 648.12
parleur 595.14
orateur 225.12
conférer
comparer 138.7
promouvoir 366.15
conférer avec 156.17
conférer l'ordre 98.19
confervacées 22.3
confesse 299.1
confesser 299.7
confesser que 149.11
confesser (se) 854.14
se confesser à 145.17
confesseur 299.5 ; 699.9
confident 145.9
confession
appartenance religieuse 818.6
aveu d'un fait 145.3
expiation d'une faute 299.1
confession de foi 700.4
secret de la confession 751.4
pl. 691.7
confessionnal 465.12
confessionnalisme 694.5
confessionnel
religieux 700.10
canonique 818.30
enseignement confessionnel 274.3
confetti 309.12
confiance 145
certitude 99.1
persuasion 614.1
sécurité 752.2
homme de confiance 472.7 ; 751.13
de confiance 145.24
de toute confiance 145.24 ; 472.7
avoir la confiance de 145.20
avoir confiance en qqn 145.12
avoir confiance 285.6
inspirer confiance à qqn 145.20
faire confiance à 365.8 ; 573.5
inspirer la confiance 717.11
question de confiance 642.2
redonner confiance 89.6 ; 786.4
confiant 145.21 ; 285.9
optimiste 573.6
confidemment 145.32
confidence 145.1
être dans la confidence 751.21
confident
ami 26.6
siège 519.18
confidentiaire 145.9
confidentialité 751.11
confidentiel 145.27 ; 751.22
confidentiellement
en confiance 145.32
secrètement 751.36
confier 145.16
confier (se)
parler 136.18
s'épancher 156.16
se confier à qqn 145.17
configuration
structure 795.1
situation 769.1
configurer 323.11
confiné 289.8
confinement 873.7
confiner
limiter 467.7
enfermer 208.23
confiner à 77.17 ; 673.7
confiner (se) 64.8
s'en tenir à 467.11
s'isoler 779.14
confins 467.1
aux confins de 263.17
confire 333.40
confirmation 13.2
affirmation 99.3
sacrement de confirmation 173.14
confirmé
certifié 99.8
fiable 752.14
confirmer
renforcer 143.6
corroborer 155.12
confiscation
contravention 144.8
saisie 209.12
confiscatoire 209.33
confiserie 799.1
confiseur 799.10
confisquer
prendre 790.7
voler 869.17
saisir 209.27
confit
conserve 333.5
bonbon 799.5
confit en dévotion 320.15 ; 373.17
parole confite 761.3
confiteor 657.11
credo 508.7
expiation 299.1
confiture 799.5
jeter de la confiture aux cochons 224.7
confiturerie 18.12
conflagration
feu 311.5
guerre 354.1
conflictualité 146.10
conflictuel 146.20
contesté 194.16
conflit 146
brouille 410.4
guerre 354.1
tribunal des conflits 835.2
être en conflit avec 11.19
confluence
rapprochement 685.1
confluent 319.6
confluer
se diriger vers un même lieu 540.12
se rejoindre 319.22 ; 725.14
confondant 805.13
confondre
mélanger 725.13
intégrer 423.8
se méprendre 283.14
déconcerter 126
couvrir de honte 367.9
démasquer 144.26
faire une confusion 432.18
confondre (se)
se ressembler 719.9
fusionner 423.10
se confondre avec 843.8

conjecturer 660.6
présumer 291.8
supposer 802.5
conjoindre 685.7
conjoint
n. 491.18 ; 491.19
adj. 768.9
t. de musique 543.53
conjointement 596.38 ; 725.19
ensemble 137.23 ; 352.24
simultanément 768.11
conjoncteur
interrupteur 261.18
poste téléphonique 809.6
conjonctif
t. d'anatomie 821.11
t. de grammaire 346.20
locution conjonctive 346.13
conjonction
coordination 597.6
réunion 725.1
simultanéité 768.2
rapprochement 685.2
accouplement 763.8
mot de liaison 346.13
mot grammatical 535.2
t. d'astronomie 49.19
conjonction finale 86.4
conjonctive
muqueuse 868.6
phrase 622.5
fibre conjonctive 821.2
conjonctivite 482.28
maladie des yeux 840.4
conjoncture
réalité 297.3
état de fait 286.2
circonstance 122.1
situation 769.3
moment 528.1
dans la conjoncture actuelle 652.15
conjoncturel 122.10
conjugaison
temps grammatical 811.5
formes grammaticales 346.4
morphologie 346.5 ; 535.9
conjugal 491.29
vie conjugale 862.12
fidélité conjugale 108.1
conjugalement 491.31
conjugalité 491.3
conjugué
n.f. pl.
type d'algues 22.3
adj.
combiné 140.11
conjuguer
joindre 140.8
un verbe 346.17
conjungo 491.1
conjurateur 477.18
conjuration
exorcisme 477.6
prière 173.4
imploration 185.1
complot 642.11
conjuratoire 477.27
conjuré 642.14
conjurer
contourner 263.8
supplier 185.12
connaissance
savoir 620.22 ; 747.1
ami 772.8
en connaissance de cause 747.21
faire la connaissance de 137.16
parler en connaissance de cause 99.5
pl.
t. de chasse 107.8
connaissant 747.16
connaissement
inventaire 490.14
t. de droit maritime 830.19
connaisseur
qui sait 747.9
amateur 599.9
connaître
comprendre 275.9
savoir 747.11
avoir une relation physique avec 763.32
ne plus se connaître 130.7 ; 865.18
s'y connaître 10.11 ; 747.14
connaître (se) 620.28
connard 784.6
connectabilité 408.14
connectable 408.28
connecter 632.24
relier 698.6
brancher 261.23
connecteur 261.18
connectif
relié 698.10
t. d'anatomie 821.11
connectivite 482.11
connée 37.27
connerie
absurdité 784.3
maladresse 283.9
bêtise 483.6
sottise 630.3
connétable 451.19
titre 822.4
connexe 451.6
lié 698.10
connexion 261.16
relation 698.1
connexité 698.1
exception de connexité 451.17
connivence
accord 6.3
complicité 596.7
regard de connivence 788.9
connivent 596.33
conniver 596.24
connotatif 535.28
rhétorique connotative 788
connotation 788.3
sémantisme 535.10 ; 753.3
connoter 753.9
connu
su 99.8
célèbre 341.26
reconnu 554.29
usé 630.9
conocéphale 417.15
conoïde 162.14
conophyton 318.33
conops 417.9
conque
mollusque 527.3
partie de l'oreille 55.3
attribut divin 236.43
voûte 39.19
trompe 422.14
main en conque 167.9
conquérant
n.
attaquant 50.11
triomphateur 861.6
adj.
fier 312.10
dominateur 240.18
conquéreur 240.7
conquérir
s'introduire 278.11
entreprendre 279.12
s'attaquer à 50.15
conquêt 191.3
conquête
succès amoureux 27.5
mainmise 240.5
invasion 50.3
victoire 861.2
faire la conquête de 50.15
vivre comme en pays de conquête 240.15
conquis 600.14
admiratif 276.10
conquistador 861.6
consacré
sacré 736.14
béni 173.24
renommé 59.23
usuel 164.18
consacrer
sacraliser 736.13
bénir 173.21
donner 336.6
promouvoir 667.8
consacrer (se)
se concentrer sur 52.6
travailler à 255.6
consanguin
héréditaire 361.20
apparenté 314.15
consanguinité
maladie héréditaire 361.9
parenté 314.3
consciemment 275.16
conscience
vie 297.4
esprit 380.3
for intérieur 430.4
personne 613.3
vigilance 754.4
perception 275.3
attention 52.1
sensibilité 755.1
application 759.3
moi 620.21
concentration 774.1
honneur 472.2
sens moral 533.10
conscience professionnelle 774.2
cri de la conscience 533.10
voix de la conscience 472.6 ; 533.10
directeur de conscience 59.10 ; 148.7 ; 699.9
état de conscience 754.4
de conscience 472.7
en conscience 365.17
en toute conscience 472.16
avoir la conscience chargée 606.9
avoir mauvaise conscience 697.6
avoir sa conscience pour soi 365.7
prendre conscience de 275.9
en avoir lourd sur la conscience 606.9

consciencieusement
sérieusement 759.14
soigneusement 774.25
consciencieux
sérieux 759.11
soigneux 774.20
loyal 472.14
honnête 365.9
conscient
sensible 754.15
intentionnel 428.12
conscription 41.18
conscrit 41.11
consécration
sacralisation 736.5
bénédiction 173.14
ordination 699.4
succès 341.7 ; 798.3
t. de liturgie 508.4
consécutif
conséquent 698.10
relatif 254.8
postérieur 647.19
consécutif à 687.19
consécution
enchaînement 698.3
série 758.1
consécutive 622.5
consécutivement 153.30 ; 647.25
conseil 148
encouragement 268.2 ; 391.5
don du Saint-Esprit 818.17
résolution 716.2
avertissement 231.2
projet 664.1
compliment 595.3
Conseil constitutionnel 245.46
conseil épiscopal 699.22
conseil général 708
conseil municipal 708
Conseil œcuménique des Églises 699.22
conseil régional 708.12
conseil de classe 274.14
Conseil d'État 245.46
Conseil de l'ordre 835.14
Conseil des ministres 708.8
conseil des prud'hommes 835.5
conseil du roi 245.45
de bon conseil 148
sur le conseil de 148
suivre un conseil 148.13
conseillable 148.16
conseillé 148.15
conseiller 148.7
persuader 614.9
dissuader 231.7
avertir 63.12
assister 596.25
encourager 268.10
conseiller de 391.13
conseiller (se) 148.13
conseiller
n. 708.13
conseilleur
empêcheur 231.4
incitateur 268.6
les conseilleurs ne sont pas les payeurs 148.8
conseillisme 808.8
consensuel
harmonieux 6.14
arbitral 141.18
consensus
unification 844.3
accord 6.3 ; 149.3
accord amiable 141.2
délibération 642.2
consensus omnium 6.3
consentant 149.14
consentement 149
accord 6.4
soumission 787.4
autorisation 58.1
compromis 141.2
pacte 586.5
échange des consentements 491.5
par consentement mutuel 238.19
consentir
être d'accord 6.12 ; 149.7
se soumettre 787.13
autoriser 58.13
faire un pacte 586.10
accorder 241.14
qui ne dit mot consent 149.7
consentir à 564.10
conséquemment 647.25
par conséquent 254.10
conséquence
corrélat 698.4
résultat 254.1
subséquence 647.2
contrecoup 687.1
implication 753.1
conséquence 346.8
en conséquence 254.10
en conséquence de 536.13
de conséquence 384.12
sans conséquence 419.12
être de conséquence 254.7
ne pas être sans conséquence 254.7
porter à conséquence 92.10
conséquent
n.m. pl.
t. de rhétorique 729.5
t. de chant 106.3
adj.
consécutif 698.10
important 384.11
par conséquent 254.10
conservateur
continuateur 153.15
réactionnaire 246.6
traditionaliste 611.8
de musée 598.8
surveillant 653.7
bibliothécaire 469.17
conservatif 496.14
conservation
continuité 153.10
permanence 611.5
entretien 653.2
stockage 490.11
des aliments 333.4
t. de psychologie 503.4
conservatisme
conformisme 153.14
immobilisme 611.6
passéisme 598.6
politique 687.6
conservatoire
n.m.
institut 274.5
école de musique 543.37
adj.
suspensif 392.16
préservateur 653.24
conserve
aliment 333.5
conserve
de conserve 19.25 ; 137.23 ; 352.24 ; 376.17
conservé 653.22
conserver
maintenir 611.13
perpétuer un souvenir 503.14
préserver 653.13
veiller sur 774.13
épargner de l'argent 281.12
conserver (se)
se maintenir 297.9
demeurer 376.13
se perpétuer 403.9
garder la forme 743.8
conserverie 605.10
considérable
nombreux 540.13
gros 351.12
important 384.12
considérablement
abondamment 1.17
énormément 427.27
d'importance 384.15
considérant
n.m. 92.7 ; 451.15 ; 536.5
considérant que 122.16 ; 536.16
considération
motif 536.4
délibération 682.4
sollicitude 163.1
estime 717.1
cote 341.3
vénération 366.6
gloire 507.6
en considération 59.22
en considération de 92.20 ; 536.13 ; 717.19
par considération pour 536.13 ; 717.19
ma considération distinguée 741.11
être en considération 341.15 ; 717.11
tenir en grande considération 366.12
considéré 341.26
honoré 366.24
tout bien considéré 721.14
considérer
observer 52.5
peser 682.11
juger 450.8
faire état de 717.8
estimer 366.12
interpréter 432.16
consignataire 166.24
consignateur 166.23
consignation 490.11
garantie 166.14 ; 587.5
consigne
règle 696.1
dépôt 688.9 ; 831.9
punition 274.13
conseil 148.2
ordre 133.3
prescription 650.1
somme d'argent 587.5
manger la consigne 583.12
consigner
enfermer 430.9
mettre aux arrêts 208.22
inscrire 273.18

consistance
densité 187.1
poids 636.1
solidité 778.1
consistant
épais 187.12
solide 778.13
consister 396.10
consistoire 590.12 ; 699.22
consœur 596.13
consolable 786.10
consolant 786.11
consolateur 786.11
consolatif 786.11
consolation
compensation 139.5
tranquillisation 89.4
contentement 745.2
soulagement 786.2
honneurs funèbres 331.3
fiche de consolation 786.3
lot de consolation 786.3
consolatoire 786.11
console
élément de soutènement 39.12 ; 791.4
terminal informatique 408.7
meuble 519.8
consolé 786.10
consoler
calmer 89.6
soulager 786.4
prendre soin de 19.20
prendre en pitié 625.9
consolidation 339.13
soutien 791.1
raffermissement 778.6
contention 114.6
remblai 834.23
consolidé 339.34
consolider 339.30
appuyer 791.11
raffermir 778.10
fortifier 182.23
consolider (se) 834.44
consommable 191.31
consommarisation 191.6
consommateur
utilisateur 846.10
client 191.9
dîneur 703.19
consommateurisme 191.6
consommaticien 191.12
consommatif 191.30
consommation
fin 315.2
nutrition 563.1
accomplissement 5.3
usage 846.3
de consommation 773.4
consommatique 191.6
consommatoire 191.30
consommé
n.m.
mets 333.23
adj.
parfait 800.22
accompli 5.20
consommer
achever 315.16
manger 563.13 ; 703.25
accomplir 5.16
utiliser 846.12
dépenser 191.23
consomptibilité 846.6
consomptible 846.18
cassable 205.27
consomption
combustion 131.2
état de faiblesse 16.2 ; 303.2
consonance 543.14
harmonie 768.3
euphonie 781.5
consonant 143.12
mélodieux 543.54
consonantique 459.20
consonne
phonème 781.8
lettre 459.2
consort
prince consort 822.4
consortial 166.4
consortialisation 66.12
consortium 135.9
consoude 318.6
conspirateur 664.10
révolutionnaire 642.14
conspiration
calcul 664.4
subversion 642.11
conspirer 664.13
conspuer 439.9
siffler 764.10
couvrir de honte 367.9
injurier 412.9
crier 168.18
constable 641.6
constamment 357.34
uniformément 843.13
continuellement 153.27
durablement 611.19
exactement 644.6
constance
stabilité 376.3
fixité 843.2
continuité 153.6
équanimité 256.1
force de caractère 322.8
force d'inertie 403.2
patience 601.3
imperturbabilité 620.23
courage 161.3
résolution 716.1
persévérance 612.1
application 255.1
régularité 644.1
constant
avéré 297.13
continu 376.14
fixe 843.10
stable 153.23
égal 256.19
perpétuel 326.15
durable 403.14
certain 99.7
assidu 601.13
persévérant 612.4
régulier 644.4
constante
n.f. 153.9 ; 256.7
t. de mathématiques 493.2
constater 179.7
constatif 196.13
constellation 352.5
constellé 49.36
consteller 49.31
consternant
attristant 836.14
désespérant 198.9
consternation
stupéfaction 805.1
désespoir 198.3
consterné
surpris 805.12
malheureux 836.10
désespéré 198.10
consterner
stupéfier 805.5
attrister 836.7
désespérer 198.5
constipation 482.22
constipé 482.70
constiper 218.21
constituant
analyse en constituants immédiats 346.3
constitué
organisé 577.22
formé 323.19
constituer
organiser 577.15
agencer 323.14
faire 150.9
constitutif 795.17
constitution
organisation 577.1
composition 352.1
contexture 323.1
structure 795.4
organisation vitale 862.2
conformation physique 743.1
instauration 150.3
t. de droit 245.30
de forte constitution 864.17
constitutionnaliser 245.50
constitutionnalisme 694.2
constitutionnalité 245.42
constitutionnel 245.56
constitutionnellement 245.60
constricteur 154.4 ; 541.2
astringent 154.16
constriction 128.14
contraction 289.6
serrement 154.2
constrictive 781.8
constructeur 150.6
entrepreneur 279.6
architecte 39.23
constructeur automobile 57.21
constructibilité 150.2
constructible 150.12
constructif 150.11
construction 150
formalisation 807.11
structure 795.12
grammaticale 346.7
syntaxe 622.6
édification 39.5
ouvrage d'art 834.3
t. de géométrie 338.13
construction de l'esprit 682.5
figures de construction 313.1
jeu de construction 150.1 ; 448.7
vice de construction 860.5
constructivisme 150.5
cubisme 46.12
constructiviste
artiste 46.17 ; 150.11
construire
structurer 795.13
bâtir 531.16
imaginer 378.8
raisonner 682.9
édifier 39.24 ; 150.7
rédiger 622.14
t. de géométrie 338.14

insignifiant 419.12
contingentement 467.3
contingenter 678.11
continu
constant 153.7 ; 376.14 ; 611.15 ; 843.10
suivi 612.4
immuable 403.14
en continu 153.30
continuateur 153.15
continuation 153.10
continuité 612.2
préservation 653.3
continuel 326.15
continu 153.21
continuellement 153.27
continuer
durer 153.16 ; 297.9 ; 326.10 ; 406.7 ; 611.10
persister 403.9 ; 612.3
s'obstiner 568.4
perpétuer 653.13
continuité 153
stabilité 376.3 ; 403.2 ; 611.1 ; 612.2 ; 843.2
régularité 256.1
gradation 293.1
assurer la continuité des institutions 153.17
continûment
continuellement 153.27
durablement 403.16 ; 611.19
continuo
suite 153.8
basse 782.3
continuum 153.8
contondant 72.22
contorniate 82.5
contorsion
acrobatie 502.5
affectation 12.3
contorsionner (se) 373.14
contorsionniste 123.14
contortales 79.4
contour
limite 77.1 ; 300.2 ; 467.1
forme 323.2
d'un dessin 607.10
contournage 584.29
contourné
complexe 140.12
borduré 77.19
affecté 12.13
contourné 347.11
contournement
torsion 733.2
déviation 212.1
contourner 733.16
éviter 77.17
contra- 194.18
contraceptif 711.27
méthodes contraceptives 711.12
contraception 711.12
protection 671.10
contractant 586.8
contracte
t. de linguistique 154.15
contracté 154.15
mot 535.26
contracter
raccourcir 154.7 ; 289.7 ; 616.6
rigidifier 541.21 ; 732.10
une amitié 26.7
un mariage 491.22
une dette 209.21
contracter (se) 154.11
contractile 154.13 ; 541.26 ; 821.12
contractilité 154.6 ; 732.5
tonus musculaire 541.3
contraction 154
diminution 220.1 ; 289.6
rigidité 541.18 ; 732.4
du cœur 128.11
tension nerveuse 549.3
t. de linguistique 313.2 ; 346.3 ; 535.4
contraction utérine 544.5
contractuel
n.m.
auxiliaire de police 641.6
vacataire 266.17
adj.
conventionnel 141.18
contractuelle
n.f. 57.23
contractuellement 141.24
contracture
musculaire 154.1 ; 541.4 ; 732.4
t. d'architecture 39.15
contracturé 154.15
contracturer 154.8
contradicteur 693.5
opposant 572.6
négateur 546.8
adversaire 146.12
contradiction
ambiguïté 25.1
impossibilité 385.1
contraire 546.2
désaccord 146.1 ; 194.4 ; 572.1
incohérence 557.3
contradictoire
ambigu 24.14 ; 25.16 ; 572.14
incompatible 146.21 ; 295.14 ; 385.8
condamnation contradictoire 144.1
jugement contradictoire 451.14
contradictoirement 25.21
contragestif 544.23
contraignable 208.27
contraignant
impératif 545.12 ; 565.14
astreignant 787.23 ; 865.28
contraindre
forcer 133.18 ; 240.11 ; 322.11 ; 545.8 ; 565.7 ; 650.5 ; 865.16
lier moralement 472.12
contraindre (se) 522.13
contraint
forcé 565.12 ; 865.29
affecté 12.12
contrainte
nécessité 545.3
force mécanique 496.3
contrat moral 666.3
obligation 565.1
empêchement 567.8
oppression 240.1 ; 865.10
contrainte par corps 44.1 ; 565.1
contraire
n.m.
contradiction 546.2
antonyme 535.5
t. de rhétorique 729.5
adj.
autre 23.13
opposé 436.3 ; 572.5 ; 687.18 ; 753.2
conflictuel 146.21
contraire à 200.11
au contraire 436.16 ; 572.20
au contraire de 23.18 ; 436.18 ; 572.22
évènements contraires 493.6
contrairement 23.16
contrairement à 436.18 ; 572.22
contraltiste 106.18
contralto 106.18
contrapposto 749.10
contrapuntique ou **contrapointique** 543.50
contrapuntiste 543.40
contrariant
inquiétant 785.13
déplaisant 192.12
irascible 217.23
contrarié
fâché 697.10
mécontent 11.27
contrarier
faire obstacle 11.15 ; 497.7 ; 546.9 ; 567.13
donner du souci 192.8 ; 198.6 ; 785.8
contrariété
souci 192.5 ; 198.3 ; 416.2 ; 785.2
obstacle 11.1 ; 217.4
principe de contrariété 658.3
contraste
opposition 572.1
différence 216.2 ; 229.1
discordance 224.1
effet pictural 607.11
effet de contraste 473.7
par contraste 572.20
contrasté 127.20
contraster
différer 23.12 ; 229.4 ; 556.9
s'opposer 572.7
discorder 168.19
contrastive
linguistique contrastive 138.2
contrat
accord 6.5 ; 135.4 ; 279.2
obligation morale 565.5 ; 586.3 ; 666.5
contrat de garantie 666.5
contrat de mariage 491.7
contrat de transport 829.17
contrat de travail 266.6
contrat social 772.5 ; 773.10
contrat type 245.30
donner des coups de canif dans le contrat 491.26
contratenor 106.18
contravention
infraction 169.1 ; 200.3 ; 451.5
irrégularité 57.18 ; 413.3
peine pécuniaire 144.8

contraventionnel
peine contraventionnelle 144.5
contre-
opposition 194.18 ; 436.19 ; 572.24 ; 687.23
protection 671.36
contre
prép.
opposé à 572.22
à l'encontre de 86.13 ; 567.20
près de 673.16
n contre un 842.4
par contre 139.16 ; 572.20
tout contre 673.13
aller contre 115.25
contre à contre 673.13
contre
n.m. 792.14
t. de jeu 446.9
contre-accusation 451.12
contre-achat 191.4
contre-alizé 852.6
contre-allée 443.4
contre-attaque
attaque 50.1
riposte 182.2
vengeance 707.2
stratagème 487.9
contre-attaquer
appuyer 182.22
se déployer 487.33
attaquer 792.84
contrebalancement 139.1
contrebalancer
équilibrer 282.13 ; 636.19
compenser 139.7 ; 687.11
contrebande 284.2
faire de la contrebande 135.28
contrebandier 869.14
contrebas
en contrebas 203.20
contrebasse 422.3
contrebassiste 542.6
contrebasson 422.7
contrebatterie 182.2
tir de contrebatterie 820.8
contrebattre
appuyer 182.22
se déployer 487.33
tirer 820.20
contre-biais
à contre-biais 572.18
contre-bord
à contre-bord 572.17
contre-boutant 791.4
contre-bouter 791.11
contre-braquage 57.12
contre-braquer
virer 212.19
braquer 57.25
contrebuter 39.25
appuyer 791.11
contrecarrer
empêcher 572.11
contester 546.9
empêcher de 567.13
contrechamp 120.11
contre-chant 106.3
contre-charme 477.5
contre-clef 39.20
contrecœur 481.34
brûleur 109.16
à contrecœur 62.13 ; 697.12 ; 715.25
contrecollé 74.14
contre-contre-mesure 182.2
contrecoup
choc en retour 115.11
réaction 687.1
contre-courant
à contre-courant 221.33 ; 572.17
contre-courbe 436.6
contre-culture 194.5
contredanse
volée de coups 160.5
type de danse 176.16 ; 176.9
contravention 57.18
contredire 572.8
contredire (se) 25.11
s'opposer 572.7
contredit 194.16
sans contredit 99.11
contredon 690.4
contrée 695.1
contre-écrou 760.19
contre-emploi 817.22
contre-enquête
recherche 689.3
contrôle 155.1
contre-épreuve
contrôle 155.1
t. d'imprimerie 388.10 ; 436.6
contre-espalier 36.17
contre-espion 41.13
contre-espionnage 641.4
riposte 182.2
contre-essai 155.1
contre-expertise 155.1
contre-extension 114.6
contrefaçon 284.5
imitation 379.1
contrefacteur
copieur 379.4
escroc 284.7
contrefaction
imitation 379.1
contrefaçon 284.5
contrefaire
imiter 25.10 ; 379.8
escroquer 169.24 ; 284.12
contrefaiseur 379.4
contrefait
d'imitation 379.10
difforme 78.17 ; 453.9 ; 484.7
contre-fer 505.16
contre-feu 481.34
feu 311.5
brûleur 109.16
protège- 671.36
contrefiche 791.4
contre-fil ou **contrefil**
sens inverse 221.2
madrure 74.3
contrefort
élément de soutènement 39.18 ; 791.4 ; 834.12
relief 530.10
partie d'une chaussure 110.8
contre-fossé 182.8
contre-garde 182.10
contre-guérilla
riposte 182.2
guerre 487.15
contre-indication 499.18
contre-indiquer 499.26
contre-interrogatoire 680.8
contre-issant 783.24
contre-jauger 505.24
contre-jour
lumière tamisée 473.3
pénombre 566.3
à contre-jour 572.17
contre-lettre
reniement 546.4
contrordre 31.4
contremaître 480.7
contremandement 546.4
contremander
renier 546.12
décommander 31.9
contre-manœuvre 487.9
contremarche
manœuvre 487.9
partie d'escalier 481.29
contre-marée 319.9
contremarque
titre de transport 829.15
marque 490.5
contre-mesure 182.2 ; 671.6
contre-mine 182.7
contre-miner 182.22
contre-moulage 749.4
contre-moule
moule 510.10 ; 749.15
contre-mouler
mouler 749.19
fondre 510.16
contremur ou **contre-mur** 791.4
contre nature 860.3
contre-offensive
attaque 50.1
riposte 182.2
contre-parement 505.7
contrepartie
compensation 139.1 ; 597.3 ; 687.1
t. de Bourse 81.13
en contrepartie 722.17 ; 726.11
contrepartiste 81.25
contre-passation 31.4
contre-pente
versant 530.10
barrage 834.6
contre-percer 760.26
contre-performance
échec 249.1
élimination 792.37
contrepeser
équilibrer 282.13
peser 636.18
contrebalancer 687.11
contrepet
jeu de mots 535.13
humour 628.3
contrepèterie
jeu de mots 535.13
plaisanterie 628.4
figures de diction 313.2
contre-pied 572
inverse 436.3
contradiction 546.2
contre-pivot 118.7
contreplacage
boiserie 505.4
capitonnage 519.28
contre-plaque 505.4
contreplaqué 74.14
contreplaquer 519.35
contre-plongée 120.11
contrepoids 282.10
poids 636.5
limite 522.8
contre-poil
à contre-poil 221.33 ; 572.18

contre-poinçon 760.19
contrepoint 543.23
chœur 106.3
contre-pointe 792.73
contrepointer 543.45
contrepointiste 543.40
contrepoison
antidote 267.9
médicament 499.1
contre-porte 481.27
volet 308.4
contre-préparation 820.8
contre-profil
reflet 436.6
moulure 505.6
contre-profiler 505.25
contre-programmation 681.9
contre-projet 664.2
contre-publicité 675.1
contrer
s'opposer à 567.13 ; 572.9
t. de sport 792.85
t. de jeu 446.35
contre-rail 832.3
Contre-Réforme
catholicisme 117.3
Renaissance 46.7
contre-révolution 642.11
contre-saison 738.13
contrescarpe 77.5
t. de fortifications 182.8
contreseing 554.6
contresens
incorrection 283.6
absurdité 557.4
interprétation erronée 432.7
à contresens 221.33 ; 572.17
contresigner 554.24
contre-société 773.7
contre-sujet 543.25
contretemps
obstacle 11.2 ; 567.7
t. de musique 176.16 ; 543.21
à contretemps 415.17
contre-teneur 106.18
contre-ténor 106.18
contre-torpilleur 43.13
contretype 621.7
contrevallation
fossé 67.8
position défensive 182.7
contrevenant 556.7
contrevenir 556.8
contrevenir à 32.9 ; 200.7 ; 606.10
contrevent 852.13
jalousie 67.9
rideau 481.32
contre-vérité
tromperie 25.3
mensonge 504.4
contre-virage 792.24
contre-visite
consultation 498.9
contrôle 155.1
contre-voie 832.3
à contre-voie 572.17
contribuable
n. 317.32
adj. 317.40
contribuer 19.19 ; 587.20 ; 596.22
contribuer à 92.12
contributeur
agent 7.9
partenaire 596.11
contribution 19
participation 596.1
impôt 317.2
contribution sociale généralisée 317.3
contribution foncière 317.12
apporter sa contribution 596.19
mettre à contribution 596.27
contristé 836.10
contrister 836.7
contrit
repentant 299.9 ; 697.10
contrition
remords 697.2
expiation 299.1
contrôlabilité 155.7
contrôlable 155.17
contrôle 155
vérification 138.1 ; 183.5 ; 680.3 ; 689.6
domination 240.1
t. de Bourse 81.7
t. d'informatique 408.18
contrôle fiscal 317.21
contrôle des connaissances 274.11
groupe de contrôle 155.10
sous le contrôle de 787.26
contrôler
vérifier 155.12 ; 183.10 ; 689.13 ; 854
dominer 240.10 ; 800.13
contrôler (se)
se reposer 89.11
se calmer 810.9
contrôleur 21.8 ; 155.9 ; 677.7
affréteur 829.18
contrôleur des finances 317.29
contrordre 31.4
controuvé 504.24
controuver 504.16
controversable 395.13
controverse 818
brouille 194.2
controversé 395.13
controversiste 818.8
contumace 181.1 ; 181.9
par contumace 2.11
condamnation par contumace 144.1
contumax
absent 181.9
par contumax 2.11
contumélie 412.1
contumélieusement 412.17
contus 72.21
contusif 72.22
contusion 72.3
contusionné 72.21
contusionner 72.14
conurbation 845.7
convaincant 264.9
éloquent 277.7
persuasif 614.14
convaincre 264.7 ; 614 ; 626.7
persuader 729.14
convaincre de culpabilité 144.27
convaincu
résolu 99.9 ; 716.8
persuadé 264.8 ; 614.15
convalescence 353.5
convalescent 353.11 ; 353.18
convalo 353.5
convecteur 109.8
convection
conduction 102.9
dépression 127.8
convenable
conforme 147.13 ; 696.24
satisfaisant 677.17 ; 745.14
décent 163.12 ; 177.7 ; 365
convenablement
conformément 143.14 ; 147.15
décemment 177.10 ; 571.15
convenance
conformité 143.1 ; 147.1
décence 177.2 ; 571.1
convenances 163.2
à la convenance de 745.17
à sa convenance 149.7
convenant 696.24
convenir
être conforme 143.6 ; 147.11
admettre 6.12 ; 658.9 ; 854.14
agréer 177.5 ; 745.10
convenir à 571.9 ; 847.9
convenir d'un prix 659.14
convenir que 149.11
convent
monastère 525.22
meeting 137.10
conventicule 137.10
convention 658.2
usage 696.3
contrat 6.5
compromis 141.1
négociation 135.4
assemblée 137.10
convention collective 245.30
Convention européenne de sauvegarde des droits de l'homme 245.37
Convention interaméricaine de San José 245.37
convention électorale 260.12
par convention 323.23
conventionnalisme 658.7 ; 696.11
t. de philosophie 620.12
conventionnaliste 696.12
conventionnalité 658.7
régularité 696.10
normalité 558.1
conventionné 6.15
conventionnel
régulier 141.18 ; 658.10 ; 696.23
académique 709.12
convenu 554.27
conventionnellement
régulièrement 141.24 ; 696.26
académiquement 709.14
conventualité 525.2
conventuel 525.31
vie conventuelle 525.1
conventuellement 525.34
convenu 696.23
convergence
concordance 143.1 ; 685.1
de la lumière 473.16
convergence spatiale 548.18
convergence rétinienne 868.3

convergent 338.16
concordant 143.9
converger
concorder 143.6 ; 376.12
être d'accord 685.13 ; 690.8
t. d'ophtalmologie 840.15
conversation 156
dialogue 136 ; 595.6
gâteau 799.6
les conversations 227.23 ; 731.6
conversation piece 156.2
portrait 374.7
conversationnel
dialogué 156.20
interactif 408.27
conversationner 156.13
sacra conversazione 374.7
converse 156.1
converser 156.13
parler 136.18
causer 595.21
conversion
changement 104.5 ; 850.3
manœuvre 212.1 ; 487.8
t. de chimie 113.13
t. de sports 792.24
conversion de saint Paul 374.5
converti 648.14
convertibilité 529.18
convertible
avion 831.2
canapé 519.14
meuble 519.38
obligation convertible 849.4
convertir
transformer 23.10 ; 104.15
convaincre 614.8 ; 648.16
t. de banque 529.27
convertir (se) 299.7
convertisseur 261.17
convertisseur photovoltaïque 269.8
convexe 162.14 ; 574.20
convexité 162.1
convict 208.15
conviction
idée 375.10
certitude 99.1 ; 320.1
éloquence 264.1 ; 614 ; 729.8
convier
inciter 53.5 ; 148.12 ; 185.12
inviter 309.20 ; 772.13
convive
hôte 368.3
consommateur 703.19
convivial 772.14
convivialité
sociabilité 725.6 ; 772.3
t. d'informatique 408.14
convocation 137.9
convocation à un examen 274.11
convoi
série 758.3
de voitures 829.9
train 832.9
convoi funèbre 331.7
convoitable 199.16
convoiter 442.6
vouloir 870.7
désirer 199.10
convoiteux 199.13
convoitise 199.4
convoler
convoler en justes noces 491.22
convolute 856.2
convoluté 37.27
sinueux 162.12
convolvulacées 318.34
convoquer 185.18
convoyer
manutentionner 489.17
déplacer 829.22
convoyeur
appareil 489.7
personne 489.16 ; 829.19
convoyeur de fonds 641.12 ; 671.12
convulsé 154.15
convulser 154.8
convulser (se) 154.11
convulsif 154.14
fébrile 549.18
t. de médecine 482.82
convulsion
changement 104.3
contraction 482.47 ; 549.3 ; 732.4
convulsionner 154.8
convulsionner (se) 243.11
convulsivant 482.81
astringent 154.16
convulsivement 154.18
cooccurrence 651.4
cookie 799.6
cool 302.24
calme 89.13
tranquille 458.19
keep cool 89.19
coopérant 596.11
coopérateur 596.33
partenaire 596.11
coopératif 596.33
participatif 596.34
coopération
participation 19.2 ; 596.1 ; 772.7
politique 642.9
coopératisme 222.3
coopérative 135.9
coopérer 596.20
participer 15.7
cooptation
désignation 116.2
élection 260.1
coopter 116.9
coordinateur 577.13
organisateur 576.11
coordination
ordonnancement 576.3 ; 577.8
réunion 725.1
syndicat 708.14
t. de grammaire 346.7
t. de droit 833.24
coordinence 113.11
coordonal 548.10
coordonnant 346.20
conjonction 346.13
coordonnateur 577.13
organisateur 576.11
coordonné 143.13
organisé 577.22
coordonnée 221.6
espace 493.4
ligne 338.4
coordonnées polaires 338.4
système de coordonnées 769.6
coordonner
ordonner 576.12 ; 577.15
assortir 668.8
t. de grammaire 346.17 ; 622.14
copain 27.9
ami 26.6
copain copain 26.7
copains comme cochons 26.12
copalier 37.18
copeau 37.7 ; 505.3
reste 721.3
avoir les copeaux 619.14
copépodes 172.2
Copernic 49.28
copernicia 37.19
copho- 803.15
cophochirurgie 803.4
cophose 803.1
copia 264.1
copiable 379.9
copiage 379.1
copie
imitation 379.3 ; 719.7
texte 252.5
réplique 607.9
de film 120.15
copie multiple 388.9
copier
imiter 379.5 ; 719.13
écrire 252.14
reproduire 388.19
copieur
personne 379.4
appareil 388.15
copieusement 1.17
copieux 1.13
copilote
automobiliste 57.22
aviateur 831.14
copinage 19.4
copine
fiancée 491.17
copiner 26.7
copiste
copieur 379.4
écrivain 252.11
copla 635.6
copocléphile 599.11
copocléphilie 599.7
copolymère 113.2
coppa 333.9
coprah 369.4
coprésence 768.1
coprin 103.6
copris 417.3
copro- 296.30
coproducteur 662.12
coproduction 662.1
coproduire 662.17
produire 120.32
coprolalie 321.9
perversion 763.15
coprolithe 296.2
coprologie 296.14
coprophage 417.31
coprophile 251.16
t. de zoologie 873.23
copropriétaire 645.12
copropriété 645.5
en copropriété 645.27

corpusculaire
théorie corpusculaire de la lumière 473.24
corpuscule 345.2
corpuscules 754.2 ; 824.5
corpuscule de Barr 361.3
corpuscules de Meissner 548.6
corpuscule de Pacini 548.6
corr- 352.25
corral 262.6
correct
conforme 147.13 ; 559.16
valable 677
décent 177.9 ; 365 ; 366.27
politiquement correct 147.13 ; 696.23
correctement
normalement 147.15 ; 558.14
valablement 677.20
décemment 177.10 ; 365.16 ; 571.15
correcteur
mécanisme 118.7
personne 469.16 ; 654.18
correcteur orthographique 408.12
correctif 139.13
rectification 139.5
correction
conformité 147.3 ; 558.1
rectification 7.5 ; 155.4 ; 692.4
courtoisie 163.1 ; 177 ; 365.3
loyauté 472.4
coup 144.2 ; 160.2 ; 299.2
t. de rhétorique 313.5
maison de correction 208.8
correctionnalisation 144.16
correctionnalisé 284.5
correctionnaliser 144.29
correctionnel
peine correctionnelle 144.5
emprisonnement correctionnel 208.3
faux correctionnel 284.5
interdiction correctionnelle 429.2
tribunal correctionnel 144.25 ; 835.2
correctionnelle 144.25
correctionnellement 144.37
corregidor 835.9
corrélat 698.4
corrélatif
lié 254.8 ; 698.10
t. de grammaire 346.13
corrélation
relation 698.1
réciprocité 690.1
jonction 725.1
corrélationnel 698.10
corrélationnellement 698.13
corrélativement 698.12
corrélé 493.6
corréler 698.6
correspondance 157
communication 136
relation 147.1 ; 698.1 ; 719.3
concordance d'horaires 829.7 ; 832.12 ; 871.15
t. de mathématiques 493.4
vente par correspondance 135.5
vote par correspondance 260.8
correspondancier 157.11
correspondant
n.
interlocuteur 136.9 ; 157.11 ; 809.18
journaliste 654.16
agent commercial 135.17
adj. 143.9 ; 147.12 ; 698.10
correspondant de guerre 654.16
correspondre
concorder 143.6 ; 690.8 ; 698.7
communiquer 136.18 ; 157.13
correspondre à 753.8
faire correspondre 768.8
correspondre (se) 705.16
corridor 481.24
passage 289.3
corrigé 521.3
corriger
rectifier 147.9 ; 155.13 ; 558.6 ; 692.8
frapper 115.22 ; 160.14
réformer 253.8
pénaliser 144.27
modérer 810.6
t. de gastronomie 333.44
corriger (se) 850.10
corrine 94.21
corroboration 155.6
corroborer
concorder 143.6
confirmer 13.8
contrôler 155.12
corroder
entailler 167.13
brûler 205.21
corroder (se) 307.19
corroi 727.6
corrompre
détériorer 23.9
pervertir 3.8 ; 485.11 ; 860.7
corrompre (se) 205.24
corrompu
pervers 485.12 ; 860.10
t. de médecine 340.17
corrosif
destructeur 205.25
mordant 497.11 ; 865.25
corrosion 205.7
corroyage
consolidation 834.23
t. de menuiserie 505.11
corroyer
consolider 834.44
t. d'arboriculture 36.26
t. de menuiserie 505.23
t. de métallurgie 307.18 ; 510.16
corrugateur 541.2
corrugation 466.6
corrupteur 860.14
escroc 485.7
corruptibilité 325.1
corruptible
fragile 23.15 ; 325.9
corruption 485
manœuvre politique 642.3
forfaiture 169.8
corsac 486.7
corsage 859.7
poitrine 639.1
corsaire 859.11
Corse 371.15 ; 695.11
corsé 322.17
corselet
d'un insecte 417.17
vêtement 859.13
corser
complexifier 140.9 ; 217.13
un goût 333.44 ; 343.16
corset
sous-vêtement 242.4 ; 791.8 ; 859.13
corset orthopédique 775.19
corset de fer 567.8
corseter 859.33
corso
corso fleuri 309.7
cortège
série 540.5 ; 758.3
file 98.10 ; 309.7
cortège funèbre 331.7
cortex 100 ; 727.4
cortex surrénal 340.2
cortical 100.26
corticium 103.6
corticoïde 499.5
corticostérone 340.3
corticostimuline 94.14
corticosurrénal
hormone corticosurrénale 340.3
corticosurrénalome 841.2
corticothérapie 775.5
corticotrope 340.3
corticotrophine 94.14
cortinaire 103.6
cortine 103.2
cortiqueux 330.23
cortisol 340.3
cortisone
hormone 340.3
corticoïde 499.5
coruscation 473.1
corvéable 317.41
sujet 787.8
corvée
obligation 565.2
taille 734.3
impôts généraux 317.10
faire corvée 787.16
corybante 699.25
corydoras 638.6
coryllé 570.10
corymbe 330.3
périanthe 318.4
corymbite 417.3
corynète 417.3
coryneum 103.10
coryphée
aède 106.20
t. de danse 176.23
coryphène 638.6
coryphodontidé 486.4
corystes 172.3
coryza 482.30
coryza gangréneux 482.48
Cosaques 371.14
cosécante 338.7
angle d'incidence 30.3
cosignataire 586.13
partie 586.8

fermeté 715.7
donner, redonner du courage 268.9
prendre son courage à deux mains 161.8 ; 479.13
courageusement 161.12
courageux 161
énergique 864.15
persévérant 612.4
combatif 255.9
méritant 507.14
courailler 27.22
couramment 357.33 ; 558.15
fréquemment 326.18
courant
n.m. 558.3
adj. 127 ; 261.3 ; 302.22 ; 326.13 ; 357.25 ; 630.9 ; 652.10 ; 808.9 ; 846.16
courant alternatif 261.3
courant atmosphérique 20.2
courant de marée 319.9
courant d'action 548.18
au courant 136.19 ; 652.9
au courant de 63.19 ; 747.18
courant d'air 20.3 ; 34.6 ; 852.1
se déguiser en courant d'air 228.8
être au courant de 747.12
courante
diarrhée 482.22
danse 176.9 ; 543.31
courant-jet 127.8
courantologie 127.9
courbable 162.11
courbage 162.7
courbaril 37.19
courbatu
contracté 154.15
fatigué 303.21
courbature 482.12
courbaturé → **courbatu**
courbaturer 154.8
courbe
n.f. 162.2 ; 212.5 ; 338.4 ; 709.3
courbe de fonction 162.6 ; 338.11
courbe de niveau 162.6 ; 493.7
courbe isochrone 768.5
courbe mathématique 162.6
arc de courbe 338.8
adj. 162.11
courbement 162.7
courber 162.8 ; 240.16
déformer 212.15
courber l'échine 242.6 ; 564.9
courber la tête 367.7 ; 787.12
courber le front 523.7 ; 761.11
courber (se) 162.10 ; 741.21
ployer 212.18
se prosterner 523.7
filer doux 761.11
courbette
révérence 741.5 ; 761.3
t. d'équitation 746.3 ; 792.20
courbure 162
gauchissement 212.5
courcailler
cailles 170.7
courcaillet
cri 170.3
appeau 107.7
courette 39.17
coureur
n.
don Juan 27.8 ; 475.6 ; 629.7
coursier 157.11
sportif 792.45
adj. 318.47
coureur de vitesse 684.11
courge 333.18
courgette 333.18
courir
se déplacer 684.18 ; 792.83 ; 830.27
être volage 27.22
courir après 199.10
courir après son ombre 285.7
courir à toutes jambes 502.10
courir comme un dératé 684.18
courir deux lièvres à la fois 768.8
courir le monde 871.20
courir les rues 630.8
faire courir 53.6
courlan 570.14
courlis 570.18
couronne
cercle 97.2
disque 338.9
zone 280.4 ; 845.12
faîte 37.5
forteresse 182.9
bijou 70.11 ; 552.13
récompense 341.9 ; 507.5
t. d'anatomie 188.5 ; 762.3
t. d'astronomie 49.21 ; 49.8 ; 127.6 ; 777.7
t. de cuisine 333.52 ; 588.2
t. de danse 176.16
t. de papeterie 607.8
t. de plomberie 632.7
couronne civique 822.12
couronne de cheveux 624.4
couronne de lumière 250.11
couronné 37.3
couronne-jacket 188.15
couronnement
achèvement 5.7 ; 315.2 ; 798.5
cérémonie 98.6 ; 642.4 ; 667.3
t. de serrurerie 760.3
couronner
achever 315.16
ceindre 97.12
surplomber 204.12 ; 530.14
décorer 341.12 ; 341.13 ; 667.8
sacrer 642.19
avec un bijou 70.23
t. de dentisterie 188.24
pour couronner le tout 315.24
couronner les vœux de 745.7
couronner une position 487.31
couronner (se) 750.17
se blesser 72.15
couroucou 570.14
courre 107.18
courriel 809.3
courrier
lettre 157.1 ; 157.11 ; 829.15
véhicule 829.9
courrier des lecteurs 654.9
courrier électronique 809.3
courriériste 654.16
courroie 65.2 ; 476.12
bande 65.1
étendre la courroie 504.21
courroucé 130.12
courroucer 130.10
courroux 130.1
cours
évolution 49.19 ; 344.2
leçon 225.7 ; 274.10 ; 274.5
taux 81.8 ; 529.18 ; 659.1
avenue 845.14
le cours de 14.3 ; 286.2 ; 290.3 ; 293.2 ; 811.1 ; 862.7
avoir cours 529.28
faire cours 274.17
donner libre cours à 461.17
suivre son cours 293.9
au cours de 811.16
dans le cours de 811.16
en cours 520.9 ; 652.10
en cours de route 392.14
cours d'eau 319.4 ; 830.16
course
parcours 232.3 ; 538.1 ; 623.2
sport 309.6 ; 792.20 ; 792.3 ; 792.4
achat 191.2 ; 191.22
course automobile 57.20
course d'obstacles 567.5
course de montagne 530.13
course de saut d'obstacles 746.3
course du soleil 777.5
course du temps 811.1
course-croisière 792.30
course-poursuite 689.4
coursier
cheval 486.11
livreur 135.17
coursier international 829.18
coursière 182.14
coursive 39.17
courson 74.8
coursonne 37.8
court
adj.
bref 421.12
concis 142.7 ; 684.34 ; 723.7
adv.
à court 603.12
rester court 488.8 ; 595.19
couper court 142.5 ; 766.12
être pris de court 805.11
pendre haut et court 801.23
prép.
à court de 488.8
court
n.m. 792.78
courtage 587.4
intermédiaire 141.4
pourcentage 739.8
démarchage 135.5
sans courtage 81.40

courtaud 616.11
courtauder 262.26
court-bouillon
cuisson 333.3
sauce 333.26
au court-bouillon 333.53
court-circuit 261.20
court-circuiter 261.23
court-courrier 831.3
courtelinesque 132.12
courtier 135.17
courtier de banque 66.32
courtier de fret 829.19
courtier en devises 66.32 ; 81.25
courtilière 417.15
courtine
édifice 67.2 ; 182.10 ; 481.32
rideau 519.15
sous la courtine 751.30
courtisan 373.10 ; 761.6
courtisane 672.6
courtisanerie
flatterie 373.3 ; 761.2
courtiser 761.9
court-jus 261.20
court métrage ou **court-métrage** 120.5
courtois 163.10 ; 233.13
poli 177.7 ; 365.11
courtoisement 163.13 ; 177.12
poliment 365.18
courtoisie **163 ;** 233.4
politesse 253.2 ; 365.3
modestie 177.2
court-vêtu 859.42
couru
célèbre 798.23
fréquenté 137.21
demandé 185.24
courvite 570.18
couscous 333.12
couscoussier 848.26
cousette
apprenti 35.3
couturier 165.22
cousin
insecte 417.9
famille 314.7
cousin germain 314.7
cousinage
entente 6.1
degré de parenté 314.2
cousiner 26.8
s'aimer 6.11
coussin
coussin d'air 20.3
coussinet
pièce d'une machine 118.7 ; 476.12
t. de zoologie 486.20
cousu 165.33
cousu de 209.28
cousu d'or 730.19
cousu de fil blanc 483.22
coût 659.1
coût de la vie 659.6 ; 862.15
coût de transport 829.17
coute
au coute 107.34
couteau
mollusque 527.2
arme 42.2 ; 43.3
outil 584.8
couvert 848.14
couteau à palette 607.16
avoir le couteau sous la gorge 421.7 ; 545.9
être à couteaux tirés 62.7 ; 410.7
coutelas 42.2
coutelier 848.35
coutellerie 848.34
coûte que coûte 716.10
à tout prix 568.10
coûter 555.15 ; 659.11
coûter cher 111.5
coûteusement
richement 730.23
chèrement 111.14
coûteux 111.10
coutier 816.19
coutil 816.4
coutissé 816.33
coutume 164
règle 521.3 ; 696.3
habitude 326.7 ; 357.1
culture 371.18
rituel 98.2
t. de droit 245.31
avoir coutume de 326.12 ; 357.14
coutume fait loi 164.16 ; 245.55
de coutume 164.24 ; 357.31
coutumier
n.m. 164.9 ; 245.34
adj. 153.24 ; 164.17 ; 357.25 ; 559.14
être coutumier de 357.14
pays coutumier 245.44
coutumièrement 164.23 ; 696.30
habituellement 357.31
couture 165
suture 114.5
t. de reliure 388.3
t. de sculpture 749.12
haute couture 165.1 ; 520.3
battre à plate couture 800.15
sur toutes les coutures 823.8
couturé 72.21
couturière 165.22
couturier
personne 165.22
muscle 541.10
couturière
personne 165.22
répétition 817.16
couvaison 570.26
couvée 570.26
famille nombreuse 304.7
couvent 525.22
couventine
débutante 445.6
moniale 525.5
couver
v.t. 506.9 ; 774.10
v.i. 311.24
couver des yeux 27.18
couver du regard 442.6
couver une maladie 482.53
couvercle 204.3 ; 308.3
bouchon 308.2
trouver couvercle à sa marmite 491.22
couvert
n.m.
massif d'arbres 37.9 ; 656.2 ; 656.9 ; 671.28 ; 703.19 ; 848
adj. 553.19 ; 561.14 ; 566.12
à mots couverts 24.8 ; 411.10
couvert du pauvre 368.3
à couvert 752.18
vente à couvert 81.15
sous couvert de 536.14
se mettre à couvert 674.7
couverte 204.4
couverture
prétexte 536.4 ; 656.2
enveloppe 204.4 ; 727.1
protection 487.8 ; 671.4 ; 760.7
toit 481.17
d'un livre 469.12
quatrième de couverture 193.5 ; 469.12 ; 723.4
couverture d'un évènement 654.14
tirer la couverture à soi 257.4
couveuse 262.10
élevage 262.12
couvoir 262.10
couvrante 204.4
couvre- 204.28 ; 727.19
couvre-barbe 760.8
couvre-chef 859.25
couvre-face 182.10
couvre-feu 250.4
couvre-joint 505.9
couvre-lit 204.4
couvre-livre 469.12
enveloppe 204.4
couvrement 727.8
couvre-pied 204.4
couvre-plat
couvercle 204.3
cloche 848.20
couvrir
recouvrir 204.13 ; 486.27 ; 727.13 ; 727.14
protéger 182.22 ; 487.30 ; 487.36 ; 653.12 ; 671.18
masquer 751.17
couvrir un emprunt 166.30
couvrir un évènement 290.10
couvrir de 1.10 ; 654.23
couvrir (se)
s'obscurcir 561.10 ; 633.15
se protéger 182.27 ; 671.25
couvrure 727.11
covalence 113.5
covariance
dépendance 698.3
variation 850.1
t. de statistique 493.6
covariant 698.4
covarier 698.9
cover-girl
beauté 69.3
mannequin 520.5
covoiturage
transport 833.1
tourisme 871.2
cow bell 422.9
cow-boy 262.24
cowper 510.10
cow-pox ou **vaccine** 482.48
coxal 580.12
coxalgie
algésie 243.3
t. de médecine 482.20

avarice 61.1
crasseusement 740.16
crasseux
sale 740.11
roturier 734.7
avare 61.9
crassier 518.6
crassulacées 318.33
-crate 694.34
-archie 59.27 ; 133.30
cratère
creux 49.9 ; 167.2 ; 474.7 ; 530.6
vase antique 848.9
craterelle 103.6
-cratie 694.33
-archie 59.27 ; 133.30
-cratique 694.34
-archie 59.27 ; 133.30
cravache 160.9
à la cravache 865.31
cravacher
abattre du travail 684.15
fouetter 160.22
cravant 570.15
cravate
bandeau 65.3
écharpe 859.28
cravate de chanvre 801.5
derrière la cravate 703.27
plan cravate 120.11
cravater 869.19
crave 570.8
craw-craw 482.17
crawl 792.31
crawleur 792.63
crayeux 813.26
crayon
objet 252.7 ; 448.12 ; 607.15
style 729.10
description 196.1
crayon combustible 131.9
crayon lecteur 408.7
crayon médicamenteux 499.15
premier crayon 664.2
crayonnage
peinture 607.1
esquisse 607.6
crayonner 607.27
crayonneur 607.22
créance
crédit 145.7
dette 209.1
lettre de crédit 166.20
lettre de créance 58.6 ; 157.4
transfert de créances 66.9
créancé 145.26
créancier 209.19
créditeur 166.23
créateur 662
pionnier 414.5
auteur 92.4
inventeur 179.4
constructeur 150.11
veine créatrice 378.2
créaticien 662.13
créatif
inventif 179.12 ; 414.11
imaginatif 378.16
publicitaire 675.8
productif 662.19
créatininémie 742.17
créatininurie 296.10
créatinurie 296.10
création 34.5 ; 297.6 ; 378.3 ; 414 ; 662.2
innovation 560.2
réalisation 7.4
accomplissement 5.5
représentation 817.17
la Création 374.2 ; 815.6
créationnisme 361.14
darwinisme 873.12
créatique 414.6
production 662.11
créativité 378.2
inventivité 414.2
ingéniosité 179.2
productivité 662.9
créature
création 297.6
individu 376.5
animal 873.6
sujet 613.2
créature de qqn 472.7 ; 787.10
créature humaine 371.1
crécelle 422.10 ; 448.8
discoureur 595.15
bavard 665.7
voix de crécelle 168.11 ; 781.7
crécerelle 570.12
crécerellette 570.12
crèche 270.11
râtelier 262.18
crécher 481.40
crédence
bahut 519.4
vaisselier 848.33
crédibilité 145.6
vraisemblance 660.1
vérité 854.1
crédible 145.25
vraisemblable 854.21
solide 759.12
crédié 431.6
crédit 166
confiance 145.7 ; 717.11
influence 59.22 ; 407.20
considération 341.3 ; 507.11 ; 798.3
prêt 66.7 ; 339.15 ; 587.7
crédit roll-over 166.4
carte de crédit 66.24
lettre de crédit 157.4 ; 166.20
vendre à crédit 135.24
crédit-bail 166.3
créditer
attribuer 366.18
provisionner 66.43
créditeur
n. 166.23
adj. 66.53
credo 320.4 ; 508.7 ; 818.6
dogme 700.4
prière 657.9
crédo
crédit 166.1
crédule
naïf 145.22 ; 784.13
crédulement 64.13
crédulité 64.2
foi 320.1
naïveté 145.4
créé 662.23
produit 662.5
Creeks 371.7
créer
donner existence 297.11 ; 862.23
inventer 378.8 ; 414.7 ; 560.8
élaborer 535.21 ; 662.16
fonder 279.8
crémage
du lait 454.3
t. de chimie 756.6 ; 806.2
crémaillère
crochet 806.5 ; 848.28
fête 309.9
dispositif cranté 476.12 ; 832.32
pendre la crémaillère 309.20 ; 481.41 ; 703.23
crémaillon 806.5
crémaster 541.7
testicules 762.5
crémastogaster 417.7
crémateur 331.29
crémation 131.5 ; 331.2
inflammation 311.2
incinération 205.7
crématiste 331.29
crématoire 331.11
four crématoire 131.15
crématorium 331.11
four 131.15
crème
fine fleur 233.7 ; 800.5
couleur 71.12
pommade 499.15 ; 604.7
entremets 799.6
produit laitier 454.2
crème anglaise 799.6
crème Chantilly 799.6
crème fleurette 454.2
crème pâtissière 799.6
crème des hommes 76.5
crémer 454.12
crémerie 454.7
crémeux 454.16
crémier 454.8
crémone 760.4
créneau
t. d'architecture 39.20
t. de fortification 585.6
crénelée 37.27
crénelure 578.5
créner 459.17
crénilabre 638.6
crénom 431.6
crénom de nom 431.6
crénothérapie 775.4
créole
langue 455.14 ; 455.2
métis 501.9
créolisme 455.4
créophage 214.12
créosote 369.2
crêpage 129.10
crêpe
n.f.
gâteau 333.16 ; 799.6
pâte à crêpes 799.7
se laisser retourner comme une crêpe 407.17
crêpe
n.m.
tissu 331.21 ; 816.4

crêpé 388.12
crêpelé 624.22
crêpeline 816.4
crêper 129.13
crépi 727.8
crépidule 527.3
crêpière 848.25
crépine 632.4
crépinier 165.23
crépir 727.15
crépis 318.10
crépitation 83.6
crépitement
bruit 83.3 ; 83.6
crépiter 311.24
grésiller 83.15
crépon
papier 388.12
textile 816.4
crépu 37.27 ; 624.22
crépusculaire
n.m.
insecte 417.11
adj. 134.4 ; 494.8 ; 566 ; 776.12
poète crépusculaire 635.20
histoire crépusculaire 363.4
crépusculairement 494.10
crépuscule
pénombre 776.4 ; 777.5
déclin 14.3 ; 315.4 ; 566.3
crépuscule de la vie 863.1
crépuscule du matin 494.2 ; 777.5
crépuscule du soir 777.5
crescendo 56.19 ; 344.17 ; 427.39 ; 543.59
aller crescendo 56.11
créséide
créséide d'or 575.11
Cressida 49.10
cresson 318.26
cheveu 624.3
cressonnette 318.26
crésus 730.9
riche comme Crésus 730.19
crêt 530.8
crétacé
ère 337.21
t. de médecine 482.82
crête 530.8
oiseaux 570.21
tête 580.3
crête de la peau 604.4
lever la crête 312.7
crête-de-coq 841.3
maladie vénérienne 482.18
crételer 170.7
crételle 360.7
crétin 784.6
crétinerie 784.3
crétinisme 784.1
crétois 455.14
crétone 816.4
creusage 167.10
creusement 167.10
creuser 167.11
éroder 749.21
creuser l'écart 216.8
creuser un écart 229.6
creuser le passé 598.12
creuser sa fosse 167.14 ; 426.8
creuser son sillon 167.14
se creuser la tête 255.6 ; 814.9
creuset
mélange 501.3
t. de chimie 113.17
creusure 167.1
creux 167
n.m.
dépression 195.7
adj.
insignifiant 435.12
vide 557.11
son creux 781.30
avoir un creux 703.36
crevaille 342.2
crevaison 57.13
incision 167.10
crevant 132.11
crevard
maladif 482.59
glouton 342.3 ; 703.20
crevasse 585.3
rupture 230.3
excavation 167.3
faille 325.3
montagne 530.9
t. de médecine 482.16
crevasser
briser 223.12
scinder 230.9
entailler 167.13
crevasser (se) 325.6
crève-cœur 625.4
tristesse 192.3
crève-de-faim, crève-faim ou **crève-la-faim** 603.6
crever
éclater 57.25 ; 85.14 ; 561.10
mourir 534.22
épuiser 255.8
crever d'argent 730.15
crever la panse à 534.28
crever les yeux 99.6
petit crevé 12.5
crevette
mets 333.13
crustacé 172.3
crevettier
filet 605.9
chalutier 605.11
crevettine 172.3
crève-vessie 322.5
C.R.F. 718.12
cri 168
son 83.11 ; 243.6 ; 544.7 ; 781 ; 836.3
signe 106.22 ; 107.10 ; 431.1 ; 595.3 ; 765.7
cris d'animaux **170**
cri d'alarme 21.5
pousser des cris de paon 168.14
cri primal 544.7
dernier cri 520.8 ; 652.11
criage 168.8
criaillement 170.3
criailler
oiseaux 170.7
crier 168.17
criaillerie
cri 83.11 ; 168.4
criailleur 168.11
criard 168.20
criant 168.21
criard
choquant 159.27 ; 224.10 ; 427.23
bruyant 83.20 ; 168.20 ; 781.31
cribellates 417.12
crible 476.9
séparateur 756.9
critère 116.4
au crible 155.13 ; 550.34
criblé
criblé de coups 72.21
criblé de dettes 209.28
cribler 550.34
frapper 72.19
filtrer 116.10
cribler de coups 160.15
cribleur 476.9
séparateur 756.9
cribleuse 476.9
criblure 79.16
criblures de pierres 834.36
cric
n.m.
appareil 57.16 ; 489.9 ; 531.9
cric
interjection 431.7
cric-crac 83.23
cricétidé 486.3
cricket 792.10
crico-aryténoïdien 541.11
criée 168.8
vente à la criée 135.5
crier 168
v.t. 83.17 ; 106.27 ; 595.19
v.i. 63.14 ; 192.11 ; 707.10
crier misère 603.17
crier sur les toits 136.16 ; 168.16
crier grâce 625.12
crierie 168.8
crieur 168.10
marchand de journaux 654.21
crime 169
infraction 451.5 ; 865.7
reproche 710.15 ; 720.5
crime contre l'humanité 169.6
crime contre la paix publique 169.8
crime de guerre 169.6 ; 354.9
l'heure du crime 528.2 ; 776.6
criminalisation 144.17
criminaliser 144.29
criminaliste
juriste 245.47
criminologue 169.21
criminalistique 169.29
criminologie 169.14
criminalité 169.1
criminel
fautif 606.8 ; 860.9
attentatoire 144.24 ; 169.17 ; 169.27 ; 245.10 ; 284.5
criminel d'État 169.20
criminel de guerre 169.20 ; 354.19
criminelle 144.14
criminellement 169.30
criminogène 169.28
criminologie 169.14 ; 865.11
criminologique 169.29
criminologiste 169.21
criminologue 169.21
crin
pelage 486.20
cheveu 624.3
coton 816.2
cotonnade 816.3
à tout crin 322.20 ; 427.26
crinière
pelage 486.20
chevelure 624.4

crinkle 79.16
crinoïdes 527.8
crinoline 859.22
textile 816.3
crio- 486.34
criobole 173.12
criocéphale 417.3
criocère 417.3
criquet 417.15
cheval 486.11
faible 303.6
Cris 371.7
crise
accès 130.2 ; 243.5 ; 290.5 ; 482.5
difficuté 146.1 ; 217.9 ; 642.4 ; 817.13
crise cardiaque 128.13
crise de folie 321.3
crise de nerfs 549.3
crispant
énervant 549.19
inopportun 415.13
crispation
contraction 154.1
crampe 732.4
spasme 243.6
crispé
contracté 154.15
énervé 549.18
crisper
contracter 154.8 ; 541.21 ; 732.10
énerver 382.5 ; 549.13
crisper (se) 154.11
crissant 329.35
crissement
froissement 329.7
bruit 83.6
crisser 329.29
grincer 83.15
crista-galli
apophyse crista-galli 580.5
cristal
minéraux 517.1
verre 855.1
cristal au plomb 631.4 ; 855.1
cristal de baccarat 855.1
cristal de roche 517.4 ; 855.5
cristal violet 866.2
papier cristal 388.12
cristallerie
verrerie 855.14
orfèvrerie 848.34
cristallier 848.35
cristallin
n.m.
de l'œil 868.6
verre 855.1
adj. 473.35 ; 517.20 ; 781.30 ; 855.22
cristallinité 473.9
cristallisable 517.21
cristallisation 517.13 ; 799.8
transmutation 113.13
solidification 778.4
cristallisé 866.2
fossilisé 517.20
cristalliser 337.25
cristalliser (se) 778.11
cristallisoir 113.17
cristallochimie
chimie 113.1
minéralogie 517.12
cristallogenèse 517.13
cristallogénie 517.12
cristallographie
géologie 337.1
minéralogie 517.12
cristallographique 517.21
cristalloïde 517.20
cristallomancie 235.2
cristallométrie 517.12
cristatelle 856.2
criste-marine 318.20
critère 116.4 ; 155.8 ; 559.2
axiome 493.2
critère de vérité 854.10
critère mixiologique 873.11
critérium
critère 116.4 ; 155.8
match 792.38
criticailler 710.13
criticailleur 710.21
criticisme
t. de philosophie 375.11 ; 620.11
critiquable 710.23
critiquailler 710.13
critique
n.f.
analyse 450.4 ; 450.8 ; 620.22
objection 194.4 ; 710.5 ; 714.4
reproche 697.2 ; 710.4
diatribe 50.7 ; 227.6 ; 412.4
n.m.
personne 432.10 ; 654.16
adj.
détracteur 546.16 ; 710.21
problématique 175.11 ; 827.12
sens critique 450.2
critiqué
contesté 194.16
calomnié 227.26
critiquement 710.24
critiquer
analyser 450.8
objecter 194.12 ; 231.8
reprocher 697.8 ; 710.13
attaquer 50.16 ; 227.13
critiquer (se) 710.18
critiqueur 710.21
croassement
oiseaux 170.3
diffamation 227.6
croasser
oiseaux 170.7
cancaner 227.17
Croate 355.5
crobar
projet 664.3
esquisse 607.6
croc
crochet 605.13 ; 637.4 ; 806.5
dent 188.1 ; 188.4 ; 486.21
moustache 624.5
avoir les crocs 563.15
croc-en-jambe 119.3 ; 502.8
faire un croc-en-jambe 11.16
croche 543.28
quadruple croche 543.28
triple croche 543.28
croche
crochu 61.7
croche-patte 119.3 ; 502.8
croche-pied 119.3 ; 502.8
crocher
suspendre 806.12
tricoter 165.26
crochet
de tricot 165.14
tige de fer 489.12 ; 637.4 ; 806.5
instrument 505.16 ; 760.16 ; 760.5 ; 832.10
dent 188 ; 486.21 ; 712.12
ponctuation 765.10
détour 212.8 ; 246.3
radio-crochet 105.12
accroche-cœur 129.4
coup de poing 334.3 ; 792.16
crochet commutateur 809.6
crochetable 760.33
crochetage
cambriolage 869.4
ouverture 760.22
crocheter
ouvrir 585.11 ; 760.30
forcer 322.12
crocheteur
cambrioleur 869.10
manutentionnaire 489.16
crochu 162.11
avoir les mains crochues 61.7
crocidure 486.10
crocodile 712.6 ; 712.7
crocodilien
crocodile 712.6
reptilien 712.20
crocosmia 318.17
crocus 318.17
croire
tenir pour vrai 99.5
avoir confiance 145.14 ; 285.6 ; 320.12 ; 614.12
amener à croire 614.7
faire croire 504.18 ; 614.11
croire au père Noël 64.9
croire dur comme fer que 99.5 ; 614.12
ne croire ni à Dieu ni à diable 398.12
ne pas en croire ses yeux 805.7
se croire tout permis 58.17
s'en faire croire 655.6
s'y croire 378.10 ; 655.6
croisade 171.12 ; 648.6
guerre sainte 320.5 ; 354.3
croisé 123.7 ; 171.12 ; 171.18
textile 816.4
ligaments croisés 580.19
feu croisé 820.5
croisée
croisement 171.2
parvis 465.5
boiserie 505.4
fenêtre 481.31
croisée d'ogives 39.19 ; 171.7
croisée du transept 171.7
croisement
disposition 171.2 ; 833.16
métissage 501.3 ; 711.5
hybridation 262.12 ; 361.11
croiser
entrecroiser 171.14
métisser 501.12 ; 711.20
hybrider 873.16
rencontrer 137.15 ; 171.15
t. de danse 176.29
t. de navigation 830.27 ; 871.22
avoir les yeux qui se croisent les bras 840.15

croiser le fer 42.9 ; 171.14
croiser les doigts 285.5 ; 477.23 ; 765.24
croiser les jambes 502.11
croiser (se) 171.17 ; 320.14 ; 795.15
se croiser les bras 393.10 ; 502.12 ; 593.9
croiserie 171.13
croiseté 171.18
croisette 318.28
croix 171.1
croiseur 43.13
croisière 57.20 ; 871.4
transports maritimes 830.1
croisillé 171.18
croisillon 171.4 ; 171.7
nef 465.5
croisillonné 171.18
croissance
expansion 56.2 ; 293.3 ; 298.4
d'un enfant 270.6 ; 862.1
croissance zéro 872.2
croissant
n.m.
accroissement 56.1
forme 162.2
de lune 474.1 ; 474.14 ; 474.3
adj.
grandissant 56.13 ; 293.13 ; 344.11 ; 493.9
aller croissant 56.11
fonction croissante 493.4
croissantée 171.20
croisure 171.11
croisement 171.2
textile 816.8
croît 56.2
croître 293.10
augmenter 344.8
se multiplier 540.10
s'accroître 298.12
pousser 79.21
croix 171
supplice 331.17 ; 465.15 ; 801.4
monnaie 529.2 ; 529.6
bijou 70.10
décoration 507.5
croix pectorale 171.8 ; 699.24
marquer d'une croix blanche 290.13
gagner la croix de bois 534.22
croix de guerre 171.5
croix de Jérusalem 171.3
croix du Sud 49.15
à croix ou pile 358.16
c'est la croix et la bannière 171.16
prendre la croix 320.14
tirer une croix sur 701.8 ; 771.5
Croix-Rouge 171.6 ; 498.22
crolle 129.4
Cromalin 388.10
cromlech 736.9
cromoglicique 499.5
cronartium 103.10
crooner 105.8
croquant
roturier 734.6
paysan 18.17
croque 703.5
à la croque au sel 333.51
croquemitaine 619.8
croque-mort 331.24
croquenot 110.1
croque-notes 542.1
croquer
mordre 188.23
dessiner 196.9 ; 607.25
manger 703.25
croquer le marmot 51.7
croquet
biscuit 799.6
passementerie 165.3
jeu 446.22
croquette 345.2
boulette 333.11
croquignolet 69.17
croquis
projet 664.3
description 196.1
esquisse 607.6
crosne 333.19
cross 792.16
cross-country 792.4
crosse
d'une arme 43.10
sport 792.10
batte 792.71
crossé
abbé crossé et mitré 699.10
crosser 792.85
crossman 792.45
crossoptérygien 638.3
crotale
bronze 82.4
serpent 712.3
croton 369.4
crotonase 94.24
crotte
n.f.
excrétion 296
saleté 740.3
crotte de bique 419.3 ; 500.5
crotte
interjection 431.6
crotté 740.14
crotter
déféquer 296.20
salir 740.9
crottin
excrétion 296.3 ; 486.24
fromage 328.4
croulant
tombant 119.25
faible 28.13 ; 303.19 ; 863.15 ; 863.5
croule 170.3
croulement 119.4
crouler
tomber 119.15
ployer 205.22 ; 249.14
crouler
pousser son cri (bécasse) 170.7
croume 166.32
crédit 166.1
croup 482.20
croupade
équitation 746.3 ; 792.20
croupe
postérieur 193.6 ; 242.1
colline 530.8
croupetons
à croupetons 769.16
croupi 740.11
croupier 446.27
croupière
tailler des croupières 217.15 ; 572.11
croupion
volaille 570.23
dos 242.1
abats 333.8
croupir
végéter 862.27
poireauter 51.7
dormir 389.8
croustade 333.16
croustillant 399.9
croustille 703.2
croûte
d'une plaie 72.10 ; 742.7
couche externe 204.1 ; 337.10 ; 727.3
médiocrité 500.5 ; 607.3 ; 784.7
du pain 588.4
t. de menuiserie 505.3
casser la croûte 703.27
gagner sa croûte 266.24
croûteux 740.14
croûton 333.16
pain 588.4
vieux croûton 863.5
crow-crow 482.17
crown 855.1
Crows 371.7
croyable 854.21
croyance
opinion 375.10 ; 620.22 ; 802.1
conviction 99.1 ; 320.1 ; 614.1 ; 700.2
croyant 320.15 ; 320.8 ; 508.15
musulman 440.6
cru
n.m. 75.12
cru
adj. 71.15 ; 399.9 ; 427.23
à cru 562.16
cruauté
méchanceté 248.1 ; 401.2 ; 497.1 ; 801.10 ; 865.2
cruauté du sort 11.3
cruche
pot 848.12
niais 784.7
cruchette 848.12
cruchon 848.12
cruci- 171.21
crucial
en croix 171.18
essentiel 384.13
crucifère 171.19 ; 318.26
crucifiant 801.26 ; 865.27
crucifié 215.8
crucifiement 117.21 ; 171.11
supplice 801.1
crucifier 801.22
crucifix
croix 171.8 ; 465.15
mangeur de crucifix 320.10
crucifixion 117.21 ; 171.11 ; 374.3 ; 801.2
crucifixion de saint Pierre 374.5
cruciforme 171.18
cruciverbiste 446.26 ; 535.20
passe-temps 599.10
crudités 333.21
crue 319.14
augmentation 56.1
inflation 56.3
croissance 293.3
cruel 497.10 ; 801.27
attristant 836.14
terrible 827.13
insensible 401.16
violent 865.23

cruellement
doulouresement 243.15
tristement 836.18
méchamment 497.12
cruenté 742.31
crûment
agressivement 865.32
impudiquement 399.11
cruor 742.7
cruorine 94.9
crural 541.10
carré crural 541.9
plexus crural 548.4
crustacé 172 ; 873.6
lichens 463.6
crustacéologie 172.6
cryanesthésie 327.11
cryo- 327.24
cryocâble 327.9
cryocautère 327.11
cryochimie 113.1
cryochirurgie 840.9
cryologie 327.11
chirurgie 114.1
cryoconducteur 327.20
cryoconservation 327.3
cryodessiccation
cryologie 327.11
séchage 750.3
cryofibrinogène 742.6
cryofluorane 114.20
cryogène 327.20
cryogénie 327.11
cryogénique 327.20
cryogéniste 327.12
cryologie 327.11
cryoluminescence
luminescence 473.15
refroidissement 327.4
cryométrie 509.25
cryologie 327.11
cryométrique 327.20
cryonique
cryologie 327.11
frigorifique 327.20
cryo-ophtalmologie 840.8
cryophore 327.9
cryopompage 327.11
cryoprécipité 742.6
cryoscopie 113.16
cryologie 327.11
cryoscopique 327.20
cryosol 337.16
cryosonde 498.19
cryostat 327.10
cryosynérèse 327.4
cryotempérature 327.4
cryothérapie 327.11
cryoturbation 327.4
cryptage 411.6
cryptanalyse 425.6
crypte
église 465.2
tombeau 331.15
crypter 681.19
cryptesthésie 235.8
cryptie 173.8
cryptique
mystérieux 751.26
coloration cryptique 379.2
cryptocalvinisme 818.23
cryptocalviniste 117.13
cryptocéphale 417.3
cryptocérate 417.5
hétéroptères 417.4
cryptodires 712.8
cryptogame 318.46
cryptogamie
botanique 79.1
phanérogamie 318.38
cryptogamique 103.18
cryptogénétique 482.64
cryptogramme
code 751.9
symbole 765.5
grimoire 411.4
correspondance 157.1
cryptographe 425.8
cryptographie
codage 411.6
écriture 252.1
cryptographier 751.20
cryptographique 252.19
cryptologie 411.6
cryptomeria 37.16
cryptomonadées 22.3
cryptonémiacées 22.3
cryptophonie 411.6
cryptophycée 512.5
phéophycées 22.3
cryptoportique 465.5
cryptoprocte 486.7
cryptorchide 484.9
cryptorchidie 484.4
cryptorhynchus 417.3
C.S.G. 317.3
cténize 417.13
cténizidés 417.12
cténocéphale 417.16
cténodactylidé 486.3
cténodontes 527.1
cténolabre 638.6
cubage 152.5
mesurage 509.2
cube
d'un nombre 539.2 ; 837.1
élève 274.15
t. d'anatomie 580.5
au cube 87.12
nombre cube 555.3
cuber
mesurer 509.28
tripler 837.9
multiplier 539.4
cubique
nombre 555.3
ternaire 837.11
multiple 539.6
minéral 517.20
racine cubique 87.12
cubisme 46.12
cubiste 46.17
cubital 128.8 ; 128.9 ; 541.8
nerf cubital 548.4
cubito-métacarpien 541.8
cubito-radial 541.8
cubitus 580.14
cuboïde 580.17
cuboméduse 527.12
cucujo 417.3
cucujoïdes 417.2
cucul 731.8
cucul la praline 731.8
cuculiformes 570.4
cuculle 525.25
cucullée 527.19
cucullie 417.11
cucurbitacées 333.18
cucurbitain 856.3
cucurbitales 79.4
cucuyo 417.3
cueille-fleurs 584.6
cueille-fruits 584.6
corbeille 151.5
cueillette 18.4
cueillir
arrêter 44.11
récolter 18.23
cueillir un baiser 91.7
cueilloir 584.6
corbeille 151.5
cuesta 77.6
cuiller ou **cuillère**
main 479.1
couvert 848.14
t. de pêche 605.14
en deux coups de cuillère à pot 302.29 ; 684.41
se serrer la cuiller 741.22
cuillerée
bouchée 678.5
contenu 152.3
cuilleron 848.15
d'un insecte 417.17
cuir
peau 604.1
faute 283.6 ; 455.5 ; 556.6
cuirasse
protection 182.17 ; 204.3 ; 671.4 ; 727.2
pièce d'armure 42.7
cuirassé 43.13
cuirassement 182.6
cuirasser
protéger 182.23 ; 307.17 ; 671.22 ; 727.13
endurcir 418.12 ; 864.13
cuirasser (se) 671.25
s'abriter 182.25
se durcir 248.5
cuire
faire chauffer 102.18 ; 102.20 ; 333.40
souffrir 243.12
cuire le pain 588.16
dur à cuire 248.4 ; 418.7
cuisant
aiguë 243.14
agressif 865.25
cuisine
pièce 481.23
préparation des aliments 333.1 ; 333.30 ; 343.9
cuisine électorale 642.3
cuisiner 333.37
cuisinette 481.23
cuisinier 333.34 ; 481.39 ; 703.18
cuisinière 335.5
cuissage
droit de cuissage 734.3 ; 763.9
cuissard 859.17
cuissarde 110.3
cuisse 502.3
se taper sur les cuisses 132.7

cuisseau 333.7
cuisse-madame 330.11
cuisson 333.3
affinage 328.3
cuissot 333.7
cuistance 333.1 ; 703.6
cuistancier 333.34
cuistot 333.34
cuistre 226.4
cuistrerie 581.3
cuit
saoul 441.18
chauffé 333.49
c'est du tout cuit 302.17 ; 798.12
être cuit 249.14
cuite
ivresse 441.3
cuisson 799.8
terre cuite 749.13 ; 813.11
cuiter (se) 441.12
cuivrage 510.8
cuivre 113.7 ; 499.6 ; 516.5
éléments minéraux 214.6
verre de cuivre 855.5
pl.
instruments de musique 422.6
faire les cuivres 550.29
cuivré
couleur 84.11 ; 159.28 ; 604.14 ; 624.23 ; 735.11
sonorité 781.30
cuivrer 727.15
bronzer 82.8
métalliser 510.15
cuivreux
minéral 516.10
alliage cuivreux 82.1
cuivrique 516.10
cul
postérieur 193.2 ; 193.6 ; 203.2 ; 242.1
sexualité 763.4
cul sec 75.25
faux cul 373.9 ; 859.22
cul de plomb 593.5
bouche en cul-de-poule 12.3
comme cul et chemise 26.12
au cul levé 107.31
cul par-dessus tête 119.28 ; 193.19
rester sur le cul 805.7
tirer au cul 593.8
culage
droit de culage 734.3
culasse 476.12
chargeur 43.10
moteur 57.3
cul-blanc 570.15
cul-brun 417.11
culbutant 859.11
culbute 792.8
plongeon 195.5
inversion 436.3
faillite 209.9
faire la culbute 107.27 ; 111.8
culbuter
renverser 119.23 ; 436.11
tuer 205.19
t. de chasse 107.27
culbuteur
machine 476.12
jouet 448.5
cul-de-basse-fosse 208.10
cul-de-four
arcade 162.5
voûte 39.19
cul-de-jatte 502.7
malformation 484.6
estropié 72.21
cul-de-lampe 578.7
cul-de-plomb 481.38
cul-de-sac
échec 249.1
impasse 845.14
t. d'anatomie 762.14
cul-de-sac de la tunique vaginale 762.5
cul-de-singe 37.6
cul-doré 417.11
culée
charpente 791.4
cime 37.5
appui 834.12
culée d'arc-boutant 39.14
culer 830.27
nager à culer 436.11
culeus 509.24
culicidés 417.8
culinaire 333.47
culmen
culmination 204.6
cervelet 100.7
culminant
élevé 204.18
haut 531.21
culmination
cime 204.6
montagne 531.7
t. d'astronomie 49.19
culminer 359.7 ; 530.14
dominer 204.12 ; 800.13
redoubler 427.13
atteindre 531.17
t. d'astronomie 49.30
culot
dépôt 721.3
fond 203.2
audace 161.2 ; 390
dernier 458.9
ornement 39.21 ; 250.15 ; 578.3
culotte
vêtement 859.11 ; 859.13
ivresse 441.3
culotte de gendarme 561.2
baisser sa culotte 787.13
porter la culotte 133.20
prendre une culotte 446.32
culotté 439.15
dangereux 390.15
culotter (se) 441.12
culpabiliser 710.18
culpabilité 606.7
responsabilité 144.22
convaincre de culpabilité 144.27
verdict de culpabilité 451.14
culte 173
religion 320.5 ; 699.28 ; 700.3 ; 818.12
vénération 366.7 ; 717.1 ; 798.24 ; 798.3
culte synagogal 449.10
culte du temple 449.10
culte de la déesse Raison 682.6
vouer un culte à qqn 366.15
cultéranisme ou **cultisme** 347.1
cul-terreux 18.17
culteur 18.29 ; 262.36
cultivable 18.27
cultivateur 18.16
cultivé 747.17
cultiver
faire pousser 18.20 ; 512.13
perfectionner 424.10 ; 774.14
cultiver la bouteille 441.11
cultuel 173.22
cultuellement 173.25
culturalisme 371.23 ; 773.12
culture
société 371.18 ; 773.2
production 18.1 ; 18.29 ; 262.36 ; 662.5
culture biologique 251.10
culture cellulaire 821.6
culture d'entreprise 266.3 ; 577.9
culture générale 747.2
culturel
ethnique 371.28
social 773.15
culturellement 371.31 ; 773.18
culturisme
musculation 541.18
haltérophilie 792.9
culturiste 792.47
culturologie 371.22
cumacés 172.2
cum grano salis 345.12
cumin
plante 318.20 ; 330.7
épice 333.27
cumul 8.2
cumulation 758.12
cumulativement 758.23
cumuler 540.11
cumulonimbus 561.4
cumulus 561.4
chauffe-eau 109.11
Cunas 371.9
cunéiforme 37.27
écriture 252.19
tarse 580.17
cunéo-cuboïdien 580.24
cunette 834.8
cunéus 100.14
cuniculiculteur 262.22
cuniculiculture 262.2
cunnilinctus ou **cunnilingus** 763.12
cuon 486.9
cupide
avide 199.13
avare 61.9
cupidement 61.10
cupidité 61.2
convoitise 199.4
cupidon
oiseau 570.9
bel enfant 69.4 ; 270.3
Cupidon 27.15
cupidone 318.10
cuprémie 742.17
cupressacée 37.11
cupressales 79.4
cupri- 516.16
cuprifère 82.12
métallifère 516.11
cuprique 516.10
cuprite 516.5
cupro- 516.16
chalco- 82.13

cyclo- 97.17 ; 113.29 ; 833.43
cyclo 833.13
cyclocarpale 463.1
cycloconvertisseur 326.4
cyclocosmie 417.13
cyclo-cross 792.26
cyclododécatriène 617.6
cyclohexane 617.6
cycloïde 338.8
cyclomoteur 833.13
cyclomotoriste 833.27
cyclonal
pluies cyclonales 633.4
cyclone
dépression 127.8
tempête 852.2
cyclonique 127.19
pluies cycloniques 633.4
cyclooctadiène 617.6
cyclope 172.3
Cyclope 236.40
cyclopéen 351.11
appareil cyclopéen 39.5
cyclopie 840
troubles de la vision 482.27
malformation 484.4
cycloplégie 840.3
cyclopoïdes 172.2
cyclo-pousse 833.13
cyclopropane 335.7
cycloptère 638.6
cyclorameur 448.3
cycloraphes 417.8
cyclothérapie 775.6
cyclothymie
inconstance 402.5
maladie mentale 321.6
cyclothymique 402.15
cyclotourisme 871.5
cyclotouriste
cycliste 792.61 ; 833.27
cyclotron 513.10
cyclure 712.5
cydippe 527.13
cygne 632.3
chant du cygne 315.6 ; 534.2
Cygne (le)
constellation 49.15
Cygnides 49.12
cylade 417.3
cylindracée 527.19
cylindraxe 548.9
cylindre
solide 97.9 ; 338.6
d'une montre 118.7
d'une machine 476.12
t. de serrurerie 760.7
cylindre frictionneur 329.14
huile de cylindre 369.2
cylindrée 833.5
cylindrer 97.12
cylindreur 834.37
cylindrique 97.14
cylindrome 841.3
cylindroparabolique 269.8
cymatophore 417.11
cymbalaire 318.22
cymbale 422
cymbale charleston 422.9
cymbales 422
cymbalier 542.6
cymbalum 422.12
cymbium 527.3
cyme 318.4
cymodocée 318.12
cyn- 486.34
cynacée 486.36
cynégétique 107.30
chasse 107.1
cynipidés 417.6
cynips 417.7
cynique
pessimiste 615.7
impudent 415.16
philosophe 620.33
cynisme
pessimisme 615.3
école philosophique 620.15
cyno- 486.34
cynocéphalidé 486.3
cynodonte 712
cynogale 486.10
cynoglosse
fleur 318.6
poisson 638.6
cynomorphe 486.14
cynophagie 214.3
cynophile 262.22
amateur de 599.10
cynophilie 262.2
passe-temps 599.6
cynophobie 619.4
cynorhodon 330.15
cynuréninase 94.24
cynurénine 94.10
cynurénine-transaminase 94.24
cyon 486.36
cypérales 79.4
cypérus 360.8
cyphomandra 38.7
cyphophthalmes 417.12
cypho-scoliose 482.11
cyphose 78.3 ; 242.3 ; 482.11
cyphotique 482.65
cyprée 527.3
cyprès 37.16 ; 331.19
cyprin- 638.26
cyprin 638.5
cyprine 340.4
cyprini- 638.26
cypriniculture 262.3
cyprinidé 638.3
cyprinodontidé 638.3
cypriote 455.14
livre cypriote 529.8
cypripedium 318.21
cypris 172
cyprotérone 340.3
cyrénaïque 629.19
cyrto- 151.15
cystadénofibrome 841.3
cystadénome 841.3
cystadénosarcome 841.4
cystéine 94.10
cystéine-désulfhydrase 94.24
cysticercose 482.35
cysticerque 856.3
cystide 103.3
cystidés 527.8
cystine 94.10
cystinurie 296.10
cystique 218.10
cystite 482.34
cystographie 498.16
cystophore 486.7
cystoscope 498.18
cystoseire 22.4
cyt- 151.15
cytaphérèse 742.13
-cyte 94.36
cyto- 151.15
Cythère
embarquement pour Cythère 27.15
cytidylique 94.11
cytinet 318.36
cytise 38.4
cyto- 151.15
gluco- 94.35
cytobiologie 94.28
cytochimie 113.1
cytochrome 94.9 ; 307.8
cytochrome-oxydase 94.24
cytodiérèse
mitose 94.27
histogenèse 821.6
cytogamie 103.4
cytogénéticien 361.15
cytogénétique 361.13
cytokine 381.14
cytologie
tissus vivants 821.1
biosciences 498.3
cytologique 94.34
cytologiste 94.29
cytolyse 821.8
cytomégalovirus 512.3
cytoplasme 94.2
cytoplasmique 94.31
mouvement cytoplasmique 94.27
cytopoïèse 821.6
cytosine 94.15
cytosporidie 512.5
cytostatique 499.33
cytothérapie 775.5
cytotrophoblaste 265.8
czardas 176.6

D

dab 609.6
le grand dab 215.6
D.A.B. 66.30
dabéma 37.18
da capo 134.29 ; 543.59
dache
à dache 232.13
d-acidamino-déhydrase 94.24
dacron 816.2
dacryoadénite 482.28
dacryocystite 482.28
dacryocyte 742.3
-dactyle 479.26 ; 873.28
dactyle
unité de longueur 509.24
t. de versification 635.13
dactyle
herbe 360.7
dactylèthre 68.3
dactylique 635.27
hexamètre dactylique 635.13

dactylo- 479.25
dactylocodage 408.21
dactylocodeur 408.23
dactylographie 252
dactylographier 252.13
dactylomancie 235.2
dactylomancien 235.14
dactylopodite 172.4
dactyloptère 638.6
dactyloptéridé 638.3
dactyloscopie 169.14
dactylozoïde 527.12
dacus 417.9
dada
cheval 486.11
marotte 357.3 ; 599.1
dadas 446.15
c'est son dada 704.11
dadais
jeune 445.3
sot 784.6
dadaïste 46.17
daff 422.11
daflas 371.13
dagan 236.21
dague
bois de cerf 74.15 ; 486.20
poignard 42.2
daguerréotype 621.8
daguerréotypie 621.1
daguet 74.15
Dagurs 371.13
dahlia 318.10
daigner 149.10
daim 486.6
daîmon 378.1
dais 519.15
Dakotas 371.7
dalaï-lama 699.16
bonze 525.7
dalasi 529.8
dalbergia
arbre 37.11
fleur 318.27
dallage 727.11
dalle
carreau 727.9
gorge 814.5
t. d'architecture 39.17
dalle funéraire 331.17
dalle orthotrope 834.35
avoir la dalle 563.15
avoir la dalle en pente 441.11
casser la dalle 703.27
dallia 638.5
dalmatien 486.9
dalmatique 859.8
soutane 508.10
dalot 167.8
caniveau 834.8
daltonien 840.17
malvoyant 482.74
daltonisme
troubles de la vue 159.19 ; 482.27 ; 840.2
dam 271.2
au grand dam de 192.17
peine du dam 144.12 ; 271.2
damalisque 486.6
daman 486.6
damas 816.4
damasquinage
recouvrement 727.11
fil d'or 575.12
damasquiner
dorer à la feuille 575.17
orner 578.12
damassé 578.18 ; 816.34
damasser 578.12
dame
femme 306 ; 495.3
titre 552.17 ; 822.5
épouse 491.19
interjection 431.2
outil 584.18 ; 834.28
t. de jeu 446
dames 446.14
dame de Saint-Thomas 525.11
envoyer à dame 160.17
dame-blanche 833.14
dame-d'onze-heures 318.17
dame-jeanne 75.17
damer 834.44
damer le pion à qqn 726.7
damer un pion 446.37
dameret 12.5
dame-ronde 182.9
damet 584.27
chalumeau 632.19
damier
oiseau 570.15
formation militaire 487.5
ornement 578.3
dammara 37.21
damnable 271.14
damnablement 271.15
damnation 271.2
péché 818.15
tache 606.6
damné
condamné 271.5 ; 582.11 ; 606.13
satané 11.25
damner
condamner 144.27 ; 271.10
maudire 582.13
damner (se) 271.10
à se damner 271.15
damoiseau
jeune homme 364.2 ; 445.3
galant 12.5
damoiselle 822.4
dan 792.18
danaïde 417.11
Danaïdes 801.17
Achéron 271.8
tonneau des Danaïdes 392.8 ; 704.4
Danakils 371.11
danazol 499.5
dancing 176.21
dandin 784.6
dandinement
oscillation 579.1
tenue de route 57.12
dandiner 579.10
dandiner (se) 579.11
dandinette 579.4
pêche à la dandinette 605.2
dandy 12.4
dandyesque 233.15
dandyfier 233.11
dandyque 233.15
dandysme 233.5
dandystique 233.15
danger 175
menace 291.3
difficulté 217.8
péril 175
avertissement 63.8
danger public 57.22 ; 390.5
sans danger 752.14
courir un danger 175.9
se mettre en danger 390.8
dangereusement 175
imprudemment 390.16
dangereux
féroce 873.22
grave 827.12
hasardeux 386.11
périlleux 175 ; 217.20 ; 390.15
dangerosité 175.4
danio 638.5
danois
langue 455.14
chien 486.9
Danois 355.5
dans
inclusion 152.13 ; 396.21 ; 430.16 ; 514.17
direction 221.35
pénétration 45.16 ; 278.21 ; 608.19
Dans 371.11
dansable 176.31
dansant 176.31
danse 176
activités de loisirs 599.5
correction 160.5
danse macabre 374.3
danse sacrée 736.10
danse de caractère 176.2
danse de demi-caractère 176.2
danse de Saint-Guy 548.20
danse de Salomé 374.3
dansé 176.31
dansement 176.1
danser 176
danser devant le buffet 703.35
danser sur un volcan 175.9
ne pas savoir sur quel pied danser 819.5
danserie 176.1
danse-théâtre 176.2
danseur 176
danseur étoile 176.23 ; 800.9
danseur de corde 123.14 ; 282.12
dansomanie 176.13
dansotement ou **dansottement** 176.1
dansoter ou **dansotter** 176.28
dantrolène 499.5
Danube
paysan du Danube 226.4
Daodejing 815.16
Daphné 236.42
dapsone 499.5
darbouka 422.11
darce 830.15
Darcet
alliage de Darcet 631.3
dard
pointe 578.3 ; 637.3
langue 712.12
piquant 417.17
arme 42.2
rameau 36.11 ; 37.8

Dardanos 236.41
darder
chauffer 102.17
piquer 72.14 ; 417.30 ; 712.19
darder ses rayons 777.15
dare-dare 684.53
dargeot 242.1
Darguines 371.14
Darigangas 371.13
darique 529.11
darmous 267.2
darne 333.7
filet 638.17
daron 609.6
darqawa 440.5
darsana 657.1
darse 830.15
dartos 762.5
dartre 482.17
dartreux 482.67
dartrose 79.16
darwinien 293.14
darwinisme 293.7 ; 361.14 ; 873.12
darwiniste 293.8
dasahara 310.7 ; 362
Dasas 371.11
dascille 417.3
dascilloïdes 417.2
Dasein 651.2
métaphysique 297.2
autrui 620.21
dastgah 543.16
dasyatidé 638.2
dasychira 417.11
dasypodidé 486.3
dasyproctidé 486.3
dasystémone 318.46
dasyure 486.13
didactyle 873.24
dasyuridé 486.2
dasyuroïde 486.2
DAT 273.9
datage 88.3
dataire 590.15
datation 88.3
chronologie 118.1
étymologie 535.11
datcha 481.4
date 88.5
moment 528.1
signature 157.7
date de valeur 166.13
à date fixe 528.10
en date du 528.11
à la date de 528.11
à longue date 247.20
de fraîche date 414.10 ; 560
de longue date 247.19
de nouvelle date 560.12
de vieille date 247.15
arrêter une date 528.5
faire date 290.9 ; 341.23 ; 384.8
prendre date 528.5
grande date 290.2
dater
être ancien 28.8 ; 247.6 ; 598.10
millésimer 88.12
faire date 290.9 ; 384.8
être désuet 206.4
dater de Mathusalem 28.8 ; 247.6
à dater de 647.29
daterie 590.17
dateur 118.5
datif 346.5
dation 101.1
datisque 360.8
datographe 118.5
datte 330.16
dattier 37.17
datura 318.30
daturine 267.4
daube
cuisson 333
personne sotte 500.6
daubentoniidé 486.14
dauber 439.9 ; 532.12
badiner 628.11
daubeur 628.8
daubière 848.24
dauphin
successeur 270.4 ; 797.6 ; 822.4
dauphin
animal 486.15
Dauphin (le)
constellation 49.15
dauphine ou **dauphinoise**
à la dauphine 333.51
dauphinelle 318.25
Dauphinois 695.11
daurade 333.13 ; 638.6
dauw 486.11
davantage 634.14
plus 800.25
par surcroît 56.18
David 449.16
David et Goliath 374.4
fils de David 215.8
davier
instrument de chirurgie 114.26 ; 188.12
outil 505.16 ; 584.7
dax 81.9
Dayaks 371.12
dazibao 654.4
D.C. 134.29
de- 756.27
de
à cause de 15.10 ; 92.19
depuis 647.29
dé- 556.17 ; 756.27
a- 404.15
non- 546.23
anti- 194.18
dé
dé à coudre 165.15
dé 446.10
hasard 358.3
architecture 39.15
tenir le dé 59.14
coup de dés 386.3
deal 586.4
déalbation 71.4
dealer
n. 825.15
v. 825.18
déambulation, déambulage ou **déambulement** 871.8
déambulatoire
n.
t. d'architecture 39.17 ; 77.7 ; 465.5
adj.
voyageur 871.28
déambuler 871.21
deb
débutant 134.14
apprenti 35.3
débâcle
désordre 201.4
d'un fleuve 319.14
débandade 180.2 ; 181.2
dépression économique 11.10 ; 209.9
débâcler 585.11
débagouler 412.10
faire l'idiot 784.11
déballage 135.13
déballer 490.22 ; 585.12
révéler 828.10
exposer 581.6
déballeur 490.16
commerçant 135.16
déballonner (se) 452.5
débandade
désordre 201.4
fuite 180.2 ; 181.2
à la débandade 201.18
débander 762.30
débander (se) 201.13
se défaire 202.8
se séparer 756.15
débaptiser 554.18
débarbouiller 550.31
débarbouiller (se) 669.11
débarcadère 830.15
débardage 489.4
débarder 489.17
débardeur
homme fort 864.5
manutentionnaire 489.16
vêtement 859.14
débarquement 195.2 ; 871.14
abord 45.2
chargement 829.3
quai de débarquement 45.5
débarquer
v.i. 45.10 ; 195.10 ; 830.28 ; 831.17
v.t.
éjecter 292.6
des troupes 487.37
des marchandises 829.23
débarrasser
délester 457.9
libérer 461.15 ; 786.7
désencombrer 567.16
nettoyer 550.36 ; 783.21
débarrasser le plancher 189.12
débarrasser de (se)
se séparer de 756.16
chasser 189.14
se défaire de 101.12
débarrer 585.11
débat 156.6
Parlement 642.2
procès 451.8
conversation 595.6
débat contradictoire 260.17
débat intérieur 438.3
débat télévisé 260.17
debater 595.14
débatteur 595.14
débattre 156.17
débattre d'un prix 659.14
débauchage
éviction 292.1
chômage 266.7
débauche
désordre 201.3
abondance 1.3
excès 294.3
luxure 27.12 ; 426.1 ; 475.1 ; 629.3 ; 763.7 ; 860.2
à la débauche 475.7
vie de débauche 862.13

débauché
fanatique 294.17
obsédé 763.23
libertin 629.7
dévergondé 860.10
excessif 426.11
luxurieux 475.9
débaucher
pervertir 426.9 ; 475.8 ; 860.7
renvoyer 266.29 ; 480.14
débaucher (se) 426.10 ; 475.7
débectant 62.11
débecter 62.10
débenzolinage 617.3
débenzoyler 113.20
débet 209.8
débile 303.17
débile mental 784.5
débilement 303.24
débilitant 127.21
débilitation
fragilisation 325.2
affaiblissement 303.4
débilité
faiblesse 303.1
sottise 784.1
débiliter
fragiliser 325.5
fatiguer 303.16
débillardement 760.23
débillarder
t. de serrurerie 760.27
t. d'arboriculture 36.26
débinage 227
débine 603.2
débiner 227.13
débiner (se)
déguerpir 189.10
abandonner 452.6
débineur 227.11
débit
quantité 509.26 ; 678.2
t. d'arboriculture 74.6
de la parole 264.1 ; 425.3 ; 595.2
trafic 833.21
des marchandises 490.8
t. de gestion 66.7 ; 166.13 ; 339.15
débit cardiaque 128.3 ; 742.16
débit rapide 411.5
débit de boisson 75.19
haut débit 809.10
débitage
bûcheronnage 36.8 ; 74.4
débitant 135.16
débiter
dire 595.19
produire 662.17
t. de banque 587.22
une marchandise 135.23
découper 36.26 ; 74.21 ; 597.11
débiter sa marchandise 490.21
débiteur
obligé 348.3 ; 565.6
t. de banque 66.53 ; 166.24 ; 209.18
débitmètre 509.26
déblai 834.17
déblaiement 550.5
déblatération 227.6
déblatérer 412.10
déblatérer contre 227.16 ; 865.19
déblayage 550.5
déblayer
débourber 813.20
aplanir 649.12
débloquer
v.i.
déraisonner 321.19 ; 557.7
v.t.
un crédit 66.44
déboguer 408.25
déboire 178.2
ennui 192.5
déconvenue 416.2
déboires 11.1 ; 249.4
déboisement 36.3 ; 251.9
déboîtement
d'un os 72.4 ; 580.26
t. de plomberie 632.12
déboîter 230.8
débondage 461.8
débondement 461.8
débonder 585.12
couler 468.10
débonder (se) 461.16
débonnaire 302.24
bon 76.9
débonnairement 76.11
débonnaireté 76.1
débord 77.12
débordant
dépassant 190.10
délirant 600.13
t. de stratégie 487.39
débordement
désordre 201.3
excès 294.3
sortie 190.1 ; 298.1 ; 300.2 ; 783.1
d'un fleuve 319.14
t. de stratégie 487.14
débordements 426.3
déborder
v.t.
éloigner 263.9 ; 830.28
t. de stratégie 487.31
v.i.
abonder 1.8
sortir 190.5 ; 468.10 ; 783.14
débordé par les évènements 290.10
débotté 110.20
au débotté 386.16
débotter 110.15
débotter (se) 110.16
débouché
ouverture 585.1 ; 783.7
marché 490.8
déboucher
ouvrir 585.12
sortir 783.13
déboucher un lavabo 632.25
déboucheur 632.20
déboucler
libérer 461.13
t. de coiffure 129.13
déboulé 176.16
au déboulé 107.31
débouler
descendre 195.9
arriver 684.19
t. de chasse 107.27
déboulonnage 292.1
déboulonner 292.6
débourbage
t. de minéralurgie 518.4
nettoyage 550.10
débourber
t. de minéralurgie 518.11
nettoyer 550.33
débourrement 37.23
débourrer 301.10
débours
dépense 191.1 ; 339.9 ; 587.2
déboursement 587.2
débourser 587.13
debout 769.16
droit 692.13
remettre debout 702.7
se remettre debout 353.15
se tenir debout 692.10
ne pas tenir debout 303.10 ; 557.6
débouté 451.17
débouter 451.31
déboutonner 585.12 ; 859.39
déboutonner (se) 145.18
s'épancher 156.16
débraillage 547.4
débraillé 547.4 ; 859.46
négligé 547.17
débraillement 547.4
débrailler (se) 426.10 ; 859.40
jurer 399.6
débranchement
t. d'électricité 261.20
de wagons 832.5
débrancher 261.23
débrasage 756.6
débrayage
grève 480.10
automobile 57.12
débrayer
cesser le travail 480.14
automobile 57.24
débridé
impétueux 600.13
excessif 426.13
imagination débridée 378.2
débridement
t. de chirurgie 114.8
emportement 600.4
débrider
ouvrir 585.12
t. de chirurgie 114.33
sans débrider 153.30
débrider (se) 461.16
débris 721.3
vieux débris 863.5
débrouillard 7.13
débrouillardise 316.6
débrouille
système débrouille 807.8
débrouiller
ordonner 576.12
élucider 275.11 ; 302.15
dégrossir 649.10
débroussage 550.10
débroussaillage 550.10
débroussaillement 550.10
débroussailler 18.21
débroussailleuse 18.15
débroussement 550.10
défrichage 18.4
débucher
n.m. 107.11
v. 107.23 ; 783.20
débusquer 107.23
déloger 783.20
début
commencement 33.3 ; 134.1
du jour 494.2
de la vie 270.1
tentative 812.3
débuts 35.2
débuts difficiles 217.10

faire ses débuts 134.20 ; 649.5
débutant 134.14
apprenti 35.3
stagiaire 649.9
débutante 445.6
débuter
commencer 134.16 ; 297.10 ; 560.9
apprendre 35.6 ; 812.7
déca- 239.9 ; 509.36
deçà
en deçà 769.15
décacheter 585.12
correspondre 157.13
décadaire
dix 239.7
périodique 610.14
décade
le Décalogue 239.2
période 610.3
décadenasser 760.30
décadence
baisse 195.5
péché 119.9
chute 227.2
en pleine décadence 119.26
décadent 691.17
décadi
le Décalogue 239.2
jour 88.10
désœuvrement 389.5
décaèdre 338.6
le Décalogue 239.2
décagonal 239.7
décagone
polygone 239.2 ; 338.5
forteresse 182.9
décagramme 509.8
gramme 636.12
décaissement
t. de travaux publics 834.22
dépense 66.7 ; 191.1 ; 339.9
décaisser 587.13
décalage
dans l'espace 212.6 ; 433.1
dans le temps 60.2 ; 724.3
décalage horaire 871.3
décalaminage 550.6
décalaminer 550.28
décalcifiant 482.81
anticoagulant 742.18
décalcification 337.3
décalcomanie 448.12
double 388.9
décalé 60.11
décaler
ajourner 724.10
dévier 212.12
décalitre 509.7
le Décalogue 239.2
Décalogue 239.2
Torah 449.3
impératif 133.4
précepte 533.7
décalotter 762.32
décalquage 379.1
décalque 388.6
double 388.9
décalvant 482.67
décamètre 470 ; 509.7
règle 509.26
le Décalogue 239.2
décamétrique 239.7
décamper 189.10
décanat 822.23
décaniller 189.10
décantage 756.6
décantation 369.8
clarification 756.6
transmutation 113.13
décanter 369.14
analyser 113.20
canaliser 468.11
décanteur 756.9
décapage
t. de minéralurgie 518.3
nettoyage 550.9
t. de coiffure 129.10
décapement 550.9
décaper 550
tailler 517.15
décapeuse 834.27
décapitation 801.3
décapiter 801.22
décapodes 172.2
décapotable 57.6
décapoter 585.12
décapsulation 114.9
décapsuler 585.12
décapsuleur 848.32
décapuchonner 585.12
décarboxylation 113.14
protéosynthèse 94.26
décarboxyler 113.20
décarcasser (se)
faire un effort 15.7 ; 255
être généreux 336.5
décarrade 461.2
décarrement 461.2
décarrer 461.19
déguerpir 189.10
décartellisation 460.4
décastyle 39.27
décasyllabe
le Décalogue 239.2
vers 635.13
décathlon 792.3
décathlonien 792.45
décati 863.15
décatir 816.29
décatir (se) 863.10
décavaillonnage 18.4
décavaillonner 18.20
décavé 209.29
décaver 446.38
décédé 534.36
décéder 534.20
décelable 207.22
déceler 765.25
découvrir 179.5
détecter 207.17
décélération
diminution 220.1
vitesse 496.8
ralentissement 458.7
décélérer 458.10
déceleur 207.5
decem- 239.9
décembre 88.8
décemment 177 ; 571.15 ; 714.18
conformément à 147.15
chastement 108.10
décemvir 239.3
décence 108.3 ; 177 ; 365.3 ; 523.2
réserve 714.1
opportunité 571.2
décennal
dix 239.7
périodique 610.14
décennie
le Décalogue 239.2
période 610.3
décent
convenable 147.13
réservé 714.15
opportun 571.11
modeste 523.10
honnête 177 ; 365.13
chaste 108.9
décentralisation 642.7
décentraliser
régionaliser 695.13
libéraliser 642.21
décentrer 212.12
décepteur
décevant 178.8
insuffisant 416.9
déceptif
décevant 178.8
insuffisant 416.9
déception 178
peine 697.3
malheur 836.2
insatisfaction 416.1
consternation 198.3
constat d'échec 249.7
décérébration 100.24
décérébrer 100.25
décerner 241.14
décerner des éloges à 471.11
décès
disparition 228.4
mort 534.1
acte de décès 331.22
décevant 178.8
insuffisant 416.9
décevoir 178 ; 416.5
désoler 198.6
déchaîné 130.12
déchaînement
de la colère 130.1
de la violence 865.4
de la passion 600.4
déchaîner
causer 92.13
exciter 276.7
fâcher 130.10
libérer 461.13 ; 462.19
déchaîner (se)
s'agiter 17.11 ; 319.24
se fâcher 130.6 ; 600.11 ; 865.18
déchaler 319.23
déchanter 178.6
rester sur sa faim 416.6
décharge
reconnaissance 587.9 ; 688.7
dépotoir 688.9 ; 740.7 ; 834.26
allègement 457.4
soulagement 786.2
raclée 160.5
tir 820.2
libération 461.6
t. de menuiserie 505.5
réduction 317.19
décharge électrique 261.20
arche de décharge 834.19
déchargement 489.4
débarquement 829.3
déchargeoir 783.9
décharger
v.t.
alléger 457.9
soulager 786.7
libérer 461.15 ; 462.20

dispenser 31.10
exonérer 317.35
vider 489.17 ; 830.29
t. d'électricité 261.23
v.i.
déteindre 816.28
éjaculer 762.31
décharger sa bile 130.7
décharger (se)
se libérer 461.16
payer 587.19
déchargeur
manutentionnaire 489.16
vanne 834.10
décharné 303.18
déchaumage 18.4
déchaumer 18.23
déchaumeuse 18.15
déchaussé 110.20
déchaussement 482.26
déchausser
déshabiller 110.15
t. de travaux publics 834.38
déchausser (se) 110.16
déchaussoir 188.12
dèche
risque 175.5
pauvreté 603.2
battre la dèche 603.13
déchéance
péché 119.9
erreur 552.7
déclin 11.5
honte 227.4 ; 367.4
éviction 292.1
t. de droit 31.2
prononcer la déchéance de 292.9
déchet
reste 550.13 ; 721.3
médiocrité 500.5
déchets 296.1
Déchetterie 550.22
décheur 661.5
déchiffrable
intelligible 425.14
compréhensible 432.20
déchiffrage
lecture 179.2 ; 425.6
d'une partition 542.15
déchiffrement 459.11
écriture 252.8
déchiffrer
comprendre 179.8 ; 275.11 ; 425.12 ; 459.16
une partition 542.20
déchiqueté 205.26
déchiqueter
mordre 188.23
déchirer 72.14
détruire 205.14
déchirant
strident 794.5
tragique 625.13 ; 827.13 ; 836.14
douloureux 243.14
déchiré 441.18
déchirement
destruction 205.4 ; 597.4
blessure 72.3
déchirer
blesser 72.14
détruire 205.17
déchirer le voile 34.10
déchirer à belles dents 227.14
déchirure
ouverture 585.3
blessure 72.3
déchloruré 214.2
déchocage 775.9
déchoir
rétrograder 683.17
tomber bien bas 405.11
baisser 195.13
faillir 828.12
s'avilir 367.11
déroger 552.23
déchristianiser 117.22
déci- 239.9 ; 324.20 ; 509.36
déciatine 509.22
décibel 55.13 ; 781.12
décidable 716.10
décidé 870.13
convaincu 99.9
résolu 716.7
décidément 716.10
décident 318.48
décider
choisir 116.8 ; 428.8 ; 642.20 ; 664.11 ; 716.4 ; 870.8
persuader 148.12 ; 614.9
ne savoir que décider 438.5
décider (se)
se résoudre à 716.6
choisir 116.8
élire 260.25
décideur 116.6
décidu 318.48
déciduale
utérus 265.9 ; 762.14
déciduome 841.3
décigramme 509.8
dixième 239.4
gramme 636.12
décilage
t. de statistique 239.5 ; 493.6
décile 239.4
décilitre 509.7
dixième 239.4
décimal
métrique 509.33
dix 239.7
calcul décimal 87.6
décimale 239.4
décimation 239.5 ; 801.3
décime 239.4
décimer 239.6 ; 801.22
décimètre 470.6 ; 509.7
dixième 239.4
double décimètre 470.6
decimo- 239.8
décinormal 113.24
décintrage 834.24
décintrer 834.41
décisif 384.13
décision 716
choix 116.1
initiative 812.5
résolution 666.6
jugement 451.14
caractère 59.4
décision ex cathedra 590.5
décisionnaire
n. 116.6 ; 133.10 ; 279.6
adj. 240.19
décisoire 835.22
deck-tennis 792.10
déclamateur 347.7
charmeur 264.5
déclamation 595.10
exagération 347.5
déclamatoire 347.12
déclamatoirement 347.16
déclamer 347.8
phraser 622.15
dire 595.19
déclamer contre 865.19
déclaratif 13.10
déclaration
affirmation 13.1
parole 136.4 ; 595.4
discours 225.1
déclaration d'amour 27.5
déclaration des causes de décès 498.11
déclaration de faillite 209.11
déclaration de guerre 354.5
déclaration d'impôt 317.23
déclaration d'intention 428.1
déclaration de naturalité 288.14
Déclaration des droits de l'homme et du citoyen 245.37
Déclaration universelle des droits de l'homme 245.37
faire sa déclaration 27.20
déclarative 622.3
déclaré 585.18
déclarer 136.15
affirmer 13.6
déclarer coupable 144.27
déclarer forfait 377.9 ; 701.9
déclarer nul et non avenu 31.6
déclarer sa flamme 27.20
déclarer (se)
apparaître 34.7
se passer 290.11
déclassé
désorganisé 202.9
déchu 683.21
déclassement 202.1
déclasser
désorganiser 202.6
ravaler 405.7
déclasser (se) 552.23
déclenchant 482.81
déclencher
causer 92.9 ; 687.7
ouvrir 585.11 ; 760.30
entreprendre 279.8
provoquer 793.13
déclencher (se) 34.7
déclencheur
cause 7.14
t. de photographie 621.15 ; 621.4
déclic 476.12
déclimater 127.16
déclin
fin 315.4
dégradation 344.4
décadence 11.5 ; 227.2
diminution 220.1 ; 405.1
de la lune 195.3 ; 474.3
vieillesse 28.2 ; 863.2
affaiblissement 16.2
déclin du jour 776.4
en déclin 28.12
déclinable 346.21
variable 535.26
déclinaison
descente 232.2
déclin 49.21

t. de grammaire 346 ; 535.9
déclinaison magnétique 478.5
déclinant 16.10
déclinatoire 451.17
élever un déclinatoire 451.31
décliner
faillir 405.12
diminuer 16.8 ; 220.10 ; 315.13
vieillir 28.7 ; 863.10
descendre 49.30 ; 119.22 ; 195.9
une invitation 11.23 ; 346.17 ; 693.7
décliner son identité 554.23
déclive 100.7
décloîtrer 461.12
déclore 585.10
déclouer 585.11
décochage 510.6
décochement 816.10
décocher 42.10
décocheur 510.14
décoction
préparation 499.17
tisane 75.7
décodage 425.6
interprétation 432.2
décodé 425.14
décoder 425.12
élucider 275.11
interpréter 432.13
décodeur 681.4
décœurage 74.4
décœurer 74.21
décoffrage 834.24
décoffrer 834.41
décohérence 223.8
décoiffé 129.19
décoiffer
déboucher 585.12
dépeigner 129.16
décolérer
ne pas décolérer 130.7
décollage
montée 531.1
navigation aérienne 831.6
décollation 801.3
décollation de saint Denis 374.5
décollation de saint Jean-Baptiste 374.5
décollement
décollement de la rétine 482.28
décollement épiphysaire 72.3
décoller
dissocier 230.8
s'élever 20.13 ; 531.12 ; 831.18
décapiter 801.22
décolleté 562.5
décolleter 604.12
décolleteuse 476.10
machine agricole 18.15
décolleur 801.15
décolonisable 461.26
décolonisateur 461.9
décolonisé
affranchi 461.11
libéré 461.21
décoloration 369.8
blanchiment 71.4
décoloré 444.8
décolorer
jaunir 444.6
coiffer 129.13
décombres 721.4
reste 119.12
décommander 31.9
décommuniser 460.7
décomposable 325.9
décomposer
dissocier 113.20 ; 230.10 ; 597.11
détruire 205.14
décomposer (se)
se désorganiser 202.8
s'affaiblir 16.8
décomposition
dissociation 23.6 ; 230.1
destruction 205.3
t. de mathématiques 493.2 ; 539.1
décomposition de la lumière 473.16
décompresser 335.13
décomprimer
déployer 298.11
gazéifier 335.13
décompte
comptage 555.8
soustraction 790.1
désillusion 178.1
t. de comptabilité 339.15
faire le décompte de 555.13
décompter 790.6
déconcentration 394.1
déconcentrer 394.8
déconcertant
surprenant 805.13
capricieux 90.10
imprévisible 386.14
déconcerté
surpris 805.12
irrésolu 438.9
gauche 819.8
déconcerter
surprendre 805.4
déranger 415.8
décondamner 760.30
déconfire 827.9
déconfit 249.18
déconfiture
aggravation 16.2
déception 178.2
échec 249.1
banqueroute 209.9
déconfort 198.1
déconforté 198.10
déconforter 198.5
décongeler 102.19
décongestionnant 499.5
déconnecter 261.23
déconner 784.11
déconseiller 148.9 ; 231.8
déconsidération
irrespect 439.1
discrédit 227.1
déconsidéré
infériorisé 405.17
discrédité 227.25
déconsidérer
dévaloriser 789.5
discréditer 227.12
déconstruction 205.1
déconstruire
démonter 202.5
détruire 205.14
déconstruit 202.11
décontamination
vaccination 775.11
épuration 550.11
décontaminer
laver 669.9
injecter 775.26
épurer 550.35
décontenancé 805.12
décontenancer
surprendre 805.4
impressionner 59.15
décontract 89.13
décontracté 89.13
décontracter
décomprimer 298.11
ramollir 526.8 ; 541.21
décontraction
expansion 298.2
d'un muscle 541.18
calme 89.4 ; 706.3
aisance 302.4
décontracturant 541.24
déconvenue 416.2
déception 178.1
constat d'échec 249.7
décor
environnement 280.2
ornement 578.1
d'une scène 120.14 ; 748.8
faire partie du décor 280.7
décorable 366.26
décorateur
de théâtre 748.10
de cinéma 120.27
d'intérieur 519.31 ; 578.11
décoratif 578.16
peinture décorative 607.2
serrurerie décorative 760.2
décoration
récompense 41.20 ; 366.9 ; 507.5 ; 798.5 ; 822.12
ornement 578
profession 748.8
décoration intérieure 519.29
décorativement 366.30
décoré
récompensé 366.11
orné 519.38 ; 578.17 ; 848.37
décorer
récompenser 41.21 ; 341.12 ; 366.14
orner 519.35 ; 578.12
décorticage 36.7 ; 369.8
décortication
t. de chirurgie 100.24 ; 114.9
t. d'arboriculture 36.7
décortiquer 36.22
décorum 98.2
décote
moins-value 659.4
exemption 317.19
découder 692.8
découdre 597.11
découler 788.13
découler de 254.5 ; 698.8
découpage 584.29
affinage 328.3
découpage électoral 260.21
découpé 760.32
découper
fractionner 324.11 ; 597.11
une viande 333.38
t. de sculpture 749.21
t. de menuiserie 505.22

découper (se) 34.8
découpeuse 476.10
découplage 756.7
découplé
bien découplé 864.17
découpler
séparer 756.13
t. de chasse 107.19
découpure 578.5
découragé
triste 836.10
désespéré 198.10
décourageant
attristant 836.14
terrible 827.13
désespérant 198.9
dissuasif 231.10
découragement
faiblesse 303.2
ennui 272.4
tristesse 198.1 ; 836.2
renonciation 701.2
dissuasion 231.1
décourager
dissuader 231.5 ; 713.11
attrister 198.5 ; 836.7
décourager (se)
abandonner 452.6
renoncer 701.9
broyer du noir 11.22
décourber 505.23
décours
baisse 220.5
phases de la Lune 474.3
décousu 223.2
décousure
morsure 188.7
blessure 72.8
découvert
n.m.
terrain 487.16
dette 166.8 ; 209.1
adj. 585.18
à découvert 166.33 ; 585.19
ligne de découvert 166.12
vente à découvert 81.15
découverte 179
innovation 375.4 ; 414.3 ; 560.2
mission 487.12
t. de théâtre 748.8
t. de minéralurgie 518.6
aller à la découverte 871.20
découverture 518.3
découvrable 179.11
découvreur
inventeur 179.4
pionnier 812.6
découvrir
innover 414.7 ; 560.8
trouver 35.6 ; 179.5 ; 207.17
mettre à nu 562.11 ; 867.5
découvrir le fin mot de l'histoire 179.8
découvrir son cœur à 145.17
découvrir son jeu 446.35
découvrir (se)
devenir visible 867.6
saluer 163.9 ; 717.10 ; 741.21
t. de stratégie 487.36
se découvrir à 145.17
décramponner
devancer 190.6
courir 792.83
décrassage 550.1
décrassement 550.1
décrasser 550.25
décrassoir 669.5
décréditement 227.6
décréditer 227.12
décrêpage 129.10
décrêper 129.13
décrépit 863.15
décrépitation 83.6
décrépitude
vieillesse 28.2 ; 863.2
faiblesse 16.2
decrescendo 344.17 ; 543.59
diminuendo 220.25
décret
publication 13.3
loi 133.5 ; 148.5 ; 245.30 ; 642.2 ; 696.2
décret de la Providence 305.3
décrétale
encyclique 590.7
mise en demeure 133.5
décrété 696.20
décréter
publier 13.6
prescrire 133.16 ; 650.6 ; 696.14
décret-loi 245.30
décri
dévalorisation 789.2
discrédit 227.1
décrié 367.16
contesté 194.16
discrédité 227.25
décrier
dévaloriser 789.5
discréditer 227.12
décriminalisation 144.16
décrire 196.9 ; 691.13
représenter 709.8
décrisper 541.21
décrochage
descente 195.1
désintoxication 825.3
retraite 180.2 ; 487.13
t. d'astronautique 48.5
décrochement 402.4
décrochement de la mâchoire 482.26
décrocher
descendre 195.14
se désintoxiquer 825.17
se retirer 180.7 ; 487.33
un téléphone 809.19
décrocher la timbale 798.17
vouloir décrocher la lune 474.18
décrochez-moi-ça 135.12
décroire 398.13
décroissance
diminution 220.1 ; 344.4
récession 389.3
décroissant 195.18 ; 344.11
t. de mathématique 493.4 ; 493.9
décroissement
diminution 220.1 ; 344.4
décrue 319.14
décroît
baisse 220.5
phases de la Lune 474.3
décroître
diminuer 220.10 ; 344.8
descendre 195.13
faiblir 405.12
décrottage 550.4
décrotter
laver 669.9
nettoyer 550.25
décrotteur 550.24
décrottoir 550.17
décrue
diminution 220.5 ; 344.4
d'un fleuve 319.14
décryptage
décodage 425.6
écriture 252.8
décryptement 425.6
décrypter 425.12
décrypteur 425.8
dectique 417.15
déçu 178
triste 836.10
insatisfait 416.8
désespéré 198.10
de cujus 241.10
déculottée 180.1
déculturation 371.20
décuple
n.m. 239.1
adj. 239.7 ; 539.6
décuplement 56.1
décupler 239.6
multiplier 539.4
décupler ses forces 864.10
décurie 239.2
décurion 239.3
décurrente 37.27
décuscutage 18.4
décuscuter 18.21
décussation 100.20
décussée 37.27
décuvage 756.6
décuvaison 756.6
dédaigner
refuser 439.6 ; 693.8
négliger 401.13 ; 547.12
dédaigneux
fier 312.11 ; 439.14 ; 800.23
négligent 547.16
dédain
irrespect 439.1 ; 532.2
indifférence 401.3
mépris 625.3
dédale
labyrinthe 140.2 ; 217.9 ; 567.8
intimité 751.2
Dédale 236.41
dedans
n.m. 430.1
adv. 278.20 ; 396 ; 430.16 ; 769.15
au-dedans 769.15
en dedans 176.33 ; 278.20
au-dedans de 430.16
en dedans de 430.16
se mettre dedans 283.14 ; 483.14
dédicace
sacralisation 736.5
sacrement 173.14
couronnement 98.6
dédicace ou fête des lumières 310.5 ; 449
dédicacé 173.24
dédicacer 173.21
dédier 336.6
dédifférenciation 94.27
dédire (se)
se reprendre 25.12 ; 31.7 ; 546.12 ; 850.11
trahir 181.6 ; 828.12
dédit
négation 546.4

d'une promesse 666.8
trahison 828.4
somme 587.5
dédommagement
compensation 139.5
soulagement 786.3
restitution 722.2
en dédommagement 722.17
dédommager
compenser 139.8
remercier 348.4
réparer 707.11
restituer 722.10
payer 587.16
dédommager (se) 726.9
dédosser 505.26
dédossir 505.23
dédouanage 587.1
dédouanement 587.1
dédouaner 587.19
dédoublage
bûcheronnage 36.8 ; 74.4
dédoublante 118.7
dédoublé 840.2
dédoublement
doublement 210.3
de la personnalité 321.6 ; 613.10
d'un train 832.7
dédoubler 210.7
dédoubler les files 487.29
dédoubler un train 832.28
dédoubler (se) 756.14
dédramatiser 89.8
déductibilité 790.4
déductible 790.10
déductif 511.15 ; 807.17
analytique 682.14
déduction
soustraction 220.4 ; 317.19 ; 524.3 ; 790.1
raisonnement 682.2 ; 788.4
déduire
raisonner 511.12 ; 682.9
déduire de 790.6
déduire (se) 788.13
déduit
n.m.
soustraction 790.1
plaisir amoureux 27.6
adj.
sous-entendu 788.17
déesse
divinité 236.1
beauté 69.3
déesse de la Fécondité 711.17
déesse mère 236.2 ; 711.17
la déesse Raison 682.6
de facto 245.59
défaillance
absence 2
manquement 488.1
malaise 303.3 ; 397.2 ; 418.5 ; 482.1
oubli 583.1
à une promesse 666.8
t. de droit 181.1
défaillant
absent 2.10 ; 404.9
inconscient 303.19 ; 397.14
t. de droit 181.7
défaillir
mourir 404.6
faiblir 405.12
s'évanouir 303.12 ; 397.12 ; 418.11
t. de droit 181.6
défaire
désorganiser 202.4
ouvrir 585.12
détruire 205.14
défaire (se) 202.8
se séparer de 292.9 ; 701.5 ; 756.16
se débarrasser de 713.9
donner 101.12
défait
désorganisé 202.11
faible 303.19
triste 836.10
vaincu 180.10
défaite 180
lors d'une bataille 260.20 ; 354.8
échec 178.2
défaitisme 180.4
pessimisme 615.1
lâcheté 619.5
renoncement 701.2
défaitiste
n. 180.5 ; 615.4 ; 701.4
adj. 615.6 ; 619.19 ; 701.10 ; 785.9
défalcation
abaissement 220.4
soustraction 790.1
défalquer 524.11
réduire 790.6
défatiguant 499.4
défatiguer 706.10
défatiguer (se) 706.12
défausse 446.9
défausser
détordre 692.8
t. de jeu 446.35
défausser (se) 401.13
défaut
manque 2.1 ; 404.2 ; 488.1
défection 181.1
anomalie 32.4 ; 216.2 ; 383.4 ; 556.6 ; 860.5
erreur 283.8
malformation 453.3 ; 484.1
tic 357.6 ; 483.7 ; 731.2
défaut d'âge 14.6
défaut d'élocution 411.5
défaut de comparution 2.3 ; 451.6
défaut de fabrication 32.4 ; 283.8
à défaut de 2.12 ; 404.14 ; 797.16
au défaut de 488.19
par défaut 2.11 ; 488.16
condamnation par défaut 144.1
jugement rendu par défaut 451.14
faire défaut 2.7 ; 404.6 ; 488.7
défaveur
reproche 720.2
impopularité 410.3
discrédit 227.1
en défaveur 227.22
défavorable
contraire 572.15
sort défavorable 11.3
défavorablement 11.31
défavorisé
infériorisé 405.17
infortuné 11.27
défavoriser 11.18
inférioriser 405.7
défécateur 296.29
t. de chimie 113.17
défécation
épuration d'un liquide 113.13 ; 756.6
excrétion 218.1 ; 258.3 ; 296.9
défectif 346.12
défection 181 ; 392.3
abandon 452.2
désertion 828.2
défectionnaire
déserteur 181.4
absent 181.9
défectologie 498.5
défectueux
inexact 556.14
raté 488.11
défectuosité
anomalie 32.4 ; 556.6
insuffisance 500.2
imperfection 383.1
défaut 860.5
défend, défends ou **défens**
interdiction 429.1
défense 182.1
défendable 182.31
motivé 536.10
défenderesse 835.12
défendeur 835.12
défendre
interdire 133.16 ; 308.15 ; 429.11 ; 572.8 ; 693.11 ; 870.10
appuyer 268.11
protéger 182.21 ; 451.29 ; 487.30 ; 626.6 ; 653.12 ; 671.18
défendre son honneur 366.20
défendre (se)
lutter 182.26 ; 671.25 ; 674.7 ; 687.10 ; 715.15
s'interdire 182.25 ; 429.16
défends → **défend**
défendu
protégé 671.28
interdit 399.10 ; 429.17
défenestrer 534.28
défenestrer (se) 119.21
défens → **défend**
défensable 182.31
défense 182
contre-attaque 707.2
résistance 487.9 ; 715.3 ; 792.49
protection 67.13 ; 653.1 ; 671.1
soutien 268.3
interdiction 31.6 ; 133.3 ; 385.2 ; 429.1
dent 188.4 ; 486.20
t. de droit 225.3 ; 626.2 ; 626.4 ; 626.5
t. de psychanalyse 397.8
t. de serrurerie 760.8
légitime défense 182.1
défense de 429.1
défense de la nature 251.10
défense du consommateur 191.6
sans défense 175.18 ; 303.22
secret défense 751.4
pl.
défenses 182.8
défenseur
protecteur 182.19 ; 653.7 ; 671.11

partisan 225.12 ; 268.7 ; 472.7
avocat 626.5 ; 835.13
t. de sports 792
défenseur de la veuve et de l'orphelin 451.18
défensif 50.5 ; 182.28 ; 715.22
dissuasif 231.10
protectif 671.30
défensive
défense 182.1 ; 715.3
retraite 487.13
sur la défensive 182.26 ; 183.11 ; 619.23
défensivement 182.32
déféquer 296.20
digérer 218.19
déférence 523.2
courtoisie 163.1
soumission 564.2
déférent
respectueux 564.11 ; 717.14
t. d'astronomie 49.3 ; 97.4
déférer
conférer 241.15
t. de droit 451.26
déférer à 564.8 ; 717.8
déferlant 319.10
déferlement 540.5
déferler 319.20
défeuillaison
défoliation 79.8
feuillaison 37.23
défeuiller (se) 37.24
défeutreur 476.9
défeutreuse 476.9
défi
menace 63.6
agressivité 50.7
défi au bon sens 385.3
défiance 183 ; 207.3 ; 674.2
circonspection 714.2
angoisse 619.2
défiant 183.16
peureux 619.19
jaloux 442.9
défibreur 476.9
défibriné 742.31
défibriner 742.26
déficience
manque 488.1
infériorité 405.1
évanouissement 303.3
sottise 784.1
déficient
manquant 488.10
infériorisé 405.17
faible 303.17
déficit
manque 488.1
immunodépression 381.6
sottise 784.1
défier
oser 161.7
agresser 50.16
défier les années 247.6
défier toute concurrence 524.13
défier (se)
faire attention 674.6
se défier de 183.7
défigurer
enlaidir 453.6 ; 814.15
dénaturer 229.6
défilé
succession 540.5 ; 758.3
gorge 289.3 ; 530.9
parade 176.14 ; 309.7 ; 487
défilé de mode 520.3
défilement 487.18
défiler 487.27
défiler son chapelet 595.20 ; 657.20
défiler (se)
s'échapper 228.8
abandonner 452.6
déserter 828.14
défileuse 476.9
défini
déterminé 467.12 ; 509.30
expliqué 425.15 ; 753.14
t. de grammaire 346.10
définir
déterminer 376.11 ; 467.7 ; 559.10
donner le sens 535.23 ; 753.11
définitif 315.20
permanent 611.15
définition
détermination 376.9 ; 467.4 ; 509.3
signification 432.1 ; 729.5 ; 753.2 ; 753.5
t. de logique 658.2 ; 802.2
t. de religion 818
définitionnel
principiel 658.10
explicatif 753.18
définitivement 611.20
définitoire 658.10
défiscaliser 317.35
déflagrant 131.26
déflagration
explosion 131.3
pétarade 83.8
déflagrer 131.24
déflation 659.3
défléchir 212.14
déflecteur
réflecteur 212.9
carrosserie 57.5
défleurir 318.43
dépérir 79.21
déflexion
diffraction 212.4
réverbération 473.16
défloraison 79.8
défloration 763.9
déflorer 763.37
défluer 49.32
défoliant 43.17
défoliation 37.23 ; 79.8
défolier 79.20
défonce 825.10
défoncé 441.18
défoncement 18.4
défoncer
détériorer 205.17
briser 115.21 ; 160.12
labourer 18.20 ; 167.11 ; 649.10
défoncer (se)
se dépenser 15.7 ; 864.11
se droguer 825.16
défonceuse
bulldozer 834.27
machine agricole 18.15
t. de menuiserie 505.15
déforestation 36.3
déformant 574.22
déformation 212.2 ; 323.6 ; 510.9
déformation professionnelle 357.3
déformé 202.11
déformer
distordre 202.5 ; 212.15 ; 323.18 ; 526.7
dénaturer 104.16 ; 229.6 ; 378.9 ; 432.18
déformer (se)
ployer 212.18
s'altérer 205.24
défoulement 745.2
défouler (se)
assouvir 745.9
se libérer 461.16
défouloir 786.3
défourner 333.40
défraîchi 206.10
usé 28.13
défrayer 587.17
défrayer la chronique 227.23 ; 290.9 ; 731.6
défrichage ou **défrichement** 18.4 ; 550.10
défricher 18.21
préparer 649.10
défricheur 812.6
défrisage 129.10
défrisant 129.6
défrisé 249.18
défriser
déboucler 129.13
contrarier 416.5
défroque 206.3
fripes 859.2
défroquer 525.28
défruiter 369.14
défunt
n. 331.27
adj. 2.10 ; 404.10 ; 534.36
dégagé
n.m. 176.16
adj.
clair 561.15
désinvolte 394.9
libéré 461.23 ; 462.29
dégagement
passage 481.24 ; 585.1 ; 783.7
extraction 301.3
reniement 666.8
déblaiement 550.10
t. de sports 792
voie de dégagement 783.7 ; 833.22
dégager
extraire 295.9 ; 301.11 ; 567.16 ; 783.22
exhaler 569.16
libérer 461 ; 462
t. de coiffure 129.13
t. de sports 792
dégager (se)
s'extraire 301.12
se libérer 666.21
s'exhaler 335.15 ; 783.14
se détacher 34.8
s'éclaircir 561.10
dégaine 323.4
dégainer 301.11
dégarni 624.21
dégarnir (se) 624.16
dégasolinage ou **dégazolinage** 335.11
raffinage 617.3
dégasoliner ou **dégazoliner** 335.14
dégât 205.18
limiter les dégâts 467.7
dégauchir
aplanir 256.15 ; 505.23 ; 517.15

redresser 36.26 ; 692.8
dégauchissage ou **dégauchissement** 505.11
dégauchisseuse 476.10
raboteuse 505.15
dégazage 335.11
fusion 855.9
dégazéifier 335.13
dégazer 335.14
dégazeur 335.11
dégazolinage → dégasolinage
dégazoliner → dégasoliner
dégel 102.7
printemps 738.2
dégelée 160.5
dégeler 102.19
chauffer 109.23
t. de banque 66.44
dégénératif 16.11
ulcéreux 482.82
dégénération 16.1
dégénérer
s'abâtardir 32.10
s'aggraver 16.5 ; 841.11
dégénérescence 821.8
aggravation 16.1
cancérisation 841.6
dégénérescent 202.13
déliquescent 16.10
dégîter 107.27
dégivrer 102.19
déglacer
dégeler 109.23
t. de cuisine 333.42
déglinguage 205.4
déglingué 205.26
déglinguer 205.16
déglinguer (se) 205.24
déglutir 218.18
déglutition 218.12
dégobiller 482.54
vomir 296.21
dégoiser 412.10
dégommage 292.1
dégommer 292.6
dégonflard
peureux 619.7
lâche 452.4
dégonfle 452.1
dégonflé
n. 452.4 ; 619.7
adj. 452.8
dégonflement 220.3
dégonfler (se)
reculer 452.5 ; 619.17
dégorgement
sortie 783.1
écoulement 468.6
dégorgeoir
rigole 633.9 ; 783.9
outil 505.16 ; 584.4
dégorger
v.t.
laver 816.28
déverser 783.22
déboucher 307.18 ; 505.27
vomir 296.21
v.i.
dégoutter 372.15
t. de cuisine 333.38
dégou 486.5
dégoudronnage 617.3
dégoulinade 468.3
dégoulinement 468.3
dégouliner 468.10
dégourdi
intelligent 424.11
actif 7.13
vif 684.30
dégourdir
éduquer 253.7
instruire 649.11
dégourdir (se)
bouger 502.14
se déniaiser 35.5
dégoût
répugnance 713.3
aversion 62.1
ennui 272.1
inimitié 410.1
dégoûtamment 713.17
dégoûtant 740.12
répugnant 192.13
dégoûtation 62.1
dégoûté 62.12 ; 744.10
las 272.16
faire le dégoûté 184.9 ; 217.17
dégoûter
répugner 62.10 ; 192.7 ; 713.12
décourager 231.5
dégoutteler 468.10
dégoutter
suinter 372.15
couler 468.10
sécréter 340.11
dégradable 325.9
dégradant
déshonorant 367.14
diffamatoire 227.29
dégradation
détérioration 16.1 ; 23.6 ; 201.1 ; 344.4
destruction 119.10 ; 205.6
destitution 144.9 ; 227.7 ; 266.10 ; 292.1 ; 429.3 ; 683.10
avilissement 367
dégradé
n.m. 159.13 ; 344.5 ; 607.11
adj. 159.27 ; 227.27
dégrader
t. de peinture 607.27
t. de coiffure 129.13
dégrader
détériorer 23.9 ; 201.11 ; 205.15 ; 740.9
avilir 227.20 ; 367.10 ; 731.5
destituer 266.22 ; 292.6 ; 683.13
dégrader (se)
décliner 11.23
s'altérer 205.24
dégrafer 859.39
dégraissage
détachage 550
licenciement 292.2
t. de menuiserie 505.11
dégraisser
détacher 550.25 ; 816.27
licencier 292.8
démaigrir 505.23
t. de cuisine 457.9
dégravoyer 834.38
degré
rang 683 ; 769.4
quantité 678.1
unité de mesure 127.12 ; 509
poids 636.2
marche 481.29
t. de mathématiques 493.3
t. de géométrie 769.6
t. de musique 543.11
degrés 543.17
degré angulaire 30.3
degré baumé 187.6
degré Celsius 102.12
degré centésimal 95.3
degré centigrade 102.12
degré hygrométrique 127.3
degré zéro 872.2
degré de concentration 187.6
degré de dureté 778.2
degré de noblesse 552.2
degré de parenté 314.2
par degrés 344.14 ; 683.22
au dernier degré 427.35
au premier degré 72.2
dégressif 220.20 ; 317.42
graduel 344.10
impôt dégressif 317.5
dégression 344.4
dégressivité 344.1
dégrèvement
abaissement 220.4
réduction 524.3
exonération 317.19
dégrever 524.11
exonérer 317.35
dégringolade
chute 119.2 ; 195.4
ruine 209.9 ; 227.2 ; 249.1
dégringoler
descendre 195.9
tomber 119.18 ; 530.15 ; 633.13
dégripper 476.16
dégrisement 249.7
dégrossage 220.3
dégrosser 220.12
dégrossir
éduquer 253.7 ; 649.11
démêler 649.10
ébaucher 505.23 ; 584.37 ; 749.18
dégrossir (se) 35.5
dégrossissage 584.29
dégroupement
division 597.4
dissociation 230.1
dégrouper 756.12
partager 597.10
répartir 597.12
déguenillé 603.23
débraillé 859.46
déguerpir 107.27 ; 189.10
dégueu 740.12
dégueulasse
cochon 740.8
dégoûtant 740.12
dégueulasser 740.9
dégueuler
vomir 296.21 ; 482.54
injurier 412.10
dégueuleux 633.4
dégueulis 296.6
déguisé 859.44
bal déguisé 309.11
déguisement
dissimulation 373.1
travestissement 859.4
déguiser
travestir 859.33
dissimuler 104.16 ; 373.13 ; 504.15 ; 751.17
déguiser (se) 859.36
dégustateur 343.12
dégustation 343.10
verre à dégustation 848.5

déguster
savourer 75.25 ; 343.15 ; 703.28
souffrir 160.20 ; 688.17
déhalage 826.2
déhaler 826.10
déhanchement 502.5
déboîtement 72.4
déhancher (se) 579.11
déharder 107.19
déhiscence 79.8
dehors
n.
extérieur 20.4 ; 300.1
apparence 323.4
fortification 182.10
adv.
à l'extérieur 258.14 ; 300.16 ; 783.28
au grand air 20.20
int. 258.16 ; 783.31
au-dehors 769.15 ; 783.28
en dehors 176.33 ; 295.15 ; 783.28
au-dehors de 300.18 ; 783.30
en dehors de 190.13 ; 295.17 ; 783.30
aller dehors 300.12
mettre dehors 292.7
déhouiller 518.11
déhydroépiandrostérone 762.9
déi- 215.22
déictique 535.2
déification 341.6
déifier
diviniser 215.19 ; 236.46
sacraliser 341.12
deilephila 417.11
Deimos 49.10
déiste 700.12
déité 236.1
déjà 598.18
déjà-vécu 598.4
déjà-vu
ancien 28.5
banalité 630.5
le déjà-vu 598.4
déjection
excrétion 296.9 ; 783.4
lave 337.7
déjeté 484.7
déjeter (se) 242.9
déjeuner
n.m.
repas 703
tasse 848.4
déjeuner de soleil 421.2 ; 816.4
déjeuner
v. 703.22
déjuc 494.2
déjucher 570.33
se lever 494.6
déjudaïser 449.27
déjuger (se)
renier 181.8
se rétracter 31.7
de jure 245.59
delà 647.29
au-delà 300.17
au-delà de 300.18 ; 647.29
délabré
usé 28.13
brisé 205.26
délabrement
bouleversement 202.2
vieillissement 28.2
affaiblissement 16.2
effondrement 205.2
délabrer 205.15
délabrer (se)
se défaire 202.8
s'altérer 205.24
délacer 230.8
délai
prolongation 209.13 ; 302.10 ; 587.7
retard 458.4 ; 647.5 ; 724.2
à bref délai 332.18 ; 647.26
sans délai 421.16
délaissé
inabouti 392.18
seul 779.16
délaissement
abandon 701.1 ; 779.2
cession 101.2
délaisser 547.11
abandonner 181.7
renoncer 701.5
inachever 392.12
délaitage 328.3
délaiter 454.11
délaiteuse 476.9
délarder 517.15
délassant 706.14
délassé 706.17
délassement
repos 706.3 ; 706.6
distraction 599.2 ; 629.5
délasser
reposer 706.10
distraire 599.12
délasser (se)
se reposer 706.12
se distraire 599.13
délateur 828.8
t. de serrurerie 760.7
délation 828.5
délavé 159.27
délaver (se) 816.29
Delawares 371.7
délayé 665.11
délayer
mélanger 468 ; 501.14 ; 588.7
étirer 247.9 ; 595.9 ; 665.3
Delco 57.3
deleatur 31.3
déléaturer 31.11
délébile 31.14
délectable
agréable 629.15
délicat 184.10
délectation 629.1
délecter 447.10
délecter (se) 343.13
délégant 145.10
délégataire 145.11
délégateur 145.10
délégation
délégation parlementaire 708
t. de droit 145.8 ; 260.8
délégué
n.
représentant 145.11
délégué pédagogique 274.14
adj. 451.4
déléguer
faire confiance 145.14
élire 708.19
délestage 457.4
délesté 457.12
délester
décharger 457.9
voler 869.23
t. d'électricité 261.23
délétère
toxique 335.23
débilitant 127.21 ; 175.14
corrupteur 175.15
délétion 361.9
délibératif 260.9
délibération
réflexion 682.4
discussion 156.6 ; 451.14 ; 642.2
délibéré
voulu 870.11
libre 462.36
intentionnel 428.12
délibérément
volontairement 870.14
intentionnellement 428.14
délibérer
réfléchir 682.11
décider 116.11 ; 716.4
discuter 156.17
délicat
fragile 303.17 ; 325.10 ; 457.11 ; 755.17
fin 316.16
délicieux 184.10 ; 677.16 ; 755.20
difficile 175.11 ; 217
délicatement
soigneusement 457.16 ; 774.25
finement 184.12 ; 316.22
tendrement 755.23
délicatesse 184
soin 457.1 ; 774.4
fragilité 69.2 ; 303.1 ; 325.1
être en délicatesse 410.7
délice 629.1
pl.
délices 91.4 ; 629.5 ; 670.3
jardin des délices 591.5
délicieusement
plaisamment 629.20
délicatement 184.12
délicieux
bon 343.21 ; 629.15 ; 677.16
charmant 69.18 ; 184.10
delicious 330.10
déliction 27.1
délictuel
délictueux 284.13
criminel 169.27
délictueux 284.13
criminel 169.27
condamnable 144.35
délié
n.m. 459.3
adj.
mince 457.1
fluide 781.30
vif 424.11
subtil 10.18 ; 184.10 ; 316.15
déliement 461.1
délier 462
pardonner 592.11
délivrer de 461.15
délier les cordons de sa bourse 587.13
sans bourse délier 349.8
délier (se) 828.12
délies 310.8
délignage
bûcheronnage 36.8 ; 74.4

déligner 74.21
délignure 505.3
délimitation
identification 376.9
tri 126.10
séparation 756.1
limitation 467.4
délimiter
identifier 376.11
séparer 756.11
limiter 467.7
délinéament
bord 77.1
format 323.2
ligne 466.1
délinéamenter 466.10
délinéation
guillochage 466.3
t. de peinture 607.10
délinéer
border 77.16
dessiner 466.10 ; 607.27
délinquance 169.1
délinquant
n. 169.17
adj. 169.27
déliquescence
décadence 16.2 ; 119.9
t. de physique 372.5 ; 468.2
déliquescent 16.10
délirant
insensé 294.14 ; 557.9 ; 600.13
t. de psychiatrie 321.25
délire
agitation 201.2
ivresse 276 ; 600.3
divagation 294.3 ; 378.5 ; 557.4
t. de psychiatrie 321 ; 442.1 ; 839.2
délire d'interprétation 432.6
délirer
déraisonner 378.10 ; 557.7
être en transe 276.8
t. de psychiatrie 321.18 ; 839.11
delirium tremens 441.5
délire 321.3
délit 169 ; 390.4
injure 412.2
crime 451.5
délit de presse 654.1
délit d'initié 81.22
flagrant délit 44.13 ; 179.9 ; 451.13
déliter 517.15
délitescence 353.2
délitescent 202.13
délivraison 830.19
délivrance
libération 461
accouchement 544.4
soulagement 353.1 ; 786.1
remise 241.8
délivre 265.8
liquide amniotique 544.9
délivré 461.21
délivrer
accoucher 544.21
soulager 19.22 ; 353.17 ; 786.7
libérer 461 ; 462.19
délocalisation 460.2
délocaliser 460.7
délocuté 613.6
délocutif 346.6
déloger 409.7 ; 783.20
assiéger 487.31
Délos 736.8
déloyal
hypocrite 373.16 ; 838.18
traître 828.17
malhonnête 485.12
partial 413.14
déloyalement 373.20
déloyauté 373.4
défection 181.2
trahison 828.1
malhonnêteté 485.1
tromperie 838.1
delphacidés 417.4
Delphes 736.8
delphinarium 486.18
delphinidé 486.3
delta 319.5
delta cyoscopique corrigé 742.16
delta mystique 215.12
deltacisme 839.3
delta-hydroxylysine 94.10
deltaplane 792.33
deltoïde 541.8
déluge
abondance 1.3 ; 540.5
crue 319.12
orage 633.4
déluré 7.13
démagnétiser 478.12
démagogue 694.19
démaigrir 505.23
démaigrissement 220.3
démailler 816.29
démailloter 270.17
demain
un jour 647.26
ensuite 332.15
à demain 332.20
c'est pas demain la veille 385.4
démanché 542.18
démancher
désunir 597.11
démonter 230.8
démancher (se) 255
se dévouer 336.5
demandable
curieux 680.16
exigible 185.26
demandant 185.21
demande 185
question 680.1
désir 199.2
t. de droit 451.6
t. d'économie 490.8
demande d'emploi 266.7
demande en mariage 491.13
faire les demandes et les réponses 705.12
demandé 185
désiré 199.16
demander
nécessiter 545.5
mériter 507.12
faire une demande 185.10 ; 199.9
supplier 625.12
commander 133.15 ; 650.7
t. de droit 451.26
demander conseil 148.13 ; 680.15
demander raison 720.9
demander vengeance 707.10
demander le divorce 238.11
demander l'impossible 385.5
demander la main de 491.24
demander le pourquoi du comment 174.7
demander en mariage 491.24
demander à cor et à cri 168.16 ; 185.16
demander à voir 183.12
demander (se) 438.7
demanderesse 835.11
demandeur
postulant 185.8 ; 199.7
t. de droit 835
demandeur d'emploi 266.13 ; 389.7
démangeaison
prurit 243.2 ; 482.15 ; 604.3
désir 199.3 ; 382.4
démanger
gratter 243.12 ; 604.8
mourir d'envie 199.9 ; 382.7
démantelé 230.12
démantèlement 205.1
démanteler
démonter 202.5 ; 230.8
détruire 205.14
démantibulé 230.12
démantibuler
démonter 202.5 ; 230.8
détruire 205.14
démarcage 379.1
démarcation
délimitation 23.3 ; 216.3
limite 77.1 ; 467.4
ligne de démarcation 77.2 ; 467.2 ; 756.2
démarchage 135
démarche 812.1
action 7.7
démarche logique 682.2
démarcher 279.9
démarcheur 81.25
démargination 742.10
démarier
découpler 756.13
divorcer d'avec 238.11
démarier (se)
se séparer 756.15
se quitter 238.14
démarieuse 476.6
machine agricole 18.15
démarque 446.8
démarquer
copier 379.5
t. de sports 792.85
démarquer (se) 216.8
démarqueur 379.4
démarrage 189.3
mise en mouvement 538.8
démarrer
partir 57.24 ; 189.7 ; 871.23
commencer 134.16 ; 279.8 ; 684.20

démarreur 57
démasclage 36.7
démasquer
faire éclater la vérité 854.16
deviner 179.8
condamner 144.26
dématérialisation 380.8
disparition 228.1
t. de physique 513.7
t. de Bourse 849.15
dématérialiser 380
t. de physique 513.12
démédicaliser 498.35
démêlage ou **démêlement** 129.10
démêlant 129.6
démêlé 146.2
avoir des démêlés avec 146.15 ; 194.10
démêler
coiffer 129.13
ordonner 576.12
distinguer 275.11 ; 753.11
démêler le vrai du faux 854.16
démêloir 129.8
démêlures 129.5
démembré 202.11
démembrement
morceler 597.4
écarteler 502.6
démembrer
morceler 202.5 ; 597.10
écarteler 502.13 ; 801.20
déménagement 481.35
déplacement 829.2
déménager
transporter 481.41 ; 519.34 ; 829.23
divaguer 321.19
déménager à la cloche de bois 209.25 ; 481.41
déménageur 864.5
démence 321.1
démener (se)
faire 15.7
s'efforcer de 255.5
se donner du mal 255.7
se dévouer 336.5
dément
n. 321.13
adj.
excessif 294.14
démenti 546.3
opposer un démenti formel 546.9
démentiel
excessif 294.14
t. de psychiatrie 321.25
démentir
désavouer 546.9 ; 572.8
infirmer 31.8 ; 693.13
démentir (se) 472.18
démériter 439.12
s'égarer 860.8
perdre l'estime de 227.24
démersal 319.29
démesure 347.3 ; 426.1
excès 294.1
intensification 427.5
exagération 804.2
démesuré
gigantesque 351.11 ; 406.9
excessif 3.12
démesurément
excessivement 294.18
immodérément 426.14
Déméter 236.17
démettre
disloquer 230.8
démettre
révoquer 292.6
démettre (se)
se déboîter 72.15
démettre (se)
démissionner 701.6
démeubler 519.34
demeurant 721.12
au demeurant 721.14
demeure
maison 356.2 ; 430.5 ; 481.1
remise 107.9
retard 724.1
à demeure 611.20
céleste demeure 591.1
dernière demeure 331.14
mise en demeure 133 ; 209.12
mettre en demeure 133.18 ; 565.7
demeuré 784.5
demeurer
perdurer 297.9 ; 376.13 ; 403.9 ; 611.12
rester 721.7
habiter 355.24 ; 356.11 ; 481.40
demeurer d'accord de 586.10
demeurer en la place 611.12
en demeurer là 315.17
demi- 210.15
demi
boisson 75.10
sportif 792.50
demi gauche 334.6
à demi 25.19 ; 324.18 ; 392.19
demi-bas 859.13
demi-bastion 182.9
demi-bec 638.6
demi-bosse 749.5
en demi-bosse 78.18
demi-botte 110.3
demi-cadence 543.20
demi-cadratin 459.7
demi-cercle 162.6 ; 338.8
demi-confiance 183.1
demi-deuil
insecte 417.11
vêtement 331.9
en demi-deuil 333.52
demi-dieu 236.1
demi-douzaine 770.1
demi-droit 317.9
demi-droite 338.7
demi-échec 249.4
demi-écrémé 454.1
demi-finale 792.38
demi-finaliste 792.40
demi-fini 490.25
demi-fond 792.26
demi-frère
frère 304.5
collatéral 314.7
demi-gras 459.3
houilles demi-grasses 269.5
demi-gros 135.10
demi-jour
aube 494.2
lumière tamisée 473.3
pénombre 566.3
démilitariser 41.23
pacifier 589.11
demi-livre 636.12
demi-lune
bûche 74.6
fortification 182.10
outil 584.19
demi-lune d'eau 443.5
en demi-lune 70.15 ; 519.39
demi-membraneux 541.10
demi-mesure 392.6
demi-mondaine 672.6
demi-mot
à demi-mot 24.8
saisir à demi-mot 275.10
demi-nature 749.5
demi-obscurité 566.1
demi-pâte 607.10
demi-pause
silence 766.5
noire 543.28
demi-pensionnaire 274.15
demi-pirouette 792.20
demi-point 165.9
demi-pointe 110.6
temps de demi-pointe 176.16
demi-portion 616.5
demi-queue 422.12
demi-relief 749.5
demi-rond 584.8
demi-ronde
polissoir 640.5
lime 584.14
demi-saison 738
demi-science 377.1
demi-sec 750.23
vin demi-sec 75.12
demi-sel 454.2
demi-sœur
frère 304.5
collatéral 314.7
demi-solde
licencié 292.5
salaire 739.4
demi-sommeil 397.3 ; 780.2
demi-soupir
silence 766.5
noire 543.28
demi-sourd 803.8
démission
départ 266.7 ; 292 ; 642.4
renoncement 181.3 ; 452.2 ; 593.2 ; 701.1 ; 828.2
démissionnaire 292.13 ; 701.10
licencié 292.5
déserteur 181.4
démissionner
se démettre 266.29 ; 292.11
renoncer 701.6
demi-talent 377.1
demi-teinte 473.7
photographie en demi-teinte 621.9
demi-tendineux 541.9
demi-tige 36.11
demi-ton 543.17
demi-tour
rotation 733.3
t. de serrurerie 760.7
demi-transparence 473.9
démiurge
dieu 92.5
créateur 662.12

démiurgique 662.19
demi-varlope 584.16
demi-vérité 854.4
demi-vie 862
demi-vierge 763.20
demi-volée 792.13
demi-volte 746.3 ; 792.20
demi-vrille 792.31
démobilisable 461.26
démobilisateur 461.24
démobilisation 461.5
démobilisé 461.10
guerrier 354.27
démobiliser 41.21 ; 354.26 ; 461.12
démocrate 462 ; 694.22
démocrate-chrétien 808.38
démocratie 462.12 ; 694 ; 808
démocratique 694.25
démocratiquement 694.31
démocratisation 694.16
démocratiser 694.24
démodé 190.11 ; 520.10
antique 28.11
désuet 206.8
démodécie 482.48
démoder (se) 520.7
demodex 417.13
démodexose 482.48
démographie 355.21
fécondité 711.15
demoiselle
insecte 417.14
jeune fille 445.6
titre 822.4
célibataire 93.3
outil 584.18 ; 834.28
demoiselle coiffée 337.19
demoiselle jarretière 638.6
démoli 11.27
démolir
détruire 119.24 ; 205.19
critiquer 227.14 ; 249.9
démolir le portrait 72.17 ; 160.19
démolissage
démolition 205.5
dépréciation 227.6
démolissement 227.6
démolisseur 205.13
démolition 205.5 ; 820.8
démon 186
divinité 148.7 ; 236.1
ange déchu 29.6
personne méchante 497.6
vice 27.12 ; 174.2 ; 600.10
démon de midi 27.12 ; 475.5 ; 495.2 ; 763.5
démonerie 186.6
démonétisé 529.30
démonétiser 529.26
démonial 186.13
démonialité 186.6
démoniaque
satanique 186.13
diabolique 175.15 ; 497.10
démoniaquement 186.14
démonicole 186.8
démonique 186.13
démonisme 186.7
démoniste 186.8
démonographe 186.8
démonographie 186.1
démonolâtre 186.8
démonolâtrie 186.7
démonologie 186.1
démonologique 186.13
démonologue 186.8
démonomane 186.8
démonomanie 186.7
démonopathie 186.7
démonstrateur 675.8
démonstratif
tendre 91.9
t. de grammaire 346.11 ; 535.2
démonstration
raisonnement 493.3 ; 682.2
preuve 99.3
manœuvre militaire 63.7
manifestation 765.17
démonstrativement 581.13
démontable 230.15
démonté 202.11
démonter
désassembler 201.11 ; 202.5 ; 230.8 ; 476.16
déconcerter 198.5 ; 836.7
démonter (se) 319.24
démontrable 682.17
démontré
vrai 854.19
certifié 99.8
démontrer
raisonner 682.9
certifier 99.4
inculquer 614.11
démoralisant
attristant 836.14
désespérant 198.9
alarmiste 21.15
démoralisateur 836.14
démoralisation 836.2
démoralisé 198.10
démoraliser
attrister 836.7
désespérer 198.5
inquiéter 21.11
démordre
ne pas démordre 568.5
démosponges 527.10
démotique 252.19
démotivant 198.9
démotiver 198.5
démoulage
t. de métallurgie 510.6
t. de sculpture 749.4
démuni
dénué de 488.12
pauvre 603.20
démunir (se)
se séparer de 756.16
se défaire de 101.12
démutiser 595.26
dénatalité 711.15
dénationalisation 460.4
dénationaliser 460.7
dénaturé
endurci 248.9
dévergondé 860.10
dénaturer 828.16
transformer 229.6
désaccorder 556.10
altérer 32.12
abîmer 205.15
corrompre 860.7
falsifier 504.15
déformer 432.18
dendrite 337.23
rose des sables 517.5
neurone 548.9
dendritique 548.25
dendro- 37.29
dendrobate 68.3
dendrobium 318.21
dendrochronologie 363.5
dendrocolapte 570.8
dendroctone 417.3
dendrocygne 570.16
dendroïde 37.25
dendrolague 486.13
dendrolimus 417.11
dendromètre 509.26
dendrométrie 74.17
dendrophile 37.28
dendrophyllie 527.12
Deneb 49.5
dénégateur 546.16
dénégation
objection 572.3
négation 546.1 ; 693.4
parole 595.4
dénervation 548.18
dénerver 333.38
dengue 482.20
déni
objection 572.3
refus 546.3
négation 693.4
déni de justice 413.6
déniaisement 763.9
déniaiser
dégourdir 649.11
dévergonder 763.37
dénicher 179.5
dénicheur 179.4
denier
mesure 509.20 ; 636.12
pièce 529 ; 587.5
don 241.2
denier d'or fin au lion 575.11
denier de saint Pierre 590.18
dénier
nier 546.11 ; 693.13
refuser 413.10
dénigré 789.6
dénigrement 227
dévalorisation 789.2
violence verbale 412.5
dénigrer
dévaloriser 789.5
discréditer 227.12
agresser 50.16
dénigreur
contempteur 789.3
détracteur 227.11
denim 816.4
dénitrer 113.20
dénitrification 113.14 ; 251.9
dénivelé 402.10
dénivelé ou **dénivellée** 402.4
déniveler 402.7
dénivellation 402 ; 402.4
pente 195.7
dénivellement 402.2
dénoder 505.23
dénombrable 555.17
discontinu 223.13
dénombrement 286.6 ; 355.19
énumération 555.8
calcul 87.1
dénombrer 87.13 ; 355.29 ; 555.13
dénominateur 237.1
dénominatif
titre 822.1
mot 535.4
nom 554.1
dénomination
titre 822.1

nom 554.1
dénommé 554
dénommer 554.18
dénoncer
rompre 31 ; 194.12
trahir 828.10
dénonciateur 828.8
dénonciation 828.5
t. de droit 722.3
dénotatif 535.28
dénotation
sens 753.2
sémantisme 535.10
dénoter 765.25
signifier 753.9
dénouement 290.7
conclusion 315.6
aboutissement 5.6
succès 798.1
action dramatique 817.13
dénouer 230.8
dénouer (se) 315.14
dénoyautage 369.8
forage 301.2
dénoyauter 333.38
extraire 301.9
denrée 490.1
denrée alimentaire 703.7
denrée rare 686.3
dense
compact 1.13 ; 187.10 ; 636.20
concis 142.9
densément 187.14
densi- 187.15
densification 187.3
densifier 187.7
peser 636.15
densifier (se) 187.9
densimètre
instrument de mesure 509.26
aréomètre 187.5
densimétrie 187.4 ; 509.25
densimétrique 187.13
densirésistivité 187.2
densité 187
valeur 113.6 ; 509 ; 636
concision 142.1
densité de courant 261.8
densité de population 355.21
densité volumique de charge 261.8
faible densité 457.1
densité-régie 187.6
densitomètre
instrument de mesure 509.26
t. de photographie 187.5
densitométrie 187.4
densitométrique 187.13
dent 188
pointe 637.4
crochet 806.5
pic 530.8
d'une machine 476.12
d'une serrure 760.14
d'une fourchette 848.15
dent carnassière 486.21
dent osanore 188.15
dent à tenon 188.15
dent de l'œil 188.3
dents de scie 578.3
à belles dents 342.13
en dents de scie 223.15 ; 402.18
sur les dents 549.18
avoir une dent contre qqn 410.8 ; 720.5
avoir les dents longues 342.10 ; 667.11
faire ses dents 134.20
jouer des dents 703.25
mettre dans les dents 160.17
montrer les dents 130.8 ; 248.7
se faire les dents 35.5 ; 188.26
se mettre qqch sous la dent 563.14
brosse à dents 188.11
fiche à dents 834.30
dentaire 188.28
dental
nerfs 548.4
dentaire 188.28
dentale 781.8
dent-de-lion 318.10
denté 37.27 ; 188 ; 638.6
dentelaire 318.24
dentelé
n.m. 541.7
adj. 37.27 ; 505.29 ; 527.19
denteler
déniveler 402.7
entailler 505.25
dentelle 165
voile 816.6
ruban 859.23
guerre en dentelles 354.2
dentellerie 165.20
dentellier 165.23 ; 165.32
dentelure 578.5
dentéromycète 103.8
denticule 638.9
denticules 578.3
denticulé 578.18
dentier 188.15
dentifère 188.28
dentiforme 188.28
dentifrice 188.10
dentaire 188.28
savon 669.4
dentimètre 188.12
dentinaire 188.28
dentine 188.5
dentiste 188.19
chirurgien 114.27
dentiste-conseil 188.19
dentisterie 188.13
dentition 188
dento-facial
orthopédie dento-faciale 188.13 ; 498.7
dentome 188.8
dentu 188.30
denture 188.1
dénucléariser 589.11
dénudation 128.18
nudité 562.1
désinfection 114.7
dénudement 562.1
dénuder 604.12
déshabiller 562.11
dénuder (se)
perdre ses cheveux 624.16
se déshabiller 562.10
dénué
pauvre 603.20
dénué de 488.12
dénué de sens 557.8
dénuement ou **dénûment** 488.2
besoin 603.2
dénutri 482.72
dénutrition
malnutrition 563.8
béribéri 482.25
deodar 37.20
déodorant 569.14
déontologie 559.2 ; 696.7
devoir 533.2
déontologique
réglementaire 696.21
médical 498.36
déontologiquement 696.29
dépalettiser 489.18
dépalettiseur 489.16
dépalisser 36.22
dépanner
aider 19.22
réparer 476.16
dépanneur 57.21
dépanneuse 833.10
dépaqueter 585.12
déparaffinage 369.8
raffinage 617.3
dépareillé 229.9
dépareiller
transformer 229.6
découpler 756.13
dédoubler 210.7
déparer 216.6
déparier ou **désapparier**
découpler 756.13
dédoubler 210.7
déparler
garder le silence 766.10
dire n'importe quoi 557.7
discourir 595.23
départ
tri 216.9 ; 756.17
départ 189
commencement 134.1
démarrage 783.2 ; 829.7 ; 832 ; 871.14
départager
différencier 23.11
trier 756.17
département
circonscription 695.7 ; 845.10
administration 708.8
départemental 833.19
départir 597.12
départir (se)
se reposer 89.11
renoncer 701.5
dépassant 77.12
dépassé 190.11
passé 598.13
désuet 206.8
démodé 520.10
être dépassé par les évènements 290.10
dépassement 190
dépasser 33.12
saillir 402.8
surplomber 190.8 ; 359.7 ; 531.18
doubler 211.15 ; 232.8 ; 263.11
franchir 190.5
outrepasser 467.8
dépasser l'espérance de 745.7
dépasser la mesure, les bornes, les limites 32.9 ; 190.9 ; 294.7
dépasser qqn de cent coudées 800.13

dépasser (se) 800.16
dépaysant 871.29
dépaysement 871.3
dépayser 357.23 ; 871.26
dépayser (se) 280.8
voyager 871.19
dépecé 202.11
dépecer 333.38
briser 205.17
dépêche
information 136.5 ; 654.8
correspondance 157.1
télégramme 809.14
dépêcher 534.27
dépêcher (se) 684.22
dépeigné 129.19
dépeigner 129.16
dépeindre
représenter 709.8
décrire 196.9 ; 691.13
dépenaillé
débraillé 453.10 ; 547.17
déguenillé 603.23 ; 859.46
dépenaillement 547.4
dépénaliser 144.29
dépendamment 787.25
dépendance
corrélation 396.6 ; 690.1
assujettissement 564.3 ; 787.1 ; 825.3
pl.
dépendances 481.12
dépendant
corrélatif 254.8 ; 698.11
aliéné 565.15 ; 787.22 ; 825.19
dépendre
reposer sur 698.8
résulter 254.5
relever 787.18
dépens 587
peine pécuniaire 144.8
dépense 191.1
aux dépens de 628.12
rire aux dépens de 731.7
dépense 191 ; 339 ; 481.24 ; 587.2 ; 661
consommation 846.3
entrepôt 490.12
ménager sa dépense 281.13
dépensé 191.26
dépenser 191.13
utiliser 846.12
dépenser sans compter 191.15 ; 661.9
dépenser (se)
faire 15.7
agir 7.10
s'efforcer de 255.5
dépensier
n.
panier percé 191.10
intendant 339.18
adj. 191.29 ; 661.11
déperdition 220.1
dépérir 16.8 ; 482.52
s'étioler 79.21
dépérissement
déshydratation 750.2
affaiblissement 16.2
déperlant 750.20
dépersonnalisation 613.10
hystérie 321.6
dépersonnaliser 613.14
dépêtrer 623.6
dépeuplé 197.10
« un seul être vous manque et tout est dépeuplé » 488.7
dépeupler 124.14
dépeupler (se) 197.7
déphasé 724.18
déphosphater 113.20
dépiauter 604.9
dépicage 18.4
dépigmentation 482.15
carnation 604.2
dépilage 518.4
dépilation 624.10
dépiler 624.18
dépiquage 18.4
dépistage 689.5
consultation 498.9
découverte 179.1
détection 207.1
centre de dépistage 775.21
dépister
découvrir 179.5
détecter 207.17
t. de vénerie 107.26
dépisteur 689.10
dépit
mécontentement 192.1
insatisfaction 416.1
ressentiment 720.1
envie 442.2
dépité
déçu 178.7
mécontent 192.15
insatisfait 416.8
dépiter
décevoir 178.4
faire des envieux 442.7
dépiter (se) 416.6
dépiteux
irrité 416.7
t. de fauconnerie 570.6
dépitonnage 792.25
dépitonner 792.82
dépitonneur 792.59
déplaçable
mobile 538.24
transporté 829.29
déplacé
inopportun 202.9 ; 224.11 ; 226.10 ; 399.7 ; 415.12 ; 439.15
exilé 288.4
bougé 829.30
t. de banque 66.52
déplacement
transport 202.1 ; 829.2
transformation 436.1
voyage 538.1 ; 871.1
déplacer 538.21 ; 829.22
déranger 201.10
déplacer (se) 538 ; 871.21
déplaire 192
dégoûter 62.10
décevoir 416.5
déplaisamment 192.16
déplaisance 192.1
déplaisant 192.12
ennuyeux 272.14
déplaisir 192
peine 697.3
insatisfaction 416.1
déplanification 460.4
déplantage 301.3
déplanter 301.11
déplantoir 584.26
déplaquetté 742.31
déplatiner 632.26
déplâtrer 114.33
déplétion 220.1
dépliant
imprimé 387.1
prospectus 675.5
déplier
rectifier 692.8
déployer 298.11
déplier (se) 585.16
déplisser 692.8
déploiement 487
déplomber 188.24
déplorable
navrant 192.12 ; 500.17 ; 697.9 ; 827.13 ; 836.17
digne de pitié 625.13
déplorablement 500.18
déploration 374.3 ; 543.33
honneurs funèbres 331.3
déplorer 697
compatir 625.8
déployer
déplier 298.11 ; 585.10 ; 692.8
exhiber 581.6
t. militaire 487.37
déployer sa marchandise 490.22
déployer (se) 487.33
déplumé 603.22
déplumer
plumer 333.38
voler 869.23
déplumer (se)
perdre ses plumes 570.32
perdre ses cheveux 624.16
dépocher 587.13
dépoitraillé 547.17
dépoitrailler (se) 859.40
dépolarisation 548.18
dépoli 855.3
dépolir 575.19
dépolitisation 642.12
dépolitiser 642.17
dépolluer 550.35
dépollution 550.11
déponent
mode 346.6
verbe 346.12
déport 587.4
déportation
déplacement forcé 801.8
t. de droit 144.9 ; 169.6 ; 208.3 ; 288.11 ; 582.3
déporté 801.16
déportement
embardée 212.3 ; 831.6
débauche 201.3
pl.
déportements 426.3
déporter
dévier 212.12
bannir 263.7 ; 288.21 ; 582.12
déporter (se) 57.30
déposant
t. de droit 835.15
t. de banque 66.35
dépose 195.1
déposer
v.t.
poser 195.14
laisser 337.27
mettre en dépôt 66.40
destituer 292.6
témoigner 13.6
déposer une plainte 451.30
déposer les armes 180.9 ; 701.9
déposit 166.14
dépositaire 645.13
bénéficiaire 688.12

débiteur 166.24
déposition
destitution 292.1
déclaration 13.3 ; 451.13
de Croix 195.1 ; 374.3
déposséder (se)
donner 336.6
se défaire de 101.12
déposter 409.7
dépôt
sédiment 319.17 ; 337.15 ; 516.3 ; 518.2 ; 721.3
entrepôt 688.9
prison 44 ; 208.6
d'argent 66.16 ; 587.5
t. militaire 487
dépôt légal 469.20
dépôt de bilan 209.11
dépotage ou **dépotement** 301.3
dépoter 79.19 ; 301.11
dépotoir 740.7
poubelle 550.22
dépouille
restes 721.4
reptiles 712.12
dépouille mortelle 331.27
dépouilles opimes 861.3
angle de dépouille 30.4
dépouillé
sobre 142.7 ; 523.11 ; 771.10
dénudé 562.15
dépouillement
renonciation 47.1 ; 701.3 ; 767.1
sobriété 142.2 ; 771.4
dépouillement du scrutin 260.19
dépouiller
écorcher 604.9
dénuder 562.11
voler 603.19 ; 869.23
analyser 363.14
dépouiller son courrier 157.13
dépouiller (se)
perdre ses feuilles 37.24
se dessaisir 336.6 ; 701.5
dépourvoir (se) 101.12
dépourvu 488.12
au dépourvu 805.10
dépoussiérage 20.8
balayage 550.5
dépoussiérer 550.25
dépravation
intempérance 763.7
corruption 485.6
inconduite 860.2
luxure 475.1
dépravé
dévergondé 860.10
luxurieux 475.9
dépraver
soudoyer 485.11
corrompre 860.7
déprécation
prière 657.2
t. de linguistique 313.5
dépréciateur 227.11
dépréciatif 789.7
moins 405.4
péjoratif 227.28
dépréciation 227.6
diminution 220.1
baisse 195.5
dévalorisation 789.2
déprécié
infériorisé 405.17
sous-estimé 789.6
déprécier
rabaisser 227.12 ; 405.7
dévaluer 220.16 ; 524.9 ; 789.5
déprécier (se) 195.13
déprédateur
destructeur 205.25
malhonnête 869.30
déprédation 205.6
abus 3.2
pillage 869.5
déprendre (se) 394.6
se séparer de 756.16
depressaria 417.11
dépressif
las 272.16
triste 836.12
dépression
creux 167.2 ; 195.7 ; 530.9 ; 627.2
mélancolie 11.10 ; 198.1 ; 303.2 ; 321.6 ; 615.1
t. de météorologie 127.8
dépressionnaire 127.19
déprimant 127.21
attristant 836.14
déprime 198.1
déprimé 11.27
déprimer 303.13
souffrir 836.8
perdre espoir 198.8
dépriser
sous-estimer 789.4
discréditer 227.12
déprivation 397.5
de profundis
cantique 657.8
prière des morts 331.5
déprogrammer 31.9
dépropanisation 617.3
dépucelage 763.9
dépuceler 763.37
dépuceleur 581.4
depuis 647.29
dès 134.30
depuis que 647.30
depuis que le monde est monde 287.16
depuis longtemps 28.18
depuis toujours 287.16
dépulper 188.24
dépurateur 756.9
dépuratif 340.13
dépuration 756.6
dépurer 468.11
députation 708
député 708.3
déraciné
arraché 301.13
exilé 582.16
déracinement
arrachement 295.3 ; 301.3
exil 582.1
déraciner
arracher 295.10 ; 301.11
détruire 205.19
exiler 582.12
dérager 130.7
déraidir
assouplir 259.8
détendre 526.8
déraillement 832.6
dérailler
dévier 212.17
déraisonner 321.19 ; 557.7
sortir des rails 832.26
dérailleur 212.9
déraison
folie 321.1
frénésie 865.4
aberration 557.3
déraisonnable 415.12
déraisonner
délirer 321.18
dire n'importe quoi 557.7
dérangé
adj.
déréglé 201.16
désorganisé 202.9
fou 321.23
dérangeant
excitant 17.15
importun 785.14
dérangement
dérèglement 201.1 ; 202.1
trouble mental 17.3 ; 321.1
ligne en dérangement 809.9
déranger
dérègler 201.10 ; 202.4
bouleverser 17.8
choquer 115.25
importuner 272.11 ; 415.8
contrarier 11.15
dérangeur 201.8
dérapage 57.13 ; 212.3
déraper 212.17
vaciller 119.16
skier 792.88
dérasement 505.11
dératé
rire comme un dératé 132.6
dérayure 18.5
derbouka 422.11
derby
voiture 833.14
course 792.38
derche ou **derge** 242.1
déréalisation 321.6
déréaliser 321.18
déréglé
dérangé 201.16
débauché 860.10
dérèglement
dérangement 201.1 ; 202.1
trouble mental 321.1
débauche 426.3
déréglementation 460.4
déréglementer 460.8
dérégler
déséquilibrer 201.11
désorganiser 202.4
dérégler (se)
s'altérer 205.24
se détraquer 476.15
dérégulation 460.4
déréguler 460.8
déréliction 779.2
désespoir 198.1
déresponsabiliser 240.12
dérestaurer 702.10
dérider
réjouir 447.10
amuser 132.10
plaire 629.11
dérision
moquerie 439.3 ; 532.1
dérision du Christ 374.3
tourner en dérision 731.5

dérisoire
insignifiant 419.14 ; 616.12
risible 132.11 ; 731.8
dérivatif 599.1
dérivation
déviation 212.1 ; 834.20
t. d'artillerie 820.12
t. d'électricité 261.16
t. de grammaire 535.9
t. de médecine 114.10
en dérivation 261.27
dérive
déviation 212.3
empennage 831.4
dérive des continents 337.5
dérive droitière 808.9
chambre à dérive 513.10
aller à la dérive 249.14 ; 319.33
dérivé
n.m.
t. de chimie 113.2
t. de linguistique 535.4
dérivé de substitution 797.4
adj. 140.11 ; 535.26
dériver
t. de marine 212.17
v.t.
t. de linguistique 140.8 ; 535.21
dériver de 254.5 ; 535.24
dérivoire 301.5
derm- 604.17
dermanyssus 417.13
dermaptères 417.1
dermat- 604.17
dermatite 482.17 ; 604.3
dermato- 604.17
dermatobie 417.9
dermatoglyphes 604.4
dermatographie 604.5
dermatologie 498.7 ; 604.5
dermatologue 498.27
dermatome 548.6
dermatomycose 482.36
dermatoplastie 114.17 ; 604.6
dermatose 482.17
dermatose bulleuse 85.3
dermatotrope 604.13
dermato-vénérologie 498.7
dermato-vénérologue 498.27
-derme 604.18
derme 873.28
peau 604.1 ; 727.2
dermeste 417.3
-dermie 604.18
dermique 604.13
dermite 482.17
dermo- 604.17
dermogramme 604.4
dermoptère 486.3
dermotrope 604.13
dernier
dans le temps 414.10 ; 598.14 ; 647.11
dans un classement 315 ; 405.5 ; 683
dans l'espace 193.16
dernier combat 534.24
en dernier 193.20
petit dernier 647.11
mettre la dernière main à 5.17
c'est mon dernier mot 315.17
rira bien qui rira le dernier 132.6 ; 315.8 ; 726.8
dernière 817.18
dernièrement
à la fin 315.25
récemment 33.26 ; 560.15
dernier-né 14.5
enfant 304.4
dérobade 452.2
dérobé 869.27
dérobée
à la dérobée 373.20 ; 751.29 ; 819.11
dérober
voler 790.7 ; 869.17
soustraire à la vue 437.3 ; 751.15
dérober sa marche 437.3
dérober (se)
se défiler 228.8
manquer à 488.9
fuir 181.6 ; 452.6
avoir les jambes qui se dérobent 303.11
dérochage 834.21
dérochement 834.20
dérocher
v.t.
retirer les roches 834.39
v.i.
t. d'alpinisme 530.15
dérocheuse 834.27
déroctage 834.21
dérocter 834.38
dérocteuse 834.27
dérogation
infraction 200.3
dispense 461.7
dérogatoire 200.11
dérogeance
désobéissance 200.3
perte du titre de noblesse 552.7
déroger
manquer à 488.9
déchoir 367.11 ; 552.23 ; 683.17
déroger à 32.9 ; 200.7
dérouillage 550.6
dérouillée
volée de coups 160
défaite 180.1
dérouillement 550.6
dérouiller 550.28
dérouiller (se)
se dérouiller les jambes 502.14
déroulage 36.8
déroulement
enchaînement 293.1 ; 576.6
déploiement 162.7
dérouler
déployer 692.8
opérer le déroulage d'un bois 36.26
dérouler le tapis rouge 368.7
dérouler (se) 811.8
se passer 290.11
déroutage ou **déroutement**
déviation 212.1
navigation aérienne 831.6
déroutant
surprenant 805.13
imprévisible 386.14
déroute
débandade 180.2 ; 181.2
banqueroute 209.9
désastre 249.1
en déroute 16.10
dérouté 805.12
déroutement → **déroutage**
dérouter
détourner 212.12 ; 831.19
décontenancer 805.4
derrick 618.4
appareils de levage 489.9
derrière 193
n.
fesses 242.1
tomber sur le derrière 805.7
adv.
dans un classement 576.25 ; 683.24
dans l'espace 203.23 ; 769.15
par-derrière 373.7
derviche 440 ; 440.8 ; 525.6
derviche tourneur 733.12
dervicherie 525.22
des- 404.15
dès 134.30
dès à présent 652.17
dès lors 254.10 ; 647.24
dès lors que 134.31
dès que 421.21 ; 528.13 ; 647.30
des- ou **dés-** 194.18
dés- → **dé-**
désabusé
triste 836.10
insatisfait 416.8
désabusement 416.1
désabuser
détromper 854.18
désenchanter 416.5
désaccord 194
divergence 229.3
contraste 224.1
désapprobation 183.4
conflit 146.1 ; 238.1
être en désaccord 146.14 ; 194.8 ; 217.16
désaccordé 556.14
désaccorder
diviser 146.18 ; 572.13
désajuster 224.8 ; 556.10
rendre faux 422.30
désaccoupler 756.13
désaccoutumance 206.1
désaccoutumer 357.23
désaccoutumer (se) 701.5
désacidification 113.14
désacraliser 663.6
désactiver 393.11
désadapter 556.10
désaffecté
désuet 206.8
inutilisé 435.15
désaffection
désintérêt 401.3 ; 418.4 ; 547.2
impopularité 410.3
désafférentation
désafférentation sociale 397.5
désagréable
ennuyeux 272.14
déplaisant 192.12
acariâtre 248.11 ; 409.10

désagréablement 192.16 ; 248.13
désagrégation
décomposition 23.6 ; 230.1
pulvérisation 676.7
dissociation mentale 613.10
désagrégé 202.12
désagréger
dissoudre 230.7
pulvériser 676.16
décomposer 205.14
désagréger (se)
se décomposer 202.8 ; 337.29
se dissoudre 230.11
se corrompre 205.24
désagrément
inquiétude 272.5
ennui 192.5
adversité 11.1
désaimanter 478.12
désaisissement 101.2
désaisonner ou **dessaisonner** 738.9
désajuster
déséquilibrer 201.11 ; 224.8
désaliénation 461.4
désaliéné 461.22
désaliéner 461.14
désalkyler 113.20
désaltéré 75.33
désaltérer 745.9
désaltérer (se) 468.15
boire 75.24
désambiguïser 425.10
désamidonner 816.26
désaminase 94.24
désamination 113.14
protéosynthèse 94.26
désamorcer 89.8
désamour 410.3
désapparier 210.7
désapparier → **déparier**
désappointé
déçu 178.7
insatisfait 416.8
désappointement
déception 178.1
malheur 836.2
insatisfaction 416.1
désappointer 178.4
désapprendre 583.8
désapprobateur 710.22
désapprobation
refus 546.3 ; 693.3
réprobation 183.4 ; 710.5
désapproprier (se) 101.12
désapprouver
contester 572.8
critiquer 697.8 ; 710.13
désarêter 526.7
désargenté
terni 40.8
pauvre 603.21
désargentement 603.3
désargenter 603.19
désarmé 303.22
désarmer
calmer 89.9
démilitariser 589.11
désarrimage 489.4
désarrimer 489.17
désarroi
désolation 198.2
trouble 415.4 ; 438.1
désarticulation
dissociation 72.4 ; 114.12 ; 230.1
désarticulé 202.11
mou 526.9
désarticuler
démanteler 230.8
déboîter 526.7
déstructurer 205.14
t. de chirurgie 114.33
désassemblage 230.1
désassemblé 202.11
désassembler
déséquilibrer 201.11
démonter 202.5
désunir 597.11
désassorti 202.11
désassortir 202.6
désastre
drame 827.4
échec 249.1
désastreusement 11.30
désastreux 827.11
désatellisation 48.5
désattrister 447.10
désaturase 94.24
désaubiérer
scier 74.21
débiter 36.26
désavantage
infériorité 405.3
préjudice 11.8
désavantager
déséquilibrer 402.6
inférioriser 405.7
défavoriser 11.18
désavantageusement 11.29
désavantageux 11.25
désaveu
reniement 546.4
démission 181.3
renonciation 701.1
désaveu de paternité 609.4
désavouer
démentir 31.8
renier 227.20
désavouer (se) 104.21
partir 181.6
se rétracter 31.7
désaxé 321.23
désaxer
dévier 212.12
déséquilibrer 321.21
descendance
effet 254.1
filiation 314.1 ; 361.5
d'illustre descendance 552.24
descendant
n. 314.6 ; 332.5
adj. 195.16 ; 344.11
ligne descendante 314.2
nœud descendant 474.6
descenderie 518.6
descendeur 195.8 ; 792
descendre
v.t.
tuer 534.28
v.i.
aller en bas 195 ; 792.88
baisser 319.23
s'apaiser 852.19
s'arrêter 355.27
descendre de 314.11
descendre à l'hôtel 481.40
descendre dans la tombe 331.33
descendre en flammes 227.13
descendre la pente 11.23
descendu
au descendu de 195.23
descenseur
toboggan 195.6
élévateur 489.10
descente 195
chute 119
retombée 825.10
de police 44.4
tuyau 632.7
t. de sports 792.23
descente de Croix 374.3
descente de lit 727.7
deschampsia 360.7
déscolarisé 274.21
descripteur 196.7
descriptible 196.13
descriptif
n.m. 196.4
adj. 196.13 ; 709.13
description 196
représentation 709.1
invention 729.5
récit 691.9
description de la langue 346.1
Desdémona 49.10
désemparer 827.9
sans désemparer 153.30 ; 612.5
désenamouré 401.16
désénamourer 410.11
désenchaînement 461.1
désenchaîner 461.13
désenchanté
dégoûté 62.12
déçu 178.7
désenchantement
lassitude 62.2
désillusion 178.1 ; 416.1
désenchanter
décevoir 178.4 ; 416.5
déplaire 192.8
désenclaver
intégrer 423.8
régionaliser 695.13
désencombrer 567.16
désencroûtement 550.6
désencroûter 550.28
désendettement 209.13
désénerver 89.6
désenflement 220.3
désenfler
diminuer 220.9
rapetisser 616.6
désenfourner 333.40
désengagement 701.1
désengager 461.15
désengorger 550.33
désenlacer 461.13
désennuyer
réjouir 447.10
distraire 599.12
désennuyer (se) 629.9
désensibilisation
immunothérapie 381.7
vaccination 775.11
désensibiliser
immuniser 775.26
déshumaniser 418.12
désentoilage 702.4
désenvaser 550.33
désenvoûter 477.22
désenvoûteur 477.18
désépaissir 220.12
coiffer 129.13
désépaississement 220.3
déséquilibre
disproportion 224.2 ; 402.1

désordre 17.3 ; 202.1
folie 321.1
déséquilibré
n. 32.8 ; 321.13
adj.
disproportionné 224.10 ; 402.10
perturbé 202.10 ; 282.23
déséquilibrer
disproportionner 224.8 ; 402.6
dérégler 201.11 ; 202.5
troubler 17.8
destabiliser 282.15
désaxer 321.21
désert 197
n.m.
zone aride 627.5 ; 750.10
ermitage 779.5
adj.
infréquenté 779.18
traversée du désert 197.5 ; 227.3
prêcher dans le désert 435.10 ; 648.15
déserté 197.10
déserter
s'enfuir 783.17
quitter 181.7 ; 392.12
abandonner 828.14
abandonner l'armée 354.25
déserteur
lâcheur 181.4 ; 452.4
transfuge 828.9
insoumis 200.4
transfuge 354.16
déserticole 197.11
désertification ou **désertisation** 251.9
assèchement 750.3
sécheresse 197.3
désertifier 197.7
désertifier (se) 197.7
désertion
défection 181.2 ; 392.3 ; 452.2 ; 828.2
insoumission 169.6 ; 200.2 ; 354.6
désertique 197.8
sec 750.18
désertisation → **désertification**
désertus 251.7
désescalade 195.4
désespérammant 198.12
désespérance 198.1
désespérant 198.9
terrible 827.13
désespéré
n. 198.4
adj.
accablé 198.10 ; 836.10
critique 175.11
état désespéré 198.11
désespérément 198.12
désespérer
v.t.
affliger 11.17 ; 198.5 ; 827.9
v.i.
se décourager 383.7 ; 836.8
renoncer 701.9
à désespérer 198.9
désespérer (se) 198.7
désespoir 198
pessimisme 615.1 ; 836.1
angoisse 272.3
chagrin 192.3
être au désespoir de 198.7 ; 697.5
désespoir-des-peintres 318.29
désétatisation 460.4
désétatiser 460.7
désévrer 74.21
désexcitation 513.7
désexciter 513.12
désexualiser 763.42
déshabillage 859.5
nudité 562.1
déshabillé 562.5
chemise de nuit 859.15
déshabiller 859.34
déshabiller qqn du regard 562.12
déshabiller (se) 562.10
déshabituer 357.23
déshabituer (se) 701.5
déshalogéner 113.20
désherbage 18.4 ; 550.10
désherbant 360.12
désherbement 550.10
désherber 360.13
défricher 18.21
déshérité 11.14
pauvre 603.20
déshériter 314.13
désheurement
retard 724.1
détournement 832.6
désheurer (se) 724.12
déshonnête
impoli 226.8
indécent 399.7 ; 485.13
déshonneur
honte 367.1
tache 606.6
déshonorant 367.14
honteux 606.14
déshonoré 227.25
déshonorer
humilier 227.18 ; 367.8
tromper 238.16
déshumaniser 418.12
déshumidificateur 750.8
déshumidification 109.3
déshumidifier
assécher 750.13
climatiser 109.24
déshydratant
n.m. 750.6
adj. 750.22
déshydratation 750.2
conservation 333.4
déshydraté
lait déshydraté 454.1
déshydrater 750.14
déshydrogénation
t. de chimie 113.14
t. de biochimie 94.26
déshydrogéner 94.30
désidérabilité ou **désirabilité** 199.6 ; 847.7
desiderata 199.2
désidératif 199.19
desideratum 199.2
design 519.29 ; 578.10
désignation
élection 116.2
dénomination 554.1 ; 822.1
designer
concepteur 664.8
décorateur 519.31 ; 578.11
désigner
élire 116.9
signaler 554.19 ; 765.21
signifier 709.7 ; 753.8
qualifier 554.22
désigner à la vindicte publique 144.27
désillusion
mécontentement 192.1
insatisfaction 416.1
consternation 198.3
constat d'échec 249.7
désillusionné
déçu 178.7
insatisfait 416.8
désillusionner
détromper 854.18
désenchanter 178.4 ; 192.8 ; 198.6 ; 416.5
désincarcération 301.3
désincarcérer 301.11
désincarnation 380.8
désincarné 380.14
désincarner 380.10
désincarner (se) 380.11
désincrustant 301.5
crème désincrustante 604.7
désincrustation 301.3
désincruster 550.28
désindustrialisation 389.3
désinence
racine 535.7
t. de grammaire 346.4
désinence zéro 872.2
désinfectant 669.4
désinfecter
aseptiser 512.13
assainir 550.35
désinfection
aseptisation 114.7 ; 512.10
assainissement 550.11
désinflation 659.3
désinformation 136.6 ; 504.3
désinformer 838.13
désintégrateur 834.27
désintégration
désagrégation 202.2 ; 205.3 ; 230.2
t. de physique 513.7
désintégrer
désagréger 230.7
t. de physique 513.12
désintéressé
indifférent 401.15
bénévole 336.12
généreux 365.9
désintéressement
abnégation 583.4 ; 701.3
indifférence 401.3
bonté 365.1
indemnisation 722.2
désintéresser
dédommager 722.10
rétribuer 587.16
désintéresser (se)
se détacher 394.6
être indifférent 418.10
mépriser 401.13
désintérêt 418.4
inaction 393.2
détachement 547.2
désintoxication 267.8
désintoxication alcoolique 499.5

désintoxiquer 267.14
désinvagination 114.9
désinvaginer 114.33
désinvestir 487.35
désinvestissement 321.7
désinviter 31.9
désinvolte
détaché 418.14
sans-gêne 415.15
négligent 547.16
désinvolture
insouciance 386.1 ; 390.2 ; 401.1
effronterie 226.1 ; 415.3
aisance 302.4
désir 199
désirabilité 199.6
désirable 199.16
désirant
n. 199.7
adj. 199.18
désiré 382.14
souhaité 199.16
tu t'appelles Désiré 382.14
désirer
convoiter 199.10 ; 763.30
souhaiter 185.15 ; 285.4
vouloir 199.9 ; 428.8 ; 664.15 ; 870.7
se faire désirer 51.9 ; 199.9 ; 382.6
désireux 199.16
désireux de 199.15 ; 382.10
désis 417.13
désistement
renoncement 701.1
abdication 292.3
retrait de candidature 260.20
désister (se)
abdiquer 292.11 ; 701.6
retirer sa candidature 260.28
desk 654.15
desman 486.10
desmidiales 22.3
desmodonte 188.5
desmoenzyme 94.23
desmologie 580.27
desmosine 94.10
désobéir 200.5
affronter 572.10
pécher 606.9
désobéissance 200
résistance 715.1
désobéissant 200.8 ; 693.18
désobéisseur 200.4
désobligeant
déplaisant 192.12
haineux 497.11
discourtois 226.8
désobliger 226.6 ; 439.8
déplaire 192.7
désoblitération 114.9
désobstruction 114.9
désobstruer 567.16
désoccupation 393.1
désocialisation 420.1
désocialisé 420.9
désodé 214.11
désodorisant
n.m. 569.14
adj. 569.23
désodorisation 569.7
désodoriser 569.22
désodoriseur 569.14
désœuvré
n. 389.7
adj. 389.15 ; 393.14 ; 593.10
désœuvrement 389.5
inaction 393.1
désolant
regrettable 697.9
attristant 836.14
désespérant 198.9
désolation 198.2
désespoir 272.3
malheur 11.6 ; 836.2
détresse 827.6
désolé
désert 197.8
confus 697.10
affligé 827.15 ; 836.10
désoler
attrister 198.6 ; 836.7
détruire 205.20
désolidarisation 194.4
désolidariser (se) 194.13
désoperculateur 584.8
désopilant
amusant 447.17
comique 132.11
désopilation 447.6
désopiler
réjouir 447.10
amuser 132.10
plaire 629.11
désordonné 201.14
désorganisé 202.9
désordonnément 201.17 ; 202.14
désordonner (se) 201.13
se défaire 202.8
désordre 201
absence d'ordre 224.3
désorganisation 202.1
altération 32.6
imbroglio 501.6
trouble 17.3
licence 475.4
pl.
désordres 426.3
désorganisateur 201.8
désorganisation 202
désordre 201.1 ; 202.1
décomposition 205.3
désorganisé 202.9
désordonné 201.14
désorganiser
déranger 201.10 ; 202.4
décomposer 205.14
désorganiser (se) 205.24
désorientation 221.17
désorientation spatiale 397.5
désorienté 438.9
désormais 647.24
à l'avenir 332.18
désorption 113.13
désossé
démonté 202.11
désarticulé 526.9
désosser
déstructurer 202.5
démonter 230.8
désarticuler 526.7
ôter les os 333.38
désoxyadénosine 94.16
désoxycholique
acide désoxycholique 94.13
désoxycorticostérone 340.3
désoxycortone 340.3
désoxycytidine 94.16
désoxydant 113.25
désoxydation 113.14
désoxyguanosine 94.16
désoxyribonucléase 94.24
désoxyribonucléique
acide désoxyribonucléique 94.12
désoxythymidine 94.16
desperado 198.4
despote
chef 240.6
tyran 694.19
autocrate 413.9
despotique
dominateur 240.19
tyrannique 694.29
autoritaire 413.16
despotiquement 694.32
en maître 240.24
despotisme 240.4
autoritarisme 133.2 ; 694.14
illégitimité 413.7
desquamatif 482.67
desquamation 482.15 ; 604.6
D.E.S.S. 274.7
dessaisir 869.23
dessaisir (se)
se séparer de 756.16
renoncer 701.5
dessaisissement 869.1
dessaisonner 738.9
dessaler 333.38
desséchant 750.22
desséché
froid 418.15
endurci 248.9
dessèchement
sécheresse 18.4 ; 750.1
insensibilité 418.2
dessécher
rendre sec 750.14
rendre insensible 418.12
dessécher (se)
rester de marbre 418.9
se durcir 248.5
dessein
but 86.1
volonté 870.3
intention 428.1
projet 664.1
à dessein 428.14 ; 870.14
dans ce dessein 86.12
dessemeler 110.18
desserre
dur à la desserre 61.7 ; 587.14
desserrer 456.4
dessert 703.8
desserte
service 829.5 ; 871.15
meuble 519.7
reste 703.10
desserte cadencée 832.4
t. de religion 508.2
dessertir 70.21
desservant 699.6
desservir
discréditer 227.21
relier 832.27
dessiatine 509.22
dessiccant 750.6
dessiccateur 113.17
dessiccatif 750.6
sécheur 750.22
dessiccation
séchage 750.3
préservation 653.6
dessiller 585.14
dessin 607
forme 323.2 ; 795.3
représentation 709.4
plan 39.4 ; 664.3

dessin animé 120.5
dessinateur 607.22
styliste 520.4
dessiner 466.10 ; 607.27
représenter 709.9
dessiner (se) 34.8
dessoler 738.9
cultiver 18.20
dessouchage 36.3
dessoucher 36.24
dessouder
désunir 597.11
démonter 230.8
dessoudure 756.6
dessoûler 441.15
dessous 203
n.m.
situation 158.1 ; 405.2
secret 751.3
vêtement 859.13
adv. 405.21 ; 769.15
le dessous 405.2
en dessous 204.22 ; 373.20 ; 751.34
d'en dessous 203.21
au-dessous de 405.22
en dessous de 195.24 ; 405.22
par en dessous 373.20 ; 751.34
dans le troisième dessous 836.8
avoir le dessous 180.6 ; 249.11 ; 303.14
être au trente-sixième dessous 16.7 ; 303.13
dessous-de-bouteille 203.3
dessous-de-bras 859.21
dessous-de-plat 203.3
dessous-de-table 241.4
dessous-de-verre 848.3
dessuinteuse 476.9
dessus 204
n.m. 158.1 ; 211.1
adv.
dans un classement 800.25
dans l'espace 769.15
au-dessus de 531.24
par-dessus le marché 8.12 ; 9.22
le dessus du panier 552.16
avoir le dessus 800.15 ; 861.8
prendre le dessus 353.13
regarder par-dessus l'épaule 655.8
traiter par-dessus la jambe 547.8
dessus-de-lit 204.4
dessus-de-plat 204.3
dessus-de-porte 204.5
dessus-de-table 204.3
déstabilisation 642.11
déstabiliser
déséquilibrer 282.15
manifester 642.23
déstaliniser 642.21
destin
fatalité 297.4 ; 305.1 ; 545.1
futur 332.1
appel du destin 305.2
arrêt du destin 305.3
destinal
fatidique 545.11
fatal 305.12
destinataire
bénéficiaire 157.11 ; 688.12 ; 829.19
t. de linguistique 136.9
destination
but 86.1 ; 428.5
usage 846.4
lieu 157.7 ; 829.4 ; 871.14
t. de grammaire 346.8
à destination de 871.33
arriver à destination 45.7
destiné 86.10
destinée
existence 297.4 ; 332.1 ; 862.7
destin 305.1
être promis aux plus hautes destinées 305.9
destiner
déterminer 305.7 ; 545.7
promettre à 649.12 ; 666.19
destiner (se) 86.8
destituable 292.14
destitué 227.27
destituer 642.19
dégrader 227.20
évincer 292.6
destitution 642.4
condamnation 429.3
éviction 292.1
déstockage 490.11
déstocker 490.19
destrier 486.11
destroyer 43.13
destructeur 175 ; 205.25
destructibilité 205.11
fragilité 325.1
destructible
fragile 325.9
cassable 205.27
destructif 205.25
destruction 205 ; 404.5 ; 821.8
mort 534.1
tir de destruction 820.8
destructivisme 205.12
destructivité 205.10
déstructuration 202.1
déstructuré 202
déstructurer 567.14
démonter 202.5
déstructurer (se) 202.8
désuet
dépassé 190.11 ; 206.8 ; 598.13
démodé 28.11 ; 520.10
désuétude 206
ancienneté 28.2
tomber en désuétude 206.5 ; 535.24
désulfuration 113.14
raffinage 617.3
désuni 194.14
désunion
désaccord 23.2 ; 194.1
séparation 230.1 ; 756.1
divorce 238.1 ; 410.4
t. de chirurgie 114.8
désunir 597.11
dégrouper 756.12
dissocier 230.7
désunir (se) 238.14
désynchronisation 60.2
désynchroniser 224.8
détachage 550.2
détachant 550.14
détaché
n.m.
t. de musique 542.18
adj.
désinvolte 394.9
stoïque 89.13
indifférent 401.15
pièces détachées 597.2
détachement
inattention 394.1
insensibilité 418.1
sérénité 89.1
renoncement 336.1 ; 620.23 ; 701.3
indifférence 401 ; 547.2
patrouille 487.23
t. d'administration 266.10
détacher
prélever 295.9
désunir 230.8 ; 597.11
séparer 263.6 ; 433.7
enlever 301.10
libérer 461.13 ; 462.19
nettoyer 550.28 ; 816.26
t. de musique 542.23
détacher (se)
se profiler 34.8
s'échapper 190.7
se désintéresser 394.6
se défaire 701.5
détail
élément 122.2
vétille 419.2
commerce de détail 135.10
en détail 665.13
se perdre dans les détails 411.10 ; 665.8
détaillant
commerçant 135.16
fournisseur 490.15
détaillé 122.11
détailler
circonstancier 122.6
lésiner 602.6
analyser 230.10
exposer 196.12
vendre au détail 490.21
dépecer 333.38
détaler
décamper 502.10 ; 684.23
remballer 490.22
détartrage 550.6
dents 188.18
détartrer 550.28
dents 188.24
détartreur 188.29
détaxe 317.19
détaxer 317.35
détectabilité 207.15
détectable 207.22
détecter
découvrir 179.5 ; 207.17
deviner 434.6
détecteur
n.m. 207.5 ; 326.4
détecteur d'incendie 21.5
détecteur de fuites de gaz 632.20
adj. 207.21
détection 207
découverte 179.1
sûreté 182.4
détective
enquêteur 641.10
appareil photo 621.3
détective privé 689.11
détectivité 207.14
déteindre 816.28
déteindre sur 407.14
dételer
renoncer 392.14 ; 701.6
cesser le travail 480.14

dételeur 832.24
détendre
étendre 298.11 ; 826.11
décontracter 526.8
calmer 89.6 ; 786.4
délasser 706.10
t. de physique 335.13
détendre (se)
s'étirer 259.9
se reposer 706.12
détendu 706.17
détenir
enfermer 208.19 ; 430.9
posséder 645.14
détente
déclic 118.7 ; 476.12
décélération 496.8
repos 89.4 ; 706
soulagement 786.1
apaisement 589.1 ; 642.9
d'une arme 43.10
t. de physique 298.3 ; 335.9
facile à la détente 302.25
détenteur 645.12
détention 208
enfermement 144.9
possession 645.1
détention arbitraire 169.7
détentionnaire 208.15
détenu
n. 44.10 ; 208.15
adj. 208.26
détergence 550.14
détergent 617.7
savon 550.14
déterger
aseptiser 114.33
nettoyer 550.28
détérioration 23.6
désordre 201.1
régression 293.4
détériorer 23.9
déséquilibrer 201.11
fragiliser 325.5
détériorer (se) 293.11
se transformer 850.10
s'aggraver 759.7
décliner 11.23
s'altérer 205.24
déterminant
algorithme 493.3
allergène 381.10
dominant 240.21
article 346.10
déterminatif 346.11
détermination
identification 376.9
causalité 92.2
motif 536.1
limitation 467.4
pilotage 221.15
influence 322.8
estimation 450.2
volonté 870.2
résolution 716.1
fatalité 305.1
choix 116.1
intention 428.1
détection 207.1
autorité 59.4
détermination du sexe 361.11 ; 762.24
déterminé
causal 698.11
prédestiné 545.11
défini 509.30
décidé 99.9 ; 716.7 ; 870.13
persévérant 255.9
entreprenant 279.13 ; 812.9
précis 425.15 ; 753.14
mal déterminé 24.14
déterminer
causer 92.9 ; 698.8
caractériser 376.11
motiver 545.5
prédestiner 545.7
évaluer 509.29
décider 716.4
persuader 148.12 ; 268.10 ; 391.13 ; 614.9
engendrer 7.12 ; 687.7
localiser 207.17
déterminer (se) 870.8
déterminisme
causalisme 92.3
fatalisme 305.6 ; 545.4
t. de philosophie 620.17 ; 698.5
déterminisme laplacien ou *universel* 332.4
déterrage 301.3
déterrement 301.3
déterrer
déraciner 295.10
exhumer 301.11 ; 783.23
ressusciter 503.10
découvrir 179.8
déterrer la hache de guerre 354.23
détersion
désinfection 114.7
nettoyage 550.11
détestable
exécrable 62.11 ; 410.13 ; 497.9
regrettable 11.26 ; 697.9
détestation
aversion 62.1
inimitié 410.1
en détestation de 410.18
détesté 410.12
détester 62 ; 410 ; 720.8
déthanisation 617.3
détirer
allonger 470.7
étirer 826.11
détireuse 476.9
détonant 781.30
bruyant 83.19
mélange détonant 131.11
détonateur 131.13
explosif 43.14
détonation
explosion 131.3
pétarade 83.8
coup de feu 820.2
détoner 131.24
éclater 83.15
faire feu 820.21
détonique 131.17
détonnant 224.10
détonner
contraster 23.12 ; 229.4 ; 572.7
jurer 224.5
chanter faux 106.27
détordre 692.8
détour
tournant 162.3 ; 212.8
faux-fuyant 316.9 ; 504.5
périphrase 622.10
sans détour 692.13 ; 767.14
pl.
labyrinthe 567.8
circonlocutions 674.5
faire des détours 212.17
parler sans détours 425.10
détourné
n.m.
pas de danse 176.16
t. de banque 66.52
adj.
hypocrite 373.19
par des chemins détournés 140.14
détournement 832.6
déviation 212.1
navigation aérienne 831.6
détournement d'actif 284.2
détourner
dévier 212.12 ; 263.8
écarter 713.7
dissuader 148.12 ; 231.5
éviter 671.24
dérouter 831.19
t. de droit 869.17
détourner le sens de 432.18
détourner (se)
s'éloigner 263.12
abandonner 231.9
se désintéresser 394.6 ; 547.10
détourneur
détourneur d'appels 809.6
détoxification 267.8
détoxifier 267.14
détracter 227.12
détracteur 227.11 ; 546.16
contempteur 789.3
détraction 227.6
détraqué 321.13
détraquement 205.4
détraquer
désorganiser 202.4
abîmer 205.15
détraquer (se)
prendre mal 482.53
s'altérer 205.24
se dérégler 476.15
détrempe 607.5
mariage à la détrempe 491.6
détremper
tremper 372.13 ; 468.8
t. de métallurgie 510.16
détresse
affliction 625.4 ; 827.6
désespoir 198.1
danger 175.3
dénuement 603.2
détresse verbale 839.5
détricole 251.16
détriment 11.8
détriticole 873.23
détritique
sédimentaire 337.30
dépôt détritique 337.15
détritus 550.13
détroit
bras de mer 289.4
t. d'anatomie 580.12
détromper
désillusionner 854.18
décevoir 178.4
détrôner
discréditer 227.21
destituer 292.6
détroussage 869.2
détroussement 869.2
détrousser 869.23
détrousseur 869.9
détruire
anéantir 205.14 ; 404.7
démolir 119.24
réfuter 546.9

discréditer 227.14
détruit 404.10
disparu 228.13
dette 209 ; 213.4
obligation 565.4
dette criarde 209.2
dette d'honneur 209.2
dette de reconnaissance 348.1
séparation de dettes 238.3
avoir une dette envers qqn 348.5
detteur 209.18
détumescence
rapetissement 220.3
ramollissement 526.3
érection 762.22
détumescent 526.9
deuche 57.6
deuil 331
regret 697.1
malheur 11.6 ; 836.2
en deuil 331.38 ; 553.17
travail du deuil 331.23
vêtement de deuil 859.19
avoir l'âme en deuil 836.8
porter le deuil de 697.5
deuillant 331.28
deuilleur 331.26
deus absconditus 2.5
deus ex machina 290.6
deusio 210.11
deutéranope 857.5
deutéranopie
troubles de la vue 482.27 ; 840.2 ; 857.5
deutérium 131.9 ; 269.5
deutero- 210.15
deutérocanonique 815.24
deutéro-malais 371.5
deutéroneurone 548.8
Deutéronome 815.2
deutocérébron 417.17
deutzia 38.8
deux 210
jeu de cartes 446.4
deuxième 210.10 ; 683.20
sus-tonique 543.11
le deuxième 210.4
deuxièmement 210.11
deux-pièces 481.18
deux-points 765.10
deux-ponts 831.2
deux-quatre 543.21
deux-roues
bicyclette 833.13
conducteur 833.27
deuz' 210.14
deuzio 210.11
Deva
brahman 236.4 ; 362.3
devadasi 362.12
dévalaison 195.2
dévalant 195.16
dévalée
à la dévalée 195.19
dévaler 530.15
descendre 195.9
dévaliser 869.23
dévaliseur 869.10
dévalorisant 220.19
dévalorisation
dévaluation 220.1
dépréciation 227.6 ; 789.2
dévaloriser
dévaluer 220.16
déprécier 227.12 ; 789.5
dévaluation
dévalorisation 119.10 ; 220.1
dépréciation 227.6
dévaluer
dévaloriser 220.16
déprécier 227.12
devancement 60.6
dépassement 190.1
devancer
surclasser 683.15 ; 798.11 ; 800.15
précéder 33.12 ; 60.9 ; 211.16 ; 232.8
dépasser 190.6 ; 263.11 ; 684.25
devancer l'appel 60.9
devancier 33.7
précurseur 60.5
devant 211
n.m.
façade 33.4
vêtement 859.21
adv. 33 ; 190.12 ; 576.25 ; 769.15
devant derrière 436.15
par-devant 651.15
devant que 33 ; 211.28
occuper le devant de la scène 59.14 ; 341.18
prendre les devants 134.16 ; 211.16
devant-de-feu 211.5
devanteau ou **devantot** 211.6
devantier 211.6
devantière 211.6
devantot → devanteau
devanture 135.13 ; 490.13
façade 211.2
dévasement 834.20
dévaser 834.39
dévastateur 205.25
dévastation 205.6
dévaster
ruiner 827.9
attaquer 205.20
déveinard
n. 11.13
adj. 11.27
déveine
malchance 11.3 ; 827.5
développable 153.26
développateur 621.15
développé
n.m.
figure de danse 176.16
t. de sport 792.9
adj.
évolué 293.12
accompli 5.22
pays développé 730.8
développement
évolution 293.1 ; 344.2 ; 850.3
suite 647.3
enchaînement 153.12
croissance 56.2
extension 298.3 ; 470.3 ; 730.14
croissance 270.6
amplification 665.3 ; 729.8
t. de géométrie 338.12
t. de photographie 621.14
t. de musique 543.29
développement durable 251.10 ; 293.3
développement psychomoteur 270.6
développer
poursuivre 153.16
augmenter 298.11
amplifier 378.9 ; 665.8
étayer une idée 664.14
t. de géométrie 338.14
t. de photographie 621.21
développer une maladie 482.53
développer (se)
s'accroître 540.10
s'étendre 585.16
se former 265.14 ; 323.16
se transformer 293.11
développeur 408.23
devenir
n.m. 104.2 ; 332.1 ; 850.3
v. 104.18 ; 293.9 ; 850.9
devenir à rien 228.7
en devenir 332.12
déverbal 535.4
déverbatif 535.4
dévergondage
plaisir 629.3
inconduite 860.2
luxure 475.1
dévergondé 860.10
pervers 763.46
libertin 629.18
luxurieux 475.9
vulgaire 399.8
dévergonder 860.7
déverminage 408.21
dévernissage 702.4
déverrouiller
ouvrir 585.11 ; 760.30
devers
par-devers soi 751.35
dévers 77.4 ; 505.14
déversement
sortie 783.1
expansion 298.1
écoulement 468.6
déverser 783.22
déverser sa bile 130.7
déverser (se)
s'écouler 468.14
s'épancher 461.16
déversoir 783.9
dévêtir 859.34
déshabiller 562.11
déviant 212.21
déviateur
n.m. 212.9
adj. 212.24
déviation 212
écart de conduite 32.6
perversion 763.15
dérivation 820.12
détournement 833.22
déviationnisme 808.9
déviationniste 808.25
dévidage 816.11
dévider 816.24
dévié 212.22
dévier 212
détourner 263.8
entraîner 54.9
devin 332.5
prophète 235.12
deviner 179.8
percevoir 275.10
supposer 802.7
comprendre 434.6
interpréter 432.13
devinette
énigme 680.5
gribouillis 411.4
devinettes 446.17

jouer aux devinettes 680.11
dévirage 436.3
devis 664
facture 659.9
dévisager 814.15
devise
parole 595.11
cri 168.7
deviser
causer 595.21
converser 156.13
dévissé 792.9
dévisser 530.15
t. d'alpinisme 792.82
de visu
visuellement 868.29
visiblement 867.9
dévitalisation 188.18
dévitaliser 188.24
dévitaminé 482.72
dévoiement 201.3
écart 212.6
dévoiler
enlever le voile 562.11
révéler 136.16 ; 854.14
dévoiler (se)
apparoir 34.10
apparaître 867.6
devoir 213
n.m.
nécessité 545.3
obligation 133.4 ; 533.2 ; 565.2 ; 650.2
salutation 741.1
métier 7.7
examen 274.11
devoirs civiques 125.4
derniers devoirs 331.1
sens du devoir 125.4 ; 366.3
faire des devoirs 274.19
manquer à son devoir 485.8
rappeler au devoir 710.11
rendre les derniers devoirs 331.30
rendre ses devoirs 163.8
v.
être sur le point de 332.7
être obligé de 177.5 ; 213.6 ; 565.10
de l'argent 209.20
devoir à Dieu et à diable 209.23
devoir beaucoup 348.5
devoir du reste 721.9
devoir la vie à 544.19
comme il se doit 147.15 ; 696.27
devoir (se) 213.6
dévoisé 781.30
grave 782.5
dévolter 261.23
dévolu
jeter son dévolu sur 116.8
dévolution 101.1
dévonien 337.21
dévorant
passionnel 600.16
insatiable 342.13
dévoré
dévoré de jalousie 442.9
dévoré de désir 199.13
dévorer
brûler 311.24
s'empiffrer 342.6
dilapider 661.6
dévorer à pleine dent 703.25
dévorer de baisers 91.7
dévorer des yeux 27.18 ; 199.10
dévot
n. 320.10 ; 472.7
adj. 320.15
faux dévot 320.10 ; 373.9
dévotement 320.17
dévotieusement 320.17
dévotieux 320.15
dévotion
ferveur 320.1
adoration 27.1
dévouement 564.2
être à la dévotion de qqn 761.12
pl.
faire ses dévotions 657.20
dévoué
serviable 847.14
généreux 336.10
courtois 163.10
loyal 472.13
obéissant 564.11
dévouement
abnégation 336.1
fidélité 472.1
déférence 564.2
dévouer (se)
se sacrifier 701.8
servir 213.8
se dévouer corps et âme 336.5
dévoyé 860.10
dévoyer
pervertir 860.7
déformer 432.18
t. de chemin de fer 212.12 ; 832.29
dexaméthasone 499.5
dexchlorphéniramine 499.5
dexie 417.9
dextérité
droite 246.1
tour de main 479.3
adresse 10.1
dextérités 316.10
dextralité 246.2
dextrane 94.5
dextre
droite 246.1
droit 246.7
dextrement 10.22
dextro- 246.13
dextrocardie 128.13 ; 482.13
droiterie 246.2
dextrochère 246.3
dextrogastre 246.2
dextrogyre
droit 246.7
pivotant 733.19
dextrométhorphane 499.5
dextromoramide 825.8
dextroposition 246.2
dextropropoxyphène 499.5
dextrorse 246.7
dextrorsum 246.7
dextrovolubile 246.7
dézinguer
tuer 534.28
critiquer 710.13
agresser 50.16
Dge-lugs-pa 80.4
dharma 80.12 ; 362.4
dharmasarstra 815.8
dharma-sutra 815.8
dhikr 657.16
dhimmi 440.10
dhole 486.9
dhyana 80 ; 80.7 ; 362 ; 657.17
zen 80.2
dhyana-mudra 80.13
di- 23.19 ; 25.22 ; 230.18
hétéro- 229.12
bi- 210.15
dia- 756.27
bi- 210.15
dia
à dia 334.12
diabète 482.25
diabétique 482.72
diabétologie 498.7
diabétologue 498.29
diable
n.m.
galopin 270.4
démon 186.2
chariot 489.7 ; 833.11
int. 431.2
diable de mer 638.7
diable de Tasmanie 486.13
au diable 232.13
au diable l'avarice 661.14
à la diable 333.51 ; 500.11 ; 547.21
en diable 427.27
au diable vauvert 232.13
de tous les diables 327.1 ; 427.21 ; 865.25
la beauté du diable 69.2
pauvre diable 11.13
herbe au diable 318.30
avoir le diable au corps 27.22 ; 186.12
envoyer au diable 62.9 ; 693.9
être possédé du diable 186.12
jaillir comme un diable 805.10
tirer le diable par la queue 603.13
vendre son âme au diable 186.12
ce qui vient du diable retourne au diable 869.26
diablement 427.32
diablerie
sorcellerie 186.6 ; 477.4
espièglerie 628.5
diablesse
démone 186.2
méchante femme 497.6
diablotin
galopin 270.4
facétieux 628.8
cuiller à sirop 848.14
beignet 333.16
diabolique
démoniaque 186.13
méchant 497.10
pervers 860.9
diaboliser
calomnier 227.14
condamner 144.26
diabolisme 186.6
diabolo
boisson 75.8
jouet 448.9
diacaustique 473.37
diachronie
histoire 363.1
grammaire 346.1

diachronique 363.15
diachroniquement 363.18
diacide 113.23
diaclase 337.6
diaconal
diaconales 763.7
diaconat 699.5
diaconesse 699.6
diacre
évêque 699.6
prêtre 508.9
diadectomorphes 712.10
diadelphe 318.46
Diadem 49.5
diadème 70.11
blason 552.13
Diadémé 70.25
diadoque 822.4
diagétogène
hormone diagétogène 340.3
diagnose 79.3
diagnostic
détermination d'une maladie 498.10
identification 207.1
jugement 432.1
diagnostic foliaire 79.15
diagnostique 498.36
diagnostiquer
déceler 207.17
t. de médecine 498.35
diagonale
droite 338.7
t. de chorégraphie 176.18
en diagonale 158.20 ; 212.25
lire en diagonale 684.16
diagonalement 338.18
diagramme 338.11 ; 765.12
courbe mathématique 162.6
figure 709.3
diagraphie 388.6
Diaguites 371.8
diakène 330.2
dialectal 455.19
régional 535.28
dialectalisme 535.6
dialecte 455.1
dialecticien 511.8
sophiste 682.8
dialectique
n.f.
t. de philosophie 25.1 ; 620.22
argumentation 614.4 ; 682.1
adj. 375.11 ; 511.15 ; 682.14
dialectiquement 620.36
rationnellement 682.19
dialectiser 511.12
dialectologie 455.7
dialectologue 455.12
dialeurope 417.5
dialogisme 156.9
figures de pensée 313.5
disposition 729.6
dialogue 156
conversation 136.3 ; 595.6
sketch 817.12
dialogue de sourds 803.9
dialogué 156.20
dialoguer 156.17
causer 595.21
dialogueur 156.11
dialoguiste 595.16
cinéaste 120.26
dialy- 756.27
dialycarpique
n.f.pl.
dialycarpiques 318.25
adj. 318.48
dialypétale 318.47
drosera 318.35
dialysépale 318.47
dialyseur 113.17
diamagnétique 478.14
diamagnétisme 478.2
électromagnétisme 261.2
diamant
pierre précieuse 70.12 ; 517
pointe de lecture 273.5
outil 584.5 ; 855.10
noces de diamant 88.7 ; 491.11
poudre de diamant 640.4
diamantaire
n. 70.19 ; 517.14
adj. 517.20
diamantin
n.m.
serpent 712.3
adj.
adamantin 517.20
diamétral 692.12
diamètre
longueur 219.2
largeur 456.2
droite 692.2
diamorphine 825.7
diane
singe 486.14
diane
sonnerie de réveil 494.3 ; 851.7
sonner la diane 851.11
Diane 236.14 ; 474.10
dianthœcia 417.11
diantre 431.2
diapason
registre 781.6
instrument 422.26 ; 781.15
t. d'horlogerie 118.7
être au diapason 26.8
diapause 417.22
diapédèse 742.10
diaphane
délicat 457.11 ; 604.15
translucide 473.35
diaphanéité 473.9
diaphonie 106.2
diaphorétique 340.13
diaphragmatique 574.23
nerfs locaux 548.4
diaphragme
muscle 541.13 ; 718.7
membrane 727.4 ; 821.4
obturateur photographique 308.2 ; 574.7 ; 621.4
contraceptif 711.12
t. de botanique 330.3
diaphragmer 574.16
régler 621.21
diaphyse 580.3
diapophyse 580.11
diapositive 621.8
diapré
divers 234.7
varié 850.15
polychrome 643.11
diaprement 473.6
diaprer
colorer 643.8
embellir 578.15
diaprure
bigarrure 850.2
bariolure 643.2
diapsides 712.1
diariste 691.11
diarrhée 296.11
mal de ventre 482.22
diarrhée blanche des poussins 482.48
diarrhéique 482.70
diarthrose 580.18
diascope 574.6
diaspes 417.5
diaspora 355.16 ; 449.23
diastase
catalyseur 94.23
sucs digestifs 218.13
diastasis 72.4
diastème 486.21
diastole 128.11
diastolique
pression diastolique 128.3
diathermane, diatherme ou **diathermique** 102.28
diathermanéité 102.11
diathermansie 102.11
diatherme → **diathermane**
diathermie 102.15 ; 775.7
diathermique → **diathermane**
diathermocoagulation 775.12
diathèse 482.2
santé 743.1
diatomée 512.5
pl.
diatomées 22.3
diatomique 113.24
diatomite 22.4
diatonique 543.53
échelle diatonique 543.10
diatribe 412.6 ; 710.7
agressivité 50.7
diaule 422.7
diazépam 499.5
diazol
brun diazol 84.2
jaune diazol 444.2
dibatag 486.6
dibencozide 94.21
dibétou 37.18
dibranches 527.1
dicamphosulfonate
dicamphosulfonate de thiamine 499.6
dicaryon 103.3
dicaryotique 103.16
dicaryotisme 103.4
dicentra 318.26
dicéphale 484.9
dicéphalie 484.4
diceras 527.2
dicerque 417.3
dichloréthane 617.6
dicho- 210.15
dichogamie 318.38
dichotomie
division en deux 210.3
t. d'astronomie 474.3
dichotomique
clé dichotomique 873.11

résumé 723.7
diminuendo 220.25 ; 344.17 ; 543.59
diminuer
v.t.
amoindrir 405.9 ; 602.6
atténuer 23.9 ; 786.5
bémoliser 543.46
rabaisser 227.18 ; 789.4
rabattre 524.8
réduire 142.5 ; 154.9 ; 289.7 ; 522.11 ; 616.6 ; 723.6 ; 790.6 ; 850.12
v.i.
baisser 659.12
décroître 154.12 ; 195.13 ; 220.9 ; 344.8
faiblir 119.22 ; 303.8
diminutif
abrégé 220.6
mot 535.2
nom 554.4
extrait 723.2
petit nom 554.4
diminution 220
amoindrissement 119.10 ; 154.1 ; 195.5 ; 293.4 ; 344.4 ; 367.4 ; 405.1 ; 421.4 ; 522.4 ; 616.2 ; 789.1 ; 790.1 ; 850.4
t. de musique 106.7
dimorphe
multimorphe 323.21
cristallographique 517.21
dimorphisme 517.8
dimorphisme saisonnier 417.23
dimorphisme sexuel 361.6 ; 417.23
din 440.15
dinanderie 848.34
dinandier 848.35
dinar 529.11 ; 529.8
dinde
oiseau 570.7
personne sotte 784.7
dindon
oiseau 570.7 ; 570.9
personne sotte 784.7
dindon de la farce 64.5 ; 532.8
dindonneau 570.7
dindonner 284.10
dîner
n.m.
souper 703 ; 776.7
dîner de têtes 814.4
v. 703.22 ; 776.10
dînette
repas 703.2
jouet 448.6
dîneur 703.19
ding 431.7
badaboum 83.23
ding dong 83.23
dingo
chien 486.9
fou 321.23
dingue
excessif 294.14
déséquilibré 321.13
dinguer
valser 119.19
faire dinguer 160.17
Dinkas 371.11
dinobryon 512.5
dinocéphales 712.10
dinocérate 486.4
dinoflagellé 512.5
dinophysis 512.5
dinopis 417.13
dinornis 570.20
fossiles animaux 337.22
dinosaures 712.10
dinosaurien 337.23 ; 712.10
dinothérien 486.4
dinothérium 337.23
dinucléotide 94.11
diocèse 699.19
commune 845.9
diode 261.14
diogène 172.3
Diolas 371.11
Diomède 236.41
dioné 49.10
dionée 318.35
dionysiaque ou **dionysien** 236.47 ; 276.11
dionysies 310.8
Dionysos 236.39 ; 236.43
dioon 37.17
diopsis 417.9
dioptre 473.19
dioptrie 509.13 ; 574.13
dioptrique
n.f. 473.21 ; 574.1 ; 868.13
adj. 473.37
dioscoréacées 318.17
dioscoréales 79.4
diospyros 37.17
Dioulas 371.11
dioxyde
dioxyde de carbone 335.2
dioxyde de plomb 631.2
dipavamsa 80 ; 815.13
dipeptide 94.8
diphenhydramine 499.5
diphénoxylate 499.5
diphénylamine 94.10
diphosphate 94.4
diphosphoglycérique
acide diphosphoglycérique 94.13
diphtérie 482.20
diphtérie aviaire 482.48
diphtérique 482.69
diphtongue 781.8
diphyllode 570.14
diphyodonte 188.31
diplacousie 482.29
diplocentridés 417.12
diplodocus 337.23 ; 712.11
diploé 580.5
diploïdie 361.6
diplomate
n. 642.10
adj. 141.21 ; 316.18
diplomatie 316.5 ; 586.6
attention 674.3
délicatesse 184.1
affaires étrangères 642.9
diplomatique
n.f. 363.5
adj.
généalogique 363.17
histoire diplomatique 363.2
maladie diplomatique 482.2
valise diplomatique 157.10
diplomatiquement 674.16
diplôme 274.7
permis 58.6
écrit 822.16
récompense 507.5
recrutement 266.10
diplômer 274.18
diplomonadales 512.5
diplopie
troubles de la vue 482.27 ; 840.2
diplopore 22.4
diplory ou **dipplory** 833.7
diplostémone 318.46
diplostracés 172.2
diplotaxis 318.26
diploures 417.1
diplozoaires 512.5
dipneumone 417.32 ; 718.30
dipneuste 638.3
dipôle 261.12
dipopidé 486.3
diprotodon 486.13
diprotodontidé 486.2
dipsacacées 318.34
dipsomane 441.8
dipsomanie 441.5
ivrognerie 441.1
soif 75.2
dipsophobie 619.4
diptère 417.32
insecte 417.1
diptères 417.8
diptérocarpacée 37.11
diptyque
écriture 252.7
tableau 607.7
retable 374.9
dipyridamole 499.5
dire
n.m. pl. → **dires**
v.
énoncer 13.6 ; 168.16 ; 535.22 ; 554.19 ; 595
réciter 691.12
dire bien des choses 163.7
ne pas se le faire dire deux fois 564.9
quelque chose me dit que 434.7
bien dire 729.1
direct
n.m.
émission 681.10
train 832.33
coup droit 792.16
en direct 681.21 ; 724.22 ; 768.11
adj.
rectiligne 692.11
concis 142.8
sans détour 142.9
non réfléchi 250.27
immédiat 434.8
t. de grammaire 346.21
interrogation directe 680.4
ligne directe 314.2 ; 466.9 ; 809.9
impôt direct 317.5

disposer (se) 649.13
dispositif
système 140.4 ; 511.3 ; 577.3 ; 795.1 ; 807.1
formation 487.1
jugement 245.33
mécanisme 476.1
dispositif de sécurité 752.13
disposition
agencement 150.2 ; 487 ; 577.2 ; 729.6 ; 769.1 ; 795.1
don 424.2
humeur 286.5 ; 755.4
organisation 576.1
précaution 674.4
prescription 650.1
usage 645.1 ; 846.5
à disposition 769.17
à la disposition de 564.18
disposition légale 245.30
dispositions
préparatifs 577.8 ; 649.3
intentions 428.4
dons 302.7
dispositions d'esprit 428.4
disproportion 229.2
déséquilibre 224.2
inégalité 402.1
démesure 347.3
disproportionné
discordant 224.10
inégal 402.10
surestimé 804.8
grimaçant 453.10
disproportionner
déséquilibrer 224.8 ; 402.6
disputailler
protester 194.11
se disputer 156.19
disputaillerie
altercation 146.2
dispute 156.4
disputation 818.21
débat 156.6
dispute
querelle 146.2 ; 168.6 ; 194.3 ; 410.4 ; 595.7
controverse 156.4
disputer
débattre 156.17 ; 682.10
réprimander 168.18 ; 710.10
briguer, lutter 792.81
disputer (se) 194.10
se bagarrer 146.17
se brouiller 238.15
disquaire 273.14
disqualification
éviction 292.1
arbitrage 792.36
disqualifier 792.93
disque
rond 97.1 ; 97.5
pièce d'horlogerie 118.7 ; 733.7
du Soleil 49.8 ; 777.7
intervertébral 242.2 ; 580.19
enregistrement 273.8 ; 781.21
signal 765.14
disque compact 273.8 ; 781.15 ; 781.21
disque de Newton 159.16
disques de Merkel 824.5
disque dur 273.11 ; 408.10
disque embryonnaire 265.6
disque imaginal 417.18
disque intervertébral 242.2
disque laser 273.8
disque noir 273.8 ; 781.21
disque numérique 273.8
disque optique 273.11
disque optique compact 273.11
disque optique numérique 273.11
disquette 273.11 ; 408.10
disruption 261.20
dissecteur 498.31
dissection
autopsie 498.11
opération 114.4
recherche 689.1
dissemblable 229.7 ; 234.8
autre 23.13
différent 216.11
discordant 556.12
dissemblablement
autrement 229.11
inadéquatement 556.16
dissemblance 229 ; 229.1
altérité 23.1
différence 216.1
inexactitude 556.2
inégalité 402.1
dissemblant 229.7
dissembler 229.4
dissémination 356.8
floraison 318.37
inattention 394.1
communication 136.1
disséminer
déclarer 136.15
propager 675.9
dissension
désaccord 194.1
mésintelligence 410.2
conflit 146.1
dissentiment 194.1
disséquer
démonter 202.5
décomposer 230.10
greffer 114.33
dissertation
devoir 274.11
étude 225.9
disserter 274.19
discourir 595.23
dissidence 808.9
critique 194.4
dissident 194.15 ; 756.10
opposant 572.6
rebelle 556.15 ; 556.7
contestataire 194.6
militant 808.25
dissimilaire 556.12
dissimilation 216.3
dissimilitude
dissemblance 229.1
inexactitude 556.2
dissimulateur 751.13
dissimulation
prétexte 656.2
hypocrisie 373.1
trahison 828.1
secret 751.1
cachotterie 751.5
tromperie 838.1
invention 504.2
dissimulé 183.18 ; 203.18 ; 751.27
disparu 228.13
hypocrite 25.17 ; 373.16
dissimuler 373.13
faire disparaître 228.9
cacher 437.3 ; 751.15
prétendre 656.5
mentir 504.13
dissipateur 661.11
dissipatif 496.14
dissipation
dispersion 228.1
inattention 394.1
prodigalité 191.6 ; 661.2
dissiper
distraire 394.8
dilapider 661.6
dissiper (se)
dématérialiser 380.11
disparaître 228.7
nuages 561.9
dissociabilité 230.5
dissociable 230.15
dissociateur 230.13 ; 230.6
dissociatif 230.13
dissociation 230 ; 230.1 ; 613.10
hystérie 321.6
nombre d'Avogadro 113.10
dissocié 202.11 ; 230.12
régime dissocié 214.2
dissocier 202.6 ; 230.7
différencier 23.11
désunir 597.11
dégrouper 756.12
analyser 113.20
dissocier (se) 230.11
dissolu
libertin 860.11
sensuel 475.10
dissolubilité
dissociabilité 230.5
annulation 31.4
dissoluble 202.13
dissociable 230.15
annulable 31.13
dissolutif 230.13
dissolution
désagrégation 119.9 ; 205.1 ; 228.1 ; 230.1
solution 335.10 ; 468.2
annulation 31.2
inconduite 475.1
dissolution de l'assemblée 642.4
dissolution de mariage 238.1 ; 491.14
dissolvant 230.14 ; 230.6
agent 113.4
dissonance 543.14 ; 781.3
discordance 224.1
dissonant
discordant 224.10
t. de musique 543.54
dissoner 224.5
dissoudre
désagréger 202.5 ; 205.14 ; 230.7
dans un liquide 113.20
annuler 31.6 ; 238.11
dissoudre (se)
se dématérialiser 380.11
disparaître 228.7
se désagréger 230.11
dissous 238.18
dissocié 230.12
dissuader 231.5
décider 614.9
pénétrer de ses vues 407.11

dissuasif 231.10 ; 614.14 ; 701.11
dissuasion 231 ; 182.3 ; 231.1
conseil 148.3
dissyllabe
mot 535.3
vers 635.13
dissyllabique 535.26
dissymétrie
dissemblance 229.1
déséquilibre 224.2
inégalité 402.1
dissymétrique
discordant 224.10
asymétrique 402.12
distal 232.12
t. d'anatomie 673.11
bord distal 417.17
distance 232
écart 216.2 ; 229.1
espace 219.4 ; 232.1 ; 263.3 ; 263.4 ; 433.1 ; 470.1 ; 509.17
réserve 713.3
distance angulaire 30.3
distance focale 232.2 ; 574.2
distance zénithale 49.21 ; 232.2
à distance 232.13 ; 263.15
mise à distance 263.1
tenir à distance 232.9 ; 263.7 ; 420.7
de distance en distance 232.15
conserver ses distances 183.8 ; 714.7
garder ses distances 232.9
prendre ses distances 216.8 ; 232.9 ; 263.12 ; 779.14
tenir la distance 232.9 ; 715.17 ; 864.12
distancemètre
unité de mesure 509.26
compteur 232.5
distancer 211.15 ; 232.8
dépasser 33.12 ; 190.5 ; 263.11
gagner 800.15
courir 792.83
distanciable 232.12
distanciation 232.6
espacement 433.6
dépassement 190.1
distancier (se) 232.9
se détourner de 263.12
distant
éloigné 232.11 ; 263.13
réservé 312.11 ; 714.14
distendre
allonger 470.7
grossir 351.7
déployer 298.11
distendu 526.9
distension
expansion 298.1
musculation 541.18
disthène 516.5
distillat 113.3
émulsion 369.6
distillateur 18.16
distillation 102.7 ; 369.8 ; 618.8
clarification 756.6
oxydation 131.3
bouillonnement 85.12
affinage 510.4
distiller 617.10
distillerie
raffinerie 617.8
ferme 18.12
distinct 234.8
indépendant 400.12
autre 23.13
dissemblable 229.7
différent 216.11
dissocié 230.12
intelligible 425.14
distinctement 425.17
distinctif 216.10
particulier 23.14
typique 126.20
distinction 233
différence 23.3 ; 216.3
élégance 69.5 ; 163.1 ; 184.1 ; 233.1 ; 366.9 ; 507.5 ; 552.4 ; 552.6 ; 774.5 ; 800.2
avoir de la distinction 233.9
distinguable 867.8
distingué 163.11 ; 233
grand 800.20
sensible 316.16
choisi 116.12
soigné 774.24
délicat 184.10
distinguer
identifier 376.11
différencier 23.11
particulariser 216.9
spécifier 126.14
trier 756.17
décomposer 230.10
voir 868.17
désigner 116.9
estimer 717.9
distinguer (se)
différer 34.8 ; 216.6 ; 556.8
s'illustrer 341.20 ; 507.9
distinguo 23.3
faire un distinguo 216.9
distique 37.27
strophe 635.12
distomatose 482.35
distome 856.2
distordre 212.15
distorsion
déséquilibre 224.2
déformation 212.2
distraction
soustraction 301.1 ; 790.1
inattention 2.6 ; 390.3 ; 394.1 ; 397.6 ; 583.1
divertissement 599.1 ; 629.5 ; 706.6
distraire
soustraire 301.10 ; 790.5 ; 869.17
divertir 447.10 ; 599.12
distraire (se) 599.13 ; 629.9
distrait 397.17
inattentif 394.9
distraitement 394.10
distribuer
agencer 23.11 ; 126.15 ; 576.12 ; 597.12 ; 683.11 ; 845.21
donner 241.13 ; 661.7
répartir 120.32 ; 157.15 ; 490.21
distributeur
intermédiaire 120.28 ; 490.15
mécanisme 57.3
distributeur automatique de billets 66.30
distributif
adjectif 346.11
mot 535.2
t. de mathématique 493.9
justice distributive 451.3
distribution
agencement 126.1 ; 326.6 ; 493.5 ; 576.1 ; 845.3
don 241.8
répartition 120.18 ; 157.9 ; 490.7
distribution d'eau 632.14
distributivement 576.24
district
région 695.7
subdivision 845.10
distrophe 251.15
distyle 39.27
disulfirame 499.5
dit
n.m. 635.6
adj. 554.25 ; 595.31
dithématisme 543.24
dithyrambe
exagération 804.2
inspiration 276.5
éloge 341.8 ; 471.4
ode 106.14
tragédie 817.3
dithyrambique 276.11 ; 471.21
théâtral 347.12
ditomus 417.3
ditonique 543.10
dittographie 252.9
diurèse
excrétion 296.9 ; 340.9
diurétique 499
excrémentiel 296.27
diurnal 657.13
diurne 776.12
vision diurne 868.2
diva
chanteur 106.17
acteur 120.25
divagation
incohérence 201.2
déplacement 319.14
élucubration 321.3 ; 378.4 ; 557.4
divaguer
affabuler 378.10
se faire des idées 375.19
délirer 321.18
divalent 113.24
divali 310.7 ; 362
divan
canapé 519.14 ; 706.8
recueil 635.17
dive 215.21
divergence
dissemblance 23.1 ; 229.3 ; 556.3 ; 572.1
réaction nucléaire 513.7
écartement 473.16
désaccord 194.1
divergence de vues 194.1
divergent
dissemblable 23.14 ; 216.11 ; 224.10 ; 229.7 ; 556.12 ; 572.15
qui va s'écartant 338.16
opposé 194.14
diverger
dissembler 216.6 ; 224.5 ; 229.4 ; 556.9
s'écarter 212.16 ; 840.15
s'opposer 194.7
divers 234 ; 501.18 ; 634
varié 850.15
plusieurs 678.18

diversement 234.12
différemment 216.13
diversification 234.4
diversifier 234.5 ; 634.9 ; 850.12
diversifier (se) 234.6
diversiforme
instable 229.10
varié 850.15
multimorphe 323.21
diversion 487.9
faire diversion 838.16
opérer une diversion 487.36
diversité 234 ; 234.1
pluralité 634.1
diverticulectomie 114.13
divertimento 543.30
divertir
soustraire 284.9 ; 838.16 ; 869.17
amuser 599.12
divertir (se)
se moquer de 532.10
jouer 629.9
se distraire 599.13
divertissant
amusant 447.17 ; 629.16
humoristique 132.13
divertissement
plaisanterie 132.3
plaisir 629.5
opéra-comique 106.9
chorégraphie 176.5
amusement 599.2
jeu 446.1
divette 106.17
dividende
nombre 237.1
bénéfice 849.9
divin 215.21
désincarné 380.14
grand 427.18
magnifique 69.15 ; 677.15
sacré 736.1
divinateur 235.12
intuition divinatrice 434.2
divination 235 ; 235.1 ; 432.9
prévision 332.4
sixième sens 434.3
culte 699.28
divinatoire 235.18
divinement 677.19
divinisation 341.6
diviniser 215.19 ; 236.45
sacraliser 736.13
glorifier 341.12
divinité 236
caractère divin 371.1 ; 613.1 ; 736.2
divis
divisé 237.7
en propre 645.27
divisé 237.7
éclaté 202.12
fractionné 324.14
diviser
opposer 146.18 ; 567.12 ; 572.13
partager 126.13 ; 210.7 ; 324.10 ; 597.10 ; 756.12
calculer 87.12 ; 237.5
diviser (se) 324.12 ; 756.14
se multiplier 634.6
diviseur 237.1
diviseur de débit 632.6
divisibilité 237.4
divisible 597.15
séparable 756.23
fractionnable 324.17
divisé 237.7
division 237
disjonction 23.2
partage 324.1 ; 597.4 ; 632.3 ; 756.1
partie 126.4 ; 729.5 ; 729.6
calcul 87.2 ; 237.1
désaccord 194.1 ; 410.4
armée 41.8
division cellulaire 94.27 ; 237.3 ; 265.3
division du travail 237.2 ; 480.9
divisionnaire
inspecteur divisionnaire 641.9
divisionnisme 46.11
divisionniste 46.16
divorce 238
discordance 194.1 ; 224.3 ; 410.4 ; 756.4
séparation 238.1 ; 491.14
divorcer 238.11
divortialité 238.5
divulgation 136.1
divulguer
trahir 828.10
révéler 136.16
divulsion 114.12
dix 239
des cartes 446.4
dix-huitiémiste 363.8
dixieland 543.6
dixième
n.m.
fraction 239.4 ; 324.2
intervalle tonal 543.17
impôt 317.10
adj. 239.7
dixièmement 239.8
dixiered 330.10
dix-neuviémiste 363.8
dix-septiémiste 363.8
dizain
le Décalogue 239.2
strophe 635.12
dizaine
nombre 239.1 ; 239.2
prières 657.7
des dizaines 540.7 ; 634.3
dizeau 239.2
dizième 239.1
dizigote 711.23
Djabrail 440.22
djadb 66 ; 440.23
djami 449
temple 465.3
djebel 530.3
Djermas 371.11
Djiboutien 355.7
djihad
guerre sainte 354.3 ; 440.17
djinn 186.5
D.L.O. 487.23
do 543.12
doberman 486.9
dobra 529.8
doc 498.23
D.O.C. 273.11
docétisme 117.2
docile
facile à vivre 302.23
respectueux 717.14
soumis 787.20
docilement 564.15
docilité 787.3
obéissance 564.1
docimasie 516.8 ; 689.5
autopsie 534.15
examen 498.11
docimologie 155.11
docimologique 155.18
dociostaurus 417.15
dock
silo 489.15
entrepôt 490.12
docker 489.16
docodonte 486.4 ; 712.11
docodontidé 486.4
docte 747.16
doctement 747.20
docteur
médecin 498.23
théologien 818.8
d'université 499.21 ; 747.9 ; 822.8
docteur de la Loi 245.47
doctoral 274.21
pédant 759.10
théâtral 347.12
doctoralement 274.23
doctorant 822.8
doctorat 498.22
diplôme 274.7
doctrinaire
n. 807.13
adj. 807.19 ; 808.49
doctrinairement 808.52
systématiquement 807.21
doctrinal 807.19 ; 808.48
doctrinalement 808.52
systématiquement 807.21
doctrinalisme 808.23
doctrinarisme 807.12
extrémisme 808.23
doctrine 245.38
théorie 807.2
philosophie 620.1
programme 642.6
système politique 808.1
doctriner 807.15
docudrame 120.5
docu-fiction 681.13
document 815.16
documentaire
magazine 681.13
film 120.5
documentariste 120.26
documenter (se) 689.12
dodéca- 244.8
dodécaèdre 338.6
alexandrin 244.2
réseau cristallin 517.7
dodécaédrique 244.6
dodécagonal 244.6 ; 338.16
dodécagone 338.5
alexandrin 244.2
dodécaphonique 244.6
monodique 543.50
dodécaphonisme 244.4 ; 758.14
sérialisme 543.4
dodécaphoniste 244.4
compositeur 543.40
dodécastyle 39.27
dodécasyllabe 635
alexandrin 244.2

dodecatheon 318.24
dodécuple 244.5
dodécylbenzène 617.6
dodelinement 579.1
dodeliner 579
dodeliner (se) 579.11
dodinage 579.4
dodiner 579.10
dodiner (se) 579.11
dodo
oiseau 570.20
dodo
sommeil 780
dodu 351.13
dog-cart 833.14
doge 694.20
dogmatique
n.f.
théologie 818
adj.
doctrinaire 807.19
doctoral 13.10 ; 99.9 ; 274.21 ; 808.49
t. de religion 818
dogmatiquement 620.36 ; 808.52 ; 818.32
affirmativement 13.11
dogmatisation 818.7
dogmatiser 807.15 ; 818.26
affirmer 13.6
dogmatiseur 818.8
dogmatisme
intransigeance 99.2 ; 807.12 ; 808.23
philosophie 620.12
dogmatiste 818.8
dogme
credo 13.2 ; 854.4
thèse philosophique 807.2 ; 808.1
doctrine religieuse 658.2 ; 700.4 ; 818.5
Dogons 371.11
dogue 486.9
doigt
soupçon 75.15 ; 602.3
le doigt de Dieu 215.14 ; 305.3
doigts de fée 479.14
les doigts dans le nez 302.27
être comme les doigts de la main 725.15
obéir au doigt et à l'œil 564.15
mettre le doigt dans l'engrenage 134.18
mettre le doigt sur 179.5 ; 283.14
taper sur les doigts 160.14
ne rien faire de ses dix doigts 393.9
se mettre le doigt dans l'œil 64.9
se fourrer le doigt dans l'œil jusqu'au coude 283.14
se mordre les doigts 697.6
mon petit doigt me dit que 434.7
doigté
adresse 10.5 ; 479 ; 824.4
diplomatie 7.1 ; 184.1 ; 316.5
virtuosité 542.16
doigtier
digitale 318.22
fourreau 114.25
doit 339.15
doitée 816.17
dol
abus d'autorité 3.2
tromperie 284.6 ; 838.5
Dolby 273.1
dolce 542.26
dolce vita 862.14
dolcissimo 542.26
doldrums 127.8
doléance 710.3
dolent
douloureux 482.59
plaintif 836.10
dolic ou **dolique** 318.27
Dolichenos ou **Dolichenus** 236.10
dolichenum 465.4
dolichocéphale 814.16
dolichodéridés 417.6
dolichopodidés 417.8
doline
dépression 167.2
col 530.9
dolique → dolic
dollar 529.8
dollarisation 529.14
dolman 859.20
dolmen 736.9
tombe 331.15
doloire 584.3
dolomedes 417.13
dolomite 517.4
dolomitisme 530.13
dolorisme 243.8
puritanisme 533.3
dolosif
abusif 3.13
délictueux 284.13
manœuvre dolosive 838.5
séduction dolosive 763.10
dolosivement 3.18
Dolpos 371.13
dom 525.13
monsieur 822.15
domaine
ressort 7.2 ; 266.3 ; 280.12 ; 467.2 ; 747.4
monde 695.2
propriété 481.1
domaine public 222.7
domaine réservé 442.4
du domaine de 280.12 ; 467.19 ; 646.8
domanial 317.13
étatisé 222.19
domanialiser 222.11
domanialité 222.4
Dombas 371.13
Dombrok
système Dombrok 742.15
dôme 530.8
arcade 162.5
butte 78.2
clocher 39.11
dôme de sel 618.1
dôme de silence 766.7
domesticable 564.13
domestication 240.5
domesticité
condition de domestique 787.1
serviteurs 481.39 ; 564.6
domestique
n.
serviteur 564 ; 787.9
adj.
apprivoisé 873.22
privé 304.1 ; 481.39 ; 862.12
national 288.25
domestiqué 787.21
domestiquer
apprivoiser 873.17
assujettir 240.11
domical 39.19
domicile 355.34 ; 356.2
maison 481.1
élire domicile 355.25 ; 481.40
sans domicile fixe 603.6
domiciliaire 481.45
visite domiciliaire 317.21
domiciliataire 66.37
domiciliation 481.1
domicilié
résidant 355.34 ; 481.40
t. de banque 66.52
dominable 240.22
dominance
prédominance 240.2
t. de biologie 361.6
dominant
n. 59.23 ; 240.6
adj.
dominateur 240.18
surplombant 204.18
prépondérant 240.21 ; 407.21
t. de biologie 361.21
dominante 757.3
quintil 121.3
t. de musique 543.11
dominateur
n.m. 133.6 ; 240.7
adj. 59.20 ; 133.24 ; 240.19
domination 240 ; 407.3
supériorité 800.2
direction 59.3
dominations 858.8
hiérarchie des anges 29.5
dominé 240.23
asservi 787.21
dominer
surplomber 204.12 ; 359.8 ; 530.14 ; 531.18
maîtriser 747.14
asservir 59.14 ; 133.22 ; 240.9 ; 407.12
triompher de 800.13 ; 861
dominer la situation 861.8
dominer (se) 865.21
garder son sang-froid 240.17 ; 601.10
dominicain 355.10 ; 525 ; 529.8 ; 570.8
prédicateur 648.12
dominicaine 570.8
dominical 88.3
domino
effet de domino 758.8
pl.
dominos 446.10
théorie des dominos 642.9
dommage
tort 11.8 ; 249.4 ; 827.4
désavantage 412.2
dommages et intérêts 144.8 ; 238.9 ; 587.3 ; 722.2
dommageable 175.17
fatal 11.25
dommages-intérêts → dommage
domotique 408
domptable 240.22
domptage 123.10
dompté 787.21
dompter
dresser 123.21 ; 873.17

assujettir 253.8
maîtriser 89.9 ; 240.10 ; 620.29
dompter (se) 810.9
dompteur
dresseur 123.16
dominateur 240.7
Doms 371.13
don 822.15
don 241
cadeau 336 ; 349.1 ; 661.3 ; 690.4
faveur 241.6
talent 302.7 ; 424.2 ; 646.3
don des langues 818.17
don du sang 742.13
faire don de sa personne 701.8
D.O.N. 273.11
donacie 417.3
Donan 236.31 ; 633.10
donataire
bénéficiaire 688.12
héritier 241.11
donateur 241.10 ; 349.2
donation 241.7 ; 645.7
cession 101.1
donation-partage 241.7
donatisme 117.2
donatiste 117.11
donativum 241.2
donax 527.2
donc 254.13
dondaine 42.4
dondon 351.6
dông 529.8
Dongs 371.13
Dongxiang 371.13
donjon
bastide 182.9
clocher 39.11
don Juan
amoureux 27.8
jouisseur 475.6
donna 306.2
donnable 241.27
cessible 101.17
donnant, donnant
en échange 690.16
donne 446.9
nouvelle donne 104.4 ; 850.3
donné
abandonné 101.16 ; 241.25
peu cher 349.5 ; 524.13
donnée
information 87.7 ; 493.2
aumône 241.3
circonstances 493.5
donner
offrir 241.13
céder 19.23 ; 101.10 ; 241.13 ; 336.6 ; 349.3 ; 361.19 ; 524.10
remettre 705.10
faire 772.13
trahir 828.10
jouer 817.26
produire 662.18
distribuer 446.35
avoir mal à la main qui donne 61.8
donner à Dieu n'appauvrit jamais 241.22
donner au soin de qqn 145.16
donner carte blanche 145.12
donner c'est donner, reprendre c'est voler 241.22
donner congé 706.11
donner dans le panneau 64.10 ; 145.19 ; 838.17
donner des perles aux pourceaux 224.7
donner deux sons de cloche 25.11
donner du courage 161.6 ; 268.9
donner et retenir ne vaut 241.22
donner jusqu'à sa dernière chemise 336.6
donner l'absolution 592.11
donner la main 19.20
donner le bras 502.12
donner sa confiance 145.12
donner sa foi 472.9
donner sans compter 661.7
donner son compte 292.9
donner son paquet 292.9
donner sur 221.27 ; 585.13 ; 769.10
donner un chèque en blanc 145.12
donner une punition 144.29
la façon de donner vaut mieux que ce qu'on donne 241.22
qui donne aux pauvres, donne à Dieu 241.22
qui tôt donne, donne deux fois 241.22
donner (se)
s'offrir 763.39
se sacrifier 336.5
se faire passer 12.9
se donner campos 706.13
s'en donner à cœur joie 447.11
donneur
donateur 113.4 ; 148.8 ; 241.23 ; 349.2 ; 711.16
dénonciateur 828.8
joueur 446.25
donneur de sang 742.23
-donte 188.33
-dontie 188.33
donzelle
femme 306.3
poisson 638.6
doña 306.2
dopa 94.10
dopage 825.2
stimulation 793.2
dopamine 548.14
dopaminergique 548.8
dopant 793
dope
drogue 825.4
stimulant 793.6
doper
fortifier 864.13
stimuler 793.11
encourager 268.9
doping 825.2
stimulation 793.2
doppler 207.13
don Quichotte 836.6
dorade 638.6
Dorade (la)
constellation 49.15
dorage
recouvrement 727.11
fil d'or 575.12
dorcadion 417.3
dorcus 417.3
doré
recouvert d'or 70.26 ; 575.20
mordoré 159.28 ; 444.11 ; 604.14 ; 624.23 ; 638.5 ; 857.10
chanceux 670.16
doré sur tranche 575.20 ; 730.19
jeunesse dorée 445.7 ; 730.10
dorénavant
désormais 647.24
à l'avenir 332.18
dorer
recouvrir d'or 70.20 ; 575.17 ; 727.15
bronzer 84.8 ; 777.16
mordorer 444.6
t. de cuisine 333.37
dorer la pilule à 838.13
dorer (se) 84.8
doreur 575.15
Dörfel 474.7
dorien 543.15
Doriens 371.16
dorique 39.5
doris 527.3
dorloter
soigner 774.10
caresser 91.6
dormance 79.7
hibernation 780.3
dormant
n.m. 760.7
adj.
endormi 780.24
immobile 319.1
t. de botanique 79.22
dormette 780.6
dormeur
personne 780.12
crabe 172.3
dormeuse 780.11
dormir
sommeiller 776.10 ; 780
traîner 389.8
ne dormir que d'un œil 183.11 ; 851.8
dormir sur ses deux oreilles 145.15 ; 752.12
à dormir debout 504.25 ; 557.4 ; 691.3
dormitif
somnifère 780
ennuyeux 272.12
dormition 310.4 ; 374.3
dormoir 780.11
doronic 318.10
dors- 242.13
dorsal 242 ; 541.7
nerfs rachidiens 548.2
colonne vertébrale 580.10
nageoire dorsale 638.12
dorsale 530.8
pli 337.13

doum 37.18
Doungans 371.14
dourian 37.18
dourine 482.48
douro 529.13
doute 395
incroyance 398.1
irrésolution 438.1
suspicion 183.2
quiproquo 24.2
t. de philosophie 620.22
sans doute 291.13 ; 646.12 ; 660.10
sans aucun doute 99.11 ; 614.16
être dans le doute 395.8
mettre en doute 395.12 ; 693.13 ; 802.7
dans le doute abstiens-toi 395.1
douter
être incertain 395 ; 438
se défier de 183.12 ; 442.8
ne douter de rien 655.7
douter (se) 660.7
douteur 183.17
incroyant 398.6
douteux
incertain 291.11 ; 395.13 ; 802.11
ambigu 24.15 ; 25.16 ; 183.19
sale 71.15 ; 740.11
douve
fossé 39.17 ; 67.8 ; 182.8
douve
ver 856.2
doux
clément 102.23
moelleux 526.9 ; 604.15
sucré 343 ; 799.14
gentil 76.9 ; 89.13 ; 91.9 ; 184.10 ; 302.23 ; 522.17 ; 601.12
tamisé 250.28
doux comme un agneau 564.12
en douce 373.20 ; 373.7 ; 751.29
à la douce 458.24
faire les yeux doux 27.20
douzain
poème 244.2 ; 635.12
monnaie 529.12
douzaine 540.7
quelques-uns 634.3
douze 244.1
douze 244
douze-huit 543.21
douzième 244
douzièmement 244.7
Dow Jones 81.9
doxa
opinion 375.10
connaissance 620.22
doxologie 657.9
doxycycline 499.5
doyen
aîné 14.5 ; 33.7 ; 863.6
religieux 525.12 ; 699.12
de faculté 800.10 ; 822.7
doyenné 330.11
drachme
unité de poids 509.24 ; 636.12
monnaie 529.11
Draconides 49.12
draconitique 474.4
dracunculus 856.2
dragage 834.20
dragée 799.5
drageoir 848.22
drageon 318.3
dragline 834.27
dragon
animal légendaire 712.5
gardien 52.3
soldat 41.12
pays en développement 730.4
dragon d'honneur 858.7
Dragon (le)
constellation 49.15
dragonnades 648.6
acte de violence 865.7
dragonne
dentelle 165.3
lame 792.73
à la dragonne 865.31
dragonner 648.16
dragonnier 37.17
drague
radiosonde 207.8
bulldozer 834.27
filet 605.9
draguer 550.33 ; 834.39
dragueur
bateau 43.13
personne 27.8
drain 750.8
bistouri 114.26
canal 834.7
drainage
séchage 750.3
désinfection 114.7
pompage 618.7
dragage 834.20
drainant 834.7
draine ou **drenne** 570.8
drainer
assécher 468.11 ; 618.13 ; 750.13 ; 834.39
t. de chirurgie 114.33
attirer 54.8 ; 352.18
draisine 832.17
Dralon 816.2
dramatique
tragique 175.11 ; 827 ; 836.15
théâtral 120.5 ; 681.12 ; 817
dramatiquement
tragiquement 827.16
sur un mode théâtral 817.33
dramatisation 615.2
exagération 347.5
dramatiser 827.10
intensifier 56.10
craindre le pire 615.5
exagérer 347.10
drame
catastrophe 290.5
genre théâtral 817 ; 827
drap 816.1
dans de beaux draps 11 ; 217.12 ; 769.12
se glisser dans les draps 780.21
drapé 165.4
drapeau
enseigne 41.20 ; 765.13
acrobatie 123.6
drapeau blanc 589.10
sous les drapeaux 41.22
draper
revêtir 727.13
caricaturer 731.7
draper (se)
se draper dans sa dignité 312.7 ; 366.21
draperie
cotonnade 816.3
rideau 481.32
t. de sculpture 749.8
drassidés 417.12
drave 318.26
Dravidas 371.13
dravidien 455.14
drayoir 584.8
drège 605.9
dreige 605.9
dreissénie 527.2
drelin 431.7
drelin drelin 83.23
drenne → **draine**
drépanocytaire 482.68
sanguin 742.29
drépanocyte 742.3
drépanocytose 482.19
drépanornis 570.14
dressage
érection 150.1 ; 505.11 ; 531.4 ; 692.4
domptage 123.10 ; 584.29
éducation 253.1 ; 270.8
d'un plat 333.2
dressant 518.6
dressé 357.29
dresser
construire 150.7 ; 531.15 ; 692.9
établir 286.10 ; 554.19 ; 664.13
dompter 123.21 ; 873.17
discipliner 59.17 ; 253.8 ; 270.18 ; 357.20 ; 639.8
préparer 333.39 ; 649.11
monter 572.12
dresser l'oreille 55.18
dresser (se)
s'élever 204.12 ; 530.14 ; 531.14 ; 692.10
s'insurger 146.14 ; 200.6 ; 572.10 ; 687.10
avoir les cheveux qui se dressent sur la tête 619.15
dresseur 123.16
dressing-room 859.32
dressoir
bahut 519.4
vaisselier 848.33
D.R.E.T. 689.8
dreyfusia 417.5
D.R.H.
n.f. 133.1
n. 133.10 ; 480.7
dribble 792.11
dribbler 792.85
dribbleur 792.49
drile 417.3
drill 486.14
drille
n.m.
joyeux drille 447.9 ; 629.7
drille
n.f. 518.8 ; 584.21
drimys 38.9
dring 118.15
dripping
peinture 607.3
abstraction lyrique 46.13

drive 792.13
drive-in 120.20
driver
diriger 133.19
t. de sports 792.85
D.R.M.E. 689.8
drogman 432.10
drogue
stupéfiant 793.6 ; 825.4
remède 499.1
camelote 500.5
drogué 825.14
droguer
se morfondre 51.7
droguer
intoxiquer 418.13
droguer (se) 825.16
droguerie 550.21
droguet 816.3
droguetier 816.19
drogueur 498.26
droguier 499.20
droguiste 550.21
droit 245
liberté 58 ; 462 ; 605.9 ; 646
système de règles 144 ; 164.2 ; 288.9 ; 451 ; 818.6 ; 835
taxe 278.10 ; 317 ; 529.6
paiement 739.6
droit de vie et de mort 240.14 ; 862.5
à bon droit 245.61 ; 507.17
en droit 245.59 ; 658.12
avoir droit à 507.8
faire droit à 149.10 ; 745.8
ayant droit 101.9 ; 245.48
droit
adj.
rectiligne 246.3 ; 246.7 ; 692 ; 732.13
rigoureux 854.6
honnête 365.9 ; 472.14 ; 759.8
piano droit 422.12
angle droit 30.2
droit chemin 692.5
droit fil 692.5
en droite ligne 692.13
adv.
droit au cœur 755.11
droit devant 692.13
aller droit au but 86.8 ; 142.6 ; 221.24 ; 425.10
droite 246
direction 212.19 ; 221
courant politique 687.6 ; 808
de droite à gauche 246.9 ; 334.12
à droite 246.9
être assis à la droite du père 591.8
droite
ligne 338 ; 692.2
droite
coup de poing 160.6 ; 792.16
droitement
droit 692.13
honnêtement 365.15
droiterie 246.2
droitier 246 ; 479.19
droitisme
droite 246.4 ; 808.11
droitiste 246
droitier 808.38
droiture 472.3 ; 767.3
droit chemin 692.5
honorabilité 366.2
honnêteté 365.1 ; 533.5
drolatique
amusant 447.17
comique 132.11
drolatiquement 132.14
drôle 628.13
n.m.
homme 364.3
jeune enfant 270.4
adj.
amusant 447.17 ; 629.16
comique 132.11
drôlement
très 427.32
comiquement 132.14 ; 447.18
drôlerie 132
farce 628.5
drôlet 132.11
drôlichon 132.11
dromadaire 486.6
drome 570.15
dromie 172.3
drongo 570.8
dronte 570.20
drop 792.12
droper 258.8
drop-goal 792.12
droppage 258.1
dropper 258.8
drosera 318.35
drosophile 417.9
drosophilidés 417.8
dru
adj.
serré 1.13 ; 187.12 ; 360.16 ; 624.22
vigoureux 743.11
adv. 633.12
druide 699.27
druidesse 699.27
druidisme 700.8
drummer 542.10
drupe 330.2
Druze 440
dryade 236.42
dryas 318.27
dryobalanops 37.20
dryocœtes 417.3
dryocope 570.13
dryolestidés 486.4
dryopidés 417.2
dryopithèque 486.14
dû
devoir 213.4 ; 565.4 ; 666
dette 209
dual 210.9
dualisme
doctrine 620.14 ; 700.6
coexistence 25.1 ; 634.4
dualiste 700.12
t. de philosophie 620.32
dualité 146.9 ; 210.5
altérité 23.1
ambivalence 25.1
pluralité 634.1
dub 105.5
Dubhe 49.5
dubitatif 395.15
réservé 714.16
irrésolu 438.9
dubitation 313.5
dubitativement 395.21
duc
titre 552.17 ; 822.4
oiseau 570.12
voiture 833.14
ducal 552.29
ducasse 309.5
ducat 529.13 ; 575.11
or ducat 575.2
ducaton 529.13
duché 552.10
duché-pairie 552.10
duchesse
poire 330.11
chaise 519
ducroire
prime 739.8
cautionnement 166.15
ductia 176.9
ductile
élastique 259.11 ; 298.14
étirable 826.14
ductilité 259.1
duodénostomie 114.15
duodénotomie 114.14
duègne 717.7
duel
n.m.
combat 146.8
duel judiciaire 451.14
duel verbal 595.6
duel
adj. 346.5 ; 555.12 ; 634.2
duettiste 123.13
duetto 543.34
duff 422.11
duffle-coat 859.12
Duffy
système Duffy 742.15
dugong 486.15
dugongidés 486.3
duiker 486.6
duit 834.7
duitage 816.10
duite 816.8
dulçaquicole ou **dulcicole** 251.16
aquatique 873.23
dulcifier 89.7
dulcimer 422.3
dulie
culte de dulie 29.9 ; 173.2 ; 215.17
dûment 177.12
dumper
appareil de transport 489.7
bulldozer 834.27
dunaliella 512.5
dune 530.4
dunette 830.11
duo 543.34
couple 210.2
duodéca- 244.8
duodécimain 244.6 ; 440
duodécimal 244.6
duodénal 218.10
duodénectomie 114.13
duodénite 482.23
duodéno-gastrectomie 114.13
duodéno-jéjunostomie 114.15
duodéno-jujénal 218.24
duodénoplastie 114.17
duodénum
estomac 853.3
intestin grêle 218.8
duodi
le deuxième jour 88.10 ; 210.4

duolet 543.28
duomo 465.2
duopole 135.8
dupe 3.6 ; 838.11
être dupe 64.10
dupé 838.23
duper 838.12
duperie 838.3
dupeur 838.9
duplex
appartement 481.18
communication 681.20
dupli- 25.22
bi- 210.15
duplicata
le deuxième 210.4
double 388.9
duplicate 446.8
duplication
impression 388.2
gravure 273.2
duplice
hypocrite 25.17 ; 838.18
ambigu 24.14
duplicité
fausseté 25.2
hypocrisie 373.1
trahison 828.1
malhonnêteté 485.1
tromperie 838.1
mensonge 504.1
ambiguïté 24.1
duplique 626.2
dupliquer
doubler 210.6
reproduire 388.19
enregistrer 273.15
dupondius 529.11
dur
solide 82.11 ; 307.24 ; 732.13 ; 778.13 ; 864.19
endurant 248.4 ; 255.9 ; 418.7 ; 864.14
implacable 59.19 ; 200.9 ; 248.8 ; 418.19 ; 497.10
difficile 11.26 ; 217 ; 255.10
disque dur 273.11 ; 408.10
dur comme du bois 74.27 ; 732.13 ; 778.13
dur comme du marbre 732.13
dur comme fer 285.6 ; 307.25
dur à la desserre 61.7
dur à la détente 61.7 ; 587.14 ; 784.10
dur d'oreille 55.21 ; 803.12
dur à cuire 248.4 ; 418.7
en dur 778.15
durabilité 153.4
permanence 611.1
durée 247.1
continuité 403.2
résistance 778.2
durable
permanent 403.14 ; 611.15
durablement 403.16 ; 611.19
longtemps 247.17
duraille
raide 732.13
difficile 217.18
dural 100.26
duramen
t. de botanique 37.6 ; 74.2 ; 96.5
duraminisation 37.23
duraminiser (se) 37.24
durant
pendant 811.16
à longueur de 247.22
duratif 247.16 ; 421.14
durbec 570.8
durcir 778.11
rigidifier 732.10
durcir (se) 248.5
durcissement
solidification 778.4
endurcissement 248.3
dure
à la dure 270.18
durée 247
temps 811.1
permanence 611.1
période 610.1
t. de linguistique 678.9
durée musicale 509.9 ; 543.14
ciel pommelé et femme fardée ne sont pas de longue durée 127.13 ; 561.10
de courte durée 421.12
durement 248.12 ; 307.26
douloureusement 243.15
vigoureusement 864.21
imperturbablement 418.22
dure-mère
méninges 100.18 ; 821.4
durer 247.5 ; 406.7 ; 653.21
continuer 297.9
persister 611.10
rester 403.9
vivre 862.22
faire durer 247.6 ; 724.9
dures
en dire de dures 720.5
en voir de dures 11.20
duret 732.13
dureté 248
solidité 732.1 ; 778.1
méchanceté 418.2 ; 497.1 ; 865.5
dureté d'oreille 803.1
Durga 362.3
durian
arbre 37.18
fruit 330.16
durillon 482.16
durin 584.28
durite 632.9
Dusans 371.12
duse 618.5
D.U.T. 274.7
duty free 831.9
duumvirat 694.9
duvet 265.7 ; 330.3 ; 727
barbe 624.5
t. de botanique 318.3
t. de zoologie 486.20 ; 570.21
Duzo
système Duzo 742.15
DVD 273.8
dy- 210.15
dyade 210.2
dyadique 210.9
dyarchie 694.9
dyarque 694.18
dynam- 322.22
dynamie 322.22
dynamique
n.f.
évolution 293.1
science 322.4 ; 496 ; 538.14
adj.
relatif aux forces 322
en mouvement 538.28
énergique 277.6 ; 279.13 ; 427.17 ; 684.30
dynamiquement 322.18
mécaniquement 538.30
dynamisation 499.17
dynamiser 499.26
dynamisme
philosophie 322.4 ; 620.14
énergie 7.1 ; 277.1 ; 279.7 ; 864.1
dynamite 43.14
dynamo- 322.22
dynamo
générateur 261.12
moteur 57.3
dynamoélectrique
générateur 261.12
machines électriques 476.5
dynamomètre
instrument de mesure 509.26
mesure de force 322.5
t. de travaux publics 834.29
dynamométrie 322.5
dynamométrique 322.16 ; 509.33
clé dynamométrique 584.13
dynaste 417.3
dynastie 314.10 ; 758.3
dynastique 314.17
dyne
t. de métrologie 322.22 ; 509.10 ; 636.12
dynie 482.85
dys- 202.15 ; 230.18 ; 556.17
patho- 482.84
dysacousie 482.29
dysarthrie 839.4
dysboulie 321.7
dyscalculie 87.10
dyschromatopsie
troubles de la vue 482.27 ; 840.2
dyschromatopsique 482.74
dyschromie 482.17
carnation 604.2
dyscrasique 482.68
dysdercus 417.5
dysdéridés 417.12
dysembryome
bec-de-lièvre 484.5
kyste 841.2
dysembryoplasie
t. de médecine 265.11 ; 484.4
dysenterie 482.20
dysentériforme 482.69
dysentérique 482.69
dysérythropoïétique 482.68
dysfonction 201.1
dysfonctionnement
désaccord 556.3
désordre 32.6 ; 201.1
maladie 482.1
dysfonctionner 32.10 ; 202.7
contraster 556.9
dysgenèse
t. de médecine 265.11 ; 484.4
dysgénésie 482.42
dysgénésique ou **dysgénique** 482.80 ; 484.8
tératologique 265.17

dysglobulinémie 381.6
dysgrammatisme 839.5
dysgraphie 839.4
dysharmonie 230.1
dysidrose 482.17
dyskératose 482.17
dyskinésique 482.80
dyskinétique 482.70
dyslalie 839.4
dyslexie 839.4
dyslexique
t. de médecine 839.13 ; 839.8
dyslogie 839.4
dysménorrhéique 762.36
dysmnésie 583.1
dysorthographie 839.4
dysosmie 569.8
dyspepsie 482.21
indigestion 218.3
dyspeptique 482.70
dyspessa 417.11
dysphagie 482.21
malnutrition 563.8
dysphagique 563.20
dysphasie 839.4
dysphémie 839.4
dysphonie
prononciation 595.2
logopathie 839.4
dysplasie
t. de médecine 265.11 ; 482.42 ; 484.4
dysplasique 482.80 ; 484.8
tératologique 265.17
dyspnée
t. de médecine 482.32 ; 718.14
dyspnéique
essoufflé 718.32
asthmatique 482.76
dysprosium 113.7
dysthanasie 534.14
dystocie 544.4
dystocique 544.24
dystomie 839.4
dystrophiant 482.81
dystrophie
malnutrition 563.8
t. de médecine 482.42
dystrophique 482.80
dysurie 296.10 ; 482.34
dysurique 482.77
dytique 417.3
dytiscidés 417.2
Dzahchins 371.13

E

é- 258.17 ; 301.18
Ea 236.20
Éaque 271.8
earias 417.11
earl grey 75.5
East-Anglian
style East-Anglian 46.4
easterlies 852.4
Eastmancolor 120.4
-eau 616.18
eau
liquide 319.1 ; 372.1
boisson 75.3 ; 85.6 ; 335.21
eau de toilette 594.3
eau médicamenteuse 499.15
eau de refroidissement 269.7
eau blanche 631.2
eau lourde 131.9 ; 269.7
à l'eau de rose 755.19
en eau 296.18 ; 340.18 ; 372.15 ; 468.12
d'une belle eau 517.20 ; 677.14
avoir l'eau à la bouche 343.13 ; 793.14
faire venir l'eau au moulin 730.12
il y a de l'eau dans l'air 633.15
il y a de l'eau dans le gaz 335.19 ; 549.11
mettre de l'eau dans son vin 522.13 ; 787.14
clair comme de l'eau de roche 275.13 ; 302.19 ; 425.15
il n'y a pire eau que l'eau qui dort 183.15
se jeter à l'eau 319.27 ; 386.6
tomber à l'eau 249.14
eaux 544.9
grandes eaux 443.5
nager entre deux eaux 319.27
eau-de-vie 75.13
eau-forte 388.5
gravure 607.3
ébahi 805.12
ébahir 805.5
ébahissement 805.1
ébarbage 584.29
ébarber 333.38 ; 584.37
bord 77.16
t. d'imprimerie 388.21
ébarbeuse 476.10
ébarboir 584.15
ébarouir 750.14
ébats 27.6
plaisir 629.5
prendre ses ébats 629.9
ébattement 629.5
ébattre (s') 629.9
ébaubir (s') 805.6
ébauche 118.7 ; 505.3
plan 521.5
baptême 134.10
schéma 795.3
commencement 812.3
projet 664.2
préparation 649.1
esquisse 607.6
ébauché
projeté 664.18
incomplet 383.10
ébaucher 392.13 ; 664.14
conceptualiser 577.17
former 323.11
tenter 812.7
préparer 649.10
esquisser 607.25
ébauchoir
ciseau 584.4 ; 749.14
ébaudir (s')
jouir 447.11
s'amuser 629.9
ébaumoir 505.16
èbe 195.3
ébénacée 37.11
ébénales 79.4
ébène
bois 74.13
noir 624.23
ébénier 37.20
ébéniste
bois 74.19
menuisier 505.20
mobilier 519.31
ébénisterie 74.5 ; 519.30
menuiserie 505.1
éberlué 805.12
éberluer 805.5
ebiara 37.18
ébionite 117.11
éblouir
attirer l'attention 868.22
aveugler 64.6
surprendre 805.4
épater 581.9
éblouissant 71.15
lumineux 473.33
beau 69.15
éclatant 341.28 ; 427.23
éblouissement 397.2
Ébola 512.3
éborgnage 36.3
éborgner
aveugler 840.16
blesser 72.14
éboueur 550.24
ébouillanter
chauffer 102.20
cuire 333.40
éboulage 816.11
éboulement 530.11
écroulement 202.2
avalanche 119.7
effondrement 205.2
ébouler 119.24
ébouler (s') 337.28
s'écrouler 119.15
craquer 205.22
ébouleux 119.25
éboulis 530.11
avalanche 119.7
éboulure 816.11
ébourgeonnage 36.3
ébouriffage 547.4
ébouriffant 132.11
ébouriffé
négligé 547.17
décoiffé 129.19
ébouriffement 547.4
ébouriffer 129.16
stupéfier 805.5
ébouriffure 547.4
ébousiner 517.15
ébranchage 36.5
ébranchement 36.5
ébrancher 36.22
ébranlement
bouleversement 115.10 ; 202.2
choc 115.1
ébranler
désorganiser 202.4
actionner 538.20
démolir 119.24
choquer 115.23

échappée
ouverture 585.1
intervalle 433.2
avancée 190.2
escalier 481.29
promenade 871.8
courses 792.4
échappement
sortie 783.1
piano 422.19
moteur 57.3
escalier 481.29
échappement libre 118.7
échapper
échapper aux regards 228.8
échapper à la vue 437.5
l'échapper belle 752.12
échapper (s')
prendre la fuite 228.8 ; 461.18 ; 783.17
se soustraire 790.8
se détacher 190.7 ; 792.83
disparaître 534.21
échardonnage 18.4
échardonner 18.21
échardonneuse 476.9
écharpe 476.12 ; 859.28
bandeau 65.3
bandage 114.23
bâti 505.5
escrime 792.17
écharpe d'Iris 127.6 ; 473.17 ; 643.6
écharpe de nuages 561.3
en écharpe 158.20
tir d'écharpe 820.7
écharpé 72.21
écharper
entailler 167.13
blesser 72.14
se faire écharper 72.17 ; 160.19
écharpiller
se faire écharpiller 160.19
échasse 359.4
jambe 502.3
échassier 570.4
échalas 359.3
échassière 672.11
échaudage 79.16
échaudé 416.8
échauder
chauffer 102.20
blanchir 71.9
décevoir 178.4 ; 416.5
faire payer cher 111.6
cuire 333.40
échauffage 102.7
échauffement 102.7 ; 792.35
coup de chaleur 102.5
chauffage 109.1
échauffer
exacerber 427.12
chauffer 102.20 ; 109.23
exciter 549.16
enthousiasmer 276.7
stimuler 793.10
passionner 600.8
échauffer la bile, les oreilles 130.10 ; 549.14
échauffer (s') 792.81
échauffourée 279.3
échauguette 182.13
èche 605.15
échéance
fin 315.1
terme 209.5 ; 587.7
échéant
le cas échéant 122.14 ; 291.15
échec 249
insuccès 178.2 ; 249.1 ; 249.2 ; 274.12 ; 392.6
conduite d'échec 249.6
en échec 217.14
mettre en échec 446.36
faire échec à 249.9
subir un échec 249.12
échecs
jeu d'échecs 446.14
échelette 570.8
échelle 543.10
mesure 509.1
escalier 531.8
grande échelle 359.4
faire la courte échelle 531.15 ; 596.26
échelle de grandeur 219.6
échelle chromatique 543.10
échelle de Beaufort 852.8
échelle de dureté de Mohs 517.9 ; 778.2
échelle de Fechner 754.10
échelle de prime 81.10
échelle de valeurs 536.3 ; 683.5
échelle mobile des salaires 739.3
échelle sociale 667.9
bas de l'échelle 405.2
tirer l'échelle après soi 10.13
à l'échelle de 509.35
sur une petite échelle 616.16
échellier 81.28
échelon 683.6
rang 683.1
place 769.4
ligne 487.5
hiérarchie 266.9
échelon d'assaut 487.5
échelon par échelon 344.14
échelonné
rangé 683.18
espacé 433.9
échelonnement
graduation 683.9
espacement 433.6
ordre tactique 487.6
échelonner 576.18
hiérarchiser 683.12
grouper 758.15
graduer 344.9
espacer 433.7
prolonger 247.9
former les rangs 487.29
échénéidé 638.3
échenilloir 18.15
écher 605.24
écheveau
dédale 140.2
chaîne 816.8
échevelé
négligé 547.17
décoiffé 129.19
échevêlement 547.4
écheveler 129.16
echeveria 318.33
échigner 227.13
échine 39.21 ; 333.7
dos 242.1
colonne vertébrale 242.2
avoir l'échine souple 761.11
courber l'échine 761.11 ; 787.12
échiné 303.21
échiner 242.7
critiquer 227.13
battre 160.12
échiner (s') 255.5
échinides 527.8
échinocactus 318.7
échinocéréus 318.7
échinococcose 482.35
échinocoque 856.2
échinoderme 873.25
échinomyie 417.9
échinops 318.10
échinorhynque 856.2
échiquéen 446.41
échiquier 487.7 ; 605.6
manœuvre 487.5
échecs 446.14
Échiras 371.11
échiuriens 856.1
écho 207.10 ; 236.42
copie 379.3
cycle 704.5
résonance 781.4
réplique 705.2
rétroaction 687.2
échos 654.8
n'éveiller aucun écho 401.11
échocardiographie 128.16
échoencéphalogramme 100.22
échoencéphalographie 100.22
échographe 498.20
échographie 498.14
embryologie 265.10
échographier 498.35
échographiste 498.31
échoir 290.8
échoir à 645.20
écholalie 321.8 ; 839.6
rabâchage 704.2
écholocalisation 221.12
écholocation 221.12
échomètre 781.16
échoppe
boutique 464.13
outil 584.4
fonds de commerce 135.11
échopper 637.13
échotier 654.16
échotomographie 498.14
échouer 249.11 ; 249.14
s'inachever 392.15
faire échouer 249.9
échovirus 512.3
échu 467.18
passé 598.13
écidie 103.3
écidiospore 103.3
écille 39.21
écimage
désépaississement 220.3
travaux des champs 18.4
taille 36.5
écimer
tailler 36.22 ; 220.13
défricher 18.21
éclaboussement
jet 468.3
dépréciation 227.6
éclabousser
arroser 468.9
salir 740.9
compromettre 227.21

éclaboussure
souillure 740.2
retombée 647.3
éclair 421.2 ; 684.37
feu du ciel 311.9
intempérie 127.5
éclat de lumière 473.4
lancer des éclairs 130.8
voyage éclair 871.3
éclairage 250 ; 473.10
aspect 158.5
clair-obscur 473.7
mission 487.12
appareil d'éclairage 250.5 ; 473.12
éclairagisme 250.19
éclairagiste 250.19
décorateur 748.10
cinéma 120.27
éclairant 250.25
éclairci 686.10
éclaircie 36.3
embellie 561.2
lumière 473.2
calme plat 89.3
éclaircir
raréfier 686.7
élucider 275.11
informer 136.14
définir 753.11
décoder 425.12
interpréter 432.13
défricher 18.21
coiffer 129.13
éclaircir (s') 624.16
éclaircissage 36.3
polissage 640.2
travaux des champs 18.4
éclaircissement
raréfaction 686.4
intelligibilité 425.7
interprétation 432.2
éclaire
herbe à l'éclaire 318.26
éclairé 250.26
lumineux 473.33
éclairement 250.2
éclairage 250.1 ; 473.10
éclairement énergétique 509.13
éclairement lumineux 509.13
éclairer 211.15 ; 250.22 ; 473.27
précéder 33.11
orienter 253.7
simplifier 302.15
couvrir 487.30
informer 136.14
décoder 425.12
interpréter 432.13
rétribuer 587.16
éclairer de ses conseils 148.10
éclairer la lanterne de qqn 19.21
éclaireur 211.12
devancier 33.7
sentinelle 671.14
fantassin 41.12
éclat 233.2 ; 250.2 ; 341.4 ; 366.4 ; 427.3 ; 749.12
poli 640.1
beauté 69.2
ostentation 581.1
charisme 407.4
apparat 98.3
noblesse 347.4
éclat de rire 83.11 ; 168.3
éclat de voix 83.11 ; 168.4
action d'éclat 7.8 ; 161.4
avoir de l'éclat 517.18
sans éclat 500.13
feu à éclats 311.6
éclatant 71.15 ; 341.28 ; 444.11
éblouissant 427.23
lumineux 473.33
comique 132.11
éclatante 159.27 ; 604.15
éclaté 202.12
éclatement 408.21
fraction 324.1
pétarade 83.8
éclater 865.18
apparaître 34.7
ouvrir 585.10
faire des bulles 85.14
gronder 83.15
se fâcher 130.6
faire feu 820.21
crier 168.17
éclater au grand jour 34.7
éclater (s')
rigoler 132.7
jouir 629.9
éclectique 46.16
éclectisme 116.7
syncrétisme 501.8
connaissance 620.22
tendance artistique 46.11
éclimètre 509.26
éclipse 474.6 ; 777.6
occultation 228.3
éloignement 189.2
révolution 49.19
assombrissement 566.4
défection 181.1
traversée du désert 227.3
éclipse partielle 474.6
à éclipses 223.16
éclipser 49.32
dominer 240.9 ; 800.13
masquer 437.4
cacher 64.7
compromettre 227.21
éclipser (s')
s'en aller 189.8
partir 181.6
filer 684.23
écliptique 49.34
orbite 49.20 ; 97.4
éclipse 474.6
éclisse
bâton 791.7
barrefort 74.6
bandage 114.23
baratte 454.4
éclisser 832.30
greffer 114.33
éclopé 72.21
écloper 72.14
éclore
apparaître 34.7
arriver 290.8
fleurir 318.41 ; 585.10
écloserie 262.10
éclosion 34.2
écluse 834.9
écueil 567.4
port 830.15
éclusée 830.13
écluser 830.31
boire sec 75.26
éco- 251.23
écobuage
feu 311.5
incinération 205.7
travaux des champs 18.4
écobuer 18.21
éco-éthologie 251.1
écœurant 62.11
écœuré 744.10
écœurement
aversion 62.1
découragement 249.7
écœurer
rebuter 713.12
dégoûter 62.10
écoinçon
coin 30.7
bâti 505.5
écolabel 677.4
écolage 274.6
écolâtre 274.14
école 274.5 ; 464.4
théorie 807.2
confession 700.3
philosophie 620.1
école laïque 274.3
école primaire 464.4
grande école 274.5
école sans école 253.5
école coranique 440.14 ; 648.10
école talmudique 449.15 ; 648.10
école militaire 354.13
école de groupe 487.3
faire l'école buissonnière 2.7 ; 274.20 ; 488.7
faire école 521.9
mettre à l'école 274.18
se mettre à l'école de 379.5
de la vieille école 28.11
écoles 46.1
école d'Avignon 46.6
école de Barbizon 46.11
école de Cologne 46.6
école de Fontainebleau 46.7
école de Paris 46.12
école de Pont-Aven 46.11
école romane française 635.19
écolier 274.15
débutant 35.3
écolo
écologiste 251.12 ; 808.26
écologie 251 ; 845.18 ; 862.21
zoologie 873.1
écologique 251.21
urbanistique 845.23
écologiquement 251.22
écologisme 251.10
écologiste 251.12 ; 808.26 ; 857.6
écologue 251.12
écomusée 251.11
éconazole 499.5
éconduire 420.7 ; 693.9
rejeter 295.11
repousser 263.7
exclure 713.8
congédier 409.5
éconocroques 281.7
économat 339.3
économe
n.
gestionnaire 339.17
comptable 339.18
adj. 281.15 ; 653.25
retenu 522.17
tempérant 810.11
sobre 771.7
économétrie 135.21
économétrique 135.36
économie 576.2
disposition 577.2

préservation 653.1
pondération 522.2
tempérance 810.1
sobriété 771.1
épargne 66.15 ; 281.1
gestion 339.1
économie de marché 460.1
économie des forces 487.18
économie dirigée 222.1
économie politique 642.13
avec économie 281.18

économies 281.7
économies de bouts de chandelle 61.8 ; 281.11
faire des économies 281.11
il n'y a pas de petites économies 281.11

économique 281.16 ; 363.2
bon marché 524.16

économiquement 281.18

économiser
préserver 653.14
modérer 522.11
s'abstenir 810.8
épargner 66.39 ; 281.10

économiseur 281.16

économisme 222.2

économiste 135.21 ; 460.6

écope 834.28

écoper
subir 688.17
prendre 160.20

écophobie 619.4

écophysiologie 251.2

écoproduit 677.4

écorçage 36.7
bûcheronnage 36.8

écorce
revêtement 727.5
tissu vasculaire 74.2
bois 37.6
écorce cérébrale 100.14 ; 100.15 ; 727.4
écorce grise 100.7
écorce terrestre 337.10

écorcer 36.22

écorché 749.8
écorché vif 755.9

écorchement 801.2

écorcher
peler 604.9
blesser 72.14
critiquer 227.13
escroquer 869.23
articuler 535.22
faire payer cher 111.6
écorcher les oreilles 224.9
écorcher vif 801.20

écorcheur 570.8

écorecharge
emballage 151.8
label 677.4

écornage 220.7

écorne 220.7

écorner
réduire 220.11
entamer 661.6
écorner son avoir 191.13

écornifler 869.18

écornifleur
escroc 869.13
pique-assiette 703.19

écosphère 251.7

écossais 816.4
fier comme un Écossais 312.10

écossaise 176.6
menuet 543.31

écosystème 251.7
règne animal 873.4

écot 587.3
rameau 37.8
participation 339.11
apporter son écot 596.22

écotée 171.20

écotone 251.7

écotourisme 871.2

écotoxicologie 251.1

écoufle 448.2

écoulé 598.13

écoulement 300.6 ; 319.15 ; 490.8
sortie 783.1
flux 468.6
excrétion 340.9
écoulement occasionnel 319.15
écoulement permanent 319.15
écoulement saisonnier 319.15

écouler 135.23

écouler (s')
passer 598.9 ; 811.7
couler 468.14 ; 783.14
se vendre 135.31

écourtement 220.2

écourter
réduire 220.11
rapetisser 616.6
résumer 723.6
coiffer 129.13

écoutant
public 651.6
auditeur 55.15

écoute 207.2
attention 52.1
mission 487.12
être à l'écoute de 52.4
être aux écoutes 207.19
mettre qqn sur écoutes 809.19

écouter 55.18 ; 274.19
surveiller 207.19
consulter 148.13
obéir 564.8
écouter aux portes 174.6
écouter de toutes ses oreilles 55.18

écouter (s')
s'écouter parler 625.11
s'écouter pisser 655.6

écoutes → **écoute**

écouteur
auditeur 55.15
interlocuteur 136.9
poste téléphonique 809.6

écoutille 585.6

écoutillon 585.6

écouvillon 550.15

écouvillonner 550.32

écovue 18.15

écrabouiller 205.15

écran 120.21 ; 211.5
barrière 67.1
cloison 567.3
protection 671.4
projecteur 621.6
t. d'informatique 408.7
écran panoramique 120.21
grand écran 120.21

écrasant 631.16

écrasement 456.3
blessure 72.3
annulation 205.9
défaite 180.1

écraser
peser 636.15
fracturer 72.14
attaquer 205.20
dominer 240.9
écraser la bulle 593.8
écraser le champignon 684.20
écraser les prix 220.16

écraser (s')
tomber 119.14 ; 119.18 ; 831.18
s'incliner 564.9 ; 787.12

écrémage 454.3

écrémé 457.12

écrémer 454.11
alléger 457.9

écrémeuse 476.9
appareil agricole 18.15

écrêtement 220.3

écrêter 220.13

écrevisse 159.28
crustacé 172.3
rouge 735.12
crochet 489.12

Écrevisse (l')
constellation 49.15

écribellates 417.12

écrier (s') 168.14

écrin
boîte 151.2
boîte à bijoux 70.17

écrire 252.13 ; 252.14 ; 455.16
représenter 709.8
mot 535.22
lettre 459.16
composer 543.45
écrire à qqn 157.13
écrire comme un chat 411.11

écrit 252.16 ; 252.17 ; 252.5 ; 252.6 ; 455.19 ; 822.16
littéraire 459.19
œuvre 469.7
c'est écrit 305.11
par écrit 455.23
écrits 815.2

écritoire 252.7

écriture 252 ; 117 ; 252.1 ; 252.2 ; 252.4 ; 252.8 ; 815.4
code 765.3
représentation 709.2
lexique 455.6
graphie 535.8
lettre 459.1
style 455.5 ; 729.10
écrit 252.5
faux en écriture 284.5
jeu d'écriture 529.1
écritures 339.15 ; 736.11

Écritures
canon des Écritures 818.9

écrivailler 252.15

écrivailleur 252.11

écrivain 252.11 ; 417.3 ; 729.13
écrivain public 252.11

écrivant 252.11

écrivasser 252.15

écrivassier 252.11

écriveur 252.11

écrou 476.12
t. de serrurerie 760.19
levée d'écrou 461.1
ordre d'écrou 208.5

écrouelles 482.20
herbe aux écrouelles 318.10

écrouer 208.19
écrouir 510.16
écroulement
bouleversement 202.2
vacillement 119.4
effondrement 205.2
écrouler (s')
tomber 119.15 ; 205.22
tomber de fatigue 780.16
échouer 249.14
écroûteuse 18.15
écru 816.31
ecstasy 825.8
ect- 300.19
ecthyma 482.17
ecto- 300.19
ectoblaste 265.6
ectoderme 265 ; 821.5
feuillets embryonnaires 265.6
-ectomie 114.37
ectomie 301.18
ectopie 482.43
ectopique 482.80
ectopiste 570.11
ectoplasme
fantôme 380.4
fluide 477.9
ectoplasmique 477.29
désincarné 380.14
ectotherme 873.23
ectotrophes 417.1
ectromèle 484.6
ectromélie 484.4
ectropion 840.5
écu 529.12 ; 575.11
blason 552.13
armure 42.7
formats 607.8
avoir des écus 730.14
avoir des écus moisis 61.6
mettre écu sur écu 61.6
remuer les écus à la pelle 730.14
Écu de Sobieski (l')
constellation 49.15
écubier 585.6
écueil 567.4
obstacle 217.6 ; 385.2 ; 567.7
mésaventure 11.2
danger 175.2
écuelle 848.2
éculé 630.9
écume 319.11
bulle 85.1
sécrétion 340.4
populace 734.5
scorie 510.11
écume de mer 516.5
écumer
couler 319.20
bouillir 130.8
écumer la marmite 703.28
écumeur
écumeur de mer 869.11
écumeux 85.17
écumoire 848.31
écurer 550.25
écureuil 486.10 ; 486.5
écurie 262.8 ; 481.2
tanière 486.18
porcherie 740.6
communs 481.12
écuries d'Augias 740.6
écusson
écorce 37.6
blason 552.13
t. de botanique 318.5
t. de serrurerie 760.3
écussonnoir 584.8
écuyer
chevalier 552.18
acrobate 123.14
cavalier 792.56
eczéma 482.17
eczémateux 482.67
eczématiser (s') 482.57
édam 328.6
édaphologie 337.1
édaphon 873.4
Edda 815.21
théogonie 236.8
edelweiss 318.10
Éden 670.5
édenté 188.20 ; 188.30
ligne édentée 487.7
édentement 188.8
édenter 188.27
casser 205.17
édicté 696.20
édicter 696.14
décréter 650.6
promulguer 245.51
édiction
codification 696.9
promulgation 245.39
édicule
lieux d'aisances 296.16
hangar 39.10
édifiant
parfait 521.12
juste 533.15
exemplaire 858.12
édificateur 531.20
constructeur 150.6
architecte 39.23
édification 531.5
structuration 795.12
éducation 253.1 ; 533.9
catéchisme 648.8
construction 39.5 ; 150.1
adoubement 552.8
production 662.1
édifice
structure 795.1
bâtiment 39.6
édifier
donner l'exemple 521.9
structurer 795.13
construire 150.7
élever 552.21
faire la morale 533.12
ordonner 39.24
créer 662.16
édile 708.13
édit 245.32
règlement 696.2
mise en demeure 133.5
édits de pacification 589.4
éditer 408.25 ; 469.24
publier 783.23
éditeur 469.16 ; 469.19
édition 654.6
édition critique 469.6
édition pirate 469.4
édito 654.8
éditorial 654.8
éditorialiser 654.23
éditorialiste 654.16
Édomites 371.16
Édoniens 371.16
Edos 371.11
-èdre 338.19
édriastéroïdes 527.8
éducabilité 253.3
éducable 253.12
éducateur
enseignant 274.14
pédagogue 253.6
instructeur 270.9 ; 649.7
éducateur spécialisé 253.6
éducatif 253.10
préparatoire 649.15
éducation 253 ; 125.4 ; 270.8 ; 533.9
enseignement 274.1
socialisation 772.4
courtoisie 163.1
savoir-vivre 177.4
éducation routière 57.19 ; 833.26
éducation spécialisée 253.3
bonne éducation 163.1
sans éducation 226.8
sciences de l'éducation 253.3
système d'éducation 807.5
éducationnel 253.10
édulcorant 214.4
édulcoration 522.3
édulcoré 522.18
édulcorer 214.10
modérer 522.11
sucrer 799.11
éduqué 163.11
poli 253.11
éduquer 270.18
former 253.7
instruire 649.11
dresser 59.17
élever 304.12
faire la morale 533.12
Édurons 371.16
éfaufiler 816.23
éfendi → effendi
effaçable 228.14
effaçage 228.2
effacé
gommé 228.13 ; 788.15
discret 523.9 ; 819.8
t. de danse 176.16
effacement
suppression 31.3 ; 228.1 ; 788.2
discrétion 523.1 ; 819
effacer
gommer 31.11 ; 583.8 ; 592.13
t. de danse 176.29
effacer (s')
disparaître 228.7 ; 534.21 ; 598.9
céder le pas 163.9
se tenir à l'écart 523.6 ; 819.4
effaceur 252.7
effaçure 466.5
effanage 18.4
effaner 18.23
effaneuse 18.15
effarant 805.13
effaré 805.12
effarement 805.1
effarer 619.10
effarouché 819.8
effarouchement 619.1
effaroucher
apeurer 619.10
impressionner 59.15
effarvatte 570.8
effecteur 92.15
agent 92.4
force 15.2
effecteur
efficient 5.9

égalité 256 ; 143.2 ; 256.1 ; 282.9 ; 401.9
identité 376.1
analogie 668.3
comparabilité 138.5
droits de l'homme 462.3
revanche 726.1
jeu de cartes 446.4
égalité des droits 256.4
égalité algébrique 256.6
égalité d'âme 89.1 ; 256.3
égalité d'humeur 282.7
à égalité 256.28
égard 717.4
eu égard à 92.20 ; 122.15 ; 536.13
à l'égard de 86.13
égards 163.3
petits soins 774.7
patience 522.3
à de nombreux égards 234.12
égaré 321.23
égarement
confusion 201.2
folie 321.1
désinvolture 390.2
peccadille 606.5
égarer 228.9
égarer (s')
dévier 212.17 ; 221.21
faire erreur 283.14
se dévoyer 860.8
égauler 36.22
égayer
réjouir 447.10
amuser 132.10
embellir 578.15
distraire 599.12
égayer (s') 629.9
Egbas 371.11
égérie 236.42
conseil 148.7
égide 236.43
sous l'égide de 671.35
églantier 38.4
églefin 638.6
poisson 333.13
église 117.6 ; 465.2 ; 508.15
confession 700.3
oratoire 657.3
temple 39.7
aller à l'église 320.13
basse église 117.5
haute église 117.5
croupe d'église 193.4 ; 465.5
homme d'Église 699.1
Église syrienne occidentale 117.9
Église syro-orthodoxe de l'Inde 117.9
église-halle 465.2
églogue 635.6
égo- 613.20
ego 257.2
créature 613.3
égo-altruisme 257.2
égobler 36.26
égocentrique
personnel 613.16
égoïste 257.3 ; 257.7
stade égocentrique 270.2
égocentriquement 257.9
égocentrisme 96.9
introspection 430.3
égoïsme 257.1 ; 613.12
égocentriste
égoïste 257.3 ; 257.7
égoïne
scie 584.10
ciseau 505.16
égoïsme 257 ; 613.12
dureté 418.2
indifférence 401.2
ego 257.2
égoïsme métaphysique 257.2
égoïste 257.3 ; 257.7
personnel 613.16
froid 418.15
indifférent 401.10 ; 401.16
égoïstement 257.9
égoïstique 257.7
égomorphisme 257.2
égorgement 801.9
égorger 801.21
tuer 169.22
égorgeur 169.19
égosiller (s')
crier 168.15
chanter faux 106.27
égotique 257.8
personnel 613.16
égotisme 257.1
égotiste 257.8
égoïste 257.3
égout 167.8
caniveau 834.8
poubelle 550.22
égoutier 550.24
égouttage 328.3
égouttoir 550.18
séchoir 750.7
passoire 848.31
égrainer 345.9
égrappage 756.6
égrappoir 18.15
égratigner
entailler 167.13
blesser 72.14
dire du mal 497.8
égratignure 72.2
égrenage
sciage 505.11
travaux des champs 18.4
égrener
granuler 345.9
raboter 505.23
moissonner 18.23
égreneuse 476.6 ; 476.9
raboteuse 505.15
moissonneuse 18.15
égrenoir 18.15
égrésoir 584.15
égrillard
érotique 763.45
libertin 629.18
impudique 399.9
égrillardise 629.3
égrisage 640.2
égrisé
abrasif 640.4
poudres 676.2
égrisée
abrasif 640.4
poudres 676.2
égriser 640.7
égrotant 482.60
égrugeage 676.7
égrugeoir 676.9
égruger 676.16
égrugeure 676.12
égueulé 530.6
égyptien
langue 455.14
croix égyptienne 171.3
livre égyptienne 529.8
Égyptien 355.7
égyptienne
lettre 459.8
égyptologie 363.2
égyptos 236.41
eh 431.2
éhonté 367.13
éhoupage 36.5
éhouper 36.22
eichhornia 318.32
eider 570.16
Einstein 49.28
einsteinium 113.7
éjaculat 762.8
éjaculation
émission séminale 258.3 ; 762.22
prière 657.1
éjaculation ante portas 762.22
éjaculation précoce 762.22
éjaculatoire
expulsif 258.13
séminal 762.34
éjaculer 258.9 ; 762.31
éjectable 258.11 ; 783.26
éjecter 258.8
débarrasser de 783.21
exclure 713.8
éjecteur 258.12 ; 783.9
rampe de lancement 258.6
éjectif 258.13
éjectile 258.7
éjection 258 ; 258.1
extraction 783.4
répulsion 713.1
éruption volcanique 337.7
activité solaire 777.7
excrétion 296.9
éjectocompresseur 258.6
El 236.15
éla 486.6
élaborateur 150.6
élaboration 577.8
préparation 649.1
fabrication 150.3
création 662.2
élaboré 577.23
compliqué 140.12
construit 150.10
élaborer
innover 414.7
conceptualiser 577.17
structurer 795.13
imaginer 378.8
concevoir 664.13
faire 150.9
créer 662.16
elæis 37.19
élagage
coupure 220.7
effacement 31.3
taille 36.5
élaguer
tailler 36.22 ; 220.13
simplifier 767.5
élagueur 584.6
sylviculteur 36.19
élamite 355.8
langue 455.14
elampsorella 103.10
élan
impulsion 199.3 ; 277.1 ; 391.6 ; 600.3 ; 755.4 ; 792.6
élan vital 297.6 ; 862.2
élan
animal 486.6

élégant 233.13 ; 233.6 ; 859.43
joli 69.17
soigné 774.24
distingué 233.12
vif 264.10
élégante 12.7
élégantifier 233.11
élégantiser 233.11
élégi 505.10
élégiaque 836.15
élégie 635.7
larmes 836.3
Muses 236.11
élégir
désépaissir 220.12
raboter 505.23
éléis 37.19
élément
indice 122.2 ; 152.8 ; 451.13
partie 113.2 ; 493.2 ; 597.1 ; 844.4
environnement 280.7
éléments minéraux 214.6
éléments plastiques 94.3
éléments radioactifs 513.6
pl.
rudiments 134.12 ; 723.3 ; 747.2
élémentaire
simple 302.18 ; 844.15
rudimentaire 383.10 ; 392.18
enseignement élémentaire 274.2
évènement élémentaire 493.6
particule élémentaire 513.3
élémosinaire 336.4
éléphant 236.43 ; 486.6
gros 351.6
mammifère 486.3
être comme un éléphant dans un magasin de porcelaine 224.6 ; 483.13
éléphantiasique 482.78
éléphantidé 486.3
-elet 616.18
elettaria 318.32
-elette 616.18
éleusinies 310.8
éleuthérogyne 318.46
élevage 262
éducation 270.8
production 662.5
élévateur
appareil 489.10 ; 531.20 ; 531.9
muscle 188.12 ; 541.5
élévateur de tension 261.17
pont élévateur 57.16 ; 489.10
appareil élévateur 531.9 ; 569.6
élévation
augmentation 56.1 ; 338.13 ; 667.1
hauteur 150.1 ; 204.7 ; 530.1 ; 531 ; 820.12
liturgie 508.4
dignité 69.6 ; 552.3
t. d'architecture 39.4
t. de danse 176.17
élévation d'âme 336.1
élévation de la Croix 374.3
élévatoire 531.20
élevé
haut 111.11 ; 204.18 ; 359.9 ; 384.14 ; 531.21
éduqué 253.11
honorable 533.16
bien élevé 163.11 ; 253.11 ; 714.15
mal élevé 226.8 ; 253.11 ; 485.14
élève
disciple 379.4
apprenti 35.3
écolier 274.15
stagiaire 649.9
animal d'élevage 262.4
t. d'arboriculture 36.11
élever 262
promouvoir 667.8 ; 683.13
estimer 471.10 ; 552.21 ; 800.18
hausser 56.8 ; 359.6 ; 531.15
éduquer 253.6 ; 270.18 ; 304.12
construire 150.7 ; 531.16
élever la voix 168.15 ; 168.17 ; 192.11 ; 710.14
élever son âme 657.19
élever un nombre au carré 87.12
élever (s')
devenir supérieur 204.12 ; 800.16
survenir 290.11
monter 531.12
avoir telle hauteur 530.14 ; 531.14
s'élever à 8.9 ; 531.17 ; 555.15 ; 659.11
s'élever contre 146.14 ; 572.8
éleveur 262.21
élevure 78.5
elginisme 599.6
Éli 49.5
Élie 449.16
éligibilité 260.16
éligible 260.30
élimé 28.13
éliminateur 296.25
élimination
exclusion 295.1
extraction 783.4
évacuation 258.3
annulation 205.9
mise au ban 582.2
t. de sport 792.37
éliminatoire 116.4
éliminer
supprimer 228.10
exclure 258.10 ; 263.7 ; 295.8 ; 582.15
tuer 205.20 ; 205.23 ; 534.27
évacuer 296.18 ; 340.11
t. de sport 792.91
élingage 489.3
élingue 531.9
élinguer 489.17
élire 260.25 ; 708.19
destiner 305.7
désigner 116.9
promouvoir 667.8
élire domicile 355.25 ; 481.40
Élisée 449.16
élision
effacement 31.3
grammaire 346.3
graphie 535.8
morphologie 535.9
élite 233.7 ; 800.5
autorité 59.8
société 773.7
élitisme 808.11
élixir 499.15
élixir de longue vie 477.13 ; 499.3 ; 862.8
-elle 616.18
elle 613.7
ellébore 318.25
elle-même 613.7
ellipse
forme 162.2 ; 338.8
sous-entendu 788.2
fait de syntaxe 313.3 ; 346.7
raccourci 142.1
ellipsoïde 338.8
ellipsomètre 473.25
ellipsométrie 473.26
elliptique
concis 142.7
laconique 142.9
phrase elliptique 622.2
elliptiquement 142.10
elliptocyte 742.3
élocution 729.7
prononciation 425.3 ; 595.2
élocution difficile 411.5
figures d'élocution 313.1
élodée 318.12
éloge 341.8 ; 471.4
félicitations 471.2
compliment 507.4
louange 225.5
au-dessus de tout éloge 677.15
être tout à l'éloge 507.10
ne pas tarir d'éloges sur 366.15 ; 471.11
couvrir d'éloges 366.14 ; 366.15
élogieusement 471.23
élogieux 471.20 ; 804.9
élogiste 471.8
Élohim 215.7
judaïsme 449.1
éloigné 263.13
à part 23.14
séparé 756.21
distant 232.11
parent éloigné 314.2
éloignement 263 ; 189.2 ; 232.6 ; 713
division 23.2
dissemblance 229.1
longueur 470.1
situation 769.1
dépassement 190.1
dégoût 62.1
mise au ban 582.2
éloigner 263.6 ; 420.7
séparer 756.11
repousser 713.7
rebuter 713.12
exiler 288.21
éloigner (s')
différer 216.6
s'en aller 189.8 ; 263.12 ; 263.9
élongation
allongement 79.6 ; 298.1 ; 470.3
blessure 72.4 ; 482.43 ; 775.16
t. d'astronomie 49.19

élonger
allonger 470.7
étirer 826.11
élopidé 638.3
éloquemment 264.12 ; 626.12
éloquence 264 ; 302.8 ; 595.8 ; 626
force de persuasion 614.4
rhétorique 729.1
muse de l'Éloquence 236.11
éloquence judiciaire 626.3 ; 729.3
éloquent 630
expressif 277.7 ; 595.28 ; 753.13
convaincant 614.14 ; 626.10
-elot 616.18
élu 260.30
choisi 116.12
candidat 260.14
représentant 708.1
élus 591.2
éluant 113.4
éluat 113.3
éluation 113.14
élucidation 179.2
élucider 275.11
deviner 179.8
définir 753.11
élucubrateur
constructeur 150.6
créateur 662.12
élucubration
ratiocination 682.4
vue de l'esprit 375.8
fabrication 150.3
absurdité 557.4
création 662.2
élucubrer 150.7
éludé 788.15
éluer 756.19
élution 756.6
éluviation 337.4
éluvion 337.15
élytre 417.17
elzévir 459.8
émaciation 220.3
émaciement 220.3
émail 70.13
enduit 727.6
céramique 813.11
gencive 188.5
couleur 159.1 ; 159.14
émaillage
revêtement 727.11 ; 727.8
émailler 578.15
émaillure 727.11
émanateur 783.9
émanation
exhalaison 254.1 ; 380.4 ; 477.9 ; 569.1 ; 783.1 ; 818.12
t. de chimie 335.1
émancipateur
libérateur 461.9
salvateur 461.24
émancipation 461.4
émancipé 461.22
émanciper 400.11
libérer 461.14 ; 462.19
émanciper (s') 445.9
s'affranchir 400.10
émaner
résulter de 254.5
se dégager 783.14
se sublimer 335.15
émargement 651.7
nom 554.6
reçu 587.9
feuille d'émargement 739.9
émarger 765.23
signer 554.24
recevoir des appointements 739.12
émarginé 103.16
émasculation 762.26
émasculer 762.32
embâcle 319.14
emballage 151
revêtement 727.1
arrestation 44.1
conditionnement 489.2
t. de sport 792.4
verre d'emballage 855.2
emballant 600.12
emballé 600.14
fanatique 276.10
emballement 600.5
admiration 276.2
spontanéité 386.2
succès 798.3
emballer
enthousiasmer 276.7 ; 430.9
empaqueter 151.11 ; 489.19
arrêter 44.11 ; 208.21
emballer (s') 600.10
emballeur
manutentionnaire 489.16
menuisier 505.20
représentant 135.17
emballonuridé 486.3
embarbouiller 740.9
embarcadère
départ 189.4
port 830.15
embarcation 830.8
embardée 57.13
dérapage 212.3
embargo
obstruction 567.8
arrêt 182.2
saisie 209.12
embarqué
électronique embarquée 57.10
embarquement 829.3 ; 871.14
départ 189.1
aéroport 831.9
embarquer
monter à bord 189.7 ; 829.23 ; 830.28 ; 831.17
arrêter 44.11
embarquer (s')
se mettre à 134.18
partir 189.7
tenter 812.7
entreprendre 279.10
embarras
maladie 482.1
gêne 231.2 ; 367.6 ; 395.2 ; 415.4 ; 438.1 ; 785
obstacle 567.6 ; 567.7 ; 715.13
affectation 12.3
pauvreté 603.2
embarras du choix 116.3
faire des embarras 12.10
tirer d'embarras 19.22
embarrassant
importun 415.15
douloureux 217.21
embarrassé
compliqué 140.12
ennuyé 217.12 ; 395.15 ; 438.9 ; 785.10 ; 819.8
embarrasser
déranger 415.8
empêcher de 567.13
embarrure 72.2
embase 505.8
appui 791.2
fer forgé 760.3
clé 760.14
embasement 791.2
embastillé 208.26
embastillement 208.1
embastiller 208.19
embauchage 266.10
embauche 266.6
embaucher 266.22
embauchoir
forme 323.7
chausse-pied 110.10
embaumé 653.23
embaumement 331.6
préservation 653.6
embaumer
v.t.
conserver 331.31 ; 653.17
v.i.
sentir bon 569.16 ; 594.10
embaumeur 653.9
croque-mort 331.24
embecquer 873.18
nourrir 563.12
embéguiner 27.19
embéguiner (s') 27.17
embellie
éclaircie 561.2
calme plat 89.3
embellir 69.12 ; 69.13 ; 378.9 ; 578.15
embellissement 69.8
adjonction 9.4
amélioration 353.2
ornementation 578.9
embéquer 262.27
emberlificoter
compliquer 217.13
flatter 838.13
embesogné 7.15
embêtant 272.15 ; 549.20
importun 415.15
embêter
agacer 549.15
contrarier 217.14 ; 272.11 ; 785.8
embêter (s') 272.7
embeurrer 454.13
embie 417.16
embiellage 57.3
emblavage 18.4
emblave 18.11
emblaver 18.22
emblavure 18.11
emblée
d'emblée 134.28 ; 652.16
emblématique 765.30
symbolique 709.12
emblème 765.4
figure 709.3
vignette 578.7

embobeliner
influencer 614.10
amadouer 838.13
embobiner 838.13
emboire 372.13
emboîtage 469.12
emboîté 176.16
emboîtement
articulations 580.18
assemblage 505.12
emboîter 430.8
emboîture 505.10
embolectomie 114.13 ; 128.18
embolie 482.13 ; 534.13
embolie gazeuse 85.3
embolique 482.66
emboliser 482.56
embolismique
année embolismique 474.4
mois embolismique 88.8
embolomères 68.2
embolus 100.7
embonpoint 351 ; 636 ; 853
santé 743.3
emboquer
nourrir 563.12
paître 262.27
embouche
herbage 360.5
gavage 262.13
alpage 262.17
crédit d'embouche 166.3
emboucher 262.27
emboucher la trompette 347.8
emboucheur 262.21
embouchure 319.5 ; 585.4
anche 422.21
embouer 740.9
embourbement 311.13
embourber 813.19
embourber (s') 567.15
embourgeoisement 357.10
embourgeoiser 357.21
embout 114.26
embouteillage
obstacle 567.6
circulation 833.21
embouteiller 567.11
emboutir
heurter 115.21
marteler 167.11 ; 510.17 ; 584.37
emboutissage 57.13 ; 584.29
tamponnement 115.4
déformation 510.9
emboutisseuse 476.10
embranchement
classification 37.8 ; 126.5 ; 873.10
division 171.2 ; 632.13 ; 833.16 ; 845.17
embrancher 632.24
embrasé 600.14
embrasement 600.4
inflammation 311.2
délire 276.4
embraser
incendier 131.21 ; 311.22
colorer 735.8
enthousiasmer 276.7 ; 600.8
embraser (s') 27.17
embrassade 91.4 ; 741.3
embrassant
saluant 741.24
forme 37.27
embrasse
embrassade 741.3
cordon 165.3
embrassement 741.3
étreinte 91.2
embrasser 502.12 ; 741.22
inclure 396.10
contenir 151.9
baiser 91.7
embrasser du regard 868.18
embrasser une carrière 266.25
embrasser un état 286.9
embrasser un parti 116.8
embrasser (s') 91.8
embrasseur 91.5
salueur 741.13 ; 741.24
embrasure
bâillement 585.2
fenêtre 585.6
embrayage 476.12
moteur 57.3
automobile 57.12
embrayer 57.24
embrené 296.28
embreuvement 505.12
embrèvement 505.12
embrever 505.26
embrigader 41.21
embrithode 486.4
embrocation
émulsion 369.6
pommade 499.15
embrochage 114.6
embrouillamini 201.5
embrouille
sac d'embrouilles 217.9
embrouillé 201.15
compliqué 140.12
complexe 217.19
inintelligible 411.15
embrouillement
embrouillamini 201.5
complexité 140.1
embrouiller 201.12
compliquer 140.9 ; 217.13 ; 411.12
entretenir l'ambiguïté 24.8
embrouiller (s') 483.13
embruiné 372.19
embrumé 566.12
embrumer 372.14
aveugler 64.6
embruns 633.4
embryectomie 114.13
embryo- 265.19
embryocardie 128.12
embryogenèse 265.2
conception 711.10
embryogénétique 265.15
embryogénie 265.2
embryogénique 265.15
embryologie 265 ; 265.12
pédiatrie 498.5
embryologique 265.15
embryologiquement 265.18
embryologiste 265.13
embryologue 265.13
embryome 265.11
embryomorphose 265.2
embryon
ébauche 134.2
fœtus 265.5
embryonnaire 134.26 ; 265
sac embryonnaire 318.5
embryonné 265.16
embryopathie 265.11 ; 484.3
embryoscopie 265.10
embryotomie 114.14
embryologie 265.12
embryotrophique 265.1
embu 607.11
embûche 567.7
embucher 107.23
embuer 372.14
embuscade 354.7
tromperie 828.6
surprise 487.14
embusqué
militaire 354.16
fantassin 41.12
embusquer 487.30
embusquer (s')
se cacher 228.8
se retrancher 182.26
évacuer 487.35
embut 167.6
éméché 441.17
Emei shan 736.8
-ement 7.18
émeraude
pierreries 517.4
taille 70.15
vert émeraude 159.8 ; 857.11
émergement 300.6
émergence 300.6
manifestation 34.2
sortie 783.1
réverbération 473.16
émergent 34.11
émerger
apparaître 34.7 ; 783.16
se lever 49.30
émeri 345.3
abrasif 640.4
polir 640.7
poudre d'émeri 345.3 ; 640.4
émerillon
faucon 570.12
crochet 42.5 ; 489.12
émerisage 640.2
éméritat 366.8
émérite
grand 800.20
entraîné 10.20
honoraire 366.25
méritant 507.14
émersion 300.6
sortie 783.1
révolution 49.19
émerveillement 805.1
émerveiller 805.4
émerveiller (s') 805.6
émétique
médicament 499.4
vomitif 499.31
émetteur
n.m.
personne 66.35 ; 136.9 ; 849.16
appareil 681.5
adj. 136.21
émetteur télégraphique 809.5
émettre
sortir 258.9 ; 300.9
produire 662.14 ; 781.25 ; 783.22
une monnaie 66.45 ; 529.26
diffuser 681.18
émettre un doute 395.12 ; 714.10

émettre une hypothèse 660.7 ; 802.6
émettre une objection 194.11
émettre une protestation 194.11
émeu 570.12 ; 570.19
émeutier 201.9
émie 742.35
-ite 482.85
émiettement 394.1
émietter 676.16
émigrant 189.6
résident 288.3
émigration 288.10 ; 355.16
départ 189.1
émigré 189.6 ; 783.11
étranger 288.3
émigrer 288.20
s'en aller 189.8
sortir 783.17
s'expatrier 124.12
émincé 333.11
émincer 333.38
éminceur 848.30
éminemment
supérieurement 800.24
considérablement 384.15
éminence
importance 384.1 ; 800.1
élévation 78.2 ; 530.1
Son Éminence 822.14
éminence grise 148.7
éminent 384.14
supérieur 800.19
puissant 59.21
glorieux 341.24
méritant 507.14
eminentia teres 100.8
éminentissime 822.20
émir 133.9 ; 440.12
gouverneur 822.5
roi 694.18
émissaire
diplomate 642.10
messager 136.8
t. de travaux publics 834.7
émission
excrétion 258.3 ; 300.6
production 529.17 ; 662.1 ; 783.1 ; 849.14
programme 681.12 ; 809.11
émission de variétés 681.13
émissole 638.7
emmagasinage 489.5
mise à l'abri 653.5
emmagasiné 151.13
emmagasinement 503.4
emmagasiner
emballer 151.11
entreposer 489.18 ; 490.19
emmailloter 270.16
revêtir 727.13
emmancher 279.8
Emmanuel 215.8
emmêlé
embrouillé 201.15
compliqué 140.12
emmêlement 140.1
emmêler 201.12
compliquer 140.9 ; 217.13
mélanger 501.12
emmêler (s')
s'emmêler les pinceaux 501.16
emmélie 176.8
emménagement 481.35
emménager 481.41
meubler 519.34
emménagogue
menstruel 762.36
médicament 499.31
emmener
entraîner 54.9
acheminer 829.21
emmener à la campagne 838.15
emmener en captivité 208.20
emmenotter 44.12
emmental ou **emmenthal** 328.6
emmerdant
embêtant 272.15 ; 549.20
ennuyeux 272.12
emmerder 217.14 ; 272.11
tourmenter 549.15
emmerder (s') 272.7
emmerdeur 272.6
ennuyeux 272.12
emmétrope 840.17
oculaire 868.28
emmétropie 840.2
emmiellé 12.13
emmiellée 761.3
emmieller 727.15
emmitonner 838.13
emmitoufler 727.13
emmurer 801.22
émoi
émotion 755.4
agitation 549.2
désir 199.5
enthousiasme 600.3
mettre en émoi 21.12
émollient
assouplissant 526.4
remontant 499.4
sédatif 499.33
émolumentaire 739.14
émoluments
rémunération 266.11
salaire 739.4
émondage
travaux des champs 18.4
taille 36.5
émonde
arbre d'émonde 36.11
émondes 37.7
émonder
simplifier 767.5
défricher 18.21
tailler 36.22
émondeur 36.19
émorfiler 640.7
émotif 754.17
impulsif 391.16
choquable 115.37
sensible 755.15
nerveux 549.17
stade émotif 270.2
émotion 754.6 ; 755.4
choc 115.9
enthousiasme 276.1
passion 600.1
émotionnable 755.15
émotionnel 115.38
affectif 755.14
choc émotionnel 115.9
émotionner 754.13
émotivement 755.23
émotivité 600.2 ; 755.2
impulsivité 391.10
émottage 18.4
émottement 18.4
émotter 18.21
émotteur 476.6
émotteuse 476.6
émouchet 570.12
émoudre 637.12
émoulage 637.9
émouleur 637.11
émoulu
frais émoulu 560.12
emouna 449.1
émousser 784.8
émoustillant 199.16
émoustillé
joyeux 277.6
euphorique 447.15
ivre 441.17
émoustiller
réjouir 447.10
allécher 199.11
exciter 793.10
émouvant 755.19
pitoyable 625.14
pathétique 264.10
émouvoir 754.13 ; 755.11
exciter 549.16
séduire 629.12
influencer 614.10
alarmer 21.12
remuer 600.9
faire pitié 625.10
convaincre 626.7
émouvoir (s')
ressentir 755.10
s'enthousiasmer 276.8
empaillage 653.6
empaillé 653.23
maladroit 483.8
empaillement 653.6
empailler 653.17
pailler 519.35
empailleur 653.9
naturaliste 873.15
empalement 801.2
empaler 801.20
empalmage 123.11
empalmer 123.21
empanacher 578.15
empanada 333.16
empansement 335.8
empaquetage
emballage 151.8
revêtement 727.1
conditionnement 489.2
empaqueté 151.13
empaqueter
emballer 151.11
conditionner 489.19
empaqueteuse 489.13
emparement 869.1
emparer (s') 869.20
prendre 44.12 ; 240.15
empâtement
grossissement 351.3
marge 77.13
t. de peinture 607.10
empâter
peindre 607.27
engraisser 262.27
empâter (s') 351.9
empathie 434.3
empattement
intervalle 232.1
base 37.5 ; 791.2
épaississement 459.3
pièce de machine 476.12
empatter 791.11
empaumer 284.10
empêchement
interdit 385.2
barrière 67.1

secourable 19.26
attentionné 774.21
courtois 163.10
affectueux 91.9
empressement 684.4 ; 717.4
impatience 382.1
spontanéité 386.2
petits soins 774.7
empresser (s') 717.10
emprésurage
barattage 454.3
affinage 328.3
emprésurer 454.11
emprise
influence 407.1
avoir de l'emprise 407.15
sous l'emprise de 787.26
emprisonné
intérieur 430.13
détenu 208.26
emprisonnement
peine 144.9
détention 208.1
substitut à l'emprisonnement 208.1 ; 797.5
emprisonner 144.30 ; 151.12
kidnapper 169.23
détenir 208.19
emprisonner (s') 430.12
emprunt
imitation 379.1
incorporation 455.4 ; 535.6 ; 543.15
dette 166.7
emprunt obligataire 849.23
d'emprunt 379.9
emprunté
guindé 12.14
gauche 819.8
emprunter
prendre 66.41 ; 846.12
imiter 379.5
emprunteur
débiteur 166.24 ; 209.18
empuantir 569.18
empuse 417.16
champignon 103.9
empyème 482.45
empyrée 311.10
univers 49.2
air 20.1
paradis 591.7
empyreumatique 569.27
huileux 369.15
empyreume 569.4
empyromancie 311.15
ému
troublé 115.36 ; 755.18
ivre 441.17
émulateur 408.6
émulation
imitation 379.1
stimulation 793.1
émule 379.4
émuler 379.8
émulsif
huile 369.1
huileux 369.15
émulsion 369.6 ; 806.2
cocktail 501.5
bouillonnement 85.12
pommade 499.15
pellicule 621.5
émulsion routière 834.36
émulsionner 85.14
émydidés 712.8
en- 396.22
en 152.13 ; 278.21
dans 396.21
chez 430.16
énalapril 499.5
énallage 313.3
énamourer (s') 27.17
énanthème 482.17
énantiomorphe 436.14
énantiotrope 113.26
énarque
élève 274.15
technocrate 694.21
énarthrose 580.18
en-avant 792.12
encablure
lieue 509.21
mesure 470.5
encadré
n.m.
article 654.8
adj.
ensaché 151.13
encadrement
cadre 77.10
entourage 280.3
support 607.18
découpure 578.5
bâti 505.5
encadrer 280.6
environner 280.5
border 77.16
restaurer 607.29
être à encadrer 731.6
encadreur 607.23
encaissage 151.8
encaisse
encaisse argent 575.10
encaisse or 40.1 ; 575.10
encaissé
étroit 289.8
creux 167.15
encaissement
resserrement 167.1 ; 289.2
recouvrement 66.7 ; 688.3
empaquetage 489.2
encaisser
de l'argent 66.46 ; 688.16
un coup 115.30 ; 160.20 ; 688.17 ; 792.86
subir 601.9
empaqueter 489.19
encaisseur
bénéficiaire 688.12
employé de banque 66.33
encalminé
calme 89.14 ; 852.21
encamionneuse 489.10
encan
à l'encan 135.24 ; 135.39 ; 135.5
encanaillement 552.7
encanailler (s')
déchoir 552.23
se débaucher 475.7
encapuchonner 525.28 ; 561.12
encaquer 605.28
encart
insertion 608.4
publicité 654.10
encart publicitaire 387.1 ; 675.5
encartage 388.3
encarter
injecter 608.10
composer 388.20
encarteuse 476.9
encarteuse-piqueuse 476.9
t. d'imprimerie 388.14
en-cas
aliment 703.7
ombrelle 859.30
encaserner 41.21
encastrer 760.27
inclure 430.8
enfoncer 278.15
encaustique
enduit 727.6
savon 550.14
peinture à l'encaustique 607.5
encaustiquer 727.15
encaveur 75.20
enceindre 280.5
enceinte
n.f.
mur 67.3 ; 77.8 ; 182.8 ; 269.7 ; 280.4 ; 845.15
baffle 273.5
enceinte acoustique 781.14
enceinte
adj.
en état de grossesse 711.21 ; 711.24
encelade 49.10
encellulement 208.1
encelluler 208.19
encens
parfum 508.5 ; 594.4
flatterie 471.11 ; 471.2 ; 761.4
encensement 471.1
encenser 761.10
louer 471.9
glorifier 341.12
encenseur
n.
courtisan 761.6
adj. 761.15
laudatif 471.19
encensoir 508.12
coup d'encensoir 761.3
prendre l'encensoir 471.14
encéphalalgie
tête 814.2
algésie 243.3
encéphale 100.1
encéphalique 100.26
encéphalisation 100.20
encéphalisé 100.28
encéphalite 100.21 ; 482.14
encéphalitique 100.27
encéphalogramme
électroencéphalographie 100.22
électroencéphalogramme 498.15
encéphalographie
encéphalographie gazeuse 100.22 ; 498.16
encéphalomyélite 482.14
encéphalopathe 100.28
encéphalopathie 482.14
encéphalopathique 100.27
encerclement
cerclage 97.11
manœuvre 487.14
encercler
cercler 97.12 ; 396.13
environner 280.5
cerner 487.31
enchaîné
fondu enchaîné 120.11
enchaînement
succession 153.12 ; 293.1 ; 576.6 ; 698.3 ; 758.1 ; 795.5
de danse 176.15
captivité 787.1

enfermé 208.26
enfermement
internement 430.6
détention 208.1
enfermer 151.12 ; 208.23
entourer 396.13
interner 430.9
impliquer 788.12
enfermer (s') 430.12
s'isoler 779.14
enfers → enfer
enfeu
tombe 331.15
façade 39.12
enfiellé 497.11
enfiévrer
exciter 549.16
enthousiasmer 276.7
passionner 600.8
enfilade
chaîne 758.2
alignement 692.1
formation 795.5
en enfilade 758.22
enfilage 70.16
enfiler 795.14
tromper 284.10
revêtir 859.35
enfiler des perles 435.9
enfiler (s') 75.27
enfin
finalement 315.23 ; 724.20
enfin ! 724.24
enflammé
en flammes 102.26 ; 311.29
irrité 243.13 ; 735.11
passionné 264.10 ; 264.8 ; 276.9 ; 600.14
enflammer
mettre en flammes 131.21
empourprer 276.7 ; 427.12 ; 735.8 ; 755.11 ; 793.10
passionner 27.19 ; 600.8
enflammer (s')
prendre feu 311.21
s'enthousiasmer 276.8
s'éprendre 27.17
enflé 78.16 ; 298.13
bouffi 351.15
grandiloquent 347.11
enflé d'orgueil 312.11
enfler 351.8
bosseler 78.11
s'accroître 298.12
surestimer 804.4
boursoufler 347.9
enfler (s') 298.12
enflure
abus 294.4
grossissement 351.3
bosse 78.4
renflement 298.7
tumeur 841.1
prétention 655.1
ostentation 581.1
grandiloquence 347.1
enfoiré 296.28
enfoncé
intérieur 430.13
creux 167.15
enfoncement
creux 167.1 ; 402.4
pénétration 195.4 ; 608.3
blessure 72.2
enfoncer
surpasser 800.15
faire pénétrer 278.15 ; 430.8 ; 608.11
défoncer 115.21 ; 167.11 ; 205.17
enfoncer (s')
s'engloutir 228.7
pénétrer 278.11 ; 430.11 ; 608.7
enfonçure 167.1
enforcir 864.10
enformer 165.27
façonner 323.12
enfoui 788.15
enfouir 751.16
enterrer 813.21
creuser 331.31
enfouissement 114.5
enfourchement
croisement 171.2
assemblage 505.12
enfourcher 502.11
enfourchure 171.2
enfourner
dévorer 342.6
cuire 333.40
enfreindre 169.26
contrevenir à 200.7
manquer à 606.10
enfreindre la tradition 164.15
enfuir (s') 249.13
disparaître 228.8 ; 598.9
s'éloigner 263.9
enfumer 311.22
engagé
obligé 565.15
promis 666.23
combattant 354.29
appelé 41.10
unité engagée 354.17
engageant
attirant 53.9
désiré 199.16
sociable 772.14
courtois 163.10
délicat 184.10
engagement
pénétration 608.3
promesse 472.5 ; 565.4 ; 586.2 ; 666.1
contrat 279.2
escarmouche 354.7 ; 487.14
attaque 50.4
prise de position 642.12
endettement 209.1
coup d'envoi 792.11
recrutement 266.6
remplir ses engagements, faire face à ses engagements 472.10
engager
enfoncer 278.15 ; 608.11
convier 53.5
obliger 565.8
entreprendre 50.18 ; 279.8 ; 649.10
exhorter 148.12 ; 268.10
recruter 41.21 ; 266.21
investir 339.29
engager à 391.13
engager des poursuites 451.30
engager les hostilités 146.16 ; 354.23
engager sa parole 472.9 ; 666.15
engager (s')
tenter 812.7
entreprendre 279.10
promettre de 666.17
commencer 134.18
entrer 278.11 ; 608.7
promettre 666.15
s'enrôler 41.22
engainante 37.27
engamer 605.26
enganter 838.13
engaver
nourrir 563.12
gaver 262.27
alimenter 703.38
engazonner 360.13
engelure
entaille 167.4
coup de froid 327.5
croûte 482.16
engendré 662.23
engendrement
enfantement 544.2
création 662.2
engendrer
déterminer 7.12 ; 92.9 ; 687.7
produire dans l'espace 323.11 ; 338.14 ; 493.8
donner naissance à 544.20 ; 609.8 ; 711.19 ; 862.23
engendreur 662.20
engin
mécanique 496.9
armes spéciales 43.16
machine 476.1
fusée 48.2
Engishiki 815.17
englober 396.10
engloutir
dévorer 342.6
prodiguer 661.6
engloutir (s') 228.7
engloutissement 228.1
engluer 727.15
engommer 816.26
engorgé 337.28
obstrué 567.17
engorgement
fermeture 308.10
obstacle 567.6
engorger
obstruer 308.18
faire obstacle à 567.11
engorger (s') 505.27
engoué 599.17
engouement 27.5 ; 600.5
admiration 276.2
succès 798.3
engouer (s')
s'enthousiasmer 276.8
s'éprendre 27.17
se passionner 600.10
s'adonner à 599.14
engouffrer
dévorer 342.6
prodiguer 661.6
engouffrer (s')
entrer 278.11
s'enfoncer 608.7
bondir 684.19
engourdi 418.20 ; 593.11
gelé 327.21
apathique 458.18
engourdir
rigidifier 732.10
endormir 397.10
hébéter 784.8
insensibiliser 418.13
engourdir (s')
hiberner 327.17
s'encroûter 393.10

engourdissement
insensibilité 327.5 ; 394.1 ; 397.3 ; 418.5 ; 732.3
apathie 393.2 ; 401.4 ; 458.8 ; 593.3
engrais 18.7
d'engrais 262.33
engraissement 262.13
engraisser
nourrir 563.12
fertiliser 18.21
gaver 262.27
alimenter 703.38
engraisser (s') 730.11
engrammation 503.4
engramme 503.3
engrangé 151.13
engrangement 18.4
engranger 18.24
emballer 151.11 ; 430.9
mémoriser 503.9
engrangeur 476.6
outil agricole 18.15
engraulidé 638.3
engrêlure 77.14
engrenage 118.7 ; 476.12
formation 795.5
engrènement
blessure 72.2
couture 114.5
engrènement dentaire 188.2
engrener
entreprendre 279.8
gaver 262.27
engrosser 351.10
ensemencer 711.20
engrumeler 778.9
engueulade 168.6
gronderie 710.2
altercation 146.2
engueulage 710.2
engueulement
gronderie 710.2
altercation 146.2
engueuler
blâmer 710.10
injurier 412.9
crier 168.18
enguichure 65.2
enguirlandage 710.2
enguirlandé 578.18
enguirlandement 710.2
enguirlander
blâmer 710.10
orner 578.12
enguirlandeur 710.20
enhardir 161.6
enhardir (s')
montrer du courage 161.8
s'autoriser à 58.17
enharmonie 543.10
enharmonique 543.53
enhendée 171.20
enherber 360.13
énième 683.20
Enif 49.5
énigmatique
ambivalent 25.16
indéterminé 395.17
complexe 217.19
mystérieux 751.26
inintelligible 411.14
ambigu 24.13
énigmatiquement 24.17
énigme 680.5
gribouillis 411.4
par énigmes 24.17
enivrant 600.12
enivré 600.14
amoureux 27.26
enivrement
enthousiasme 276.1
plaisir 629.1
embrasement 600.4
ivresse 441.3
enivrer
enthousiasmer 276.7
réjouir 447.10
enchanter 629.13
stimuler 793.10
enivrer (s') 441.12
s'étourdir 629.9
s'enivrer de son vin 655.6
enjambée 232.3
à grandes enjambées 502.19
enjambement 635.16
enjamber 502.11
enjoindre 133.17 ; 431.11
conseiller 148.12
prier 185.12
prescrire 650.5
enjôler
attirer 53.5
influencer 614.10
entreprendre 279.12
flatter 373.15 ; 838.13
caresser 91.6
enjôleur 53.10 ; 761.15
affectueux 91.9
courtisan 761.6
imposteur 504.12
enjolivement
embellissement 69.8
ornements 578.1
ornementation 578.9
enjoliver 504.21
embellir 69.12 ; 578.15
enjoliveur 57.5
enjolivure
embellissement 69.8
ornements 578.1
enjoué
alerte 277.6
euphorique 447.15
enjouement
entrain 277.1
joie 447.1
enjuponner 27.19
enképhaline 100.19
Enki 236.28
enkysté 841.12
enkystement 841.6
enkyster (s') 482.57
enlacement
formation 795.5
étreinte 91.2
enlacer 91.7 ; 712.19
embrasser 502.12 ; 741.22
enlaidir 453.6
enlaidissement 453.5
enlevage 123.11
enlevé 684.35
enlèvement
dégagement 295.3
prise d'assaut 487.14
rapt 169.7 ; 869.6
enlever
retirer 228.9 ; 295.9 ; 301.10 ; 790.5 ; 790.7
exalter 276.7
prendre d'assaut 487.31
ravir 169.23 ; 869.25
enlever (s') 135.31 ; 684.26
s'enlever comme des petits pains 135.31
Enlil 236.18 ; 305.4
enlisement 311.13
obstruction 567.8
enliser 813.19
empêcher de 567.13
enliser (s') 813.25
achopper 567.15
enluminé 578.18
rougeaud 735.11
enluminer
éclairer 473.27
colorer 159.20
rougir 735.8
barbouiller 607.26
embellir 578.15
enlumineur 607.19
enluminure
rougeur 735.5
tendance artistique 607.2
ennéa- 551.8
Ennéade 551.2
divinités 236.3
ennéagone 338.5 ; 551.2
ennéasyllabe
neuf 551.6
vers 635.13
enneigé 327.19
enneigement
neige 327.7
humidité 127.3
ennemi
n. 11.11 ; 23.7 ; 146.12 ; 354.15 ; 410.5
ennemi du genre humain 420.4
ennemi public numéro un 169.17
en ennemi 146.23
adj. 11.24 ; 146.22 ; 194.14 ; 354.29 ; 572.15
ennoblir 552.21
anoblir 552.20
ennoblissant 552.30
ennoblissement 552.8
ennoiement
ennoiement désertique 197.3
ennoyage 197.3
ennoyé 337.28
ennuager 561.9
ennui 272
souci 192.5 ; 416.1 ; 836.2
difficulté 217.4 ; 249.4 ; 603.3
causer des ennuis 11.16
ennuyant
embêtant 549.20
déplaisant 192.12
ennuyé
tracassé 785.10
insatisfait 416.7
infortuné 11.27
ennuyer
lasser 272.10 ; 272.11 ; 272.9 ; 785.8 ; 836.7
importuner 192.8 ; 217.14 ; 415.7 ; 416.5
ennuyer (s') 272.7
ennuyeusement 272.17
ennuyeux 272.12 ; 272.14
regrettable 697.9
banal 836.16
déplaisant 192.12
inopportun 415.13

énohydrastase 94.24
énolase 94.24
énolisation 113.14
énoncé 595.30
phrase 622.1
parole 595.4
énoncer
articuler 425.9
dire 595.19
énonciatif 622.3
affirmatif 13.10
énonciation 595.4
enophtalmie 840.3
troubles de la vue 482.27
enorgueillir 312.6
enorgueillir (s') 384.9 ; 798.22
être la fierté 312.6
énorme
gros 351.11
surestimé 804.8
grand 384.12
énormément 427.27 ; 540.15
énormité 347.3
énostose 841.2
enquérir (s') 136.19
rechercher 689.12
se renseigner 680.15
enquête 680.7
recherche 689.3
article 654.8
journalisme 654.14
sondage 675.3
enquêter 136.19 ; 689.14
informer 654.23
chercher 174.6
enquêteur 689.11
enquiquinant
embêtant 272.15 ; 549.20
importun 415.15
enquiquinement 272.5
enquiquiner 272.11
enquiquineur 272.6
embêtant 549.20
importun 415.5
enraciner 318.43
enragé
enthousiaste 276.9
en colère 130.12
coléreux 865.26
fanatique 600.15
enrageant
déplaisant 192.12
irritant 130.13
enrager 192.9
se fâcher 130.6
enraiement 329.6
enrayage 57.4
grippage 329.6
enrayé 329.34
enrayement 329.6
enrayer 653.16
limiter 522.12
labourer 18.20
enrayeur 832.24
enrayure 18.5
enrégimenter
discipliner 240.10
enrôler 41.21
enregistrable 273.20
enregistré 275.14
enregistrement 273 ; 5.5 ; 273.12 ; 781.20
enregistrer 273.15 ; 273.18 ; 273.19
mémoriser 503.9
enregistreur
magnétophone 273.4
stéréo 273.20
enrêner 792.87
enrhumé 482.62
enrhumer (s') 482.54
prendre mal 482.53
enrichir
adjoindre 9.12
densifier 187.7
parer 578.14
t. de microphysique 513.12
enrichir (s') 730.11
enrichissement 730.4
croissance 56.2
fission 513.7
ornementation 578.9
enrobage
recouvrement 727.11
asphaltage 834.25
enrobé 834.46
asphalte 834.36
enrober
envelopper 280.5
cuisiner 333.37
enrochement 834.6
enrôlement 354.6
asservissement 240.5
service militaire 41.18
enrôler
soumettre 240.12
armer 41.21 ; 354.26
enrôler (s') 41.22
enroué 595.19
enrouer 781.25
enrouer (s') 482.53
enroulé 162.11
enroulée 527.19
enroulement 39.21 ; 162 ; 261.16 ; 578.3
rotation 733.1
maladie 79.16
crochet 712.12
fer forgé 760.3
enroulement de compensation 139.3
enrouler 733.17
enrouler (s') 162.10
enrue 18.5
ensabler (s') 567.15
ensachage
emballage 151.8
conditionnement 489.2
ensaché 151.13
ensacher
emballer 151.11
conditionner 489.19
ensacheur 476.6
manutentionnaire 489.16
ensacheuse 476.9 ; 489.13
ensaisinement 645.7
ensanglanté 742.33
ensanglanter 742.27
rougir 735.8
frapper 827.9
enseignant
instructeur 649.7
corps enseignant 274.14
enseignant-chercheur 689.9
enseigne
n.m. 41.12
enseigne de vaisseau 41.15
n.f. 41.20 ; 490.5 ; 675.5 ; 709.3 ; 765.13 ; 765.2
enseigne lumineuse 675.5
être logé à la même enseigne 217.12
enseignement 274
conseil 148.2
moralité 533.8
enseignement assisté par ordinateur 408.22
enseigner
faire cours 274.17
conseiller 148.11
communiquer 136.13
enseigneur 274.14
ensellure 482.11
ensemble
n.m.
homogénéité 576.2
groupe 126.4 ; 352.5 ; 725.2 ; 795.7
somme 823.2
être mathématique 493.4
vêtement 859.6
ensemble infini 406.4
ensemble ordonné 493.4
ensemble vide 404.3 ; 872.3
grand ensemble 39.9 ; 481.8
adv. 6.17 ; 137.23 ; 352.24 ; 376.17 ; 596.38 ; 725.19 ; 768.11
ensemblier
décorateur 519.31
t. de cinéma 120.27
ensemencement 18.4
coupe d'ensemencement 36.3
ensemencer 711.20
cultiver 512.13
semer 18.22
enserré 151.13
enserrer
entourer 396.13
emballer 151.11
environner 280.5
ensevelir
oublier 583.8
creuser une tombe 331.31
ensevelissement 331.2
ensiforme 37.27
ensilage
mise à l'abri 653.5
travaux des champs 18.4
ensilé 151.13
ensiler 18.24
engranger 151.11
entreposer 489.18
ensileuse 18.15
ensiloter 489.18
ensimage 369.8
ensimer 369.13
ensimeuse 476.9
en-soi 796.2
ensoleillé 777.18
clair 127.20
lumineux 473.33
ensoleillement 777.4
climats 127.3
ensoleiller 777.16
éclairer 473.27
ensommeillé 780.24
ensommeillement 780.5
ensommeiller 780.23
ensommeiller (s') 780.16
ensorcelant 53.9
ensorcelé 186.12 ; 600.14
extatique 276.9
ensorceler 477.21
captiver 53.6
porter malheur 11.18
séduire 27.19
dominer 407.12
ensorceleur
magicien 477.18
hypnotiseur 407.8
ensorcellement
charme 477.5

mauvais œil 11.9
domination 407.3
ensoufrer 727.15
ensouple 816.18
ensuifer 727.15
ensuite 332.15 ; 647.23
ensuite de 193.23 ; 332.21 ; 647.28
ensuivre (s')
dépendre de 698.8
suivre 647.13
il s'ensuit 254.6
et tout ce qui s'ensuit 254.6 ; 647.25
entablement
cadre 77.10
façade 39.12
t. d'architecture 204.5
entabler 505.26
entaché
entaché de nullité 31.12
entaillage 167.10
entaille 167.4
coupure 72.2
coulisse 505.10
entaillé 167.16
entailler 167.13 ; 505.25
tailler 517.15
blesser 72.14
entailler (s') 72.15
entailleur 749.16
entaillure 167.4
entame 446.5
ouverture 585.1
entamer
commencer 134.17 ; 279.8
blesser 72.14
écorner 661.6
entartré 632.28
entartrer 740.9
entasis 39.15
entassement
tas 352.7
pullulement 540.4
réunion 725.1
accumulation 8.2
entasser 352.17
accumuler 540.11
thésauriser 61.6
entaulage 869.2
entauler 869.23
ente 36.4
entéléchie
réalité 297.3
absolu 620.17
entelle 486.14
entélure 638.6
entendement 275 ; 375.13
raison 620.21 ; 682.6
jugement 450.1
entendeur 275.8
à bon entendeur 275.18
entendre
ouïr 55.17
comprendre 275.10 ; 275.9 ; 316.13 ; 425.13 ; 432.16
vouloir dire 753.12
entendre trotter une souris 766.11
entendre une mouche voler 766.11
en entendre des vertes et des pas mûres 412.11
ne vouloir rien entendre 568.5
faire entendre 788.10
n'y rien entendre 377.7 ; 483.15
entendre (s')
se mettre d'accord 6.8
s'unir 596.29
s'entendre comme larrons en foire 6.11
s'y entendre 10.11 ; 747.14
s'y entendre comme à ramer des choux 377.7
entendu
compris 275.14
habile 316.18
ingénieux 316.19
préparé 649.16
pondéré 674.12
bien entendu 99.11
enténébrer 566.7
entente 376.2
association 352.10
accord 6.1
complicité 596.7
convivialité 772.3
bonne intelligence 26.2
paix 589.1
pacte 586.1
à double entente 24.13 ; 25.16
terrain d'entente 141.6
enter 36.21
greffer 608.11
abouter 505.26
entéralgie
algésie 243.3
mal de ventre 482.22
entéramine 94.10
entérectomie 114.13
entérinement 149.2
entériner
adopter 149.8
ratifier 586.9
entérite 482.23
entéritique 482.70
entéroanastomose 114.15
entérocolite 482.23
entérocystoplastie 114.17
entérokinase 94.24
entéroplastie 114.17
entéro-rénal 218.24
entérostomie 114.15
entérotomie 114.14
entérotoxémie 267.2
entérovaccin 499.11
entérovirus 512.3
enterrage 813.13
enterrement 813.13
funérailles 331.1
enterrer 813.21
terminer 315.15
creuser une tombe 331.31
enterrer sa vie de garçon 93.6
enterrer (s') 779.14
entêtante 569.27
en-tête 157.7
entêté 568.3 ; 814.17
infatigable 601.13
décidé 870.13
obstiné 568.7
battant 255.4
ferme 248.10
récalcitrant 200.9
résistant 715.18
entêtement
persévérance 601.2
volonté 870.2
obstination 568.1
effort 255.1
fermeté 715.7
entêter (s') 814.8
persévérer 601.11
décider 870.8
s'obstiner 568.4
enthousiasmant
passionnant 276.12 ; 600.12
enthousiasme 276 ; 447.6 ; 600.3
excitation 427.2
délire 378.5
ravissement 276.4
ardeur 161.3
action 7.1
conviction 264.1
enthousiasmer 276.7
exacerber 427.12
enchanter 629.13
passionner 600.8
enthousiasmer (s') 276.8
se passionner 600.10
enthousiaste 276.9
zélateur 276.6
actif 7.13
fervent 264.8
amateur 599.17
enthousiastement 276.14
enthymème
raisonnement 682.5
invention 729.5
enthymème apparent 729.5
entiché
amoureux 27.26
amateur 600.15
enticher (s')
s'enthousiasmer 276.8
s'éprendre 27.17
se prendre d'amitié 26.7
entier
complet 37.27 ; 423.14 ; 823.11
inflexible 248.10 ; 312.10
en entier 823.16
entièrement 5.24
complètement 823.14
tout à fait 744.12
énormément 427.27
entièreté
totalité 823.1
intégrité 423.2
entier-postal 157.2
entime 417.3
entité
idée 297.5
substance 796.1
existence 620.19
ento- 396.22 ; 608.20
in- 430.17
entoblaste 79.12
entoir 584.8
entôlage 869.2
entôler 869.23
entolome 103.6
entomologie 873.2
insectologie 417.27
entomologiste 417.29
entomophage 417.31
entomosporiose 79.16
entomostracée 527.19
entonner 106.26
entreprendre 134.17
entonnoir
cratère 167.2
gouffre 319.3
entoprocte 856.3
entorse 72.4
fausse note 224.3
fracture 580.26
infraction 200.3
entorse à la vérité 504.2

entortillage 24.4
entortillé
compliqué 140.12
complexe 217.19
recherché 12.13
entortiller
compliquer 217.13
flatter 838.13
embrouiller 24.8
entotrophes 417.1
entour
à l'entour 280.11 ; 280.12
entourage 137.4 ; 280.3
dans l'entourage de 280.12
entouré 280.10
entourer 396.13 ; 733.18
cercler 97.12
environner 280.5
encadrer 280.6
assiéger 487.31
entourloupe 497.3
entourlouper 284.10
entourloupette 497.3
entournure
dans les entournures 603.21
entours
environnement 280.1
entourage 280.3
en tout cas 859.30
entracte
pause 706.2
changement de décor 817.19
entraide
solidarité 690.3
coup de main 19.4
alliance 182.1
entraider (s') 19.25
entrailles 430.2
ventre 853.1
estomac 853.3
utérus 762.14
cœur 755.1
prendre aux entrailles 625.10
sans entrailles 257.7
entrain 277
joie 447.1
entraînant
éloquent 277.7
stimulant 793.15
convaincant 264.9
entraîné 10.20
entraînement
imitation 379.1
préparation 357.7 ; 487.3 ; 649.4 ; 792.35
entraîner
causer 92.9 ; 698.8
emporter 54.9
encourager 268.10 ; 277.4 ; 614.9
préparer 357.20 ; 649.11 ; 792.92
impliquer 753.9 ; 788.12
entraîner l'adhésion 626.7
entraîner (s') 35.5 ; 792.81
se préparer 649.13
entraîneur 792.66
instructeur 649.7
transporteur 489.7
t. de boxe 792.53
entraîneuse 672.11
entrant 278.18 ; 278.8
pénétrant 608.15
joueur 446.25
entrapercevoir 868.17
entrave
obstacle 567.7 ; 572.4
souci 217.4
entraver
gêner 11.15 ; 231.6 ; 567.13 ; 572.11
comprendre 275.9
entre- 433.14 ; 690.18 ; 769.19
entre 433.13
au milieu de 514.16
entrebâillé 585.17
entrebâillement 585.2
entrebâiller 585.10
entrebâiller (s') 585.16
entrebâillure 585.2
entrebaiser (s') 91.8
entrechat 176.16
culbute 746.2
entrechoquer 115.28
entrechoquer (s') 115.27
entrecolonne 433.2
entrecolonnement
intervalle 433.2
base 39.15
entrecôte 333.7
entrecoupement
interruption 223.8
formation 795.5
entrecouper 795.14
entrecroisement 795.5
entrecroiser 795.14
croiser 171.14
entrecuisse 502.3
entredéchirer (s') 690.10
être en froid 410.7
entre-deux
milieu 514.1
intervalle 433.1
console 519.8
dentelle 165.3
entre-deux-guerres 354.12
entredévorer (s') 690.10
entrée 278
commencement 134.4
accès 39.12 ; 481.24 ; 585.1
arrivée 45.1
pénétration 608.1
apparition sur scène 817.11
plat 703.8
entrée de clef 278.7 ; 760.13
entrée de serrure 760.13
entrée des artistes 278.6 ; 748.6
entrée en guerre 354.5
entrée en possession 645.7
entrée en vigueur 245.39
droit d'entrée 278.10
faire son entrée 278.13
faire son entrée dans le monde 134.20 ; 278.13
d'entrée de jeu 134.28
entrées
accès 278.2
avoir ses entrées 278.12
avoir ses grandes, ses petites entrées 137.14 ; 278.12
entrée-sortie 278.5
entrefaites 290.1
sur ces entrefaites 647.23
entrefenêtre 39.12
entrefilet 654.8
entregent
habileté 316.6
action 7.1
adresse 10.1
sociabilité 772.1
entrehaïr (s') 410.7
entrejambe 502.3
entrelacement
complexité 140.1
formation 795.5
entrelacer 795.14
mélanger 501.12
croiser 171.14
entrelacs 578.3 ; 795.6
entrelardage 430.7
entrelardement 795.5
entrelarder 333.37
entre-ligne 433.2
entre-louer (s') 471.17
entremêlement 795.5
entremêler 795.14
mélanger 501.12
compliquer 217.13
entremêler (s') 795.15
entremet 799.6
entremets
plat 703.8
t. de danse 176.5
entremetteur 491.20 ; 596.15
entremetteuse 672.5
entremettier 333.34
entremettre (s') 596.31
entremise
agent 7.3
intervention 596.3
arbitrage 141.4
entre-nerf 433.2
entre-nœud 433.2
entreposage 490.11
mise à l'abri 653.5
emmagasinage 489.5
entreposé 151.13
entreposer 489.18 ; 490.19
emballer 151.11
entreposeur 490.15
entrepositaire 490.15
entrepôt 135.13 ; 490.11 ; 490.12
dépôt 688.9
silo 489.15
entreprenant 279.13 ; 279.14
courageux 161.10
actif 7.13
audacieux 812.9
entreprendre 134.17 ; 279.10 ; 279.12 ; 279.8
faire 15.7
accomplir 7.11
tenter 812.7
engager 50.17
entreprendre de 279.11
il n'est pas besoin d'espérer pour entreprendre 612.3
entrepreneur 279.6
constructeur 39.23
entrepreneur des pompes funèbres 331.24
entrepris 279.15
entreprise 279
action 7.6 ; 7.7 ; 279.1 ; 279.3 ; 812.2
firme 279.5 ; 464.1
entrer 278.11
pénétrer 608.6
tamponner 115.21
entreprendre 279.10
entrer dans la danse 176.28 ; 596.21
entrer dans la ronde 97.13
entrer en action 596.21
entrer en matière 134.17

entre-rail 433.2
entreregarder (s') 690.10
entre-saluer (s') 741.15
entresol 481.11
entretenir
maintenir 153.19 ; 611.13 ; 653.13
sustenter 563.12
subvenir aux besoins de 19.23 ; 587.17
conserver 774.13
entretenir (s')
vivre 862.22
causer 595.21
dialoguer 156.17
entretenu 550.38
encouragé 268.14
entretien
préservation 653.2
conversation 136.3 ; 156.1 ; 156.5 ; 595.6
soins 550.4
produit d'entretien 550.14
entre-tisser 816.24
entretoise 57.9
entretoiser 795.14
entretuer (s') 690.10
entre-voie 433.2
entrevoir 868.17
entrevous
intervalle 433.2
débit 74.6
entrevue
interview 680.6
visite 772.9
rencontre 137.8
conversation 136.3
dialogue 156.5
entripaillé 853.14
entrisme 278.1
entropie 201.1
entropie massique 509.12
entropion 482.28
entrouverture 585.2
entrouvrir 585.10
entrouvrir (s') 585.16
enture 505.12
entyloma 103.6
énucléation 840.6
extraction 295.3
forage 301.2
biopsie 841.7
ablation 114.12
énucléer 295.10
extraire 301.9
aveugler 840.16
amputer 114.33
énumérateur 758.21
énumératif 758.21
énumération 555.8
liste 758.6
nomenclature 554.11
figures de pensée 313.5
description 196.1
énumérer
nommer 554.19
évoquer 196.12
énurésie 296.11
envahir 608.9 ; 642.22
entrer 278.11
s'attaquer à 50.15
envahissant
inopportun 415.13
importun 415.15
envahissement
enfoncement 608.3
invasion 298.5
asservissement 240.5
envahisseur 240.7
enveloppant 280.9
enveloppe 204.4 ; 396.7
monde extérieur 300.2
poche 151.2
revêtement 727.1
enceinte 182.8
correspondance 157.6
pneu 57.8
enveloppé 176.16
environné 280.10
édulcoré 522.18
enveloppée 338.8
enveloppement 487.14
envelopper
entourer 280.5 ; 396.13
atténuer 522.11
encercler 487.31
enveloppe-réponse 705.4
envenimation 267.1
envenimer
empoisonner 267.14
révolter 62.10
envenimer (s') 16.5
envergure
largeur 456.2
ampleur 298.6
aile 570.21
envers
n.m. 158.1 ; 193.1 ; 203.1 ; 436.6 ; 529.6
envers
prép. 86.13
à l'envers 436.14 ; 436.15 ; 572.17
envers et contre tout 568.10 ; 572.19
enverser 816.24
envi
à l'envi 1.19
enviable 199.16
envidage 816.11
envie
désir 90.2 ; 199.1 ; 199.3 ; 199.4
jalousie 442.2 ; 606.2
peau 604.1
avoir envie de 199.9
faire envie 199.11
envieillir 28.7
vieillir 863.10
envier 442.5
désirer 199.10
envieusement 442.11
envieux 442.10
avide 199.13
faire des envieux 442.7
environ 395.20
environnant 280.9
environné 280.10
environnement 280
alentours 280.1 ; 280.2 ; 673.4
milieu 251.6 ; 845.18
environnemental
environnant 280.9
urbanistique 845.23
environnementaliste 251.12
environner 280.5 ; 695.14
environs 695.5
environnement 280.1 ; 673.4
aux environs, dans les environs 280.11
envisagé 664.18
envisageable 291.11 ; 664.19
faisable 646.10
envisager 814.15
avoir l'intention de 428.8
projeter 664.11
envisager de 86.5 ; 375.18
envisager le pire 785.5
envoi 157.9
strophe 635.12
colis 829.14
coup d'envoi 134.16
envoisiné 280.10
envol 570.28
prendre son envol 20.13
envolé 228.15
envoler (s')
disparaître 228.7 ; 228.8 ; 437.5 ; 598.9 ; 684.23
prendre son envol 20.13 ; 831.18
envoûtant 477.26
envoûté 477.28
envoûtement 477.5
envoûter 477.21
séduire 27.19
envoûteur 477.18
envoyé
n.
diplomate 642.10
envoyé spécial 654.16
adj.
bâclé 684.36
envoyer 157.15 ; 189.15
déplacer 829.22
envoyer balader, bouler, dinguer, paître, pondre, promener, etc. 409.4
envoyer au bain, au diable, aux pelotes, sur les roses, etc. 409.4
envoyer (s')
s'envoyer en l'air 629.9 ; 825.16
envoyez ! 133.28
enwagonneuse 489.10
-ènyle 113.30
enzootie 482.6
enzymatique
glucidique 94.33
glandulaire 340.12
enzyme
catalyseur 94.23
sucs digestifs 218.13
enzymologie 340.8
biochimie 94.28
enzymologique 94.34
éocène 337.21
Éole 236.38 ; 852.9
éolide 527.3
éolien 269.2 ; 852.22
énergétique 269.12
éolienne 269.8 ; 852.10
Éoliens 371.16
éolipile 632.20
éolisation 852.15
éon 287.3
éonisme 321.9
perversion 763.15
Éos 236.34
éosine 159.9 ; 735.2
éosinocyte 742.4
éosinophile
leucocytes 742.4
glucidique 94.33
eosuchiens 712.10
Éoués 371.11
épactal 88.13
épacte
datation 88.3
lunaison 474.4

épagneul 486.9
épagomène 88.13
épaillage 816.11
épair 388.12
épais 187.12 ; 624.22
gros 351.11
fort 351.13
solide 778.13
de plomb 631.16
épaissement 187.14
épaisseur
dimension 187.1 ; 219.2 ; 459.3 ; 509.26 ; 778.1
lenteur d'esprit 458.3
épaissir
grossir 351.9
densifier 187.7
solidifier 778.9
épaississement 187.3
grossissement 351.3
solidification 778.4
épanalepse 704.3
épanchement
écoulement 298.1 ; 340.9 ; 468.6 ; 783.1
effusion 91.4 ; 145.3
épancher
arroser 468.9
donner 661.7
épancher son cœur 145.18 ; 786.9
épancher (s')
couler 482.57
se confier 145.18 ; 156.16 ; 585.16 ; 665.8
se manifester librement 461.16
épanchoir 834.7
épandage 18.4
épandeur 18.15
épandeuse 834.27
épandre 661.7
épandre (s')
s'accroître 298.12
se liquéfier 468.14
épannelage 749.3
épanneler
tailler 517.15
sculpter 749.18
épanner 256.15
épanorthose 313.5
épanoui 670.12
accompli 5.22
épanouir 447.10
épanouir (s')
fleurir 318.41
s'évaser 585.16
s'accomplir 5.19 ; 293.11
être prospère 670.7
épanouissement 670.2
épapophyse 580.11
épargnant 281.8
petits épargnants 281.8
épargne 281 ; 66.15
préservation 653.1
pondération 522.2
caisse d'épargne 66.5 ; 281.6
carnet d'épargne 281.5
épargne-construction 281.4
épargne 66.15
épargne-crédit 281.4
terme 587.7
épargne-économie 281.3
épargne-logement 281.4
épargne 66.15
plan d'épargne-logement 281.4
épargne-prévoyance 281.3
épargne 66.15
épargner
économiser 66.39 ; 158.15 ; 281.10 ; 522.11 ; 653.14
ménager 461.15 ; 653.18
grâcier 625.9 ; 862.24
épargne-réserve 281.3
épargne 66.15
épargne-retraite 66.15
épargneur 281.15
éparpillement
fraction 324.1
inattention 394.1
éparpiller (s') 394.5
épars 201.16
désorganisé 202.9
dissocié 230.12
éparvin 841.5
épatant 677.16
épate 581.1
à l'épate 581.9
épaté 805.12
épatement
largeur 456.3
surprise 805.1
épater
surprendre 805.4
éblouir 581.9
épateur 581.4
épaufrure 749.12
épaulard 486.15
épaule 333.7
bras 502.2
articulations 580.23
prêter l'épaule 19.20
avoir la tête sur les épaules 814.9
épaulé 176.16
épaule-de-mouton 584.3
épaulée 255.2
épaulé-jeté 792.9
épaulement
soutènement 791.4
assistance 19.1
protection 182.6
épauler
soutien 791.11
aide 19.18 ; 596.25
t. de danse 176.29
épaulette
étai 791.3
partie d'un vêtement 859.21
insignes 859.24
passementerie 165.3
épaulière 114.23
épave
personne 11.13
voiture 833.2
bateau 830.20
épaviste 57.21
épeaufrer (s') 749.20
épeautre 330.7
épée
fer 307.10
lance 42.2
justice 451.24
escrime 792.17
lame 792.73
briser son épée 292.11
épeiche 570.13
épeichette 570.13
épeire 417.13
épéiste 792.54
épeler 459.16
articuler 425.9
épellation 459.11
épendydome 841.3
épendymaire 548.25
épendyme 727.4
moelle épinière 548.10
membrane 821.4
épenthèse 313.2
épépiner 333.38
éperdu
malheureux 827.15
intense 865.24
éperdument
énormément 427.27
passionnément 600.17
éperlan 638.8
poisson 333.13
éperluette 459.4
éperon
aiguillon 637.2 ; 793.5
saillie 211.2 ; 318.4 ; 530.8 ; 834.5
dur à l'éperon 715.18
gagner ses éperons 341.21
éperonner
stimuler 793.10
monter 792.87
épervier
oiseau 570.12 ; 570.6
filet 605.6
épervière 318.10
épeuré 619.20
épeurer 619.10
éphèbe
jeune 445.3
beau gosse 69.4
éphectique 620.33
éphédra 38.4
éphédrine 499.5
éphélide
tache de rousseur 84.5 ; 482.16 ; 841.2
éphémère
n.m.
insecte 417.9
adj.
fugitif 228.14 ; 421.12 ; 684.33
éphémèrement 421.20
éphéméride
calendrier 88.4
livre de comptes 387.3
pl.
éphémérides 49.18
temps des éphémérides 811.4
éphémérité 684.7
brièveté 421.3
fragilité 325.1
éphésies 310.8
ephestia 417.11
éphippigère 417.15
ephod 449.12 ; 699.24
éphore 694.20
épi- 727.19
extra- 800.27
épi
inflorescence 318.5
cheveux 624.3
ornement 578.3
pointe 67.4
Épi (l')
étoile 49.5
épiaire 318.16
épiandrostérone 762.9
épiblaste 265.6
épiblastique 265.15
épicarides 172.2
épicarpe 727.4
écorce 727.5
peau 330.4

fonction 346.8
nom 554.1
épitoge 835.18
épitomé
histoire 363.6
aide-mémoire 723.3
épître
liturgie 508.4
correspondance 157.1
poésie satirique 635.6
épitrochlée 580.19
épitrope 313.5
épizootie 482.6
éploré 836.11
épluchage 114.7
éplucher 689.12
époché
scepticisme 395.6 ; 620.12
épode 635.12
époicothériidé 486.4
épointer
appointer 637.12
faire la barbe 129.14
époisses 328.6
Épona 236.32
éponge
spongiaire 527.10
objet 550.15 ; 669.5
tumeur 841.5
personne alcoolique 441.7 ; 527.10
passer l'éponge 583.9 ; 592.13
éponger
sécher 750.12
canaliser 468.11
essuyer 550.27
éponte 518.6
épontille 791.3
éponyme 554.28
homonyme 554.15
épopée
biographie 363.6
roman 691.4
poésie 635.7
époque 14.7
circonstance 122.1
épisode 223.3
période 610.1
actuellement 652.15
à l'époque 598.17
à l'époque de 610.18
faire époque 341.23 ; 528.7
époumoner (s')
étouffer 718.26
crier 168.15
chanter faux 106.27
épousailles
mariage 491.1
fiançailles 98.11
épouse 491.19
épouser
épouser les contours 77.16
épouser (s') 491.22
épouseur
amoureux 27.8
fiancé 491.16
épousseter 550.26
brosser 262.26
époustouflant 805.13
époustouflé 805.12
époustoufler 805.5
épouvantable
détestable 62.11
terrible 827.13
effrayant 619.22
épouvantablement 827.16
épouvantail 619.8
laideron 453.4
épouvantail à moineaux 453.4 ; 570.29
épouvante
détresse 827.6
peur 619.1
épouvanté 827.15
épouvanter 619.10
époux 491.18
épreindre 301.9
épreintes
crampe 732.4
mal de ventre 482.22
éprendre (s') 27.17
épreuve
examen 35.1 ; 155.1 ; 680.3
adversité 11.1 ; 249.4 ; 827.5
expérience 812.4
tirage 388.10 ; 621.7
compétition 792.38
épreuve contact 621.7
épreuve de contrôle 388.10
épreuve de force 864.4
épreuve du feu 311.12
épreuves judiciaires 451.14
à toute épreuve 418.19 ; 752.13
mise à l'épreuve 155.1
mettre à l'épreuve 155.12 ; 689.13
épris 27.26
éprouvant 836.14
éprouvé
confirmé 10.20 ; 365.9 ; 752.14
affligé 11.27
éprouver
ressentir 243.10 ; 754.11 ; 755.10 ; 827.9 ; 836.7
tester 155.12 ; 649.14
éprouver de l'affection pour 26.9
éprouver une souffrance 482.50
éprouvette 113.17
epsomite 516.5
Epstein-Barr
virus d'Epstein-Barr 512.3
épuisé
fatigué 303.21
vendu 469.26
épuisement
tarissement 389.2 ; 750.3
fatigue 303.2
épuiser
tarir 315.16 ; 317.33 ; 750.13 ; 823.8
affaiblir 255.8 ; 303.10 ; 303.16
pêcher 605.29
épuiser (s') 135.31
se tarir 228.12
épuiseter 605.29
épuisette 605.6
épuiseur 113.17
épulis 841.3
épulon 699.25
épurateur 295.7 ; 582.10
épuration
clarification 550.11 ; 617.3 ; 756.6 ; 783.4
exclusion 582.2 ; 642.11
épure 338.11
plan 39.4 ; 521.5
projet 664.3
esquisse 607.6
épurement 550.11
épurer
clarifier 468.11 ; 550.35 ; 617.10 ; 756.19
exclure 582.15
épurge 318.11
equalizer 273.5
équanime 256.25
identique 376.14
équilibré 282.22
insensible 418.14
équanimité 256.3
permanence 376.3
équilibre mental 282.7
insensibilité 418.1
sagesse 620.23
impassibilité 401.5
équarrir
aligner 692.6
tailler 517.15
raboter 505.23
débiter 36.26
équarrissage 36.8
équateur 97.4
équateur céleste 49.21
équation
égalité algébrique 256.6
opération 87.2
algorithme 493.3
équation du temps 811.4
abaisser une équation 87.12
système d'équation 493.3 ; 807.4
équatorial 49.35
torride 102.23
climat équatorial 127.1
Équatorien 355.10
équerrage 505.11
équerre 505.17
instrument de mesure 509.26
serrure 760.7
d'équerre 692.12
équerrer 505.24
équestre 486.31 ; 792.95
équi- 143.19 ; 256.32 ; 719.19
équiangle 338.16
équidistant 256.20
équiconcave 574.20
équiconvexe 574.20
équidé 486.3
équidirectif 221.28
équidistance 256.5
équidistant 256.20 ; 338.16
équienne 36.27
équilatéral 338.16
équidistant 256.20
équilatère 256.20
équilibrage 282.2
compensation 139.1
équilibrant 139.13 ; 282.20 ; 522.21
tranquillisant 282.21
équilibrateur 282.20
équilibration 282.2
classification 576.8
réorganisation 577.5
égalisation 256.9
équilibre stable 282.3
équilibre 282
harmonie 256.2 ; 558.2 ; 576.2 ; 577.2 ; 668.1 ; 743.1
stabilité 496.6 ; 778.1
mesure 141.5 ; 522.2 ; 810.2
neutralité 401.8 ; 687.1
position 123.6 ; 176.16 ; 769.5
équilibre du budget 339.14
équilibre écologique 251.3

ériger (s') 530.14
érigéron 318.10
érigne 114.26
érigone 417.13
érinacéidé 486.3
érinnophile 599.11
érinnophilie 599.7
érinnophiliste 599.11
érinose 79.16
Érinyes 236.24 ; 707.7
eriocrania 417.11
eriogaster 417.11
ériophyes 417.13
éristale 417.9
ermitage 47.4 ; 481.7 ; 779.5
monastère 525.22
pied-à-terre 481.5
ermite 525.4
solitaire 779.8
ascète 47.7 ; 108.4
vivre en ermite 701.8
éroder 337.26
polir 640.7
fragiliser 325.5
briser 205.17
découper 749.21
érogène 763.44
eron 616.18
érophila 318.26
erôs 26.4
éros 27.15
pulsion de mort 534.3
sexualité 763.1
Éros 236.13
eros-center 672.3
érosif 530.17
érosion 319.16 ; 337.4
abrasion 640.3
égratignure 72.2
destruction 205.4
érotique 27.30 ; 763.45
libertin 629.18
excitant 199.15
charnel 475.11
érotisation 763.24
érotiser 763.42
érotisme
sexe 763.4
plaisir 475.3 ; 629.3
désir 199.5
sensualité 27.12
érotologie 763.25
érotomane 763.22
érotomanie 321.9
perversion 763.15
erpétologie 712.15
zoologie 873.2
errance 871.1
errant 871.28
errare humanum est 283.13
errata 387.2
anomalie 32.4
coquille 283.7
erratique
instable 402.13
pathologique 482.63
douleur erratique 243.14
erratum 32.4
errements
désordre 32.6
routine 357.2
errer 32.10
dériver 212.17
faire erreur 283.13
se déplacer 871.21
errer comme une âme en peine 272.8
erres 107.8 ; 193.7
erreur 283 ; 483.3
infraction 488.5
faute 249.5
absurdité 557.4
erreur de calcul 283.4
erreur de la nature 453.4
erreur judiciaire 283.2 ; 413.6
faire erreur 283.13
induire en erreur 148.10 ; 283.16 ; 504.18 ; 614.7
erroné 283.17
erronément 283.19
ers 330.7
ersatz
succédané 797.4
copie 379.3
érubescence 735.4
érubescent 735.11
éructation
excrétion 296.9
rot 83.12
éructer 83.16 ; 218.20 ; 412.10
cracher 296.23
roter 482.55
érudisant 747.16
érudit
savant 747.16 ; 747.9
bibliophile 469.18
érudition 747.2
livre d'érudition 469.9
érugineux 307.23
éruptif 34.11 ; 783.25
expulsif 258.13
fièvre éruptive 482.7
éruption 300.6
manifestation 34.2
sortie 783.1
jaillissement 258.5
essor 298.4
activité solaire 777.7
accès 130.2
pompage 618.7
éruption dentaire 188.6
éruption volcanique 337.7
éryngium 318.20
éryonides 172.2
éryops 68.3
érysipales 103.5
érysipélateux 482.69
érysipèle 482.49
infection 482.20
érysiphacées 103.5
érythémateux 482.67
érythr- 735.17
érythrasma 482.17
érythréidés 417.12
érythrine 463.2 ; 516.5
arbuste 38.9
érythrinus 638.5
érythritol 463.2
érythro- 735.17
hémo- 742.34
érythroblaste 742.3
érythroblastique 742.29
érythroblastose 482.19
érythrocèbe 486.14
érythrocytaire 742.29
érythrocytes 742.3
érythrodermie 482.17
érythrodermique 482.67
érythromélanine 94.22
érythromycine 499.5
erythrophleum 37.18
érythrophobe 619.21
érythrophobie 735.4
phobie 619.4
érythropoïèse 742.10
érythropoïétique 742.31
érythropsie 840
troubles fonctionnels des yeux 482.27 ; 840.2
érythrose 94.5 ; 482.17
érythrosine 159.9 ; 735.2
erythroxylon 38.9
esbaudir (s') 629.9
esbigner (s')
déguerpir 189.10
abandonner 452.6
esbroufe 581.1
vol à l'esbroufe 869.3
esbroufer 581.9
esbroufeur 581.4
esca 79.16
escabeau 519.20
escabèche 333.26
escabelle 519.20
escadre 41.8
escadrille 831.12
aviation 43.12
escadron 41.8
escafignon 110.7
escalade 531.11 ; 531.2 ; 869.3
ascension 530.13
débordement 487.14
alpinisme 792.25
escalader 530.15 ; 792.82
monter 531.12
escaladeur
ascensionniste 530.13
alpiniste 792.59
escale
arrêt 829.7
transports maritimes 830.14
aéroport 831.9
faire escale 831.17 ; 871.23
escalier 481.29 ; 531.8
esprit de l'escalier 724.8
escaliéteur 505.20
escalin 529.13
escalope 333.7
gastronomie 333.11
escaloper 333.38
escamotage
artifice 316.10
prestidigitation 10.7
chapardage 869.2
magie 123.11
escamoter 123.21
faire disparaître 228.9
cacher 437.3
chaparder 869.18
escamoter (s') 380.11
escamoteur
voleur 869.9
magicien 123.17
escapade 783.2
escape 39.15
escarbille 518.5
escarbot 417.3
escarboucle 517.4
escarcelle 529.21
remplir son escarcelle 730.11
escargot 527.7
lambin 458.9
escargot de mer 333.13
comme un escargot 458.24

esprit immonde 186.2
esprit malin 186.2
Esprit-Saint 117.16
esprits vitaux 862.2
esprit d'analyse 275.1
esprit d'équipe 690.3
esprit de caste 552.14
esprit de clocher 695.8
esprit de contradiction 572.3
esprit de corps 690.3
esprit de décision 716.1
esprit de suite 601.2 ; 612.2
dans un esprit de 536.13
bel esprit 424.6
grand esprit 59.10
pur esprit 424.6
dispositions d'esprit 428.4
homme d'esprit 424.6
lenteur d'esprit 784.2
mot d'esprit 424.3
trait d'esprit 375.4
vie de l'esprit 862.12
avoir de l'esprit au bout des doigts 10.15
avoir l'esprit bien fait 424.8
avoir l'esprit dérangé 321.20
avoir l'esprit libre 462.25
faire de l'esprit 646
faire du mauvais esprit 200.6
esprit-de-sel 113.8
esprité 424.11
esquif 830.8
esquilleux 72.20
Esquimaux 371.7
esquinancie
herbe à l'esquinancie 318.28
esquintant 255.11
esquinté 303.21
esquinter
fatiguer 255.8
détériorer 205.16
critiquer 248.6
esquinter (s')
s'efforcer de 255.5
s'altérer 205.24
esquipot
à l'esquipot 587.13
esquire 822.15
esquisse
commencement 134.10 ; 812.3
modèle 521.5 ; 607.6 ; 664.2 ; 795.3
esquissé 664.18
esquisser
schématiser 577.17
projeter 664.14 ; 812.7
ébaucher 196.9 ; 323.11 ; 607.25
esquive 792.16
esquiver (s')
s'échapper 228.8
s'en aller 189.8
déserter 828.14
essai
début 35.1 ; 134.10
épreuve 155.1
tentative 279.3 ; 664.2 ; 689.6 ; 812.2
texte 225.9
t. de rugby 792.12
or d'essai 575.1
faire un essai 155.12 ; 812.7
essaim
multitude 352.9 ; 540.3
d'abeilles 417.24 ; 873.7
de météorites 49.12
essaimage 417.22
essanger 550.32
essanveuse 476.6
essart 18.11
essartage 36.3
travaux des champs 18.4
essartement 36.3
travaux des champs 18.4
essayage 859.5
essayer
risquer 291.8 ; 358.7
supposer 802.7
éprouver 155.12
tenter 279.11 ; 649.14 ; 812.7
essayer de 86.6 ; 689.18
essayer (s') 812.7
essayeur 165.22
esse
crochet 806.5
ornement 578.3
essence
existence 297.1 ; 380.2
substance 796.2
pétrole 57.17 ; 131.6 ; 468.5
espèce 37.12
concept 375.3 ; 620.16
principe 152.2
t. de chimie 113.3 ; 301.4 ; 594.2
essence minérale 131.6 ; 607.14
essence raffinée 617.5
essence de lavande 594.2
essence de lumière 37.1
essence de mirbane 594.6
essence d'ombre 37.1
essence de térébenthine 550.14 ; 607.14
essence sans plomb 617.5
essénien 449
essénisme 449.2
essential 796.6
essentialisation 380.8
essentialiser 796.5
abstraire 380.12
immobiliser 403.8
essentialisme 380.7
platonisme 620.13
essentialité
immatérialité 380.1
essence 796.2
essentiel
conceptuel 152.10
nécessaire 384.13 ; 545.13 ; 658.11 ; 847.13
t. de philosophie 297.12 ; 796.6
essentiellement
principalement 384.16 ; 658.14
t. de philosophie 297.14 ; 796.8
esseulé 779.16
esseuler 779.13
essieu 476.12
direction 57.9
essimplage 18.4
essimpler 18.21
essonnier 77.14
essor
progrès 344.2
croissance 293.3
augmentation 298.4
en plein essor 293.13
prendre son essor 570.31
essorage 834.25
essorer 468.11
essoreuse 476.8
essorillement 801.2
essoriller 801.20
essouchage ou **essouchement** 36.3
essoucher 36.24
défricher 18.21
essoufflé 718.32
essoufflement 718.4
essouffler 303.16
essouffler (s')
étouffer 718.26
hésiter 217.12
essuie-glace 57.10
essuie-mains 750.7
essuie-tout 550.15
essuyer
recevoir 688.17
éponger 750.12
nettoyer 550.27
essuyer une défaite 180.6
essuyer un échec 249.12
essuyer un feu roulant 311.27
essuyer les plâtres 481.41
essuyer un refus 693.10
essuyer un revers 11.19 ; 180.6
est 221.4
estacade
jetée 67.6
appareil 489.10
estafette 157.11
estafilade
entaille 167.4
coupure 72.2
estaminet 75.19
estampage
escroquerie 284.1
façonnage 510.9 ; 584.29 ; 749.3
d'un bijou 70.16
estampe
gravure 387.1
outil 584.27
estamper
escroquer 111.6 ; 284 ; 869.23
façonner 510.17 ; 584.37
estampeur 869.13
estampie 176.9
estampille 677.4
estampiller 677.11
vérifier 155.14
estancia 262.5
estant 36.28
ester
n.m. 94.19 ; 94.6 ; 113.8
ester
v.i.
ester en justice 451.26
estérification 113.14
protéosynthèse 94.26
esterlin 529.12
Estes 371.15
Esther
fête d'Esther 310.5 ; 449
Livre d'Esther 815.2
estheria 172.3
esthési- 754.22
-esthésie 754.23
esthésie
sensation 754.1

sensibilité 755.5
esthésio- 754.22
esthésiogène 755.21
esthésiologie 754.8
esthésiomètre 509.26
esthésiométrie 509.25
esthète 69.11
esthéticien 620.24
esthétique
n.f. 69.10 ; 620.5 ; 747.6
adj. 69.20 ; 620.32
esthétiser 69.12
esthétisme 69.10
esthonychidé 486.4
estimable
bon 677.15
respectable 717.12
honorable 365.12 ; 366.23
méritant 507.14
estimateur 450.6
estimatif 450.14
estimation
mesure 509.3
jugement 450.2
calcul 87.4 ; 659.7
estimatoire 450.14
estime
amitié 26.1
respect 341.3 ; 507.6 ; 717.1
estime de soi 312.1 ; 745.3
à l'estime 434.11
dégringoler dans l'estime de qqn 227.24
tenir en piètre estime 789.4
estimé
jugé 450.13
respecté 366.28
estimer
supposer 660.6
mesurer 509.29
calculer 87.13 ; 659.13
juger 286.8 ; 450.8
apprécier 677.10
aimer 26.9
respecter 366.12 ; 717.9 ; 800.18
estimer (s') 450.12
estivage 262.14 ; 738.7
estival 738.11
estivant 738.8
estivation 738.6
préfloraison 79.13
estive 636.5
estiver 355.26 ; 738.9
paître 262.27
estocade
coupure 72.2
coup 160.4
estomac
organe 218 ; 853.3
courage 161.2
avoir l'estomac barbouillé 218.20
avoir l'estomac embarrassé 482.55
avoir l'estomac noué 619.16
avoir l'estomac dans les talons 563.15 ; 703.36
le faire à qqn à l'estomac 63.15 ; 407.13 ; 581.9
estomacal 853.13
estomaqué 805.12
estomaquer 805.5
estompe 607.15
estompé
oublié 583.15
t. de dessin 607.11
estomper 607.28
estomper (s') 228.7
Estonien 355.6
estoquiau 760.20
estouffade 333.10
estouffat 333.12
estourbir 160.12
estrade 274.8
estrade funèbre 331.12
battre l'estrade 487.27
estradiol
hormone 340.3 ; 762.16
médicament 499.5
estragon 333.27
estramaçon 42.2
estran 319.8
estrapade 801.2
estrapader 801.20
estropié 72.21
estropier
blesser 72.14
un mot 535.22
estropier un anchois 703.28
estuaire 585.4
embouchure 319.5
esturgeon 638.8
-et 616.18
et 8.14 ; 725.21
et aussi 9.22
et ce qui s'ensuit 721.6
étable 262.8 ; 486.18
établer 262.28
établi
n.m. 505.18
établi
adj. 99.8 ; 297.13 ; 769.13 ; 854.19
établir
organiser 577.15
structurer 795.13
situer 769.9
raisonner 682.9
faire 150.9
doter 491.25
décréter 650.6
produire 662.14
établir (s')
s'installer 266.27
se situer 769.10
se fixer 355.25
demeurer 481.40
établissement 253.5 ; 355.17
infrastructure 795.9
accomplissement 5.5
fabrication 150.3
lieu de travail 464.1
instauration 662.3
établissement de crédit 166.22
établissement financier 66.4
établissement psychiatrique 321.11
établissement thermal 775.21
étage 481.11
échelon 683.6
ère 337.21
montagne 530.10
fusée 48.2
à l'étage 204.22
bel étage 481.11
de bas étage 500.14 ; 734.7
étagé 683.18
étagement
graduation 683.9
formation 795.5
superposition 204.10
étager
hiérarchiser 683.12
superposer 204.16
étagère 519.10
étai 791.3 ; 834.32
étaiement
étayage 834.24
soutien 791.1
étain 113.7 ; 516.5
argent 40.2
étainier 510.14
étal 135.13 ; 490.13
étalage 135.13 ; 317.11
débordement 294.3
devanture 211.2
ostentation 581.1
manifestation 765.17
faire étalage de ses connaissances 747.15
vol à l'étalage 869.3
étalager 490.22
étalagiste 490.16
étale 89.14
étalée 37.27
étaler 12.9 ; 490.22 ; 605.23
coucher sur 727.14
montrer 868.23
s'afficher 581.6
dessiner 607.27
étaler (s') 119.18
étaleur 135.16
étalier 135.16
étalière
pêche aux étalières 605.7
étalon
modèle 138.4 ; 509.5 ; 521.1 ; 529.14 ; 559.3 ; 636.12 ; 678.3 ; 709.5 ; 844.6
animal 262.12 ; 486.11
étalon-or 529.14 ; 575.10
étalon-argent 529.14
étalonnage 559.9
calcul 509.3
pesage 636.9
étalonner 155.15 ; 559.12
quantifier 678.11
doser 509.29
évaluer 636.17
comparer 138.7
étamage
argentage 40.6
ferrage 307.12
métallisation 510.8
étambot 193.2
étamé 307.23
étamer
argenter 40.7
aciérer 307.18
métalliser 510.15
Étamin 49.5
étamine
fleurs 318.5
textile 816.6
étamoir 632.19
étampage 307.12
étamper 637.13
aciérer 307.18
étampure 585.2
étance 791.3
étanche 750.20
fermé 308.20
imperméabilisation 750.4
à l'étanche 750.24
étanchéité
fermeture 308.1
imperméabilité 750.1
étanchement
imperméabilisation 750.4

contentement 745.2
étancher
imperméabiliser 750.16
canaliser 468.11
assouvir 745.9
étancher un canal 834.39
étanchoir 750.8
étançon 791.3
étançonnement 791.1
étançonner 791.11
étang 319.2
étant
métaphysique 297.2
existence 620.19
étant donné
comme 122.16
par 536.13
étant donné que 92.21 ; 122.16 ; 536.15
étape
stade 286.2
moment 528.1
halte 706.7
entrepôt 490.12
par étapes 344.14 ; 683.22
faire étape 355.27
étarquer 732.10
état 286
sort 297.4 ; 769.2 ; 862.7
profession 266.1
rang 683.4
condition physique 743.1
constitution 323.1
état d'âme, état d'esprit 286.5
état de choses 286.2 ; 769.3
état de fait 286.2
état de cause 286.2
en tout état de cause 286.15
état des lieux 196.1 ; 481.36
état général 286.5 ; 743.1
état intéressant 711.21
état second 418.5 ; 754.4
état social 773.6
mettre en état 286.7 ; 649.11
se mettre en état 649.13
remettre en état 702.7
rester en l'état 611.11
faire état de 286.8 ; 286.9 ; 717.8
avoir de l'état 552.22
État 772.6 ; 773.1
puissance publique 59.7
État de droit 245.44 ; 694.2
États pontificaux 590.17
État souverain 695.7
raison d'État 536.4 ; 565.3
état civil 286.6
vie 862.10
nom 554.4
étatifier 222.11
étatique 222.2
étatisation 222.4
étatisé 222.19
étatiser 222.11
étatisme
centralisme 694.11
dirigisme 222.1
étatiste 222.9
état-major 133.7
État-nation 773.1
états-unien 355.10
étau
enclume 584.24
établi 505.18
t. de serrurerie 760.19
étau-limeur 476.10
étaupiner 18.21
étau-pionnier 632.18
étayage 834.24
soutien 791.1
étayement
soutien 791.1
étayage 834.24
étayer 834.42
étoffer 9.14
appuyer 791.11
boiser 74.20
menuiser 505.21
et caetera ou **etc.** 137.24 ; 647.25 ; 721.6
été 738.3
chaleur 102.3
maturité 495.1
été de la Saint-Martin 738.4
été indien 738.4
éteignoir
triste sire 836.6
trouble-fête 309.16
mèche 250.8
éteindre 250.24
modérer 89.10
régler 31.10
rembourser 587.19
éteindre (s')
passer 228.12
s'en aller 534.21
éteint 393.14
éteinte 159.27
ételle 37.7
étendage
suspension 806.1
séchage 750.3
étendard
banderole 65.4
enseigne 765.13
étendoir 806.5
étendre
continuer 153.16
augmenter 56.7
étoffer 9.14
allonger 501.14
élargir 456.4
grossir 351.7
coucher sur 727.14
écarter 585.10
suspendre 806.12
déployer 298.11
étirer 826.11
se faire étendre 249.12
étendre (s')
avoir telle étendue 456.4 ; 585.16
avoir telle durée 247.10
tomber 119.18
développer longuement un sujet 665.8
étendu 456.6
étendue 153.7
proportions 668.2
surface 219.3
importance 384.1
registre 106.15
Étéocle 236.41
éternel 287.11 ; 406.11
permanent 403.14
l'Être éternel 287.8
félicité éternelle 591.4
vie éternelle 862.18
Éternel (l') 215.1 ; 287.8
éternellement 287.14
indéfiniment 406.14
éternisation 153.11 ; 287.6
calcul infinitésimal 406.5
éterniser
perpétuer 153.19
immortaliser 287.9
immobiliser 403.8
enregistrer 273.15
éterniser (s') 247.11
durer 406.7
passer à la postérité 287.10
s'éterniser sur 458.15
éternitaire 287.11
éternité 287 ; 153.2 ; 215.13
infini 406.1
éternité bienheureuse 591.4
avoir l'éternité devant soi 287.10
de toute éternité 287.16 ; 406.14
être aux portes de l'éternité 534.24
il y a une éternité 247.12
éternuement 83.12
expiration 718.3
éternuer 718.25
éternuer dans le sac 801.24
étésien
vents étésiens 852.6
étêtage
rapetissement 220.3
taille 36.5
étêté 814.18
étêtement
rapetissement 220.3
taille 36.5
étêter 36.22
éteuf 448.2
éteule 721.3
éthambutol 499.5
éthane
hydrocarbure 335.2
combustibles liquides 269.6
éthanoïde 113.8
éthanolamine 94.18
éther
fluide immatériel 20.1 ; 49.3 ; 380.2 ; 477.9
oxyde d'éthyle 114.20
éthéré
désincarné 380.14
léger 457.10
aérien 20.17
éthérification 113.14
éthériser
endormir 397.10 ; 780.23
éthéromane 825.14
éthéromanie 825.1
éther-sel 113.8
éthinylestradiol 499.5
éthionamide 499.5
Éthiopie 529.8
éthiopien
n.m.
langue 455.14
adj.
Église éthiopienne 508.14
Éthiopien 355.7
éthique
n.f. 620.4
déontologie 696.7
morale 533.1
adj.
réglementaire 696.21
moral 533.14 ; 620.32

éthiquement 696.29
moralement 533.17
ethmoïdal 580.6
ethmoïde 580.5
os ethmoïde 814.5
ethmoïdite 482.30
ethnie 352.9
race 371.3
ethnique
n.m. 554.3
adj. 371.28 ; 554.28
ethniquement 371.31
ethno- 371.33
ethno 371.22
ethnobiologie 371.22
ethnobiologiste 371.24
ethnobotanique 371.22
ethnobotaniste 371.24
ethnocide 801.8
ethnographe 371.24
ethnographie 371.22
ethnographique 371.30
ethnohistoire 363.2
anthropologie 371.22
ethnolinguiste 371.24
ethnolinguistique 371.22
ethnologie 620.9
anthropologie 371.22
ethnologique 371.30
ethnologiquement 371.32
ethnologiste 371.24
ethnologue 371.24
ethnomusicologie 543.41
ethnomusicologique 543.56
ethnonyme 554.3
ethnos 371.3
ethnoscience 371.22
étho- 251.23
étholide 94.6
éthologie 164.11 ; 865.11
zoologie 873.1
bioéthique 533.1
éthologique 164.22 ; 251.20
éthologiquement 251.22
éthologue 251.12
éthopée 164.10
éthos 729.2
éthosuximide 499.5
éthuse 318.20
éthylbenzène 617.6
éthyle 113.9
éthylène 617.6
gaz 335.2
combustibles liquides 269.6
oxyde d'éthylène 617.6
éthylèneglycol 617.6
éthylénier 618.9
éthylier 830.5
éthylique 441.8
intoxication éthylique 441.1
éthylisme 441.1
éthyne 269.6
étiage 319.15
étier 319.6
étincelant 473.33
étinceler
briller 473.28 ; 777.15
faire de l'esprit 424.9
étincelle 421.2
flamme 311.4
éclat de lumière 473.4
chambre à étincelles 513.10
étiolement
déshydratation 750.2
défoliation 79.8
affaiblissement 16.2
étioler 750.14
étioler (s')
dépérir 79.21
faiblir 16.8
étiologie 432.9
causalité 92.2
diagnostic 498.10
étiologique 92.14
médical 498.36
étiopathie
homéopathie 498.8
naturopathie 775.4
étioporphyrine 94.22
étiquet 605.6
étiquetage 126.10
étiqueté 126.19
étiqueter 126.14
étiqueteuse 489.13
étiquette
bonnes manières 163.2
cérémonial 98.2
règle 650.2
imprimé 387.1
marque 490.5
bordereau 659.9
étirable 826.14
élastique 259.11 ; 298.14
étirage 470.3 ; 826.3
désépaississement 220.3
fusion 855.9
déformation 510.9
filature 816.11
banc d'étirage 816.17 ; 826.6
étire 826.6
étiré 826.15
étirement 470.3 ; 826.3
extension 298.3
bâillement 851.4
étirer 826.11
allonger 470.7
déployer 298.11
emboutir 510.17
étirer (s')
s'allonger 259.9
déployer ses membres 502.12 ; 851.13
étireur 826.7
étireuse 476.10 ; 826.6
étisie 303.2
étoffe
capacité 302.7
textile 816.1
étoffé 816.34
riche 1.13
étoffer
allonger 9.14
tisser 816.25
étoffer (s') 351.9
étoile 49.4 ; 338.5 ; 578.3 ; 800.9
vie 297.4
arrêt du destin 305.3
révélation 798.9
gloire 341.11
art des jardins 443.4
étoile à neutrons 49.4
étoile géante 49.4 ; 359.4
étoile naine 49.4
étoile filante 49.11 ; 421.2
passer comme une étoile filante 421.8
étoile du matin 494.3
étoile Polaire 221.4
à la belle étoile 300.16
bonne étoile 573.5 ; 670.10 ; 670.6
mauvaise étoile 11.27 ; 11.3
croire en son étoile 145.15 ; 670.10
voir pâlir son étoile 227.22
étoile montante 341.21
étoilé 49.36 ; 417.11
étoile de mer 527.9
étole
bandeau 65.3
soutane 508.10
étonnant 805.13
étonné 805.12
étonnement
surprise 805.1
t. de métallurgie 510.5
t. de philosophie 620.23
sujet d'étonnement 174.3
étonner
choquer 115.23
surprendre 805.4
étonner (s') 805.6
étonnure 517.11
étoquiau 476.12
charnière 760.20
tenue de route 57.12
étouffant 718.33
torride 102.23
étouffée
à l'étouffée 333.53
étouffement
essoufflement 718.4
asphyxie 205.7
étouffer 620.29 ; 712.19 ; 718.26
avoir chaud 102.21
asphyxier 205.21 ; 335.17
tuer 169.22 ; 534.28
maîtriser 89.9
empêcher de 567.13
modérer 522.11
camoufler 751.17
étouffoir 422.19
étoupe 816.5
mettre le feu aux étoupes 311.27
étouper 727.15
étourderie 390.3
oubli 583.1
inattention 394.1
faute d'étourderie 394.2
étourdi
étourneau 583.5
inattentif 394.9
imprévoyant 386.13 ; 386.5
malavisé 483.21
écervelé 390.14
à l'étourdie 394.10
étourdiment
aveuglément 64.13
négligemment 394.10
hâtivement 386.17
inconsidérément 547.22
étourdir 303.16
étourdir (s')
s'aveugler 64.8
s'amuser 629.9
étourdissement
évanouissement 303.3
apoplexie 482.47
étourneau 570.8 ; 583.5
écervelé 394.3
étrange 32.3
singulier 556.15
étrangement 32.19
étranger 288
n. 216.5

autrui 23.7 ; 300.8
adj. 288.25 ; 295.13
ignoré 377.11
insensible 418.18
étranger à 401.15
étranger
v.t.
exiler 288.21
t. de chasse
étrangère 107.23 ; 642.9
étrangeté 32.2
originalité 556.4
rareté 686.1
bizarrerie 321.2
défaut 731.2
étranglé 289.8
étranglement 801.3
étroitesse 289.1
serrement 154.2
étranglement de Ranvier 548.9
étrangler 801.22
étrécir 289.7
serrer 154.7
tuer 169.22 ; 534.28
rembourser 587.19
boxer 792.86
étrangleur 801.15
criminel 169.19
étrave 211.2
être
n.m.
existence 297.1
substance 796.2
étant 620.19
créature vivante 862.20
individu 376.5 ; 613.2
rang 286.4 ; 683.4
être divin 236.1
être mathématique 297.5
amener, faire venir à l'être 662.14
être
v.i.
exister 290.8 ; 297.8 ; 854.12 ; 862.22
être à 645.20
raison d'être 92.7 ; 536.3 ; 753.4
étrécir 289.7
étrécissement 289.1
étreignoir 505.16
étreindre
enlacer 91.7
embrasser 502.12 ; 741.22
étreinte 27.6 ; 91.2
étreinte amoureuse 27.6
être-là 651.2
métaphysique 297.2
étrenne
avoir l'étrenne de 134.17
étrennes 241.1
étrenner
entreprendre 134.17
précéder 33.11
étrenner de 241.20
étrèpe 18.15
étrésillon 834.32
étai 791.3
étrésillonnement
soutien 791.1
étayage 834.24
étrésillonner
appuyer 791.11
étayer 834.42
étrétinate 499.5
étrier
os 55.3 ; 580.7
pièce mécanique 57.12 ; 476.12 ; 760.20 ; 834.32
anneau de selle 792.70 ; 792.77
à franc étrier 684.46
coup de l'étrier 75.16
étrillage
volée de coups 160.5
pansage 262.13
étrille
dent 637.4
crabe 172.3
étriller
bouchonner 262.26 ; 329.24
savonner 669.10
tromper 284.10
faire payer cher 111.6
se faire étriller 227.22
étripage 853.6
étripailler 853.11
étripe-cheval
à étripe-cheval 684.46
étriper 853.11
frapper 72.19
battre 160.12
tuer 169.22
étriqué 616.11
étroit 289.8
étriquer 289.7
étriver 212.13
étrivières 160.9
étroit 289.8
étriqué 616.11
t. d'imprimerie 459.3
à l'étroit 289.10 ; 603.25 ; 616.15
étroitement
petitement 616.15
à l'étroit 289.10
étroitesse 289
petitesse 616.1
étroitesse d'esprit 64.2
étroitesse de vue 616.3
étroiture 289.2
étron 296.2
étrusque 455.14
-ette 616.18
étude 225.9 ; 451.22 ; 543.32
recherche 689.1
apprentissage 35.1
projet 664.2
préparation 649.1
esquisse 607.6
cabinet 464.11
étude de marché 135.2 ; 675.3 ; 680.7
étude de motivation 135.2 ; 675.3
salle d'études 274.8
à l'étude 664.18
faire ses études 274.19
étude d'avoué 464.11
étudiant 362.11
apprenti 445.5
élève 274.15
étudié
compliqué 140.12
fini 774.22
recherché 12.13
étudier
programmer 577.18
ébaucher 664.14
préparer 649.10
étudier (s') 12.11
étui
boîte 151.2
projectile 43.15
étui à bijoux 70.17
étui pénien 762.4
étuvage 328.3
étuve 102.4 ; 750.8
alambic 113.17
réchaud 109.9
étuve humide 372.10
étuvée
à l'étuvée 333.53
étuver
chauffer 102.20
lyophiliser 750.15
cuire 333.40
étuveur 750.8
étuveuse 750.8
étymologie 535.11
linguistique 455.7
étymologique
linguistique 455.18
lexicologique 535.31
étymologiquement 535.33
linguistiquement 455.22
étymologiste
linguiste 455.12
lexicographe 535.19
étymon 535.7
eu- 69.23
eu 86.11
eubactéries 512.4
eublemma 417.11
eucalyptus 37.15
eucarides 172.2
eucaryotes 79.4
eucère 417.7
eucharis 527.13
eucharistie 588.13
sacrement de l'eucharistie 173.14
sacrifice de l'eucharistie 508.4
mystère de l'eucharistie 818.12
eucharistique 818.31
prière eucharistique 508.7
euchroma 417.3
Euclide
les cinq postulats d'Euclide 338.3
euclidien 493.4
eudémis 417.11
eudémonisme 620.15 ; 629.2
épicurisme 533.3
eudémoniste
épicurien 629.19
sceptique 620.33
eudiomètre 335.3
eudiste 525.10
eudorinidé 512.5
Eudoxe 49.28
eugénésie 361.13
eugénia 38.7
eugénie 293.7
eugénique 711.27
génétique 361.13
eugénisme
darwinisme 293.7
génétique 361.13
eugléniens 22.3
euglobuline 94.8
euh 431.2
eulytine 516.5
eumalacostracés 172.2
eumélanine 94.22
eumène 417.7
Euménides 236.24 ; 707.7
eumolpe 417.3
eunecte 712.3
eunice 856.2
eunuchisme 364.6
eunuque
castrat 763.19
gardien 641.13

eupantothérien 486.4
eupatoire 318.10
eupepsie 218.3
eupeptique
gastrique 218.24
tonique 499.30
euphausiacés 172.2
euphémisme 313.4
euphonie 543.14 ; 781.5
phonétique 346.3
euphonique
phonétique 781.29
mélodieux 543.54
euphoniquement 781.32
euphorbe 318.11
euphorbiacées 318.11
euphorbiales 79.4
euphorie
optimisme 573.2
joie 447 ; 600.3 ; 629.1 ; 745.1
soulagement 786.1
prospérité 670.3
euphorique 447.15
euphorisant 573.7
drogue 825.4
stimulant 793.6
euphorisation 447.7
euphoriser 447.10
euphotique 251.15
euphraise 318.22
Euphrosyne 236.32
euphuisme 347.1
euphuiste 347.15
euplecte 570.8
euplectelle 527.10
euplotes 512.5
eupnée 718.14
euprocte 68.3
euproctis 417.11
-eur 15.11
eurasiatique 337.11
eurêka 179.13 ; 431.2
euro 529.8
eurocentrisme 808.15
eurocommunisme
radical-socialisme 808.5
communisme 222.2
eurocommuniste
communiste 222.14 ; 808.26
eurodéputé 708.3
eurodroite 246.4
Europe
astre 49.10
nymphe 374.6
Europe bleue 605.18
européanisation 371.20
européen
élections européennes 260.2
Européen 371.5
européocentrisme 808.15
europium 113.7
eurostratégie 487.18
Eurovision 681.2
euryapsides 712.1
eurybiote 251.18
aquatique 873.23
eurycanthe 417.15
Eurydice 236.42
euryèce 251.18
aquatique 873.23
euryhalin 251.18
eurylaime 570.8
eurylaimiformes 570.4
euryphage 214.12
eurytherme 251.18
eurythermie 251.3
eurythmie 282.8
harmonie 576.2
eurythmique 576.20 ; 781.30
harmonieux 282.18
eurythyrea 417.3
Euskaldunaks 371.15
eusporangiée 360.9
eustache 43.3
eusuchiens 712.6
eutectique 113.24
point eutectique 113.10
euterpe 37.19
Euterpe 236.11
eutexie 778.4
euthanasie 534.14
euthanasier 534.28
euthérien 486.3
eutocie 544.4
eutocique 544.24
eutrophe ou **digotrophe** 251.15 ; 563.19
eutrophication 251.9
eutrophisation 251.9
alimentation 563.9
-eux 113.30 ; 151.17
eux 613.7
eux-mêmes 613.7
euxénite 516.5
évacuateur 783.27 ; 783.9
évacuation 487.14
extraction 783.4
écoulement 468.6
excrétion 258.3 ; 296.9
évacuation alvine 296.9
évacué 72.11
évacuer 487.35
déloger 783.20
jeter 258.9 ; 713.9
sécréter 340.11
déféquer 296.20
évader (s')
se soustraire à 790.8
sortir 783.17
se libérer 461.18
évagation 394.1
évaguer (s') 394.6
évaltonné 394.9
évaluable 509.31
évaluateur 509.27
évaluateur agréé 450.6
évaluatif 450.14
évaluation 87.4
calcul 509.3
énumération 555.8
mesure 219.6
estimation 450.2 ; 659.7
évaluer
conjecturer 660.6
doser 509.29
dénombrer 87.13 ; 555.13
peser 636.18
juger 450.7
dire un prix 659.13
évanescence 228.6
immatérialité 380.1
évanescent
immatériel 380.13
fugace 228.14
évangéliaire 508.13
évangélique 815.24
chrétien 117.24
Église évangélique 117.8
pauvreté évangélique 603.1
évangéliser 117.22 ; 648.16
évangélisme 117.2
évangéliste 117.19
catéchiste 648.13
les quatre évangélistes 679.3
évangile
se faire un évangile de 696.16
Évangile 595.13 ; 815.4
liturgie 508.4
Évangiles apocryphes 815.4
les quatre Évangiles 815.4
vérité d'Évangile 854.4
évanoui
passé 598.13
inconscient 397.14
évanouir (s')
disparaître 228.7 ; 228.8 ; 315.13 ; 380.11 ; 437.5
perdre connaissance 119.20 ; 303.12 ; 397.12
évanouissement 303.3
absence 2.1
disparition 228.1
perte de connaissance 397.2
apoplexie 482.47
syncope 418.5
évaporateur 750.8
instrument de chimie 113.17
évaporation 102.8 ; 750.5
évaporatoire 750.22
évaporé
étourneau 583.5
facétieux 628.14
évaporer (s')
se transformer en vapeur 750.17
disparaître 228.7 ; 437.5
évaporométrie 750.5
évapotranspiration 750.5
évapotranspiromètre 509.26
évasé 456.7
ouvert 585.17
évasement 585.9
bâillement 585.2
évaser 456.4
évaser (s')
s'élargir 456.4
s'ouvrir 585.16
évasif 788.16
évasion 461.2
fuite 228.4
départ 783.2
évasion fiscale 317.20
évasivement 788.21
évasure 585.2
ève 760.7
ève de pêne 760.7
évêché 699.20
diocèse 699.19
évection 474.6
éveil 851.3
vigilance 21.3
en éveil 52.8
éveillé
réveillé 851.15
intelligent 424.11
vif 684.30
éveiller
réveiller 851.11
déclencher 687.7
alarmer 21.12
stimuler 793.13
éveiller (s') 851.13
éveilleur 851.7
éveinage 128.18
ablation 114.12

évènement 290 ; 805.2
réalité 297.3
phénomène 4.2
effet 254.1
t. de philosophie 620.20
t. de statistique 493.6
à tout évènement 358.14
attendre la suite des évènements 647.16
heureux évènement 544.1 ; 711.21
évènementiel 290.12
physique 492.9
accidentel 4.5
histoire événementielle 290.4
Evenkis 371.14
évent 486.21
cheminée 585.7
évènement 290.1
branchie 638.10
tête à l'évent 394.3 ; 583.5
éventail 109.14 ; 852.12 ; 859.30
voûte en éventail 39.19
éventaire 135.13 ; 490.13
éventé
venté 852.21
étourneau 583.5
éventer 136.16
éventration 853.6
déchirure 72.3
éventrer 853.11
blesser 72.14
défoncer 205.17
tuer 169.22
éventreur 169.19
éventualité 291
possibilité 4.3
probabilité 660.1
évènement 290.1
théorie 802.4
éventuel 291.10 ; 291.2 ; 291.6 ; 395.14
accidentel 4.5
possible 646.9
éventuellement 291.13 ; 395.19
accidentellement 4.6
évêque 699.6
titre 822.6
évêque de Rome 590.1
evernia 463.3
évertuer (s')
chercher à 689.18
s'efforcer de 255.5
evetria 417.11
éviction 292 ; 81.19
expulsion 258.4
mise au ban 582.2
évidé 167.16
évidement
incision 167.10
ponction 114.7
évidemment
oui 13.12
certes 99.10
évidence
preuve 614.5
clarté 302.2
intelligibilité 425.2
langage clair 425.7
banalité 630.5
à l'évidence 99.11
de toute évidence 99.11
en évidence 867.10
évident
concret 297.13
visible 867.7 ; 868.25
compréhensible 275.13
certain 99.7
clair 302.19 ; 425.15
criant 168.21
pas évident 217.19
évider 167.12 ; 333.38
désépaissir 220.12
évier 519.26 ; 550.18
baignoire 669.6
sanitaire 632.2
évincé 292.12
évincement
expulsion 258.4
mise au ban 582.2
éviction 292.1
évincer 292.6
repousser 263.7
exclure 258.10 ; 582.15 ; 713.8
éviscération 853.6
éviscérer 853.11
évitage 212.3
évite-bosse 832.5
évite-butte 832.5
évitée 543.20
évitement 832.3
éviter
contourner 77.17
se protéger 671.24
dispenser 31.10
éviter à qqn 461.15 ; 653.18
évocateur
descriptif 196.13 ; 709.13
significatif 753.13
évocatif
mémoire évocative 503.1
évocation 503.5
représentation 709.1
indice 788.9
description 196.1
évocatoire 477.27
évohé 276.15
évolué 293.12
évoluer 293.9
changer 104.18 ; 229.5
différer 216.6
progresser 344.7
manœuvrer 487.25
évolutif
graduel 344.10
progressif 293.13
radiation évolutive 850.7
évolution 293 ; 104.2
fluctuation 850.3
progrès 344.2
histoire 363.1
manœuvres 487.1
étymologie 535.11
évolution régressive 293.4
évolutionnaire 293.14 ; 293.8
évolutionnisme 711.18
darwinisme 293.7 ; 873.12
évolutionniste 293.14 ; 293.8
évolutivité 482.9
évoquer 196.12 ; 503.12
ressembler à 719.9
représenter 709.8
signifier 753.9
évulsif 301.14
évulsion
extraction 295.3
ablation 114.12
Éwés 371.11
Ewing
sarcome d'Ewing 841.4
ex-
dans l'espace 258.17 ; 300.19 ; 301.18 ; 783.32
dans le temps 598.24
ex 238.10
exa- 509.36
ex abrupto
soudain 421.17
au pied levé 386.16
exacerbation
intensification 16.1 ; 427.5 ; 865.1
nervosité 549.1
exacerbé 427.15
exacerber
intensifier 427.12
impatienter 382.6
exacerber (s') 16.5
exact
conforme 147.13 ; 559.16
vrai 854.19
précis 459.19 ; 774.22
ponctuel 644.4
sciences exactes 747.5
exactement
vraiment 147.15 ; 854.27
précisément 774.25
scrupuleusement 472.18 ; 753.20
ponctuellement 644.6
exacteur
exploiteur 3.5
collecteur 317.28
exaction 317.20
abus d'autorité 3.2
acte de violence 865.7
exactitude
vérité 147.3 ; 854.2
ponctualité 528.3 ; 644.1
précision 472.4 ; 774.2
l'exactitude est la politesse des rois 644.3
ex aequo 256.26
juger ex aequo et bono 450.9
exagérateur 804.3 ; 804.9
grandiloquent 347.15
exagératif 804.8
exagération
excès 3.1 ; 294.2 ; 426.1
surestimation 351.4 ; 804.2
dramatisation 615.2
ostentation 12.2 ; 581.1
mensonge 504.3
grandiloquence 313.5 ; 347.5
exagéré
excessif 294.14 ; 351.16
surestimé 804.8
grandiloquent 347.14
exagéré 111.11
exagérément
mensongèrement 804.11
excessivement 3.17 ; 426.14
exagérer
abuser 3.7 ; 56.10 ; 294.8
surestimer 9.14 ; 378.9 ; 804.7
amplifier 347.10
dramatiser 615.5
mentir 504
exaltable 276.13
exaltant
passionnant 276.12 ; 600.12
stimulant 793.15
encourageant 268.13
exaltation
enthousiasme 276.1 ; 427.2 ; 447.7 ; 600.3
louange 341.6 ; 471.1

exalté
enthousiaste 276.9 ; 600.13
violent 865.12 ; 865.26
exalter
enthousiasmer 276.7 ; 600.8 ; 629.13
encourager 268.9 ; 793.10
louer 341.12 ; 471.9 ; 552.21
exalter (s') 276.8
examen
médical 498.11
étude 649.1 ; 689.1
épreuve 274.11 ; 680.3
contrôle 155.1
texte 225.9
examen de conscience 613.12 ; 697.2
libre examen 818.21
mis en examen 44.10 ; 144.19 ; 835.12
mise en examen 144.13 ; 169.13
examinateur 680.10
examiner
étudier 52.5 ; 174.6 ; 649.10 ; 868.18
un malade 498.35
contrôler 155.13
examiner sous toutes les coutures 823.8
ex ante 33.20
exanthématique 482.69
exanthème 482.17
exarque 822.6
exaspérant
énervant 549.19
irritant 130.13
exaspération
intensification 427.5
nervosité 130.1 ; 382.3 ; 549.1 ; 720.1
exaspéré 427.15
exaspérer
intensifier 427.12
impatienter 130.10 ; 192.8 ; 382.5 ; 549.13 ; 720.7
exaucé 745.15
exaucement
contentement 745.2
accomplissement 5.4
exaucer 745.9
accomplir 5.15
ex cathedra
scolairement 274.23
dogmatiquement 13.11
excavateur
t. de dentisterie 188.12
t. de travaux publics 834.27
excavation 167 ; 203.8 ; 834
excavation pelvienne 580.12
excavatrice 834.27
excaver 337.26
creuser 167.11
terrasser 834.38
excédent 294.3
écart 216.2
reste 721.1
gain 339.8
excédentaire 294.15
excéder
outrepasser 294.7 ; 467.8
impatienter 382.5 ; 549.13
abuser 3.10
excellemment 800.24
excellence
supériorité 800.1
qualité 76.3 ; 677.2
Son Excellence 822.14
donner de l'Excellence 822.17
excellent 677.16
excellentissime 822.20
exceller 10.13 ; 800.16
excentré 232.11
excentricité
écart 212.6
extravagance 556.4
ridicule 731.2
excentrique
n.
clown 628.7
d'une machine 476.12
adj.
extravagant 556.15
extérieur 97.14 ; 300.14
excepté 295.16
excepter
exclure 295.8 ; 547.13 ; 790.5
bannir 582.15
exception
bizarrerie 32.2 ; 556.6
exclusion 295 ; 300.5 ; 790.2
rareté 686.2
t. de droit 451.17
t. de grammaire 346.2
exception dilatoire 724.6
exception d'incompétence 451.17
l'exception confirme la règle 696.6
par exception 686.11
à l'exception de 295.16
tribunal d'exception 835
faire exception 556.8
faire exception à la règle 32.9
exceptionnel
bizarre 32.13 ; 556.13
unique 216.12 ; 290.13
supérieur 677.15 ; 800.20
intense 427.14
exceptionnellement
fortement 427.29
rarement 686.11
excès 294
abus 3.1 ; 426.1 ; 865.1
abondance 1.2
reste 216.2 ; 721.2
surestimation 804.2
injustice 413.6
grandiloquence 347.5
excès de bouche 342.2
excès de langage 399.4
excès de pouvoir 413.6
excès de table 342.2
excès de vitesse 684.8
par excès 216.13
à l'excès 426.15
éviter les excès 771.6
faire des excès 426.8
excessif
abondant 1.15
abusif 3.12 ; 294.14 ; 426
surestimé 804.8
grandiloquent 347.14
trop cher 111.11
excessivement
beaucoup 294.18 ; 427.30
passionnément 426.14 ; 600.17
exciper
argumenter 536.9
prétexter 656.4
excipient
distillat 113.3
panacée 499.2
excise 317.7
exciser 114.33
excision 306.13
ablation 114.12
circoncision 98.7
excitabilité
d'un muscle 541.3 ; 793.4
sensibilité 754.3 ; 755.5
nervosité 549.4
excitable 17.14
nerveux 549.17
coléreux 130.11
excitant
stimulant 17.15 ; 754.7 ; 793
enthousiasmant 268.13 ; 276.12 ; 427.19 ; 600.12
sensuel 199.16 ; 475.12
excitateur
n.
instigateur 268.6
adj.
stimulant 793.15
excitatif
stimulant 793.16 ; 793.6
excitation
stimulation 17 ; 793
encouragement 268.2
d'un atome 513.7
désir 199.5 ; 763.5
émoi 382.4 ; 549 ; 600.3
enthousiasme 276.3 ; 427.2
colère 130.1
excitation par choc ou par impulsion 17.5
excitation par impulsion 391.3
excité
stimulé 851.15
impatient 382.12 ; 549.18
enthousiaste 276.9 ; 600.7
fâché 130.12
exciter
provoquer 15.6 ; 92.13
stimuler 17.8 ; 391.12 ; 427.12 ; 754.12 ; 793
énerver 549.16
enthousiasmer 276.7 ; 277.4 ; 600.8 ; 755.11
fâcher 130.10
attirer 199.11 ; 475.8
encourager 268 ; 614.9 ; 687.13
un atome 513.12
exciter contre 572.12
exciter les chiens 107.19
exciter (s') 17.11
exciting 427.19
excito- 793.18
exclamatif 431.12
mot 535.2
adjectif exclamatif 346.11
exclamation
cri 168.1
interjection 431.1
t. de grammaire 313.5 ; 595.3 ; 622.7
exclamative 622.3
exclamer (s') 431.10
crier 168.14
exclu 295.12 ; 713.16
banni 582.11
il est exclu que 385.4
exclure
faire sortir 295.8 ; 300.10 ; 713.8

affréteur 829.18
coursier 135.17
expéditif 386.11
concis 684.34
justice expéditive 413.2
expédition
lancement 189.3
opération militaire 354.7 ; 487.15
envoi 829.4 ; 871.6
t. de droit 388.9 ; 451.10
expéditivement 684.42
expérience
ancienneté 28.3
recherche 35.1 ; 689.6
essai 812.4
exercice 649.4
t. de philosophie 620.20
expérience cruciale 620.10
faire l'expérience de 35.6 ; 755.10
expérimental 7.14
sciences expérimentales 620.10 ; 747.5
expérimentalement 682.19
expérimentation
recherche 35.1 ; 689.6
contrôle 155.1 ; 846.2
essai 812.4
expérimenté
savant 28.14 ; 747.17
compétent 674.12
habile 10.20
essayé 649.16
expérimenter
chercher 689.13
vérifier 155.12
essayer 812.7
expert
n.m. 10.8 ; 450.6 ; 747.9
expert comptable 339.18
adj. 10.20 ; 649.16 ; 747.17
expertise
diagnostic 498.10
contrôle 155.1
expiable 299.10
expiateur 299.8
expiation 299
purification 173.6
fête de l'Expiation 299.3
jour de l'Expiation 449.9
expiatoire 299.8
sacrificiel 173.23
victime expiatoire 299.5
expier 271.12 ; 299.6 ; 707.11
expirateur 718.29
expiration 300.6
respiration 20.6
exhalaison 718.3
expiratoire 718.29
volume de réserve expiratoire 718.12
expirer
éjecter 20.14 ; 300.9
mourir 404.6 ; 534.20
respirer 718.23
explant 821.6
explétif 346.13
explétion 313.3
explicable 536.10
explicatif 753.18
interprétatif 432.19
explication
motif 536.4 ; 656.1
interprétation 432 ; 753
réponse 705.1
commentaire 225.9 ; 274.10
avoir une autre explication 194.8
explicativement 432.21
explicitation 753.5
explicite
défini 753.14
clair 425.15
explicitement 425.18
expliciter
définir 753.11
décoder 425.12
expliquer
motiver 536.8
éclaircir 425.12
répondre 705.10
interpréter 275.11 ; 432.13 ; 753.11
exploit
évènement 290.6
haut fait 7.8 ; 161.4 ; 864.4
succès 798.1
t. de droit 133.5
exploitable 846.17
exploitant 846.11
producteur 120.28
exploitant agricole 18.16
exploitation
utilisation 846.7
d'une mine 518.4
d'un champ 18.1
exploitation agricole 18.12
exploitation minière 464.9 ; 518.1
exploitation pétrolière 618.2
exploitation à ciel ouvert 464.9
mise en exploitation 846.7
exploiter
utiliser 846.14
profiter de 3.9 ; 111.6
le sous-sol 518.11 ; 618.13
commercialiser 135.23
exploiteur
utilisateur 846.11
profiteur 3.5
explorateur 689.10 ; 871.18
pionnier 812.6
exploration
découverte 179.1 ; 414.1
recherche 207.1 ; 618.3 ; 871.6
manœuvre 487.12
exploratoire 689.20
explorer
rechercher 689.12
prospecter 207.18
voyager 871.20
exploser
faire explosion 131.24 ; 205.22 ; 335.15 ; 783.15
détoner 83.15 ; 820.21
de colère 130.6
explosif
n.m. 43.14 ; 131.11 ; 518.8
explosifs 617.7
adj.
qui explose 335.22 ; 783.25
critique 175.11
explosimètre 131.16
explosimétrie 131.16
explosion
éjection 131.3 ; 258.5 ; 269.1 ; 335.10 ; 783.1
expansion 298.4
détonation 83.8 ; 820.2
explosion démographique 56.2
explosion nucléaire 131.4
explosive 781.8
exponentiel 493.4
export 829.4
exportable 783.26
commercialisable 135.34
exportateur 783.12 ; 783.27
homme d'affaires 135.18
exportation 783.6
exclusion 300.5
échange 135.5
exporter 135.25
exposant
multiplicateur 539.2
algorithme 493.3
exposé
n.m.
discours 136.4 ; 225 ; 274.10 ; 595.5
compte rendu 691.1
description 196.2
adj.
orienté 769.13
en danger 175.18
être exposé à 221.27 ; 769.10
exposer
orienter 769.9
montrer 867.5 ; 868.23
mettre en danger 175.8
faire étalage de 581.6
communiquer 136.16 ; 185.11
raconter 196.12 ; 691.12
supplicier 801.19
exposer (s') 487.36
oser 161.7
se mettre en danger 175.10
s'aventurer 390.8
s'exposer à 63.16
s'exposer aux regards 581.6
exposition
situation 221.1 ; 769.1
narration 691.1
de tableaux 607.24
t. de musique 543.29
t. de théâtre 134.9 ; 817.13
temps d'exposition 621.13
exposition-vente 675.6
ex post 647.20
exprès
adj.
formel 425.15
émancipation expresse 461.4
adv.
volontairement 428.14 ; 870.14
faire exprès de 428.9 ; 870.7
en exprès 157.17
express 829.30
direct 832.12
route express 833.17
voie express 833.17
expressément
formellement 323.22 ; 753.19
clairement 425.18
expressif
descriptif 709.13
significatif 753.13
convaincant 264.9
expression
d'un visage 323.4
éjection 300.4 ; 301.1 ; 783.4

extralucide 235.13
extralucidité 235.8
extra-muros 845.26
à l'extérieur 300.18
extranéité 288.8
extraordinaire 216.12 ; 427.20
anormal 32.13
crédit extraordinaire 166.2
par extraordinaire 686.11
extraordinairement
anormalement 32.18
grandement 427.29
extrapolation
probabilité 493.5
interprétation 432.6
extrapoler 432.17
extrasolaire 49.33
extra-souple 259.11
extra-strong 388.12
extrasystole 482.13
circulation sanguine 128.11
extra-utérin 762.35
extravagance 32.5
exagération 294.2
bizarrerie 90.3
démesure 347.3 ; 426.1
absurdité 557.4
extravagant
imaginaire 378.13
surestimé 804.8
capricieux 90.10
excessif 426.11
insensé 557.9
exagéré 347.14
extravaguer 32.11
affabuler 378.10
se faire des idées 375.19
délirer 321.18
dire n'importe quoi 557.7
extravasation
sortie 783.1
excrétion 340.9
extravasement 300.4
extravaser (s') 783.14
extravasion 300.4
sortie 783.1
déboîtement 72.4
extraversion 300.7
extraverti 581.12
extrême
n.m.
t. de mathématique
adj. 467.15 ; 493.2
final 315.19
aigu 427.15
éternel 406.11
désespéré 198.11
excessif 426.13
à l'extrême 426.15 ; 427.33
à l'extrême limite 263.17
à l'extrême pointe 467.17
passer d'un extrême à l'autre 426.7
extrême droite 808.12
droite 246.4
extrême gauche 808.8
extrêmement 427.27
extrême-onction 310
sacrement 173.14
cérémonie 98.4
extrémiser 98.19
extrémisme 427.7 ; 808.23
fanatisme 294.5
extrémiste 427.10
fanatique 294.17
radical 808.49
extrémité
bout 300.2 ; 315.5
limite 467.1
frontière 467.2
repère 769.6
à l'extrémité de 783.29
en dernière extrémité 467.17
à la dernière extrémité 534.24
extrinsèque 122.10
accidentel 4.5
exclu 295.12
extérieur 300.14
nominal 554.27
extrinsèquement 4.6
extrorse 318.46
extrospection 300.7
extroversion 300.4
malformation 484.4
extruder 510.17
extrusion 510.9
exubérance
surabondance 1.2
exagération 294.2
excitation 276.3
démesure 426.1
prolixité 665.1
exubérant
abondant 1.12
fanatique 294.17
enthousiaste 276.9
excessif 426.11
exulcération 482.15
exultation 447.2
exulter 447.13
triompher 798.21
exuviation 417.22
ex vivo 114.36
ex-voto
culte 465.15
prière 657.2
remerciement 348.2
iconographie 374.8
eyrir 529.10
Ézéchiel 449.16

F

fa 543.12
clé de fa 543.27
faam 318.21
fabianisme 808.5
fable
moralité 533.8
invention 504.7
allégorie 709.3
conte 691.5
intrigue 691.9
être la fable de 532.14
fabliau 691.5
fabrecoulier
arbuste 38.5 ; 38.9
fabricabilité 662.10
fabricable 662.24
fabricant 5.10
créateur 662.12
fabricant d'armes 43.19
fabricant de chaussures 110.13
fabricateur 662.12
fabrication 150.3 ; 490.6
mise en forme 323.5
action 7.4
accomplissement 5.5
production 662.1
fabrication assistée par ordinateur 408.22
passer à la fabrication 44.14
fabrique
manufacture 464.5
conseil 699.22
décor 443.9
de fabrique 751.10
fabriqué 44.16 ; 490.25
inventé 504.24
fabriquer 504.16 ; 584.35
imaginer 378.8
accomplir 5.12
faire 150.9
créer 662.16
fabulant 378.16
fabulateur
rêveur 378.7
imaginatif 378.16
blagueur 504.11
fabulation
création 378.3
invention 504.2
interprétation 432.6
fabulé 378.14
fabuler 504.19
affabuler 378.10
se faire des idées 375.19
interpréter 432.17
fabuleusement 427.30
fabuleux
grand 427.18
imaginaire 378.13
fabuliste
conteur 691.11
poète 635.20
fac 464.4
façade 39.12 ; 211.2
front 33.4
physique 300.3
ostentation 373.5
face
devant 211.1 ; 572.5
côté 158.1 ; 158.3 ; 158.5
visage 580.5 ; 814.5
avers 529.6
face de crabe, d'œuf, de rat, etc. 814.3
face de lune 474.15
face triturante 188.5
face à 122.15 ; 211.25 ; 651.15
face à face 137.15 ; 137.8 ; 193.22 ; 211.24 ; 572.17
faire face à 587.13 ; 745.8
en face de 211.25 ; 572.21 ; 769.18
à double face 25.16 ; 373.12 ; 373.16
de face 820.7
en face 572.17
faire face 182.26 ; 572.10 ; 715.14
se voiler la face 814.14
face-à-face
opposition 572.1
rencontre 137.8
face-à-main
verre optique 574.8 ; 859.30
facétie
plaisanterie 532.5
blague 838.6
farce 628.5
facétieusement
malicieusement 532.17
joyeusement 447.18
facétieux 628.14
moqueur 532.15
euphorique 447.15
comique 132.11
amusant 629.16

facette
crustacés 172.4
t. de bijouterie 70.15
t. de zoologie 417.17
facetter 70.22
fâché
ennemi 194.14
contrarié 697.10
mécontent 11.27
fâcher 130.10
déplaire 192.8
décevoir 416.5
fâcher (se) 130.6 ; 416.6
se brouiller 410.9
crier 168.17
fâcherie
brouille 194.2 ; 410.4
fâcheusement 697.12
désagréablement 192.16
malheureusement 11.29
fâcheux
n.m. 415.5
adj. 130.13 ; 192.12 ; 272.14 ; 415.12 ; 785.13
fâcheuses circonstances 11.2
facho 694.29
facial 814.16
taux facial 849.10
valeur faciale 849.8
faciès 814.3
faciès cristallin 517.7
faciès pyramidal 517.7
facile 302.18 ; 302.22 ; 302.24 ; 302.32 ; 564.12
intelligent 302.25
accommodant 149.16
intelligible 425.14
quelconque 630.10
facile comme tout 302.18
facilement 302.27
facilitation 302.12
facilité 302 ; 302.11
capacité 424.2
liberté 462.6
opportunité 571.4
don 302.7
facilités
agilité 10.2
intelligibilité 425.2
éloquence 264.1
vulgarité 630.2
avoir toutes facilités pour 302.9
facilités de crédit 166.8
facilités de paiement 302.10 ; 302.9
solution de facilité 593.2
faciliter 302.13
aplanir 649.12
contribuer 19.19
stimuler 793.12
façon
manière 323.5 ; 511.4
travail 165.2
façon culturale 18.4
façon de voir 432.5
belles façons 233.4
bonnes façons 163.2
de façon imprévue 386.18
à la façon de 379.13 ; 511.20 ; 719.17
de façon à 86.14
de façon que 86.16
de la même façon 719.16
en aucune façon 546.19
façons 12.10 ; 12.3
faire des façons 98.23
sans façons 226.8 ; 523.13
faconde 302.8
éloquence 264.1 ; 595.8
façonnable 526.10
façonnage
mise en forme 323.5
couture 165.13
façonné
t. de textile 816.33 ; 816.4
façonnement
mise en forme 323.5
couture 165.13
façonner 323.12 ; 584.35
éduquer 253.7
agir sur 7.12
instruire 649.11
accomplir 5.12
faire 150.9
faire des embarras 12.10
influencer 407.10
forger 760.26
façonnier
n.m. 12.4 ; 480.3
adj. 98.27 ; 163.11 ; 184.11
fac-similé
double 388.9
réédition 469.5
édition en fac-similé 469.5
factage 157.9
facteur
cause 15.1 ; 92.4
élément d'un produit 493.2 ; 539.2
préposé 157.11
fabricant 422.28 ; 662.12
facteur d'orgues 422.28
facteur A, B 742.15
facteur antihémophilique A 742.7
facteur antipernicieux 499.6
facteur chance 358.1
facteur conditionnant 361.4
facteur dominant 361.4
facteur Hageman 742.7
mise en facteur 539.1
factice
artificiel 379.10
affecté 12.12
imaginaire 504.25
idée factice 375.3
facticité 291.1
factieux
révolutionnaire 728.4 ; 728.9
faction
veille 51.2
mission 487.12
être de faction 51.6 ; 487.27
factitif 92.15
t. de grammaire 346.6
factorerie 135.9
factorielle 493.2
factoring 66.9
factorisation 539.1
factotum 7.9
factuel
accidentel 4.5
évènementiel 290.12
t. de philosophie 492.9
factuellement 290.14
matériellement 492.11
accidentellement 4.6
factum 710.7
facture
façon 5.8 ; 150.3 ; 323.4 ; 511.4 ; 607.12 ; 729.10
fabrication 422.27
note à payer 387.1 ; 587.8 ; 659.9 ; 739.9
facturer 659.13
facule 777.7
facultatif 116.13 ; 462.37
possible 646.9
éventuel 291.10
facultativement 116.15
éventuellement 291.13
faculté
aptitude 424.2 ; 424.5
possibilité 302.7 ; 462.6 ; 646.3
établissement d'enseignement 274.5 ; 464.4
corps médical 498.22
faculté de médecine 498.32
faculté de rachat 135.24
faculté discursive 682.7
faculté imaginante 378.1
F. A. D. 94.24
fada 321.13
fadaise
absurdité 784.3
bavardage 419.6
parole 595.4
balivernes 435.5
plaisanterie 628.4
banalité 630.5
débiter des fadaises 504.20
fadasse
insipide 343.20
terne 630.11
fade
n.m.
vol 869.7
adj.
insipide 343.20
quelconque 500.13
léger 419.13
ennuyeux 272.12
banal 836.16
terne 630.11
fadé 441.18
fadeur 630.4
insipidité 343.5
insignifiance 419.1
monotonie 836.5
plaisanterie 628.4
fado 106.10
faf 529.4
faffe, fafiot 529.4
fagacée 37.11
fagale 37.11
fagne 372.4
fagot
bois à brûler 311.4
mensonge 504.7 ; 784.4
pêche au fagot 605.2
sentir le fagot 183.14 ; 477.20 ; 737.8
conter des fagots 504.20 ; 784.11
fagotage 859.4
fagoté
négligé 547.17
accoutré 859.45
fagoter
négliger 547.8
habiller 859.33
fagotin
pédant 747.10
clown 628.7
Fahrenheit
degré Fahrenheit 102.12 ; 127.12 ; 509.17
faiblard 303.17
faible
n. 26.9 ; 53.1 ; 303.6 ; 860.4

avoir un faible 27.16 ; 53.8
adj. 250.28 ; 302.24 ; 303.17 ; 325.10 ; 383.8 ; 393.15 ; 405.17 ; 416.9 ; 438.10 ; 452.8 ; 457.14
économiquement faible 603.9
sexe faible 303.6 ; 306.1
faiblement 303.24 ; 602.13
faiblesse 303 ; 302.6
infériorité 405.1
fragilité 325.1
médiocrité 500.1 ; 523.3
insignifiance 419.1
mollesse 593.2
lâcheté 452.1
renoncement 701.2
futilité 435.2
imperfection 383.1
peccadille 606.5
manie 860.4
faiblesse de constitution 303.5
faiblesse d'esprit 784.2
avoir la faiblesse de 383.7
avoir une faiblesse, être pris de faiblesse ou *tomber en faiblesse* 303.12
avoir une faiblesse pour 763.39
faiblet 303.17
faiblir 303.8 ; 405.12 ; 482.52
décroître 220.10
dépérir 16.8
mollir 787.14
faiblissant 303.19
faiblot 303.17
faïence 813.11
bleu de faïence 73.8
faïencerie 813.15
faignant
paresseux 393.17 ; 393.7
faille 325.3
discontinuité 223.5
rupture 230.3
cassure 324.5
excavation 167.3
filon 516.3
col 530.9
brocart 816.4
failli
débiteur 209.18
insolvable 209.29
faillibilité 283.12
faillible 283.18 ; 606.16
faillir
cesser 404.6
se dégonfler 452.5
échouer 249.11
renier 828.12
pécher 606.9
faillite
échec 249.1
inactivité 389.3
non-paiement 209.9
faillite de fait 209.9
faillite frauduleuse 284.2
faim 563.6 ; 703.11
désir 199.3
faim de loup 703.11 ; 703.36
faim d'ogre 703.11
avoir faim 563.15 ; 703.36
crever de faim 703.36
rester sur sa faim 416.6
faim-valle 703.11
faine 330.6
fainéant
paresseux 393.17 ; 393.7 ; 593.5
roi fainéant 593.6
fainéanter
paresser 393.9 ; 593.7
fainéantise
paresse 593.1
oisiveté 393.4
faire
n.m. 5.8 ; 729.10
v.
exécuter 5.11 ; 5.13 ; 7.11 ; 15.7 ; 150.9 ; 659.11 ; 662.15
astiquer 640.8
voler 869.18
faire qqch pour qqn 19.22
faire en sorte que 15.7 ; 774.17
faire tout un fromage de qqch 804.5
il se fait que 122.8
avoir tôt fait de, avoir vite fait de 684.13
faire (se) 520.7
se faire à 35.5 ; 357.18 ; 601.9
se faire rare 686.5
s'en faire 21.13 ; 283.15 ; 785.6
ne pas s'en faire 573.5 ; 629.9
faire-part
imprimé 387.1
carte postale 157.3
faire-part de décès 331.22
faire-valoir 18.13 ; 846.8
fairplay ou **fair-play** 792.80
généreux 336.10
droit 472.14
faisabilité 646.1
faisable 646.10
exécutable 5.21
faisan
oiseau 570.9
escroc 284.7 ; 485.7
faisandé 333.50
faisandeau 570.9
faisander 284.10
faisanderie 262.5
faisceau
groupement 65.1 ; 352.5
de lumière 250.3 ; 473.4
d'armes 43.9
de voies 516.3 ; 832.5
structure neuro-anatomique 100.11 ; 100.5 ; 100.7 ; 548.10 ; 548.12 ; 548.7
faisceaux libéro-ligneux 74.2
faisceau d'électrons 513.8
faisceau de drapeaux 861.3
faisceau de droites 692.2
faisceau de His 128.5
former les faisceaux 487.29
faiseur
n.m.
faiseur d'horoscope 235.12
faiseur de phrases 595.15
faiseur de vers 635.21
bon faiseur 677.5
n.f.
faiseuse d'anges 711.13
faisselle
récipient 151.5
faisselle, féchelle, fescelle ou **fesselle**
fromage blanc 454.4
fait
évènement 4.2 ; 290.1 ; 620.20
arbitraire 413.2
incident 122.2
acte 7.6
les faits 854.16
au fait 136.14
de fait 238.2 ; 554.32
en fait 245.59 ; 290.14 ; 658.12 ; 854.28
au fait de 747.18
du fait de 92.19
du fait que 92.21 ; 122.16
fait accompli 5.6
beau fait 552.5
faits et gestes 7.8
prendre fait et cause 596.26 ; 600.10 ; 626.6
prendre sur le fait 179.9
saisir sur le fait 44.13
adj.
accompli 5.22
ivre 44.15 ; 441.18
bien fait 69.16 ; 684.44
homme fait 364.3 ; 495.3
homme fait à la main de 787.10
fait-divers 654.7
fait-diversier 654.16
faîte
sommet 37.5 ; 204.6 ; 481.17 ; 530.8
apogée 5.7 ; 427.4
ligne de faîte 466.8
faitout ou **fait-tout** 848.24
faix 636.6
fakir 123.19 ; 440
hindou 362.2
derviche 525.6
ascète 47.7
fakirisme
insensibilité 418.5
hindouisme 362.1
falachas ou **falashas** 449.24
falaise 319.8
falbala
ruban 859.23
pli 165.4
falciforme 37.27
ligament falciforme 218.10
falcinelle 570.18
falcon ou **falconi** 570.41
falconiformes 570.4
fallacieusement 3.19 ; 432.22 ; 838.24
hypocritement 373.20
fallacieux 373
prétexté 656.7
mensonger 3.14 ; 838.21
trompeur 828.18
menteur 504.22
falloir 565.11
comme il faut 147.13 ; 163.11 ; 177.7 ; 677.18
il s'en est fallu de peu 602.7
falot
n.m.
fanal 250.13
adj.
insignifiant 419.13 ; 630.10 ; 819.8
grotesque 628.13

falsettiste 106.18
falsetto 106.16
falsettone 106.16
falsificateur
traître 25.7
escroc 284.7
falsification
imitation 379.1
escroquerie 485.5
contrefaçon 284.5
falsifié
artificiel 379.10
faux 284.15
falsifier 379.8 ; 485.10 ; 504.15
contrefaire 284.12
escroquer 169.24
falzar 859.11
famé
bien famé 341.26
famélique 703.40
fameusement 427.32
fameux
terrible 427.21
considéré 341.26
familial 304.13
héréditaire 361.20
affilié 314.15
cellule familiale 304.1
familiale 833.4
routière 57.32
familialement 304.16
familialisme 304.11
familialiste 304.15
familiarisé 357.29
familiariser
instruire 649.11
habituer 357.20
familiariser (se)
s'entraîner 35.5
s'habituer 357.18
familiarité
pl.
familiarités 91.2 ; 462.11
familier
n. 26.6 ; 357.11
adj.
domestique 236.2
familial 304.13
de la conversation courante 455.19 ; 535.28
familier de 747.17
familièrement 304.16
famille 304
genre 126.4 ; 725.2
parenté 314.1 ; 352.9 ; 355.1 ; 772.6 ; 773.5
dynastie 314.10
t. de biologie 126.5 ; 873.10
les deux cents familles 730.10
de famille 304.14 ; 361.20
des familles 304.13
air de famille 304.9 ; 719.1
esprit de famille 304.6
famille recomposée 304.1
fille de famille 304.4
fils de famille 304.4 ; 730.9
grande famille 304.2 ; 314.10 ; 730.10
la Sainte Famille 117.17 ; 374.4
vie de famille 862.12
famine 488.2
crier famine 603.13 ; 703.36
crier famine sur un tas de blé 61.6
fan
n. 268.8 ; 276.6 ; 471.8 ; 599.9 ; 600.7
adj. 600.15
fana
n. 276.6 ; 427.10 ; 599.9
adj. 276.10 ; 294.17 ; 600.15
fanage 18.4
fanaison 79.8
fanal
feu 765.14
signalisation 832.4
éclairage 250.13
fanatique
n. 427.10 ; 599.9
adj. 99.9 ; 276.10 ; 294.17 ; 600 ; 808.49 ; 865.26
fanatiquement 600.17
fanatiser
enthousiasmer 276.7
passionner 600.8
fanatisme 294.5 ; 427.7
extrémisme 808.23
fandango 176.6
fane 360.3
fané
désuet 28.13 ; 206.10
terni 159.27
faner 816.29
dessécher 750.14
moissonner 18.23
faneur 18.16
faneuse 18.15
fanfare 542.4
fanfaron
n. 504.12 ; 581.4
adj. 581.12
fanfaronnade 504.9
vantardise 581.3
fanfaronner
faire le grand seigneur 581.8
fabuler 504.19
fanfaronnerie 581.3
fanfre 638.6
fanfreluche
bagatelle 419.5
colifichet 859.23
fange
pauvreté 603.2
boue 740.3
abjection 367.2 ; 606.6 ; 860.1
fangeux
boueux 740.11
vicieux 860.11
fangothérapie 775.4
Fangs 371.11
fanion
drapeau 41.20
enseigne 765.13
fannia 417.9
fanon
pelage 486.20
baleine 188.4
fantaisie
imagination 378.2 ; 414.2
caprice 90 ; 116.4 ; 321.2 ; 629.4 ; 870.4
garniture 578.1
bijou 70.1
t. de musique 543.32
t. de textile 816.4
de fantaisie 379.10
fantaisiste
variable 850.13
capricieux 90.10
fantasia 309.6
fantasier 378.10
fantasmagorie 477.8
fantasmagorique
abstrait 380.15
imaginaire 378.13
fantasmatique 380.15
fantasmatiquement 380.17
fantasme
fiction 380.6
hallucination 378.5
chimère 64.3 ; 664.5
fantasmer
rêver 380.12
affabuler 378.10
fantasque
instable 229.10
variable 850.13
capricieux 90.9
fantassin 41.12
piéton 623.4
fantastique
n.m. 32.3
adj. 378.13 ; 427.18
fantastiquement 427.30
Fantis 371.11
fantoche 596.15 ; 787.10
fantomal 477.29
fantomatique 380.14
fantôme 619.8
surnaturel 380.4
esprit 477.17 ; 534.9
membre fantôme 502.1
n'être plus que le fantôme de soi-même 303.10
fanum 736.7
temple 465.4
faonner 486.28
faquin 532.8
far 799.6
farad 261.10 ; 509.11
faradisation 775.12
faradmètre 509.26
faramineux 111.11
farandole 176.11
faraud 581.12
farauder 233.11
farce
plaisanterie 132.11 ; 504.7 ; 532 ; 628.5 ; 838.6
pièce comique 817.5
hachis 333.22
dindon de la farce 64.5 ; 532.8
faire ses farces 27.22 ; 475.7
farceur
n. 132.5 ; 447.9 ; 532.7 ; 628.8 ; 838.10
adj. 532.15
farci
n.m. 333.12
adj. 333.50
farcin 482.48
farcir
truffer 152.7 ; 396.12
garnir de farce 333.37
farcissure 430.7
fard
enduit 727.6
hypocrisie 373.1
fardeau
poids 636.6
charge 213.2
colis 829.14
fardée 417.11
farder 727.15
peser 636.15
falsifier 504.15
parer 578.14
fardier
appareil de transport 489.7
chariot 833.11

faute de 2.12 ; 404.14 ; 488.19
avoir faute de 2.8
être la faute de 92.10
faire faute 2.7 ; 404.6
imputer à faute qqch à qqn 710.15
faute avouée est à demi pardonnée 592.14
fauter
faire l'amour 763.32
pécher 606.9
fauteuil 519.18 ; 706.8
salle 748.7
fauteuil à bascule 579.6
fauteuil roulant 114.24
dans un fauteuil 302.27
fauteuil-lit 519.18
fauteur 15.4
fautif
inexact 32.16 ; 283.17 ; 556.14
coupable 92.16 ; 606.13
imparfait 383.8
fautivement 32.20
fauve
n.
bête sauvage 486.1
sentir le fauve 740.10
adj.
sauvage 873.22
roussâtre 84.12 ; 444.7 ; 486.32
fauviste 46.17
fauvette 570.8
fauvisme 46.12
faux
outil 18.15
attribut de la mort 534.7
faux du cerveau 100.18
faux
n.m.
falsification 284.5 ; 379.3 ; 607.9
usage de faux 284.5
faire un faux 169.24 ; 284.12
faux en écriture publique 169.8
adj.
inexact 229.8 ; 283.17 ; 504.23
dissonant 224.12
falsifié 284.15 ; 379.10
simulé 12.12 ; 656.7
hypocrite 373.16
mensonger 838.21
équivoque 24.15 ; 159.27
faux ami 24.3 ; 828.7
adv.
faussement 224.13
plainte en faux 451.7
en porte à faux 769.12
s'inscrire en faux 546.9 ; 693.13
faux-bourdon
insecte 417.7
chant 106.3
faux cheveux 129.9
faux col 85.6
bière 75.10
faux-cul 25.7
faux-filet 333.7
faux-fond 760.7
faux frère 828.7
faux-fuyant 504.5
explication 536.4
hésitation 438.3
prétexte 656.2
faux-jour 473.3
faux-monnayage 529.16
faux-monnayeur 529.23
faussaire 379.4
faux ourlet 165.5
faux pas 390.3
faire un faux pas 483.12
faux pli 165.4
faux-saunier 869.14
faux-semblant 373.8
copie 379.3
prétexte 656.2
illusion 838.7
faux-sens
absurdité 557.4
interprétation erronée 432.7
faux-soleil 97.5
faux-toupet 129.9
faux-vernis 64.4
favela 845.7
faveur
considération 341.3 ; 507.6 ; 798.3
soutien 847.4
privilège 413.5
don 241.6
ruban 859.23
faveurs 76.4
en faveur 341.26 ; 520.9 ; 667.14
à la faveur de 19.32
en faveur de 86.13 ; 595.25
accorder ses faveurs 27.23 ; 763.39
favisme 267.2
favorable
opportun 571.13
utile 847.12
prospère 670.11
favorablement 19.30
favori
n.
protégé 671.17
coqueluche 341.11
t. de sports 792.56
favoris 624.5
adj.
préféré 116.12
favori des dieux 670.16
favorisé 19.29
encouragé 268.14
favoriser
faciliter 302.13
contribuer 19.19
encourager 268.11
avantager 413.12
favoriser qqn de 19.23
favoritisme
protection 671.8
piston 413.5
favosite 527.12
fax
copie 388.8
télégramme 157.2
faxer 157.15
faxiang 80.2
fayard 37.15
fayot 564.11
fayotage 564.4
fayoter 761.10
fayoterie 564.4
féal 472.7
féauté 472.1
fébrifuge 499.33
fébrile
fiévreux 102.26 ; 482.61
nerveux 382.12 ; 549.18
passionné 600.13
fébrilement
impatiemment 382.15
nerveusement 549.21
fébrilité
fièvre 482.9
nervosité 382.4 ; 549.1
fécal 296.27
fécalome 482.22
fèces
excréments 218.4 ; 296.2
féchelle → faisselle
fécond 662.19
fécondateur 662.20
fécondation 762.23
conception 711.10
fécondé 265.16
féconder 711.20
fécondité
créativité 378.2
génitrice 506.3
productivité 662.9
taux de fécondité 711.15
fécule 330.4
gélifiant 778.5
poudre 676.1
féculent
n.m. 330.7
adj. 676.22
féculerie
poudrière 676.15
ferme 18.12
féculoïde 676.22
fedayin ou **feddayin** 715.10
fédéralisme 352.12 ; 694.6
fédération
association 725.2
syndicat 772.7
groupement d'États 124.9 ; 773.8
sportive 792.65
fédérer (se) 596.29
fée 677.5
fée Carabosse 453.4
la fée électricité 250.1
avoir des doigts de fée 10.15
feeder
oléoduc 618.9
cuve 830.11
feeling
sensation 754.5
intuition 434.1
sensibilité 755.1
au feeling 434.11 ; 754.21
féerie
sorcellerie 477.4
spectacle 176.5 ; 817.6
féerique
merveilleux 69.15 ; 378.13 ; 427.18
surnaturel 477.25
feignant
n.m. 393.7 ; 593.5
adj. 393.17
feignasse 593.5
feijoa 330.16
feindre
simuler 379.6
affecter 373.14
faire du chiqué 504.17
feint
imité 379.9
prétexté 656.7
affecté 12.12 ; 373.19
feinte
dissimulation 373.8 ; 838.1
coup simulé 487.9 ; 792.11

feinté 838.23
feinter 838.12
finasser 316.12
feldspath 517.4
feldspathique 517.20
feldspathoïdes 517.4
fêlé 321.23
fêler 72.14
fêler (se) 325.6
félibre 729.13
poète 635.20
félicitant 471.20
félicitation 163.4
louange 471.1
félicitations 268.4 ; 274.12 ; 507.4 ; 745.5 ; 798.5
int. 471.25 ; 741.12
félicité
bonheur 447.2
plaisir 629.1
prospérités 670.3
félicités 670.3
féliciter 366.14 ; 471.12
féliciter (se)
se féliciter de 471.18 ; 745.12
féliciteur 471.8
félidé ou **félin** 486.3
fellah 18.17
fellation 763.12
féloïde 486.3
félon
n.m. 373.10 ; 828.7
adj. 828.17
félonie
déloyauté 373.4
trahison 828.1
tromperie 838.1
fêlure
fissure 230.3 ; 325.3
désaccord 194.1
dérangement mental 321.1
t. de médecine 72.2
femelle
n.f. 306.5
adj.
fiche femelle 261.19
fémilité 306.8
féminiforme 306.16
féminilité 306.8
féminin
n.m.
genre grammatical 346.5
l'éternel féminin 306.1
adj. 306.16
fémininement 306.19
féminisant 306.16
féminisation 306.10
castration 762.26
féminiser 306.14
féminisme 306.9
sexisme 763.3
féministe
n. 306.6
adj. 306.18
féminité 306.8
féminitude 306.8
féminoïde 306.16
femme 306 ; 27.9
mariée 491.19
jeune femme 445.6
femme de chambre 481.39
femme de charge 481.39
femmelette 452.4
femme-objet 306.4
femme-tronc 123.19
F. M. N. 94.24
fémorale
artère 128.8
veine 128.9
femto- 509.36
fémur 580.16
fémuro-cutané 548.4
fenaison 18.4
fenasse 360.7
fendage
bûcheronnage 36.8 ; 74.4
fendant
n.m.
vantard 581.4
pantalon 859.11
adj.
comique 132.11
fendard
n.m.
pantalon 859.11
adj.
comique 132.11
fenderie 476.9
fendeur 581.4
fendeuse 36.18
fendille 325.3
fendillement 325.2
fendiller 167.13
fendiller (se) 325.6
fend-la-bise 684.12
fendre
scinder 230.9
découper 324.11
entailler 167.13
scier 74.21
fendre (se)
s'ouvrir 72.15 ; 325.6
offrir 241.16 ; 661.8
se fendre la pipe 132.7
fendu 37.27
fenestration
ouverture 585.6
t. de médecine 114.10
fenestré
ouvert 585.17
évidé 167.16
fenêtrage 481.31
fenêtre 481.31 ; 585
façade 39.12
t. d'informatique 408.18
faire la fenêtre 672.18
fenêtre ovale 55.3
fenêtre ronde 55.3
fenil 18.9
fennec 486.7
fénoprofène 499.5
fenouil
plante 318.20
cuisine 333.17
fenouillet 330.10
fente
ouverture 167.4 ; 230.3 ; 433.3 ; 585.3
t. d'anatomie 580.3
fénugrec 318.27
féodal
n.m. 240.6
adj. 694.28
féodalisation 240.5
féodaliser 240.12
féodalisme 240.4
féodalité
vassalité 787.2
aristocratie 694.8
fer 307
métal 113.7 ; 510.2 ; 516.5
pointe 637.3
oligo-élément 214.6 ; 499.6
outil 505.16 ; 834.31
chemin de fer 832.1
pl.
forceps 301.5 ; 544.10
chaînes 208.13
renforts métalliques 792.77
fer de lance 67.4 ; 637.3 ; 712.3
de fer 133.24 ; 307.24
à fer émoulu 160.27
au fer à droite 388.23
fer à cheval 262.20
fer à friser 129.8
fer à souder 584.23 ; 632.19
fer chaud 801.7
fer forgé 760.3
fil de fer 307.10
santé de fer 743.3
tête de fer 715.9 ; 814.7
par le fer et par le feu 307.26 ; 865.31
croiser le fer 307.10
marquer au fer rouge 801.19
jeter aux fers 208.20
mettre les fers au feu 279.8
ôter les fers 461.13
river les fers de qqn 240.13
il faut battre le fer pendant qu'il est chaud 307.20 ; 307.3 ; 571.7
âge du fer 363.4
âge de fer 14.7 ; 363.4
fer-à-cheval 486.10
féral 873.22
féralies 310.8
fer-blanc 307.3
ferblanterie 307.13
ferblantier 307.15
fer-chaud 311.12
fer-de-lance 712.3
-fère 151.17 ; 337.36
férie 88.10 ; 310.2
férié
jour férié 310.2 ; 389.5
fermage 18.13
fermail
fermoir 308.6
broche 70.9
ferme
n.f.
élément de charpente 791.4
exploitation agricole 18.12 ; 481.4
ferme marine 262.5
adj.
solide 611.16 ; 778.13
élastique 259.11 ; 604.15
décidé 161.9 ; 716.7
sûr 666.24
inflexible 59.19 ; 248.10 ; 472.15 ; 715.14
fermé 308.20
renfermé 183.18 ; 766.15
insensible 248.10 ; 418.18
voyelle fermée 781.8
fermement 279.16 ; 716.10
solidement 778.15
vigoureusement 864.21
ferment
enzyme 94.23
agent 7.3 ; 15.2
fermentation
processus chimique 85.12 ; 102.8
effervescence 269.1 ; 600.4
fermenté
lait fermenté 454.2

fermenter
faire des bulles 85.14
cailler 454.12
ferme-porte 760.15
fermer
clore 308.11
interdire 429.11
cesser 389.9
fermer à double tour 760.29
fermer boutique 135.22 ; 308.16
fermer l'œil à qqn 166.28
fermer la bouche 766.12
fermer la marche 193.10
fermer sa gueule 308.14
fermer (se) 308.19
fermeté
solidité 611.2 ; 778.1 ; 864.2
volonté 161.1 ; 612.1 ; 715.7 ; 716.1 ; 858.4 ; 870.2
dureté 59.4 ; 248.2
t. de Bourse 81.12
fermette
barrage 67.6
fermette
petite ferme 481.4
fermeture 308
clôture 67.1 ; 567.3
cessation 389.4
dispositif de fermeture 505.4 ; 760.21
jour de fermeture 706.4
faire la fermeture 308.16
fermeture Éclair 308.6 ; 859.21
fermier
n. 18.16 ; 481.37 ; 645.13
adj. 262.33 ; 481.42
fermier général 317.28
fermion 513.3
fermium 113.7
fermoir
dispositif de fermeture 308.6
ciseau 584.4 ; 749.14
féroce
sauvage 873.22
dur 248.9 ; 497.10
férocité 865.2
méchanceté 497.1
dureté 248.1
féronie 417.3
ferrade 801.7
ferrado 509.23
ferrage
action de ferrer 307.12
t. de pêche 605.16
ferraillage
fer 307.10
étayage 834.24
ferraille
déchets de fer 307.11 ; 510.11
petite monnaie 529.3
ferrailler 42.9
étayer 834.42
ferraillerie 307.11
ferrailleur 307.15 ; 834.37
ferrallitique 307.22
ferrate 307.7
ferratier 584.17
ferré 307.21
ferroviaire 832.31
ferré sur 10.20 ; 747.17
voie ferrée 832.3
ferrédoxine 307.7
ferrement 307.10
ferrer
garnir de fer 262.26 ; 307.17
plomber 631.10
t. de pêche 605.24
ferret 70.9
ferretier 584.17
ferreur 307.15
ferreux
minéral 516.10
ferré 307.21
métallique 510.19
ferri- ou **ferro-** 307.27 ; 516.16
ferricyanure 307.7
ferrière 760.18
ferrifère 307.21
ferrimagnétique 307.22
ferrimagnétisme
électromagnétisme 261.2
ferruginosité 307.2
ferriporphyrine 307.8
ferriprive 307.22 ; 482.68
ferrique 307.22
alcool 113.8
minéral 516.10
oxyde ferrique 307.5
ferrite 516.5
rouille 307.5
ferritine 94.9 ; 307.8
ferro- → **ferri-**
ferroalliage 307.9
ferro-aluminium 307.9
ferrocérium 307.9
ferrochrome 307.9
ferrocyanure 307.7
ferrocyanure potassoferrique 73.2
ferroélectricité 307.2
ferroélectrique 307.22
ferrofluide 307.2
ferromagnésien 307.21
ferromagnétique 307.22
magnétique 478.14
ferromagnétisme 478.2
électromagnétisme 261.2
ferruginosité 307.2
ferromanganèse 307.9
ferromolybdène 307.9
ferron 307.15
ferronickel 307.9
ferronière 70.11
ferronnerie 307.14
métallerie 760.2
ferronnier
aciériste 307.15
serrurier 760.24
ferroporphyrine 307.8
ferroprotéine 307.7
ferroprussiate 307.7
ferrosilicium 307.9
ferrotypie 307.14
ferrotypique 307.22
ferroutage
transport 489.6 ; 833.1
ferrouter 832.25
ferroutier 832.31
ferroviaire 832.31
pont ferroviaire 834.5
ferrugineux
n.m. 307.1
adj. 307.21 ; 516.10
ferruginosité 307.2
ferrure 760.3
ferry 830.6
train ferry 832.11
ferry-boat 830.6
fertile 1.14 ; 311.27
productif 662.19
t. de physique nucléaire 513.14
fertilement 662.25
fertilisation 18.4
fertiliser 18.21
fertilisine 340.3
fertilité
imagination 378.2
fécondité 662.9
féru
amoureux 27.26
amateur 600.15
féru de 599.17
férule 318.20
sous la férule de 240.25
fervent
enthousiaste 276.9
croyant 320.15
éloquent 264
ferveur
enthousiasme 276.1
foi 320.1
éloquence 264.1
fescelle → **faisselle**
fescennin
vers ou *poèmes fescennins* 635.6
fesse 242.1
la fesse 763.4
fessée 160.2
fesselle → **faisselle**
fesse-maille 61.3
fesse-mathieu 61.3
fesser 160.14
fessier
n.m. 193.6 ; 242.1
grand fessier 541.9
adj.
nerf fessier 548.4
festif 309.25
festin 309.9 ; 342.2
festiner 342.8
festoyer 703.30
festival
n.m. 758.4
adj. 309.25
festivité 309.1
fest-noz 309.5
festo majou 309.5
feston
liseré 77.12
dentelle 165.3
festons 578.3
point de feston 165.11
festonnage 77.12
festonné 578.18
festonner
border 77.16
orner 578.12
t. de gastronomie 333.39
t. de couture 165.25
festoyer 342.8 ; 703.30
faire la fête 629.10
inviter 309.20
feta 328.5
fêtable 309.26
fêtard 309.15
veilleur 851.6
fête 309
réjouissance 447.6 ; 629.5
fête religieuse **310 ;** 173.1
cérémonie 98.1
fêtes 309.2
fête nationale 125.6 ; 309.2
fête des semaines 310.5
fête des trépassés 310.3
de fête 309.27
en fête 447.15
bonne fête 309.28

salle des fêtes 309.13
être de fête 309.22
faire la fête 426.8 ; 629.10 ; 851.9
faire une fête 772.13
faire fête à qqn 309.21
se faire de fête 226.6
se faire une fête 309.24
fêté 798.23
Fête-Dieu 117
fêtes chrétiennes 310.3
fêter 309 ; 368.7
fêteur 309.15
fêteux 309.15
fétial 699.25
fétiche
talisman 477.10
totem 236.7
fétichisme
perversion sexuelle 321.9 ; 763.15
animisme 700.6
fétichiste 700.12
masochiste 763.22
fétide 569.26
fettucine 333.25
fétu 457.6 ; 616.4
fétuque 360.7
feu 311
n.m.
incandescence 102.2
lumière 250.13 ; 473.1 ; 508.5 ; 765.14
famille 304.1 ; 355.1
cheminée 481.34
brûlure 102.5
rougeur 735.5
enthousiasme 27.1 ; 264.1 ; 276.1 ; 378.5 ; 600.3
arme 43.5
cheminée 481.34
feu de paille 249.3 ; 421.2
feu de salve 741.7 ; 820.5
avec feu 102.29
de feu 102.24 ; 311.29
en feu 131.27
par le fer et par le feu 307.26 ; 865.31
sans feu ni lieu 355.34
à petit feu 458.26
feu éternel 287.2
feu sacré 276.5 ; 600.3
conduite de feu 820.8
coup de feu 311.8 ; 820.2
faire le coup de feu 311.26 ; 354.23
puissance de feu 43.8
aller au feu 354.23
allumer un feu 311.22
avoir le feu aux joues 102.21 ; 735.6
avoir le feu vert 462.24
donner le feu vert 6.12 ; 586.10
être comme un feu follet 311.26
être tout feu tout flamme 276.9 ; 311.26 ; 600.13
faire feu 820.21
faire long feu 249.14
faire feu de tous bords 487.32
faire feu de tout bois 311.26
faire long feu 421.6 ; 684.26
mettre à feu et à sang 205.20 ; 311.27
ouvrir le feu 134.16 ; 146.16 ; 354.23
il n'y a pas le feu 601.17
n. pl.
feux 250.1
feux de position 638.5
feux de stationnement 57.7 ; 250
les feux de la rampe 473.12 ; 748.9
figuration des feux 487.4
adj.
mort 2.10 ; 404.10 ; 534.36
rouge 159.28
int. 50.23 ; 354.35 ; 431.4 ; 487.45 ; 820.28
au feu 21.17
feud 707.4
feudataire 787.8
feuillage 37.9
feuillages 578.3
feuillaison 37.23 ; 79.6
feuillantine 799.6
feuillard
branche feuillue 37.7
plaque de métal 510.7
feuille
feuillage 37.9 ; 318.3
oreille 55.4
journal 654.3
plaque 510.7
feuilles d'eau 578.3
dur de la feuille 803.12
feuille-de-chêne 333.20
feuillée 37.9
feuillées 296.16
feuille-morte
insecte 417.11
couleur 159.28 ; 444.7
feuilleret
rabot 584.16
ciseau 505.16
feuillet
lamelle d'un champignon 103.2
estomac d'un ruminant 486.23
membrane 821.3
page 469.12
feuilleté
n.m. 855.3
adj.
pâte feuilletée 799.7
feuilleter 469.25
feuilleton
presse 654.8
télévision 681.13
feuilletoniste 654.16
feuillette
mesure 509.23
petite feuille 75.18
feuilliste 654.17
feuillu
n.m. 37.15 ; 37.25
adj. 37.25 ; 187.12
feuillure 505.10
feuillurer 505.25
feulement 170.2
feuler 170.6
feutrage 816.12
feutre
stylo 252.7
chapeau 859.25
feutré 766.18
feutreuse 476.9
fève 330.7
fève de Calabar 330.7
féverole 330.7
févier 37.20
février 88.8
F.F.I. 715.10
fi 431.2
faire fi de 419.9 ; 439.6
fiabiliser 752.11
fiabilité
sécurité 752.4
crédibilité 145.6
fiable 145.25 ; 752.14
exact 644.4
fiacre 833.14
fiançailles 98.11 ; 491.13
accord 6.2
promesse 666.3
fiancé
n.m. 27.9 ; 491.16 ; 666.11
n.f. 491.17
adj. 666.23
fiancée
papillon 417.11
fiancer 666.19
fiancer (se) 491.23
fiasc ou **fiasque** 249.2
fiasco
déboire 178.2
échec 249.1
faire fiasco 249.12
fiasque
bouteille 848.11
fiasque → fiasc
fiat lux 473.32
Fibranne 816.2
fibre
sentiment 755.1
t. de botanique 318.3
t. d'anatomie 821.2
fibres 74.2
fibre musculaire 541.14
fibre nerveuse 548.9 ; 754.2
fibre textile 816.2 ; 855.4
fibres artificielles 617.7
fibres optiques 855.2
fibres synthétiques 617.7
fibreux 821.11
péricarde fibreux 128.6
fibrillaire 821.11
holoprotéine fibrillaire 94.8
fibrillation 482.13
crampe 732.4
fibrille
fibrille conjonctive 821.2
fibrine 742.7
fibrineux 742.29
fibrino-formation 742.11
fibrinogène
protide 94.8
plasma 742.6
fibrinogénémie 742.17
fibrinolytique 742.31
fibroadénome 841.3
fibrocartilage 580.19
fibro-élastique
enveloppe fibro-élastique 762.3
fibro-hyalin 821.11
fibrome 841.3
fibromyome 841.3
fibrosarcome 841.4
fibroscope 498.18
fibroscopie 498.12
fibrose 482.42
fibula 580.16
fibule
fermoir 308.6
broche 70.9

ficaire 318.25
ficeler 859.33
ficelle
galon militaire 667.5
corde 816.7
baguette de pain 588.2
ficelles 316.10
ficelles du métier 10.6
tirer les ficelles 59.14
adj. 316.20
fichant
tir fichant 820.6
fiche
pointe 637.3
bulletin 81.21 ; 387.1
t. d'électricité 261.19
ficher ou **fiche** 637.13
bétonner 834.44
ficher à la porte 292.7 ; 783.20
ficher le camp 189.10
ficher les jetons 619.11
ficher (se) ou **fiche (se)**
faire peu de cas de 419.9
se moquer de 401.12
se ficher du quart comme du reste 721.9
fichier
répertoire 408.18
meuble 519.9
fichtre 431.2
fichtrement 427.32
fichu
n.m.
châle 859.28
fichu
adj.
condamné 534.37
foutu 249.19
maudit 11.25
fichûment 427.32
fictif
imaginaire 378.13 ; 380.15
trompeur 504.25
fiction
chimère 375.8 ; 378.4 ; 380.6
mensonge 504.7
fictionnel 378.14
fictivement 378.18
fidéicommis 101.3
fidéicommissaire 722.6
héritier fidéicommissaire 722.6
fidéisme 818.23
scepticisme 620.12
fidèle
n. 320.8 ; 472.7 ; 508.15
adj. 108.7 ; 145.24 ; 472.13 ; 564.11 ; 612.4 ; 719.14
fidèlement
soigneusement 774.25
scrupuleusement 472.18
fidélisation 472.8
fidéliser 472.12
habituer 153.20
fidélité
vérité 147.3 ; 719.3
constance 153.6
loyauté 472 ; 666.3
conjugale 491.3 ; 858.5
serment de fidélité 472.5
de fidélité 163.4
Fidjien 355.11
fidonie 417.11
fiduciaire 145.9 ; 722.5
fiducie 101.3 ; 797.5
dédommagement 722.2
fief 552.10
fieffé 5.23
fiel
sécrétion 340.4
sucs digestifs 218.13
malveillance 497.2
field 792.19
fielleux 410.15
haineux 497.11
fiente
excréments 296.3 ; 570.23
fienter 296.20
fier 312.10 ; 341.27
suffisant 800.23
fier de 312.12
faire le fier 312.8
fier (se) 145.12
fier-à-bras 312.5
vantard 581.4
fierasfer 638.6
fièrement 312.13
honorablement 366.30
fiérot 312.11
fierte
reliques 465.17
cercueil 331.13
fierté **312** ; 745.3
honneur 366.1
fiesta
réception 137.11
fête 309.1
faire la fiesta 629.10
fièvre 102.5
symptôme 482.7
impatience 382.1
agitation 549.2
enthousiasme 276.1 ; 600.3
amour 27.1
fièvre ondulante 482.48
avoir de la fièvre 102.21 ; 482.54
faire tomber la fièvre 353.16
herbe à la fièvre 318.10
fiévreusement 549.21
fiévreux 102.26 ; 482.61
nerveux 382.12
impétueux 600.13
fifis 715.10
fifre 422.7
fifty-fifty 256.27
figaro 129.12
figé 759.9
stable 611.16
désuet 206.9
inactif 393.14
figeage 778.4
figement
refroidissement 327.4
solidification 778.4
figer
immobiliser 403.8
geler 327.14
rigidifier 732.10
coaguler 742.25
figer (se)
rester 403.9
durcir 778.11
se coaguler 742.28
fignolage 315.10
fignoler 184.8
peaufiner 640.9
travailler 774.14
fignolure 315.10
figue 330.16
faire la figue 439.10 ; 532.12 ; 765.24
figue-banane 330.16
figuerie 18.10
figuier 37.17
figuier de Barbarie 318.7
figuline
céramique 813.11
figurine 749.6
figurant
acteur 120.25 ; 817.21
figuratif 709.12
peinture figurative 607.2
figuration
imitation 379.1
représentation 709.1
rôle 817.22
figuratique 313.1
figurativement 709.14
figure
conformation 795.1
forme de l'expression **313** ; 25.4 ; 455.4
représentation 709.3 ; 709.4
forme géométrique 338.4
visage 482.7 ; 836.8
personnage 59.10 ; 717.6
format 607.8
pas de danse 176.15
carte 446.4
faire sotte figure 784.9
figure de discours **313**
figurer 196.10 ; 765.26
configurer 323.11
représenter 709.7
peindre 607.25
figurer (se) 375.19
figurine 749.6
reproduction 709.4
figurisme 818.20
figuriste 749.16
fil
brin 165.17 ; 417.25 ; 476.12 ; 510.7 ; 806.5 ; 816.1
monnaie 529.10
sens des fibres 74.3
fils barbelés 67.4
donner du fil à retordre 217.15 ; 785.7
cousu de fil blanc 99.6 ; 483.22
de fil en aiguille 344.14
dans le droit-fil 692.14
droit-fil 692.5
aller de droit fil 692.10
au fil de l'eau 319.33
au fil de la plume 684.54
au fil du temps 811.14
faire au fil 44.12
fil-à-fil 816.4
filage 826.3
répétition 704.6 ; 817.16
filature 816.11
t. de cirque 123.11
t. de métallurgie 510.9
filaire 856.2
filament
Soleil 777.7
algues 22.2
ampoule 250.15
filamenté 816.37
filamenteux 466.13
filamenteux 466.13 ; 816.37
filandier 816.19
filandreux
filamenteux 466.13
inintelligible 411.15
prolixe 665.11
filanzane 833.15
filardeau 36.11
filariose 482.35
filasse
n.m. 816.5

adj. 444.12 ; 624.23
filasseux 816.37
filassier 816.19
filateur 816.19
filature
surveillance 641.15
textile 816.11 ; 816.16
fil-de-fériste ou **fildefériste**
équilibriste 282.12
acrobate 123.14
file
ligne 487.5 ; 576.5
série 758.2
attente 51.2
à la file 576.17 ; 758.22
en file 758.22
feu de file 820.5
ligne de file 487.7
ouvrir les files 487.29
filé 729.16 ; 816.32
tiré 826.15
or filé 575.2
verre filé 855.3
filer
v.t.
étirer 826.11
donner 101.10 ; 361.19
suivre 183.9 ; 193.11 ; 641.17
mouiller 605.23
v.i.
aller vite 598.9 ; 684.18
couler 319.20
partir vite 189.10 ; 684.23
fuir 452.6
filer à l'anglaise 189.11
filer comme un zèbre 684.18
filer des jours heureux 447.11 ; 862.27
filer doux 564.9 ; 761.11
filerie 816.16
filet
ligne 466.4
jet ténu 468.3
organe floral 318.5
ouvrage de mailles 107.6 ; 123.12 ; 129.9 ; 605.6 ; 605.9 ; 638.17 ; 792.79
ornement 505.6 ; 578.5
morceau 333.7
filet cernant 605.9
filet maillant 605.9
pêche au filet 605.5
prendre dans ses filets 53.6
encadrement en filets 77.13
grand filet 799.3
petit filet 799.3
coup de filet 44.4
point filet 165.8
filetage 584.29
braconnage 869.5
fileté
brocart 816.4
filé 816.33
fileter 333.38 ; 584.37
emboutir 510.17
fileterie 816.16
fileteuse 476.10
fileur 816.19 ; 826.7
orfèvre 575.15
fileur de verre 855.15
fileuse
chenille fileuse 417.19
fili- 816.39
filial 314.15
filiale 135.9
filialité 304.6
filiation 314
relation 698.1
sang 361.5
étymologie 535.11
filicale 79.4
fougère 360.9
filicinée 79.4
fougère 360.9
filière 476.10 ; 584.27 ; 758.8 ; 816.16
bord 77.1
t. de zoologie 417.17
filigrane
bijouterie en filigrane 70.14
filigrané 578.18
filipendule 318.27
filistate 417.13
fille
femme 306.3
descendante 304.4 ; 314.6
célibataire 93.3
prostituée 672.6
fille à papa 304.4
fille de joie, fille en carte 672.7
fille d'Ève 306.1
petite fille 270.5
vieille fille 93.3 ; 93.7
jouer les filles de l'air 2.7 ; 20.13 ; 189.11 ; 228.8
jeune fille 93.3 ; 306.3 ; 445.6
fille de cuisine 333.34
filler 834.36
fillér 529.10
fillerisation 834.25
fillette
fille 270.5 ; 306.3
bouteille 75.17
filleul 314.7
film 120.5 ; 273.10
épreuve 388.10
pellicule 621.5
film inversible 436.6
filmage 120.10
filmer 120.30 ; 273.16
filmique 120.34
filmographie 120.22
filmographique 120.34
filmologie 120.23
filmologique 120.34
filmothèque 120.20
filoche 605.14
filocher 183.10
filer 684.23
surveiller 641.17
tisser 816.25
filoir 476.9
métier à tisser 816.17
filon 19.5 ; 337.20 ; 516.3
inclusion 396.9
sinécure 266.4
gisement 518.2
filonien 518.12
filoselle 816.3
filou
jeune enfant 270.4
escroc 284.7 ; 485.7 ; 869.13
filoutage 838.5
filouté 284.14
filouter
voler 869.17
tromper 284.10
filouterie
vol 869.1
arnaque 838.5
fils
enfant 304.4
descendant 314.6
fils à papa 304.4
Fils de l'homme 215.8
Père, Fils et Saint-Esprit 215.10
fils prodigue 61.9 ; 304.4 ; 661.11
filterie 816.16
filtrant
puits filtrant 834.7
virus filtrant 512.3
filtrat 113.3
filtration 369.8
filtre
séparateur 756.9
alambic 113.17
prisme 473.19
t. de photographie 621.4
filtré 250.28
filtrer 550.34 ; 756.19
canaliser 468.11
décanter 369.14
préférer 116.10
filum terminal 548.10
fimbrille 318.3
fin 315
n.f.
terme 308.1 ; 467.2
disparition 404.5 ; 534.1
destruction 202.2 ; 249.1
accomplissement 5.6 ; 5.7 ; 290.7
but 86.1 ; 428.2 ; 620.17
à bonne fin 7.10 ; 798.11
début de la fin 16.2
mot de la fin 315.6
sans fin 287.13 ; 287.14 ; 406.11 ; 665.11
ne pas voir la fin de 247.8
faire une fin 491.22
mettre fin à 205.14 ; 404.7 ; 534.29
à toutes fins utiles 291.15
fin
adj.
supérieur 800.20
mince 289.8 ; 457.11 ; 616.14
pénétrant 184.10 ; 316.15 ; 755.20
fin comme l'ambre, comme moutarde 316
le fin mot de l'histoire 705.1
fin du fin 677.4 ; 800.4
final
n.m.
t. de danse 176.14
adj. 86.9 ; 315.19 ; 543.29
terminal 467.13
cause finale 86.2 ; 92.1 ; 620.17
proposition finale 622.5
finale
conclusion 315.6
match 792.38
finalement 315.23
à la longue 247.21
enfin 724.20
finalisé 86.10
léché 315.21
finaliser
projeter de 86.5
achever 315.16
finalisme 86.3
darwinisme 873.12
absolu 620.17

finaliste 86.3
sportif 792.40
finalitaire 86.9
finalité
but 86.1
absolu 620.17
intention 428.2
preuve par la finalité 818.22
finance 66.1
financement 66.11
financement de projet 66.11
financer 66.42 ; 587.18 ; 662.17
encourager 268.11
financier
n.m.
gâteau 799.6
adj. 66.31 ; 317.28
service financier 66.6
législation financière 245.1 ; 245.6
finasser 316.12
finasserie
ruse 316.9 ; 838.4
finasseur
fine mouche 316.11
tricheur 838.9
finassier
fine mouche 316.11
retors 316.20
tricheur 838.9
finaud
intelligent 424.11
ingénieux 316.19
tricheur 838.9
rusé 838.19
finauder 316.12
finauderie 316.7
fine 604.15
alcool 75.13
faire la fine bouche 12.10 ; 184.9
fine amor 27.3
finement 316.21
délicatement 184.12
finer 316.12
fines
minerai 516.4
pépite 518.5
finesse 316 ; 755.6
légèreté 457.1
intelligence 424.1
précision 10.4
délicatesse 184.1 ; 184.5
ruse 838.4
douceur 163.1 ; 233.4 ; 755.3 ; 771.3
finesse de touche 10.5
finesse des traits 69.2
esprit de finesse 275.2 ; 316.4 ; 434.1 ; 450.1
finet
intelligent 424.11
ingénieux 316.19
finette 816.4
fini 219.8 ; 315.7 ; 490.25 ; 774.22
détruit 404.10
limité 467.12
passé 598.13
convenable 677.16
accompli 5.20 ; 5.23
finir
v.t.
terminer 5.16
parfaire 774.14
en finir avec 315.15
finir par 315.14 ; 716.6
à n'en plus finir 458.26
tout est bien qui finit bien 315.14
v.i.
s'achever 223.9 ; 315.12 ; 534.20
finish 315.6
au finish 467.17
finissage 315.10
finisseur 315.11 ; 792.44
couturier 165.22
finisseuse 476.9
finition 315.10
finitude 315.7
Finlandais 355.5
finnois 455.14
Finnois 371.15
finno-ougrien
langue 455.14
Finno-Ougrien 371.5
fiole
flacon 113.17 ; 848.11
tête 814.1
se payer la fiole de 628.12
fion
coup de fion 315.10
fiorina 417.5
fioriture
adjonction 9.4
ornements 578.1
ornementation 543.26
opéra 106.7
fioul 617.5
fiqh 440.13
firmament
ciel 20.1 ; 49.2 ; 204.8
briller au firmament 798.18
être au firmament 341.21
firme 135.9
entreprise 279.5
firole 527.3
fisc 317.25
fiscal 317.39
timbre fiscal 317.24
fiscalement 317.44
fiscalisation 317.14
fiscaliser 317.33
fiscaliste 317.30
fiscalité 317
fish-eye 621.4
fissa
faire fissa 684.13
fissible
divisible 597.15
séparable 756.23
fractionnable 324.17
atomique 513.14
combustible 131.26
fissile
séparable 756.23
atomique 513.14
fission 131.4 ; 513.7
désintégration 230.2
fission nucléaire 269.1
fissionner 513.12
fissipare 711.25
fissiparité 711.2
fissipède
didactyle 873.24
carnivore 486.3
fissuraire 72.20
fissuration 325.2
fissure 585.3
discontinuité 223.5
rupture 230.3
faille 325.3
t. de médecine 72.2 ; 482.16
fissuré 167.16
fissurelle 527.3
fissurer
briser 223.12
scinder 230.9
entailler 167.13
fissurer (se) 325.6
fistule 505.10
fistuleux 37.27
fistuline 103.9
fitness
musculation 541.18
gymnastique 792.7
fitzroya 37.16
F.I.V. 711.9
five o'clock 703.1
fivete 711.9
fix 825.10
fixateur 611.9
t. de photographie 621.15
shampooing 129.6
fixatif 611.9
couleur 607.14
fixation
limitation 467.4
mémorisation 503.4
blocage 659.3
fixe
n.m.
rémunération 739.8
adj.
stable 153.23 ; 611.16 ; 843.10
commandement 133.28 ; 487.44
fixé
mesuré 509.30
limité 467.12
situé 769.13
fixe-chaussettes 859.14
fixement 153.31
fixer
prescrire 650.5
enregistrer 273.15
régler 621.21
t. militaire 487.31
t. de peinture 607.28
fixer un objectif 86.5
fixer une date 528.5
fixer une norme 559.10
fixer son choix 116.8
fixer ses idées 375.21
fixer son regard sur 52.5
fixer (se)
choisir 116.8
s'établir 355.25
demeurer 481.40
fixette
idée fixe 375.9
souci 785.2
fixe-tubes 632.20
fixing 81.11
fixisme 153.13
darwinisme 873.12
fixité
permanence 376.3
continuité 843.2
stabilité 153.3
immobilité 611.2
fjord 530.5
flabelliforme 37.27
flabiol 422.7
flac 431.7
badaboum 83.23
flaccide 526.9
flaccidité 526.1
flache
n.f. 36.10
bois 74.6
dépression 167.2
faille 325.3

adj.
fragile 325.9
flacher 36.23
flacherie 482.48
flacheux
fragile 325.9
arborescent 37.25
flachis 36.10
flacon
bouteille 848.11
t. de chimie 113.17
flacon à densité 187.5
flaconnage 855.14
flacourtia 38.9
fla-fla 581.1
flag
faire un flag 44.13
prendre en flag 44.13
flagada 303.21
flagellant
battant 115.19
ascète 47.7
flagellateur 801.15
battant 115.19
flagellation 160.8 ; 374.3 ; 801.2
ascèse 47.1
flagelle 762.8
flagellé 512.18 ; 512.5
flageller 801.20
corriger 115.22
fouetter 160.22
flageolant 303.19
flageoler
vaciller 502.9
tituber 303.11
flageolet
haricot 330.7
flûte 422.7
flagorner
flatter 373.15
courtiser 761.9
flagornerie
flatterie 373.3 ; 761.2
flagorneur 761.15
courtisan 373.10 ; 761.6
doucereux 373.18
flagrant 99.7
prendre en flagrant délit 44.13 ; 179.9
flair
intuition 275.2 ; 434.1
spontanéité 386.2
flairer 486.26 ; 718.28
respirer 569.19
comprendre 434.6
surveiller 207.19
t. de chasse 107.26
flamand
cheval 486.11
langue 455.14
à la flamande 333.51
flamant 570.18
flambage
inflammation 311.2
filature 816.11
flambant
flambant neuf 560.12
flambard 605.11
flambé
n.m. 417.11
adj. 44.16 ; 74.29 ; 527.19 ; 534.37
flambeau
bougie 250.6 ; 473.13
passer le flambeau à 153.17
flambeau de la nuit 474.1
flambée 109.2
feu 311.3
flamber
prendre feu 311.21
prodiguer 661.6
flamberge 42.2
flambeur 661.5
flamboiement 473.6
flamboyance 69.5
flamboyant
n.m. 37.14
adj. 473.33
flamboyer 473.28
flamenco 176.6 ; 543.5
chant flamenco 106.10
flamiche 333.16
flamine 699.25
Flammarion 49.28
flamme
drapeau 65.4 ; 765.13
feu 311.4
passion 27.1 ; 264.1 ; 276.5 ; 614.4
flammes éternelles 271.2
livrer aux flammes 205.20 ; 311.25
flammèche 311.4
flammerole 311.9
flan 799.6
au flan 358.15
en être comme deux ronds de flan 805.7
flanc
côté 158.2
aile 158.3
versant 530.10
ventre 853.1
estomac 853.3
flanc à flanc, flanc contre flanc 673.13
angle de flanc 30.7
tir de flanc 820.7
prêter le flanc à 439.13
tirer au flanc 593.8
flanc-garde 158.9
détachement 487.23
flanchage 303.2
flanchard 303.6
flanche 828.6
flancher 303.13
perdre espoir 198.8
se dégonfler 452.5
flanchet 333.7
flancheur 303.6
flandrin 359.3
flanelle 816.3
flâner 458.14
paresser 393.9
se distraire 599.13
se déplacer 871.21
flâneur 458.20
flânocher 393.9
flânoter 393.9
flanquant 30.7
flanquement 158.6 ; 487.10
t. militaire 182.2
tir de flanquement 820.7
flanquer
côtoyer 158.11
appuyer 182.22
couvrir 487.30
flanquer à la porte 292.7
flanqueur 158.9
flapi 303.21
flaque 468.3 ; 633.7
flaquer 333.38
flash 421.2 ; 825.10
t. de photographie 621.4
flash d'information 136.6 ; 681.12
flashage 388.3
flash-back 120.11
flasher 388.18
flasher (se) 825.16
flash-forward 120.11
flasque
n.f.
bouteille 848.11
adj. 604.15
mou 303.20 ; 526.9
flasquement 526.11
Flatheads 371.7
flâtrer (se) 853.12
flatter 373.15 ; 838.13
encourager 268.11
caresser 91.6
encenser 761.10
louer 471.9
flatter le goût 343.14
flatter (se) 655.4
espérer 285.7
être fier de 312.6
flatterie 163.4 ; 373.3 ; 761.2
caresse 91.1
compliment 761.3
louange 471.1
flatteur
courtisan 373.10
doucereux 373.18
laudatif 471.19
flatteusement 761.17
flat-twin 57.3
flatulence 482.21
indigestion 218.3
météorisme 296.7
flatulent 335.24
flatuosité 482.21
météorisme 83.12 ; 296.7
flave 444.8
flavedo 444.4
flavéole 570.8
flavescence 444.3
flavescent 444.8
flaveur
parfum 594.1
goût 343.2
flavine 94.15 ; 94.24
flaviol 422.7
flavisme 444.1
flavoprotéine 94.9
fléau
outil 18.15
calamité 11.4 ; 290.5
Flèche (la)
constellation 49.15
flèche
projectile 42.3
personne, chose très rapide 34.6 ; 421.2
perpendiculaire 692.2
pointe 637.2
clocher 39.11 ; 465.9
signe 765.14
organe mécanique 476.12
flèche d'eau 360.8
flèche du Parthe 532.4
flèches de l'amour 27.15
n'être pas une flèche 784.10
temps de flèche 176.16
fléché 221.30
flécher 221.25
fléchettes 446.21
fléchir
v.t.
courber 212.15
attendrir 625.10
fléchir le genou, les genoux 717.10 ; 741.20 ; 761.11

v.i.
ployer 405.12
faiblir 383.7 ; 502.9
fléchissement
cintrage 162.7
appauvrissement 383.2
fléchisseur 541.2 ; 541.8
flegmatique 401.17
insensible 418.14
patient 601.12
calme 89.13
sérieux 759.8
apathique 393.15 ; 458.18
flegmatiquement 89.18
flegme
lymphe 340.4 ; 468.4
calme 89.1 ; 401.5 ; 418.1 ; 458.1 ; 601.1 ; 714.3 ; 759.1
flegmon 841.1
flein 151.5
flemmard
paresseux 393.17 ; 393.7 ; 593.10 ; 593.5
flemmarder
paresser 393.9 ; 593.7
flemmardise 393.4
flemme
paresse 593.1
oisiveté 393.4
battre sa flemme 593.8
tirer sa flemme 393.9
flemmingite 593.1
fléole 360.7
flexionnel
langue flexionnelles 455.14
flet 638.6
flétan 638.6
flétri 367.16
usé 28.13
mou 526.9
flétrir 367.10
détériorer 23.9
dessécher 750.14
jeter le discrédit sur 227.19
injurier 412.8
flétrissement 79.16
flétrissure 367.5
déshydratation 750.2
fleur 318
ce qu'il y a de meilleur 677.4 ; 800.5
côté du poil 204.1
poudre 676.1 ; 676.3
fleur d'amour 318.25
fleur d'oranger 108.5 ; 594.4
fleur de lis 108.5 ; 578.3 ; 858.7
fleur bleue 755.15
fleurs blanches 340.4
fleurs pectorales 499.9
fine fleur 233.7 ; 800.5
fleur de froment 588.1
la fleur au fusil 354.23
dans la fleur de l'âge 14.10 ; 864.14
à fleur de 77.21
à fleur d'eau 319.33
à fleur de peau 604.16
sensibilité à fleur de peau 755.2
ferrage à fleur 760.3
s'envoyer des fleurs 655.6
jeter des fleurs à 471.11
semer des fleurs sur la tombe de 471.11
couvrir de fleurs 471.10
fleurage 588.7
fleuraison 318.37
fleurant 569.25
parfumé 594.11
fleurdelisé 171.20
fleurdeliser 367.10
fleurdonné 171.20
fleuré 318.44
fleurer 569.16
fleuret
arme 42.2 ; 307.10 ; 792.17 ; 792.73
outil 834.30
fleurette
fleur 318.1
appât 605.14
conter fleurette 27.20
fleurettiste 792.54
fleuri
en fleur 318.44
blanc 71.11
barbe fleurie 863.13
fleurir
v.t. 578.15
v.i. 34.7 ; 318.41 ; 318.42
fleurissement 318.37
fleuriste 318.40
fleuron
titre de gloire 312.4 ; 341.10
vignette 578.7
t. de botanique 318.4
fleuronné 578.18
fleuve
cours d'eau 319.4
voie navigable 830.16
flexibilité 526.2
changement 104.8
élasticité 259.1
flexible 618.5
changeant 104.22
élastique 259.11
plastique 526.10
conciliant 141.22
flexion
courbure 162.7
t. de grammaire 346.5 ; 535.9
flexoforage 618.3
flexueux 162.12
flibuste 869.1
flibuster 869.18
flibusterie 869.1
flibustier 869.11
flic 641.7
flic flac 431.7 ; 468.3
onomatopée 83.23
flicage
écoute 207.2
contre-espionnage 641.4
flicaille 641.1
flicaillon 641.7
flingot 43.5
flingue 43.5
flinguer 820.25
tuer 534.28
flion 527.2
flip 825.10
patinage 792.22
flip-flap 123.6
flipot 505.8
flipper
v.i. 825.17
flipper
n.m. 446.21
fliquer 641.17
flirt 27.11 ; 90.2
flirter 27.20
float-glass 855.2
floc 431.7
flocage 766.7
flocculus 100.7
flocon 457.6
grain 345.2
glace 327.7
flocon de neige 633.6
en flocon 345.13
floconneux 561.14
floculo-nodulaire
lobe floculo-nodulaire 100.7
floe 327.7
flonflon 105.7
flop 249.2
flopée 540.5
flops 408.15
floquer 816.25
flor- 318.49
floraison 79.6 ; 318.37
naissance 134.5
épanouissement 670.2
floral 318.44
odeur florale 569.3
floralies 318.2
fête 310.8
flore
végétation 79.2
flore démersale 251.8
flore intestinale 218.14
flore microbienne 512.2
Flore 236.37
floréal 88.8
florencée 171.20
florentin
à la florentine 333.51
florès
faire florès 341.19 ; 798.12
florescence 318.4
florescent 318.44
floribond 318.44
floribondité 318.38
floricole 251.16 ; 356.16
floriculteur 318.40
floriculture 318.39
floridées 22.3
florifère 318.44
florilège
assortiment 116.5
recueil 469.9
anthologie 635.17
florin 529.13
florin de Surinam 529.8
florin des Antilles 529.8
florir 318.41
florissant 670.14
floral 318.44
sain 743.11
floristicien 318.40
floristique 318.39
florule 318.4
flosculeux 318.48
flot 319
masse liquide 319.1
multitude 1.3 ; 540.5
remettre à flot 19.22
flots 578.3
à flots 468.18 ; 633.21
flottabilité 457.1
flottage
verre 855.9
bois 830.12
flottaison 457.3
ligne de flottaison 466.8
longueur à la flottaison 470.2
flottant
n.m.
tenue de sport 859.17
adj.
changeant 104.22
dubitatif 395.15

avoir du foin dans ses bottes 730.15
rhume des foins 482.30
foirade 249.2
foirail ou **foiral** 135.12
foirard 249.16
foire 135.12 ; 309.5
vacarme 83.9
réception 137.11
fête 309.1
festin 342.2
faire la foire 309.18 ; 629.10
foire à la brocante 135.12
foire aux puces 135.12
foire d'empoigne 146.2
foire-exposition 675.6
foirer 249.14
foireux 249.16
peureux 619.19
lâche 452.4 ; 452.8
foiridon 309.1
foiridondaine 309.1
foirolle 318.11
fois 539.8
nombre 555.1
deux fois 210.13
bien des fois 326.20
à plusieurs fois 223.20
des fois 291.14 ; 686.12 ; 704.18
une fois 528.9 ; 598.21 ; 686.12 ; 842.10
encore une fois 704.17
à la fois 352.24 ; 725.19 ; 768.12
à la prochaine fois 332.20
il était une fois 598.21
de fois à autre 686.12
une fois n'est pas coutume 164.16 ; 686.12 ; 842.10
une fois pour toutes 844.18
des fois que 291.16
une fois que 528.13 ; 647.30
foison
à foison 1.18 ; 540.15 ; 670.19
foisonnant 1.12
foisonnement
diversité 234.1
pullulement 540.4
abondance 1.1
foisonner 540.9
abonder 1.8
fol
fol qui s'y fie 321.24
fol qui s'y repose 321.24
folâtre
alerte 277.6
euphorique 447.15
facétieux 628.14
folâtrer
être en forme 277.5
jouer 629.9
folâtrerie 447.1
foliacé
végétal 79.22
arborescent 37.25
lichen foliacé 463.1
foliation 79.6
feuillaison 37.23
folichonner 447.12
folie 321
trouble mental 321 ; 482.49
caprice 90.3
imprudence 386.3 ; 390.2
passion 600.3 ; 600.6
maison de plaisance 481.5
folie des grandeurs 294.2 ; 312.3
folie furieuse 865.4
à la folie 27.16 ; 294.19 ; 426.15 ; 427.33 ; 600.17
faire des folies 294.11 ; 661.8
folingue 321.23
folio
chiffre 112.1
lettre 469.13
foliole 318.3
foliot 118.7
foliotage
numérotation 112.2 ; 388.3
foliotation 112.2
folioter
classer 576.13
numéroter 112.5
folioteuse 112.3
folique
acide folique 94.13 ; 499.6
folk 543.7
folklore 164.11
coutume 164.1 ; 371.18
folklorique 164.22
folkloriste 164.22
folle
homosexuel 763.18
folle
filet 605.9
follement 321.27
merveilleusement 427.30
aveuglément 64.13
hâtivement 386.17
imprudemment 390.16
passionnément 600.17
absurdement 557.12
folletage 79.16
folliculaire 654.17
follicule
grain 330.2
t. d'histologie 821.3
follicule dentaire 188.5
follicule ovarien 711.7
follicule pileux 624.6
follicule primordial 711.7
folliculine 340.3
folliculinique
phase folliculinique 340.6
folliculite 482.17
folliculo-stimuline 340.3
follis 529.11
Fomalhaut 49.5
fomentateur
organisateur 649.8
manifestant 642.14
fomentation 499.12
fomenter
exciter 92.13
faire 15.7
fomenteur 649.8
fonçage 203.2
prospection 518.3
capitonnage 519.28
fonçailles 203.2
foncé 73.8 ; 159.27 ; 444.11 ; 444.12
obscur 566.10
brun 84.9
foncer
v.t.
creuser 167.11 ; 203.12 ; 518.11
pourvoir d'un fond 333.37 ; 519.35
assombrir 84.7 ; 553.10 ; 566.7 ; 631.10
v.i.
aller vite 684.21
foncet 760.7
fonceur
battant 255.4
entreprenant 279.13
foncier
impôt foncier 317.3
foncteur 854.10
fonction
charge 7.7 ; 125.4 ; 286.3 ; 683.3 ; 822.2
emploi 266.1
grandeur variable 87.2 ; 493.2 ; 493.4 ; 698.3
rôle 846.4 ; 847.1
rôle grammatical 346.8 ; 535.2
commande 408.18
fonction d'identité 376.4
fonction implicite 788.6
fonction publique 266.8
fonction vitale 862.2
fonction d'une courbe algébrique 162.6
fonction de production 662.7
en fonction de 122.15 ; 698.14
être fonction de 254.5
faire fonction de 797.8 ; 847.10
fonctionnaire
employé 266.16
classe moyenne 773.7
hauts fonctionnaires 773.7
fonctionnalisme 39.22 ; 371.23
fonctionnaliste 39.28
fonctionnel 847.15
fonctionnellement 847.17
fonctionnement 577.1
fonctionner 476.15 ; 558.7
faire fonctionner 538.20
fond
substance 152.2 ; 796.2
cœur 430.4
base 203.2 ; 727.6 ; 760.7 ; 791.2
partie reculée 193.2 ; 232.7 ; 748.4
partie basse 203.9
fond de cuve 760.8
fond de l'œil 868.6
au fond de 193.24 ; 430.16 ; 608.19
au fin fond de 232.18 ; 263.17
de fond en comble 5.24 ; 823.17
à fond 5.24 ; 427.33 ; 684.50 ; 744.14
à fond de train 684.50
au fond 232.14
grand fond 469.13
petit fond 469.13
toile de fond 193.3 ; 280.2 ; 748.8
faire fond sur 145.13
toucher le fond 198.7 ; 249.13 ; 303.13 ; 836.8
fondamental
nécessaire 545.13
prépondérant 800.19
important 384.13 ; 658.11
couleurs fondamentales 159.5

en force 864.21
par force 545.14 ; 565.21
à toute force 427.26 ; 568.10
à la force des bras 864.20
par la force des choses 545.14
à la seule force du poignet 864.20
dans toute la force du terme 427.37
de vive force 427.26 ; 864.20 ; 865.30
de gré ou de force 564.16 ; 568.10
de première force 10.13
ligne de force 466.7
avoir force de loi 245.52
être à bout de forces 467.10
exercer une force 636.15
faire force de rames 684.20 ; 864.11
redonner des forces 793.11
forcé
intense 427.23
obligé 565
malmené 865.29
hypocrite 373.19
affecté 12.12
travaux forcés 144.9
forcement
violence 865.7
d'un train 832.7
forcément
nécessairement 545.14
obligatoirement 565.19
forcené
n. 321.13 ; 600.7 ; 865.12
adj. 321.23 ; 600.15 ; 865.26
forceps 544.10
pince 301.5
t. de chirurgie 114.26
forcer
v.t.
obliger 133.18 ; 322.11 ; 545.8 ; 565.7 ; 865.16
une serrure 322.12
violer 763.36
persuader 614.9 ; 870.10
brusquer 684.24
t. d'agriculture 60.7
t. de danse 176.29
t. de chasse 107.23
t. de jeux 446.35
v.i.
faire un effort 864.11
surestimer 804.7
t. de marine 684.20
forcer l'attention 52.9
forcer un barrage 567.16
forcer la carte 123.21
forcer la consigne 200.5
forcer le destin 305.8
forcer la dose 294.7 ; 804.7
forcer le fer 322.14
forcer la main 614.9
forcer la note 56.10 ; 347.8
forcer le pas 684.17
forcer le passage 567.16
forcer le sens de 432.18
forcer le trait 804.7
forcer de rames 864.11
forcer de vapeur 684.20
forcer de voiles 684.20
forcine 37.8
forcing 255.3
forcipressure
hémogramme 742.14
contention 114.6
forcir
grossir 56.10 ; 319.24 ; 351.9 ; 864.10
guérir 353.14
t. de météorologie 852.19
forclore
annuler 31.6
exclure 582.15
forclos
annulé 31.12
ostracisé 582.16
forclusif 346.11
forclusion 31.2
mise au ban 582.2
foré 760.32
forer 518.11 ; 618.13
creuser 167.11
forerie 43.18
foresterie 36.1
forestier 37.26 ; 481.42
à la forestière 333.51
arbre forestier 37.1
foret 518.8 ; 584.21
derrick 618.4
t. de serrurerie 760.19
forêt
d'arbres 37.22 ; 74.1
de poils 624.4
forêt vierge 37.22
feu de forêt 311.5
forêt-cathédrale 37.22
forêt-noire 799.6
foreur 207.16
foreuse 518.8
foret 584.21
derrick 618.4
forfaire
s'avilir 367.11
tricher 485.9
pécher 606.9
forfaire à 200.7 ; 828.12
forfait 169.1
à forfait 739.17
forfaitaire 739.15
forfaitairement 739.17
forfaiture
abus 3.2
tromperie 200.2 ; 485.4 ; 828.1 ; 838.2
crime 169.8
forfanterie 581.3
forficule 417.16
forge
usine 464.5
outillage 584.30
fonderie 510.13
forge de Vulcain 311.14
forgé
travaillé 307.23 ; 760.32
mensonger 504.24
forgeage 584.29
ferrage 307.12
déformation 510.9
forger
créer 15.7
imaginer 378.8
concevoir 150.7 ; 179.6 ; 662.16 ; 664.13
inventer 504.16
un mot 535.21
le fer 307.18 ; 510.16 ; 584.37 ; 760.26
forger de toutes pièces 504.16
se forger une idée 323.17
forgerie 313.2
forgeron 584.32
aciériste 307.15
forgeur 584.31
forhuer 107.20
forhuir 107.20
forint 529.8
forjet
t. d'architecture 77.10 ; 783.10
forjeter 783.15
forjeture 783.10
forlancer 107.23
déloger 783.20
forlane 176.6
forligner
mal agir 367.11 ; 828.12
se mésallier 552.23
forlonge 211.11
forlonger 211.15
dépasser 190.5
formaldéhyde 617.6
formalisable 795.19
formalisant 807.18
formalisateur 807.18
formalisation 577.6 ; 807.11
raisonnement 682.1
formalisé 577.23
formaliser
systématiser 323.13 ; 577.17 ; 807.14
conceptualiser 664.13 ; 682.9
formaliser (se) 720.6
formalisme
affectation 98.14 ; 373.2 ; 533.3
t. de philosophie 620.11
t. de droit 451.23
formaliste 98.27
formalité 650.2
sans formalité 323.24
format 323.2
dimension 219.1
format à l'italienne 469.2
format à la française 469.2
petit format 616.5
formatage 408.21 ; 559.9
mise en forme 323.5
formater 408.25 ; 559.12
formateur
instructeur 649.7
préparatoire 649.15
formatif 649.15
formation
structuration 577.3
structure 795.5
genèse 265.1 ; 711.10
construction 795.12
élaboration 150.3 ; 662.2
enseignement 35.1 ; 253.1 ; 274.1 ; 649.4
groupe 41.8 ; 487.1
équipe 792.65
parti 694.23
d'un mot 535.9
t. de géologie 337.3
formation aérienne 43.12
formation hippocampique 100.17
formation nuageuse 561.3
formation réticulaire 100.11
formation commune de base 487.3
formation de compromis 141.4
formation en carrés 487.5
formation en colonnes 487.5

-forme 379.15
forme 323
moule 521.1 ; 559.3
structure 576.1 ; 795.1
habitat 486.18
aspect 867.3
santé 743 ; 864.1
entrain 277.1
d'un mot 535.7
manière 729.10
d'une chaussure 110.10
appeau 107.7
t. de mathématiques 493.4
t. de philosophie 375.3 ; 620.16
forme affirmative 13.2
forme arborescente 37.1
forme dialoguée 156.7
forme fléchie 346.4
forme géographique 873.4
forme libre 346.4 ; 535.7
forme liée 346.4 ; 535.7
forme olympique 743.3
formes affines 873.11
formes grammaticales 346.4
formes de raisonnement 729.5
en forme 277.5 ; 670.8 ; 743.11
en forme de 323.25
sous forme de 323.25
pour la forme 435.17
dans les formes 177.12 ; 696.27
en bonne et due forme 177.12
bonne forme 670.4
grande forme 743.3
papier à la forme 388.12
vice de forme 32.4 ; 556.6 ; 860.5
avoir la forme 277.5
garder la forme 743.8
mettre les formes 696.8
prendre forme 5.18
remettre en forme 706.10 ; 793.11
se maintenir en forme 743.8
tenir la forme 743.7
formé
créé 323.19
éduqué 649.16 ; 747.17
formel
systématique 323.20 ; 535.30 ; 807.16
précis 425.15
libertés formelles 462.3
pensée formelle 682.7
formel du péché 606.3
formellement
protocolairement 696.28
expressément 323.22 ; 425.18 ; 753.19
conceptuellement 682.19
formène 335.4
former
constituer 577.15 ; 662.16 ; 832.28
engendrer 323.11
modeler 150.9 ; 323.12
éduquer 253.6 ; 274.17 ; 649.11
concevoir 148.11 ; 304.12 ; 357.24 ; 375.20 ; 664.13
t. d'arboriculture 36.22
t. de couture 165.27
former (se) 265.14 ; 323
commencer 297.10
apparaître 34.7
formeret
arcade 162.5
arc 39.18
formiate 113.8
formicant 417.32
formicidés 417.6
formidable 427.18
formidablement 427.30
formique 417.32
acide formique 113.8
formulaire
n.m.
modèle 323.7 ; 521.3
imprimé 387.1 ; 680.3
adj.
poids formulaire 636.3
formulation 323.9
formule
moyen 511.3
modèle 323.7
composition 499.2
phrase 142.3 ; 595.11 ; 622.10
résumé 723.1
t. de mathématiques 493.2 ; 696.5
formule chimique 113.5
formule dentaire 188.16
formule exécutoire 144.15
formule leucocytaire 742.16
formule magique 477.11
formule moléculaire 113.5
formule sanguine 742.16
formule de politesse 157.7
formuler 323.13
formylase 94.24
fornicateur 606.8
fornication
coït 763.8
les sept péchés capitaux 606.2
forniquer
faire l'amour 763.32
pécher 606.9
fornix 100.11
fors
excepté 295.16
à l'extérieur de 300.18
forsythia 38.5
fort
n.m.
puissant 864.6
forteresse 182.9
fort des Halles 489.16 ; 864.5
fort en thème 424.7 ; 800.8
au plus fort de 427.40
adj.
supérieur 800.21
intense 250.28 ; 427.17
grand 456.6
vigoureux 351.13 ; 743.11 ; 864
corpulent 636.21
solide 322.15 ; 778.13
musclé 541.27
concentré 322.17 ; 343.22
résolu 161.9
élevé 111.11
fort en 10.20
fort de café 3.10 ; 294.13
c'est plus fort que de jouer au bouchon 294.13
forte tête 200.4 ; 572.6
le sexe fort 364.1
se faire fort de 655.4
adv.
beaucoup 322.21 ; 427.27
brutalement 865.30
dire haut et fort 168.16
parler fort 83.17 ; 168.15
y aller trop fort 294.7
fort-à-bras 864.5
forte 542.26
fortement
intensément 322.19 ; 427.26
densément 187.14
vigoureusement 541.29 ; 864.21
forteresse
bastide 182.9
château 481.6
guerre de forteresse 354.2
fortiche 800.21 ; 864.17
fortifiant 353.19 ; 864.8
remontant 499.4
stimulant 793.16 ; 793.6
nourrissant 703.42
fortificateur 182.18
fortification
mur 77.8
défenses 182.8
fortifications 671.4
fortifié
ligne fortifiée 567.3
place fortifiée 182.8
ville fortifiée 845.8
fortifier
barrer 67.15
consolider 778.10
stimuler 353.17 ; 793.11 ; 864.13
protéger 671.22
encourager 268.9
justifier 58.12
une ville 182.23
fortin 182.9
fortissimo 56.19 ; 542.26
crescendo 427.39
fortrait 303.21
FORTRAN 408.16
fortuit
n.m. 291.2 ; 358.1
adj. 358.10 ; 386 ; 400.12
cas fortuit 358.2
fortuité 358.1
fortuitement 358.12 ; 400.14
accidentellement 4.6
par hasard 291.14
fortune
destinée 297.4
hasard 305 ; 358.2
situation 286.4
richesse 1.1 ; 645.3 ; 730 ; 798.2
fortune contraire 11.3
fortune de mer 11.2
à la fortune du pot 358.15 ; 523.13 ; 703.44 ; 767.16
bonne fortune 670.6 ; 798.7
mauvaise fortune 11.3
homme de fortune 667.7
avoir le cœur haut et la fortune basse 312.7
boire sa fortune 661.10
faire fortune 730.11
faire contre mauvaise fortune bon cœur 305.8 ; 601.9

Fortune 236.18
fortuné 670
riche 730.19
fortunella 38.4
forum
assemblée 137.10 ; 725.3
place 225.13
forure 167.8
clé 760.14
fossa 486.7
fosse
creux 167.6
d'un os 580.3 ; 580.6 ; 580.9
tombe 331.15
mine 518.6
d'un garage 57.16
fosse commune 331.14
fosse ovale 128.5
fosse septique 296.16
fosses nasales 569.6 ; 718.7
fosse aux lions 486.18
fosse à purin 740.7
avoir un pied dans la fosse 534.23
creuser sa fosse 167.14 ; 426.8
creuser sa fosse avec ses dents 703.31
fossé
différence 23.3 ; 216.2 ; 224.3
intervalle 433.4
barrière 67.8
creux 77.4 ; 167.5 ; 834.8
obstacle 182.8 ; 567
fossette 814.5
fossette coronoïde, 580.14
fossette cystique 218.10
fossette naviculaire 762.10
fossette radiale 580.14
fossettes de Pacchioni 580.6
fossile
n.m. 517.2
adj. 206.10
énergies fossiles 269.4
reptiles fossiles 712.11
fossilifère 337.33
fossilisation 337.3
fossilisé
désuet 206.10
conservé 517.20
fossiliser 337.25
fossoiement 331.10
fossoyage 331.10
fossoyer
creuser 167.11
creuser une tombe 331.31
fossoyeur 331.24
fossoyeuse 534.6
fou
n.
oiseau 570.15
malade 321.13
carte 446.4
pièce des échecs 446.14
fou du roi 321.16 ; 628.7
adj.
excessif 111.11 ; 294.14
intense 427.18
troublé 321.23 ; 549.18
risqué 175.12
imprudent 390.14
furieux 865.26
passionné 27.26 ; 600.15
insensé 557.9
fou furieux 130.12 ; 865.12
fou à lier 321.23
fête des fous 321.16
histoire de fous 557.4
rire comme un fou 132.6
fouace 588.1
fouage
impôt 317.11 ; 734.3
fouagiste 734.6
fouaille 107.12
fouailler 801.20
corriger 115.22
violenter 865.15
fouetter 160.22
foucade
bizarrerie 321.2
caprice 90.2
spontanéité 386.2
fouchtra 431.6
foudre
n.f. 127.5 ; 311.9
foudres 130.5 ; 710.5 ; 720.2
foudres de l'Église 582.7
coup de foudre 27.5 ; 276.8 ; 290.5
foudre
n.m.
attribut de Zeus 236.43
tonneau 75.18
foudroiement 205.1
foudroyant 684.32
foudroyer 534.30
fouée 107.2
fouëne
pêche à la fouëne 605.2
fouet
instrument pour cingler 160.9 ; 801.5
instrument de cuisine 848.30
coup de fouet 793.5
tir de plein fouet 820.6
être frappé de plein fouet 11.20
frapper de plein fouet 827.9
donner un coup de fouet 793.11
fouette
pêche à la fouette 605.2
fouetté 176.16
fouette-queue 712.5
fouetter
v.t.
un liquide 85.14 ; 333.45 ; 501.15
frapper 115.22 ; 160.22 ; 801.20
cingler 633.13 ; 852.18
encourager 793.10 ; 864.13
critiquer 710.13
v.i.
avoir peur 619.13
fouetter le sang 864.13
il n'y a pas de quoi fouetter un chat 419.10
fouetteur
fouetteur de lièvres 200.4
foufou 394.9
foufounette 762.11
fouger 167.11
fougeraie 360.6
fougère 360.9
en fougère 505.12
point de fougère 165.9
verre de fougère 855.1
fougue
impétuosité 276.1 ; 277.1 ; 391.10 ; 600.3
courage 161.3
impatience 382.2 ; 386.2
éloquence 264.1
fougueusement
impétueusement 391.18 ; 427.25 ; 600.17
impatiemment 382.15 ; 386.17
fougueux
intense 427.17
impétueux 276.9 ; 391.16
impatient 382.11 ; 386.15
courageux 161.9
rapide 684.31
éloquent 264.10
t. d'arboriculture 37.25
fouille
dégagement 301.3
prospection 689.4
terrassement 834.22
fouille percée 661.5
fouilles 518.3
fouillé
creusé 167.16
léché 774.22
fouille-au-pot 174.4
fouiller
creuser 167.11
chercher 174.6 ; 689.15
peindre en détail 607.27
t. de sculpture 749.18
t. de pêche 605.26
fouiller le passé 598.12
fouiller dans sa mémoire 503.10
fouilleur 689.11
curieux 174.4
fouillis 201.6
fouillot 760.7
fouinard 174.4
fouine
mammifère 486.7
curieux 174.4 ; 689.4
harpon 605.13
fouiner
chercher 174.6
fouiller 689.15
fouineur 689.11
curieux 174.4
amateur 599.9
fouir 486.26
creuser 167.11
fouisseur 873.21
foulard
brocart 816.4
écharpe 859.28
foularder 816.25
foule 352.9 ; 540.2
en foule 540.16
fendre la foule 430.11
foulée 792.4
foulées 107.8
dans la foulée 647.23
ligne de foulée 481.29
fouler
luxer 72.14
presser 816.25
laine foulée 816.3
fouler aux pieds 394.7 ; 439.8
ne pas se fouler la rate 593.9
foulerie 476.9
fouleuse 476.9
fouloir
outil 18.15 ; 584.18
t. de dentisterie 188.12
foulon 417.3
herbe à foulon 318.8

coudre 165.25
frangette 77.14
frangin
homme 364.3
frère 304.5
frangine
sœur 304.5
prostituée 672.8
frangipane
fruit 330.17
parfum 594.4
mets 799.6
frangipanier 37.19
frankenia 318.36
franquette
à la bonne franquette 523.13 ; 703.44 ; 767.16
franquisme 808.13
franquiste 808.28 ; 808.39
frappant
impressionnant 115.34
surprenant 805.13
frappe 182.2
faute de frappe 283.7
frappé
n.m.
figure de danse 176.16
adj.
glacé 327.18
fou 321.23
surpris 805.12
frappé de nullité 451.34
bien frappé 142.8
frappe-devant 584.17
frappement 83.8
frapper
atteindre 11.17 ; 86.7 ; 827.9
battre 115 ; 160.11 ; 865.15
glacer 327.15 ; 333.46
faire mourir 534.30
impressionner 7.12 ; 600.9 ; 754.12 ; 755.11
toquer 83.15
blesser 72.19
surprendre 805.4
captiver 600.8
un instrument 542.21
frapper monnaie 529.26
frapper les imaginations 378.12
frapper l'œil 867.6
frapper par-derrière 828.15
frapper dans les mains 817.30
frapper (se) 785.4
se frapper la poitrine 697.7 ; 765.24
frasques 426.3
fraternel 6.14
fraterniser
partager 690.9
s'accorder 6.9
se prendre d'amitié 26.7
fraternité
réciprocité 256.4 ; 690.3
amitié 6.1 ; 26.1
lien de parenté 314.2
fraternité d'armes 666.3
fraticelle 525.10
fratricide 169.4
fratrie 772.6
fraude
escroquerie 284.1
vol qualifié 169.10
mensonge 838.3
fraude électorale 260.22
fraude fiscale 317.20
fraude à l'impôt 317.20
en fraude 284.16 ; 751.29
frauder
escroquer 169.24 ; 284.8 ; 869.23
frauder le fisc 317.38
fraudeur
escroc 284.7 ; 485.7
frauduleusement 284.16
frauduleux 284.15
manœuvre frauduleuse 284.6 ; 838.5
fraxinelle 318.36
frayer 638.20
frayer avec 137.13
frayer le chemin 33.11 ; 211.15 ; 302.13 ; 649.12
frayer un chemin 585.10
frayère 638.13
frayeur
peur 619.1
alarmes 21.2
faire frayeur 619.11
fredaine 606.5
fredaines 426.3
fredonner 106.23
free lance 400.7
employé 266.14
freesia 318.17
free-style 792.23
freezer 327.8
frégate 570.15
frein
limite 467.3
obstacle 67.1 ; 567.7
d'un insecte 417.17
de la verge 762.3
d'une machine 476.12
d'une voiture 57.9
bloqueur 792.70
frein à main 57.10
frein de la lèvre 218.6
sans frein 378.2
coup de frein 522.4
freinage
frottement 329.6
ralentissement 57.12 ; 458.7
modération 522.4
freiner
s'opposer à 572.11
retarder 724.9
empêcher 567
ralentir 57.25 ; 458.10
modérer 522.11
freiner des quatre fers 715.13
freiner (se) 522.13
freineur 832.24
freinte
t. de commerce 220.8 ; 636.2
frelatage 284.5
frelaté 838.20
frelater 501.14
frêle 303.18
frelon 267.7 ; 417.7
freluquet
homme faible 303.6 ; 616.5
jeune homme 12.5 ; 445.3
frémir
osciller 579.9
bouillir 85.15
frémissant
oscillant 579.13
agité 17.12
bruyant 83.19
frémissement
agitation 17.1 ; 538.3
oscillation 579.1
bouillonnement 85.12
bruit 83.6
embrasement 600.4
frênaie 36.16
french cancan 176.10
frêne 37.15 ; 74.11
frénésie 865.4
agitation 549.2
délire 321.3
excitation 276.3
enthousiasme 600.3
frénétique
intensif 427.17
enthousiaste 276.9
intense 865.24
forcené 600.15
excessif 426.11
frénétiquement
passionnément 276.14 ; 600.17
fréquemment 326.18 ; 357.34
encore 153.29
fréquence 326 ; 473.23 ; 509 ; 681.7
nombre 555.1
potentiel 261.8
densité 187.1
fréquence acoustique 55.14
fréquence sonore 781.2
fréquencemètre
unité de mesure 509.26
spectre de fréquence 326.4
t. d'électricité 261.11
fréquent 326.13
répétitif 704.12
utilisé 846.16
habituel 357.25
fréquentable 137.20
fréquentatif 326.17
répétitif 704.12
fréquentation 156.10 ; 772.8
compagnie 137.1
fréquenté 137.21
fréquenter 137.13
rendre visite à 772.12
fréquenter les salons 137.14
fréquentiel 326.14
frère
parent 304.5
ami 26.6
religieux 525.13 ; 822.6
homme 364.3
frère consanguin 304.5
frère convers 525.12
frère de lait 304.5
frère lai 525.14
frère mineur 525.10
frère prêcheur 648.12
frère tourier 278.9
Frères bohêmes, Frères moraves 117.8
frérot 304.5
fresque
description 196.1
technique picturale 159.13 ; 607.2
peinture 374.9 ; 578.2
fresquiste 607.19
fret 490.10 ; 829.4
cargaison 830.18
fréter 830.30
voyager 829.26
fréteur
transporteur 829.18

chargeur 830.24
frétillant 277.6
frétiller 486.26
fretin 638.14
frette 39.21
freux 570.8
Freyja 236.21
Freyr 236.21
friabilité
fragilité 325.1
pulvérisation 676.7
friable 676.20
fragile 325.9
friand 799.6
friand de 599.17
friandise 799.1
fribourg 328.6
fric 529.5
fricandeau 333.12
fricassée
danse 176.6
ragoût 333.12
fricassée de museau 91.3
fricasser 333.40
se fricasser le museau 91.8
fricasseur 333.35
fricatelle 333.11
fricatif 329.30
fricative 329.17
fric-frac 869.4
fricfraquer 869.21
fricfraqueur 869.10
friche
repos 706.5
arrêt 389.4
en friche 389.13 ; 435.15 ; 547.18
friche industrielle 389.4
frichti 703.6
fricot 703.6
fricotage 485.4
fricoter 342.8
fricoteur 342.4
fricotis 703.2
friction
frottement 329
massage 129.10 ; 775.16
conflit 146.5 ; 194.1
frictionnel 329.30
perte frictionnelle 329.6
frictionner
frotter 329.23
savonner 669.10
laver 550.31
coiffer 129.13
frictionner (se)
se frotter 329.25
se frotter de 329.26
frictionneur 329.14
frottant 329.30
Frigidaire 327.8
au Frigidaire 51.10
frigidarium 102.4
réfrigérateur 327.8
frigide 418.20 ; 763.48
froid 327.18
frigidité 763.26
froid 327.1
insensibilité 418.5
inappétence 401.3
frigo- 327.24
frigo 327.8
frigoluminescence 327.4
frigoporteur 327.9
frigorifique 327.20
frigori- 327.24
frigorie 327.10
calorie 102.12 ; 509.18
frigorifère 327.20
frigorifié 327.21
frigorifier 327.15
frigorifique 327.20
chambre frigorifique 327.8
frigorifuge 327.20
frigorigène 327.20
frigorimètre 327.10
frigoriste 327.12
frigothérapie 327.11
frigotter 170.7
frileux 327.21
peureux 619.19
friller 85.15
frilosité 327.5
lâcheté 619.5
frimaire
mois 88.8
froid 327.2
frimas
glace 327.7
intempérie 127.5
poudré à frimas 676.21
frime 504.8
ostentation 581.1
frimer
parader 581.7
faire le grand seigneur 581.8
frimeur 581.4
frimousse 814.3
fringale 703.11
fringant
énergique 864.15
sain 743.11
actif 7.13
fringue 859.1
fringuer (se) 859.36
frio 327.18
friot 327.18
fripé 816.36
friper 165.29
chiffonner 816.28
fripes 859.2
fripe-sauce 703.20
fripier 135.16
fripon
garnement 200.4
escroc 485.7
friponne 859.10
friponneau 869.9
friponner 869.23
friponnerie
escroquerie 284.1 ; 485.5
fripouille
escroc 284.7 ; 485.7
fripouillerie 284.1
friqué 730.19
friquet
oiseau 570.8
mouchard 828.8
frire 333.40
frisage 129.10
frisant 250.27
lumière frisante 473.1
Frisbee 448.2
frise
planchette 74.6 ; 505.4
partie de l'entablement 39.12 ; 578.6
rideau 748.8
panneau 505.5
frisé 624.22 ; 816.34
frisée 333.20
friselis 852.8
friser
approcher 14.8 ; 77.17 ; 673.8
boucler 129.13 ; 162.8
frisette 129.4
frisolée 79.16
frison
langue 455.14
copeau 505.3
gâteau 799.6
frisquet
froid 327.18
faire frisquet 327.13
frisson
agitation 538.3
froid 327.5
donner le frisson 619.11
frissonnement 579.1
frissonner
osciller 579.9
avoir froid 327.16
bouillir 85.15
avoir peur 619.13
frit 333.50
frite
pomme frite 333.21
entrain 277.1 ; 743.3
friteuse 848.25
fritillaire 318.17
frittage
fusion 855.9
affinage 510.4
fritte 311.11
fritter
souffler 855.18
fondre 510.16
fritter (se) 160.21
friture
cuisson 333.3
bruit 83.3 ; 681.8
frivole
léger 419.13
inutile 435.12
écervelé 390.14
frivolité
caprice 90.2
futilité 435.2
vétille 435.4
plaisanterie 628.1
froc
habit religieux 525.25 ; 859.20
pantalon 859.11
baisser son froc 787.13
faire dans son froc 619.16
frocard 525.4
frog 718.2
frogomme 328.1
froid 327
n.m.
basse température 327
brouille 410.4
froid de l'âge 863.4
adj.
à basse température 109.26 ; 327.18
insensible 248.8 ; 401.16 ; 418.15 ; 744.10
impassible 401.17
distant 409.10 ; 714.14 ; 759.9
chambre froide 327.8 ; 331.12
colère froide 130.2
en froid 194.9 ; 327.22 ; 410.7
travail à froid 584.29
faire froid dans le dos 619.11

froidasse 327.18
froidement 327.22 ; 759.16
imperturbablement 418.22
froideur 714.3
dureté 248.1 ; 418.2
sérieux 759.2
indifférence 401.2
inhospitalité 409.1
hauteur 312.2
froidir 327.14
froidure 327.5
froissable 816.38
froissé 816.36
froissement 192.2 ; 329.7
affrontement 115.12
bruit 83.6
entorse 72.4
froisser
meurtrir 72.14
vexer 192.7 ; 412.8 ; 439.11
friper 165.29 ; 816.27
froisser (se) 130.6
se froisser un muscle 541.23
frôlage 673.2
attouchement 91.2
frôlement 673.2
froissement 329.7
bruit 83.6
toucher 824.3
attouchement 91.2
chiquenaude 160.4
frôler 673.8
être au bord de 77.17
arriver à 685.12
toucher 824.7
caresser 91.6
frôleur 329.22
fromage 328
situation lucrative 266.4
produit laitier 703.8
fromage blanc 328.2 ; 859.27
fromagé 328.12
laitier 454.14
lacté 454.17
fromageon 328.1
fromager
arbre 37.19
laitier 328.9 ; 454.4
fromagère 454.4
fromagerie 328.8
fromageux 328.12 ; 454.16
fromegi, frometon, frometogomme 328.1
froment 330.7
pain de froment 588.1
fromental 360.7
frometogomme → fromegi
frometon → fromegi
fromgi → fromegi
fronce 165.4
froncement 165.4
froncer 162.8
frondaison 37.9
fronde
lance-pierres 42.3 ; 43.4 ; 448.4
subversion 50.7 ; 194.4 ; 200.1 ; 572.2
pousse de fougère 360.4
t. de médecine 114.23 ; 541.6
fronder
s'opposer à 572.9
agresser 50.16
frondescent 37.25
frondeur 50.12 ; 200.4
désobéissant 200.8
frondifère 37.25
front
partie antérieure 33.4 ; 77.1 ; 211
séparation de masses d'air 20.2 ; 127
partie du visage 814.5
ligne de combat 354.10 ; 694.23
front de mer 211.4 ; 695.4
front des troupes 354.10
front fortifié 182.7 ; 487.16
avoir le front de 390.10
de front 211.22 ; 673.13 ; 768.12
faire front 182.26 ; 572.10 ; 715.14 ; 814.12
heurter de front 572.9
ligne de front 466.8 ; 487.7
frontal 211.5 ; 801.5
de devant 211.18
tête 814.5
crâne 580.5
frontalier 77.15 ; 355.3
contigu 467.13
frontalité 211.9
fronteau 70.11
façade 39.12 ; 211.2
frontière 467 ; 695.4
démarcation 756.2
entrée 278.6
frontispice 211.8
façade 39.12 ; 211.2
titre 469.13
fronton 578.6
façade 39.12 ; 211.2
fronto-pariétal 580.20
frotailler 329.23
frottable 329.32
frottage 329.12
frottement 329.1
massage 329.3
peinture 607.3
frottant 329.30
frotte 329.8
massage 329.3
frotté
frotté de 747.13
frottée 329.11
frottage 329.12
volée de coups 160.5
frottement 329 ; 543.14
abrasion 640.3
résistance 496.5
énergie 269.1
frottement péricardique 128.12
à frottement 329.30
frottements 146.5
frotter 329.23 ; 329.28 ; 496.12 ; 542.21 ; 550.30
astiquer 640.8
brosser 329.27
injecter 775.26
à frotter 640.5
frotter (se) 329.25
se frotter les mains 479.10 ; 745.12 ; 765.24
se frotter les yeux 851.13
frotteur 329.14 ; 329.21 ; 329.22 ; 640.6
frotteurisme 329.20
frotteuse 329.14
polissoir 640.5
frotti-frotta 329.2
frottin 329.15
frottis
frottement 329.1
frottage 329.12
t. de peinture 607.10
frottoir 329.13 ; 329.14
frottola 106.13
frotton 329.14
frotture 74.3
frouée
bruissement 764.2
chasse à l'affût 107.3
frouement 764.2
frouer
siffler 764.8
appâter 107.22
froufrou
froissement 329.7
bruit 83.6
pli 165.4
faire du froufrou 581.9
froufroutant 329.35
froufroutement 329.7
froufrouter 83.15 ; 329.29
froussard
peureux 619.19 ; 619.7
lâche 452.4
frousse 619.1
fructi- 330.26
fructidor 88.8
fructifère 330.23
fructifiant 662.19
fructification 79.6
floraison 318.37
maturation 330.18
augmentation 662.4
fructifier 330.22 ; 662.18
fleurir 318.41
fructose 94.5 ; 330.4
fructueux
utile 847.12
productif 662.19
frugal
léger 457.15
discret 523.11
simple 767.7
tempérant 810.11
sobre 771.7
diététique 771.8
nourrissant 703.42
frugalement
sobrement 771.11 ; 810.14
frugalité 703.12
sobriété 771.1 ; 810.4
frugi- 330.26
frugivore 330.25
t. de zoologie 873.21
fruit 330
résultat 92.11 ; 254.1 ; 339.8 ; 687.1
organe végétal 37.10
fruit déguisé 330.1 ; 799.5
fruit rare 686.3
fruit sec 249.8 ; 274.16 ; 330.1
porter ses fruits 92.11
se mettre à fruit 330.22
fruits de mer
crustacés 172.1
poissons 333.13
plateau de fruits de mer 333.13 ; 333.15
fruitarien 330.25
fruitarisme 330.21
fruité 330.24
fruiterie 330.19
fruiteux 330.24
fruiticulteur 330.20
fruiticulture 330.19
fruitier 330.19 ; 330.20 ; 330.23
arbre fruitier 37.1

fruitière 328.8
frusque 859.1
frusquin 529.5
fruste 527.19 ; 767.8
grossier 226.9
inabouti 392.18
médiocre 523.11
incomplet 383.10
t. de médecine 482.63
frustrant 488.10
décevant 178.8
frustration
état de manque 488.4
insatisfaction 416.1
frustré
déçu 178.9
insatisfait 416.8
frustrer
décevoir 178.4 ; 416.5
frustule 527.14
fruticée 38.2
fruticuleux
lichen fruticuleux 463.1
FSH 94.8
FTP 809.3
fucacées 22.3
fucales 22.3
fucellia 417.9
fuchsia 38.5
fuchsine 159.8 ; 735.2
fucoxanthine 22.2
fucus 22.4
fuel 131.6 ; 369.2
fuel-oil 131.6
fugace 228.14
momentané 421.12
fugacité 113.11
-fuge 653.27
fugit irreparabile tempus 811.12
fugitif
fugace 228.14
momentané 421.12
bref 684.33
ostracisé 582.16
fugitivement 421.20
fugitivité 684.7
brièveté 421.3
fugue
fuite 189.2 ; 228.4 ; 783.2
composition musicale 543.30
fugué 543.51
fuguer 543.45
fuir
v.t. 62.9 ; 189.13
fuir le monde 420.6
v.i.
passer 598.9 ; 811.7
partir 181.6 ; 263.9 ; 452.6
s'échapper 335.15
fuite
départ 189.2 ; 228.4 ; 783.2
écoulement 468.6
défection 180.2 ; 181.2 ; 452.2 ; 461.5 ; 693.4
fuite des idées 684.6
fuite en Égypte 117.21 ; 374.3
fuite honteuse 452.2
fulgoridés 417.4
fulgurance 421.2
fulgurant 427.16
hâtif 684.32
douleur fulgurante 243.14
fulguration
intempérie 127.5
électrochoc 775.12
fulgurites 855.5
fuligineux 553.15
fuligule 570.16
fuligule milouin 570.16
full 446.7
full time job 811.3
full-contact 792.15
fulmar 570.15
fulminant 130.12
or fulminant 575.4
fulminate 113.8
fulminate d'argent 40.4
fulmination
admonestation 63.5
excommunication 582.4
fulminatoire 582.18
fulminer 582.14
bouillir 130.8
récriminer 710.14
crier 168.17
fulminer contre 865.19
fulvique 311.26
fumage
des champs 18.4
des denrées 333.4
fumagine 79.16
fumaison
des champs 18.4
des denrées 333.4
fumant 600.13
fumarase 94.24
fumarique
acide fumarique 94.13
fumasse 130.12
fumé
thé fumé 75.5
fumée
du feu 311.28
il n'y a pas de fumée sans feu 92.10
partir en fumée 228.7
fumées de l'imagination 378.4
fumées de l'ivresse 441.3
fumées 486.24
t. de chasse 296.3
fumelle 306.5
fumer
les aliments 750.15
le tabac 825.16
les champs 18.21
de colère 130.8
fumerie
fumerie d'opium 825.12
fumerolles 337.7
fumeron 502.3
fumet
parfum 569.2
goût 343.2
fumeterre 318.26
fumette 825.10
fumeur 825.14
fumeux
abêtissant 784.14
ambigu 24.13
fumier
bouse 296.3
engrais 18.7
ver de fumier 856.2
fumigateur
pansement 775.18
instrument agricole 18.15
fumigation 18.4
t. de médecine 775.15
fumigatoire 499.28
fumigène 311.33
fumiste
chauffagiste 109.22
personne peu sérieuse 435.7 ; 628.9 ; 838.10
fumisterie
tromperie 628.2 ; 838.6
métier 109.21
fumoir 481.22
fumure 18.7
funaire 537.4
funambule 176.25
équilibriste 282.12
acrobate 123.14
funambulesque 123.22
funboard 792.28
fundique 218.24
funèbre 331.37
nécro- 534.38
sinistre 836.13
funéraire 331.35
chant funèbre 106.13 ; 331.4
funèbrement 331.39
funérailles 331
sacrement 173.14
cérémonie 98.11
funéraire 331.35
nécro- 534.38
colonne funéraire 331.17
salon funéraire 331.12
funérairement 331.39
funérarium 331.11 ; 331.12
funeste 331.37
regrettable 697.9
attristant 836.14
tragique 827.11
fatal 11.25
funestement 11.29
fungia 527.12
funiculaire
transport 832.11 ; 832.32
t. d'anatomie 762.34
funicule 318.5
funiculine 527.12
funk 543.8
jazz 543.6
funtumia 37.18
fuoco 542.26
con fuoco 542.26
fur et à mesure (au) 344.14
dans l'ordre 683.22
peu à peu 602.14
progressivement 293.15
au fur et à mesure de 293.15
au fur et à mesure que 293.17 ; 344.18
furax 130.12
furcræa 318.17
furet
animal 486.7
outil 632.20
furetage
recherche 689.4
chasse 107.2
fureter
chercher 174.6 ; 689.15
chasser 107.18
fureteur 174.4
fureur
paroxysme 199.3 ; 276.4 ; 276.5 ; 378.5 ; 427.2 ; 600.3
colère 130.1 ; 130.5 ; 865.3
fureur poétique 264.1
à la fureur 294.19 ; 426.15 ; 427.33 ; 600.17
faire fureur 798.18
furfuracé 482.67
furia
enthousiasme 276.1
frénésie 865.4

furibard 130.12
furibond 130.12
furie
colère 130.1 ; 865.3
femme méchante 497.6
Furies 236.24 ; 707.7
furieusement 130.14
énormément 427.27
furieux
en colère 130.12
coléreux 865.26
impétueux 600.13
furioso 130.15 ; 542.26
furole 311.9
furoncle
bouton 78.5
croûte 482.16
abcès 482.45
furonculeux 482.67
furonculose 482.17
furosémide 499.5
furtif
bref 684.33
clandestin 751.23
furtivement
timidement 819.11
secrètement 751.29
fusain
arbuste 38.4 ; 443.8
crayon 607.15
fusainiste 607.22
fusant
tir fusant 820.6
fusariose 79.16
fusarium 103.8
fuseau
surface 338.9
bobine 476.12 ; 637.1 ; 816.17
mollusque 527.3
forme ornementale 36.11 ; 578.3
pantalon 859.17
fuseau horaire 118.8
fusée
personne, chose rapide 421.2
détonateur 43.16
pièce mécanique 57.9 ; 118.7
engin à réaction 48.2
passer comme une fusée 421.8
fusée-sonde 48.3
fuselage 831.4
fuselé 289.8
fuséologie 48.8
fuséologue 48.11
fuser
apparaître 34.7
jaillir 783.15
fusibilité 113.11
fusible 476.12
fil électrique 261.19
plomb 631.5
responsable 299.5 ; 797.6
fusiforme 527.19
musculaire 541.24
fusil
arme 43.6 ; 820.17
outil 584.12
fusil photographique 621.3
fusil renversé 331.21
changer son fusil d'épaule 104.20 ; 828.11
s'en jeter un dans le fusil 75.27
coup de fusil 111.2
fusillade
tir 820.3
exécution 801.3
fusiller 801.22 ; 820.25
tuer 43.23 ; 534.28
fusiller de critiques 710.13
fusilleur 801.15
fusil-mitrailleur 43.6
fusimotoneurones 548.8
fusiniste 607.22
fusion
passage à l'état liquide 85.12 ; 102.8 ; 468.2 ; 510.5 ; 855.9
mélange 352.1 ; 396.2 ; 501.1 ; 725.1
réaction nucléaire 513.7
point de fusion 102.12
fusion chromosomique 361.9
fusion dangeardienne 103.4
fusion nucléaire 131.4 ; 269.1
fusion réductrice en four à cuve 631.7
fusionnel 455.14
fusionnement
réunion 725.1
intégration 423.1
adjonction 9.1
mélange 501.1
fusionner 725.13
équivaloir 376.12
rassembler 352.18
unir 844.13
intégrer 423.8
joindre 9.15
mélanger 501.12
rapprocher 685.7
fustet
arbre 37.17
teinte 159.7 ; 444.2
fustigateur 801.15
battant 115.19
fustigation 801.2
coup 115.7
lapidation 160.8
critique 710.5
fustiger
battre 115.22 ; 160.22 ; 801.20 ; 865.15
blâmer 194.12 ; 710.10 ; 710.13
fût
tronc 37.5 ; 74.6
support 43.10 ; 250.7
corps cylindrique 39.15 ; 422.23
tonneau 75.18 ; 618.9
futaie
fourré 38.2
haie 36.17
de haute futaie 677.13
futaille 75.18
futaine 816.4
futainier 816.19
futal 859.11
futé
intelligent 424.11
ingénieux 316.19
futile
léger 419.13
inutile 435.12
futilité 435.2
insignifiance 419.1
caprice 90.2
plaisanterie 628.1
futon 519.16
futur 332
n.m.
avenir 647.4 ; 664.7
temps verbal 346.6
fiancé 491.16
futur antérieur 33.5
futur probable 291.6
adj. 291.10 ; 332.11 ; 647.19
future
fiancée 491.17
futurisme 46.12
futuriste 46.17
futurition 332.6
futurologie 332.4
futurologique 332.14
futurologue 332.5
fuyant
indéterminé 395.17
réservé 751.28
fuyard 452.4

G

gabardine
imperméable 633.8
toile 816.4
manteau 859.12
gabare ou **gabarre** 605.6
gabarit
modèle 521.1
étalon 559.3
dose 509.5
dimension 219.1
forme 323.7
gabegie 661.2
gabeleur 317.28
gabelle 317.10
gabelou 317.31
fermier général 317.28
gaber 532.9
gabeur 532.7
gabion
corbeille 151.5
barrage 834.6
chasse au gabion 107.32
gabionnade 182.11
gabionnage 182.6
gabionner 182.23
gabionneur 182.18
Gabonais 355.7
Gabriel 29.7
gâchage 547.5
gâche
outil 584.19
t. de plomberie 632.10
t. de serrurerie 760.7
gâcher 483.17
bâcler 500.10
échouer 249.11
gâchette 43.10
Gadabas 371.13
gadget
babiole 419.5
vétille 435.4

gadicule 638.6
gadidé 638.3
gadin 119.2
gadolinium 113.7
gadoue 740.3
de gadoue 269.6
gadz'arts 274.15
gaélique 455.14
gaffe
n.m. 208.17
n.f.
bourde 415.2 ; 483.4 ; 595.3 ; 784.3
crochet 605.3
faire gaffe 63.22 ; 183.11 ; 674.6
gaffer
v.t. 605.24
v.i. 415.9 ; 483.12
gaffeur 483.11
gag 628.5
gaga 863.15
vieux gaga 863.5
gagaku 543.5
Gagaouzes ou **Gagauz** 371.15
gage
garantie 166.14 ; 209.6 ; 587.5 ; 752.5
acceptation 666.5
donner des gages 666.15
en gage 209.26
gagé 739.15
gagea 318.17
gager 660.7
gager que 802.7
gages
rémunération 266.11
salaire 739.4
à gages 739.17
gagman 628.8
gagnage 262.17
gagnant 792.43
vainqueur 861.6
gagne-pain
proxénétisme 672.8
travail 266.4
gagne-petit 523.5
gagner 792.91 ; 800.15 ; 861.7
arriver à 685.12
mériter 507.8
jouer 446.32
gagner au change 797.11
gagner au vent 852.20
gagner à l'idée que 614.7
gagner à sa cause 614.8
gagner de vitesse 33.12 ; 684.25
gagner des fortunes 730.11
gagner du temps 458.13 ; 811.9
gagner du terrain 344.7
gagner l'amitié de qqn 26.7
gagner sa vie 266.24 ; 739.13 ; 862.28
gagner une cause 451.29 ; 626.7
manque à gagner 488.4
gagneuse 672.8
gai 159.27
alerte 277.6
joyeux 447.14 ; 629.17
ivre 75.34
gai comme un pinson 447.14
gai savoir, gaie science 635.1
Gaia 236.36
Titans 236.40
gaïac
bois 74.12
arbre 37.19
gaïacyle
nicotinate de gaïacyle 499.6
gaiement
joyeusement 447.18
plaisamment 629.23
gaieté 447.8
entrain 277.1
joie 447.1
plaisir 629.1
gaillard
gaillard d'arrière 193.2
gaillard d'avant 211.2
gaillard
n.m. 270.4 ; 613.2
adj. 277.6 ; 706.17 ; 743.11 ; 864.15
gaillarde
fleur 318.10
danse 176.9
gaillardement 399.11
sainement 743.14
vivement 277.9
joyeusement 447.18
plaisamment 629.23
gaillardise
gaieté 447.8
gros mot 399.4
gaillet 318.28
gailletin 518.5
gaillette 518.5
gain
salaire 739.1
recette 339.8
gain de temps 811.2
avoir gain de cause 626.7
obtenir gain de cause 451.29 ; 745.12
âpre au gain 61.9
gaine
enveloppe 151.2 ; 791.8
pièce mécanique 118.7
structure organique 318.3 ; 541.14 ; 821.3
vêtement 859.13
gaine de Schwann 548.9
pied en gaine 519.21
gaine-culotte 859.13
gal 509.10
galact- 49.37
galactine 340.3
galactique 49.33
galacto- 49.37
galactogène
hormone galactogène 340.3
galactokinase 94.24
galactophore 639.3
galactosamine 94.10
galactose 94.5
galactosidase 94.24
galactosurie 296.10
galagidé 486.14
galago 486.14
galamment 163.13
galandage 67.2
galant
n.m.
prétendant 27.8 ; 163.6
jeune homme 12.5
ornement 859.23
adj. 184.10 ; 279.14
galant homme 163.6 ; 184.6
fête galante 309.10 ; 374.7
galante 859.31
galanterie 163.4
courtoisie 163.1 ; 233.4
délicatesse 184.1
flirt 27.11
galanthus 318.17
galantin 27.8
galantine 333.9
galatée 527.2
Galates 371.16
galathée 172.3
galaxie 49.13
galbage 162.7
galbe
format 323.2
courbe 162.2
galbé 162.13
galber 162.9
gale
des végétaux 79.16
des animaux 482.17 ; 486.36
défaut de fonderie 510.12
gale folliculaire 482.48
herbe à la gale 318.30
galega 318.27
galéger
plaisanter 532.13
fabuler 504.19
galéjade
plaisanterie 532.5 ; 628.4
invention 504.7
galéjer
plaisanter 532.13 ; 628.10
fabuler 504.19
galéjeur 532.7
galène 517.4
poste à galènes 681.3
galénique 499.27
médicament galénique 499.2
galénisme 498.8
galéo- 486.34
galéode 417.13
galéodidés 417.12
galéopithèque 486.10
galéopsis 318.16
galère 217.12
galérer 217.11
galerie
public 373.5 ; 651.6
ouvrage souterrain 182.12 ; 518.6
passage 39.17 ; 481.14
partie d'un théâtre 748.7
porte-bagages 57.5
galerie de peinture 607.24
galerie de portraits 814.4
galérien 208.15
galérienne 672.9
galeriste 607.23
galérite 417.3
galerne 852.6
galéruque 417.3
galet
pierre 319.5
roulette 476.12
galetas 481.2
porcherie 740.6
galette
pâte cuite 588.2
argent 529.5 ; 730.7
avoir de la galette 730.14
galetteux 730.19
galeux
malpropre 740.14
pelliculaire 482.67
brebis galeuse 556.7

garantique 653.2
garantir
affirmer 13.8
préserver 182.21 ; 653.13 ; 671.18
garantir de 653.18
garantir (se)
se préserver 653.19
se protéger 671.24
prendre garde 674.7
s'abriter 182.25
garce 497.5
garcinia 38.4
garçon
enfant mâle 270.4 ; 364.2
célibataire 93.2 ; 491.16
serveur 703.17 ; 830.23
garçon boulanger 588.11
garçon de café 75.20
garçon de piste 123.13
garçon de recette 66.33 ; 688.12
garçon manqué 488.13
bon garçon 76.5
petit garçon 270.4
garçonne
à la garçonne 129.20
garçonnet
garçon 364.2
jeune enfant 270.4
garçonnier 226.8
garçonnière 93.4
appartement 481.18
garçonnisme 76.1
garde- 653.27
protège- 671.36
garde
n.m. 21.8 ; 41.10 ; 641.11
garde champêtre 641.11
garde forestier 641.11
garde maritime 641.11
garde mobile 641.6
garde particulier 641.11
garde républicain 641.6 ; 671.12
garde de navigation 641.11
garde du corps 641.12 ; 671.12
garde des Sceaux 451.21 ; 708.10
n.f.
garde d'enfants, garde maternelle 270.9
garde
n.f.
barrière 67.7
conservation 653.2 ; 671.1
troupe 41.9
partie d'une arme 43.10
surveillance 641.15
position du corps 792.16 ; 792.17
carte 446.5
garde d'eau 632.5
garde à vue 451.6
garde conjointe 238.8
à la garde de 145.16
de garde 486.9
droit de garde 66.17 ; 238.8
garde d'honneur 641.5
garde descendante, montante 41.9
garde prétorienne 671.13
garde républicaine 641.5
la vieille garde 28.4
page de garde 469.13
salle de garde 114.31
monter la garde 51.6 ; 487.27 ; 671.23
en garde 182.33
sur ses gardes 619.23
mettre en garde 63.13 ; 148.10 ; 231.7 ; 653.18 ; 674.10 ; 710.11
prendre garde 21.10 ; 52.7 ; 63.17 ; 674.7 ; 774.12
se mettre en garde 182.26 ; 674.7
se tenir en garde 183.7
s'en donner jusqu'à la garde 342.9
gardé 671.28
en sûreté 752.18
garde-à-vous 133.28
marche 487.2
aux armes ! 487.44
garde-barrière 832.24
garde-bœuf 570.18
garde-boue 67.7
garde-boutique 490.4
garde-canal 641.11
garde-cendre 671.7
poudrier 676.11
garde-chaîne 67.7
garde-chasse 641.11
garde-chiourme 59.11
gardien 208.17
garde-corps
balcon 67.7
protection 671.5
route 834.4
garde-côte ou **garde-côtes** 207.16
garde-crotte 67.7
garde-feu 67.7
garde forestier 36.19
garde-fou
balcon 67.7
route 834.4
protège- 671.36
garde-frein 832.24
garde-frontière 641.11
garde-main 67.7
garde-malade 775.22
garde-manger
coffre 519.5
cuisinier 333.34
garde-meubles 519.33
gardénia 38.9
garden-party 309.10
réception 137.11
garde-pêche
douanier 641.11
chalutier 605.11
garder
maintenir 153.19
épargner 281.12
garder espoir 285.4
garder les rangs 487.29
garder pour soi 751.14
garder sur le cœur 720.6
garder à vue 183.10 ; 641.17
donner la brebis à garder au loup 390.7
Dieu vous garde 741.10
garder (se)
se maintenir 297.9
se protéger 653.19 ; 671.24 ; 674.6
s'interdire 429.16
se garder de 653.20
garderie 270.11
halte-garderie 270.11
garde-rivière 641.11
garde-robe
W.-C. 296.16
vestiaire 481.24 ; 859.3
penderie 519.2
gardes
n.f. pl.
t. de serrurerie 760.8
être sur ses gardes 674.6
se tenir sur ses gardes 183.11
garde-temps 118.6
garde-vaisselle 848.36
gardian 262.24
gardien 21.8 ; 52.3 ; 208.17 ; 671.12
protecteur 653.7
concierge 481.39
gardien de la paix 641.6 ; 671.12
gardien de nuit 641.12
gardien de prison 641.13
gardiennage
protection 671.9
surveillance 641.15
gardiennat 671.9
gardon 638.5
comme un gardon 743.11
gare
infrastructure ferroviaire 832.19
gare commune 832.19
gare d'arrivée 45.5
gare maritime 830.15
gare routière 833.16
gare
interjection 431.3
avertissement 52.15 ; 63.22
crier gare 21.9
sur-le-champ 421.17
sans prévenir 386.16 ; 805.14
Garengeot
clef de Garengeot 188.12
garenne 107.14
garer
protéger 653.12 ; 671.18
ranger un véhicule 57.27 ; 832.28
garer (se)
se protéger 671.24
automobile 57.24
gargamelle 814.5
Gargantua 342.5
gargantuesque 342.13
nourrissant 703.42
gargariser de (se) 75.25
gargarisme 775.15
gargote 75.19
gargoter 703.32
gargotier 333.35
gargouillade 176.16
gargouille 39.21
bassin 633.9
caniveau 834.8
gargouillement 83.6
gargouiller 83.15
gargouillis 83.6
gargoulette
vase de rafraîchissement 327.8 ; 848.12
gosier 814.5
gargousse 43.15
garnement
jeune enfant 270.4
frondeur 200.4
garni 333.50
garniérite 516.5
garnir
joindre à 396.12
remplir 152.7
coucher sur 727.14

garnison
sentinelle 671.14
détachement 487.23
ville de garnison 845.8
garnissage 152.6
garniture
revêtement 727.1
ornements 578.1
ruban 859.23
pli 165.4
garniture de légumes 333.21
pl.
t. de serrurerie 760.4
garrigue
brousse 38.2 ; 750.10
garrot
lien 114.26 ; 742.20
supplice 801.5
mal de garrot 72.8
garrottage 114.6
garrotte 801.5
gars 364.3
jeune gars 445.3
garulité 665.2
garzette 570.18
gascardia 417.5
Gascon
de Gascogne 695.11
gascon
fanfaron 504.12 ; 581.4
gasconnade 504.9
vantardise 581.3
gasconner 581.8
gasoil ou **gas-oil**
huile brute 369.2
pétrole 131.6
gasp 718.3
gaspi 661.2
gaspillage 191.6
surabondance 1.2
dilapidation 661.2
gaspillé 191.26
gaspiller 191.15
entamer 661.6
gaspilleur 661.11
gastéromycétales 103.5
gastéropodes 527.1
gastérostéidé 638.3
gastornis 570.20
gastralgie
algésie 243.3
mal de ventre 482.22
gastrectomie 114.13
gastrectomisé 114.29
gastrine 340.3
gastrique 128.8
transit gastrique 218.1
gastrite 482.23
gastro-duodénal 128.8
gastrique 218.24
gastro-duodénostomie 114.15
gastro-entérite 482.23
gastro-entérologie 218.16 ; 498.7
gastro-entérostomie 114.15
gastroidea 417.3
gastro-intestinal 218.24
gastrolâtre 333.36
gastrolâtrie 333.1
gastrolobium 38.9
gastrologie
gastro-entérologie 218.16
gastronomie 333.1
gastrologue 218.17
gastronome 333.36 ; 703.20
goûteur 343.12
gastronomie 333 ; 343.9
gastronomique 333.47
gastronomiquement 333.54
gastropacha 417.11
gastrophile 417.9
gastropodes 527.1
gastrostomie 114.15
gastrotomie 114.14
gastrotriche 856.2
gastrozoïde 527.12
gastrula 265.5
gâté
éducation 253.11
corrompu 860.10
gâteau 799.6
papa gâteau 609.6
c'est du gâteau 302.17
gâte-bois 74.18 ; 417.11
menuisier 505.20
gâte-métier 524.7
gâter
détériorer 23.9 ; 205.21
souiller 740.9 ; 860.7
céder à un caprice 90.8
soigner 774.10
gâter le métier 524.9
gâter (se) 561.10
gâterie
petits soins 774.7
sucrerie 799.1
gâteux
sénile 863.15
maladif 482.60
vieux gâteux 863.5
gâtifier 784.11
gâtine
marais 372.4
lac 319.2
gatsch 617.6
gattilier 38.4
gauche 334 ; 221.5
balourd 483.18 ; 784.13 ; 819.8
coup de poing 160.6
tendance politique 808.4
extrême gauche 334.4
de gauche à droite 246.9 ; 334.12
à gauche 334.12
de gauche 334.11
à gauche de 334.13
magie de la main gauche 477.2
appuyer sur la gauche 212.19
mettre à gauche 281.11
mettre de l'argent à gauche 334.8
se lever du pied gauche 192.9
gauchement 483.23
gaucher 334.6 ; 479.19
gaucher contrarié 334.6
gaucherie
latéralité 334.2
maladresse 226.1 ; 367.6 ; 415.2 ; 483.1 ; 784.2 ; 819.2
gauchir
déformer 323.18
orienter 212.15 ; 334.9
gauchir (se) 212.18
gauchisant 334.6
gauchiser (se) 334.7
gauchisme 334.4
révolutionnarisme 728.5
extrême gauche 808.8
gauchissement 212.5 ; 334.5 ; 505.14
gauchiste
gauche 334.6
révolutionnaire 728.4
communiste 808.26
gaucho 334.6
gauchiste 728.4
éleveur 262.24
gaude 318.26
gaudé 106.5
gaudeamus
hymne 508.8
cantique 106.5
faire gaudeamus 703.30
gaudir de (se) 532.10
gaudissement 532.3
gaudisserie 532.4
gaudriole
gaieté 447.8
plaisanterie 628.4
sexe 763.4
gaufre 486.5
gaufré 816.4
papier gaufré 388.12
gaufrer 816.25
gaule 605.3
gauler 18.23
se faire gauler 44.14
gaulis 36.17
gaullisme 808.11
gaulliste 808.38
gaulois
n.m.
langue 455.14
adj.
érotique 763.45
impudique 399.9
gauloiserie
gros mot 399.4
humour 628.3
gaultheria 38.4
gaupe 740.8
gaur 486.6
gaura 318.36
Gauranis 371.8
gauss
unité de mesure 261.10 ; 509.11
relief lunaire 474.7
gausse
plaisanterie 532.5
invention 504.7
gausser 532.9
gausser de (se) 731.7
se moquer de 532.10
gausserie 532.4
gavage 262.13
alimentation 563.9
gavalie 306.3
gave 319.4
gavé 703.40 ; 744.9
gavé comme une oie 744.9
gaver 873.18
assouvir 744.3
nourrir 563.12
paître 262.27
alimenter 703.38
gaver (se) 703.31
se repaître 744.4
faire des excès 426.8
dévorer 342.6

gavial 712.7
gavialidés 712.6
gaviiformes 570.4
gavion 814.5
gaviot 814.5
gavotte 176.9
gavroche 270.4
gay 763.18
gayac 37.19
gayal 486.6
Gayos 371.12
gaz 335 ; 269
éruption volcanique 337.7
air 20.1
gaz asphyxiant 43.17
gaz butane 269
gaz carbonique 718.10
gaz de cokerie 131.8
gaz de combat 43.17
gaz de fumier 269.6
gaz de Lacq 617.5
gaz défoliants 43.17
gaz interstellaire 49.14
gaz léger 457.5
gaz naturel 131.8 ; 269.6
gaz rares 20.1
pleins gaz sur 221.36
à pleins gaz 335.25 ; 684.49
couper les gaz 335.16
mettre les gaz 684.20
gazage
supplice 801.3
t. de textile 816.11
gazania 318.10
gaze
pansement 775.18
voile 816.6
gaze médicamenteuse 499.15
gazé
n.m. 335.6
insecte 417.11
gazéifiable 335.22
gazéificateur 335.11
gazéification 335.10
liquéfaction 468.2
gazéifié 335.21
gazéifier 269.11 ; 335.13
gazelle 486.6
gazer
cacher 228.9 ; 437.4
poser un revêtement 727.15
intoxiquer 335.16
être en pleine forme 743.6
accélérer 684.21
tuer 43.23
supplicier 801.22
maquiller 504.15
gazetier 654.17
gazette 654.4
gazeux 85.17 ; 335.20
solide 778.13
gazier 618.15
gaz 335.5
gars 364.3
énergétique 269.12
gazo- 335.26
gazochimie 335.3
chimie 113.1
pétrochimie 617.1
gazoduc
gaz 335.5
oléoduc 618.9
conduite 829.13
gazogène 335.5
gazole 617.5
gazomètre 335.5
gazométrie 113.16 ; 509.25
gazométrie sanguine 742.21
gazon 360.6
parterre 443.7
court 792.78
gazonner 360.13
gazouillement
oiseaux 170.3
chuchotement 83.7
gazouiller 168.13
oiseaux 170.7
murmurer 83.18
parler 595.18
chanter 106.23
gazouillis 106.22
oiseaux 170.3
babil 168.2
Gbayas 371.11
Gcod-pa 80.4
geai 570.8
geai paré des plumes du paon 655.3
géant
n.
colosse 484.6
Géants 236.40
n.f.
géante rouge 49.4
adj.
intense 427.18
fort 864.5
grand 359.10
géaster 103.6
Geb 236.36
gébie 172.3
gecko 712.5
geckonidés 712.4
-gée 311.31
gégène 801.3
gégéner 801.22
gegenschein 777.3
géhenne
affres 243.5
enfer 271.1
supplice 801.1
géhenner 801.18
geignard
en larmes 836.11
mécontent 192.15
geignement
chuchotement 83.7
gémissement 168.3
geindre
n.
boulanger 588.11
v.
gémir 168.14 ; 192.11 ; 243.11
geisha girl 176.22
gel
gelée 327.4
cosmétique capillaire 129.6
gélada 486.14
gélatine 333.26
gélatineux
lichen gélatineux 463.1
gélatinisation 778.4
gélatiniser 778.9
gélatino-bromure 621.5
gélation 778.4
gelé
congelé 327.18
saoul 441.18
immobilisé 66.54
géléchie 417.11
gelée
froid 127.5 ; 327.7
t. de gastronomie 333.26 ; 799.5
gelée blanche 127.5 ; 327.7
geler
congeler 79.21 ; 127.14 ; 327.13 ; 778.11
t. de banque 66.44
geler blanc 327.13
geler (se) 327.16
gelidium 22.4
gélif 530.17
glaciaire 327.19
gélifiant 778.5
gélification
solidification 778.4
cérification 79.10
gélifier 778.9
gélifraction 337.3
gélinotte 570.9
gélisol 337.16
gélivation 337.3
gélivure 36.15
coup de froid 327.5
madrure 74.3
gélule 499.14
gélulose 499.9
gelure
coup de froid 327.5
blessure 72.2
Gemara 449
talmud 449.5
torah 815.3
gématrie 818.20
gémeaux 49.15
zodiaque 88.9
gémellaire 210.9
gémelliflore 318.45
gémellité 210.5
gemfibrozil 499.5
gémillipare 544.25
géminé 210.9
Géminides 49.12
gémir 852.17
oiseaux 170.7
grimacer de douleur 243.11
pleurer 836.9
se plaindre 192.11
crier 168.14
gémissement 168.3
oiseaux 170.3
cri 243.6
chuchotement 83.7
Gemma 49.5
gemmation 711.2
gemme 70.12
minéraux 517.1
gemmé 517.20
gemmer 74.25
gemmifère 318.47
gemmiparité 711.2
gemmologie
géologie 337.1
minéralogie 517.12
gémonies
charnier 331.14
lieu de supplice 801.12
vouer aux gémonies 720.8
gemsbok 486.6
gênant
déplaisant 192.12
inopportun 415.13

gencive 188.5
mettre dans les gencives 160.17
gendarme
défaut 517.11
œilleton 207.5
gardien 41.10 ; 641.6 ; 671.12
insecte 417.5
gendarmes et voleurs 446.23
peur du gendarme 619.2
gendarmerie 41.2
police 641.1
gendre 314.8
gène
-pare 711.29
chromosome 361.3
gène de reconnaissance 381.8
gêne
déplaisir 192.1 ; 367.6 ; 415.4 ; 801.1
pauvreté 217.7 ; 603.2
obstacle 567.7
dans la gêne 603.25
sans gêne 226.8 ; 399.8
gêné 603.21
guindé 12.14
gauche 819.8
généalogie
sciences auxiliaires de l'histoire 363.5
sang 361.5
filiation 314.1
onomastique 554.13
généalogique 314.17 ; 363.17
arbre généalogique 314.4
généalogiquement 363.18
généalogiste 363.9
gêner 217.14 ; 226.6
déplaire 192.8
déranger 415.8
empêcher de 567.13
torturer 801.18
ne pas se gêner 462.21
général
n.
gradé 41.15
général d'armée 41.15
adj.
générique 396.15
générale
répétition 704.6 ; 817.16
alarme 21.4
battre la générale 21.9
généralement 326.20 ; 696.30
habituellement 357.31
généralisation
conceptualisation 275.4
raisonnement 682.1
généraliser
étendre 682.9 ; 807.14 ; 808.32
vulgariser 675.9
généraliste 498.24
généralité 695.7
générateur
n.
générateur de vapeur 261.12 ; 269.7 ; 476.12 ; 662.20
adj.
générateur de 92.15
génératif 544.22
génération
existence 14.2 ; 297.6 ; 544.2 ; 662.2 ; 711.1 ; 862.1
période 610.1
filiation 314.1
de génération en génération 101.15 ; 314.18
génération montante 445.7
générationnel 314.17
familial 304.13
génératrice 261.12
génératrice magnétoélectrique 478.7
généré 662.23
générer
créer 297.11 ; 662.16
engendrer 711.19
généreusement 336.13 ; 592.18
sentimentalement 755.23
généreux
courageux 161.11
bon 76.10 ; 241.23 ; 336.10 ; 592.16 ; 625.13 ; 661.11 ; 755.16
honnête 365.9
fructueux 662.19
générique
n.
hyperonyme 554.2
t. de cinéma 120.6
adj.
incluant 396.8
t. de pharmacie 499.2
générosité 336
clémence 592.3
noblesse 552.3
prodigalité 661.1
don 241.1
genèse
commencement 134.1
élaboration 662.2
processus de reproduction 711.10
la Genèse 815.2
génésie 361.24
génésique
reproducteur 711.22
en gésine 544.24
genestrolle 444.2
genet 486.11
genêt 38.4
généthliaque
relatif à la naissance 544.22
relatif à l'horoscope 235.3
généticien 361.15
génétique 361.13
biosciences 498.3
patrimoine génétique 361.4
génétiquement 361.23
genette 486.7
gêneur
importun 415.5
empêcheur 567.10
genévrier
bois 74.12
arbuste 38.4
épice 333.27
génial
extraordinaire 427.20
intelligent 424.11
génialement 424.13
génialité 424.1
génie
aptitudes remarquables 424.1 ; 711.29
être imaginaire 236.1 ; 477.17
arme 41.2
ensemble de connaissances et de techniques 662.11
génie biomédical 498.3
génie civil 834.1
génie familier 304.10
génie génétique 361.13 ; 834.1
génie du mal 186.2 ; 497.6
bon génie 148.7
mauvais génie 148.7
coup de génie 179.3 ; 264.2 ; 434.5
genièvre 75.13
génio-glosse
muscle génio-glosse 541.11
génio-hyoïdien
muscle génio-hyoïdien 541.11
génio-palatin
muscle génio-palatin 541.11
génio-pharyngien
muscle génio-pharyngien 541.11
génique
-pare 711.29
génétique 361.21
thérapie génique 361.13
génital
reproducteur 711.22
sexuel 763.44
union génitale 763.8
génitalement 711.28
génitalité 711.3
géniteur 609.1
génitif 346.5
génito- 711.29
génito-crural 548.4
péritoine génito-urinaire 218.11
génitrice 506.3
mère 544.13
géniture 314.6
géno- 314.19 ; 361.24
-pare 711.29
génocidaire 354.19
génocide
guerre 354.3
crime international 169.6
extermination 801.8
génoise
pâte à génoise 799.7
génome 361.4
génomique
n.f. 361.13
adj. 361.21
génotype 361.4
génotypique 361.21
genou
jambe 502.3
articulations de la jambe 580.24
coup de genou 160.6
à genoux 769.16
sur les genoux 303.21
à se mettre à genoux devant 677.15
demander à genoux 185.16
être aux genoux 761.12
faire du genou 765.24
genouillère 775.19
t. de serrurerie 760.20
genre
forme 286.1 ; 323.3
classification 126.4 ; 873.10
manière 5.8
t. de grammaire 346.4
t. de rhétorique 729.5

gérontologique 498.38
gérontologue 498.28
gérontophilie 763.15
gerrhonotidés 712.4
gerris 417.5
gerrymander 260.21
géryonia 527.12
Gès 371.8
gésier
bec 570.23
abats 333.8
gésine
en gésine 544.24
gésir 534.26
gesneria 318.30
gesnériacées 318.30
gesse 318.27
Gestalt 323.10 ; 620.9
gestaltisme 620.9
Gestaltpsychologie 323.10
Gestalttheorie 323.10
Gestalt-thérapie 321.12
gestant 711.24
femelle gestante 711.24
gestation 544.3
conception 711.10
embryologie 265.1
gestationnel 265.15
geste
mouvement 7.7 ; 176.4 ; 538.5 ; 729.7 ; 765.8
signal 788.9
comique de gestes 132.1
gesticulation 538.5
gestion **339** ; 577.9
traitement de texte 408.22
gestionnaire 339.17 ; 577.13
gestionnaire de fichiers 408.12
gestique 176.4
gestuaire 176.4
gestualité 176.4
gestuel 176.32 ; 538.29 ; 765.30
gestuelle 176.4
Gétules 371.16
gex
fromage 328.6
geyser
torrent 468.3
fontaine 319.3
ghaïta 422.7
Ghanéen 355.7
ghetto 449.20
ghettoïsation
mise au ban 582.2
extradition 288.11
ghettoïser 288.22
mettre au ban 582.12
Giacobinides 49.12
giaour 440.10
giardiase 482.35
gibberella 103.7
gibbérelline
t. de botanique 79.12
t. d'endocrinologie 340.3
gibbeuse 37.27
lune gibbeuse 474.3
gibbeux 78.17
gibbium 417.3
gibbon 486.14
gibbosité 78.3 ; 242.3
grosseur 351.2
gibbule 527.3
gibecière
sac 151.6
porte-monnaie 529.21
gibelotte 333.12
gibet 801.4
le gibet n'est fait que pour les malheureux 413.8
gibier 873.6
gibier à plume 107
gibier à poil 107
gibier de potence 144.19 ; 169.17
petit gibier 107.13
giboulée
averse 633.4
volée de coups 160.5
giboyer 107.18
giboyeur 107.16
giboyeux 107.29
Gibraltar 529.8
gibus 859.25
gicler
jaillir 783.15
couler 468.10
gifle 160.3 ; 479.6
affront 439.5
injure 412.1
gifler 160.13
G.I.G. 354.18
giga- 509.36
giga 351.11
gigantal 359.10
gigantesque
grand 359.10
gros 351.11
giganthopithèque 486.14
gigantisme 79.16 ; 484.4
giganto- 351.19
gigantocyte 742.3
gigartinacées 22.3
gigogne 519.38
lit gigogne 519.13
poupée gigogne 448.5
gigolette 306.3
gigolo 672.14
gigot 333.7
jambe 502.3
gigotage 538.5
gigotement 538.5
gigoter
aller 538.18
gambader 502.10
danser 176.28
gigue
danse 176.9 ; 422.5 ; 502.3
morceau de boucherie 333.7
gilde
fédération 772.7
groupe 773.8
firme 135.9
gilet 859.7
gilet pare-balles 182.17
giletière 70.3
gilia 318.34
gill 476.9
gille 628.7
gillenia 318.27
gin 75
gin-fizz 75
gindre 588.11
gingembre 318.32
épice 333.27
gingival 188.28
feston gingival 188.5
gingivectomie 114.13
gingivite 482.26
ginkgo 37.20
ginkyoles 79.4
gin-rummy 446.3
ginseng 499.9
Gios 371.11
giottesque 46.15
gir- 733.22
girafe
constellation 49.15
animal 486.6
t. de cinéma 120.13
à la girafe 129.20
giraffidé 486.3
girandole 250.7
girasol 517.4
giration 733.1
giratoire 733.19
giraumont 333.18
giravion 831.2
gire 733.23
girèle 306.3
girelle 638.6
giries 192.4
girl 176.22
girodyne 831.2
girofle 333.27
giroflée 318.26
giroflée à cinq feuilles 160.3
girolle 103.6
giron
ventre 364.2 ; 853.1
foyer 481.29
giron de l'Église 508.15
dans le giron de 514.17
être dans le giron de 430.10
quitter le giron maternel 445.9
girond 364.2
girondin 695.11
girouette
personne versatile 25.7 ; 104.12 ; 221.9 ; 407.9 ; 438.4 ; 733.8 ; 787.10
instrument 852.11
girouetter 104.20
girvanelle 22.4
Giryamas 371.11
gisant
épithaphe 331.17
stèle 749.7
gisement 337.20 ; 518.2
direction 221.1
gîte
habitat 167.7 ; 356.2 ; 481.1 ; 486.18
t. de navigation 158.6
t. de géologie 337.20 ; 516.3 ; 518.2
gîte à la noix 333.7
gîte d'étape 356.5
gîte d'inclusion 518.2
trouver le gîte et le couvert 368.9
gîter
pencher 158.13
loger 356.11 ; 769.10
gîtologie 337.1
givre 127.5
givré
glacé 327.19

fou 321.23
ivre 441.18
givrer 327.13
t. de gastronomie 333.46
givrure 517.11
glabelle
front 814.5
orbite 868.6
crâne 580.5
glabre 624.21
glabréité 624.1
glaçage 550.9
polissage 640.2
glaçant 327.18
glace
eau congelée 327.7
défaut d'une pierre 517.11
vitre 855.8
miroir 519.22
sucre 799.6
glace flottée 855.2
les saints de glace 127.13
à la glace 327.18
de glace 327.18 ; 401.17 ; 714.14 ; 759.9
être de glace 248.7
rester de glace 418.9
glacé
froid 327.18
dur 248.8
papier glacé 388.12
glacer
passer un vernis 727.15
geler 327.15 ; 852.18
t. de peinture 607.27
t. de gastronomie 333.37 ; 799.11
glacer le sang 619.11
glaciaire 337.32
polaire 327.19
terrain glaciaire 337.16
calotte glaciaire 530
vallée glaciaire 530
glacial
froid 327.18
insensible 248.8 ; 409.10 ; 418.15 ; 759.9
glacialement 327.22
glaciation 327.2
glacier 327.6 ; 530.7
chalutier 605.11
glacier continental 530.7
glacière 327.8
glaciériste
ascension 530.13
alpiniste 792.59
glacis 77.5
coup de pinceau 607.10
glaçon
glace 327.7
cœur de pierre 248.4 ; 418.7
glaçure 727.6
gladiateur 123.20
gladiée 37.27
glagla 327.23
glaïeul 318.17
glaire 340.4
glaires 296.6
glaireux 340.15
glaise 813.10
terre glaise 749.13
glaiser 727.15
fertiliser 18.21
glaiseux 18.17
glaisière 518.2
glaive
arme 42.2
symbole 451.24
glaive spirituel 582.7
glamour 69.2
gland
fruit 330.6
sot 784.7
passementerie 165.3
t. d'anatomie 762.3
glande 340
glande galactophore 639.3
glande lacrymale 868.6
glande pinéale 100.10
glande sexuelle 762.17
glandée 486.19
travaux des champs 18.4
glander
paresser 393.9 ; 593.7
glandeur
paresseux 393.7 ; 593.5
glandouiller
paresser 393.9 ; 593.7
glandouilleur 593.5
glandulaire 340.12 ; 821.10
glanduleux 340.12
glane
débris végétaux 18.8 ; 721.3
poisson 638.5
glapir 412.10
cri d'animaux 170.6
t. de chasse 107.26
glapissant 168.20
glapissement
animaux sauvages 170.2
gémissement 168.3
glaréole 570.14
glas 331.4
sonner le glas de 315.15
glatir 170.7
glaucescence 857.1
glaucescent 857.9
glaucité 857.1
glaucium 318.26
glauco- 857.14
glaucomateux 840.19
malvoyant 482.74
glaucome 482.28
maladies des yeux 840.4
glauque 857.9
glaux 318.24
glèbe 311.1
gléchome 318.16
gleichenia 360.9
glène 580.3
glénoïde
cavité glénoïde 580.3
gléosporiose 79.16
gley 337.16
glial 548.25
glibenclamide 499.5
glie
neurone 548.9 ; 821.4
gliome 841.2
glipizide 499.5
glire 486.3
gliridé 486.3
glischroïdie 458.2
glissade 176.16
glissement 119.2
glissando 542.18
glissant
s'engager sur un terrain glissant 175.10 ; 390.8
glissé 153.25
glissement
déplacement 119.2 ; 195.4
frottement 329.1
glissement de sens 535.11
glisser
interrompre 223.11
tomber 119.16 ; 195.11 ; 212.17 ; 397.13
t. de sport 792.88
glisser à l'oreille 595.19
glisser sur 401.11
glisser (se)
entrer 278.11
s'enfoncer 608.7
glissière
fermeture 308.6
élément mécanique 43.10 ; 476.12
glissoir 195.6
glissoire 476.12
global 823.12
globalisant 807.18
globalisation 807.11
globaliser 823.8
globalisme 823.6
globalité 823.1
globe
boule 97.9 ; 250.16 ; 345.2
poisson 638.6
globe céleste 49.16
globe oculaire 868.6
globe-trotter 871.18
globeux 345.11
globicéphale 486.15
globosus 100.7
globulaire
sphérique 85.16 ; 345.11
du sang 742.29
numération globulaire 742.14
holoprotéine globulaire 94.8
globulariacée 318.34
globule
corpuscule sphérique 85.1
médicament 499.14
globules blancs 742
globules rouges 742.2
globuleux 85.16 ; 527.19
globuline
protéine 94.8
plasma 742.6
globulins 742.2
glockenspiel 422.8
gloire 341 ; 366.4
succès 798.4
dignité 507.6
halo 97.5 ; 127.6 ; 473.5 ; 561.8
magnificence 347.4 ; 578.8
gloire de 312.4
gloire de Dieu 818.19
apogée de la gloire 798.4
en gloire 117.21
se faire gloire de 312.6 ; 798.22
marcher à la gloire 341.21
rendre gloire 341.13
se faire gloire 341.22
glomerella 103.7
glomérule 318.4
gloria
prière 106.5 ; 508.7 ; 657.11
gloria
tissu 816.4

gloriette 481.16
haie 443.8
glorieusement 341.31
glorieux 312.5 ; 341.24
fier 312.10 ; 341.27
orgueilleux 312.11
gloire 341.11
corps glorieux 591.2
glorifiable 341.30
glorifiant 341.29 ; 366.29
glorificateur 341.29
glorification 341.6
louange 471.1
glorifié 798.23
glorifier 341.12
honorer 366.13
glorifier (se) 798.22
être la fierté de 312.6
gloriole 312.3
gloriosa 318.17
glose
adjonction 9.4
explication 753.5
interprétation 432.2
étude 225.9
gloser
interpréter 432.13
définir 753.11
glossaire
explication 753.5
langue 455.3
dictionnaire 455.10 ; 469.8 ; 535.16
glossalgie 482.26
glossateur 432.10
glosse 417.17
glossepètre 188.4
glossette 499.14
glossien 541.13
glossine 417.9
glossite 482.17
glossodynie 482.26
glossolalie 321.8
don du Saint-Esprit 818.17
glossomanie 321.8
glossopharyngien
nerf glossopharyngien 548.3
glossotomie 114.14
glotte 455.24
langue 218.6
glottorer 170.7
glouglou
onomatopée 83.23
jet 468.3
oiseaux 170.3
glougloutement 170.3
glouglouter 170.7
gloussement
oiseaux 170.3
gémissement 168.3
glousser
oiseaux 170.7
rire 132.6
glouton
animal 486.6
goulu 342.12 ; 342.3 ; 426.12 ; 703.20
gloutonnement 342.13
gloutonner 342.6
gloutonnerie 342 ; 563.7
intempérance 426.2
gloxinia 318.30
glu 107.5
gluant 415.15
gluau 107.5
glubionate 499.6
glucagon
protide 94.8
hormone 340.3
glucide 94.5 ; 214.5
glucidique 94.33
diététique 214.11
glucido-lipidique 214.11
glucinium 516.5
gluco- 94.35
glucoformateur 94.3
glucoheptonate 499.6
glucokinase 94.24
glucomate 499.6
glucomètre
instrument de mesure 509.26
pèse-moût 187.5
gluconate 94.19
de calcium 499.6
de cuivre 499.6
de magnésium 499.6
glucosamine 94.10
glucose 94.5
glucosidase 94.24
glucoside 499.5
glucosurie 296.10
gluer 727.15
glui 727.9
glume
écorce 727.5
paille 360.3
glumelle
écorce 727.5
paille 360.3
glumellule 360.3
gluon 513.4
glutamine 94.10
glutamique
acide glutamique 94.10
glutathion 94.8
gluten 588.1
glutineux 318.48
glycémie 742.17
glycér- 343.28
glycéraldéhyde 94.5
glycère 499.15
glycéride 94.6
glycérie 360.7
glycérine 94.6
glycériner 727.15
glycéro- 343.28
glycérol 617.6
lipide 94.6
alcool 94.18
glycérophosphate 499.6
glycérophospholipide 94.6
glycérophosphorique
acide glycérophosphorique 94.13
glycine
aminoacide 94.10 ; 113.8
arbuste 38.5
glyco- 94.35
glycocholique
acide glycocholique 94.13
glycocolle 94.10
alcool 113.8
glycogène 94.5
glycophile 599.11
glycoprotéine 94.8
glycosurie 296.10
glycosurique 482.72
glycuro-conjugaison 94.26
glycuronique
acide glycuronique 94.13
glycyphage 417.13
glyphe 517.22
glyphéide 172.3
glyphie 517.22
glypte 417.7
glyptique
tailleur de pierre 517.14
sculpture 749.1
glypto- 517.22 ; 749.23
glyptodon 337.23
glyptothèque 749.17
gmelina 37.20
G.M.P. 94.11
gnaf
maladroit 483.8
cordonnier 110.13
gnafron 364.3
gnangnan ou **gnian-gnian**
lent 458.17
snob 12.4
gnaphose 417.13
gnathobdelle 856.2
gnétales 79.4
gnetum 38.9
gnian-gnian → **gnan-gnan**
gniouf 208.11
gnocchi 333.25
gnole 75.13
gnome 616.5
gnomique
éternel 287.11
ramassé 142.8
gnomon 49.18
cadran solaire 118.3
gnomonia 103.7
gnon 160.4
gnose 818.24
gnoséologie 620.7
gnoséologique 620.32
gnosie
impression 754.3
-logie 747.23
connaissance 620.22
gnosie olfactive 100.16
gnosiologie 620.7
gnosticisme 117.2
gnostique 117.11
gnôthi seauton 620.28
gnou 486.6
gnouf → **gniouf**
go 446.14
Goajiros 371.8
goal 792.49
gobbe 267.6
gobelet
plante 318.33
taille 36.11
récipient 848.5
gobeleterie
verrerie 855.14
orfèvrerie 848.34
gobeletier 848.35
gobe-mouches
niais 64.5
oiseau 570.8
gober
croire naïvement 64.10
avaler 605.26 ; 703.25
goberger (se) 703.31
se repaître 744.4
dévorer 342.6
gobetis 727.6
gobeur 838.11
candide 64.5
gobiathériidé 486.4
gobichonnade 703.3
gobichonner 342.8
gobichonneur 342.4
glouton 703.20

gobie 638.6
gobiésocidé 638.3
gobiidé 638.3
godaille 703.4
festin 342.2
godailler 165.30 ; 342.8
courber 162.8
godailleur 342.4
godan
tomber dans le godan 838.17
godasse 110.1
godelureau
jeune 445.3
amoureux 27.8
galant 12.5
godenot 484.6
goder 165.30
courber 162.8
godet
récipient 607.17 ; 848.5
ondulation 165.4
godetia 318.19
godiche 483.20
godichon 483.20
godille 792.24
godiller 792.88
godillot
chaussure 110.1 ; 110.4
partisan inconditionnel 472.7
godronné 578.18 ; 848.37
godronner 162.8
godron 578.3
goéland 570.15
goémon 22.4
algue 22.1
engrais 18.7
goémonier 22.7
goethite
pierreries 517.4
rouille 307.5
goétie 477.2
goétique 477.2
Gog et Magog 186.4
gogaille 703.4
être en gogaille 342.9
goglu 570.8
gogo 838.11
candide 64.5
gogo
à gogo 1.19 ; 342.13
s'en donner à gogo 629.10
vivre à gogo 342.9
Gogos 371.11
goguenard 532.15
goguenarder 731.7
moquer 532.9
plaisanter 532.13
goguenarderie 532.3
goguenardise 532.3
humour 628.3
gogues 296.16
goguette
en goguette 441.17
chanter goguettes à qqn 710.12
goinfrade 342.2
goinfre
intempérant 426.12
glouton 342.3 ; 703.20
vorace 342.12
goinfrer (se) 703.31
faire des excès 426.8
dévorer 342.6
goinfrerie
intempérance 426.2
gloutonnerie 342.1
goitre 484.5
golden 330.10
golf 792.10
golf miniature 446.22
golfe 474.7
golfeur 792.48
goliath 486.5
golmote 103.6
gomarisme 818.23
gomariste 117.13
gombo
fleur 318.18
fruit 330.16
Gomina
enduit 727.6
coiffure 129.6
gominer 129.15
gommage 604.6
suppression 228.2
gomme
à effacer 252.7 ; 607.15
à mâcher 799.5
gomme élastique 259.2
à la gomme 383.11
mettre la gomme 684.20 ; 864.11
gommer
annuler 31.11 ; 228.9
enduire 727.15
effacer 607.28
gommettes 448.12
gommeux
n.m. 12.5 ; 445.3
adj. 482.67
gommier 37.11
gommose 79.16
gompa 525.23
gomph- 637.16
gomphia 38.9
gomphide 103.6
gomphocère 417.15
gomphus 417.14
gon ou **grade** 509.7
gonade 711.7 ; 762.17
glande 340.2
gonadostimuline 793.8
hormone 340.3
gonadotrophine 499.5
gonal 338.19
-gone 30.15
gonalgique 482.65
gond
axe 733.6
charnière 760.20
sortir de ses gonds 130.7
godadotrope
hormone godadotrope 340.3
gonder 760.28
gondolage 162.7
gondolant 132.11
gondole 490.13
en gondole 519.13 ; 519.39
gondolé 162.12
gondolement 162.7
gondoler
courber 162.8
bosseler 78.11
se gondoler 78.13 ; 132.7
gondolier 830.22
Gonds 371.13
-gone 30.15 ; 338.19
gone 270.4
gonelle 638.6
gonfalonier 822.6
gonflable 298.14
gonflant 298.16 ; 624.22 ; 816.34
gonfle 78.2
gonflé
enflé 78.16 ; 298.13 ; 351.15 ; 604.15
plein 335.24 ; 703.40
hardi 390.9
gonflé à bloc 277.6 ; 864.15
gonflement
grosseur 78.9 ; 351.3 ; 841.6
expansion 20.6 ; 298.3 ; 531.1
gonfler
v.t.
dilater 298.11 ; 351.7
emplir d'air 20.14
exagérer 804.4
énerver 549.13
v.i. 56.7 ; 78.11 ; 298.12 ; 531.14
gonfler (se) 312.8
gonflette 792.9
gong 542.5 ; 765.15
bronze 82.4
instruments à percussion 422.8
gongorisme
affectation 12.1
grandiloquence 347.1
gongoriste 347.15
goni(o)- 30.14
goniatites 527.1
gonio- 30.14
goniocote 417.16
goniomètre
instrument de mesure 509.26
tir 820.10
magnétisme 221.8
goniométrie 30.5 ; 509.25
goniométrique 574.23
gonite 30.15
gonochorie 711.3
gonochorisme 711.3
gonolobus 38.7
gonomancie 235.2
gonorrhée 482.18
gonosome 361.3
gonyaulax 512.5
gonze 364.3
gonzesse 306.5
goodenia 318.36
gopura 465.7
goral 486.6
gord 605.10
gordiacé 856.2
gordien
nœud gordien 140.2 ; 217.2
gordon 486.9
goret 486.12
sale comme un goret 740.14
gorge
gosier 580.8 ; 814.5
poitrine 639.2
goulet 289.2 ; 585.4
vallée étroite 167.3 ; 530.9
cannelure 39.21 ; 167.8 ; 505.6
partie d'une fleur 318.4
pièce d'une serrure 760.7
couper la gorge à 534.28
gorge de raccordement 289.2
à gorge déployée 427.34

à pleine gorge 106.32
voix de gorge 106.16 ; 781.7
faire des gorges chaudes de 532.10 ; 731.7
gorgé 744.9
gorgebleue 570.8
gorge-de-pigeon
cerise 330.12
polychrome 643.11
gorgée
bouchée 678.5
charge 152.3
goutte 75.15
à petites gorgées 458.25
gorgeon 75.15
gorgeonner (se) 441.12
gorger
assouvir 744.3
nourrir 563.12
paître 262.27
alimenter 703.38
gorger d'eau 372.13
gorger (se)
se repaître 744.4
dévorer 342.6
gorgeret 417.17
gorget
rabot 584.16
ciseau 505.16
gorgone
cnidaires 527.12
peste 497.6
gorgonzola 328.6
gorille
singe 486.14
garde du corps 641.12 ; 671.12
gortyne 417.11
gosier 814.5
grand gosier 342.3
avoir le gosier pavé 75.29
gospel, gospel song
hymne 508.8
blues 105.5
gosse 270.4
beau gosse 69.4
sale gosse 270.4
gosselin 364.2
gosseline 306.3
gossyparie 417.5
gotha 800.5
gothique
style 39.28 ; 46.15 ; 46.6 ; 519.27
écriture 252.4 ; 459.8
gothique international 46.6
Goths 371.16
gotique 455.14
gouache
peinture 607.3 ; 607.5
gouaché 607.31
gouacher 607.26
gouaille 532.3
gouailler 731.7
gouaillerie 532.3
gouailleur 264.5
goualante 105.7
goualeur 105.8
gouape 441.7
gouda 328.6
goudron 369.3
goudronner 834.44
goudronneux 834.36
gouet 318.32
gouffre
abîme 167.3 ; 319.3 ; 530.9
différence 216.2 ; 232.4
glouton 342.3
gouge
ciseau 505.16 ; 584.4 ; 749.14
gouger 505.22
gougette
ciseau 505.16 ; 584.4
gouine 763.18
goujat 415.6
malpoli 226.4
goujaterie
désinvolture 415.3
discourtoisie 226.1
goujon
poisson 638.5
proxénète 672.4
cheville 476.12 ; 505.9
avaler le goujon 838.17
ferrer le goujon 284.8
goujonnage 505.12
goujonner 505.26
goujonnière 605.14
perche goujonnière 638.5
goujure 167.8
coulisse 505.10
goulache 333.12
goulag 208.9
goule 186.5
goulée 75.15
goulet 289.2 ; 585.4
écueil 567.4
obstruction 567.8
goulet d'étranglement 289.2
goulette 834.8
gouleyant 75.35
goulot
étranglement 289.2
col d'une bouteille 848.13
gosier 814.5
goulot d'étranglement 567.8
au goulot 75.37
goulotte 834.8
goulu
glouton 342.12 ; 342.3
goulues 760.19
goulûment 342.13
goundi 486.5
goupille 118.7 ; 476.12
t. de serrurerie 760.19
goupiller
concevoir 664.13
préparer 649.10
goupillon
objet du culte 508.12
écouvillon 550.15
goupillonner 550.32
goura 570.11
Gouragués 371.11
gourami 638.5
gourbi 481.2
porcherie 740.6
gourd
gelé 327.21
raide 732.13
gourde
n.f.
personne sotte 483.8 ; 784.7
monnaie 529.8
bidon 75.17 ; 848.11
adj. 483.20
gourdin 43.4
gouren 792.15
gourer (se) 283.14
gourgandine 763.23
gourmand
n.
personne 342.3 ; 599.9
n.m.
rameau 37.8
adj.
friand 333.36 ; 342.12 ; 426.12 ; 703.20
gastronomique 333.47
avide 191.29 ; 199.13
gourmande 710.2
gourmander 710.10
gourmandeur 710.20
gourmandise
gloutonnerie 342.1 ; 563.7
péché 818.15
les sept péchés capitaux 606.2
intempérance 426.2
Gourmantchés 371.11
gourme 482.48
tenue 759.2
gourmé
pédant 759.10
cérémonieux 98.27
affecté 347.13
gourmer (se)
faire des embarras 12.10
se battre 160.21
gourmet 343.27
goûteur 343.12
gastronome 333.36 ; 703.20
amateur 599.9
gourmette 70.3
gournay 328.6
Gouros 371.11
gourou ou **guru** 362.12 ; 699.17
guide 148.7
Gourounsis 371.11
gousse
fruit 727.5
ornement 39.21
homosexuelle 763.18
gousset 505.8
avoir le gousset vide 603.12
goût 343
arôme 594.1
attirance 26.1 ; 53.1 ; 116.4 ; 199.3 ; 357.5 ; 600.5
raffinement 177.1 ; 233.1
goût du jour 147.10 ; 520.1 ; 652.11
des goûts et des couleurs... 159.23
bon goût 233.1
mauvais goût 399.1
de bon goût 177.7 ; 533.15
de mauvais goût 415.14
avoir du goût pour 27.16 ; 199.10
avoir des goûts de luxe 661.10
goûtable 343.21
goûter
v.
essayer 343.13
déguster 75.25
apprécier 599.14
avoir goût de 343.17
goûter à 343.15 ; 703.28
goûter de 343.15 ; 812.8
goûter
n.m.
repas 703.1 ; 772.10 ; 776.3

goûteur 343.12
goûteux 343.21
goutte
de liquide 75.13 ; 75.15 ; 468.3
petite quantité 602.3 ; 616.4 ; 678.5
ornement 39.21 ; 578.3
goutte de pluie 633.6
goutte à goutte 458.25 ; 468.18 ; 602.12
goutte d'eau dans la mer 419.2
dernière goutte d'huile 534.2
se ressembler comme deux gouttes d'eau 719.9
ne... goutte 404.11 ; 546.20
n'y voir goutte 566.9 ; 840.14
pl.
médicament 499.15
gouttes auriculaires 499.15
gouttes d'or 575.8
goutte
maladie 482.11 ; 580.26
goutte-d'eau 505.10
gouttelette
peu 602.3
jet 468.3
goutte de pluie 633.6
goutter 468.10
goutteux 863.15
gouttière
chéneau 632.7 ; 633.9
appareil de maintien 114.23 ; 775.19
évidement 43.10
tranche 469.12
t. d'anatomie 165.5
t. de couture 580.13 ; 580.14 ; 580.6
gouttière dorsale 762.3
gouttière métrale 265.7
gouttière neurale 548.13
gouttière œsophagienne 218.10
gouttière urétrale 762.3
gouvernable 564.13
gouvernail 221.10
gouvernance 451.4
gouvernante
nourrice 270.9
éducateur 253.6
gouverne
direction 221.15
règle 650.2
volet directionnel 831.4
gouverné 787.8
gouvernement 577.9 ; 708.8 ; 807.7
conseil 148.6
les pouvoirs publics 59.7
domination 240.1
direction 133.1
gestion 339.1
gouvernement collégial 694.3
gouvernement de soi-même 240.2
système de gouvernement 694.1
gouvernemental 708.21
gouverner 240.10
administrer 577.20 ; 642.20
conduire 221.19
conseiller 148.11
commander 59.16
gérer 339.21
gouverner avec un sceptre 133.19
gouverneur 694.20 ; 822.5
commandant 133.7
banquier 66.31
gouvernorat 822.23
goyave 330.16
goyavier 38.7
GPRS 809.1
G.P.S. 207.6
grabat 519.13
grabataire 482.60
grabatisation 482.8
grabuge
tapage 83.10
jeu 446.3
grâce
bienfait 241.6
remise de peine 144.16 ; 461.1 ; 592.1
miséricorde 431.3 ; 625.2
délai 724.2
don surnaturel 818.17
charme 69.2 ; 69.5 ; 184.2 ; 264.1 ; 302.4 ; 457.1
action de grâce 348.2
bonne grâce 163.1
de bonne grâce 336.13 ; 629.22
de mauvaise grâce 62.13 ; 697.12
grâce à 19.32
à la grâce de Dieu 305.14 ; 358.7
de grâce 431.3 ; 625.17
en grâce 341.26
coup de grâce 315.6 ; 801.2
lettre de grâce 157.4 ; 592.7
mille grâces 348.4
demander grâce 452.6 ; 697.7
faire grâce 592.10 ; 625.9
faire grâce à qqn de qqch 461.15
mettre de la mauvaise grâce 714.10 ; 715.13
grâces 657.10
être dans les bonnes grâces de 26.8
faire des grâces 12.10
rendre grâce(s) 348.4 ; 471.15
rendre grâce(s) à Dieu 320.12 ; 657.19
Sa Grâce ou *S. Gr.* 822.13
Grâce
les trois Grâces 236.32
graciable 592.15
gracier
prendre en pitié 625.9
pardonner 592.10
libérer 461.12
gracieusement
avec grâce 163.13 ; 184.12
gratuitement 241.28 ; 349.7
gracieuseté
courtoisie 163.1
don 241.1
gracieusetés 163.2
gracieux
n.m.
amuseur 628.7
adj.
joli 69.17
avenant 163.10 ; 368.10
délicat 184.10 ; 264.10
à titre gracieux 241.28 ; 349.7
gracilaire 417.11
gracile 303.18
gracilie 417.3
gracilité 303.1
gracioso
n.m.
amuseur 628.7
adv. 542.26
gradation 344
rang 683.1
évolution 293.1
figures de pensée 313.5
grade
rang 41.20 ; 126.3 ; 366.4 ; 683.1 ; 683.3 ; 822.2
mesure 30.15 ; 30.6 ; 509.7
grade d'évolution 873.11
monter en grade 266.27 ; 683.17
en prendre, en avoir pour son grade 710.19
gradé 41.14
supérieur 800.10
grader
niveleuse 834.27
gradilles 39.21
gradin 123.3
échelon 683.6
salle 748.7
escalier 481.29
bibliothèque 519.10
en gradins 683.18
gradine 749.14
gradualité 344.1
graduation 683.9
numérotation 576.7
hiérarchisation 126.9
gradation 344.1
subdivision 237.2
gradué 126.19
graduel
n.m. 106.5 ; 508.13 ; 508.8
adj. 293.13 ; 344.10 ; 458.22
graduellement 344.13
peu à peu 458.25 ; 602.14
graduer 126.16 ; 344.9
classer 576.13
hiérarchiser 683.12
fragmenter 237.6
gradus 535.16
graffiteur 252.11
graffiti ou **graff** 252.5
grageline 318.10
graille 703.6
grailler 170.7
graillon 703.6
grain 345
mesure 509.8 ; 636.12
petite quantité 602.2
graine 18.6 ; 330.2
granulation 621.12
grain de beauté 84.5 ; 345.5 ; 482.16
grain de folie 345.5
grain d'orge 840.5
grain de poudre 816.4
grain de poussière 602.2
grain de remède 575.9
grain de sable 345.5 ; 567.7 ; 602.2
grains de riz 777.7
avoir un grain 321.20
mettre, placer son grain de sel 156.13 ; 345.10 ; 596.21

séparer le bon grain de l'ivraie 216.9 ; 756.20
veiller au grain 52.7 ; 674.6
grain
bourrasque 633.4 ; 852.2
grain-d'orge
moulure 505.6
lime 505.16
graine
fruit 18.6 ; 262.19 ; 318.5 ; 330.2 ; 345.2
commencement 134.2
graine de 332.5
graine de Pologne 417.5
graine de puce 330.7
mauvaise graine 270.4
casser la graine 703.27
planter la petite graine 711.20
grainé 172.7
grainer
pulvériser 676.16
fructifier 330.22
graineterie 330.19
grainetier 330.20
graisin 855.6
graissage 369.8
essence 57.17
huile de graissage 369.2
graisse
corps gras 214.5 ; 369.1
épaisseur de trait 459.3
graissé 369.17
graisser 129.15 ; 727.15
huiler 369.13
graisser la patte ou *le marteau* 241.19
graisset 68.3
graisseux 740.11
graissin 605.15
graminales 79.4
grammaire 346 ; 795.8
linguistique 455.7
langue 455.10
grammaire comparée 138.2
grammairien 346.16
linguiste 455.12
grammatical 346.19
linguistique 455.18
lexicologique 535.31
lexical 535.25
catégories grammaticales 346.4
grammaticalement 346.24 ; 535.33
linguistiquement 455.22
grammaticalisation 535.9
grammaticalisé 346.20
grammaticaliser 346.18
lexicaliser 535.21
grammaticalité 346.14
conformité 559.5
grammatologie 620.8
-gramme 252.22 ; 535.35
gramme 509.8 ; 636.12
gramme-force 636.12
grammème 346.4
gramme-poids 636.12
Gramophone 273.5
grana 328.6
grand
n. 800.7
n.m. 384.5
les grands, les grands de ce monde, les grands de la Terre 59.9 ; 552.15 ; 800.6
l'infiniment grand 406.1
adj.
vaste 219.10 ; 456.6
de haute taille 359.10
supérieur 427.18 ; 800.20
considérable 384.12
éminent 341.24
les grands esprits se rencontrent 719.11 ; 768.7
grand-angle 621.4
grand-angulaire 30.10
grand-chose
pas grand-chose 602.4
ne valoir pas grand-chose 500.8
grand-croix 822.11
médaille 822.12
grand-duc
titre nobiliaire 822.4 ; 822.5
grand duc
oiseau 570.12
grand-ducal 552.29
grand-duché 552.10
grande-duchesse 822.4
grandelet 359.10
grandement 427.29 ; 552.32
abondamment 1.17
grand'erre 684.45
grandesse 552.1
grandet 359.10
grandeur
dimension 219.1 ; 351.1 ; 359.1 ; 384.2 ; 427.1 ; 509.4
quantité 493.2 ; 555.1 ; 678.1
durée 247.1
élévation 69.6 ; 336.1 ; 507.1 ; 552.3
majesté 98.3 ; 233.2 ; 347.4 ; 366.1 ; 581.1 ; 759.1
grandeur d'âme 552.3
grandeur nature 749.5
de première grandeur 384.13
grandi 359.10
grandiloque 347.11
grandiloquence 347
éloquence 595.8
grandiloquent 347.11
pédant 347.15
grandiose 69.15
grandir
v.t. 359.6 ; 552.21
v.i. 298.12 ; 344.8 ; 531.14
grandissement
accroissement 344.3
extension 298.3
grand-livre 387.3
grand-maman 506.6
grand-mère
vieillard 863.5
aïeule 506.6
ascendant 314.5
grand-messe 508.1
grand-oncle 314.5
grand-orgue 422.13
grand-papa 609.7
de grand-papa 206.9
grand-père
vieillard 863.5
ancêtre 609.7
ascendant 314.5
grand-prix 792.38
grand-race 371.3
grands-parents 314.5
grand-tante 314.5
grange 18.9
grangée
bouchée 678.5
charge 152.3
récolte 18.8
granger 18.16
grani- 345.14
graniforme 345.11
granite 345.3 ; 517.2
granité 345.3
granuleux 345.11
filé 816.33
granitique 517.20
granivore 330.25
Grannus 236.33
Granth Sahib 815.11
granulage 345.8
pulvérisation 676.7
granulaire
granuleux 345.11
fruitier 330.23
granulat 345.6
béton 834.36
granulation 345.8 ; 482.44
bouton 78.5
pulvérisation 676.7
granulations arachnoïdiennes 100.18
granulations trachomateuses 840.4
granule
grain 330.2 ; 345.2
activité solaire 777.7
granule homéopathique 499.14
granule médicamenteux 499.14
granulé
grain 345.2
cachet 499.14
granuler 345.9
pulvériser 676.16
granuleux 345.11
sanguin 742.29
granuli- 345.14
granulie 482.31
granulite 345.3
granulo- 345.14
granulocytaire 742.29
granulome
granulome dentaire 482.26
granulométrie 509.25
granulopoïèse 742.10
granulosa 711.7
grany-smith 330.10
grape-fruit 330.9
graph- 252.22 ; 459.25
graphe 196.14 ; 509.37
ensemble 493.4
graphème 459.2
grapheur 408.12
graphi- 252.22 ; 459.25
-graphie 196.14 ; 252.22 ; 459.25 ; 607.32
graphie
orthographe 535.8
écriture 252.2 ; 252.8
graphiose 79.16
-graphique 459.25 ; 607.32
graphique
n.m. 162.6 ; 338.11 ; 493.7 ; 709.3
adj. 252.18
variante graphique 252.3 ; 535.5

de gré ou de force 564.16 ; 565.21 ; 568.10
de mauvais gré 697.12
de plein gré 870.14
au gré de 745.17 ; 870.17
au gré des circonstances 122.14 ; 358.15
contre le gré de 572.22
de gré à gré 6.17 ; 141.23
agir au gré de 564.10
être au gré de 745.10
prendre en gré 149.7
savoir gré 348.4
savoir mauvais gré de qqch à qqn 710.15
trouver à son gré 149.7
gréage 317.11
grec
n.m.
langue 455.14
grec byzantin 508.14 ; 736.12
adj. 316.19
à la grecque 129.20
Antiquité grecque 363.3
croix grecque 171.3
Grec 355.5
grecque 578.3
scie à main 584.10
grecquer 388.20
gredin 200.4
gréement 830.10
greenheart 37.19
greffe
n.m.
greffe du tribunal 835.19
n.f.
chirurgicale 114.16
végétale 36.4
greffer 36.21 ; 114.33
adjoindre 9.12
enfoncer 608.11
greffer (se) 9.16
greffier
administrateur judiciaire 451.21
écrivain 252.11
greffoir 584.8
greffon
rameau 37.8
cicatrice 114.22
grégaire 379.11 ; 873.23
instinct grégaire 352.12 ; 772.2
grégarisation 352.3 ; 356.8
socialisation 772.5
grégarisme 352.12 ; 356.8
commensalisme 873.7
sociabilité 772.2
grégarité 772.2
grégeois
feu grégeois 42.6 ; 311.5
grégorien
calendrier grégorien 88.1
chant grégorien 106.4
grègues 859.11
grêle
n.f.
précipitation 127.5 ; 327.7 ; 345.3 ; 633.4 ; 633.6
grêle
adj.
mince 303.18
grêlé 482.67
grêler 633.12
grêlon 345.3
glace 327.7
goutte de pluie 633.6
grelot
clochette 422.10
symbole de la folie 321.16
téléphone 809.2
avoir les grelots 619.14
grelottement 327.5
grelotter 327.16
grelu 364.2
greluche 306.3
grémil 318.6
grémille 638.5
grenade
fruit 330.16
arme 43.15
grenadier
soldat 41.12
personne de haute taille 359.3
arbre 37.17
poisson 333.13
grenadille 74.11
grenadine 75.8
grenage 345.8
pulvérisation 676.7
grenaille 345.3
grain 345.2
ferraille 510.11
grenailler 345.9
grenaison 330.18
grenat
pierre 516.5 ; 517.4
couleur 159.28 ; 735.12
grené 345.11
greneler 345.9
grener
v.t.
réduire en grains 345.9 ; 676.16
v.i.
produire de la graine 330.22
grènetis 345.7
pièce de monnaie 529.6
grèneture 345.7
pièce de monnaie 529.6
grenier 204.5 ; 481.15
grange 18.9
grenier à blé 18.9 ; 627.4
grenouillage 485.4
grenouille
animal 68.3
engin 834.27
grenouille de bénitier 320.10
les grenouilles qui demandent un roi 435.7
manger la grenouille 869.22
grenouiller 485.9
grenouillère
marécage 68.6 ; 319.2 ; 372.4
grenouillère
vêtement 859.16
grenouillette
fleur 318.25
grosseur 841.5
grenu 345.11
grenure 345.1
grès 345.3
abrasif 640.4
roches 337.17
granite 517.2
grésage 640.2
gréser 640.7
grèserie 311.15
gréseuse 640.5
gréseux 517.20
grésil
grêle 127.5 ; 327.7 ; 345.3
verre 855.6
grésillement 681.8
insectes 170.4
bruits légers 83.6
grésiller
dessécher 750.14
crépiter 311.24
animaux sauvages 170.6
pétarader 83.15
grésillon 518.5
grésillonner 170.6
grésoir 584.15
gressin 588.3
grève
plage 77.6 ; 319.8
arrêt de travail 389.4 ; 393.3 ; 480.10 ; 642.8
grève du zèle 642.8
droit de grève 245.22
faire grève 480.14
Grève ou **place de Grève** 801.12
grevé
héritier grevé 722.5
grever 317.33
grever d'hypothèques 209.21
grevillea 38.6
gréviste 642.14
grewia 360.8
grèze 337.16
grhastha 362.11
gribouillage
gribouillis 411.4
écriture 252.4
gribouiller 411.11
écrire 252.13
barbouiller 607.26
gribouillette
jeter son cœur à la gribouillette 358.14
gribouilleur 607.19
gribouillis 411.4
écriture 252.4
grief 175.14
plainte 710.3
accusation 451.7
tenir grief de qqch à qqn 710.15
grièvement
considérablement 384.15
dangereusement 175.20
grièveté 384.1
griffe
n.m.
fantassin 41.12
griffe
n.f.
pointe 637.4
appendice végétal 318.3
ongle 486.20 ; 570.22
manière 5.8 ; 479.3 ; 677.6
signature 554.6 ; 765.11
marque commerciale 490.5
morceau du bœuf 333.7
apposer sa griffe 554.24
marquer de sa griffe 407.10
coup de griffe 227.6
griffer 72.14
griffon 486.9
griffonnage 411.4
griffonner
gribouiller 411.11
écrire 252.13
griffonneur
griffonneur de babillard 654.17

griffure
biffure 466.5
égratignure 72.2
grifton 41.12
grigne 588.5
grignon
n.
élève agronome 274.15
grignon
n.m.
quignon 588.4
grignotage 703.12
grignoter
manger 188.23 ; 703.25 ; 703.33
empiéter 344.7
découper 505.22
grignoteuse 505.15
grigou 61.3
grigouterie 61.1
gri-gri 477.10
grih ksatriya 362.13
grihya-sutra 815.8
gril
à cuire 848.28
claire-voie 748.8
au gril 333.53
gril de saint Laurent 374.5
être sur le gril 382.8
grillade 333.10
grillage
brûlage 131.5 ; 311.2 ; 510.5 ; 631.7 ; 816.11
grillage
grille 67.3 ; 567.3
grillagé 67.18
grillager 67.15
grille 481.27
démarcation 756.2
clos 67.3
barricade 567.3
code 751.9
fer forgé 760.3
brûleur 109.16
grille des salaires 266.9
point de grille 165.8
mettre sous les grilles 208.20
grillé
grillagé 67.18
grillé
cuit 333.50
griller
grillager 67.15
griller
chauffer 102.18 ; 311.21 ; 333.40 ; 750.14 ; 777.16
griller de 199.9
griller (se) 311.26
grill-express 832.14
grillon 417.15
grimaçant 453.10
grimace
douleur 243.6
hypocrisie 373.7
manières 12.3
faire la grimace, des grimaces 98.23 ; 192.10
soupe à la grimace 409.2
grimacer 453.7
affecter 373.14
faire des embarras 12.10
grimacer de douleur 243.11
grimacier
hypocrite 373.16 ; 373.9
snob 12.4
cérémonieux 98.27
grimoire 477.15
gribouillis 411.4
livre 469.1
grimpant
n.m.
pantalon 859.11
adj. 531.19
grimpée
escalade 531.2
montagne 531.7
ascension 530.13
grimper 531.13
escalader 792.82
grimper à l'arbre 130.7
grimpereau 570.8
grimpette 531.7
grimpeur
n.
alpiniste 530.13 ; 792.59
cycliste 792.61
n.m.
oiseau 570.4
adj. 531.19 ; 873.21
perche grimpeuse 638.5
grinçant 794.5
grincement
froissement 329.7
bruits légers 83.6
stridence 794.1
grincement de dents 192.4
grincer 74.24 ; 329.29
pétarader 83.15
grincer des dents 130.8 ; 188.25 ; 243.11
grinche
n.m. 869.2
adj. 27.26
grincheux
mécontent 192.15
insatisfait 416.7
grinchir 869.19
grinde 486.15 ; 638.6
gringalet 616.5
faible 303.6
gringottement 170.3
gringotter 170.7
griotte 330.12
griottier 37.13
grippage 329.6
grippal 482.69
virus grippal 512.3
grippe 482.20
prendre en grippe 62.5 ; 410.9
grippé
enrayé 329.34
malade 482.62
gripper
frotter 329.28
arrêter 44.11
grippe-sou 61.3
gris 350
n.m. 159.2 ; 331.21
adj.
de couleur grise 40.8 ; 624.23 ; 631.14
nuageux, pluvieux 127.20 ; 633.17
ivre 441.18
gris de Lille 328.6
grisage 350.4
grisaille
uniformité 350.3 ; 836.5 ; 843.4
papillon 417.11
camaïeu 159.13 ; 350.2 ; 607.2
étofffe 816.4
peindre en grisaille 350.5
grisailler 350.5
grisailleur 350.2
grisant 447.16
grisard 37.15
grisâtre
gris 350.8
banal 836.16
grisbi 529.5
grisé
gris 350.2
exalté 600.14
griséofulvine 499.5
griser
teinter 350.5
enivrer 441.12
exalter 276.7 ; 549.16 ; 793.10
griser (se) 441.12
griserie
ivresse 441.3
exaltation 276.1 ; 447.7 ; 600.3
griset 638.6 ; 638.7
grisette
maladie des plantes 79.16
champignon 103.6
oiseau 570.8
étoffe 350.1 ; 816.3
jeune femme 672.10
grisoller 170.7
grison
n.m.
animal 486.7
homme mûr 863.5
adj.
grisonnant 350.9
vieux grison 863.5
grisonnant 350.9
blanc 624.23
grisonnement 350.4
grisonner 350.6
vieillir 863.10
grisailler 350.5
grisou 335.4
gaz naturel 131.8
combustibles liquides 269.6
coup de grisou 131.3
grisoumètre 509.26
grive 570.8
grive musicienne 570.8
faute de grives on mange des merles 2.12 ; 703.35
grivelé 159.28
polychrome 643.11
griveler 284.11
grivèlerie 284.4
griveleur 284.7
grivelure 643.2
grivet 486.14
grivois 399.9
grivoiserie
impudeur 399.2
gros mot 399.4
humour 628.3
plaisanterie 628.4
grœnendael 486.9
groenlandais
climat groenlandais 127.1
grog
infusion 499.16
cocktails 75.14
verre à grog 848.5
grognard 354.16
grognasse
commère 306.5
putain 672.8
grogne
plainte 192.4

insatisfaction 416.1
conflit social 146.4
grognement
animaux domestiques 170.1
animaux sauvages 170.2
gémissement 168.3
grogner
animaux domestiques 170.5
animaux sauvages 170.6
se plaindre 192.11
se fâcher 416.6
grogneur 420.10
grognon
plaintif 836.11
râleur 192.6
insatisfait 416.7
maussade 420.10
grognonner 170.5
groie 337.16
groin
museau 486.21
visage 814.3
groisil 855.6
grolle 110.1
grommeler
cri d'animaux 170.6
se plaindre 192.11
bafouiller 411.10
grommellement
animaux sauvages 170.2
bafouillage 411.3
grondable 710.23
gronde 710.2
grondement 83.5
gronder
v.t. 533.12 ; 710.10
v.i. 83.15 ; 633.15
gronderie 710.2
engueulade 168.6
grondin 638.6
gros
n.m.
personne 351.6
commerce 135.10 ; 529.13
adj. 351.11 ; 351.16 ; 636.21
adv. 351.17
gros de 187.11
gros de conséquences 297 ; 384.11
gros qui tache 75.12
en avoir gros sur la patate 720.6
en avoir gros sur le cœur 836.8
en gros 351.18
gros-bec 570.8
groschen 529.10
gros-cul 833.7
groseille
fruit 330.13
couleur 159.11 ; 735.12
groseille à maquereaux 330.13
groseillier 38.4
gros-grain 345.3
brocart 816.4
Gros-Jean
être Gros-Jean comme devant 249.15
gros-porteur 831.3
grosse
n.f.
personne 351.6
douze douzaines 244.1
copie 388.9 ; 451.10
adj.
gravide 711.24
grosse des œuvres de qqn 711.21
grossement 351.18
grosserie 848.34
grossesse
corpulence 351.5
conception 711.10
embryologie 265.1
gestation 544.3
ceinture de grossesse 775.19
grosseur 351
volume 219.1 ; 456.1 ; 636.4
tuméfaction 841.1
grossi 351.16
augmenté 56.16
grossier
médiocre 500.11
insensible 418.18
maladroit 483.22
vulgaire 226.9 ; 399.8 ; 412.13
fruste 767.8
commun 734.8
discourtois 412.15 ; 439.15 ; 485.14
matériel 475.11
grossièrement 399.11
discourtoisement 226.11
injurieusement 412.17
grossièreté
excès de langage 226.3 ; 294.4 ; 399.4 ; 439.4
vulgarité 226.1 ; 399.1 ; 412.3 ; 412.5 ; 418.4
grossir
v.t.
augmenter 56.7 ; 351.7
surestimer 9.14 ; 804.4
v.i.
augmenter 187.9 ; 298.12 ; 344.8
grandir 531.14
prendre du poids 351.9 ; 636.16
devenir venteux, houleux 319.24
grossissant 56.14
déformant 574.22
grossissement 351.3 ; 351.4
accroissement 344.3
augmentation 56.1
adjonction 9.1
extension 298.3
grossiste
commerçant 135.16
fournisseur 490.15
grosso modo 351.18
Gros-Ventres 371.7
groszy 529.10
grotesque
n.m.
paysage 374.8
bouffon 731.4
adj.
comique 132.11
ridicule 628.13 ; 731.8
grotesquement
ridiculement 731.9
plaisamment 628.15
grotte 443.9
caverne 167.7
grouillement
pullulement 540.4
agitation 538.3
déséquilibre 17.3
grouiller 17.11
foisonner 540.9
abonder 1.8
butiner 417.30
grouiller (se) 684.22
grouillot 81.25
grouiner 170.5
groupage 352.11
tri 126.10
groupage sanguin 742.14
groupal 352.22
groupe
catégorie 126.4 ; 126.5 ; 873.10
rassemblement 137.5 ; 352.4 ; 540.2 ; 725.2 ; 773.8
système 795.7
sculpture 749.6
ensemble de firmes 135.9
groupes de langues 455.14
groupe humain 364.3 ; 371.3
groupe local 49.13
groupe nominal, groupe verbal 346.9
groupe parlementaire 708.6
groupe sanguin, groupe tissulaire 742.15
groupes francs 354.17
de groupe 352.22
en groupe 352.24
facteur de groupe 742.7
groupé 725.17
collectif 352.20
groupement 352 ; 725.2
groupe 773.8
firme 135.9
groupement humain 371.4
groupements prosthétiques 94.8
grouper 352.15 ; 758.15
classer 126.15 ; 576.13
joindre 725.11
grouper (se)
s'attrouper 725.14
s'unir 596.29
s'associer 772.11
groupeur 352.13
groupie
admirateur 268.8
passionné 600.7
groupuscule 137.7
groupement 725.2
groupe 773.8
grouse 570.9
gruau 345.2
pain de gruau 588.1
grue
engin de levage 120.13 ; 489.9 ; 531.9
oiseau 570.14
personne sotte 784.7
prostituée 672.8
Grue (la)
constellation 49.15
gruerie 451.4
grugé 284.14
gruger
avaler 563.13 ; 703.25
tromper 284.10
sculpter 749.18
gruiformes 570.4
grume
écorce 727.5
tronc 37.5
grumeau
grain 345.2

caillot 778.8
grumelé 345.11
grumeler 345.9
grumeler (se) 778.11
grumeleux 604.15
granuleux 345.11
grumier
fourgon 833.7
cargo 830.5
grumme 74.6
grundtvigianisme 818.23
grunge
n.m. 543.7
adj. 859.46
gruppetto 543.26
gruter 531.15
grutier 834.37
gruyère 328.6
fromage affiné 328.2
gryphée 527.2
grællsia 417.11
GSM 809.1
G.T. 833.4
guanaco 486.6 ; 486.7
guanine 94.15
guano 296.3
guanobie 251.16
guanosine 94.16
guanylique
acide guanylique 94.11
guarani
langue 455.14
monnaie 529.8
Guatémaltèque 355.10
Guayakis 371.8
guayule 38.7
guède
indigo 73.3
isatis 318.26
guédoufle 848.22
guéguerre 354.4
guelte 739.8
Guemarah 449.5
guenilles 859.2
en guenilles 603.23
guenilleux 603.23
guenillon 740.8
guenipe 740.8
guenon
singe femelle 486.14
femme laide 453.4
guépard 486.7
guêpe
insecte 267.7 ; 417.7
femme 306.4
guêpier
nid 167.7 ; 417.24
oiseau 570.14
situation dangereuse 175.5
guêpière 859.13
guère
peu 602.10
parfois 686.12
guère de 602.11
ne... guère 546.20
guéret 18.11
guéri 353.18
être guéri 461.19
être guéri du mal de dent, de tous les maux 534.26
guéridon
table 519.7
console 519.8
guérilla 354.2
guérillero 354.16
guérir
v.t. 353.17 ; 775.27 ; 786.4
v.i. 353.12
guérison 353
être en voie de guérison 353.13
guérissant 353.19
guérisseur 353.19
thérapeute 775.22
sorcier 477.18
guérite
abri 182.13 ; 481.10
siège 519.18
guerre 354 ; 487.15
conflit 194.3
combat 146.7
guerre civile 642.11 ; 728.1
guerre électronique 207.9
guerre froide 589.6 ; 642.9
guerre intestine 728.1
guerre révolutionnaire 728.1
guerre sainte 320.5
la guerre de Cent Ans 95.2
de guerre lasse 272.17 ; 354.34
si tu veux la paix, prépare la guerre 589.6
petite guerre 354.4 ; 487.15
guerrier
n.m. 354.16
adj. 354.27 ; 354.28
guerroyant 354.28
guerroyer 354.24
guerroyer avec 354.22
guerroyeur
militaire 354.16
belliqueux 354.28
Guerzés 371.11
guesdisme 808.5
guesdiste 808.34
guet
veille 51.2
écoute 207.2
sentinelle 671.14
faire le guet 52.7 ; 487.27 ; 671.23
oiseau de bon guet 570.6
guet-apens
mauvais pas 217.9
tromperie 828.6
piraterie 169.10
guétol
nicotinate de guétol 499.6
guêtre 110.9
t. de danse 176.19
laisser ses guêtres 534.22
guette 182.14
guetter 51.6 ; 487.27
faire attention 52.7
prendre garde 21.10
surveiller 207.19 ; 641.17
guetteur 21.8 ; 207.16
gardien 52.3
sentinelle 671.14
fantassin 41.12
gueulante
cri 168.4
clameur 168.5
gueulard
n.
braillard 168.11
adj.
braillard 168.20 ; 224.10
gourmand 342.12
gueularde 159.27
gueule
ouverture 585.1
bouche 486.21 ; 814.5
visage 814.3
allure 552.4
gueule d'amour 69.4
gueule d'empeigne 814.3
gueule de bois 441.5
gueule cassée 72.11 ; 354.18
fine gueule 333.36 ; 343.12 ; 343.27 ; 703.20
porté sur la gueule 342.12 ; 343.27 ; 703.29
avoir de la gueule 233.9
casser la gueule à qqn 160.15
être, se jeter dans la gueule du loup 175.9 ; 390.7
faire la gueule 146.17 ; 416.6 ; 814.13
coup de gueule 168.4
gueule-de-loup
fleur 318.22
moulure 505.6
gueulement 168.4
gueuler
crier 83.17 ; 168.15
discorder 168.19 ; 224.5
gueules 159.4
rouge 735.1
gueuleton
festin 342.2 ; 703.3
gueuletonner 342.8
gueulin 605.15
gueuloir 168.9
gueusard 603.20
gueuse
masse métallique 510.7 ; 792.72
dentelle 165.3
gueusement 603.25
gueuserie 603.1
guèze 508.14 ; 736.12
gugus ou **gugusse**
gus 364.3
rigolo 628.8
Guhya-samaja-tantra 815.15
gui 360.8
guib 486.6
guibole ou **guibolle**
jambe 502.3
en avoir plein les guibolles 502.9
guiboler 502.10
guiche 65.2
guichet
judas 481.31 ; 585.6
de montre 118.7
comptoir, accueil 66.29 ; 464.3
porte 481.28
guichetier 208.17
guidage 505.11
guide
de montagne 792.59
accompagnateur 221.11 ; 871.16
éclaireur 211.12
inspirateur 148.7 ; 533.11
principe directeur 19.5
livre 469.8 ; 871.12
chien guide 486.9
pl.
guides 221.10
guide-âne 252.7
guideau ou **guide-eau** 605.6
caniveau 834.8
guider 19.21 ; 211.15
conduire 221.19

éduquer 253.7
faciliter 302.13
conseiller 148.11
accompagner 137.12
influencer 407.10
prêcher 533.12
guidon 221.10
guignard
infortuné 11.13 ; 11.27
guignardia 103.7
guigne
cerise 330.12
malchance 11.3 ; 827.5
se soucier comme d'une guigne de 401.12
guigner
regarder 868.18
convoiter 199.10 ; 442.6
guignier 37.13
guignol
marionnette 817.9
farceur 628.8
guignolet 75.13
guignon
malchance 11.3 ; 827.5
guilde
fédération 772.7
firme 135.9
Guiliaks 371.14
guillaume
rabot 584.16
ciseau 505.16
guilledou
courir le guilledou 27.22
guillemet 765.10
guillemot 570.15
guilleret
alerte 277.6
euphorique 447.15
guillochage 466.3
guilloché 578.18 ; 578.3
guillocher 578.12
guillochis 578.3
ligne 466.4
guillochure 466.5
guillotinade 801.3
guillotinage ou **guillotinement** 801.3
guillotine 801.4
décapitation 801.3
guillotiner 801.22
guillotineur 801.15
guimauve
fleur 318.18
sucrerie 799.5
à la guimauve 755.19
guimbarde
vieille voiture 206.3 ; 833.2
instrument de musique 422.18
outil 505.16 ; 584.16
guimpe 525.25
corsage 859.7
accessoires 859.25
guinand 855.10
guinandage 855.9
guinche 176.1
guincher 176.28
guindage 489.3
guinde
décor 748.8
appareils de levage 489.9
guindé 12.14
figé 759.9
cérémonieux 98.27
guinder
hisser 489.17 ; 834.40
affecter 347.9
Guinéen 355.7
guingan 816.3
guingois
de guingois 212.25
guinguette 176.21
guipage 261.15
filature 816.11
guiper 816.22
tisser 816.25
coudre 165.25
guiper des franges 77.16
guipoir
métier à tisser 816.17
aiguille 165.14
guipure
voile 816.6
dentelle 165.3
guirlande 578.3
chaîne 758.2
bouquet 318.2 ; 578.4
feu d'artifice 309.12
guise
choix 870.4
critère 116.4
à sa guise 462.39 ; 870.16
agir, faire à sa guise 400.9 ; 462.21
autant de guises, autant de pays 164.16
guitare 422.3
guitariste 542.7
guitoune
guérite 182.13
tente 481.9
Gujars 371.13
gulden 529.13
gulose 94.5
gummite 516.5
gunitage 834.25
gunite 834.36
guniter 834.44
guppy 638.5
gur 455.14
guru → gourou
Gurungs 371.13
gus 364.3
Gusiis 371.11
gustateur 343.12
gustatif 100.4 ; 343.18
aire gustative 100.16
papilles gustatives 343.7
gustation 343.7
goût 343.1
gustométrie 343.11
gustométrique 343.18
guttation 79.9
guttiférales 318.15
guttural 814.16
guyot 330.11
GVH 381.3
Gya 381.10
gymnarche 638.5
gymnase
salle de gymnastique 274.8 ; 792.78
établissement d'enseignement 274.5
gymnasiarque 792.46
gymnaste 792.46
sauteur 746.6
gymnastique 792.7
gymnastique corrective 775.10
gymnastique de l'esprit 275.4
gymnastique oculaire 840.9
pas gymnastique, de gymnastique 487.2
gymnique 562.14
athlétique 792.95
gymno- 562.17
gymnocarpe 103.16
lichénique 463.6
gymnocérate 417.5
hétéroptères 417.4
gymnocladus 37.14
gymnodactyle 712.5
gymnodinium 512.5
gymnopédie
fêtes 310.8
danse 176.8
gymnophiones 68.2
gymnosophie 47.2
gymnosophisme 47.2
gymnosophiste 562.7
ascète 47.7
gymnospermes 79.4
tissu vasculaire 74.2
gymnosporangium 103.6
gymnote 638.5
gymnotidé 638.3
gynandrie 762.19
malformation 484.4
-gyne 306.20
gyné- 306.20
gynécée 481.26
fleur 318.5
gynéco 306.12
gynécologie 306.11
embryologie 265.12
pédiatrie 498.5
gynécologique 762.33
gynécologue 306.12 ; 498.28
gynécophobie 619.4
gynerium 360.7
gynostème 318.5
gypaète 570.12
gypse 516.5
granite 517.2
carat 517.9
gypseux 517.20
gypsophile 318.8
gyr- 733.22
-gyre 733.23
gyrencéphale 873.25
gyrie 733.23
gyrin 417.3
gyrinidés 417.2
gyro- 97.17 ; 733.22
gyrocompas 221.8
gyrolaser 733.9
gyromancie 235.2
gyromètre 221.8
gyromitre 103.7
gyrophare 733.9
carrosserie 57.5
phare 250.13
gyropilote 221.8
gyroscope 733.9
magnétisme 221.8
gyroscopique
compas gyroscopique 221.8
gyroselle 318.24
gyrostat 733.7
gyrothéodolite 221.8
gyrovague
ermite 525.4
ascète 47.7
gyrus 100.17
rhombencéphale 100.2
écorce cérébrale 100.15

H

h
l'heure H 528.2
hâ 638.7
habanera 176.10
habeas corpus 462.4
habenaria 318.21
habénula 100.10
habile 316.18
préparé 649.16
intelligent 302.25
adroit 10.17 ; 264.8
habile à 10.19
habile de ses mains 479.19
habilement 184.13
finement 316.21
adroitement 10.22
élégamment 233.16
habileté 316.6
action 7.1
aisance 264.1 ; 302.4
sûreté 752.4
adresse 10.1
talent 507.2
habilitation
autorisation 58.1
droit 245.14
habilité 10.3
habiliter 58.14
habillage 118.7
habillé 859.42
habillement 859.4
habiller 333.38 ; 859.33
revêtir 727.13
un rien l'habille 602.7
habiller (s') 859.36
habilleur 748.10
habilleuse
styliste 520.4
t. de cinéma 120.27
habit 859.1
habit d'arlequin 643.5
habit de cérémonie 98.15 ; 859.19
habit de lumière 643.5
l'habit ne fait pas le moine 300.13
prendre l'habit 525.27
habitabilité 356.9
habitable 481.43
habité 356.14
habitacle 57.11 ; 151.3
carlingue 831.4
gîte 356.2
habitant 355 ; 356.10
habitat 356
environnement 251.7
répartition de gisements 618.2
habitation 356.7
habitat 356.1
habitation à loyer modéré 356.4
habité 356.14
peuplé 355.30
vol habité 48.5
habiter 355.23 ; 356.11
habituation 357.8
habitude 357 ; 164.3 ; 326.7 ; 558.4
disposition 286.5
usage 696.3
répétition 611.3
bonnes habitudes 253.6
comme d'habitude 147.16
avoir l'habitude de 326.12 ; 611.12
d'habitude 164.24 ; 357.31
habitudinaire 357.13
habitué 357.11
aguerri 418.19
accoutumé 357.29
habituel 153.24 ; 357.25 ; 558.12
répétitif 611.17
fréquent 326.13
ordinaire 630.9
habituellement 357.31 ; 696.30
durablement 611.19
généralement 326.20
de coutume 164.24
habituer 153.20 ; 164.13 ; 357.20
dresser 649.11
habituer (s') 357.18
habitus
disposition 286.5
caractère 613.4
symptôme 498.21
hâbler
faire le grand seigneur 581.8
fabuler 504.19
hâblerie 504.9
hâbleur 581 ; 804
imposteur 504.12
habou
bien habou 440.18
habrobracon 417.7
hache 18.15 ; 36.18 ; 584.3 ; 801.6
hache de guerre 42.2
haché 411.5
coupé 223.15
hachereau ou **hacheron** 584.3
hachette
hache 18.15 ; 584.3
hachis 333.22
hachoir 18.15
hachure
biffure 466.5
ombre 566.5
trait 607.10
hachurer
déniveler 402.7
obscurcir 566.7
dessiner 607.27
hacienda 18.12
hacker 408.23
Hadad 236.31 ; 633.10
hadal 359.11
haddock 333.15
hadène 417.11
Hadès 236.28
mazdéisme 311.14
hadhra 657.16
hadith 440
Coran 815.5
hadj ou **hadjdj**
pèlerinage 440.16 ; 440.9 ; 871.17 ; 871.7
hadj ou **hadji**
pèlerin 440.9 ; 871.17
hadron 513.4
hadrosaure 712.11
haemanthus 318.17
haematococcus 22.4
haematoxylon 37.19
hafiz 440.9
hafnium 113.7
hagada 449
Torah 815.3
hagiasme 173.7
hagiographe 471.8
biographe 363.10
Torah 449.3
Bible 815.2
hagiographie 310.9
biographie 363.6
éloge 471.4
hagiographique
généalogique 363.17
narratif 691.15
haha
interjection 431.2
obstacle 567.2
haï 410.12
Haïdas 371.7
haie
clôture d'arbustes 36.17 ; 38.2 ; 67.5 ; 443.8
obstacle 567.5
alignement 758.2
haie morte 67.5
haie vive 38.2 ; 67.5
haïkaï 635.9
haiku 635.9
haillon 859.2
en haillons 603.23
haillonneux
déguenillé 603.23
débraillé 859.46
haine 62.4
désaccord 194.1
inimitié 410.1
avoir la haine 865.18
haineusement 62.13
inamicalement 410.16
haineux 410.15 ; 497.11 ; 720.4
misanthrope 420.10
rancunier 720.13
hain-teny 635.11
haïr 62.7
détester 410.6
haire 47.5
haïssable
malencontreux 11.26
détestable 410.13
haïsseur 410.15 ; 720.4
Haïtien 355.10
Hakkas 371.13
halacarus 417.13
halacha ou **halaka** 449 ; 449.6
Torah 815.3
puritanisme 533.3
halage 826.2
chemin de halage 77.7
halbran 570.16
halbrené 303.21
halbrener 107.18
halcyon 570.14
halde 455.14
hâle 84.3
hâlé 604.14
noir 553.18
basané 84.11
halefis 70.15
haleine
souffle 20.4
respiration 718.1
à perdre haleine 718.34
d'une haleine 153.30
de longue haleine 247.13 ; 665.11
haleiner ou **halener** 107.26
haler
exciter 107.19
haler
tirer 193.13 ; 489.17 ; 826.10
hâler
ensoleiller 777.16

bronzer 553.11
brunir 84.8
haletant 718.32
halètement 718.4
haleter 718.26
haleur 826.7
half court 792.10
half-track 43.11
halicot 333.12
halicte 417.7
halictophagidés 417.6
halieutique 605.30
pêche 605.1
halimodendron 38.8
haliotide 527.3
halitueux 340.15 ; 604.15
hall 481.20
hall d'entrée 278.6
hallage 317.11
hallal
viande hallal 440.18
hallali 107.11 ; 107.34
cri 168.7
sonner l'hallali 107.20
halle 333.32
hangar 39.10
foire 135.12
hallebarde 42.2
pleuvoir des hallebardes 633.12
hallier
buissons 38.2 ; 107.6
hallier
commerçant 135.16
hallucination
conscience 754.4
vision 868.11
illumination 378.5
mirage 283.3
délire 321.3
halluciné 378.7
hallucinogène 825.20
drogue 825.4
champignon hallucinogène 825.6
hallux
hallux flexus, hallux valgus, hallux varus 484.5
halo 127.6 ; 777.3
disque 97.5
enceinte 280.4
reflet 473.5
effets spéciaux 621.12
halobate 417.5
halobios 251.8
halogénation 113.14
halogène 250.9
halogénure
pierreries 517.4
argent colloïdal 40.4
hâloir 750.9
halopéridol 499.5
halte 356.5
tranquillité 89.2
s'arrêter 51.8
repos 706.1
maison de repos 706.7
halte au feu 487.45
faire halte 355.27 ; 871.23
halte-là 315.28
haltères 792.72
haltérophile 792.47
haltérophilie 792.9
hamac
balançoire 579.6
lit 780.11
lit de jour 519.13
hamada
désert 197.1 ; 750.10
hamadryade 236.42
serpents 712.3
hamadryas 486.14
Hamal 49.5
hamamélidales 79.4
hamamélis 38.5
hamburger 703.7
hameau 845.6
hameçon 605.13
canne à pêche 605.3
mordre à l'hameçon 64.10 ; 838.17
hammam 102.4
bain turc 372.10
salle de bains 669.7
étuves 109.19
hampe
morceau du bœuf 333.7
hampe
fût 171.4
trait 459.3
hampe florale 318.3
hamster 486.5
hamule 417.17
Han 371.13
hanafisme 533.3
chiisme 440.2
hanafite 440.7
hanap 848.6
hanaperie 848.34
hanapier 848.35
hanbalisme 533.3
chiisme 440.2
hanbalite 440.7
hanche 580.24
tour de hanches 219.5
hanchement 749.10
hancher 749.18
hancornia 37.19
handball 792.10
handballeur 792.48
handicap
infériorité 405.3
poids 636.6
insuffisance 482.1
handicapant 405.18
handicapé 484.7
malade 482.10
handicaper 405.7
handisport 792.1
hangar 39.10
silo 489.15
grange 18.9
entrepôt 490.12
communs 481.12
hanifisme 440.2
hanneton 417.3
pas piqué des hannetons 427.21
hannif 440.4
hanon 527.2
Hanoukka 449
fête juive 310.5
hansa
jaune hansa 159.7 ; 444.2
hanse
fédération 772.7
firme 135.9
hantavirus 512.3
hanter
fréquenter 137.13
voir du monde 137.14
habiter 355.23
hantise
idée fixe 375.9
sollicitude 785.3
angoisse 619.2
Haoussas 371.11
hapalidé 486.14
hapax 535.6
hapaxépie 839.6
hapaxique 535.29
Hâpî 236.12
haplodontidé 486.3
haplographie 252.9
haplogyne 417.13
haploïde
cellule haploïde 94.1
haplolalie 839.6
haplologie 839.6
figures de diction 313.2
happelourde 70.13 ; 517.6
happening 817.10
évènement 290.6
tendances artistiques 46.13
happer 703.25
happy end 315.6
haptène 381.8
haptoglobine 742.19
haptotropisme 79.11
haquenée 486.11
haquet 833.11
hara-kiri 534.12
faire hara-kiri 534.29
haram 465.6
harangue 225.1
haranguer
conseiller 614.10
s'adresser à 595.24
discourir 729.14
harangueur 225.12
haras
tanière 486.18
élevage 262.5
harasse 151.5
harassé 303.21
harasser 255.8
harcèlement 487.14
harcèlement moral 413.6 ; 497.2
harcèlement sexuel 763.10
guerre de harcèlement 354.2
tir de harcèlement 820.8
harceler
entreprendre 279.12
importuner 415.7
hard 763.45
harde
troupe 137.5 ; 486.16 ; 540.3
hardé 137.19
harder
attacher 725.12
ameuter 107.19
hardes
vêtements 859.2
hardi 462.34
courageux 161.9
résolu 716.7
entreprenant 279.13 ; 279.14
sûr de soi 145.23
hardiesse 279.7
inventivité 414.2
nouveauté 560.1
créativité 378.2
audace 161.2
libertés 462.11
imprudence 390.1
confiance en soi 145.5
impudeur 399.2
hardiment 279.16
résolument 716.10
courageusement 161.12

hard-rock
rock 105.5 ; 543.7
hard-top 57.5
hardware 408.3
h'aredim 449.24
Hare Krishna 362.1
hareng
poisson 333.13 ; 638.6
proxénète 672.4
harengère 226.4
hargne 192.2
la hargne, la grogne et la rogne 416.1
hargneusement 497.12
hargneux
mécontent 192.15
coléreux 130.11
misanthrope 420.10
haineux 497.11
haricot 330.7 ; 333.17
aller manger des haricots 208.25
courir sur le haricot 272.11 ; 549.14
en haricot 519.39
haridelle 486.11
harijan 362.13
harle 570.16
harmattan 852.6
harmonica 422.7
Harmonices mundi 49.28
harmoniciste 542.9
harmonie
des sons 143.4 ; 225.11 ; 543.22 ; 768.3
discipline de l'art musical 543.38
orchestre 542.4
équilibre, régularité 6.1 ; 69.5 ; 256.2 ; 282.8 ; 576.2 ; 577.2 ; 668.1 ; 844.1
concorde 26.2 ; 147.4 ; 376.2 ; 719.2
harmonie consonante 543.22
harmonie dissonante 543.22
harmonie imitative 379.9
en harmonie 282.18 ; 282.24
se sentir en harmonie avec qqn 6.11
harmonier 668.8
harmonieusement 282.24 ; 543.58 ; 576.24
justement 143.14
ensemble 6.17
harmonieux
mélodieux 225.16 ; 543.54
en accord 143.12 ; 147.12 ; 576.20
équilibré 6.14 ; 282.18 ; 668.10
harmonique
n.m. 543.12 ; 579.3 ; 781.2
adj. 543.50 ; 781.29
intervalle harmonique 543.17
harmoniquement 543.57
harmonisation
mise en concordance 6.7 ; 143.5 ; 147.5 ; 256.9 ; 576.8 ; 577.5 ; 843.3
arrangement musical 106.3 ; 543.36
harmoniser
mettre en accord 143.7 ; 147.9 ; 256.16 ; 282.13 ; 559.11 ; 576.15 ; 577.15 ; 668.8 ; 719.12 ; 843.7 ; 844.12
arranger musicalement 543.45
harmoniste 543.39
harmonium 422.13
harnachement 859.4
harnacher 859.33
harnais
harnais de sécurité 806.6
blanchir sous le harnais 350.6 ; 863.10
haro 44.17
clameur 168.5
clameur de haro 44.3
crier haro sur qqn 168.18 ; 227.19
harpacte 417.13
harpacticoïdes 172.2
harpactor 417.5
harpagon 61.3
harpagonnerie 61.1
harpail ou **harpaille** 137.5
harpaye 570.12
harpe
instrument de musique 422.2 ; 422.3
mollusque 527.3
harpe éolienne 422.14
harpe-cithare 422.4
harpie
mégère 61.4 ; 497.6
oiseau 570.12
Harpies 236.24
harpiste 542.6
harpon 605.13
harponner 605.24
harpye
harpye du hêtre 417.11
hart 234.5
mettre la hart au col 801.23
haruspice 235.11
has been 598.7
hasard 358 ; 291.3
possibilité 4.3
indépendance 400.1
évènement 290.1
causalité 620.17
danger 175.1
heureux hasard 670.6
jeu de hasard 446.2
à tout hasard 291.15
par hasard 291.14 ; 291.16
au hasard de la fourchette 703.44
hasardé 358.11 ; 395.18
téméraire 175.12
dangereux 390.15
hasardement 358.12
jeux de hasard 358.3
hasarder
essayer 291.8
aventurer 358.7
tenter 812.7
entreprendre 279.8
exposer 175.8
commettre une imprudence 390.7
hasarder (se)
essayer 291.8
supposer 802.7
tenter 812.7
tenter de 812.8
entreprendre 279.10
se mettre en danger 175.10
hasardeur 358.4
hasardeusement 358.12
hasardeux 386.11 ; 395.18
fortuit 358.10
téméraire 175.12
dangereux 390.15
hasch 825.5
haschisch 825.5
hasidim ou **hassidim** 449.24
hassidique 449.31
hassidisme 449.2
hastée 37.27
hâte 684.3
devancement 60.6
impatience 382.1
improvisation 386.2
à la hâte 386.17 ; 547.21 ; 684.43
avoir hâte de 382.7
en hâte 684.43
en grande hâte 684.53
en toute hâte 684.43
faire hâte de 684.22
grand' hâte 684.53
hâter
avancer 60.7
activer 684.24
hâter (se) 386.7 ; 684.22
se hâter avec lenteur 458.13
Hathor 236.15
hâtif 386.11 ; 684.32
précoce 33.19
avancé 60.10
hâtiveau 60.4
poire 330.11
hâtivement 386.17 ; 684.42
en avance 60.13
hattéria 712.5
hatti 455.14
hauban 834.34
étai 791.3
haubanage
soutien 791.1
étayage 834.24
haubaner
appuyer 791.11
étayer 834.42
haubert 42.7
hausse 531.3
accroissement 344.3
inflation 56.3
barrage 67.6 ; 834.6
krach 81.12
hausse des prix 56.3 ; 659.3
angle de hausse 30.4
à la hausse 81.29 ; 135.24
être en hausse 531.17
hausse-col 570.8
hausser 359.6
majorer 56.8
lever 531.15
hausser au rang de 683.13
hausser le ton 168.17
hausser les épaules 765.24
hausser les sourcils 765.24
hausser (se) 531.14
haussier 81.28
haussoir 834.6
haut
n. 204.1 ; 204.6
le Très-Haut 215.4
adj.
élevé 204.18 ; 219.10 ; 221.5 ; 359.9 ; 531.21
ancien 28.10
aigu 794.5 ; 794.6
supérieur 384.14
haut mal 482.47
style haute époque 519.27

haut comme trois pommes 616.9
haut en couleur 159.24
en haut 204.22 ; 531.22 ; 769.15
du haut de 746.19
en haut de 800.26
de haut en bas 195.19 ; 823.17
dire haut et fort 168.16
pendre haut et court 801.23
ne pas voler très haut 500.8
regarder de haut 312.7 ; 439.6
tomber de haut 178.6
avoir des hauts et des bas 402.9
tenir le haut bout de la table 341.18
haut la main 59.24 ; 302.30 ; 479.23
haut les cœurs 431.5
haut les mains 431.4 ; 479.24
haut de casse 459.7
haut de gamme 677.14 ; 683.3
hautain
suffisant 800.23
fier 312.10
hautbois 422.2
orchestre 542.6
bois 422.7
hautboïste 542.6
haut-de-chausse 133.20
pantalon 859.11
haut-de-côtelettes 333.7
haut-de-forme 859.25
haute
beau linge 552.16
messe haute 508.1
haute-contre 106.18
haute couture → couture
hautement 359.12
haute-pâte 607.10
Hautesse
Sa Hautesse 822.13
hauteur 359
dimension 219.2 ; 509.26
élévation 49.21 ; 204.7 ; 530.1 ; 531.6 ; 531.7
dédain 312.2
d'un son 543.14 ; 794.3
en hauteur 204.22 ; 219.12 ; 531.22 ; 806.17
haut fait 552.5
chance 290.6
exploit 161.4
titre de gloire 341.10
haut-fond 627.3
hauteur 204.7
haut-fourneau
chaudière 131.15
fonderie 510.13
hautin 36.12
haut-le-cœur 62.1
haut-le-corps 746.1
haut-le-pied 832.10
haut-parleur
amplificateur 781.14
chaîne haute-fidé-lité 273.5
haut-relief 749.5
hauturier
pêche hauturière 605.8
havage 518.4
terrassement 834.22
havane 84.12
have 760.14
hâve
blanc 71.13
malade 482.59
haveneau 605.9
havenet 605.9
haver 518.11
terrasser 834.38
haveur 518.10
haveuse 476.9
bulldozer 834.27
havir
lyophiliser 750.15
cuire 333.40
havit 518.5
havre 752.7
havresac 151.6
havrit 516.4
hawaïen 455.14
hayon 57.11
hayon élévateur 489.10
hayve 760.14
Hazara 371.10 ; 371.13
HBs 381.10
hé 431.2 ; 431.3
heaume 42.7
heavy metal 543.7
hebdomadaire
période 610.15
périodique 654.28
hebdomadairement 610.17
hebdomadier 525.12
Hébé 236.25
hébélome 103.6
hébéphrénie 321.6
hébergement 356.7
héberger 356.12
recevoir 368.6
faire étape 355.27
hébété
somnolent 397.15
surpris 805.12
hébètement 805.1
hébéter 784.8
stupéfier 805.5
hébétude 321.7
sommeil 397.3
idiotie 784.2
hébraïque 449.33
livres hébraïques 815.2
hébraïquement 449.36
hébraïsant 449.34
hébraïser 449.27
hébraïsme 449.19
hébraïste 449.34
hébréophone 449.34
hébreu
adj. 449.28
peuple hébreu 449.23
hébreu
n.m.
langue 449.19 ; 455.14
galimatias 140.10 ; 411.3 ; 411.8
hébreu ancien 736.12
Hébreu 449.24
Hécate 236.26
hécatombe
centurion 95.4
immolation 173.12
hectare 95.2 ; 509.7
hecto- 95.7 ; 509.36
hectogramme 95.2 ; 509.8
gramme 636.12
hectolitre 95.2 ; 509.7
hectomètre 95.2 ; 509.7
mesure 470.5
hectopascal 509.10
hector 236.41
hectowatt 95.2
hédéracée 38.3
hédonisme 620.15 ; 629.2
morale 533.3
hédoniste
épicurien 629.19
sceptique 620.33
hedychium 318.32
hégémonie 59.3
hégémonique 240.18
hégémonisme 240.4
hégire 440.21
heimatlos 124.4
hein 431.9
hélas 431.2
Hélène 49.10
helenium 318.10
hélépole 476.11
héler 431.11
héli(o)- 777.20
hélianthe 318.10
hélianthème 318.26
héliaque 49.34 ; 777.19
héliaste
juge héliaste 777.13
hélic- 162.17 ; 733.22
hélice 338.8
arabesque 162.3
axe 733.6
en hélice 162.15
hélici- 162.17 ; 733.22
héliciculteur 262.22
héliciculture 527.16
hélico- 162.17 ; 733.22
hélicoïdal 162.14
hélicoïde 162.14
hélicon
instruments à vent 422.6
Parnasse 635.22
hélicoptère 831.2
-hélie 777.20
photo- 473.41
héliée 777.13
hélio- 49.39
calori- 102.30
photo- 473.41
héliocentrique 777.19
héliocentrisme 49.3
soleil 777.6
héliochromie 621.1
héliodore 517.4
héliofuge 251.18
héliographe 777.8
télégraphe 809.5
héliographie 777.8
soleil 49.8
héliogravure 388.5
héliomarin
centre héliomarin 777.11
héliomarine 777.11
héliométéorologie 777.9
héliomètre 473.25 ; 777.8
thermomètre 127.10

héliométrie 777.8
héliopause 777.7
heliophila 318.26
héliophile 251.18 ; 777.19 ; 873.23
héliophobe 251.18 ; 777.19
héliophotomètre 777.9
héliopolis 777.13
hélioprophylaxie 777.11
Hélios 236.34 ; 777.12
hélioscope 777.8
héliosphère 777.7
héliostat 269.8 ; 777.8
observatoire 49.17
héliosynchrone 777.19
héliotechnique 777.2
héliothérapie 777.11
balnéothérapie 775.4
héliothérapique 775.28
héliothermique 777.19
héliothermodynamique 777.19
héliothis 417.11
héliotrope 777.10
fleur 318.6
héliotropine 594.6
héliotropisme 777.10
tropisme 79.11
phototropisme 473.20
héliporté 831.21
hélitransporté 831.21
hélitreuillé 831.21
hélitreuiller 489.17
hélium 113.7 ; 777.14
gaz parfait 335.2
hélix
escargot 527.7
de l'oreille 55.3
hellébore 318.25
Hellên 236.41
hellénisme 455.4
helléniste 455.24
linguiste 455.12
hello 431.3
salut 741.9
helminth- 856.7
helminthe 856.8
ver 856.1
helminthiase 482.35 ; 856.3
helminthique 856.8
vermiforme 856.6
helmintho- 856.7
helminthoïde 856.6
helminthologie 856.5
entomologie 873.2
helminthosporiose 79.16
helminthosporium 103.8
hélo- 637.16
hélobiales 318.12
hélodée 318.12
héloderme 712.5
hélomyze 417.9
hélopeltis 417.5
hélops 417.3
helper
effet helper 381.1
helvelle 103.7
Helvètes 371.16
helvétisme 455.4
Helvétius
teinture d'or d'Helvétius 575.8
héma- 742.34
hémangio-endothéliome 841.4
hémangiome 841.3
hémarthrose 482.11
hématie
globules rouges 742.2
sang 742.3
hématimètre 742.20
hématine 94.22
hématique 742.29
hématite 516.5 ; 735.2
pierreries 517.4
rouille 307.5
sanguine 307.6
hémato- 742.34
hématobie 417.9
hématocrite 742.16
hématocytoblaste 742.2
hémato-encéphalique 100.3
hématogène 742.31
hématologie 742.21
t. de médecine 498.7
hématologique 742.29
hématologiste 742.22
hématologue 742.22
hématome
saignement 742.12
bleu 72.9
hématophage 742.32
hématophobie 619.4
hematopinus 417.16
hématopoïèse 742.10
hématopoïétique 742.31
hématoporphyrine 94.22
hématose
circulation 742.10
échanges respiratoires 718.5
hématoxyline 159.9
hématurie 296.10 ; 482.34
hématurique 482.77
hémélytre 417.17
héméralope 482.74
héméralopie 840
troubles fonctionnels des yeux 840.2
troubles de la vue 482.27
héméralopique 482.74
hémérobe 417.16
hémérocalle 318.17
hémérologue 88.11
hémeropériodique 79.23
hémérothèque 654.22
hémérythrine 94.9
hémi- 210.15
hémianesthésie 418.5
hémiangiocarpe 103.16
hémianopsie 840
troubles fonctionnels des yeux 840.2
troubles de la vue 482.27
hémicellulose 74.2
hémichromis 638.5
hémicycle
parlement 708.5
parquet 81.23
hémiédrie 517.7
hemileia 103.10
hémimétabole 417.32
insecte 417.1
hémimoelle 548.10
hémione 486.11
hémiphonie
surdité 482.29
blésité 839.3
hémiplégie
névralgie 548.20
paralysie 482.37
hémiplégique 548.27
hémipneustique 417.32 ; 718.30
hémiptéroïdes 417.5
insecte 417.1
hétéroptères 417.4
hémisphère 49.15 ; 338.9
hémisphères cérébraux 100.14 ; 100.2 ; 100.7
hémisphérectomie 114.13
hémisphérique 162.11
hémistiche 635.16
hémo- 742.34
hémobiologie
hématologie 742.21
t. de médecine 498.7
hémobiologiste 498.27 ; 742.22
hémochromatose 482.25
hémocompatibilité 742.10
hémocompatible 742.31
hémoculture
bactériologie 512.11
hémogramme 742.14
hémocyanine 94.9
hémodialyse 742.13
hémodilution 742.11
hémodynamique 742.21
hémoglobine 94 ; 742
hémoglobinopathie 482.19
hémoglobinurie 296.10
hémogramme 742.14
hémolyse 482.19
circulation 742.10
hémolysine 381.12
hémolytique 482.68
maladie hémolytique du nouveau-né 742.12
hémopathie 482.19
hémophile 482.68
hémophilie 482.19
hémophilique 482.68
hémophobie 619.4
hémopoïèse 742.10
hémopoïétique 742.31
hémoptoïque 482.76
hémoptysie 482.32
hémoptysique 482.76
hémorragie 482.46
saignement 742.12
blessure 72.4
hémorragie cérébrale 482.14
hémorragipare 482.68
hémorragique 482.82
hémorroïdaire 482.70
hémorroïdal 128.8 ; 128.9
hémorroïde 482.13
hémorroïdectomie 114.13
hémosidérine 307.8
hémospermie 762.25
hémosporidie 512.5
hémostase 742.11
hémostatique
chirurgical 114.35
médicaments 499.33
hémotrophique
période hémotrophique 265.1

hémotypologie 742.21
hémovigilance 742.21
Hémus 474.7
hendécagone 338.5
hendécasyllabe 635.13
hendiadis ou **hendiadyin** ou **hendiadys** 313.3
henequen 318.17
henné 129.6
hennepier 848.35
hennin 859.25
hennir 170.5
hennissant 486.30
hennissement 170.1
hénophidiens 712.2
Henri II
style Henri II 519.27
henricia 527.9
henricosbornidé 486.4
henry 261.10 ; 509.11
hé oh ! 431.3
hep ! 431.3
héparine 742.19
anticoagulant 499.5
héparinoïde 742.19
hépatalgie
algésie 243.3
mal de ventre 482.22
hépatectomie 114.13
hépatique 128.8
gastrique 218.24
porte hépatique 128.9
hépatiques 79.4
mousse 537.1
hépatisation 482.41
hépatite
pierreries 517.4
maladie 482.23
hépatite B 482.18
hépato-biliaire 218.24
hépatocarcinome 841.4
hépatographie 498.16
hépatologie
gastro-entérologie 218.16
t. de médecine 498.7
hépatologue 218.17 ; 498.27
hépatome 841.2
hépatomégalie 482.23
hépatonéphrite 482.23
hépatorraphie 114.18
hépatoscopie 235.2
hépatotomie 114.14
Hephaïstos 236.22
mazdéisme 311.14
hépiale 417.11
hépialidés 417.10
hepta- 757.11
heptacorde 757.8
heptaèdre 338.6 ; 757.3
heptaédrique 757.8
heptagonal 757.8
heptagone 338.5 ; 757.3
heptamètre 757.3
heptangulaire 757.8
heptasyllabe 635.13
heptathlon 792.3
heptathlonien 792.45
heptatonique
échelle heptatonique 543.10
heptogluconate
heptogluconate ferreux 499.6
heptose 94.5
Héra 236.21
Héraclès 236.41
héraïon 465.4
héraldique 765.30
blason 552.13
herbacé 360.15
plante herbacée 360.1
herbage 360.5 ; 486.19
pré 262.17
herbagement 262.14
herbager
enherber 360.13
éleveur 262.21
paître 262.27
herbagère 330.19
herbageux 360.16
herbe 360
plante 318.24
drogue 825.5
herbe de bison 360.7
herbe marine 22.1
herbe médicinale 318.1 ; 499.9
herbe sacrée 318.16
herbes de Provence 360.2
fines herbes 333.27 ; 360.2
en herbe 134.26 ; 332.12 ; 857.13
herbe-aux-chats 318.16
herbeiller
brouter 262.30 ; 360.14
herbette 360.1
herbeux 360.16
herbicide 360.12
herbicole 251.16 ; 356.16
herbivore 360.17
herbier 79.17
gazon 360.6
grange 18.9
album 599.8
herbifère 360.16
herbivore 360.17 ; 486.6 ; 873.21
herborisateur 79.18
herborisation 79.1
herboriser 79.19
herboriste
botaniste 79.18
pharmacien 499.21
herboristerie 79.17
pharmacie 499.22
herbu 360.16
herche 518.7
herco- 67.19
hercule 864.5
hercule de foire 123.19 ; 864.5
Hercule 49.15 ; 236.16
colonnes d'Hercule 467.2
Hercule et Antée 374.6
les douze travaux d'Hercule 244
herculéen 236.48 ; 864.18
hercynien
monts hercyniens 474.7
hère
pauvre hère 11.13
héréditaire 361.20
caractère héréditaire 361.4
maladie héréditaire 361.9
héréditairement 361.23
hérédité 361
air de famille 304.9
hérédo- 361.24
hérédocontagion 361.9
hérédofamilial 361.20
Hereros 371.11
hérésiarque 117.11
hérésie 700.5 ; 737.3
hétérodoxie 818.10
hérétique 194.15 ; 398.8
opposition 572.6
sacrilège 737.10
hérissé 530.17 ; 624.22
hérissement
des poils 624.7
nervosité 130.1 ; 549.1
hérisser (se) 624.14
hérisson
cheval de frise 67.4 ; 637.4
animal 486.10
défense en hérisson 182.7
hérissonne 417.11
héritage 101.5
suite 647.3
hérédité 361.1
recevoir en héritage 361.16
hérité 304.14
hériter 101.14 ; 361.16
percevoir 688.16
s'enrichir 730.11
hériter de 645.17
héritier 241.11
descendants 332.5
descendant 314.6
acquéreur 101.9
hermaphrodisme 25.6 ; 762.19
reproduction 711.3
maladie chromosomique 361.9
phanérogamie 318.38
malformation 484.4
hermaphrodite 24.7 ; 711.23 ; 762.28
hybride 25.8
phanérogame 318.46
malformation 484.6
hermelle 856.2
herméneutique 432.9
exégèse 818.20
théologique 818.28
Hermès 236.16 ; 236.43
orateur 264.5
buste 749.8
Hermès psychopompe 236.28
Hermès Trismégiste 113.19 ; 236.32
herméticité 751.11
fermeture 308.1
hermétique
fermé 308.20
énigmatique 217.19 ; 411.14 ; 751.26
hermétiquement
mystérieusement 751.32
inintelligiblement 411.17
hermétisme 635.19 ; 751.12
alchimie 477.1
inintelligibilité 411.2
hermétiste 751.13
hermine
animal 486.7
fourrure 835.18
herminette
hache 18.15 ; 584.3
herminiera 38.9
hermione 856.2
herniaire 482.82
hernie 482.43
t. de botanique 79.16

hernié 482.82
hernieux 482.82
hernioplastie 114.17
Herniques 371.16
Hérode
vieux comme Hérode 863.13
héroï-comique 132.12
héroïde 635.7
héroïne 676.6
cocaïne 825.7
héroïnomane 825.14
héroïnomanie 825.1
héroïque
toxique 267.15
héroïque
glorieux 161.9 ; 236.48 ; 341.28
comédie héroïque 817.5
ode héroïque 635.6 ; 635.7
héroïquement 161.12
héroïsation 341.6
héroïser
diviniser 236.46
glorifier 341.12
héroïsme 161.1
héron 570.18
héron crabier 570.18
héron de nuit 570.18
héros 521.4
divinité 236.1
brave 161.5
gloire 341.11
herpe 67.7
herpès 482.17
herpès virus 512.3
Herpes virus hominis 512.3
herpétique 482.67
herpétologie
entomologie 873.2
erpétologie 712.15
hersage 813.14
travaux des champs 18.4
Herschell 49.28
herscheur 518.10
herse
grille 67.4 ; 567.3 ; 637.4 ; 748.9
papillon 417.11
instrument agricole 18.15
éclairage 250.7
herser 18.20
hertz 509.9
spectre de fréquence 326.4
décibel 781.12
hésitant
dubitatif 395.15
tracassé 785.10
irrésolu 438.9
apathique 393.15
timide 819.7
hésitation 438.3 ; 724.4
incertitude 395.1
souci 785.1
irrésolution 438.1
longueurs 458.4
avec hésitation 438.12
sans hésitation 716.10
hésiter 25.15 ; 116.11 ; 395.9 ; 438.5 ; 458.11 ; 724.11
répugner à 62.6
être dans de beaux draps 217.12
sans hésiter 716.10
hespéranopie 840
troubles de la vue 482.27
Hespérides 236.42
hespérie 417.11
hespérophane 417.3
hesperornis 570.20
Hestia 236.23
hétaïre 672.6
hétérakis 856.2
hétéro- 23.19 ; 216.16 ; 229.12 ; 556.17
hétéroantigène 381.9
hétérobranche 638.5
hétérocère 417.10
hétérocerque
nageoire hétérocerque 638.12
hétérochromie 840.3
hétérochromosome → allosome
hétéroclite 501.18
hétérogène 229.9
divers 234.7
non conforme 556.11
hétérodère 856.2
hétérodon 712.3
hétérodonte 188.31
chondrichtyens 638.2
hétérodoxe 194.15
rebelle 556.15
hétérodoxie 818.10
division 23.2
originalité 556.4
hétérogame 318.46
hétérogamie 711.2
hétérogène 229.9 ; 501.18
différent 216.11
divers 234.7
non conforme 556.11
inégal 402.10
nombre hétérogène 555.3
hétérogénéité
altérité 23.1
dissemblance 229.1
diversité 234.1
discordance 224.1
non-conformité 556.1
inégalité 402.1
hétérogreffe 114.16
hétéromère 417.2
neurone hétéromère 548.10
hétérométrie 113.16
hétéromorphe
instable 229.10
multimorphe 323.21
hétéromorphisme 229.1
hétéroneures 417.10
hétérophonie
modalité 543.24
polyphonie 106.2
hétérophorie 840
troubles fonctionnels des yeux 840.2
troubles de la vue 482.27
hétérophyllie 318.38
hétéroplastie 114.16
hétéroprotéine 94.8
hétéroprothallie 360.10
hétéroptères 417.4
hétérosciens 355.14
hétérosexualité 763.1
hétérosexuel 763.18 ; 763.47
hétérosome → allosome
hétérosphère 49.22
atmosphère 20.2
hétérosphyronidé 417.12
hétérostelé 527.8
hétérostylie 318.38
hétérosuggestion 407.3
hétérothallie 103.4
hétérotrophe 563.19
hétérotrophie 563.3
hétérozygote 361.22
hétérozygotie 361.6
hêtraie 36.16
hêtre
bois 74.11
arbre 37.15
heuchera 318.29
heur
chance 358.2
bonheur 447.2
heure
époque 122.1 ; 610.6
unité 509.9
moment 494.9 ; 528.12 ; 644.7 ; 652.6 ; 724.23
circonstance 571.4 ; 652.15
l'heure bleue 494.2
heure d'horloge 247.2
heure légale 610.6
heure planétaire 610.6
heure de pointe 637.7
heure suprême 534.2
dernière heure 534.2
à l'heure 644.3 ; 644.7
à l'heure H 644.7
à l'heure où les lions vont boire 776.14
à pas d'heure 724.23
à toute heure 153.28 ; 287.15
d'heure en heure 344.14
en heure 644.7
après l'heure 415.11
avant l'heure 33.24 ; 60.13 ; 415.11
de la première heure 33.20 ; 134.24
avoir l'heure 118.11
heures 88.4 ; 706.6
heures canoniales 525.21 ; 657.12
des heures durant 247.17
à l'heure de 528.11
heureusement
joyeusement 447.18
plaisamment 629.23
avec bonheur 670.20
heureuseté 447.2
heureux 670
joyeux 447.14 ; 629.17
satisfait 745.15
succès 798.1
faire des heureux 447.10
heureux comme un roi 447.14
heuristique 511.16 ; 689.2
méthode 511.1
connaissance 620.22
hypothèse heuristique 802.3
heurt
choc 72.7 ; 115.1 ; 115.12 ; 160.1 ; 746.4
opposition 11.2 ; 146.5
heurté 223.15
heurter
cogner 72.18 ; 115 ; 160.24 ; 567.15
contrarier 439.11
heurter (se)
s'affronter à 11.19 ; 567.15 ; 693.10
se cogner 115.27
heurtoir
battant 115.15
poignée 760.12
hévéa
arbre 37.18 ; 37.20

hist- 821.14
histaminase 94.24
histamine 94.10
hister 417.3
histidine 94.10
histio- 821.14
histiocytaire 821.9
histiocyte 821.2
histiocytome 841.3
histiologie 821.1
histioteuthis 527.4
histo- 821.14
histochimique 821.9
histocompatibilité
immunogénicité 381.4
allergène 381.10
histocompatible 381.19
histogène 821.9
histogenèse 821.6
embryogenèse 265.2
histogénie 821.6
histogramme 338.11
carré magique 493.7
histo-incompatibilité 381.4
histo-incompatible 381.19
histoire 363
chronologie 118.1 ; 691.2
mensonge 504.7
récit 691.5
scénario 691.9
muse 236.11
histoire de l'art 363.2
histoire de la musique 543.38
histoire de la philosophie 620.2
histoire des idées 375.15
histoire sainte 363.2
histoire ancienne 363.2 ; 598.10
histoire drôle 628.4
histoire de 86.14
histoire de rire 628.15
raconter des histoires 691.14
histologie
tissus vivants 821.1
t. de médecine 498.7
histologique 821.9
histologiquement 821.13
histolyse 821.8
histométrique 821.9
histone
gène 361.3
protide 94.8
histopathologie 821.1
histopoïèse 821.6
historialiser 363.13
historicisant 363.15
historicisation 363.11
historiciser 363.13
historicisme 39.22 ; 363.11
historiciste 39.28
historicité 363.11
historico- 363.19
historico-critique 363.15
historico-mythique 363.15
historié 578.18
lettre historiée 459.4
historien 363.8
conteur 691.11
historien de la philosophie 620.24
historier 333.39
barbouiller 607.26
orner 578.12
historiette 691.5
historiographe
biographe 363.10
conteur 691.11
historiographie 691.2
historiographique 363.17
historique
n.
chronologie 691.12
historique
adj.
avéré 297.13 ; 691.15
ancien 28.11 ; 598.13
chronologique 363.15
mémorable 503.15 ; 595.11
sciences historiques 747.6
historiquement 363.18
historisant 363.15
historisation 363.11
historisme 363.11
histrion
snob 12.4
bouffon 731.4
clown 628.7
hit 798.6
hitlérien 808.39
hitlérisme 808.13
hit-parade
succès 798.6
émission 681.12
Hittites 371.16
HIV 512.3
hiver
saison 327.2 ; 738.5
vieillesse 14.3 ; 863.1
hiver astronomique 738.5
jardin d'hiver 443.3
hivérisation 738.7
hivernage
saison 633.2 ; 738.5
labour 18.4
repos des bêtes 262.14 ; 262.19
t. de marine 327.2
hivernal
saisonnier 738.11
polaire 327.19
hivernant 738.8
hivernation 738.6
hiverner 355.26
hiberner 327.17 ; 738.10
sommeiller 389.8
H.L.M. 356.4
Hoa Hao 80.4
hobby
petites habitudes 357.3
passe-temps 599.1
hobereau
oiseau 570.12 ; 570.6
gentilhomme 552.18
hoc 446.3
hocco 570.14
hoche 167.4
hochement 579.1
hochement de tête 765.8
hochepot 333.12
hochequeue 570.8
hocher 579.10
hochet
futilité 435.4
instrument de musique 422.10
jouet 448.8
hockey
hockey sur gazon 792.10
hockey sur glace 792.21
hockeyeur 792.48
patineur 792.57 ; 792.58
hodja 440
imam 440.11 ; 699.15
hodjatoleslam 440
imam 440.11 ; 699.15
hodologie 100.23
hodoterme 417.16
holà 431.3
mettre le holà 522.12
holandrique
hérédité holandrique 361.2
holarctique 873.5
holding 135.9
hold-up
racket 869.4
vol qualifié 169.10
hôlement 170.3
hôler 170.7
holi 310.7 ; 362
holisme 620.14
hollandais 455.14
hollande 328.6
hollywoodien 120.34
holmium 113.7
holo- 823.23
holocauste
sacrifice 173.12 ; 173.13 ; 311.12
extermination 169.6 ; 449.21
littérature d'holocauste 449.22
holocène 337.21
holocéphales 638.4
holoèdre 517.7
holoédrie 517.7
holoenzyme 94.23
hologenèse 293.6
darwinisme 873.12
hologramme 621.8
holographie 621.1
holographier 574.17
holographique 574.24
holométabole 417.32
insecte 417.1
holomètre 509.26
holopneustique 718.30
holoprotéine 94.8
holorime 24.16
vers holorime 24.3 ; 635.15
holoside 94.5
holostéen 638.3
holothurides 527.8
hôm 37.4
homal(o)- 256.32
homalodothériidé 486.4
homard
crustacé 172.1 ; 172.3
mets 333.13
homardier 605.11
hombre 446.3
home 304.8
home, sweet home 304.8
mobile home 833.8
homéen 117.11
homélie
prêche 648.5
sermon 225.4
homéomère 463.6
homéomorphe 517.21
homéomorphisme 517.8
homéopathe 498.31
homéopathie 498.8
homéopathique 498.38
pharmacie homéopathique 499.20

honorablement 366.30
louablement 471.23
moralement 533.18
honoraire 366.25
titulaire 822.18
honoraires
rémunération 266.11
salaire 739.4
honorariat 366.8
honoré 366.24
considéré 341.26
honorer
vénérer 173.18 ; 341.12 ; 366 ; 717.8
tenir 666.14
accepter 587.19 ; 739.11
faire l'amour 763.33
honorer de sa présence 651.8
honorer (s') 366.22
tenir sa parole 472.10
honorifique 717.15
honorifiquement 366.31
honoris causa
honoraire 366.25
titulaire 822.18
honte **367**
ignominie 299.1 ; 399.3 ; 606.6
remords 299.7 ; 697.2
gêne 523.1
faire honte de qqch à qqn 710.15
honteusement 367.17 ; 453.13
lâchement 452.9
honteux
contrit 299.9 ; 367 ; 697
avilissant 452.7 ; 453.11 ; 606.14
maladie honteuse 482.18
nerf honteux 548.4
parties honteuses 711.7 ; 762.1
crabe honteux 172.3
hooliganisme ou **houliganisme** 205.6
hop 431.4
Hopis 371.7
hôpital 114.30 ; 498.32
sanatorium 775.21
refuge 368.4
hôpital psychiatrique 321.11
hoplie 417.3
hoplites 527.5
hoplo- 43.26
hoplocampe 417.7
hoplopsyllus 417.16
hoquet 482.47
spasme 541.4
essoufflement 718.4
râle 83.12
hoqueter 534.24
horaire 118.8 ; 829.8
mensuel 610.15
ouvrier 480.3
indicateur des chemins de fer 832.21
horaires 871.15
angle horaire 30.3
horde
armée 540.3
meute 486.16
Horde d'or 575.14
horion 160.4
horizon
limite de la vue 466.8 ; 467.2
perspective 618.2 ; 662.8
t. de géologie 337.20
t. d'astronomie 49.21
bleu horizon 73.8
à l'horizon 232.14 ; 332.19
horizontal 692.12
horizontale
ligne 338.7
femme galante 672.8
à l'horizontale 692.13
horizontalité 466.2
horloge 49 ; 118
horloge parlante 118.6 ; 809.15
réglé comme une horloge 357.16
horloge de la mort ou **horloge-de-mort** 417.3
horloger 118
horloger-bijoutier 70.19
hormis 295
à l'extérieur de 300.18
hormonal 340.12
hormone 94.14 ; 340.3 ; 762
analgésique 499.5
hormonogenèse 340.7
hormonologie 340.8
hormonopoïèse 340.7
hormonothérapie 340.8
chimiothérapie 775.5
horodaté 118.14
horodateur 118
horologe 657.13
horométrie 118.1
horométrique 118.12
horoscope
prédiction 235.4
presse 654.8
horoscopie 235.3
horoscopique 235.18
horoscopiste 235.12
horreur
laideur 453.1
abomination 453.3
répulsion 62 ; 410.1 ; 619
une sainte horreur 410.6
avoir en horreur 62.5 ; 410.6
faire horreur 62.10
horrible
laid 453.8
effrayant 619.22
horriblement
terriblement 427.31
laidement 453.12
horrifiant 619.22
horrifié 619.20
horrifique 619.22
horripilant
énervant 549.19
inopportun 415.13
horripilation 624.7
horripiler
exaspérer 382.5
énerver 549.13
importuner 415.7
hors- 190.14 ; 295.22 ; 300.19
hors 32.21
excepté 295.16
à l'extérieur de 300.18
hors de 32.21 ; 190.13 ; 258.15 ; 295.17 ; 300 ; 301.17 ; 713.19 ; 783.30
hors que 295.20
hors champ 120.35 ; 300.14 ; 437.8
hors classe 677.14
hors-cote 81.37
hors-ligne 677.14 ; 800.20
hors norme 556.13
hors pair 341.24 ; 521.12 ; 677.14 ; 800.20
hors saison 738.13
hors service 205.26
hors sujet 665.11
hors taxes 317.43
hors d'affaire 752.12 ; 752.18
hors d'âge 28.10 ; 206.10 ; 863.13
hors d'atteinte 232.13 ; 263.13 ; 300.14 ; 752.18 ; 752.23
hors de combat 861.9
hors du commun 32.13
hors de danger 353.13 ; 752
hors de doute 99.7
hors d'ici 258.16
hors d'usage 28.13 ; 205.26 ; 435.14
hors de page 461.22
hors de portée 232.19 ; 263.13 ; 300.14 ; 392.16 ; 752.23
hors de prix 111.10
hors de propos 60.15 ; 386.11 ; 415.12
hors de saison 60.15 ; 415.12
hors de soi 130.10 ; 276.8 ; 600.11
hors du temps 287.11
hors de vue 232.13 ; 263.13
hors d'état de 303.22 ; 385.6 ; 861.9
horsain 288.1
hors-caste 582.11
hors commerce 469.3
hors-d'œuvre
avant-goût 33.6
mets 703.8
horse power 509.17
horse-pox 482.48
hors-jeu 792.11
hors-la-loi 169.17
hors-limite 190.10
hors-série 654.5
hors-sol 262.1
hortensia
arbuste 38.7 ; 38.8
horticole 18.25
horticulteur 318.40
agriculteur 18.16
horticulture 318.39
agriculture 18.1
Horus 236.34 ; 777.12
Hos 371.13
hosanna ou **hosannah**
hourrah ! 447.19
cantique 106.5
hospice
entrée 688.8
asile 368.4
hospitalier 368.10
chirurgical 114.35
hospitalièrement 368.11
hospitalisation 114.4
hospitalisé 114.29
hospitaliser 114.34
hospitalité **368**
terre d'accueil 288.13
hospodar
chevalier 552.18
prince 822.4
hosso 80.2
hostie
pain consacré 173.13 ; 508.5 ; 588.13
victime 801.16
hostile 146
contraire 572.15

hostilement 11.31 ; 146.23
inamicalement 410.16
hostilité 50.8 ; 227.5
haine 62.4
préjudice 11.8
malveillance 497.2
ressentiment 720.1
inimitié 410.1
frottements 146.5
cessez-le-feu 589.2
représaille 707.3
hostilités 50.2 ; 146 ; 354.5 ; 487.1
hosto 114.30
hot 543.6
hot-dog 792.23
hôte
n.m.
amphitryon 368.3 ; 688.11
aubergiste 368.5
invité 703.19
habitant 355.2
n.f.
hôtesse d'accueil 278.9 ; 688.11
hôtesse de l'air 831.14
hôtel 368.4
hôtel maternel 270.11
hôtel de la Monnaie 529.20
hôtel de ville 708.11 ; 845.11
hôtel de passe 672.3
hôtel particulier 481.6
hôtel-Dieu 775.21
hôtelier 368.5
hôtellerie 368.4
hotinus 417.5
hotte
corbeille 151.5
âtre 109.16
hottée
bouchée 678.5
charge 152.3
Hottentots 371.11
figue des Hottentots 330.16
hotu 638.5
hou ! 431.5
clameur 168.5
bravo ! 817.34
houache, houaiche ou **ouaiche** 193.7
houblonnière 18.10
houe
outils agricoles 18.15 ; 584.26
Houei ou **Hui** 371.13
houer 18.20
houille 337
charbon 131.7
combustibles solides 269.5
houille blanche 269.2
houille bleue 269.2
houille d'or 269.2
houille verte 269.2
houiller 337.33
houillère 518.2
houle
va-et-vient 579.4
vague 319.10
houleux 17.12
houliganisme → **hooliganisme**
houlque 360.7
houppe 624.3
houppelande 859.12
houppier 37.5
houque 360.7
houraillis 486.16
hourdage 727
hourdis 727.8
houri
femme 306.4
clés du paradis 591.2
hourra, hourrah, houzza ou **huzza** 168.24 ; 431.2
hourra ! 276.15
hourrah ! 447.19
acclamation 798.5
applaudissements 471.3
hourvari
vacarme 83.10
cri 168
house 543.8
houseau 110.9
house-boat 830.9
house-music 543.8
houspiller 710.10
houspilleur 710.20
houssette 760.10
houx 38.4
houzza → **hourra**
hovercraft 830.3
hoverport 830.15
howardie 417.5
hoya 38.8
hoyau 18.15
hrivna 529.8
hsing-i 792.15
huaca 736.4
hua shan 736.8
Huaxtèques 371.9
huayan 80.2
Hubble 49.28
hublot
fenêtre 481.31 ; 585.6
hubris ou **hybris**
excès 294.1
démesure 426.1
hubus 440.18
aumône 241.3
huche 588.10
huchement 764.5
hucher 764.8
huchier 519.31
Hudson river school 46.11
hue ! 246.12 ; 431.4
à hue et à dia 572.18
huée
clameur 168
t. de chasse 107.10
pl.
huées 439.4 ; 710.6 ; 817.24
huer 431.11 ; 439.9
couvrir de honte 367.9
critiquer 710.13
crier 168.18
applaudir 817.30
huguenot 117.13
croix huguenote 171.3
huhau ! 246.12
Hui → **Houei**
Huichols 371.8
huile 369
substance grasse 57.17 ; 113.8 ; 131.6 ; 468.5 ; 499.15
peinture à l'huile 607.3
autorité 59.9 ; 133.6 ; 800.10
huile essentielle 369.4 ; 594.2
huile bouillante 42.6
huile légère 131.6 ; 457.5
huile lourde 131.6 ; 369.2
huile de foie de morue 369.4 ; 499.7
huile de ricin 499.7
huile solaire 369.6
saintes huiles 369.7 ; 508.5
il n'y a plus d'huile dans la lampe 534.24
jeter, verser de l'huile sur le feu 311.27 ; 600.8
huilé 369.17
huiler 369.13 ; 727.15
huilerie 369.11
ferme 18.12
huileusement 369.19
huileux 369.15 ; 604.15
huilier 848.22
huir 170.7
huis 481.27
volet 308.4
huis clos 451.9
huissier
portier 278.9 ; 481.39 ; 671.12
t. de droit 451 ; 464.11
huit 370
carte 446.4
huitain 635.12
huitaine 370
huitante 370.1
huitième
n. 370.1
adj. 370.5
huitièmement 370.8
huître
molllusque 333.13 ; 527.2
personne sotte 784.7
huit-reflets 859.25
huîtrier 262.32
huîtrière 262.9
Huitzilopochtli 236.24
hulotte 570.12
hululation 170.3
hululement 170.3
hululer 170.7
hum ! 431.2 ; 431.3
humain 371 ; 755.16
bon 76.9
bienveillant 336.11
clément 592.16
être humain 371.1 ; 613.2
sciences humaines 747.6
humainement 371.31
sentimentalement 755.23
humane 459.8
humanisable 253.12 ; 371.27
humanisation 371.19
humanisé 371.27
lait humanisé 454.1
humaniser 371.25
humanisme 620.15
humaniste 620.33
savant 747.16
humanitaire 620.33
bienveillant 336.11
humanitairerie 336.2
humanitarisme 620.15
générosité 336.1
humanitariste 620.33
humanité
espèce humaine 371.2
nature humaine 371.1
bienveillance 336.2 ; 625.1 ; 755.3
humanités 274.6 ; 747.6
humantin 638.7
humble 523
simple 767.7
respectueux 717.14
humblement
petitement 616.15
modestement 523.12
respectueusement 717.16

Humboldt
mer de Humboldt 474.7
humbug 532.5
humea 318.10
humectage 372.6
humectation 372.6
humecter
humidifier 372.13
liquéfier 468.8
humecter (s') 75.27
humecteur
alambic 113.17
humidificateur 372.9
humer 718.28
respirer 569.19
huméral 128.8 ; 128.9
huméro-radial 580.23
humérus 580.14
humeur
substance liquide 340.4 ; 468.4
caprice 90.1
état d'esprit 286.5
humeur aqueuse 868.6
humeur vitrée 868.6
humeur prolifique 340.4 ; 762.8
humeur de chien 192.2
humeur massacrante 192.2
humeur noire 836.1
humeur changeante 104.20
humeur égale 282.22
bonne humeur 277.1 ; 447.1
mauvaise humeur 192 ; 416
théorie des quatre humeurs 340.8 ; 468.4
humicole 251.16
aquatique 873.23
humide 372
pluvieux 633.17
humidificateur 372.9
humidification 372.6
climatisation 109.3
humidifier 372.13
liquéfier 468.8
humidifuge 372.21
humidimètre
instrument de mesure 372.11 ; 509.26
humidité 372 ; 127.3
pluie 633.1
humidostat 372.11
humiliant
infériorisant 405.18
injurieux 412.12
humiliation 367.4
dévalorisation 220.1
honte 697.2
blessure 192.3
scandale 227.4
injure 412.1
humilié 412.14
humilier 367.8 ; 439.8
déplaire 192.7
déshonorer 227.18
injurier 412.8
humilier (s') 185.16
s'inférioriser 405.10
rester dans l'ombre 523.6
humilité 767.2
petitesse 616.1
insignifiance 419.1
pudeur 367.6
modestie 523.1
servilité 761.1
en toute humilité 523.12
humique 311.26
humoral
fluide 468.17
vasodilatation humorale 128.14
humoresque 543.32
humorisme 340.8
homéopathie 498.8
humoriste 132.5
bon vivant 447.9
humoristique 132.13
amusant 447.17
humour 132.2 ; 628.3
présence d'esprit 424.3
humour noir 132.2
humus 311.5
Hunabku 236.10
huppe
sale comme une huppe 740.14
huppé
noble 552.24
riche 730.19
hure
tête d'animal 486.21 ; 638.17
tête 814.3
galantine 333.9
hurlant 168.20
hurlement 170
cri 168.4 ; 243.6
hurler
crier 83.17 ; 168 ; 170 ; 852.17
beugler 106.27 ; 224.5
hurler avec les loups 373.12 ; 379.7 ; 761.9
hurler de douleur 243.11
hurleur 486.30
hurluberlu 628.8
hurlupé 129.19
Hurons 371.7
hurri 455.14
hurtebiller 486.27
huso 638.8
hussard 41.12
bleu hussard 73.8
à la hussarde 865.31
hussarde 176.6
hussite 117.13
hutia 486.5
hutte 481.3
à la passée 107.32
hutteau 107.32
Hutus 371.11
Huygens 49.28
huzza → hourra
hyacinthe 517.4
Hyades 49.5
hyalin
transparent 473.35
cristal hyalin 517.4
quartz hyalin 855.5
hyalite 855.1
hyalographie 388.5
hyalonème 527.10
hyalopterus 417.5
hyaluronidase 94.24
hyaluronique 94.13
hybridation
mixité 501.3
manipulation génétique 361.11
mitose 94.27
hybride 25.8 ; 501.19 ; 711.6
hétérogène 229.9
mutant 361.10
staminé 318.46
ambigu 24.14
langue 455.2
moteur hybride 57.3 ; 131.14
hybrider 711.20
hybridisme
croisement 711.5
dimorphisme sexuel 361.6
hybris → hubris
hyd- 468.19
hydatide 856.3
hydatidose 482.35
hydne 103.6
hydnocarpus 37.20
hydnophytum 318.28
hydr- 633.22
hydrachne 417.13
hydrachnelle 417.13
hydrachnellidés 417.12
hydraires 527.11
hydrargilite 517.4
hydrargyrisme 267.2
hydrastis 318.25
hydratant
crème hydratante 604.7
hydratation 372.6
hydrate
solution 468.5
hydrate de carbone 94.5
hydrater
humidifier 372.13
liquéfier 468.8
hydraule 422.13
hydraulique 269 ; 468.7 ; 632.5
liquide 468.16
machines simples 476.4
hydravion 831.2
hydrazine 267.4
-hydre 468.20
hydre 527.12
Hydre 49.15
hydrellia 417.9
hydri- 468.19
hydrique 113.30
liquide 468.16
hydro- 372.23 ; 468.19 ; 633.22
aqua- 319.34
hydrocarbure
gaz naturel 131.8
gaz parfait 335.2
combustibles liquides 269.6

hydrocèle 482.33
hydrocentrale 261.21
hydrocéphalie 482.14
hydrocharidacées 318.12
hydrocharis 318.12
hydrochlorothiazide 499.5
hydrochoc 115.13
hydrochore 318.46
hydrocoralliaires 527.11
hydrocorise 417
hydrocortisone 499.5
hydrocotyle 318.20
hydrocution 534.13
hydrocyon 638.5
hydrodynamique 468.7
hydrofilicale 360.9
hydrofugation 750.4
hydrofuge 750.20
hydrofuger 750.16
hydrogénation 113.14
hydrogène 113.7
gaz parfait 335.2
hydrogène lourd 131.9 ; 269.5
hydrogéner 269.11
hydrogéologie 337.1
hydrogéologue 337.23
hydroglisseur 830.3
hydrographique 872.1
axe hydrographique 319.6
hydrolase 94.24
hydrolat 113.3
hydrolytique 94.23
hydromancie 235.2
hydroméduse 527.12
hydromel
tisane 499.16
cidre 75.9
hydromètre 187.5 ; 417.5
instrument de mesure 509.26
hydrométrie 468.7 ; 509.25
hydrométrique 468.16
hydromorphe 372.18
hydromorphie 372.7
hydronéphrose 482.24
hydronéphrotique 482.71
hydrophile 417.3
perméable 372.20
hydrophilidés 417.2
hydrophobe 619.21
hydrophobie 619.4
hydrophobique 619.21
hydrophone 207.6
hydropique 482.82
hydropisie 482.49
hydroplanage 57.13
hydropore 417.3
hydropote 486.6
hydropropulseur 188.11
hydroptéridale 79.4
fougère 360.9
hydrosoluble 94.33
hydrostatique
n.f. 282.11 ; 468.7
adj. 468.16
pression hydrostatique 742.16
hydrotactisme
sens de l'orientation 221.12
tropisme 79.11
hydrotaxie 221.12
hydrotée 417.9
hydrothérapie 775.4
hydrothérapique 775.28
hydrotropisme 221.12
hydroxocobalamine 499.6
hydroxy- 113.29
hydroxybutyrique 94.7
hydroxyde 499.6
oxyde de plomb 631.2
hydroxyle 113.9
hydroxylysine 94.10
hydroxyproline 94.10
hydroxyzine 499.5
hydrozoaires 527.11
hyène 486.7
hyénidé 486.3
hygiène 669
préservation 653.4
hygiénique
propre 669.12
diététique 771.8
seau hygiénique 296.17
hygiéniquement 669.15
hygiéniser 669.10
hygiénisme 669.2
préservation 653.4
hygiéniste 669.8
préventeur 653.8
hygiéno-diététique 669.13
hygro- 372.23 ; 633.22
hygroma 482.11
hygromètre 372.11 ; 633.11
instrument de mesure 509.26
pluviomètre 127.10
hygrométricité 372.2
hygrométrie 372.12 ; 372.2 ; 509.25
humidité 633.1
hygrométrie 127.3
hygrométrique 633.20
hygrophobe 619.21
hygrophore 103.6
hygroscope 372.11
hygroscopie 372.12
hygrostat 372.11
hygrotropisme 221.12
hylaste 417.3
hylastine 417.3
hylé- 187.15 ; 492.12
hylémyie 417.9
hylésine 417.3
hylo- 187.15 ; 492.12
hylobatidé 486.14
hylobius 417.3
hylochère 486.12
hylotrupe 417.3
hymalayen 530.16
hymén- 67.19
hymen
réunion 725.4
mariage 491.1
membrane 762.13
hyménéal 762.35
hyménée
mariage 491.1
chant 106.12
hyménial 103.16
hyménium 103.3
hyméno- 67.19
hyménomycètes 103.5
hyménoptère
invertébré 873.25
hyménoptères 417.6
hyménoptéroïde 417.7
insecte 417.1
hyménoptères 417.6
hymnaire 657.13
psautier 106.6
hymne
n.m. 635.6
hymne national 106.12 ; 125.6
n.f. 106.5 ; 508.8 ; 657.8
hymnode 471.8
hymnographe 471.8
hyoglosse 541.11
hyoïde 580.8
hyoïdien 541.13
branchie 638.10
hyopharyngien 541.11
hyothyroïdien 541.11
hypallage 313.4
hypène 417.11
hyper- 294.21 ; 427.41
extra- 800.27
hyper
magasin 464.13
centre commercial 135.11
hypera 417.3
hyperacousie
bourdonnement d'oreille 55.6
surdité 482.29
hyperactif
n. 549.6
adj. 549.18
hyperactivité 549.2
hyperbate
inversion 436.5
figures de construction 313.3
hyperbole
courbe 338.8
figure de style 313.5
exagération 276.5 ; 347.6 ; 504.3 ; 804.2
hyperbolique
emphatique 294.16
surestimé 804.8
théâtral 347.12
hyperboloïde 338.8
hypercalciurie 296.10
hypercalorique 214.11
hypercapnie 718.9
hyperchlorurie 296.10
hypercholestérolémie 482.25
hyperchrome 482.68
hyperchromie 604.2
hypercinésie 684.9
hypercoagulabilité
coagulation 778.4
sang 742.16
hypercorrect 3.15
hypercorrection
abus de langage 3.4 ; 535.14
hyperdiploïdie 361.9
hyperdulie
culte d'hyperdulie 173.2
hyperémotif 549.17
hyperémotivité 755.2
hyperergie 381.6
hyperespace 493.4
hyperesthésie
névralgie 548.20

hypothécie 463.2
hypothénar 479.2
hypothénuse 338.7
hypothèque 209.6
hypothéqué 209.32
hypothéquer 166.30
hypothermie 482.7
hypothermique 482.61
hypothèse 291 ; 375.5 ; 802
annonce 60.3
dilemme 395.4
connaissance 620.22
présupposition 788.5
par hypothèse 660.11
hypothético-déductif 511.15
supposable 802.12
hypothétique 291 ; 395.14 ; 802.11 ; 807.17
principiel 658.10
hypothétiquement 802.13
hypotonie 482.39
mollesse 526.1
hypotrème 638.2
hypotrophie 482.42
hypotrophique 482.80
hypotypose
figures de pensée 313.5
description 196.1
hypoventilation 718
hypovigilance 397.6
hypovitaminose 482.25
hypoxanthine 94.15
hypoxémie 482.19
hypoxie 482.39
asphyxie 718.9
hypra- 427.41
hypsiloglosse 541.11
hypsilophodon 712.11
hypso- 530.19
hypsodonte 188.31
hypsodontidé 486.4
hypsomètre 509.26
hypsométrie 337.1
hypsométrique 337.30
hyptiote 417.13
hyracoïde 486.3
hysope 38.6
hystérectomie 114.13
hystérèse ou **hystérésis** 478.6 ; 611.7
hystérie 321.6 ; 619.3
neuropathie 548.20
nervosité 549.1
hystérique 321.14
névralgique 548.27
nerveux 549.17
hystéro- 306.20
hystéromètre 498.17
hystéropexie 114.6
hystérotomie 114.14
hystricidé 486.3
hystricoïde 486.3

I

Iakoutes 371.14
ïambe 635.13
ïambique 635.27
ianthinite 516.5
-iase 482.85
-iasis 482.85
-iatre 498.40
-iatrie 498.40
-iatrique 498.40
iatro- 498.40
iatrogène 482.64
Ibans 371.12
Ibères 371.16
iberis 318.26
Ibibios 371.11
ibid. 376.18
ibidem 376.18
ibis 570.18
-ible 646.15
Iblis 186.4
Ibos 371.11
Ibrahim 440.22
ibuprofène 499.5
icaque 330.8
icaquier 38.7
Icare
chute d'Icare 374.6
iceberg 530.7
glace 327.7
icérye 417.5
ice-shelf 530.7
glace 327.7
icha 440 ; 657.16
ichneumon 417.9 ; 486.7
ichneumonidés 417.6
ichnologie 873.2
-ichon 616.18
ichor 340.4
ichoreux 340.15
ichthus 215.11
ichthys 638.19
ichtyol 369.2
ichtyologie
entomologie 873.2
poisson 638.1
ichtyologique 638.24
ichtyophage
migrateur 873.21
végétarien 214.12
ichtyophagie 214.3
ichtyornis 337.23 ; 570.20
ichtyosaure ou **ichtyosaurien** 337.23 ; 712
ichtyose 482.17
ichtyosique 482.67
ichtyostégaliens ou **ichtyostégidés** 68.2
ichtyotomes 638.4
ici 221.32 ; 232.17 ; 651.14 ; 769.15
ici et maintenant 652.12
d'ici longtemps 247.20
d'ici peu 421.19
ici présent 651.12
ici-bas 663.10
icône
image 374.9 ; 465.16 ; 709.4
élément graphique 408.18 ; 765.5
iconique 765.30
iconoclase 737.2
iconoclaste
incroyant 398.6
sacrilège 737.6
iconographe 374.11
iconographie 374 ; 736.10
représentation 709.2
iconographique 374.14
iconologie 374.10 ; 765.19
représentation 709.2
iconologique 374.14
iconologiste 374.11
iconophobe 619.21
iconostase 465
retable 374.9
iconothèque 374.12
icosaèdre 338.6
Ics ou **inconscient** 397.8
ictère 482.17
maladie 79.16
jaunisse 444.4
ictérique
jaune 444.7
cirrhotique 482.70
ictéro- 444.15
ictus 482.47
icule 616.18
iculet 616.18
id. 376.17
-ide 94.36 ; 214.14
-ite 482.85
ide
poisson 638.5
-idé 417.33
idéal
n.m.
modèle 86.1 ; 375 ; 380.5 ; 521.3 ; 559.2 ; 620.17 ; 664.1 ; 696.4
adj. 86.9 ; 375.23 ; 380.15 ; 521.12
idéalement 380.17
en pensée 375.28
idéalisation 380.8
surestimation 804.1
merveille 69.7
idéaliser
embellir 378.9
surestimer 804.4
ennoblir 552.21
idéalisme
philosophie 375.11 ; 380.7 ; 620.13
utopie 573.3
idéaliste
rêveur 573.8
philosophe 375.26 ; 620.32
idéalité 375.12
immatérialité 380.1
idéat 375.16
idéation 375.13
conceptualisation 275.4
idéationnel
abstrait 380.15
idéal 375.23
idée 375
concept 297.5 ; 323.8 ; 380.5 ; 620.16 ; 753.1
conception 179.3 ; 378.4 ; 658.9 ; 682.5
intuition 434.5
projet 428.1 ; 664.1
idée arrêtée 716.5
idée fixe 375.9 ; 568.2 ; 785.2
idée générale 375.2 ; 664.2
idée mère 92.6 ; 375.2
idées noires 272.1
idée préconçue 375.7 ; 450.5
idée première 92.6
idée toute faite 375.7 ; 630.5
à son idée 462.21 ; 462.39
avoir dans l'idée 86.14 ; 375
avoir une haute idée 717.9
avoir une idée derrière la tête 86.5 ; 428.9 ; 814.9
se faire une idée 375.19
se faire des idées 375.19 ; 432.17

illégalité
abus d'autorité 3.2
malhonnêteté 485.1
injustice 413.1
illégitime 314.16
illégitimement 413.18
illégitimité 413
-iller 326.21
illettré 377 ; 459.15
illettrisme 459.12
ignorance 377.1
illicite
interdit 429.17
délictueux 284.13
criminel 169.27
illico
immédiatement 421.16 ; 652.16
illico presto 421.16
illimitable 467.15
illimité
infini 406.9
extrême 467.15
illimiter 406.6
illipé 37.20
illisibilité 411.1
illisible 411.13
illisiblement 411.17
illogique 557.9
illogiquement 32.18
illogisme 557.3
-illon 616.18
illumination 421.2
éclairage 250.1 ; 473.10
idée 179.3 ; 375.4 ; 378.5 ; 434.5
vision 276.4 ; 657.1 ; 818.17
illuminé
éclairé 473.33
visionnaire 276.9 ; 378.7 ; 600.13
illuminer 578.13
éclairer 250.22 ; 473.27
illuminisme 818.23
délire 276.4
illusion
erreur 283.12 ; 404.2 ; 719.8
chimère 285.4 ; 378.4 ; 838.7
illusion d'optique 283.3 ; 380.6 ; 574.10 ; 868.11
se faire des illusions 64.9 ; 285.7 ; 804.4
illusionnant 64.12
illusionnel 64.12
abstrait 380.15
illusionner
aveugler 64.6
flatter 838.13
illusionner (s') 283.15
illusionnisme 123.11
illusionniste 10.9
magicien 123.17
illusoire 838.22
inexistant 404.8
abstrait 380.15
décevant 178.8
trompeur 828.18
imaginaire 504.25
illustrateur 607.19
illustration
renommée 341
iconographie 374.8 ; 709.2
illustre
puissant 59.21
célèbre 341.25
illustré 654.4
illustrement 341.31
illustrer
adjoindre 9.12
parer 578.14
illustrer (s') 341.20
illustrissime 822.20
célèbre 341.25
illutation 775.14
illuviation 337.4
illuvium 337.20
illyrien 455.14
I.L.M. 356.4
ilm al-tasawwuf 440.13
ilménite 516.5
ilmérite 307.4
Ilocanos 371.12
ilomba 37.18
îlot
rivage 319.8
quartier 845.12
îlot de maisons 39.9
ilote
ignorant 377.4
esclave 787.6
ilotie 377.3
îlotier 641.6
ilotisme
obscurantisme 377.3
esclavage 787.2
im- 2.14
a- 404.15
non- 546.23
image
réplique 379.3 ; 719.7
apparence 323.4 ; 868.10
réminiscence 375.1 ; 503.3 ; 754.4
métaphore 138.4
représentation 196.1 ; 664.3 ; 709
illustration 374.1
photographie 621
image acoustique 535.8
image de marque 675.7
image pieuse 320.7
à l'image de 379.13 ; 521.15 ; 719.17
imagé 709.12
imagerie
images 374.1 ; 709.2
technique médicale 498.14
imagier 749.16
imaginable 378.15
imaginaire 378.13 ; 378.6 ; 504.25
inexistant 404.8
idée 380.5
abstrait 380.15
imagination 378.1
imaginairement 378.18
imaginal 417
imaginateur 378.16
imaginatif 378.16
inventif 179.12 ; 414.11
imagination 378
faculté 179.2 ; 297.5 ; 380.5 ; 664.6
invention 375.8
imaginativement 378.19
imaginé 378.14
projeté 664.18
imaginer
concevoir 179.6 ; 664.13 ; 802.6
inventer 378.8 ; 386.6 ; 414.7
créer 150.7
fantasmer 380.12 ; 432.17 ; 664.13
imaginer (s') 285.6 ; 614.13
se faire des idées 375.19
rêver 664.16
imagisme 635.19
imam 440 ; 440.11 ; 699.15
titre 822.6
imamisme 440.2
imamiste 440.7
imari 311.11
imbattable 864.16
imbécile 784
faible 303.17
faire l'imbécile 628.10
imbécillité
faiblesse 303.1
bêtise 767.4 ; 784.2
imberbe 624.21
imbibé 608.17
bourré 441.18
imbiber
pénétrer 430.11
envahir 608.9
humidifier 372.13
liquéfier 468.8
cuisiner 333.37
imbibition
pénétration 608.1
humidification 372.6
infiltration 468.6
imboire 372.13
imbrications 578.3
imbrin 570.15 ; 570.16
imbriqué 37.27
imbriquer 140.8
imbroglio
embrouillamini 201.5
dédale 140.2
confusion 501.6
comédie 817.5
imbrûlable 131.29
imbrûlé 131.29
imbu
imbu de soi 613.16
imbuvable 500.17
imido- 113.29
iminazol 94.10
imino-glutarique 94.13
imipramine 499.5
imitable 379.9
imitateur
copieur 379.4
pitre 628.7
imitatif 379.9
imitation 379
illusion 719.8
représentation 709.1
description 196.1
bijou 70.1
à l'imitation de 379.13 ; 521.15
imité 379.9
imiter 196.11 ; 379.5 ; 521.10 ; 719.13
tromper 25.10
représenter 709.9
immaculé
propre 71.15 ; 550.39 ; 669.12
pur 108.8 ; 858.11
Immaculée Conception 310.4
immanence
existence 620.19
virtualité 788.2
immanent
intérieur 152.10
justice immanente 451.3
immanquable
nécessaire 545.10
fatal 305.12 ; 565.13

immanquablement 488.18
nécessairement 545.14
obligatoirement 565.19
immatérialiser
dématérialiser 380.9
spiritualiser 380.10
immatérialiser (s') 380.11
immatérialisme 380.7
idéalisme 375.11
platonisme 620.13
immatérialiste 380.16
immatérialité 375.12 ; 380
légèreté 457.1
invisibilité 437.1
immatériel
éthéré 380.13 ; 437.6 ; 457.10
spirituel 375.23 ; 380.2
immatériellement 380.17
immatriculation
numéro 683.2
vignette 57.18
immatriculer 683.14
immature 383.8
immaturité 383.1
immédiat 421
présent 652.10
intuitif 434.8
immédiatement 421.16 ; 652.16
immédiateté
présence 651.1
brièveté 421.3
immémorial 552.2
passé 598.1
antique 28.11
immémorialement
depuis toujours 287.16
depuis longtemps 28.18
immense
intense 427.14
infini 406.9
immensément 427.29
immensité 215.13
infini 406.1
immensurable 509.32
immergé 319.31
immerger 468.9
immerger (s') 319.27
immérité
illégal 485.15
injuste 413.13
immersion
trempage 468.6
ablution 173.7
t. d'astronomie 49.19
immesurable 509.32
immeuble
n.m. 39.6 ; 356.4 ; 481
adj. 645.4
immigrant 45
résident 288.3
immigration 45.3 ; 355.16
entrée 278.1
émigration 288.10
immigré 45
travailleur immigré 480.4
immigrer
arriver 45.7
s'expatrier 124.12
émigrer 288.20
imminence 332.2
proximité 673.1
brièveté 421.3
imminent 421
proche 673.11
futur 332.11
imminer 421.9 ; 673.9
immiscer (s') 596.31
déranger 415.8
immixtion
inopportunité 415.1
expansionnisme 642.9
immobile 403.11
immobilement 403.15
immobilier 481.44
immobilisation 403.7
contention 114.6
immobiliser
bloquer 403.8 ; 611.13
retenir 792.86
t. de comptabilité 66.44
immobilisme 51.3 ; 611.6 ; 715.6
inaction 393.2
programme 642.6
immobiliste 715
immobilité
inertie 403.1 ; 706.1
sclérose 389.3 ; 611.2
immodération
abus 3.1
frénésie 865.4
démesure 426.1
immodéré 426
surestimé 804.8
inopportun 415.13
abusif 3.12
intense 865.24
immodérément 426.14
immodeste
orgueilleux 312.11
indécent 399.7
immodestie
fierté 312.1
prétention 655.1
impudeur 399.2
immolateur 801.15
immolation 173.12 ; 801.9
meurtre 534.12
immoler 801.21
sacrifier 173.19
immoler (s')
sacrifier 173.19
renoncer à 701.8
donner 336.6
immonde
dégoûtant 740.12
corrompu 860.10
immondice 740.4
pl.
immondices 550.13
immoral 606.15
malhonnête 485.12
vicieux 860.9
déloyal 413.14
immoralité 860.1
malhonnêteté 485.1
péché 606.1
immortalisation 153.11 ; 287.6
préservation 653.3
glorification 341.6
immortaliser 287.9
perpétuer 153.19
préserver 653.13
photographier 621.20
immortaliser (s') 341.20
immortalité 215.13 ; 287.2
infini 406.1
immortel 287
immortelle 287.5
fleur 318.10
immortellement 287.17
immuabilité
égalité 256.1
inertie 403.1
immuable
continu 843.10
constant 153.23
permanent 403.14 ; 611.15
immuablement 611.19
immun 381.20
complexe immun 381.8
immun-complexe 381.8
immunigène 381.21
immunisant 381.21 ; 775.29
sédatif 499.33
protectif 671.30
immunisateur 381.21
immunisation 357.9 ; 381.16 ; 743.5
désintoxication 267.8
préservation 653.4
immunisé 381.20
immuniser 381.18 ; 671.20
injecter 775.26
préserver 653.15
immunisine 381.12
immunitaire 381.19
déficit immunitaire 381.6
immunité 381
défenses 267.8 ; 671.2 ; 743.5
privilège 58.4 ; 317.19 ; 462.7
immunité diplomatique 288.9
immunition 381.1
immuno- 381.22
immuno-adsorption 381.1
immuno-allergologie 381.2
immunochimie 381.2
immunodéficience 381.6
immunodéficitaire 381.20
immunodépresseur
immunisant 381.21
analgésique 499.5
immunodépressif 381.20
immunodépression 381.6
immunodéprimé 381.20
immunoélectrophorèse 381.7
immunogène 381.21
immunogénétique 381.2
immunogénicité 381.4
immunoglobuline 742.19
gamma-globuline 381.12
immunohématologie
immunologie 381.2
hématologie 742.21
immunologie 381.2 ; 862.21
bactériologie 512.11
biosciences 498.3
immunologique 381.19
immunologiste 381.17
immunomodulateur 381.21
immunopathologie 381.2
immunosélection 381.1
immunostimulant 775.29
immunisant 381.21
immunostimulation
immunothérapie 381.7
vaccination 775.11
immunosuppresseur 381.21
immunosuppressif 381.20
immunotechnologie 381.2
immunothérapie 381.7
chimiothérapie 775.5
immunotolérance 381.3
immunotoxine 267.5
gamma-globuline 381.12
immunotransfusion 381.7
immun-sérum 381.15
immutabilité 215.13
permanence 376.3 ; 611.1
stabilité 153.3

impulsivement 391.18
impatiemment 382.15
hâtivement 386.17
passionnément 600.17
impétueux
emporté 276.9 ; 382.11 ; 386.13 ; 390.14 ; 391.16 ; 600.13
violent 427.17 ; 684.31 ; 865.26
impétuosité
ardeur 161.2 ; 276.3 ; 382.2 ; 386.2 ; 391.10
violence 684.5 ; 865.1
impetus 496.3
moteur 391.2
impie
incroyant 398.6
pécheur 606.13
impiété 398.3
péché 606.1
impigeable 411.14
impitoyable
inhumain 418.17
tragique 827.11
ferme 248.10
impitoyablement 248.13 ; 307.26
implacabilité 248.1
implacable
inhumain 418.17
tragique 827.11
ferme 248.10
implacablement 418.22
implant 499.14
implant dentaire 188.15
implantable 114.35
implantation
installation 769.1
des dents 188.18
des cheveux 624.6
intervention chirurgicale 114.11
implanter
introduire 114.33 ; 608.11
installer 769.9
implanter (s') 356.13
se situer 769.10
implantologie 188.13
impliable 732.13
implication 788.4
sens 753.1
implicite 753 ; 788
inhérent 396.16
clair 425.15
abrogation implicite 245.39
implicitement 788.20
formellement 753.19
impliqué 788.17
impliquer
entraîner 92.12 ; 545.5 ; 687.7
comporter 151.9 ; 396.10
signifier 753.9 ; 788.12
implorable 185.26
implorant 185.22
implorateur 185.21
imploration 185.1
implorer 625.12
prier 185.12
imploser 154.12
implosion 154.2
impluvium 481.26
bassin 633.9
impoli 226 ; 485.14
antipathique 192.14
vulgaire 399.8
irrespectueux 439.14
discourtois 412.15
impoliment
discourtoisement 226.11
injurieusement 412.17
impolitesse 485.3
discourtoisie 226.1
indécence 399.1
irrespect 439.1
violence verbale 412.5
impondérabilité
immatérialité 380.1
légèreté 457.1
impondérable
immatériel 380.13
léger 457.10
petit 419.14
impopularité 410.3
discrédit 227.1
import 829.4
importable 278.19
commercialisable 135.34
importance 384
taille 298.6 ; 351.1
portée 581.8 ; 717.9 ; 759.4
fatuité 655
de la plus haute importance 427.22
sans importance 401.18 ; 419.12 ; 435.13
d'importance 351.17
important 351.12 ; 384
faire l'important 12.8 ; 581.8
importateur 135.18
importation
introduction 278.4 ; 430.7
arrivage 45.4
échange 135.5
importé 288.3
importer
v.t. 135.25 ; 278.15 ; 430.8
v. impers. 384.6
n'importe ! 431.2
n'importe comment 201.18 ; 286.15 ; 358.14
n'importe où 358.14
n'importe quand 358.14
n'importe quoi 557.7
peu importe 431.2
import-export 135.1
importun 415 ; 785.14
inopportun 60.11
ennuyeux 272.14
empêcheur 567.10
importunément 415.17
importuner 272.11 ; 415.7
ennuyer 785.8
déplaire 192.8
entreprendre 279.12
importunité 226.2
ennui 192.5
inopportunité 415.1
imposable 317.40
imposant
gros 351.12
majestueux 759.8
imposé
prescrit 133.25 ; 565.12
taxé 317.32
imposer
v.t.
prescrire 133.15 ; 545.5 ; 565.7 ; 650 ; 870.10
taxer 317.33
t. d'imprimerie 388.18
imposer les mains 98.19
v.i.
en imposer 59.15 ; 717.11
imposer (s')
paraître évident 99.6
se faire admettre 59.18
imposition
taxation 317.14 ; 317.2
t. d'imprimerie 388.3
imposition des mains 98.5 ; 508.4 ; 765.9
impossibilité 385
impossible
irréalisable 217.23 ; 385.8 ; 389.19 ; 392.16
indomptable 200.10 ; 420.10
impossible n'est pas français 385.7
à l'impossible nul n'est tenu 385.4
par impossible 291.15
imposte
t. d'architecture 39.20
t. de menuiserie 481.31 ; 585.6
imposteur 504.12
traître 25.7
hypocrite 373.9
escroc 284.7
tricheur 838.9
imposture
tromperie 25.3 ; 828.6
hypocrisie 373.2
mensonge 504.1 ; 838.3
impôt 19.8 ; 317 ; 587.3
ferme des impôts 317.25
impotent
sénile 863.15
titubant 303.19
impouvoir 385.1
impraticable
impossible 385.8
inapplicable 392.16
invivable 420.10
imprécation
impopularité 410.3
figures de pensée 313.5
imprécis 159.27
indéterminé 395.17
inabouti 392.18
inintelligible 411.13
ambigu 24.14
imprécision 411.2
imprédictibilité 802.4
imprédictible 87.15
supposable 802.12
imprégnation
pénétration 608.1
imbibition 372.6 ; 468.6 ; 834.25
influence 357.8
imprégné 608.17
imprégner
pénétrer 430.11 ; 608.9
imbiber 372.13 ; 468.8
marquer 407.11
imprégner (s') 423.10
imprémeditation 386.1
imprémédité 386.9
imprenable 752.15
résistant 715.21
impréparation 386
impréparé 386.9
imprescriptibilité 153.4
imprescriptible 245.18
impressible 407.24
impressif 407.24
impression
pression 322.1
impulsion 391.1
sensation 754

sentiment 375.5 ; 434.5 ; 755.4
écriture 840.12
t. d'imprimerie 388.2
de nouvelle impression 552.28
faire impression 264.7 ; 754.14
impressionnabilité 755.2
impressionnable
sensible 755.15
influençable 407.24
impressionnant 115.34
impressionné 755.18
impressionner
affecter 754.12
frapper 63.15 ; 115.23 ; 600.9 ; 755.11
en imposer 59.15 ; 264.7 ; 407.13 ; 819.6
impressionnisme 46.11
impressionniste 46.16
imprévisibilité
hasard 358.1
imprévu 386.4
imprévisible 386.14
versatile 402.15
capricieux 90.10
imprévisiblement 358.12 ; 386.18
imprévision 386.1
imprévoyance
impréparation 386.1
désinvolture 390.2
imprévoyant 386
imprudent 390.12
négligent 547.16
imprévu 386
surprenant 805.13
imprimable 388.22
imprimante 388.15 ; 476.7
périphérique 408.7
imprimante-laser 388.15
imprimatur 6.6 ; 58.5
adoption 149.2
imprimé
n. **387 ;** 252.5
adj. 252.20 ; 816.4
imprimer
reproduire 387.6 ; 388.18 ; 459.17 ; 816.25
donner 221.18 ; 391.12 ; 538.23
imprimerie 388
typographie 459.9
imprimeur 388.16
improbabilité 385.1
improbateur 710.21
improbatif 710.22
improbe 485.12
improbité 485.1
improductibilité 389.6
improductible 389.19
improductif 389.12 ; 389.7
inactif 393.16
oisif 435.8
inutilisable 435.14
improduction 389
improductivement 389.20
improductivité
inaction 393.5
improduction 389.1
impromptu
n.m.
pièce de musique 543.32
poème 635.6
adj. 386 ; 386.16 ; 805.14
imprononçable 595.30
impropre 385.9
erroné 283.17
abusif 3.15
improprement 32.20
abusivement 3.20
impropriété
anomalie 32.4
incorrection 283.6
abus de langage 3.4
langue 455.5
improuver 710.13
improvisade 386.4
improvisateur
imprévoyant 386.5
orateur 264.5
improvisation
spontanéité 386.2
éloquence 264.1
lecture 542.15
improvisé 386.9
improviser 386.6
avoir la parole facile 264.6
jouer 542.19
improviser (s') 386.6
improviste
à l'improviste 386.16 ; 415.17 ; 805.10 ; 805.14
imprudemment 390.16
imprudence 390
distraction 397.6
imprudent 390
téméraire 175.12
malavisé 483.21
impubère 270.20
impudemment 399.11
injurieusement 412.17
impudence
désinvolture 415.3
discourtoisie 226.1
impudeur 399.2
violence verbale 412.5
indécence 485.2
impudent 415.16
discourtois 226.8 ; 412.15
vulgaire 399.8
indécent 485.13
impudeur 399.2
impudicité
impudeur 399.2
luxure 475.1
impudique 399.9
libertin 860.11
luxurieux 475.9
impudiquement 399.11
impuissance
incapacité 303.1 ; 385.1 ; 389.1 ; 393.5 ; 403.5 ; 405.1
sexuelle 482.33 ; 711.11 ; 762.25
impuissant
incapable 249.8 ; 303.22 ; 385.9 ; 389.14 ; 403.13 ; 711.26
sexuellement 762.38 ; 763.48
impulser 92.12 ; 391.12
pousser à 538.23
impulseur 391.9
impulsif 391.16
actif 7.13
audacieux 386.15
stade impulsif 270.2
impulsion 391
poussée 115.5 ; 496.3 ; 538.7
élan 92.6 ; 148.3 ; 536.1 ; 687.5 ; 793.3
instinct 90.2 ; 386.2
sous l'impulsion de 391
impulsionnel 391.17
impulsion-obsession 391.8
impulsivement 391.18
hâtivement 386.17
impulsivité 391
spontanéité 386.2
impunément 413.19
impuni 413.17
impunité 413.5
impur
pollué 740.13
corrompu 383.8 ; 475.9 ; 606.13 ; 860.10
impureté
saleté 383.1 ; 500.2 ; 740.1
corruption 475.1 ; 860.2
imputabilité 144.22
imputable 710.23
imputation 710.5
imputer
attribuer 366.18
accuser 606.12
porter 339.24
imputer à grief 710.15
imputrescible 325.9
in-
dans 152.14 ; 278.22 ; 396.21 ; 414.9 ; 430.17 ; 608.20
négation 2.14 ; 404.15 ; 488.20
-in 616.18
in 520.9
inabondant 602.9
inabordable
inaccessible 409.9
cher 111.10
inabouti 392.18
in absentia 2.10
inaccentué 459.21
inacceptable 693.16
insuffisant 416.9
inacceptation
refus 693.1 ; 693.3
inaccessible
insensible 418.18
prohibitif 231.10
inabordable 420.9
hermétique 411.14 ; 736.14
inaccompli 392.17
inaccomplissement 392.9
mode 346.6
inaccomplissement 392
échec 249.1
inachèvement 383.3
inaccostable 409.9
inaccoutumé
anormal 32.13 ; 556.13
rare 686.8
inachevable 392.16
inachevé
inaccomplissement 392.9
inaccompli 392.17
incomplet 383.10
inachèvement 383.3
inaccomplissement 392.6
inachever 392.12
inachever (s') 392.15
inactif 389.15 ; 393
inerte 403.11
paresseux 593.10
oisif 706.9

improductif 389.7
inaction **393**
stagnation 403.3
paresse 593.1
repos 706.1
improduction 389.1
inactivation
désinfection 512.10
désintoxication 267.8
inaction 393.5
inactiver 393.11
cultiver 512.13
inactivité 389.3
stagnation 403.3
inaction 393.1
apathie 458.2
inadaptabilité 420.1
inadaptation 420.1
inadapté 420.3
inadéquat
non conforme 556.11
insuffisant 416.9
inadéquatement 556.16
inadéquation 402.3
non-conformité 556.1
inadmissible
insuffisant 416.9
inacceptable 693.16
inadvertance
inattention 394.1
maladresse 283.9
in aeternum 287.18
inaliénabilité 645.9
inaliénable 611.15
droits inaliénables 245.18
inaltérabilité
permanence 376.3
indestructibilité 778.3
inaltérable
continu 843.10
constant 153.23
immortel 287.12
indestructible 778.14
inamical 11.24
inamicalement 410.16
hostilement 11.31
inanimé
inerte 403.11
inactif 393.14
inanité
insignifiance 419.1
inutilité 435.1
non-sens 557.1
inanition 534.13
Inanna 236.21
inapaisé 416.8
inapaisement 392.5
inaperçu 437.6
passer inaperçu 437.5
inapparent 437.6
inappétence 401.3
inapplicabilité 392.10
inapplicable
impossible 385.8
inachevable 392.16
inapplication
inattention 394.1
inaccomplissement 392.1
inappliqué 394.9
inappréciable
incalculable 406.10
bon 677.15
inapproprié 556.11
inapte 385.9
incapable 389.16 ; 403.13
novice 483.19
inaptitude 483.2
incapacité 403.5
inarticulé 411.13
inasservi 462.26
inassouvi 416.8
inassouvissement 392.11 ; 416.3
inaccomplissement 392.5
inattaquable
incontestable 99.7
imprenable 752.15
honnête 365.9
inattendu
inhabituel 560.13
surprenant 805.13
imprévisible 386.14
de façon inattendue 386.18
inattentif 394.9
distrait 397.17
indifférent 401.15
négligent 547.16
inattention **394** ; 2.6
distraction 397.6
maladresse 283.9
indifférence 401.1
désinvolture 390.2
négligence 547.1
inattentivement 394.10
inaudible 781.30
faible 457.14
inintelligible 411.13
inaugural 134.25
leçon inaugurale 225.7
inauguration 585.1
inaugurer
entreprendre 134.17
inventer 560.8
sacraliser 736.13
inauthentique 504.22
inavouable 367.13
inavoué 373.19
incalculable 87.14 ; 406.10
incandescence 311.1
incandescent 131.27
igné 311.29
incantation 477.6
incapable 286.13 ; 385.9 ; 389.16
idiot 784.5
ignorant 377.10
médiocre 500.6
perdant 249.8
inutile 435.7
incapacité 403.5 ; 429.4
impossibilité 385.1
inaction 393.5
inaptitude 483.2
incarcérable 208.27
incarcérateur 208.18
incarcération 208.1
incarcéré 208.26
incarcérer
emprisonner 144.30
détenir 208.19
incarnadin 159.28
rouge 735.10
incarnat 159.28
rouge 735.10
incarnation
matérialisation 492.5
rôle 613.5
représentation 709.1
Incarnation 818.12
incarné 492.8
incarner
matérialiser 492.6
représenter 709.7
incarner (s') 492.7
incartade 386.2
incarvillea 318.36
Incas 371.16
incassable 778.14
incendiaire
pyromane 311.17 ; 311.33
ardent 475.12
incendie 311.5
incendie volontaire 169.8
crime d'incendie 169.8
incendié 311.32
incendier
brûler 131.21 ; 205.21 ; 311.22
critiquer 720.5
incendier les esprits 600.8
incertain 395 ; 802.11
envisageable 291.11
irrésolu 438.9
ambigu 24.14
incertainement 395.19
incertitude **395**
souci 785.1
irrésolution 438.1
quiproquo 24.2
incessamment
un jour 647.26
consécutivement 153.30
bientôt 332.16 ; 421.19
incessamment sous peu 332.16 ; 602.15
incessant
continu 153.21
infini 287.13
inceste 27.4
viol 763.10
parenté 314.3
incestueux 314.16
inch 509.17
inch Allah 305.14
inchoatif
initial 134.24
inaccomplissement 392.9
inaccompli 392.17
mode 346.6
incidemment 290.14 ; 358.12
accidentellement 4.6
incidence 122.2
effet 254.1
figures de construction 313.3
angle d'incidence 30.3
incident
n.m. 4.5 ; 11.2 ; 122.10 ; 122.2 ; 290.5 ; 419.2
adj.
proposition incidente 622.5
incidente 396.8
incinérateur 131.15
incinération 131.5 ; 205.7 ; 331.2
inflammation 311.2
incinérer
brûler 131.20 ; 205.21
enterrer 331.31
incipit 134.9
incise 396.8
proposition 622.5
familles de caractères 459.8
incisé 37.27
inciser 114.33
entailler 167.13
incisif
fougueux 264.10
ramassé 142.8
incision 114.14 ; 167.10
circoncision 98.7

incisive 188.3
incisure 548.9
incitateur
conseilleur 268.6
conseil 148.7
incitatif 268.13
incitation 391.5
mise en mouvement 538.8
stimulation 793.1
encouragement 148.3 ; 268.2
incitation à la violence 865.8
inciter 391
exciter 92.13
agir 15.6
pousser à 538.23
décider 614.9
encourager qqn à 268.10
conseiller 148.12
incivil
misanthrope 420.10
discourtois 226.8
irrespectueux 439.14
impoli 485.14
incivilement 226.11
incivilité
discourtoisie 226.1
impolitesse 485.3
incivique
asocial 420.9
civique 125.9
incivisme
insociabilité 420.1
civisme 125.1
inclémence 497.1
inclinaison
angularité 30.1
direction 221.1
gauchissement 212.5
inclination
penchant 26.1 ; 27.1 ; 53.2 ; 302.7 ; 357.5 ; 600.1 ; 717.5 ; 755.4
salut 765.8
inclination de tête 741.3
incliné 195.17
incliner 195.15 ; 212.13
incliner la tête 741.18
incliner (s')
pencher 195.12 ; 212.18
se courber 242.9
saluer 163.9 ; 717.10 ; 741.21
se soumettre 405.10 ; 564.9 ; 787.12
inclinomètre 509.26
incluant 396.8
inclure 396.10 ; 430.8
absorber 423.9
adjoindre 9.12
contenir 151.9
injecter 608.10
impliquer 788.12
inclus 278.18 ; 396.17
intégré 423.11
contenu 152.9
inclusif 396.15
inclusion 396
ensemble 493.4
introduction 430.7
insertion 608.4
crapaud 517.11
implantation 114.11
relation d'inclusion 493.4
jugement d'inclusion 450.4
inclusivement 396.19
incoagulable 742.31
incognito 554.34
clandestinement 751.31
anonymat 554.10
incohérence
altérité 23.1
discordance 224.1
non-conformité 556.1
discontinuité 223.1
aberration 557.3
inintelligibilité 411.2
incohérent
non conforme 556.11
discontinu 223.13
insensé 557.9
inintelligible 411.15
incohésion 223.1
incolore
sans couleur 71.11
fade 500.13 ; 630.11
incomber 213.7
incombustibilité 131.18
incombustible 131.29
incommensurable
immesurable 509.32
intense 427.14
incalculable 406.10
incommensurablement 406.13
incommodant
importun 785.14
répugnant 192.13
inopportun 415.13
incommode 217.20
incommodé 482.59
incommoder 272.11
importuner 415.7
incommodité 415.4
incommunicable 411.16
incomparable
remarquable 677.14
glorieux 341.24
louable 507.15
incomparablement 406.13
incompatibilité
altérité 23.1
discordance 224.1
non-conformité 556.1
exclusivité 295.4
incompatibilité d'humeur 194.1 ; 238.4 ; 410.1
incompatibilité génétique 361.9
incompatibilité sanguine 742.10
incompatible 295.14 ; 410.17
opposé 572.14
non conforme 556.11
évènements incompatibles 493.6
équation incompatible 493.3
incompétence 483.2
incompétent 390.13
ignorant 377.10
novice 483.19
incapable 389.16
incomplet 383.10
partiel 597.17
raté 488.11
incomplètement 383.14 ; 392.19
incomplétude
manque 488.1
inaccomplissement 392.5
sentiment d'incomplétude 416.1
incomplexe 844.15
incompréhensibilité 411.1
incompréhensible 411
incompréhensiblement 411.17
incompréhension
désaccord 194.1
désintérêt 418.4
inintelligibilité 411.1
incompressibilité 154.6
incompressible 154.17
inconcevable
impossible 385.8
inintelligible 411.16
inconciliable 295.14
inconditionnel
fidèle 472.7
soumis 787.20
inconduite 860.2
inconfiance 183.1
inconfort 217.7
incongru 226.10 ; 415
inconvenant 224.11
non conforme 556.11
indécent 399.7
incongruité 226 ; 399
non-conformité 556.1
désinvolture 415.3
grossièreté 439.4
incongrûment
faux 224.13
inopportunément 415.18
inconnaissance 377.1
inconnu 288.2
inédit 560.13
anonyme 554.30 ; 751.25
inconnue
problème 87.7
axiome 493.2
inconsciemment 397.22
imprudemment 390.16
inconscience 397
ignorance 377.1
insensibilité 418.5
impréparation 386.1
imprudence 390.1
inconscient 397
ignorant 377.10
mort 418.21
audacieux 386.15
imprudent 390.12
inconscient collectif 397.8 ; 503.2
inconséquemment 390.16
inconséquence
impréparation 386.1
désinvolture 390.2
inconséquent
audacieux 386.15
malavisé 483.21
imprudent 390.12
facétieux 628.14
inconsidéré 386.11
inopportun 415.13
téméraire 175.12
dangereux 390.15
inconsidérément 547.22
hâtivement 386.17
inopportunément 415.17
imprudemment 390.16
inconsistance
légèreté 457.1
insignifiance 419.1
pauvreté 630.3
inconsistant
léger 457.14
insignifiant 419.12
terne 630.11

inefficience 389.1
inefficient 389.14
inégal
différent 23.13 ; 216.11 ; 229.10 ; 402.10
variable 90.9 ; 850.15
unique 842.13
inégalable 402.16
grand 800.20
inégalé 402.16
grand 800.20
inégalement
variablement 850.17
différemment 23.16
injustement 402.17 ; 413.18
inégaliser 402.6
inégalitaire 402.14
injuste 413.13
inégalitarisme 402.2
inégalité 402
différence 23.1
injustice 216.1
inégalité de Heisenberg 513.5
inélégance 399.1
inélégant
disgracieux 453.9
vulgaire 399.8
inéligibilité 260.16
inéligible 260.30
inéluctabilité 545.1
inéluctable
nécessaire 545.10
fatal 305.12 ; 565.13
inéluctablement
nécessairement 545.14
fatalement 305.13
obligatoirement 565.19
inémotivité 397.1
inemploi
chômage 266.7
inactivité 389.3
inénarrable
remarquable 427.14
ridicule 731.8
inentamable 778.14
inepte
novice 483.19
insensé 557.9
ineptie
absurdité 557.4 ; 784.3
bêtise 483.6
inépuisable 1.14
inéquation 493.3
inéquienne 36.27
inéquilatéral 402.12
inéquitable 413.13
inéquivalve 527.19
inerme 318.47
inertage 550.12
inerte 403.11
apathique 303.20
inactif 389.15 ; 393.14
figé 611.16
inébranlable 89.13
masse inerte 403.1
inertement 403.15
inerter 550.35
inertie 403
résistance 496.5
inaction 89.1 ; 303.2 ; 389.3 ; 393.2 ; 401 ; 418.1 ; 458.2 ; 593.4
centre d'inertie 96.4
inertiel
inerte 403.11
mécanique 496.13
inescomptable 66.50
inesthétique 453.9
inestimable 677.15
inétendu 380.2
immatériel 380.13
inévitable 788.19
nécessaire 545.10
fatal 305.12 ; 565.13
inévitablement
nécessairement 545.14
obligatoirement 565.19
inexact
imprécis 229.8 ; 724.17
incorrect 32.16 ; 556.14
faux 283.17 ; 504.23
inexactement 556.16
inexactitude
imprécision 556.2 ; 724.1
erreur 283.5
inexcusable 299.10
inexécutable
impossible 385.8
inachevable 392.16
inexécuté 392.17
inexécution 392.1
inexécutoire 392.16
inexercé 392.17
inexigible 116.13
inexistant 404.8 ; 872.9
immatériel 380.13
inexistence 404 ; 872.3
inexorable
inhumain 418.17
tragique 827.11
ferme 248.10
inexorablement
imperturbablement 418.22
fatalement 305.13
inexpérience
inaptitude 483.2
imperfection 383.1
inexpérimenté 445.12
ignorant 377.10
inaccompli 392.17
novice 483.19
imparfait 383.8
inexpert 483.19
inexpiable 299.10
inexplicable
particulier 32.14
absurde 557.10
inintelligible 411.16
inexplicablement 557.12
inexploitable
inutilisable 435.14
improductif 389.12
inexploitation 389.1
inexploité 389.13
inutilisé 435.15
inexploré 179.11
inexpressif 403.11
inexprimable 595.31
inexprimé 788.16
inexpugnable 715.21
inextensibilité 732.1
in extenso 5.24 ; 665.13
en entier 823.16
inextinguible 611.15
in extremis 315.25 ; 644.9
enfin 724.20
inextricable
embrouillé 201.15
irréductible 140.13
lourd 187.11
complexe 217.19
infaillibilité 752.4
infaillibilité pontificale 590.4
infaillible
inévitable 565.13
fiable 752.14
infailliblement
nécessairement 545.14
obligatoirement 565.19
sûrement 752.20
infaisable
impossible 385.8
inachevable 392.16
improductible 389.19
infamant 367.14
infâme
laid 453.11
honteux 367.13 ; 606.14
infamie
bassesse 453.2
honte 367.1
tache 606.6
infans 265.5
infant
jeune enfant 270.4
prince 822.4
infanterie 41.3
infanticide
crime contre nature 169.4
assassin 169.18
infantile 270.20
infantiliser 270.14
infantilisme 270.6
infarctus
infarctus du myocarde 128.13 ; 482.13
infatigable 601.13 ; 864.16
actif 7.13
infatigablement 743.14
infatuation
égoïsme 257.1
prétention 655.1
infatué 655.10
infatuer 655.9
infatuer (s') 600.10
infécond
sec 750.18
stérile 711.26
improductif 389.12
infécondité
sécheresse 750.1
stérilité 389.2 ; 711.11
inaction 393.5
infect 740.13
infecter 482.58
infecter l'atmosphère 569.18
infectiologie 498.6
infection
puanteur 569.4 ; 740.1
maladie 482.4
infectivité 482.9
infectueux 482.64
inféodé
aquatique 873.23
asservi 787.21
inféoder 240.12
inféoder (s') 787.17
infère 318.46
inférence 682.2
inférer 511.12
supposer 802.5
inférieur 203.17 ; 402.3 ; 405.13 ; 405.5
insignifiant 383.9
monde inférieur 271.7

strictement inférieur 402.3
inférieurement 405.20
infériorisant 405.18
infériorisation 405.1
infériorisé 405.17
inférioriser 405.7
inférioriser (s') 405.10
infériorité 405
inégalité 402.1
imperfection 383.1
infernal 271.13
cercle infernal 97.7
machine infernale 476.11
infertile 197.9
sec 750.18
improductif 389.12
infertilité
sécheresse 750.1
stérilité 389.2
infester 482.58
infibulation 98.7 ; 306.13
infidèle
inexact 229.8 ; 556.14 ; 583.1
déloyal 485.12 ; 828.17 ; 828.7
impie 606.13
infidèlement 181.10
malhonnêtement 485.16
infidélité
imprécision 556.2
déloyauté 485.1 ; 828.1
tromperie 181.2 ; 238.4 ; 491.15 ; 828.3 ; 838.8
infiltrat 482.44
insertion 608.4
infiltration
pénétration 278.1 ; 396.2 ; 396.9 ; 430.7 ; 608.1
imprégnation 372.6 ; 468.6 ; 775.17
infiltrer
pénétrer 430.11 ; 608.10
imprégner 468.8
infiltrer (s')
pénétrer 430.11
s'enfoncer 608.7
humidifier 372.13
infime
inférieur 405.13
infini 406.9
imperceptible 616.11
léger 457.14
petit 419.14
in fine 315.24
infini 406 ; 153.7 ; 219.8 ; 287.13
extrême 467.15
espace 20.1
sensible 620.20
Infini (l')
l'Être infini 406.3
Dieu 215.1
infiniment 406.12 ; 406.13
grandement 427.29
infinité
éternité 153.2
infini 406.1
multitude 406.2
infinitésimal
inférieur 405.13
infini 406.9
infime 616.11
calcul infinitésimal 87.6 ; 406.5
infinitésimalement 406.12
infinitésimalité 406.1
infinitif 346.6
infinitif final 86.4
infinitif présent 652.2
infinitisme 406.3
infinitive 622.5
infinitude 406.1
infirmatif 31.15
infirmation 31.2
infirme
handicapé 482.10
malformation 484.7
imparfait 383.8
infirmer
annuler 31.6
débouter 451.31
infirmerie 775.21
infirmier 775.22
infirmière 775.22
infirmité
infériorité 405.3
insuffisance 482.1
malformation 484.1
imperfection 383.1
infixation 535.9
infixe 535.7
inflammabilité
combustibilité 113.11 ; 131.1
flamme 27.1
inflammable 311.30
combustible 131.26
inflammateur 131.13
inflammation
combustibilité 102.5 ; 131.2 ; 311.2 ; 335.10
douleur 243.2 ; 604.3 ; 735.5
inflammatoire
fiévreux 102.26
ulcéreux 482.82
inflation 56.3
hausse des prix 659.3
inflationniste 529.31
infléchi 162.11
infléchir 104.15
incliner 212.13
infléchir (s')
se courber 162.10
ployer 212.18
infléchissement 293.1
inflexibilité
rigidité 732.1
dureté 248.1
inflexible
rigide 307.24 ; 692.11 ; 732.13
autoritaire 59.19 ; 248.10 ; 715.18
inflexion
déviation 212.1
timbre 106.15
inflexion de tête 741.3
infliger 144.29
inflorescence 318.4
influençabilité 407.6
influençable 407.24
irrésolu 438.10
influence 407 ; 240.2 ; 322.8
puissance 800.2
poids 636.1
autorité 59.4 ; 384.3
force de persuasion 614.4
activation 7.3
encouragement 148.3
sous l'influence de 92.19 ; 407.23
à l'influence 63.15
trafic d'influence 3.2
zone d'influence 280.2
influencé 407.23
influencer 254.4 ; 407.10 ; 614.10
refuser 870.10
conseiller 148.12 ; 231.7
se laisser influencer 438.8
influent 384.14 ; 407.20
agissant 7.14
influenza 482.20
influer 254.4 ; 407.14
agir sur 7.12
réagir sur 687.9
influx
influx nerveux 548.18
Infographie 469.15
infographiste 469.16
in-folio 469.2
infondé
injuste 413.13
faux 504.23
informant 136.20
informateur
indicateur 641.8 ; 828.8
journaliste 136
informaticien 408.23
informatif 136.22
information 136.6 ; 654.7
évènement 290.4
indication 63.3
théorie de l'information directe 381.2
information judiciaire 451.6
informations 136.6
bulletin d'informations 681.12 ; 723.1
informationnel 136.22
informatique 408
opérations informatiques 408.21
informatiquement 408.29 ; 476.22
informatisable 408.28
informatisation 408.20
informatiser 408.24
informe 323.21
informé
au courant de 747.18
préparé 649.16
averti 63.19
informel 523.11
informer
former 323.11
renseigner 63.10 ; 136.14 ; 136.19 ; 148.10 ; 654.23 ; 788.12
informer (s') 136.19
rechercher 689.12
se renseigner 680.15
consulter 148.13
informulé 788.16
infortune
drame 827.4
échec 249.1
malchance 11.3
infortuné 11.13 ; 11.27
pauvre 603.20
infra- 195.25 ; 203.26 ; 405.23 ; 616.17
infra 203.20 ; 576.25 ; 683.25
ci-dessous 195.21
infraction 200.3 ; 488.5
abus d'autorité 3.2
crime 169.1 ; 451.5
irrégularité 413.3

inframicrobiologie 512.11
infranchissable 567.18
infrangible 778.14
infrarouge 207.13
infrason
mouvement alternatif 579.3
onde sonore 781.2
ultrason 207.13
infrasonique 781.28
infrastructure 203.2 ; 795
ordre 576.1
fondation 834.11
réseau routier 833.16
infrastructurel 795.18
infréquenté 779.18
infroissable 816.38
infructueusement 249.20
improductivement 389.20
infructueux 249.19
inefficace 435.13
improductif 389.12
infructuosité 392.6
infule 65.3
infundibuliforme 318.47
infundibulum 100.10
infus 796.6
science infuse 747.1
vertus infuses 858.2
infusé 499.16
infuser
injecter 608.10
liquide 468.11
infusibilité 131.18
infusible 131.29
infusion
pénétration 608.3
boisson 75.7 ; 468.5 ; 499.16 ; 499.17
infusoire 512.5
inga 38.9
ingambe 502.15
vigoureux 743.11
ingénier (s')
chercher à 689.18
travailler à 255.6
prendre la peine de 774.16
ingénierie 834.1
ingénierie assistée par ordinateur 408.22
ingénierie génétique 361.13
ingénieriste 834.37
ingénieur 476.2 ; 834.37
architecte 39.23
chef d'équipe 480.7
créateur 662.12
ingénieur du son 120.27 ; 681.15 ; 781.23
ingénieur en chef 480.7
ingénieur système 408.23
ingénieur-conseil 148.7
ingénieusement 316.23
ingénieux 316.19
intelligent 424.11
imaginatif 378.16
ingéniosité
intelligence 424.1
habileté 316.6
identification 179.2
ingénu
ignorant 377.10
naïf 145.22
simple 767.10
innocent 108.8
ingénue 445.6
ingénuité 145.4
ingénument 108.10
ingérable 339.36
ingérence
introduction 430.7
inopportunité 415.1
expansionnisme 642.9
ingérer
manger 563.13 ; 703.25
ingérer (s') 596.31
s'immiscer 415.8
ingestion 703.13
nutrition 563.1
in globo 823.15
ingluvie 570.23
Ingouches 371.14
ingouvernable 200.10
ingrat
n. 750.18
adj.
oublieux 257.7 ; 583.16
laid 453.9
aride 389.12
ingratitude 389.2
ingrédient 333.2
ingressif
inaccomplissement 392.9
inaccompli 392.17
Ingriens 371.15
ingurgitation 703.13
nutrition 563.1
ingurgiter
avaler 563.13 ; 703.25
apprendre 35.4
inhabile
ignorant 377.10
maladroit 483.18
novice 483.19
inhabilement 483.23
inhabileté 483.1
inhabilité 483.2
inhabitable 356.14
inhabité
désert 197.10
habité 356.14
inhabitude 686.1
inhabituel
anormal 32.13 ; 556.13
innovateur 414.9
rare 686.8
inédit 560.13
inhalant 527.15
inhalateur 718.21
inhalation
aspiration 718.3
administration 499.12
inhaler
respirer 20.14 ; 569.19 ; 718.23
inharmonie 224.1
inharmonieux 224.12
inharmonique 224.12
inhérence 396.6
jugement d'inhérence 450.4
inhérent 396.16
substantiel 796.6
inhibé 819.7
inhiber
empêcher 429.12
condamner 429.14
inhibiteur 522.21
inhibiteur calcique 499.5
inhibition 321.7 ; 534.13
timidité 819.1
interdiction 429.1
inhibitoire 429.18
inhospitalier 409.9
dangereux 175.13
inhospitalièrement 409.11
inhospitalité **409**
inhumain 418.17 ; 801.27
humain 371.26
cruel 497.10
endurci 248.9
inhumainement 248.13
inhumanité
dureté 248.1 ; 418.2
méchanceté 497.1
cruauté 801.10
inhumation 331.2
inhumer 331.31
inimaginable 385.8
inimitié **410** ; 263.4
désaccord 194.1
haine 62.4
conflit 11.8
ressentiment 707.3
in infinitum 406.12
ininflammabilité 131.18
ininflammable
incombustible 131.29
ignifugé 311.31
inintelligemment 784.15
inintelligence 784.2
inintelligent 784.12
inintelligibilité **411**
inintelligible 411
inintelligiblement 411.17
inintéressant
léger 419.13
ennuyeux 272.12
inintérêt
insignifiance 419.1
indifférence 401.1
ininterrompu 153.21
ininterruption 153.10
inique
abusif 3.13
malhonnête 485.12
injuste 413.13
iniquement 413.18
iniquité 413.1
initial 134.24
initiale
signature 765.11
nom 554.6
lettre 459.4
vitesse initiale 496.8
initialement 134.27
initialisation 134.8 ; 408.21
initialiser 408.25
initiateur
héros 521.4
pionnier 134.15 ; 414.5
agent 92.4
initiation 98.5 ; 173.8
baptême 134.10
apprentissage 35.1
préparation 649.4
initiatique
sacrificiel 173.23
préparatoire 649.15
initiative 279.7 ; 812.5
action 7.1
engagement 50.4
avoir de l'initiative 7.10
avoir l'initiative 134.16
de sa propre initiative 462.38
initié 649.16
initier 357.24
faire cours 274.17
initier (s')
apprendre 35.4
s'habituer 357.18

insaturé 113.3
insciemment 377.12
inscience 377.1
inscription
écrit 252.5
t. de géométrie 338.13
t. de Bourse 81.5
inscrire
écrire 252.14
enregistrer 273.18 ; 503.9
t. de géométrie 338.14
s'inscrire dans le temps 811.8
inscrit
n.
électeur 260.11
adj.
contenu dans 152.9 ; 396.17
insécable 778.14
insectarium
jardin d'acclimatation 873.9
ruche 417.24
insecte 417
animal 873.6
cris 170.4 ; 170.8
insectes sociaux 873.7
insecticide 267.6 ; 417.26
produits dérivés du pétrole 617.7
insectifuge 417.26
insectillice 417.26
insectivore
migrateur 873.21
carnivore 486.3
insectologie 417.27
insécuriser 785.7
insécurité 175.3
sentiment d'insécurité 183.1
in-seize 469.2
inselberg 530
insémination 711.9
insémination artificielle 711.9
inséminer 711.20
insensé 557.9
fou 321.23
téméraire 175.12
insensibilisation 357.9
anesthésie 114.19
insensibilité 418.5
endurcissement 248.3
insensibilisé 418.19
insensibiliser 418
endormir 397.10
opérer 114.32
insensibilité 418
inconscience 397.1
calme 89.1
indifférence 401.2
ataraxie 401.5
dureté 248.1
insensible 418
léger 457.14
indifférent 401.10 ; 401.16
égoïste 257.7
endurci 248.9
insensiblement
graduellement 344.13
peu à peu 602.14
légèrement 457.16
inséparable
n.
oiseau 570.10
adj. 725.17
inséparablement 823.22 ; 844.21
inséré 9.18
insérer 433.8
mêler 396.11
adjoindre 9.12
mélanger 501.12
inclure 278.16
injecter 608.10
prière d'insérer 9.3 ; 387.2
insermenté 715.19
prêtre insermenté 699.10
insert 396.8
insertion 608.4
bulletin d'informations 681.12
insertion
inclusion 114.11 ; 396 ; 433.5 ; 514.8 ; 608
encart 654.10 ; 675.5
insidieusement 373.20
insidieux
affecté 373.19
trompeur 828.18
mensonger 838.21
insight 434.5
insigne
n.m. 709.3 ; 859.24
insigne
adj.
remarquable 341.28 ; 384.11 ; 800.20
insignifiance 419
futilité 435.2
non-sens 557.1
pauvreté 630.3
insignifiant
dénué de sens 557.8
négligeable 405.13 ; 419.12 ; 457.14 ; 557.11 ; 630.10
dérisoire 383.9 ; 435.12 ; 616.12 ; 819.8
inintéressant 272.12 ; 500.13
insincère 485.12
insincérité 485.1
insinuant 316.18
insinuation 614
faux-semblant 373.8
médisance 227.9
sous-entendu 788.1
disposition 729.6
insinuer
injecter 608.10
inculquer 614.11
conseiller 148.9
signifier 753.9
sous-entendre 788.10
insinuer (s')
pénétrer 430.11
entrer 278.11
s'enfoncer 608.7
insipide
sans saveur 343.20
insignifiant 272.12 ; 419.13 ; 500.13 ; 630.11
insipidité
absence de saveur 343.2 ; 343.5
insignifiance 630.4
insistance 13.2
persévérance 612.1
obstination 568.1
avec insistance 185.28
insistant 347.11
insister
décider 870.8
persévérer 612.3
s'obstiner 568.4
in situ 769.17
in-six 469.2
insociabilité 420 ; 779.4
insociable
acariâtre 217.23
asocial 420.9
insocial 420.9
insolation 777.11
coup de chaleur 102.5
ensoleillement 777.4
migraine 482.38
insolemment 399.11
irrespectueusement 439.17
insolence
impudeur 399.2
irrespect 439.1
grossièreté 439.4
violence verbale 412.5
insolent
antipathique 192.14
orgueilleux 312.11
vulgaire 399.8
irrespectueux 439.14
discourtois 412.15
insoler
chauffer 102.17
ensoleiller 777.16
imprimer 388.18
t. de photographie 621.21
insolite 32.3
particulier 32.14
rare 686.8
inopportun 415.13
insolitement 32.19
insolubilité
complexité 140.1
difficulté 217.1
insoluble
qui ne peut être dissous 230.16 ; 369.15
qui ne peut être résolu 140.13 ; 217.19 ; 567.18
insolvabilité 209.10
insolvable 209.29
insomniaque 851.6
réveillé 851.15
insomnie 851.2
insomnieux 851.6
réveillé 851.15
insondable 427.14
insonore 766.18
insonorisation 766.7
insonoriser 766.13
insouci 401.1
insouciamment 386.17
insouciance
inattention 394.1
indifférence 401.1
impréparation 386.1
désinvolture 390.2
négligence 547.1
insouciant
inattentif 394.9
joyeux 447.14
indifférent 401.15
imprévoyant 386.13
imprudent 390.12
négligent 547.16
insoucieusement 386.17
insoucieux
inattentif 394.9
imprévoyant 386.13
négligent 547.16
insoumis
désobéissant 200.8 ; 693.18
frondeur 200.4
militaire 354.16
insoumission 354.6
insociabilité 420.1
désobéissance 200.1
crime de guerre 169.6

insoupçonnable 365.9
inspecter 155.13
inspecteur
corps enseignant 274.14
contrôleur 155.9
inspecteur de police 641.9
inspecteur des finances 317.29
inspecteur des travaux finis 593.5
inspection
contrôle 155.1
diocèse 699.19
inspirant 378.17
inspirateur
pionnier 414.5
agent 92.4
conseil 148.7
inspiration
respiration 20.6 ; 718.3
souffle créateur 179.2 ; 264.1 ; 380.5 ; 414.2
idée 276 ; 375.4 ; 434.5
conseil 148.1
t. de théologie 818.17
d'inspiration 378.19
inspiratoire 718.12
inspirer
respirer 20.14 ; 569.19 ; 718.23
inciter à 92.13 ; 148.11 ; 148.9 ; 614.11
inspirer de (s') 379.5
instabilité 104.8
variation 850.1
inégalité 402.1
fragilité 325.1
irrésolution 438.2
bizarrerie 90.3
instable
variable 23.15 ; 25.17 ; 104.22 ; 119.25 ; 229.10 ; 402.13 ; 850.13
fragile 325.10
inconstant 90.10 ; 438.10
t. de phonétique 459.21
instablement 325.11
installateur 632.22
installation 577.4
agencement 576.3
couronnement 98.6
installé 495.7
installer
ordonner 576.12
situer 769.9
installer (s') 266.27
se situer 769.10
demeurer 481.40
instaminé 318.46
instamment 185.28
instantanément 421.15
impérativement 133.26
instance
requête 185.2
procédure 451.6
tribunal de droit commun 835.4
avec instance 185.28
instance interdictrice 429.7
tribunal de grande instance 238.7 ; 835.4
en instance de 392.20
introduire une instance 451.26
instant 421
période 610.1
à l'instant 302.17 ; 421.15 ; 652.16
au même instant 768.12
dans un instant 421.19 ; 647.26
de tous les instants 153.22 ; 611.15
en un instant 421.18 ; 684.40
par instants 223.18
pour l'instant 652.13
à l'instant où 528.12
dès l'instant où 134.31 ; 528.13 ; 647.30
vivre dans l'instant 652.8
instant
adj. 185.23 ; 421.13
instantané
n.m. 142.4 ; 196.1 ; 247.4 ; 421.5 ; 621.7
instantané
adj. 421.11
verbe instantané 421.14
instantanéiser 421.10
instantanéisme 421.5
instantanéiste 421.14
instantanéité 421.3
instantanément 421.15
instar
à l'instar de 138.15 ; 379.13 ; 719.17
instauration 134.7 ; 662.3
accomplissement 5.5
fondation 150.3
instaurer
faire 150.9
produire 662.14
instigateur 664.10
pionnier 414.5
agent 92.4
organisateur 649.8
conseilleur 268.6
instigation
incitation 391.5
encouragement 148.3 ; 268.2
à l'instigation de 148.20
instiguer à 391.13
instillation
infiltration 468.6
injection 775.17
instiller
infiltrer 468.8
injecter 775.26
instinct
tendance 391.7
animalité 873.8
sensation 754.5
intuition 434.1
sensibilité 755.1
désir 199.3
spontanéité 386.2
instinct de mort 391.6
instinct de vie 391.6
d'instinct 434.11 ; 754.21
instinctif 386.12
intuitif 434.8
instinctivement
intuitivement 434.10
hâtivement 386.17
instinctuel 391.17
instituer 577.21 ; 642.19 ; 696.14
inventer 560.8
produire 662.14
institut 274.5
institut d'émission 66.4 ; 529.20
Institut national de la recherche agronomique 689.8
Institut national de recherche en éducation et formation 689.8
instituts séculiers 525.9
instituteur
enfance 270.9
enseignant 274.14
institution
règle 576.9
établissement 795.9
éducation 253.1
instauration 5.5 ; 662.3
institutions 807.7
institutionnalisation 245.40
institutionnaliser 696.14
légaliser 245.50
institutionnellement 696.26
instructeur 487.22 ; 649.7
corps enseignant 274.14
instructif 649.15
théorie instructive 381.2
instruction
consigne 133.3 ; 148.2 ; 511.4 ; 696.1
éducation 35.1 ; 253.1 ; 270.8 ; 274.1 ; 533.9
entraînement 487.3 ; 649.4
recommandation 63.4 ; 225.4 ; 650.1
t. de droit 689.3
instruction préparatoire 451.6
instruction familière 648.8
instruction religieuse 648.8
instruire 649.11
faire cours 274.17
avertir 63.10
prêcher 533.12
informer 136.14
instruire (s') 35.4
instruit 274.22
cultivé 747.17
préparé 649.16
averti 63.19
instrument
agent 15.4
outil 476.1 ; 584.1
t. de droit 141.7 ; 586.3
instruments de mesure 509.26
instrumental 422.32
cas 346.5
musical 543.49
orchestre instrumental 542.3
instrumentaliser
soumettre 240.12
avoir de l'emprise 407.15
instrumentalisme 620.12
instrumentation 543.36
instrumenter
composer 543.45
baliser 834.45
instrumentiste
chirurgien 114.28
musicien 542.1
instruments de musique 422
instruments à cordes 422.4 ; 422.5
instruments à percussion 422.8
instruments à vent 422.6 ; 422.7
insu 377.11
à l'insu de 377.13

intensifier 56.10 ; 427.11
densifier 187.7
activer 793.12
intensifier (s')
augmenter 187.9
s'aggraver 759.7
intensimètre 427.9
intensité 427
force 865.1
t. de musique 106.15 ; 543.14
t. de physique 187.2 ; 261.8 ; 322.6 ; 509.4
intensité de champ électrique 509.11
intensité lumineuse 509.13
intensité sonore 427.3 ; 509.26 ; 781.9
intensivement 427.24
intenter 279.9
intenter un procès 451.26
intention 428 ; 375.6
raison 92.7
but 86.1
volonté 870.3
résolution 716.2
désir 199.1
projet 664.1
dans l'intention de 86.14
avoir l'intention de 332.7 ; 375.18 ; 870.7
intentionnaliser 428.10
intentionnalité 428.7
attention flottante 52.2
volontariat 870.5
intentionné 428.13
bien intentionné 428.13
intentionnel 428.12
voulu 870.11
intentionnellement 428.14
volontairement 870.14
en intention 428.15
intentionner 428.10
inter- 433.14 ; 514.18 ; 698.15
in- 430.17
interactif
interdépendant 698.11
binaire 408.27
interaction 322.3
réciprocité 690.1
interaction faible 322.3 ; 513.5
interactivité 136.3
interagir 322.14 ; 698.9
interarmes 41.24
interathériidé 486.4
interattraction 54.4
interauriculaire 128.5
cœur 128.4
cardiaque 128.24
interbancaire 66.49
intercalaire 88.10
lune intercalaire 474.4
vers intercalaire 635.13
intercalation 433.5
intercalé
adjoint 9.18
proposition 622.5
intercaler 433.8 ; 514.10
adjoindre 9.12
mélanger 501.12
intercéder 596.26
plaider 595.25
intercepter 792.85
appuyer 182.22
intercepteur 831.3
bombardier 43.12
interception 207.1
intercession
agent 7.3
intervention 596.3
prière d'intercession 657.2
interchangeable 104.23
interchanger 104.17
interclasse 706.6
interclassement 408.21
classification 126.1
interclasser 408.25
classer 126.15
interclasseuse 476.7
calculatrice 408.6
intercommunal 845.24
intercommunalité 845.9
intercommunication
conversation 136.3
liaison téléphonique 809.12
intercondylien 580.16
interconfessionnalisme 818.25
interconnecter 261.23
interconnexion 261.16
intercostal
adj. 433.10 ; 541.13 ; 548.4 ; 742.8
intercostale
n.f. 128.8 ; 128.9
intercours 706.6
interculturel 773.15
intercunéenne 580.24
intercurrent 514.12
interstitiel 433.10
interdentaire 188.28
interdental 433.10
interdépendance
dépendance 698.3
réciprocité 690.1
interdépendant 698.11
interdicteur 429.9
interdiction 429
refus 693.2
obstruction 567.8
commandement 133.3
interdiction bancaire 66.27
tir d'interdiction 820.8
frapper d'interdiction 429.13
lever une interdiction 31.6
interdigital 479.17
interdire
défendre 429.11 ; 572.8 ; 693.11 ; 870.10
refuser l'accès de 308.15
exclure 144.28 ; 582.13
interdire (s') 429.16
interdisciplinaire 747.19
interdit
n.m. 385.2 ; 429.10 ; 429.5 ; 582.5
prononcer l'interdit contre qqn 429.13 ; 582.14
adj.
prohibé 399.10
tabou 736.14
déconcerté 805.12 ; 819.8
interentreprises 166.3
interépineux 541.6
ligament interépineux 580.11
intéressant
passionnant 174.10
désirable 199.15
rentable 339.35
intéressé
utilitaire 847.16
égoïste 257.7
intéressement 339.11
intéresser 199.11 ; 596.27
attirer 53.5
intéresser (s') 600.10
s'intéresser à 174.5 ; 774.12
intérêt
attention 174.1 ; 754.6 ; 774.1
attirance 53.1
profit 571.3 ; 847.3
somme d'argent 66.17 ; 166.17 ; 849.9
dommages et intérêts 144.8 ; 238.9 ; 587.3 ; 722.2
dans l'intérêt de 86.13
sans intérêt 401.18 ; 419.13
intérêts 209.4
intérêt différé 166.17
interfaçage 408.21
interface 408.9
interférence 473.16
interférer 596.21
interféromètre 473.25
instrument de mesure 509.26
interférométrie 509.25
interféron 381.14
interfolier 388.20
intergroupe 708.6
interhémisphérique 100.26
intérieur 430 ; 152 ; 396 ; 481.19
nu 374.7
gros plan 120.11
vie intérieure 862.12
voix intérieure 533.10
à l'intérieur de 278.21 ; 396.21 ; 608.19
d'intérieur 430.13
intérieurement 608.18 ; 751.35 ; 766.20
au-dedans 396.20
à l'intérieur 430.14
intérim 797.2
assurer l'intérim 153.17
intérimaire 266
remplaçant 797.6
intériorisation 430.3
intériorisé 396.18
intérioriser 430.8
intériorité 430.3
interjectif 431.12
interjection 431
grammaire 346.13
mot 535.2
parole 595.3
cri 168.1
interjeter 431.10
interjeter appel 451.31
interlettrage 469.13
interleukine 340.3
interleukine II 381.14
interlignage 433.5
lettre 469.13
interligne 433.2
interligner
espacer 433.7
composer 388.20
interlinéaire 433.10
interlinéation 433.5
interlingua 455.2
interlobaire 100.26
interlocuteur 136.9 ; 705.7
personne 613.7
locuteur 595.17
causeur 156.11
interlocution
conversation 136.3

intervalle augmenté 433.1 ; 543.17
dans l'intervalle 433.12
à intervalles rapprochés 326.19
à longs intervalles 247.20
intervenant
n.m.
agent 7.9 ; 835.15
t. de banque 166.26
locuteur 156.11
adj.
agissant 7.14
intervenir
opérer 114.32
agir 7.10
intervenir dans 596.18
intervenir en faveur de 19.19
intervention 596.3
agent 7.3
activité 7.7
concours 19.2
usage 846.4
arbitrage 141.4
intervention chirurgicale 114.4
intervention psychosociologique 689.2
interventionnisme 808.20
activité 7.7
dirigisme 222.1
interventionniste 808.46
agent 7.9
agissant 7.14
dirigiste 222.14
interventriculaire 128
interversion
substitution 797.1
désorganisation 202.1
inversion 436.1
intervertébral
dorsal 242.10
articulaire 580.32
disque intervertébral 242.2
interverti
désorganisé 202.9
inversé 436.14
intervertir 202.6
substituer 797.7
inverser 436.9
intervertissement 436.2
substitution 797.1
interview 680.6
rencontre 137.8
conversation 136.3
dialogue 156.5
article 654.8
interviewer 680.13
questionneur 680.10
interroger 156.18
informer 654.23
intervilles 832.33
intestat 101.8
intestin 430.13
intestin grêle 218 ; 853.3
gros intestin 218 ; 853.3
intestinal
abdominal 853.13
gastrique 218.24
transit intestinal 218.1
Inti 236.34 ; 777.12
intima
artère 128.2
tissus vivants 821.4
intime
introspection 430.3
intérieur 430.13
ami 26.6
intimé 835.12
intimement
à l'étroit 289.10
à l'intérieur 430.14
intimer 133.17
commander 59.16
intimidable 819.10
intimidant 819.9
effrayant 619.22
menaçant 63.20
intimidateur 819.9
menaçant 63.20
intimidation 819.3 ; 865.8
avertissement 231.2
menace 63.6
tentative d'intimidation 865.8
intimider 819.6
apeurer 619.10
menacer 63.15 ; 231.7
impressionner 59.15 ; 407.13
en imposer 717.11
intimisme 430.3
intimité 751.2
introspection 430.3
bonne intelligence 26.2
dans l'intimité 430.14
intine 330.3
intitulé 554.5
intituler 554.18
intolérable
aigu 427.15
détestable 62.11
répugnant 192.13
insuffisant 416.9
intolérance 99.2 ; 582.8
intolérant
convaincu 99.9
exclusif 582.17
intonation 622.8
indice 788.9
prononciation 595.2
timbre 106.15
intonation ascendante 680.4
intonème 622.8
intouchabilité 362.13
intouchable 362.13
banni 582.11
intox ou **intoxe** 407.2
intoxication
empoisonnement 267.1
manipulation 407.2
intoxiqué 675.12
empoisonné 267.16
intoxiquer
asphyxier 335.17
empoisonner 267.14
influencer 407.10
intra- 278.22 ; 396.22 ; 608.20
in- 430.17
intra 396.20
intra-artériel 128.24
intra-auriculaire 128.24
intracardiaque 128.24
intracellulaire 94.31
intracérébral 100.26
intracervical 762.35
intradermo ou **intra-dermo-réaction** 381.3
intrados
arcade 162.5
cintre 39.20
intraduisible 595.31
intra-hépatique 218.10
intraitable
ferme 248.10
résistant 715.18
intramédullaire 580.30
intramondain 492.9
intra-muros 430.15 ; 845.26
intramusculaire
musculaire 541.24
injection 775.17
Intranet
Internet 408.4 ; 809.3
intransigeance 248.1
intransigeant
intolérant 99.9 ; 582.17
entêté 568.7
inflexible 59.19 ; 248.10 ; 715.18
intransitif 346.21
verbe 346.12
intransitivement 346.25
intransitivité 346.7
intranucléaire 94.31
intraoculaire 868.28
lentille intraoculaire 574.8
intra-utérin 762.35
intravasculaire 128.24
intraveineuse
n.f. 128.18 ; 775.17
intraveineux
adj. 128.24
intraventriculaire 128.24
in-trente-deux 469.2
intrépide
courageux 161.9
pionnier 812.6
entreprenant 279.13
imprudent 390.12
intrépidement 161.12
intrépidité
audace 161.2
imprudence 390.1
intrication 140.1
intrigant 828.7
intrigue
machination 7.8
amourette 27.11
ressort dramatique 691.9
comédie d'intrigue 817.5
intriguer 174.8
surprendre 805.4
intrinsèque
substantiel 796.6
inhérent 396.16
intérieur 152.10 ; 430.13
intrinsèquement
substantiellement 796.8
en soi 152.12
intriquer 140.8
intro- 396.22 ; 608.20
in- 430.17
introducteur
pionnier 134.15 ; 414.5
introductif 134.25
introduction
inclusion 396.3 ; 430.7
entrée 278.4
intromission 608.3
initiation 35.2 ; 649.5
avant-propos 225.8
introduction en Bourse 81.5
introduire
faire pénétrer 430.8 ; 608.10
admettre 278.14
importer 278.15
intégrer 535.21

aveugle 64.11
capricieux 90.9
malavisé 483.21
imprudent 390.12
irréflexion
impréparation 386.1
désinvolture 390.2
irréfragable
certain 99.7
présomption irréfragable 802.3
irréfutable
vrai 854.19
certain 99.7
persuasif 614.14
irrégularité
manque de régularité 229.1 ; 234.2 ; 402.1 ; 556.1
anomalie 32.1 ; 216.4
aspérité 78.1
erreur 283.5
malhonnêteté 413.3
irrégulier
discontinu 234.9
anormal 32.13
inégal 402.10
disproportionné 453.10
capricieux 90.10
illégal 413.15 ; 556.14
irrégulièrement 223.19
inadéquatement 556.16
anormalement 32.18
inégalement 402.17
injustement 413.18
irréligieusement 398.18
irréligieux 398.6
irréligion 398.1
irréligiosité 398.1
irrémédiable
tragique 827.11
désespéré 198.11
irrémissible 299.10
irrémission 720.1
irremplaçable 847.13
irréparable
tragique 827.11
désespéré 198.11
irrépréhensible
bien 677.18
honnête 365.9
irréprochabilité 677.2
irréprochable
parfait 521.12
bien 677.18
beau 69.15
chaste 365.10
louable 507.15
irréprochablement 365.16
irrésistible 864.16
éloquent 277.7
persuasif 614.14
irrésolu 438.10 ; 438.11 ; 438.4 ; 438.9
indifférent 403.12
dubitatif 395.15
irrésolument 395.21 ; 438.12
irrésolution 438 ; 438.2
incertitude 395.1
irrespect 439
violence verbale 412.5
irrespectueusement 200.12 ; 439.17
injurieusement 412.17
irrespectueux 439.14
discourtois 412.15
irrespirable 718.33
irresponsabilité 397.6
irresponsable 397.17
irrévéremment
irrespectueusement 439.17
injurieusement 412.17
irrévérence
irrespect 439.1
grossièreté 439.4
violence verbale 412.5
irrévérencieusement 439.17
irrévérencieux
irrespectueux 439.14
discourtois 412.15
irrévérent 439.14
irréversible
désespéré 198.11
accompli 5.22
irrévocable
désespéré 198.11
accompli 5.22
irrigateur 775.18
irrigation
arrosage 372.6
écoulement 468.6
circulation 742.10
travaux des champs 18.4
irrigation intestinale 267.8
irriguer
mouiller 372.13
arroser 468.9
baigner 319.21
irritabilité 548.19 ; 549.5
exaspération 382.3
susceptibilité 130.3
irritable
impétueux 382.11
nerveux 549.17
coléreux 130.11
acariâtre 217.23
irritant 130.13
énervant 549.19
irritation
inflammation 102.5 ; 243.2
agacement 130.1 ; 192.2 ; 382.3
irrité
enflammé 735.11
exaspéré 130.12 ; 549.18
irriter
enflammer 72.14
agacer 130.10 ; 192.8 ; 415.7 ; 549.13 ; 720.7
irriter (s') 130.6
irroration 372.6
irruption
manifestation 34.2
entrée 278.1
faire irruption 278.12
irvingia 37.20
Isaac 449.16
isabelle 417.11
couleur 159.28 ; 444.14
Isaïe 449.16
-isant 455.24
-isation 104.29
isatis
plante 318.26
renard bleu 486.7
colorant 73.3
isba 481.4
I.S.B.N. 469.13
ischémie 482.13
circulation 742.10
ischémier 482.56
ischémique 482.66
ischiaque 580.13
ischiatique 128.8
ischio-caverneux 541.10
ischio-coccygien 541.10
ischion 580.12
ischnura 417.14
ischurie 296.10
iseion 465.4
-iser 104.29
I.S.F. 317.3
Ishaq 440.22
Ishtar 236.21 ; 711.17
isiaque 236.47
Isis 236.10 ; 236.31 ; 633.10
islam 440 ; 700.8
islamique 440.27
islamisation 648.7
islamiser 440.25 ; 648.16
islamisme 440.3
islam 440.1
islamiste 440.26
islamite 440.6
islamologie 440.1
islandais
adj. 127.1
Islandais
n. 355.5
ismaélien ou **ismaïlien**
chiisme 440.2
chiite 440.7
musulman 440.26
ismaélisme ou **ismaïlisme** 440.2
ismaélite ou **simaïlite** 440.26
-isme 694.33 ; 807.23
iso- 113.29 ; 143.19 ; 256.32 ; 376.19 ; 719.19
co- 768.16
isoantigène 381.9
isobare 127.19 ; 256.21
constante 256.7
ligne isobare 127.11
isobase 256.7
isobathe
constante 256.7
isobare 256.21
isobutylène 617.6
isocalorique 214.11
isocarde 527.2
isocèle 338.16
équidistant 256.20
isocélie 256.5
isochimène
constante 256.7
isobare 256.21
isochore
constante 256.7
isobare 256.21
isochrone 768.5
isoclinal 256.21
isocline
constante 256.7
isobare 256.21
isocortex 100.15
isodactyle 873.24
isodactylie 484.4
isodome 39.5
isodyname 214.11
isodynamie 214.8
isoédrique 517.21
isoélectrique 113.10
isoenzyme 94.23
isoétales 79.4
isoète 360.9
isogamie 711.2
isoglosse 455.4
aires d'isoglosse 455.4
isogonal 338.16
isogone
équidistant 256.20
isobare 256.21

isogreffe 114.16
isogroupe 742.31
isolant 261.15
conducteur 102.28
isolat 779.10
écosystème 251.7
biotope 873.4
isolateur 261.15
isolation
conduction 102.9
solitude 779.1
isolation phonique 766.7
fibre isolation 855.4
isolationnisme 779.6 ; 808.21
isolationniste 779.9 ; 808.47
isolé 597.16
séparé (de) 756.21
distant 232.11
unique 686.9
solitaire 779.17
isolement
séparation 512.10
internement 321.11
quarantaine 653.4 ; 751.1
solitude 779.1
splendide isolement 779.6
isolément 779.19
isoler
séparer 23.11 ; 295.9 ; 433.7 ; 597.10 ; 756.11
insonoriser 766.13
reclure 751.19 ; 779.12
exclure 582.15
isoler (s') 420.6 ; 430.12 ; 779.14
isoleucine 94.10
isolisme 779.2
isoloir 779.5
bureau de vote 260.18
isoloma 318.30
isomérase 94.24
isomère
atome 113.2
t. de chimie 113.8
isomérie 113.12
égalité géométrique 256.5
isomériser 113.20
isométrie 338.12
égalité géométrique 256.5
isomorphe
proportionnel 143.11
cristallographique 517.21
isomorphisme 113.12 ; 143.3 ; 517.8
ensemble 493.4
isoniazide 499.5
isonomie 256.4
isopathie 775.5
isoplexis 38.5
isopodes 172.2
isoprène 617.6
terpène 94.20
isoptères 417.1
isosoma 417.7
isosorbide dinitrate 499.5
isosporé 360.15
isosporie 360.10
isostémone 318.46
isotèle 288.3
isotélie 288.9
isotemnidé 486.4
isothérapie 775.5
isotherme 127.19
ligne isotherme 127.11
isotope 513.6
atome 113.2
isotrétinoïne 499.6
antiacnéique 499.5
isotron 513.10
isotrope 221.28
isotropie 113.12
polarité 221.13
isotypie 517.7
isozyme 94.23
ispaghul 330.7
isra 440.21
Israélien 355.8
israélite 449.26
Israélites 371.16
issant 783.24
Issas 371.11
-issement 104.29
issir 783.13
issu
adj. 254.8 ; 314.14 ; 783.24
issue
n.f. 254.1 ; 315.1 ; 585.1 ; 783.7
issue de secours 783.7
à l'issue de 315.26
sans issue 567.18
se réserver une issue 783.19
Istar → Ashtart, Ishtar
-iste 15.11 ; 455.24 ; 694.34
isthme
détroit 289.4 ; 319.8
t. d'anatomie 762.14 ; 762.15
isthme du gosier 218.6
istiophoridé 638.3
isuridé 638.2
italianiste 455.12
italien
n.m.
langue 455.14
Italien
habitant 355.5
italique 459.3
Italos 236.41
-ite 113.30 ; 482.85
item 535.1
ite, missa est 508.22
itérabilité 704.1
itératif
répétitif 611.17 ; 704.12
fréquentatif 326.17
itération 321.8
répétition 704.1
fréquence 326.1
itérativement 326.18
itérer 704.10
ithos 729.2
ithyphalle 762.2
ithyphallique 762.34
itinéraire 833.22
voie 221.3
traversée 829.6
voyage 871.2
itinérant 871.28
Itzamma 236.15
ive ou **ivette** 318.16
I.V.G. 544.4
ivoire 159.28
pelage 486.20
osséine 580.4
gencive 188.5
marbre 749.13
Ivoirien 355.7
ivoirin 71.12
ivoirine 604.14
ivraie 360.7
ivre
transporté 27.26 ; 276.9 ; 600.15
saoul 75.34 ; 441.17
ivre de joie 447.14
ivre de sang 497.10
ivresse
extase 276.1 ; 447.7 ; 600.3
ébriété 441.3
ivresse des profondeurs 482.38
ivrogne 441.16 ; 441.7
intempérant 426.12
buveur 75.21
ivrogner 441.10
ivrogner (s') 441.12
ivrognerie 441
intempérance 426.2
Ixchel 236.21
ixer 120.33
ixia 318.17
ixora 38.9
Izar 49.5
izard 486.6
Izrail 440.22

J

jab 792.16
jabadao 176.6
jabirus 570.18
jable 77.10
jableuse 476.9
jablière 584.5
jabloir 584.5
jaborandi 38.7
jabot
oiseaux 570.23
cravate 859.28
se donner du jabot 655.5
jaboter 595.22
jacamar 570.14
pic 570.13
jacana 570.14 ; 570.18
jacapucayo 37.19
jacaranda 37.19
jacaré 712.7
jacasse 595.15
pie jacasse 595.15
jacassement
oiseaux 170.3
baratin 665.6
jacasser
pie 170.7
homme 435.10 ; 595.22 ; 665.10
jacasserie 665.6
jachère 18.2
repos 706.5
arrêt 389.4
chaume 18.11
en jachère 389.13 ; 389.8
jachérer 18.20
jacinthe 318.17
jacinthe des bois 318.17
jack 261.19
jackpot 446.11
gagner le jackpot 798.16
jaco 570.10
Jacob 449.16
jacobée 318.10
jacobin 728.4
jacobinisme
révolutionnarisme 728.5
centralisme 694.11

jacobite 117.9
chrétien 117.11
jacobus 529.13
jacquard 816.4
jacquerie 354.3
jacques 18.17
Jacques
Jacques fils d'Alphée 117.18
faire le Jacques 784.11
jacquet 446.15
jacquier 37.20
jacquot 570.10
jactance
vantardise 581.3
bavardage 156.3 ; 665.4
jacter
communiquer 455.15
parler 595.18
jaculatoire 657.1
Jacuzzi 669.7
jade 517.4
vert jade 857.11
de jade 73.8
jadis 598.17
le temps jadis 598.1
Jago 815.23
jaguar 486.7
jaguarondi 486.8
Jah-hut 371.13
jaillir
apparaître 34.7 ; 783.15 ; 805.10
sourdre 319.20 ; 468.10
faire jaillir 258.9
jaillissement
apparition 34.2 ; 783.1
éjection 258.5 ; 468.3
jaïn 362.2
jaïna 362.17
jaïnisme 700.8
hindouisme 362.1
jais 855.1
de jais 624.23
jalap 318.34
jalon
dose 509.5
repère 769.6
poser des jalons 221.25 ; 664.13
jalonner
doser 509.29
espacer 433.7
baliser 221.25 ; 834.45
jalousement 442.11
soigneusement 774.25
jalouser 442.5
jalousie 442
sentiment 27.7 ; 199.4
crise de jalousie 442.1
la jalousie est la sœur de l'amour 27.25
crever de jalousie 442.5
sécher de jalousie 442.5
jalousie
gâteau 799.6
jalousie
treillis 67.9
persienne 308.4 ; 481.32
jaloux 442.3 ; 442.8 ; 442.9
avide 199.13
Jamaïcain ou **Jamaïquain** 355.10
jamais 404.12
ne 546.20
jamais deux sans trois 210.2
jamais de la vie 546.19
jamais vu 560.1 ; 560.13 ; 805.2
à jamais, à tout jamais 287.18
comme jamais 427.38
jambage
droit de jambage 734.3
jambage
cadre 77.10
charpente 791.4
lettre 459.3
fenêtre 481.31
âtre 109.16
jambe 502.3 ; 580.16
croiser les jambes 171.14
jambe artificielle 502.4
jambe de bois 114.21 ; 502.4
jambe de force 322.7 ; 791.4
jambes Louis XV 502.3
jambe sous-poutre 791.4
avoir les jambes coupées 502.9
avoir les jambes pâles 303.11
lever la jambe 176.28 ; 502.11
ne pas tenir sur ses jambes 502.9
prendre ses jambes à son cou 502.10
tenir la jambe à qqn 156.14
à toutes jambes 502.19 ; 684.45
sur ses jambes 303.10
sur une jambe 769.16
jambelet 70.4
jambette 502.8
jambier 502.16
jambier antérieur 541.10
jambières 110.9
jambon
cuisse 502.3
charcuterie 333.7 ; 333.9
jambonneau
mollusque 527.2
petit jambon 333.7
jamboree
assemblée 725.3
meeting 137.10
jambose 330.17
jambosier 37.20
jamerose 330.17
Jamna 736.8
jam-session 725.3
janissaire 671.13
jansénisme 818.23
puritanisme 533.3
jante 57.8
janthine 527.3
janus 417.7
Janus 49.10
janvier 88.8
japet 49.10
japon
papier japon 388.12
japonais
adj.
feu japonais 311.6
jardin japonais 443.2
Japonais 355.9
japonisme 46.11
jappement
animaux domestiques 170.1
animaux sauvages 170.2
japper
animaux domestiques 170.5
animaux sauvages 170.6
jappeur 486.30
japyx 417.16
jaque 330.17
jaquetancer
parler 595.18
bavarder 665.10
jaquette
protection 469.12
vêtement 859.9
t. de dentisterie 188.15
être de la jaquette flottante 763.41
jaquier 37.20
Jarais 371.13
Jard 236.36
banc de jard 319.5
jarde 841.5
jardin 443.3 ; 620.26
jardin d'acclimatation 873.9
jardin d'enfants 270.11
jardin d'Éden 591.5
jardin des allongés 331.14
jardin des Hespérides 374.6
jardin zoologique 486.18 ; 873.9
sur jardin 769.15
jardinage
crapaud 517.11
travaux des champs 18.4
activités de loisirs 599.5
jardiner 443.12
cultiver 18.20
jardinier
architecte paysagiste 443.11
agriculture 18.16
jardinière 333.21
bac 519.25
aiguière 848.9
jardinière d'enfants 270.9
jardiniste 443.11
jargon
zircon 517.4
jargon
langue 347.6 ; 411.3 ; 455.1 ; 455.3
jargonaphasie 321.8
jargonner
animal 170.7
homme 411.10 ; 455.15 ; 595.18
Jarnac
coup de Jarnac 373.7 ; 828.6
jarnicoton 431.6
jarosse 330.7
jarre
récipient 151.4
jarre électrique 261.13
jarre
poil 486.20 ; 624.2
jarret
poisson 638.6
t. d'anatomie 502.3
t. de boucherie 333.7
jarretelle 859.13
jarretier 541.10
jarretière 859.13
jarretière de la mariée 491.10
jars 570.7
jasement 170.3
jaser
animal 170.7
homme 595.22 ; 665.10
jaser sur 227.16

arriver comme un chien dans un jeu de quilles 224.6 ; 415.9
avoir du jeu 462.23
c'est un jeu d'enfant 302.17
donner du jeu 526.8
farder son jeu 373.13
le jeu n'en vaut pas la chandelle 224.5
entrer en jeu 596.21
mener le jeu 240.9
à beau jeu 726.2
jeu-concours 675.4
jeudi 88.10
semaine des quatre jeudis 679.3
jeun (à) 703.45
être à jeun 771.6
jeune 445.11 ; 445.3
nouveau 560.12
juvénilement 445.13
imparfait 383.8
jeune loup 667.6
jeune marié 491.18
jeune premier 445.5
jeûne
carême 173.9
expiation 299.1
ascèse 47.1
régime 771.2
jeûne eucharistique 173.9
jeûne expiatoire 310.6 ; 440
jeunement
nouvellement 560.15
juvénilement 445.13
jeûner 299.7 ; 703.34
faire pénitence 47.8
se passer de 771.5
jeunesse 445
passé 598.1
nouveauté 560.1
enfance 270.1
imperfection 383.1
erreur de jeunesse 606.5
seconde jeunesse 445.1
tendre jeunesse 270.1
Il faut que jeunesse se passe 445.9
Si jeunesse savait, si vieillesse pouvait 863.2
jeunet 270.20
J.H.S. → I.H.S.
ji 80.2
jiao 529.10
Jicarillas 371.7
jingle 675.4
jingtu 80.2
jingxi 543.3
jiu-jitsu 792.15
Jivaros 371.8
JKa 381.10
JKb 381.10
jnana marga 362.7
joaillerie 70.18
joaillier
tailleur de pierre 517.14
bijoutier 70.19
job 266.4
jobard 838.11
candide 64.5
jobarderie 784.2
jobardise 784.2
jobber 81.25
jobelin
naïf 784.13
candide 64.5
argot 455.3
Jocaste
complexe de Jocaste 140.4
jockey 123.10
cavalier 792.56
jocrisse 3.6
bouffon 731.4
jodhpurs 792.77
jodler → iodler
jodo 80.2
jogging
tenue de sport 859.17
courses 792.4
joie 447 ; 573.2
entrain 277.1
rire 132.4
plaisir 629.1
satisfaction 745.1
feu de joie 309.12 ; 311.3 ; 447.6
les joies de 596.23
faire la joie de 629.11 ; 745.7
à cœur joie 447.18
joindre 9.15 ; 685 ; 725.11
relier 698.6
grouper 352.15
unir 844.13
allier 501.13
joindre à 396.12
joindre l'utile à l'agréable 847.5
joindre le geste à la parole 9.15 ; 765.20
joindre les deux bouts 281.14 ; 339.27 ; 603.11
joindre (se) 596.21
s'attrouper 725.14
s'adjoindre qqn 9.16
accompagner 137.12
s'unir 596.29
joint
drogue 825.12
joint
n.m. 9.6 ; 476.12 ; 505.7 ; 632 ; 725.5
joint de culasse 57.3
joint tournant 632.21
joint vif 505.7
adj. 9.18 ; 396.17 ; 725.16
jointeuse 505.15
jointif 9.20
jointoyer
attacher 725.12
boucher 308.13
jointure 725.5
faire la jointure 153.17
jojo
affreux jojo 270.4
jojoba 38.7
joker 446.4
joli 69.17
amour 27.13
joliesse 69.2
joliet 69.16
joliment
rudement 427.32
mieux 677.19
délicatement 184.12
jonc
plante 360.8
objet 70.2 ; 632.20
jonc des chaisiers 360.8
jonc fleuri 318.12
jonc marin 360.8
comme un jonc 692.11
joncer 519.35
jonchée
fromage 328.2
jonchée
couche 152.3 ; 318.2 ; 678.5
joncher
étendre 727.14
fleurir 318.42
jonchère 360.6
jonctif 9.20
jonction 9.2
réunion 725.1
rassemblement 685.2
à la jonction de 514.16
jonglage 123.8
jongler 123.21
jonglerie
numéro d'adresse 10.7 ; 123.8
jongleur 123.15
équilibre 282.12
jonquille 318.17
Jordanien 355.8
jordanon 873.11
Joseph 117.17
Josué 815.2
jota 176.6
jouable
faisable 646.10
compréhensible 432.20
jouasse 447.14
joubarbe 318.33
joue
partie de meuble 519.21
pièce de bœuf 333.7
partie du visage 814.5
avoir les joues roses 743.7
avoir les joues en feu 102.21
tendre l'autre joue 601.9
jouer
risquer 358.8 ; 674.9
prendre du jeu 74.24
importer 384.6
affecter 373.14 ; 379.6
duper 373.14 ; 532.9 ; 838.12 ; 838.15
d'un instrument 422.30 ; 432.15 ; 542.19 ; 543.44
tenir un rôle 817.27 ; 817.29
se divertir 446.32 ; 446.33 ; 448.16 ; 599.13 ; 629.9
un match 792.81
carte à jouer 387.1
jouer à la Bourse 81.29
jouer au plus fin 316.13
jouer avec le feu 175.10 ; 311.28 ; 390.11
jouer avec sa santé 390.11
jouer avec sa vie 175.10
jouer des coudes 502.12 ; 667.11
jouer des orgues de Turquie 703.25
jouer sur les mots 24.10 ; 628.10
jouer un tour de son métier 284.10
en se jouant 302.27
faire jouer 755.12
c'est plus fort que de jouer au bouchon 294.13

jouer (se)
se moquer de 532.10
abuser de 3.9
attraper qqn 838.15
jouet **448**
objet 270.12 ; 448.1
victime 787.10
joueur 446.25 ; 446.40
sportif 792.40
mauvais joueur 446.25
joufflu 351.14
enfantin 270.19
joug
mettre sous le joug 240.13
passer sous le joug 787.15
secouer le joug 400.10
subir le joug 787.16
jouir
v.i. 629.9 ; 763.38
v.t. ind. 447.11 ; 645.15 ; 670.8 ; 743.7 ; 745.12 ; 846.13
jouir de la vie 862.27
jouir de son reste 721.9
jouissance
plaisir 475.3 ; 629.3 ; 629.5 ; 670.3
liberté 645.1 ; 745.1 ; 846.6
jouissance légale 645.1
action de jouissance 849.3
jouisseur 475.6
libertin 629.18 ; 629.7
fêtard 309.15
joujou
jeu 270.12
jouet 448.1
joule 269.9 ; 509.10
calorie 102.12
jour
ouverture 481.31 ; 585.1
journée 88.10 ; 509.9 ; 610.5 ; 777.6
jour de réception 368.6 ; 688.2 ; 772.13
lumière 136.16 ; 473.2 ; 473.38 ; 867.5
ajour 165.4
jour de l'an 309.3
jour des Morts 117 ; 310.3 ; 331.8
jour férié 310.2 ; 389.5 ; 706.4
jour du Seigneur 117 ; 215.16 ; 310.3
grand jour 290.2 ; 473.2
au jour J 644.7
beaux jours 738.3
jours heureux 670.3
lever du jour 494.2 ; 777.5
à jour 560.7 ; 652.11 ; 652.9 ; 854.16
jour après jour 344.14 ; 811.14
un jour 332.17 ; 528.9 ; 598.21 ; 647.26
fil des jours 862.7
un jour ou l'autre 332.17
au jour le jour 652.18 ; 652.8
jour de chance 670.6
jour et nuit 153.28 ; 776.16
sept jours sur sept 153.28
comme un jour sans pain 272.12
il y a beau jour 247.12
donner le jour à 297.11 ; 506.8 ; 544.20
voir le jour 297.10 ; 862.25
mettre au jour 179.8 ; 301 ; 783.23 ; 867.5
se faire jour 4.4 ; 34.7 ; 300.13
éclater au grand jour 34.7 ; 136.16 ; 581.6
apparaître sous son vrai jour 34.10 ; 854.14
le jour J 528.2
les jours se suivent et ne se ressemblent pas 229.5
un jour pousse l'autre 811.12 ; 843.4
avoir connu des jours meilleurs 11.20 ; 603.15
journal
mesure 509.22
publication 136.6 ; 339.16 ; 654.3
journal de bord 387.3
journal intime 691.7 ; 862.10
journal lumineux 654.4
Journal officiel 654.4
journal parlé 654.4 ; 681.12
journal télévisé 136.6 ; 654.4 ; 681.13
papier journal 388.12
journaleux 654.17
journalier
mensuel 610.15
agriculteur 18.16
ouvrier journalier 480.3
journaliser 654.23
journalisme 654.14
information(s) 290.4
la presse 654.15
journaliste 654.16
communication 136.8
narrateur 691.11
journalistique 654.27
journée
jour 610.5
à la journée 739.17
à la journée longue 153.28
à longueur de journée 247.22
journellement 610.17
continuellement 153.27
encore 153.29
joute 309.6
joute d'esprit 595.6
joute oratoire 595.6 ; 626.2
jouvence 445.1
cure de jouvence 353.9
jouvenceau
jeune 445.3
célibataire 93.2
jouvencelle
fille 306.3
célibataire 93.3
jouxte 673.16
jouxter 673.7
jovial
alerte 277.6
joyeux 447.14
jovialement 447.18
jovialité 447.1
jovien 49.33
joyau 70.1
joyeusement 447.18
plaisamment 629.23
joyeuserie 447.1
joyeuseté
joie 447.1
farce 628.5
joyeux 447.14 ; 629.17
animé 277.6
heureux 745.15
ivre 441.17
J.T.
information 136.6
magazine 681.13
jubarte 486.15
jubé 465.5
faire venir qqn à jubé 240.16
jubea 37.19
jubilaire 610.14
jubilant 745.15
jubilation
enthousiasme 447.6
plaisir 629.1
jubilatoire 447.17
jubilé
anniversaire 88.7
pèlerinage 173.10
commémoration 309.3
jubiler
exulter 447.13
rire 629.9
jucher 570.33
juchoir 570.25
Juda
royaume de Juda 449.17
judaïcité 449.18
judaïquement 449.36
judaïsant 449.29
converti 648.14
judaïsation 648.7
judaïcité 449.18
judaïser 449.27 ; 648.16
judaïsme **449** ; 700.8
judaïté 449.18
judas
ouverture 481.31 ; 585.6
traître 25.7 ; 373.10
judas optique 207.5
Judée 449.17
de Judée 575.2
judéen 355.8
juif 449.28
judéité 449.18
judelle 570.15
judéo- 449.37
judéo-allemand 449.33
yiddish 449.19
judéo-araméen 449.19
judéo-christianisme 117.2
judéo-espagnol 449.19
judicatif 451.33
judicatoire 451.33
judicature 835.17
judiciaire
n.m.
jugement 450.1 ; 682.6
adj. 429.2 ; 450.14 ; 451.33 ; 835.21
erreur judiciaire 283.2 ; 413.6
identité judiciaire 376.7
tribunal judiciaire 835.2
judiciairement 451.36
judicieux
clairvoyant 275.15
raisonnable 620.34 ; 682.16
opportun 571.12
Judith et Holopherne 374.4
judo 792.18
sports de combat 792.15
judoka 792.52
juge 141.11 ; 450.6
magistrat 835.9
juge aux affaires familiales 835.9
juge conciliateur 141.11

précision 10.4 ; 316.2
réalité 854.2
opportunité 571.1
fidélité 472.4
intelligibilité 425.2
justice 451 ; 245.16 ; 472.2 ; 801.4
égalité 282.9
modération 141.5
honnêteté 533.5
vertus théologales 858.2
action en justice 451.26 ; 451.6
justice de paix 835.4
maison de justice 208.6
en toute justice 245.61
faire justice 144.28
ne pas faire justice à 789.4
avoir la justice de son côté 245.53
justicia 38.9
justiciable
judiciaire 451.33
passible de 144.36
justicialisme 808.14
justicialiste 808.40
justiciard 451.18
justicier 451.18
torturer 801.18
justifiable 536.10
justifiant 536.11
justificateur 536.11
justificatif 536.11
affirmation 99.3
justification
preuve 92.7 ; 428.6 ; 536.4 ; 592.2 ; 656.1
t. d'imprimerie 388.3
justification par la foi seule 818.16
justifier
motiver 58.12 ; 77.18 ; 536.8 ; 656.4
t. d'imprimerie 388.19
jute 816.2
juteux
mûr 330.24
rentable 339.35
juturne 236.42
juveigneur 647.11
juvénat
commencement 35.2
école 274.5
noviciat 525.16
formation 649.4
juvénile 445.11
juvénilement 445.13
juvénilisme 445.2
Juventus 236.25
juxta- 673.17
juxtaposant 685.16
juxtaposer 158.12
rapprocher 673.10 ; 685.7
accorder 346.17
construire 622.14
juxtaposition
rapprochement 673.3
rassemblement 685.2
syntaxe 346.7 ; 622.6

K

Ka 236.4
Kabardes 371.14
kabbale
ésotérisme 818.24
magie 477.1
Talmud 449.5
kabbaliste 449.32 ; 449.7
kabbalistique 449.32
magique 477.24
kabig 859.9
Kabrés 371.11
kabuki 817.7
kabyle
langue 455.14
Kabyles 371.10
Kachins 371.13
kachkaval 328.5
kaddish 449 ; 449.11 ; 657.15
Kaffas 371.11
kafir 440.10
kafkaïen
problème kafkaïen 140.2
kaïnophobie 104.11
phobie 619.4
kaïnophobique 104.25
kajmak 328.5
kakapo 570.10
kakemono 607.7
kaki
fruit 330.16
couleur 84.12 ; 159.28
kala-azar 482.35
kalam 440 ; 440.13
Coran 815.5
kalanchoe 318.33
kaléidoscope
prisme 643.7
jouet 448.10
kaléidoscopique 574.24
versicolore 643.12
Kalés 371.15
kaliémie 742.17
Kalingas 371.12
kalléone 340.3
kallima 417.11
kalmia 38.7
Kalmouks 371.14
kamala 499.9
kamantche 422.4
Kama-sutra 815.8
Kambas 371.11
Kami 236.4
kamikaze 161.9
Kamtchadales 371.14
kam-thaï 455.14
kan 822.5
kana 459.1
Kanaks 371.12
kandji 459.1
kangourou 486.13
Kanouris 371.11
Kansas 371.7
kantisme 620.11
kaolin 311.10
kaolinite 516.5
kaori 37.20
kapisme 46.12
kapo 865.13
gardien 208.17
bourreau 801.14
kapok
fruit 330.3
duvet 816.2
kapokier
bois 74.13
arbre 37.18
kapur 74.11
karagöz 817.9
karaïsme 449.2
Karaïtes 449.24
Karakalpaks 371.14
Karamojongs 371.11
Karatchaïs 371.14
karaté 792.15
karatéka 792.52
Karens 371.13
karité 37.18
karma ou **karman** 80.11 ; 362.6
karma marga 362.7
Karman
méthode Karman 711.13
Karoks 371.7
karst 337.16
kart 833.5
karting
cylindrée 833.5
motocyclisme 792.27
kasaï 74.11
kasher 449.35
kathakali 176.8
katsura 37.20
kauri 37.20
Kavirondos 371.11
kawa 38.9
Kayahs 371.13
kayak 792.28
kayakiste 792.62
Kazakhs 355.6 ; 371.14
kéa 570.10
kebab 333.11
kéfir 454.2
keirin 792.26
Kell 381.10
système Kell 742.15
kelp 22.4
kelvin 509.12
degré kelvin 102.12
kelvinomètre 509.26
kendo 792.15
kendoka 792.52
kentia 37.17
Kenyen 355.7
képi 859.27
Kepler 49.28
kérat- 840.22
kératectomie 114.13
kératine
protéine 94.8
cuir chevelu 624.6
kératinisé
pilule 499.14
t. de dermatologie 482.67
kératite 482.28 ; 482.48
maladies des yeux 840.4
kérato- 840.22
kérato-acanthome 841.3
kératocône 840.3
kérato-conjonctivite 482.28
maladies des yeux 840.4
kératolytique
médicaments 499.5
t. de dermatologie 482.67
kératoplastie 114.17
kératose 482.17
kératotomie 114.14
kerma 509.14
kermès
insecte 417.5
pigment 735.2
chêne kermès 37.15
kermesse 309.5
iconographie 374.7
kérosène
pétrole 131.6
supercarburant 617.5

kyat 529.8
kym- 468.19
kyma- 468.19
kymo- 468.19
kyriale 106.6
Kyrie 657.11
messe 508.7
cantique 106.5
Kyrie eleison 106.5 ; 625.17 ; 657.11
kyrielle 540.5
ribambelle 758.4
kyste 841.2
grosseur 351.2
kystique 482.82
kyu 792.18
kyudo 792.19

L

la 543.12
donner le la 542.20
là
adv.
situation 232.17 ; 769.15
direction 221.32
int. 89.19 ; 431.2 ; 431.4
de là 254.10
par là 769.15
par là même 254.10
être là 651.8
qui est là ? 431.9
qui va là ? 431.9
labanotation 176.27
là-bas 232.17 ; 769.15
là 221.32
labbe 570.15
grand labbe 570.15
labdacisme 839.3
labé 852.6
label 677.4
marque 490.5
labelle
corolle 318.4
suçoir 417.17
labétalol 499.5
labeur
activité 7.7
combativité 255.3
caractères de labeur 459.8
labiacées ou **labiées** 318.16
labiale 781.8
labiatiflore 318.45
labidognathes 417.12
labidostome 417.3
labidure 417.16
labiées → labiacées
labile
changeant 104.22
instable 325.10
mémoire labile 583.1
labilité 325.1
labiodentale 781.8
labium 417.17
lablab 330.7
laborantin 499.21
laboratoire
studio 621.15
officine 464.12
laboratoire d'analyses médicales 498.32
laboratoire de recherche 689.7
laboratoire pharmaceutique 499.22
jardin laboratoire 253.5
laborieusement 255.13
difficilement 217.24
laborieux 255.10 ; 266.32
masse laborieuse 480.2
labour
travaux des champs 18.4
sillon 18.5
labourable 18.27
labourage 813.14
travaux des champs 18.4
labourer
travailler la terre 18.20 ; 167.11
blesser 72.14
laboureur 18.16
laboureuse 18.15
labrador 486.9
labre
poisson 527.14 ; 638.6
lèvre 417.17
labridé 638.3
labyrinthe
dédale 140.2 ; 217.9 ; 567.8
de l'oreille 55.3
jardin 443.4
labyrinthite 482.30
labyrinthodon 337.23
labyrinthodontes 68.1
lac 319.2
Lune 474.7
voie navigable 830.16
lac Averne 271.8
lac des Songes 474.7
tomber dans le lac 249.14
Lacandons 371.8
laccifère 318.47
lacer 110.15
lacérer 72.14
laceret 584.21
lacertidés 712.4
lacertiliens 712.4
lacet
détour 162.3 ; 212.8 ; 845.17
supplice 801.5
piège 107.5
lâchage
défection 181.2 ; 452.2
abandon 392.3
lâche
flasque 526.9
peureux 367.13 ; 452.4 ; 452.7 ; 452.8 ; 619.19 ; 619.7
lâchement 452.9
peureusement 619.23
honteusement 367.17
lachenalia 318.17
lâcher
v.t.
éjecter 258.8
dépasser 190.6
abandonner 181.7 ; 392.12 ; 452.6
trahir 828.14
renoncer à 231.9 ; 701.5
libérer 461.13
un cri 168.14
payer 587.13
v.i.
craquer 205.22
lâcher pied 180.7 ; 623.7
les lâcher avec un élastique 61.7
ne pas lâcher le morceau 568.5
lâchez les chiens 321.28
lachésille 417.16
lachesis 712.3
lâcheté 452
peur 619.5
inaction 393.4 ; 593.2
lâcheur 181.4
lachnus 417.5
L-acidamino-déhydrase 94.24
laciniée 37.27
lacis 795.6
couche 821.3
dentelle 165.3
Lacnadons 371.7
lacon 417.3
laconique 142.9
laconiquement 142.10
laconisme 142.1
lacrymal 340.14
lacrymogène 340.13
lacrymo-muco-nasal 100.4
lacs
forceps 544.10
piège 107.5
lact- 454.19
lactaire
adj.
du lait 454.15
lactaire
n.
champignon 103.6
lactaire délicieux 103.6
lactaire poivré 103.6
lactalbumine 94.8
lactarium
biberon 270.10
laiterie 454.7
lactase 94.24
lactate 499.6
lactation
sécrétion 340.9
lait 454.1
lacté 159.28 ; 340.15 ; 454.17
blanchâtre 71.12
cure lactée 214.2
Voie lactée 49.13
lactéal 188.28
lactéine 454.1
lactescence 454.1
lactescent 340.15 ; 454.15
blanchâtre 71.12
t. de botanique 318.47
lacti- 454.19
lactico-déshydrogénase 94.24
lactifère 454.15
lactique 454.15
acide lactique 94.13
lacto- 454.19
lactodensimètre 187.5
densitomètre 509.26
lactogène
hormone lactogène placentaire 340.3
lactoglobuline 94.8
lactomètre 187.5
lactose 94.5
lactosérum 454.2
lactulose 499.5
lacunaire 223.14
inabouti 392.18
lacune 71.7 ; 377.2 ; 488.3
absence 404.2

oubli 583.2
sous-estimation 789.1
inaccomplissement 392.6
lacustre 319.29
là-dedans 396.20
là-dessous
infra 203.20
en bas 195.20
là-dessus
dans le temps 647.23
dans l'espace 204.23
ladino 449.19
ladre
avare 61.3 ; 61.9
ladrement
petitement 616.15
parcimonieusement 61.10
ladrerie 61.1
lady 306.2
lælia 318.21
læliocattleya 318.21
lætilia 417.11
lagéni- 151.16
lagéno- 151.16
lagerstrœmia 38.9
lagetta 37.19
lago- 486.34
lagomorphe 486.3
lagon 319.2
lagopède 570.9 ; 873.24
lagophtalmie
troubles de la vision 840.1
blépharite 840.5
lagotriche 486.14
lague 486.36
laguiole 328.6
lagunaire 319.30
lagune 319.8
laguneux 319.30
là-haut
direction 204.23 ; 232.17
au paradis 591.10
Lahu 371.13
lai 635.8
profane 663.7
conte 691.5
laïc
profane 663.1 ; 663.7
laîche 360.7
laïcisation 663.3
laïciser 663.6
laïcisme 808.7
laïcité 663.2
pluralisme 694.5
laid 453.11 ; 453.8
laidement 453.12
laideron 453.4
laideur 453
bassesse 453.2
désagrément 192.5
laidir 453.6
laie
animal 486.12
outil 584.17 ; 749.14
laimargue 638.7
lainage
cotonnade 816.3
pull 859.7
laine
coton 816.2
cotonnade 816.3
laine de verre 855.4
laineuse 476.9
métier à tisser 816.17
laineux 816.35
laïque 274.3 ; 700.10
fête laïque 309.2
laisse 635.12
laissé
laissé pour compte 693.15 ; 721.12
laissées 486.24
bouse 296.3
laissé-pour-compte 490.4
rebut 693.6
laisser
maintenir 153.19
quitter 189.13
abandonner 181.7 ; 392.12 ; 701.5
céder 101.10 ; 241.13 ; 524.10
laisser accroire 504.18
laisser entendre 753.9 ; 788.10
laisser faire 58.16
laisser passer 58.11
laisser tomber 181.7 ; 238.13 ; 392.12 ; 401.14 ; 452.6 ; 547.11 ; 828.14
laisser traîner 547.9
laisser de côté 295.8 ; 392.12 ; 401.13 ; 547.13
laisser à désirer 199.12 ; 383.7 ; 392.15 ; 500.8
laisser pour compte 693.8
laisser pour mort 534.27
laisser ses os 534.22
laisser courir l'eau 547.9
laisser (se)
se laisser aller 11.22 ; 198.8 ; 393.10 ; 426.10 ; 547.15 ; 593.7
se laisser aller à la facilité 302.16
se laisser faire 787.19
ne pas se laisser faire 715.12
laisser-aller 462.10
éducation 253.4
mollesse 593.2
impréparation 386.1
indolence 547.3
laisser-courre 107.11
laissez-faire 460.3
éducation 253.4
laissez-passer 317.24
permis 58.6
laissez-faire 460.3
lait 454 ; 75.6 ; 508.5
boisson 468.5
sécrétion 340.4
pommade 499.15
produit laitier **454**
lait de poule 75.6
comme du petit-lait 302.30
herbe au lait 318.36
lait écrémé 454.1
lait entier 454.1
laitage 454.1
laitance 638.13
laité
fraie 638.13
laitée
portée 486.17
laiterie 454.7
jardins 443.9
pied-à-terre 481.5
laiteron 318.10
laiteusement 454.18
laiteux 71.15 ; 159.28 ; 340.15 ; 454.16 ; 604.15
blanchâtre 71.12
laitier
n.m.
personne 262.22 ; 454.8
t. de métallurgie 510.11
adj.
du lait 262.33 ; 454.14
laitière 454.5
laiton 82.2
laitue
femme 306.5
salade 333.20
laïus
discours 225.1 ; 595.5
longueurs 665.5
laïusser
discourir 595.23
bavarder 665.10
laïusseur
discoureur 595.15
bavard 665.7
laize 816.18
Laks 371.14
-lalie 839.14
lallation
gazouillement 83.7
babil 168.2
lama
animal 486.6
moine 80 ; 525.7 ; 699.16
lama quadrilatère 580.13
lamaïque 80.15
lamaïsme 80.1
lamaïste 80.15
bouddhiste 80.5
lamantin 486.15
lamarckien 293.14 ; 293.8
lamarckisme
darwinisme 293.7 ; 873.12
lamaserie 525.22
lambada
danse 176.10
Lambadas 371.13
lambda 417.11
électron 513.4
sutures 580.20
lambda charmé 513.4
individu lambda 613.8
lambdacisme 839.3
lambdatique 580.20
lambdoïde 580.20
lambeau 816.19
lambin 458.9
paresseux 393.17 ; 593.10 ; 593.5
lent 458.17
lambinage 724.4
lambiner
s'attarder 724.12
paresser 393.9 ; 593.7
flâner 458.14
lambis 527.3
lambliase 482.35
lambourde
granite 517.2
barrefort 74.6
rameau 37.8
lambrequin
jalousie 67.9
ciel de lit 519.15
lambris
plafond 727.8
boiserie 505.4
mur 481.30
célestes lambris 591.1
lambrissage 505.13
recouvrement 727.11
lambrissé 505.28
lambrisser 727.15
boiser 74.20

menuiser 505.21
lambrisseuse 505.15
lambswool 816.3
lame
instrument 114.26 ; 505.16 ; 584.9 ; 848.15
arme 43.10 ; 43.3 ; 792.73
carte 446.4
morceau 65.1 ; 505.4
lame criblée 580.5
lame de fond 319.10
lame dentaire 484.5
lame fondamentale 265.7
lame médullaire 100.11
lame osseuse 580.4
lame vertébrale 580.11
lamé 816.4
lamé or 575.12
lamellaire 821.11
lamellation
sédimentation 65.8
bûcheronnage 36.8
lamelle
bande 65.1
mycélium 103.2
lamellé 65.10
lamellé-collé 74.14
lamelleuse 527.19
lamelleux 821.11
lamelli- 65.12
lamellibranches 527.1
lamelliforme 65.10
lamentable
navrant 500.17
déplorable 836.17
terrible 827.13
pitoyable 625.14
insignifiant 383.9
lamentablement 11.32
lamentation 625.6
larmes 836.3
gémissement 168.3
mur des Lamentations 449.10
lamenter 170.6
lamenter (se)
regretter 697.5
pleurer 836.9
lamento 106.13
lamer 816.25
lamie 638.7
lamier 318.16
lamier blanc 318.16
laminage 584.29
ferrage 307.12
fusion 855.9
déformation 510.9
laminaire 22.4 ; 852.23
laminariale 22.3
laminé 307.23 ; 505.28
tiré 826.15
verre plat 855.2
coulée 510.7
laminectomie 114.13
laminer 584.37
usiner 476.18
emboutir 510.17
lamineur 510.14
lamineux 65.10
laminoir 476.10
Lamoutes 371.14
lampadaire 250.11
appareil d'éclairage 473.12
réverbère 250.13
lampadophore 250.21
lampant 250
pétrole lampant 250.29
huile lampante 369.2
lamparo
appareil d'éclairage 473.12
chalutier 605.11
réverbère 250.13
pêche au lamparo 605.8
lampas 816.4
lampas à parterre 816.4
lampassé 816.33
lampe 250.9
appareil d'éclairage 473.12
lampe à pétrole 250.9 ; 473.12
lampe à souder 584.23 ; 632.19
lampe merveilleuse 477.10
verre de lampe 855.12
lampée 75.15
lamperon 250.8
lampe-tempête 250.10
lampe-torche 473.12
lampion
lampe 250 ; 309.12
lampiste
remplaçant 797.6
bouc émissaire 299.5
lampisterie 250.18
lampourde 318.10
lampromyie 417.9
lampsane 318.10
Lampungs 371.12
lampyre 417.3
Lan
antigène Lan 381.10
lançage 834.24
lance
arme 42.2 ; 637.3
outil 834.28
lance d'eau 443.5
mettre bas les lances 180.8
lance-bombe 820.9
lance-flammes 820.9
lance-grenades 820.9
lancement
éjection 258.1
tentative 812.4
tir 48.5 ; 189.3 ; 820.1
aire de lancement 48.6
lance-missiles 820.9
lancéolé 37.27
lance-pierre
arme 43.4
arc 42.3
manger au lance-pierre 684.16 ; 703.32
lancer
n.m.
jet 792.5
pêche au lancer 605.2
v.
éjecter 258.8
jeter 42.10 ; 258.9 ; 820.20
fonder 279.8
promouvoir 490.21 ; 675.10
une fusée 48.12
t. de vénerie 107.23
lancer un ballon 185.15
lancer des fleurs 471.11
lancé 798.23
lancer (se)
commencer 134.18
entreprendre 7.11 ; 279.10 ; 812.7
se lancer dans la politique 708.17
lance-roquettes
bouche à feu 43.8
artillerie 820.9
lancer-porter 123.6
lancette
bistouri 188.12
chirurgie 114.26
lanceur
arme 820.9
sportif 792.45
lanceur d'engins 820.9
lancier
fantassin 41.12
chevalier 42.8
lancinant
monotone 272.12
douleur lancinante 243.14
lanciner 243.12
lançoir 195.6
lançon 638.6
land 833.5
land art 46.13
landau 833.14
landaulet 57.6
lande 750.10
prairie 360.5
landgrave 822.4
landier 109.17
landolphia 38.9
langage 455
code 765.3
style 729.10
langage inarticulé 168.1
langage machine 408.16
langage musical 543.1
langage parlé 595.1
langage des mains 479.8
langage des sourds-muets 803.5
mesurer son langage 810.7
tenir un double langage 25.11
langagier 455.18
langer 270.17
langes 134.2
langoureusement 393.18
langoureux 27.28
langouste
crustacé 172.1 ; 172.3
mets 333.13
langoustier 605.11
langoustine
crustacé 172.3
mets 333.13
langoustinier 605.11
langres 328.6
langue 455
code 535.1 ; 765.3
bande 65.1 ; 289.5
organe 218.6 ; 343.7 ; 754.2
mets 333.8 ; 333.9
langue dorée 264.5 ; 761.4
langue morte 455.1
langue de feu 311.4
langues de feu de la Pentecôte 311.10
langue des signes 803.5
méchante langue 227.11 ; 497.6
coup de langue 439.4
état de langue 768.5
système de la langue 807.4

dans les grandes largeurs 456.9
larghetto 456.13 ; 542.25
lentement 458.23
largo 456.13 ; 542.25 ; 543.35
lentement 458.23
largonji 455.3
largo sensu 456.12
largue 852.5
grand largue 852.5
petit largue 852.5
larguer
éjecter 258.8
se défaire de 181.7
abandonner 392.12
laricio 37.16
lariformes 570.4
larigot 422.7
larme
quantité 75.15 ; 602.3 ; 616.4 ; 678.5
goutte 468.3
pleur 243.6 ; 340.4
t. d'architecture 39.21
larmes 836.3
larmes d'argent 331.20 ; 534.7
larmes de crocodile 373.7
larmes de sang 243.6
en larmes 836.11
arracher des larmes 625.10
avoir les larmes aux yeux 836.9
faire venir les larmes aux yeux 625.10
sécher les larmes 786.4
larme-de-Job 360.7
larmer 340.11
larmichette 616.4
larmier
orifice 486.21
de l'œil 868.6
t. de menuiserie 505.10
larmoiement 840.4
larmoyant
pleurant 840.19
triste 836.11
comédie larmoyante 817.5
larmoyer
sécréter 340.11
pleurer 836.9
larra 417.7
larron 869.9
larronneau 869.9
larronner 869.22
larronnerie 869.2
larsen 781.3
larve
d'insecte 417.19
de crustacé 172.5
paresseux 593.6
démon 186.5
laryngite 482.30
laryngite striduleuse 794.2
laryngotomie 114.14
laryngo-trachéal 718.13
laryngo-trachéite 482.30
laryngo-trachéo-bronchite 482.30
laryngotrachéotomie 114.14
larynx 718.7
las
adj. 272.16 ; 303.21 ; 458.18
int. 431.2
lasagne 333.25
lascar 270.4
lascif 475
sensuel 629.18
libertin 860.11
ardent 27.27
lascivement 475.13
lasciveté ou **lascivité**
plaisir 629.3
sensualité 27.12
luxure 475.1
l-ascorbique
acide l-ascorbique 94.13
laser 473.18
accélérateur de particules 513.10
ultrason 207.13
verres laser 855.2
laserpitium 318.20
lashon ashkenaz 449.19
lashon haqodesh 449.19
lasi- 624.25
lasio- 624.25
lasiocampe 417.11
lasiocampidés 417.10
lasius 417.7
laspeyresia 417.11
lassant 272.13
lassé 62.12
lasser
exaspérer 382.5
ennuyer 272.9
importuner 415.7
lassitude
faiblesse 303.2 ; 458.8
aversion 62.2 ; 382.1
ennui 272.4
déception 249.7
last but not least 384.14
pour finir 315.24
latanier 37.18
latence 788.1
latent
en puissance 243.14 ; 291.10
sous-entendu 788.15
contenu latent 152.2 ; 788.1
latér- 158.24
latéral 158.17 ; 250.27 ; 456.8
latérale
consonne 781.8
t. d'anatomie 158.2
latéralement 456.10
sur le côté 158.20
latéralisation 158.7
droiterie 246.2
latéralisé 158.19
latéralité 158.7
droiterie 246.2
gaucherie 334.2
latère 158.24
latérite 337.16
latéritique 307.22 ; 516.14
latéritisation 337.3
latéro- 158.24
latéroflexion 158.7
latéroposition 158.7
latéropulsion 158.7
latéro-trachéal 742.8
latéroversion 158.7
latès 638.5
latex 259.2
Lathésis 271.8
lathrobium 417.3
laticifère 259.12
laticlave 859.8
latimeria 638.6
latin 455.14 ; 508.14
Église latine 508.14
latinisme 455.4
latiniste 455.24
linguiste 455.12
latitude
possibilité 116.3 ; 462.6 ; 646.4
facilité 302.9
dimension 456.1
repère 769.6
hautes latitudes 327.6
latitudinaire
protestant 117.13
laxiste 462.33
latitudinarisme 462.12
latitudinariste
libre penseur 462.14 ; 462.30
latomies 208.9
Latone 236.33
lato sensu 753.20
-lâtre 173.26
latrie
culte de latrie 29.9 ; 173.2 ; 215.17
-lâtrie 173.26
latrines 481.25
lieux d'aisances 296.16
latrodecte 417.13
lats 529.8
latte 505.4
latté 505.28
lattis 834.18
laudanum 825.8
laudateur
exagérateur 804.9
apologiste 471.20 ; 471.8
laudatif 471.19
laudes
prière 657.9
moment 494.1 ; 525.21 ; 657.12
pièce musicale 106.5
lauracée 38.3
lauré 341.26
lauréat 274.16
laurier
arbuste 38.4
récompense 507.5
assaisonnement 333.27
lauriers 341.9 ; 366.9 ; 798.5
lauriers de la victoire 861.4
couvert de lauriers 341.17 ; 861.13
ceindre son front de laurier 312.8
cueillir les lauriers 341.17
flétrir les lauriers de qqn 227.19
laurier-rose 38.5
laurique 94.7
lauxanie 417.9
LAV 512.3
lavable 669.14
lavabo 481.25
sanitaire 519.26 ; 632.2 ; 669.6
lavabos 296.16
lavage
d'une huile 369.8 ; 617.3
d'un minerai 518.4
nettoyage 129.10 ; 550.1

lavage à la batée 575.6
lavage d'estomac 267.8
lavage de tête 710.2
lavallière
couleur 159.28
cravate 859.28
lavande
fleur 318.16
bleu 73.8
parfum 594.4
lavandière
oiseau 570.8
laveuse 550.24
lavandin 318.16
lavaret 638.5
lavasse
pluie 633.4
boisson 75.4
lavatère 318.18
lavatory
lieux d'aisances 296.16
propreté 669.7
lave 337.7
lavé 550.38
lave-auto 57.16
lave-dos 669.5
lave-glace 57.11
lave-linge 476.8
machine à laver 550.19
lave-mains
sanitaire 519.26 ; 632.2 ; 669.6
lavement 775.15
toilette 669.3
lave-pont 550.17
laver
nettoyer 468.9 ; 550.31 ; 669.9
une chevelure 129.13
injurier 412.11
peindre 607.26
poudre à laver 550.14
laver une injure 707.8
laver un outrage 720.10
laver la tête 710.16
laver (se) 669.11
se laver de 299.7
se laver les dents 188.26
se laver les mains de 401.13
laverie 550.20
laverie automatique 550.20
lavette 550.15
laveur 550.24
laveur de carreaux 550.24
lave-vaisselle 476.8
machine à laver 550.19
lavignon 527.2
lavis
peinture 607.3
plan 39.4
lavoir 550.18
lawrencium 113.7
laxatif
médicament 499.31 ; 499.5
laxisme
éducation 253.4
laisser-aller 462.10
laxiste 302.24 ; 462.33
clément 592.16
laxité 482.9
layeterie ou **layetterie** 505.1
layetier 505.20
layette
meuble 519.5
vêtements 859.16
layia 318.10
laylat al-mawlid al-nabi 310.6 ; 440
laylat al-miradj 310.6 ; 440
laylat al-qadr 310.6 ; 440
lazaret 775.21
lazariste 525.10
lazaro 208.11
camp 41.19
lazulite 517.4
lazzi
raillerie 532.4
caricature 628.6
lé 816.18
Lea
antigène Lea 381.10
leader
meneur 15.4
article 654.8
leadership 133.1
leasing 166.3
Leb
antigène Leb 381.10
leben 454.2
lebia 417.3
lébiidés 417.2
lecanium 417.5
lecanora 463.3
lèche
hypocrisie 373.3
tranche 588.4
faire de la lèche 761.9
léché 315.21
ours mal léché 226.4
lèche-bottes 761.15
courtisan 373.10 ; 761.6
lèche-cul 761.15
courtisan 373.10 ; 761.6
lèchefrite 761.6
gourmand comme une lèchefrite 342.12
lécher
fignoler 640.9 ; 774.14
détruire 311.24
courtiser 761.9
fouiller 607.27
lécher les bottes 373.15 ; 761.9
lécher le cul à 761.9
lécher (se) 486.26
lécheur 761.6
lèche-vitrines
faire du lèche-vitrines 191.21
lecidea 463.3
lécithine 94.6
leçon
cours 274.10
conseil 148.2
conférence 136.4 ; 225.7
interprétation 432.3
leçon de ténèbres 106.5
les leçons du passé 598.4
apprendre des leçons 274.19
faire la leçon à 148.11 ; 521.9 ; 533.12 ; 710.11
lecteur
religieux 699.6
personne qui lit 469.18
appareil 273.5
lecteur laser 273.5
lecteur de cassettes 273.4 ; 781.13
lectionnaire 508.13
lectisternes 310.8
lectorat 699.5
lectrin 519.11
lecture
interprétation 432
déchiffrement 252.8 ; 459.11
discours 136.4 ; 225.7 ; 274.10
d'un disque 273.2
d'une partition 542.15
lecture à vue 542.15
cabinet de lecture 469.19
seconde lecture 642.2
lecythis 37.19
Léda 49.10
Léda et le Cygne 374.6
légal 245.56
normal 558.10
autorisé 58.21
juste 451.32
interdiction légale 429.2
légalement 245.60 ; 559.19 ; 696.26
judiciairement 451.36
légalisation 245.40
réglementation 559.8
légaliser 245.50
légalisme 245.43
juridisme 451.23
légalité 245.42
conformité 559.5
justice 451.1
légat 590.14
légataire
acquéreur 101.9
héritier 241.11
légation 642.10
legato 153.32 ; 542.26
légendaire
imaginaire 378.13
célèbre 341.28
légende
récit 363.6 ; 691.2
d'une image 753.5 ; 765.12
d'une pièce 529.6
légende du Grand Veneur 107.17
léger
petit 616.14
d'un faible poids 20.17 ; 457
digeste 218.22
en bonne santé 743.11
insignifiant 419.13
volage 90.10
irréfléchi 386.13
facile 302.22
imprudent 390.14
rapide 684.28
t. de boxe 792.53
à la légère 386.17 ; 390.17
prendre à la légère 419.9 ; 628.10
légèrement
un peu 602.12
sans peser 457.16
peu 303.25
délicatement 316.22
imprudemment 390.16 ; 547.22
en plaisantant 628.15
légèreté 457
d'un aliment 218.2
sottise 784.2
inattention 394.1
bénignité 419.1
frivolité 90.2
facilité 10.4 ; 302.5
imprudence 386.1 ; 390.2 ; 547.1

leggings ou **leggins** 110.9
légiférable 245.58
légiférer
organiser 577.21
normaliser 559.10
créer une loi 245.49 ; 642.18
légion
foule 540.3
armée 41.8
légions 29.1
Légion étrangère 41.3
légionellose 482.31
légionnaire 41.10
maladie du légionnaire 482.31
législateur 245.47
législatif 245.57
élections législatives 260.2
pouvoir législatif 245.45 ; 708.4
science législative 245.1
législation 245.1 ; 245.2
législativement 245.59
législature 708.15
parlement 642.2
légiste 451.19
juriste 245.47
légistique → **science législative**
légitimation
normalisation 558.5
d'un enfant 314.9
légitime
raisonnable 682.16
reconnu 314.16
autorisé 58.21 ; 245.56 ; 451.32
filiation légitime 314.3
légitimement 559.19
à bon droit 245.61
légitimer
reconnaître 314.13
autoriser 245.50
légitimité
normalité 558.1
justice 451.1
légalité 245.42
Lego 448.7
legs 241.7
léguer
transmettre 361.19
donner 241.13
légume
grosse légume 59.9 ; 800.10
légumier
n.m. 848.18
adj. 330.23
légumineuses 318.27
lehm 337.16
Leibniz 474.7
leibnizianisme 573.3
leibnizien 573.8
leicester 328.6
Leidig
cellules de Leidig 762.5
léimyosarcome 841.4
léio- 640.12
léiomyome 841.3
léipoa 570.14
leishmaniose 482.35
leitmotiv
cycle 704.5
mélodie 543.25
lek 529.8
léma 417.3
lemme
axiome 493.2
connaissance 620.22
lemming 486.5
lemna 360.8
lemniscate 338.8
lemniscus
lemniscus latéral 100.6
lempira 529.8
lémures 534.9
lémuridé 486.14
lémuries 310.8
lémuriforme 486.14
Lencas 371.8
lendemain 332 ; 647
les lendemains 332.1
remettre au lendemain 547.9
il ne faut pas remettre au lendemain ce qu'on peut faire le jour même 652.12
lendit 135.12
lendore 593.5
lénifiant
rassurant 89.15
consolant 786.11
reposant 706.14
lénifier 89.7
léninisme 808.5
léniniste 808.35
lénitif
rassurant 89.15
consolant 786.11
lent
long 247.13
paresseux 458.17 ; 593.11
modéré 522.16
lente 417.20
lentement 458.23
à loisir 247.18
progressivement 293.15
lenteur 458
prolongation 247.4
modération 522.1
lenteurs 724.1
lenteur d'esprit 784.2
lenticulaire
t. d'optique 574.19
t. de zoologie 527.19
noyau lenticulaire 100.10
os lenticulaire 55.3 ; 580.7
lentigineux 482.67
lentigo
grain de beauté 482.16
tache de rousseur 84.5
lentille
verre 574.3 ; 621.4
lentilles 840.7
graine 330.7
lentille additionnelle 574.7
lentille de contact ou *lentille cornéenne* 574.8
lentille d'eau 360.8
lentille de Fresnel ou *lentille à échelons* 574.3
lentisque 38.6
lentivirus 512.3
lento 542.25 ; 543.35
lentement 458.23
lenzite 103.9
leone 529.8
Léonides 49.12
léonin
du lion 486.31
fier 312.10
abusif 3.13 ; 413.13
clause léonine 402.2
léontiniidé 486.4
léontocéphale 486.31
léontodon 318.10
léopard 486.7
lépadomorphes 172.2
Lepchas 371.13
lépidendron 337.23
lépidium 318.26
lépidocrocite 307.4
lépidodendracée 37.11
fougère 360.9
lépidodendrales 79.4
lépidodendron 360.9
lépidolite 516.5
lépidoptère 417.11
invertébré 873.25
insecte 417.1
papillons 417.10
lepidosaphes 417.5
lépidosauriens 712.1
lépidosirène 638.5
lépidostée 638.5
lépidotriche 638.9
lepidurus 172.3
lépilémur 486.14
lépiote 103.6
lépisme 417.16
lépisostée 638.5
lépisostéidé 638.3
léporidé 486.3
léporin 638.5
lépospondyles 68.2
lèpre
maladie 482.17
vice 860.1
lépreux 482.67
lépromateux 841.12
léprome 841.3
léproserie 775.21
leptidea 417.3
leptoconops 417.9
leptocorise 417.5
leptocyte 742.3
leptodactyle 68.3
leptoméduse 527.12
leptoméninge 100.18
lepton 513.4
leptopsylla 417.16
leptospirose 482.35
leptosporangiée 360.9
leptosyne 318.10
lepture 417.3
leptusa 417.3
lernée 172.3
lérot 486.5
lès ou **lez** 673.16
lesbianisme 763.14
lesbien 763.47
lesbienne 763.18
lèse-humanité
crime de lèse-humanité 169.6
lèse-majesté
crime de lèse-majesté 169.5 ; 737.3
lésènes 39.21
léser 72.14
lésine 61.1
lésiner 61.5
amoindrir 602.6
ne pas lésiner 661.10
lésinerie 61.1
lésineur 61.9
lésineux 61.9
lésion
hypertrophie 482.42
blessure 72.1
lésion tumorale 841.1

lésionnel 482.82
lessivage 550.2
lessive 550.14
faire la lessive 550.32
lessivé 337.28
lessiver 550.27
lessiveuse 669.6
lest 152.4
poids 636.5
lestage 636.8
plomberie 631.8
leste
léger 457.13
alerte 10.18
lester
remplir 152.7
alourdir 636.16
ferrer 307.17
plomber 631.10
lester (se)
dévorer 342.6
boire un coup 75.27
lestes 417.14
lestesse 457.1
let ou **net** 792.14
létal 534.35
dose létale 825.11
létalité 534.4
letchi 37.20
léthargie
inconscience 321.7 ; 397.3 ; 418.5 ; 534.11
sommeil 780.4
paresse 393.2
léthargique 397.15
Léthé 583.6
séjour des morts 534.8
Achéron 271.8
lethrus 417.3
Léto 236.33
lette 455.14
letterset 388.5
Letton 355.6
lettrage 459.9
lettre 459
caractère 252.3 ; 346.3 ; 455.6 ; 469.13 ; 535.8
correspondance 136.5 ; 157.1
lettres 747.6
lettre chargée 157.2
lettre grise 459.4
lettre rouge 74.11
à la lettre 459.22 ; 753.20
après la lettre 459.23
avant la lettre 33.24 ; 60.10 ; 459.23
en toutes lettres 425.18 ; 459.23
au pied de la lettre 459.22
talus d'une lettre 77.13
écrit en lettres de feu 503.15
lever la lettre 459.17
recevoir ses lettres de noblesse 341.17 ; 552.22
rester lettre morte 435.11
lettré 747.16
lettre-chèque 157.4
lettre-missive 157.2
lettrine
lettre 459.4
vignette 578.7
lettrisme
mot 459.5
poésie 635.2
leu 529.8
leuc- 71.17
leucanie 417.11
leucanthemum 318.10
leucémie 482.19
leucémique 482.68
leucine 94.10
leucite 516.5
leuco- 71.17
hémo- 742.34
leucobryum 537.4
leucocytaire 742.29
leucocytes 381.13 ; 742.4
cellule sanguine 742.2
leucocytose 482.19
leucoderme 371.3
leucodermie 604.2
leuco-encéphalite 482.14
leucoma ou **leucome** 482.28
maladies des yeux 840.4
leucopénie 482.19
leucopénie infectieuse 482.48
leucopénique 482.68
leucophérèse 742.13
leucopis 417.9
leucoplasie 482.17
leucopoïèse 742.10
leucopoïétique 742.31
leucorrhée 340.4
leucorrhéique 762.36
leucose 482.19
leucosine 22.2
leucospis 417.7
leucosporé 103.16
leucothoé 38.5
leucotomie 114.14
lobotomie 100.24
leucotoxique 267.15
leucotrichie 624.10
leurre
artifice 64.4 ; 182.16 ; 207.9
appât 605.15
illusion 285.4 ; 838.7
oiseau de leurre 570.6
leurrer
tromper 64.6 ; 107.22 ; 532.9 ; 838.13
attirer 53.7
leurrer (se) 283.15
lev 529.8
levade 531.1
levage 489 ; 531
appareil de levage 489.9
levain
cause 15.2
pâte 588.8
pain au levain 588.1
levain-chef 588.8
levane 94.5
levant 852.6
est 221.4
soleil 777.5
levantine
tissu 816.3
robe 859.10
lève 531.4
levée
digue 67.6
de la pâte 531.1 ; 588.8
de la poste 157.9
collecte 317.18
t. d'agriculture 18.4
t. de banque 66.10
t. de jeux 446.9
provoquer une levée de boucliers 572.12
lève-glace 57.11
lever
n.m.
apparition 34.2
au lever du rideau 134.28
lever
v.
supprimer 228.10
ériger 531.15 ; 692.9
élever 489.17
réveiller 851.11
un obstacle 567.16
t. de Bourse 81.33
t. de chasse 107.23
t. de danse 176.29
t. de gastronomie 333.38
lever une ambiguïté 24.12 ; 425.10
lever les arrêts 461.12
lever l'audience 451.28
lever le camp 189.11
lever son chapeau 741.18
lever une consigne 31.6
lever l'impôt 317.36
lever la main sur qqn 479.15
lever la séance 308.16
lever le secret 34.10
lever le voile 136.16
faire lever 851.11
ne pas pouvoir lever le petit doigt 303.10
lever (se)
apparaître 34.7 ; 49.30 ; 494.6 ; 777.17
souffler 852.19
se mettre debout 851.13
guérir 353.15
lève-tard 780.12
lève-tôt
insomniaque 851.6
matinal 851.16
lève-vitre 57.11
lévi- 457.17
Léviathan 398.2
levier
agent 15.2
outil 489 ; 531.9 ; 584.24
machine 476.4
levier d'Archimède 496.10
leviers de commande 133.20
levier de manœuvre 832.4
léviger
analyser 113.20
pulvériser 676.16
lévirat 491.21
lévitation 457.3
montée 531.1
éther 477.9
lévite 449
rabbin 449.8 ; 699.14
léviter
monter 531.12
flotter 457.8
Lévitique 815.2
lévo- 334.14
lévodopa 499.5
lévogyre
droit 246.7
gauche 334.10
pivotant 733.19
lévothyroxine
lévothyroxine sodique 499.5
lèvre
bord 77.1
d'une fleur 318.4
d'un insecte 417.17
lèvres 814.5
lèvres de la plaie 72.1
du bout des lèvres 192.16
grandes lèvres 762.10
petites lèvres 762.10

levretter 486.28
lévrier 486.9
levure 103.6
levure de bière 103.6
levures 103.5
lexème
mot 455.6
racine 535.7
lexical 535.25
linguistique 455.18
catégorie lexicale 535.2
champ lexical 535.15
unité lexicale 535.1
lexicalement 535.32
lexicalisation
langue 455.4
morphologie 535.9
lexicalisé 455.19
lexical 535.25
lexicaliser 535.21
lexicaliste 535.30
lexico- 535.34
lexicographe 535.19 ; 753.7
linguiste 455.12
lexicographie
linguistique 455.7
lexicologie 535.17
lexicographique 535.31
ordre lexicographique 576.3
lexicologie 535.17
sémantique 753.6
linguistique 455.7
lexicologique 535.31
linguistique 455.18
lexicologue 753.7
linguiste 455.12
lexicographe 535.19
lexicon 535.16
lexie 535.35
mot 535.1
lexique 455 ; 535
définition 753.5
dictionnaire 469.8
leyde 328.6
lez 673.16
lézard 712.4 ; 712.5
difficulté 217.6
Lézard (le)
constellation 49.15
lézarde
fente 167.4 ; 223.5
défaut 325.3
galon 65.3 ; 165.3
lézardé 167.16
lézarder
v.t.
fendre 167.13 ; 223.12
v.i.
paresser 393.9 ; 593.7
traîner 458.14
lézarder (se) 325.6
Lezguiens 371.14
Li 371.13
liaison
relation 690.1 ; 698.1
ressemblance 719.2
lien 153.8
union 725.1
amour 27.1 ; 27.11
amitié 26.2
communication 136.2 ; 829.5
d'un mot 346.3 ; 535.8
d'une note 543.27
d'une sauce 333.26
liaison téléphonique 809.12
agent de liaison 41.13 ; 157.11
liane 360.8
liant
n.m.
huile 607.14 ; 834.36
liant hydrocarburé 834.36
adj.
élastique 259.11
sociable 772.14
avoir du liant 772.12
liard
fruit 330.11
unité monétaire 529.12
couper un liard en quatre 61.8
liarder 61.5
liardeur 61.9
liasse 352.5
liatris 318.10
libanais
livre libanaise 529.8
Libanais 355.8
libation
offrande 98.9 ; 173.12
beuverie 75.16
offrir des libations 173.19
libelle
pamphlet 227.10
réquisitoire 225.6
libellé 323.7
libeller
libeller un chèque 66.45
libellule 417.14
insecte 417.1
liber
tissu vasculaire 74.2
bois 37.6
libera 331.5
chanter un libera 461.19
libérable 461.26
affranchi 461.11
libéral
généreux 661.11
indépendant 462
partisan des libertés 460.6 ; 460.9
éducation libérale 253.4
libéralement
en homme libre 460.11 ; 462.40
généreusement 241.28 ; 336.13
libéralisation 642.7
privatisation 460.4
libéraliser 460.7 ; 642.21
libéralisme 460 ; 620.6
indéterminisme 462.12
droite 808.11
libéralité 241.1
libéralités 336.3 ; 661.3
libérateur 461.25 ; 461.9
salvateur 461.24
libération 461
mise en liberté 783.5
soulagement 786.1
pardon 592.4
d'un pays 41.18 ; 354.8
d'une dette 587.1
t. de chirurgie 114.9
guerre de libération 354.3
théologie de la libération 818.1
libératoire
libérateur 461.25
prescription libératoire 461.6
versement libératoire 587.2
libérâtre
démocrate 462.16
libéral 462.32
libérer
relâcher 461 ; 462.19
délivrer 19.22
pardonner 592.10
un pays 41.21
les échanges 460.7
libérer de 461.15 ; 786.7
libéré 461
libérer (se)
s'échapper 461 ; 783.19
d'une dette 587.19
Libérien 355.7
libero 792.49
Liber pater 236.39
libertaire 462.17
anarchiste 808.26
liberté 462
indépendance 400.2
possibilité 302.9 ; 646.4
libre arbitre 116.4 ; 620.18
oisiveté 706.6
droit 58.3 ; 245.14
carte à jouer 446.4
libertés 552.6
liberté individuelle 245.19
liberté politique 245.19
liberté d'entreprise 460.2
liberté d'esprit 378.2
liberté d'indifférence 401.6
liberté du commerce 460.2
liberté du culte 173.1
liberté des échanges 460.2
liberté de la presse 654.1
remettre en liberté 461.12
se permettre des libertés avec 462.21
liberticide 462.35
antilibéral 462.16
libertin
n.
débauché 200.4 ; 462.14 ; 475.6 ; 629.7
affranchi 461.11
adj. 200.8 ; 398.9 ; 462.30 ; 475.9 ; 629.18 ; 860.11
libertinage
débauche 475.1 ; 629.3 ; 763.7 ; 860.2
irrespect 200.1 ; 439.2 ; 462
libertisme 462.12
liberty 816.4
libidinal 763.44
libidineux
pervers 763.46
libertin 629.18 ; 860.11
luxurieux 475.9
libidinosité 475.1
libido
désir 199.5 ; 391.7
désir sexuel 475.5 ; 763.5
libido sciendi 174.2
Libitina 331.25
libitinaire 331.24
libocèdre 37.19
libouret 605.3
libraire 469.17
librairie 469.19
libration
de la Lune 579.2
éclipse 474.6
libre
indépendant 400.12 ; 461.22
autonome 462
oisif 706.6
célibataire 93.9

gratuit 241.26
être libre comme l'air 400.9
enseignement libre 274.3
union libre 491.12 ; 725.4
vers libres 635.13
libre communauté scolaire 253.5
donner libre cours à 461.17
libre-échange 460.2
capitalisme de libre-échange 460.1
libre-échangisme 460.1
libre-échangiste 460.9
librement 462.38
indépendamment 400.13
volontairement 870.14
libre-penseur 462.14 ; 462.30
libre-service 135.11
librettiste 595.16
Libyen 355.7
lice
clos 67.3
piste 792.78
entrer en lice 278.13 ; 596.21
licéité 58.8
moralité 533.6
légalité 245.42
licence
diplôme 274.7
liberté 462
irrespect 200.1 ; 439.2
intempérance 426.4 ; 475.1 ; 860.2
autorisation 58.6 ; 135.14 ; 833.24
licence poétique 462.11 ; 635.16
licence de pêche 605.18
avoir pleine ou *toute licence de* 462.24
licencié
n.
diplômé 747.9
autorisé 58.9
renvoyé 292.5
licenciement
éviction 292.1
renvoi 266.7
licencier
évincer 292.6
emploi 266.28
licencier (se) 461.16
licencieur 292.4
licencieusement 399.11
licencieux
excessif 294.17
libre 462.30
indécent 399.9 ; 475.9 ; 860.11
désobéissant 200.8
liche 638.6 ; 638.7
lichée 75.15
lichen 463 ; 79.4
lichen plan 482.17
lichénée 417.11
lichénine 463.2
lichénique 463.6
lichénisation 463.4
lichénologie 463.5
licher
boire 441.10
boire sec 75.26
lichetrogner 441.10
licitation 135.5
licite
faisable 646.10
autorisé 58.21
juste 533.15
licitement 58.24
légalement 245.60
liciter 135.24
Licorne 49.15
licou 65.2
licteur 671.13
LIDAR 207.6
lido 319.8
lidocaïne 499.5
lie
bas 405.2
abjection 367.2
populace 734.5
jusqu'à la lie 467.17
boire la coupe jusqu'à la lie 467.10
lié
relié 698.10
groupé 725.16
adjoint 9.18
obligé 565.15
partie liée 446.14
lied
mélopée 106.13
cantique 635.10
lie-de-vin 159.28 ; 866.6
bordeaux 735.12
liège
écorce 727.5
tissu vasculaire 74.2
bois 37.6
lien
relation 698.1
ressemblance 719.2
réunion 725.5
obligation 565.4
obstacle 567.8
promesse 666.3
amour 27.1
soumission 787.1
liens 491.3
lien social 772.6
les liens du sang 361.5
briser les liens 400.10 ; 461.13
lier
relier 698.6
grouper 352.16 ; 725.12
rapprocher 685.8
solidifier 778.9
obliger 472.12 ; 565.8
par un pacte 213.7 ; 586.11
t. de musique 542.23
lier amitié 26.7
lier (se)
se rapprocher 685.14 ; 772.11
s'accorder 6.9 ; 141.16
s'associer 596.29
se lier avec 137.13
lierre 360.8
liesse
joie 447.1
enthousiasme 447.6
satisfaction 629.1
lieu
rang 683.4
situation 769.4
région 695.6
occasion 656.3
t. de géométrie 338.4
t. de grammaire 346.8
t. de rhétorique 729.9
lieu de travail **464**
lieu commun 326.8 ; 375.7 ; 419.6 ; 630.5
lieux 729.5
lieux saints 465.1
lieux d'aisances 481.25
lieux de culte **465**
au lieu de 104.27 ; 797.16
en lieu et place de 104.27 ; 797.16
en lieu sûr 752
de haut lieu 552.24
en dernier lieu 315.25
en premier lieu 33.27
avoir lieu 5.18 ; 34.7 ; 290.8 ; 811.8 ; 854.12
avoir lieu de 536.7
donner lieu 92.11 ; 536.6 ; 656.6
vider les lieux 189.12
lieu
poisson 333.13 ; 638.6
lieu-dit 845.9
lieue 470 ; 509.21
à mille lieues de 263.17
lieuse 476.6
assembleuse 352.14
moissonneuse 18.15
lieutenant
remplaçant 797.6
armée 41.15
lieutenant-colonel 41.15
lièvre 486.5
lièvre de mer 527.3
trouver le lièvre au gîte 179.9
Lièvre (le)
constellation 49.15
Liezi 815.16
lift 792.13
lifter 792.85
lifteur 792.51
lifting
réparation 702.6
t. de chirurgie 114.13 ; 604.6
ligament
lien 725.5
d'un muscle 541.14
ligament de Chopart 580.19
ligamenteux 541.24
ligamentoplastie 114.17
ligand 113.2
ligase 94.24
ligature
t. de musique 543.27
t. de typographie 459.4 ; 466.4
ligature des trompes 711.12
ligaturer 114.33
lige 787.8
light 214.11
ligie 172.3
lignage 466.9
niveau social 683.4
filiation 314.1
de haut lignage 552.24
lignager 314.15
ligne 466
rangée 576.5 ; 683.6
trait 77.2 ; 323.2 ; 338.4 ; 607.10
droite 692
direction 221.3
d'écriture 274.13
de défense 182.7
formation militaire 487.16 ; 487.5 ; 487.7
doctrine 642.6
filiation 314.2
d'un livre 469.13
de téléphone 809.9
pipe-line 618.9

livre en partie double 387.3
à livre ouvert 585.19
grand livre 209.17
livre 529.8
livre des Falkland 529.8
livre de Gibraltar 529.8
livre maltaise 529.8
livre-cassette 469.10
livrée 486.20
livre-jeu 469.10
livre-journal 387.3
livre-objet 469.10
livrer
trahir 828.10
communiquer 136.16
t. de Bourse 81.33
livrer bataille 354.23
livrer les clefs d'une ville 180.9
vente à livrer 81.15
livrer (se) 763.39
se livrer à 145.17
se livrer tout entier à 52.6
livret 469.1
livret militaire 41.20
livret scolaire 274.12
livret d'accompagnement 469.1
livret de caisse d'épargne 66.20
livret d'épargne 281.5
livret d'épargne populaire 66.20
livret-guide 196.4
livret-portefeuille 66.20
livret de caisse d'épargne 281.5
livreur 135.17
lixiviation 337.3
préparation 499.17
lixophaga 417.9
lixus 417.3
loader 834.27
loasa 318.36
lob 792.13
lobby 407.7
lobbying
manipulation 407.2
manœuvre politique 642.3
lobbyiste 407.7
lobbysme 407.2
lobe
d'un organe 162.2
d'une fleur 318.3
de l'oreille 55.3
du cerveau 100.14 ; 100.7
lobe de l'hippocampe 100.15
lobe de Sprigel 218.10
lobectomie 114.13
lobotomie 100.24
lobée 37.27 ; 171.20
lobéliacées 318.34
lobélie 318.34
lober 792.85
Lobis 371.11
lobotomie 100.24 ; 114.14 ; 321.11
lobotomiser
décérébrer 100.25
inciser 114.33
lobule
du cerveau 100.7
de l'oreille 55.3
lobule paracentral 100.14
local 695.15 ; 808.50
situé 769.13
t. de presse 654.9
localement
en situation 769.17
régionalement 695.16
localier 654.16
localisable
situé 769.13
détectable 207.22
localisateur 769.14
localisation
situation 769.1
découverte 179.1
recherche 207.1
localiser
limiter 467.7
situer 769.9
trouver 179.5 ; 207.17 ; 695.13
localité
région 695.1
agglomération 845.6
locataire 481.37 ; 645.13
occupant 355.2
locatif
n.m.
t. de grammaire 346.5
adj.
de location 481.44
location
d'un bien 135.5
d'une maison 481.36
réservation 871.10
location d'utérus 711.9
loch 319.2
loche
poisson 638.5
mollusque 527.7
lock-out 308.8
grève 480.10
arrêt 389.4
lock-outer 389.11
loco
adv. 543.59
locomobile
moteur 538.27
machine 476.4
locomoteur
moteur 538.27
traction 832.10
locomotion 538.5 ; 871.9
marche 623.2
locomotive
élément moteur 15.4 ; 407.7 ; 792.44
véhicule de traction 476.4 ; 826.5 ; 832.10
locomotrice 826.5
locopulseur 391.9
locotracteur 826.5
locule 330.3
loculi 100.2
locus niger 100.10
locuste 417.15
locustelle 570.8
locuteur 252.11 ; 455.11 ; 595.17
personne 613.7
interlocuteur 136.9
locuteur natif 455.11
locutif 346.6
locution
système 150.4
langue 455.4
phrase 622.10
mot 535.1
locution adverbiale 346.11
loddigésie 570.14
loden
cotonnade 816.3
imperméable 859.12
lodoicea 37.18
lods
lods et ventes 317.10
lœss 813.4
lœssique 813.26
lofer 852.20
loft 481.18
loganiacée 38.3
fleur 318.34
logarithme 493.3
logarithmique 493.9
loge
contenant 151.2
gîte d'un animal 486.18
corporation 137.7
de théâtre 748.7
de concierge 481.14
partie d'un fruit 330.3
être aux premières loges 33.11 ; 211.14 ; 769.12
logeable 481.43
logement
cabine 830.11
habitat 356.1
maison 481.1
loger
recevoir 368.6
résider 355.24
logette 481.14
logeur 368.5
loggia 481.14
logiciel 408.11
logicien 511.8
sophiste 682.8
logicisme 807.12
logico-positivisme 620.11
-logie 196.14 ; 747.23
logique
n.
étude des concepts 620.7 ; 682.3 ; 807.9
adj.
rationnel 511.15 ; 747.23
logique des choses 293.2
logique intuitionniste 434.4
en toute logique 558.13
logiquement 620.36
méthodiquement 511.17
rationnellement 682.19
raisonnablement 177.13
logis
chez-soi 430.5
maison 481.1
la folle du logis 378.2
logiste 607.20
logisticien 354.20
logistique
stratégie 354.13
tactique 487.18
logistiquement 487.43
logithèque 408.13
logo- 535.34
-logie 747.23
logo
symbole graphique 408.16 ; 459.4 ; 675.5
logoclonie 839.6
logographe 729.13
archéologue 363.8
logogriphe
énigme 680.5
charabia 411.3
jeu de mots 535.13
logomachie 535.18
compréhension 682.4
redondance 435.6
verbosité 595.9
dispute 156.4

logomachique 435.12
logon 408.15
logopathie 176.4
logopédie 839.7
logorrhée 321.8 ; 839.2
verbosité 595.9
loquacité 665.2
logorrhéique 321.25
bavard 595.28
troubles de la parole 839.12
logos 215.3
raison 682.6
logotype 459.4
-logue 196.14
-logie 747.23
loi
norme 147.6 ; 576.9
devoir 545.3 ; 565.3
méthode 511.7
règlement 696.2
théorème 338.3
vérité 854.4
principe 658.2
commandement 133.4
ordonnance 642.2
loi morale 533.2
précepte 650.2
législation 245.2
loi d'augmentation de la taille 873.13
loi d'inertie 403.1
loi de Boyle-Mariotte 298.8
loi de Charles 335.3
loi de compensation 139.2
loi de composition interne 493.4
loi de Dalton 668.2
loi de finance 339.5
loi de Gay-Lussac 298.8 ; 335.3
loi de l'attraction universelle 54.2
loi de la jungle 864.6
lois de l'hérédité 361.14
loi de Mariotte 335.3
lois de Mendel 361.14
loi de Proust 668.2
loi de proximité 673.5
loi des aires 538.14
loi du moindre effort 302.11
loi du plus fort 864.6
loi du silence 751.1
loi du talion 690.6 ; 707.2
loi morale 133.4 ; 213.1 ; 533.2 ; 620.18
loi mosaïque 449.3
loi naturelle 700.1
homme de loi 245.47 ; 451.19 ; 835.8
Tables de la Loi 449.3
nul n'est censé ignorer la loi 245.55
appliquer la loi 144.29
faire loi 59.18
faire la loi 59.14
tenir sous sa loi 407.15
loi-cadre 245.30
loin 263.14 ; 300.17 ; 769.15
à distance 232.13
aller loin 798.15
aller trop loin 3.10 ; 190.9 ; 294.7
de loin en loin 232.15 ; 247.20 ; 433.11
de loin 263.15
il y a loin de 232.10
loin de 263.17 ; 713.19
lointain 232.7 ; 263.5
plan 748.3
vision lointaine 868.2
lointainement 232.14
loi-programme 245.30
loir
mammifère 486.5
dormeur 780.12
loisible 58.23
loisiblement 462.39
loisir 706.6
choix 646.4
autorisation 462.7
activité de loisirs 599.1
homme de loisir 393.8
avec loisir 247.18
à loisir 247.18 ; 462.39
être de loisir 393.10
Loki 236.27
lola rossa 333.20
lolita 306.4
lolo 454.1
lolos 639.2
Lomas 371.11
lombago 482.11
lombaire 541.13
dorsal 242.10
colonne vertébrale 580.10
région lombaire 242.2
lombalgie 482.11
Lombards 371.16
lombes 242.2
lombo-sacrée
charnière lombo-sacrée 580.24
lombostat 242.4
appareil orthopédique 775.19
lombotomie 114.14
lombric 856.2
lombrical
muscles lombricaux 541
lombricole 262.32
lombriculteur 262.22
lombriculture 262.2
loméchuse 417.3
lonchæa 417.9
long
dans l'espace 470.11
dans le temps 247.13
ennuyant 272.12
lent 458.21
prolixe 665.11
long comme un jour de jeûne 247.13 ; 272.12
long comme un prêche 247.13
long comme une vielle 458.21
voyelle longue 781.8
au long 247.18 ; 470.14
de long en large 456.9 ; 470.14
tomber de tout son long 119.17
en long, en large et en travers 219.12 ; 456.9
longanier 37.21
longanime
endurant 601.14
bienveillant 336.11
clément 592.16
longanimité
constance 601.3
charité 336.2
clémence 592.3
long-courrier 831.3
longe
corde 65.2 ; 792.77
t. de gastronomie 333.7
longer 470.9 ; 673.8
être au bord de 77.17
côtoyer 158.11
arriver à 685.12
longeron
poutre 834.33
traction 832.10
longévité
durée 247.1
durée de vie 862.8
santé 743.3
longi- 470.16
longicornes 417.2
longiface 470.12
longiforme 470.12
longiligne 470.12
longimétrie 470.6
longipenne 470.12
longistyle 470.12
longistylé 318.46
longitarse 417.3
longitude 769.6
longitudinal 470.11
longitudinalement 470.13
long-métrage 120.5
longrine 832.3
longtemps 247.17
aussi longtemps que 768.15
avant longtemps 647.26
il n'y a pas si longtemps 598.19
longue
jeu de boules 446.22
longue
à la longue 247.21 ; 293.15 ; 612.5
longuement 458.26
longtemps 247.17
longuet
long 247.13
ennuyeux 272.12
prolixe 665.11
longueur 470
quantité 678.2
mesure 219.2 ; 509.26
durée 247.1 ; 665.1
pl.
redites 435.6
lenteur 458.4
longueur d'onde d'une lumière 473.23
à longueur de journée 153.28
à longueur de temps 287.14
faire traîner en longueur 458.13 ; 724.9
longue-vue 574.4
look 520.1
looping
navigation aérienne 831.6
voltige aérienne 792.34

lopéramide 499.5
lopette 763.18
lopezia 318.19
loph- 624.25
-lophe 624.26
-lophidé 624.26
lophiidé 638.3
lophira 37.18
lopho- 624.25
lophodonte 188.31
lophogastridés 172.2
lophophore 856.4
lophoptéryx 417.11
lophus 638.28
lophyre 417.7
lopin 324.3
loquace
bavard 595.28 ; 665.12
éloquent 264.8
loquacité 665.2
éloquence 264.1 ; 595.8
loque 593.6
loques 859.2
en loques 603.23
loquedu 364.3
loquet
serrure 308.5 ; 760.4
loqueteau 760.12
loqueteux
déguenillé 603.23
débraillé 859.46
loqui- 595.35
-loquie 595.35
lorazepam 499.5
lord
gentleman 552.18
titre 822.4
lordose 78.3 ; 242.3 ; 482.11
lordosique 482.65
lorette
élégante 12.7
occasionnelle 672.10
lorgner
voir 868.18
désirer 199.10 ; 442.6
lorgnette 574.4
regarder les choses par le petit bout de la lorgnette 616.8
lorgnon 859.30
lunettes 574.8
lori 570.10
loricule 570.10
loriot 570.8
loriquet 570.10
loris 486.14
lorisidé 486.14
lorisiforme 486.14
lormerie 760.2
lormier 760.25
Lorrain 695.11
Lorraine
terre de Lorraine 813.10
lorry 832.17
lors 254.10
lors de 528.11
lorsque 528.12
quand 811.17
los 471.2
losange 338.5
losanges 578.3
loser 249.8
lot
assortiment 352.5 ; 758.5
partie 324.3 ; 597.1
fatalité 305.1
marchandises 490.2
le gros lot 798.16
lote ou **lotte** 638.6
poisson 333.13
loterie 446.13
hasard 358.1
loti 529.8
lotier 318.27
lotion
solution 468.5
pommade 499.15
lotion après-rasage 594.3
lotionner
savonner 669.10
coiffer 129.13
lotir
partager 597.10
fractionner 324.10
urbaniser 845.21
lotir de 241.20
lotissage 845.3
lotissement
pâté de maisons 39.9
urbanification 845.3
loto 446.13
lotte → **lote**
lotus 318.27
louable 341.30 ; 471.22 ; 507.15
honorable 365.12
louablement 471.23
honorablement 366.30
sincèrement 365.16
dignement 507.17
louage 6.5
louange **471** ; 225.5
titre de gloire 341.10
à la louange de 471.24
couvrir de louanges 471.10
louanger
encenser 761.10
louer 471.9
louangeur 471.8
courtisan 761.6
Loubas 371.11
louchard 840.18
louche
n.f.
main 479.1
grande cuillère 848.17
adj.
bigleux 840.18
suspect 24.15 ; 183.19
louchement 840.2
loucher 840.15
loucherbem ou **louchébem**
langue 455.3
charabia 411.3
loucherie 840.2
loucheur 840.13
louchon 840.13
loué 798.23
louer
louanger 341.12 ; 348.4 ; 471.9
une maison 481.40
un billet 871.24
louer (se) 471.18
se féliciter 745.12
n'avoir qu'à se louer de 745.12
loueur 471.8
fréteur 829.18
louf 321.23
loufoque
fou 321.23
comique 132.11
loufoquerie 321.2
louftingue 321.23
louis 529.12
louis d'or 575.11
Louis
style Louis XIV 519.27
style Louis XV 519.27
style Louis XVI 519.27
style Louis-Philippe 519.27
louise-bonne 330.11
loulou 486.9
louloute 306.3
Loundas 371.11
Loup (le)
constellation 49.15
loup
anomalie 32.4
mammifère 486.7
poisson 638.6
échec 249.2
machine 476.9
filet de pêche 605.6
loup-cervier 486.7
loup de mer 333.13
de loup 327.1
entre chien et loup 566.14 ; 776.14
faire un loup 209.24
jeune loup 667.6
enfermer le loup dans la bergerie 390.7
loupage
défaut 283.8
échec 249.1
loupe
grosseur 351.2
instrument d'optique 574.5
défaut dans une pierre 517.11
bois 37.6 ; 74.3
loupé
anomalie 32.4
manque 488.11
erreur 249.2 ; 283.8
louper
paresser 593.7
échouer 249.11
ne pas en louper une 483.12
loupeur 593.5
loup-garou 619.8
esprit 477.17
misanthrope 420.4
loupiot 270.3
loupiote 270.5
lourd
dense 187.11
pesant 636.20 ; 784.13
chaud 102.23 ; 311.27 ; 372.18
indigeste 218.22 ; 384.12
paresseux 593.11
maladroit 483.20
lent 458.18 ; 630.9
t. de sports 792.53
eau lourde 131.9 ; 269.7
lourd comme du plomb 636.20
lourd de 187.11
lourd de conséquences 384.11
lourd de menaces 175.11
lourd de sens 753.13

lourdage 292.1
lourdaud 415.6
engourdi 593.11
maladroit 483.8
apathique 458.18
lourde
n.f. 308.4 ; 481.27
lourdé 292.12
lourdement
pesamment 636.23
maladroitement 483.23
lourder 292.6
lourderie 483.4
lourdeur
pesanteur 636.1
humidité 372.1
paresse 593.3
lenteur 458.3
maladresse 226.1
lourdingue 483.20
lourdise 483.4
loure
musique 543.31
instrument de musique 422.15
danse 176.9
lourer 542.23
loustic
type 364.3
rigolo 628.8
loute 306.3
loutre 486.7
louvaréou 638.6
louve
levier 489.12
filet 605.6
louver 489.17
louvet 84.13
louveter 486.28
louveterie 107.2
louvetier 107.16
louvoyer
biaiser 24.9 ; 316.12
t. de marine 212.19
Lovales 371.11
lovelace 475.6
lover (se)
se courber 162.10
ramper 712.18
loyal 472
de confiance 145.24
obéissant 564.11
à la loyale 472.16
Monsieur Loyal 123.13
loyalement 472.16
honnêtement 365.15
loyalisme 125.5
droiture 472.3
loyaliste
homme d'honneur 472.7
patriote 125.7
loyauté 472
contrat moral 666.3
honnêteté 365.1
loyer
récompense 144.4
intérêt 166.17
bail 481.36
loyer commercial 135.14
Lozis 371.11
LP 273.8
lu 149.19
lu et approuvé 149.19
lubie
bizarrerie 321.2
caprice 870.4
envie 90.2
lubricité
plaisir 629.3
inconduite 860.2
luxure 475.1
lubrifiant
huile lubrifiante 369.2
lubrifier 727.15
huiler 369.13
lubrique
pervers 763.46
libertin 860.11
luxurieux 475.9
lubriquement 860.15
Luc 117.19
lucanophile 599.10
lucarne
fenêtre 481.31 ; 585.6
ouverture 574
t. de football 792.79
lucernaire 527.12
lucide
translucide 473.35
clairvoyant 275.15 ; 434.9 ; 854.22
lucidement 275.16
intelligemment 424.13
lucidité 235.8
bon sens 275.2
compréhension 434.1
Lucifer 186.4 ; 494.3
lucifuge 873.23
lucilie 417.9
lucimètre
instrument de mesure 509.26
intensité lumineuse 473.25
lucine 527.2
luciole 417.3
lucratif 739.16
rentable 339.35
Lucrèce
vertu 858.7
ascète 108.4
lucullus 342.5
lucuma 38.7
ludi 310.8
ludiciel 408.12 ; 446.30
ludique 446.40
ludisme 446.1
ludologue 446.31
ludothèque 448.15
ludwigia 318.19
lueur
lumière 473.1
illumination 434.5
une lueur de 602.3
lueurs 747.2
Lugbaras 371.11
luge 448.3
sports d'hiver 792.21
lugeur 792.57
lugubre
funèbre 331.37 ; 534.38
triste 836.13
lugubrement 836.18
Lugurus 371.11
Luhyas 371.11
lui 613.7
lui-même 613.7
luidia 527.9
luire
briller 473.28 ; 777.15
luisant 473.33
ver luisant 417.3
lulu 570.8
lumbago 242.3 ; 482.11
lumen 473.22 ; 509.13
lumière 473
éclairage 250.1 ; 311.6 ; 509.18
grand esprit 424.7
célébrité 59.10 ; 341.11
gloire 578.8
t. d'anatomie 128.2
à la lumière 473.38
lumière intérieure 533.10
lumière naturelle 275.1
trait de lumière 179.3
pl.
lumières 747.2
fête des Lumières 449.9
faire de la lumière 473.29
mettre en lumière 432.13 ; 765.21
voir la lumière 544.18
lumignon 250
appareil d'éclairage 473.12
luminaire
étoile 49.4
éclairage 250 ; 473.12 ; 748.9
luminance 473.8
luminance lumineuse 509.13
luminariste 250.20
clair-obscur 473.7
lumination 473.10
luminescence 250.2 ; 473.15
éclat 427.3
t. de physique 113.11
luminescent 473.34
lumineusement 473.39
lumineux
n.m.
lampe 473.12
adj.
étincelant 250.26 ; 473.33 ; 777.18
évident 275.13 ; 425.15
luminifère 473.34
luminique 473.36
luminisme 473.7
luminisme polonais 46.12
luministe
clair-obscur 473.7
t. de peinture 46.17
lumino- 473.41
luminogène 473.11
luminophore 473.34
luminosité 473.8
magnitude 49.23
éclairage 250.1
Lumitype 476.9
lump 638.6
lumpenprolétariat 773.7
lunaire
n.f.
fleur 318.17
adj.
désertique 197.8
étourdi 390.14
t. d'astronomie 48.16 ; 49.33 ; 474.22
cadran lunaire 118.3
lunaison
mois 610.4
lune 49.9
lunatique 474.23
variable 850.13
versatile 402.15
capricieux 90.9

lunch 703.2
luncher 703.22
Lundas 371.11
lundi 474.14
jour 88.10
lune 474
planète 49
poisson 474.13 ; 638.6
fessier 242.1
lune de miel 474.5
dans la lune 390.14
de pleine lune 474.15
lune descendante 195.3
pierre de lune 517.4
demander la lune 385.5 ; 474.18
être dans la lune 394.4 ; 474.19
prendre la lune avec ses dents 385.5 ; 474.18
tomber de la lune 474.19 ; 805.7
pl.
les lunes d'autrefois 206.7 ; 598.1
les lunes de Jupiter 49.6
les vieilles lunes 598.1
avoir ses lunes 90.6 ; 474.17
rejoindre les vieilles lunes 206.7 ; 228.12 ; 583.13
la lune est dans l'eau 633.15
luné 474.23
t. de technique 74.29
être bien luné 474.17
être mal luné 474.17
lunel 474.14
lunette
lucarne 474.14 ; 481.31 ; 585.6
boîtier de montre 118.7
réfracteur 49.17 ; 574.4
ouverture de guillotine 182.10 ; 801.6
lunette de custode 57.5
lunettes 840.7
verre optique 574.8
protection 671.5
verre de lunettes 855.12
luniforme 474.24
luni-solaire 474.22
lunulaire 474.24
lunule
t. d'astronomie 49.6 ; 474.14
t. de liturgie 508.12
lunulé 474.24
lunure 474.14
madrure 74.3
Luos 371.11
lupanar 672.3
lupercales 310.8
lupère 417.3
luperque 699.25
lupin 318.27
lupique 482.67
lupus 482.17
lurette
depuis belle lurette 247.19
il y a belle lurette 247.12
lurianisme 449.2
luron
joyeux luron 447.9 ; 629.7
gai luron 447.9
lusciniole 570.8
Lushais 371.13
lustrage
polissage 640.2
brossage 550.4
lustral
périodique 121.8 ; 610.14
purificateur 173.23 ; 669.13
lustration 173.7
toilette 468.6
lustre
luminaire 250.11 ; 806.9
éclat 250.2 ; 640.1
période 121.3 ; 610.3
gloire 341.4 ; 507.6
chevalier du lustre 471.8
lustré
poli 640.10
usé 28.13
lustrer 550.29 ; 640
lustrerie
lustre 806.9
luminaire 250.5
lustreuse 640.5
lustrine 816.4
lustroir 640.5
lut 727.6
lutage 727.11
lutécia ou **lutétia**
brun lutétia 84.2
jaune lutécia 444.2
lutéine 762.16
hormone 340.3
lutéinique
phase lutéinique 340.6
lutéinisant
hormone lutéinisante 340.3
lutétium 113.7
luth 422.3
prendre son luth 635.24
luthéranisme 818.23
protestantisme 117.5
lutherie
ébénisterie 74.5
facture 422.27
luthérien
n. 117.13
adj. 117.24
Église luthérienne 117.8
luthier 422.28
luthiste 542.7
lutin 186.5
enfant 270.3
lutiner 91.6
lutite 337.15
lutraire 527.2
lutrin 465.14
appui 791.2
bureau 519.11
lutte
conflit 115.12 ; 146.7 ; 354.4
effort 255.3
combat corps à corps 792.15
lutte armée 354.1 ; 715.3
lutte des classes 773.7
lutte intestine 430.13
être en lutte contre 146.14
lutter
résister 715.12
se bagarrer 146.17
lutter contre 146.15 ; 354.22
lutter de vitesse 684.22
lutteur
battant 115.19
judoka 792.52
lux 473.22 ; 509.13
luxation 502.6
fracture 580.26
entorse 72.4
luxe 294 ; 730.3
surabondance 1.2
magnificence 347.4
de luxe 730.20
tirage de luxe 469.3
luxembourgeois 799.6
Luxembourgeois 355.5
luxer 72.14
luxmètre 473.25
luxueusement 730.23
luxueux 730.20
luxure 475
intempérance 763.7
plaisir 629.3
péché capital 606.2
inconduite 860.2
démesure 426.1
luxuriance
abondance 1.1
épanouissement 670.2
luxuriant
abondant 1.12
épais 187.12
luxurieusement 475.13
vicieusement 860.15
luxurieux 475.9
libertin 629.18 ; 860.11
excessif 426.11
luzerne 318.27
luzernière 18.10
lüzong 80.2
luzule 360.8
LW 381.10
lyase 94.24
lyc- ou **lyco-** 486.34
lycanthrope 477.17
lycanthropie 477.7
lycaon 486.7
lycée 620.26
école 274.5 ; 464.4
lycéen 274.15
lycène 417.11
lycénidés 417.10
lychee
fruit 330.16
arbre 37.20
lychnis 318.8
lyciet 38.9
lyco- → **lyc-**
lycope 318.16
lycoperdon 103.6
lycopode 360.9
lycopodiale 79.4
fougère 360.9
lycopodinée 79.4
fougère 360.9
lycose 417.13
lycosidés 417.12
lycte 417.3
lyde 417.7
lydella 417.9
lydien
mode lydien 543.15
lygéidés 417.4
lygodium 360.9
lygus 417.5
lymantria 417.11
lymantriidés → **liparidés**
lymexylon 417.3
lymph- ou **lympho** 340.19 ; 468.19
hémo- 742.34
lymphadénectomie 114.13
lymphangiome 841.3
lymphatique 593.11
vaisseau lymphatique 742.8
lymphe 742.8
sécrétion 340.4

lympho- → **lymph-**
lymphoblaste 742.4
lymphocytaire 742.29
lymphocyte
leucocytes 381.13 ; 742.4
lymphocytose 482.19
lymphogène 742.31
lymphogenèse 742.10
lymphogranulomateux 482.67
lymphographie 498.16
lymphoïde 821.10
lymphokine 381.14
lymphome 841.4
lymphopénie 482.19
lymphopoïèse 742.10
lymphosarcome 841.4
lynchage 801.3
lyncher 169.22
lyncheur 801.15
lynx 49.15 ; 486.7
lyoenzyme 94.23
Lyonnais 695.11
lyonnaise
n.f.
jeu 446.22
adj.
liturgie lyonnaise 508.3
lyophilisat 499.14
lyophilisation 750.3
lyophiliser 750.15
lyophobe 619.21
lyophobie 619.4
lypémanie 836.1
lypressine 499.5
lyre 422.3
lyre de dilatation 632.8
toute la lyre 758.4
Lyre 49.15
lyrée 37.27
Lyrides 49.12
lyrique
n.m. 106.18
adj.
romantique 276.9
vocal 106.29
poétique 635.27
lyrisme 600.5
inspiration 276.5
lys → **lis**
-lyse 94.36 ; 205.28
lyse 821.8
métabolisme 94.25
immunité 381.1
lyser 94.30
gangrener 482.56
lysergamide 825.8
lysimaque 318.24
lysimètre 834.29
lysine 94.10
gamma-globuline 381.12
Lysithea 49.10
lysogène 512.18
destructeur 205.25
lysogénie 512.9
lysosome 821.2
lythracées 318.19
lytique
t. de biologie 94.33
t. de médecine 205.25 ; 499.39
cocktail lytique 114.20
lytoceras 527.5
lyxose 94.5

M

Maât 236.13 ; 236.19
maba 37.21
Mabas 371.11
maboul 321.23
mac 672.4
maca 672.5
macabre 331.37
nécro- 534.38
danse macabre 374.3
macache
non 404.11
pas question 546.19
macadam 834.36
macadamia 37.21
macaire 638.6
macaque
singe 486.14
laideron 453.4
macaranga 38.9
macareux 570.15
macaron
délateur 828.8
gâteau 799.5
passementerie 165.3
coiffure 129.3
macaroni 333.25
macaronique
poésie macaronique 635.2
Macassars 371.12
maccarthysme ou **maccartisme** 808.11
macchabée
agonisant 534.16
mort 331.27
macédoine
cocktail 501.5
jardinière 333.21
macération
infusion 333.4 ; 468.5 ; 499.17
pl.
mortifications 299.1
macéré 47.12
macérer
infuser 468.11
macérer la chair 47.8
maceron 318.20
machaon 417.11
mâche 333.20
mâche-dru 342.4
mâchefer
scorie 721.3
ferraille 510.11
mâche-laurier 635.21
machelière 188.3
mâcher
mordre 188.23 ; 218.18 ; 703.25
faciliter 302.13
mâcher le travail 302.13
ne pas mâcher ses mots 425.10
machette 584.3
machiavélique 316.20
machiavéliquement 316.23
machiavélisme 316.7
mâchicoulis
fenêtre 585.6
guérite 182.13
Machigangas 371.8
machinal 357.27 ; 476.20
instinctif 386.12
machinalement 476.22
négligemment 394.10
hâtivement 386.17
par habitude 357.35
machinateur 649.8
machination
agissements 7.8
calcul 664.4
machine 476
mécanique 496.9
ordinateur 408.3
engin 584.1
véhicule 829.9
machine à calculer 87.9
machine à coudre 476.8
machine à écrire 252.7
machine à laver 550.19
machine à sous 446.11
machine de guerre 50.9
machine haut le pied 832.10
faire machine arrière 193.10
machine-outil 584.1
Machine pneumatique
constellation 49.15
machiner 577.19
concevoir 664.13
préparer 649.10
construire 150.7
machinerie 476.1
machinique 476.19
machinisme 476.3
machiniste
au théâtre 120.27 ; 748.10
conducteur 476.2
machino 748.10
machinoir 584.15
machisme 240.4
machiste 364.4
chef 240.6
machmètre 509.26
macho
machiste 364.4
chef 240.6
mâchoire
d'un insecte 417.17
d'un mammifère 814.5
d'un frein 57.9
à mâchoires 107.5
mâchonner 188.23
mâchouiller 188.23
machozoïde 527.12
mâchurer
mâcher 188.23
noircir 553.10 ; 740.9
déchirer 72.14
maclage 855.9
macle 517.10
maclé 517.20
macler 855.18
maclura 37.19
mâcon 75.12
mâconnais 75.12
maçonnerie 727.10
macrauchénidé 486.4
macre 318.12
macreuse
canard 570.16
morceau du bœuf 333.7
macro- 351.19
macrobe 247.15
macrobien 247.15
macrobiotique
n.f. 214.2
adj. 214.12
macrobite 247.15
vieux 863.13

magnétogramme 273.12
magnétohydrodynamique 478.8
magnéto-ionique 478.14
magnétomètre 261.11 ; 478.7
magnétométrie 478.8
magnétométrique 478.16
magnéton 513.5
aimant 478.4
magnéto-optique 478.8
optique 574.1
magnétophone 273.4 ; 781.13
magnétoscope 273.6
magnétoscoper 273.16
magnétoscopie 478.8
magnétosphère
champ magnétique 478.5
atmosphère 20.2
magnétosphérique 478.14
magnétostatique
n.f. 261.2 ; 478.8
adj. 478.14
magnétostratigraphie 478.8
magnétostricteur 478.7
magnétostrictif 478.14
magnétostriction 478.6
magnétisation 261.6
magnétotellurique 478.8
magnétothèque 273.13
magnétothermique 478.14
magnétron 478.7
magnicide 169.4
magnificat
Ave Maria 657.9
cantique 106.5
chanter le magnificat à matines 60.9
magnificence
beauté 69.5
faste 98.3 ; 341.4 ; 347.4 ; 730.3
prodigalité 552.3
magnifier
surestimer 804.4
glorifier 341.12
honorer 366.13
ennoblir 552.21
magnifique
grand 427.18
beau 69.15
éclatant 341.28
magnifiquement
merveilleusement 427.30
honorablement 366.30
prodigalement 661.13
magnitude 49.23
magnolia 38.5
magnoliacée 38.3
magnoliale 38.3
magnum 75.17
magot
singe 486.14
laideron 453.4
trésor 281.7 ; 730.7 ; 869.7
figurine 749.6
magouille 485.4
magouiller 485.9
Mahabharata 815.9
théogonie 236.8
mahaleb 37.13
maharadja, maharadjah ou **maharajah** 822.4
maharané, maharani ou **maharanie** 822.4
Mahavamsa 815.13
mahayana 80
Mahdi 440.22
mahdisme 440.2
mahdiste 440.7
mah-jong 446.14
mahogani 37.19
Mahomet 440.21
pont de Mahomet 591.2
mahométan 440.6
mahométisme 440.1
mahonia 38.5
mahousse 351.11
mai
mois 88.8
jeunesse 445.1
le mai 738.2
arbre de mai 37.4
en mai fais ce qu'il te plaît 127.13
Maia 236.42
maïdou 37.20
maie 588.10
coffre 519.5
maïeuticien 544.14
maïeutique
questionnement 680.9
connaissance 620.22
maigre
n.m.
poisson 638.6
t. de navigation 319.15
t. de typographie 459.3
adj.
petit 602.9 ; 616.12
stérile 389.12 ; 750.19
amaigri 303.18
frugal 523.11 ; 767.7 ; 771.8
adv. 771.11
faire maigre 703.34 ; 771.5
maigrelet
insignifiant 616.12
chétif 303.18
maigrement
traiter maigrement 409.4
maigrichon 303.18
maigriot 303.18
maigrir 220.9
mail
promenade 443.2
marteau 584.17
voie de circulation 845.14
jeu 446.22
mail-coach ou **mail** 833.14
mailing
prospectus 675.5
envoi 157.9
maillage
entrelacement 795.5
interconnexion électrique 261.16
maille
moucheture 643.2
boucle de fils entrelacés 165.12
pièce de monnaie 529.12
t. d'électricité 261.16
avoir maille à partir avec 217.16
maillé 643.11
maillechort 40.2
mailler
entrelacer 795.14
moucheter 643.8
maillet 584.18
marteau 115.15
ciseau 749.14
t. de plomberie 632.19
mailloche
outil 584.18 ; 749.14
mailloches 422.9
maillot 859.14
maillot de bain 859.17
maillotin 369.9
maillure 74.3
main 479
agent 15.4
membre 502.2 ; 824.5
style 5.8
registre de comptabilité 339.16
t. de papeterie 388.12
t. de sports 792.11
t. de jeux 446.7
main de fatma 70.10 ; 477.10
main de fer 307.26
main de justice 59.13 ; 451.24
à main droite 246.9
à main gauche 334.12
à belles mains 661.13
à pleines mains 1.20
de longue main 247.19 ; 479.22
des deux mains 471.13
sous la main 673.12
de la main de 596.39
de la main gauche 314.18
de main de maître 10.22 ; 677.20
de main en main 479.22
main courante 67.7 ; 481.29
main dans la main 6.11 ; 725.20
belle main 252.4
petite main 165.22 ; 479.4
creux de la main 167.9
lignes de la main 466.6 ; 479.2
magie de la main gauche 477.2
mariage de la main gauche 491.12
tour de main 10.5 ; 511.4 ; 677.6
vol à main armée 169.10 ; 869.4
vote à main levée 260.8
avoir en main 59.17
accorder la main de sa fille 491.25
avoir la main 10.14
avoir la main heureuse 670.10
avoir la main malheureuse 483.16
avoir la main lourde 144.29 ; 333.37
avoir la haute main sur 133.21 ; 800.13
donner sa main à couper 99.5
faire main basse sur 240.15 ; 869.20
garder les mains libres 462.23
laisser les mains libres 58.14
lier les mains à 567.14
mains libres 809.2
mettre sa main 614.12
mettre la main à la pâte 15.7
mettre la main au collet de 44.12
mettre la main sur 179.5 ; 869.20

mettre sa main au feu 99.5 ; 614.12
passer la main 797.10
porter la main 824.7
prendre la main dans le sac 44.13 ; 179.9
présenter la main 163.9 ; 741.22
prêter la main 19.18 ; 596.24
taper dans la main 6.12 ; 586.10
tendre la main 185.16 ; 603.17
tendre une main secourable 19.22
ne pas y aller de main morte 479.14
se donner la main 6.11
se faire la main 35.5 ; 649.13
se laver les mains 765.24
se payer par ses mains 587.23
se salir les mains 485.8
se tordre les mains 198.7
bien en main 59.17
main-à-main 123.6
mainate 570.8
maincourantier 339.18
main-d'œuvre 480
main-forte
prêter main-forte 19.18 ; 479.13 ; 786.6
mainlevée 209.14
contrordre 31.4
décharge 461.6
mainmettre 461.14
mainmise
asservissement 240.5
émancipation 461.4
saisie 209.12
mainmortable ou **mainmortaillable** 787
mainmorte
gens de mainmorte 787.8
mainstream 543.6
maint 540.14
divers 234.11 ; 634.12
maintenance 611.5 ; 653
immobilisation 403.7
maintenant 652.12
maintenant que 652.19
mainteneur 671.11
maintenir
continuer 153.19
soutenir 479.10 ; 791.10
conserver 611.13 ; 653.13
affirmer 13.8
maintenir sa direction 221.20
maintenir (se)
se perpétuer 247.10 ; 297.9 ; 403.9
s'obstiner 611.14
rester dans le même état 743.6
maintenue 645.7
maintien
continuité 153.10
tenue 233.1 ; 714.1 ; 759.2
maintien-gorge 791.8
maïolique 813.11
maire 708.13
mairie 708.11 ; 845.11
mais 572.23
ne... mais 546.20
maïs
n.m.
céréale 330.7 ; 360.7
adj.
jaune 159.28
maison 481
dynastie 39.8 ; 135 ; 314.10 ; 356.2
de maison 552.24
maison centrale 208.6
maison close 672.3
maison d'édition 469.19
maison de fous 321.11
maison de jeu 446.29
maison de la presse 654.22
maison de plaisance 629.16
maison de poupée 448.6
maison de repos 353.10 ; 706.7
maison de santé 743.4 ; 775.21
maison de titres 81.24
maison de verre 855.11
maison mère 525.23
gros comme une maison 351.16
faire maison nette 292.8
maisonnée 304.1
maisonnette 481.3
maître
n.m.
modèle 521.4 ; 677.5
professeur 253.6 ; 274.14 ; 747.9
chef 133.6 ; 240.6 ; 800.10
titre honorifique 607.20 ; 822.13 ; 835.13
n.f.
maîtresse 27.9 ; 763.21
adj.
prédominant 240.21
expert 10.20
maître d'équipage 107.16
maître d'hôtel 481.39 ; 703.17
maître d'œuvre 39.23 ; 150.6 ; 577.12
maître de ballet 176.24
maître de cérémonie 98.17
maître de chapelle 106.19 ; 508.9
maître de forges 307.15
maître de maison 362.11 ; 368.3 ; 481.37 ; 703.16
maître de manœuvre 830.21
maître de poste 157.11
maître des hautes œuvres 801.14
de maître 481.42
en maître 59.25 ; 240.24
maître coq 703.18 ; 830.23
maître oscillateur 579.7
maître queux 333.34 ; 703.18
maître verrier 855.15
grand maître 822.11
seigneur et maître 491.18
être maître de soi 240.17
être son propre maître 400.9
trouver son maître 787.15
se rendre maître de 240.12 ; 861.10
coup de maître 50.3
maître-à-danser 509.26
maître assistant 274.14
maître-autel 465.11
maître-coq → maître coq
maître mot 384.4
maîtrisable 240.22
maîtrise
diplôme 274.7
habileté 10.3
domination 240.1
chorale 106.21
maîtrise de soi 89.1 ; 601.3 ; 810.3
maîtrisé 787.21
maîtriser 89.9 ; 620.29
maîtriser (se) 714.8 ; 865.21
se tempérer 522.13
maja 172.3
majesté 800.2
sérieux 759.1
dignité 341.5
distinction 552.4
apparat 98.3
noblesse 347.4
Sa Majesté 822.13
majestueusement
noblement 552.31 ; 759.15
majestueux
beau 69.15
sérieux 759.8
fier 312.10
respectable 717.12
majeur
n.m.
intervalle 433.1 ; 543.15
doigt 479.2
n.f.
t. de logique 729.5
adj.
fondamental 59.23 ; 384.13
t. de musique 543
en majeure partie 324.18
majeur et vacciné 495.6
majolique 813.11
major
premier de sa promotion 424.7 ; 800.8
médecin militaire 114.27
grade d'armée 41.15
majorant
n.m. 493.4 ; 800.11
adj. 493.9
majorat 552.10
majoratif 800.11
majoration
augmentation 8.1 ; 317.19 ; 659.5
surestimation 804.1
majordome 481.39
majoré 56.16
majorer
augmenter 8.7 ; 56.8 ; 659.14
surestimer 804.4
t. de mathématiques 493.8
majoritaire 849.24
système majoritaire 260.7
majorité 540.8
pluralité 634.1
parti 694.23
système majoritaire 260.7
majuscule 459.3
makaire 638.6
maki 486.14
makimono 607.7
making of 120.10
Makondés 371.11
makoré 37.18
Makusis 371.8
makuta 529.10
mal- 488.20
non- 546.23

mal
n.m.
difficulté 217.7 ; 255.3
péché 606.1 ; 860.1
douleur 243.1
maladie 482.1 ; 482.49
mal d'aimer 27.12
mal du siècle 272.1
avoir mal 243.9 ; 482.50
avoir mal à 243.10
avoir du mal 217.11
dire du mal de 227.16 ; 497.8
être en mal d'enfant 544.20
faire mal au cœur 62.10 ; 625.10
faire le mal pour le mal 497.7
se donner du mal 15.7 ; 217.15 ; 255.7 ; 336.5
se faire mal 72.15
pl.
maux de tête 243.3
être guéri de tous les maux 534.26
adv. 405.21 ; 453.13 ; 860.15
de mal en pis 16.12
pas mal 677.19
mal aimé 410.12
mal appris 226.8 ; 253.11
mal embouché 399.8 ; 412.15
mal fichu 482.59
mal joli 544.5
mal léché 420.10
mal loti 11.27
mal luné 416.7
mal né 314.16 ; 734.7
mal en point 482.59 ; 769.12
mal aller 482.50
aller de plus en plus mal 16.6
être au plus mal 410.7 ; 482.50
tomber mal 358.9 ; 415.9
tomber mal à propos 399.5
se sentir mal 482.50
s'y prendre mal 483.15
grand mal 482.47
malabar 359.3 ; 864.5
malabare 117.11
malabsorption
indigestion 218.3
mal de ventre 482.22
malachite 516.5
pierreries 517.4
vert malachite 857.2
malacie 563.8
malaclemys 712.9
malaco- 526.12 ; 527.20
malacoderme 526.12
malacodermes 417.2
malacologie 526.12 ; 527.17
zoologie 873.2
malacologique 527.18
malacophile 527.18
malacosoma 417.11
malacostracés 172.2
malade
n. 321.13 ; 482.10
adj. 482.59
se faire porter malade 482.51
tomber malade 482.53
maladie 482
affection 79.16 ; 512.8
manie 600.6
maladie de la pierre 345.2
maladie griève 175.14
maladif 482.60
faible 303.17
maladivement 482.83
maladrerie 775.21
maladresse 483
inhabileté 479.3
bévue 226.1 ; 283.9 ; 390.3 ; 415.2 ; 784.3
maladroit
n. 415.6 ; 483.8 ; 500.6
adj. 390.13 ; 415.12 ; 483.18 ; 630.9 ; 784.13
maladroitement 483.23
malaga 330.14
malagauche 483.18
malaire 580.5 ; 814
malais
langue 455.14
Malais 355.9 ; 371.12 ; 371.5
malaise
évanouissement 482.1
tourment 785.1
timidité 819.1
malaisé 217.18
malaisément 217.24
malandre 74.3
malandrin 869.9
malappris
n. 226.4
adj. 415.16 ; 485.14
malaptérure 638.5
malaria 482.35
malariathérapie 775.5
malarien 482.78
Malassez
cellule de Malassez 742.20
malavisé 483.21
incompétent 390.13
Malawite 355.7
malaxer 333.45
touiller 501.15
mâcher 218.18
t. de boulangerie 588.16
malayalam 455.14
malayo-polynésien 455.14
malbâti 453.9
malchance 11.3 ; 827.5
jouer de malchance 305.10
malchanceux
n. 11.13
adj. 11.27
malcolmia 318.26
malcommode 217.20
malcontent
à la malcontent 129.20
maldigestion 218.3
maldonne
malentendu 283.5
mauvaise donne 446.9
mâle
homme fait 364.3
masculin 364.9
énergique 864.15
fiche mâle 261.19
malédiction 11
malchance 827.5
impopularité 410.3
maléfice
sortilège 477.5
mauvais œil 11.9
maléfique 827.11
malékisme
sunnisme 440.2
puritanisme 533.3
malékite 440.7
malencontre
accident 358.2
mésaventure 11.2
rencontre 137.8
par malencontre 11.29
malencontreusement 11.29
malencontreux
regrettable 697.9
inquiétant 785.13
inopportun 415.12
atterrant 11.26
mal-en-point 303.19
malentendant 55.21 ; 482.75 ; 803
malentendu
désaccord 194.1
quiproquo 24.2 ; 283.5
interprétation erronée 432.7
mal-être
tristesse 836.1
insatisfaction 416.1
malevole ou **malévole** 497.10
malfaçon 500.4 ; 505.14
anomalie 32.4
imperfection 383.4
défaut 860.5
malfaisant
fatal 11.25
cruel 497.10
malhonnête 485.12
malfaiteur
voleur 869.9
criminel 169.17
malfamé 227.25
malformatif 484.10
malformation 484
anomalie 32.4
malformé 32.17
malfrat 869.9
malgache 455.14
Malgache 355.7
malgracieux 226.8
malgré
malgré soi 613.19
malgré tout 568.10
malhabile 483.18
malhabilement 483.23
malhabileté 483.1
malherbologie 360.11
malheur 11.6 ; 192 ; 198.14 ; 836.2
crise 290.5
drame 827.4
échec 249.1
un malheur ne vient jamais seul 11.21
par malheur 11.29
faire le malheur de 11.16
faire un malheur 798.12
jouer de malheur 11.21 ; 249.10
malheur ! 431.2
malheureusement 11.29
fâcheusement 697.12
tristement 836.18
tragiquement 827.16
malheureux 625.5 ; 827.15
piètre 500.12
petit 419.14
regrettable 697.9
infortuné 11.13
pauvre 603.6
malhonnête 485
irrespectueux 226.4 ; 439.14
improbe 413.13 ; 485.12 ; 869.30

malhonnêtement 485.16
injustement 413.18
malhonnêteté 485
discourtoisie 226.1
irrégularité 413.3
malice
finesse 424.3
espièglerie 532.2 ; 628.3 ; 838.6
méchanceté 497.1 ; 860.1
malicieusement 532.17
ingénieusement 316.23
plaisamment 628.15
malicieux
astucieux 316.19
méchant 497.10
taquin 447.15 ; 532.15 ; 628.14
Malien 355.7
maligne 340.17
malignité
malice 316.7
méchanceté 497.1
t. de médecine 482.9
t. de philosophie 860.1
malik 440.20
malin
astucieux 316.19
maléfique 186.2
méchant 497.10
t. de médecine 482.63
malines 165.3
malingre
chétif 303.18 ; 616.10
maladif 482.60
Malinkés 371.11
malintentionné
intentionné 428.13
cruel 497.10
mal-jugé 413.6
malle
de voyage 151.6 ; 519.5 ; 871.11
véhicule 57.11 ; 829.15 ; 833.14
se faire la malle 189.11
malléabilisation 259.5
malléabiliser 259.8
malléabilité 564.3
élasticité 259.1
malléable 302.24 ; 564.13
transformable 104.23
élastique 259.11
malléole
pied 623.1
jambe 580.16
malle-penderie 806.5
malle-poste 833.14
mallette 151.6
mallophages 417.1
malmené 865.29
malmener 240.15
violenter 865.15
rudoyer 248.6
malmignatte 417.13
malnutri 482.72
malnutrition 563.8
malodorant 569.26
malope 318.18
malossol 333.18
malotru 412.7
malpoli 226.4
malpighia 38.7
malpighien 821.11
malpoli 226.4 ; 412.7
impudent 415.16
malpropre 740.14
négligé 547.17
indécent 485.13
malproprement 740.16
malpropreté
saleté 740.1
indécence 399.4 ; 485.4
malsain 175.15
malséant 226.10
inconvenant 224.11
inopportun 415.14
indécent 399.7
malsonnant
inopportun 415.14
indécent 399.7
épithète malsonnante 412.3
malstrom 733.10
maltalent 497.2
maltase 94.24
Malte
fièvre de Malte 482.20
malthe 638.6
malthusianisme 355.22
évolutionnisme 711.18
malthusianisme économique 222.1
malthusianiste 711.27
malthusien 222.14
maltose 94.5
maltôte 317
maltôtier 317.28
maltraitance 865.7
maltraité 865.29
maltraiter 497.7
violenter 865.15
rudoyer 248.6
malmener 240.15
injurier 412.9
malvacées 318.18
malvales 79.4
malveillamment 497.12
malveillance 497.2
malveillant
intentionné 428.13
adverse 11.24
critique 710.21
malvenu
antipathique 192.14
inopportun 415.12
malversateur
abuseur 3.5
escroc 485.7
malversation
abus 3.2 ; 169.8
faute 485.4
mal-vivre
tristesse 836.1
insatisfaction 416.1
malvoyance 840.2
malvoyant 482.74
bigleux 840.18
maman
mère 506.2 ; 544.13
entremetteuse 672.5
mamba 712.3
mambo 176.10
mamé 506.6
mamellaire 639.12
mamelle 639
enfant à la mamelle 270.3
mamelliforme 639.12
mamelon
colline 78.2 ; 530.8
tétin 639.3
mamelonné 530.17
arrondi 162.13
mamelouk, mameluck ou **mameluk** 671.13
mamelu 639.13
mameluck → **mamelouk**
mameluk → **mamelouk**
mamestre 417.11
mamie ou **mammy** 506.6
mamillaire 639.12
noyau du corps mamillaire 100.11
mamilloplastie 639.6
mamm- ou **mammo-** 639.14
mamma 506.2
mammaire 128.8 ; 639
mammaire interne 742.8
mammalien 486.31
mammalogie
zoologie 873.2
mammifères 486.1
mammea 37.19
mammectomie 114.13
mammifère 486
n.m. 873.6
adj. 873.20
mammisi 465.4
mammo- → **mamm-**
mammographie 498.16
Mammon 730.6
démon 186.4
mammoplastie 639.6
mammouth 337.23
mammy → **mamie**
mamours 91.2
mam'zelle 306.2
man
chat 486.8
man
ver blanc 417.20 ; 417.3
mana 736.4
brahman 236.4
Manadais 371.12
manade 486.16
management 577.9
direction 133.1
gestion 339.1
manager
n.m. 148.7 ; 577.13 ; 792.53
v. 133.19 ; 577.20
manant
roturier 734.6
paysan 18.17
mancelle 65.2
mancenille 330.17
mancenillier 37.19
manche
n.f.
d'un vêtement 859.21
t. de géographie 289.4
t. de jeux ou de sports 446.8 ; 726.3 ; 792.38
manche à air 221.9
manche à vent 852.11
effet de manches 729.7
faire la manche 185.16
tenir dans sa manche 407.15
n.m.
partie qui sert à tenir 422.22 ; 848.15
idiot 784.7
branler dans le manche 325.7
manchette
marge 77.13
coup 160.6
titre 654.12
coup de manchette 160.6
manchettes 44.5

manchon
douille 618.5 ; 632.9 ; 855.10
vêtement 859.28
faire le manchon 107.27
manchot
oiseau 570.15
amputé 72.21 ; 502.7
maladroit 483.18
-mancie 235.21
mancie 477.6
divination 235.1
-mancien 235.21
mandala 80.14
mandale 160.4
Mandans 371.7
mandant 145.10
électorat 260.11
mandarin
oiseau 570.16
savant 59.9 ; 747.9
mandarinat 59.8
mandarine 330.9
mandarinier 37.17
mandat 145.8
permis 58.6
législature 708.15
gérance 339.2
mandat-lettre 66.25
mandat représentatif 708.15
mandat télégraphique 809.14
donner mandat 58.14
mandataire 58.9 ; 66.34
confident 145.9
t. de droit 708.1
mandataire aux Halles 135.16
mandater
déléguer 145.14
élire 708.19
mandature 708.15
Mandchou 355.9 ; 371.13
mandé 455.14
mandement
t. de théologie 818.9
t. d'histoire 185.4
mander 185.18
Mandés 371.11
mandibule
t. de zoologie 172.4 ; 417.17
jouer des mandibules 188.23
mandingue
langue 455.14
Mandingues 371.11
mandoline 422.3
mandoliniste 542.7
mandorle 117.21 ; 215.12
auréole 97.5
ornement 578.4
mandragore 318.30
mandrill 486.14
mandrin
étau 584.24
t. de plomberie 632.19
manducation 703.13
nutrition 563.1
-mane 321.29 ; 479.26
-manie 825.21
manécanterie 106.21
manège
piste 123.2 ; 733.8
manœuvre 316.10
t. de chorégraphie 176.18
mânes
fantôme 380.4
esprit 534.9
manette
interrupteur 308.2
commande 133.14
manga 691.4
mangabey 486.14
manganèse 113.7 ; 516.5
éléments minéraux 214.6
bronze au manganèse 82.2
manganeux 516.10
manganique 516.10
manganisme 267.2
Mangbétous 371.11
mangé 28.13
mangeable
comestible 563.18
nutritif 703.41
mangeaille 703.6
mange-disque 781.15
mangeoire 262.18
mangeotter 703.33
manger
se nourrir 188.23 ; 342.7 ; 563.13 ; 703
dépenser 661.6
creuser 167.13
salle à manger 481.20
manger comme quatre 426.8
manger de la vache enragée 217.12
se laisser manger la laine sur le dos 242.8 ; 787.19
manger (se) 785.4
mangerie 703.4
mange-tout 342.4
prodigue 661.5
mangeur 703.19
mangeur de curé 398.10
gros mangeur 342.3
mangle 330.17
manglier 37.18
mangonneau 476.11
mangoustan 330.16
mangoustanier 37.20
mangouste 486.7
mangrove 37.22
mangue
fruit 330.16
filet 605.9
manguier 37.18
manhattan 75.14
maniabilité
légèreté 457.1
agrément 302.3
maniable 564.13
orientable 221.31
léger 457.13
commode 302.20
maniaque 357
déséquilibré 321.13
soigneux 52.11 ; 774.20
passionnel 600.16
maniaquerie 357.3
manichéen 767.11
manichéisme
dualisme 634.4
t. de religion 700.6
manichéiste 700.12
manicle
protection 671.5
t. de couture 165.15
manidé 486.3
-manie 825.21
manie
idée fixe 375.9
passion 199.3 ; 600.6
habitude 357.3 ; 731.2
vice 860.4
marotte 599.1
maniement
toucher 824.3
utilisation 846.1
gestion 339.1
manier 479.10
toucher 824.7
agir sur 7.12
utiliser 846.12
manier l'encensoir 471.14
manier (se) 684.22
manière
méthode 511.4
facture 5.8 ; 323.4 ; 479.3
style 346.8 ; 520.1 ; 542.16 ; 607.12 ; 729.10
une manière de 323.3 ; 719.8
à la manière de 719.17
de la même manière 376.17 ; 719.16
de plusieurs manières 234.12 ; 379.13 ; 511.20 ; 719.17
de manière à 86.14
de manière que 86.16
pl.
manières 12.3 ; 357.4 ; 613.4
belles manières 233.4
bonnes manières 163.2 ; 177.3 ; 253.6
faire des manières 98.23 ; 373.14
maniéré 163.11 ; 184.11
grandiloquent 347.11
maniérisme
manières affectées 184.3 ; 347.1
tendance artistique 46.7
maniériste
pédant 347.15
gothique 46.15
manif 642.8
manifestant 642.14
manifestation
apparition 34.2 ; 134.5 ; 254.1 ; 581.2 ; 651.4
rassemblement 642.8
expression 136.1 ; 765.17
manifeste
évident 99.7 ; 168.21 ; 753.14
n.m.
proclamation 13.3
document 490.14 ; 830.19 ; 831.7
adj.
visible 585.18 ; 867.7 ; 868.25
manifestement
visiblement 867.9
certes 99.10
ostensiblement 581.13
manifester
protester 642.23
exprimer 136.17 ; 168.16 ; 765.25
manifester (se) 4.4
commencer 297.10
apparaître 34.7

manifold 618.5
manigance 664.4
manigancer 577.19
faire 15.7
concevoir 664.13
maniguette 330.7
manil 74.11
manilkara 37.18
manille
jeu de cartes 446.3
atout 446.6
manillon
un 842.4
carte 446.4
manipulable 407.24
manipulateur 407.22 ; 846.11
magicien 123.17
manipulation
exercice 10.7 ; 123.11 ; 846.1
influence 407.2
manipulation génétique 361.11
manipulation vertébrale 775.16
manipule 508.10
manipuler
actionner 479.10 ; 489.17 ; 846.12
influencer 407.11
manipuri 176.8
manique 671.5
manitou
divinité 736.4
maître 59.9
grand manitou 59.9
maniveau 151.5
manivelle 476.12
t. d'automobile 57.10
manne
corbeille 151.5
faveur 241.6
nourriture 703.5
pain quotidien 588.12
manne céleste 648.3
manne de Pologne 360.7
mannequin
panier 151.5
individu 364.3 ; 520.5 ; 709.4 ; 787.10
raide comme un mannequin 732.13
mannequiner 749.18
mannitol 94.18
mannose 94.5
manœuvrabilité 457.1
manœuvre 487
opération 354.13
tentative 7.8 ; 279.3 ; 316.10 ; 649 ; 812 ; 846.1
fausse manœuvre 483.3
grandes manœuvres 487.2
manœuvre débordante 487.39
manœuvre
n.m.
ouvrier 480.3
manœuvre spécialisé 480.3
manœuvre-balai 480.3
manœuvrer 487.25 ; 832.28
actionner 538.20
impulser 391.12
utiliser 846.12
rouler 57.24
manœuvrer un poisson 605.25
manœuvrier 487.38
stratège 487.21
marin 830.21
manoir 481.6
manomètre
instrument de mesure 509.26
t. scientifique 335.3
manométrie 509.25
ma non troppo 542.27
Manouches 371.15
manquant 488.10
absent 181.9 ; 404.9
être porté manquant 2.7
manque 488 ; 377.2
absence 2.1 ; 404.2
différence 216.2
sous-estimation 789.1
imperfection 383.1
état de manque 416.1 ; 488.4 ; 825.3
à la manque 488.11
manqué 488.13
raté 488.11
médiocre 500.11
imparfait 383.11
manquement 488
inaccomplissement 392.1
infraction 200.3
offense 439.2
faute 485.4
manquement à 392.4
manquer 2.7 ; 488.7
cesser 404.6
faire défection 181.5
échouer 249.11
manquer à 200.7 ; 547 ; 606.10 ; 828.12
manquer à sa parole 181.6 ; 485.8
manquer à qqn 439.7
manquer de 2.8 ; 395.11 ; 415.9 ; 439.7 ; 452.5
manquer qqn 724.14
manquer son coup 158.16
mansarde 481.15
mansion 748.8
mansuétude
patience 601.1
charité 336.2
indulgence 625.2
clémence 592.3
mante
poisson 638.7
insecte 417.16
voile 859.12
manteau
revêtement 100 ; 109.16 ; 337.10 ; 727.1
vêtement 859.12
sous le manteau de 536.14 ; 656.9 ; 751.30
mantelet
vêtement 859.12
t. technique 308.4 ; 476.11
mantille 859.28
mantique 235.6
magie 477.1
mantispe 417.16
mantisse 87.8
mantra 80.14 ; 362.8
mantrayana 80.3
manuaire 459.8
manualité 158.7
manualité droite 246.2
manucure 479.9
manucurer 479.16
manuel
n.m.
livre 274.9 ; 662.3
manuel 479.17 ; 479.19
travailleur manuel 480.1
manuellement 479.21
manufacture
usine 464.5
armurerie 43.18
manufacturé 479.20 ; 490.25
manufacturer 662.16
manu militari 41.26 ; 865.31
manumission 461.4
manuscrit 252.20 ; 479.20
écrit 252.5
livre 469.1
manutention 489
gestion 339.1
bras de manutention 489.9
manutentionnaire 489.16 ; 490.16
manutentionner 489.17
manuterge 508.11
mao 808.36
M.A.O. 94.24
maoïsme 808.8
maoïste 808.36
Maoris 371.12
maous 864.17
maousse 351.11
mappemonde 49.16
maprotiline 499.5
Mapuches 371.8
maqam 543.16
maquer 672.17
maquereau
poisson 333.13 ; 638.6
souteneur 672.4
maquereauter 672.17
maquerelle 672.5
mère maquerelle 672.5
maquette 521
copie 379.3
projet 664.3
figure 709.3
livre 469.1
moule 749.15
jeu de construction 448.7
maquettisme 448.7
maquettiste 469.16
maqui 38.7
maquignon 135.16
maquignonnage 135.6 ; 659.8
carambouille 284.3
arnaque 838.5
maquignonner
capter 284.9
trafiquer 135.28
maquillage 604.7
maquille 446.24
maquiller 727.15 ; 814.15
falsifier 504.15
maquiller (se) 604.10
maquilleur 120.27
maquis
désert 750.10
fourré 38.2
le maquis 715.10 ; 715.15
maquisard
Résistance 715.10
militaire 354.16
mara 486.5
marabout
oiseau 570.18
religieux 440.11 ; 440.8 ; 699.15
bouilloire 848.27

mariculture 262.3
Marie 117.17
Fils de Marie 215.8
fleur de Marie 306.7
marié 491.18
Marie-Antoinette
style Marie-Antoinette 519.27
marie-couche-toi-là 763.23
mariée 491.19
Marie Immaculée 525.10
marie-jeanne 825.5
marie-louise 607.18
marier 98.19
grouper 352.15
allier 501.13
baptiser 173.21
rapprocher 586.11
à marier 93.3 ; 93.8
marier (se)
s'associer 772.11
contracter un mariage 491.22
se marier de la main gauche 334.8
marieur 491.20
marigot 372.4
marihuana ou **marijuana** 825.5
marimba 422.11
marin 830.33
aquatique 319.29
fantassin 41.12
pêcheur 605.19
gens de mer 830.21
avoir le pied marin 319.28
marinade
solution 468.5
sauce 333.26
marinage 333.4
marine
mer 319.8
couleur 73.8
armée 41
tableau 374.8 ; 607.8
mariniste 607.19
marine marchande 830.1 ; 852.10
mariné 333.50
mariner
baigner 333.40 ; 468.11
attendre 51.7
maringote ou **maringotte** 833.14
maringouin 417.9
marinier
batelier 830.22
marin 830.33
marinière 859.8
marinisme 347.1
mariniste 607.19
marin pêcheur 605.19
mariolle
faire le mariolle 784.11
mariologie 818.2
marionnette 787.10
poupée 448.5
théâtre de marionnettes 817.9
marionnettiste 817.20
marisque 841.3
mariste 525.10
marital 491.29
maritalement 491.31
maritime
aquatique 319.29
marin 830.33
ligne maritime 466.7
tribunal maritime 835.2
maritorne
commère 306.5
souillon 740.8
laideron 453.4
marivauder 27.20
marjolaine 594.4
fleur 318.16
épice 333.27
Markab 49.5
marketing
publicité 675.1
commercialisation 135.2
marketing téléphonique 675.1
marli 77.14
marlin 638.6
marlou 672.4
marloupinerie 284.1
marmaille
jeune enfant 270.4
famille nombreuse 304.7
marmelade 799.5
en marmelade 72.21
marmenteau 36.11
marmite 848.24
marmite du diable 501.6
marmite de géant 337.19
marmite torrentielle 337.19
aller à la marmite 828.10
faire bouillir la marmite 587.18 ; 739.13
marmitée
bouchée 678.5
charge 152.3
marmiteux 603.20
marmiton 35.3
marmonnement 411.3
marmonner 411.10
marmoréen 517.20
marmorisation 517.13
marmot 616.5
jeune enfant 270.4
marmotte
bigarreau 330.12
rongeur 486.5 ; 780.12
dormir comme une marmotte 780.17
marmotter 411.10
marmouset 616.5
jeune enfant 270.4
chenet 109.17
marnage 813.12
travaux des champs 18.4
marne 813.4
marner 319.23
travailler 266.24
défricher 18.21
Marocain 355.7
maroilles 328.6
maronite 117.9
maronner 192.11
maroquin 708.15
marotte 321.16 ; 532.8
tête 814.4
bizarrerie 321.2
petites habitudes 357.3
manie 600.6
passe-temps 599.1
marouflage 607.3
maroufle 226.4
maroufler 727.15
restaurer 607.29
marquage 765.18
marquant
mémorable 503.15
important 384.11
éclatant 341.28
marque
limite 126.3 ; 467.6
entaille 167.4
appellation 5.8 ; 490.5 ; 677.4 ; 765.11
signal 709.5 ; 765.1
droit de marque 707.2
ouvrir la marque 134.16
marqué
typique 126.20
fort 864.19
marqué au b ou des trois b 453.9 ; 484.7
marque-pages 469.22
marquer
individualiser 126.14
numéroter 112.5
laisser une trace 136.17 ; 252.14 ; 290.9 ; 341.19 ; 367.10 ; 384.8 ; 407.10 ; 753.9 ; 765
t. de danse 176.29
t. de sport 792.85
marquer d'une croix 171.16
à marquer d'une pierre, d'une pierre blanche 290.13 ; 384.13
marquer une pause 223.9
marqueté
polychrome 643.11
chantourné 519.38
marqueter
mêler 396.11
colorer 643.8
décorer 519.35
marqueterie 578.2 ; 727.10
ébénisterie 74.5 ; 519.30
menuiserie 505.1
marqueteur
décorateur 519.31 ; 578.11
menuisier 505.20
marqueur
indicateur 207.11
footballeur 792.49
marqueur biologique 498.15
marquis 822.4
marquis de Carabas 730.9
marquise 306.4
marquisat 822.23
marquise
abri 39.13 ; 481.13 ; 633.8
canapé 519.18
fruit 330.11
bague 70.2
en marquise 70.15
marquise → marquis
marraine 304.3
marrane 449.29
juif 449.24
converti 648.14
marrant 132.11
marre
en avoir marre 62.8
marrer (se) 132.7
marri
repentant 697.10
triste 836.10
marron
n.m.
fruit 330.6
couleur 84.1 ; 159.28
coup 160.4
tirer les marrons du feu 311.28

adj.
couleur 84.12
compromis 44 ; 284.13 ; 485.12 ; 838.23
ceinture marron 792.18
marronnier
arbre 37.15
article de presse 654.8
marronnier d'Inde 37.15
marrube 318.16
mars
mois 88.8
papillon 417.11
Mars 236.24 ; 354.21
système solaire 49.7
marsault 37.15
Marses 371.16
marshall 529.8
marsilia 360.9
marsouille 41.3
marsouin
animal 486.15
militaire 41.12 ; 41.3
marssonina 103.8
marsupial 486.2
marsupial acrobate 486.13
marteau
n.m.
pièce d'horlogerie 118.7
outil 115.15 ; 510.10 ; 584.17 ; 760.19
poisson 638.7
mollusque 527.2
malleus 55.3 ; 580.7
heurtoir 422.19
sport 792.70
marteau d'armes 42.1
marteau perforateur 518.8
marteau piqueur 518.8 ; 834.28
adj.
fou 321.23
marteau-pilon 476.10
t. de métallurgie 510.10
martel
se mettre martel en tête 785.4 ; 814.9
martelage 307.12
martèlement
battement 115.2
pétarade 83.8
marteler 542.21
gronder 83.15
pétarader 160.12
marteler les mots 425.9
martelet 584.17
martelette 584.17
marteline
ciseau 749.14
marteau 584.17
martial 510.19
martien 49.33
martin 570.8
martinet
oiseau 570.8
fouet 160.9
machine-outil 476.10
bougeoir 250.7
martingale
bande de tissu 65.3
t. de jeux 446.11
martoire 760.19
martre 486.7
martyr 601.7 ; 865.14
supplicié 801.16
martyre 374.5
supplice 801.1
immolation 801.9
martyrisant 801.26 ; 865.27
martyrisé 865.29
martyriser
endolorir 243.12
violenter 865.15
torturer 801.18
martyriseur 801.15
martyrium 465.2
martyrologe 363.6
martyrologie 801.11
martyrologique 801.28
martyrologiste 801.16
martyrologue 801.11
marupa 37.19
marxien
communiste 808.35
communisant 222.16
marxisme 222.2
marxisme-léninisme 808.5
marxiste 808.35
marxiste-léniniste 808.35
marxologue 222.10
mas
ferme 18.12 ; 481.4
Masais 371.11
mascarade
hypocrisie 373.7
bal 309.11
mascaret 319.10
mascaron 39.21 ; 814.4
mascarpone 328.6
masculin 364.9
t. de grammaire 346.5
masculinisation 306.10
castration 762.26
masculiniser 364.8
féminiser 306.14
masculinité 364.6
masdjib 449
temple 465.3
maser 473.18
maskinonge ou **maskinongé** 638.5
maso 763.22
masochisme 321.9 ; 865.9
perversion 763.15
masochiste 321.14 ; 763.22
masque
déguisement 373.1 ; 671.5 ; 719.7
mine 814
cosmétique 604.7
sculpture 749.8
outil 584.5
t. d'entomologie 417.17
t. de défense 182.12
masque à gaz 182.17 ; 335.6
masque à oxygène 114.25
masque funéraire 331.18
masque mortuaire 331.18
masque respiratoire 114.25
voix de masque 106.16
lever le masque 34.10
masqué
dissimulé 228.13
bal masqué 309.11
tir masqué 820.6
masquer
voiler 228.9 ; 437.4 ; 561.12 ; 727.13 ; 751.17
t. de cuisine 333.37 ; 799.11
massacre 205.6
guerre 354.1
extermination 801.8
jeu de massacre 446.21
faire un massacre 798.12
massacrer 801.21
exterminer 205.20
gâcher 483.17
négliger 547.8
battre 160.12
tuer 169.22
massacreur 483.9
bourreau 801.14
musicien 542.1
massage 329.3 ; 775.16
Massaïs 371.11
masse
amas 1.1 ; 352.7 ; 352.9 ; 540.2
mesure 187.2 ; 261.15 ; 509.17 ; 509.4 ; 509.8 ; 513.5 ; 636.2 ; 636.3 ; 636.5
foule 734.4 ; 773.7
t. de cuisine 333.2
en masse 540.16
faire masse 636.15
unité de masse 636.12
masse
outil 115.15 ; 584.17 ; 749.14
arme 43.4
massé
n.m.
t. de billard 115.2
adj.
sucre massé 799.3
massepain 799.5
masser
regrouper 187.8 ; 352.17 ; 725.11
pétrir 775.26
t. de billard 115.28
masséter 541.5
masse-tige 618.5
massette
plante 360.8
outil 584.17 ; 749.14
massicot
oxyde 631.2
colorant 159.8 ; 444.2
massicot
machine 388.14 ; 476.10
massicoter
usiner 476.18
t. d'imprimerie 388.21
massif
n.m. 36.17 ; 443.8 ; 530.3
adj. 187.11 ; 351.13 ; 516.14 ; 636.20
or massif 444.2 ; 575.2
massique 509.8
mass media ou **mass-media** 136.10
massorah ou **massore** 449 ; 449.7
Torah 815.3
massorète 449.7
massorétique 449.31
massue 42.1
bâton 115.15
matraque 43.4
t. d'entomologie 417.17
coup de massue 11.2
herbe aux massues 360.9
mast- 639.14
mastaba
temple 465.4
tombe 331.15
mastard 864.5
master 274.7
mastic 159.28
coquille 283.7
masticateur 476.9
nerfs crâniens 100.4

mastication 188.17 ; 218.12
masticatoire 340.13
mastiquer
coller avec du mastic 308.13 ; 727.15
mâcher 188.23 ; 218.18 ; 703.25
masto- 639.14
mastoc 351.13
mastodonte 337.23 ; 486.4
gros 351.6
mastoïde 580.5
mastoïdectomie 114.13
mastoïdien 541.13
mastoïdite 482.30
mastologie 639.6
mastologue 639.7
mastopathie 639.5
mastroquet 75.20
masturbateur 763.22
masturbation 763.16
masturbatoire 763.44
masturber 763.35
m'as-tu-vu 581.4
masure 481.3
mat
adj.
dépoli 71.15 ; 159.27 ; 604.14 ; 640.1 ; 781.30
or mat 575.2
mat
échecs 446.14
mat'
matin 494.1
mât
mât de charge 489.9
mât de cocagne 309.12
mât de levage 531.9
mât de manutention 489.9
Matabélés 371.11
matabiche ou **matabich** 241.4
Matacos 371.8
mataf 41.12
matamata 712.9
matamore 581.4
matassin 628.7
matav 41.12
match 309.6 ; 792.38
matchiche 176.10
maté
plante 38.7
tisane 75.7
matelas 540.6
économies 281.7
literie 519.16
matelassage 519.28
matelassé
filé 816.33
chantourné 519.38
matelassier 519.31
matelassure 152.4
matelot
pêcheur 605.19
marin 830.21
matelote
danse 176.9
mets 333.14
mater 506.2
mater familias 506.1
mater
regarder 868.18
réprimer 47.8 ; 89.9 ; 240.10 ; 253.8 ; 865.17
t. de jeux 446.36
t. de plomberie 632.23
matérialisation 492.5
manifestation 34.2
visualisation 867.4
apparition 477.8
accomplissement 5.4
t. de microphysique 513.7
matérialiser 492.6 ; 796.5
accomplir 5.15
représenter 709.7
matérialiser (se) 492.7
s'accomplir 5.18
matérialisme 363.11 ; 492.3 ; 492.4
mécanique 496.1
utilitarisme 847.8
t. de philosophie 620.13
matérialisme énergétique 269.3
matérialiste 492.10
métaphysique 620.32
utilitaire 847.16
matérialistement 492.11
matérialité 492
matériel
n.m.
ce qui existe concrètement 5.4
service de l'armée 41.3
équipement 408.11 ; 408.3 ; 584.2
matériel du péché 606.3
matériel héréditaire 361.4
matériel pédagogique 253.5
matériel roulant 832.9
adj.
concret 5.20 ; 408.27 ; 492.8 ; 796.7 ; 854.20
corporel 754.16
grossier 475.11
faux matériel 284.5
matériellement 492.11
effectivement 5.25
maternage 270.7 ; 506.4
protection 671.1
maternalisme 506.7
maternant 506.10
maternel
adj. 506.10
enseignement maternel 274.2
lait maternel 454.1
instinct maternel 506.4
maternelle
n.f.
mère 506.2
école 464.4
maternellement 506.11
materner 506.9
éduquer 270.17
surprotéger 671.19
maternisation 454.3
maternisé 454.1
materniser 454.11
maternité
conception 711.10
gestation 544.3
établissement 270.11
hôpital 775.21
génitrice 506.3
maternage 506.4
mateur 868.16
mathématique 493 ; 493.9
calcul 87.1
mathématiques
calcul 112.4
mathématique 493.1
sciences mathématiques 747.5
mathématiquement 87.16
maths
calcul 112.4
mathématique 493.1
mathématisation 807.11
mathématiser 493.8
mathésis 747.1
mathusalem 75.17
Mathusalem 863.6
vieux comme Mathusalem 863.13
matière
substance 297.3 ; 492.2 ; 513.3 ; 620.20 ; 796.1
contenu 152.2
l'inerte 403.6
occasion 656.3
sujet 691.9
t. de grammaire 346.8
matière grasse 369.1
matière grise 100.1 ; 275.5
matière imposable 317.40
matière interstellaire 49.14
matière subtile 49.3
matières fécales 218.4 ; 296.2
matières moulées 296.2
matières plastiques 617.7
état de la matière 286.2
avoir matière à 536.7
donner matière à 92.11 ; 536.6 ; 656.6
M.A.T.I.F. 81.2
matin
n.m.
commencement 134.2
matinée 494.1
jeunesse 14.3 ; 445.1
adv. 494.9
mâtin
n.m.
chien 486.9
int. 431.2
matinal 494.8 ; 851.16
matinalement 494.10
mâtiné 501.19
matinée 494
matin 494.1
réception 309.8
au théâtre 776.2 ; 817.18
faire la grasse matinée 593.8 ; 780.18
mâtiner 486.27
mélanger 501.12
matines 525.21 ; 657.12
matinée 494.1
dès matines 494.9
chanter matines 494.7
sonner les matines 494.7
matineux
matinal 494.8 ; 851.16
matinier 494.8
matoir
ciseau 584.4
marteau 584.17
chalumeau 632.19
matois
ingénieux 316.19
hypocrite 373.16
fin matois 316.11
matoisement 316.23
matoiserie
malice 316.7
hypocrisie 373.1
tromperie 838.1
maton 208.17
matorral 38.2
matos
matériel 408.3
équipement 584.2

matou 486.8
matouse 506.2
matraque 43.4
matraquer 675.10
matras 113.17
matri- 506.12
matriarcat 506.7
matriçage 584.29
  déformation 510.9
matricaire 318.10
matrice
  modèle 521.1
  moule 323.7
  utérus 762.14
  t. de mathématiques 87.8 ; 493.3 ; 493.7
matricer 584.37
  façonner 323.12
  emboutir 510.17
matricide
  crime 169.4
  assassin 169.18
matriciel 544.26
matricule
  rang 683.2
  registre 252.7 ; 387.4
matriculer 683.14
matrilinéaire 314.15
matrilocal 491.30
matrimonial 491.29
matrimonialement 491.31
matriochka 448.5
matrone
  femme 306.5
  accoucheuse 544.14
matsucoccus 417.5
matsu take 103.6
matthiole 318.26
matuche 828.8
maturation
  évolution 293.3 ; 344.3
  vieillissement 28.3
  d'un fruit 330.18
  préparation 649.1
mature 495.6
maturité 495
matutinaire 494.5
matutinal 494.8
maudire
  détester 62.9 ; 410.10 ; 720.8
  bannir 582.13
  injurier 412.10
maudit
  damné 271.5
  banni 582.11
  fichu 11.25
maugracieux 226.8
maugréer 192.11
maul 792.12
maupiteux 497.10
maurandia 318.22
maure 417.11
mauresque
  ornement 39.21
  danse 176.6
Mauricien 355.7
Mauritanien 355.7
mauser 43.7
mausolée 331.15
maussade
  gris 127.20 ; 350.10
  pessimiste 615.6
  triste 416.7 ; 836
  inhospitalier 409.10 ; 420.10
maussaderie 836.1
mautalent 497.2
mauvais
  inférieur 405.16
  médiocre 383 ; 416.9 ; 500
  dangereux 175.15
  méchant 497
  vicieux 860.9
  le mauvais 186.2
  mauvais coucheur 217.6
  mauvaise langue 227.11 ; 497.6
  mauvais pas 217.9
  mauvais plaisant 628.9 ; 838.10
  mauvais sujet 200.4
  mauvaise tête 200.4 ; 568.3 ; 715.9
  humeur mauvaise 340.17
  faire mauvais 127.14
mauvaiseté 497.1
mauvâtre 866.5
mauve
  fleur 318.18
  couleur 159.28 ; 331.21 ; 866.5
mauvéine 159.9
mauviette
  alouette 570.8
  personne faible 303.6
mauvis 570.8
Mawés 371.8
Mawlawiyya 440.5
maxillaire
  mâchoire 580.5 ; 814.5
  d'un insecte 417.17
  nerf 548.4
  maxillaire interne 128.8
  sinus maxillaire supérieur 580.6
maxille 417.17
maxillipède 172.4
maxillo-dentaire 188.28
maxillo-facial 580.30
maxillule 417.17
maximal 81.8
maximaliser → maximiser
maximalisme 808.23
maximaliste 808.49
maxime
  règle 245.31 ; 533.7 ; 650.2 ; 696.1
  énoncé 595.11 ; 620.18
  formule 729.5
maximiser ou **maximaliser** 427.13
maximum 427.4
  seuil 467.3
maxwell 261.10
maya 362.4
Mayas 371.16
mayonnaise
  faire monter la mayonnaise 56.10
mazagran 848.4
mazarinade 225.6
Mazatèques 371.8
Mazda 777.12
mazdéisme 311.14 ; 700.8
mazdéiste 311.14
mazéage 510.4
mazer 510.16
mazette
  n.
  mauvais cheval 486.11
  personne faible 303.6
  maladroit 483.8
  int. 431.2
mazout
  pétrole 131.6
  huile brute 369.2
  supercarburant 617.5
mazouter 131.23
mazouteur
  pétrolier 618.9
  asphaltier 830.5
mazurka 176.9
Mbundus 371.11
mé- 194.18
me 613.7
mea culpa 697.7
méandre 162.3
  méandres 578.3
méandreux 162.12
méandrine 527.12
méandrique 162.12
méat 433.3
  méat urinaire 296.13 ; 762.10 ; 762.3
méatostomie 114.15
mec
  homme 364.3
  époux 491.16
  le mec des mecs 215.6
mécane 459.8
mécanicien
  ouvrier 476.2
  conducteur 832.24
mécanicien-dentiste 188.19
mécanicisme 496.1
mécaniciste 496.13
mécanique 496
  n.f.
  mécanisme 476.1 ; 577.3
  machine 538.9
  science 322.4 ; 538.14
  voiture 833.2
  adj.
  propre au mouvement 322.16 ; 538.28
  automatique 476.19
  machinal 357.27 ; 386.12 ; 476.20
  mécanique céleste 49.1
  mécanique ondulatoire 261.1 ; 538.14
  mécanique physique 538.14
  mécanique quantique 513.1 ; 538.14
  mécanique relativiste 496.1
  mécanique statistique 496.1
  mécanique des fluides 538.14
  mécanique des gaz 335.3
  mécanique des roches 834.2
  mécanique des sols 834.2
mécaniquement
  selon la mécanique 322.18 ; 538.30
  machinalement 357.35
  automatiquement 476.22
mécanisation
  automatisation 476.3 ; 480.9
mécanisé 476.19
mécaniser 476.17 ; 496.11
mécanisme
  dispositif 577.3
  théorie 322.4 ; 496.1 ; 620.14
  machine 476.1 ; 496.9
  mécanisme vital 862.2
  mécanisme de défense 715.5

mécaniste 496.13
mécanistique 496.13
mécano 832.24
mécanorécepteur 548.16
mécanothérapie 775.8
mécasome 417.3
Meccano 448.7
mécénat 241.9 ; 596.6 ; 671 ; 675.2
encouragement 268.3
mécène 241.10
protecteur 19.12
défenseur 268.7
publicitaire 675.8
mécéner 241.21 ; 596.22
méchage 114.7
méchamment
intensément 427.32
durement 497.12 ; 720.17 ; 860.15
méchanceté 497
agressivité 865.5
dureté 248.1
malhonnêteté 485.1
immoralité 860.1
méchant
médiocre 500.12 ; 523.11
dangereux 175.16
dur 497.5 ; 497.9
malhonnête 485.12
pécheur 606.8 ; 860.9
ne pas être méchant 419.7
mèche
de mèche 6.14 ; 169.25 ; 596.24
le toutim et la mèche 823.4
mèche
de cheveux 624.3
d'archet 422.25
de lampe 250.8
foret 505.16 ; 584.21
drain 114.23 ; 775.18
faire des mèches 129.13
vendre la mèche 828.10
méchef 11.2
mécher 114.33
méchoui 333.12
méclozine 499.5
mécompte
inexactitude 283.5
déception 178.1
méconduire (se) 226.5
méconduite 226.3
méconium 265.8
liquide amniotique 544.9
excrétion 296.2
méconnaissance 377.1
méconnaître 377.6
mécontent 192.15 ; 416.4
insatisfait 416.7
infortuné 11.27
mécontentement
déplaisir 192.1 ; 272.5 ; 416.1
conflit social 146.4 ; 642.8
sujet de mécontentement 710.3
mécontenter
déplaire 192.8
décevoir 416.5
mécoptères 417.1
mécoptéroïdes 417.1
Mecque
La Mecque 736.8
mécréant 398.6
mecton 364.3
médaille
de bronze 82.5
récompense 41.20 ; 507.5 ; 822.12
ornement 578.5
bijou 70.10
voir le revers de la médaille 615.5
médaillé 366.11
médailler
féliciter 366.14
décorer 41.21
médailleur
bronzier 82.7
bijoutier 70.19
médaillier
bronzier 82.7
commode 519.3
médailliste
bronzier 82.7
bijoutier 70.19
médaillon
ornement 578.5
préparation culinaire 333.11
bijou 70.10
Mède 355.8
médecin 498.25
docteur 498.23
médecin de famille 498.24
médecin des âmes 699.9
médecin-accoucheur 544.14
médecin-chef 498.25
médecin-conseil 498.24
médecine 498 ; 482.3
médicament 499.1
médecine de l'air 831.20
médecine nucléaire 775.6
medersa ou **madrasa** 440.14 ; 648.10
école 274.5
média ou **media** 136.10
t. d'histologie 128.2 ; 821.4
médial
valeur médiale 493.6
médian
n.m.
nerf 548.4
adj. 514.12
sillon médian antérieur 548.10
médiane
milieu 514.5
consonne 781.8
t. de mathématiques 493.6
médianimique 477.29
médianoche ou **medianoche**
souper 776.7
veille 851.5
repas 703.1
médiante 543.11
médiaplanneur 675.8
médiaplanning 675.3
médiastin 318.5
médiastinal 718.29
médiastinal antérieur 742.8
médiat 141.20
médiatement 141.25
médiateur
n.m.
arbitre 141.10 ; 671.15
entremetteur 596.15
porte-parole 432.10
t. d'immunologie 381.11
t. de neurologie 548.14
adj. 141.21
médiation 514.8 ; 685.3
intervention 596.3
arbitrage 141.4
médiation chimique 548.18
médiatique 136.22
médiator 422.25
médiatrice 338.7 ; 514.5
médical 498.36
médicalement 498.39
médicalisé 498.36
médicaliser 498.35
médicament 499 ; 353.9
médicamenter 499.24
médicamenteux 499.27
médicastre 498.26
médication 775.1
médicinal 775.28
pharmaceutique 499.27
médicinier 318.11
médico-chirurgical
médical 498.36
chirurgical 114.35
médico-éducatif 498.36
médico-légal 498.36
institut médico-légal 498.32
médico-social 498.36
médico-sportif
médical 498.36
sportif 792.94
médiéval 363.16
médiévisme 363.2
médiéviste 363.8
Médine 736.8
médio- 514.18
médiocarpienne 580.23
médiocratie 383.6
médiocre
inférieur 383.8 ; 405.16
petit 616.13
sans intérêt 416.9 ; 500.11 ; 500.6
insignifiant 419.13
modeste 523.11 ; 767.7
plat 630.9
équilibré 810.10
médiocrement
peu 602.13 ; 616.15
imparfaitement 383.13 ; 500.18
modestement 523.14 ; 767.13
platement 630.12
médiocrité 500
moyenne 514.7
infériorité 405.1
petitesse 616.1
insignifiance 419.1
mesquinerie 497.4
modestie 523.3
imperfection 383.1
platitude 630.1
équilibre 810.2
médiotarsienne 580.24
médire
bavarder 595.22
médire de qqn 227.15
médisance 227
méchanceté 497.3
parole 595.4
médisant
haineux 497.11
détracteur 227.11
méditatif 657.21
méditation
réflexion 52.1 ; 620.22 ; 682.4 ; 689.1
prière 657.1

préparation 649.1
méditer
réfléchir 620.27
préparer 649.13
méditer de 664.11
méditerranéen
langues méditerranéennes 455.14
Méditerranéen 371.5
médium
spirite 235.13
liant 607.14
t. de logique 514.5
médiumnique 477.29
médiumnité 235.8
médius 479.2
medlicottia 527.5
médoche 41.20
médroxyprogestérone 499.5
méduche 41.20
médullaire
nerveux 548.25
osseux 580.30
plaque médullaire ou *neurale* 548.13
réflexe médullaire 548.17
médullectomie 114.13
médullosurrénal
hormone médullosurrénale 340.3
médullosurrénalome 841.3
méduse
animal marin 527.12
empoisonnement 267.7
médusé 805.12
méduser 805.5
mée 519.5
meeting 137.10
assemblée 725.3
parti 642.5
campagne 260.17
méfaire 606.9
méfénamique 499.5
méfiance
incertitude 395.2
prudence 674.17 ; 674.2
défiance 183.1
méfiance est mère de sûreté 183.15
méfiant
prudent 674.11 ; 714.13
défiant 183.16
méfier (se) 714.7
faire attention 674.6
se méfier de 63.17 ; 183.7
méfloquine 499.5
méga- 509.36
méga 408.15
adj. 351.11
mégabit 408.15
mégacaryoblaste 742.5
mégacaryocyte 742.5
mégachile 417.7
mégachiroptère 486.3
mégaderme 486.10 ; 486.7
mégaflops 408.15
mégalérythème 482.20
mégalésies 310.8
mégalithe 517.3
mégaloblaste 742.3
mégalomane 321.14 ; 804.10
mégalomaniaque 321.25
mégalomanie
excès 294.2 ; 804.2
folie 321.6
prétention 312.1 ; 655.1
mégalopole 845.7
mégaloptères 417.1
mégalosaure 337.23
meganeura 417.14
mégaoctet 408.15
mégaparsec 49.25
mégaphone 781.14
mégapode 570.14
mégapodidés 570.4
mégapole 845.7
mégaptère 486.15
mégarde
par mégarde 394.10
mégastructure 39.16
mégathérium 337.23
mégère
femme acariâtre 306.5 ; 497.5 ; 720.4
Mégère 271.8 ; 707.7
mégir 727.15
mégisser 727.15
mégotage 61.1
mégoter 61.5
Megrez 49.5
meilleur 800.8
au meilleur de 800.26
être du meilleur effet 254.7
méio- 405.23
méiose
fragmentation 237.3
reproduction asexuée 711.2
mitose 94.27
histogenèse 821.6
méiotique 94.32
Meitheis 371.13
meitnérium 113.7
méjuger
se tromper 283.14
sous-estimer 789.4
mektoub 305.11
Mél. 809.3
melaleuca 38.9
Mélampous 236.41
melampsora 103.10
mélampyre 318.22
mélan- 553.23
mélancolie
sécrétion 340.4
tristesse 272.1 ; 553.5 ; 615.1 ; 836.1
maladie 321.6
mélancolique
triste 272.16 ; 615.6 ; 836.12
malade 321.14
mélanconiale 103.8
mélange 501
ambivalence 24.6 ; 25.5
diversité 234.3 ; 725.1
désordre 201.6
croisement 711.5
t. de chimie 113.3
mélanges 469.9 ; 501.7
mélange gazeux 335.1
mélangé 501.17
divers 234.7
mélanger
mêler 140.8 ; 501.12 ; 795.14
incorporer 608.10
les cartes 446.35
ne pas mélanger les torchons et les serviettes 216.9
mélanger (se) 608.12
mélangeur
mixeur 501.11
t. de chimie 113.17
t. de plomberie 632.3
mélanine
pigments 94.22
cuir chevelu 624.6
teint 159.10
mélanique 482.67
mélanisme 553.9
mélanitis 417.11
mélano- 553.23
mélano-africain 371.5
mélanoderme
race 371.3
noir 553.18
mélanodermie 482.17 ; 553.9
mélano-indien 371.5
mélanome 841.3
mélanose 482.17 ; 553.9
mélanostimuline 793.8
hormone 340.3
mélanote 638.5
mélanotrope
hormone mélanotrope 340.3
melasoma 417.3
mélasse
adversité 11.1
sirop 799.2
dans la mélasse 11.20
mélastoma 38.9
mélatonine 340.3
Melba
pêche Melba 799.6
-mèle 502.20
mêlé
divers 234.7
mélangé 501.17
mêlé de 501.22
Méléagre 236.41
mêlée 792.12
mêlement 501.1
mêler 795.14
absorber 396.11
unir 844.13
réunir 725.10
intégrer 423.8
mélanger 501.12
rapprocher 685.7
injecter 608.10
fermer 760.29
battre les cartes 446.35
mêler (se) 596.30
converger 685.13
s'interpénétrer 608.12
se joindre 596.21
se mêler de 812.8
se mêler de ce qui ne vous regarde pas 174.7 ; 415.8
mêle-tout 174.4
mélèze
bois 74.11
arbre 37.16
melia 38.9
méliacée
bois 74.12
arbre 37.11
-mélie 502.20
méligèthe 417.3
mélilot 318.27
méli-mélo 201.6
mélioratif 535.28 ; 800.11
méliorisme 620.15
optimisme 573.3
mélioriste 573.8
mélipone 417.7
mélique 106.29
mélismatique 106.29
mélisme 106.7
mélisse
fleur 318.16

parfum 594.4
médicament 499.9
mélitococcie 482.48
mélitte 318.16
mellah 449.20
mellifère
insecte 417.32
fleur 318.47
mellifique 417.32
melliflu 76.9
mellite 499.8
mélo
n.m. 827.3
adj.
triste 827.14 ; 836.15
grandiloquent 347.12
melocactus 318.7
mélodie 543.25 ; 622.12
air 106.11
mélodieusement 543.58
mélodieux 106.28 ; 543.54 ; 781.30
mélodique 543.50
intervalle mélodique 543.17
ligne mélodique 466.7
mélodiquement 543.57
mélodiste 543.39
mélodramatique
triste 827.14 ; 836.15
grandiloquent 347.12
t. de théâtre 817.32
mélodrame
malheur 827.3
pièce de théâtre 817.4
méloé 417.3
mélomane 599.10
mélomanie 599.6
mélomélie 484.4
melon 330.8
les maris sont comme les melons 491.18
melonnière 18.10
mélopée 106.13
chant 106.1
mélophage 417.31 ; 417.9
mélophagose 482.48
méloplastie 114.17
Melpomène 236.11
melting-pot 501.3
membracidés 417.4
membrana tectoria 100
membrane
enveloppe 727.1
d'un nerf 548.9
d'un muscle 541.14
d'un tissu 821.4
t. de plomberie 632.4
membrane anale 265.7
membrane basale 128.2
membrane caduque ou *déciduale* 265.9 ; 762.14
membrane choroïde 868.6
membrane pituitaire 569.6
membrane vacuolaire 94.2
membrane d'étanchéité 834.6
membrane de Mauthner 548.9
membrane du tympan 55.3
fausse membrane 821.4
membrané 821.11
membranelle 94.2
membraneux 727.16 ; 821.11
membraniforme 727.16
membranophone 422.1
membranule
peau 727.2
organite 94.2
épiderme 821.4
membre 502
partie 597.1
pénis 762.2
participant 596.11 ; 596.9
militant 808.25
d'une phrase 622.4
t. d'architecture 39.16
t. de mathématiques 493.2
membre démis 72.4
membré 502.15
bien membré 864.17
membru 502.15 ; 864.17
membrure
membres 502.1
étai 834.11
mémé
vieillard 863.5
aïeule 506.6
même 719.5
identique 376.14 ; 719.15
uniforme 843.9
égal 256.18
comparable 138.11
de même 8.12 ; 376.17 ; 704.18 ; 719.16
de même que 256.31 ; 719.18
même pas, pas même 546.19
être toujours le même 611.11
mémento
aide-mémoire 503.6 ; 723.3
prière 508.7 ; 657.11
mémère 863.5
mémoire 503
écrit 225.9 ; 286.6
d'ordinateur 273.11 ; 408.8
devoir de mémoire 503.2 ; 647.3
lieu de mémoire 503.2 ; 647.3
mémoire lacunaire 583.1
mémoire correcte 80.10
mémoire de cœur 348.1
mémoire de lièvre 583.1
de mémoire d'homme 28.18
mauvaise mémoire 583.1
banc mémoire 408.8
cellule de mémoire 408.8
avoir la mémoire courte 583.10
sortir de la mémoire 583.13
mémoire
n.m.
écrit 225.9 ; 286.6
n.m.pl. 363.6 ; 691.7 ; 862.10
mémomèle 484.6
mémorabilité 503.7
mémorable 503.15
exceptionnel 290.13
important 384.11
éclatant 341.28
mémorandum 503.6
mémoratif 503.17
mémoration 503.5
mémorial
monument 331.18
registre 339.16
mémorialiste
biographe 363.10
conteur 691.11
mémoriel 408.27
mémorisateur 503.16
mémorisation 503.4
mémoriser
apprendre 35.4 ; 503.9
enregistrer 408.25
menaçant 63.20
inquiétant 785.13
dangereux 175.11
alarmant 21.14
menace
imminence 332.2
dissuasion 231.2
danger 175.2
avertissement 21.1 ; 63
attaque 50.2
geste de menace 63.7
menacé
fugace 228.14
en danger 175.18
être menacé de 63.16
menacer
v.t.
effrayer 21.11 ; 619.11
intimider 63.15 ; 231.7
compromettre 175.8
v.i.
être imminent 332.8 ; 660.8
de pleuvoir 561.10 ; 633.15
menacer ruine 205.22 ; 325.7
ménade
nymphomane 763.23
danseuse 176.22
ménadione 499.6
vitamines 214.7
ménage
couple 772.6
épargne 281.1 ; 339.1
ameublement 519.1
ménage à trois 837.5
faux ménage 491.12
femme de ménage 481.39 ; 550.24
faire bon ménage 6.11
faire mauvais ménage 194.9 ; 410.7
se mettre en ménage 491.23
ménagement
prudence 674.3
soin 774.4
modération 522.3 ; 771.3
pitié 625.2
ménagements 522.3
ménager
v.
épargner 602.6 ; 653.14 ; 653.25
dorloter 184.7 ; 625.9 ; 774.10
ménager la chèvre et le chou 25.14 ; 373.12
ménager sa dépense 281.13
ménager une ouverture 585.10
ménager (se) 783.19
ménager
adj. 281.15
ménagère 672.10
ménagerie
jardin d'acclimatation 873.9
cage 262.6

ménaquinone 214.7
mendacité 378.2
Mendeleïev
classification de Mendeleïev 113.5
mendélévium 113.7
mendélisme 361.14
Mendés 371.11
mendiant
gâteau 679.4
pauvre 185.7 ; 603.6
ordres mendiants 525.9
mendicité 603.7
mendier 603.17 ; 625.12
quémander 185.14
mendieur 185.7
mendigot 185.7
mendigoter 185.14
meneau
cadre 77.10
façade 39.12
ménechme 719.6
menée 7.8
mener
conduire 221.19 ; 829.24
conseiller 148.11
influencer 407.15
commander 59.17 ; 133 ; 240.9
diriger 339.21
gagner 446.32 ; 792.91
mener à 221.26 ; 649.12
mener grand train 191.15 ; 661.10 ; 730.16
mener grande vie 862.27
mener joyeuse vie 629.10
mener une vie de chanoine 525.29
mener une vie de famille 304.12
mener la vie de garçon 93.6
mener la vie de palace 730.17
mener la vie à grandes guides 426.8
mener la vie dure 11.16 ; 217.15
mener une double vie 25.13
mener une enquête 689.14
mener un pion à dame 446.37
mener à bien 5.16 ; 7.10 ; 798.11
mener à bonne fin 5.16 ; 315.15
mener à bon port 153.16
mener en barque 838.15
mener en bateau 532.9
se laisser mener par le bout du nez 787.19
tous les chemins mènent à Rome 221.26
ménesse 306.5
ménestrandie ou **ménestrandise** 106.20
ménestrel 105.8 ; 106.20
meneur 352.13 ; 407.7
animateur 15.4
meneur d'hommes 352.13
mengéidés 417.6
mengkulang 37.20
menhir 736.9
menin 552.18
menine 270.4
méning- 814.20
méningé
cérébral 100.26
nerveux 548.25
méninges 100.18 ; 727.4 ; 821.4
tête 814.2
moelle épinière 548.10
se torturer les méninges 217.11
méningiome 841.3
méningite 482.14
méningitique 100.27
méningo- 814.20
méningo-encéphalite 482.14
méniscectomie 114.13
méniscographie 498.16
méniscothériidé 486.4
ménispermacée 38.3
ménisque
lentille 574.3
cartilage 580.19
mennonites 117.8
ménologe 310.9
Menominis 371.7
ménopause 762.18
ménopausée 306.17
ménopausique 762.36
menora 250.7
ménorragique 762.36
ménotaxie 221.12
menotte 479.1
menottes 44.5
menotter 44.12
ménotyphle 486.10 ; 486.3
mensonge 504
tromperie 25.3 ; 485.4 ; 838.3
prétexte 656.2
hypocrisie 373
racontar 691.3
mensonger
illusoire 178.8
faux 656.7
abusif 3.14
hypocrite 373.19
trompeur 504.22 ; 828.18 ; 838.21
mensongèrement 504.26
menstruation 340.5
menstruel 762.36
phase menstruelle 340.5
cycle menstruel 340.5
menstrues
saignement 742.12
flux menstruel 340.5
mensualisation 610.10
mensualiser 610.13
mensualité
périodicité 610.9
terme 587.7
remboursement 166.19
mensuel
n.m.
magazine 654.5
salarié 480.3
adj. 610.15 ; 654.28
mensuellement 610.17
mensurable 509.31
mensurateur 509.27
mensuration 219.6
mensurations 219.5
-ment 104.29
mental 275.12
abstrait 380.15
aide mentale ou *psychiatrique* 19.6
malade mental 321.13
maladie mentale 321.1
mentalité 286.5
menterie 504.4
menteur
n. 373.10 ; 504.10
jeu 446.3
adj. 373.16 ; 504.22
menteusement 838.24
mensongèrement 504.26
menthe
plante 318.16 ; 333.27
parfum 594.4
boisson 75.7
mentholée 569.3
mention
récompense 507.5
citation 554.7
mentionné 554.26
mentionner
désigner 765.21
nommer 554.19
inscrire 273.18
mentir 504.13 ; 691.14
dissimuler 373.13
dénaturer 828.16
menton 814.5
double menton 814.5
mentonnet 760.7
mentonnière
appareil orthopédique 775.19
linceul 331.20
mentor 148.7
menu
n.m.
emploi du temps 811.3
d'un repas 703.8
t. d'informatique 408.11
adj.
petit 616.14
étroit 289.8
faible 303.18
menu frotin 419.4
menuaille 638.14
menuet 176.9 ; 543.31
menuise 638.14
menuiser 505.21
raboter 505.23
menuiserie 505
ébénisterie 74.5 ; 519.30
menuisier 505.20
bûcheron 74.19
décorateur 519.31
ménure 570.8
ménuriformes 570.4
ményanthes 318.13
Méos 371.13
Méphistophélès ou **Méphisto**
démon 186.4
méchant 497.6
méphistophélique 186.13
méphitique 175.15 ; 569.27
asphyxiant 335.23
méphitisme 335.1
méplat
t. de peinture 607.10
t. d'architecture 39.15
t. de menuiserie 505.30
méprendre (se) 283.14
mépris
aversion 62.4
indifférence 401.3
dédain 312.2 ; 625.3
irrespect 412.5 ; 439.1
discrédit 227.5
agir au mépris des droits de qqn 169.26
afficher du mépris 439.6
méprisable
déplorable 836.17
lâche 452.7
méprisant 439.14
méprise
erreur 283.1 ; 483.3

interprétation erronée 432.7
méprisé 789.6
mépriser
dédaigner 693.8
négliger 401.13 ; 547.12
injurier 439.6
méprobamate 499.5
mer
quantité 1.3
étendue d'eau 319.7 ; 468.3 ; 830.16
de la Lune 49.9 ; 474.7
mer intérieure 430.5
mer lisse 852.8
mer d'huile 89.3
sur mer 769.15
basse mer 319.9
haute mer 319.7
bord de mer 158.4
liberté des mers 462.5
mal de mer 482.38
vent de mer 852.5
ce n'est pas la mer à boire 302.17
coup de mer 319.12
mér(o)- 597.23
Merak 49.5
meranti 37.20
merbau 37.20
mercanti
escroc 485.7
commerçant 135.16
mercantile 135.32
mercantiliser 135.30
mercantilisme
cupidité 61.2
doctrine 135.6 ; 222.1
mercantiliste 222.15
mercapto- 113.29
mercatique 135.2
mercenaire
travailleur 266.31
soldat 41.10
mercerie 165.21
mercerisage 816.11
mercerisé 816.33
merceriser 816.21
merchandising 135.2
merci
n.m.
remerciement 348.2
dire merci 163.8 ; 348.4
merci bien 546.19
merci
n.f.
pitié 592.1 ; 625.2
à la merci de 625.16
accorder merci à 592.12
crier merci 452.6 ; 625.12
demander merci 697.7
mercier 165.24
mercredi 88.10
mercure 113.7 ; 516.5
argent colloïdal 40.4
Mercure
planète 49.7
divinité 236.16
mercureux 516.10
mercuriale
fleur 318.11
reproche 710.2
discours 225.6 ; 626.2
prix 659.10
mercuriel 516.10
mercurique 516.10
merde
n.f. 296.2 ; 740.3
int. 431.6
semer la merde 146.18
merder 249.14
merdeux
n.
enfant 270.4
adj.
sale 296.28 ; 740.14
merdier 201.5
merdique 201.14
merdouiller 249.14
merdoyer 249.14
-mère 597.23
mère 506
génitrice 270.9 ; 304.3 ; 314.5 ; 544.13 ; 711.16
religieuse 525.13 ; 699.8
mère branche 37.8
mère du livre 440 ; 815.5
mère patrie 124.10
mère-grand 506.6
merganette 570.16
merguez 333.9
mergule 570.15
méri- 597.23
méridien
n.m.
cercle 97.4
repère 769.6
adj.
de midi 494.8
méridien céleste 49.21
méridienne
midi 494.4
sieste 706.8 ; 780.6
meuble 494.5 ; 519.13
méridional
chaud 102.23
langue 455.14
-mérie 597.23
mérièdre 517.7
mériédrie 517.7
Merinas 371.12
meringue 799.6
meringuer
cuisiner 333.37
sucrer 799.11
mérinos 816.3
mérione 486.5
-méris 597.23
merise 330.12
merisier
bois 74.11
arbre 37.13
méritant 507.14
respectable 717.12
vertueux 858.10
mérite 507
qualité 677.1
utilité 847.1
gloire 341.10
vertu 533.5
se faire un mérite de 366.22
mérité 507.16
mériter 507
avoir les mains nettes 365.7
mériter de 507.13
bien mériter de 348.6
bien mériter de la patrie 125.8
mérithalle 318.3
méritocrate 507.7
méritocratie 507.7
méritoire
louable 471.22 ; 507.15
honnête 533.16
méritoirement 507.17
merlan
poisson 638.6
coiffeur 129.12
merle
oiseau 570.8
poisson 638.6
merle blanc 686.3
vilain merle 453.4
joli merle 453.4
merleau 570.8
merlette 570.8
merlin
hache 18.15 ; 584.3
merlon 39.20
merlu 638.6
merluche 638.6
meromyza 417.9
mérotomie 114.14
mérou 638.6
merrain 74.6
mersawa 37.20
Meru 736.8
mérule 103.6
Merus 371.11
merveille
exception 32.5 ; 677.4
beauté 69.7
gâteau 799.6
à merveille 677.19
les sept merveilles du monde 757.4
merveilleusement 427.30
parfaitement 677.18
merveilleux
n.m.
jeune homme 12.5
ce qui est exceptionnel, miraculeux 378.6 ; 477.3
adj.
exceptionnel 32.3 ; 290.13
intense 427.18
magique 477.25
de valeur 69.15 ; 677.16
merzlota 337.10
mes- ou **més-** 194.18
mesa 627.2
mésaccord 194.1
mésalliance 552.7
mariage 491.6
mésallier (se)
déroger 552.23
contracter (un) mariage 491.22
mésange 570.8
mésangeai 570.8
Mesarthim 49.5
mésavenant 192.14
mésaventure 11.2
Mescaleros 371.7
mescaline 825.6
mesclun 333.20
mésencéphale 100.2 ; 100.9
mésencéphalique
cérébral 100.26
réflexe 548.17
mésenchyme 821.5
feuillets embryonnaires 265.6

mésentendre 432.18
mésentendre (se) 238.15
mésentente
désaccord 194.1
altercation 146.2
incompatibilité d'humeur 238.4
mésentère
estomac 853.3
épiderme 821.4
intestin grêle 218.8
mésentérique 128.8
nerfs sympathiques 548.5
mésestime 439.1
mésestimé 789.6
mésestimer
se tromper 283.14
sous-estimer 789.4
mépriser 439.6
mésinformation
information 136.6
désinformation 504.3
mésintelligence 410.2
désaccord 194.1
mésinterprétation 432.7
mésinterpréter 432.18
mesmérisme 407.5 ; 478.9
magnétisme 780.4
méso- 514.18
mésoblaste 265 ; 821.5
feuillets embryonnaires 265.6
mésocarpe 330.4
mésoclimat 127.1
mésocôlon 218.9
mésocortex 100.17
mésoderme 265 ; 821.5
feuillets embryonnaires 265.6
méso-inositol 94.21
mésolithique 363.4
mésologie 251.2
mésomérie 113.12
mésomorphe 517.21
mésomorphisme 517.8
méson 513.4
mésopique 868.2
Mésopotamien 355.8
mésosalpinx 762.15
mésosaurien 712.11
mésosphère 49.22
atmosphère 20.2
mésostigmates 417.12
mésosuchiens 712.10
mésotèles 417.12
mésothélial 821.11
mésothéliome 841.4
mésothélium 821.4
mésothérapie 775.5
mésothériidé 486.4
mésotherme 318.48
mésothorax 417.17
mésozoïque 337.21
mesquin
bas 383.8 ; 616.13
avare 61.9
mesquinement
petitement 616.15
imparfaitement 383.13
parcimonieusement 61.10
mesquinerie
bassesse 383.1 ; 497.4
avarice 61.1
mess 703.15
message
énoncé 136 ; 809.13
discours 225.1 ; 681.12
de publicité 675.4
messager
annonceur 33.7
locuteur 136.8 ; 157.11
transporteur 833.28 ; 833.6
messager de Dieu 29.1
le messager des dieux 236.16
messagerie 408.12
Internet 809.3
poste 157.10
messageries 829.1
messaline 763.23
messe 508
cérémonie 98.4 ; 310 ; 657.6 ; 818.12
de mariage 491.5
de funérailles 331.5
messe basse 508.1 ; 751.6
messe noire 186.9 ; 477.12
répondre la messe 705.13
messéance 226.2
impair 415.2
indécence 399.1
messéant 226.10
inopportun 415.14
messeoir 226.7 ; 399.5 ; 415.10
messianisme 117.16
messidor 88.8
messie 285.3
Christ 117.16
Fils de Dieu 215.8
attendu comme le Messie 382.14
être accueilli comme le Messie 571.8
messer 822.15
messier 641.11
messieurs 741.26
messire 822.15
messor 417.7
mesua 38.8
mésua ou **arbre de fer** 37.20
mesurable 509.31 ; 610.16
mesurage 509.2
mesure 509
équilibre 282.7 ; 514.3
modération 522.2 ; 674.4 ; 714.1
tempérance 771.3 ; 810.1
sagesse 620.23
délicatesse 184
quantité 678
proportion 668.1
dimension 219.6
longueur 470.5
hauteur 359.1
contenance 151.7
situation 769.6
test 812.4
jaugeage 113.16 ; 207.1
t. de musique 543.21
t. de grammaire 346.8
les mesures de qqch 219.9
mesure disciplinaire 144.7
mesure éducative 674.4
mesure de salubrité publique 669.2
mesure de sûreté 144.5 ; 674.4
à mesure 344.14
à mesure que 293.17 ; 344.18
en mesure de 286 ; 646.14 ; 649.13 ; 769.18
par mesure de précaution 674.16
par mesure de sécurité 752.21
sans mesure 294.19
sur mesure 219.11 ; 520.3
à la mesure de 219.13
dans la mesure où 536.15
la mesure est comble 744.7
juste mesure 514.3
sens de la mesure 522.2
battre la mesure 542.20
garder la mesure 810.7
tout faire par compas et par mesure 674.9
mesuré
calculé 509.30
proportionné 668.10
équilibré 282.22
réservé 714.13
sage 620.34
modéré 522.16 ; 771.9 ; 810.10
mesurément 810.13
mesurer
calculer 338.14 ; 509.28 ; 555.14 ; 678.11
proportionner 668.8
une dimension 219.9 ; 470.10
le temps 118.10 ; 610.12
épargner 522.12 ; 653.14
mesurer à 138.7
mesurer ses expressions 810.7
mesurer la terre 119.18
mesureur 509.26
mésusage 3.1
mésuser 3.7
meta 417.13
méta- 113.29
méta 131.7
métabolique 94.32
métaboliser 94.30
métabolisme 94.25
métabolite 94.3
aliment 218.4
métacarpe 580.15
métacarpiens 580.15
métacercaire 856.2
métachéiromyidé 486.4
métagalaxie 49.13
métagéométrie 338.1
métagramme 459.5
métairie
ferme 18.12 ; 481.4
métal
minéraux 517.1
minerais 516.1
métabolites 94.3
support 607.18
métal anglais 631.3
métal à la reine 631.3
métal blanc 40.1 ; 631.3
métal étalon 529.14
métal ferreux 307.1
métal rose 631.3
métalangage 455.3
métalangue 455.3
métaldéhyde 131.7
métalinguistique 455.18
métallerie 307.14 ; 760.2
métallier 760.24
métallifère 516.11
métallique 510.19

métallique 510.19
métalliquement 510.20
métallisation 510.8
métallisé 510.19
métalliser 510.15 ; 727.15
aciérer 307.18
métalliseur 510.14
métallo- 510.21
métallo 510.14
métallochromie 40.6
métallogénie 337.1
métallographie 388.5
métalloïde 517.1
métallophone 422.1
métallothérapie 775.5
métallothermie 510.1
métallurgie **510** ; 307.14 ; 516.7
métallurgique 510.18
métallurgiquement 510.20
métallurgiste
aciériste 307.15 ; 510.14
métamère
germe 265.5
anneau 417.17
métamérie 265.3
métamonadine 512.5
métamorphique 337.34
métamorphiser 337.25
métamorphisme 104.9
érosion 337.4
métamorphosable
altérable 850.14
transformable 104.23
métamorphose 104.4 ; 417.22 ; 477.7
changement 23.4
fluctuation 850.3
déformation 323.6
évolution 293.1
réaction 7.5
métamorphosé 560.14
métamorphoser 104.15
changer 23.10
agir sur 7.12
métamorphoser (se) 293.11
métamyélocyte 742.4
métaphase 94.27
métaphore
image 138.4
figure 709.3
tropes 313.4
métaphore filée 729.16
métaphore in absentia 2.10
métaphore in praesentia 651.12
métaphorique 709.12
métaphoriquement 709.14
métaphrase 432.2
métaphraste 432.10
métaphyse 580.3
métaphysicien 620.24
métaphysique 297.2 ; 425.4 ; 620.3 ; 620.32
connaissance intuitive 434.2
métaplasie 482.42
métaplasme
morphologie 535.9
figures de diction 313.2
métapsychique 477.29
parapsychologie 477.16
métaséquoia 37.20
métastase 841.6
métastaser 482.56
métastatique 482.82
métastigmates 417.12
métatarse 580.17
métatarsiens 580.17
métathalamus 100.11
métathérien 486.2
métathèse
inversion 436.5
figures de diction 313.2
métathorax 417.17
métaxylème 74.1
méta-xylène 617.6
métayage 18.13
métayer 18.16
méteil 588.1
métempsychose 534.5
métencéphale 100.6
météore
phénomène atmosphérique 127.5 ; 852.2
étoile filante 49.11 ; 421.2
chose ou personne très rapide 34.6
passer comme un météore 421.8
météorique 127.18
météorisé 335.24
météoriser 335.18
roter 482.55
météorisme 296.7 ; 335.8 ; 482.21
météorite 49.11
mégalithe 517.3
météoritique 517.20
météorologie 20.9 ; 127.9
météorologique
atmosphérique 20.18
climatique 127.18
hiver météorologique 738.5
météorologiquement 127.22
météoromancie 235.2
métèque
étranger 288.1
résident 288.3
métformine 499.5
méthadone 825.8
méthane
gaz naturel 131.8
gaz parfait 335.2
combustibles liquides 269.6
méthanier
pétrolier 618.9
asphaltier 830.5
méthanoduc 618.9
méthémoglobinémie 482.19
méthionine 94.10
méthode **511** ; 577.10 ; 620.10
essai 689.6
connaissance 620.22
style 729.10
recueil 469.9
méthode auscultatoire 128.16
méthodique 511.13 ; 577.25
ordonné 576.19
systématique 807.16
analytique 682.14
méthodiquement 511.17
systématiquement 576.27
rationnellement 682.19
méthodisme 117.5
méthodiste 117.8
protestant 117.13
méthodo- 511.21
méthodologie
méthode 511.1
logique 620.7
méthodologique 511.16 ; 577.25
systématique 807.16
métaphysique 620.32
méthodologiquement 511.17
méthoxypsoralène 499.5
méthylamine 94.10
méthylation 113.14
méthylbutanone 617.6
méthyldopa 499.5
méthyle 113.9
vert de méthyle 857.2
méthylène 113.9
violet de méthylène 866.2
méthylergométrine 499.5
méthylprednisolone 499.5
metical 529.8
méticuleusement
systématiquement 576.27
méthodiquement 511.17
soigneusement 774.25
méticuleux
ordonné 576.19
méthodique 511.13
attentif 52.11
infatigable 601.13
soigneux 774.20
méticulosité 774.2
métier
profession 7.7 ; 266.1 ; 266.2 ; 266.3 ; 286.3
art, savoir-faire 10.3 ; 511.4 ; 607.12
machine 476.9
cadre 165.16
corps de métier 266.5
homme de métier 266.19
jeu des métiers 446.17
petit métier 266.2 ; 672.7
métier à tisser 816.17
exercer un métier 266.25
avoir du métier 10.11
il n'est point de sot métier 266.2
mettre sur le métier 134.17 ; 279.8
métis
n. 501.9 ; 553.6
adj. 501.19
Métis
astre 49.10
métissage
mixité 501.3
croisement 711.5
métisser 873.16
croiser 711.20
métivage 317.11
travaux des champs 18.4
métoclopramide 499.5
métonomasie 432.3
métonymie 313.4
métope 39.21
métopique 580.20
métoposcopie 814.6
métoprolol 499.5
métrage 816.18
mesurage 509.2
court-métrage, moyen-métrage, long-métrage 120.5
-mètre 509.37
mètre
forme prosodique 635.13

mètre
unité 509.7
instrument de mesure 509.26
longueur 470.5
mètre carré 219.10
mètre de couturière 470.6
mètre étalon 470.6
métrer 509.28
métreur 509.27
-métrie 509.37
métrique
n.f. 635.1
adj.
relatif à l'unité de longueur 509.33
relatif à la forme prosodique 635.27
carat métrique 509.8 ; 636.12
système métrique 470.5 ; 509.6 ; 807.4
métro 832.11
ligne de métro 466.7
métrologie 470.6
pesage 636.9
métrologiste 509.27
métromane 635.21
métromanie 599.6
métronidazole 499.5
métronome 422.26
métronomique 543.55
Métroon 465.4
métropole
région 695.7
commune 845.9
métropolitain
religieux 699.32 ; 699.6
chemin de fer 832.11
métropolite 699.11
métrorragique 762.36
métrosideros 38.9
metroxylon 37.20
mets 703.8
metteur
metteur en ondes 681.14
metteur en pages 469.16
metteur en scène 120.26 ; 817.20
metteur aux points 749.16
mettre
ajouter 8.7
poser 769.9
un vêtement 859.35
mettre pied à terre 623.7
mettre la discorde 146.18
mettre les menottes à 44.12
mettre en avant 384.10 ; 656.4
mettre au courant 136.14
mettre à l'écart 409.5 ; 582.12
mettre à l'encan 135.24
mettre en esclavage 240.13
mettre à mal 202.4 ; 205.20
mettre en marche 538.20
mettre en morceaux 205.18
mettre en terre 331.31
en mettre plein la vue 581.9 ; 805.5
mettre (se)
débuter 35.6
tenter 812.7
entreprendre 279.10
se mettre à 134.18
se mettre à qqch 596.21
se mettre à tout 787.19
ne pas savoir où se mettre 819.5
meublant 519.37
meuble
n.m. 519.1
se mettre dans ses meubles 481.41
adj. 538.24
meublé 519.36
appartement 481.18
meubler 519.34
meubler (se) 519.34
meuf 306.4
meuglement 170.1
meugler 170.5
meulage 584.29
polissage 640.2
meule
outil 188.12 ; 640.5 ; 676.9 ; 733.8
de foin 18.8 ; 360.3
affûter ses meules 342.9 ; 703.25
meuler 640.7
meuleton 676.9
meulière
pierre 517.2
gisement 518.2
méum 318.20
meunerie
moulin 676.15
ferme 18.12
meunier
maladie 79.16
raisin 330.14
cafard 417.16
meurette 333.26
œuf en meurette 333.24
meurt-de-faim 603.6
meurtre 205.6 ; 534.12
acte de violence 865.7
meurtri 72.21
meurtrie
herbe à la meurtrie 318.34
meurtrier
mortel 534.35
assassin 169.18
meurtrière
fenêtre 481.31 ; 585.6
guérite 182.13
meurtrir
blesser 72.14
battre 160.12
tuer 169.22
meurtrissant 72.22
meurtrissure 72.3
meute
foule 540.3
d'animaux 107.15 ; 486.16
mévendre 524.10
mexicain
peso mexicain 529.8
Mexicain 355.10
mézigue 613.7
mezzanine
d'une maison 481.15
t. de théâtre 748.7
mezza voce 106.32
mezzo forte 542.26
mezzo-soprano 106.18
M.F. 326.5
mho 261.10
mi- 514.18
mi 543.12
Mia 381.10
miadesmia 360.9
miam-miam 431.7
Miaos 371.13
miasmatique
asphyxiant 335.23
malodorant 569.26
miasme
gaz 335.1
puanteur 569.4
miastor 417.9
miaulement 170.1
miauler
pousser son cri (chat) 170.5
mal chanter 106.27
miauleur 486.30
mica 575.4
mi-carême 117
semaine sainte 310.3
miche 588.2
miché
garçon 364.2
client 672.15
Michel 29.7
michélangelesque 46.15
micheline 832.12
mi-chemin
à mi-chemin 392.14 ; 392.19
micheton 672.15
michetonner 672.19
michetonneur 672.12
michetonneuse 672.8
michette 672.13
micmac 201.5
Micmacs 371.7
micocoule 330.17
micocoulier 38.5 ; 38.9
miconazole 499.5
miconia 38.9
micraster 527.9
micro- 324.20 ; 509.36
infra- 616.17
micro
microphone 120.13 ; 273.4 ; 781.14
micro-ordinateur 408.3
microbalance 636.10
microbe 512.1
microbicide 512.16
microbien 512.15
microbiologie
bactériologie 512.11
biosciences 498.3
microbiologique 512.19
microbiologiste 512.12
microbouturage 711.2
microbus 833.8
microcalorimétrie 102.14
microcéphale 484.9
microcéphalie 484.4
microchiroptère 486.3
microchirurgie 114.1
microclimat 127.1
microcoagulation 840.9
microcosme 773.6
micro-cravate 781.14
microcrédit
terme 587.7
crédit 166.1
microcyte 742.3
microdactyle 484.9
microdactylie 484.4
microfaune
organisme vivant 251.8
règne animal 873.4

microfibre 816.2
microfibrille 512.6
microfiche 273.10
microfilaire 856.3
microfilm 273.10
microflore 251.8
microgramme 636.12
micrographie 621.9
microgravité 48.7
micro-informatique 408.1
micro-intervalle 543.17
microlangage 408.16
microlépidoptères 417.10
micromalthus 417.3
micromécanique 496.1
micromélie 484.4
micromélien 484.9
micromère 265.5
micromètre 509.26 ; 509.7
micrométrie 509.25
micromilieu 251.6
micron 509.7
micro-noyaux 100.11
micronucleus 512.6
micro-ondes 681.7
micro-ordinateur 408.3
micro-organismes **512**
micropesanteur 48.7
microphage 381.13
microphone
amplificateur 781.14
magnétophone 273.4
microphotographie 621.9
microphtalmie 840
myopie 482.27
microphysique **513**
microprocesseur 408.9
microprogrammable 408.28
microprogrammation 408.21
microprogramme 408.11
microprogrammer 408.25
micropropagation 711.2
micropsie 840
myopie 482.27
micropsittiné 570.10
microptérygidés 417.10
micropterygyx 417.11
microrelief 337.12
microretard 724.1
microsauriens 68.2
microscope 574.5
Microscope (le)
constellation 49.15
microscopique
infime 406.9
étriqué 616.11
invisible 437.6
microsillon
bande sonore 781.21
disque 273.8
microsmatique 569.24
microsociété 773.6
microsphérocyte 742.3
microsphæra 103.7
microsporange 360.4
thalle 22.2
microsporique 482.67
microtidé 486.3
microtraumatisme 72.6
micro-trottoir 681.12
microviseur 207.5
microvolt 509.11
miction 296.9
middle jazz 543.6
midi
milieu du jour 494.4
sud 221.4 ; 777.5
chercher midi à quatorze heures 140.9 ; 217.13
mie
pain 588.4
pain de mie 588.3
mie
ne... mie 404.11 ; 546.20
miel 159.28 ; 761.4
hostie 508.5
miel médical 499.8
c'est pas du miel 217.26
miellé
sucré 343.26
tisane miellée 499.16
mielleusement 373.21
mielleux 761.15
doucereux 12.13 ; 373.18
miellification 417.21
mien 645.3
miette
rien 602.2
reste 721.3
en miettes 205.18
réduire en miettes 676.16
mieux 677.20
plus 800.25
amélioration 353.2
faute de mieux 488.17
ordre au mieux 81.18
pour le mieux 677.20
mieux-être 353.3
mieux-vivre 353.3
mièvrerie
affectation 12.1 ; 184.3
mi-figue mi-raisin
hypocrite 25.17
mélangé 501.21
mécontent 192.15
irrésolu 438.10
ambigu 24.14
mi-fil 501.21
mi-fin
or mi-fin 575.2
mignard 184.11
recherché 12.13
mignarder 91.6
mignardise
grâce affectée 12.1 ; 91.1 ; 184.2 ; 184.3
fleur 318.8
mignon
n.m.
personne 12.5 ; 27.13
filet 333.11
adj. 69.17
mignonne
n.f.
jeune femme 306.4
poire 330.11
mignonnette
pierre 834.36
dentelle 165.3
mignoter 184.7
câliner 270.16
soigner 774.10
caresser 91.6
mignotise 91.1
migraine 482.38
tête 814.2
algésie 243.3
migraineux 482.61
migrant 288.3
migrateur 873.21
mobile 538.25
lichen migrateur 463.1
oiseau migrateur 570.17
migration
remuement 538.6
vol 570.28
métamorphose 417.22
émigration 288.10
migratoire 570.28
migrer 538.18
mihrab 465.6
mijaurée
snob 12.4
bouffon 731.4
mijoter
v.t.
faire cuire 333.40
préparer 649.10 ; 774.15
v.i.
cuire 85.15
attendre 51.7
mijoteuse 848.24
mikado
empereur du Japon 694.18 ; 822.5
jeu 446.19
jaune mikado 444.2
mikania 318.10
Mikirs 371.13
mil 330.7
milady 822.4
milan 570.12
milanais
chant milanais 106.4
à la milanaise 333.51
milandre 638.7
milaneau 570.12
mildiou 79.16
mile 509.17
miler 792.45
miliaire
tuberculose miliaire 482.31
miliarensis 529.11
milice
garde 41.9
escorte 641.5
milices célestes 29.1
milicien
militaire 41.10 ; 354.16
agent 641.6
milieu **514**
centre 96.1 ; 338.10 ; 769.6
moyenne 522.7 ; 559.1
dedans 430.1
environnement 122.1 ; 137.4 ; 251.6 ; 361.5 ; 514.2
classe sociale 683.4 ; 773.6
pègre 169.16 ; 869.16
exercices de danse 176.18
milieu animal 873.4
milieu de culture 512.2
milieu nutritif 563.4
milieu social 280.3 ; 773.6
juste milieu 810.2 ; 810.7
au milieu 433.12
au milieu de 396.21 ; 430.16 ; 433.13
au beau milieu 514.15
être dans son milieu 280.7
Milindapanha 80 ; 815.13
militaire
n. 354.16
adj. 41.24 ; 354.27
tribunal militaire 835.2
militairement 41.25
militance 642.8
militant 808.25 ; 808.33
parti 642.5
militant de base 642.5

mini
n.m. 408.3
adj. 616.11
mini-aciérie 464.5
miniature
n.f.
modèle réduit 616.2
lettre 459.4
peinture 607.2
adj. 616.11
en miniature 616.16
voiture miniature 448.3 ; 448.7
miniaturiser 616.6
miniaturiste 607.19
minibus 833.8
minicar 833.8
minicassette 273.4
mini-chaîne 781.15
minidisque 273.8
minier 518.12
minière
minerais 516.1
mine 516.2
gisement 518.2
minigolf 446.22
mini-informatique 408.1
minijupe 859.10
minimal
minime 602.8
cours minimal 81.8
minimalisme 89.1
minimaliste 46.17
musique minimaliste 543.3
minime
n.
sportif 792.42
n.m.
religieux 525.10
adj. 405.13 ; 419.14 ; 602.8
minimisation 504.3
minimisé 789.6
minimiser 419.11
inférioriser 405.7
réduire 220.11
sous-estimer 789.4
minimum 467.3
minimum vital 739.2
au minimum 220.22 ; 602.12
mini-ordinateur 408.3
minipilule 711.12
minispace 57.6
ministère
charge 266.1
entremise 596.3
ensemble des ministres 148.6
administration 464.2 ; 708.8
ministère de la parole 648.2
ministères institués 699.5
ministère public 835.7
ministère sacré 699.3
ministériat 694.9
ministériel 708.21
clérical 699.32
ministériellement 708.23
ministrable 708.21
ministre
homme d'État 148.7 ; 708.9
oiseau 570.8
ministre de la parole 648.12
ministre du ciel 29.1
Premier ministre 694.17 ; 708.9
papier ministre 388.12
ministre du culte 699
Minitel
Internet 809.3
informatique 408.6
minium 159.8 ; 735.2
oxyde de plomb 631.2
minivague 129.2
Minjias 371.13
mink 486.7
minnesang 635.6
minois 814.3
minorant
n.m. 405.4 ; 493.4
adj. 405.18 ; 493.9
minorat 405.6
minoratif 405.18
minoré 405.19
minorer
inférioriser 405.7
mathématiser 493.8
minorité
infériorité numérique 405.1
état d'une personne mineure 270.2
mettre en minorité 642.19
Minos 236.41
Enfers 271.8
minot
enfant 270.4
minot
mesure 509.23
minoterie 676.15
minou 486.8
minoxidil 499.5
minuit 776.6
zéro 872.1
veille 851.5
douze coups de minuit 244.2 ; 776.6
minus
inférieur 405.5
idiot 784.5
minus habens 405.5
minuscule
n.f. 459.3
adj. 405.13 ; 419.14 ; 616.11
minutage 118.2
minute
minutes d'un procès 451.10
minute
unité 421.1 ; 431.4 ; 509.7 ; 509.9 ; 610.7
minute d'angle 30.6
de minute en minute 344.14
dans la minute même où 768.14
à la minute où 528.12
dès la minute où 528.13
à la minute 421.15
à la dernière minute 315.25 ; 724.20
minuter 118.10
minuterie
compteur 118.5
interrupteur 261.18
minuteur 118.5
minutie
méticulosité 774.2
scrupule 184.4
minutieusement 774.25
minutieux
attentif 52.11
infatigable 601.13
consciencieux 759.11
soigneux 774.20
mio- 405.23
miocène 337.21
mioche 270.4
mips 408.15
miquelet 869.10
miquette 306.4
mirabelle 330.8
mirabilis 318.33
Mira Ceti
étoile 49.5
Mirach
étoile 49.5
miracidium 856.3
miracle
fait surnaturel 818.17
fait heureux 290.6 ; 670.6
drame religieux 817.2
miraculé 353.11
chanceux 670.16
miraculeux 32.15
merveilleux 677.16
Miradj 440.21
mirador 182.14
balcon 39.13
mirage
illusion d'optique 197.2 ; 574.10 ; 868.11
illusion 64.4 ; 283.3 ; 378.4 ; 380.6
mirage
contrôle optique 155.5
Miranda
astre 49.10
miraud 840.18
mire
n.f.
visée 574.7 ; 820.1
angle de mire 30.4
ligne de mire 466.7 ; 820.12
être le point de mire 341.18
mire
n.m.
médecin 498.23
mirepoix 333.22
mirer
regarder 868.18
pointer 820.23
mirer (se) 655.6
mirette
outil 749.14
mirettes
yeux 814.5 ; 868.5
mireur 868.16
Mirfak
étoile 49.5
miridés 417.4
mirliflore
jeune 445.3
minet 12.5
mirliton
instrument de musique 448.8
gâteau 799.6
mirmillon 123.20
miroir
réflecteur 436.7 ; 473.19 ; 519.22 ; 574.3 ; 855.8
représentation fidèle 196.3
tache 643.4
papillon 417.11
entaille 36.10
miroir aux alouettes 64.4 ; 570.29
miroir parabolique 269.8
miroir d'eau 443.5
miroir de Clar 114.25

miroir de courtoisie 57.11
miroir laryngien 498.17
miroir magique 477.10
en miroir 436.14
miroir-de-Vénus 318.34
miroitement 473.6
miroiter
briller 473.28
chatoyer 643.10
miroiterie 464.7
mis- 194.18
mis
bien mis 859.43
misandre 364.10
misandrie 364.7
misanthrope 420.10 ; 420.4
misanthropie 371.21 ; 420.2
misanthropique 420.11
miscanthus 360.7
miscellanées
mélanges 501.7
recueil 469.9
miscibilité 501.2
acidité 113.11
miscible 501.20
mise
habillement 859.4
enjeu 446.12
mise de départ 446.12
mise de fonds 81.7 ; 339.12 ; 596.5
mise en jeu 846.7
mise en scène 5.5 ; 581.1 ; 748.11
de mise 177.7 ; 571.11
être de mise 571.9
miser 446.38
miser sur le mauvais cheval 249.10
misérabilisme 46.13
misérabiliste 46.16
misérable
indigent 11.28 ; 603.20
malheureux 625.14 ; 827.15
médiocre, insignifiant 419.14 ; 500.12
misérablement 11.32
tristement 836.18
pauvrement 603.25
misère
pauvreté 11.7 ; 488.2 ; 603.1 ; 625.4
malheur 827.6 ; 836.2
souffrance 482.1
brimade 497.3 ; 628.5
chose insignifiante 419.2 ; 602.4
plante 360.8
interjection 198.14 ; 431.2
misère physiologique 563.8
de misère 739.4
être dans la misère 217.12
pleurer misère 603.17 ; 625.11
miserere ou **miséréré** 106.5
miserere nobis 625.12
miséreux
déshérité 11.14
misérable 11.28
pauvre 603.20
miséricorde
pitié 215.13 ; 592.3 ; 625.2
siège 465.13 ; 519.20
repas 703.3
implorer miséricorde 625.12
miséricordieux
bienveillant 336.11
clément 592.16
le miséricordieux 440.20
Mishmis 371.13
Mishna 449
Talmud 449.5
Torah 815.3
Mishne-torah 449.6
Miskitos 371.8
misogyne 306.18
misogynie 364.7
misonéisme 104.11
misonéiste 104.25
mispickel 516.5
sidérite 307.4
miss
madame 306.2
jeune femme 445.6
missa
ite, missa est 508.22
missel 508.13
recueil 469.9
missile
guerre électronique 207.9
mine 182.16
armes spéciales 43.16
mission 487.12
but 86.1
prédication 648.1
apostolat 648.2
destination 305.2
corps diplomatique 642.10
charge 213.2
exploration 871.6
t. de religion 133.5
mission de bons offices 589.3
missionnaire 648.12
missionnaire botté 648.12 ; 865.13
missionnariat 648.2
missive
annonce 136.5
correspondance 157.1
mister 364.3
mistigri 486.8
miston 270.4
mistoufle
misère 497.3
besoin 603.2
mistral 852.6
misumène 417.13
mitaine 859.28
mitan 514.1
mitard 208.10
mitclan 271.7
mite
insecte 417.20
cachot 208.10
mi-temps 811.3
repos 706.3
match 792.38
à mi-temps 811.15
travail à mi-temps 266.4
miteux 500.12
mithaq 440.24
Mithra 236.10
mithraeum 465.4
mithraïsme 700.9
mithriacisme 700.9
mithriaque 236.47
mithridate 267.9
mithridatisation 267.8
mithridatisé 418.20
mithridatiser
immuniser 381.18
empoisonner 267.14
insensibiliser 418.13
mithridatisme
immunothérapie 381.7
désintoxication 267.8
mitigation 522.5
mitigation de peine 144.16
mitigé 522.18
mi-figue, mi-raisin 25.17
réservé 714.16
mitiger 522.11
mitiger une peine 144.29
mitigeur 501.11
robinet 632.3
mitigeur thermostatique 632.3
mitochondrie 821.2
mitonné 774.23
mitonner 774.15
préparer 649.10
mitose 94.27
reproduction asexuée 711.2
histogenèse 821.6
mitotique 94.32
mitoyen 514.12
proche 673.11
mitoyenneté 514.6
proximité 673.1
Mitra 236.10 ; 362.16
mitraillade 820.2
mitraillage 820.3
mitraille
morceaux de métal 43.15 ; 345.3 ; 510.11
monnaie 529.3
tir à mitraille 820.6
mitrailler
tirer 820.24
photographier 621.20
mitrailler de questions 680.11
mitraillette 43.7
mitrailleur 820.18
mitrailleuse 43.8
tir en mitrailleuse 820.6
mitral 128.24
valvule mitrale 128.5
commissurotomie mitrale 128.18
mitre
d'évêque 699.24
de cheminée 109.16
coiffer la mitre 699.30
mitré 699.10
mitron
apprenti 35.3
boulanger 588.11
mitrophore 103.7
Mitsogos 371.11
mi-voix (à) 782.7
en sourdine 781.32
parler à mi-voix 595.19
mix- 501.23
mixage 120.17
mixer
allier 501.13
t. de cinéma 120.31
mixeur 501.11
mixie 501.24
mixing-ratio 372.2
mixiologique 873.11
mixité 501.3
mixo- 501.23
mixolydien
mode mixolydien 543.15

mixte 516.14
hybride 501.19
tennis 792.13
Mixtèques 371.8
mixtiligne 338.16
mixtion 501.4
mixtionner 501.15
mixture
cocktail 501.5
pommade 499.15
Mizar
étoile 49.5
Mmanu 236.9
MMS 809.3
mnème 503.1
mnémique 503.16
mnémo- 503.21
mnémonique 503.16
mnémotechnie 503.6
Mnémosyne 503.8
Titans 236.40
mnémotechnie 503.6
mnémotechnique 503.16
procédé mnémotechnique 503.6
mnésique 503.21
-mnèse 503.21
-mnésie 503.21
-mnésique 503.16
moa 570.20
Moabites 371.16
Moai 359.5
-mobile 538.32
mobile
adj.
en mouvement 538.25
mouvant 90.10 ; 104.22 ; 229.10 ; 850.13
itinérant 871.28
déplaçable 457.13 ; 538.24
fêtes mobiles 310.1
mobile
n.m.
corps en mouvement 496.9 ; 538.10
téléphone 809.2
œuvre d'art 749.5
jouet 448.9
gendarme 641.6
motif 92.7 ; 428.2 ; 536.1 ; 536.3
mobilier 519 ; 481.33
mobilisable 66.51
guerrier 354.27
mobilisation
mise sur pied de guerre 41.18 ; 354.6
effort 255.3
cession de créance 66.14
t. de chirurgie 114.9
mobilisation générale 354.6
mobilisé 41.24
guerrier 354.27
appelé 41.10
mobiliser
mettre sur pied de guerre 41.21 ; 354.26 ; 487.37
mettre en mouvement 538.20
céder (une créance) 66.44
t. de chirurgie 114.33
mobiliser (se) 255.6
mobilisme 620.14
mobilité 538.11
variation 850.1
légèreté 457.1
mobilité stratégique 487.18
moblot 641.6
mobulidé 638.2
Mobylette 833.13
mocassin
chaussure 110.2
serpent 712.3
mochard 453.9
moche 453.8
mocheté 453.4
mococo 486.14
Mocovis 371.8
modal 286.14
t. de musique 543.52
modaliser 286.11
modalité
condition, circonstance 286.1
t. de philosophie 620.16
t. de grammaire et de rhétorique 622.1 ; 622.7 ; 622.9 ; 729.10
t. de musique 543.15 ; 543.24
mode
n.m.
manière 286.1 ; 511.4
t. de mathématiques 493.6
t. de philosophie 620.16
t. de grammaire et de rhétorique 346.4 ; 346.6 ; 622.7 ; 729.10
t. de musique 543.15
mode d'emploi 196.4 ; 511.4 ; 846.9
mode de production 662.7
mode de vie 286.4 ; 862.14
mode 520
n.f. 164.5 ; 165.1
à la mode 164.19 ; 185.24 ; 366.28 ; 520.9 ; 652.11 ; 798.24
à la dernière mode 414.9
à la mode de 511.20
à la mode de Bretagne 314.18
à sa mode 462.39
suivre la mode 379.5
modekin 509.23
modelage 521.6 ; 749.3
céramique 813.11
modèle 521
image 719.7
copie 379.3
représentant 709.5
spécimen 126.6
idéal 559.1 ; 696.4
forme 323.7
mannequin 69.7 ; 520.5
sur le modèle de 379.13 ; 719.17
modelé
n.m. 323.2 ; 607.10
adj. 530.17
modeler
façonner 323.12
faire 150.9
sculpter 749.18
découper 749.21
modeler (se)
se conformer à 147.10
imiter 379.5
modèlerie 521.6
modeleur 521.7
sculpteur 749.16
modélisation 521.6
réglementation 559.8
modéliser 379.8 ; 559.12
modélisme 521.6
jeu de construction 448.7
modéliste 521.7
styliste 520.4
modem 408.9
modénature
forme 323.2
t. d'architecture 39.5
modérabilité 522.6
modérable 522.20
modérantisme
juste milieu 522.7
extrémisme 808.23
modérantiste 522.9
modérateur 522.10 ; 522.21 ; 810.12
sage 810.5
lampe 250.9
modérateur de l'appétit 499.4
modération 522
équilibre mental 282.7
calme 89.1
réserve 714.1
sagesse 620.23
attention 674.3
diminution 220.2
tempérance 771.1 ; 810.1
modération de peine 144.16 ; 220.5
avec modération 281.18
moderato 522.23 ; 542.25
modéré
équilibré 89.13 ; 282.22 ; 714.13
mesuré 141.22 ; 620.34 ; 674.12
centriste 808.49
tempérant 522.9 ; 771.7 ; 810.10
modique 524.15
modérément 522.22 ; 810.13
sobrement 771.11
modérer
diminuer 220.11 ; 786.5
tempérer 89.7 ; 522.11 ; 620.29 ; 810.6
limiter 467.7
modérer (se)
se calmer 89.11 ; 522.13 ; 714.8
se limiter 523.8 ; 810.7
modern dance 176.2
moderne 414 ; 560.13 ; 652.11
évolué 293.12
contemporain 363.16
mot 535.28
modernisation 560.5
moderniser 560.7
modernisme 694.13
modernité 652.5
nouveauté 560.1
t. de religion 462.12
modernisme fonctionnel 519.27
modernissime 560.13
moderniste 694.26
moderne 560.13
libre penseur 462.14 ; 462.30
modernité 652.5
nouveauté 560.1
modern style 519.27
modeste
de peu d'importance 419.13 ; 500.12 ; 602.9
modéré 522.19
sans prétention 523.9 ; 767.7

sobre, décent 108.9 ; 177.7 ; 771.9 ; 810.10 ; 859.28
faire le modeste 523.6
modestement
petitement 616.15
simplement 523.12 ; 767.12
sobrement, décemment 108.10 ; 177.12 ; 810.13
modestie 523
faible quantité, faible importance 500.1 ; 616.1
simplicité 367.6 ; 523.1 ; 767.2
sobriété, modération 108.3 ; 177.2 ; 365.3 ; 810.1
violer la modestie 226.5
modicité 524
petitesse 616.1
insignifiance 419.1
modi essendi 286.1
modifiable
variable 234.10
altérable 850.14
transformable 104.23
t. de droit 245.58
modificateur 7.14
modificatif 850.14
modification
changement 23.4 ; 104.4 ; 234.4
réaménagement 577.5
modifié 216.12
changé 23.15
modifier
changer 23.10 ; 104.14 ; 234.5 ; 850.12
avoir une action sur 7.12
modifier (se) 687.14
se transformer 850.10
modillon 39.21
charpente 791.4
modiole 527.2
modique 524.15
inférieur 405.13
piètre 500.12
petit 419.14
modéré 522.19
modiquement 524.17
modiste
styliste 520.4
couturier 165.22
modularité 408.14
modulateur 809.6
modulation
variation 104.1 ; 850.3
changement de tonalité 106.15 ; 543.15 ; 781.9
t. de télécommunications 809.11
modulation de fréquence 326.5 ; 681.7
module
règle 696.5
t. de mathématiques 493.2
t. d'architecture 39.16 ; 323.7
module d'élasticité 259.6
module de rigidité 732.6
moduler 104.15
diversifier 850.12
un son 106.23 ; 543.46 ; 781.26
modulor 696.5
construction 39.5
modus 622.1
modus vivendi 141.2
moelle
noyau de qqch 37.6 ; 430.2
entrain 277.1
t. d'anatomie 242.2 ; 548.10 ; 580.10
moelleusement 526.11
moelleux 526.1
vin moelleux 75.12
moellon 813.6
mœurs
mode de vie 862.14
coutume 164.1
devoir 533.2
mœurs relâchées ou *dissolues* 475.4
bonnes mœurs 108.1 ; 533.4
de bonnes mœurs 177.8
comédie de mœurs 164.10 ; 817.5
mofette
éruption volcanique 337.7
gaz 335.1
mohair 816.3
Mohaves 371.7
Mohawks 371.7
mohen 449
rabbin 699.14
Mohicans 371.7
moho 337.9
moi
identité 613.3
inconscient 397.8
autrui 620.21
ego 257.2
idéal du moi 533.10
moignon 72.10 ; 502.4
reste 721.3
branche 37.8
moinaille 525.3
moindre 405.2
insignifiant 616.12
pas le moindre 872.8
et non des moindres 384.14
moine 525 ; 417.3 ; 570.12 ; 822.6
ascète 108.4
récipient 109.10
moineau
oiseau 570.8
mur 182.8
manger comme un moineau 703.33
tête de moineau 814.7
moinerie 525.3
moinesse 525.5
moinifier (se) 525.28
moinillon 525.4
moins
différemment 216.13
moindrement 220.24 ; 405.1 ; 488.16 ; 602.4 ; 678.19 ; 790.2
signe moins 765.10
moins que rien 602.4
à moins de 295.17 ; 405.22
à moins que 295.21
en moins de deux 684.40
en moins de rien 602.13
pas le moins du monde 546.19
de moins en moins 344.16
tout au moins 220.24
moins-perçu 209.7
moins-value 405.6 ; 659.4
soldes 220.8
Moira 236.18
moirage
opération technique 307.12 ; 816.12
effet de couleur 643.3
moire 816.3
moiré 307.23
versicolore 643.12
filé 816.33
moirer
polir 640.7
iriser 643.9
tisser 816.25
Moires
les Moires 305.4
moirure
marbrure 466.5 ; 643.2
mois
période 88.8 ; 610.4
thème iconographique 374.8
au mois 739.17
fin de mois 672.10
Moïs 371.13
Moïse 440.22 ; 449.16
moisir
patienter 51.7
végéter 393.12
chômer 389.8
moisissure 103.8 ; 372.8 ; 454.6
moisson 18.4
faire moisson de gloire 341.21
moissonner 18.23
moissonneur 18.16
moissonneuse 476.6
faux 18.15
moite
adj. 340.15 ; 372.17 ; 604.15
moiteur
chaleur 102.1
humidité 372.1
transpiration 604.3
moitié
fraction 324.2
conjoint 491.18
moitié-moitié 256.27
à moitié 25.19 ; 383.14 ; 392.19
moitir 372.13
Mojos 371.8
moka
crème 799.6
café 75.4
Mokens 371.13
moksa 362.9
mol 526.9
molaire
n.f.
dent 188.3
molaire
adj.
total 823.12
t. de chimie 113.24
molariforme 188.28
molarité 113.11
molasse 526.5
paresseux 593.6
Moldave 355.6
môle
n.f.
poisson 474.13 ; 638.6
môle
n.m. 67.6
moléculaire 513.5
masse moléculaire 113.6
molécularité 113.11
molécule
particule 597.1
atome 113.2 ; 513.3 ; 844.4

molène 318.22
molequin
vert molequin 857.2
moleskine ou **molesquine** 816.4
molesté 865.29
molester
importuner 415.7
violenter 865.15
molette
coupe-verre 855.10
tumeur 841.5
outil 518.8 ; 834.30
molidé 638.3
moliéresque 132.12
molinie 360.7
molinisme 818.23
molinosisme 818.23
mollah 440
imam 440.11 ; 699.15
mollasse 526.5
apathique 393.15
lent 458.17
mollasserie
mollesse 526.1 ; 593.2
lenteur 458.1
mollasson
faible 303.20
paresseux 393.15 ; 458.17 ; 593.6
mollé 37.17
mollement 526.11
paresseusement 593.15
nonchalamment 393.18
négligemment 547.20
lentement 458.23
mollesse 526 ; 593.2
fatigue 303.2
lenteur 458.1
mollet
mou 526.9
t. de gastronomie 333.48
poisson 638.6
pain mollet 588.3
molleterie ou **mollèterie** 526.5
molletière 110.9
molleton 816.3
mollifier 526.7
mollir
fléchir 405.12 ; 526.6 ; 852.19
capituler 452.5 ; 619.17 ; 787.14
t. de pêche 605.23
mollisol 337.16
mollo 522.22
molluscum 841.3
mollusque 527
animal invertébré 527.1
paresseux 593.6
molly 638.5
moloch 712.5
molospermum 318.20
molosse 486.9
molossidé 486.3
molto 542.27
molure 712.3
molybdène 113.7 ; 516.5
molybdénite 516.5
molyte 417.3
mombin 38.7
mombrin 330.8
môme
femme 306.4
jeune enfant 270.4
moment 528
instant 421.1
laps de temps 610.1
t. de physique 403.1 ; 496.8 ; 509.10 ; 513.5
t. de mathématique 493.6
au mauvais moment 415.17
au même moment 768.12
dans le moment même 652.16
dans ce moment 528.9
dans un moment 421.19
en ce moment 652.15
pour le moment 652.13
sur le moment 528.9
par moments 326.19 ; 686.12
d'un moment 421.12
au moment critique 644.9
au moment présent 652.13
au moment voulu 571.14
à un moment donné 528.9
d'un moment à l'autre 332.16
au moment de 528.11
au moment où 768.14
au moment où je vous parle 652.13
du moment que 92.21 ; 134.31
du moment où 92.21 ; 134.31
il y a un bon moment 247.12
grand moment 290.2
mauvais moment 192.5
moments difficiles 11.20
à partir de ce moment 647.24
à tout moment 153.28 ; 287.15
au bon moment 571.14 ; 644.8
au dernier moment 315.25
momentané 223.16 ; 421.12
ponctuel 528.8
momentanément 421.20
momerie
attitude affectée 12.2 ; 98.14
danse 176.5
mômichon 270.4
momie
fruit 330.2
cadavre embaumé 331.27
momier 320.10
momification 331.6
séchage 750.3
préservation 653.6
momifié 653.23
momifier
embaumer 331.31 ; 653.17 ; 750.15
momignard 270.4
momillon 270.4
môminette 270.5
momordique 333.18
monacal 525
ascétique 47.10
vie monacale 525
monacanthidé 638.6
monacat 525.1
monachisme 525.1
monaco 529.8
monade
t. de philosophie 297.3 ; 620.21 ; 796.1 ; 844.4
monadisme 620.14
monisme 844.8
monadnock 627.1
monandrie 318.38
monarch- 844.23
monarchianisme 818.23
monarchie 694.7
monarchique 694.28
monarchisme 808.22
monarchiste 808.29
monarde 318.16
monarque 694.18
monastère 525.22
monastique 525.30
ordres monastiques 525.9
vie monastique 525.1
monastiquement 525.34
monaural 781.28
monazite 516.5
monceau 540.6
tas 352.7
mondain
matériel 492.9
profane 663.7
sociable 772.15
carnet mondain 654.10
brigade mondaine 672.16
la mondaine 672.16
mondaniser 772.12
mondanité
laïcité 663.2
sociabilité 772.1
pl.
mondanités 772.10
monde
univers matériel 492.2
tout 823.4
foule 540.2
univers 280.2 ; 620.20 ; 663.1
beau monde 233.7
grand monde 552.16
homme du monde 163.6 ; 184.6 ; 233.8
mise au monde 34.5 ; 544.2
être du monde 862.22
être encore de ce monde 862.22
aller dans le monde 137.14 ; 772.12
mettre au monde 506.8 ; 544.20
venir au monde 297.10 ; 544.18 ; 862.25
voir du monde 137.14
le monde appartient à ceux qui se lèvent tôt 494.9
il y a un monde entre... et... 223.5
se faire un monde 804.5
se retirer du monde 701.8
mondé
orge mondé 330.7
monder 333.38
tailler 36.22
mondial 808.50
mondialement 808.53
mondialiser 808.32
mondialisme 808.19
mondialiste 808.45
mondovision 681.2
mone 486.6
monème
t. de linguistique 535.7 ; 844.4
M.O.N.E.P. 81.2
monergol 131.6
moneron 529.12
monétaire 529.29
système monétaire 529.14 ; 807.5
transformation monétaire 66.13

monsieur
homme 364.1 ; 495.3 ; 613.8
titre 822.13
proxénète 672.4
grand monsieur 366.11
donner du monsieur gros comme le bras 761.10
monsignor 822.6
monsignore 822.6
monstera 318.32
monstre 32.8
laideron 453.4
cœur de pierre 418.7
monstre sacré 120.25 ; 341.11
monstrueusement 453.12
monstrueux 32.17 ; 484.7
laid 453.8
monstruosité
anomalie 32.4
malformation 484.1
dureté 418.2
mont 530.4
mont de Vénus 762.11
pl.
monts 474.7
monts d'Alembert 474.7
être toujours par monts et par vaux 871.20
montage
arrangement 150.1 ; 795.12 ; 807.1
élévation 531.4
t. de cinéma 120.17
Montagnais 371.7
montagnard 530.18
montagne 530 ; 531.7
relief 337.12
montagnes russes 402.4
mal des montagnes 482.38
de montagne 857.2
faire de la montagne 531.13
faire une montagne d'une taupinière 294.10 ; 804.5
c'est la montagne qui accouche d'une souris 224.5
il n'y a que les montagnes qui ne se rencontrent pas 137.15
montagnère 852.6
montagnette 530.4
montagneux 530.16
montaison
migration des saumons 531.2 ; 638.13
t. de botanique 79.6
montant
n.m.
chiffre 8.4 ; 339.15 ; 555.1 ; 587.1 ; 659.1
pièce verticale 77.10 ; 171.4 ; 505.5
saveur 343.2
pl.
montants 792.79
adj.
qui monte 531.1
donner du montant 343.16
lettre montante 459.4
mont-blanc 799.6
mont-de-piété 166.22
monte- 584.39
monté 584.38
monte-charge
élévateur 489.10
levier 531.9
montée 531
accroissement 344.3
augmentation 56.1
montée de lait 340.9
monte-en-l'air 869.10
monte-fûts 531.9
monte-matériaux 531.9
Monténégrin 355.5
monte-pente 531.8
monter
v.t.
assembler 150.7 ; 476.16
un vêtement 165.27
sertir 70.21 ; 517.17
saillir 486.27
entreprendre 279.8 ; 649.10 ; 664.13
se griser 312.9
t. de cinéma 120.31
t. de sports 792.87
v.i.
s'intensifier 56.10 ; 130.7 ; 344.8
s'élever 319.23 ; 359.6 ; 531.12
monter au ciel 534.25 ; 591.8
monter au cocotier 130.7
monter au mur 130.7
monter à l'échelle 130.7
monter à 8.9 ; 659.11
monter en épingle 804.5
monter en graine 93.7 ; 330.22
monter le coup à 614.7
faire monter 625.10
se monter à 8.9 ; 555.15
se monter le bourrichon 804.4
monte-sac
élévateur 489.10
levier 531.9
monteur
cinéaste 120.26
ingénieur 476.2
montgolfière 831.2
monticole 570.8
montagnard 530.18
monticule
butte 78.2
mont 530.4
mont-joie 78.2
montoir 334.1
Montou 236.24
montrable 868.26
montre
horloge 70.6 ; 118.4
montre-bracelet 118.4
verre de montre 855.12
montre
ostentation 135.13 ; 581.1
faire montre de 12.9
montrer 136.17 ; 868.23
faire voir 867.5
mettre à nu 562.11
représenter 196.11
montrer beau 69.22
montrer du doigt 367.9 ; 439.8 ; 582.12
montrer le bout de son nez 651.9
montrer (se) 300.13
commencer 297.10
apparaître 34.7 ; 867.6
se donner en spectacle 868.24
montreur 123.16
montueux 530.16
monture
appui 791.2
canne à pêche 605.3
monument
ancien 28.5
sculpture 749.5
monument écrit 363.6
monument figuré 363.6
monumental 39.26
moquable 731.8
moque 605.15
moquer 439.9 ; 532.9 ; 731.7
moquer (se)
plaisanter 532.13
manquer de respect 439.7
badiner 628.11
se moquer de 401.12 ; 419.9 ; 838.15
moquerie 532 ; 439.3
pique 637.6
ridicule 731.1
attaque 412.4
caricature 628.6
moquette 727.7
moqueur
n.m.
oiseau 570.8
adj.
irrespectueux 439.14 ; 532.7
moqueusement 532.17
mor 813.5
moracée 38.3
moraillon
à moraillon 760.10
moral
régulier 696.24
éthique 620.32
vertueux 76.10 ; 365.13 ; 451.32 ; 533.15 ; 858.12
avoir le moral 573.5
avoir le moral à zéro 836.8 ; 872.7
morale 533
éthique 365.3 ; 533.7 ; 620.4 ; 658.2 ; 862.12
apologue 696.7
faire la morale 710.11
faire la morale à 148.11
moralement 533.17 ; 696.29
dignement 507.17
chastement 858.13
moralisant 533.16
moralisateur
sermonneur 710.8
sage 533.11
moralisation
codification 696.9
catéchisme 648.8
éducation 533.9
moralisé 533.15
moraliser 253.9
régler 696.13
conseiller 148.11
sermonner 710.11
prêcher 533.12
moraliseur
sermonneur 710.8
sage 533.11
moralisme 533.1
moraliste 696.12
philosophe 620.24
sage 533.11
moralité
règle morale 108.1 ; 177.1 ; 365.1 ; 451.1 ; 533.4 ; 696.10 ; 858.1
enseignement 817.4
certificat de moralité 533.4

morasse 388.10
moratoire 724.2
Morave 355.5
morbide 175.15
pathologique 482.63
morbidesse
faiblesse 482.7
t. de peinture 607.10
morbidité 482.9
morbier
horloge 118.6
fromage 328.6
morbilleux 482.69
morbilliforme 482.69
morbleu 431.6
morceau 616.4
fragment 223.6
échantillon 678.4
partie 324.3 ; 597.1
morceau d'architecture 225.2
morceau d'éloquence 264.2
en morceaux 324.19
lâcher le morceau 854.14
manger un morceau 703.27
mettre en morceaux 205.18
morcelé 202.11 ; 597.16
fractionné 324.14
morceler
démonter 202.5
partager 597.10
fractionner 324.10
fragmenter 237.6
morcellement
bouleversement 202.2
division 597.4
fraction 324.1
fragmentation 237.3
morceller 678.11
mordant
n.m.
vivacité 637.6
dynamisme 864.1
t. de musique 106.7 ; 543.26
adj.
acerbe 497.11 ; 532.16
mordicante 340.17
mordicus 568.9
soutenir mordicus 13.6
mordieu 431.6
mordiller 188.23
mordocet 638.6
mordoré 159.28
doré 575.20
mordre
creuser 167.13
piquer 327.14 ; 852.18
saisir avec les dents 188.23
mordre sur 204.17 ; 344.7
tel rit qui mord 761.13
mordu
amoureux 27.26 ; 53.11 ; 600.15
Mordves 371.13
morène 318.12
morfal
glouton 342.3
gastronome 703.20
morfaler 342.6
morfalou 342.3
morfil 721.3
morfler 160.20
morfondre (se)
s'ennuyer 272.7
s'inquiéter 785.4
morfondu 327.21
morgan 361.12
morganatique
mariage morganatique 491.6
morgané 27.26
morgeline 318.8
morgue
arrogance 248.1 ; 312.2 ; 359.2
morgue
lieu mortuaire 331.12
morguer 439.6
moribond 534.16
moricaud 553.6
morigénateur 710.20
morigéner
moraliser 253.9
blâmer 710.10
morille 103.7
morillon
champignon 103.7
oiseau 570.16
morina 318.34
moringa 37.20
morio
papillon 417.11
gastéropode 527.3
morisque 440.6
mormolyce 417.3
mormonisme 700.8
mormyre 638.5
mormyridé 638.3
morne
n.m.
relief 530.4
morne
adj.
triste 350.10 ; 630.11 ; 836.16
mornifle 160.3
Moros 371.12
morose
triste 836.12
maussade 420.10
morosité
ennui 272.1
tristesse 836.1
moro-sphinx 417.11
morph- 323.26
-morpha 323.27
-morphe 379.15
-forme 323.27
Morphée 236.35
être dans les bras de Morphée 780.17
morphéique 780.25
morphème
t. de linguistique 346.4 ; 455.6 ; 535.7
morphème-mot 535.3
-morphie 323.27
morphine
drogue 825.7
analgésique 499.5
morphing 120.11
morphinique 499.5
morphinomane 825.14
morphinomanie 825.1
-morphique 323.27
-morphisme
-forme 323.27
morphisme
ensemble 493.4
-morphite 323.27
morpho- 323.26
morpho 417.11
morphogenèse 265.2
morphogénétique 265.15
morphologie
configuration 323.1 ; 795.1
t. de linguistique 346.3 ; 455.6 ; 535.9
morphologie 873.1
morphologique 455.18
morphologiquement 535.33
linguistiquement 455.22
morphopsychologie 814.6
-morphose 323.27
morphose
adaptation 251.5
animalité 873.8
morphosyntaxe
grammaire 346.3
morphologie 535.9
morpion
insecte 417.16
enfant 270.4
jeu 446.15
mors
pièce de harnais 792.77
t. de verrerie 855.10
t. de reliure 469.12
prendre le mors aux dents 130.7
morsure 188.7 ; 712.14
douleur externe 243.2
blessure 72.2
mort 534
n. 331.27 ; 404.5
joueur 446.25
pl.
fête des Morts 117 ; 310.3
royaume des morts 591.7
adj.
insensible 418.21
passé 598.13
fatigué 303.21
mort civile 144.9
la mort dans l'âme 715.25
petite mort 763.6
seconde mort 144.12
ange de la mort 534.6
danger de mort 175.23
peine de mort 144.11
théologie de la mort de Dieu 818.1
angle mort 30.4 ; 820.13
eau morte 319.1
œuvre morte 76.4
ivre mort 441.17
à mort 294.19 ; 427.33
avoir la mort dans l'âme 836.8
être plus mort que vif 619.14
faire le mort 393.10 ; 583.14
mettre à mort 144.30 ; 205.20 ; 801.21
sentir la mort prochaine 534.23
voir la mort en face 534.24
voter la mort 144.30
se donner la mort 534.29
ce n'est pas la mort 302.17
le mort saisit le vif 241.20
mortadelle 333.9
mortaillable 787.24
mortaisage 584.29
assemblage 505.12
mortaise
t. de menuiserie 505.10
t. de serrurerie 760.7
mortaiser 584.37 ; 760.27
entailler 505.25

mouche du coche 435.7 ; 596.14
fine mouche 316.11
pêche à la mouche 605.2
avoir des mouches devant les yeux 840.14
faire mouche 86.7 ; 798.16 ; 820.23
faire d'une mouche un éléphant 804.5
prendre la mouche 130.7 ; 366.21 ; 720.6
Mouche (la)
constellation 49.15
moucher 250.24
battre 160.12
moucher (se)
ne pas se moucher du coude 655.6
ne pas se moucher du pied 655.6
moucherolle 570.8
moucheron 417.9
jeune enfant 270.4
moucheronner 605.26
mouchet 570.8
moucheté 486.32
bois 74.29
polychrome 643.11
t. de textile 816.34
moucheter 643.8
mouchette
rabot 584.16
moulure 505.6
mouchettes 250.8
moucheture
bariolure 643.2
souillure 740.2
mouchoir 859.28
grand comme un mouchoir de poche 616.11
moudre 676.16
moue
faire la moue 192.10
mouette 570.15
moufette 486.7
moufle
vase de terre 113.17
appareil de levage 489.9 ; 531.9
gant 859.28
mouflet 270.4
mouflette 270.5
mouflon 486.6
mougeotia 22.4
mouille 372.6
mouillé 633.19
poule mouillée 452.4 ; 619.7
mouille-bouche 330.11
mouille-étiquettes 372.9
mouillement 372.6
mouiller
humidifier 372.13 ; 468.8
t. de navigation 830.28
t. de gastronomie 333.42
mouillère
marais 372.4
chaume 18.11
mouillerie 18.11
mouillette 588.6
mouilleur 372.9
mouilleuse 372.9
mouilloir
humidificateur 372.9
t. de textile 816.17
mouillon 372.9
mouillure
humidité 372.1
souillure 740.2
mouisard 603.20
mouise 603.2
moujik 18.17
moujingue 270.4
moukère 306.5
moulage
forme moulée 323.5 ; 328.3
empreinte 188.14 ; 749.4
opération technique 510.6 ; 855.9
moulage-modelage 855.9
moule
n.m.
modèle 521.1
empreinte 323.7 ; 510.10 ; 749.15
récipient 333.13 ; 848.23
être du même moule 719.9
fait au moule 521.13
se couler dans le moule 558.9
moule
n.f.
mollusque 527.2
sot 784.7
paresseux 593.6
moulé
pain moulé 588.2
moulée 252.4
mouler
mettre en forme 82.9 ; 323.12 ; 510.16 ; 749.19 ; 855.18
t. d'arboriculture 36.22
mouler ses lettres 252.13
moulerie 510.13
mouleur
n.m. 82.7 ; 510.14 ; 749.16
moulière 262.9
moulin
machine à moudre 476.9 ; 676.9 ; 733.8
éolienne 269.8 ; 852.10
pressoir 369.11
moulin à paroles 595.15 ; 665.7
moulin à poivre 848.22
moulin à prières 657.7 ; 733.8
moulinage 816.11
mouliné 816.32
mouliner
moudre 676.16
parler 595.22 ; 665.10
moulinet
tourniquet 308.4
canne à pêche 605.3
t. de sports 792.5
Moulinette 676.9
mouliste 510.14
mouloud 310.6 ; 440
moult 540.17
moulu
fatigué 303.21
or moulu 575.2
moulurage 505.13
mouluration 505.6
moulure 578.3
boiserie 505.4
moulurer 39.25
orner 578.12
menuiser 505.21
moulurier 505.20
moulurière 476.10 ; 476.9
t. de menuiserie 505.15
moumoute 129.9
Moums 371.11
mound 331.16
Moundas 371.13
mourant
moribond 534.16 ; 534.37
inaudible 781.30
ennuyeux 272.13
mourine 638.7
mourir
n.m. 534.1
v.i. 228.12 ; 354.25 ; 404.6 ; 534.20 ; 598.10
mourir de 534.31
mourir d'envie, de jalousie 199.9 ; 442.5
mourir au monde 701.8
à en mourir 427.33
à mourir de rire 132.11
mourir (se)
calmir 852.19
se mourir de 534.31
mouroir 534.18
mouron
mouron des oiseaux 318.8
se faire du mouron 21.13 ; 785.4
mourre 446.17
mouscaille
adversité 11.1
besoin 603.2
Mousgoums 371.11
mousmé 306.4
mousquet 42.5
mousqueton 792.70
moussaf 449.11
moussant 85.17
mousse
n.m.
apprenti matelot 35.3 ; 270.4
mousse 537
n.f.
plante 79.4 ; 537
entremets 333.22
bière 75.10 ; 85.6
plastique 85.5
mousse à raser 85.5
verre mousse 855.3
mousseau
pain mousseau 588.1
mousseline
tissu 816.6
aliment 333.22
verre mousseline 855.2
mousser 85.14
faire mousser 56.10 ; 130.10 ; 347.9 ; 471.10
se faire mousser 655.5
mousseron 103.6
mousseux
n.m.
vin 75.12 ; 85.6
adj.
moussant 85.17
spongieux 537.8
moussoir 85.10
mousson 852.6
saison 738.1
saison des pluies 633.2
fête de la mousson 310.7 ; 362
moussu 537.8
moustac 486.14
moustache
bacchante 638.11
vibrisses 207.12 ; 624.5
parler dans sa moustache 411.10 ; 595.19

moustachu 624.12
poilu 624.21
moustiquaire 417.26
rideau 481.32
moustique
insecte 417.8 ; 417.9
enfant 270.4
moutard
nourrisson 270.3
jeune enfant 270.4
moutarde
fleur 318.26
couleur 159.28
condiment 333.27
faire monter la moutarde au nez 130.10 ; 382.9
moutardier 848.22
moutchachou 270.3
moutier 525.22
mouton
nuage 561.3 ; 852.8
animal 486.6
délateur 641.8 ; 828.8
machine 834.28
mouton de Panurge 379.4 ; 407.9
mouton à cinq pattes 686.3
mouton noir 224.4 ; 556.7
moutonner 561.11
écumer 319.20
moutonneux 561.14
moutonnier 262.32 ; 379.11
mouture 676.12
pulvérisation 676.7
être de la même mouture 719.9
mouvance
environnement 280.2
changement 104.1
vassalité 787.2
mouvant 538.10
instable 229.10
variable 850.13
changeant 104.22 ; 538.26
s'engager sur un terrain mouvant 175.10 ; 390.8
mouvement 538
partie 597.3
mécanisme 118.7 ; 496.7 ; 579.3 ; 733.4
animation 17.1 ; 277.2 ; 862.17
impulsion 391.6 ; 620.20
courant 46.1 ; 589.7 ; 620.1 ; 642.8 ; 694.23
action 7.7
cadence 543.21
geste 176.15 ; 176.4
cours des astres 49.19
manœuvre 487.1 ; 487.8
mouvement perpétuel 287.4
mouvement brownien 17.2
mouvement vermiculaire 154.3
mouvement de résistance 125.5 ; 715.10
mouvement de libération de la femme 306.6
mouvement ouvrier 480.16
mouvement moderne 39.22
mouvement oratoire 729.7
mouvement des terres 834.22
guerre de mouvement 354.2 ; 487.15
preuve par le mouvement 818.22
de son propre mouvement 462.38 ; 538.30
avoir un bon mouvement 336.7
être dans le mouvement 520.6 ; 652.9
suivre le mouvement 379.5
mouvementé 538.25
mouvementer 538.20
mouvementer un compte 66.44
mouver 18.20
mouvoir
provoquer 15.6
actionner 538.20
impulser 391.12
mouvoir (se) 538.17
aller 538.18
moxa 311.19
moxabustion 775.13
moyen
n.m.
possibilité 19.5 ; 302.9 ; 462.6 ; 646.3
procédé 511.3 ; 656.2 ; 729.10
adj.
ordinaire 558.11 ; 559.15
médian 493.2 ; 514.12
modéré 141.20 ; 365.14 ; 522.19
poids moyen 792.53
au moyen de 19.32 ; 511.18
il n'y a pas moyen 385.4
pl.
moyens 302.7 ; 424.2
vivre au-dessus de ses moyens 661.10
Moyen Âge 363.3
moyen-courrier 831.3
moyenne
norme 558.2 ; 559.1
médiocrité 514.7
compromis 141.6
t. de mathématiques 493.2 ; 493.6
moyennement 602.13
médiocrement 500.18
moyen-porteur 831.3
moyeu 57.8
Mozabites 371.10
Mozambicain 355.7
mozarabe
liturgie mozarabe 508.3
mozette 859.20
mozzarella 328.6
MP3 273.11
M.S.H. 94.8
mû 496.15
muance 104.4
mucher 437.3
mucilage 79.14
mucilagineux 318.48
mucolytique 499.5
mucopurulent 482.82
mucorales 103.5
mucosité 340.4
mucoviscidose 361.9
mucron
aiguillon 637.3
feuille 318.3
mucus 340.4
mudéjar 440.6
mudra 80.13
mue
mutation 7.5 ; 104.4 ; 417.22 ; 712.12 ; 850.3
cage 262.6
muer 570.32
varier 850.9
changer 104.18
inventer 560.8
reptiles 712.18
se modifier 687.14
muet
mutique 766.15 ; 839.12 ; 839.8
coi 766.16
atone 459.2 ; 459.21
muet du sérail 641.13
cinéma muet 120.2
grande muette 41.1
mufle
museau 486.21 ; 814.3
goujat 226.4
muflerie
discourtoisie 226.1
indélicatesse 226.3
muflier 318.22
mufti 440
imam 440.11 ; 699.15
muge 638.8
mugilidé 638.3
mugir 170.5 ; 852.17
crier 168.14
mugissement 170.1
cri 168.4
muguet
fleur 318.30
parfum 594.4
maladie 482.17
godelureau 12.5
mugueter 27.20
muid
mesure 509.23
contenant 75.18
mukti 362.9
Mulaos 371.13
mulasserie 262.5
mulâtre
métis 501.9
Noir 553.6
mule 590.9
sandale 110.5
tête de mule 715.9 ; 814.7
ferrer la mule 284.8
mulet
bête de somme 486.11
cerf 74.15
mulet
poisson 638.8
muletier
berger 262.24
charretier 833.29
sentier muletier 289.3
mulette 527.2
mulla 440
imam 440.11 ; 699.15
Müller 821.4
mullidé 638.3
mulot 486.5
muloter 486.26
multi- 539.9 ; 540.18 ; 634.15 ; 850.18
multicellulaire
cellulaire 94.31
verre multicellulaire 855.3
multicolore
divers 234.7
polychrome 643.11

muscardin 486.5
muscarine 267.4
muscat 330.14
musci- 537.10
muscicole 537.9
muscidés 417.8
muscinées 79.4
muscle 541
vigueur 864.1
muscle peaucier 604.13
muscle suspenseur 806.15
muscles papillaires 128.5
musclé 541.27 ; 864.17
muscler 541.20
fortifier 864.13
musco- 537.10
muscoïde 537.8
muscologie 537.6
musculaire 541.24 ; 821.10
musculairement 541.28
musculation 541.18 ; 864.7
haltérophilie 792.9
musculature 541.1
musculeusement 541.29
musculeux 821.11 ; 864.17
réflexe 548.17
musculaire 541.24
musculo-cutané 541.24
musculo-membraneux 541.24
muse
divinité 236.1
les Muses 236.11
Parnasse 635.22
muse de l'Astronomie 49.29
nourrisson des Muses 635.20
muséal 374.14
museau 486.21
poissons 638.17
tête 814.3
museau de tanche 762.14
musée 374.12 ; 607.24
museler 308.14
imposer le silence 766.12
empêcher de 567.13
discipliner 240.10
muselet 308.7
muselière 308.7
muséographe 374.11
muséographie 374.10
muséologie 374.10
muséologue 374.11
muser 458.14
musette
sac 151.6
bagage 871.11
muséum 873.9
musical 543.49
comédie musicale 105.11
son musical 781.2
musicalement 543.57
musicalisation 543.36
musicalité 543.1
Musicassette 273.9
musicastre 542.1
music-hall 105.11
opéra 176.20
musicien 542
musicologie 543.41
musicologique 543.56
musicologue 543.41
musicothérapeute 543.42
musicothérapie 543.42
musique 543
son 781.1
enseignement 274.6
activités de loisirs 599.5
musique profane 543.1 ; 736.10
musique sacrée 663.5
musiquer
faire de la musique 542.19
tromper 838.13
musoir 211.3
musquer 594.10
mussitation 839.1
must 545.2
mustang 486.11
mustélidé 486.3
musulman 440.26 ; 440.6
croyant 320.8
mutabilité 104.8
mutable 104.22
mutacisme
mutisme 766.6 ; 839.1
blésité 839.3
mutagène 361.21
mutagenèse 104.4
mutant 104.13 ; 361.10
mutateur 261.17
mutation
évolution 104.4 ; 293.1 ; 414.3 ; 850.3
transformation 361.8
changement d'emploi 266.10
t. de droit 101.1
livre des mutations 235.7 ; 815.16
mutationnel 104.22
mutationnisme 104.9 ; 361.14
darwinisme 293.7 ; 873.12
mutationniste 293.14
mutatis mutandis 104.26
mutazilisme 440.2
mutazilite 440.7
muter
v.i.
t. de biologie 32.10
v.t.
changer 266.23 ; 293.9
mutilant 72.22
mutilateur 72.22
mutilation 72.5 ; 502.6
coups et blessures 169.9
mutilé 72.21
mutilé de guerre 72.11 ; 354.18
mutiler
tronquer 616.6
blesser 72.14
mutille 417.7
mutin
frondeur 200.4
désobéissant 200.8
révolutionnaire 728.4
mutiné 728.4
mutiner (se)
s'insurger 715.15
se révolter 728.8
mutinerie
rébellion 200.2 ; 715.3
révolution 728.1
mutique 766.16
mutisme 321.7 ; 766.6 ; 839.1
silence 766.1
mutité
mutisme 766.6 ; 839.1
surdité 482.29
mutualisme
solidarité 690.3
collectivisme 222.3
t. de biologie 873.7
mutualiste
participant 596.9
collectiviste 222.14
mutualité
solidarité 690.3
fédération 772.7
mutuel
réciproque 687.20 ; 690.13
justice mutuelle 451.3
mutuelle 772.7
mutuellement
réciproquement 687.22 ; 690.15
mutuellisme
syndicalisme 808.6
collectivisme 222.3
mutuelliste 222.15
communiste 808.35
muzak 543.8
my- 541.30
myalbumine 94.8
myalgie 482.12
mycélien 103.16
mycélium 103.2
mycène 103.6
mycète 103.19
mycétophage 103.17
mycétophile 103.17
mycétopore 417.3
mycine 499.39
myco- 103.19
mycobactéries 512.4
mycoderme 103.6
mycogone 103.8
mycologie 103.13 ; 498.6
bactériologie 512.11
botanique 79.1
mycologique 103.15
mycologue 103.12
mycophage 417.31
mycoplasmose 79.16
mycorhize 103.2
mycosique 482.67
myctophidé 638.6
mydas 417.9
mydriase 482.28 ; 840.3
mydriatique 499.5
mye 527.2
myélencéphale 100.5
myéline 548.9
myélinique 548.25
myélinisation 548.18
myélinisé 548.25
myélite 548.20
myélocyte 742.4
myélogramme 742.14
myélographie 498.16
myélome 841.4
myélopathie 242.3
myélosarcome
ostéite 580.26
carcinome 841.4

mygale 417.13
mygalomorphes 417.12
mylabre 417.3
myliobatidé 638.2
mylo-hyoïdien 541.6
mymar 417.7
myo- 541.30
myoblaste 541.14
myocarde 128.6 ; 541.12
myocardite 482.13
myodynamie 541.16
myofibrille 541.14
myogène 541.24
myogénie 541.3
myoglobine 541.14
myoglobinurie 296.10
myogramme 541.17
myographe 541.17
myographie 541.16
myographique 541.24
myoïde 541.24
myologie 541.15
myologique 541.24
myologiste 541.19
myome
tissus vivants 821.2
tumeur 841.2
myomectomie 114.13
myomorphe 486.3
myopathie 541.3
myope 840.17
malvoyant 482.74
myopie 482.27 ; 840
troubles de la vue 840.2
myopique 482.74
myoplastie 114.17
myopotame 486.5
myorelaxant
analgésique 499.5
tonique 499.30
myorésolutif 541.24
myorraphie 114.18
myosarcome 841.4
myosine
holoprotéine 94.8
muscle 541.14
myosis 482.28 ; 840.3
myosome 541.14
myosotis 318.6
myotique 499.5
myotomie 114.14
myotonie
tonus musculaire 541.3
apathie 458.2
myotonique 541.24
myotonomètre 541.17
myria- 515.7
myriade 540.7
multitude 540.1
myriagramme 636.12
myriamètre 470.5
myrica 38.4
myringoplastie 803.4
myrmécobie 486.13
myrmécobiidé 486.2
myrmécocyste 417.7
myrmécologie
entomologie 873.2
insectologie 417.27
myrmécophagidé 486.3
myrmécophile 873.23
myrmicidés 417.6
myrobolan 37.14
myroxylon 38.7
myrrhe 594.4
myrtacées 318.19
myrtales 79.4 ; 318.19
myrte
arbuste 38.6 ; 38.9
gloire 341.9
myrteux
ombres myrteuses 271.5
abîme myrteux 271.7
myrtidane 330.17
myrtiforme 541.5
myrtille 330.13
mysidacés 172.2
mysidés 172.2
mystagogie 173.8
mystagogue 699.26
myste 320.8
mystère
énigme 680.5 ; 700.4 ; 751.3
dissimulation 751.1 ; 751.5
genre dramatique 817.2
mystère de l'eucharistie 818.12
mystère pascal 818.12
saint mystère 508.1
n.m. pl.
mystères 310.8 ; 818.12
mystères de Cybèle 310.8
mystères dionysiaques 310.8
mystères d'Éleusis 310.8
mystères d'Isis 310.8
mystères de Mithra 310.8
mystères sacrés 818.12
saints mystères 818.12
faire des mystères 751.18
mystérieusement 32.19 ; 751.32
mystérieux
n.
dissimulateur 751.13
adj.
énigmatique 25.16 ; 32.15 ; 217.19 ; 411.14 ; 751.26
cachottier 751.27
mysticète 486.3
mysticisme 276.4
mysticité 320.3
mystifiant 838.22
mystificateur
tricheur 838.9
menteur 504.10
mystification
tromperie 25.3 ; 504.7 ; 828.6 ; 838.1
moquerie 532.5 ; 628.4 ; 838.6
mystifier
abuser 25.10 ; 504.19 ; 838.12
se moquer de 628.10 ; 731.7
mystique 320.9 ; 818.3
extatique 276.9
sacramentel 818.31
mystiquement 320.17
mytacisme 839.3
mythe 691.2
légende 363.6
allégorie 709.3
mythification 804.1
mythifier 804.4
mythique
abstrait 380.15
imaginaire 378.13
mythologie
théogonie 236.8
allégorie 709.2
mythologique 236.46
mythologisme 313.4
mythomane
rêveur 378.7
menteur 504.11
mythomanie 321.6
myticulteur 103.12
mytilaspis 417.5
mytilicole 262.32
mytiliculteur 262.23
mytiliculture 527.16
aquaculture 262.3
mytilotoxine 267.5
myxœdème 482.41
myxomatose 482.48
myxome 841.3
myxomycètes 79.4 ; 103.5
myxophycées 79.4
myxosarcome 841.4
myxovirus 512.3
myxovirus influenza 512.3
myzomyie 417.9
myzus 417.5
Mzabites 371.10

N

na ! 431.2
nabab
gouverneur 822.5
possédant 730.9
dépense de nabab 661.3
nabadie 822.23
Nabatéen 355.8
nabawi 440
Coran 815.5
nabi
prophète 235.12
les nabis 46.11
nable 308.2
nabo 41.15
nabot 616.5
malformation 484.6
nabuchodonosor 75.17
nacaire 422.11
nacarat 159.28
bordeaux 735.12
nacelle 830.8
n-acétylneuraminique
acide n-acétylneuraminique 94.10
nacre 527.14
nacré
n.m.
papillon 417.11
nacré
adj. 71.12 ; 71.15 ; 159.28 ; 604.14
coquille nacrée 527.19
nada 404.11
nadir 49.21
nadolol 499.5
nævo-carcinome 841.4
nævo-cellulaire 482.67
nævus 482.16
Nagas 371.13
nage 792.31
à la nage 333.51
en nage 102.21 ; 296.18 ; 340.18 ; 372.15 ; 468.12
nageoire 638.12
nager
se déplacer dans l'eau 280.7 ; 319.27 ; 792.90
ne rien comprendre 784.9
nageur 792.63
naguère
autrefois 598.17

récemment 560.15
Nahuas 371.7 ; 371.8
naïade 236.42 ; 319.19
naias 318.36
naïf
n.
ingénu 64.5
adj.
simplet 784.13
innocent 145.22 ; 767.10
dans les beaux-arts 46.17
nain 616.5
petit 616.9
malformation 484.6
nain jaune 446.3
naine blanche 49.4
naine brune 49.4
naira 529.8
naïs 856.2
naissage 262.1
naissance 544
génération 297.6
manifestation 34.1 ; 134.5
venue au monde 544.1 ; 862.1
extraction 314.4 ; 552.1
donner naissance à 92.12 ; 544.20
de naissance 803.2
naître
se manifester 34.7 ; 290.8 ; 297.10 ; 323.16
venir au monde 544.18 ; 862.25
faire naître 92.12 ; 297.11 ; 414.7 ; 687.7 ; 793.13 ; 862.23
naïvement 145.30
simplement 767.14
naïveté 145.4
crédulité 64.2
faiblesse 302.6
bonté 76.1
naja 712.3
nalidixique
acide nalidixique 499.5
Nalous 371.11
naloxone 499.5
Namas 371.11
Nambicuaras 371.8
Namibien 355.7
nana
fille 306.3
fiancée 491.17
nanan
c'est du nanan 302.17
nanar ou **nanard**
n.m. 206.3 ; 490.4
incapable 500.6
adj.
disgracieux 453.9
Nandis 371.11
nandou 570.19
nanifier 36.22
naniser 36.22
nanisme
maladie 79.16
malformation 484.4
nannostome 638.5
nano- 509.36
nanoélectronique 261.1
nanomètre 509.26
nanophysique 513.2
nanoscience 747.5
nanotechnologie 513.2
nanotube 513.3
nanti 645.21
prospère 670.15 ; 670.17
riche 730.19
nantir 645.18
nantissement 209.6
naos 465.8
napalm 43.17
naphazoline 499.5
naphtalène 159.9
naphtaline
sentir la naphtaline 206.4
naphte 617.5
pétrole 131.6
huile de naphte 269.6
naphtène 269.6
Naples
jaune de Naples 159.8 ; 444.2
Napoléon 529.12 ; 575.11
Napoléon III
style Napoléon III 519.27
napolitain
mal napolitain 482.18
à la napolitaine 333.51
nappe
étendue 618.1
linge de table 333.31
t. de chasse 107.6
mettre la nappe 703.23
trouver la nappe 368.9
nappé 799.3
napper
t. de gastronomie 333.37 ; 799.11
napperon 333.31
naproxène 499.5
naqchbandi 440.8
Naqchbandiyya 440.5
narcisse 655.3
fleur 318.17
narcissisme
personne 613.11
égoïsme 257.1
prétention 655.1
narco- 397.23 ; 780.30
narcodollar 825.13
narcolepsie
inconscience 397.4
sommeil 780.4
narcoleptique 397.20
narcose
inconscience 397.4
sommeil 780.4
narcosé 397.14
narcotique
n.m. 243.7
hypnotique 397.9
somnifère 780.25 ; 780.9
drogue 825.4
remontant 499.4
adj.
analgésique 397.20
tonique 499.30
narcotrafiquant 825.15
nard 594.4
fleur 318.34
herbe 360.7
nargue 532.2
faire nargue 532.12
narguer 532.12
narines 814.5
narquois 532.16
narquoisement 532.18
narrateur 691.11
narratif 691.15
chapiteau narratif 749.6
narration
récit 691.1
t. de rhétorique 729.6
narrativement 691.18
narrer 691.12
narthex 39.12 ; 465.5
narval 486.15
nasal
adj. 814.16
artère nasale 128.8
nasale
n.f. 781.8
nasaliser 781.25
nasarde
raillerie 439.4 ; 532.4
injure 412.1
nasarder 731.7
moquer 532.9
nase
n.m.
poisson 638.5
nase ou **naze**
adj.
malade 482.59
cassé 205.26
ivre 441.18
naseau 486.21
pl. 814.5
nasillarde 781.31
nasillement
cri du canard 170.3
voix nasillarde 839.3
nasiller
fouir 486.26
pousser son cri (canard) 170.7
parler du nez 839.10
nasique 486.14
Naskapis 371.7
nason 638.6
nasonné 482.75
nasonner 839.10
nasque 441.3
nasse
mollusque 527.3
piège 107.6 ; 262.7 ; 605.14 ; 605.6
être dans la nasse 175.9
nassi 449
rabbin 699.14
nastie
t. de biologie 538.5
t. de botanique 79.11
natal 544.22 ; 544.23
pays natal 124.10
terre natale 355.20
natalité 544.16
démographie 711.15
taux de natalité 711.15
natation 792.31
natatoire
vessie natatoire 638.12
Natchez 371.7
natice 527.3
natif
autochtone 355.4
t. de minéralogie 516.14
nation
communauté 124.8 ; 352.9 ; 725.2 ; 772.6 ; 773.1
nations
païens 398.7 ; 663.1
national 124.15
citoyen 124.1
droit national 245.5
sentiment national 125.3
nationale
n.f. 833.19
nationalisation 222.4 ; 642.7
nationalisé 222.19
nationaliser 222.11 ; 642.21
nationalisme 124.11 ; 125.2 ; 462.12 ; 808.15
région 695.8
nationaliste 124.16 ; 125.10 ; 808.27 ; 808.41
autonomiste 462.15 ; 462.31

patriote 125.7
nationalité 124.6
société 773.1
national-populisme 808.14
national-socialisme 808.13
national-socialiste 808.28 ; 808.39
nativité 117 ; 117.21 ; 374.3
naissance 544.1
fête chrétienne 310.3
fête de la Nativité 544.12
natrémie 742.17
natrurie 296.10
natte
tapis 519.13 ; 727.7 ; 780.11
pain au lait 588.2
tresse de cheveux 129.3
t. d'architecture 578.3
point de natte 165.9
natté 816.4
natter 795.14
coiffer 129.13
nattier 73.8
naturalisation
taxidermie 653.6 ; 873.8
citoyenneté 124.7
naturalisé
n.
t. de droit 124.3
adj.
empaillé 653.23 ; 873.23
naturaliser
empailler 653.17
conférer une nouvelle nationalité 535.21
t. de droit 124.13
naturalisme
théorie médicale 498.8
doctrine philosophique 620.13 ; 620.15 ; 854.11
école littéraire 196.8
dans les beaux-arts 46.11
naturaliste
n.
zoologiste 873.15
taxidermiste 653.9
adj.
réaliste 854.22
adepte du naturalisme 46.16 ; 196.7
naturant
nature naturante 92.5
nature
univers 92.5 ; 297.3 ; 492.2
matière 796.1
complexion 286.5 ; 795.4
tempérament 743.1 ; 763.5
nature morte 374.8 ; 607.19
nature morte au verre 374.8
heureuse nature 573.4
petite nature 303.6 ; 755.9
figure petite nature 749.5
sciences de la nature 620.10
travailler d'après nature 607.25
contre nature 860.3
en nature 587.28 ; 739.18
naturé
nature naturée 92.5
naturel
n.
le vrai 719.4
normalité 558.2
constitution 743.1
aisance 302.4
modestie 523.1 ; 767.1
habitant 355.4
adj.
physique 796.7
vrai 719.14
normal 558.10 ; 559.15
modeste 767.10
hors mariage 314.16
honnête 365.13
brut 490.25
t. de musique 543.52
astrologie naturelle 235.3
éclairage naturel 250.27
enfant naturel 304.4 ; 314.6
paternité naturelle 609.4
sciences naturelles 747.5
vertu naturelle ou *morale* 533.2
naturellement 558.13
naturisme 562.2
naturiste 562.7
naturopathie 775.4
nauclea 38.9
naucore 417.5
naufrage
malheur 11.5 ; 827.4
échec 249.1
faillite 209.9
faire naufrage 249.14
naupathie 482.38
nauplius 172.5
nauru 529.8
Nauruan 355.11
nause 834.8
nauséabond 569.26 ; 569.27
nausée
malaise 482.22
aversion 62.1
nauséeux 482.70
naut- 830.37
-naute
naut- 830.37
astro- 48.17
naute 830.22
nautile 527.4
nautiloïdes 527.1
-nautique
naut- 830.37
astro- 48.17
nautique 830.33
-nautisme 830.37
nauto- 830.37
nautonnier 830.22
Navahos 371.7
naval 830.33
navarin 333.12
navel 330.9
navet
légume 333.19
sot 784.7
navette
moyen de transport 829.9 ; 831.9 ; 871.2
t. de filature 579.4
t. de liturgie 508.12
navette spatiale 48.2
lignes « navette » 830.14
faire la navette 579.12
huile de navette 369.5
navicert 58.6
naviculaire 527.19
navicule 512.5
navigabilité 830.17
navigable 830.34
voie navigable 830.16
navigant
transports par air 831.14 ; 831.21
navigateur
sur un bateau 792.62 ; 830.21 ; 871.17
sur un avion 831.14
navigation
sur mer 830 ; 871.4
dans les airs 48.1 ; 831.6
navigation de plaisance 629.16
naviguer
sur mer 319.26 ; 830.27 ; 871.22
dans les airs 831.18
naviplane 830.3
navire 830.2
navire-base 830.5
navire-citerne
pétrolier 618.9
cargo 830.4
navire-jumeau 830.2
navire-usine 605.11
navrant
médiocre 500.17
regrettable 697.9
triste 198.9 ; 836.14
pitoyable 625.13
navré
repentant 697.10
triste 836.10
navrer
blesser 72.14
attrister 198.6 ; 497.7 ; 836.7
Naxi 371.13
nay 422.7
Nazaréen 46.11
le Nazaréen 215.8
naze → nase
nazi 808.28 ; 808.39
nazisme 808.13
N.B. 52.10
n-butylène 617.6
Ndébélés 371.11
ne 546.20
non 404.11
né
issu 314.14
bien né 552.24
né coiffé 305.9 ; 670.10
né sous un astre favorable 670.10
né sous une bonne étoile 305.9
né sous une mauvaise étoile 11.21 ; 305.10
bien né 314.16 ; 552.24
dernier-né 560.6
néandertalien 371.17
néanmoins 572.20
néant
non-être 404.3 ; 620.20
insignifiance 435.2 ; 557.1
réduire à néant 205.14 ; 228.10 ; 380.9 ; 404.7
néantir 228.11
néantisation
destruction 205.1 ; 404.5
néantise
inexistence 404.1
paresse 593.1
oisiveté 393.4
néantiser
détruire 205.14 ; 404.7
anéantir 228.10

nebiim 449.3
nebka 530.4
nebria 417.3
nébulaire 561.13
nébulé 561.16
nébules 578.3
nébuleuse 49.13 ; 561.6
nébuleux
nuageux 561.13
assombri 566.12
inintelligible 411.15
nébulisat 499.15
nébulisation
vaporisation 676.8
aspersion 468.6
nébuliser 468.9
nébuliseur
pulvérisateur 499.19 ; 676.10
soins du corps 775.18
nébulosité
brouillard 127.3 ; 561.2 ; 566.4
obscurité 411.2
nécessaire
fondamental 384.4 ; 847
obligatoire 133.25 ; 213.10 ; 565.12
t. de logique 545 ; 620.17
nécessairement 545.14
essentiellement 384.16
obligatoirement 565.19
nécessitant 545.12
nécessitarisme 545.4
nécessitation 545.1
nécessité 545
impératif 565.3
besoin 384.1 ; 571.1 ; 847.1
t. de logique 620.17
nécessité est mère d'industrie 545.6
nécessité fait loi 545.6
faire de nécessité vertu 545.6 ; 601.9 ; 858.9
nécessiter
entraîner 92.12 ; 545.5
obliger 565.7
nécessiteux
pauvre 488.6 ; 603.20
neck 337.18
nec plus ultra 800.4
nécro- 534.38
nécrobie 417.3
nécrologe 331.22
nécrologie 534.19
faire-part de décès 331.22
nécrologique 534.34
notice nécrologique 534.19
rubrique nécrologique 331.22
nécromancie 235.2
nécromancien 235.14
nécromant 235.14
nécrophilie 763.15
nécrophobie 619.4
nécrophobique 619.21
nécrophore 417.3
nécropole 331.14
nécropsie 498.11
nécrose 482.41
maladie 79.16
mort 534.11
nécroser 482.56
nécrotique 482.82
nectar 75.9
nectarine 330.8
nectariniidé 570.8
necton 251.8
nectria 103.7
nectridiens 68.2
neem 37.18
néencéphale 100.2
Néerlandais 355.5
néerlandophone 455.11
nef 465.5
nef des fous 321.16
néfaste
tragique 827.11
destructeur 205.25
Nefertum 236.34
nèfle
fruit 330.16
des nèfles 404.4 ; 546.19
néflier 38.4
négateur 546 ; 693.5
négatif
n.m. 436.6 ; 621.7
adj.
inexistant 872.9
qui refuse 546.14 ; 693.17
t. de droit 451.14
t. de grammaire 546.6
théologie négative 818.1
adv. 194.17 ; 546.18
négation 546
refus 693.4
t. de grammaire 622.7
négationnisme 808.13
négativation 546.5
négative
négation 546.1
refus 693.1
dans la négative 546.17 ; 693.7
négativement 546.17 ; 693
négativer 546.13
négativer (se) 546.13
négativisme 321.7 ; 546.5
refus 693.4
négativiste 546 ; 693.5
négativité
inexistence 404.1
négation 546.1
négatoire
négatif 546.14 ; 693.17
négligé 547 ; 767.8 ; 859.46
malpropre 740.14
négligeable
insignifiant 419.12 ; 557.11 ; 616.12
quelconque 500.13
quantité négligeable 419.2
négligemment 394.10 ; 547.20
inconsidérément 547.22
négligence 547
inattention 394.1 ; 488.3 ; 593.2
indifférence 401.1
irréflexion 386.1
négligent
distrait 386.13 ; 394.9 ; 547.16
nonchalant 547.7 ; 593.10
négliger
oublier 583.12
ne pas tenir compte 394.7
bâcler 401.13 ; 488.9 ; 547.8
abandonner 295.8
négliger (se) 740.10
se laisser aller 547.15
négoce 135
négociabilité 135.3
négociable 135.33
négociant 135.16
négociateur 586.7
arbitre 141.10
négociation
pourparlers 141.1 ; 589.3
discussion 135.4 ; 156.5
s'asseoir à la table des négociations 589.11
négocié 135.35
négocier 135
arbitrer 141.14
traiter avec 156.18
marchander 659.14
négondo 37.15
nègre 371.6
Noir 553.6
nègre blanc 24.14
travailler comme un nègre 266.24
négrerie ou **nègrerie** 787.7
négrier
esclavagiste 240.8
paquebot 830.3
négrille 371.11
négrillon 553.6
Négritos 371.13
négritude 553.6
négro 371.6
négroïde
race 371.3
negro spiritual 105.5
Neguidales 371.14
negundo 37.15
négus
roi 694.18 ; 822.5
neige
précipitation 127.5 ; 327.7 ; 633.6
drogue 825.7
neiges éternelles 287.5 ; 327.6
de neige 624.23
œuf à la neige 799.6
neigeoter 127.14
pleuvoir 633.12
neiger 127.14
froid 327.13
pleuvoir 633.12
neigeux 159.28 ; 604.14
neïla 449.11
neliocopris 417.3
nélombo 318.25
nelumbo 318.25
nem 333.16
némaliacées 22.3
nemalion 22.4
némate 417.7
némathelminthes 856.1
nématocères 417.8
nématode 856.2
nématodose 482.35
néméobie 417.11
némerte 856.2
Némésis 236.18 ; 305.4 ; 720.4
némichthys 638.6
nemophila 318.36
némoral 37.4
ne-m'oubliez-pas 318.6
néné 639.2
nénesse 306.5
Nénets 371.14
nénette
chiffon 550.15 ; 640.5
femme 306.3
nénies
n.f. pl. 106.13
nenni 431.2
non 546.18
négativement 693.19

que nenni 431.2 ; 546.18
nénuphar 318.25
néo- 379.14 ; 414.13 ; 560.16
néocapitalisme 460.1
néocérébellum 100.7
néoclassicisme 46.10
néoclassique
en art 46.16
en économie 460.10
néocolonialisme 694.15
néocolonialiste 694.30
néocommunisme 808.5
néocommuniste 808.26
néocortex 100
néocortical 100.26
néocriticisme 620.11
néodadaïste 46.17
néodarwinisme 873.12
néodyme 113.7
néofascisme 808.13
néofasciste
fasciste 808.28 ; 808.39
néoformation 337.3
maladie 482.41
tumeur 841.1
t. de zoologie 873.8
néoglucogenèse 94.26
néognathe 570.4
néogothique 39.28
néo-impressionnisme 46.11
néo-impressionniste 46.16
Néo-Indonésiens 371.5
néolamarckisme 873.12
néolibéral 460.9
néolibéralisme 460.1
néolipogenèse 94.26
néolithique 363.4
néolocal 491.30
néologie 455.4
néologique
nouveauté 560.13
mot 535.28
néologisme
innovation 414.3
langue 455.4
mot 535.6
figures de construction 313.3
neomenia 527.6
néomortalité 544.16
néomutazilisme 440.2
néomutazilite 440.7
néomycine 499.5
néon
gaz 113.7 ; 335.2
éclairage 250.9
néonatal 544.23
néonatalogie 544.17
néonazi
fasciste 808.28 ; 808.39
néonazisme 808.13
néopallium 100.15
néophage 417.31
néophobe 619.21
néophobie 619.4
néophyte 560.6
débutant 134.14
apprenti 35.3
converti 648.14
néopilina 527.6
néoplasie 841.1
néoplasique 841.12
néoplasme 841.1
néoplasticisme 46.12
néoplatonisme 620.13
néopositivisme 620.11
néoptère 417.32
insecte 417.1
néoréalisme 120.3
réalisme 196.8
néoréaliste 46.17
néornithe 570.4
néoroman 39.28
néostigmine 499.5
néo-striatum 100.13
néotropical 873.5
néottie 318.21
néo-zélandais 355.11
néozoïque 337.21
Népalais 355.9
nèpe 417.5
népenthès 38.9
népérien 493.3
népète 318.16
néphél- 561.17
néphélé- 561.17
néphélémétrie 509.25
néphélo- 561.17
néphélométrie 113.16
néphile 417.13
néphridie 856.4
néphrite 482.24
nephrolepis 360.9
néphrolithotomie 114.14
néphrologie 498.7
néphropathie 482.24
néphroscope 498.18
néphrose 482.24
néphrotomie 114.14
néphrotoxique 482.71
nephthys 856.2
Nephthys 236.29
népidé 417.4
népotique 304.15
népotisme
protection 671.8
manœuvre politique 642.3
esprit de famille 304.6
piston 413.5
nepticula 417.11
nepticulidés 417.10
Neptune
planète 49.10 ; 49.7
divinité 236.20 ; 236.43 ; 319.19
neptunisme 337.2
neptunium 113.7
combustibles nucléaires 131.9
combustibles solides 269.5
Nérée 236.20 ; 319.19
néréide ou **néréis** 856.2
Néréïde
astre 49.10
Néréides 236.20 ; 236.42 ; 319.19
nerf 548
agent 15.2
vigueur 864.1
t. de minéralogie 516.3
t. d'anatomie 100.4 ; 128.10 ; 188.5 ; 718.8 ; 754.2
nerfs 469.12
nerf auditif 55.3
nerf de bœuf 43.4
alcoolisation des nerfs 114.19
guerre des nerfs 354.4 ; 549.6
avoir les nerfs à vif 549.9
avoir ses nerfs 549.9
être à bout de nerfs 549.9
passer ses nerfs sur qqn 549.12
porter sur les nerfs 62.10 ; 549.14
taper sur les nerfs 130.10
Nergal 236.28
nérine 318.17
nérite 527.3
néroli 594.4
nerprun
arbuste 38.4
couleur 159.9
nerval 548.25
nervation 417.17
nervé 39.27
nerveusement 549.21
impatiemment 382.15
nerveux
n. 549.7
adj.
des nerfs 548.25 ; 754.17 ; 821.10
impatient 382.12 ; 548.27 ; 549.17
soucieux 785.10
effrayé 619.20
éloquent 264.10
concis 142.8
automobile nerveuse 57.33
nervi 169.19
nervimotilité 548.19
nervin 548.26
nervisme 548.22
nervonique 94.7
nervosisme 549.5
nervosité 549
trouble 548.20
impatience 382.4
souci 785.1
peur 619.6
éloquence 264.3
concision 142.2
nervure 39.21 ; 578.3
ligne 466.5
nervure cubitale 417.17
nervuré 39.27
Nestor 863.6
nestorianisme 117.2
nestorien 117.9
net
n.m.
t. de sports 792.14
net
adj.
marqué 864.19
propre 550.39 ; 669.12
honnête 365.9
intelligible 425.14 ; 425.15
pas net 441.18
couleur nette 159.27
peau nette 604.15
mise au net 150.3
avoir les mains nettes 365.7
peser net 636.14
nétilmicine 499.5
nette 570.16
nettement 425.17
netteté
propreté 640.1 ; 669.1
intelligibilité 425.2
nettoiement 550.10
nettoyage 550.1
nettoyable 669.14
nettoyage 550
d'une plaie 114.7
d'un objet 69.8
renvoi 292.2
nettoyant 550.37
entretien 550.14 ; 669.4
nettoyé
ruiné 209.29
propre 550.38
nettoyer 550.25
laver 669.9

nettoyer un plat 703.28
nettoyeur 550.24
nettoyeuse 534.6
nettoyure 550.13
neuchâteloise 118.6
neuf 551
n.m.
chiffre 446.4
preuve par neuf 87.3 ; 155.8 ; 551.1
neuf
nouveauté 560.1
rien de neuf 560.10
apporter du neuf 560.7
adj. 560.12 ; 812.10
à neuf 560.15
de neuf 560.15
battant neuf 560.12
regard neuf 560.5
remise à neuf 702.1
remettre à neuf 560.7 ; 702.7
remis à neuf 560.14
neufchâtel 328.6
neumatique 543.28
neume 543.28
neuneu 784.13
neural 265.7 ; 548
crête neurale 265.7 ; 548.13
neuraminique 94.10
neurapophyse 242.2
neurasthénie
névralgie 548.20
pessimisme 615.1
folie 321.6
ennui 272.1
tristesse 836.1
neurasthénique 321.14
névralgique 548.27
las 272.16
neurépine 580.11
colonne vertébrale 242.2
neurilemme 548.9
neurinome 841.3
neurite 548.9
neuro- 548.29
neuroanatomie 548.21
neuroanatomique 548.28
neurobiochimie 548.21
neurobiochimique 548.28
neurobiochimiste 548.23
neuroblaste 548.13
neurochirurgical 548.28
neurochirurgie
neurosciences 548.21
chirurgie 114.2
neurochirurgien 548.23
neurocrinie 548.14
neuroendocrinien 548.26
neuroendocrinologie 548.21
neuroendocrinologique 548.28
neurofibrille 548.9
neurofilament 548.9
neuroglobuline 548.14
neurohistologie 548.21
neurohistologique 548.28
neurohormonal 548.26
neurohormone 548.14
neuroleptique 499
neurolinguiste 548.23
neurolinguistique 548
neurologie
neurosciences 548.21
médecine 498.7
neurologique 548.28
neurologue 548.23
neuromaste 638.12
neuromédiateur 548.14
neuromédiation 548.18
neuromusculaire 541.24
neuronal 548.25
neurone 548
tissus vivants 821.2
neuronique 548.25
neuropathie 548.20
neuropathologie 548.21
neuropathologique 548.28
neuropharmacologie
neurosciences 548.21
pharmacie 499.20
neuropharmacologique 548.28
neurophysiologie 754.8
neurosciences 548.21
neurophysiologique 548.28
neuroplasme 548.9
neuropore 548.13
neuropsychiatre 548.23
neuropsychiatrie 548.21
neuropsychiatrique 548.28
neuropsychologie 548.21
neuropsychologique
neurologique 548.28
kinesthésique 754.18
neuropsychologue 548.23
neuroradiologie 498.16
neurorraphie 114.18
neurosciences 548.21
neurosécréteur 548.8
neurosécrétion
influx nerveux 548.18
excrétion 340.9
neurostimulation 793.3
neurotomie 114.14
neurochirurgie 548.21
neurotonie 548.20
neurotoxine 267.5
neurotoxique 267.15
neurotransmetteur 548.14
neurotransmission 548.18
neurotubule 548.9
neurovégétatif 548.15
neutralisation
compensation 139.1 ; 687.1
t. de chimie 113.13
t. de linguistique 228.2
tir de neutralisation 820.8
neutraliser
écarter 653.16
compenser 139.7
contrebalancer 687.11
neutralisme
pacifisme 589.7
isolationnisme 808.21
neutraliste
pacifiste 589
isolationniste 808.47
neutralité
indifférence 393.2 ; 401.8
non-engagement 401.6 ; 589.1 ; 642.9
neutre
terne 159.27
indifférent 401.18
non engagé 354.15
t. de grammaire 346.5
neutrino 513.4
neutron 513.4
neutronothérapie 775.6
neutropénie 482.19
neuvain 551.2
strophe 635.12
neuvaine 551.2 ; 657.5
neuvième
n.m. 551
n.f.
t. de musique 543.17
adj. 551.6
neuvièmement 551.7
névé 530.7
froid 327.7
neveu 314.7
névralgie 548.20
algésie 243.3
névralgique 548.27
névraxe
cerveau 100.1
système nerveux 548.15
nèvre 548.29
névrectomie 114.13
neurochirurgie 548.21
névrilème 548.9
névrite 548.20
névritique 548.27
névro- 548.29
névroglie
corps cellulaire 548.9
tissus vivants 821.4
névroglique 548.25
névrologie 548.21
névrome
névralgie 548.20
kyste 841.2
névropathe 321.14
névropathie 549.5
névralgie 548.20
folie 321.1
névroptère 873.25
névroptéroïdes 417.1
névrose 249.6 ; 549.5
neuropathie 548.20
folie 321.6
névrosé 321.14
névralgique 548.27
nerveux 549.17
névrosisme 549.5
névrosthénie 548.20
névrotique 321.25
névralgique 548.27
névrotomie 114.14
neurochirurgie 548.21
Newars 371.13
Newatis 371.13
new-look
moderne 560.13
mode 520.8
newsmagazine 654.5
newton 509.10
poids 636.12
Newton 49.28
pomme de Newton 496.10
newton-mètre 509.10
new wave 543.7
ney 422.7
nez
partie du visage 569.6 ; 718.7 ; 754.2 ; 814.5
avant 77.10 ; 211.2
flair 316.14 ; 434.1 ; 569.20
personne 594.9
pied de nez 412.3 ; 439.4 ; 532.5
au nez de 332.8 ; 651.15
voix de nez 781.7
nez à nez 137.15 ; 211.24 ; 572.17 ; 673.13

nixe 319.19
niyama 362.6
nizarite 440.2
Njörd 236.21
Nkolés 371.11
N.N. 822.14
nô 817.7
nobélium 113.7
nobiliaire
n.
registre 552.11
adj. 314.17 ; 552.29
nobilissime 822.5
nobilité 552.10
noblaillon 552.18
noble
élevé 161.11 ; 759.8 ; 800.20
magnanime 336.10
fier 312.10
aristocratique 552
monnaie 529.13
t. de fauconnerie 570.6
basse noble 106.18
noblement 552.31 ; 759.15
honorablement 366.30
noblesse 552
aristocratie 286.4 ; 800.5
grandeur 69.6 ; 336.1 ; 759.1
distinction 233.2 ; 347.4 ; 366.1
noblesse oblige 552.15
nobliau 552.18
noce
réception 137.11
fête 309.1
festin 342.2
faire la noce 342.9 ; 426.8 ; 629.10
pl.
noces 491
voyage de noces 871.3
noces d'or 88.7
noceur 342.4 ; 426.5
libertin 629.7
fêtard 309.15 ; 851.6
nocher
Cerbère 271.8
batelier 830.22
nocicepteur 548.16
nocif
asphyxiant 335.23
fatal 11.25
destructeur 205.25
nocivité 205.10
noct- 776.18
noctambule 776.8 ; 780.13 ; 851.6
noctambuler 851.9
noctambulisme 851.2
noctiflore 318.45
noctuelles ou **noctuidés** 417.10
noctule 486.10
nocturnal
nocturne 776.12
veille 851.5
nocturne
n.m 543.32
n.f. 566.5 ; 817.18
adj. 566.13 ; 776.12 ; 851.16 ; 868.2
nocturnement 776.16
nocuité 175.1
nodal 574.2
nodosaure 712.11
nodosité
grosseur 351.2
bouton 78.5
malformation 484.5
tumeur 841.1
nodule
renflement 78.5
kyste 841.1
concrétion 337.18 ; 516.4 ; 518.5
t. d'anatomie 100.7
noël
cantique 106.12
Noël 310.3
arbre de Noël 618.5
noème 620.16
noere 319.8
noèse 620.22
nœud
boucle 795.6
du bois 37.6 ; 74.3
du serpent 712.12
cœur 140.2 ; 817.13
unité de vitesse 509.10
de ruban 70.9 ; 129.9
t. d'astronomie 49.20 ; 474.6
t. de plomberie 632.9
nœud de communication 833.16
nœud papillon 859.28
nœud de vipères 140.2
sac de nœuds 140.2 ; 201.5 ; 217.9
Nogays 371.14
noir 553
n.
hématome 72.9
aveuglement 64.1
d'une cible 75.5 ; 120.4 ; 820.14
dire tantôt noir tantôt blanc 395.9
broyer du noir 11.22 ; 553.13 ; 836.8
voir la vie en noir 615.5 ; 836.8 ; 862.27
adj.
couleur 73.5 ; 73.8 ; 84.1 ; 159 ; 624.23
obscur 566 ; 776.9
pessimiste 615.6 ; 836.12
en deuil 11.21 ; 331
saoul 441.18
mauvais 497.10
cabinet noir 481.21
chambre noire 607.16 ; 621.4
ceinture noire 792.18
colère noire 130.2
disque noir 781.21
magie noire 186.9 ; 477.2
pain noir 588.1
petit noir 75.4
thé noir 75.5
terre noire 337.16
au noir 266.4
en noir et blanc 681.2
Noir 371.6
noirâtre
obscur 566.10
noir 553.15
noiraud
noir 553.15 ; 553.18
noirceur
obscurité 553.1 ; 566
méchanceté 497.1
noirci 252.17
sali 553.17
noircicaud 441.18
noircir
charbonner 84.7 ; 553 ; 727.15
salir 566.7 ; 740.9
noircir du papier 252.15
noircir le tableau 615.5 ; 804.6
noircir (se) 441.12
noircissage 553.8
noircissement 553.8
noircissure 553.7
saleté 740.2
noire 543.28
noirement 553.21
noireté ou **noirté** 553.1
noise
chercher des noises à 710.17
noiseraie 18.10
noisetier 37.13
noisette
fruit 330.6
couleur 159.28
charbon 518.5
café noisette 75.4
noix
fruit 330
personne sotte 784.7
pièce mécanique 476.12
charbon 518.5
t. de menuiserie 505.10
noix pâtissière 333.7
nolens volens 870.15
nolisé 831.3
nolisement 830.19
noliser 831.16
fréter 830.30
nolition
volonté 870.1
refus 693.2
nolonté 870.1
nom 554
dénomination 765.3 ; 822.1
substantif 346.9 ; 535
noblesse 552.1
nom d'oiseau 412
grand nom 59.10 ; 552.17
de nom 366.31 ; 554.32
au nom de 536.13 ; 596.39
appeler les choses par leur nom 425.10 ; 554.19
se faire un nom 341.21 ; 798.17
nomade 355 ; 871
nomadisation 356.8
manœuvre 487.12
nomadiser 871.20
nomadisme 356.8
no man's land 197.4
nombrable
mesurable 509.31
dénombrable 223.13 ; 555.17
nombre 555
quantité 187.1 ; 540.1 ; 634.2 ; 678.1
t. de mathématiques 87.7 ; 406.4 ; 493.2 ; 513.5 ; 576.7 ; 668.11 ; 678.15 ; 683.8
t. de grammaire 346
t. de rhétorique 225.11
nombre d'or 39.5 ; 88.3 ; 474.4 ; 555.7 ; 607.13 ; 668.3 ; 696.5
nombre de 187.6 ; 540 ; 634.13
au nombre de 597.22

nord-est 221.4
nordique
langue 455.14
Nordique 371.5
nord-ouest 221.4
nori 22.5
noria 489.7
norm- 559.21
normal
ordinaire 147.13 ; 357.25 ; 365.13 ; 558.10 ; 559.15 ; 576.22 ; 696.23
normale
normalité 558.2 ; 559.1
droite 338.7
normalement 147.15 ; 558.13
habituellement 357.31
normalien 274.15
normalisation 558.5
conformité 147.5
codification 696.9
standardisation 559.7
normalisé 147.13
normaliser
régulariser 147.9 ; 558.6 ; 559.11 ; 642.22 ; 696.13
rationaliser 480.15 ; 576.14 ; 577.21
normalité 558
conformité 559.5
normand 695.11
trou normand 75.16
normatif 559.17 ; 696.22
typique 521.13
normal 576.22
normativisme 696.11
normativiste 696.12
normativité
régularité 696.10
conformité 559.5
normalité 558.1
norme 559
canon 147.6 ; 521.3 ; 576.9 ; 650.2
normalité 177.3 ; 533.2
norme AFNOR 559.4
norme française 559.4
sortir de la norme 32.9
normé 559.18
typique 521.13
normer
régler 521.8 ; 696.13
régulariser 576.14
réglementer 559.10
normo- 559.21
normoblaste 742.3
normocytaire 742.29
normocyte 742.3
normodosé 711.12
normographe 252.7
normothymique 499.5
noroît 852.4
direction 221.4
norvégien
langue 455.14
Norvégien 355.5
nosémose 482.48
noso- 482.84
nosocomial 482.63
nosographie 498.4
nosologie
classification 126.2
médecine 482.3 ; 498.4
nosologique 126.21
nosologiste 126.12
nosophobe 619.21
nosophobie 619.4
nosophobique 619.21
nosseigneurs 822.14
nostalgie 598.6
ennui 272.1
regret 697.1
tristesse 836.2
nostalgique 598.15
rétrograde 206.9
las 272.16
repentant 697.10
triste 836.10
nostalgiquement 272.17 ; 697.13
nostoc 22.4
nota bene 52.10
notabilité 384
autorité 59.8
notable 384
autorité 59.8
possédant 730.9
notablement 384.15
notaire 451.21
étude de notaire 464.11
par-devant notaire 651.15
notateur 176.24
notation
représentation 252.1 ; 709.2 ; 765.18
notation musicale 543.27
t. de commerce 683.9
note
avis 9.3 ; 136.5 ; 157.5 ; 252.5 ; 654.12 ; 871.13
évaluation 274.12
addition 587.8 ; 659.9 ; 739.9
notes de l'Église 818.11
forcer la note 294.7
note
son 543 ; 782.1
note sensible 757.3
fausse note 224.3 ; 226.3 ; 283.5 ; 415.2 ; 543.14 ; 781.3
ne pas être dans la note 224.5
tenir une note 542.23
noter
inscrire 252.14 ; 273.18 ; 683.13
t. de musique 543.47 ; 709.8
nothofagus 38.9
nothosaurien 712.11
notice 225.8
notice d'émission 81.20
notice d'utilisation 846.9
notice nécrologique 534.19 ; 691.7
notier 605.19
notification
indication 63.3
justice 451.6
annonce 136.5
notifier
communiquer 136.13
notifier un ordre 133.16
notion
idée 297.5 ; 375.1 ; 380.5
pl. 747.2
notionnel
conceptuel 375.22
champ notionnel 753.3
notodonte 417.11
notodontidé 417.10
notohippidé 486.4
notoire
certain 99.7
célèbre 341.25
fréquent 630.9
notoirement 747.22
notonecte 417.5
notongulé 486.4
notoptère
poisson 638.5
insecte 417.1
notoriété
succès 798.4
gloire 341.1
réputation 675.7
notoryctidé 486.2
notos 852.9
notostigmate 417.12
notostracé 172.2
notostylopidé 486.4
nototrème 68.3
Notre-Dame 117.17
notule 432.2
nouaison → nouure
nouba
réception 137.11
fête 309.1
faire la nouba 629.10
Noubas 371.11
noue
coin 30.7
t. d'agriculture 18.11
nouer
attacher 725.12
concevoir 150.7
nouer amitié 26.7
nouer une conversation 156.15
noueur 477.18
noueuse
noueuse d'aiguillettes 477.18
noueux 37.25
nougat 799.5
c'est du nougat 302.17
pl.
nougats 623.1
nouille
injure 593.6 ; 784.7
nouilles 333.25
nouménal
t. de philosophie 375.23 ; 796.6
noumène
existence 297.5
t. de philosophie 375.3 ; 620.19
Noun 236.20
nounou
nourrice 270.9 ; 506.5
nounours 448.5
Noupés 371.11
nourrain 638.13
nourri 703.40
épais 187.12
ramassé 142.8
nourrice
personne 270.9 ; 506.5
t. technique 57.10 ; 632.11
en nourrice 270.21
nourricerie 270.11
nourricier
nourrissant 563.17
nutritif 703.41
père nourricier 609.5

nourricière 128.8
nourrir
alimenter 563.12 ; 703.38
t. d'agriculture 18.21
nourrir une haine éternelle pour 720.8
nourrir (se) 563.14 ; 703.26
nourrissage
maternage 270.7
alimentation 563.9
élevage 262.13
nourrissant 703.42
nutritionnel 563.17
crème nourrissante 604.7
nourrissement
maternage 270.7
alimentation 563.9
élevage 262.13
nourrisson 270.3
bébé 544.15
nourriture 563.4
éducation 253.1
repas 703.5
pain quotidien 588.12
nous 613.7
entre nous 194.10
nous-mêmes 613.7
Nout 236.15
nouure ou **nouaison**
dos 242.3
arbre 37.23
nouure d'aiguillettes 477.5
nouveau 414.10 ; 560 ; 812.10
n.
nouveauté 414.4
débutant 134.14
enseignement 274.16
adj.
moderne 652.11
révolutionnaire 104.24
à nouveau 704.17
de nouveau 704.17
nouveau-né
néophyte 560.6
nouveau 560.12
bébé 270.3 ; 544.15
nouveauté 560 ; 414
évènement 290.1
illumination 179.3
haute couture 520.3
article de nouveauté 560.3
nouvel An
renaissance 560.4
fête juive 310.5
nouvelle
information 136.6 ; 290.4 ; 560.3 ; 654.7
récit 691.5
donner de ses nouvelles 157.13 ; 560.10
bonne nouvelle 117.19 ; 290.6 ; 648.3
mauvaise nouvelle 290.5
nouvellement 414.12 ; 560.15
Nouvelle-Orléans (style) 543.6
nouvelleté 560.1
nouvelliste
récit 691.11
journaliste 654.16
nova
nouveauté 560.4
étoile 49.4
novale 317.11
nouveauté 560.4
t. d'agriculture 18.11
novateur 414
pionnier 134.15
moderne 560.13
inventeur 179.4
novation
innovation 414.3 ; 560.2
t. de biologie 873.8
novatoire 560.13
Novecento 46.12
novélisation 691.10
novembre 88.8
novemdial 331.8
nover 560.11
novice 445.12 ; 525.15
néophyte 560.6
apprenti 35.3 ; 445.5
stagiaire 649.9
noviciat 525.16
commencement 35.2
novius 417.3
novotique 408.2
noyade 534.12
noyau
centre 96.1 ; 430.2 ; 514.2
micro-organisme 512.6
fruit 330.3
cerveau 100
phrase 622.4
planète 49.6
cellule 94.2 ; 821.2
escalier 481.29
t. de géologie 337.10
noyau actif 15.4
noyau atomique 513.3
noyautage
entrée 278.1
manœuvre politique 642.3
noyauter 642.24
pénétrer 430.11
noyauteuse 476.9
noyé 534.16
noyer
n.m. 37.13
noyer d'Amérique 37.19
noyer
v.t. 319.21 ; 468.9 ; 534.28
noyer ses chagrins dans le vin 441.15
noyer sous un flot de paroles 665.10
nu
n.m. 374.7 ; 562.4 ; 607.4
adj. 562.13 ; 562.9
à nu 562.16
à demi-nu, à moitié nu 562.13
mettre à nu 562.11 ; 854.16
se mettre à nu 562.10
nuage 561
petite quantité 602.3 ; 678.5
nuage de poussière 676.12
nuage de sons 543.19
nuagé 561.16
nuageux 561.13
assombri 566.12
nuagiste 46.17
nuaison 561.2
nuance
particularité 216.4
variante 850.7
couleur 159.1
clair-obscur 607.11
nuancé 159.24
nuancer 159.19
diversifier 850.12
graduer 344.9
nuancer (se) 159.21
nuancier
collection 758.5
palette 159.11
Nubas 371.11
Nubien 355.8 ; 371.11
nubile
pubère 306.17
jeune 445.11
mariable 491.27
nubilité 491.2
puberté 445.2
nucelle 318.5
nucléaire
n.m. 354.2 ; 513.1
adj.
du noyau de l'atome 513.14
du noyau de la cellule 94.31
famille nucléaire 304.1
magnétisme nucléaire 478.2
phrase nucléaire 622.2
nucléase 94.24
nucléé 94.31
nucléide 513.3
nucléique
acide nucléique 94.12
nucléole
cellule 94.2 ; 821.2
nucléon 513.4
nucléophile 113.26
nucléoprotéine 94.8
nucléoside 94.16
nucléotidase 94.24
nucléotide 94.11
nucléotidique 94.33
nucule
grain 330.2
mollusque 527.2
nudi- 562.17
nudisme 562.2
nudiste 562.7
nudité 562
nue 561.1
élever jusqu'aux nues 341.14
porter aux nues 341.14 ; 717.9 ; 798.19 ; 800.18
tomber des nues 805.7
nuée
kyrielle 540.5
nuages 561.1
nuées ardentes 561.7
nue-propriété 645.1
nuer 159.20
Nuers 371.11
nuire 497.8
nuire à 11.16 ; 412.8 ; 572.11 ; 827.9
nuisette 859.15
nuisible
contraire 572.15
dangereux 873.22
utilité 847.13
fatal 11.25
destructeur 205.25
nuisiblement 11.31
nuit 776.5
obscurité 566.2
noir 553.1
sommeil 780.1
aveuglement 64.1
t. d'iconographie 374.8
bleu nuit 73.8
nuit américaine 120.11
nuit blanche 851.2
nuit close 566.2
nuit de l'ignorance 377.1
nuit de noces 763.9

nuit des temps 28.18 ; 287.16 ; 598.1
nuit du tombeau 534.1
nuit éternelle 287.2
nuit noire 566.2 ; 776.5
nuit polaire 776.5
nuit sans lune 474.2
nuit tombante 566.14 ; 776.14
de nuit 566.14 ; 776.16 ; 851.17
de jour comme de nuit 776.16
les Mille et Une Nuits 515.3 ; 585.11
la nuit tous les chats sont gris 843.8
nuital 776.12
nuitamment
la nuit 776.16
obscurément 566.14
nuitard 776.8
nuitée
nuit 776.5
veille 851.5
nuiter 780.21
nuiteux
n.
noctambule 776.8
adj.
obscur 566.10
nu-jambes 562.13
nul 451.34
inexistant 404.8
aucun 872.8
insignifiant 419.13
annulé 31.12
inutile 389.17
nul et de nul effet 451.34
nul et non avenu 31.12 ; 451.34 ; 556.14
bulletin nul 260.10
nullard 500.6
nullement
jamais 404.12
négativement 546.17
nulle part 769.15
ne 546.20
nulli- 872.12
a- 404.15
nullipare 544.25 ; 711.25
inexistant 872.9
nullité 872.3
inexistence 404.1
idiot 784.5
insuffisance 500.2
insignifiance 419.1
perdant 249.8
inutile 435.7
divorce 491.14
imperfection 383.1
irrecevabilité 451.17
entaché de nullité 31.12
frapper de nullité 31.6
nullivalent 872.9
nullivariant 872.9
numbat 486.13
numen 236.4
numéraire
n.m. 529.1
adj. 555.16
numéral
numérique 555.16
adjectif 346.11
lettres numérales 459.1
numérateur 237.1
numératif 576.21
numération
classification 576.8
énumération 555.8
numération globulaire 742.14
numériclature 126.7
numérique 112.6 ; 555.16
binaire 408.27
disque numérique 273.8
enregistrement numérique 273.1
numériquement 555.18
numérisation 408.21
gravure 273.2
numériser 408.25
numéroter 112.5
numériseur 408.6
numéro
nombre 112.1 ; 555.2 ; 683.2
spectacle 54.3 ; 123.5
numéro atomique 555.7
numéro d'ordre 576.10
numéro de téléphone 809.16
numéro un 798.9 ; 800.8
gros numéro 672.3
mauvais numéro 358.9
sortir ou *tirer un numéro* 358.9
numérologie 555.11
divination 235.2
numérotage
graduation 683.9
numérotation 112.2
numérotation 112.2 ; 576.7
graduation 683.9
télécommunications 809.11
numéroter 112.5
classer 576.13 ; 683.13
numéroteur 112.3
numérique 112.6
numéroteuse 112.3
numerus clausus 555.5
Numide 355.7 ; 371.16
numismate 529.24
généalogiste 363.9
médailleur 82.7
passe-temps 599.10
numismatique
sciences auxiliaires de l'histoire 363.5
généalogique 363.17
nummulaire
n.f. 318.24
adj.
pierre nummulaire 517.2
nummus 529.11
nunchaku 43.4
nunuche 784.13
nuoc-mâm 333.27
Nupes 371.11
nu-pieds 562.13
nu-propriétaire 645.12
nuptial 491.29
chant nuptial 106.12
nuptialité 491.2
nuque 814.1
nursage 775.9
nurse 270.9
nursery 270.11
nursing 775.9
nutation
de la Terre 579.2
éclipse 474.6
nu-tête 562.13
rester nu-tête 717.10
nutricial 563.17
nutricier
nutritionnel 563.17
nutritif 703.41
nutriment
nourriture 563.4
aliment 218.4 ; 703.7
nutritif 703.41
nutritionnel 563.17
nutrition 563
nutritionnel 563.17
nutritionniste 563.11
nutritivité 563.5
nu-vitisme 562.2
Nyakyusas 371.11
Nyamwezis 371.11
Nyanjas 371.11
nyaya 362.7
nyct- 566.15 ; 776.18
nyctaginacées 318.33
nyctalope 840.17
nocturne 566.13
malvoyant 482.74
nyctalopie 566.6 ; 840
troubles fonctionnels des yeux 840.2
troubles de la vue 482.27
nycthémère 610.5
nycti- 566.15
nycticèbe 486.14
nyctinastie 79.11
nyctitropisme 566.6
nycto- 566.15
Nyikas 371.11
Nylon 816.2
-nyme 535.35 ; 554.35
-nymie 535.35 ; 554.35
-nymique 554.35
nymphal
mue nymphale 417.22
nymphalidés 417.10
nymphe
larve 417.19
divinité 236.1
nymphéa 318.25
nymphéa blanc 318.17
nymphéacées 318.25
nymphée 39.10
t. d'architecture 443.9
nymphes 762.10
nymphette 306.4
nympho 763.23
nymphomane 199.8
obsédé 763.23
nymphomanie 321.9
sexualité 763.7
désir 199.5
nymphose 417.22
nyroca 570.16
nyssa 37.20
nyssorhynque 417.9
nystagmique 482.74
nystagmus 482.28
t. de médecine 579.2
nystatine 499.5

O

oaristys 156.3
oasis 197.2
oasis de paix 706.7
obbligato 565.18
récitatif 106.11
obéché 37.18
obédience
loyauté 472.1
obéissance 564.1
obédiencier 564.5
obédientiel 564.14
puissance obédientielle 564.3

obéir 564.8 ; 705.11 ; 787.13
écouter 148.13
céder 149.12
obéir à 5.14
obéissance 564 ; 787.3
accomplissement 5.3
obéissant 564.11
obélie 527.12
obélisque
pierre levée 39.10 ; 331.17
obéré 209.28
Obéron
astre 49.10
obèse
fort 351.13
diabétique 482.72
obésité 853.4
corpulence 351.5
nutrition 482.25
obex 100.5
obier 38.4
obit
messe 331.5 ; 508.1
pied de lettre 459.3
obituaire 331.36 ; 508.13
registre obituaire 331.22
objecter
opposer 572.8
réfuter 705.9
protester 194.11
objecteur 572.6
objecteur de conscience 194.6
objectif
n.m.
but 86.1 ; 92.7 ; 199.2 ; 428.2 ; 492.8 ; 664.1
cible 820.14
dispositif optique 574.7 ; 621.4
se donner pour objectif de 86.5
atteindre son objectif 86.7
objectif
adj. 854.20
objection 572.3
critique 194.4
reproche 710.4
objectivant 492.9
objectivation 492.5
objectivement
matériellement 492.11
réellement 854.25
objectiver 492.6
objectiver (s') 492.7
objectivisme
matérialisme 492.3
réalisme 854.11
scepticisme 620.12
objectiviste 492.10
objectivité
vérité 854.1
raison 620.21
critère 116.4
objet
réalité 297.3
matière 492.2
raison 92.7
motif 536.1
but 86.1
unité 844.4
fonction 346.8
t. de philosophie 620.19
objet de collection 686.3
objet de curiosité 174.3
objet transitionnel 797.4
objurgateur 710.22
objurgation 710.1
objurguer 710.10
oblade 638.6
oblat 525.14
oblats 508.5
oblate 552.17
oblatif 336.10
oblation
offrande 98.9 ; 173.5
offertoire 508.4
oblativité 336.1
obligataire 565.17 ; 565.6 ; 849.23
actionnaire 849.17
obligation 565
nécessité 213.2 ; 545.3 ; 666.3
dette de reconnaissance 348.1
valeur mobilière 849.4
obligation cautionnée 166.3
obligation de conscience 472.6
obligation de réserve 714.1
obligation morale 620.18
obligations militaires 41.18
fête d'obligation 309.2
avoir de l'obligation 348.5
être dans l'obligation de 213.6
obligationnaire 565.6
obligatoire 213.10 ; 565.12
nécessaire 545.10
imposé 133.25
obligatoirement 565.19
obligé
contraint 565
redevable 348
être l'obligé de qqn 348.5
obligeamment 565.20
généreusement 336.13
courtoisement 163.13
obligeance
sollicitude 774.4
bienfaisance 76.2
charité 336.2
courtoisie 163.1
obligeant 565.16
serviable 847.14
secourable 19.26
bienfaisant 76.10
généreux 336.10
obliger
contraindre 133.18 ; 213.7 ; 240.11 ; 545.8 ; 565 ; 650.5
rendre service 19.19
oblique
n.m.
petit oblique 541 ; 580.16
grand oblique 541.7
obliques de l'œil 541.5
oblique
adj. 24.15 ; 158.18 ; 212.23
ordre oblique 576.5
obliquement
sur le côté 158.20
de travers 212.25
obliquer 158.14
virer 212.19
obliquité 158.7
angularité 30.1
linéarité 466.2
gauchissement 212.5
oblitération
annulation 31.1 ; 404.2
apposition d'une marque 157.9
flamme d'oblitération 157.7
oblitéré 404.9
oblitérer
boucher 308.18
annuler 31.6 ; 157.15
oblong 37.27
long 470.11
obnubilation
aveuglement 64.1
délire 321.3
obnubilé 64.11
obnubiler 561.12
aveugler 64.6
obo 830.5
Obodrites 371.16
obole
offrande 336.3
monnaie 529.11 ; 529.12
obombrer 566.7
obovalV 37.27
obreption
faux-semblant 373.8
faux-fuyant 504.5
obscène
érotique 763.45
impudique 399.9
injurieux 412.13
obscénité
intempérance 763.7
gros mot 399.4
injure 412.3 ; 412.5
obscur
n.m. 566.1
adj.
sombre 553.19 ; 566
peu compréhensible 24.13 ; 217.19 ; 411.14 ; 411.15
modeste 523 ; 566.1
obscurant 566.11
obscurantisme 377.3
obscurantiste 377.5
obscuration 566.4
obscurci 561.14
obscurcir 561.12 ; 566.7
compliquer 140.9 ; 217.13 ; 411.12
aveugler 64.6
camoufler 751.17
obscurcir (s') 566.8
obscurcissant 566.11
obscurcissement
assombrissement 566.4
aveuglement 64.1
obscure 159.27
salle obscure 120.20
obscurément 566.14
mystérieusement 751.32
inintelligiblement 411.17
confusément 24.17
obscurité 566 ; 751.11
modestie 616.1
noir 553.1
aveuglement 64.1
flou 395.3
médiocrité 500.1 ; 523.3
difficulté 217.1
inintelligibilité 411.2
ambiguïté 24.1
obsécration
prière 657.2
figures de pensée 313.5
obsédant 272.12
obsédé 321.14 ; 763.23
aveugle 64.11
soucieux 785.9
obsédé sexuel 763.23

obséder 64.6
obsèques 331.1
obséquieusement 761.17
doucereusement 373.21
obséquieux 761.15
doucereux 373.18
respectueux 717.14
cérémonieux 98.27
obséquiosité 717.4
servilité 761.1
observabilité 867.1
observable 867.8
observance 164.6 ; 525.18
discipline 696.8
accomplissement 5.3
obéissance 564.1
observateur 868.16
observation 689.5
diagnostic 498.10
attention 52.1
expérience 620.20
accomplissement 5.3
obéissance 564.1
reproche 63.5 ; 710.4
surveillance 182.4
mettre en observation 775.25
poste d'observation 182.14
faire des observations 710.9
esprit d'observation 275.1
observatoire 49.17
observer
regarder 868.18
considérer 52.5
accomplir 5.14
obéir 564.8
observer le célibat 93.5
observer le cérémonial 98.22
observer le silence 766.10
observer un délai 51.8
observer une règle 696.16
observer (s') 714.8
obsessif 611.17
obsession
idée fixe 375.9
folie 321.6
difficulté 785.2
sollicitude 785.3
obsession-impulsion 391.8
obsessionnel 321.25
récurrent 704.15
répétitif 611.17
passionnel 600.16
obsidienne 855.5
roche 337.17
pierre fine 517.4
obsidional 487.42
obsolescence 206.1
obsolescence planifiée 206.2
obsolescent
ancien 28.11
désuet 206.8
obsolète
ancien 28.11
désuet 206.8
t. de linguistique 535.28
obstacle 567 ; 217.6 ; 572.4 ; 715.4 ; 724.7
interdit 385.2
barrière 67.1
difficulté 272.5 ; 785.2
empêchement 231.2
faire obstacle 231.6 ; 249.9 ; 429.15 ; 567.11 ; 572.11 ; 715.16
former obstacle 567.12
refuser l'obstacle 693.14
surmonter un obstacle 567.16
obstétrical 544.23
obstétricien 544.14
gynécologue 498.28
obstétrique 544.17
gynécologie 498.5
obstination 568
persévérance 601.2 ; 612.1
volonté 870.2
caprice 90.2
effort 255.1
obstiné 568.8
constant 153.23
infatigable 601.13
décidé 870.13
persévérant 612.4
battant 255.4
résistant 715.18
obstinément 255.12 ; 568.9 ; 601.16
durablement 611.19
obstiner (s') 568.4 ; 611.14
persévérer 601.11 ; 612.3
décider 870.8
obstruant 67.18
obstructif
enclos 67.18
t. de médecine 482.69
obstruction 567.8
défense 67.13
fermeture 308.10
obstacle 567.1
Parlement 642.2
faire obstruction 715.16
faire de l'obstruction 67.16 ; 572.11
obstructionnisme 642.2
obstrué 567.17
obstruer 308.18
faire obstacle à 567.11
obtempérer 564.9
obtenir
percevoir 688.16
recevoir 645.17
obtenir gain de cause 451.29 ; 745.12
obtenu 86.11
obturateur 574.7 ; 618.5 ; 632.4
bouchon 308.2
boîtier 621.4
obturateur interne 541.9
obturation
fermeture 308.10
t. de dentisterie 188.18 ; 631.8
obturer
obstruer 308.18
plomber 188.24 ; 631.10
t. de chirurgie 114.33
obtus 64.11
angle obtus 30.2
obtusangle 338.16
obtusion 321.7
obus 43.15
obus à balles 43.15
homme obus 123.14
obusier 43.8
obvenir 645.20
obvers
devant 211.1
monnaie 529.6
obvie 99.8
obvier 653.20
ocarina 422.7
occase 524.5
occasion
motif 536.1
chance 358.2
moment 528.1
évènement 290.1
prétexte 656.3
opportunité 571.3
facilités 302.9
affaire 524.5
à l'occasion 291.14
à l'occasion de 528.11
par occasion 358.13
par la même occasion 768.12
saisir l'occasion aux cheveux 571.7
fournir l'occasion de 536.6
l'occasion fait le larron 869.26
occasionnel
fortuit 358.10
rare 686.8
occasionnelle 672.10
occasionnellement 358.12
rarement 686.11
occasionner
causer 92.9 ; 656.6
motiver 536.6
déclencher 687.7
occident
ouest 221.4
coucher 777.5
occidental 221.29
occipital
tête 814.2
crâne 580.5
occiput 814.2
occire 534.27
tuer 169.22
occitan 455.14
occlure
obstruer 308.18
t. de chirurgie 114.33
occlus 308.20
front occlus 127.8
occlusal 308.20
occlusif
enclos 67.18
fermé 308.20
occlusion 482.43
fermeture 308.10
t. de chirurgie 114.5
occlusive 781.8
occultation 228.3
éclipse 49.19
aveuglement 64.1
secret 751.1
t. de défense 182.2
ère de la grande occultation 440.24
feu à occultations 311.6
occulte 477.3
sacré 736.14
magique 477.24
mystérieux 751.26
sciences occultes 477.1
occultement 477.30
mystérieusement 751.32
occulter 49.32
cacher 751.15
occultisme 751.12
magie 477.1
occultiste
alchimiste 477.19
magique 477.24
dissimulateur 751.13
occultum 477.14
occupant 355.2
conquérant 240.7

occupation
activité 7.7
asservissement 240.5
emploi 266.1
possession 645.1
amusement 599.2
occupé 7.15
occupé à 266.30
ligne occupée 809.9
occuper
assiéger 487.31
habiter 355.23
occuper la charge de 266.25
occuper la place d'honneur 341.18
occuper le devant de la scène 59.14 ; 211.14 ; 341.18
occuper (s') 7.10
s'occuper à 15.7
s'occuper de 148.10 ; 774.12 ; 812.8
occurrence 651.4
phénomène 4.2
en l'occurrence 122.13
occurrent
fêtes occurrentes 310.1
océan 319.7
océan de misères 11.1
océan des Tempêtes 474.7
Océanide 236.42 ; 319.19
océanien
climat océanien 127.1
océanique 319.29
océanodrome 570.15
océanographie 319.18
océanologie 319.18
ocelle
tache 643.4
t. de zoologie 417.17
ocellé 486.32
polychrome 643.11
oceller 643.8
ocellure 643.2
ocelot 486.7
océnèbre 527.3
-oche 616.18
oche 18.11
ochotonidé 486.3
ocimum 318.16
ocotea 37.18
ocre 159.8 ; 735.2
brun 84.9
ocre brune 84.12 ; 84.2
ocre jaune 444.2
ocre rouge 307.6
ocre violette 84.2
ocré 444.11
brun 84.9
ocrer 444.6
ocreux 84.9
octaèdre 338.6 ; 370.3
octaédrique 370.7
octal 370.6
octant 49.15
huit 370.1
octante 370.1
octave 370.3
huitaine 370.2
intervalle 433.1 ; 543.17
t. d'escrime 792.17
octavier 370.4
octavo 370.8
octet 370.3
bit 408.15
octi- 370.9
octidi
huitaine 370.2
jour 88.10
octo- 370.9
octobre 88.8
octocoralliaires 527.11
octogénaire
huitième 370.5
vieillard 863.5
octogonal 370.7
octogone 338.5 ; 370.3
octonaire 370.3
t. de poésie 635.13
octopodes 527.1
octose 94.5
octostyle 39.27
octosyllabe 635.13
octosyllabique 370.6
octroi 241.8
allocation 241.5
octroyer 241.14
octroyeur 241.10
octuor
huitaine 370.2
orchestre 542.3
octuple
huitième 370.5
multiple 539.6
octupler 370.4
multiplier 539.4
oculaire
n.m. 574.3 ; 574.7
adj. 574.19 ; 814.16 ; 868.28
oculaire de Galilée 574.3
oculaire de Huygens 574.3
oculaire négatif 574.3
oculairement 868.29
ocularisté 840.11
ocularité 158.7
ocularité droite 246.2
oculi- 868.32
oculiste 840.11 ; 868.14
oculistique 840.20 ; 868.13
visuel 868.28
oculo- 868.32
oculo-céphalogyre
centre oculo-céphalogyre 100.16
oculogyrie 868.3
oculomotricité 868.3
ocytocine
hormones 94.14
peptide 94.8
ocytocique 544.24
ocytonine 340.3
odalisque 672.6
ode 106.14 ; 635.8
éloge 471.4
odelette 635.8
odeur 569
parfum 594.3
odeur de sainteté 192.7 ; 341.15
odieux
détestable 62.11
méchant 497.9
Odin 236.10
odobénidé 486.3
odographe 509.26
odomètre 509.26
odonates 417.1
odonestis 417.11
odont- 188.33
odontalgie
rage de dents 188.9
algésie 243.3
carie dentaire 482.26
odontalgique 482.73
odontalgiste 188.19
odontaspidé 638.2
odontoblaste 188.5
odontocète 486.3
odontogenèse
embryogenèse 265.2
éruption dentaire 188.6
odontoglossum 318.21
odontologie 188.13
odontologique 188.29
odontologiste 498.27
dentiste 188.19
odontome 841.3
odontomètre 509.26
odontostomatologie 188.13
odorant 569.23
odorat 569.5
odoratif 569.24
odoration 569.5
odoriférant 569.23
odorifère 569.23
odorifique 569.23
odorigène 569.23
odorimètre 569.11
odorimétrie 569.10
odorisant 569.14
odorant 569.23
indicateur 207.11
odorisation 569.7
odoriseur 569.13
odorité 569.1
odynère 417.7
odyssée
voyage 871.1
Odyssée 236.8
œcophylle 417.7
œcuménicité 117.10
œcuménique
concile œcuménique 590.12
patriarcat œcuménique de Constantinople 117.9
œcuménisme 117.10 ; 117.23 ; 818.25
œdémateux 482.82
œdématier 482.56
œdématier (s') 78.13
œdème
bouton 78.5
renflement 298.7
nécrose 482.41
œdemère 417.3
Œdipe 236.41
complexe d'Œdipe 140.4
œdipéen 236.48
œdipien
conflit œdipien 146.9 ; 270.2
œdipisme 840.6
œdipode 417.15
œdogonium 22.4
œdomètre 834.29
œdométrie 834.2
œil
organe de la vision 754.2 ; 867.3 ; 868.1 ; 868.5
judas 207.5 ; 585.6 ; 748.4
dessin d'un caractère 459.7
point végétatif 37.6
œil de verre 840.7
œil d'un cyclone 852.3

Office national d'études et de recherches aérospatiales 689.8
bons offices 19.1 ; 786.2
aller à l'office 320.13
officemar 41.14
officiant 173.15
officiel 708.22
autorité 59.8
fête officielle 309.2
officier
n.m. 41.1 ; 41.14 ; 822.11 ; 822.12
officier de la Couronne 98.17
officier de police judiciaire 641.6
officier de santé 498.23
officier du train 41.12
officier ministériel 451.21
grand officier 822.11 ; 822.12
officier
v.i. 98.18 ; 98.19 ; 699.31
officinal 499.27
verveine officinale 499.9
officine 464.12
pharmacie 499.22
offrande 98.9 ; 173.5
don 241.1
offrant 241.10
vendre au plus offrant 135.24
offre 81.14 ; 490.8
gratuité 349.1
offre d'emploi 266.7
offre publique 81.14
offrir 75.30 ; 349.3 ; 741.16
donner 241.13
offrir l'hospitalité 368.6
offrir le bras 163.9
offrir le sacrement 491.24
offrir ses vœux 163.7
offrir son cœur 27.20
offrir (s') 191.19
s'offrir à la vue 34.8
s'offrir en holocauste 173.19
s'offrir la tête de 532.10
offset 388.5
offshore 618.4
offuscation 566.4
offusquant 192.12
offusquer
masquer 437.4
cacher 64.7
déplaire 192.7
condamner 567.11
blesser 439.11
oflag 354.11
ogac 638.6
ogdoédrie 517.7
Ogino-Knaus
méthode d'Ogino-Knaus 711.12
ogival 39.26
ogive
arcade 162.5
parvis 465.5
arc 39.18
O.G.M. 361.11
ogmios 236.24
ogne 236.24
ognette
ciseau 584.4 ; 749.14
ogre 619.8
glouton 342.3
manger comme un ogre 342.7
ogresse 497.6
oh 168.24 ; 431.2
ohé 431.3
ohm 261.10 ; 509.11
ohmmètre ou **ohm-mètre**
unité de mesure 509.18
instrument de mesure 509.26
O.H.Q. 480.3
-oïdal 323.27
-oïde 379.15 ; 417.33
-forme 323.27
oïdie 103.4
oïdium 79.16
oie
oiseau 570.7
personne sotte 784.7
oie blanche 108.4 ; 377.4
oie d'Égypte 570.16
oies du Capitole 235.5
oignon
bulbe 318.3 ; 333.27
montre 70.6 ; 118.4
grosseur cutanée 482.16
oindre 699.31 ; 727.15
huiler 369.13
sacraliser 736.13
baptiser 173.21
oindre (s') 329.26
oint 173.24
oint du Seigneur 215.8
oïque 113.30
oiseau 570 ; 873.6
chant 170.3 ; 170.7
oiseau de bon augure 305.5
oiseau de mauvais augure 11.12 ; 231.4 ; 235.5 ; 615.4
oiseau de malheur 11.12 ; 235.5
oiseau rare 686.3 ; 800.7
cervelle d'oiseau 583.5
noms d'oiseaux 710.19
petit à petit l'oiseau fait son nid 458.16 ; 601.8 ; 612.3
trouver l'oiseau 137.16
oiseau-boucher 570.8
oiseau-cloche 570.14
oiseau-lyre 570.8
oiseau-mouche 570.14
oiseau-tempête 570.15
oiseau-trompette 570.18
oiseler 107.18
oiselet 570.2
oiseau 570.1
oiseleur 107.16
oisellerie 262.8
élevage 262.5
oiseux 435.12
oisif 435.8 ; 706.9
paresseux 593.10
inactif 389.15 ; 393.14 ; 393.8
improductif 389.7
oisillon 570.2
oiseau 570.1
couvée 570.26
oisivement 393.19
oisiveté 393.4
loisir 706.6
l'oisiveté est la mère de tous les vices 860.3
oison 570.7
Ojibwas 371.7
O.K. 558.7
okapi 486.6
équidé 486.11
okoumé
bois 74.13
arbre 37.18
okra 318.18
-ol 94.36 ; 499.39
oldfieldthomasiidé 486.4
olé- 369.20
olé ou **ollé** 431.5
oléacée 37.11
oléagineux
huile 369.1
huileux 369.15
olécales 79.4
olécrane, 580.14
oléfiant 369.16
oléfine 617.6
oléi- 369.20
oléicole 369.18
oléiculture 369.11
agriculture 18.1
oléifère 369.16
oléifiant 369.16
gaz oléifiant 335.2
oléiforme 369.15
oléigène 335.2
oléique 369.15
oléoduc 618.9 ; 829.14
oléolat
émulsion 369.6
essence 594.2
olé-olé 399.9
oléomètre 187.5 ; 369.12
instrument de mesure 509.26
oléorésine 369.2
olethreutes 417.11
olfactène 569.12
olfactif 569.15
odoratif 569.24
bulbe olfactif 100.17 ; 569.6
sillon olfactif 100.17
aire olfactive 100.16
formations olfactives 100.15
olfaction 569.5
olfactivement 569.28
olfactométrie 569.10
olibrius 364.3
oligarchie 694.9
oligarchique 694.28
oligarque 694.18
oligiste 516.5
oligocène 337.21
oligochètes 856.1
oligodendrocyte 548.9
oligodendroglie 548.9
oligoélément ou **oligo-élément**
métabolites 94.3
éléments minéraux 214.6
oligomère 113.2
oligonéoptères 417.1
oligophagie 563.7
oligophrène 784.5
oligophrénie 784.1
oligopole 135.8
oligosaccharide 94.5
oligosidérémie 742.17
oligospermie 762.25
oligothérapie 775.4
oligotrophe 563.19
oligourie 296.10
oligurie 482.24
olivaie ou **oliveraie** 18.10
olivaison 18.4
olivâtre 604.14
vert 857.9

olive
fruit 330.15
mollusque 527.3
interrupteur 261.18
poignée 760.12
olives bulbaires 100.5
vert olive 857.11
oliveraie → olivaie
oliverie 369.11
olivet 328.6
olivétain 525.10
olivette 330.8
olivettes
n.f.pl.
danse 176.7
olivier
arbre 37.17
ornement 578.3
jardin des Oliviers 117.21
olivo-spinal 100.7
ollaire 517.2
ollé → olé
Olmèques 371.16
olo- 823.23
olographe 101.6
Olympe 236.44
olympiade 792.39
période 610.3
olympien
calme 89.1
tranquille 89.14
dieux olympiens 236.3
olympique 792.94
olympisme 792.39
om 362.8
Omahas 371.7
Omanais 355.8
ombelle 318.4
ombellifères 318.20
ombelliflores 79.4
ombellule 318.4
ombilic
nombril 514.2 ; 853.3
plante 318.33
hile 330.3
t. de géométrie 338.10
ombiliqué
adj. 482.69
ombiliquée
n.f.
mollusque 527.19
omble 638.5
ombrage
défiance 183.1
envie 442.2
porter ombrage 192.8
prendre ombrage 442.5
ombrager 566.7
ombrageusement 183.20
ombrageux
susceptible 183.18 ; 217.23 ; 442.9 ; 619.20 ; 720.14 ; 785.9 ; 836.12
t. d'équitation 860.12
ombre 84.2 ; 553.3
obscurité 566.1
noirceur 566.5
ombre portée 607.11
ombre au tableau 785.2
terre d'ombre 159.8
dans l'ombre 554.23 ; 751.30
avoir peur de son ombre 619.17
rester dans l'ombre 523.6 ; 779.14
n'être plus que l'ombre de soi-même 16.7 ; 303.10
mettre à l'ombre 208.21
à l'ombre de 671.35
sous ombre de 536.14 ; 656.9 ; 671.35
pl.
ombres 380.4 ; 534.9
ombres myrteuses 271.5
ombre
poisson 638.5
ombrée 777.4
ombrelle 859.30
ombrer
obscurcir 566.7
noircir 553.10
dessiner 607.27
terre à ombrer 553.3
ombreux 566.10
ombrine 638.6
ombudsman 671.15
-ome 841.15
oméga 315.9
omelette 333.24
omelette sucrée 799.6
faire une omelette 483.12
omerta 751.1
Ometeotl 236.10
omettre 504.14 ; 583.12
omettre de 547.14
omis 404.9
omission 71.7 ; 547.6
manque 404.2
lacune 488.3
oubli 583.2
inaccomplissement 392.6
ommatidie 417.17
ommatostrèphe 527.4
omnibus
fiacre 833.14
train 832.12 ; 832.33
omnidirectionnel 221.28
Omnimax 120.19
omnipotence 59.2
omnipotent
fort 864.14
puissant 59.21
omnipraticien 498.24
omniprésence 215.13
assiduité 651.5
simultanéité 768.1
omniprésent 651.13
omniscience 215.13
savoir 747.1
omniscient 747.16
omnisports 792.94
omnium 792.38
omnivore 873.21
omo-hyoïdien 541.6
omoplate
dos 242.1
tronc 580.9
omphalea 318.11
omphalo- 514.18
omphalos 736.9
-on
affixe 616.18
on
pronom personnel 613.7
onagre 476.11
onanisme 763.16
onaniste 763.22
onc- 162.17
once
mesure 509.17 ; 509.20 ; 636.12
once
mammifère 486.7
onch-, oncho-, onco- 162.17
-ome 841.15
onchocerca 856.2
onchocerchose 482.35
troubles de la vue 840.4
onciale 252.4
oncidium 318.21
oncle 314.7
oncle d'Amérique 730.9
oncogène 841.13
virus oncogènes 512.3
oncogenèse 841.6
oncoïde 486.8
oncologie 841.8
oncologique 841.14
oncologiste 498.29 ; 841.9
oncotique 742.16
oncotomie 114.14
onction
friction 329.3 ; 775.16
rite 98.5 ; 508.5 ; 699.28 ; 736.5
onctueusement 369.19
onctueux 369.15
ondatra 486.5
onde
flots 319.1
ultrason 207.13
t. de télécommunications 809.8
onde explosive 131.3
onde électromagnétique 261.4 ; 326.4
onde lumineuse 473.18
onde sonore 781.2
être sur la même longueur d'onde 6.10
pl.
ondes 681.1 ; 681.7
guerre des ondes 354.4
ondes Martenot 422.17
ondé 624.22
uni 74.29
ondée 633.4
ondemètre 509.26
ondes
ornement 578.3
ondines 319.19
ondinisme 321.9
perversion 763.15
ondins 319.19
on-dit 691.3
ondoiement 104.7
mouvement alternatif 579.3
variation 90.3
ondoyant
changeant 104.22
oscillant 579.13
irrésolu 438.10
capricieux 90.10
ondoyer 104.19
osciller 579.9
ondulant 162.12
ondulation 579
arabesque 162.3
coiffage 129.10
ondulation permanente 129.2
ondulatoire
sinueux 162.12
oscillatoire 579.14
mécanique ondulatoire 496.1
théorie ondulatoire 473.24
ondulé 624.22
sinueux 162.12
onduler 579.9
onduler de la toiture 321.19

onduleur 261.17
onduleux 162.12
one 113.30
O.N.E.R.A. 689.8
onéreux
luxueux 730.20
cher 111.10
à titre onéreux 659.20
one-step 176.10
O.N.G.
groupement 725.2
mouvement 694.23
ongle
pelage 486.20
mammifères 479.2
ongles en deuil 740.10
ongles roses 743.7
avoir les ongles crochus 61.7
sur les ongles 710.16
jusqu'au bout des ongles 427.36
onglée 327.5
avoir l'onglée 327.16
onglet 338.9
livre 469.12
t. de menuiserie 505.16 ; 505.9
parquet d'onglet 481.30 ; 505.4
ongokea 37.18
onguent 499
émulsion 369.6
parfum 594.1
hostie 508.5
onguent populeum 499.9
oniomanie 661.4
onirique 780.26
abstrait 380.15
onirisme
rêve 380.6 ; 780.7
oniromancie 235.2
oniromancien 235.14
onirothérapie 321.12
onisciens 172.2
onlay 188.15
-onnet 616.18
onoclée 360.9
onoma- 554.35
onomasiologie
sémantique 753.6
lexicologie 535.17
onomasticon 535.16
onomastique 554.13
onomatomanie 535.18
onomatopée
imitation 379.3
mot 535.2
parole 595.3
cri 168.1
interjection 431.1
onomatopéique 379.9
onopordon 318.10
Onouris 236.14
ontif 346.6
ontique 297.12
onto- 297.15
ontogenèse 293.6
embryogenèse 265.2
ontogénétique 293.14
ontogénie 265.2
ontologie
métaphysique 297.2 ; 620.3
ontologique
existentiel 297.12
métaphysique 620.32
preuve ontologique 818.22
vérité ontologique 854.3
ontologiquement 297.14
ontologisme
métaphysique 297.2 ; 620.3
ontologiste 620.24
onychomycose 482.36
onychoteuthis 527.4
onyx 517.4
onyxis 482.17
onzain 635.12
onzième 543.17
oocyte 711.7
ooencyrtus 417.7
oogamie 711.2
oogenèse 340.6
oolithe 337.18
oomycètes 103.5
oosphère 537.2
oothèque 417.18
op 543.29
O.P. 480.3
O.P.A. 81.14
op'art 46.13
opacifier 566.7
opacimétrie 509.25
opacité 566.1
opah 638.6
opale 517.4
verre opale 855.1
opalescent
blanchâtre 71.12
versicolore 643.12
opalin 159.28
blanchâtre 71.12
verre opalin 855.1
opaline 604.14
verre 855.1
opaque
couvert 561.14
obscur 566.10
-ope 868.33
ope 167.8
O.P.E. 81.14
opéable 81.38
open 792.38
opéra 106 ; 176.20
musique classique 543.3
théâtre 748.5
opéra-ballade 106.9
opéra-ballet
opéra-comique 106.9
chorégraphie 176.5
opéra-comique 106.9
opérant 7.14
opéra-oratorio 106.8
opérateur
instrument 15.4
chirurgien 114.27
réalisateur 681.15
photographe 621.18
boursier 81.25
opératrice de saisie 408.23
opératif 15.8
opération
calcul 87.2
acte chirurgical 114.4 ; 128.18
action 5.1 ; 7.6 ; 279.1
transaction 81.13 ; 135.4
t. militaire 487.1
opération de banque 66.7
opération de commando 354.7
opération du Saint-Esprit 818.17
salle d'opération 114.31
opérationnel 487.38
opérationnellement 487.43
opératoire 114.35
protocole opératoire 114.4
opercule
couvercle 308.3
t. de botanique 318.5 ; 537.2
t. de zoologie 527.14 ; 638.10
opercule rolandique 100.14
operculée 527.19
opérer 114.32
agir 7.10 ; 15.6 ; 92.10
accomplir 5.11
opérette 106.9
Ophélia 49.10
ophiase 624.10
ophicléide 422.6
ophidera 417.11
ophidéridés 417.10
ophidien
serpent 712.2
reptilien 712.20
ophidiidé 638.3
ophio- 712.22
ophiocistoïdes 527.8
ophioglossales 79.4
ophioglosse 360.9
ophiographie 712.15
ophiolâtrie 712.16
ophiologie
zoologie 873.2
reptiles 712.15
ophiophage 712.21
ophisaure 712.5
ophite 712.17
ophiucus 49.15
ophiurides 527.8
ophrys 318.21
ophtalm- 840.22
ophtalmie 482.28 ; 840
ophtalmie des neiges 840.4
ophtalmique 128.8 ; 840.20
visuel 868.28
malvoyant 482.74
ophtalmo- 840.22
oculi- 868.32
ophtalmoconiose 840.4
ophtalmodynamomètre 128.19
ophtalmologie 840.8 ; 868.13
médecine 498.7
ophtalmologique 840.20
visuel 868.28
ophtalmologiste 498.27
oculiste 868.14
ophtalmologue 868.14
ophtalmomètre 840.10
instrument de mesure 509.26
ophtalmoplastie 114.17 ; 840.9
ophtalmoplégie 840.3
ophtalmoscope 840.10
ophtalmoscopie 840.9
ophtalmotomie 114.14
ophtalométrie 868.13
opiat 188.10
-opie 868.33
opilation 308.10
opiler 308.18
opilions 417.12
opiner 765.24
opiner du bonnet 814.11
opiniâtre 472.15 ; 568
infatigable 601.13
décidé 870.13
résolu 716.7
persévérant 612.4

opiniâtrement
obstinément 568.9 ; 601.16
opiniâtrer (s')
persévérer 612.3
s'obstiner 568.4
opiniâtreté
persévérance 601.2 ; 612.1
volonté 870.2
obstination 568.1
effort 255.1
fermeté 715.7
opinion 375.10
supposition 802.1
jugement 450.3
certitude 614.2
conseil 148.1
opinion politique 808.2
opinion publique 773.1
se forger une opinion 323.17 ; 375.19
opiomane 825.14
opiomanie 825.1
opiophage 825.14
opiophagie 825.1
opistho- 193.26
opisthobranches 527.1
opisthodome 465.8
opisthographe 252.17
opisthoprocte 638.6
opium 825.7
opius 417.7
opopanax 594.4
opossum 486.13
opothérapie 340.8
t. de médecine 775.5
oppelia 527.5
opportun 571 ; 644.5
de circonstance 122.9
de grand secours 19.28
en temps opportun 571.14 ; 644.8
opportunément 644.8
opportunisme 122.5 ; 571.5
programme 642.6
opportuniste 571.6
traître 25.7
opportunité 571 ; 644.2 ; 670.6
possibilité 646.1
moment 528.1
tir d'opportunité 820.8
opposabilité 451.17
opposable 479.18 ; 572.16
opposant 11 ; 146.13
opposition 572.6
militant 808.25
opposé 146 ; 572.14
autre 23.13
inverse 436.12 ; 572.5
discordant 194.14
réflexe 687.18
à l'opposé 221.33 ; 436.16 ; 572.17
à l'opposé de 23.18 ; 436.18 ; 713.19
opposer 572.8
diviser 146.18
opposer un démenti formel 546.9
opposer un refus 693.7
opposer un tir de barrage à 715.16
opposer (s')
contraster 23.12 ; 194.7 ; 216.6 ; 556.9 ; 572.7
refuser 870.10
résister 200.6 ; 567.13 ; 572.9 ; 687 ; 693.12
se combattre 146.15 ; 146.17
opposite
à l'opposite 572.17
à l'opposite de 572.21
opposition 572
contraste 224.1
contestation 194.4 ; 546.1
résistance 567.9 ; 687.3 ; 715.1
conflit 11.8 ; 146.5
tendance politique 694.23
chiasme 313.3
refus 66.27
t. d'astronomie 49.19 ; 232.2
tierce opposition 451.17
être en opposition avec 146.15
par opposition à 216.14
oppressant
étouffant 718.33
coercitif 240.20
contraignant 787.23
oppressé 619.20
oppresser 619.12
oppresseur
chef 240.6
coercitif 240.20
autocrate 413.9
oppressif 865.28
coercitif 240.20
autoritaire 413.16
oppression
essoufflement 718.4
contrainte 865.10
domination 240.1
despotisme 413.7
opprimant 865.28
coercitif 240.20
opprimer
peser 636.15
violenter 865.15
malmener 240.15
faire injustice à qqn 413.10
opprobre 367.5
Ops 236.12
-opsie 574.27 ; 868.33
opsomanie 563.8
opsonine 381.12
opsonisation 381.1
optant 81.27
optatif 291.6
optation 313.5
opter 116.8
opticien 574.14
optimaliser 677.8
optimiser 677.8
optimisme 573 ; 620.15
confiance 285.2
optimiste 285.9 ; 573.4 ; 573.6 ; 573.8 ; 620.33
joyeux 447.14
optimum 677.2
option
choix 116.1 ; 116.3
achat 191.3
option d'achat 191.3 ; 666.5
option du double 81.13
optionnaire 81.27
optionnel
éventuel 291.10
facultatif 116.13
optionnellement 116.15
optique 574 ; 473.21 ; 868.27
point de vue 158.5
angle optique 30.3 ; 868.4
effet d'optique 574.10
nerf optique 548.3
verre optique 574.8 ; 855.2
dans l'optique de 86.14
optiquement 574.25
opto- 574.26
oculi- 868.32
optoélectronique
optique 574.1 ; 574.18
optométrie 509.25 ; 868.13
optique 574.1
optométrique 574.23
optométriste 868.14
-optre 868.33
-optrie 574.27 ; 868.33
optrique 574.27 ; 868.33
optronique
optique 574.1 ; 574.18
opulemment 730.23
opulence
abondance 1.1
richesse 730.1
opulent
abondant 1.12
riche 730.19
opuntia 318.7
opus 543.29
construction 39.5
opuscule 469.1
O.P.V. 81.14
or 575 ; 113.7 ; 159.28 ; 159.4 ; 516.5
richesses 730.7
pour tout l'or du monde 575.23
âge d'or 1.4 ; 14.7 ; 363.4 ; 730.1
d'or 444.11 ; 624.23
cousu d'or 575.18
noces d'or 491.11
parler d'or 575.18 ; 595.23
oracle 235.10
prédiction 235.4
aphorisme 142.3
oraculaire 235.18
style oraculaire 411.3
oraculeux 235.18
orage
intempérie 127.15 ; 633.4
fureur 130.5 ; 600.3
il y a de l'orage dans l'air 549.11
oraison
prière 657.1
prêche 508.4
sermon 225.4
oraison funèbre 225.4 ; 331.3 ; 471.4 ; 648.5
faire oraison 657.19
oral
n.m.
examen 225.7 ; 274.11 ; 680.3
parole 252.6 ; 595.1
adj.
verbal 455.19 ; 595.29
oralement 455.23 ; 595.33
oralité 595.1
orange
fruit 330.9
couleur 159.28
ceinture orange 792.18
pl.
oranges 639.2
orangé 159.28 ; 159.4 ; 735.13
orangeade 75.8
oranger 37.17
fleur d'oranger 594.6
orangerie
jardin 443.8
verger 18.10

orang-outang 486.14
orant 657.4
épithaphe 331.17
stèle 749.7
Oraons 371.13
orateur 225.12 ; 614.6 ; 729.13
avocat 626.5
parleur 595.14
charmeur 264.5
oratoire
n.
chapelle 465.2 ; 657.3
adj.
éloquent 595.29 ; 626.9 ; 729.16
style oratoire 347.1
oratorien 525.10
prédicateur 648.12
oratorio 106.8
oratorio-ballet 176.5
orbatteur 575.15
orbe
cercle 97.1
axe 733.6
orbite 49.20
t. d'astronomie 280.2
orbevoie 39.12
orbicole 356.16
orbiculaire 527.19 ; 541.5
orbitaire 97.14
segment orbitaire 100.14
apophyses orbitaires 580.5
orbital
circulaire 97.14
astronautique 48.14
distribution orbitale atomique 513.5
orbitale
orbitale atomique 113.6
orbite
orbe 280.2 ; 733.6
os 580.5 ; 580.6 ; 868.6
t. d'astronomie 49.20 ; 97.4 ; 474.6
en, sur orbite 48.12 ; 48.5
orbité 491.14
orbiter
circuler 97.13
se lever 49.30
t. d'astronautique 48.13
orbiteur 48.2
orbitotomie 114.14
orcanette
fleur 318.6
pigment 735.2
orchésographie 176.27
orchestie 172.3
orchestral 542.24
orchestrateur 543.39
compositeur 542.14
orchestration 577.8
composition 543.36
harmonie 543.38
orchestre 542.3 ; 542.6
association 352.10
salle 748.7
fauteuil d'orchestre 748.7
orchestrer
administrer 577.20
préparer 649.10
composer 543.45
orchidacées 318.21
orchidales 79.4
orchidée 318.21
orchidectomie 114.13
orchidée 318.21
orchidopexie 114.6
orchidophile 599.10
orchidophilie 599.6
orchi-épididymite 482.33
orchis 318.21
orchite 482.33
orcinol 463.2
ord 740.12
ordalie 311.12
jugement 451.14
ordinaire
n.m.
norme 559.1
le quotidien 558.3
calendrier 88.1
repas 703.6
adj.
normal 559.15
habituel 153.24 ; 357.25
banal 419.13 ; 500.13 ; 630.9
comme à l'ordinaire 147.16
en temps ordinaire 811.14
selon l'ordinaire 164.24
d'ordinaire 357.31
ordinairement 558.15
médiocrement 500.18
habituellement 357.31
traditionnellement 164.24
ordinal 576.21 ; 683.19
adjectif ordinal 346.11
nombre ordinal 683.8
utilité ordinale 847.7
ordinateur 476.7
calculateur 87.9
matériel 408.3
réseau 408.4
ordination
classification 126.9 ; 576.8 ; 577.7
rite 98.4 ; 173.14 ; 310 ; 667.1 ; 699.4
ordo 88.1
ordonnable 576.21
ordonnance
ordonnancement 39.2 ; 576.1 ; 577.2 ; 683.9
prescription 498.10 ; 650.3 ; 696.2
acte administratif 133.5 ; 245.32 ; 642.2
ordonnance de prise de corps 44.3
ordonnancé 576.20
classé 126.18
ordonnancement 577.4
ordre 576.1
classification 126.1
graduation 683.9
ordonnancer
ordonner 576.12
classer 126.15 ; 683.13
ordonnancier 387.3
ordonnateur 309.14 ; 577.13
organisateur 576.11
constructeur 150.6
comptable 339.18
ordonnateur de pompes funèbres 331.24
ordonné
adj. 511.13 ; 545.13 ; 683.18 ; 696
ordonnée
n.f. 769.6
ordonner
classer 126.15 ; 493.8 ; 511.11 ; 576.12 ; 683.13
agencer 39.24 ; 323.14 ; 795.13
indiquer 498.35 ; 499.26 ; 696.14
prescrire 59.16 ; 133.15 ; 148.9 ; 185.10 ; 565.7 ; 650.5 ; 870.10
consacrer 173.21 ; 667.8
ordonner prêtre 98.19 ; 699.29
ordovicien 337.21
ordre 576
impératif 545.3
prescription 133.3 ; 391.5
commande 191.3
agencement 558.3 ; 577.2
méthode 511.2
classification 126 ; 795.7 ; 873.10
formation militaire 487 ; 622.7
corporation 266.5
décoration 822.12
t. d'architecture 39.5
ordre d'achat 191.3
ordre de Bourse 81.18
ordre du ciel 305.3
ordre divin 133.5
ordre des choses 293.2 ; 558.3
ordre de grandeur 219.6 ; 509.1
ordre des avocats 835.14
ordre des médecins 498.22
ordre équestre 552.15
ordre public 752.1
ordre religieux 525.8 ; 699
mot d'ordre 650.1
numéro d'ordre 576.10
sacrement de l'ordre 98.4 ; 173.14 ; 310 ; 564.8 ; 699.4
mettre bon ordre dans 576.14
s'asseoir sur les ordres 200.5
de premier ordre 677.14
de second ordre 210.10 ; 405.16 ; 616.12
à l'ordre de 66.55
aux ordres de, sous les ordres de 564.17
sur ordre 564.16
ordres fossiles 712.10
ordres mineurs 699.5
ordre du jour 576.6 ; 642.2
ordure 740.4
excrétions 296.1
abjection 367.2
déchet 550.13
ordurier
grossier 226.9
impudique 399.9
injurieux 412.13
öre 529.10
oréade 236.42
orectolobidé 638.2
orée
seuil 134.4
périphérie 77.3
bois 37.22
oreillard 486.10 ; 486.5
oreille
organe des sens 55 ; 580.7 ; 754.2 ; 814.5
ouïe 542.17
oreille d'âne 760.19
avoir de l'oreille 55.17
avoir les oreilles rebattues 272.8
dresser l'oreille 52.8
faire la sourde oreille 401.14 ; 693.13 ; 715.13 ; 803.10
avoir l'oreille basse 367.7

porter bas l'oreille 787.12
avoir l'oreille du maître, du prince 145.20 ; 407.16
casser les oreilles 83.14
fendre l'oreille à 292.9
dur d'oreille 55.21 ; 803.12
oreille-de-Judas 103.9
oreille-de-lièvre 103.7
oreille-de-souris 318.10
oreillette
cœur 128.4
pâtisserie 799.6
oreillons 482.20
orémus 657.1
dire des orémus 657.20
oréo- 530.19
oréotrague 486.6
ores 652.12
d'ores et déjà 652.17
orfe 638.5
orfèvre 575.15 ; 848.35
bijoutier 70.19
être orfèvre 10.15
orfévré 70.26
orfévrer 70.20
orfèvrerie 727.10 ; 848.34
or 575.1
bijouterie 70.18
orfraie
pousser des cris d'orfraie 168.14
orfroi
fil d'or 575.12
chasuble 508.10
broderie 165.3
organdi 816.6
organe 476.12
composant 597.2
revue 654.4
organe adamantin 188.5
organe de choc 115.16
organes des sens 754.2
organelle 94.2
organicisme 498.8
organier 422.28
organigramme 577.10
schéma 795.3
organique 577.25 ; 821.10
liquide organique 468.4
verre organique 855.3
organiquement 576.26
organisable 576.21
organisant 576.21
organisateur 309.14 ; 576.11 ; 577.13 ; 649.8
organisation 577
ordre 576.1
méthode 511.2
structure 323.5 ; 795.1 ; 807.1
groupement 694.23 ; 725.2
arrangement 150.2 ; 649.2 ; 664.6
organisation de la langue 346.1
organisation du terrain 487.18
organisation non gouvernementale 694.23 ; 725.2
organisationnel 577.25
organisé 795.16
ordonné 576.19
réglé 696.19
évolué 293.12
organiser
ordonner 275.11 ; 323.14 ; 511.11 ; 576.12 ; 577.15 ; 795.13
agencer 150.8 ; 649.10 ; 664.13
organiser (s') 511.9
organiseur 88.4
organisme
système 795.7
assemblée 148.6
organisme génétiquement modifié 361.11
organisme vivant 251.8
organiste 542.11
organite 94.2
organogenèse
embryogenèse 265.2
histogenèse 821.6
organol 84.2
organologie 422.29
musicologie 543.41
organologique 422.33 ; 543.56
organologue 422.29
musicologue 543.41
organoplastie 114.17
organo-végétatif 548.15
organum 106.2
orgasme
plaisir 629.3 ; 763.6
orge
céréale 330.7 ; 360.7
fourrage 262.19
orgelet
bouton 78.5
blépharite 840.5
croûte 482.16
orgiaque 475.11
orgiaste 320.8
orgie 1.3 ; 475.4
débordement 294.3
partouze 763.13
plaisir 629.5
festin 309.9 ; 342.2
faire une orgie de 426.6
pl.
orgies 310.8
orgue 422.13
herse 67.4
orgue de Barbarie 273.5 ; 422.13
orgue de mer 527.12
buffet d'orgue 151.3
manger sur l'orgue de qqn 828.10
orgues 337.18
orgues de Staline 43.8
orgueil
péché 818.15
fierté 312.1
les sept péchés capitaux 606.2
démesure 426.1
orgueilleusement 312.13
orgueilleux 312.11 ; 312.5
excessif 426.11
orgueillite 312.1
orgye 417.11
oribates 417.12
oribus 250.6
orichalque 82.1
oriel 39.13
orient
est 221.4
levant 777.5
orientable 221.31
oriental 221.29
à l'orientale 333.51
empire oriental 873.5
groupe slave oriental 455.14
orientalisme 46.11
orientaliste 46.16
orientation
situation 769.1
direction 221.1
sens de l'orientation 221.12
orienté 769.13
orientement 221.16
orienter
situer 769.9
diriger 221.18
éduquer 253.7
être orienté 221.27
orienter (s') 221.20
se situer 769.11
orifice 128.5
ouverture 585.1
entrée 278.6
oriflamme 65.4
origan 594.4
fleur 318.16
épice 333.27
origénisme 818.20
originaire 763.29
initial 134.24
originaire de 254.8 ; 314.14
originairement 134.27
original
n.m.
document authentique 521.1 ; 607.9
adj.
singulier 556.15 ; 613.15
innovateur 414.9
originel 134.24 ; 560.13
édition originale 469.5
originalité 556.4
nouveauté 414.4 ; 560.1
rareté 686.1
créativité 378.2
origine 92.6 ; 134.3 ; 314.4
zéro 872.1
principe 658.1
originel 92.14
initial 134.24
péché originel 606.2 ; 818.15
originellement 134.27
orignal 486.6
oriole 570.8
orion 49.15
Orion 236.41
orionides 49.12
oripeau
fil d'or 575.12
dentelle 165.3
fripes 859.2
orle 39.21
cadre 77.10
ormaie 36.16
orme
bois 74.11
arbre 37.15
ormeau
arbre 37.15
mollusque 527.3
orné 347.11
lettre ornée 459.4 ; 578.7
ornemaniste
peintre 607.19
décorateur 578.11
ornement 578
embellissement 69.8
titre de gloire 312.4 ; 341.10
ornementation 543.26
chant 106.7
ornements architecturaux 39.21
ornemental 578.16
plante ornementale 318.1

osiériste 36.19
osiris 711.17
Osiris 236.10 ; 236.29
osm- 569.29
osma- 569.29 ; 594.12
-osmatique 569.30
osmatique 569.24
osmesthésie 569.5
osmi- 569.29
-osmia 569.30
-osmie 569.30
osmie 417.7
osmiesthésimètre 569.11
osmium 113.7
osmo- 569.29 ; 594.12
osmologie 569.9
osmomètre
sang 742.20
odorimètre 569.11
osmondales 79.4
osmonde 360.9
osmose
mélange 79.9 ; 251.4 ; 501.1 ; 608.2 ; 742.10
influence 407.3
Osques 371.16
ossature
structure 39.3 ; 576.1 ; 577.1 ; 791.4 ; 795.2
squelette 580.1
ossaturé 795.16
osséine 580.4
osselet
os 580.1
oreille externe 55.3
osselets 446.19
ossements
reliques 721.4
carcasse 580.2
mort 331.27
Ossètes 371.14
osseux 580.30 ; 821.10
carapace osseuse 638.9
sinus osseux 580.6
suture osseuse 580.20
ossianique 635.28
ossianisme 635.19
ossification 580.25
raidissement 732.3
ossifier 580.29
dessécher 418.12
ossifier (s') 732.11
ossifluent 580.30
ossiforme 580.30
ossifrage 570.15
osso buco 333.12
ossoko 74.13
ossu 580.31
ossuaire 331.14
ostéalgie 482.11
ostéite 580.26
algésie 243.3
ostéalgique 482.65
ostéichtyens 638.3
ostéicole 262.32
ostéite 482.11 ; 580.26
ostensible
visible 867.7 ; 868.25
ostensiblement 581.13
visiblement 867.9
ostensoir 508.12
ostentateur 581.10
ostentation **581** ; 12.2 ; 373.5
ostentatoire 581.10
ostentatoirement 12.15
ostéo- 580.33
ostéoblaste
osséine 580.4
fibre 821.2
ostéochondrose 482.11
ostéoclasie 114.8
ostéocyte 580.4
ostéogénie 265.2
ostéoglossidé 638.3
ostéole 580.4
ostéologie 580.27
anatomie 498.7
ostéologique 580.30
ostéologue 580.28
ostéolyse 482.11
ostéomalacie 482.11
ostéome 841.3
osteomeles 38.9
ostéomyélite 482.11
osthéopathe 580.28
ostéopathie 482.11
kinésithérapie 775.8
ostéophyte 482.11
ostéoplastes 580.4
ostéoplastie 114.17 ; 580.27
ostéoporose 482.11
osthéopraticien 580.28
ostéosarcome
ostéite 580.26
carcinome 841.4
ostéosynthèse 114.6
ostéotomie 114.14 ; 580.27
ostiariat 699.5
ostinato 543.25
ostiole 79.12
ostium 527.15
ostracée 527.19
ostracionidé 638.3
ostracisé 582.16
ostraciser 582.12
ostracisme **582**
exclusion 713.2
frapper d'ostracisme 582.12
ostracodermes 638.4
ostracodes 172.2
ostracon 252.7
ostréicole 262.32
ostréiculteur 262.23
ostréiculture 527.16
aquaculture 262.3
ostrogoth
individu 364.3
Ostrogoths
peuple 371.16
ostrya 37.20
Ostyaks 371.14
-ot 616.18
otage 208.16
otalgie 803.6
algésie 243.3
otite 482.30
otalgique 482.75
otariidé 486.3
otectomie 114.13
-oter 326.21
ôter 295.9
extraire 756.18
soustraire 790.5
enlever 301.10
ôter de 783.23
ôter le goût du pain à 534.27
otiorhynque 417.3
-otique 482.86
otique
auriculaire 55.20
otite 482.30
otalgie 803.6
oto- 55.23
otologie 55.11
otologiste 498.27
Otomis 371.7 ; 371.8
otomycose 482.36
oton 330.7
otoplastie 114.17
oto-rhino-laryngologie
pneumologie 718.19
médecine 498.7
oto-rhino-laryngologiste 498.27
pneumologue 718.20
audiométriste 55.16
otorrhée
otalgie 803.6
otite 482.30
otoscope 55.9
otospongiose
otalgie 803.6
otite 482.30
ottava rima 370.3
-otte 616.18
Ottoman 355.8
ottomane 519.14
ottoragie 482.30
otycion 486.9
ou 295.19 ; 617.6 ; 725.21
ou alors 295.19
ou bien 295.19
ou exclusif 295.5
ou inclusif 396.8
où
d'où 254.10
ouaille 508.15
ouais 431.2
oui 13.12
ouakari 486.14
ouaouaron 68.3
ouate 816.5
ouate de verre 855.4
ouaté
insonore 766.18
filé 816.33
ouater 816.25
ouaterie 816.16
ouateux 816.35
ouatine 816.5
ouatiner 816.25
oubli **583** ; 598.6
lacune 488.3
désuétude 206.1
désaffection 401.3
omission 547.6
oubli de soi 583.4 ; 701.3
oubli des fautes 592.1
oubliable 583.15
oubliance 583.1
oublié 583.15
oublier 583.8 ; 592.13 ; 598.12
oublier à qui l'on s'adresse 439.7
oublier de 547.14
oublier (s')
faire abnégation de soi 336.6
mal se tenir 226.5 ; 399.6
faire ses besoins 296.24
oubliettes 583.7
cellule 208.10
jeter aux oubliettes 208.20
tomber dans les oubliettes 583.13
oublieusement 583.17
oublieux 583.16
négligent 547.16

ouvrier 266.15 ; 480.16 ; 480.3
instrument 15.4
créateur 662.12
salarié 834.37
ouvrier agricole 18.16
ouvrier du livre 388.16
les mauvais ouvriers accusent leurs outils, ont toujours de mauvais outils 584.34
ouvriérisme
populisme 808.14
syndicalisme 480.12
t. de morale 533.3
ouvriériste 808.40
ouvrir 368.7 ; 585.10 ; 585.11 ; 760.30
commencer 134.16
élargir 456.4
évider 167.12
intercepter 792.85
jeux de cartes 446.35
jeu d'échecs 446.36
ouvrir boutique 135.22
ouvrir des horizons 585.14
ouvrir grand ses oreilles 55.18
ouvrir l'accès à 585.13
ouvrir l'audience 451.28
ouvrir l'esprit 585.14
ouvrir l'œil 21.10 ; 52.8 ; 585.15 ; 851.8
ouvrir la lumière 473.29
ouvrir la marche 33.11 ; 211.15
ouvrir la séance 642.18
ouvrir la voie 812.8
ouvrir le bal 33.11
ouvrir le jeu 134.16
ouvrir sa bourse 241.17
ouvrir son capital 81.30
ouvrir son cœur à 145.17
ouvrir son esprit 424.10
ouvrir un crédit 166.28
ouvrir une voie 33.11 ; 211.15
l'ouvrir 595.18
ouvrir (s')
présenter une ouverture 456.4 ; 585.16
s'épanouir 318.41
se blesser 72.15
s'ouvrir sur 585.16
s'ouvrir à 145.17 ; 585.16
Ouzbek 355.6 ; 371.14
ouzo 75.13
ov- 97.17
ovaire 762.17
gonade 711.7
glande 340.2
t. de botanique 318.5
ovalbumine 94.8
ovale
n.m. 162.2 ; 338.8
adj. 37.27 ; 527.19
en ovale 70.15
ovalocyte 742.3
Ovambos 371.11
ovariectomie 114.13
contraception 711.12
ovarien
cycle ovarien 340.6
hormone ovarienne 340.3
ovariotomie 114.14
ovation
acclamation 798.5
applaudissements 471.3
clameur 168.5
ovationner 798.19
acclamer 471.13
glorifier 341.12
féliciter 366.14
crier 168.18
ove 578.3
courbe 162.2
overdose 825.11
overdrive 57.4
ovi- 486.34
ovibos 486.6
ovier 848.21
ovigère 172.7
ovipare 711.25 ; 873.20
oviparité 711.4
oviscapte 417.17
oviste 265.13
ovo- 97.17
ovocyte 711.7
ovogenèse 762.18
embryogenèse 265.2
ovulation 340.6
ovoglobuline 94.8
ovoïde 527.19
ovopositeur 417.17
ovotestis 340.2
ovovivipare 711.25 ; 873.20
ovoviviparité 711.4
ovulation 340.6 ; 762.23
conception 711.10
ovule
gamète 711.7
organe floral 318.5
préparation médicamenteuse 499.15 ; 711.12
mollusque 527.3
ovuler 306.15
oxalémie 742.17
oxalis 360.8
oxalo-acétique
acide oxalo-acétique 94.13
oxalurie 296.10
oxazépam 499.5
oxhydryle 113.9
oxo- 113.29
oxy- 794.7
oxybiotique 718.31
oxycarbonémie 742.17
empoisonnement 267.2
oxycarbonisme 267.2
oxycèdre 74.12
oxydable 205.27
oxydant 113.4
oxydase-cétoglutarique 94.24
oxydation 131.3
respiration 20.6
métabolisme 94.25
digestion 218.1
oxyde
oxyde bleu de cobalt 73.2 ; 73.3
oxyde d'éthylène 617.6
oxyde de carbone 335.2
oxyde de fer 307.4 ; 307.6
oxyde de plomb 631.2
oxyde de propylène 617.6
oxydé 40.8
oxyder
brûler 20.16 ; 205.21
oxyder (s') 307.19
oxydoréductase 94.24
oxydoréducteur 113.4
oxydoréduction
métabolisme 94.25
digestion 218.1
oxygénation 20.6 ; 775.5
oxygène 113.7
comburant 131.10
gaz parfait 335.2
air 20.1 ; 718.10
tente à oxygène 775.20
oxygéné 20.17
oxygéner
aérer 20.12
injecter 775.26
coiffer 129.13
oxygéner (s') 718.24
s'aérer 20.12
respirer 718.23
oxygénothérapie 775.5
respiration artificielle 718.18
oxygonal 338.16
oxymétrie 509.25
oxymoron 313.5
oxyphonie 794.3
oxyphorique
pouvoir oxyphorique 742.16
oxyrhine 638.7
oxytétracycline 499.5
oxythyrea 417.3
oxytocine 94.14
oxyure 856.2
oxyurose 482.35
oyapok 486.13
Ozalid 388.10
ozène
puanteur 569.4
rhinite 482.30
ozéneux 569.26
ozigo 37.18
ozo- 569.29
ozocérite 337.23
ozone 335.2
trou dans la couche d'ozone ou *trou d'ozone* 251.9
ozotyle 113.9

P

pa'anga 529.8
paca 486.5
pacage 262.16
pré 262.17
pacager 262.27
pacanier 37.19
paccage 360.5
pacemaker 128.20
stimulateur 793.7
pacha 822.5
Pachacamac 736.8
pachon 128.19
Pachtous 371.13
pachyderme
gros 351.6
t. de zoologie 873.25
pachydermie 482.17
pachydermique 458.18
pachydiscus 527.5
pachyméninge 100.18
pachyure 486.10
pachyvaginalite 482.33
pacificateur 589.9
pacification 589.8
pacifié 589.13
pacifier 589.11
calmer 89.6

accord 6.1
calme 89.1
tranquillité 89.2
repos 706.3
sécurité 752.1
paix clémentine 141.8
geste de paix 765.9
faire la paix 6.9 ; 141.12 ; 586.9 ; 589.11
signer la paix 589.11
allez en la paix du Christ 508.22
si tu veux la paix, prépare la guerre 589.6
Pakhet 236.24
Pakistanais 355.9
pal 801.4
pointe 637.3
palabre
conversation 156.1 ; 595.6
arbre à palabres 37.4
palabrer 682.10
converser 156.13
palabreur
sophiste 682.8
discoureur 595.15
bavard 665.7
palace 481.6
paladin 552.18
faire le paladin 552.22
palais
édifice 481.6
palais de justice 835.19
palais
haut de la bouche 343.7
avoir du palais 343.13
voile du palais 218.6
Palamède 236.41
palan
levier 531.9
appareils de levage 489.9
palangre 605.3
palangrotte 605.3
palanque 67.2
palanquée
quantité 678.5
charge 152.3
palanquin 833.15
palaquium 37.20
palastre ou **palâtre** 760.7
palatale 781.8
palatial 39.26
palatin 541.13
crâne 580.5
division palatine 484.5
os palatin 814.5
palatiner 552.22
palâtre → **palastre**
Palaungs 371.13
pale 508.11
pâle 73.8 ; 159.27 ; 444.11 ; 604.14
plombé 631.14
quelconque 500.13
angoissé 619.20
terne 630.11
pâle comme la mort 534.37
se faire porter pâle 482.51
paléanodonte 486.4
palée
poisson 638.5
palée
rang de pals 67.3 ; 834.32
paléencéphale 100.2
palefroi 486.11
palémon 172.3
paléo- 28.20
paléoasiatique 371.5
paléobotanique 79.1
paléocène 337.21
paléocérébellum 100.7
paléocortex 100.15
paléographe
généalogiste 363.9
graphologue 252.12
paléographie
sciences auxiliaires de l'histoire 363.5
graphologie 252.10
paléographique 363.17
Paléo-Indonésiens 371.5
paléolithique 363.4
paléologue 455.12
paléomagnétisme 478.2
paléontologie
géologie 337.1
paléozoologie 873.2
paléontologue 337.24
paléo-pallidum 100.13
paléopathologie 498.4
paléoptère 417.32
insecte 417.1
paléosol 337.16
paléostriatum 100.13
paléotaxodontes 527.1
paléothérium 337.23
paléoxylologie 74.17
paléozoïque 337.21
paléozoologie 873.2
Palès 236.30
Palestin 355.8
Palestine 449.17
palestinien
langue 449.19
Palestinien 355.8
palestre 792.78
palet
sucrerie 799.6
disque pour jouer 792.71
paletot 859.12
tomber sur le paletot de 44.12 ; 160.16
palette
de peintre 159.11 ; 607.12 ; 607.17 ; 729.10
de manutention 489.8
piège à palette 107.5
palettisation 489.5
palettiser 489.18
palettiseur 489.10
palétuvier
arbre 37.18 ; 37.20
pâleur 71.6
symptôme 482.7
pali 736.12
palier
d'escalier 481.29
partie horizontale 834.11
phase 683.6
pièce mécanique 476.12
en paliers 683.18
par paliers 344.14
palière
porte palière 481.28
palilalie 321.8 ; 839.6
rabâchage 704.2
palimpseste 252.5
palindrome 535.3
palingénésie 287.3
éternel recommencement 704.4
palingénésique 704.13
palinodie
tromperie 25.3
ambiguïté 25.4
rétractation 828.4
poésie 635.7
chanter la palinodie 25.12
palinuridés 172.2
pâlir 857.8
blêmir 71.10
se troubler 755.10
avoir peur 619.13
pâlir sur ses livres 274.19
palis 67.3
palissade
clos 67.3
défenses 182.8
haie 443.8
palissader
balustrer 67.15
fortifier 182.23
tailler 36.22
palissadique 67.18
palissage 67.14
palissandre
bois 74.13
arbre 37.19
palisser 36.22
paliure
arbuste 38.4 ; 38.8
palladianisme 39.22
palladié
or gris palladié 575.3
palladien 39.28
palladium
talisman sacré 671.4
palladium
métal 113.7
palliatif
n.m.
médicament 353.9
remède 786.3
adj.
vaccinal 499.28
palliation 353.8
pallidectomie 114.13
pallidum 100.13
pallier 353.16
aplanir 567.16
pallium 590.9
cerveau 100.15 ; 100.2
palmacée 37.11
palmaire 479.17
grand palmaire 541.8
petit palmaire 541.8
palmales 79.4
palmarès
succès 798.6
récompense 507.5
liste 554.11
émission 681.12
score 792.68
palmatinervée 37.27
palme 861.4
huile 369.4
feuille 37.9
palme d'or 798.5
palme de la victoire 341.9
palmé 578.18
palmée 37.27
toucher 479.7
palmer 509.26
palmeraie 36.16
palmettes 578.3
palmier 37.17
palmier-dattier 37.17
palmifide 37.27
palmilobée 37.27
palmipède 570.4
bipède 873.24

palmiséquée 37.27
palmiste 417.3
palmitate
palmitate de rétinol 499.6
palmitique 94.7
palmure 570.22
palolo 856.2
palombe 570.11
palombière 107.5
palomète 638.6
palommier 38.4
palot
rouler un palot 91.7
palourde
mollusque 527.2
fruit de mer 333.13
palpable
concret 297.13
matériel 492.8
perceptible 754.16
tactile 824.8
accompli 5.20
palpation 824.4
toucher 479.7
examen 498.11
palpe 417.17
palpe labial 638.11
palpébral 541.5
visuel 868.28
palper
manier 479.10
toucher 824.7
caresser 91.6
recevoir des appointements 739.12
palpigrades 417.12
palpitant
n.m.
cœur 128.1
adj.
bruissant 83.19
passionnant 174.10 ; 600.12
palpitation
contraction 154.3
circulation 128.11
palpitations 482.13
palpiter
battre 128.23
ressentir 755.10
palplanche 834.32
palsambleu 431.6
paltoquet 226.4
palu
palu breton 441.3
paluche
main 479.1
caméra 120.12
palucher 91.6
palud 372.4
paludarium 262.7
vivarium 873.9
palude 372.4
paludéen 482.78
marécageux 372.18
paludicole 251.16
aquatique 873.23
paludine 527.3
paludisme 482.35
palun 372.4
palus 372.4
palustre 251.16
marécageux 372.18
aquatique 873.23
pâmé
inconscient 397.14
extatique 397.18
pâmer (se)
s'évanouir 397.12
perdre connaissance 418.11
s'enthousiasmer 276.8
pâmoison
perte de connaissance 397.2
évanouissement 303.3
tomber en pâmoison 397.12
pampa
désert 627.5 ; 750.10
herbage 360.5
pampéen 627.7
pampero 852.6
pamphile 417.11
pamphlet 227.10
réquisitoire 225.6
pamphlétaire 225.12
pampille 165.3
pamplemousse 330.9
pamplemoussier 37.17
pampre 578.3
pan
onomatopée 83.23 ; 431.7
pan
côté 158.3
de tissu 816.19 ; 859.21
pan coupé 30.7
pan de verre 855.8
pans de rets 107.6
Pan 236.30
panacée 499.2
remède 653.10
t. d'alchimie 477.13
panachage 260.6
coupage 501.4
bariolage 643.3
t. de Bourse 81.15
panache 366.4
plumage 570.21
ornement 578.4
panaché
n.m.
mélange 501.5
bière 75.10
adj.
mélangé 501.17
t. de botanique 37.27
panacher
allonger 501.14
colorer 643.8
voter 260.26
panachure
bariolure 643.2
t. de botanique 79.16
panade
soupe 333.26
misère 217.12 ; 603.2
panader (se) 581.7
panafricanisme 808.18
panafricaniste 808.44
panage 317.11 ; 486.19
panaire 588.17
panais
fleur 318.20
t. de gastronomie 333.19
panama 859.25
panaméen 355.10
panaméricanisme 808.18
panarabisme 808.18
panarabiste 808.44
panard 623.1
panaris 482.20
Panataram 815.23
panathénées 310.8
panax 38.4
panca 109.14
pancake 333.16
pancalisme 620.3
pancarte 765.13
pancatantra 815.9
panchen-lama 525.7
panchronique 247.14
pancrace 792.15
pancratique 574.22
pancréas
glande 340.2
foie 218.10
pancréatectomie 114.13
pancréatique 218.24
hormone pancréatique 340.3
pancréatite 482.23
pancréatotrope
hormone pancréatotrope 340.3
pancréozymine 340.3
panda 486.14
pandanales 79.4
pandanus 38.9
pandectes 245.34
pandémie 482.6
pandémique 482.63
pandémonium 271.6
pandiculation 851.4
pandit 822.6
pandore
gendarme 641.7
Pandore
astre 49.10
pandour 869.11
pané
enrobé de chapelure 333.50 ; 588.18
pané → panné
panégyrique 471.21
exagération 804.2
inspiration 276.5
prêche 648.5
éloge 341.8 ; 471.4
honneurs funèbres 331.3
louange 225.5
panégyriste 471.8
orateur 225.12
panel 675.3
panem et circences 588.14
cirque 123.1
paner 333.37
panerée
bouchée 678.5
charge 152.3
paneterie 588.10
panetier 588.11
panetière 588.10
paneton 588.9
corbeille 151.5
panga-panga 37.18
pangermanisme 808.18
pangermaniste 808.44
pangolin 486.10
panic 360.7
panicaut 318.20
panicule 318.5
panier
contenant 151.5
jupon 859.22
but 792.79
panier à salade 44.6 ; 208.12 ; 848.31
panier de crabes 140.2 ; 667.6
panier percé 191.10 ; 661.5
panier de la ménagère 152.3 ; 191.2
dans le même panier 376.10

papier hygiénique 669.5
papier mat 621.5
papier mâché 749.13
papier sensible 621.5
papier timbré 317.24
papier verré 855.7
sur le papier 658.12 ; 802.13
papiers collés 607.3
papiers d'identité 376.6
papiers militaires 41.20
être dans les petits papiers de 26.8 ; 145.20
être réglé comme du papier à musique 357.16 ; 644.3
papier-calque 388.12
papier-émeri 640.4
papier-monnaie 529.1
papier-reliure 388.12
papilionacées 318.27
papilionidés 417.10
papille
fleurs 318.5
couche 821.3
papille de la peau 754.2
papilles gustatives 343.7
papillite 482.28
papillomateux 841.12
papillomavirus 512.3
papillome 841.3
verrue 604.4
papillon
insecte 417.10 ; 417.11
obturateur 632.4
nage 792.31
papillon de mer 638.6
papillons noirs 272.1
papillonnage 834.20
papillonnant 850.13
papillonnement 834.20
papillonner 394.5
retourner sa veste 104.20
butiner 417.30
papillonneur 792.63
papillotage
clignement 868.7
scintillement 473.6
papillotant 104.22
papillote
sucrerie 799.5
bigoudi 129.8
papillotement
clignement 868.7
scintillement 473.6
papilloter
cligner des yeux 868.20
avoir sommeil 780.15
débiter 36.26
papion 486.14
papisme 590.20
catholicisme 117.3
papiste 590.21
papivore 469.18
paponge 333.18
papotage 156.3
papoter
bavarder 595.22 ; 665.10
papou
langues papoues 455.14
papouillard 91.9
papouille 91.2
papouiller 91.6
Papous 371.12
papovavirus 512.3
paprika 333.27
papule
lésion 604.4
croûte 482.16
papuleux 482.67
papy 609.7
papyracée 527.19
papyrus
plante 360.8
papier 388.12
pâque 449.9
pâque républicaine 771.2
paquebot 830.3
pâquerette 318.10
Pâques 117
fêtes chrétiennes 310.3
Pâques aux tisons 127.13
paquet 151.4
assortiment 352.5
correspondance 157.3
bagage 829.14
paquet de linge sale 740.8
paquet de mer 319.10
paquet de nerfs 549.7
mettre le paquet 255.7 ; 864.11
recevoir son paquet 710.19
paquetage 151.8
paqueté 151.13
paqueter 151.11
paquis 486.19
pâquis 262.17
par 15.10 ; 536.13
à 221.35
para- 113.29 ; 379.14
protège- 671.36
para
monnaie 529.13
para
parachutiste 41.12
para-amino-benzoïque
acide para-amino-benzoïque 94.13
parabancaire 66.49
parabase 817.13
parabole
courbe 338.8
parabole
comparaison 25.4 ; 533.7 ; 691.5 ; 709.3
parabolicité 162.1
parabolique 162.14
paraboliquement 162.16
paraboloïdal 162.14
paraboloïde 338.8
paracentèse 114.7
paracentral
lobule paracentral 100.14
paracétamol 499.5
parachèvement 315.10
parachever
achever 315.16
totaliser 823.8
parfaire 5.17
parachever (se) 293.11
parachimie 113.1
parachronisme 647.6
parachutage 258.1
parachute 792.74
parachute doré 739.5
parachute éjecteur 258.6
parachuter 258.8
parachutisme 792.32
parachutiste 119.13 ; 792.64
militaire 41.12
Paraclet 215.10
paraclimax 251.3
paracousie 482.29
parade
ostentation 581.1
manœuvre 487.2 ; 487.9
t. de boxe 792.16
la grande parade du cirque 123.4
faire parade 581.7
faire parade de 12.9
parader
se pavaner 581.7
défiler 487.25
paradigme
modèle 521.1 ; 795.3
t. de grammaire 346.4 ; 535.1
paradis 591
abondance 1.4 ; 670.5
arbre 37.13
séjour des âmes 440.24 ; 534.8
d'un théâtre 748.7
paradis artificiels 825.1
oiseau de paradis 570.14
aller par-delà le paradis 213.8
ne pas l'emporter au paradis 720.11
paradisiaque 447.16 ; 591.9
paradisier 570.14
paradoxal 24.14
éloge paradoxal 225.5
sommeil paradoxal 780.2
paradoxe
non-sens 24.4 ; 385.3 ; 557.3
t. de rhétorique 313.5
paradoxes de Zénon d'Élée 496.10
paradoxisme 313.5
parafeur 126.11
paraffine ou **alcane** 617.6
huile de paraffine 369.6
paraffiner 727.15
parafiscal 317.39
parafiscalité 317.1
parafloccus 100.7
parafouille 834.6
parage
lignage 683.4
t. de chirurgie 114.7
t. d'agriculture 18.4
de haut parage 552.24
parages 695.5
environnement 280.1 ; 673.4
paraglosse 417.17
paragoge 313.2
paragrammatisme 839.5
paragramme 459.6
paragraphe 469.13
paragraphie 252.8
Paraguayen 355.10
paraître
n.m. 300.3
v.
apparaître 34.7 ; 297.10 ; 651.8
émerger 783.16
sembler 25.9
tromper 373.5
paraître son âge 14.8
à paraître 469.26
faire paraître 469.24
paralexie 839.4
paralipse 313.5
paralittérature 691.6
parallactique 49.35
parallaxe
parallaxe stellaire 49.23
parallaxe-seconde 49.25
parallèle
n.m.
comparaison 138.1 ; 729.9
n.f.
cercle 97.4 ; 769.6

droite 338.7
adj.
concordant 143.11
symétrique 338.16
parallèle de hauteur 49.21
en parallèle 261.27 ; 768.12
organum parallèle 106.2
faire un parallèle 138.8
mettre en parallèle 138.8 ; 143.8 ; 685.9
parallèlement
identiquement 143.15
symétriquement 158.21
simultanément 768.11
parallélépipède 338.6
parallélépipédique 338.16
parallélinervée 37.27
parallélisme 719.3
parallélogramme 338.5
parallélogramme des forces 322.2
paralogisme 283.5
paralympique 792.39
sportif 792.94
paralyser
bloquer 403.8 ; 732.10
de surprise 805.5
de peur 619.10
arrêter 567
paralysie
inertie 403.3
maladie 482.37 ; 548.20 ; 732.2
paralytique 548.27
paramagnétique 478.14
paramagnétisme 478.2
électromagnétisme 261.2
paramécie 512.1
paramédical 498.36
paraméthasone 340.3
paramètre
variable 493.2
coordonnée 769.6
paramétrer 408.25
mathématiser 493.8
paramilitaire 41.24
paramnésie 583.1
paramyxovirus 512.3
paranéoptères 417.1
parangon
modèle 521.1
norme 559.1
étalon 138.4
représentant 709.5
parangonner 323.12
paranoïa 321.6
paranoïaque 321.14 ; 321.25
paranormal 32.15 ; 32.3 ; 477.29
paranthélie 777.3
parapente 792.32
parapentiste 792.64
parapet 67 ; 791.6
protection 671.5
travaux publics 834.4
parapétrolier 269.12
parapharmaceutique 499.27
parapharmacie 499.20
paraphasie 839.5
paraphe
signature 765.11
nom 554.6
parapher 765.23
signer 554.24
parapheur 126.11
paraphrase
commentaire 379.3 ; 432.2
développement 9.4
t. de musique 543.32
paraphraser
redire 379.7
s'étendre 665.8
paraphrasie 839.5
paraphrastique 379.9
paraphrénie 321.6
paraphyse 103.3
parapluie
accessoire 633.8 ; 859.30
t. de serrurerie 760.16
parapluie nucléaire 671.6
distribution en parapluie 632.14
avoir avalé un parapluie 732.12 ; 759.5
ouvrir le parapluie 671.26
paraponyx 417.11
parapophyse 580.11
parapsychique 477.29
parapsychologie 477.16
parapsychologique 477.29
parapublic
n.m. 222.7 ; 266.8
adj. 222.19
parascève 449
Sabbat 310.5
parascolaire 274.21
parasélène 97.5
parasexualité 763.1
parasismique 671.31
parasitage 411.6
parasite
être vivant 251.17 ; 873.22
pique-assiette 368.3 ; 703.19
perturbation 681.8 ; 809.8
parasites 83.3 ; 411.6
parasiter 411.12
parasitisme 251.4
parasitologie 498.6
bactériologie 512.11
parasoleil 621.4
parasymbiose 463.4
parasympathique
système parasympathique 548.15
nerfs parasympathiques 548.5
parasympatholytique 548.26
parasympathomimétique 548.26
parataxe
syntaxe 346.7 ; 622.6
figures de construction 313.3
paratexte 252.5
parathormone 340.3
parathyroïdectomie 114.13
parathyroïdien
hormone parathyroïdienne 340.3
paratonnerre 671.36
parâtre 609.5
paratyphoïde 482.20
paravent
barrière 67.2 ; 852.13
meuble 519.23 ; 567.3 ; 671.4
servir de paravent à 671.23
paraviviparité 711.4
para-xylène 617.6
parbleu 431.2
parc
pour animaux 486.18
de verdure 443.2 ; 845.13
parking 57.15
parc animalier 873.9
parc automobile 57.1
parc national 251.11
parc naturel 653.11
parc d'attractions 54.3 ; 448.13
parc d'élevage 262.17
parc de mer 605.18
parc de stationnement 57.15
parcage
élevage 262.6
d'automobiles 57.14
parc-autos 57.15
parce que 536.15
car 92.21
parcellaire 324.15
parcellariser 324.10
parcelle 616.4
partie 324.3 ; 597.1
rien 602.2
parcellement 18.3
fraction 324.1
parceller
partager 597.10
fractionner 324.10
parcellisation
parcellisation du travail 480.9
parcelliser 324.10
parche 330.3
parchemin 388.12
parchemins 552.13
de parchemin ou de nouvelle impression 552.28
parcheminé 604.15
parcimonie
paucité 602.1
avarice 61.1
épargne 281.1
avec parcimonie 61.10 ; 281.18
parcimonieusement 61.10
économiquement 281.18
parcimonieux
avare 61.9
économe 281.15
parcmètre 57.14
parcotrain 57.15
parcourir 871.20
parcours
distance 232.3 ; 829.6 ; 871.2
des événements 293.2
t. d'élevage 262.17
par-delà 190.13
par-derrière 193.19
par-dessous 195 ; 203
par-dessus 204 ; 746.19
passer par-dessus 204.22
en avoir par-dessus la tête 62.8
pardessus
dessus 204.3
manteau 859.12
par-devant 211
pardi 431.2
pardienne 431.2
pardieu 431.2
pardon 592
rémission 583.3 ; 786.2
pèlerinage 98.10 ; 309.7

grand pardon 309.7 ; 310.5 ; 449 ; 592.6
mille pardons 592.19
lettre de pardon 592.7
demander pardon 163.8 ; 299.6 ; 697.7
pardonnable 592.15
pardonné 592.14
pardonner 592
Dieu me pardonne 592.19
-pare 544.28 ; 711.29 ; 873.28
pare- 653.27
protège- 671.36
paré 309.11
paré
pacte de voie parée 166.9
pare-balles 182.15
protège- 671.36
pare-boue 671.7
automobile 57.5
pare-brise
garde 67.7
carrosserie 57.5
pare-chocs 115.16
carrosserie 57.5
pare-clous 57.8
parèdre 236.3
pare-éclats
abri 182.11
t. de menuiserie 505.18
pare-étincelles 671.7
paravent 519.23
chenet 109.17
pare-feu 211.5 ; 671.7
balcon 67.7
ignifugé 311.31
pare-flamme 671.31
paréiasaure 712.11
pareil
n. 256.8 ; 719.5
adj.
identique 376 ; 719.15 ; 843.9
conforme 147.14
égal 256.18
indifférent 401.18
sans pareil 69.15 ; 414.9 ; 800.20 ; 842.13
à nul autre pareil 842.13
c'est du pareil au même 256.17 ; 719.10
pareillement
identiquement 147.16 ; 376.17
indifféremment 401.19
parement
plafond 727.8
bordure 505.7
volet de parement 67.9
parementer 727.13
parenchymateux 821.11
parenchyme
tissu vasculaire 74.2
bulbe 318.3
parénèse
précepte 533.7
sermon 225.4
parent
n.
ancêtre 314.5
affilié 314.7
adj.
concordant 143.10
affilié 314.15
parents 304.3 ; 314.5
parentage 314.1
parental
familial 304.13
affilié 314.15
parentales ou **parentalies**
mystères 310.8
cérémonie 331.8
parenté
ressemblance 698.1 ; 719.1
hérédité 361.5
filiation 304.9 ; 314
lien de parenté 314.1
parentèle 314.1
parentéral 499.28
parenthèse
épisode 223.3
signe de ponctuation 765.10
parepain 848.29
pare-pierres 57.5
parer
recouvrir 727.13
embellir 69.12 ; 378.9
protéger 182.21 ; 671.24
orner 578.14
un mets 333.38
t. de sports 792.86
parer à 182.26
parer contre 671.18
parer (se) 859.37
pare-soleil 57.11
paresse 593
inaction 302.11 ; 393.4 ; 403.4 ; 458.1 ; 547.3
vice 606.2 ; 818.15
paresse intestinale 593.4
paresser 393.9 ; 593.7
flâner 458.14
paresseusement 393.19 ; 593.15
négligemment 547.20
paresseux
n.
inactif 393.7 ; 593.5
adj.
inactif 393.17 ; 403.12 ; 458.18 ; 547.16 ; 593
paresseux
animal 486.10
parfaire 5.17
achever 315.16
totaliser 823.8
parfait
n. 799.6
adj.
supérieur 521.12 ; 677.16 ; 800.22
superbe 69.15
accompli 5.23
vertueux 365.9 ; 858.10
parfaitement
fortement 427.27
supérieurement 677.19
certainement 99.10
parfilage 575.7
parfiler 575.19 ; 816.22
parfileur 575.15
parfois 686.12
bis 704.18
parfum 594 ; 569.2
eau de parfum 594.3
parfumé 569.25 ; 594.11
parfumer
imprégner de parfum 569.16 ; 594.10
aromatiser 333.37 ; 343.16
parfumer (se) 569.21
parfumerie 594.8
osmologie 569.9
parfumeur 594.9
parhélie
disque 97.5
halo 777.3
pari 802.1
pari mutuel urbain ou *P.M.U.* 446.13
paria
intouchable 362.13
exclu 409.3 ; 582.11
parier 660.7
parier à dix contre un 842.4
parier sur 802.7
pariétaire 318.31
pariétal
tête 814.2
crâne 580.5
feuillet pariétal 218.11
peinture pariétale 607.2
pariétales 79.4
pariétectomie 114.13
pariéto-occipitale 580.20
parinirvana 80.8
paris-brest 799.6
parisette 318.17
parisien 588.2
parisis
livre parisis 529.12
paritaire 256.24
parité
identité 138.5 ; 143.2 ; 376.1 ; 719.1
égalité 256.1
parjure 181 ; 828
parjurer (se)
se dérober 181.8
renier 828.12
mentir 504.13
parka 859.12
parking
stationnement 57.14
parc 57.15
Parkinson
maladie de Parkinson 482.37 ; 548.20
parkinsonia
arbuste 38.4
mollusque 527.5
parlant
éloquent 277.7
significatif 753.13
convaincant 264.9
parleur 595.27
cinéma parlant 120.2
parlé 455.19
littéraire 459.19
oral 595.29
écrit 252.16
parlement 642.2 ; 708.5
pouvoir législatif 245.45
parlementaire
n. 708.3 ; 729.13
adj. 245.47 ; 694.25 ; 708.20
parlementarisme 694.4
parlementer 156.18
parler
n.m.
langue 455.1
style 729.10
parler vrai 854.7
v.
communiquer 136.18 ; 455.15 ; 595.18 ; 781.26
discourir 729.15
converser 156.13
perroquet 170.7
t. de jeux 446.38
parler fort 83.17 ; 168.15
parler à bâtons rompus 595.21

partenarial 596.34
partenariat 596.6
parterre
public 137.5 ; 651.6
d'un jardin 443.7
d'un théâtre 748.7
prendre un billet de parterre 119.18
parthénium 318.10
parthénocarpie 330.18
parthénogenèse 711.2
parthénogénétique 711.23
parti
adj.
absent 2.10 ; 181.7 ; 189.17
ivre 441.18
n.m.
groupement 642.5 ; 694.23 ; 725.2
camp 158.8
choix 148.5
prétendant 491.16
parti politique 694.23
parti pris 413.4 ; 450.3
de parti pris 413.14
faire un mauvais parti à 160.15
prendre parti pour 116.10 ; 626.6
prendre son parti de 601.9
prendre un parti 716.4
tirer parti de 846.14
partial 413.14
inégalitaire 402.14
malhonnête 485.12
partialement 413.18
partialité 413
discrimination 402.2
critère 116.4
malhonnêteté 485.1
avec partialité 413.19
participant 596.9
public 651.6
agent 7.9
obligation participante 849.4
participatif 596.34
participation 596
aide 19.2
contribution 339.11
t. de Bourse 81.7
prise de participation 81.7
participe 652.2
mode 346.6
mot 535.2
participe présent 293.17
participer
collaborer 15.7 ; 597.13
aider 19.19
contribuer 339.28 ; 587.20
jouer 792.81
participial 346.20
proposition participiale 622.5
particularisant 376.16
particularisé 126.18
particulariser 216.9
identifier 376.11
spécifier 126.14
particulariser (se)
différer 23.12 ; 216.6
se distinguer 234.6
particularisme
indépendantisme 400.4
non-conformisme 556.5
particularisme régional 695.9
particularité
circonstances 122.2
trait 32.1 ; 216.4
particule
partie 597.1
t. de physique 513.3
t. de grammaire 346.13 ; 535.7
particule virale 512.3
nom à particule 552.12
particulier
n.m.
individu 613.2
adj.
autre 23.14 ; 556.15
anormal 32.14
rare 686.9
individuel 613.15
esthétique particulière ou pratique 620.5
légataire particulier 241.11
legs particulier 241.7
proposition particulière 295.5
particulièrement 597.21
partie 597
section 126.4
fragment 324.3 ; 396.7
côté 158.1
camp 158.8
d'un match 726.3
d'un livre 469.13
métier 266.3
match 446.8 ; 792.38
t. de droit 586.8 ; 835.7
t. de grammaire 346.8
partie adverse 146.12 ; 835.7
partie carrée 763.13
partie civile 835.7
se constituer partie civile 451.26
se porter partie civile 451.26
partie fine 629.5 ; 725.3 ; 763.13
parties honteuses 711.7 ; 762.1
partie opposante 572.6
parties signataires 586.13
partie de campagne 137.11 ; 309.10 ; 725.3
partie du discours 535.2
partie du monde 695.1
partie de plaisir 629.5
en grande partie 324.18
tout ou partie 597.20
être de la partie 596.18
faire partie de 396.14
faire une partie de 446.33
gagner la partie 861.7
mener la partie 240.9
prendre à partie 50.16 ; 146.15
savoir sa partie 597.14
partie (en) 324.18
partiel 597.17
fragmentaire 324.15
inabouti 392.18
interrogation partielle 680.4
partiellement 324.18
en partie 597.20
partimen 635.11
partir
disparaître 181.6 ; 228.7 ; 238.13
diviser 324.10 ; 597.10 ; 756.15
s'éloigner 189.7 ; 263.9 ; 783.17 ; 832.26 ; 871.19
mourir 534.20
s'enivrer 825.17
faire feu 820.21
partir avec la caisse 869.22
partir comme des petits pains 798.12
partir de la tête 534.31
partir du ventre 534.31
partir du pied droit 623.5
partir du pied gauche 623.5
partir du principe que 802.5
partir d'un principe 658.9
partir en fumée 228.7
partir en guerre 354.23
partir pour 221.23
partir sans demander son reste 721.9
faire partir 189.14
à partir de 134.30 ; 647.29
partisan
n.m.
adepte 596.9
défenseur 472.7
allié 26.6
résistant 354.16 ; 715.10
sympathisant 808.25
adj.
dogmatique 99.9
partial 413.14
collecteur d'impôt 317.28
partisan du moindre effort 393.7 ; 593.5
guerre de partisans 354.2
partita 176.12
fugue 543.30
partitif
séparatif 597.18
article partitif 346.10
partition
division 237.2 ; 324.1 ; 597.5 ; 756.1
écriture musicale 543.27
t. de rhétorique 729.6
partout 769.15
de tous côtés 158.21
partouze 763.13
parturient 544.24
parturiente 544.13
parturition 544.4
party 137.11
parulie 482.26
parure
d'un poisson 638.17
ornement 578.8
vêtement 859.4
bijou 70.8
parution
manifestation 34.2
publication 783.3
livre 469.1
parvati 362.3
parvenir
arriver 45.7
réussir 798.14
parvenir à la dignité 667.10
parvenir à ses fins 86.7
faire parvenir 157.15
parvenu 730.9
parvis 465.5
façade 39.12
parvis sacrés 591.1

parvovirus 512.3
pas
n.m.
mouvement 623.2
manœuvre 487.2
de danse 176.14 ; 176.15 ; 176.16
passage 289.3 ; 585.1
spirale 162.3
traces 107.8
pas de clerc 249.5 ; 483.5
pas de géant 359.4
pas de tir 48.6 ; 487.17 ; 820.13
pas de vis 162.3
pas en arrière 263.2
pas à pas 344.14 ; 458.25 ; 601.16
à pas comptés 458.24
à pas de géant 684.45
au pas de charge 684.45
au pas de course 684.45
à deux pas 673.12
à petits pas 616.15
d'un pas de tortue 458.24
d'un pas mesuré 458.24
faux pas 249.5 ; 415.2 ; 483.3
grand pas de deux 176.14
mise au pas 147.5 ; 240.5
premiers pas 134.10 ; 812.3
salle des pas perdus 51.2
aller à pas de poule 458.12
aller le pas 458.12
allonger le pas 684.17
avancer à pas comptés 674.9
conduire les pas de qqn 19.21
faire un pas de clerc 483.12
il n'y a que le premier pas qui coûte 134.23
marcher à pas comptés 458.12
marcher sur les pas de qqn 379.5
marquer le pas 458.10
mettre au pas 59.17 ; 133.19 ; 240.11
ne pas se trouver sous le pas d'un cheval 686.5
prendre le pas sur 33.12
pas
adv. 488.16
ne... pas 404.11 ; 546.20 ; 693.19
pas du tout 546.19
pasania 37.20
pascal 20.7 ; 509.10
degré 127.12
PASCAL 408.16
pascal-seconde 509.10
pas-d'âne 318.10
pas-de-porte 135.14
pas-grand-chose 500.6
pasigraphie 252.1
Pasiphae 49.10
paso-doble 176.10
pasquin 628.7
pasquinade 628.5
passable
médiocre 500.16 ; 677.17 ; 745.14
décent 177.9 ; 365.14
passablement 500.18
passacaille
pièce de musique 543.31
danse 176.9
passade 421.2
caprice 90.2
aventure 27.11
à la passade 421.20
en passade 421.20
passage
apparition 34.3
partie 597.3
d'un texte 723.2
porte 783.7
d'un train 832.4
voie 845.14
traversée 871.4
t. de géographie 278.6 ; 289.3 ; 585.1
t. de musique 106.7
t. de Bourse 81.15
passage obligé 545.2
passage à l'acte 7.6
passage à niveau 832.20
passage de la mer Rouge 374.2
droit de passage 317.8
passage à cabrouets 832.20
passager
n. 829.20 ; 830.26 ; 871.17
adj. 228.14 ; 421.12
passagèrement 421.20
passale 417.3
passant 34.6
passation
passation d'écriture 339.15
passation des pouvoirs 642.4
passavant 317.24
passe
passage 289.3 ; 585.1
laissez-passer 58.6
rencontre 672.2
canal 830.16
t. de cirque 123.11
t. de jeux 446.12
t. de serrurerie 760.15 ; 760.16
t. de sports 792.11
passe anglaise 446.10
passe d'armes 156.4
en passe de 646.14 ; 769.18
être en passe de 293.9 ; 332.7
lettre de passe 58.6
mauvaise passe 11.2 ; 227.3 ; 769.12
être dans une mauvaise passe 11.20 ; 217.12
passé 598
n.m.
pas de danse 176.16
t. de grammaire 346.6
passé antérieur 33.5 ; 346.6
passé historique 346.6
appartenir au passé 28.8
adj.
accompli 5.20 ; 315.22 ; 647.28
historique 363.16
désuet 206.10
jauni 159.26 ; 444.9
passé de mode 206.8
passe-boules 448.9
passe-crassane 330.11
passe-droit
prérogative 800.3
abus d'autorité 3.2
irrégularité 413.3
passée
soirée 776.1
t. de vénerie 193.7
t. de géologie 516.3 ; 518.2
passées 107.8
à la passée 107.32 ; 776.14
passéisme 598.6
passéiste 598.15
passe-lacet 165.14
raide comme un passe-lacet 732.13
passement 816.6
passementé 165.33
passementer
décorer 519.35
coudre 165.25
passementerie 816.15
ruban 859.23
dentelle 165.3
passementier 165.23 ; 165.32 ; 816.19
décorateur 519.31
passe-montagne 859.25
passe-muraille 318.31
passe-partout 760.16
scie 584.10
passe-passe
tour de passe-passe 10.7 ; 123.11 ; 797.1 ; 838.7
passepied 176.9
passepoil
liseré 77.12
passementerie 165.3
passepoiler
border 77.16
décorer 519.35
passeport 288.14 ; 871.12
passer
mourir 404.6
se perdre 228.12 ; 315.12 ; 598.9
interrompre 223.11
s'écouler 811.7
apparaître 421.8
de mode 206.5
importer 278.15
dépasser 190.9
filtrer 468.11
visiter 772.12
donner 101.10
circuler 529.28
enfiler 859.35
une balle 792.85
son tour 446.38
passer après 647.14
passer devant 190.5 ; 240.9
passer outre 200.5 ; 547.12 ; 568.4
passer outre à 390.10
passer commande de 191.20
passer inaperçu 437.5
passer parole 446.38
passer l'arme à gauche 334.8 ; 534.22
passer les bornes 426.6
passer le cap de 190.5
passer un caprice 90.8
passer le plus clair de son temps à 811.11
passer le dividende 849.22
passer l'éponge 583.9 ; 592.13
passer un examen 274.19
passer l'hiver 355.27
passer une ligne 433.7
passer les limites 294.7
passer la main 797.10

pâté de maisons 39.9 ; 845.12
faire des pâtés 252.13 ; 740.9
pâtée
coup 160.5
nourriture 703.5
patelin
n.m.
village 355.20
patelin
adj.
obséquieux 91.9 ; 373.18 ; 761.15
patelinage
flatterie 373.3
caresse 91.1
pateliner
flatter 373.15
caresser 91.6
patelinerie
flatterie 373.3
caresse 91.1
patelineur 91.9
patelle 527.3
patellectomie 114.13
patène 508.12
patenôtre 411.3
patenôtres 657.9
patent
concret 297.13
certain 99.7
défini 753.14
lettres patentes 58.6 ; 552.9
patentable 317.40
patente
autorisation 58.6 ; 135.14
titre 822.16
patente de santé 743.4
patenté
titulaire 822.18
imposable 317.40
pater
prière 508.7
père 609.6
patère
suspension 519.24 ; 806.5 ; 859.32
ornement 39.21
coupe 848.7
t. de serrurerie 760.3
paterfamilias 59.11
tuteur 59.12
père 609.2
paternage 609.3
paternaliser 609.9
paternalisme 694.15
paternaliste 609.10
paterne
débonnaire 76.9 ; 336.11
obséquieux 373.18
paternel 609.10
paternel
n.m.
père 609.6
adj. 76.10 ; 609.10
paternellement 609.12
paternement 76.11
paternité 609.3 ; 609.4
pater-noster
ascenseur 489.10
hameçon 605.13
patet 543.16
pâteux 411.13
Pathans 371.13
-pathe 482.85
pathétique
n.m.
genre 264.1 ; 827.1
nerf 548.3
adj.
triste 827.13 ; 836.15
éloquent 264.10
pathétiquement 827.16
pathétisme 827.2
-pathie 482.85
-pathique 482.86
patho- 32.22 ; 482.84
pathogène 482.63
pathogenèse 482.4
pathogénie 482.4
pathogénique 482.63
pathognomonique 482.63
pathologie 32.7
médecine 482.3
séméiologie 498.4
traumatologie 114.3
pathologie comparée 138.2
pathologie industrielle 498.6
pathologie végétale 79.15
pathologique 482.63 ; 498.38
pathologiquement 482.83
pathomimie 321.4
pathos 729.2 ; 827.2
grandiloquence 347.1
paticca-samuppada 80.10
patiemment 255.12 ; 601.15 ; 612.5
calmement 89.18
modérément 810.13
patience 601
n.f.
calme 89.1 ; 161.3 ; 247.4 ; 522.3 ; 612.1 ; 810.1
plante 360.8
jeu 446.3
t. de théâtre 748.8
int. 89.19 ; 431.4
patient
n.
malade 482.10
supplicié 144.20 ; 801.16
adj. 522.17 ; 601 ; 612.4 ; 810.10
patienter 51.7 ; 601.8
faire patienter 724.11
patin
d'une machine 476.12
d'un frein 57.9
d'une chaussure 110.4
patins à roulettes 448.3
patins en ligne 448.3
équilibre sur patins 282.6
patin
baiser 91.3
rouler un patin 91.7
patinage
polissage 749.3
dérapage 57.4
sport 792.21 ; 792.22
patine 28.3
revêtement 727.1
poli 640.1
patine désertique 197.3
patiné
usé 28.13
bronzé 82.10
patiner
v.t.
polir 82.8 ; 640.7
caresser 91.6
v.i.
déraper 57.30
patinette 448.3
patineur 792.57
skieur 792.58
patinoire 792.78
patio 481.13
cour 39.17
pâtir 11.20
pâtis
herbage 360.5
pré 262.17
pâtisser 799.13
pâtisserie 799.9
crème 799.6
pâtissier 799.10
pâtisson 333.17
patoche 479.1
patois 455.1
patoisant 455.11
patoiser 455.15
pâtonnage 588.7
patouiller 483.13
patouse 609.6
patraque
n.f.
montre 118.4
adj.
faible 303.19 ; 482.59
pâtre 262.24
patri- 609.13
patriarcal
d'un patriarche 699.32
du père 304.13 ; 609.10
croix patriarcale 171.3
patriarcalement 304.16
patriarcat
dignité 117.6 ; 117.9
t. de sociologie 609.3
patriarche
vieillard 863.6
religieux 133.9 ; 699.7
titre 822.6
père 609.7
patriarches 449.8
patrice
t. de noblesse 552.18 ; 822.5
patricial 552.29
patriciat 552.1
patricien
noble 552.18
aristocratique 552.25
patrie
État 772.6
pays 124.10
amour de la patrie 125.3
seconde patrie 124.10 ; 288.13
patrilinéaire 314.15
patrilocal 491.30
patrimoine 645.3
patrimoine génétique 361.4
patrimonial 645.22
droit patrimonial 245.9
patrimonialement 645.26
patriotard 125.10
patriote 125.7
patriote 124.16 ; 125.10 ; 125.7
la Résistance 715.10
patriotique 125.9
patriotiquement 125.11
patriotisme 124.11 ; 125.2
nationalisme 808.15
patristique 818.2
théologique 818.28
Patrocle 236.41
patrologie 818.2
patron
modèle 165.19 ; 323.7 ; 521.1 ; 559.3
médecin 498.25
chef 133.10 ; 266.18
saint 554.15
d'un navire 830.21
saint patron 554.15

pédimane 873.24
pédique 270.22
Pedis 371.11
pédo- 270.22 ; 813.31
pédodontie 188.13
pédogenèse 417.22
pédogénétique 337.30
pédologie 813.16
géologie 337.1
pédagogie 270.8
pédologique 337.30
pédoncule 100
champignon 103.2
mousse 537.2
coquillage 527.14
pédoncule olfactif 569.6
pédonculé 103.16
chêne pédonculé 37.15
pédophilie 763.15
pedzouille 18.17
peeling 604.6
peep-show 562.6
pégase 638.6
Pégase 49.15
pégasidé 638.3
pégomyie 417.9
pègre 869.16
Mafia 169.16
peignage 816.11
peigne
dent 637.4
antenne 417.17
coquille Saint-Jacques 527.2
brosse 129.8 ; 669.5
outil 584.21
métier à tisser 816.17
passer au peigne fin 689.15
peigné 816.32
coiffé 129.18
peignée 160.5
peigner
fignoler 774.14
laver 550.31
coiffer 129.13
peigner la girafe 435.9
peigneuse 476.9
peignoir 859.15
peignures 129.5
peinard
calme 89.13
tranquille 458.19 ; 706.16
peinardement
calmement 89.18
lentement 458.23
peinardos 458.23
peindre 374.13 ; 607.25 ; 727.15
colorer 159.20
grisailler 350.5
représenter 709.8 ; 709.9
décrire 196.9
barbouiller 607.26
peindre à fresque 607.26
fait à peindre 69.17
peine
chagrin 192.3 ; 272.3 ; 697.3 ; 836.2
difficulté 11.6 ; 217.7 ; 255.3
condamnation 144 ; 208.4
peine complémentaire 144.5
peine d'amour 27.5
peine de substitution 144.5 ; 208.1 ; 797.5
peine du dam 144.12 ; 271.2
peine du sens 271.2
peine du talion 720.3
peine infamante 144.6 ; 582.1
peine militaire 144.7 ; 227.7
peine politique 144.6 ; 227.7 ; 582.1
peine restrictive de liberté 208.3
aggravation de peine 144.17
à peine 303.25 ; 457.16 ; 560.15 ; 602.12
à grand-peine 217.24
avec peine 255.13
pour la peine 139.15
sans peine 302.27
âme en peine 438.4
craindre sa peine 593.8
faire peine à voir 625.10
en être pour sa peine 249.12
frapper d'une peine 144.27
mettre en peine 785.7
prendre la peine de 774.16
se mettre en peine de 785.6
peiné
triste 836.10
mécontent 192.15
peiner
attrister 836.7
souffrir 836.8
déplaire 192.8
désoler 198.6
peint 607.31
peintraillon 607.19
peintre 196.7 ; 607.19 ; 727.12
peintre amateur 599.17
peintre en lettres 459.14
artiste peintre 607.19
peintre-graveur 607.19
peinturage 607.3
peinture 607
couleur 159.14 ; 159.7 ; 727.6
représentation 196.1 ; 709.2
art plastique 46.12 ; 46.2 ; 599.5 ; 607
peinture à l'huile 369.3 ; 607.5
peinture d'histoire 363.7 ; 374.7
peinture de genre 164.10 ; 374.7
peinturé 607.31
peinture-émail 607.5
peinture-émulsion 607.5
peinturer 159.19 ; 727.15
barbouiller 607.26
peintureur 607.19
peinturier 607.30
peinturlure 607.3
peinturluré 607.31
peinturlurer 159.20
peinturlureur 607.19
péjoratif 227.28
moins 405.4
mot 535.28
péjorativement 227.31
péjorer
inférioriser 405.7
discréditer 227.12
pékan 486.7
pékin
individu 613.2
textile 816.4
pékiné 816.33
pékinois 486.9
pékinologie 642.13
pekoe 75.5
pelade 624.10
peladique 482.67
pélag- 319.35
pelage 486.20
poil 624.2
pélagianisme 117.2 ; 818.23
pélagie 527.12
pélagien 319.29
pélagique 337.32
aquatique 319.29
pélago- 319.35
pêche 605.1
terrain pélagique, 337.16
pélago- 319.35
aqua- 319.34
pélagreux 482.67
pélamide 638.6
serpent 712.3
pelan 37.7
pélard 74.10
pélardon 328.4
pélargonique 94.7
pélargonium 318.14
pélasgique 39.5
pelé
aride 750.18
chauve 624.21
pélécaniformes 570.4
pélécypodes 527.1
pelée 152.3
Pélée 236.41
péléen
volcan péléen 530.6
pêle-mêle 201.6
en vrac 201.18
mélangé 501.17
peler
v.t. 333.38
v.i. 604.9
peler de froid 327.16
pèlerin
faucon 570.12 ; 570.6
requin 638.7
personne 288.5 ; 364.3 ; 833.31 ; 871.17
pèlerinage 173.10 ; 871.7
exercice spirituel 320.5
pardon 592.6
cortège 98.10 ; 309.7
pèlerine 859.12
péliade 712.3
pélican 570.15
pince 188.12
pelisse 859.12
pelle
chute 119.2
échec 249.2
baiser 91.3
outil 584.25
pelle à gâteau, pelle à tarte 848.17
pelle mécanique 834.27
à la pelle 1.19
recevoir la pelle 249.12 ; 409.8
rouler une pelle 91.7

pellet 499.14
pelletée 152.3
pelleterie 165.1
pelleteuse 834.27
pelletisation 518.4
pelliculage 388.3
pelliculaire 482.67
pellicule 330.3 ; 621.5
revêtement 727.1
cuir chevelu 624.6
peau 821.4
film 273.10
pelloche
film 273.10
pellicule 621.5
pellucide 473.35
pelmatozoaires 527.8
pélobate 68.3
pélopée 417.7
Pélops 236.41
pelotage 91.4
pelotari 792.48
pelote
boule 114.23 ; 345.2
magot 281.7
pelote de régurgitation 570.23
pelote plantaire 486.20
en pelote 549.9
pêche à la pelote 605.2
faire sa pelote 281.11
peloter
toucher 824.7
caresser 91.6
flatter 761.10
peloton
formation 41.8
coureur 792.45
peloton d'exécution 801.15
peloton d'instruction 487.22
peloton de punition 144.21
feu de peloton 311.8 ; 820.5
pelotonner 352.16
pelotonner (se)
se situer 769.10
s'installer 154.10
pelouse
gazon 360.6
parterre 443.7
peltée 37.27
peltigera 463.3
peluche 816.5
poupée 448.5
pelure
peau 727.2
vêtement 859.1
pelure d'oignon 159.28
papier 388.12
pelvectomie 114.13
pelvien 541.13
ceinture pelvienne 580.12
nageoire pelvienne 638.12
pelvigraphie 498.16
pelvi-périnéal 548.11
pelvis 580.12
pélycosauriens 712.10
Pemons 371.8
pemphigus 482.17
penæus 172.3
pénal 144.33
pénalement 144.37 ; 208.29
pénalisation 792.36
pénaliser 792.93
frapper d'une peine 144.27
pénaliste 245.47
pénalité
peine 144.3
football 792.11
arbitrage 792.36
pénalité civile 144.5
penalty 792.11
pénard 89.13
pénates
divinités 236.23
maison 304.10 ; 356.2
penaud 367.15
penchant
attirance 27.1 ; 53.1 ; 302.7 ; 357.5 ; 391.7 ; 600.1
pente 158.3 ; 530.10
penchant de l'âge 863.1
mauvais penchant 860.1
penché 195.17
pencher
incliner 195.15 ; 212.13
pencher (se) 195.12
ployer 212.18
se pencher sur 174.5
pendable 497.9
jouer un tour pendable 497.8
pendaison
suspension 806.1
supplice 801.3
pendant
prép. 247.22 ; 811.16
pendant que 768.14
pendant
adj.
inaccompli 392.16
question pendante 392.16
pendant
n.m.
homologue, réplique 210.1 ; 256.8 ; 572.5 ; 719.5
pendentif 806.8
pendant d'oreille 70.7 ; 806.8
faire pendant à 572.7
pendard 169.17
pendeloque 70.10
pendeloquer 806.13
pendentif 70.10
pendant d'oreille 806.8
t. d'architecture 39.20
penderie 481.24 ; 859.32
suspension 806.5
meuble de rangement 519.2
Pendés 371.11
pendeur 801.15 ; 806.11
pendiller 806.13
pendillon 748.8
pendis 806.5
pendjabi 455.14
pendoir 806.5
pendouiller 806.13
pendouillis 806.8
pendre 801.22
suspendre 806.12
pendre haut et court 801.23
pendre la crémaillère 309.20 ; 481.41 ; 703.23
pendre au nez comme un sifflet de deux sous 660.8
pendre sous le nez 332.8
dire pis que pendre de 227.15
pendre (se) 534.29
pendu
suspendu 806.14
jeu de mots 535.13
jeu 446.18
jeu du pendu 535.13
pendulaire 579.14
pendule
n.f. 118.6
avoir avalé une pendule 644.3
pendule
n.m. 207.5 ; 235.6 ; 579.5
pendule de Foucault 496.10
pendulette 118.6
penduline 570.8
pêne 760.7
Pénélope 108.4
toile de Pénélope 392.8 ; 704.4
pénéplaine 627.1
pénétrabilité 608.5
pénétrable 608.16
pénétrance 608.5
pénétrant
entrant 608.15
aigu 72.22 ; 243.14
perspicace 316.15 ; 434.9
raffiné 184.10
pénétrante 833.18
insertion 608.4
pénétratif 608.14
pénétration **608**
entrée 278.1 ; 396.2 ; 430.7 ; 487.14 ; 763.8 ; 834.25
sagacité 275.2 ; 316.1
pénétré 608.17
résolu 716.8
pénétré de reconnaissance 348.7
pénétrer
entrer 278.11 ; 430.11 ; 608.13 ; 763.33
comprendre 179.8 ; 275.10 ; 425.13
émouvoir 600.9 ; 755.11
pénétrer de ses vues 407.11
pénétrer (se) 620.28
s'interpénétrer 608.12
pénétromètre 834.29
penghawar 360.4
pénible
pesant 636.20
ennuyeux 272.14
déplaisant 192.12
laborieux 255.10
difficile 217.18
douloureux 217.21
atterrant 11.26
péniblement
tristement 836.18
laborieusement 255.13
difficilement 217.24
péniche 830.7
pénicillamine 499.5
pénicillinase 94.24
pénicilline 499.5
pénicilline retard 724.17
pénicillinémie 742.17
pénicillinorésistance 512.7
pénicillinorésistant 512.17
pénicillium 103.8
penicillus 527.2
pénien 762.34
pénil 762.11
péninsulaire 319.30
péninsule 319.8
pénis 762.3
pénitence 299.2
réparation 745.4

ascèse 47.1
régime 771.2
sacrement de la pénitence 98.4 ; 173.14 ; 310 ; 592.2
temps de la pénitence 508.10
faire pénitence 47.8 ; 697.7 ; 771.6
faire pénitence avec le sac et la cendre 47.8
pénitencerie 835.6
pénitencier 208.6
pénitent 299.5 ; 697.4
ascète 47.7
pénitentiaire 208.28
colonie pénitentiaire 208.8
pennage 570.21
pennatilobé 37.27
pennatiséqué 37.27
pennatule 527.12
penne 873.28
aile 570.21
penné 37.27 ; 570.38
penne rigate 333.25
penniforme 570.38
penninervé 37.27
pennisetum 360.7
pennon
girouette 221.9
blason 552.13
pennon généalogique 552.13
pennoné 171.20
penny 529.10
pénombre 566.3
nuit 776.5
lumière tamisée 473.3
obscurité 566.1
penon 221.9
pensable 375.25 ; 425.16
pensant 682.15
pensé
raisonné 682.12
projeté 664.18
pense-bête 503.6
pensée
fleur 866.6
pensée
idée, activité mentale 375.1 ; 380.5 ; 428.5 ; 595.11 ; 620.1 ; 682.4 ; 682.6 ; 700.2
pensée formelle 682.7
avec la pensée que 86.16
en pensée 375.28
figures de pensée 313.1 ; 313.5
libre-pensée 398.1 ; 400.3 ; 462.9
par la pensée 428.15
pensement 682.6
penser
n.m.
raison 682.6
v.t. 285.6 ; 614.13 ; 655.4
faire état de 286.8
soupçonner 375.17
juger 450.8
philosopher 620.27
penser à 375.18 ; 428.8 ; 664.11
penser à autre chose 394.4
faire penser à 503.12
penseur 620.24
libre-penseur 398.9 ; 462.14 ; 462.30 ; 620.25
pensif
consciencieux 759.11
sombre 785.11
pension
établissement 274.5 ; 368.4
allocation 587.3 ; 739.5
pension alimentaire 238.9
pension de retraite 739.5
pensionnaire
écolier 274.15
occupant 355.2
convive 703.19
pensionné 739.10
pensionné de guerre 354.18
pensionner 739.11
pensivement 759.14
pensum
punition 274.13
obligation 565.2
penta- 121.11
pentacle 477.15
cinq 121.3
pentaclethra 37.18
pentacme
bois 74.11
arbre 37.20
pentacorde
cinq 121.3
t. de musique 543.10
pentadactyle 873.24
pentadesma 37.18
pentaèdre 121.3
pentagonal 121.8
pentagone 338.5
cinq 121.3
pentagramme 121.3
pentalophodonte 486.4
pentamère 318.45
pentamètre
cinq 121.3
vers 635.13
pentarchie
Église 117.6
oligarchie 694.9
pentasyllabe 635.13
Pentateuque 121.4
Bible 815.2
Torah 815.3
pentathlon 792.3
pentathlonienne 792.45
pentatome 417.5
pentatomidés 417.4
pentatomique 121.8
pentatonique 543.10
pentavalent 113.24
cinq 121.8
pente
inclinaison 158.3 ; 195.7 ; 530.10
rideau 481.32 ; 519.15
pente de lit 67.9
en pente 195.17
suivre sa pente 302.16
sur la mauvaise pente 16.10 ; 16.6 ; 860.8
Pentecôte
fête chrétienne 310.3
fête juive 310.5 ; 449.9
pentecôtistes 117.8
pentédécagone 338.5
penthine 417.11
penthotal 854.8
pentlandite 516.5
pentodon 417.3
pentose 94.5
pentosurie 296.10
pentoxifylline 499.5
pentstemon 318.22
pentu 530.17
penché 195.17
penture 760.20
pénultième 683.20
final 315.19
syllabe 459.2
pénurie
absence 2.1
manque 488.1
réserve 490.3
pep ou **pep's**
belle mine 743.3
avoir du pep 277.5
pépé
vieillard 863.5
ancêtre 609.7
pépée 306.3
Pepels 371.11
pépère
calme 89.13 ; 89.5 ; 706.16
grand-père 863.5
pépètes ou **pepettes** 529.5
pépie 75.24
pépiement
oiseaux 170.3
gazouillis 106.22
pépier 170.7
pépin
de fruit 330.2 ; 345.2
parapluie 633.8
difficulté 11.2 ; 217.6
béguin 27.1 ; 27.26
pépinière 36.16
pépiniériste 36.19
pépite 518.5 ; 575.6
grain 345.2
minerai 516.4
péplum
film 120.5
vêtement 859.8
pépon 330.2
pepsidase 94.24
pepsie 218.26
pepsine 94.24
sucs digestifs 218.13
peptidase 94.24
peptide 94.8
peptidique 94.33
chaîne peptidique 94.8
liaison peptidique 94.8
peptine 330.4
peptonifier 218.18
péquenaud ou **péquenot** 18.17
péracarides 172.2
pérail 328.6
pérambulation 871.8
péramélidé 486.2
péraméloïde 486.2
perçage 584.29
t. de menuiserie 505.11
percale 816.3
percaline 816.4
perçant 781.30
pénétrant 608.15
strident 794.5
fin 316.15
criard 168.20
aigu 781.31
lancinant 243.14
perce
mettre en perce 167.12
perce-bois 74.18
percée
entrée 278.6
allée 443.4

rugby 792.12
percement 167.10
perce-neige 318.17
perce-oreille 417.16
perce-pierre 318.29
percept 754.1
percepteur 317.27
receveur 688.12
perceptibilité 867.1
perceptible 754.16
acoustique 781.27
intelligible 425.14
compensable 66.50
perceptiblement 754.20
perceptif 754.18
perception
activité sensorielle ou psychique 275.3 ; 425.5 ; 432.5 ; 754.3 ; 868.1
recouvrement 317.18 ; 688.3
perception extrasensorielle 235.8
perceptionnisme 754.9
percer
v.t.
forer 167.12 ; 518.11 ; 584.37 ; 608.8 ; 760.26
piquer 637.13
traverser 430.11 ; 792.85
élucider 179.8
v.i.
apparaître 34.7
arriver à la notoriété 798.15
percer à jour 179.8
percer les oreilles 168.15 ; 794.4
percer ses dents 188.22
percerette 584.21
percette 505.16
perceuse 476.10 ; 518.8
foret 584.21
perceuse électrique 505.15
percevoir
saisir par les sens 275.10 ; 425.13 ; 432.16 ; 754.11 ; 755.10
recevoir, toucher 317.36 ; 688.16
perche
poisson 638.5
perche noire 638.5
perche truitée 638.5
perche
tige 120.13 ; 123.12
personne très grande 359.3 ; 834.32
mesure de longueur 470.5 ; 509.22
perche au porteur 282.6
perche au sol 282.6
tendre la perche à qqn 19.22
perche-brochet 638.5
percher 570.33
demeurer 481.40
percheron 486.11
percheur
canard percheur 570.16
perchis 36.17
perchiste
preneur de son 120.27
équilibriste 123.14
sauteur 792.45
perchman
technicien 681.15
cameraman 120.27
perchoir 570.25
percidé 638.3
perclus 482.59
percnoptère 570.12
perçoir 760.19
percoler 337.26
percussion 72.7
choc 115.1
examen 498.11
t. de médecine 115.13
instrument à percussion 115.17
percussion immédiate 115.13
percussion lancée 115.15
percussion médiate 115.13
marteau à percussion 115.14
percussionniste 542.6
percussions
instruments de musique 422.1 ; 422.8
percutané
cutané 604.13
vaccinal 499.28
percutant 115.32
impressionnant 115.34
convaincant 264.9
tir percutant 820.6
percuter
choquer 115.21
heurter 72.18 ; 160.24
examiner 498.35
comprendre 275.9
percuteur 584.28
battant 115.15
chargeur 43.10
perdant
n.m.
vaincu 180.5 ; 249.8 ; 792.43
décroissance de la marée 195.3 ; 319.9
adj. 249.17
mauvais perdant 446.25
perditance 261.9
perdition 175.3
luxure 475.1
perdre
v.t.
manquer 249.11
causer la perte de 144.26 ; 249.9 ; 860.7
v.i. 180.6 ; 446.32 ; 792.91
perdre connaissance 418.11
perdre contenance 819.5
perdre courage 198.8 ; 452.6
perdre espoir 178.6 ; 198.8
perdre haleine 718.26
perdre patience 382.9
perdre pied 119.16 ; 282.16 ; 623.7
perdre une bataille 180.6
perdre l'équilibre 119.16 ; 282.16
perdre l'esprit 321.18
perdre l'estime 227.24 ; 439.12
perdre l'ouïe 803.10
perdre la confiance de qqn 183.13
perdre la face 227.22 ; 731.6
perdre la main 479.14 ; 483.16
perdre la mémoire 583.10
perdre la partie 249.11
perdre la santé 16.8
perdre la tête 814.9
perdre la vie 534.20
perdre le fil de ses idées 375.21
perdre le nord 212.17 ; 221.21 ; 769.11
perdre le sommeil 851.10
perdre de la hauteur 195.9
perdre de son crédit 183.13 ; 227.22
perdre des forces 16.8
perdre du temps 811.9
perdre du terrain 180.7
perdre qqn 227
perdre sa virginité, perdre sa fleur d'oranger 763.40
perdre ses cheveux 624.16
perdre ses couleurs 159.10 ; 159.22
perdre ses illusions 178.6
perdre ses moyens 805.7
perdre son âme 271.10
perdre son crédit 227.22
avoir du temps à perdre 811.10
avoir perdu sa langue 819.5
avoir tout perdu 11.20
perdre sa vie à la gagner 739.13 ; 811.9
perdre (se)
disparaître 228.12 ; 535.24
s'égarer 212.17 ; 221.21 ; 769.11
causer sa propre perte 271.10
perdreau 641.7
perdrix 570.9
perdrix de mer 638.6
perdu 315.22 ; 779.18
distant 232.11
éloigné 263.13
corrompu 860.10
perdu de réputation 227.25 ; 367.16
pays perdu 263.5
perdu d'honneur 227.25
perdurer
durer 406.7
persister 611.10
rester 403.9
père 609
ancêtre 33.7
parent 314.5 ; 662.12 ; 711.16
religieux 47.7 ; 525 ; 699.8 ; 818.8 ; 822.6
bienfaiteur 336.4
père de famille 304.3 ; 609.2
père fondateur 414.5
père du désert 197.6
père Noël 448.14
père tranquille 89.5
gros père 270.4
de père en fils 101.15 ; 609.12
placements de père de famille 752.14
jouer les pères Noël 336.8
à père avare fils prodigue 609.5
pl.
pères 314.5
Père 215.10 ; 215.6
Christ 117.16
Père éternel 215.6 ; 287.8
Saint-Père 590.2

père fouettard 619.8
pérégrin
étranger 288.1
explorateur 871.18
voyageur 871.28
pérégrination
voyage 871.1
croisière 871.4
pérégriner 871.19
pérégrinisme 455.4
pérégrinité 288.8
péremption 206.2
péremption d'instance 31.2
péremptoire
affirmatif 13.10
ferme 248.10
autoritaire 59.19 ; 133.24
péremptoirement 655.11
pérennant 79.22
pérenne
continu 153.21
permanent 403.14 ; 611.15
arbre à feuilles pérennes 37.1
pérennibranches 68.2
pérennisation 153.11 ; 287.6
pérenniser
perpétuer 153.19
immortaliser 287.9
immobiliser 403.8
pérennité
continuité 153.1 ; 403.2
éternité 287.1
péréquation 317.15
équilibre 256.2
perfectibilité 353.8
perfectif
t. de linguistique 346.6 ; 800.22
perfection 5.7
achèvement 315.10
supériorité 800.1
excellence 677.2
absolu 620.17
qualité 76.3
mérite 507.1
vertu 858.1
à la perfection 467.9
perfectionnement 344.3
perfide
retors 316.20
hypocrite 373.16 ; 838.18
traître 828.17
perfidement 373.20
perfidie
fausseté 25.2
malice 316.7
déloyauté 373.4
trahison 828.1
tromperie 828.6 ; 838.1
malhonnêteté 485.1
perforateur-vérificateur 408.23
perforation
incision 167.10
déchirure 72.3
coupure 114.8
perforatrice 476.10
pétrole 618.4
perforé
verre perforé 855.3
perforer
évider 167.12
trouer 608.8
performance
exploit 290.6
accomplissement 5.4
succès 798.1
qualification 792.37
t. des beaux-arts 46.13
t. de linguistique 595.1
perfo-vérif 408.23
perfuser 608.11
perfusion
introduction 608.3
prise de sang 742.13
injection 775.17
pergola 443.8
péri- 97.17 ; 280.13
périanthe 318.4
périarthrite 482.11
périarticulaire 580.32
périastre 49.20
péricarde 727.4
cœur 128.6
t. d'histologie 821.4
péricarde fibreux 128.6
péricardectomie 114.13 ; 128.18
péricardique 128.6
sac fibreux péricardique 128.6
péricardite 482.13
péricarpe 330.4
péricaryon 548.9
pericerya 417.5
périchondre 727.4
t. d'histologie 821.4
péricliter
dépérir 16.8
s'effondrer 205.22
péricope 691.9
péricrâne 814.2
péricyte 128.2
péridiniées 22.3
péridot 517.4
péridural 242.10
péridurale
accouchement 544.5
anesthésie 114.19
périgée 49.20
périhélie 49.20
péri-informatique 408.1
péril 63.8 ; 217.8
éventualité 291.3
danger 175.1
en péril 228.14
au péril de 175.23
périlleusement 175.19
périlleux 386.11
dangereux 175.11 ; 390.15
inquiétant 63.21
périlune
orbite 49.20
éclipse 474.6
périmé 190.11
désuet 206.8
inutilisable 435.14
démodé 520.10
périmer 31.6
périmer (se) 206.7
périmètre
dimension 219.2
limite 467.1
position 338.2
périnatal
natal 544.23
période périnatale 544.11
périnatalité 544.11
périnatalogie
obstétrique 544.17
pédiatrie 498.5
périnée 762.1
périnéoplastie 114.17
périnéorraphie 114.18
périnéphrétique 482.71
incontinent 482.77
périnéphrétite 482.34
périnéréis 856.2
périnèvre
fibre nerveuse 548.9
t. d'histologie 821.4
périnidien 512.5
période 610
n.f.
cycle 326.2 ; 704.5
âge 14.7 ; 337.21 ; 363.3
phrase 225.11 ; 543.25 ; 622.1
t. de physique 261.8 ; 513.5 ; 579.3
période d'un élément radioactif 862.19
période de deuil 331.8
en période de 811.16
par périodes 326.19
pl.
périodes 340.5
période
n.m.
au dernier période 427.35
périodicité 153.5 ; 326.3 ; 610.9
successivité 576.6
répétition 704.1
périodique
n.m.
publication 654.5
périodique
adj.
récurrent 153.24 ; 326.14 ; 474.4 ; 482.63 ; 576.23 ; 579.3 ; 610.14 ; 654.28 ; 704.15
maladie périodique 482.2
périodiquement 326.19
encore 153.29
périodisation 363.11
chronologie 118.1
périodiser 363.13
périodonte 188.5
Périœciens 355.14
périœsophagien 218.24
périophthalme 638.5
périoste 727.4
os 580.4
t. d'histologie 821.4
périostite 482.11
periostracum 527.14
périovulaire 762.35
péripatéticienne 672.6
péripatétisme 620.13
péripétie
accident 358.2
évènement 290.1
imprévu 386.4
t. de théâtre 817.13
périphérie 77.3
extérieur 300.2
environnement 280.1
quartier 845.12
périphérique
n.m. 408.7 ; 833.18
vision périphérique 868.2
adj. 300.14
périphlébite 482.13
périphrase
explication 753.5
phrase 622.10
figures de pensée 313.5
longueurs 665.5
périphrastique 665.11
périple
circuit 97.6
voyage 871.1
exploration 871.6

périploca 38.4
périptychidé 486.4
périr
disparaître 404.6
mourir 534.20
à périr 272.12 ; 272.7
périscélide 70.4
Périsciens 355.14
périscope 574.6
radar 207.6
périsélène
orbite 49.20
éclipse 474.6
périsperme 330.3
perisphinctes 527.5
périsporiales 103.5
périssodactyle 486.3
périssologie 704.3
péristaltique 218.12
onde péristaltique 218.12
péristaltisme 218.12
péristaminé 318.46
péristaphylin 541.11
peristeria 318.21
péristéronique 262.32
péristome 537.2
péristyle 39.12
périsystole 128.11
péritéléphonie 809.1
péritélévision 681.2
peritelus 417.3
périthèce 103.4
péritoine 218.11 ; 727.4
estomac 853.3
t. d'histologie 821.4
péritonéoscopie 498.12
péritonisation 114.6
péritoniser 114.33
péritonite 482.23
pérityphlite 482.23
perle 70.12 ; 578.3
grain 345.2
cachet 499.14
bêtise 483.6
perle rare 686.3 ; 800.7
gris (de) perle 350.12
enfiler des perles 435.9
jeter des perles aux pourceaux 224.7
herbe aux perles 318.6
perles de l'aurore 372.3
perlé 171.20
granuleux 345.11
écran perlé 120.21
grand perlé 85.7 ; 799.3
orge perlé 330.7
petit perlé 85.7 ; 799.3
perlèche 482.16
perler
suinter 372.15
travailler 774.14
perlexe 438.9
perlimpimpin
poudre de perlimpinpin 435.4 ; 477.11 ; 499.3 ; 676.4 ; 838.7
perlingual 499.28
perlocutoire 788.18
perlon 638.7
perluète ou **perluette** 459.4
perm ou **perme** 783.8
permanence 611.4
repos 706.4
permagel 337.16
permanence 611 ; 376.3
substance 796.2
continuité 153.1 ; 403.2 ; 843.2
éternité 287.1
en permanence 153.27 ; 611.18
salle de permanence 464.4 ; 611.4
permanencier 611.8
permanent
n.m. 611.1
adj. 153.21 ; 376.14 ; 403.14 ; 611.15 ; 796.6 ; 832.34 ; 843.10
permanente 129.2
permanence 611.4
permanenter 129.13
permaner
rester 376.13 ; 403.9
persister 611.10
permanganate 113.8
permanganique 113.8
permanoir
rester 376.13 ; 403.9
persister 611.10
permasol 337.16
perme → perm
perméabilité 372.5 ; 608.5
perméable 372.20 ; 608.16
sol 813.27
permettre 58.11
permettre de 302.13
permettre (se)
se permettre de 462.21
Permiaks 371.14
permien 337.21
permis
n.m.
autorisation 58.1 ; 58.6
permis d'inhumer 331.22
permis de chasser 107.14
permis de conduire 57.19
permis de port d'armes 43.2
permis de séjour 288.14
adj.
faisable 646.10
autorisé 58.21
permissible 58.23
permissif 58.22
laxiste 462.33
clément 592.16
permission 6.4
choix 646.4
autorisation 58.1 ; 462.7
repos 706.4
droit 245.14
permission de sortie 783.8
permissionnaire 58.9
oisif 706.9
permissivité 58.7
tolérance 253.4
permutabilité 436.8
permutable
remplaçable 797.13
inversif 436.13
permutant 436.12
permutatif 436.13
permutation
substitution 797.1
inversion 436.1
t. de mathématique 493.4
permutatrice 436.7
permuter
substituer 797.7
déplacer 538.21
inverser 436.9
commuter 436.11
pernambouc 37.19
pernicieux 127.21 ; 175.15
pathologique 482.63
tragique 827.11
mensonge pernicieux 504.4
peroba 37.19
péroné 580.16
péronée 417.11
péronéo-tibiale 580.24
péronier 548.4
long péronier latéral 541.10
péronière 128.8 ; 128.9
péronisme 808.14
péroniste 808.40
péronnelle 784.6
peronospora 103.10
péronosporales 103.5
peropératoire 114.35
péroraison
conclusion 315.6
plaidoyer 626.2
discours 225.11
t. de rhétorique 729.6
pérorer
discourir 595.23
bavarder 665.10
déclamer 347.8
péroreur 595.15
per os 499.37 ; 814.19
pérou 730.7
peroxydase 94.24 ; 307.8
peroxyde
peroxyde d'azote 131.10
peroxyde de benzoyle 499.5
peroxyder 20.16
perpendiculaire 338.7
perpète
à perpète ou à perpette 208.30 ; 232.13 ; 611.20
perpète-les-oies 263.5
perpétration 5.2
perpétrer 5.11
perpétrer un crime 169.22
perpétualisme 153.13 ; 287.7
perpétualiste 287.7
perpétuation 611.5
continuation 153.10
immobilisation 403.7
préservation 653.3
perpétuel 326.15
continu 153.21
éternel 287.11 ; 406.11
à perpétuelle demeure 611.20
perpétuellement 153.31
indéfiniment 406.14
éternellement 287.14
perpétuement
continuation 153.10
immobilisation 403.7
perpétuer 153.19 ; 406.6
immortaliser 287.9
préserver 653.13
perpétuer la race 711.19
perpétuer le souvenir de 503.14
perpétuer (se) 653.21
continuer 297.9
se prolonger 247.10
rester 403.9
se reproduire 711.19
perpétuité
éternité 153.2 ; 287.1
permanence 611.1
à perpétuité 208.30 ; 611.20 ; 862.31
condamnation à perpétuité 247.3
perplexe
dubitatif 395.15
indécis 785.10
perplexité
incertitude 395.1
surprise 805.1

souci 785.1
irrésolution 438.1
perquisiteur 689.11
perquisition 689.4
perquisitionner 689.15
perquisitionneur 689.11
perré 834.13
perrière 476.11
perron 481.13
façade 39.12
perronné 171.20
perroquet 570.10
copieur 379.4
perroquet de mer 638.6
perruche 570.10
perruque 129.9
tête à perruque 814.4
perruquier 129.12
pers 73.7
persan
langue 455.14
chat 486.8
Persan 355.8
perse
textile 816.4
Perse 355.8
persea 37.19
persécuté 865.29
persécuter
importuner 415.7
agresser 865.15
opprimer 413.10
torturer 801.18
persécuteur
méchant 497.5
autocrate 413.9
persécution 288.19
violence 865.7
Persée
héros 236.41
constellation 49.15
Persée délivrant Andromède 374.6
perséides 49.12
perséphone 236.28
persévéramment
durablement 403.16
obstinément 601.16
patiemment 612.5
persévérance 612 ; 601.2 ; 612.1
volonté 870.2
courage 161.3
obstination 568.1
effort 255.1
avec persévérance 612.5
persévérant 472.15 ; 612.4
constant 153.23
infatigable 601.13
résolu 716.7
obstiné 568.7
combatif 255.9
persévération 153.12
persévérer 601.11 ; 612.3
continuer 297.9
s'obstiner 568.4
persévérer dans son être 297.9
persicaire 360.8
persienne
jalousie 67.9
volet 308.4
boiserie 505.4
rideau 481.32
persienne brisée 505.29
persiflage
moquerie 439.3 ; 532.1
persifler 731.7
railler 532.11
persifler (se) 532.11
persifleur
blagueur 532.7
narquois 532.16
persil
plante 318.10 ; 333.27
pilosité 624.3
persil chinois 318.20 ; 333.27
persillade 333.27
persiller 333.37
persilleuse 672.8
persimmon 37.19
persistance
permanence 376.3 ; 611.1
continuité 153.1 ; 403.2 ; 612.2 ; 843.2
mémorisation 503.4
obstination 568.1
persistance rétinienne 754.4 ; 868.3
persistant
identique 376.14
continu 153.21
permanent 403.14 ; 611.15
persister 611.10 ; 653.21
continuer 297.9
rester 403.9
persévérer 612.3
s'obstiner 568.4
persister et signer 13.8
persona 613.4
persona grata 613.9
en honneur 366.28
personale 318.22
persona non grata 613.9
personnage
personne 613.2 ; 717.6
rôle 817.22
personnage de comédie 731.4
trancher du personnage 655.5
personnalisation 613.10
identification 376.8
personnalisation du pouvoir 642.3
personnalisé 613.15
personnaliser 613.14
personnalisme 613.13 ; 620.15
personnaliste 613.18
t. de philosophie 620.33
stade personnaliste 270.2
personnalité
individu 297.4
constitution 795.4
créature 613.3
célébrité 798.9
autorité 59.8
grossièreté 439.4
personnalité de base 613.3
personnalité sensitive 755.9
personne 613
individu 297.4
aucun 404.4
identité 376.5
humain 371.1
ne 546.20
autrui 620.21
t. de grammaire 346.4 ; 346.6
personne âgée 863.5
personne d'univers 346.6
personne de confiance 145.9 ; 472.7
personne dénommée 66.22
par personne interposée 141.25
erreur sur la personne 283.5
grande personne 495.3
se produire en personne 651.8
impôt sur les personnes physiques 317.5
personnel
n.m.
main-d'œuvre 480.1
personnel au sol 831.14
personnel navigant 831.14
personnel volant 831.14
personnel
adj. 257.7 ; 376.15 ; 613.15
mode personnel 346.6
personnellement 613.19
personnification
matérialisation 492.5
représentation 709.1
personnifier
matérialiser 492.6
personnaliser 613.15
représenter 709.7
personnologie 613.13
perspectif 607.30
perspective
art, technique 607.4
aspect 158.5 ; 470.2 ; 607.13
dégagement 443.4 ; 585.1
évènements probables 285.1
en perspective 332.19
perspectives de carrière 293.5
avoir la perspective de 51.5
perspicace 434.9
fin 316.15
inventif 179.12
perspicacité
intuition 275.2 ; 434.1
finesse 316.1
perspicuité 425.2
perspiration
transpiration 372.7
évaporation 750.5
excrétion 296.9 ; 340.9
respiration cutanée 604.3
persuadé 614.15
convaincu 99.9
être persuadé de qqch 614.12
persuader 614.7
décider 716.4
conseiller 148.12 ; 231.7
encourager 268.10
influencer 407.11
convaincre 264.7 ; 626.7
discourir 729.14
persuader qqn de 614.9
art de persuader 729.1
persuader (se) 614.13
se persuader que 285.6
persuasif 614.14
éloquent 626.10
convaincant 264.9
persuasion 614
certitude 99.1
encouragement 148.3
argumentation 729.8
éloquence 264.1
perte
fuite 228.4
accident 827.4
échec 249.1
défaite 180.1
t. de comptabilité 339.15

perte d'équilibre 282.3
perte de connaissance 397.2
perte de conscience 397.2 ; 780.5
perte de mémoire 583.1
perte de temps 811.2
perte frictionnelle 329.6
perte séminale 482.33 ; 762.22
pertes blanches 340.4
à perte 220.22
en pure perte 249.20 ; 435.16

pertinemment 571.15
justement 143.14
conformément à 147.15
formellement 753.19

pertinence
conformité 147.1
opportunité 571.1
sens 753.4

pertinent
typique 126.20
raisonnable 682.16
opportun 571.12
significatif 753.13

pertuis
détroit 289.4
ouverture 585.7

perturbateur 201.8

perturbation
désorganisation 32.6 ; 202.3
phénomène météorologique 127.5 ; 852.2

perturbé 202.10

perturber 202.4

pertusaria 463.3

pérule 37.9

Péruvien 355.10

pervenche 57.23 ; 73.8

pervers 321.14 ; 763.46
dangereux 175.17
vicieux 860.9

perversion 321.9 ; 763.15
corruption 485.6
immoralité 860.1
luxure 475.1
perversion sexuelle 321.9

perversité
malveillance 497.2
immoralité 860.1

perverti
dévergondé 860.10
sensuel 475.10

pervertir 426.9
altérer 32.12
soudoyer 485.11
corrompre 860.7

pervertisseur 175.17

pérylène 735.2

pesade 746.3

pesage 636.9
appareil de pesage 636.10

pesamment 636.22

pesant
n.m. 636.2
adj. 187.11 ; 415.13 ; 561.14 ; 636.19 ; 636.20 ; 784.13
valoir son pesant d'or 111.5 ; 575.18 ; 636.14

pesanteur
force 54.2 ; 322.3 ; 496.4 ; 636.1 ; 636.3
lourdeur 482.7
lenteur, inertie 403.4 ; 458.3

pèse 529.5

pèse-acide 187.5

pèse-alcool
instrument de mesure 509.26
alcoomètre 187.5

pèse-bébé 636.10

pesée
mesurage 509.2
force 322.1
poids 636.3
pesage 636.9
effort 255.2

pèse-esprit
instrument de mesure 509.26
alcoomètre 187.5

pèse-grains 636.10

pèse-jus 187.5

pèse-lait
instrument de mesure 509.26
lactomètre 187.5

pèse-lettre 636.10

pèse-liqueur 187.5

pèsement
pèsement des âmes 636.9

pèse-moût
instrument de mesure 509.26
glucomètre 187.5

pèse-personne 636.10

peser
v.t.
déterminer le poids de 509.28 ; 636.17 ; 678.11
évaluer 87.13 ; 660.6 ; 682.11
v.t. ind.
ennuyer 272.9
v.i.
avoir un certain poids 384.6 ; 496.12 ; 636.14 ; 636.15
peser le pour et le contre 138.9 ; 438.5 ; 636.17 ; 660.6
peser les chances 660.6
peser d'un grand poids 384.6
peser lourd 384.6 ; 636.14
peser contre 636.15
peser sur 322.14 ; 407.14 ; 636.15 ; 687.9
faire peser 636.15

pèse-sel 187.5

pèse-sirop 187.5

pesette
instrument de mesure 509.26
balance 636.10

peseur 636.13
peseur juré 636.13

pèse-urine 296.15

peseuse
instrument de mesure 509.26
balance 636.10

pesewa 529.10

peso 529.8
peso colombien 529.8
peso cubain 529.8

peson
instrument de mesure 509.26
balance 636.10

Pessah 449 ; 449.9
fêtes juives 310.5

pessaire 711.12

pesse 360.8

pessimisme 615 ; 549.5 ; 553.5 ; 620.15
tristesse 836.1
peur 619.5
désespoir 198.1
alarmisme 21.6

pessimiste 615
triste 836.10
défaitiste 619.19
sceptique 620.33
alarmiste 21.15 ; 21.7

peste
maladie 482.20
personne méchante 497.6
interjection 431.2
fuir comme la peste 62.9
petite peste 270.4

pester
se plaindre 192.11 ; 416.6
bouillir 130.8
récriminer 710.14
crier 168.17

pesticide
insecticide 267.6 ; 417.26
engrais 18.7

pestilence 569.4

pestilentiel 175.15 ; 569.27

pestique 482.69

pet
vent 296.8
flatuosité 83.12
danger 175.5
pet de maçon 296.8

péta- 509.36

pétainisme 808.13

pétainiste 808.39

pétale 318.4

pétalée 318.47

pétalipare 318.47

pétalisme 582.1

pétanque 446.22
activités de loisirs 599.5

pétaouchnoc 263.5

pétarade 83.8

pétarader 83.15

pétard
bruit 83.10 ; 201.7
danger 175.5
pistolet 43.5
artifice 448.4
pétard mouillé 249.3
en pétard 130.12 ; 130.6

pétasse 672.8

pétaudière 201.6
meeting 137.10

pétaure 486.13

pet-de-nonne 799.6

pété 441.18

pétéchial 482.67

pétéchie 482.17

pétée 441.3

pet-en-l'air 859.12

péter 296.23
éructer 83.16
amocher 205.16
péter de santé 277.5 ; 743.7
péter le feu 277.5 ; 311.26
péter les plombs, les boulons 557.7
vouloir péter plus haut que son cul 294.9 ; 655.7

pète-sec ou **pètesec**
sec 759.9
autoritaire 59.19

péteux
peureux 619.7
lâche 452.4 ; 452.8

péthidine 825.8

pétillant
gazeux 85.17
fringant 277.6

vin pétillant 75.12
pétillement
bouillonnement 85.12
bruit 83.6
pétiller
mousser 85.14
crépiter 83.15
briller 424.9
pétiole 318.3
pétiolée 37.27
pétiolule 318.3
petiot 616.9
petit 616
n.
personne 270.1 ; 270.5 ; 523.5
pl. 734.4
adj.
minime 405.13 ; 602.8 ; 872.10
étroit 289.8
jeune 270.4
modique 419.14 ; 500.12
modeste 523.9
mesquin 383.8
carte 446.4
infiniment petit 406 ; 437
petit ami 27.9 ; 491.16
petit dernier 647.11
petit maître 655.3
petite main 165.22 ; 479.4
petit rat 176.23
petite sœur 336.4 ; 525.11
petit bleu 157.2 ; 809.14
petit noir 75.4
petit écran 681.2
petit bois 74.10 ; 131.7 ; 311.4
petit coin 296.16
petit côté 334.1
petit jour 473.2 ; 494.2
petit à petit 293.15 ; 344.14 ; 458.25 ; 601.16 ; 616.15
se faire petit 405.10 ; 523.6 ; 616.7 ; 761.11 ; 819.4
petit-beurre 799.6
petit-bourgeois 773.7
petit-cousin 314.7
petit déjeuner 703.1
petite-fille 314.6
petitement 523.14 ; 616.15 ; 767.13
petite-nièce 314.7
petitesse 616
insuffisance 602.1
médiocrité 405.1 ; 419.1 ; 500.1 ; 761.1
petite dimension 289.1
petit-fils 314.6
petit-four 799.6
petit-gris 527.7
pétition 185.4
pétition de principe 283.11
pétitionnaire 185.8
pétitionnement 185.1
pétitionner 185.17
petit-lait 454.2
petit-maître
minet 12.5
maître 607.20
petit-nègre 455.1
petit-neveu 314.7
petits-enfants 314.6
pétochard
peureux 619.7
lâche 452.4
pétoche 619.1
avoir la pétoche 452.5 ; 619.14
pétoire 43.6
peton 623.1
pétoncle 527.2
pétrarquiser 635.25
pétrarquisme 635.19
pétrel 570.15
pétrel-tempête 570.15
pétreux 580.30
pétrifiant 517.20
pétrification 337.3 ; 516.6 ; 517.13
pétrifier 517.19
apeurer 619.10
pétrin 476.9 ; 588.9
être dans le pétrin 11.20 ; 217.12
mettre dans le pétrin 11.16
pétrir
façonner 323.12
manier 479.10
sculpter 749.18
malaxer 588.16
pétrissable 588.19
pétrissage
modelage 749.3
t. de boulangerie 588.7
pétrisseur 588.11
pétrisseuse 476.9
pétro- 517.22 ; 618.16
pétrochimie 617
chimie 113.1
pétrochimique 617.11
pétrochimiste 617.9
pétrodollar 618.12
pétrographie
géologie 337.1
minéralogie 517.12
petrolatum 617.5
pétrole 618
n.m.
huile 131.6 ; 269.6 ; 337.23 ; 369.2 ; 617.5
adj.
couleur 73.8
guerre du pétrole 354.4
pétroléochimie 617.1
pétroler 618.14
pétrolette 833.13
pétrolier
adj. 269.12 ; 618.15
n.m.
navire 618.9 ; 830.5
pétrolifère 618.15
pétrolochimie 113.1
pétrolochimique 617.11
pétrologie
géologie 337.1
minéralogie 517.12
pétrologue 337.23
minéralogiste 517.14
petro-salpingo-pharyngien 541.11
pétrousquin
rustre 734.6
paysan 18.17
pe-tsaï 333.17
pétulance
entrain 277.1
impétuosité 382.2
pétulant
sain 743.11
alerte 277.6
actif 7.13
pétunia 318.30
peu 303.25 ; 602
quantité 678.19
parfois 686.12
légèrement 457.16
peu ou prou 602.10
peu à peu 293.15 ; 344.14 ; 458.25 ; 602.14 ; 673.14
un peu 457.16 ; 602
à peu près 383.14 ; 395.20
avant peu 332.16 ; 647.26
sous peu 332.16 ; 421.19 ; 602.15 ; 647.26
gens de peu 734.4
se contenter de peu 602.5 ; 771.6
il s'en faut de peu 602.7
peu importe 431.2
peuchère 431.2
Peuls 371.10
peuplade 124.8
peuple 124.8 ; 773.7
foule 540.2
ethnie 371.3
roture 734.4
populaire 734.8
population 124.9
peuplé 355.30
fréquenté 137.21
peuplement 371.4
reproduction 711.1
colonisation 355.15
t. d'arboriculture 36.17
peupler 124.14
habiter 355.23
peupleraie 36.16
peuplier
bois 74.11
arbre 37.15
droit comme un peuplier 692.11
peur 619 ; 827.6
inquiétude 21.2
de peur 86.15 ; 619.24
faire peur 63.15 ; 231.7 ; 619.11
avoir peur 452.5 ; 619.13
avoir plus de peur que de mal 619.18
la peur du gendarme est le commencement de la sagesse 619.2
peureusement 619.23
peureux 619.19 ; 619.7
lâche 452.8
peut-être 25.20 ; 291.2 ; 395.19 ; 646.12
probablement 660.10
peut-être bien que oui peut-être bien que non 24.18
peyotl 825.6
cactacées 318.7
pèze 529.5
être au pèze 730.15
pézizales 103.5
pézize 103.7
pfennig 529.10
pfft 228.15 ; 431.2
pH 113.11
pH sanguin 742.16
phacelia 318.36
phacochère 486.12
phacomètre 509.26
phaéton
oiseau 570.15
automobile 57.6 ; 833.14
Phaéton 236.34 ; 777.12
-phage 205.28 ; 214.14 ; 563.21 ; 703.46 ; 873.28
phagédénique 482.67
phagédénisme 482.15
-phagie 214.14
-phage 563.21

-phagique 214.14
phagocyte 381.13
phagocyter 381.18
phagocytose 381.1
phajus 318.21
Phakt 49.5
phalange 580.15
phalanger 486.13
phalangère 318.17
phalangéridé 486.2
phalangéroïde 486.2
phalangette 580.15
phalangine 580.15
phalaris 360.7
phalarope 570.18
phalène 417.11
phalène du sureau 417.11
phalère 417.11
phalline 267.4
phallique 762.34
phallocentrisme 364.7
phallocrate
machiste 364.4
chef 240.6
phallocratie 364.7
phallocratisme 240.4
phalloïdien 103.15
phalloïdine 267.4
phallus 762.2
phallus impudique 103.6
phanère
plumage 570.21
pilosité 624.1
phanérogame 318.46
phanérogamie 318.38
t. de botanique 79.1
-phanie 34.12
phantasme 664.5
pharaon
souverain 694.18 ; 822.5
jeu 446.3
figuier des pharaons 37.18
phare
éclairage 57.5 ; 57.7 ; 250.13 ; 311.6 ; 473.12 ; 765.14
guide 341.11
pharisaïque 373.17
pharisaïsme
ritualisme 320.6 ; 858.6
hypocrisie 12.2 ; 373.2
pharisien
hypocrite 373.17 ; 373.9 ; 858.7
Pharisiens 449.25 ; 449.29
pharmaceutique 499.27
pharmacie 499.20 ; 499.22
officine 464.12
pharmacien 499.21
pharmacocinétique 499.20
pharmacodépendance 499.23
pharmacodynamie 499.20
pharmacodynamique
vaccination 499.13
pharmaceutique 499.27
pharmacologie
thérapeutique 775.3
pharmacie 499.20
pharmacologique 499.27
pharmacologue 499.21
pharmacomanie 499.23
pharmacopée 499.20
pharmacotoxicologie
toxicologie 267.11
pharmacie 499.20
pharmacotoxicologique 267.18
pharmaceutique 499.27
pharmacovigilance 499.20
pharyngectomie 114.13
pharyngien 128.8 ; 541.13
pharyngite
bronchite 718.15
rhino-pharyngite 482.30
pharyngo-laryngite 482.30
pharyngoplastie 114.17
pharyngoscope 498.18
pharyngo-staphylin 541.11
pharynx 718.7
phascacées 537.3
phascolomidé 486.2
phase
période 261.8 ; 528.1 ; 610.1 ; 683.1 ; 704.5
phase menstruelle 340.5 ; 340.6
phases de la lune 49.9 ; 474.3
par phases 344.14
être en phase 768.7
phasemètre 509.26
phasianidés 570.4
phasme 417.15
phasme de France 417.15
Phébus ou **Phœbus** 236.34 ; 777.12
Apollon Phœbus 236.34
pheidole 417.7
Phekda 49.5
phélipée 318.22
phellodendron 37.20
phénacodontidé 486.4
phénadone 825.8
phénakistiscope 120.12
phène 269.6
Phéniciens 355.8 ; 371.16
phénique
acide phénique 113.8
phénix
personne 10.8 ; 424.6 ; 686.3
Phénix 49.15
phénix ou **phœnix**
palmier 37.11
phénobarbital 499.5
phénocopie 361.8
phénogénétique 251.2
phénol 617.6
alcool 113.8
phénolique
huile phénolique 369.2
phénoménal
extraordinaire 32.13
t. de philosophie 4.5 ; 492.9
phénoménalement
matériellement 492.11
accidentellement 4.6
phénoménalisme
matérialisme 492.3
scepticisme 620.12
phénoménalité
matérialité 492.1
accident 4.1
sensible 620.20
phénomène
évènement 4.2 ; 290.1 ; 297.3 ; 620.20
miracle 32.5 ; 290.6
phénomène de foire 174.3
phénoménique
physique 492.9
accidentel 4.5
évènementiel 290.12
phénoménisme 620.12
phénoménologie 620.15
sciences humaines 747.6
phénoménologique
accidentel 4.5
sceptique 620.33
phénoménologue 620.24
phénotype 361.4
phénotypique 361.21
phénoxyméthylpénicilline 499.5
phényl- 113.29
phénylalanine 94.10
phénylbutazone 499.5
phényle 113.9
phényléphine 499.5
phényléphrine 499.5
phénytoïne 499.5
phéophycées 79.4
algues 22.3
phéosporées 22.3
phéromone 54.4
phérormone 54.4
phiale 848.7
phil- 26.14 ; 27.33
philander 486.10
philanthe 417.7
philanthrope
généreux 336.10
saint homme 858.7
philanthropie 371.21
sociabilité 772.1
bonté 76.1
philanthropique 336.12
philatélie 157.12
collection 599.7
philatéliste 599.11
-phile 26.14
phil- 27.33
philène 417.5
philharmonie 542.3
philharmonique 542.24
orchestre philharmonique 542.3
philia 26.4
-philie 26.14
phil- 27.33
Philippe 117.18
philippin
peso philippin 529.8
Philippin 355.9
philippine
faire philippine 446.34
philippique 225.6
philistin 418.8
inculte 377.4
commun 734.8
philistinisme 734.2
insensibilité 418.4
Philistins 355.8 ; 371.16
philo- 26.14
phil- 27.33
philocalie
doctrine 69.10 ; 818.3
textes 815.6
philodendron 38.5
philologie
sciences auxiliaires de l'histoire 363.5
linguistique 455.7
philologique
généalogique 363.17
linguistique 455.18
philologiquement 455.22
philologue
généalogiste 363.9
linguiste 455.12

philonte 417.3
philosophailler 620.27
philosophaillerie 620.22
philosophal
pierre philosophale 477.13 ; 575.1
philosophard 620.25
philosophe
penseur 620.24 ; 620.25 ; 620.31
personne patiente 89.13 ; 601.14 ; 810.10 ; 810.5
être philosophe 620.30
philosophème 620.1
philosopher 620.27
raisonner 682.9
philosopherie 620.22
philosophico- 620.37
philosophie **620**
pensée 620.1 ; 747.6 ; 807.2
patience 601.3 ; 810.1
philosophie de l'histoire 363.11 ; 620.2
philosophie de l'identité 376.4
philosophie politique 620.6 ; 642.13
philosophique 620.31
moral 533.14
philosophiquement 620.35
patiemment 601.15
modérément 810.13
philosophisme 620.22
philtre 477.11
phimosis 482.33
phléb- 128.27
phlébectomie 114.13 ; 128.18
phlébite 482.13
phlébo- 128.27
phlébographie
électrocardiographie 128.16 ; 498.16
phlébologie 128.15
phlébologue 128.21
phléborragie 482.13
phlébotome 417.9
phlébotomie 114.14 ; 128.18
Phlégéthon ou **Pyriphlégéton** 271.8
phlegmon 78.5
phlegmoneux 482.82
phléole 360.7
phléotribe 417.3
phlogistique 131.12
théorie du phlogistique 311.18
phlomis 318.16
phlox 318.34
phlyctène
ampoule 85.3
cal 482.16
phlycténoïde 482.67
phlycténulaire 482.67
pH-mètre 509.26
-phobe 62.14 ; 410.19
-phobie 619.26
-phobie 62.14 ; 321.29 ; 410.19 ; 619.26 ; 713.20
phobie 321.5 ; 619.4
phobique 321.25 ; 619.21
-phobique 62.14 ; 410.19
-phobie 619.26
phobophobie 619.4
Phobos 49.10
phocénidé 486.3
phocidé 486.3
phocomèle 484.6
phocomélie 484.4
Phœbé 49.10 ; 474.10
Phœbus → Phébus
phœnicoptériformes 570.4
phœnix → phénix
Phoibos 236.34 ; 777.12
pholade 527.2
pholidote 486.3
pholiote 103.6
pholque 417.13
phoma 103.9
phon- 781.33
phonateur 595.32
phonation 595.2
phonatoire 595.32
-phone 455.24 ; 781.34
phone
décibel 55.13 ; 781.12
phonématique 781.29
phonème 781.8
unité 844.4
lexique 455.6
prononciation 535.8
son 459.2
phonémique 781.29
phonéticien
linguiste 455.12 ; 781.23
phonétique
n.f. 346.3 ; 455.7 ; 781.18
adj. 252.19 ; 455.18 ; 781.29
phonétiquement 535.33
sonorement 781.32
linguistiquement 455.22
phonétiser 781.26
phoniatre 781.23
phoniatrie 498.6
-phonie 781.34 ; 839.14
phonie 809.1
phonique 781.28
phono- 781.33
phonocontrôle 781.20
phonogénie 781.20
phonogramme 781.8
phonographe
hifi 781.15
chaîne haute-fidélité 273.5
phonographie 273.1
phonologie
lexique 455.6
linguistique 455.7
phonologique 781.29
phonologue 781.23
phonométrie 781.17
phonométrique 781.28
phonorécepteur 548.16
phonostylistique 729.4
phonothèque
archives sonores 781.19
discothèque 273.13
phoque 486.7
souffler comme un phoque 718.26
phorésie 221.12
phoridés 417.8
phormium 318.17
phorodon 417.5
phoronomie 538.14
phororhachos 570.12
phosgène 335.6
phosphatase 94.24
phosphatation 510.4
phosphate 113.8
phosphate de calcium 499.6
phosphate de plomb 631.2
phosphater 510.15
phosphatide 94.6
phosphatidique
acide phosphatidique 94.6
phosphaturie 296.10
phosphène 868.3
phosphoglycérique
acide phosphoglycérique kinase 94.24
acide phosphoglycérique mutase 94.24
acide phosphoglycérique phosphokinase 94.24
phospholipide
lipide 94.6 ; 214.5
phosphophérase 94.24
phosphore 113.7
éléments minéraux 214.6
phosphorémie 742.17
phosphorescence
chimioluminescence 113.11
luminescence 473.15
phosphorescent 473.34
phosphoreux
bronze phosphoreux 82.2
phosphorique 113.8
phosphorisme 267.2
phosphoroprotéine 94.8
phosphorylase 94.24
phosphorylation 113.14
protéosynthèse 94.26
phosphorylé
composé phosphorylé 94.4
phot 473.22
-phote 473.41
photo- 473.41
photobiologie 251.2
optique 473.21
photochimie
chimie 113.1
optique 473.21
énergie 269.1
photochromique
verre photochromique 855.2
photocinèse 538.5
photocoagulation 840.9
photocolorimètre 509.26
photocomposer 388.19
photocomposeuse 476.9
imprimerie 388.14
photocompositeur 388.16
photocomposition 388.3
photoconducteur
effet photoconducteur 261.7
photocopie 388.7
copie 388.8
photocopier 388.19
photocopieur 476.7
imprimante 388.15
photocopieuse 476.7
imprimante 388.15
photocopillage
photocopie 388.7
droits d'auteur 469.20
photoélectrique
effet photoélectrique 261.5

photofilmeur 621.18
photofinish 621.10
photogène 473.34
photogénie 473.15
photogénique 621.23
photogramme 621.7
photographe 621.18
photographiable 621.23
photographie 621
reproduction 709.4
description 196.1
audiovisuel 273.3
film 273.10
photographier 273.16 ; 574.17 ; 621.20
représenter 709.9
décrire 196.9
photographique 621.23
vue photographique 868.10
photographiquement 621.25
photogravure 388.5
photojournalisme 654.14
photojournaliste 621.18
photologie 621.17
optique 473.21
photoluminescence 473.15
Photomaton
appareil 621.3
portrait 621.10
photomètre 473.25
instrument de mesure 509.26
t. d'optique 49.17
photométrie 473.26 ; 509.25
photon 473.18
boson 513.4
photonastie
mouvements orientés 221.12
tropisme 79.11
photonique 473.36
photopériodique 79.23
photophobe 251.18 ; 777.19
photophobie 473.20
photophobique 619.21
photophore 473.12
photopile 269.8
photopsie 840.2
photorama 621.3
photoréception 868.3
photorécit 691.4
photoreportage 654.14
photorespiration 79.9
photoroman 691.4
photoscopique 868.2
photosensibilisant 499.5
photo-souvenir 621.10
photosphère 49.22
soleil 49.8
activité solaire 777.7
photostoppeur 621.18
photosynthèse 79.9
phototropisme 473.20
énergie 269.1
photosynthétique 79.23
phototactisme 473.20
phototaxie 473.20
phototélégramme 809.14
phototélégraphe 809.5
photothèque 621.19
photothérapie 775.6
photothérapique 775.28
phototrophe 79.23
phototrophie
autotrophie 251.4
photosynthèse 79.9
phototropisme 473.20
mouvements orientés 221.12
tropisme 79.11
phototype 621.7
phototypie 388.5
photovoltaïque
cellule photovoltaïque 269.8
photure 417.3
phragme 67.20
phragmidium 103.10
phragmitaie 360.6
phragmo- 67.19
phrase 622
unité linguistique 844.4
lexique 455.6
grammaire 346.3
groupe de mots 535.1
parole 595.3
mélodie 543.25
phrase toute faite 622.10 ; 630.5
faire de grandes phrases 347.8
petite phrase 136.4 ; 622.10
phrasé 622.12
t. de musique 106.15 ; 542.16
phrase-noyau 622.2
phraséologie 535.18 ; 622.11
terminologie 455.3
bavardage 595.9
longueurs 665.5
phraser 622.15
phraseur 622.13
discoureur 595.15
bavard 665.7
déclamateur 347.7
phrasillon
phrase simple 622.2
mot 535.3
phrastique 622.16
phratrie
famille 772.6 ; 773.5
phrène 67.20
-phrénie 67.20
phrénologie 100.23
phrénologique 100.27
phricte 417.5
Phrixos 236.41
phrygane 417.16
phrygien 543.15
Phrygien 355.8
phtaléine 735.2
phtiriase 482.17 ; 482.35
phtiriasique 482.78
t. de dermatologie 482.67
phtirius 417.16
phtisie 482.31
phtisiologie 718.19
phtisiologue 498.27
pneumologue 718.20
phtisique 482.76
Phuans 371.13
-phycée 22.9
phyco- 22.9
phycocyanine 94.9
algues 22.2
phycoérythrine 94.9
algues 22.2
phycoïdée 22.3
phycologique 22.8
phycomycètes 79.4
champignons inférieurs 103.5
phycomycose 482.36
phycophéine 22.2
phylactère
bulle 85.9
étui 449.13
phyllanthus 318.11
phyllie 417.15
phyllobie 417.3
phyllocactus 318.7
phyllocarides 172.2
phylloceras 527.5
phyllodromie 417.16
phylloméduse 68.3
phylloptéryx 638.6
phylloquinone 214.7
phyllospondyles 68.1
phyllostomatidé 486.3
phylogenèse 293.6
embryogenèse 265.2
phylogénétique 293.14
phylogénie 873.1
phylum 873.11
physalie 527.12
physalis 318.30
physcia 463.3
physe 527.3
physergate 417.7
physétéridé 486.3
physicalisme 620.7
physicien 498.23
physicothéologique 818.22
physio- 323.26
physiocrate 460.6
physiocratie 460.1
physiocratique 460.10
physiognomonie 814.6
physiologie 862.21
séméiologie 498.4
physiologie végétale 79.5
physiologique 862.30
tétanos physiologique 732.4
physionomie 814.3
physiopathologique 775.3
physiothérapie 775.3
physiothérapique 775.28
physique
n.m.
matérialité 492.2
allure 300.3
n.f.
physique nucléaire 131.17
physique quantique 678.15
adj.
matériel 492.8 ; 492.9
charnel 763.44
t. de sports 792.96
liberté physique 462.4
sciences physiques 747.5
physiquement
matériellement 492.11
charnellement 763.49
-phyte
phyto- 79.26
flor- 318.49
phytéléphas 37.19
phythormone 79.12
phytiatrie 79.15
phyto- 79.26
phytobiologie
botanique 79.1
vie végétative 79.5
phytochimie 79.5
phytocide 360.12
phytoécologie
écologie 251.1
botanique 79.1

phytoflagellé 512.5
phytogéographie 79.1
phytographie 79.1
phytohormone 79.12
phytolacca 38.9
phytoménadiome 499.6
phytomètre 417.11
phytopathogène 79.24
phytopathologie 79.15
phytopathologique 79.24
phytophage 417.31
herbivore 360.17
phytopharmacie 499.20
phytophthora 103.9
phytoplancton 22.1
phytosanitaire 79.24
phytosauriens 712.10
phytosociologie 79.1
phytotechnie 79.1
phytothérapie 775.4
phytotoxine 381.10
phytotoxique 79.24
vénéneux 267.15
pi
méson pi 513.4
piaculaire
sacrificiel 173.23
expiatoire 299.8
piaf
tête de piaf 814.7
piaffer
frapper le sol 623.6 ; 792.20
s'agiter 382.8
se pavaner 581.7
piaffer d'impatience 382.8
piaillement
oiseaux 170.3
babil 168.2
piailler
oiseaux 170.7
crier 168.14 ; 168.17
piaillerie 168.4
piailleur 168.20
pianissimo 542.26
lentement 458.23
pianiste 542.11
pianistique 422.32
piano 542.26
lentement 458.23
qui va piano va sano 458.16
piano 422.12
piano à bretelles 422.16
piano mécanique 273.5
pianoforte 422.12
pianoter
sur un ordinateur 408.25
sur un piano 542.22
pia-pia 665.4
piapiater 595.22
piastre 529.10
piaule 481.22
piaulement 170.3
piauler
oiseaux 170.7
crier 168.14
piaulis 170.3
PIB 662.6
pibale 638.8
pibcorn 422.15
piblokto 321.3
pic
intensité maximale 427.4
pointe 530.8 ; 637.2
outil 518.8 ; 584.26 ; 584.28
pic lutéinique 340.6
à pic 571.14 ; 644.8 ; 692.13
tomber à pic 571.8
pic
oiseau 570.13
pic mar 570.13
pica 563.8
picador 637.11
picailles 529.5
picaillon 529.13
picaillons 529.5
picard 486.11
Picard 695.11
picarel 638.6
picaresque 691.15
piccolo 422.7
pichenette
coup de pouce 391.3
chiquenaude 160.4
pichet 151.4
pinte 509.23
carafe 848.12
piciformes 570.4
picker 476.6
pickles 333.27
pickpocket 869.10
pick-up
électrophone 273.5 ; 781.15
véhicule 833.6
pico- 509.36
picodon 328.4
picole 441.3
picoler
boire 441.10
boire sec 75.26
picolet 760.7
picoleur 441.7
picolo 75.11
picorée 869.7
picorer
becqueter 570.35 ; 637.13
voler 869.22
picoreur 869.11
picot
outil 584.17 ; 584.26
t. de couture 165.12
picotement 637.5
démangeaison 604.3
douleur externe 243.2
picoterie 637.6
picotis 637.5
picouse 869.10
picrate
pinard 75.11
piquette 75.12
picrocholine
guerre picrocholine 616.12
picrotoxine 267.5
pictogramme
symbole 765.5
figure 709.3
graphie 535.8
lettre 252.3 ; 459.1
pictographie
représentation 709.2
écriture 252.2
pictographique 252.19
picto-idéogramme 252.3
picto-idéographie 252.2
pictonneur 441.7
pictorialisme 621.16
pictorialiste 621.18
pictural 607.30
artistique 46.14
courants picturaux 46.1
picucule 570.8
pidgin
mélange 501.7
langue 455.2
pidolate 499.6
pie
n.f.
oiseau 570.8
personne bavarde 595.15
pie borgne 665.7
pie jacasse 595.15
trouver la pie au nid 137.16
pie
adj.
pieux 320.16 ; 625.13
pie
tarte 333.16
piéça 247.19
pièce
unité 597.1 ; 844.4
de théâtre 817.11
d'une maison 481.20
t. de jeux 446.14
pièces détachées 597.2
pièce justificative 99.3
pièce maîtresse 384.4
pièce rare 686.3
pièce à conviction 451.13 ; 614.5
pièce à pièce 293.15
pièce d'argent 40.1
pièce d'artillerie 43.8
pièce de dépense 339.16
pièce d'eau 319.2 ; 443.5
pièce de monnaie 529
pièce de musée 686.3
pièces d'un procès 451.13
pièce de résistance 703.8
pièce de théâtre 817.11
pièce de titre 469.12
pièce de vers 635.5
aux pièces 480.13 ; 739.17
donner la pièce 241.17
faire pièce à 249.9
monter une pièce 817.26
travailler à la pièce 480.13
piécettes
ornement 578.3
de monnaie 529.3
pied 623
membre 502.3
unité de longueur 470.5 ; 509.17
support 791.2
base 203.9
d'une montagne 530.10
fleur 318.1
d'un champignon 103.2
d'un coquillage 527.14
plaisir 629.1
vol 869.7
d'un livre 469.12
photographie 621.4
d'un vers 635.14
d'un meuble 519.21
coupe 848.8
d'un candélabre 250.7
t. de géométrie 338.10
t. de gastronomie 333.7 ; 333.8
pied bot congénital 484.5
pieds fourchus 186.10
pied plat 452.4
pied à coulisse 509.26
pied de biche 188.12
pied de chèvre 531.9
pied de nez 412.3 ; 439.4 ; 532.5
faire un pied de nez 765.24
pied de roi 509.21
pied à pied 344.14 ; 458.25 ; 715.24

pinales 79.4
pinard 75.11
pinardier 75.20
pince
outil 301.5 ; 489.12 ; 584.7
d'un insecte 417.17
main 479.1
dent 188.12
instrument 848.16
pli 165.4
pinces 44.5 ; 760.19
pince coupante 584.7
pince à cheveux 129.9
pince à purger 834.30
à pinces 623.10
se serrer la pince 741.22
pincé
amoureux 27.26
affecté 12.14
pinceau
bande 65.1
doigt 502.3
rayon 250.3 ; 473.4
instrument de peinture 607.16
coup de pinceau 607.10
pincée
peu 602.3
poignée 152.3
pince-fesse ou **pince-fesses**
réception 137.11
bal 309.11
pincelier 607.17
pince-maille 61.3
pincement 243.2
pince-monseigneur 760.16
pince-nez 574.8
pince-oreille 417.16
pincer
v.t.
serrer, faire mal 243.12
arrêter 44.11
une corde 542.21
t. de gastronomie 333.43 ; 799.11
v.i.
faire froid 327.13 ; 327.14 ; 852.18
pincer les lèvres 192.10
pincer le vent 852.20
en pincer pour 27.18
pince-sans-rire
blagueur 532.7
rigolo 628.8
pincette 502.3
pincettes 109.17
il n'est pas à prendre avec des pincettes 420.8
pinchard 350.13
pinchbeck 575.13
pinçon 72.2
pindariser 635.25
pindarisme 276.5
pineau 75.13
pinède
verger 18.10
plantation 36.16
pingouin
oiseau 570.15
individu 364.3
ping-pong 446.21
pingre 61.9
pingrerie 61.1
pinne 527.2
pinnée 37.27
pinni- 638.27
pinnipède
bipède 873.24
mammifère 486.3
pinno- 638.27
pinnothère 172.3
pinnule 360.4
pinocytose
mitose 94.27
phagocytose 381.1
pinot 330.14
pin pon 83.23
pinson 570.8
pint 509.17
us liquid pint 509.17
pintade 570.9
volaille 570.7
pinte 509.17 ; 509.23
se payer une pinte de bon sang 132.7
pinter (se) 441.12
pin-up
femme 306.4
beauté 69.3
mannequin 520.5
pin-up boy 520.5
pioche 584.26
tête de pioche 715.9 ; 814.7
piocher
creuser 167.11
cultiver 18.20
piocheuse 834.27
piolet 792.70
pion
t. de physique 513.4
pion
surveillant 274.14
pièce des échecs 446.14
pioncer 780.17
pionnardise 441.3
pionner 446.37
pionnier
innovateur 134.15 ; 414.5 ; 812.6
premier occupant 355.12
t. de plomberie 632.18
piophile 417.9
pipa
batracien 68.3
instrument de musique 422.4
pipal 736.9
amherstia 37.20
pipe 337.20
pipeau
appeau 570.29
sifflet 764.6
mensonge 504.8
instrument de musique 422.7
pipée
bruissement 764.2
chasse 107.3
à la pipée 107.31
pipelette
bavard 156.11 ; 665.7
concierge 481.39
pipe-line ou **pipeline**
oléoduc 618.9
conduite 829.13
piper
siffler 764.8
fausser 446.39
piper les dés 284.10
ne pas piper mot 766.10
pipéracée 38.3
pipérales 79.4
piperie 838.3
pipette 113.17
piphat 542.5
pipi 296.4
pipi de chat 500.5
faire pipi 296.19
pipi-room 296.16
pipistrelle 486.10
pipit des près 570.8
pipo 274.15
piquage
d'un fromage 328.3
t. de plomberie 632.13 ; 632.7
piquant
n.m.
pointe 637.1 ; 637.3
d'un animal 527.15
goût 343.2
adj. 637.15
relevé 343.23
raffiné 316.17
moqueur 532.16
attirant 53.9
stimulant 793.15
passionnant 600.12
pique
pointe 637.3 ; 637.6
moquerie 532.4
méchanceté 497.3
injure 412.4
arme 42.2
couvert 848.16
couleur aux cartes 446.4
pique traînante 331.21
lancer des piques 439.7
piqué
tissu 816.33
t. de danse 176.16
t. de sports 792.34
pas piqué des hannetons 427.21
pique-assiette
hôte 368.3
convive 703.19
pique-bœuf 570.8
pique-feu 109.17
pique-nique 703.2
garden-party 309.10
pique-niquer 703.22
pique-olive 848.16
piquer
v.t.
percer 637.13 ; 637.14
mordre 417.30 ; 712.19
blesser 72.14 ; 243.12
la curiosité 424.9
stimuler 793.13
se moquer de 497.8
voler 869.18
arrêter 44.11
relier 388.20
une corde 542.23
t. de menuiserie 505.22
t. de pêche 605.26
v.i.
être froid 327.14 ; 852.18
t. d'astronautique 831.18
t. d'hippisme 792.87
piquer une colère 130.6
piquer la curiosité de 805.4
piquer un fard 159.21 ; 735.6 ; 819.5
piquer la pointe 176.29
piquer une tête 119.18
piquer au vif 130.10 ; 439.11 ; 637.14
piquer du nez 780.15
piquer sur 632.24

piquer (se) 825.16
se piquer de 12.8
piquet
punition 274.13
protection 671.14 ; 834.32
supplice 801.4
t. de jeux 446.3
piquet de grève 642.14
raide comme un piquet 732.13
mettre au piquet 801.19
piquetage 834.24
piqueter 834.45
piquette
échec 249.2
boisson 75.12
recevoir une piquette 249.12
piqueur
insecte 417.5
outil 834.37
t. de chasse 107.16
piqueux 107.16
piquouse ou **piquouze** 869.10
piqûre
percement 637.5
blessure 72.2 ; 243.2 ; 712.14
remède 775.17
t. d'imprimerie 388.3
piqûre acétique 343.6
piqûre d'amour-propre 439.5
piranha 638.5
pirarucu 638.5
piratage
imitation 379.1
vol 869.1
pirate 869.11
t. d'informatique 408.23
édition pirate 469.4
enregistrement pirate 273.12
pirater 379.8
voler 869.22
enregistrer 273.15
piraterie
pillage 869.5
vol 169.10
piraya 638.5
pire 16.9
moindre 405.2
moins 405.21
de pire en pire 16.12
craindre le pire 615.5
piriforme 527.19
Pirithoos 236.41
pirole 318.36
piroplasmose 482.35
Piros 371.8
pirouette
saut 733.3 ; 746.2
raffinement 316.9
trahison 828.4
figure de danse 176.16
figure de cirque 123.6
figure de sport 792.22
pirouetter
changer 104.20
tourner 733.14 ; 792.87
piroxicam 499.5
pirsh 107.3
pis
n.
poitrine 639.1
adv.
pire 16.9
de pis en pis 16.12
pis-aller 141.1
pisaure 417.13
pisci- 638.25
piscicole 262.32
pisciculteur 262.23 ; 638.16
pisciculture
aquarium 638.16
aquaculture 262.3
piscidia 38.7
piscine 151.4
baignoire 669.6
gymnase 792.78
piscine probatique 669.6
pisé 727.8
piser 727.15
piseur 727.12
pisiforme 580.15
pisoir 584.18
pisolithe 337.18
pison 584.18
pissaladière 333.16
pissant 132.11
pissat 486.24
urine 296.4
pisse 296.4
pisse-copie
écrivain 252.11
plumitif 654.17
pissée 296.4
pisse-froid
triste sire 836.6
misanthrope 420.4
pissement 296.9
pissenlit
fleur 318.10
salade 333.20
manger les pissenlits par la racine 534.26
pisser
jeter 258.9
uriner 296.19
pisser de la copie 252.15 ; 654.23
pisser sa côtelette 544.20
pisser le sang 742.25
c'est comme si on pissait dans un violon 435.10
pisseur
pisseur de copie 252.11 ; 654.17
pisseuse
n.f.
fillette 270.5 ; 306.3
pisseux
adj.
sale 296.28 ; 740.14
terne 159.27 ; 444.11
pisse-vinaigre
homme triste 420.4 ; 836.6
avare 61.3
pissode 417.3
pissoir 296.16
pissoter 296.19
pissotière 296.16
pissouse 306.3
pistache 330.6
vert pistache 857.11
avoir une pistache 441.14
ramasser une pistache 441.12
pistachier 37.20
piste
bande 65.1
de cirque 123.3
route 57.16 ; 833.19
pour avion 831.8
t. de sports 792.78
piste sonore 781.21
jeu de piste 446.23
pister 183.10
poursuivre 689.17
surveiller 641.17
pisteur
t. de cinéma 120.13
t. de sports 792.58
pistil 318.5
pistole
détention 208.14
unité monétaire 529.12
pistolet
homme 364.3
urinoir 114.24 ; 296.17
arme 43.5
à peinture 607.16 ; 834.28
pain 588.2
pistolet automatique 43.7
pistolet de Volta 113.17
tir au pistolet 820.1
pistolet-mitrailleur 43.7
piston
élève 274.15
aide 19.4 ; 41.15 ; 413.5
instrument de musique 422.21
d'une machine 476.12
t. de plomberie 632.4
coup de piston 19.4
pistonner
faciliter 302.13
contribuer 19.19
avantager 413.12
pita 588.2
pain pita 588.2
pitaine 41.15
pitance 703.5
pitancier 525.12
pit-bull 486.9
pitchoun
petit 616.9
jeune enfant 270.4
pitchounet 270.4
pite 529.12
piteux
médiocre 500.12 ; 625.13
honteux 367.15
pithéc- 486.34
pithécanthrope 337.23
homme préhistorique 371.17
pithéco- 486.34
pithécoïde 486.31
-pithèque 486.36
pithiatisme 321.4
pithiviers 799.6
pitié 625
n. 320.1 ; 592.3 ; 755.3
avoir pitié de 592.12
int. 431.3
Pitjandjaras 371.12
piton
pointe 530.8 ; 637.3
t. de serrurerie 760.19
t. de sports 792.70
pitonnage 792.25
pitonner 792.82
pitoyable
médiocre 383.9 ; 500.17
triste 836.17
déplaisant 11.27 ; 192.12
généreux 336.11 ; 592.16 ; 625.13
pitoyablement
généreusement 625.15
médiocrement 383.13

pitre
humoriste 132.5
clown 123.18 ; 628.7
pitrerie 123.9
ridicule 731.2
farce 628.5
pittoresque 196.6 ; 443.13
pictural 607.30
pittosporum 38.5
pituitaire 340.12
tige pituitaire 100.10
muqueuse pituitaire 569.6
pituite
glande 340.2
sécrétion 340.4
pituitrine 340.3
pituri 37.21
pityriasique 482.67
pityriasis 482.17
piu 542.27
pive 75.11
pivert 570.13
pivoine 318.25
pivot
axe 96.1 ; 514.4 ; 733.6 ; 791.2
d'une machine 476.12
t. d'horlogerie 118.7
pivotant 733.19
pivotement 792.24
pivoter
tourner 733.14
t. de sports 792.85
pivoterie 791.2
pizza 333.16
pizzicato 543.59
P.J. 641.2
pjaussus 417.3
PL/1 408.16
placage
revêtement 727.11
t. d'arboriculture 36.4
t. de sports 792.12
placard
prison 208.7
imprimé 387.1 ; 388.10
d'une maison 481.24 ; 519.2
placard publicitaire 654.10
au placard 51.10
être mis au placard 392.15
placarder 675.10
placardiser
rejeter 295.11
exclure 582.15
place
rang social 266.1 ; 286.4
rang 577.2
situation 769.2 ; 769.4
classement 274.12
dans un wagon 832.15
dans une automobile 57.15
d'une ville 845.13
place forte 182.8
place publique 225.13
place d'armes 487.16
place d'honneur 246.5 ; 769.4
à la place d'honneur 246.10
place de Grève 801.12
place du mort 57.11
à la place de 104.27 ; 797.16
de place en place 232.15 ; 433.11
en place 576.12 ; 769.17
en lieu et place de 104.27 ; 797.16
avoir de la place 456.5
être dans la place 430.10
faire du sur place 458.12
mettre en place 150.7 ; 576.12 ; 769.9
se mettre à la place de qqn 797.9
rester en place 611.12
se tenir à sa place 523.6
ne pas tenir en place 382.8 ; 549.10
placé 769.13
haut placé 59.21
mal placé pour 769.12
placebo 499.3
placement
rang 683.9
situation 769.1
t. de banque 66.16 ; 339.12
t. de Bourse 81.7
placenta
annexes embryonnaires 265.8
liquide amniotique 544.9
placentaire
embryonnaire 265.15
euthérien 486.3
placer
n.
t. de minéralogie 516.2 ; 518.2
n. pl.
placers 575.6
v.
ranger 683.11
situer 769.9
t. de danse 176.29
t. de banque 66.40 ; 339.29
placer sa confiance en 145.12
placer son grain de sel 156.13
placer la marchandise 135.27
placer son mot 156.13 ; 596.21
placer dans son contexte 122.7
en placer une 595.18
placer (se) 769.10
placet
supplique 185.4
t. de droit 451.10
présenter un placet 185.11
placeuse 748.10
placide
insensible 401.17 ; 418.14
patient 89.13 ; 601.12
placidement
indifféremment 418.22
patiemment 601.15
placidité
patience 89.1 ; 601.1
indifférence 401.5
placier 135.17
placobdelle 856.2
placodermes 638.4
placodontes 712.10
placoïdes 638.9
plafond
limite 467.3
peinture 607.7
d'une pièce 481.30 ; 727.8
t. de banque 166.12 ; 529.15
plafond bas 561.2 ; 633.3
plafond d'émission 529.15
plafond de réescompte 166.12
faux plafond 481.30
prix plafond 659.2
plafonner
s'élever à 359.7 ; 530.14
t. d'architecture 39.25
t. d'astronautique 831.18
plafonnier
appareil d'éclairage 473.12
automobile 57.11
lustre 250.11
plagal
cadence plagale 543.20
mode plagal 543.15
plage
rivage 319.8
d'un disque 273.8
plage arrière 57.11
plage horaire 610.6
plagiaire
copieur 379.4
compilateur 869.14
plagiat
piratage 379.1
vol 869.1
plagiaulacidé 486.4
plagié 379.9
plagier 379.8
plagiotropisme
mouvements orientés 221.12
tropisme 79.11
plaid 451.8
plaidant 626.8
magistrat 835.10
plaider 595.25 ; 626.6
comparaître 451.27
discourir 729.14
plaider une cause 451.29
plaiderie 451.8
plaideur 835.10
plaidoirie 626
allocution 225.3
plaidoyer 626.2
plaidoirie 626.1
louange 225.5
plaie
blessure 72.1
malheur 11.4
plaie contuse 72.1
plaignant 835.11
partie plaignante 835.7
plain
uniforme 256.22
plat 627.6 ; 692.12
plain-chant 106.4
plaindre 625.8
plaindre la dépense 61.7
plaindre ses pas 593.8
plaindre sa peine 593.8
ne pas plaindre sa peine 255.7
ne pas plaindre son temps 811.10
plaindre (se)
regretter 192.11 ; 416.6 ; 697.5
supplier 625.11
reprocher 710.14
gémir 168.17
plaine 627
relief 337.12
plaine liquide 319.7 ; 468.3
plaine à blé 18.10
haute plaine 627.2

plain-pied
de plain-pied 256.28 ; 481.46
plainte
douleur 192.4 ; 243.6 ; 836.3
son 83.6 ; 83.7
désaccord 194.4
reproche 710.3
supplique 451.7 ; 625.6
gémissement 168.3 ; 168.4
plaintif
en larmes 836.11
mécontent 192.15
plaintivement 836.18
plaire
satisfaire 629.11 ; 629.12 ; 745.10
avoir du succès 798.18 ; 798.20
séduire 729.15 ; 868.22
plaire à 53.5 ; 571.9
plaire à (se) 629.8
plaisamment
en se moquant 532.17
joyeusement 447.18 ; 629.20 ; 629.23
drôlement 132.14 ; 628.15
plaisance
plaisir 629.1
agrément 670.5
plaisancier 792.62
plaisant
attirant 53.9 ; 54.13
beau 69.19
joyeux 447.17
drôle 132.11 ; 628.13 ; 628.9 ; 629.14 ; 629.6
trompeur 838.10
plaisanter
se moquer 532.13 ; 532.9
rire 447.12 ; 628.10 ; 628.12
plaisanterie 628
insignifiance 419.2
moquerie 532.1 ; 532.5
comique 132.3
mensonge 504.7
les plaisanteries les plus courtes sont toujours les meilleures 628.4
plaisantin
moqueur 532.15 ; 532.7
joyeux 447.9
drôle 132.5 ; 628.14 ; 628.9
trompeur 504.11 ; 838.10
plaisir 629
luxure 475.3 ; 763.6
joie 447
satisfaction 745.1
confort 670.5
arbitraire 413.2
plaisir solitaire 763.16
plaisirs 475.3
plaisirs des sens 27.12
menus plaisirs 191.1
à plaisir 1.19
au plaisir de vous lire 741.11
au plaisir de vous revoir 741.11
bon plaisir 90.1 ; 116.4 ; 413.2 ; 629.4 ; 870.4
notre bon plaisir 629.4
femme de plaisir 672.7
homme de plaisir 629.7
s'adonner aux plaisirs 475.7
faire plaisir à 447.10 ; 629.11 ; 745.7
faire durer le plaisir 247.6 ; 458.13
se faire un plaisir de 629.8
plaît-il 431.9
plan
adj. 256.22 ; 692.12
angle plan 509.7
n.m.
modèle 521.5
structure 795.3
but 86.1
intention 428.1 ; 812.2
projet 279.1 ; 649.2 ; 664
organisation 576.1 ; 577.10
système 807.1
rang 683.1
représentation 709.3 ; 765.12 ; 769.4
prise de vue 868.10
d'un récit 691.9
résumé 723.1
d'architecture 39.4
d'une scène 748.3
t. de géométrie 338.11 ; 338.4 ; 338.9
t. d'arboriculture 37.7
t. de cinéma 120.11 ; 120.15
plan focal 574.2
plan incliné 476.4 ; 489.11
plan social 292.2
plan de bataille 487.19 ; 649.2
plan de carrière 293.5
plan d'épargne 281.4
plans d'épargne d'entreprise 66.15
plan de manœuvre 487.19
plan de situation 39.4
plan de travail 649.2
plan de visée 868.4
plan de vol 831.7
gros plan 120.11
second plan 769.4
au premier plan 673.12
de premier plan 384.13
de second plan 210.10 ; 405.16 ; 616.12
laisser en plan 392.12
mettre sur le même plan 138.9 ; 376.10
tirer des plans sur la comète 664.16
rester en plan 249.14 ; 392.15
adv.
aller plan 458.12
planage 692.4
planaire 856.2
planche
tribune 225.2
t. de menuiserie 74.6 ; 505.3 ; 519.10
t. de serrurerie 760.8
planches 748.1
monter sur les planches 748.13
planche à neige 127.10
planche à pain 639.2
planche à paquets 57.11
planche de bord 57.10
planche de salut 752.3
faire planche 19.19
planchéiage
recouvrement 727.11
bûcheronnage 36.8
planchéier 39.25 ; 727.15
boiser 74.20
planchéieur 505.20
planchéir 505.21
plancher
n.
limite 467.3
partie du cerveau 100.3 ; 100.8
d'une automobile 57.5
t. de banque 529.15
plancher de la bouche 218.6
plancher des vaches 337.14
prix plancher 659.2
v.
travailler 274.19
planchiste 792.62
Planck
constante de Planck 513.5
plançon 37.5
plan-convexe 574.20
plancton 251.8
-plane 640.12
plane
n.f.
arbre 37.15
outil 505.16 ; 584.4 ; 584.9
plané
vol plané 119.2 ; 570.28
planéité 256.1
planer
aplanir 40.7 ; 256.15 ; 692.7
se laisser porter 20.13 ; 378.10 ; 831.18
être dans un état second 825.17
planétaire
cosmique 49.33
interplanétaire 48.15
vents planétaires 852.4
planétarium 49.16
planète 49.6
planétésimale 49.6
planétoïde 49.6
planétologie 49.1
planeur
aéronef 831.2
vol à voile 792.33
plan-film 621.5
plani- 640.12
planifiable 222.20
planifiant 222.17
planificateur 577.14
concepteur 664.8
dirigiste 222.9
planification 577.8
structuration 795.12
conception 664.6
nationalisation 222.4
planifié 577.24
dirigé 222.18
planifier 511.11
concevoir 664.13
nationaliser 222.11
planimètre 509.26
planina 530.8
planipennes 417.1
planisme 222.1
planisphère
planisphère céleste 49.16
planiste
concepteur 664.8
dirigiste 222.9
planning 577.10 ; 811.3
organisation 649.2
planning familial 711.14

planorbe 527.3
planosol 337.16
plan-plan 458.12
planque 266.4
planqué
caché 437.7
militaire 354.16
planquer 437.3
planquer (se) 228.8
plan-séquence 120.11
plant
fleur 318.1
graine 18.6
plantage 249.2
plantaire
n.m.
plantaire 541.10
plantaire grêle 541.10
adj.
pelote plantaire 486.20
plantard 37.5
plantation 18.4 ; 36.16
plante
végétal 318.1
partie du pied 623.1
plante améliorante 353.19
plante herbacée 360.1
plantes d'ombre 537.3
plantes médicinales 499.9
plante verte 857.3
planté 769.13
bien planté 624.22
planté comme un piquet 692.11
planter
mettre en terre une plante 18.22 ; 36.20 ; 318.43
décrire 196.9
planter là 181.7
planter le décor 769.9
planter qqn 196.10
planter (se)
se tromper 283.14 ; 483.14
essuyer un échec 249.12
planteur
agriculteur 18.16
boisson 75.14
punch planteur 75.14
plantigrade
mammifère 486.1
quadrupède 623.9
t. de zoologie 873.24
planton 51.4
appelé 41.10
faire le planton 51.7
plantule 318.1
plantureusement 1.17
plantureux
riche 1.13
fort 351.13
planum
os planum 580.5
planure 627.4
plaquage
défection 181.2
capitonnage 519.28
plaque
de verre 855.2
lésion cutanée 482.17
photographique 621.5
tôle 510.7 ; 848.23
t. de géologie 337.11
plaque autochrome 621.11
plaque commémorative 331.18
plaque d'entrée 760.13
plaque d'immatriculation 57.18 ; 376.6
plaque de déviation 212.9
plaque dentaire 188.8
plaque motrice 548.7
plaque muqueuse 821.4
plaque neurale 265.7 ; 548.13
plaqué 505.28 ; 848.37
orfévré 70.26
plaqué or 575.13
en plaqué 70.14
plaquer
couvrir 505.21 ; 519.35 ; 727.15
abandonner 181.7 ; 238.13 ; 392.12 ; 547.11
aplatir 129.15
t. de sports 792.85
plaquer un accord 542.23
plaquettaire 742.29
plaquette
petit livre 469.1
petite plaque 57.9 ; 529.13
plaquettes sanguines 742.2
plasma 742.6
chambre à plasma 513.10
plasmaderme 821.4
plasmaphérèse 742.13
plasmatique 94.31
échange plasmatique 742.13
plasmocytaire 742.29
plasmocyte 742.19
n. pl.
plasmocytes 381.13
plasmode 94.1
plasmodiérèse 94.27
plasmolyse 79.9
plastic 43.14
plasticien
chirurgien 114.27
peintre 607.19
plasticité 526.2 ; 749.2
plastie 114.17
plastifiants 617.7
plastique
n.f.
forme 323.1
beauté 69.2
sculpture 749.1
n.m.
matériau 70.13
adj.
souple 526.10
intervention plastique 114.17
matières plastiques 617.7
plastiquement 69.21
plastron
empiècement 211.6 ; 712.13
protection 601.7 ; 671.5 ; 792.73
bouc émissaire 532.8
détachement militaire 487.24
plastronner 639.8
poser 12.8
parader 581.7
plasturgie
chimie 113.1
pétrochimie 617.1
plasturgiste 617.9
chimiste 113.18
plat
n.m.
partie plane de qqch 479.2 ; 627.6
type de wagon 832.16
pièce de vaisselle 848.18
préparation culinaire 703.8
t. de reliure 469.12
adj.
plan 256.22
sans caractère 343.20 ; 500.13 ; 630.9 ; 761.14 ; 767.8 ; 836.16
angle plat 30.2
pied plat 452.4
plat de côtes 333.7
donner du plat de la langue 761.10
faire du plat à 279.12 ; 761.9
faire tout un plat de qqch 804.5
mettre les petits plats dans les grands 368.7 ; 703.23
piqûre à plat 388.3
tomber à plat 249.14 ; 630.8
se mettre à plat ventre devant qqn 761.11
à plat 70.15
platanaie 36.16
platane
bois 74.11
arbre 37.15
plataniste
plataniste des Indes 486.15
platanistidé 486.3
plat-bord 77.11
plate
n.f. 605.11
plateau
étendue de terrain 530.2 ; 627.1
scène 120.14 ; 748.2
pièce mécanique 476.12
véhicule utilitaire 833.6
support plat 848.19
haut plateau 530.2
plateau continental 627.3
plateau de chargement 489.10
plateau de fruits de mer 333.13
plateau sous-marin 627.3
plateau tibial 580.16
plate-bande ou **platebande** 578.3
cadre 77.10
parterre 443.7
t. de menuiserie 505.5
platée
bouchée 678.5
assiettée 152.3
base 791.2
ration 703.9
plate-forme 337.11
base 791.2
fondation 834.11
porte-bagages 833.12
chemins de fer 832.15
plate-forme de forage 618.4
plate-forme électorale 642.6
plate-forme élévatrice 489.10
plate-forme littorale 627.3

platement 630.12
servilement 761.16
platerie 848.1
plateure 518.6
plathelminthes 856.1
platier 627.3
platin 319.8
platinage 727.11
platine
pièce d'horlogerie 118.7
pièce de serrurerie 760.7
pièce de plomberie 632.21
élément 113.7
métal 516.5
support plat 273.5
noces de platine 491.11
une fameuse platine 665.9
platiné 159.28 ; 444.12
blanc 71.11
platinectomie 114.13
platiner 632.26
platinifère 516.11
platitude 630
insipidité 343.5
sornette 784.4
médiocrité 500.1
monotonie 836.5
servilité 761.1
plat-joint 505.7
platocyte 742.3
platodes 856.1
platonique 108.7
amour platonique 27.3 ; 763.8
platonisme 620.13
plâtrage
recouvrement 727.11
fertilisation 18.4
plâtre
enduit 727.6
bandage 114.23
pansement 775.18
sculpture 749.5
plâtre à modeler 749.13
plâtré
paix plâtrée 589.4
platrée 152.3
plâtrer 727.15
fertiliser 18.21
t. de chirurgie 114.33
plâtrière 518.2
platy 638.5
platymerus 417.5
platynéréis 856.2
platyrhinien 486.14
platystemon 318.26
plausibilité
possibilité 646.1
probabilité 660.1
plausible
envisageable 291.11
probable 660.9
plausiblement 291.13
play-back 120.17
play-boy 12.5
play-girl 12.5
plèbe 734.5
plébéianisme 734.2
plébéien 734.6
plébéiennement 734.10
plébiscitaire 260.29
plébiscite
élection 116.2 ; 260.1
plébisciter
désigner 116.9
élire 260.25
plécoptères 417.1
plectascales 103.5
plectenchyme 103.2
plectr- 637.16
plectranthus 318.16
plectre 422.25
Pléiades 49.5
plein
n.m. 459.3 ; 830.18
avoir son plein 441.14
faire le plein 57.29 ; 131.23
adj. 1.16 ; 187.12 ; 351.14 ; 441.18 ; 711.24 ; 744.9 ; 781.30 ; 823.11
année pleine 88.6
femelle pleine 711.24
plein air 20.4
la coupe est pleine 744.7
travail à plein temps 266.4
plein de 1.8 ; 540.17 ; 634.13
adv.
à plein 5.24
s'en foutre plein la lampe 703.31
s'en mettre plein les poches 730.12
pleinairisme 46.11
pleinement
complètement 823.14
tout à fait 744.12
plein-emploi 846.8
emploi 266.6
plein-temps 811.3
travail 266.4
plein-vent 37.1
pléisto- 540.18
pléistocène 337.21
plénier 823.11
plénière 592.2
plénipotentiaire 642.10
plénitude
totalité 823.1
intégralité 423.2
plenum 823.3
pléo- 1.23
pléomorphisme 512.7
pléonasme
redondance 435.6 ; 704.3
figures de construction 313.3
longueurs 665.5
pléonastique 704.13
pléopode 172.4
pléosporales 103.5
plésiocuriethérapie 775.6
plésiosaure 337.23 ; 712.11
plésiosauridés 712.10
plessimètre 115.14
plessis 67.3
pléthore
surabondance 1.2
excès 294.1
démesure 347.3
pléthorique 1.15
obèse 482.72
plèthre 509.24
pleur
cri 243.6
gémissement 168.3
pleurs 331.3
pleurs de l'aurore 372.3
des pleurs et des grincements de dents 416.1
en pleurs 836.9
pleural 580.6
respiratoire 718.29
pleurant 749.7
pleurectomie 114.13
pleure-misère 61.3
pleurer 836.9
compatir 625.8
gémir 168.14
pleurer le pain qu'on mange 61.8
pleurer misère 603.17 ; 625.11
pleurer sur 697.5
pleurer comme une Madeleine 836.9
pleurésie
bronchite 482.31 ; 718.15
pleurétique 482.76
pleureur 37.25
pleureuse 331.26
pleurite 482.31
pleurnichard 192.15
pleurnicher
pleurer 836.9
se plaindre 192.11
pleurnicherie
larmes 836.3
gémissement 168.3
pleurnicheur
en larmes 836.11
braillard 168.20
pleurobranchie 172.4
pleurocarpe 537.8
pleurococcus 22.4
pleurodires 712.8
pleurodynie 482.32
pleuromitose 512.7
pleuronectidé 638.3
pleuroscope
stéthoscope 718.22
endoscope 498.18
pleuroscopie 718.16
pleurote 103.6
pleurotomie 114.14
pleurotrème 638.2
pleurotropis 417.7
pleutre
peureux 619.7
lâche 452.4
pleutrerie
lâcheté 452.1 ; 619.5
pleuvasser 633.12
pleuviner 633.12
pleuvioter 633.12
pleuvoir 127.14 ; 372.16 ; 633.12
plèvre 727.4
appareil respiratoire 718.7
plexus 548.4
plexus cardiaque 128.5 ; 548.5
plexus choroïdes latéraux 100.10
pli
de la peau 604.4
habitude 357.1
missive 136.5 ; 157.1 ; 751.2
rabat 165.4
t. de géologie 337.13
t. d'imprimerie 469.12
t. de jeu 446.9
faux pli 226.3
mise en plis 129.2
prendre le pli 357.17

pliage 388.3
pliant
n.m.
siège 519.20
adj.
comique 132.11
plie 638.6
plié
n.m. 176.16
plier
rabattre 162.8 ; 388.20
céder 90.8 ; 357.20 ; 564.9
faire plier 240.16
plier (se) 564.9
se plier à 5.14 ; 147.10 ; 559.13
plieuse 476.9
imprimerie 388.14
plinthe
cadre 77.10
base 39.15
t. de menuiserie 505.5
pliocène 337.21
plioir 584.8
pliosaure 712.11
plique 740.5
cuir chevelu 624.6
plissé
sinueux 162.12
évidé 167.16
plissement 337.6
plissement alpin 337.6
plisser 165.30
plier 162.8
chiffonner 816.28
pliure 162.3
ploc 431.7
onomatopée 83.23
textile 816.2
plof 83.23
ploïdie 361.25
ploière 417.5
plomb **631**
métal 113.7 ; 516.5
coupe-circuit 261.19 ; 636.5
t. de typographie 459.7
t. de pêche 605.13
plomb de chasse 43.15 ; 631.5
plomb fondu 801.7
plomb tétraméthyle 631.2
fil à plomb 692.3
bronze au plomb 82.2
verre au plomb 855.1
à plomb 692.13
de plomb 102.24 ; 631.16 ; 780.2
avoir du plomb dans l'aile 249.10 ; 303.10
plombage 188.10
plomberie 631.8
plombaginacées 318.24
plombagine
graphite 631.4
fleur 318.24
plombate 631.2
plombe 610.6
plombé
adj. 159.28 ; 561.14 ; 631.14
plombée
n.f. 42.1
plombémie 742.17
saturnisme 631.6
empoisonnement 267.2
plomber 631.10
une dent 188.24
vérifier la verticalité 155.15
compromettre 249.9 ; 405.7
plomber un arbre 36.20
plomber (se) 633.15
plomberie **632 ;** 631.8
plombeur 631.9
plombico- 631.17
plombier 631.9 ; 632.22
plombifère 631.13
métallifère 516.11
plombique 631.12
plombiste 107.16
plombite 631.2
plombo- 631.17
plombure 631.5
plommée 42.1
plonge 550.3
faire la plonge 550.32
plongeant
tir plongeant 820.6
plongée
t. de cinéma 120.11
t. de fortification 67.6
plongeoir 792.79
plongeon 570.15
baisse 195.5
saut 746.2
chute 119.2
football 792.11
faire le plongeon 249.12
faire un plongeon 119.19
plonger
immerger 195.11 ; 319.27 ; 468.9 ; 746.11
être condamné 208.25
plonger (se)
se plonger dans 52.6
plongeur
personne qui lave la vaisselle 550.24
sportif 792.63
canard plongeur 570.16
plot
bois 74.6
plongeoir 792.79
t. d'électricité 261.19
plouc 418.8
plouf 119.29 ; 431.7
bruit 83.23
échec 249.1
plouto- 730.25
ploutocrate 730.9
ploutocratie 730.5
capitalisme 694.10
ploutocratique 730.22
Ploutos 236.12 ; 730.6
ployant 519.20
ployer 212.18
faiblir 405.12
ployer (se) 761.11
plug 605.15
pluie **633 ;** 1.3
humidité 372.3
intempérie 127.5
pluie battante 115.31
après la pluie le beau temps 647.28
faire la pluie et le beau temps 59.14 ; 407.16
plumage 570.21
plumard 519.12
plumarder (se) 780.21
plumbaginales 79.4
plumbago 318.24
plumbo- 631.17
plume
instrument graphique 252.7 ; 607.15 ; 637.3
style d'un écrivain 729.10
d'oiseau 570.21 ; 624.3
catégorie de boxeur 792.53
plume de mer 527.12
plume polaire 777.7
léger comme une plume 457.10
à plumes 570.37
plumeau
plumage 570.21
balai 550.17
avoir son plumeau 441.14
plumer 333.38 ; 570.36
dévaliser 869.23
plumer le pigeon 284.8
plumer (se) 780.21
plumet
plumage 570.21
avoir son plumet 441.14
plumetis 165.3
plumier 252.7
plumitif 654.17
écrivain 252.11
plum-pudding 799.6
plumule 570.21
plupart
la plupart 540.8
plural 634.10
pluraliser 634.5
pluraliser (se) 634.6
pluralisme 620.14 ; 634.4 ; 694.5
pluraliste 620.32
pluralité **634**
diversité 234.1
majorité 540.8
pluri- 140.16 ; 540.18 ; 634.15
pluricellulaire 94.31
pluridisciplinaire 634.11
pluriel 634.10
nombre 555.12 ; 634.2
morphologie 346.5
plurier
nombre 555.12 ; 634.2
pluriethnique 773.15
plurihandicapé 484.7
plurilingue 455.21
plurilinguisme 455.8
plurinucléé 94.31
pluripartisme
pluralisme 634.4 ; 694.5
plurivalent 634.11
radical plurivalent 113.9
plurivoque 634.11
plus
n.m. 8.5 ; 765.10 ; 800.3
adv. 56.18 ; 216.13 ; 678.19
plus avant 263.14
plus mort que vif 534.37
à plus 332.20
de plus en plus 344.16
de plus en plus mal 16.12
bien plus 8.12 ; 9.22
plusie 417.11
plusieurs 678.18
divers 234.11 ; 634.12
plus-que-parfait 598.3
temps 346.6
plus-value 659.5
inflation 56.3
impôt sur les plus-values 317.3
plutelle 417.11
pluteus 182.8
Pluton 236.28
système solaire 49.7

Prométhée 311.14
plutonien
terrain plutonien 337.16
plutonisme 311.18 ; 337.2
plutonium 113.7
uranium 131.9
combustibles fissiles 269.5
plutôt 148.19
plutus 730.6
pluvial 633.20
pluviatile 633.20
pluvier crabier 570.15
pluvieux 633.17
pluvio- 468.19 ; 633.22
pluviomètre 633.11
instrument de mesure 509.26
hygromètre 127.10
pluviométrique 633.20
pluvio-nival 633.20
pluvioscope 633.11
pluviôse
mois 88.8
saison des pluies 633.2
pluviosité
humidité 127.3 ; 372.1
pluie 633.1
P.L.V. 675.1
P.M.E.
entreprise 279.5
firme 135.9
P.M.I.
entreprise 279.5
firme 135.9
P.M.I.
protection 270.8
P.M.U. 446.13
P.N.B. 662.6
pnée 20.23 ; 718.35
pneu 57.8
pneu-neige 57.8
pneumallergène 381.10
pneumatique
n.m.
correspondance 157.2
d'un véhicule 57.8
adj.
t. de théologie 818.31
machine pneumatique 49.15 ; 391.8 ; 476.4
os pneumatique 570.21
pneumato- 20.23
pneumatologie 20.10
pneumatologique 20.19
pneumatomaque 117.11
pneumatophore 37.8
pneumaturie 296.10
pneumectomie 114.13
pneumo- 20.23
pneumo 718.17
pneumo-choc ou **pneumochoc** 115.13
pneumoconiose 676.13
bronchite 482.31
pneumodynamomètre 509.26
pneumogastrique 548.3
pneumographe 718.22
pneumographie 718.16
pneumologie 718.19
pneumologique 718.29
pneumologue 498.27 ; 718.20
pneumonectomie 114.13
pneumonie
bronchite 482.31 ; 718.15
pneumonique 482.76
pneumopathie 482.31
pneumopéritoine 482.21
pneumo-phtisiologie 498.7
pneumotomie 114.14 ; 718.17
pochade 607.3
pochard 441.7
pochardise 441.1
poche 486.23
boîte 151.2
pétrole 618.1
baratte 454.4
vêtement 859.21
t. de chasse 107.6
poche des eaux 544.9
c'est dans la poche 798.12
avoir les poches percées 661.9
en être de sa poche 587.13
mettre dans sa poche 614.8
mettre la main à la poche 587.13
vider les poches de qqn 869.24
se remplir les poches 730.12
chat en poche 145.29
pochée 152.3
pocher
peindre 607.25
cuire 333.40
pocher l'œil 72.19 ; 160.18
pochetée
charge 152.3
laideron 453.4
pochetron 441.7
pochetronné 441.7
pochette
petite poche 151.4
petit violon 422.5
petit mouchoir 859.28
pochette-surprise 805.2
pochoir 607.16
pochon 72.9
pochothèque 469.19
podagre 863.15
podcaster 408.25
programmer 681.19
enregistrer 273.15
podcasting 408.21 ; 681.10
enregistrement 273.12
-pode 502.20 ; 527.21 ; 623.13 ; 873.28
podicipitiformes 570.4
-podie 502.20
-podiste 502.20
podium 792.79
monter sur le podium 800.17
podobranchie 172.4
podocarpales, 79.4
podocnemis 712.9
podologie 623.3
podomètre 509.26
podophyllum 318.25
podure 417.16
podzol 337.16
podzolisation 337.3
pœcilandrie 417.23
dimorphisme sexuel 361.6
pœciliidé 638.5
pœcilo- 850.18
pœcilogynie 417.23
dimorphisme sexuel 361.6
poêle
drap mortuaire 331.20
ustensile de cuisine 848.25
instrument de chauffage 109.10
poêle à frire 207.5
glands du poêle 331.20
porter le poêle 331.30
tenir les cordons du poêle 331.30
poêlé 333.50
poêlée
n.f. 152.3 ; 678.5
poêler 333.40
poêlon 848.25
poème 635.5
poème symphonique 543.30
poésie 635
poésie lyrique 236.11
poétastre 635.21
poète 635.20 ; 729.13
charmeur 264.5
poétereau 635.21
poétique
mot 535.28
stylistique 729.4
art poétique 635.18
prose poétique 225.10
veine poétique 276.5 ; 378.2
poétiquement 635.29
poétisable 635.27
poétisation 635.4
poétiser 635.24
poétriau 635.21
pogne 479.1
avoir à sa pogne 240.14
pognon 529.5
pogo 176.10
pogoter 176.28
pogrom ou **pogrome** 288.19 ; 449.21
pogromiste 288.18
poids 636 ; 118.7
quantité 678.2
mesure 509.4
densité 187.1
grandeur 384.2
importance 759.4
autorité 59.4
poids lourd 833.7
poids moléculaire 113.6
poids mort 593.5
poids plume 457.7
au poids de l'or 111.13 ; 575.18
de poids 384.12 ; 407.20
de peu de poids 419.12
de tout son (mon, ton) poids 636.22
agir avec poids et mesure 674.9
avoir deux poids deux mesures 413.12
avoir un poids sur la conscience 697.6
donner du poids à 384.10
faire deux poids deux mesures 25.11
poïèse 742.35
poïétique 742.35
poignant
attristant 836.14
pathétique 264.10
poignante 243.14
poignard
pointe 637.3

couteau 43.3
lance 42.2
coup de poignard dans le dos 828.6
poignarder 160.18
tuer 43.23 ; 169.22 ; 534.28
frapper 72.19
poigne
force 322.7
main 479.1
autorité 59.4
homme à poigne 864.5
à poigne 59.19
d'une poigne de fer 307.26
poignée
quantité 152.3 ; 678.5
t. de serrurerie 760.12
poignée de main 479.6 ; 741.5
poignée du manubrium sternal 580.9
à poignée 1.20
à poignées 479.21 ; 678.19
poignet
main 479.2
articulations du bras 580.23
avoir les poignets coupés 257.4
poïkilo- 850.18
poïkilotherme 742.24
poil 624.2
pelage 486.20
textile 816.2
poil collecteur 318.3
poil à gratter 330.3
poils absorbants 537.2
à un poil près 602.16
à poil 562.13
de mauvais poil 192.15 ; 416.7
de tout poil 624.24
avoir le poil brillant 743.7
avoir un poil dans la main 593.9
ne pas bouger d'un poil 611.11
ne plus avoir un poil de sec 619.15
poilant 132.11
poil-de-carotte 624.23
poiler (se) 132.7
poileux 624.21
poilu
barbu 624.12
militaire 354.16
combattant 41.11
poinçon 575.9
aiguillon 637.3
ciseau 505.16 ; 749.14
pointe 584.5
poinçonnage 584.29
poinçonner 584.37 ; 637.13 ; 765.23
percer 167.12
poinçonneuse 476.10
poindre 777.17
apparaître 34.7
poing 479.1
poing levé 765.8
coup de poing 160.6 ; 246.3 ; 479.6
oiseau de poing 570.6
dormir à poings fermés 780.17
poinsettia 318.11
point
n.m.
état de choses 34.2 ; 122.2 ; 286.2
unité de mesure 87.7 ; 338.4
endroit précis 769.6
moment 494.2 ; 528.1
de comparaison 138.4
signe 543.27 ; 765.10
point fixe 113.10
point faible 303.7
point noir 482.16
point zéro 872.1
points communs 6.1
les quatre points cardinaux 221 ; 679.3
bon point 274.12 ; 507.5
petit point 165.9
point de 102.12
point d'appui 182.7 ; 791.2
point de chute 119.11 ; 356.13 ; 871.14
point de côté 158.2 ; 482.37
point de croix ou *point de tapisserie* 165.9
point mousse 165.10
point de départ 92.6 ; 134.11 ; 189.4 ; 656.3 ; 658.1 ; 872.1
point de jonction 685.5
point de mire 54.3 ; 86.1 ; 221.14 ; 820.14 ; 868.4
point de non-retour 315.6
point de rencontre 685.5
point de repère 769.6
point de vue 158.5 ; 432.5 ; 450.3 ; 868.9
point d'impact 167.2 ; 820.14
point d'intersection 171.13 ; 338.10 ; 769.6
point du jour 473.2 ; 777.5
mise aux points 749.3
à point nommé 571.8 ; 644.8
à un point inimaginable 427.35
au point 165.31 ; 286.13
au gros point 165.31
au petit point 165.31
à point 333.48 ; 571.14 ; 644.8 ; 649.16
au plus haut point 427.35
en tout point 823.15
au point de 427.40
d'un certain point de vue 30.12
sur le point de 332.21
faire un point à un vêtement 165.28
mettre au point 574.16 ; 621.21 ; 649.10
mettre les points sur les i 425.10
mettre son point d'honneur à 366.19
mettre un point final à 315.15
se faire un point d'honneur de 366.19
ne... point 404.11 ; 546.20 ; 693.19 ; 758.11
pointage
action de contrôler 155.1 ; 651.7
visée 221.16 ; 820.1
pointe 637
coin 30.7
avancée 211.1
sommet 530.8
de vent 852.1
du pied 623.1
de goût 333.7 ; 343.2
trait d'esprit 156.7 ; 424.3
d'ironie 532.4
arme blanche 43.3 ; 792.73
poinçon 584.5 ; 749.14
pas de danseuse 176.16
foulard 859.28
chausson de danse 110.6
pointe grasse 607.15
pointe sèche 607.15
pointe de feu 311.19
pointe de vitesse 637.7
pointe du jour 34.2 ; 494.2 ; 777.5
temps de pointe 176.16
de pointe 60.10 ; 332.13
en pointe 129.21
à la pointe de 33.30
sur la pointe des pieds 623.10 ; 819.11
pointeau 637.3
pointer
répondre à l'appel 651.10
apparaître 34.7
aiguillonner 637.14
diriger 52.10 ; 221.18
contrôler 155.15
viser 820.23
pointer (se) 651.9
pointeur 155.9
pointeuse 118.5
pointillage 607.3
pointillé 607.10
pointiller 607.27
pointilleux
exigeant 217.22
soigneux 774.20
pointillisme 46.11
pointilliste 46.16
pointu
piquant 637.15 ; 781.31
strident 794.6
fin 316.15
pointure 219.5
point-virgule 765.10
poire
interrupteur 261.18
fruit 330.11
tête 814.3
sot 64.5 ; 784.7
poire à lavements 775.18
poire à poudre 676.11
poire d'ambrette 330.11
poire d'angoisse 308.7 ; 801.6
bonne poire 76.9
en poire 70.15
garder une poire pour la soif 281.12
poiré 75.9
poireau
décoration 822.12
plante 333.17
faire le poireau 51.7
poireauter
attendre 247.8
patienter 51.7
poirier
équilibre 123.6 ; 282.6 ; 792.8
arbre 37.13 ; 74.11
faire le poirier 282.14
pois 345.2
pois chiche 330.7
pois d'Angola 330.7
pois de cœur 318.5

pois de senteur 318.27
poiscaille
poisson 638.14
proxénète 672.4
poise 509.10
poison
enfant turbulent 270.4
substance toxique 267.3
méchanceté 497.6
poissard 734.8
poissarde 226.4
poissardes 70.7
poisse
malchance 11.3 ; 827.5
voleur 869.9
pauvreté 603.2
poisser
enduire 727.15 ; 740.9
voler 869.19
se faire arrêter 44.11
poisser (se) 441.12
poisseux 740.11
poisson 638
animal 638.1 ; 873.6
proxénète 672.4
petit poisson d'argent 417.16
poisson d'avril 628.4 ; 838.6
poisson volant 49.15
être comme un poisson dans l'eau 280.7
heureux comme un poisson dans l'eau 629.17 ; 670.12
noyer le poisson 411.12
poisson-lune 474.13
poissonnaille 638.14
poissonnerie 638.15
poissonneux 638.21
poissonnier 333.32
poissonnière 848.26
poisson-paradis 638.5
Poissons
signe zodiacal 88.9
constellation 49.15
Poitevin 695.11
poitrail
cadre 77.10
charpente 791.4
poitrine 639.1
poitrinaire 639.11
asthmatique 482.76
poitrine 639 ; 333.7
sensibilité 755.1
voix de poitrine 106.16
poitriner 639.8
poivrade
ivresse 441.3
ketchup 333.26
poivre
condiment 330.7 ; 333.27 ; 441.18
poivre d'eau 318.23
poivre et sel 350.9 ; 501.19 ; 624.23
poivré 569.27
noir 441.18
poivrer
assaisonner 333.44 ; 343.16
contaminer 482.58
mettre aux arrêts 44.11
poivrer (se) 441.12
poivrier 848.22
faux poivrier 37.17
poivrière
élément de fortification 182.13
plantation 18.10
poivron 333.17
poivrot 441.7
poix 42.6
poker 446.3
coup de poker 386.3
polaire
n.f.
t. de géométrie 221.4 ; 338.7
adj.
étoile 49.35
froid 327.19
climat polaire 127.1
polar 691.6
polarimètre 473.25
instrument de mesure 509.26
t. d'astronomie 49.17
polarimétrie 473.26 ; 509.25
polarisant 574.5
polarisation
concentration 221.8
induction nerveuse 473.16 ; 548.18
t. de physique 261.6
polariscope 473.19
polariser 473.30
polariseur 261.25
miroir 473.19
polarité 221.13
polarographie 113.16
Polaroïd 621.3
polder 750.10
pôle 221.14 ; 338.10
repère 769.6
t. d'électricité 261.12
pôle d'attraction 54.3
pôle du froid 327.10
pôle Nord 221.4 ; 327.6
pôle Sud 221.4 ; 327.6
ligne des pôles 221.4
polém- 354.36
polémarque 354.20
polémique 194.2
polémiqueur 194.6
polémiste 194.6
polémo- 354.36
polémographe 354.20
polémologie 354.13
polémologique 354.32
polémologue
stratège 354.20 ; 487.21
polémoniacées 318.34
pole position 769.4
poli 32
lisse 315.21 ; 640.1
courtois 98.27 ; 163.10 ; 177.7 ; 253.11
poliade
divinité poliade 236.2
police 641
force publique 44.9 ; 642.1
liste de lettres 459.8
police-secours 641.3
agent de police 641.6
peine de police 144.5
tribunal de police 835.2
salle de police 208.11
policé 253.11
policer
civiliser 184.8 ; 533.12
polichinelle
rigolo 628.8
théâtre de marionnettes 817.9
vie de polichinelle 426.3
secret de polichinelle 751.8
avoir un polichinelle dans le tiroir 711.21
policier 44.9 ; 641.18
gardien 671.12
agent 641.6
policlinique 775.21
policologie 641.16
polignac 446.3
poliment 177.12 ; 365.18
courtoisement 163.13
polio 482.20
poliomyélite
infection 482.20 ; 548.20
poliomyélitique 482.69
poliorcétique 487.20
stratégie 354.13
polir
égaliser 256.15
rendre lisse et luisant 40.7 ; 505.23 ; 550.30 ; 584.37 ; 640.7
parachever 774.14
« vingt fois sur le métier remettez votre ouvrage, polissez-le sans cesse et le repolissez » 640.9
polish 640.4
polissable 640.10
polissage 550.9 ; 584.29 ; 640.2
verre 855.9
t. d'orfèvrerie 575.7
t. de sculpture 749.3
polisseur 640.6
polisseuse 640.5
polissoir 584.15 ; 640.5
polissoire 640.5
polisson 270.4
polissonnerie
impudeur 399.2
luxure 475.1
polissure 640.1
poliste 417.7
politesse
bienséance 163.1 ; 177.2 ; 253.2 ; 365.3
visite de politesse 163.5
formule de politesse 157.7
quart d'heure de politesse 724.2
se renvoyer la politesse 596.26
politicaillerie 642.1
politicailleur 708.2
politicaillon 708.2
politicard 708.2
politicien 708.2
politique 642.15
politicologie 642.13
politique 642
adj.
diplomate 316.18
politique-fiction 691.6
politique des revenus 222.4
politique défensive 865.10
politique étrangère 586.6
homme politique 708.2
ligne politique 466.7
science politique 642.13 ; 747.6
sensibilité politique 755.8
faire de la politique 708.17
se mêler de politique 708.17

politiquement 642.26 ; 808.51
politisation 642.12
politiser 642.17 ; 808.30
politologie 642.13
politologue 642.16
polka
femme 306.5
danse 176.9
pollakiurie 296.10 ; 482.34
pollen 676.3
graine 318.5
polletais 605.11
pollicipes 172.3
pollinie 318.5
pollinique 676.22
pollinisation 318.37
polliniser 676.17
pollinose 676.13
pollué 740.11
polluer
salir 740.9
empoisonner 267.14
souiller 737.7
pollution 251.9
saleté 740.1
pollution nocture 762.22
pollution sonore 83.3
Pollux
constellation 49.5
héros mythologique 236.41
polo
pull 859.7
sport 792.10
poloïste 792.48
polonais
langue 455.14
gâteau 799.6
à la polonaise 519.13
Polonais 355.5
polonaise 176.6
menuet 543.31
polonium 113.7
Poltergeist
surnaturel 380.4
esprit 477.17
poltron
peureux 619.7
lâche 452.4
poltronnement 619.23
poltronnerie 619.5
poly- 140.16 ; 234.13 ; 540.18 ; 634.15 ; 850.18
poly 274.9
polyacide 113.23
polyacide polyaminé 94.10
polyagglutinable 742.31
polyallélie 361.1
polyamide
textile 816.2
produits dérivés du pétrole 617.7
polyandrie
phanérogamie 318.38
bigamie 491.21
polyandrique 304.2
polyarchie 694.9
polyarthrite 482.11
polycarpique 318.48
polycentrisme 694.6
polychètes 856.1
polychreste 499.1
polychrome 643.11
chromatique 159.26
polychromé 643.11
polychromie 643
couleur 159.13
polyclinique 775.21
polycolore 643.11
polycopie 388.7
polycopié 274.9
polyculture 18.1
polydactyle 484.9
polydactylie 484.4
polydipsie 75.2
polydolopidé 486.2
polydolops 486.13
polyèdres 338.6
polyergue 417.7
polyester
produits dérivés du pétrole 617.7
textile 816.2
polyéthylène 617.7
polygala 318.36
polygame 318.46
polygamie
phanérogamie 318.38
bigamie 491.21
polygamique 304.2
polygastrique 541.7
polygénie 361.6
polyglotte 455.24
locuteur 455.11
polygonacées 318.23
polygonal 338.16
appareil polygonal 39.5
polygonales 79.4
polygone
figure géométrique 338.5
champ de tir 487.17
polygraphe 252.11
polyhandicapé 484.7
polyholoside 94.5
polyhybridisme 711.5
polykystique 482.82
polymélodie 543.25
polymérase 94.24
polymère
t. de chimie 113.2 ; 113.8
polymérie 113.12
polymérisme 484.4
Polymnie
Muses 236.11
Parnasse 635.22
polymodalité 543.24
polymorphe
diversifié 634.11
multimorphe 323.21
polymorphisme 417.23 ; 512.7 ; 517.8
polymorphisme sexuel 361.6
polynème 417.7
polynémidé 638.3
polynéoptères 417.1
polynésien
empire polynésien 873.5
Polynésien 371.5
polynévrite 548.20
polynôme 493.2
polynucléaires 742.4
polynucléé 94.31
polynucléotide 94.11
polyodontidé 638.3
polyome
virus du polyome 512.3
polyopie 840
troubles de la vue 840.2
myopie 482.27
polyorchidie 484.4
polype
mollusque 527.12
tumeur 841.2
polypectomie 114.13
polypeptide 94.8
polypeptidique 94.33
polypétale 318.47
polypeux 841.12
polyphage
n.m.
insecte 417.31
adj. 214.12
polyphagie 703.14
gloutonnerie 563.7
polyphasé 261.24
polyphonie
modalité 543.24
chant 106.2
polyphonique 543.50
lyrique 106.29
polyphoniste 543.40
polyphylle 417.3
polyplacophores 527.1
polypnée
t. de pneumologie 482.32 ; 718.14
polypode 360.9
polypodiacée 360.9
polypore 103.6
polyptère 638.5
polyptique
tableau 607.7
retable 374.9
polyrythmie 543.24
polysaccharide 94.5
polysémie
sémantisme 535.10 ; 753.3
homonymie 24.5
polysémique
diversifié 634.11
équivoque 753.16
polysépale 318.47
polyspermie 762.25
polystélie 360.10
polystyrène 617.7
polysyllabe 535.3
polysyllabique 535.26
polysynaptique 548.25
polysyndète 313.3
polysynodie 694.9
polysynthétique 455.14
polytechnique 634.11
polytéridé 638.3
polythalame 527.19
polythéisme 700.6
polythéiste 700.12
polytherme 830.36
polytonal 543.52
polytonalité 543.24
polytoxicomanie 825.1
polytransfusé 742.31
polytransfusion 742.13
polytraumatisé 72.21
polytraumatologie 72.12
polytric 537.4
polyurie 296.10 ; 482.24
polyurique 482.71
polyvalent 634.11
vaccin polyvalent 499.11
polyvision 120.19
pomacentridé 638.3
pomaison 330.18
pomelo
arbre 37.17
agrume 330.9

Poméranien 355.5
pomerium 736.7
pomettes 814.5
pomiculture 330.19
pommade
composition molle 11.3 ; 499.15 ; 604.7 ; 711.12 ; 727.6 ; 761.3
passer de la pommade 373.15 ; 761.10
pommader 129.15 ; 727.15
pomme
fruit 330.10 ; 330.3 ; 345.2
tête 814.1
pomme à couteau 330.10
pomme d'Adam 814.5
pomme d'amour 330.8
pomme d'api 330.10
pomme de douche 632.2
pomme de pin 37.10
pomme de terre 333.19
pomme douce 330.10
pomme douce-amère 330.10
pomme rouleau rouge 330.10
pommes d'or du jardin des Hespérides 575.14
bonne pomme 76.9
ma pomme, ta pomme 613.7
vert pomme 857.11
tomber dans les pommes 119.20 ; 303.12 ; 397.12 ; 418.11
pommé 318.45
pommeau
boule 345.2
lame 792.73
pomme-cannelle 330.16
pomme-cythère 330.17
pommelé 604.15
pommeler 561.11
pommeraie 18.10
pommeté 171.20
pommier
bois 74.11
arbre 37.13
pomœrium 736.7
pomone 236.42
Pompadour
style Pompadour 519.27
pompage 618.7
séchage 750.3
pompe
appareil à pomper 57.16 ; 531.9
chaussure 110.1
pompe à chaleur 109.8 ; 269.7
pompe à essence 618.10
pompe d'exhaure 750.8
à pompe 760.10
à toute pompe 684.48
cirer les pompes à 761.9
pompe
faste 98.3 ; 347.4 ; 581.1
emphase 347.1
en grande pompe 98.30
pompé 303.21
pomper
aspirer avec une pompe 54.8 ; 531.15 ; 618.13
boire 75.26
imiter 379.5
pomper l'air 272.11
pomper l'énergie 303.16
pompette
noir 441.18
ivre 75.34
pompeusement 347.16
noblement 759.15
pompeux 98.26
pédant 759.10
grandiloquent 347.11
pompier
n.m. 41.10
sapeur-pompier 311.16
pompier
adj.
académique 46.16 ; 347.15
pompiérisme 347.1
pompile 417.7
pompon 165.3
avoir son pompon 441.14
pomponner (se) 669.11
se préparer 859.37
ponant
couchant 221.4 ; 777.5
vent 852.6
ponçage 550.9 ; 584.29
polissage 640.2
t. de menuiserie 505.11
ponce 550.16
abrasif 640.4
crayon 607.15
pierre ponce 517.2 ; 550.16 ; 640.4 ; 669.5
poudre de ponce 640.4
poncé 640.10
ponceau 159.28 ; 735.2
vermillon 735.12
poncer 550.30 ; 584.37
polir 640.7
dessiner 607.27
raboter 505.23
poncette 607.15
ponceuse 476.10
polissoir 640.5
raboteuse 505.15
poncho 859.12
poncif
lieu commun 326.8 ; 630.5
dessin 329.12 ; 607.3
poncirus 38.5
ponction
biopsie 498.13
désinfection 114.7
ponction-biopsie 498.13
ponctionner
enlever 301.10
t. de chirurgie 114.33
ponctualité 644 ; 528.3
ponctuation
signe 765.18
orthographe 346.3
intonation 622.8
caractère 459.7
écriture 252.8
signe de ponctuation 765.10
ponctuel 528.8
sérieux 759.12
exact 644.4
ponctuellement 644.6
ponctuer 765.22
pondérabilité
poids 636.1
modérabilité 522.6
pondérable 522.20 ; 636.19
pondéral 636.11
pesant 636.20
pondérateur 522.10 ; 522.21 ; 810.12
pondération
harmonie 576.2
correction 493.5 ; 636.1
calme, modération 89.1 ; 522.2 ; 620.23 ; 674.3 ; 714.1 ; 759.3 ; 810.1
pondéré 143.13 ; 674.12 ; 752.17
équilibré 282.17 ; 282.22
calme 89.13
réservé 714.13
consciencieux 759.11
retenu 522.17
tempéré 810.10
pondérer 522.12
accorder 143.7
composer 576.15
équilibrer 282.13
pondéreux 636.19
poids 636.5
pondeuse 262.12
pondre 570.34
se reproduire 711.19
faire 662.15
poney 486.11
pongidé 486.14
pongiste 792.48
pongitif 243.14
pont
ouvrage d'art 443.9 ; 832.20 ; 834.5
jour(s) chômé(s) 389.5 ; 706.4
dispositif scénique 748.8
pont aux ânes 302.9
pont de balancier 118.7
ponts et chaussées 834.1
noyaux du pont 100.6
faire un pont d'or à qqn 575.18 ; 739.11
faire le pont 706.13
pont roulant 489.10 ; 832.20
pontage 114.10
pont-aqueduc 834.5
pont-bascule 509.26
ponte
n.f. 570.26 ; 638.13
ponte ovulaire 340.6
ponte
n.m. 59.9 ; 446.27 ; 800.10
pontederia 318.32
pontédériacées 318.32
pontée 830.18
ponter 446.38
pont-garage 830.15
pontier
manutentionnaire 489.16
conducteur 834.37
pontife 699.25
grand pontife 699.25
souverain pontife 133.9 ; 590.1
pontifiant 347.15
pontifical
papal 590.23
messe pontificale 508.1
pontificat 590.3
être élevé au pontificat 590.22
pontifier 747.15
discourir 595.23
déclamer 347.8
pont-l'évêque 328.6
ponton 208.10
pont-portique 489.10
pont-rail 832.20
pont-route 833.16
pontuseau 466.4
pool 529.10
pop 543.7
pop art 46.13
pope 117.20
métropolite 699.11

de valeurs mobilières 849.6
portefeuille ministériel 708.15
avoir le portefeuille bien garni 730.14
porte-fort 666.5
porte-graine 318.1
porte-greffe 36.11
porte-harnais 806.5
porte-hélicoptères 43.13
porte-jarretelles 859.13
porte-mains 792.72
porte-malheur 11.12
porte-manchon 806.5
portemanteau
penderie 519.24 ; 806.5 ; 859.32
portement
portement de Croix 117.21 ; 171.8 ; 374.3
portemine 252.7
porte-monnaie 529.21
porte-mousqueton 806.5
porte-musc 486.6
porte-outils 584.2
porte-parole 432.10
porte-plume 252.7
porte-queue 417.11
porter
n.f.
bière 75.10
porter
v.
supporter 791.10
transporter 829.21 ; 829.24
inciter 268.10
avoir sur soi 859.35
porter à bout de bras 502.12
porter à bras tendu 502.12
porter à incandescence 102.20
porter à l'écran 120.30
porter beau 69.22 ; 233.10
porter entre ses bras 502.12
porter sa croix 11.21 ; 299.7 ; 801.25
porter ses pas vers 221.23
porter son âge 14.8
porter sur 791.13
porter sur les nerfs 130.10
porter sur ses bras 502.12
porter une santé 743.10
porter à conséquence 92.10
porter (se)
aller (bien, mal) 743.7
être mis, porté 520.7
portereau 67.3
porte-respect 717.7
porte-serviettes 806.5
porte-tambour 481.27
porte 308.4
porte-tarière 417.6
porteur
de journaux 654.21
d'une lettre 157.11
d'un titre, d'une valeur 66.38 ; 849.17
bagagiste 489.16 ; 833.32 ; 871.16
porteur de sens 753.15
au porteur 66.50 ; 587.29
mise au porteur 849.15
porte-voix 781.14
portfolio 621.19
porthésie 417.11
Portia
astre 49.10
portier 278.9
religieux 525.12 ; 699.6
gardien 671.12
concierge 481.39
portière
carrosserie 57.5
rideau 67.9 ; 481.32
portillon 481.27
portion
partie, fraction 101.5 ; 324.3 ; 597.1 ; 678.6
part de nourriture 703.9
t. d'anatomie 762.6
portion congrue 602.1
portique
galerie, colonnade 39.12 ; 481.26
engin de levage 489.10 ; 832.4
support d'agrès 792.72
portique à signaux 832.4
Portique (le) 620.26
porto 75.13
verre à porto 848.5
porto-cave 128.24
Portoricain 355.10
portraire 196.10
portrait 196.3 ; 621.10 ; 814.4
image 719.7
tête 814.3
reproduction 709.4
description 691.9
peinture 374.7
t. de rhétorique 729.9
être tout le portrait, le portrait craché de 719.9
être tout le portrait de son père 361.17
portrait-charge ou **portrait charge** 532.6
caricature 628.6 ; 731.3
portraitiste
peintre 196.7 ; 607.19
portrait-robot 196.3
portraiture 196.3
portraiturer
figurer 196.10
peindre 607.25
Port-Salut 328.6
fromage 328.2
portugais
langue 455.14
Portugais 355.5
portugaise
n.f.
oreille 55.4 ; 814.5
avoir les portugaises ensablées 803.10
portulan 469.8
posage 632.12
pose
attitude du corps 176.15 ; 769.5
affectation 12.1 ; 347.2
exposition longue 247.4 ; 621.14
photographie en pose 621.9
temps de pose 621.13
posé
situé 769.13
pondéré, réfléchi 89.13 ; 458.19 ; 620.34 ; 759.11 ; 810.10
Poséidon 236.20 ; 319.19
posément
calmement 89.18
sérieusement 759.14
lentement 458.23
modérément 522.22 ; 810.13
posemètre 621.4
poser
v.t.
écrire (un chiffre) 8.7 ; 790.5
exposer longuement 247.9 ; 621.21
supposer, présumer 802.5
v.i.
garder la pose 521.11
prendre un air de supériorité 12.8 ; 347.8
attendre 51.7
poser à 373.14
poser les armes 589.11
faire poser 724.11
poseur
n. 12.4 ; 581.4
adj. 12.13 ; 581.12
posidonie 318.12
positif
n.m.
épreuve photographique 621.7
orgue 422.13
positif
adj.
réel, effectif 5.20 ; 297.12 ; 854.20
affirmatif 13.10 ; 346.11
pragmatique 847.16
constructif 150.11
verdict positif 451.14
droit positif 245.2 ; 451.1
position
situation 286.4 ; 769.1 ; 769.2 ; 769.5
emplacement 338.2
opinion 802.1
t. de chorégraphie 176.15
en position 769.17
feu de position 765.14
guerre de position 354.2 ; 487.15
rester sur ses positions 568.5 ; 716.5
positionnel 769.13
positionnement
graduation 683.9
situation 769.1
positionner
ranger 683.11
situer 769.9
positionner (se) 683.15
positionneuse 476.7
positionniste 769.8
positivement
existentiellement 297.14
formellement 323.22
réellement 854.25
affirmativement 13.11
effectivement 5.25
positivisme
réalisme 854.11
empirisme 620.11
utilitarisme 847.8

positiviste 620.32
positivité 854.1
positron 513.4
posologie 775.2
posologique 775.28
possédable 645.24
possédant 645.11 ; 730.9
possédé
illuminé 378.7
extatique 276.9
posséder
détenir 645.14
jouir des faveurs de 763.33
subjuguer 407.12
duper 284.10
posséder un sujet 747.14
posséder (se) 714.8
se contrôler 89.11
se dominer 240.17
se calmer 810.9
ne pas, ne plus se posséder 321.20
possesseur 645.12
possessif
n.m. 535.2
possessif
adj.
abusif 3.16 ; 27.27 ; 442.9
t. de grammaire 346.11 ; 346.9
possession 645
relation charnelle 763.8
phénomène surnaturel 276.4 ; 407.3
mettre en possession de 241.20
rentrer en possession de 722.11
possessionné 645.21
possessionnel 645.22
possessivité 27.7 ; 645.10
possessoire 645.22
possessoirement 645.26
possibilité 646
éventualité 4.3 ; 404.1 ; 660.1 ; 802.4
vraisemblance 854.1
probabilité 395.5
latitude 116.3 ; 245.14 ; 462.6 ; 788.2
facilité 302.9 ; 571.4
aptitude 424.2 ; 858.3
se réserver la possibilité 646.7
possible 291 ; 395.14 ; 425.16 ; 646
envisageable 664.19
exécutable 5.21
au possible 427.33 ; 646.13
autant que possible 646.13
dans l'ordre du possible 646.8
dans la mesure du possible 467.16 ; 646.13
dès que possible 332.18
faire son possible 646.6
si possible 646.13
possiblement
peut-être 646.12
éventuellement 291.13
post- 193.26 ; 332.23 ; 647.32
postabdomen 417.17
postage 157.9
postal 157.16
voiture postale 157.6
secteur postal 157.7
postalvéolaire 781.8
postarticle 346.10
postchèque 66.22
postcombustion 131.3
postcommunisme
socialisme 694.11
radical-socialisme 808.5
postcommuniste
n. 808.26
adj. 694.27 ; 808.35
postcure 775.1
postdate 647.6
postdater 647.17
poste
n.f.
service postal 157.10
service de la poste aux armées 157.10
poste restante 157.10
grande poste 157.10
petite poste 157.10
lieue de poste 470.5
postes et télécommunications 136.11
poste
place 182.7 ; 266.1 ; 464.2
récepteur 681.3
chapitre budgétaire 339.5
carré 481.22
poste d'aiguillage et de régulation 832.4
poste d'essence 57.16
poste de police 44.7
poste de secours 114.31
poste de travail 480.6
poste récepteur 681.3 ; 688.5
poste téléphonique 809.6
poste tout relais à transit souple 832.4
à poste 769.17
posté 769.13
poster
n.m.
affiche 621.10
poster
v.t.
placer 769.9
affranchir 157.15
postérieur
n.m.
derrière 193.6
dos 242.1
adj.
ultérieur 647.18
de derrière 193.15
futur 332.11
sillon postérieur 548.10
postérieure
phonème 781.8
postérieurement 576.25
après 647.22
postériorité 647
successivité 576.6
futur 332.1
postérité 314.1
passer à la postérité 287.10
faire passer à la postérité 287.9 ; 341.23
postéro-latéral 193.17
noyau postéro-latéral 100.11
postes
ornement 578.3
postface 193.5
ajout 647.7
conclusion 225.8
postfixé 193.17
posthectomie 114.12
posthite 482.33
post hoc ergo propter hoc 647.25
posthume
postérieur 647.18
tardif 724.17
d'outre-tombe 534.34
posthumement 647.22
postiche
n.m.
artifice 129.9 ; 379.3 ; 797.4
n.f.
boniment 123.4
adj.
factice 379.10
posticheur 123.13
postier 157.11
postillon
salive 340.4
flotteur 605.12
cocher 833.29
postimpressionnisme 46.11
postimpressionniste 46.16
postlude 543.29
postmoderne
moderne 560.13 ; 652.11
postmodernité 652.5
post mortem 534.36
postnatal 544.23
période postnatale 544.11
postopératoire 114.35
post-partum 544.27
périnatalité 544.11
postposer 193.14 ; 647.17
postposition 647.8
post-scriptum 647.7
postsonorisation 120.17
postsonoriser 120.31
postsynaptique 548.25
postsynchronisation
synchronisation 768.4
montage 120.17
postsynchroniser 120.31
postsystolique
vide postsystolique 128.11
postulant 525.15
demandeur 185.8
postulat
principe 291.4 ; 338.3 ; 493.2 ; 620.22 ; 658.2 ; 802.2
noviciat 525.16
postulation 185.2
postulatum 291.4
postuler
poser 658.9 ; 807.14
briguer 185.17 ; 266.26
posture 769.5
être en posture difficile 11.20
être en mauvaise posture 769.12
pot
contenant 151.4 ; 519.25 ; 607.17 ; 848.5
chance 670.6
talon 446.5
pot à bière 848.5
pot à eau 151.4
pot à lait 454.5
pot catalytique 57.3
pot d'échappement 57.3
pot de chambre 296.17 ; 519.25
pot de colle 415.5
pot de yaourt 833.3
le pot de terre contre le pot de fer 413.8
plein pot 684.49
payer les pots cassés 722.9

trouver le pot aux roses 179.9
potable 75.35
buvable 468.17
comestible 563.18
or potable 575.4
potache 274.15
potage 333.23
potager 18.10
potame 468.20
potamochère 486.12
potamogétonacée 318.12
potamognétales 79.4
potamologie 319.18
potamot 318.12
potamotoque 638.23
potard 499.21
potasse 516.5
potasser 274.19
potassique 516.10
potassium 113.7 ; 499.6
éléments minéraux 214.6
pot-au-feu 333.12
jumeau à pot-au-feu 333.7
pot-au-noir 852.3
Potawatomis 371.7
pot-de-vin 241.4
pot-de-vinier 241.12
-pote 468.20
pote
n.m.
copain 26.6
pote
adj. f.
main pote 732.13
poteau
jambe 502.3
copain 26.6
poteau d'exécution 801.4
au poteau 534.37
pl.
supports de but 792.79
potée
contenu 152.3
plat 333.12
potelé 270.19
potelle 167.8
potence 801.4
appareil de levage 489.9
t. d'architecture 791.4
potencé 171.20
potentat 240.6
potentialité
virtualité 404.1 ; 788.2
capacité 646.3
éventualité 291.1
qualité 858.3
potentiel
n.m. 261.8 ; 291.6
adj. 291.10 ; 646.9 ; 788.15
énergie potentielle 269.2 ; 496.2
potentiellement 291.13
potentille 318.27
potentiomètre
instrument de mesure 509.26
t. d'électricité 261.11
poterie
arts du feu 311.13
activités de loisirs 599.5
poterne 481.28
potiche 519.25
potier 813.17
Potiguaras 371.8
potin
bruit 83.9
cancan 595.4
potin
alliage 631.3
monnaie 529.11
potinage 227.6
potiner 227.17
potion
sirop 499.15
boisson 75.1
potion magique 499.1
potiron 333.18
potlatch 690.4
poto- 468.19
poto-poto 813.4
potorou 486.13
Potosis 371.9
pot-pourri 201.6
mélange 501.5
bouquet 318.2
brûle-parfum 594.7
potron-jaquet 494.2
potron-minet 494.2
Pott
mal de Pott 482.20
potto 486.14
pou 417.16
pou de bois 417.16
pou de San José 417.5
pou des abeilles 417.9
poux des poissons 172.2
fier comme un pou 312.10
herbe aux poux 318.25
pouacre
sale 740.11
avare 61.3
pouah 431.2
poubelle 550.22 ; 740.7
voiture 833.2
pouce
doigt 479.2
mesure 470.5 ; 509.17
pouce opposable 479.18
court extenseur du pouce 541.8
d'un pouce 715.14
avoir le pouce rond 10.10
manger sur le pouce 684.16 ; 703.32
mettre les pouces 787.13
se tourner les pouces 393.9 ; 479.10 ; 593.9
coup de pouce 19.4 ; 391.3
pouce-pied 172.3
poucettes 44.5
poucier 760.12
poudingue 337.17
poudrage 676.8
poudre
matière en petits grains 345.4 ; 676.1
explosif 43.14 ; 131.11
héroïne 676.6
maquillage 604.7
médicament 499.14
poudre aux yeux 64.4 ; 838.7
poudre à canon 676.2
poudre à éternuer 676.4
poudre de perlimpinpin 435.4 ; 477.11 ; 499.3 ; 676.4 ; 838.7
poudre de riz 676.4
poudre de sandaraque 676.4
poudre de talc 676.4
lait en poudre 454.1
vif comme la poudre 864.15
jeter de la poudre aux yeux 581.9 ; 838.13
mettre le feu aux poudres 311.27
prendre la poudre d'escampette 189.11
poudré
poudré à blanc, à frimas 676.21
poudrederizé 676.21
poudrée 676.1
poudrer 129.15 ; 727.15
saupoudrer 676.17
poudrerie 820.15
poudrière 676.15
poudrette 676.3
faire la poudrette 570.32
poudreuse 676.10
poudreux 676.19
poudrier 676.11
poudrière 676.15
danger 175.5
poudroiement
pulvérulence 676.1
scintillement 473.6
poudroyer 676.17
pouêt pouêt 83.23
pouf
interjection 83.23 ; 431.7
siège 519.20
pouffer 132.6
pouffiasse 672.8
pouillard 570.7
pouille 603.1
pouillerie
saleté 740.1
pauvreté 603.1
pouilles 710.5
chanter pouilles 710.12
pouilleux
malpropre 740.14
pauvre 603.6
pouillot 570.8
poujadisme 808.14
poulaga 641.7
poulailler
d'élevage 262.8
d'un théâtre 748.7
poulain
petit du cheval 486.11
débutant favori 671.17
vent 852.6
poulain de charge 489.11
poulaine 110.7
poulard 641.7
poulardin 641.7
poulbot 270.4
poule
groupe de concurrents 792.65
poule
oiseau 570.7
femme 27.13 ; 306.5 ; 672.8
poule au pot 333.12
poule aux œufs d'or 575.14
poule de luxe 672.6
poule des neiges 570.9
poule mouillée 452.4 ; 619.7
avoir la chair de poule 327.16 ; 619.15
quand les poules auront des dents 385.10
poule de mer 638.6
poulet
mot de tendresse 27.13 ; 270.4
policier 641.7
lettre 27.5 ; 157.1
poulet fermier 262.33

faire la poussière 550.26
mordre la poussière 119.18 ; 249.12
réduire en poussière 202.5 ; 205.18
secouer la poussière de ses sandales 189.13
poussiéreux 676.21
terreux 813.26
sale 740.11
poussif
essoufflé 718.32
interminable 458.21
poussin
petit oiseau 570.7
enfant 270.4
jeune sportif 792.42
débutant 134.14
poussinière 262.8
élevage 262.5
poussoir 118.7
poutargue 333.14
poutassou 638.6
poutou
baiser 91.3 ; 741.5
poutre
élément de soutien 74.6 ; 510.7 ; 791.4 ; 834.33
agrès 792.72
poutre-caisson 834.33
poutrelle
charpente 791.4
poutre 834.33
pouture 262.13
pouvoir
n.m.
autorité 59 ; 642.1 ; 646.4 ; 773.7 ; 800.2 ; 807.7
force 322.8 ; 407.1
possibilité 245.14 ; 424.2 ; 462.6
mandat 58.6 ; 145.8
pouvoir d'achat 191.7 ; 739.2
au pouvoir 59.21
au pouvoir de 646.14
de pouvoir 3.2 ; 413.6
pouvoirs 58.5
pleins pouvoirs 642.4 ; 646.4
les pouvoirs publics 59.7 ; 773.7
avoir les pleins pouvoirs 462.24
donner les pleins pouvoirs à 642.19
tenir les brides du pouvoir 133.20
pouvoir
v.t. 58.19 ; 245.54 ; 646.6
pouvoir qqch à 646.6
pouvoir qqch sur 646.6
pouvoir (se)
autant que faire se peut 646.13
ça se pourrait bien 646.8
cela peut se faire 646.8
il se peut que 291.7
si faire se peut 646.13
Powhatans 371.7
poxvirus 512.3
pradaksina 173.11
Praesepe
astre 49.5
pragmaticisme 620.12
pragmatique
agissant 7.14
utilitaire 847.16
vérité pragmatique 854.3
pragmatisme
opportunisme 122.5
utilitarisme 620.12
action 7.1
pragmatiste 620.32
praire
mollusque 527.2
fruit de mer 333.13
prairial 88.8
prairie 486.19 ; 627.4
herbage 360.5
pré 262.17
vert prairie 857.11
Prajapati 236.9
Prajnaparamita 80 ; 815.13
prakrit 455.14
pralin 799.5
praliner 36.20
prandial 703.39
prang 449
temple 465.3
prasat 449
temple 465.3
praséodyme 113.7
pratelle 103.6
praticable
n.m.
plate-forme 120.13
praticable
adj.
exécutable 646.10
utilisable 846.17
viable 833.41
praticien 5.10
docteur 498.23
sculpteur 749.16
pratiquant 173.15 ; 508.15
agent 7.9
actif 7.16
pratique
adj.
utile, commode 302.20 ; 847.15
pragmatique 847.16
raison pratique 533.10
travaux pratiques 274.10
pratique
n.f.
action 620.19
observance 5.3 ; 173.1
habitude, usage 7.7 ; 164.1
clientèle 135.20 ; 191.11
client 191.9
mettre en pratique 15.6 ; 846.15
pratiqué 846.16
pratiquement 5.25
pratiquer
effectuer 5.11 ; 5.13
fréquenter 137.13
observer telles prescriptions religieuses 320.13 ; 508.19
praxinoscope 120.12
praxis
action 7.4
t. de philosophie 620.19
prays 417.11
prazépam 499.5
prazosine 499.5
pré- 33.34 ; 60.18 ; 211.29
pré 262.17 ; 486.19
herbage 360.5
pré carré 442.4
pré salé 360.5
préabdomen 417.17
préaccord 6.5
préadolescence 270.2
préalable
n.m.
introduction 649.5
au préalable 33.24
adj.
antérieur 33.17
préparatoire 649.15
préalablement 33.24
préambule
commencement 134.9 ; 649.5
d'un discours 225.8
t. de droit 245.33
préannonce 832.4
préau
salle de classe 274.8
auvent 39.13
préavis 63.3
prébende 699.21
prébendé 699.21
prébendier 699.21
pré-bois 37.22
précaire
momentané 421.12
instable 325.10
dangereux 175.11
précairement 325.11
précambrien 337.21
précancéreux 841.12
précarité
brièveté 421.3
fragilité 325.1
précaution
prudence 674.1
soin 774.4
scrupule 184.4
par précaution 752.21
deux précautions valent mieux qu'une 674.8
trop de précautions nuit 183.15 ; 674.8
s'entourer de précautions 674.7 ; 714.11
précautionné 674.11
précautionner 674.10
précautionner contre 653.18
précautionner (se) 674.7
précautionneusement 184.13 ; 653.26
préventivement 671.34
prudemment 674.16
soigneusement 774.25
précautionneux
prudent 674.11
soigneux 774.20
précédemment 576.25
avant 33.24
déjà 598.18
précédent
n.m.
le déjà-vu 598.4
sans précédent 290.13 ; 414.9 ; 560.13
adj. 683.20
antérieur 33.17 ; 598.14
précéder 33.11 ; 60.9 ; 576.18 ; 683.15
préceinte 77.11
précellence
supériorité 800.1
excellence 677.2
prédominance 240.3
précelles 188.12
précepte
règle 245.31 ; 696.1
conseil 148.2

prescription 133.4 ; 533.7 ; 650.2
préceptes 815.8
précepteur
éducateur 270.9
enseignant 274.14
didacticien 253.6
prêche 648.5
liturgie 508.4
sermon 225.4 ; 533.7
prêcher 533.12 ; 648.15 ; 699.31
moraliser 253.9
prêcher dans le désert 435.10 ; 648.15
prêcheur
n.m.
sermonneur 710.8
sage 533.11
orateur 225.12
adj.
vertueux 533.16
prêchi-prêcha 648.5
précieusement 774.25
précieux
de valeur 575.21 ; 677.13
utile 846.17 ; 847.13
délicat 184.11
affecté 12.13 ; 347.15
pierre précieuse 70.12 ; 517.4
préciosité
délicatesse 184 ; 774.5
affectation 12.1 ; 347.1
école littéraire 635.19
précipice 167.3
précipitamment
soudain 421.17
hâtivement 386.17 ; 684.42
précipitation
pluie 127.5
hâte 60.6 ; 382.1 ; 386.1 ; 684.3
t. de métallurgie 510.5
précipitations 119.7 ; 633.4
précipité
n.m.
t. de chimie 113.3
adj.
pressé 386.14 ; 421.11
précipiter
presser 60.7 ; 684.24
t. de chimie 113.20
précipiter (se)
se jeter de 746.11
se hâter 386.7
se précipiter de 119.21
précis
n.m.
traité 723.3
adj.
détaillé 122.11
ponctuel 528.8
soigneux 774.22
concis 142.9 ; 684.34
clair 425.15
précisé 467.12
précisément
exactement 13.13 ; 753.20
soigneusement 774.25
préciser
une limite 467.7
un sens 425.10 ; 753.11
précision
soin 316.2 ; 774.2
habileté 10.4 ; 752.4
ponctualité 644.1
clarté 425.2
précisionnisme 621.16
précisionniste 46.17
précité 33.23
précoce 33.19 ; 386.11
avancé 60.10
précocement
tôt 33.25
en avance 60.13
précocité 33.2
avance 60.1
précognition 235.8
précombustion 131.3
précompte 339.15
préconcassage 834.21
préconcept 375.5
préconception 375.5
préconisateur 148.8
préconisé 148.15
préconiser 148.9
préconiseur 148.8
préconscient
inconscient 397.8
subconscient 397.21
précontraint 834.46
béton précontraint 834.36
précordial 211.29
cardiaque 128.24
précuire 333.40
précuisson 333.3
précurseur 60.5
pionnier 414.5
devancier 33.7
prédateur 873.22
prédation 251.4
prédécesseur 33.7
prédelle
tableau 607.7
retable 374.9
prédestination
fatalité 305.1
t. de théologie 818.16
prédestiné
fatidique 545.11
élu 116.12
prédestiner
déterminer 545.7
destiner 305.7
prédestinianisme 545.4
prédéterminant 33.5 ; 545.12
prédétermination 305.1
prédéterminé 545.11
prédéterminer
déterminer 545.7
destiner 305.7
prédéterminisme 545.4
prédiastolique 128.24
prédicant
prédicateur 648.12
sage 533.11
orateur 225.12
prédicat
t. de logique 4.1 ; 620.16
t. de grammaire 346.12 ; 346.8 ; 622.1
calcul des prédicats 87.6 ; 678.8
prédicateur 648.12 ; 699.9 ; 729.13
parleur 595.14
orateur 225.12
prédicatif 346.22
t. de philosophie 4.5
prédication 648
sermon 657.6 ; 699.28
qualification 450.4 ; 622.9
jugement de prédication 450.4
prédictible 87.15
envisageable 664.19
prédiction
prévision 60.3
supposition 802.1
divination 235 ; 699.28
prédigéré 218.23
prédigestion 218.1
prédilection
attirance 53.1
critère 116.4
prédilectionner 53.8
prédire
prévoir 33.15 ; 60.8 ; 332.10
supposer 802.7
prédisposer 649.11
prédisposition 302.7
prednisolone 499.5
prednisone 499.5
prédominance 240.3
supériorité 800.1
prédominant
supérieur 800.19
dominant 240.21
prédominer 800.12
prédoseur 834.28
préélectoral 260.29
prééminence
supériorité 800.1
importance 384.1
toute-puissance 59.2
prééminent 798.23
préempter 33.13 ; 191.25
préemptif 191.28
préemption 33.9
clause de préemption 81.21
droit de préemption 245.25
préenregistré 273.20
préexcellence 240.3
préexistant 33.18
préexistence
existence 297.1
antériorité 33.1
préexistentiel 33.18
préexister 33.10
exister 297.8
préface
de la messe 508.7 ; 657.11
d'un livre 211.8 ; 225.8 ; 649.5
préfecture
région 695.7
gouverneur 694.20
commune 845.9
préféré 116.12
préférence
attirance 53.1
critère 116.4
amour 27.1
de préférence 148.19
avoir une préférence 26.9
préférentiel 260.6
préférer 53.8 ; 116.10
affectionner 26.9
préfet 694.20
préfet de police 641.9
préfigurateur 33.19
préfiguration
prévision 33.6 ; 709.1
supposition 802.1
préfigurer
prévoir 33.15 ; 709.7
supposer 802.5
préfinancement 166.1
préfixation
jonction 9.2
morphologie 535.9
t. de grammaire 33.8
préfixe 211.8
catégories grammaticales 346.4

racine 535.7
préfixé 535.26
préfixer 33 ; 211.17
dériver 535.21
préfloraison 79.13
préfoliaison ou **préfolia-tion** 79.13
préformiste 265.13
préfourrière 57.15
prégnagne 94.14
prégnandiol 94.14
prégnant
dense 187.11
éloquent 753.15
prégnation
gestation 544.3
t. de zoologie 711.10
préhenseur 479.18
préhensif 479.18
préhensile 479.18 ; 486.31
préhension 479.7
préheptatonique 543.10
préhistoire 363
préhistorien 363.8
préhistorique
ancien 33.22 ; 363.15
désuet 206.10
homme préhistorique 371.17
préjudice 11.8
tort 412.2
préjudiciable
adverse 572.15
nuisible 11.25
préjudiciel 451.6
préjudicier à 11.16
préjugé 375.7 ; 450.5
pressentiment 60.3
prédiction 802.1
certitude 614.2
partialité 413.4
préjuger 450.10
annoncer 60.8
préjuger de 802.6
prélart 633.8
prélasser (se)
paresser 593.7
se reposer 706.12
prélat 822.6
prélature 590.16
prêle 360.9
prélegs 241.7
prélèvement
soustraction 301.4 ; 790.1
d'un impôt 317.2
t. de médecine 498.13
prélever
ôter 295.9
soustraire 790.5
enlever 301.10
préliminaire 134.25
antérieur 33.17
préparatoire 649.15
préliminaires 649.3
préliminairement 33.24
prélogique 477.24
prélude
début 134.9 ; 649.5
t. de musique 543.29 ; 543.32
préluder 543.45
prématuration 60.6
prématuré
n.
bébé 60.5 ; 544.15 ; 544.4
grand prématuré 60.5 ; 544.15
adj.
en avance 33.19 ; 60.10
né trop tôt 544.25
inopportun 386.11 ; 415.12
prématurément
tôt 33.25
en avance 60.13
prématurissime
prématuré 60.5
bébé 544.15
prématurité
avance 33.2 ; 60.1
d'un bébé 544.16
préméditation 428.7
volonté 870.5
intention 428.3
calcul 664.4
préparation 649.1
avec préméditation 428.14
prémédité
voulu 870.11
intentionnel 428.12
préméditer 428.9 ; 664.12
vouloir 870.7
préparer 649.10
prémenstruel 340.5
prémices 134.13
préparatifs 649.3
premier- 33.35
premier
n. 683.7 ; 800.8 ; 842.6
adj. 33.20 ; 134.24 ; 658.10 ; 683.20 ; 800.19 ; 842.14
premier âge 270.2
premier de l'an 309.3 ; 842.7
en premier 33.27 ; 842.17
premiers pas 134.10 ; 812.3
première classe 842.7
première main 165.22
première
n.f.
commencement 134.10 ; 290.2
classe 274.6 ; 842.7
tonique 543.11
représentation 817.18
vitesse 57.4
premièrement 842.16
d'abord 33.27
premier-ministrable 708.21
premier-né
devancier 33.7
aîné 14.5
enfant 304.4
prémisse 33.5
présupposition 788.5 ; 802.2
prémisses 729.5
premium 587.4
prémolaire 188.3
prémonition 235
pressentiment 434.5
signe 63.2
prémonitoire 60.12
prémontré 525.10
prémourant 534.16
prem's 842.14
prémunir
préserver de 653.18
protéger 671.18
prémunir (se)
se protéger 671.24
prendre garde 674.7
se prémunir contre 653.20
prémunition 381.1
prenant 486.31
captivant 53.9
prénatal 544.23
prendre
v.t.
prélever 295.9 ; 301.10 ; 790
accepter 688.14
recevoir 160.20 ; 688.17
posséder 763.33
un médicament 499.25
surprendre 179.9
utiliser 846.12
envahir 50.15
enlever 487.31
voler 869.17
attraper 44.11
comprendre 432.16
en photo 621.20
geler 327.14
durcir 778.11
prendre de 703.28
prendre fait et cause 600.10
prendre garde 21.10 ; 52.7 ; 674.7
prendre garde à 63.17 ; 774.12
prendre mal 432.16
prendre part à 596
prendre pied 623.7 ; 769.10
prendre racine 37.24 ; 51.7 ; 247.8
prendre une claque 249.12
prendre ses cliques et ses claques 189.12
prendre la lune avec ses dents 474.18
prendre la mouche 130.7 ; 720.6
prendre son pied 629.9 ; 763.38
prendre une suée 296.18
prendre des vessies pour des lanternes 64.9
prendre la vie comme elle vient 573.5 ; 862.27
prendre la vie du bon côté 447.11
prendre d'assaut 50.15 ; 487.31
prendre sous son aile 671.19
prendre sur le fait 179.9
prendre sur soi 240.17
prends-en de la graine 379.5
prendre (se)
s'en prendre 50.16
s'y prendre 511.9
savoir s'y prendre 10.11
preneur 191.9
preneur de son 781.23
prénom 554.4
prénommé 554.25
prénommer 554.18
prénommer (se) 554.23
prénotion 375.5
intuition 434.5
présupposition 788.5
t. de philosophie 60.3
prénuptial 491.29
préoccupant
ennuyeux 272.14
inquiétant 217.21 ; 785.13
préoccupation
inquiétude 272.5
sollicitude 785.3
préoccupé 759.11
préoccupé par 785.12
être préoccupé de 774.18

pressant 185.23
press-book 469.8
presse 654
foule 540.2
hâte 684.3
journaux 136.10
machine 388.14 ; 476.10 ; 505.18
presse à fourrage 18.15
agence de presse 654.15
campagne de presse 654.11 ; 675.3
avoir bonne presse 341.16 ; 471.16
avoir mauvaise presse 227.23
avoir une bonne ou *une mauvaise presse* 665.9
faire gémir la presse 388.18
mettre sous presse 209.26 ; 388.18
pressé 382 ; 684.31
presse-agrumes 301.6
ustensile 848.30
presse-citron 301.6
presse-étoupe 476.12
presse-fruits 301.6
pressenti 51.10
pressentiment
sentiment 60.3 ; 754.5 ; 755.4
supposition 802.1
intuition 275.2 ; 434.5
avertissement 63.2
pressentir
prévoir 60.8 ; 275.10 ; 375.17 ; 434.7
s'attendre à 51.5 ; 285.4
presser
hâter 60.7
serrer 685.7
poursuivre 685.11
appuyer 496.12 ; 636.15
essorer 468.11
du verre 855.18
de l'huile 369.14
harceler 415.7
persuader 148.12 ; 268.10
avec une presse 584.37
presser qqn de 684.24
le temps presse 811.12 ; 811.9
presser (se) 538.19
se hâter 684.22
presse-viande 301.6
pressing 550.20
pressiomètre 322.5
pression
valeur 509.18 ; 509.25 ; 509.26 ; 509.4
contraction 154.2
force 322.1 ; 496.3
impulsion 391
poids 636.3
obligation 565.1
persuasion 614.4
avertissement 63.7
basses pressions 127.8
hautes pressions 127.8
groupe de pression 407.7
zone de basses pressions 20.2
être sous pression 382.8 ; 549.10
exercer une pression sur 322.14
faire pression sur 63.15 ; 407.14 ; 614.10
pressoir 301.6 ; 476.9
pressurer 317.33
pressuriser 496.12
pressuriseur 269.7
prestance
distinction 233.1 ; 552.4
noblesse 347.4
prestataire 739.10
prestation
corvée 734.3
service 739.7
prestations sociales 739.7
preste
léger 457.13
adroit 10.18
rapide 684.30
prestement 684.38
prestesse
légèreté 457.1
adresse 10.2
rapidité 684.2
prestidigitateur
illusionniste 10.9
magicien 123.17
prestidigitation 10.7
magie 123.11
prestige
majesté 800.2
popularité 798.4
autorité 59.4
éclat 341.4
de prestige 581.11
s'auréoler de prestige 341.21
prestigieux
grand 800.20
influent 407.20
glorieux 341.24
prestissimo 542.25
rapidement 684.38
presto
rapidement 684.38
t. de musique 542.25 ; 543.35
présumable
probable 660.9
supposable 802.12
présumé
hypothétique 291.12 ; 802.10
présumer 291.8
supposer 802.5
conjecturer 660.6
préjuger 450.10
prévoir 51.5
présupposé 788.17
présupposition 802.2
sous-entendu 788.1
présupposer 788.11
supposer 802.5
présupposition 788.5 ; 802.2
relation de présupposition 788.4
présure 454.6
présurer 454.11
présynaptique 548.25
prêt
n.m.
crédit 19.7 ; 166.1
adj.
en état 286.13 ; 649.16
prêt à 716.7
être prêt à 649.14
être prêt à tout 716.5
prêt-à-porter
haute couture 520.3
couture 165.1
prêté
un prêté pour un rendu 690.4 ; 797.4
prétendant
amoureux 27.8
demandeur 185.8
fiancé 491.16
prétendante 491.17
prétendre
v.t.
affecter 25.10 ; 655.4
affirmer 13.6
prétexter 373.14 ; 656.5
vouloir 428.8
v.t. ind.
vouloir 86.8 ; 870.7
projeter 664.15
demander 185.17 ; 199.10
prétendu
hypothétique 802.10
prétexté 656.7
hypocrite 373.16
affecté 373.19
prétendument 25.20
soi-disant 656.8
hypocritement 373.20
prête-nom 554.15
prétentaine
courir la prétentaine 27.22 ; 309.19
prétentieusement 655.11
pompeusement 347.16
prétentieux 655.10
recherché 12.13
affecté 347.13
prétention 655
affectation 347.2 ; 359.2
demande 185.5 ; 199.2
sans prétention 523
avoir des prétentions 870.7
se départir de ses prétentions 787.14
prêter
faire crédit 166.27
prêter à 536.6
prêter à rire 731.6
prêter une main secourable 19.22
prêter une oreille attentive 55.18
prêter à (se)
être apte à 259.9
s'ajuster à 571.9
adhérer à 149.10
prétérit 346.6
prétérition
figure de pensée 313.5
t. de rhétorique 788.3
préteur 694.20
prêteur
créancier 209.19
créditeur 166.23
prétexte 656
motif 92.7 ; 373.8 ; 536.4
pièce de théâtre 817.3
sous prétexte de 536.14
sous le prétexte de 656.9
sous prétexte que 536.15
fournir prétexte 536.9 ; 656.6
prétexté 656.7
prétexter 656
argumenter 536.9
mentir 373.13
prétexter de 656.4
prétexter que 656.4

pretintaille 859.23
prétoire 835.19
prétorien
n.m.
soldat 641.6 ; 671.13
adj.
juridique 451.33
droit prétorien 245.4
prêtraille 699.2
prêtre
poisson 638.5
prêtre
religieux 117.20 ; 508.9 ; 699.1 ; 699.6
prêtre réfractaire 715.19
manger du prêtre 398.15
prêtresse 699.25
prêtrise 699.3
prêtrophobe 398.10
phobique 619.21
prêtrophobie
phobie 619.4
anticléricalisme 398.11
preuve
d'un calcul 87.3
vérification 155.8 ; 620.22
certitude 99.3
témoignage 614.5
signe 765.2
t. de justice 451.13 ; 729.9
preuve par neuf 87.3 ; 155.8 ; 551.1
théorie des preuves 493.5
preux
brave 161.5
courageux 161.9
noble 552.26
prévaloir 800.12
prévaloir (se) 655.4
être la fierté 312.6
s'honorer 366.22
prévaricateur
abuseur 3.5
escroc 485.7
prévarication
abus 3.2
faute 485.4
forfaiture 169.8
trahison 838.2
prévariquer 485.8
prévenance 184 ; 774
patience 522.3
courtoisie 163.1
prévenant 52.12
attentionné 774.21
délicat 184.10
prévence 208.3
prévenir
un malheur 33.12 ; 653.16
avertir 21.9 ; 60.8 ; 63.10 ; 136.14 ; 148.10 ; 231.7
prévenir contre 231.7
sans prévenir 373.20 ; 805.14
préventeur 653.8
préventif
dissuasif 231.10
protecteur 653.24 ; 671.30
détention préventive 208.3
prévention
dissuasion 231.1
protection 653.4 ; 671.1
prudence 674.4
aversion 410.1
la Prévention routière 57.19
préventivement 653.26 ; 671.34
préventologie 498.6
préventologue 653.8
préventorium 775.21
prévenu
n. 44.10 ; 144.19 ; 835.12
adj.
être prévenu contre 410.8
pré-verger 36.16
prévisible 664.19
prévision
éventualité 291.4 ; 660.2
calcul 87.4
futur 332.4
supposition 51.1 ; 802.1
projet 664.7
prévisionnel 577.25
prévoir
organiser 577.18
prédire 33.15 ; 291.8 ; 332.10
calculer 87.13
deviner 434.7
s'attendre à 51.5 ; 285.4
projeter 664.11
prévôt
officier 451.19
t. d'escrime 792.54
prévôté 451.4
prévoyance 674.1
prévu
attendu 51.10
projeté 664.18
priam 417.11
priant
personne 657.4
statue 331.17 ; 749.7
Priape 236.30
priapée
orgie 475.4
genre poétique 635.6
priapées 310.8 ; 763.13
priapique 236.47
priapisme
troubles de la sexualité 762.25
intempérance 763.7
priapuliens 856.1
prie-Dieu 465.13
prier
un dieu 320.13 ; 657.19
suggérer 148.12
inviter 772.13
prier qqn 185.12
se faire prier 62.6 ; 714.10
sans se faire prier 302.28
prier-Dieu 657.12
prière 657
d'un dieu 173.4 ; 320.5
demande 185.1 ; 199.2
prière de 185.12
dire ses prières 657.20
être en prière 657.19
prieur
religieux 699.6
orant 657.18
prieure 657.18
prieuré 525.19
communauté religieuse 525.8
abbaye 525.23
prima ballerina assoluta 800.9
ballerine 176.23
prima donna 800.9
cantatrice 106.17
primage 241.2
primaire
n.m.
cycle scolaire 274.2
élection 260.4
adj. 33.20 ; 842.7
couleurs primaires 159.5
filament primaire 541.14
secteur primaire 266.8
primat
supériorité 800.1
dignité religieuse 699.7
domination 240.3
primate
mammifère 486.3
sot 784.5
primatologie 873.2
primatologue 873.15
primauté 800.1
prime
n.f.
heure 494.1 ; 657.12
gratification 241.2 ; 739.8
remise 166.18 ; 524.3
t. de Bourse 587.4
t. d'escrime 792.17
adj.
premier 800.19
prime jeunesse 270.1
primes 525.21
réponse des primes 81.19
primer
couronner 798.11 ; 798.19 ; 800.12
gratifier de 739.11
primesaut
de primesaut 134.28
primesautier 277.6
prime time
programme 681.11
audience 681.16
primeur
antériorité 33.6
supériorité 800.3
nouveauté 560.1 ; 560.3
mets 333.32
primeurs 60.4
de primeur 33.19 ; 60.10
dans la primeur 560.12
avoir la primeur de 33.11
primevère
fleur 318.24
agent de police 641.7
primi- 800.27
primicier 525.12
primidi 842.6
jour 88.10
primidone 499.5
primigeste 711.25
mère 544.13
primine 318.5
primipare 544.25 ; 711.25
mère 544.13
primiparité 544.16
primitif
initial 134.24
premier 33.20
antique 28.11
primitivement 134.27
primitivisme 801.10
primitiviste 46.17
primitivité
antériorité 33.1
barbarie 801.10
primo- 33.35 ; 842.19
extra- 800.27
primo 842.16
d'abord 33.27
primogéniture 314.6
primogeste 544.25
primordial
indispensable 545.13
principal 658.11
crucial 384.13
homme primordial 236.9

primordialement 33.27
primo uomo 106.17
primo-vaccination 499.13
primulales 79.4
prince
titre 552.17 ; 694.18 ; 822.4
t. d'affection 27.13
les Princes des Apôtres 648.13
prince des fous 321.16
prince de Galles 816.4
bon prince 552.26
être bon prince 336.7
fait du prince 59.6 ; 413.2
vivre comme un prince 661.10
princeps 33.20
édition princeps 469.5
princerie 552.1
princesse 822.4
aux frais de la princesse 349.9
princier
religieux 525.12
noble 552.25
riche 730.20
princièrement 552.31
principal
n.m.
d'un lycée 274.14 ; 658.11 ; 800.10
d'une dette 209.4
adj.
chant principal 106.3
corps principal ou *central* 39.16
mémoire principale ou *centrale* 408.8
temps principal ou *primaire* 811.5
inspecteur principal 641.9
principale 622.5
principalement 658.14
essentiellement 384.16
principat 552.1
principauté
ange 29.5
dignité 552.1 ; 552.10
principe 658
règle 696
substance 796.1
cause 92
motif 536.1
méthode 511.7
commencement 134.3
sens 152.2
dogme 854.4
idée 682.5
thèse 13.2 ; 620.17 ; 620.22
de morale 533.2
de droit 245.31
principes 148.5
principe vital 380.3
principe d'inertie 403.1
principe du tiers exclu 658.3
principe de toute chose 215.2
par principe 807.21
pétition de principe 283.11
donner de bons principes 253.6
être à cheval sur les principes 759.5
principiat 694.9
principiel 658.10
printanier 738.11
à la printanière 333.51
printemps
commencement 134.2
jeunesse 445.1
année 14.3 ; 14.4 ; 610.2
saison 560.4 ; 738.2
vert printemps 857.11
prion 570.15
prione 417.3
prioritaire 384.13
prioritairement 33.27
priorité
antériorité 33.1 ; 211.10
supériorité 800.3
en priorité 33.27
action de priorité 849.3
avoir la priorité 384.6
pris
reçu 688.18
occupé 7.15
volé 869.27
pris de mal 44.16
prisable 366.27
prise
soustraction 790.3
branchement 261.19
solidification 778.4
consommation 825.10
de médicaments 499.12
attaque 50.3 ; 487.14
vol 869.7
arrestation 44.4
enregistrement 273.3
t. de sports 792.18 ; 792.25
t. de jeux 446.14
prise à partie 146.3
prise d'armes 487.2
prise de bec 146.2 ; 168.6 ; 595.7
prise de conscience 642.12
prise de corps 44.1
prise de guerre 861.3
prise de sang 498.13 ; 742.13
prise de son 273.3 ; 781.20
prise de vue 273.3 ; 621.10
prise de vues 120.10 ; 868.10
ordonnance de prise de corps 44.3
vanne de prise d'eau 834.10
avoir prise sur 407.15
mettre aux prises 146.18
se trouver aux prises avec 146.14
prisé
demandé 185.24
en honneur 366.28
prisée 659.7
priser
consommer 825.16
apprécier 366.12
estimer 659.13
prismatique 574.23
prisme 159.18
lentille 574.3
miroir 473.19
prison 208.6
prisonnier 430.13
prisonnier de 787.22
prisonnier de droit commun 208.15
prisonnier de guerre 354.11
faire prisonnier 354.26
pristidé 638.2
pristinamycine 499.5
pristiophoridé 638.2
Prithivi 362.3
private joke 628.4
privatif
manquant 488.10
mot 535.28
t. de grammaire 546.14
peine privative de liberté 144.9 ; 208.3
privation
manque 488.1
renoncement 701.3
ascèse 47.1
régime 771.2
privatisation 460.4
libéralisation 642.7
privatiser
libéraliser 460.7 ; 642.21
privatiste 245.47
privautés
libertés 462.11
attouchement 91.2
privé
n.m.
détective 641.10
adj.
intime 430.13
antigène privé 381.10
enseignement privé 274.3
secteur privé 266.8
vie privée 862.12
priver 693.11
priver (se) 810.8
se priver de 701.8 ; 771.5
privilège
supériorité 800.3
droit 58.4 ; 245.14
honneur 366.5
injustice 413.5
privilèges 552.6
privilège royal 552.9
privilège du roi 58.4
privilégiature 552.6
privilégié 730.19
privilégiés 552.15
privilégier 413.12
prix 659
récompense 274.12 ; 507.5 ; 792.38 ; 798.5
qualité 677.1
importance 384.2
condamnation 144.4
t. de grammaire 346.8
prix d'ami 524.1 ; 659.2
prix courant 659.10
prix de faveur 524.1
prix de Rome 607.20
prix de l'argent 166.17
de prix 111.12 ; 677.13
à prix d'argent 659.20
à prix d'or 111.13
au prix de 138.15
au prix fort 111.13
à bas prix 524.18
à haut prix 111.13
à moitié prix 524.19
à tout prix 568.10
à vil prix 524.18
au meilleur prix 524.18
bas prix 524.1
haut prix 111.2
casser les prix 220.16 ; 524.9
faire un prix 524.8
mettre à prix 135.24 ; 659.13
payer à prix d'or 575.18
Prjevalski 486.11
pro-
substitution 797.17
antériorité 33.34 ; 60.18
pro domo 626.11
plaider pro domo 626.11

pro ou **professionnel** 266.19
proaccélérine 742.7
probabilisme 291.5 ; 660.4
t. de philosophie 620.12
probabiliste 291.5 ; 660.5
t. de philosophie 620.33
probabilité **660**
éventualité 291.1
incertitude 395.5 ; 802.4
t. de mathématique 493.5
selon toute probabilité 660.10
calcul des probabilités 87.6 ; 660.3
loi de probabilité 493.7
probable
possible 291.10 ; 646.9 ; 660
incertain 395.14 ; 802.13
loi des probables 660.3
probablement 660.10
peut-être 646.12
éventuellement 291.13
théoriquement 802.13
probant
persuasif 614.14
convaincant 264.9
probaside 103.3
probation
noviciat 35.2 ; 525.16
probatique
piscine probatique 669.6
probatoire 155.17
probe
droit 472.14
honorable 366.23
honnête 365.9
probité
droiture 472.3
scrupule 184.4
honorabilité 366.2
honnêteté 365.1 ; 533.5
problem
no problem 6.16
problématique 291.11
problématisation 680.9
problématiser 680.14
problème
de mathématique 87.7
question 680.1
ennui 140.2 ; 192.5 ; 272.5 ; 785.2
difficulté 217.2 ; 567.7
problèmes 11.1
soulever un problème 680.11
proboscidien 486.4
primate 486.3
procaïne 825.7
procaryotes 79.4
procaviidé 486.3
procédé
système 511.3 ; 577.10 ; 807.8
astuce 316.10
manière 5.2
de rhétorique 729.10
procédés littéraires 313.1
bons procédés 163.2 ; 365.4
procéder 7.10
procéder à 5.14 ; 279.11
procéder de 254.5
procédural 451.33
procédure
méthode 511.4 ; 577.10
manière 5.2
t. de droit 451.6
procellariiformes 570.4
procès
processus 293.1 ; 344.2
en justice 451.6 ; 451.8
procès d'intention 413.4 ; 428.1 ; 432.6 ; 450.2
sans autre forme de procès 323.24
faire le procès de 194.12 ; 710.17
faire un procès 194.12 ; 451.26
processeur 408.9
processif 321.15
procession
série 758.3
défilé 98.10 ; 173.10 ; 309.7 ; 592.6
engendrement 662.2
processionnaire 758.19
chenille processionnaire 417.19
processionnel 758.19
processionnellement 758.22
processionner 758.16
processualiste 245.47
processuel
graduel 344.10
progressif 293.13
droit processuel 245.8
processus
avance 344.2
évolution 293.1
accomplissement 5.2
procès-verbal
description 196.1 ; 286.6
contravention 57.18 ; 144.8
prochain
n. 613.2 ; 673.6
adj.
postérieur 647.19 ; 683.7
proche 673.11 ; 685.15
futur 332.11
à la prochaine 332.20
parent prochain 719.6
prochainement
un jour 647.26
bientôt 332.16
proche
n. 26.6 ; 673.11
proches 280.3 ; 304.3 ; 673.6
adj.
ressemblant 719.14
rapproché 673.16 ; 685.15
futur 332.11
de proche en proche 344.14 ; 673.14
tout au proche 673.12
parent proche 314.2
prochinois 808.36
prochloron 22.4
prochlorpérazine 499.5
prochronisme 60.3
procillon 451.8
proclamation 13.3
communication 136.1
discours 136.4 ; 225.1
annonce 168.8
proclamer
affirmer 13.6 ; 168.16
ordonner 650.6
communiquer 136.15
proclise 535.8
proclitique 535.3
procœles 68.2
proconsul 486.14
proconvertine 742.7
procrastination
délai 647.5
futur 332.2
ajournement 547.6
procréateur
père 609.1
créateur 662.20
procréation
enfantement 544.2
création 662.2
procréation médicalement assistée 711.9
procréatique 711.9
procréatrice 506.3
procréer
créer 297.11
se reproduire 711.19
enfanter 544.20
engendrer 609.8
procris 417.11
proctalgie 482.22
proctite 482.23
proctologie 218.16
proctologue 218.17
procuration 145.8
par procuration 2.11 ; 797.14
vote par procuration 260.8
procurer 241.14
procurer (se) 191.19
procureur
religieux 525.12
discoureur 225.12
procureur général 835.10
Procyon 49.5
procyonidé 486.3
prodigalement 661.13
prodigalité **661**
abondance 1.2
excès 294.2
générosité 191.6 ; 336.1
noblesse 552.3
prodige
exception 32.5
d'intelligence 424.6
prodigieusement 427.29
prodigieux 32.15
prodigue 661.11
généreux 336.10
productif 662.19
donneur 241.23
dépensier 191.10
prodiguer 191.15 ; 661.6
combler de 1.10
donner 241.13 ; 336.6
prodiguer (se) 581.6
prodinocérate 486.4
prodrome 134.13 ; 765.2
symptôme 482.7
prodromique 765.29
producteur
d'un film 120.26 ; 120.28 ; 681.15
créateur 5.10 ; 662.12 ; 662.8
horizon producteur 618.2
productibilité 662.10
productible 662.24
productif 662.19
production **662**
fabrication 150.3 ; 490.6
effet 254.1
dégagement 783.1
d'un film 120.10
essai de production 662.8
unité de production 844.9
productique
bureautique 408.2

génie 662.11
productivement 662.25
productivisme 662.11
productiviste 662.19
productivité 662.9
produire
causer 92.9
émettre 783.22
faire 5.12 ; 150.9 ; 662
un film 120.32
produire (se)
avoir lieu 4.4 ; 45.14 ; 290.11
s'accomplir 5.18
se pavaner 581.6
produit
effet 254.1
d'un calcul 493.2 ; 493.3 ; 539.2
d'une action 5.4 ; 7.5
marchandise 339.8 ; 490.1 ; 662.5
produit cartésien 493.3
produit financier 166.17 ; 849.9
produit scalaire 493.3
produit tensoriel 493.3
produit vectoriel 493.3
suivre un produit 153.19
produit-programme 408.11
produits laitiers 454
proéminence
grosseur 351.2
bosse 78.1
proéminent 78.15
proéminer 78.12
prof 274.14
profanateur
sacrilège 737.10 ; 737.6
profanation 663.4
sacrilège 737.1
offense 439.2
péché 606.1
t. de théologie 663.3
profanatoire 737.11
profane 663
ignorant 377.4
profaner 398.14 ; 663.6 ; 737.7
transgresser 606.10
proférer 595.19
profès
préparé 649.16
promis 666.11 ; 666.23
professer
enseigner 274.17
affirmer 13.6
une foi 320.12
professeur 822.7
savant 747.9
enseignant 274.14
instructeur 649.7
conférencier 225.12
profession
métier 7.7 ; 266 ; 286.3
affirmation 13.3
promesse 666.4
profession libérale 266.2 ; 462.28
profession religieuse 666.4
profession de foi 13.2 ; 320.4 ; 666.4 ; 818.6
faire profession de 266.25
professionnaliser 266.22
professionnalisme 792.41
métier 266.2
professionnel
technicien 266.19 ; 266.31 ; 511.8
sportif 792.41
secret professionnel 751.4
professionnellement 266.32
professorat 274.14
profil
forme 323.2
portrait 814.4
de profil 158.20
adopter un profil bas 787.12
profilage
mise en forme 323.5
déformation 510.9
carrosserie 57.5
profilé
format 323.2
tôle 510.7
profiler
donner une forme 323.12
t. de dessin 607.25
t. de métallurgie 510.17
t. de menuiserie 505.21 ; 505.25
profiler (se) 34.8
profileur 834.28
profit
opportunité 571.3
utilité 847.3
gain 339.8
avec profit 847.17
mise à profit 846.7
mettre à profit 846.14
mettre tout à profit 703.29
tirer profit de 135.23 ; 846.14
profitable 847.12
profitablement 847.17
profiter de
prétexter 656.4
utiliser 846.14
abuser 3.9
profiterole 799.6
profiteur
abuseur 3.5
commerçant 135.16
profond
inférieur 203.17 ; 203.22 ; 405.14
intense 427.14 ; 553.20
bas 219.10 ; 359.11
intérieur 430.13
grand 167.15
grave 782.5
au plus profond de son être 751.35
voix profonde 106.18 ; 781.31
profondément
à l'intérieur 167.17 ; 203.22
loin 263.14
profondeur
dimension 219.4 ; 359.1 ; 470.2
secret 751.2
profondeurs 203.9 ; 232.7
en profondeur 167.17
d'égale profondeur 256.7
profus
abondant 1.12
douleur profuse 243.14
profusément 1.17
profusion 1.1
à profusion 1.18 ; 661.13 ; 670.19
progéniture 314.6
progestagène 340.3
progestatif 499.5
phase progestative 340.6
progestérone 762.16
hormone 340.3
progiciel 408.11
proglaciaire 627.1
proglottis 856.4
prognathe 482.73
prognathisme 482.26
programmable 408.28
programmateur
organisateur 577.14
d'émissions 681.15
de films 120.28
programmathèque 408.13
programmation
organisation 577.8
d'émissions 681.9
de films 120.18
t. d'informatique 408.21
programmatique 577.25 ; 664.20
programme
organisation 577.10
de calcul 87.8
d'enseignement 274.6
résolution 716.2
projet 649.2 ; 664
de politique 642.6
de radiotélévision 681.11
d'informatique 408.11
programmé 577.24
projeté 664.18
programmer
organiser 577.18
projeter 664.11
un voyage 871.24
t. de radiotélévision 681.19
t. d'informatique 408.25
programmeur 577.14
informaticien 408.23
progrès
gradation 344.2
évolution 293.3
montée 531.2
progresser 344.7
croître 293.10
prospérer 670.7
avancer 667.9
progressif
graduel 293.13 ; 344.10 ; 458.22
t. de grammaire 346.6
forme progressive 323.8
impôt progressif 317.5
progression
gradation 293.3 ; 344.2 ; 850.3
avancée 211.11
augmentation 298.4
montée 531.2
amélioration 7.5
progressisme
gauche 808.4
t. de philosophie 533.3
progressiste 808.34
progressivement 293.15 ; 344.15
graduellement 344.13
peu à peu 458.25 ; 602.14
progressivité
gradation 344.1
croissance 293.3
prohibé 399.10
prohiber 429.14
prohibiteur 429.21
prohibitif
dissuasif 111.10 ; 231.10
qui interdit 429.18

prohibition 429.1
prohibitionnisme 429.8
prohibitoire 429.18
proie 107.13
être la proie des flammes 311.21
lâcher la proie pour l'ombre 797.11
projecteur
luminaire 120.13 ; 250.14 ; 473.12 ; 748.9
signal 765.14
de diapositives 621.6
être sous le feu des projecteurs 311.26
projectile 43.15
jet 258.7
artillerie 820.9
projection
éjection 258.1 ; 258.7 ; 783.4 ; 820.1
projet 664.3
d'un film 120.19
t. de géométrie 338.12
t. de géologie 337.7
t. de sports 792.18
angle de projection 30.3
projectionniste 120.28
projet 664
but 86.1
intention 375.6 ; 428.1
modèle 39.4 ; 521.5
motif 92.7
attente 51.1
volonté 870.3
décision 279.1 ; 716.2 ; 812.2
conseil 148.5
résumé 723.1
projet de loi 245.29 ; 642.2 ; 664.2
caresser le projet de 577.19
faire le projet de 332.7 ; 664.11
former le projet de 666.16
former ou forger un projet 577.19
projeté 664.18
projeter
éjecter 42.10 ; 258.8 ; 783.21 ; 820.20
espérer 51.5
décider 428.8 ; 664.11 ; 664.17 ; 716.4
t. de géométrie 338.14
t. de sports 792.86
projeter de 86.5
projeteur 664.8
projeteuse 834.27
projet-pilote 521.5
projo
appareil d'éclairage 473.12
luminaire 748.9
projecteur 120.13
spot 250.14
prolabé 482.80
prolactine
hormone 94.14 ; 340.3
prolan 340.3
prolapsus 119.5 ; 482.43
prolégomènes
amorce 134.9
préface 225.8
prolepse 33.5
figure de pensée 313.5
t. de linguistique 60.3
prolétaire
roturier 734.6
ouvrier 480.16 ; 480.3
producteur 662.12
prolétariat 480.2
roture 734.1 ; 734.4
peuple 773.7
quart-monde 603.9
prolétarien 480.16
proliférateur 662.19
prolifératif
phase proliférative 340.6
prolifération
augmentation 56.1 ; 539.3 ; 540.4
reproduction 711.1
t. de biologie 94.27 ; 841.6
proliférer
se multiplier 539.5 ; 540.10 ; 634.6 ; 662.18
se reproduire 711.19
t. de biologie 512.14
prolificité 711.15
prolifique 711.26
proligération 711.1
proline 94.10
prolixe 665.11
abondant 1.12
bavard 595.28
éloquent 264.8
prolixement 665.13
prolixité 665 ; 426.4
exagération 294.2
éloquence 264.1 ; 595.8
PROLOG 408.16
prologue 211.8
amorce 134.9
préface 225.8
t. de sport 792.38
prolongateur 261.19
prolongation 153.12 ; 247.4
ajournement 724.3
prolonge 470.4
prolongeable 153.26
prolongement 470.3
extérieur 300.2
extension 298.3
dans le prolongement de 221.35
prolonger
continuer 56.9 ; 153.16
allonger 470.8
faire durer 247.9 ; 724.9
t. de musique 542.23
prolonger (se) 247.10 ; 470.8
continuer 403.9
promédicament 499.2
promenade
d'un parc 443.2
voyage 871.8
promener
se moquer de 532.9
retarder 51.9
transporter 829.21
promener qqn 283.16
envoyer promener 693.9
promener (se)
aller 538.18
se déplacer 871.21
promeneur 871.17
promenoir
cour 39.17
t. de théâtre 748.6
promesse 666 ; 472.5 ; 595.12 ; 765.2
engagement 565.4 ; 586.2
promesse de vente 586.3 ; 666.5
sous promesse de 666.28
manquer à sa promesse 666.21
payer qqn de promesses 587.15
tenir une promesse 5.15
prométhazine 499.5
Prométhée
corps céleste 49.10
divinité 236.40 ; 271.8 ; 311.14 ; 801.17
prométhium 113.7
prometteur 285.11 ; 666.10 ; 666.25
promettre
donner de l'espoir 285.8
s'engager 472.9 ; 666.12
promettre de 666.17
promettre la lune 474.18
promettre des monts d'or 575.18
promettre monts et merveilles 614.10
promettre plus de beurre que de pain 655.5
promettre (se)
espérer 285.7
se jurer 666.20
se promettre de 51.5 ; 664.11 ; 666.16 ; 716.4
se promettre l'un à l'autre 666.19
promis
juré 666.11 ; 666.23
en mariage 27.9 ; 491.16
promiscuité 673.1
promise
fiancée 491.17 ; 666.11
Terre promise 1.4 ; 285.3 ; 449.17
promo 667.7
promontoire
avancée 211.4
d'un os 580.13
promoteur
innovateur 414.5
agent 7.9 ; 92.4 ; 664.10
impulsion 391.11
producteur 662.12
promotion 667
avancement 116.2 ; 266.10 ; 683.10
d'une école 274.15
d'une marchandise 490.7 ; 524.4
t. de jeux 446.14
en promotion 524.16
promotionnel 667.12
journée promotionnelle 675.6
promouvable 667.14
promouvoir
un employé 266.23 ; 667.8 ; 683.13
une marchandise 490.21 ; 675.10
prompt
rapide 538.25 ; 684.29 ; 684.32
intelligent 424.11
adroit 10.18
promptement 684.38
promptitude
intelligence 424.1
rapidité 684.2
promu 667.13
promulgateur 245.47
promulgation 245.39
promulguer 245.51
décréter 650.6

promyélocyte 742.4
pronaos 465.8
pronateur 733.11 ; 733.20
rond pronateur 541.8
pronation 733.5
toucher 479.7
prône
prêche 648.5
liturgie 508.4
sermon 225.4
prôné 148.15
prôner
conseiller 148.9
faire valoir 471.10
prôneur 471.8
pronghorn 486.6
pronom 709.6
nom 346.9
mot 535.2
pronominal 346.20
verbe 346.12
t. de grammaire 346.6
forme pronominale 323.8
pronominalement 346.25
pronominalisation 535.9
pronominalisé 346.20
pronominaliser 346.18
lexicaliser 535.21
prononçable 595.30
prononcé 595.30
prononcer
un son 455.16 ; 595.19 ; 781.26
un décret 650.6
prononcer ses vœux 666.15
bien prononcer 425.9
prononcer (se)
affirmer 13.6
légiférer 642.18
se prononcer sur 116.10
ne pas se prononcer 24.8 ; 395.9 ; 438.6
prononciation 595.2
graphie 535.8
bonne prononciation 425.3
défaut de prononciation 411.5
pronostic
prévision 660.2
diagnostic 498.10
pronostique 498.36
pronostiquer 660.6
pronunciamiento
coup d'État 728.2
subversion 642.11
propagande
persuasion 614.3
argument 614.5
manipulation 407.2
de propagande 407.22
agitation et propagande 642.11
propagandisme 407.2
propagandiste 407.7
orateur 614.6
propagateur 136.9
propagation
augmentation 298.1 ; 539.3
reproduction 711.1
d'un message 136.1
propager 675.9
répandre 136.15
propagule
herbe 360.4
mousse 537.2
propane
gaz naturel 131.8
gaz 335.2
combustibles gazeux 269.6
propanier 830.5
propédeutique
apprentissage 35.1
scolarité 274.6
propension
attirance 53.1
don 302.7
propergol
propergol liquide 131.6
propergol solide 131.11
prophage 512.3
propharmacien 499.21
prophase 94.27
prophète 235.12
zélateur 276.6
Torah 449.3
le Prophète 440.21
Prophètes 815.2
prophète de malheur 615.4
prophétesse 235.12
prophétie
supposition 802.1
divination 235.1
t. de théologie 818.17
prophétique 235.18
prophétiquement 235.19
prophétiser 235.15
prophétisme 235.1
prophétologie 235.9
prophylactique 669.13
protectif 671.30
prophylaxie 498.6 ; 669.2
protection 671.10
prévention 674.4
propice
opportun 571.13
prospère 670.11
favorable 19.28
propithèque 486.14
propitiation 173.4
propitiatoire 477.27
sacrificiel 173.23
votif 666.26
proportion 668
quantité 509.1 ; 678.1
pourcentage 187.6
dimensions 219.1 ; 323.2
équilibre 282.8 ; 576.2
t. de mathématique 493.2
t. de dessin 607.13
proportions 668.2
à proportion de 143.18
en proportion de 138.15 ; 509.35 ; 698.14
proportionnable à 668.12
proportionnaliste 668.12 ; 668.7
proportionnalité 143.2 ; 219.8
équilibre 256.2
proportion 668.1
comparabilité 138.5
proportionné 143.13 ; 668.10
mesuré 509.30
proportionnel 138.12 ; 143.11 ; 338.16 ; 668.11
dimensionnel 219.10
quatrième proportionnelle 668.11
proportionnelle 668.5
représentation proportionnelle 260.7
proportionnellement 143.15 ; 576.24 ; 668.13
proportionnément 143.15 ; 576.24
proportionnellement 668.13
proportionner
faire concorder 143.7 ; 256.16 ; 668.8
équilibrer 282.13 ; 576.15
proportionner (se) 668.9
propos
motif 92.7
intention 86.1 ; 428.1 ; 664.1 ; 716.2 ; 870.3
parole 595.4
à propos 571.14 ; 571.16
à propos de bottes 60.15
à propos de rien 287.15
de propos délibéré 428.14
à tout propos 287.15
mal à propos 60.15 ; 415.17
venir à propos 571.8
proposer
conseiller 148.9
donner 349.3
proposer (se)
projeter 664.11
projeter de 86.5
avoir l'intention de 428.8
proposition
de mathématique 493.2
de géométrie 338.3
affirmation 13.2
principe 658.2
projet 664.2
suggestion 148.1
t. de grammaire 535.1 ; 622.1 ; 622.4 ; 622.5
t. de rhétorique 729.6
proposition de loi 245.29
propositionnel 622.16
propranolol 499.5
propre
n.m.
d'une dette 209.2
propres 645.3
propre des offices et des messes 508.13
adj.
personnel 613.15
nettoyé 550.39 ; 669.12
honnête 365.9
propre à 10.19
propre à rien 483.9 ; 784.5
en propre 645.27
sentir bon le propre 669.11
tenir propre 669.9
proprement
soigneusement 550.40 ; 669.15
honnêtement 365.15
exactement 753.20
à proprement parler 753.20
propret 550.38
propre 669.12
propreté 669
distinction 233.1
propréture 822.23
propriétaire
d'un bien 645.11 ; 645.12
d'une maison 355.2 ; 481.37
propriété
exploitation 18.13
maison 481.1
possession 645.1 ; 645.3
t. de mathématique 493.2
certificat de propriété 645.8

proprioccepteur 548.1
proprioceptif 548.11
sensibilité proprioceptive 548.19 ; 755.5
proprioception
sensibilité 548.19
perception 754.3
propter hoc 92.18
propulser
actionner 538.20
éjecter 258.8
impulser 391.12
propulseur
éjecteur 258.12 ; 258.6 ; 538.27 ; 538.9
arme 42.4
d'une machine 476.12
propulseurs 48.2
propulsif
moteur 538.27
expulsif 258.13
poudre propulsive 131.11
propulsion 258.2
impulsion 391.3
propylée 481.28
temple 465.8
façade 39.12
propylène 617.6
propylèneglycol 617.6
prorata 324.2
au prorata de 668.15
prorogation 724.3
proroger
continuer 153.16
prolonger 724.9
prosaïque 767.8
matérialiste 492.10
utilitaire 847.16
quelconque 630.10
prosaïquement
matériellement 492.11
platement 630.12
prosaïser 630.7
prosaïsme 734.2
matérialisme 492.4
platitude 630.1
prosateur 225.12
prosauropode 712.10
proscenium 211.3
t. de théâtre 748.3
proscripteur 582.10
proscription
ostracisme 582.1
extradition 288.11
liste de proscription 288.15
proscrire 288.22
condamner 429.14
mettre au ban 582.12
proscrit 288.4
banni 582.11
prose
discours 225.10
chant 106.5
prose nombrée 225.10
en prose 635.29
prosecteur 498.31
prosélyte
apprenti 35.3
converti 648.14
prosélytisme 648.6
prosencéphale 100.2
Proserpine 236.28
prosimien 486.14
prosobranches 527.1
prosodème 622.8
prosodie 635.1
prosodier 635.25
prosodique 635.27
prosopis
arbre 37.19
insecte 417.7
prosopopée 313.5
prosoviétique 808.35
prospecter 207.18 ; 518.11
rechercher 689.12
prospecteur 518.10
prospecteur d'or 575.15
prospectif 332.14
prospection 518.3 ; 618.3 ; 689.4
détection 207.1
faire de la prospection 135.27
prospective 664.7
prévision 332.4 ; 660.2
prospectiviste 660.5
prospectus 675.5
imprimé 387.1
prospectus d'émission 81.20
prosper 672.4
prospère
en bonne santé 743.11
heureux 670.11 ; 670.17
bénéfique 19.28
riche 730.19
prospèrement 670.18
sainement 743.14
prospérer
évoluer 293.10
bien se porter 743.7
s'enrichir 670.7 ; 670.9 ; 730.11 ; 798.12
prospérité 670
santé 743.3
joie 447.7
succès 798.2
richesse 730.1
prostaglandine 340.3
prostanoïque 94.13
prostate 762.7
glande 340.2
voies urinaires 296.13
prostatectomie 114.13
prostatique
concrétions prostatiques 762.7
utricule prostatique 762.6
prostatite 482.33
prosternation
respect 717.5
servilité 761.3
salutation 98.5 ; 741.4
prosternement 717.5
prosterner (se)
prier 657.19
respecter 523.7 ; 717.10
se soumettre 761.11
saluer 741.21
prosthèse 313.2
prostitologie 873.2
prostitué 672.12
prostituée 672.6
prostituer 672.17
prostituer (se) 672.18
prostitution 672.2
prostration
faiblesse 303.2 ; 482.7
malheur 11.6
t. de liturgie 508.6
prostré 836.10
être prostré 482.51
prostyle 39.27
protactinium 113.7
protargol 40.4
protase 225.11
prote
imprimeur 388.16
chef d'équipe 480.7
protea 37.18
protéacée 38.3
protéales 79.4
protéase 94.24
enzyme 218.13
protecteur
n.
soutien 19.12 ; 268.7 ; 653.7 ; 671
proxénète 672.4
adj.
qui protège 653.24 ; 671.29
t. militaire 182.19 ; 182.30
protectif 182.30 ; 671.30
protection 671
revêtement 727.1
sécurité 752.5
préservation 653
aide 19.3
défense 182.1
protection civile 182.3
protection maternelle et infantile 270.8
protection rapprochée 671.1 ; 752.6
sans protection 175.18
protectionnisme
protection 671.9
dirigisme 222.1
protectionniste 671.16 ; 671.32
dirigiste 222.14
protectoral 671.32
protectorat 671.9
protectorerie 671.9
protée
batracien 68.3
caméléon 104.12
Protée 236.20 ; 319.19
protège- 204.28 ; 671.36
protégé 671.17 ; 671.27
en sûreté 752.18
préservé 653.22
protège-cahier 387.4
protège-cheville 671.5
protège-dents 671.36
protéger
recouvrir 631.10
préserver 653.12 ; 671.18 ; 671.21 ; 752.11
aider 19.20
encourager 268.11
défendre 182.21
protéger (se) 671.24
se préserver 653.19
s'abriter 182.25
se protéger de 182.25
protège-talon 110.10
protéide
protide 94.8
protéine 214.5
protéiforme
multimorphe 323.21
changeant 104.22
protéine
protide 94.8
anticorps 381.12
glucide 214.5
protéine M 381.9
protéiner 214.10
protéinique 214.11
protéinurie 296.10
protéique
changeant 104.22
t. de biochimie 94.33
substance protéique 214.5

prud'homal
élections prud'homales 260.2
prudhommerie 630.3
prudhommesque
pédant 759.10
affecté 347.13
pruine 330.3 ; 676.3
pruiné 676.19
pruineux 676.19
prune
fruit 330.8
couleur 159.28 ; 866.6
amende 57.18
ivresse 441.3
pruneau
fruit 330.8
couleur 866.6
pruneau d'Agen 330.8
prunelaie 18.10
prunelle 868.6
prunier 37.13
prunus 37.13
prurigineux 482.67
prurigo 482.17
prurit 482.15
démangeaison 604.3
douleur 243.2
Prussiens 371.15
prussique 113.8
Prytanée
Prytanée militaire 274.5
P.-S. 647.7
psallette 106.21
psalliote 103.6
psalmique 106.29
psalmiste 106.19
psalmodie 106.2 ; 449.14 ; 657.14
psalmodier 106.25 ; 657.20
dire 595.19
psalmodique 106.29
psaltérion 422.3
psammodrome 712.5
psaume
cantique 106.5 ; 657.8
hymne 508.8
Psaumes 815.2
psautier 106.6 ; 657.13
recueil 469.9
psélaphidés 417.2
psellion 70.4
pseudo- 379.14
pseudobulbe 318.3
pseudococcus 417.5
pseudogley 337.16
pseudoglobuline 94.8
pseudohermaphrodisme
maladie héréditaire 361.9
malformation 484.4
pseudolarix 37.20
pseudomorphisme 517.8
pseudonyme 554.4
pseudophyllide 856.2
pseudopode 512.6
pseudoscorpions 417.12
pseudosuchiens 712.10
psile 417.9
psilocybe 103.6
psilocybine 825.6
poison 267.4
psilopa 417.9
psilophytale
fougère 360.9
bryophytes 537.3
psilotum 360.9
psitt 431.3
psittac- 570.41
psittaciformes 570.10 ; 570.4
psittacisme
imitation 379.1 ; 704.2
trouble 839.5
psittaco- 570.41
psittacose 482.48
psoas 541.10
psocoptères 417.1
psocoptéroïdes 417.1
psoque 417.16
psoralea 318.27
psoriasiforme 482.67
psoriasique 482.67
psoriasis 482.17
psoroptes 417.13
psst 431.3
psychagogie 534.10
psychagogue 236.28
psychanalyse 321.12 ; 620.9
psychasthénie 321.6
psyché
âme 380.3 ; 620.21
insecte 417.11
miroir 519.22
Psyché 236.13
psychédélique 825.20
psychiatre 321.17
psychiatrie 498.7
psychiatrique 321.26
psychique 430.13
surdité psychique ou *corticale* 803.2
psychisme 380.3
psycho- 613.20
psychoaffectif 754.18
psychoanaleptique 793.6
psychochirurgie 114.2
psychodidés 417.8
psychodrame 817.10
psychohistoire 363.2
psychokinésie 477.16
psychologie
science 613.14 ; 620.9 ; 754.8
intuition 434.1
psychologie de la forme 323.10
psychologique 492.8
individuel 613.16
psychomachie 374.3
psychopathe 321.14
psychopathie 321.6
psychopathologie 32.7
psychopédagogie 253.3
psychopédagogue 270.9
psychopharmacologie 499.20
psychophysiologie 754.8
psychose 321.6
psychosexuel 763.44
psychosociologique 689.2
psychosomatique 482.2
psychothérapie 321.12
psychotique 321.14 ; 321.25
psychotonique 793.6
psychromètre
instrument de mesure 509.26
hygromètre 372.11
psychrométrie 372.12 ; 509.25
psylle 417.5
charmeur de serpents 712.17
Psylles 371.16
psyllidés 417.4
psylliode 417.3
psyllium 330.7
PTA ou **plasma-thromboplastine antécédent** 742.7
Ptah 236.21
ptéranodon 712.11
-ptère 417.33 ; 873.28
pteria 527.2
ptéridium 360.9
ptéridospermées 79.4
ptérion 580.20
ptérique 580.20
pterocarya 37.20
ptérodactyle 337.23 ; 712.11
-ptéroïde 417.33
ptéroïs 638.6
ptéromale 417.7
ptéropidé 486.3
ptérosauriens 712.10
ptérostichidés 417.2
ptérostichus 417.3
ptéroylmonoglutamique
acide ptéroylmonoglutamique 499.6
ptérydophytes 360.9
-ptéryge 638.28
-ptérygie 638.28
-ptérygien 638.28
ptérygo- 638.27
ptérygoïdes
apophyses ptérygoïdes 580.5
ptérygoïdien 548.4
ptérygoïdien externe 541.5
ptérygotes 417.1
ptéryle 570.21
-ptéryx 638.28
ptil- 570.44
-ptile 570.45
ptilinum 417.17
ptilo- 570.44
ptilondontidé 486.4
Ptolémée
astronome 49.28
cirque de la Lune 474.7
ptomaïne 94.10
poison 267.4
ptomanine 94.10
poison 267.4
ptôse 119.5 ; 482.43
P.T.T. 157.10
ptyaline 94.24
sucs digestifs 218.13
puant
odorant 569.26
prétentieux 655.10

puanteur 569.4
salеté 740.1
pub
publicité 675.1 ; 675.4
pub
café 75.19
pubalgie 482.12
pubère
nubile 306.17
jeune 445.11
pubertaire 445.11
puberté 762.18
adolescence 445.2
pubescent 624.20
jeune 445.11
poilu 624.21
pubis 580.12
public
n.m.
assistance 651.6 ; 817.23
compagnie 137.5
adj.
commun 773.15
nationalisé 222.19
antigène public 381.10
femme publique 672.7
lecture publique 136.4 ; 225.7
vie publique 862.11
adhésion du public 798.3
les pouvoirs publics 59.7 ; 773.7
publicain 317.28
publication
sortie 34.5 ; 783.3
affirmation 13.3
d'un décret 245.39
communication 136.1
d'un livre 469.1
d'un journal 654.4
publication assistée par ordinateur 19.10 ; 408.22 ; 469.15
publiciser 136.13
publiciste
dans la presse 654.16
dans la publicité 675.8
t. de droit 245.47
publicitaire 675.11 ; 675.8
publicitairement 675.13
publicité 675 ; 490.7 ; 654.10
marketing 135.2
publier
un livre 469.24 ; 783.23
communiquer 136.15
rendre public 675.9
publi-information 675.5
publiphile 675.12
amateur 599.10
publiphobe 675.12
publiphone 809.4
publipostage 675.5
publireportage 675.5
puccinia 103.6
puce
insecte 417.16
enfant 270.5
couleur 159.28
pl.
brocante 135.12
jeu 446.19
puce de mer 172.3
oxyde puce 631.2
avoir la puce à l'oreille 183.11
puceau 763.20
jeune 445.3
ascète 108.4
pucelage 306.7
pucelle 763.20
vierge 306.17
jeune femme 445.6
ascète 108.4
puceron 417.5
pucier 519.12
Puck 49.10
puddlage
ferrage 307.12
affinage 510.4
puddler 510.16
puddleur
aciériste 307.15 ; 510.14
pudeur
réserve 714.1
délicatesse 184.1
honte 367.6
modestie 523.2
timidité 819.1
décence 177.1
honnêteté 365.3 ; 366.2
chasteté 108.3 ; 858.5
pudibond
pudique 177.8
chaste 108.7
pudibonderie
hypocrisie 373.2
décence 177.1
chasteté 108.1
pudicité
décence 108.3 ; 177.1
honnêteté 366.2
pudique
réservé 714.15
décent 108.9 ; 177.8 ; 858.11
pudiquement 177.11 ; 714.18
chastement 108.10
Pueblos 371.7
puer 740.10
empester 569.17
pueraria 318.27
puéricultrice 270.9
puériculture 270.8
puéril 270.20
puérilement 270.22
puériliser 270.14
puérilité 270.2
puerpéral 544.23
puerpéralité 544.16
puffin 570.15
pugilat
conflit 146.8
match 792.15
pugiliste 792.53
pugnace 255.9
pugnacité
persévérance 612.1
fermeté 715.7
bellicisme 354.14
puîné
dernier-né 647.11
aîné 14.5
enfant 304.4
puis
ensuite 332.15 ; 647.23
puisard 167.6
puisque
comme 122.16
car 92.21
parce que 536.15
puissamment 427.26 ; 541.29
vigoureusement 864.21
puissance
agent 15.2
éventualité 291.1 ; 620.19
quantité 509.10 ; 509.11 ; 509.17 ; 509.4
supériorité 800.2
intensité 427.1
vigueur 864.1
divinité 236.1
autorité 59.1 ; 59.9
éloquence 142.2 ; 264.3
d'une voix 106.15
t. de mathématique 493.3 ; 539.2
t. de mécanique 322.6 ; 496.2
pl.
ange 29.5 ; 858.8
puissance paternelle 59.1 ; 609.3
les puissances d'argent 730.10
en puissance 291.10 ; 646.12
à la puissance n 87.12
dans toute sa puissance 427.17 ; 864.14
sous la puissance de 240.25
puissant
n.m.
autorité 59.9 ; 384.5
les puissants 59.9
adj.
supérieur 800.21
intense 427.17
vigoureux 864.14
actif 7.14
autoritaire 59.21
influent 407.20
puits 167.6
galerie 518.6
canal 834.7
puits de jour 585.7
puits de science 747.9
puja 362.7
pula 529.8
pulicaire 318.10
pull ou **pull-over** 859.7
pullman
autocar 833.8
wagon 832.14
voiture pullman 832.14
pullorose 482.48
pull-over → pull
pullulement 540.4
augmentation 539.3
pulluler
foisonner 540.9
abonder 1.8
grouiller 417.30
pulmonaire 718.29
artère pulmonaire 128.8
capacité pulmonaire totale 718.12
respiration pulmonaire 718.2
veine pulmonaire 128.9
pulmoné 527.1
pulmonique 718.32
pulpaire 188.28
chambre pulpaire 188.5
pulpe
d'un fruit 330.4 ; 799.2
d'une dent 188.5
pulpeux 330.24
pulpite 482.26
pulsant 391.15
pulsar 49.4
pulsateur 391.15
pulsatile
pulsateur 391.15
tumoral 841.12

pulsatille 318.25
pulsation
battement 579.2
impulsion 115.2 ; 391.1
du cœur 128.11 ; 742.10
t. de physique 513.5
pulsative 243.14
pulse 391.3
pulsé 391.15
pulser
battre 391.12
t. d'astronomie 49.31
t. de physiologie 128.23
pulseur 391.9
pulsion
impulsion 115.5 ; 391.6 ; 538.7
t. de psychanalyse 386.2 ; 755.4
pulsion épistémophilique 747.19
théorie des pulsions 391.6
pulsionnel 391.17
pulso- 391.21
pulsomètre 391.9
pulsoréacteur 391.9
pultacé 482.82
pulvérateur 676.22
pulvérin 676.2
pulvérisateur
instrument de chimie 113.17 ; 676.10
à parfum 775.18
à médicament 499.19
pulvérisation
désorganisation 202.2
d'une matière 676.7 ; 676.8
d'un médicament 499.15
pulvérisation chromosomique 361.9
pulvérisé 202.12
pulvériser
désorganiser 202.5
une matière 676.16 ; 676.18 ; 775.26
détruire 205.14
pulvériseur 676.9
pulvérulence **676**
pulvérulent 676.19
pulvi- 676.23
pulvifère 676.23
pulvinaire 417.5
pulvinar
du cerveau 100.11
d'un cirque 123.3
puma 486.7
Pumi 371.13
puna 530.2
punais
n.m.
prétentieux 655.3
adj.
odorant 569.26
punaise
pique 637.3
insecte 417.5
méchant 497.6
punaisie 569.4
Punans 371.12
punch
vigueur 864.1
boisson 75.14
puncher 160.10
puncheur 792.53
punching-ball 792.72
puncture 775.13
puni 144.34
punir
venger 707.8
réprimer 144.28
punissable 144.35
punisseur 144.18
punitif 144.33
punition 144.2
retenue 274.13
châtiment 231.2
pénitence 299.2
punk 445.4
rock 543.7
puparium 417.18
pupation 417.22
pupe 417.19
pupillaire 304.13
noyau pupillaire 100.4
pupille
de l'œil 868.6
orphelin 304.4
pupitre
salle de classe 274.8
tribune 225.13
lutrin 519.11
pupitreur 408.23
pupivore 417.31
puppiforme 527.19
pupulement 170.3
pupuler 170.7
pur
propre 669.12
décent 108.7 ; 177.8 ; 365.10 ; 858.11
t. de minéralogie 517.20
or pur 575.1
purana 815.9
purée
malheur 11.3
pauvreté 603.2
mets 333.21
purée septembrale 75.11
purée de pois 561.1
être dans la purée 217.12
purement
proprement 669.15
décemment 108.10 ; 365.16 ; 858.13
sobrement 142.10
pureté
d'un minéral 517.8
du blanc 71.5
ignorance 377.1
valeur 677.2
honneur 365.2 ; 366.2 ; 533.5
chasteté 108.1
purgatif
laxatif 499.31 ; 499.5
purgation
lavement 775.15
libération 786.1
Purgatoire 271.3 ; 299.4
séjour des morts 534.8
âmes du Purgatoire 271.3
purge
éjection 783.4
soin 775.15
bannissement 582.2
procès 642.11
libération 461.6
nettoyage 550.7
t. de travaux publics 834.22
t. de plomberie 632.16
purger
t. de chimie 756.19
t. de médecine 775.26
t. de plomberie 632.25
purger de 783.21
purger sa peine 144.32 ; 208.24
purgeur 783.9
déboucheur 632.20
purificateur 461.25
purification
rite 173.6 ; 428.6
nettoyage 550.11
Purification 310.4
purificatoire
sacrificiel 173.23
libérateur 461.25
nappe purificatoire 508.11
purifier
nettoyer 550.35 ; 669.9
se libérer de 173.20
puriforme 482.82
purin
fumier 296.3
engrais 18.7
purine 94.4
purisme
langue 455.5
grammaire 346.2
puriste 346.16 ; 455.13
puritain 47.11
protestant 117.13
moraliste 533.11
chaste 108.7
communautés puritaines 117.8
éducation puritaine 253.4
puritanisme 533.3
ascétisme 47.2
chasteté 108.1
Purkinje
cellule de Purkinje 100.7
vésicule de Purkinje 265.4
purotin 603.20
purpura
couleur 735.5
maladie 482.17
purpuracé 735.10
purpurin 735.10
purpurine 159.9
poudre de bronze 82.3
purpurique 482.67
pur-sang 486.11
purulence 296.9
purulent 296.26 ; 482.82
purva-mimamsa 362.7
pus
excrétion 296.6
abcès 482.45
pusillanime 674.15
peureux 619.19
lâche 452.8
timide 819.7
pusillanimité
lâcheté 619.5
défiance 674.2
timidité 819.1
pustule
bouton 78.5
croûte 482.16
pustuleux 482.67
putain
n.f. 672.8
int. 431.2
putamen 100.10
putasse 672.8
putasser 672.18
putassier 672.20
putatif
théorique 802.11

t. de droit 314.16 ; 660.9
mariage putatif 491.14
père putatif 609.5
pute 672.8
putéal 736.7
putiet 37.13
putois 486.7
crier comme un putois 168.14
putréfaction 205.8
mort 534.11
putréfiable 325.9
putréfier 205.21
putrescibilité 325.1
putrescible 325.9
putride
asphyxiant 335.23
odeur putride 569.3
putsch
coup d'État 728.2
subversion 642.11
putschiste
insurgé 728.4
conspirateur 642.14
putto 27.15
nourrisson 270.3
nu 562.4
ornement 578.4
puy
montagne 530.8
société littéraire 635.23
puzzle 446.20
jeu de patience 601.6
py- ou **pyo-** 340.19
uro- 296.30
pycn- ou **pycno-** 187.15
bar- 636.25
pycnomètre 636.10
pyél- ou **pyélo-** 167.18
pyélite 482.34
pyélographie 498.16
pyélonéphrite 482.24
pyélotomie 114.14
pygargue 570.12
pygmée 616.5
Pygmées 371.11
pygære 417.11
pyjama 859.15
Pylade 236.41
pylône
colonne de support 834.12
t. d'archéologie 39.12 ; 465.8
pylore 218.7
pylorique 218.7
pyo- → **py-**
pyoctanine 735.2 ; 857.2 ; 866.2
indigo 73.3
pyocyanique 512.18
pyodermite 482.17
pyogène 296.26
pyohémique 482.69
pyophtalmie 840.5
pyose 840.5
pyostercoral
excrémentiel 296.27
purulent 482.82
pyrale 417.20
pyralidés ou **pyrales** 417.10
pyramidal
muscle 541.7 ; 541.9
os 580.15
pyramide
polyèdre 338.6 ; 637.2
monument funéraire 331.15
construction pyramidale 443.9
t. d'anatomie 100.7
pyramide des âges 14.2
pyramide alimentaire 251.3
pyramide humaine 282.6
textes des pyramides 815.20
pyramis 100.7
pyrane
cycle pyrane 94.25
pyranographe 777.9
pyranomètre
instrument de mesure 509.26
t. de météorologie 777.9
pyrantel 499.5
pyrargyrite 516.5
pyrazinamide 499.5
Pyrénées 474.7
pyrénéisme
ascension 530.13
alpinisme 792.25
pyrénéiste 792.59
pyrénolichens 79.4
pyrénomycétales 103.5
pyrèthre 318.10
pyrétique 482.69
pyrétothérapie 775.5
pyrexie 482.7
pyrhéliomètre 473.25
pyridostigmine 499.5
pyridoxine 499.6
phosphate de pyridoxine 499.6
pyriméthamine 499.5
pyrimidine 94.15
pyriphlégéthon 271.8
pyrite 516.5
pierre fine 517.4
pyrite naturelle 307.5
pyro- 102.30
pyrocoris 417.5
pyrofuge 311.31
pyrogène 102.27
pyrolâtre 311.34
pyrolusite 516.5
pyrolyse 102.8
pyrolyser 617.10
pyromancie 311.15
pyromancien 311.15
pyromane 311.17
pyromanie 311.17
pyromètre
instrument de mesure 509.26
calorimètre 102.13
thermomètre 127.10
pyrométrie 102.14 ; 311.18 ; 509.25
pyromorphite 631.2
pyrophane 311.30
pyrophore
combustible 131.7 ; 311.30
insecte 417.3
pyrophorique
combustible 131.26
inflammable 311.30
pyrophosphate
pyrophosphate de thiamine 94.24
pyrotechnicien 311.16
pyrotechnie 311.16
pyrothéridé 486.4
pyrothérien 486.4
pyrrhique 176.8
pyrrhonien
sceptique 395.16 ; 620.33
pyrrhonisme
scepticisme 395.6 ; 620.12
pyrrhotite 516.5
Pyrrhus
victoire à la Pyrrhus 861.2
pyrrolase 94.24
pyruvicémie 742.17
pyruvique
acide pyruvique 94.13
pythie
zélateur 276.6
augure 235.11
pythique 310.8
pythium 103.9
python 712.3
pythonisse 235.12
pyurie 296.10 ; 482.34
pyxide 330.3
fruit sec 330.2

Q

qadarite 440.8
Qadiriyya 440.5
qalandari → **calender**
Qalandariyya 440.5
qanun 422.4
Qaraïtes → **Caraïtes**
qarmate 440.2
qat 38.9
Qatari 355.8
Qiang 371.13
qin 422.4
qintar 529.10
qira'at 440.13
qiyas 818.21
quadragénaire 495.3
quadrangle 338.5
quadrangulaire 338.16
quadrant
t. de géométrie 338.9 ; 679.1
t. d'embryologie 265.5
Quadrantides 49.12
quadrat 71.7
quadratin 71.7
quadratique
forme quadratique 493.4
moyenne quadratique 493.2
quadrature
t. d'astronomie 49.19 ; 474.3
t. de géométrie 77.10
t. de mathématique 87.2
quadrature du cercle 140.2 ; 217.2 ; 385.3
quadrette 679.4
quadri- 679.11
quadriceps
quadriceps crural 541.10
quadrichromie 388.4
polychromie 643.1
quadricycle 833.3
quadriennal 610.14
quadrige 679.4
quadrigémellaire 679.8
quadrilatère
polygone 338.5
position défensive 182.7
lobule quadrilatère 100.14
quadrillage
disposition en carré 466.5
opération militaire 487.6
quadrille
danse 176.23
jeu 446.3

quadriller 487.31
quadrillette 833.3
quadrimestre 610.4
quadrimestriel 610.15
quadrimoteur 831.2
quadriparti 679.8
quadripartite 679.8
quadripartition 679.6
quadriphonie
son 781.9
enregistrement 273.1
quadriphonique 781.28
quadriréacteur 831.2
quadrisyllabe 535.3
quadrisyllabique 535.26
quadrivalve 527.19
quadrivium
scolarisation 274.6
t. d'histoire 679.3
quadrumane 479.18
t. de zoologie 873.24
quadrupède
pied 623.9
t. de zoologie 873.24
quadruple
n.m.
nombre 679.1
monnaie 529.12 ; 529.13
adj. 539.6 ; 679.8
au quadruple 539.7
quadruplement
n.m. 679.6 ; 832.7
adv. 679.10
quadrupler 679.7
quadruplés
quatre 679.3
enfant 304.4
quadruplet 493.4
quadruplette 679.4
quai 830.15
à quai 832.26
voie de quai 830.15
être à quai 830.28
quaker 117.8
qualificatif
n.m. 535.2 ; 554.1 ; 822.1
adj. 450.14
qualification
appellation 554.1 ; 822.1
t. de droit 450.2
t. de sports 792.37
qualifié
compétent 58.20 ; 747.17
appelé 554.25
ouvrier non qualifié 480.3
vol qualifié 169.10 ; 869.3
qualifier
appeler 554.18 ; 554.22
t. de droit 450.7
qualifier (se) 798.11
qualité 677
compétence 424.2 ; 646.4
vertu 76.3 ; 507.1 ; 858.3
noblesse 552.1
titre 245.15 ; 822.2
t. de philosophie 620.16
de qualité 552.24 ; 677.13
en qualité de 822.22
ès qualité de 822.22
mauvaise qualité 500.3
cercle de qualité 677.3
avoir qualité pour 245.54 ; 507.8
qualiticien 677.7
contrôleur 155.9
quand 811.17
en même temps que 768.14
lorsque 528.12
quando 122.3
quant 678.18
quanta → quantum
quant-à-soi 257.1
rester sur son quant-à-soi 183.8 ; 819.4
quante 678.18
quanteur 678.8
quantième
n.m. 88.5 ; 576.10 ; 678.4 ; 683.7
adj. 683.20
quantifiable 678.17
quantificateur
t. de linguistique 678.9
t. de logique 678.8
quantification
t. d'économie 678.7
t. de logique 678.8
quantifié 678.17
quantifier 678.11
quantifieur
n.m. 678.9
adj. 678.16
quantile 493.6
quantique 678.15
t. de microphysique 513.14
électrodynamique quantique 261.2 ; 513.1
physique quantique 513.1
quantitatif
n.m. 678.9
adj. 678.14
quantitativement 678.20
quantitativiste 678.10
quantité 678
mesure 384.2 ; 509.4
abondance 1.1 ; 540.1
nombre 187.1 ; 555.1
t. de poétique 635.14
quantité de 678.19
en quantité 1.17 ; 540.16
à quantité égale 678.19
quanton 473.18
échantillon 678.4
t. de microphysique 513.3
quantum 223.6
t. de philosophie 678.4
t. de physique 678.4
quantum de lumière 473.18
quantum de temps 678.4
pl.
théorie des quanta 678.4
quapalier 37.19
Quapaws 371.7
quarantaine
nombre 679.1
âge 495.2
isolement 653.4 ; 779.3 ; 830.19
en quarantaine 295.11
quarante
n.m. 679.1
adj. 679.8
quarantenaire
n.m. 610.3 ; 679.1
adj.
maladie quarantenaire 482.2
quarderonner 578.12
quark 513.4
quart
n.m.
fraction 324.2 ; 679.1
commissaire de police 641.9
commissariat 44.7
carafe 848.5
gobelet 848.12
t. de marine 51.2 ; 221.4 ; 851.5
quart d'heure académique 724.2
quart d'heure de politesse 724.2
quart d'heure de Rabelais 587.8
quart d'œil 641.9
dernier quart d'heure 315.6
sale quart d'heure 192.5
être de quart 51.6
passer un mauvais quart d'heure 11.20
quart de finale 792.38
quart de finaliste 792.40
adj. 679.9
quartaut 75.18
quart-de-brie 814.5
quart-de-rond 578.3
moulure 505.6
quarte
n.f.
unité de mesure 509.23
t. de jeux 679.9 ; 758.10
t. de musique 433.1 ; 543.17 ; 679.1
t. d'escrime 792.17
adj.
t. de jeux
quarté
quatre 679.4
jeu 446.13
quarteron 636.12
quartette 265.5
quart-gras
houilles quart-grasses 269.5
quartidi 679.5
quartier
portion d'un quart 324.3 ; 679.1
morceau 74.6 ; 330.3 ; 597.1
miséricorde 625.2
cantonnement 356.5
secteur 845.12
partie de la chaussure 110.8
quartier de noblesse 552.2
quartier général 133.11
dernier quartier 474.3
faux quartier 74.6
premier quartier 474.3
avoir quartier libre 58.19 ; 462.23
faire quartier 592.10
prendre ses quartiers d'hiver 738.10
quartier-maître 41.15
quartile 237.1
quart-monde ou **quart monde** 603.9
quarto 679.10
quartz 517
quasar 49.13
quasi- 379.14 ; 719.19
quasi 379.12
quasi-délit 390.4
quasiment 379.12
Quasimodo 453.4
quatarger 18.20
quater 679.10
quaternaire
ordre quaternaire 487.6

R

rabbinique 449.31
tribunal rabbinique 449.8
rabbinisme 449.1
Rabhas 371.13
rabibocher 702.7
rabiot
augmentation 56.4
reste 721.1
rabique 482.69
râble
dos 242.1
outil 584.20
râblé 864.17
râblu 864.17
rabot 584.16
t. de menuiserie 505.16
rabotage 584.29
t. de menuiserie 505.11
raboter 505.23 ; 584.37
t. d'arboriculture 36.26
raboteuse 476.10 ; 505.15
raboteux 217.20
rabotin 584.16
t. de sculpture 749.14
rabougri 616.10
rabougrir 750.14
rabougrissement 750.2
rabouiller 605.22
rabouillère
caverne 167.7
tanière 486.18
rabouilloir 605.3
raboutage 505.12
rabouter 505.26
raboutissage 165.6
rabrouer 713.11
éconduire 409.5 ; 693.9
racaille 734.5
raccastillage 702.5
raccastiller 702.11
raccoleur 672.20
raccommodage 702.2
couture 165.13
raccommodement
réconciliation 6.2
conciliation 141.3
raccommoder 165.28 ; 702
raccommoder (se)
s'allier à 685.14
se réconcilier 6.9 ; 586.12
raccommodeuse 165.22
raccompagner 137.12
raccord 9.6
joint 632.9
raccordement 632.13
jonction 9.2
raccorder 632.24
attacher 725.12
réconcilier 141.15
raccorder (se)
se réconcilier 6.9 ; 586.12
raccourci
n.m. 220.6 ; 723.7
adj. 616.11
en raccourci 616.16 ; 723.10
raccourcir
rapetisser 154.9 ; 220.9 ; 405.9 ; 616.6
abréger 142.5 ; 723.6
guillotiner 801.22
raccourcissement 220.2 ; 421.4
contraction 154.1
raccours 220.2
raccoutrage
raccommodage 702.2
couture 165.13
raccoutre 165.28
raccoutrer 702.8
raccoutreuse 165.22
raccoutumer 357.22
raccroc
de raccroc 358.10
par raccroc 358.13
raccrocher
racoler 672.19
interrompre une communication téléphonique 809.19
raccrocheur 53.10
race 126.5 ; 371.3
parenté 314.3
t. de zoologie 873.4
bon chien chasse de race 304.9 ; 361.17
de race 552.24
de vieille race 28.11
fin de race 552.25
race humaine 371.2
racé 233.13
aristocratique 552.25
racémase 94.24
racémique 574.21
racer
racer du côté de qqn 361.16
rachat
expiation 592.2
réméré 81.15 ; 191.5
rachetable 191.31
racheter
réméré 191.24
réparer 139.8 ; 299.6
racheter (se)
confesser 299.7
jouer en Bourse 81.29
rachialgie 482.11
rachianesthésie 114.19
rachidien 580.11
dorsal 242.10
nerveux 548.25
bulbe rachidien 100 ; 242.2
canal rachidien 242.2 ; 548.10
ganglion rachidien 548.5
nerf rachidien 548.10
rachis
axe d'une plume d'oiseau 570.21
t. de botanique 318.3 ; 360.4
t. d'anatomie 242.2 ; 580.10
rachitique 482.79
rachitisme 484.5
rachitome 68.2
racial 371.28
raciation 873.8
racinage 466.3
racinal 834.32
racine
base 92.6
naissance 188.5 ; 535.7 ; 624.6
t. de mathématique 237.1 ; 493.3
t. de botanique 37.5 ; 203.7 ; 262.19 ; 318.3
racine cubique 837.1
racine médullaire 548.10
extraire la racine carrée 87.12
extraire la racine d'un nombre 237.5
prendre racine 37.24 ; 51.7 ; 247.8
racisme 288.17 ; 371.21 ; 582.9
raciste 288.18
exclusif 582.17
racket
manœuvre d'intimidation 63.7 ; 169.10
vol 869.4
racketter
faire peur 619.11
dévaliser 869.23
escroquer 169.24
racketteur 869.10
raclage 550.9
t. d'agriculture 18.4
racle 760
spatule 584.19
racle-denier 61.3
raclée
coup 160.5
défaite 180.1
racler
polir 505.23
ratisser 36.26
gratter 550.30
raclette
car de police 44.6
fromage 328.6
coup de raclette 44.4
racleuse 476.10
racloir
lame 584.9
t. de menuiserie 505.16
racloire 760
raclure 676.12
racolage 672.2
racoler 672.19
attirer 53.5
racontable 691.16
racontage
médisance 227.9
mensonge 691.3
racontar
calomnie 504.6
parole 595.4
mensonge 691.3
raconter 691.12
raconter qqn ou *qqch* 691.13
en raconter 628.10 ; 691.14
raconteur 691.11
racornir
dessécher 418.12 ; 750.14
racornir (se) 248.5
racornissement 750.2
racquet-ball 792.10
rad 513.9
mesure 509.18
radar- 207.25
radar 781.15
lidar 207.6
défense 182.16
aérodrome 831.8
radarastronomie 207.4
radariser 207.20
radariste 207.16
rade 830.15
rester en rade 249.14
radeau 830.7
rader 509.28
radi- ou **radio-** 207.25
radial
artère radiale 128.8
nerf radial 548.4
veine radiale 128.9
vitesse radiale 49.19
radiale
voie de circulation 833.18

radian
mesure 509.10 ; 509.7
angularité 30.6
radiateur
moteur 57.3
chaudière 109.8
radiation
annulation 31.3 ; 228.2 ; 292.1
t. de Bourse 81.5
t. de physique 269.1 ; 473.18 ; 513.8
radiation adaptative 850.7
radical
n.m.
t. de botanique 318.47
t. de chimie 113.2
t. de grammaire 535.7
t. de mathématique 237.1
l'humide radical 372.1
adj.
extrémiste 427.15 ; 808.49
partisan du radicalisme 808.34
type de feuille 37.27
radicalaire 113.24
radicalement
dogmatiquement 808.52
entièrement 427.27
radicalisme 808.5
radicalité 427.7
excitation 427.2
extrémisme 808.23
radical-socialisme 808.5
radical-socialiste 808.34
radicant 318.47
radicelle 318.3
radicicole 417.31
radicotomie
chirurgie 114.14
neurochirurgie 548.21
radiculaire 188.28
poussée radiculaire 79.6
radicule 318.3
radiculo-dentaire 188.28
radié
effacé 228.13 ; 292.12
rayonné 318.45
radier
n.m. 727.8 ; 834.35
radier
v. 31.10 ; 292.6
radiesthésie
divination 235.2
détection 207.4
radiesthésiste 207.16
radieux 447 ; 670
joyeux 629.17
satisfait 745.15
soleil radieux 777.2
radin 61.9
radinerie 61.1
radio
n.f.
radioscopie 498.14
station émettrice 136.10 ; 681.6
radiodiffusion 681.1
transistor 681.3 ; 781.15
n.m.
radiotélégraphiste 809.17
radio- → **radi-**
radioactivation 513.7
radioactiver 513.12
radioactivité 513.6
mesure 509.18
désintégration 230.2
t. de chimie 113.11
radioaltimètre 207.8
radioamateur 681.14
radioastronome 49.26
radioastronomie
astronomie 49.1
détection 207.4
radioautographie 207.4
radiobalise 207.8
radio-carpienne 580.23
radiocassette 273.4
radiochimie 113.1
radiochronologie 118.2
radiocinématographie 498.14
radiocommunication 809.12
radiocristallographie 517.12
radio-crochet 105.12
radio-cubitale 580.23
radiodermite 482.17
radiodétecteur 207.6
radiodétection 207.4
radiodiagnostic 498.10
radiodiffuser 681.18
radiodiffusion ou **radio** 681.1
radioélectricité 809.1
radioélectrique 809.21
radioélément 513.6
radiofréquence
fréquence 326.5 ; 681.7
radiogalaxie 49.13
radiogoniomètre
mesure 509.26
direction 221.8
détection 207.8
radiogoniométrie 207.4
radiogoniométrique 207.24
radiogramme 809.14
radiographie
imagerie 498.14
détection 207.13
photographie 621.1
radiographier 498.35
radiographique 498.37
radioguidage 809.1
radioguider 221.19
radio-immunologie 381.2
radio-journal 681.12
radiolarite 337.17
radiole 527.15
radiolite 527.2
radiolocalisation 207.4
radiolocation 207.4
radiologie 498.14
radiologique 498.37
radiologiquement 498.39
radiologue 498.31
radiomanométrie 498.14
radiomessagerie 809.12
radiomètre
mesure 509.26
radiosonde 207.8
radiométrie 473.26
radiométrique 207.24
radionavigant
aviateur 831.14
t. de télécommunications 809.17
radionavigateur
aviateur 831.14
t. de télécommunications 809.17
radionavigation 830.1
radionucléaire
activité radionucléaire 509.14
radio-palmaire 128.8
radiopathologie 498.4
radiopelvimétrie 498.16
radiophare 207.8
radiophonie
son 781.15
radiotélévision 681.1
radiophonique 681.20
radiophoniquement 681.21
radiophotographie 207.4
radiophotographique 207.24
radio-pirate 681.6
radiopistage 207.4
radiorécepteur
récepteur 681.3
t. de télécommunications 809.6
radiorepérage 207.4
radioreportage 681.12
radioreporter 654.19
radiotélévision 681.14
radioréveil
horloge 118.6
récepteur 681.3
radioscopie
imagerie 498.14
détection 207.13
radioscopique 498.37
radiosecteur 681.3
radiosondage 207.4
radiosonde
détection 207.8
climats 127.10
radiostéréoscopie 498.14
radiotélégramme 809.14
radiotélégraphie 809.1
radiotélégraphiste ou **radio** 809.17
radiotélémétrie 207.4
radiotéléphone 809.2
radiotéléphonie 809.1
radiotéléphonique 809.21
radiotélescope
optique 574.4
radiosonde 207.8
radiotélévisé 681.20
radiotélévision **681**
radioteur 681.14
radiothéâtre 681.12
radiothérapie 775.6
radiothérapique 775.28
radiotoxicité 267.10
radiotraceur 207.11
radis 333.19
radium 113.7
radius 580.14
radja, radjah ou **rajah** 822.5
radon 113.7
gaz rare 335.2
radotage
rabâchage 704.2
délayage 665.3
radoter
délirer 839.11
répéter 595.23 ; 704.9
s'étendre 665.8
radoteur 704.8
vieux radoteur 863.5
radoub 702.5
cale de radoub 750.4
radouber 702.11
radoucir 522.11
radsoc 808.34
radula 527.14
rafale
vent 852.1
tir 820.2
par rafales 820.6
raffermir 778.10
tonifier 259.8
encourager 268.9
raffermissement 778.6
tonification 259.5

admonester 231.7 ; 522.15 ; 710.11
raisonner comme un coffre 557.7 ; 784.10
raisonneur
n. 682.8
adj. 682.15
rajah → radja
rajania 318.17
Rajbansis 371.13
rajeunir 445.8
inventer 560.8
rajeunir (se) 14.8
rajeunissement
modernisation 560.5
jeunesse 445.1
t. d'arboriculture 36.3
rajidé 638.2
rajouter
en rajouter 9.14 ; 56.10
Rajputs 371.13
rajustement 702.1
rajuster 702.7
raki 75.13
râlage 192.4
râle 83.12
respiration 718.13
chuchotement 83.7
cri 168.3
râle sifflant 764.3
râlement
cris d'animaux 170.2
chuchotement 83.7
ralenti
n.m. 120.11 ; 522.4
adj. 522.16
ralentir
retarder 458.10 ; 724.9
modérer 522.11
freiner 57.25
ralentissement
diminution 220.1 ; 344.4 ; 458.7
retard 329.6 ; 724.3
accalmie 89.2
modération 522.4
ralentisseur 57.9
râler
crier 168.14 ; 168.17 ; 170.6
agoniser 534.24
respirer 718.25
se plaindre 192.11 ; 416.6 ; 710.14 ; 720.6
ralette 605.13
râleur 168.12 ; 168.22
pessimiste 615.4
mécontent 192.15 ; 192.6
râleux 192.6
rallentendo 542.25
ralliement 685.3
rassemblement 352.2
mouvement des troupes 487.8
cri de ralliement 168.7
sonner le ralliement 487.28
rallier
rassembler 352.18 ; 487.37 ; 685.12
convaincre 614.8
t. de chasse 107.19
rallier (se) 487.37
se rallier à 586.12
ralliformes ou **gruiformes** 570.4
rallonge
adjonction 9.3 ; 56.4 ; 470.4
d'un fil électrique 261.19
couteau 43.3
nom à rallonges 552.12
rallongement 470.3
rallonger 470.8
allonger 56.9
prolonger 247.9
rallonger (se) 470.8
rallye
automobile 57.20
raid 871.5
sports 792.27
chasse 107.15
RAM 408.8
Rama 362.3
ramadan
jeûne 173.9 ; 771.2
ramage
oiseaux 170.3
gazouillis 106.22
ramager 170.7
ramakrishna mission 362.1
ramapithèque 486.14
ramas
rebut 367.2
populace 734.5
ramassage
rassemblement 352.11
t. d'agriculture 18.4
ramassage des ordures 550.12
ramassage de titres 81.15
ramassé
concis 142.8
compact 187.12
ramasse-miettes 333.31
ramasser
recevoir 160.20 ; 688.17
contracter 154.7
arrêter 44.11
résumer 723.6
t. d'agriculture 18.23
être à ramasser à la petite cuillère 16.7
ramasser (se)
recevoir 688.17
se contracter 154.10
tomber 119.18
échouer 249.12
ramassis
tas 201.6
rebut 367.2
populace 734.5
Ramayana
divinités 236.8
hindouisme 815.9
rambarde
balcon 67.7
protection 671.5
rambin 27.20
rambour 137.9
ramdam
chahut 201.7
vacarme 83.9
rame
paresse 593.1 ; 593.8
de papier 388.12
de wagons 832.9
avoir la rame 393.9
ne pas en fiche une rame 393.9
raméale 37.27
rameau
d'un arbre 37.8
des poumons 718.7
d'une famille 314.4
rameau d'olivier 589.10
Rameaux 508.5
fête des Rameaux 117 ; 310.3
ramée
d'un arbre 37.8
paresse 393.9
ramener à 789.4
ramener à soi 54.8
ramener sa science 655.5
la ramener 581.8
ramentevoir (se) 503.11
ramequin 848.21
ramer
soutenir 791.12
faire effort 217.11
manœuvrer une rame 792.90
vol ramé 570.28
rameur 792.62
rameux 37.25
rami 446.3
ramier
oiseau 570.11
paresseux 593.5
ramification
suites 254.1
complexité 140.1
d'une croix 171.2
d'un arbre 37.8
ramifier (se) 37.24
ramin 37.21
ramolli 303.20
ramollir
devenir mou 526.6
devenir sot 784.8
ramollissement 526.3
ramollo 526.9
ramona
chanter ramona 710.12
ramonage 550.7
ramoner
reprocher 710.10
nettoyer 550.28
ramoneur 109.22
rampant
servile 761.14
personnel au sol 831.14 ; 831.21
personnel rampant 831.14
rampe
barrière 67.7 ; 481.29
soutien 791.6
de lumières 250.14 ; 473.12
de tir 820.9
de la scène 748.3
d'une serrure 760.3
rampe de balisage 473.12
rampe d'éjection 258.6
rampe d'escalier 67.7
rampe de lancement 820.9
feux de la rampe 250.14 ; 311.6
les feux de la rampe 473.12 ; 748.9
lâcher la rampe 534.22
ne pas passer la rampe 249.14
ramper
se déplacer 712.18 ; 853.10
supplier 761.11
ramponneau 160.4
ramularia 103.8
ramure
d'un arbre 37.8
d'un mammifère 486.20

ramuscules 718.7
ranales ou **dialycarpiques** 79.4
ranales 318.25
ranatre 417.5
rancard ou **rancart** ou **rencard** ou **rencart** 772.9
au rencart 206.6 ; 295.11
rancarder 137.17
rance 369.15
ranch
ferme 18.12
élevage 262.5
rancœur
constat d'échec 249.7
ressentiment 720.1
rançon 587.3
rançonnement 869.4
rançonner 869.23
rançonner le client 111.6
rançonneur
racketteur 869.10
brigand 111.4
rancune
ressentiment 707.3 ; 720.1
revanchisme 726.4
sans rancune 583.18 ; 592.18
garder rancune 720.5
rancuneux 720.13
rancunier 720.13
revanchiste 726.10
rand 529.8
randomisation 493.5
randonnée
passe-temps 599.5
promenade 871.8
grande randonnée 871.8
randonner 871.21
randonneur 871.17
rang 683
dans la société 286.4 ; 769 ; 773.6
dans un classement 126.3 ; 576.3
dans une série 758.2
titre 822.2
file 487.5
le rang 41.1
rang serré 487.6
rang d'oignons 576.5
en rang serré 487.40
en rang d'oignons 758.22
à vos rangs 133.28 ; 487.44
de haut rang 552.24
de second rang 210.10
feu de rang 820.5
avoir rang de 683.15
élever au rang de 800.18
former les rangs 487.29
mettre sur le même rang 138.9
rentrer dans le rang 559.13 ; 787.14
tenir son rang 683.16
rangé
ordonné 126.18 ; 576.19 ; 683.18
sérieux 759.13
rangée
ligne 576.5
rang 683.6
série 758.2
rangement
organisation 577.7
agencement 576.3
tri 126.10
ranger
classer 126.15 ; 576.12 ; 683.11
rassembler 151.12 ; 685.12 ; 758.15
nettoyer 550.36
ranger (se) 683.15
rani 822.5
ranimer
renforcer 427.11
faire revivre 862.24
guérir 353.17
ranimer (se) 851.14
ranine 128.8 ; 128.9
ranitidine 499.5
ranker 337.16
ranz 105.3
ranz des vaches 105.3
raout
réception 137.11 ; 309.8
rap
musique 105.5 ; 543.8
rapace
oiseau 570.12 ; 570.4
avare 61.4
rapacité 61.2
râpage 676.7
rapatrier 124.13
râpe
outil 505.16 ; 584.14 ; 640.5 ; 676.9
ustensile de vaisselle 848.30
râpé 603.23
râper 676.16
râperie 676.15
rapetassage 702.2
rapetasser 702.8
rapetissant 574.22
rapetissement
diminution 220.3
contraction 154.1
rapetisser
diminuer 220.9 ; 405.9
réduire 154.12 ; 154.9 ; 616.6
Raphaël 29.7
raphaélesque 46.15
-raphe 637.17
raphi- 637.16
raphia
arbre 37.18
tissu 816.2
raphicère 486.6
raphidie 417.16
raphidioptères 417.1
rapiat 61.9
rapiater 61.5
rapiaterie 61.1
rapide
n.m.
personne 34.6
chute d'eau 119.8
train 832.12
adj.
instantané 421.11
prompt 57.33 ; 538.25 ; 684.12 ; 684.28
léger 457.13
spontané 386.14
concis 142.8
rapide comme l'éclair 427.16 ; 684.51
rapidement
instantanément 421.18 ; 684.38 ; 746.18
spontanément 386.17
brièvement 142.10 ; 723.9
rapidité 684
vitesse 538.12
adresse 10.2
concision 142.2
rapido presto 684.39
rapidos 684.39
rapiéçage ou **rapiècement** 702.2
rapiécer
raccommoder 165.28 ; 702.8
rapiécetage 702.2
rapiéceter 702.8
rapin
apprenti 35.3
peintre 607.19
rapine 869.7
rapiner 869.22
rapinerie 869.7
rapineur 869.11
raplapla 303.21
rapointir 637.12
rappel
d'un vaccin 499.13
souvenir 503.5
avertissement 63.5
des réservistes 41.18
au théâtre 817.24
d'une dette 317.19 ; 587.5
t. de sports 792.25
rappel des faits 691.1
rappel à l'ordre 63.5 ; 642.2
lettres de rappel 157.4 ; 183.6
rappeler
ressembler à 719.9
remémorer 503.12 ; 503.13
avertir 63.11
au téléphone 809.19
au théâtre 817.30
rappeler à l'ordre 63.13 ; 240.11 ; 576.14 ; 710.11
rappeler à la vie 353.17 ; 862.24
être rappelé à Dieu 534.25
rappeler (se) 503.11
rappeur 105.8
rappointis 637.3
rapport
relation 690.1 ; 698.1
ressemblance 719.2
proportion 323.2 ; 509.1 ; 668.1
division 324.2
comparaison 138.4
compagnie 137.1
communication 136.2
récit 691.1
t. de mathématique 493.2 ; 555.4
t. de gestion 339.8
rapports 763.8
rapports de production 662.7
rapports sexuels 711.8 ; 763.8
rapport de mélange 372.2
rapport de Tiffeneau 718.12
par rapport à 138.15 ; 698.14 ; 769.18
faux rapport 504.6
avoir rapport à 596.32
être en rapport 137.13
se mettre en rapport avec 137.18
mettre en rapport qqn avec qqn 137.18
rapportage 828.5
rapporter
raconter 691.12

ration
repas 703.9
quota 678.6
ration calorique 214.8
rational 449.12
rationalisable 682.17
rationalisation
conceptualisation 275.4
raisonnement 682.1
rationaliser
généraliser 807.14
raisonner 682.9
rationalisme 620.11
rationaliste
rationnel 682.13
philosophique 620.31
rationalité 425.2
rationnel
logique 511.15 ; 620.31 ; 682.13
fonction rationnelle 493.4
intuition rationnelle 434.2
pensée rationnelle 682.7
équation rationnelle 87.2
rationnellement 620.36 ; 682.19
méthodiquement 511.17
rationner 703.38
ratissage
arrestation 44.4
t. d'agriculture 18.4
tir de ratissage 820.8
ratissé
fauché 603.22
insolvable 209.29
ratisser
rechercher 689.15
voler 869.23
t. d'agriculture 18.20
t. de sports 792.85
ratissoire
outil 18.15 ; 584.26
ratite 570.4 ; 570.5
rat-kangourou 486.13
ratnasambhava 80.7
raton 27.13
raton laveur 486.7
ratonnade 288.19
ratonner 288.23
rattaché 698.10
rattachement
réunion 698.2 ; 725.1
rassemblement 352.2
adjonction 9.1
rattacher
réunir 725.10
intégrer 423.8
rattacher à 698.6
rat-taupe 486.5
rattrapante 118.7
rattraper
compenser 139.8 ; 726.8
le temps 811.9
rattraper (se) 299.7
rature
biffure 466.5
effacement 31.3
raturer
biffer 466.10
effacer 31.11
raucheur 518.10
rauque 781.31
rauquement 170.2
rauquer 170.6
raus 300.20
rauwolfia 38.9
ravage
destruction 205.6
drame 827.4
atteinte 412.2
faire des ravages 205.18
faire des ravages dans les cœurs 27.19
ravages du temps 811.2
ravagé 321.23
ravager
feu 311.24
endolorir 243.12
dévaster 205.20
ravageur 205.25
raval 518.3
ravalant 227.29
ravalement
nettoyage 550.8 ; 702.3 ; 727.11
critique 227.6
ravaler
nettoyer 607.29 ; 702.9
critiquer 227.18
ravaler au rang de 789.4
Ravana 186.4
ravaudage
réparation 702.2
bavardage 665.6
ravauder
raccommoder 165.28 ; 702.8
ravauderie 665.6
rave 309.11
ravenala 37.18
ravensara 37.18
ravi
extatique 397.18
attiré 53.11
joyeux 447.14 ; 629.17 ; 745.15
prospère 670.12
ravier 848.18
ravigoter
fortifier 353.17
stimuler 793.11
ravin
précipice 167.3 ; 530.9
ravine 530.9
ravinée 530.9
ravinement 337.4
raviner 337.26
ravioli 333.25
ravir
enthousiasmer 276.7
attirer 53.6
faire plaisir 447.10 ; 629.13
voler 169.23 ; 869.25
à ravir 677.19
se porter à ravir 743.7
raviser (se)
changer d'avis 25.12 ; 104.21
ravissant
délicat 677.15
agréable 69.18
charmant 53.9
ravissement
extase 397.7 ; 657.1
enthousiasme 276.4
joie 447.7
prospérité 670.3
vol 869.6
ravisseur 869.12
ravitaillement 41.6
ravitailler 703.38
ravitailleur
cargo 830.5
fournisseur 490.15
raviver
intensifier 427.11
enthousiasmer 276.7
ravoir
n.m.
filet 605.6
ravoir
v.t.
récupérer 722.11
rayer
strier 402.7 ; 517.15
tracer 466.10
bigarrer 643.8
t. de menuiserie 505.25
rayer de la liste 31.10
rayer de la surface de la terre 534.27
rayé 643.11
rayé des contrôles 228.13
rayé de la surface de la terre 228.13
ray-grass 360.7
rayon
d'un magasin 135.13 ; 490.13 ; 683.6
limite 467.2
droite 692.2
de soleil 777.2
de lumière 250.3 ; 473.4
domaine 7.2
métier 266.3
t. de géométrie 219.2 ; 338.7
t. d'agriculture 18.5
rayon vert 127.6 ; 777.3
rayon visuel 868.4
rayon d'espoir 285.3
rayon de soleil 447.8
rayon de soutien 638.9
rayonnage 519.10
rayonnant
joyeux 447.14
prospère 670.13
chauffant 109.8 ; 269.2
rayonne
produits dérivés du pétrole 617.7
textile 816.2
rayonnement
de la matière 269.1 ; 513.8
du soleil 777.2
de joie 447.8
influence 407.4
gloire 341.4
publicité 675.7
de la lumière 473.14 ; 473.18
exposition de rayonnements X ou *gamma* 509.14
rayonner
réchauffer 102.17
illuminer 473.28 ; 777.15
t. d'agriculture 18.20
rayure
raie 466.5 ; 692.2
creux 167.4
bigarrure 643.2
rayures 578.3
raz de marée 319.10
razzia 805.3
pillage 869.5
razzier 869.21
re-
répétition 210.15 ; 704.20
changement 104.28

ré- 326.22
ré 543.12
Rê 236.10 ; 236.34 ; 777.12
réac
conservateur 246.6 ; 611.17 ; 808.38
immobiliste 715.11 ; 715.20
réacteur
installation 131.14 ; 261.17 ; 269.7
d'avion 831.4
réacteur nucléaire 131.14 ; 513.10
réactif 687.17
agent 15.2
réaction 687
tendance politique 246.4 ; 611.6 ; 715.4 ; 808.11
à un choc 115.11
réponse 7.5 ; 705.3
de la Bourse 81.12
t. de biologie 94.25 ; 381.3 ; 381.7
réaction nucléaire 513.7
réaction d'alarme 21.3
réaction en chaîne 131.4 ; 221.12
réactionnaire
n. 246.6 ; 611.8 ; 687.6 ; 715.11
adj. 611.17 ; 687.17 ; 715.20 ; 808.38
réactionnel
réactif 687.17
t. de psychanalyse 715.22
réactivation 7.3
réactivement 687.21
réactiver 7.12
réactivité
d'un élément 113.11
nervosité 549.4
réactualisation 652.3
réactualiser 652.9
réadaptation 353.5
réadaptation fonctionnelle 775.10
réadapter 357.22
réaffirmer 13.6
réagine 381.12
réagir
répondre 254.5 ; 687.16 ; 705.11
t. de chimie 113.21
réagir à 687.8
réagir contre 572.10 ; 687.10
réagir sur 687.9
faire réagir 793.13
real 529.8
réal 529.13
réale 459.8
réalgar 575.1
réalisable
faisable 646.10
exécutable 5.21
réalisateur
agent 5.10
d'émissions 681.15
d'un film 120.26
réalisation
actualisation 297.6 ; 492.5
accomplissement 5 ; 7.4 ; 34.2
d'une promesse 666.7
production 662.1
réalisé 5.20
réaliser
actualiser 297.11 ; 492.6 ; 646.6
comprendre 275.9
accomplir 5 ; 7.11 ; 664.13
réussir 798.11
produire 662.15
réaliser (se)
avoir lieu 5.18 ; 290.11 ; 492.7
réussir 798.12
réalisme
théorie philosophique 375.11 ; 492.3 ; 620.13 ; 796.4 ; 854.11
pessimisme 615.3
tendance artistique 46.11 ; 196.8
réalisme naïf ou *chosisme* 620.13
réalisme socialiste 46.12 ; 196.8
réalisme spéculatif 620.13
nouveau réalisme 46.13
réalisme naïf 620.13
réaliste
pessimiste 615.7
t. de philosophie 492.10 ; 854.22
t. d'histoire de l'art 46.16 ; 196.7 ; 691.17
réalistement 492.11
réalité 297 ; 854.2
matérialité 492.1
substance 796.1
réel 620.20
en réalité 5.25 ; 375.28 ; 854.28
jugement de réalité 450.4
reality-show 681.13
realpolitik 642.9
réaménagement 577.5
réaménager 577.16
réanimateur 114.28
réanimation 775.9
respiration artificielle 718.18
thérapeutique 353.8
réanimer 353.17
réapparaître
recommencer 297.10
apparaître 34.7
réapprovisionnement 490.9
réapprovisionner 490.18
réarmement 621.14
réarmer 621.21
réassortiment 490.9
réassortir
approvisionner 490.18 ; 560.8
Réaumur
degré Réaumur 102.12 ; 127.12
rebab 422.4
rebaptiser 554.18
rébarbatif
ennuyant 272.12 ; 713.13
inhospitalier 409.10
rebâtir 702.7
rebattre
rebattre les oreilles 704.9
rebattu
rabâché 326.16
plat 630.9
rebaudir
rebaudir les chiens 107.19
rebec 422.5
rebelle
non-conforme 556.15 ; 556.7
insensible 418.18
désobéissant 200.4 ; 200.8 ; 693.18 ; 715.19
révolutionnaire 728.4
rebeller (se)
être en désaccord 194.13 ; 556.8
refuser 200.6 ; 687.10 ; 693.12
désobéir 642.23 ; 728.8
rébellion
désobéissance 194.4 ; 200.2 ; 715.3
révolution 728.1
rebelote 704.18
rebiffer (se) 194.13
refuser de 693.12
réagir contre 687.10
tenir tête à 200.6
résister 715.12
reblochon 328.6
reboisement 36.2
rebond
secousse 746.4
choc en retour 115.11
rétroaction 687.2
rebondi 351.13
rebondir 259.10 ; 746.12
rebondissement
saut 746.4
réaction 687.2
rebord
bord 77.1 ; 77.8 ; 78.8
t. de serrurerie 760.7
rebours 436.3
à rebours 221.33 ; 436.15 ; 572.17
aller à rebours 193.10
à rebours de 436.18
au rebours de 436.18 ; 572.22
rebouteur 477.18
rebouteux
chirurgien 114.27
thérapeute 775.22
magicien 477.18
rebroussement
retournement 436.2
hérissement 624.7
détournement 832.6
rebrousser 436.10
rebrousser chemin 436.11
rebrousser le poil 192.8
à rebrousse-poil 221.33 ; 572.18
rebrousser (se) 624.14
rebroussoir 436.7
rebuffade
repoussement 713.2
refus 693.1
affront 439.5
rébus
énigme 411.4 ; 680.5
jeu de mots 24.3 ; 535.13
devinettes 446.17
rebut 693.6 ; 713
camelote 500.5
ramassis 367.2
populace 734.5
au rebut 713.18
mettre au rebut 206.6 ; 713.9
jeter au rebut 713.9
rebutant
déplaisant 192.13 ; 713.13
dissuadant 231.10
inhospitalier 409.10

rebuter
déplaire 192.7 ; 713.12 ; 713.7
ennuyer 272.9
dissuader 231.5
être rebuté de 713.10
rebuter (se) 713.10
recadrage 104.4
recadrer 104.16
recalcification 775.11
récalcitrant 200.9
désobéissant 693.18
résistant 715.18
recalé
refusé 693.15
perdant 249.17 ; 249.8
recaler
refuser 693.9
t. de menuiserie 505.23
récap 723.1
récapitulatif
résumé 723.1 ; 723.8
liste 490.14
récapitulation
résumé 723.5
t. de rhétorique 729.6
récapituler 723.6
recarreler 110.18
recéder
céder 101.10
restituer 722.7
recel 169.10
receler
contenir 151.9
garder 169.24 ; 869.17
cacher 751.15
receleur 869.14
récemment 598.19 ; 602.15
dernièrement 33.26
nouvellement 560.15
récence 560.1
recensement 355.19
inventaire 555.8
contrôle 155.1
recenser 155.15
dénombrer 355.29 ; 555.13
recension
comptage 555.8
comparaison 138.1
article 225.9 ; 723.4
récent
nouveau 414.10 ; 560.12
proche 673.11
recentrer
centrer 96.12
t. de sports 792.85
recepage ou **recépage**
t. de travaux publics 834.24
t. d'arboriculture 36.3
receper
t. de travaux publics 834.42
t. d'arboriculture 36.21
récépissé
accusé de réception 688.7
reçu 587.9
récépissé-warrant 688.7
réceptacle
contenant 151.2 ; 688.9
d'une fleur 318.4
récepteur 688.21
aires réceptrices 100.16
récepteur
nerf 548.16
auditeur 136.21 ; 136.9
télévision 681.3
de téléphone 809.6
t. de banque 66.36
récepteur adrénergique 548.16
récepteur gustatif 343.7
récepteur sensoriel 754.2
récepteur de téléphone 688.5
réceptibilité 688.10
réceptif 688.20
ouvert 755.17
réception 688
réunion 137.11 ; 309.8 ; 368.2 ; 725.3 ; 772.10
accueil 45.4 ; 278.3
lors d'une chute 119.2
d'une marchandise 829.4
la réception 278.6
avis de réception 688.7
accuser réception 157.13 ; 705.14
réceptionnaire
réceptionniste 688.11
bénéficiaire 688.12
t. de droit maritime 830.24
réceptionner
prendre 45.13 ; 688.14
t. de sports 792.85
réceptionniste 688.11
réceptivité
recevabilité 688.10
impression 754.3
maladie 482.9
sensibilité 755.5
receptrice 688.5
recercelé ou **recerclé** 171.20
recès 779.5
récessif 361.21
récession
ralentissement 458.7
improduction 389.3
récessivité 361.6
recette
système 807.8
réception 688.8 ; 688.9
gain 339.8
recette buraliste 688.8
recettes publiques 688.8
bureau de la recette 688.8
recevabilité
probabilité 660.1
conformité 688.10
t. de droit 245.42
recevable
probable 660.9
conforme 677.17 ; 688.19
exact 149.18 ; 854.21
décent 177.9
receveur
de sang 742.23
de marchandises 688.12
d'argent 339.17
d'impôts 317.27 ; 317.28
receveur universel 742.23
receveur-percepteur 317.27
recevoir
contenir 151.10
réceptionner 45.12 ; 688.14 ; 688.15 ; 688.17
accueillir 278.14 ; 356.12 ; 368.6 ; 772.13
inviter 309.20
posséder 645.17
recevoir (se) 688.17
recez 779.5
réchampir 607.27
rechange 66.28
rechanter 106.26
réchappper de 752.12
en réchapper 353.13
recharger
recharger les accus 864.13
rechasser 713.7
réchaud 109.9
réchaud à gaz 335.5
réchauffage 109.1
réchauffé 28.5
réchauffement
chaleur 102.7
climats 127.7
chauffage 109.1
réchauffement de l'atmosphère 251.9
réchauffer
climats 127.17
chauffer 102.20 ; 109.23
réchauffeur 109.9
rechausser 813.18
rêche 604.15
recherche 689
innovation 414.1
tentative 812.2
fouille 207.1
distinction 184.1 ; 233.1
affectation 12.1
recherche en paternité 609.4
sans recherche 386.10
avis de recherche 689.4
faire de la recherche 689.12
partir à la recherche de 689.16
recherché
cherché 689.19
soigné 774.22
distingué 184.11
affecté 12.13
demandé 185.24
recherche-action 689.2
recherche-développement 689.2
rechercher
fouiller 207.18 ; 689
désirer 199.10
collectionner 599.14
rechercher la difficulté 217.13
rechignement 715.1
rechigner
répugner à 62.6
bouder 192.10
renâcler 715.13
rechute 606.4
répétition 704.1
complication 16.3
rechuter 16.6
récidivant 16.11
récidive
répétition 704.1
d'une maladie 16.3
d'un méfait 606.4
récidiver 704.10
récidiviste
répétiteur 704.8
criminel 169.17
récidivité 704.1
récif
barrière de corail 67.11
danger 175.2
écueil 567.4
récipiendaire 688.13
promotion 667.7
récipient
contenant 151.1
dépôt 688.9

réciprocité 690
dépendance 698.3
égalité 256.3
réaction 687.3
retour 726.1
à titre de réciprocité 726.11
réciproque
n.f.
retour 690.5
adj. 687.20 ; 690.13
correspondant 698.10
réciproquement 687.22 ; 690.15
relationnellement 698.13
en retour 436.16
réciproquer 690.12
récit 691
chant 106.11
récit de fondation 363.6
récit de voyage 871.13
fil du récit 691.9
récital 758.4
récitant 691.11
récitateur 691.11
récitatif 691.8
air 106.11
récitation 595.10
cours 225.7
réciter 595.19
réclamation 185.1
réclamation d'état 185.3
réclamations 809.15
service des réclamations 185.9
réclame
ostentation 581.2
publicité 675.4
chant 106.5
solde 135.2
réclamer
nécessiter 545.5
demander 168.16 ; 185.15
ordonner 650.7
mériter 507.12
reclassement 576.4
reclasser 126.15
reclure 779.12
reclus
solitaire 355.32 ; 779.17 ; 779.8
otage 208.16
réclusion
solitude 779.1
détention 208.1
réclusionnaire 208.15
recognition 503.5
recoin 751.2
récolement 155.3
comparaison 138.1
récoler 155.15
recollage 702.1
récollection 657.6
attention 52.1
recoller 702.7
récollet 525.10
récoltable 18.27
récolte 18.4 ; 18.8
récolter 18.23
récolteur 18.16
recombinaison
recombinaison génétique 361.8
recommandable
respectable 717.12
honorable 365.12
recommandataire 166.26
recommandation
avertissement 63.4
aide 19.2 ; 148.1 ; 148.3
prescription 650.1
recommandé
n.m.
assurance 157.2
en recommandé 157.17
envoi en recommandé 157.9
adj.
conseillé 148.15 ; 571.11
lettre recommandée 157.2
recommander
avertir 63.12
protéger 671.21
aider 19.19 ; 148.9 ; 302.13
prescrire 650.5
se recommander à tous les saints du Paradis 591.8
recommencement 134.6
nouveauté 414.4
répétition 704.1
éternel recommencement 704.4
recommencer 134.22 ; 153.18
répéter 634.7 ; 704.10
réapparaître 297.10
récompense
compensation 139.5
prix 274.12 ; 798.5
gratitude 348.2
mérite 507.5
condamnation 144.4
don 241.2
récompense honorifique 507.5
récompenser 241.18
primer 798.19
applaudir 268.12
féliciter 366.14
recomposé
famille recomposée 304.1
recomposer 113.20
réconciliation 6.2
conciliation 141.3
réconcilier 141.15
réconcilier (se)
s'allier à 586.12 ; 685.14
s'accorder 6.9 ; 141.16
reconductible
dépense reconductible 339.10
reconduction 153.12
renouvellement 560.5
reconduire
continuer 153.18 ; 560.11
refuser 409.5
accompagner 163.9 ; 833.35
reconduite
reconduite à la frontière 288.11 ; 295.1
réconfort
soulagement 786.1
encouragement 268.1
réconfortant
soulageant 89.15 ; 786.11
encourageant 268.13 ; 793.6
réconforté 786.10
réconforter
ranimer 862.24
soulager 89.6 ; 786.4
protéger 752.9
encourager 19.20 ; 268.9
reconnaissable 376.15
reconnaissance
réception 688.7
souvenir 503.5
exploration 179.2 ; 207.2 ; 487.12 ; 871.6
gratitude 348.1 ; 565.4
d'un enfant 314.9
reconnaissance diplomatique 642.9
reconnaissance de dette 565.5 ; 587.10
reconnaissance de paiement 587.9
reconnaissance de la parole 408.22
reconnaissance de paternité 609.4
avoir la reconnaissance du ventre 348.4
témoigner sa reconnaissance 348.4
reconnaissant 348.7
obligé 565.15
reconnaître
comprendre 275.9
se rappeler 503.11
explorer 179.8
un enfant 314.13 ; 609.8
nommer 554.18
reconnaître que 149.11
reconnaître coupable 144.27
reconnaître un bienfait 348.4
reconnaître son impuissance 385.6
reconnu
certain 99.8
célèbre 59.23 ; 798.23
accepté 314.16
nommé 554.29
reconquérir 50.15
reconquête 50.3
reconsidérer 52.5
reconstituant
n.m.
stimulant 793.6
adj. 499.30
tonique
reconstituer
réparer 702.7
reconstituer ses forces 706.12
reconstitution 702.1
reconstruction 702.1
reconstruire 702.7
reconventionnelle 451.6
reconvertir 702.9
recopier
imiter 379.5
écrire 252.14
record 792.37
battre des records 800.16
recordman 792.43
recoudre
raccommoder 165.28 ; 702.8
recoupe 816.19
recoupement 171.2
recouper 501.14
recourbé 162.11
recourber 162.8
recourir à 846.15
recours
t. de droit 451.16 ; 722.3
t. de banque 66.28
recours du porteur 66.28
recours en grâce 185.3 ; 451.16
action en recours 451.16
voie de recours 451.16
avoir recours à 596.27 ; 846.15

redevance 317.2
redevoir 348.4
rédhibition 31.2 ; 191.5
rédhibitoire
négatif 693.17
annulateur 31.15
clause rédhibitoire 31.4
vice rédhibitoire 860.5
rédie 856.3
rediffuser 681.19
rediffusion 681.10
rédigé 252.16
rédiger 252.15
rédimer 592.11
redingote 859.9
redire 379.7
trouver à redire 194.11 ; 710.17 ; 714.10
redistributif 317.42
redistribution 317.15
redite
redondance 435.6 ; 704.3
faire des redites 665.8
redivorcer 238.11
redondance 435.6 ; 704.3
redondant
réitéré 704.13
inutile 435.12
prolixe 665.11
redonner 722.7
redonner vie à 862.24
redorer 575.17
redorer son blason 552.23 ; 575.18 ; 730.12
redoublant 274.16
redoublé
répété 704.13
renforcé 427.17
intervalle redoublé 543.17
lettre redoublée 459.2
pas redoublé 487.2
redoublement
intensification 427.6
doublement 210.3
redoubler
renforcer 427.13
doubler 210.6
s'aggraver 16.5 ; 759.7
redoubler de violence 865.17
redoul 38.4
redoutable
effrayant 619.22
dangereux 175.11
redoutablement 175.19
redoute
fête 137.11 ; 309.11 ; 309.13
fortification 182.9
redouter
soupçonner 395.10
avoir peur 619.13
redoux 102.7 ; 127.7
rédowa 176.9
redressement 692.4
redressement fiscal 317.19
maison de redressement 208.8
redresser
aligner 692.8
t. de menuiserie 505.23
redresser le buste 639.8
redresser (se)
s'aligner 692.10
réagir 687.10
redresseur 261.17
redresseur de torts 451.18
réducteur
diminuant 220.19
t. de chimie 113.4
réducteur de pression 632.6
réductibilité 616.2 ; 790.4
réductible 493.9
réduction
diminution 220.1 ; 220.8 ; 616.2
en temps 421.4
contraction 154.1 ; 187.3
digestion 218.1
sous-estimation 789.1
t. de mathématique 539.1
t. de géométrie 338.12 ; 338.13
t. de biologie 94.25
t. de chirurgie 114.6
t. de plomberie 632.9
solde 524.3
d'un impôt 317.19
réduction concentrique 632.9
réduction des dépenses 281.2
réduction de peine 144.16
réduction de texte 723.1
en réduction 616.16
réduire
diminuer 220.11 ; 405.9 ; 616.6 ; 850.12
soustraire 790.6
limiter 467.7
contracter 154.9
sous-estimer 789.4
obliger à 565.7
modérer 522.11
un dessin 607.25
t. de géométrie 338.14
t. de chirurgie 114.33
t. de gastronomie 333.42
réduire ses dépenses 281.13
réduire une fraction 237.5
réduire le volume de 187.7
réduire en fractions 324.13
se réduire en fumée 311.21
se réduire à rien 228.7
réduit
n.m.
pièce 481.2
adj.
diminué 220.17 ; 616.11
limité 289.9
résumé 723.7
modique 524.15
en être réduit aux hypothèses 395.8 ; 802.6
réduplication
figures de discours 313.2 ; 313.3
réduve 417.5
réduviidés 417.4
réécrire 252.14
réédification 702.1
réédifier 702.7
rééditer 469.24
réédition 469.5
rééducation 353.5
rééducation motrice 775.10
rééducation et réadaptation fonctionnelles 498.6
rééduquer 775.26
réel
n.m. 297.3 ; 492.2 ; 796.7
adj. 290.12 ; 297.12 ; 492.8 ; 620.20 ; 854.20
le réel 854.6
fonction réelle d'une variable réelle 493.4
tir réel 487.4 ; 820.4
impôt réel 317.5
réélection 260.20
réellement 854.25
effectivement 297.14
matériellement 492.11
réémetteur 681.5
réemploi 266.6
réemployer 846.12
réenregistrer 273.15
rééquilibrer 282.13
réer 170.6
réescompte 66.11
réescompter 166.27
réexposition 543.29
réfaction 659.4
réduction 524.3
refaire
répéter 704.10
décevoir 178.5
réparer 702.7
escroquer 284.10 ; 869.18
refaire le poil à 284.10
refaire sa vie 491.22
refaire (se)
récupérer 353.14
se reposer 706.12
refait
n.m.
t. d'arboriculture 74.15
adj.
escroqué 284.14
réfection 702.1
réfectoire 481.22
enseignement 274.8
table 703.15
refendre
fendre 74.21
t. de menuiserie 505.23
refente
t. d'arboriculture 36.8 ; 74.4
t. d'imprimerie 388.3
référé
relation 698.1
sémantisme 753.3
référence
norme 509.1 ; 559.2
autorité 59.10
t. de linguistique 698.1 ; 753.3
de référence 59.23
référendaire 260.29
référendum 260.1
référent
relation 698.1
sémantisme 753.3
avoir pour référent 698.6
référentiel 403.1
référer à 698.6
référer à (se) 148.13
refiler
transmettre 361.19
donner 101.10 ; 241.14
refinancement 66.11
refinancer 66.42
réfléchi
méthodique 511.14
dévié 473.37
raisonné 682.12
calme 89.13
sérieux 759.11
sage 620.34 ; 810.10
volontaire 462.36
sûr 752.17
prudent 674.12
t. de botanique 37.27

réfléchir
v.t.
dévier 212.14
la lumière 473.30 ; 574.15
la chaleur 102.17
v.i.
raisonner 620.27 ; 682.11
répercuter 687.12
préparer 649.13
sans réfléchir 386.6
réfléchissant 574.22
réfléchissement 473.16
réflectance 473.16
réflecteur 212.9 ; 250.17
observatoire 49.17
lentille 574.3
jumelle 574.4
miroir 473.19
réflectif 548.26
reflet
ressemblance 379.3 ; 709.1 ; 719.7
inversion 436.6
d'une lumière 473.5 ; 643.4
refléter
imiter 379.5 ; 709.9
dévier 212.14
inverser 436.9 ; 687.12
refléter (se) 473.30
refleurir 318.41
reflex 621.3
réflexe
n.m. 548.17 ; 687.4 ; 705.3 ; 718.3
réflexe photomoteur 868.3
marteau à réflexes 498.17
adj. 473.37 ; 476.20 ; 548.26 ; 687.18
arc réflexe 548.17
réflexibilité 212.11
réverbération 473.16
réflexif 493.9
mémoire réflexive 503.1
réflexion
déviation 212.4 ; 473.16 ; 574.9
étude 275.4 ; 620.22 ; 682.4 ; 689.1
répercussion 687.2
préparation 649.1
prudence 674.1
angle de réflexion 30.3
réflexo- 687.23
réflexogène 687.18
réflexologie 548.21
réflexothérapie 775.8
refluement 193.8
refluer 193.10
reflux 193.8
marée descendante 195.3
marée 319.9
refondation 104.4
innovation 414.1
refonder
innover 414.7
changer 104.14
refondre 577.16
refonte 577.5
reformage 617.4
réformateur
contestataire 194.6
protestant 117.13
reformatio
reformatio in pejus 144.17
réformé
dispensé 683.21
protestant 117.13 ; 117.24
Église réformée 117.8
judaïsme réformé 449.2
religion prétendue réformée 117.5
reformer 617.10
réformer
innover 414.7
changer 104.14
discipliner 253.8
réformisme 104.10 ; 694.13
réformiste 293.8 ; 694.26
refouillement
creux 167.10
t. de sculpture 749.3
refouiller 749.18
refoulement
exclusion 295.1 ; 429.7
éloignement 263.1
refus 693
modération 522.5
résistance 715.5
refouler
éloigner 263.7
repousser 687.11 ; 713.7
modérer 522.12
refuser 288.22 ; 409.5
cacher 751.16
réfractaire
à la chaleur 131.29
insensible 418.18
désobéissant 200.4 ; 200.9 ; 693.18
résistant 715.18 ; 715.19 ; 715.9
t. de biologie 512.17
prêtre réfractaire 699.10 ; 715.19
réfracter
réfléchir 212.14 ; 473.30 ; 574.15
réfracteur
observatoire 49.17
jumelle 574.4
réfraction 574.9
diffraction 212.4
réverbération 473.16
rétroaction 687.2
angle de réfraction 30.3
indice de réfraction 473.22
réfractomètre 473.25
réfractométrie 473.26
refrain
répétition 704.5
d'une chanson 105.7
d'un poème 635.12
réfrangibilité 473.16
réfrangible 473.37
refrènement ou **réfrènement** 522.5
refréner ou **réfréner** 865.21
apaiser 89.7
modérer 567.13
pondérer 522.12
réfrigérant
froid 327.18 ; 327.20
inhospitalier 409.10
réfrigérateur 327.8
au réfrigérateur 51.10 ; 392.15
réfrigération
froid artificiel 327.3
conservation 333.4
réfrigérer 327.15
réfringence 212.11
réverbération 473.16
réfringent 473.37
refrogné 409.10
refroidir
rafraîchir 127.17 ; 327.15
tuer 534.27
calmer 89.7
t. de gastronomie 333.46
refroidir (se) 327.14
refroidissement
climat 127.7
froid 327.4 ; 327.5
refroidissement d'amitié 410.4
refuge
abri 356.2 ; 368.4 ; 653.11 ; 671.4 ; 752.7
cachette 420.5
réfugié 288.3
réfugié politique 288.3
réfugier (se) 355.28
émigrer 288.20
refuir 107.27
refuite
motif 536.4 ; 656.2
t. de menuiserie 505.10
t. de chasse 107.11
refus 693
opposition 546.3 ; 572.3
repoussement 713.2
d'un obstacle 567.9
résistance 715.1
interdiction 429.3
t. de métallurgie 510.12
refus d'obéissance 200.2
conduite de refus 715.5
refusable 693.16
refuser
v.t.
exclure 295.11
repousser 62.6 ; 409.4 ; 713.8
nier 546.11
s'opposer à 693 ; 870.10
résister 715.16
interdire 429.11
v.i.
t. de marine 852.19
refuser de 693.12
refuser sa porte à qqn 308.15
refusé 249.17 ; 693.15 ; 713.4
refuser (se)
refuser de 693.12
s'interdire 429.16
réfutable 546.15
incertain 395.13
inacceptable 693.16
réfutation
négation 546.1
t. de rhétorique 313.5 ; 729.6
réfuter 705.9
opposer 572.8
nier 546.9
refuser 693.13
répondre 687.15
reg 197.1
regagner 685.12
regagner le temps perdu 811.9
regain 738.2
regain d'énergie 864.2
régal
plaisir 629.5
festin 703.3

régalade 311.3
à la régalade 75.37
régalage 834.23
régale 317.11
régale monétaire 245.23
régalec 638.6
régaler
inviter 309.20 ; 703.23 ; 772.13
t. de travaux publics 834.44
régaler (se) 343.13
régalien 317.13
droits régaliens 245.23
regard
ouverture 585.5
vision 868.1
jugement 450.3
t. de géologie 221.1
en regard de 138.15
pages en regard 469.13
accrocher les regards 52.9
allumer le regard de 600.8
attirer le regard 53.5
avoir un regard neuf sur 560.7
embrasser du regard 868.18
mettre en regard 138.8
se réserver un droit de regard sur 714.11
regardable 868.26
regardant
avare 61.9
économe 281.15
regarder
donner sur 221.27
vouloir voir 868.18
concerner 596.32
regarder vers 221.27
regarder à la dépense 61.7 ; 281.13
regardeur 868.16
régate
concours 309.6 ; 792.30
cravate 859.28
regazéificateur 335.11
regazéification 335.10
regazéifier 335.13
régence 797.2
style Régence 519.27
Regency 519.27
régénération 821.7
modernisation 560.5
t. de botanique 79.6
régent
d'une école 274.14
titre 822.5
remplaçant 694.18 ; 797.6
t. de banque 66.31
régenter
gouverner 240.10
diriger 133.19
reggae
musique 105.5 ; 543.8
régicide
crime 169.4
assassin 169.18
régie
de radiotélévision 681.5
de publicité 675.8
entreprise 222.7
des impôts 317.25
t. de théâtre 748.11
régie de presse 675.8
regimbement 715.1
regimber
refuser de 693.12
réagir contre 687.10
résister 715.12
regimber (se) 715.12
regimbeur 715.9
régime 694
organisation 577.1 ; 807.7
série 330.5 ; 352.5
d'un fleuve 319.15
cure 214.2
vitesse 57.4 ; 684.8
sobriété 771.2 ; 810.4
du mariage 491.7
t. de grammaire 346.8
régime des pluies 633.1
au régime 703.45
à plein régime 684.49
cas régime 346.5
être au régime 771.6
se mettre au régime 214.10 ; 810.8
soumettre à un régime 775.25
régiment
foule 540.3
armée 41.8
région 695
circonscription 355.20 ; 845.10
de défense 182.5
t. de zoologie 873.5
région sous-thalamique 100.2
régional
local 695.15 ; 808.50
t. de linguistique 455.19 ; 535.28
régionalement 695.16 ; 808.53
régionalisation 642.7
régionaliser 695.13 ; 808.32
régionalisme
doctrine 124.11 ; 695.8 ; 808.15
t. de linguistique 455.4 ; 535.6
régionaliste 695.12
nationaliste 808.41
régir
administrer 577.20
gérer 339.21
régisseur
de théâtre 817.20
de cinéma 120.26
de cirque 123.13
des impôts 317.28
registre
de sons 781.6
cahier 252.7 ; 387.4
d'un instrument de musique 422.20
d'une voix 106.15
registre censier 317.23
registre comptable 339.16
registre grave 782.1
registre verbal 535.14
réglage 621.14
règle 696
norme 521.3
obligation 545.3 ; 565.3
convenances 177.3
règlement 511.7 ; 525.20 ; 576.9 ; 577.11 ; 658.2
prescription 133.4 ; 164 ; 650.2
t. de grammaire 346.2
corps de règles 245.35
règle du jeu 446.1
règle du silence 766.2
règle des trois unités 844.7
règles de calcul 87.3
règle de trois 87.3 ; 837.1
règle des signes 87.3
les quatre règles 87.3 ; 696.5
dans les règles 677.18 ; 696.27
de règle 696.23
ne marcher qu'avec règle et compas 674.9
règle
instrument 505.17 ; 509.26
règle à calcul 87.9
Règle
constellation 49.15
réglé
normalisé 696.19
mesuré 509.30
limité 467.12
ponctuel 644.4
payé 587.25
réglé comme un papier de musique 357.16
règlement 696.2
principe 511.7
règle 650.2
loi 245.30
paiement 587.1
règlement de compte 720.3
réglément 696.27
réglementaire 650.9 ; 696.21
normal 696.23
légal 245.56
réglementairement 577.27 ; 696.26
réglementarisme 696.11
légalisme 245.43
réglementariste 696.12
réglementateur 696.12
réglementation 222.4 ; 559.8
codification 696.9
réglementé 696.19
réglementer
organiser 511.12 ; 576.14 ; 577.21
normaliser 559.10 ; 696.14
prescrire 222.13 ; 650.6
régler
organiser 576.12 ; 577.21
normaliser 521.8 ; 696.13
achever 31.10 ; 315.15
tracer 466.10
préparer 649.10
un litige 141.14
proclamer 650.6
un appareil photo 621.21
payer 587.13
régler sur 559.11
régler une affaire 135.26
régler une coupe 36.25
régler ses dépenses 281.13
régler une taxe 317.37
être réglé comme une horloge 644.3
régler (se) 559.13 ; 696.17
se conformer à 147.10
règles
menstrues 340.5 ; 742.12
avoir ses règles 306.15
réglet
règle 509.26 ; 692.3
ornement 505.17 ; 578.3
réglisse
arbuste 38.6

sucrerie 799.5
réglo 696.24
réglure
rectitude 692.1
biffure 466.5
règne 126.5
en règne 520.9
régner
exister 297.8
commander 59.16
régner sur 59.14 ; 133.21
regonfler
stimuler 793.11
encourager 268.9
regorger
abonder en 1.8
rejeter 296.21
regorger de santé 743.7
régosol 337.16
regratter
regratter sur tout 61.8
regrattier 61.3
regrès 344.4
régresser 293.11
aller en sens inverse 436.11
régressif
en diminution 220.20 ; 293.13 ; 344.10
t. de fiscalité 317.5
régression
diminution 220.1 ; 293.4 ; 344.4
recul 263.2
inversion 436.2
récession 389.3
t. de géologie 337.4
t. de mathématique 493.5
t. de zoologie 873.8
régression marine 263.2
régression sénile 863.2
régressivement 344.15
regret 697
tristesse 272.1 ; 598.6 ; 836.2
expiation 299.1
à regret 192.16
regrettable 697.9
déplorable 836.17
déplaisant 192.12
atterrant 11.26
regrettablement 697.12
regretté 697.11
regretter
être triste 178.6 ; 598.12 ; 697.5 ; 697.6
expier 299.7
regretteur 697.10
regros 727.5
regroupé 126.18
regroupement
groupement 352.1
rapprochement 685.1
regroupement de titres 81.15
regrouper
classer 126.15
rassembler 352.18
des troupes 487.37
regrouper (se)
s'associer 772.11
se rassembler 487.37
régularisation
uniformisation 147.5 ; 843.3
normalisation 245.40 ; 558.5 ; 559.7
régularisé 147.13
régulariser
uniformiser 147.9 ; 843.7 ; 844.12
normaliser 245.50 ; 558.6 ; 559.11 ; 576.14 ; 696.13
un mariage 491.22
régularité
conformité 147.3
normalité 245.42 ; 558.1 ; 559.5 ; 576.2 ; 696.10
continuité 153.3 ; 611.3
égalité 256.1
proportion 668.1
d'un rythme 326.3
ponctualité 644.1
régularité de métronome 644.1
régulateur
horloge 118.6
militaire 487.21
d'une machine 476.12
régulateur d'allure 109.16
régulation
uniformisation 843.3
normalisation 558.5 ; 559.7 ; 696.9
manœuvre 487.9
t. d'économie 222.4
régulation des naissances 711.14
régule 559.3
réguler
uniformiser 843.7
normaliser 559.11 ; 696.13
t. d'économie 222.13
régulier
n.
moine 525.4
adj.
identique 376.14
uniforme 843.9
conforme 147.13
ordonné 576.20
normalisé 558.10 ; 696.19 ; 696.23 ; 696.24
mesuré 509.30
continu 611.17
fréquent 326.14
de qualité 677.18
sérieux 759.12
ponctuel 644.4
permanent 832.34
t. de botanique 318.45
clergé régulier 525.3
vie régulière 862.12
régulièrement
uniformément 843.13
conformément 147.15
normalement 696.27
continûment 293.15 ; 611.19
fréquemment 326.19 ; 357.34
ponctuellement 644.6
Régulus 49.5
régurgitation 296.6
pelote de régurgitation 570.23
régurgiter
vomir 296.21 ; 482.55
réhabilitation
réparation 702.3
pardon 592.5
réhabiliter
réparer 702.9
pardonner 592.10
réhabituer 357.22
rehaussement 317.19
rehausser
augmenter 56.8
ennoblir 552.21
un dessin 578.14 ; 607.27
rehaut 607.10
réification 796.3
matérialisation 492.5
réifier 796.5
matérialiser 492.6
réimplantation
dents 188.18
t. de chirurgie 114.11
réimplanter
dents 188.24
t. de chirurgie 114.33
réimpression 388.2
réimprimer 388.18
rein
dos 242.1
glande 340.2
voies urinaires 296.13
reins 242.2
avoir les reins souples 761.11
casser les reins à qqn 227.19
réincarnation
résurrection 534.5
hindouisme 362.5
reine
souveraine 117.17 ; 800.8
prostituée 672.12
figure des cartes 446.14 ; 446.4
reine de beauté 69.3
la reine de la nuit 474.1
à la reine 519.39
reine-claude 330.8
reine-des-prés 318.27
reine-marguerite 318.10
reinette 330.10
reine des reinettes 330.10
Reinhold 474.7
reinté 864.17
réintégrande 722.3
réintégration 702.4
réintégrer 722.10
réinventer 179.10
reis 529.13
réitérable 704.14
réitératif 704.12
réitération
répétition 611.3 ; 704.1
fréquence 326.1
réitéré 704.13
fréquent 326.13
réitérer
recommencer 704.10
répéter 326.9
rejaillir 783.15
rejaillissement
jaillissement 258.5
réaction 687.2
Rejangs 371.12
rejet
suite 254.1
exclusion 295.1
éjection 258
répulsion 713
d'un arbre 37.5
refus 693.1 ; 701.1
bannissement 409.1 ; 582.2
t. de droit 451.17
t. de poétique 635.16
rejetable 713.15
rejeter
exclure 295 ; 783.22
repousser 263.7 ; 713
éjecter 258.9
ne pas aimer 62.6

permanent 611.15
remaniement 576.4
réorganisation 577.5
remaniement chromosomique 361.8
remaniement ministériel 642.4
remanier
réorganiser 577.16
changer 104.14
ébaucher 664.14
remariage 491.6
remarier (se) 491.22
remarquable
notable 290.13 ; 384.11 ; 427.14
excellent 341.28 ; 507.15 ; 677.15
remarquablement 427.29
remarque
réserve 714.4
reproche 710.4
remarquer 868.17
se faire remarquer 341.20 ; 556.8 ; 868.24
remballer
ranger 490.22
rabrouer 409.4
rembarrer 713.11
éconduire 693.9
battre froid 409.4
remblai 834.23
barrage 67.6
butte 78.2
terre 813.3
travaux publics 834.14
remblayage 834.23
remblayer
boucher 308.13
travaux publics 834.44
remblayeuse 834.27
rembourrage 152.4
rembourré 519.38
rembourrer 703.29
rembourrure 152.4
remboursé 587.25
remboursement 166.19
restitution 722.1
paiement 587.1
rembourser 587.19
restituer 722.7
rembourser (se) 587.23
remboursez ! 416.11
rembranesque 46.15
rembruni 836.12
rembrunir (se) 561.10
rembuchement 107.11
rembucher 107
remède
médicament 353 ; 499
antidote 453.4 ; 786.3
ressource 653.10
aux grands maux les grands remèdes 499.24
remédiable 499.29
remédier 353.16
porter remède à 499.24
soulager 786.4
remembrance 503.5
remembrement 18.3 ; 845.5
remembrer 845.22
remémoratif 503.17
remémoration 503.5
remémorer (se) 503.11
remerciement 163.4 ; 348.2
compliment 507.4
remercier
dire merci 163.8 ; 348.4 ; 471.15
renvoyer 292.6
remercieur 348.3
remercîment → **remerciement**
réméré 191.5
récupération 722.4
vendre à réméré 135.24
rémérér 191.24
récupérer 722.11
remettant 66.38
remettre 647.15
ajourner 724.10
retarder 51.9
rémige 570.21
reminéralisation 775.11
réminiscence
souvenir 647.9
évocation 503.5
remise
rabais 66.8 ; 166.18 ; 220.8 ; 317.19 ; 524.3 ; 587.4 ; 790.1
délai 587.7 ; 647.5 ; 724.3
allégement 144.16 ; 461.6
délivrance 241.8 ; 274.12
remise de dette 461.6
remise
pièce 107.9 ; 481.12
remiser
garer 57.27
t. de jeu 446.38
remisier 81.25
rémisse 781.31
rémissibilité 592.8
rémissible 299.10
excusable 592.15
rémission
guérison 353.4
accalmie 89.2
pardon 592.2
libération 461.1
rémission des péchés 592.2 ; 818.16
sans rémission 153.30 ; 287.18
lettre de rémission 592.7
rémittence 353.4
rémittent
coupé 223.15
maladie 482.63
rémiz 570.8
remmaillage 702.2
remmailler
raccommoder 702.8
tricoter 165.26
remmoulage 510.6
remmouler 510.16
remmouleur 510.14
remnogramme 498.15
remnographe 498.20
remnographie 498.14
remodelage
réorganisation 577.5
t. de chirurgie 114.6
remodeler
réorganiser 577.16
changer 104.14
remontage 702.1
remontant
n.m. 353.9 ; 499.4 ; 793.6
adj. 127.21
remonte 638.13
remonté 359.9
remonté à bloc 277.6
remontée 792.4
remonte-pente 531.8
remonter
v.t.
hausser 359.6
revigorer 353.17 ; 786.4 ; 793.11
réparer 702.7
rattraper 792.83
remonter les bretelles 710.16
remonter le courant 687.16
remonter le moral 268.9
v.i.
s'élever 531.12
dater 254.5
revenir 598.10
remonter au déluge 28.8
remonter au vent 852.20
remontoir 118.7
remontrance
admonestation 63.5
reproche 710.1
remontrant
protestant 117.13
sermonneur 710.8
remontrer 710.9
en remontrer 800.15
remontreur 710.20
remords 697.2
expiation 299.1
rémore ou **rémora**
poisson 638.6
obstacle 217.6 ; 567.7
remorquage 826.2
transport 833.1
remorque 833.7
remorquage 826.2
transports par rail 832.16
à la remorque 193.20
remorquer 193.13
tirer 826.10
remorqueur 826.5
péniche 830.7
rémoulade 333.26
rémouler 637.12
rémouleur 637.11
remous
tourbillon 319.11 ; 538.3 ; 733.10
agitation 17.3
rempaillage
raccommodage 702.2
capitonnage 519.28
rempaillé 519.38
rempailler
raccommoder 702.8
décorer 519.35
remparer 67.15
rempart
fortification 67.2 ; 77.8 ; 182.8 ; 567.3 ; 845.15
bouclier 671.4
rempiler 41.22
remplaçable 797.13
transformable 104.23
remplaçant 797.6
emploi 266.16
sports 792.40
remplacé 797.13
remplacement 797
nouveauté 560.5
en remplacement de 104.27
remplacer 709.10 ; 797
emploi 266.24
nouveauté 560.8
se remplacer 797.10
rempli
n.m.
pli 165.4
adj. 744.9
remplir
garnir 1.10 ; 152.7 ; 396.12 ; 430.8 ; 744.3

envahir 608.9
remplir une fonction 5.13
remplissage 152.6
redondance 435.6
délayage 665.3
remplisseur 476.9
remploi 266.6
remployer 846.12
remplumer (se) 570.32
récupérer 353.14
rempocher 722.11
rempoissonner 638.20
remporter
remporter un succès 798.11
remporter une victoire 861.7
rempoter 79.19
remuant
animé 538.25
actif 7.13
entreprenant 279.13
remue 486.19
remué
choqué 115.36
touché 755.18
remue-ménage
chahut 201.7
confusion 202.3
remuement 538.6
remuer
agiter 17 ; 311.23 ; 486.26 ; 538
bouleverser 600.9 ; 755.11
pousser à agir 614.10
ne pas remuer le petit doigt 393.9
remuer ciel et terre 255.7 ; 689.17
remuer (se) 15.7 ; 255.5 ; 538.18
remueur 270.9
remugle 569.4
rémunérateur
lucratif 739.16
rentable 339.35
rémunération
emploi 266.11
salaire 739.1
rémunéré 739.15
rémunérer
payer 739.11
rétribuer 587.16
renâcler 715.13
bouder 192.10
renaissance
n.f.
renouveau 414.4 ; 560.4
résurrection 353.1
adj. 519.27
Renaissance 46
antiquité 363.3
renaissant 363.16
renaître
commencer 297.10
inventer 560.8
naître 862.25
récupérer 353.14
renaître de ses cendres 287.10
rénal
artère rénale 128.8
empreinte rénale 218.10
insuffisance rénale aiguë 296.11
plexus rénal 548.4
veine rénale 128.9
renard
mammifère 486.7
poisson 638.7
personne rusée 316.11
t. d'architecture 39.21
vieux renard 28.4 ; 838.9
Renard 49.15
renardière
tanière 486.18
élevage 262.5
renauder 192.11
rencard → **rancart**
rencarder → **rancarder**
rencart → **rancart**
renchéri 184.9 ; 217.17
faire le renchéri 12.10
renchérir
augmenter 56.8 ; 111.9 ; 659.12
amplifier 8.8 ; 504.21
renchérissement
inflation 56.3
hausse des prix 659.3
rencontre
réunion 137.8 ; 156.5 ; 725.1
match 792.38
collision 115.12 ; 768.2
rendez-vous 772.9
occasion 358.2
à la rencontre de 211.27 ; 221.23
mauvaise rencontre 137.15
bonne rencontre 358.2
de rencontre 358.10
rencontrer
heurter 115.21
voir 137.15
jouer contre 792.81
trouver 798.11
rencontrer (se)
se trouver 768.7
s'accrocher 115.27
se voir 137.15 ; 685.7
les grands esprits se rencontrent 297.8 ; 719.11 ; 768.7
rendement 662
efficacité 322.9
réaction 7.5
rendement poids 636.11
au rendement 739.17
rendeur 722.5
rendez-vous 137
visite 772.9
conversation 156.5
rendre
reproduire 196.11 ; 379.8 ; 607.25 ; 709.8
vomir 296.21 ; 482.54 ; 713.9
rapporter 662.18
redonner 722.7
rembourser 587.19
rendre la pareille 690.11 ; 707.9 ; 720.10
rendre compte 536.8 ; 691.12
rendre des points 787.14
rendre à la vie 862.24
rendre coup pour coup 160.21 ; 690.11 ; 720.10
rendre la monnaie de sa pièce 690.11 ; 707.9 ; 720.10
rendre (se)
aller 221.23 ; 871.23
s'avouer vaincu 180.8
se rendre compte 179.7 ; 275.9
rendu
représenté 196.6
redonné 722.2
arrivé 45.11
rendzine 337.16
rêne 65.2
rênes 221.10
renégat
négateur 546.8
hérétique 398.8
déserteur 181.4
traître 828.7
renégociation 141.3
renfermé 183.18 ; 714.14
triste 836.12
réservé 430.13 ; 751.28
odeur de renfermé 430.5
renfermer
contenir 151.9 ; 280.5 ; 396.10 ; 788.12
enfouir 751.16
renfermer (se) 308.19
renflement 162.4 ; 298.7
bosse 78.1
moelle épinière 548.10
renfler 351.8
renflouement 702.5
renflouer 702.11
venir à la rescousse 19.22
renfoncement
creux 167.1 ; 402.4
coup 160.1
renforçage
soutien 791.1
raffermissement 778.6
renforcement
accroissement 344.3
soutien 791.1
raffermissement 778.6
renforcer
étayer 9.12 ; 58.12 ; 143.6
grossir 23.9 ; 351.7
condolider 671.22 ; 778.10 ; 864.13
renforcir 864.10
renformir
raffermir 778.10
rénover 702.9
renformis 778.6
renfort
soutien 727.1 ; 778.6 ; 791
secours 19.1 ; 596.4
pour renfort de potage 427.28
renfrogné
triste 836.10
misanthrope 420.10
revêche 409.10
renfrognement 420.2
renfrogner (se) 308.19
bouder 192.10
faire grise mine 416.6
renga 635.11
rengaine
répétition 704.5
chanson 105.7
rengorger (se) 312.8
parader 581.7
reni 546.4
reniable 546.15
reniement 398.4 ; 546.4
abandon 452.2
renonciation 701.1
rétractation 181.3 ; 828.4
reniement de saint Pierre 117.21
renier 546.12 ; 828.12
abjurer 398.13
trahir 181.8
rejeter 701.7

réparateur
qui compense 139.13
qui restaure 702.12
chirurgie réparatrice 702.6
réparation 702
d'automobiles 57.17
compensation 139.5 ; 745.4
représailles 707.1
expiation 299.1
restitution 722.2
paiement 587.3
exiger réparation 707.10
réparatoire 299.8
réparer
compenser 139.8 ; 745.8
restaurer 702.7
se venger 707.11 ; 707.8
une machine 476.16
restituer 722.9
réparer ses forces 706.12
répartement 317.15
réparti 576.20
classé 126.18
repartie
présence d'esprit 424.3
réplique 705.2
réaction 687.4
éloquence 595.8
dialogue 156.7
repartir
répondre 687.15 ; 705.8
repartir à zéro 134.22
repartir de zéro 872.6
répartir 597.12
ordonner 576.12
classer 126.15
ranger 683.11
répartir un impôt 317.34
répartiteur
t. de fiscalité 317.29
t. de plomberie 632.6
répartition
ordre 576.1 ; 597.5
fréquence 326.6
des voix 260.7
répartition de l'impôt 317.15
reparure 519.28
repas 703
alimentation 563.2
repas de noce 342.2
repassage 584.29
repasser
affûter 637.12
transmettre 361.19
évoquer 503.9
réviser 35.4 ; 274.19
repasser derrière 155.13
repasseur 637.11
repasseuse 476.8
repêchage 301.3
repêcher 301.11
repeint 607.10
repenser
changer 104.14
reconsidérer 52.5
repentance
remords 697.2
expiation 299.1
repentant 299.9 ; 697.10
pénitent 697.4
repentir
remords 697.2
expiation 299.1
coup de pinceau 607.10
repentir (se)
regretter 697.6
confesser 299.7
repérable 207.22
repérage 120.9
pilotage 221.15
découverte 179.1
détection 207.1
répercussif 687.18
répercussion
déviation 212.4
rétroaction 687.2
répercuter
renvoyer 212.14
réfléchir 687.12
répercuter (se) 687.9
repère 769.6
fil conducteur 221.7
repérer
situer 769.9
découvrir 179.5
détecter 207.17
repérer (se)
se situer 769.11
s'orienter 221.20
répertoire
liste 126.7 ; 758.6
dictionnaire 455.10 ; 535.16 ; 554.11
carnet 252.7 ; 387.4
de marchandises 490.14
t. d'informatique 408.18
répertorié 126.19
répertorier
classer 126.17 ; 554.19
enregistrer 273.18
répétable 704.14
répète
répétition 704.6 ; 817.16
répété
réitéré 704.13
fréquent 326.13
répéter
imiter 379.7
multiplier 634.7
reprendre 326.9 ; 704.9
continuer 611.12
mémoriser 35.4 ; 274.19 ; 503.9
redemander 185.15
une pièce 817.28
répéter (se)
se reproduire 326.10 ; 704.9
redire 595.23 ; 665.8
répétiteur 704.8
corps enseignant 274.14
répétitif
récurrent 611.17 ; 704.12
ennuyeux 272.12
répétition 704
reprise 758.13
permanence 611.3
fréquence 326.1
ennui 272.1
redites 347.6 ; 665.5
d'une pièce 817.16
d'une scène 120.9
t. de rhétorique 313.2
répétition générale 704.6 ; 817.16
à répétition 704.18 ; 758.20
comique de répétition 132.1
droit de répétition 722.4
répétitivité
répétition 611.3 ; 704.1
répétitorat 704.7
repeuplée
arbre de repeuplée 36.11
repeuplement 711.1
repeupler 124.14
repiquage
copie 273.2
plantation 18.4
repiquer
planter 18.22 ; 79.19
copier 273.15
repiqueuse 476.6
répit
délai 724.2
guérison 353.4
accalmie 89.2
soulagement 786.1
repos 706.2
sans répit 153.30
replanir 505.23
replanissage 505.11
replâtrage 702
replâtrer 702.7
replet 351.13
réplétion
abondance 1.1
satiété 744.1
repli
ondulation 712.12
retrait 180.2 ; 193.8 ; 263.2 ; 487
recoin 751.2
réplication
reproduction 711.2
métabolisme 94.25
repliement 154.2
repliement sur soi 430.3
replier 685.7
replier (se)
fermer la marche 193.10
reculer 263.10
se recroqueviller 154.10
se rendre 180.8
battre en retraite 487.34
réplique
imitation 379.3 ; 719.7
réponse 156.7 ; 626.2 ; 687.4 ; 705.2
revanche 707.2
d'un tableau 607.9
t. d'imprimerie 388.8
avoir la réplique facile 705.12
donner la réplique 705.13
répliquer
s'opposer 572.8
répondre 705.8
se venger 707.9
t. de biologie 94.30
répliquer à 687.8
répliqueur 705.17
replonger 208.25
aller mal 16.6
repluire 510.12
répondant 705.18 ; 705.7
avoir du répondant 705.12
répondeur 705.17 ; 705.6
répondeur automatique 705.6 ; 809.6
répondeur-enregistreur 705.6
répondre
s'opposer 572.8
à une question 705
répliquer 439.7
réagir 687.15
se venger 726.6
à une lettre 157.13

répondre à 572.7 ; 687.8 ; 745.8
répondre de 705.15
répondre présent 651.10
répondre aux aides 687.8
répondre au désir de 745.9
répondre au nom de 554.23
répondre à un salut 741.15
répondre en Normand 674.8
répondre par l'affirmative 13.7 ; 149.9
répondre par la négative 546.10 ; 693.7
répondez s'il vous plaît 157.14 ; 705.14
répondre (se) 705.16
répons 705.5
messe 508.8
liturgie 106.5
réponse 705
réaction 687.4
revanche 726.1
à une lettre 157.1
pièce musicale 543.25
réponse immunitaire 381.1 ; 742.10
réponse de Normand 24.4 ; 395.4 ; 438.3
droit de réponse 681.17
report
ajournement 647.5 ; 724.6
t. de Bourse 81.17 ; 587.4
reportage 654
reporter 654.16
reporter
différer 31.6 ; 647.15 ; 724.10
recopier 252.14
t. de Bourse 81.33
reporter-photographe 621.18
reporteur 81.28
reporteuse 476.7
repos 706
immobilité 403.3 ; 496.6
répit 389.5
sommeil 780.1
calme 89
palier 481.29
repos ! 487
repos des justes 534.1
champ du repos 331.14
de tout repos 706.14 ; 752.14
reposant 706.14
reposé 706.17
reposée
demeure 107.9
t. de chasse 706.7
reposer
poser 487.26
reposer
v.t.
détendre 706.10
v.i.
être enterré 331.17 ; 534.26
dormir 706.12 ; 780.17
être établi sur 769.10 ; 791.13
reposer (se)
se délasser 89.11 ; 706.12
faire confiance 145.13 ; 573.5
repose-tête 791.17
reposoir
lieu 706.7
construction 39.7
repoussant
répulsif 713.13
dégoûtant 740.12
laid 453.8
détestable 62.11
répugnant 192.13
repousse
arbre 37.5
pousse 624.8
repoussé
n.m. 749.5 ; 760.32
adj. 713.16
repoussement 713
éloignement 263.1
repousser
v.i. 624.14
repousser
v.t.
différer 647.15 ; 724.10
écarter 263.7 ; 429.14 ; 642.18 ; 687.11 ; 693.8 ; 715.16
chasser 295.8 ; 409.5
dégoûter 62.6 ; 713
repousseur 713
repoussoir
ciselet 584
cheville 505.16
personne laide 453.4 ; 713.6
répréhensible
blâmable 710.23
honteux 606.14
délictueux 284.13
condamnable 144.35
répréhensiblement 710.25
répréhensif 710.20
répréhension
admonestation 63.5
reproche 710.1
reprendre
recommencer 106.26 ; 134.22 ; 153.18 ; 165.27 ; 379.7 ; 704.10
ressaisir 31.7 ; 301.10 ; 722.11 ; 828.12
retrouver 353.14 ; 687.16 ; 726.7 ; 851.13
sermonner 63.13 ; 253.8 ; 710
t. d'équitation 522.15
donner c'est donner, reprendre c'est voler 241.22
reprendre (se) 240.17
représailles 707 ; 726.2
avertissement 231.2
manœuvre d'intimidation 63.7
camp de représailles 208.9
représentant 708
délégué 145.11 ; 260.14 ; 797.6
de commerce 135.17
modèle 709.5
représentatif 709.11
représentation 709
illustration 196.1 ; 252.1 ; 374.1 ; 379.1 ; 535.8 ; 765.18
pensée 275.4 ; 297.5 ; 375 ; 664.3
observation 710.1
spectacle 432.4 ; 581.1 ; 817.17
t. de politique 260.7 ; 668.5
représentativité 708.16
représenter
remplacer 642.20 ; 797.8
illustrer 196.11 ; 554.22 ; 607.25 ; 709 ; 765.26
jouer 432.15 ; 817.26
représenter (se) 375.20
comprendre 275.9
répresseur 144.33
répressif 865.28
pénal 144.33
répression
modération 522.5
violence 865.7
condamnation 144.14
unité de répression 144.21
répressionnaire 144.21
réprimandable 710.23
réprimande
admonestation 63.5
reproche 710.1
engueulade 168.6
réprimander
mettre en garde 63.13
blâmer 710.10
réprimer
modérer 522.12
attaquer 865.21
condamner 144.28
reprint 469.5
repris
repris de justice 144.19 ; 169.17
reprise
recommencement 704.5
d'une pièce de théâtre 817.18
récupération 722.4
accélération 57.12
round 792.16
pl.
à diverses, maintes, multiples, plusieurs reprises 223.20 ; 234.12 ; 326.20 ; 634.13
repriser
raccommoder 165.28 ; 702.8
réprobateur 710.22
réprobation 710.5
reprochable 710.23
reproche 710 ; 720.2
remords 697.2
admonestation 63.5
reprocher 710.9
déplorer 697.8
tenir rigueur 720.5
reproducteur 662.20 ; 711.22
t. d'élevage 262.12
reproductibilité 711.15
reproduction 711
processus biologique 262.12 ; 662.2 ; 862.1
copie 379.1 ; 388 ; 607.9 ; 709.4 ; 781.20
t. d'économie 662.4
reproductrice 476.7
reproduire
copier 273.17 ; 379.5 ; 388.19 ; 521.10 ; 607.25 ; 709.9
refaire 326.9
engendrer 662.14 ; 873.16
reproduire (se)
se perpétuer 539.5 ; 711.19
se répéter 326.10
reprogrammable 408.28
reprogrammation 408.21
reprogrammer 408.25
programmer 681.19

reprographie 388.7
reprographier 388.19
reprographieur 388.15
réprouvé
maudit 271.5
paria 582.11
réprouver
un acte 62.9 ; 194.12 ; 710.13
une personne 582.13
reps 816.4
reptation 712.14
reptile 712
t. de zoologie 873.6
reptilien 712.20
repu 703
rassasié 744.8
républicain
n.m.
oiseau 570.8
partisan 462.16 ; 694.22
adj. 462.32 ; 694.25
calendrier républicain 88.1
républicanisme 808.7
république 694.3
répudiation
repoussement 713.2
renonciation 701.1
séparation 238.2
répudier
discréditer 227.20
repousser 238.11 ; 713.8
repue 703.3
répugnance 713.3
aversion 62.1
inimitié 410.1
répugnant
déplaisant 62.11 ; 192.13 ; 713.13
sale 740.12
répugnatoire 713.14
répugner
rebuter 713.12
dégoûter 62.10
déplaire 192.7
répugner à 62.6
répulser 713.12
répulsif 713.13 ; 713.14 ; 713.5
répulsion 713
aversion 62.1
inimitié 410.1
répulsivement 713.17
réputation 675.7
succès 798.4
renom 341.2
en réputation 341.26
faire et défaire les réputations 407.16
ternir la réputation de qqn 367.8
réputé 341.26
requalifier 450.7
requérant
demandeur 185.8 ; 199.7
tribunal 835.11
requérir 185
nécessiter 545.5
commander 133.15
requérir en justice 451.26
requête
demande 185 ; 199.2 ; 812.1
t. de justice 185.4 ; 451.6 ; 626.2
requêter 107.26
requiem
messe 508.1
prière des morts 331.5
cantique 106.5
requiescat
requiescat in pace 331.17
requin
poisson 638.2 ; 638.7
forban 61.4 ; 284.7
requin-citron 638.7
requinia 527.2
requinisme 61.2
requin-lézard 638.7
requin-marteau 638.7
requin-pèlerin 638.7
requinquer 793.11
requinquer (se) 353.14
requin-scie 638.7
requin-taupe 638.7
requin-tigre 638.7
requis
indispensable 545.13
imposé 133.25
demandé 185.25
réquisit 545.1
réquisition
demande 185.3 ; 626.2
confiscation 354.6
réquisitionner 354.26
réquisitoire 225.6 ; 451.12
plaidoirie 626.1
réquisitorial 185.27
rescindable 31.13
rescindant
n.m.
irrecevabilité 451.17
adj.
annulateur 31.15
nul 451.34
rescinder 31.6
rescisible 31.13
rescision 31.2
rescisoire
n.m.
irrecevabilité 451.17
adj.
annulateur 31.15
nul 451.34
rescousse
à la rescousse de 19.22 ; 182.21
rescrit
réponse 705.4
lettre 133.5 ; 590.7 ; 696.2
réseau
structure 140.4 ; 795
de télécommunications 809.10
de transport 829.5
coiffure 129.9
t. d'histologie 821.3
t. d'informatique 408.4
t. de sémantique 753.3
t. de zoologie 486.23
réseau cristallin 517.7
réseaux divers 834.1
réseau ferré 832.3
réseau hydrographique 795.9
réseau intégré de transmission automatique 423.6
réseau numérique à intégration de services 423.6
réseau routier 833.16
réseau testiculaire 762.5
réseau de Malpighi 821.4
réseau de Purkinje 128.5
point réseau 165.8
résécable 114.35
résection
biopsie 841.7
t. de chirurgie 114.12
réséda 318.26
résédacée 318.26
réséquer 114.33
réservat, réserve ou **réservation** 590.5
réservation 871.10
réserve 714
d'animaux 262.6 ; 653.11 ; 873.9
sérieux 759.1
sagesse 620.23
prudence 674.3
modération 522.2
délicatesse 184.1
défiance 183.3
fierté 312.2
modestie 523.1
timidité 819.1
décence 177.4 ; 366.2
résistance 715.1
reproches 710.4
tempérance 810.1
chasteté 108.3
de pétrole 618.2
d'arbres 36.11
d'un héritage 101.5
d'un magasin 135.13 ; 490.12
stock 490.3
économies 281.7
réserves 529.15
réserve active 41.8
réserve alcaline 742.2
réserve naturelle 251.11
réserves nutritives 563.4
réserve de chasse 107.14
réserve de pêche 605.18
de réserve 281.17
en réserve 553.22
sans réserve 145.31
sous réserve 714.17
sous toute réserve 714.17
avoir perdu ses réserves 303.10
faire la réserve 485.9
faire des réserves 467.7
réserve → réservat
réservé
entreposé 151.13
réservé
silencieux 714.13 ; 714.16 ; 766.15
sérieux 759.8
sage 620.34
prudent 674.12
modéré 522.17
modeste 523.9
timide 819.7
décent 177.7
chaste 108.9
sobre 771.9
secret 751.28
réserver 714.9 ; 871.24
réserver de l'argent 281.12
réserver son avis 714.9
réserver un droit 714.12
réserver de (se) 646.7
réserviste 41.10 ; 41.25
réserviste volontaire 41.10
réservoir
contenant 151
à eau 319.2 ; 632.11 ; 633.9
d'une automobile 57.10
d'un avion 48.2
réservoir de chasse 834.7
réservoir de virus 512.2

résidant 355.2
résidence 355.18
maison 39.8 ; 481.1
domicile 356.2
résidence secondaire 481.18 ; 481.5
résident 288.3
résidentiel
ville résidentielle 845.7
résider 355.24
demeurer 481.40
résidu 369.10
reste 721.3
résiduel 718.12
résignation
acceptation 523.1 ; 601.4 ; 620.23
renonciation 701.2
soumission 787.4
résigné 601.14
résigné à 716.7
résigner
rendre son tablier 266.28
résigner ses fonctions 292.11
résigner (se)
supporter 601.9
être philosophe 620.30
renoncer 701.6 ; 701.9
se résigner à 116.10 ; 149.10 ; 716.6
résiliable 31.13
résiliation
renonciation 701.1
annulation 31.1
résilience 496.5
résilier
renoncer 701.5
annuler 31.6
résille 129.9
résine 70.13
bois 74.2
produits dérivés du pétrole 617.7
résine fossile 131.7
résine de pétrole 617.6
résiner 74.25
résineux
n.m.
arbre 37.1
adj.
électricité résineuse 261.3
résingle 584.24
résipiscence
venir à résipiscence 299.7 ; 697.6
résistance 715
opposition 572.2 ; 687.3
quantité 509.4
barrière 67.13
force 322.7 ; 496.5
solidité 778.2
rigidité 732.1
vigueur 864.2
obstacle 567.9
désobéissance 200.1
guerre 354.17 ; 354.2
défense 182.1
civisme 125.5
t. d'électricité 261.14 ; 261.9
la Résistance 354.17 ; 715.10
résistance électrique 509.11
résistance passive 403.3 ; 572.2
mouvement de résistance 125.5
venir à bout de la résistance de 240.16
résistanciel 715.22
résistant
permanent 611.15
solide 82.11 ; 307.24 ; 778.13
qui s'oppose 354.16 ; 715
t. de mécanique 322.15
résister
durer 297.9 ; 611.10
s'opposer 572.10
à un choc 115.30 ; 403.10 ; 496.12
être solide 778.12
être robuste 864.12
s'obstiner 568.4 ; 870.10
refuser 693.12 ; 715.12 ; 715.17
résister à 200.6 ; 687.10 ; 713.7 ; 771.5
résistibilité 778.2
résistible 715.23
résistivité 261.7
mesure 509.18 ; 509.4
résistance 778.2
resituer 122.7
résolu
volontaire 870.13
courageux 161.9
décidé 612.4 ; 716.7 ; 716.8 ; 812.9
obstiné 568.7
confiant 145.23
résolu à 716.7
résoluble 716.9
supprimable 31.14
résolument 716.10
courageusement 161.12
obstinément 568.9
résolutif 499.33
résolution 716
d'un calcul 87.2
volonté 870
courage 161.1
persévérance 612.1
obstination 568.1
décision 116.1 ; 148.5
désir 199.1
intention 428.1 ; 664.1 ; 812.5
destruction 205.4
annulation 31.2
promesse 666.6
pacte 586.2
décret 642.2
juste résolution 80.10
embrasser une résolution 116.8
former la résolution de 716.4
prendre la résolution de 870.8
résolutoire 31.4
résonance
son 781.4
détection 207.13
résonance magnétique nucléaire 498.14
résonateur 118.7
résonner 422.31
sonner 781.24
gronder 83.15
résorber 775.26
résorber (se) 228.7
résorcine
brun de résorcine RN 84.2
résorption 228.2
résoudre
désorganiser 202.5
une équation 493.8
persuader 716.4
annuler 31.6
une énigme 753.11
résoudre de 716.4
résoudre (se)
se résigner 601.9 ; 716.6
renoncer 701.9
préférer 116.10
respect 717 ; 366 ; 523.2
respects 163.3 ; 774.6 ; 787.5
respectabilité 717.3
honnêteté 365.1
respectable 717.12
honorable 365.12 ; 366.23 ; 552.27
respectablement 717.18
respecté 717.13
honoré 366.24
respecter 717.8
se conformer à 147.10
obéir 564.8
honorer 366.12
respecter les horaires 644.3
respecter la parole donnée 472.10
respecter sa promesse 666.13
respecter la tradition 164.15
respecter (se) 177.6
avoir le sentiment de l'honneur 366.21
respectif 690.13
respectivement 690.15
respectueuse
prostituée 672.6
respectueusement 717.16
honorablement 366.30
respectueux 717.14 ; 717.5 ; 741.11
distance respectueuse 263.4
respirabilité 718.11
respirable 718.33
respirateur 718.21 ; 775.20
respiration 718 ; 20.6 ; 862.2
nutrition 563.1
respiration artificielle 775.9
respiration cutanée 604.3
respiration striduleuse 794.2
respiratoire 718.29
respirer
v.t. 20.14 ; 569.19
respirer la santé 743.7
v.i.
se reposer 706.12 ; 786.8
t. de biologie 718
resplendir
briller 473.28 ; 777.15
resplendissant 670.12
resplendissement 341.4
responsabiliser 213.7
responsabilité 144.22 ; 774
obligation 565.2
charge 213.2
responsable 92.16 ; 213.9
être responsable de 705.15
responsorial 106.6
resquiller
braconner 869.22
tricher 284.11
resquilleur 284.7
ressac
battement 115.2
vague 319.10

cessation d'activité 266 ; 292 ; 706.13 ; 739.5
t. de banque 166.20
retraite aux flambeaux 309.7
retraite spirituelle 657.6 ; 779.14
retraité 292.5 ; 863.7
retraitement
retraitement des déchets 550.23 ; 558.12
retraiter
évincer 292.6
battre en retraite 487.34
retranchement
soustraction 797.1
barrière 31.3 ; 86.8 ; 182.8 ; 487.7
retraite 779.5
retrancher
soustraire 582.13 ; 767.5 ; 790.5
fortifier 182.23
retrancher (se) 67.17
prétexter 656.4
manœuvres 487.35
être sur la défensive 182.26
retranscription 252.5
retranscrire 252.14
retransmettre 681.19
retransmission 681.10
rétrécir 154
diminuer 220.9
rapetisser 616.6
étrécir 289.7
rétrécissement
rapetissement 220.3
contraction 154.1
retremper 510.16
rétribuer 587.16
payer 739.11
rétribution
rémunération 266.11
salaire 739.1
retriever 486.9
rétro- 193.26 ; 436.19 ; 572.24 ; 598.24 ; 687.23
post- 647.32
rétro
n.m.
automobile 57.10
adj.
en retard 206.9
rétroactif 598.16
réflexe 687.18
effet rétroactif 254.2 ; 687.2
rétroaction 687.2
rétroactivement 687.21
rétroagir 254.5
rétroagir sur 687.9
rétrocédant 722.17
rétrocéder
céder 101.10
restituer 722.7
rétrocession 722.1
rétrochargeuse 834.27
rétrodéviation 436.4
rétrofléchi 436.14
rétroflexion 436.4
rétrogradation
recul 49.19 ; 193.8 ; 683.10
dégradation 227.8
rétrograde
inverse 246.7 ; 334.10 ; 436.12
arriéré 206.9 ; 724.18
rétrograder
reculer 193.10 ; 683
ralentir 57.24 ; 458.10
dégrader 227.20
rétrogression 193.8
rétropédalage 193.8
rétropédaler
fermer la marche 193.10
commuter 436.11
rétroposition 436.4
rétropulsif 193.18
rétroréflecteur
réflecteur 212.9
miroir 473.19
rétrospectif 598.16
rétrospective 607.24
retrousser 562.9
retroussis
partie retroussée 859.21
talus 834.14
retrouvailles 137.8
retrouver
trouver 179.10
revoir 137.16 ; 726.8
retrouver la forme 353.14
retrouver (se)
se situer 769.11
s'orienter 221.20
rétroversé 436.14
rétroversion 436.4
rétrovirus 512.3
rétroviseur 57.10
rets 107
filet 605.9
réuni 725.16
réunion 725
rattachement 9.1 ; 352.1 ; 685.2 ; 698.2 ; 823.5
assemblage 150.2 ; 758.7
assemblée 137.10 ; 148.6 ; 309.8 ; 540.2 ; 642.5 ; 772.5
rencontre 156.6
réunion plénière 823.3
réunionnite 725.6
réunion 137.10
réunir
rattacher 698.6 ; 725.10 ; 844.13
assembler 9.15 ; 150.8 ; 352.15 ; 685.7 ; 758.15
aboucher 137.18
réunir (se) 148.14
s'attrouper 725.14
converger 685.13
s'associer 772.11
dialoguer 156.17
réunissable 725.18
réunissage 725.7
réunisseur 725.8
réunisseuse 725.8
t. de textile 816.17
réussi 677.16
réussir 798
atteindre 86.7
avancer 667.9
gagner 861.7
réussir son entrée 278.12
réussite
jeu de cartes 446.3 ; 601.6
succès 670.1 ; 798.1 ; 861.1
réutiliser 846.12
revacciner 499.26
revaloir
savoir gré 348.4
se venger 707.9 ; 720.10
revalorisation 56.3
revalorisé 683.21
revaloriser 659.14
revanchard 720 ; 726
vindicatif 707.12
revanche 726
règlement de comptes 720.3
représailles 707.1
en revanche 139.16 ; 572.20 ; 707.14 ; 726.11
à charge de revanche 690.16 ; 726.11
revancher
venger qqn 707.8 ; 720.10
prendre sa revanche 726.6
revancher (se) 726
se venger 707.9
revanchisme 707.4 ; 726.4
règlement de comptes 720.3
revanchiste 720.4 ; 726.10 ; 726.5
vengeur 707.5
revascularisation 114.11
rêvasser
être ailleurs 394.4
flâner 458.14
rêvasseur 394.3
rêvassier 394.3
rêve 285 ; 380.6 ; 780.7
but 86.1
illusion 378.4
désir 199.2
projet 664.5
en rêve 375.28 ; 780.29
rêvé 380.15
revêche 409.10
acariâtre 217.23
misanthrope 420.10
réveil
reprise 427.6
éveil 851.3
réveil en fanfare 851.7
réveille-matin
horloge 118.6
matutinaire 494.5
réveil 851.7
réveiller
faire renaître 427.11 ; 793.10 ; 851.11
réveiller (se) 851.13
réveilleur 851.7
réveillon
souper 776.7
veille 851.5
festin 309.9
repas 703.1
réveillonner 776.10 ; 851.9
repas 703.22
réveillonneur
noctambule 776.8
veilleur 851.6
révélateur
significatif 753.13
parlant 264.9
t. de photographie 621.15
révélation
inspiration 276.4
découverte 798.9
t. de théologie 215.15 ; 818.5
révélé
littérature révélée 362 ; 815.7
vérité révélée 854.3
révéler
découvrir 179.8 ; 854.14
informer 136.16 ; 691.12 ; 753.9 ; 765.25
t. de photographie 621.21

révéler (se) 34.10
revenant
fantôme 380.4
esprit 477.17 ; 534.9
revenant-bon 849.9
revendeur
de drogue 825.15
de marchandises 135.16
revendicant 185.6
revendicateur 185.6
revendicatif 185.27
revendication 722.3
désir 199.2
demande 185.1
conflit social 642.8
revendiquant 722.6
demandeur 185.8
revendiqué 185.25
revendiquer
désirer 185.15 ; 199.9
manifester 642.23
revendiqueur 722.6
solliciteur 185.6
revendre 135.24
à revendre 1.18
revenir
se retourner 193.10
se répéter 326.10
être à 645.20
coûter 659.11
revenir à la normale 558.8
revenir à la norme 559.13
revenir sur 704.10
revenir sur sa décision 546.12
revenir sur sa parole 181.6
revenir sur ses pas 598.12
en revenir 353.13
faire revenir 333.40
cela me revient 503.12
revente 135.5
revenu
n.m.
salaire 339.8 ; 739.1
t. de métallurgie 510.4
revenu minimum d'insertion 739.2
adj.
revenu de tout 178.7 ; 744.10
être revenu de tout 744.6
rêver 780.20
être ailleurs 394.4
affabuler 378.10
imaginer 380.12 ; 664.16
rêver de 199.9 ; 285.4
réverbération 473.16
rétroaction 687.2
réverbération sonore 781.4
réverbère 250.13
réflecteur 212.9
appareil d'éclairage 473.12
allumeur de réverbères 250.20
réverbérer
chauffer 102.17
diffracter 473.30
réfléchir 687.12
reverdir 857.7
révéremment 717.16
révérence
déférence 366.6 ; 717.1
salutation 741.5
t. de danse 176.16
sauf révérence 717.17
révérence parler 717.17
tirer sa révérence 189.9 ; 741.19
Sa Révérence 822.14
révérenciel 717.15
révérencieusement 717.16
révérencieux
respectueux 717.14
cérémonieux 98.27
révérend
titres 525.13 ; 699.8
mon révérend 699.8
Révérend Père 525.13 ; 822.14
révérendissime 822.20
révérer
respecter 717.8
honorer 366.13
rêverie 378.4
revers
côté 193.1 ; 436.6 ; 572.5
de la main 479.2
déception 178.2 ; 827.4
échec 11.2 ; 249.1
défaite 180.1
d'une pièce 529.6
t. de sports 792.13
revers d'eau 834.8
revers de fortune 11.2
commandement de revers 487.10
tir de revers 820.7
essuyer des revers 11.19
prendre à revers 487.31
reversi 446.3
réversibilité 436.8
réversible
transformable 104.23
inversion 436.13
réciproque 687.20
réversion 313.3
revêtement 727
dessus 204.4
route 834.4
revêtement électrolytique 40.6
revêtir
couvrir 727.13
orner 578.14
mettre 859.35
rêveur 378.7 ; 664.9
écervelé 394.3
sombre 785.11
revigorant 127.21 ; 353.19
consolant 786.11
revigoration 353.8
revigoré 706.17
revigorer
fortifier 353.17 ; 864.13
stimuler 277.4 ; 793.11
revirement
changement 25.3 ; 104.6 ; 850.5
trahison 181.3 ; 828.4
réviser
revoir à la baisse 220.16
revoir 35.4 ; 274.19
vérifier 155.13
réviseur 155.9
révision 155.4
révisionnisme 808.13 ; 808.9
revisiter 414.7
revivifier
intensifier 427.11
ranimer 862.24
reviviscence 862.6
création 297.6
t. de botanique 79.6
reviviscent 862.29
revivre
renaître 297.10 ; 862.25
se réveiller 851.14
guérir 353.14
révocable 292.14
révocation 31 ; 683.10
rétractation 828.4
éviction 292.1
emploi 266.10
revoir
n.m.
empreintes 486.24
retrouvailles 137.8
v.
se rappeler 503.9
contrôler 155.13
un ami 137.16
revoir à la baisse 220.16
à revoir 416.9
au revoir 431.8 ; 741.9
dire au revoir 741.19
révoltant
laid 453.11
irritant 130.13
révolte
colère 130.1
rébellion 200.2
guerre 354.3
révolution 728.1
subversion 642.11
révolté
n.
asocial 420.3
révolutionnaire 642.14 ; 728.4
adj.
désobéissant 200.8
résistant 715.19
ange révolté 186.3
révolter
dégoûter 62.10
fâcher 130.10
révolter (se) 728.8
refuser de 693.12
réagir contre 687.10
éclater 865.18
tenir tête à 200.6
s'insurger 642.23 ; 715.15
révolu 14.9 ; 315.22
passé 598.13
accompli 5.20
révolution 728
pas de vis 162.3
rotation 49.19 ; 97.6 ; 338.12 ; 733.1
bouleversement 23.4 ; 290.1 ; 354.3 ; 414.3 ; 642.11
révolution anomalistique 474.4
révolutionnaire 728
n.
agitateur 642.14
politique 808.26
adj.
innovateur 104.24 ; 414.9
révolutionnairement 728.10
révolutionnarisation 728.6
révolutionnarisme 104.10 ; 728.5
extrême gauche 808.8
révolutionnariste 728.9
révolutionner
innover 414.7
désorganiser 202.4
changer 104.14
apporter du neuf 560.7
subvertir 728.7
revolver 43.5
revolvériser 820.25
tuer 534.29

revolving 166.5
révoquer
annuler 31.6
évincer 292.6
emploi 266.22
révoquer en doute 395.12
revoter 260.26
revue
manœuvre 487.2
défilé 309.7
magazine 654.4
spectacle 176.5
revue militaire 309.7
revue de presse 654.11
être de la revue 587.13
passer les troupes en revue 487.28
révulser 62.10
révulsif 499.33
révulsion
irritation 775.16
rejet 62.1 ; 410.1
rex 486.5
rezal 509.23
rez-de-chaussée 481.11
en rez-de-chaussée 481.46
rez-de-dalle 481.11
rez-de-jardin 481.11
rhabdomancie 235.2
rhabdomancien 207.16
rhabdomyome 841.3
rhabillage 702.2
rhabiller 702.8
rhabiller pour l'hiver 227.15
Rhadamante 236.41
mythologie 271.8
Rhadés 371.13
rhaeadale 79.4
rhagade 482.16
rhagie 417.3
rhagionidé 417.8
rhaïta 422.7
rhamnacée 38.3
rhamnale 79.4
rhamnusium 417.3
rhamphorhynque 712.11
rhapis 37.20
rhapsode 635.20
rhapsodie 635.7
Rhéa 49.10
divinités 236.40
rhéiforme 570.4
rhénium 113.7
rhéomètre 261.11
rhéophile 251.16
t. de zoologie 873.23
rhéostat 261.11
rhésus
macaque 486.14
Rhésus 742.15
facteur Rhésus 742.15
système Rhésus 742.15
rhéteur 729.13
orateur 614.6
avocat de la défense 626.5
parleur 595.14
déclamateur 347.7
rhétoricien 729.13
orateur 614.6
parleur 595.14
rhétorique **729** ; 264 ; 535.12 ; 595 ; 626.3
force de persuasion 614.4
grandiloquence 347.1
art poétique 635.18
rhétorique littéraire 313.1
figures de rhétorique 313.5 ; 729.7
fleurs de rhétorique 729.7
chambre de rhétorique 729.13
rhétoriqueur 729.13
orateur 614.6
rhéto-roman 455.14
rhinalgie 243.3
rhinanthe 318.22
rhinarium 486.21
rhincodontidé 638.2
rhinencéphale 100.17
écorce cérébrale 100.15
rhingrave 822.5
rhinite 482.30
rhinobatidé 638.2
rhino-bronchite 482.30
rhinocarcinome 841.4
rhinocéridé 486.3
rhinocéros 486.6
rhinoderme 68.3
rhinolalie 839.3
rhino-laryngite 482.30
rhinologie 569.9
rhinolophidé 486.3
rhino-pharyngite
respiration 718.15
maladie 482.30
rhinoplastie 114.17
rhinopome 486.10
rhinovirus 512.3
rhipidistien 638.3
rhizine 463.2
rhizocéphales 172.2
rhizoctone 103.10
rhizogenèse 79.6
rhizoïde 360.4
t. de botanique 537.2
rhizomateux 318.47
rhizome 795.6
racine 318.3
rhizophage 417.31
rhizophoracée 37.11
rhizosphère 337.10
rhizostome 527.12
rhizotrogue 417.3
Rhodia 816.2
rhodite 417.7
rhodium 113.7
rhodnius 417.5
rhododendron 38.5
rhodonite 516.5
rhodophycées 79.4
algues 22.3
rhodopsine 94.22
rhodyméniacées 22.3
rhœadales 318.26
rhombe 338.5
instrument de musique 422.14
rhombencéphale 100.2 ; 100.5
rhomboèdre
polyèdre 770.3
réseau cristallin 517.7
rhomboïde
parallélogramme 338.5
muscle 541
grand rhomboïde 541.7
petit rhomboïde 541.7
Rhônalpin 695.11
rhopalocères 417.10
rhotacisme 839.3
rhubarbe
plante 318.23 ; 360.8
rhum 75.13
verre de rhum 144.11
rhumatisme 482.11
articulations 580.26
algésie 243.3
rhumatoïde
facteur rhumatoïde 381.12
rhumatologie 498.6 ; 580.27
rhumatologiste 580.28
rhumatologue 580.28
rhumb 852.7
axe 221.4
rhume 482.30
rhume de cerveau 482.30
rhynchite 417.3
rhynchobdelle 856.2
rhynchonelle 856.2
rhyniales
fougère 360.9
mousses 537.3
rhysse 417.7
rhytine 486.15
rhytinidé 486.3
rhyton 848.7
rhyzophage 873.21
rial 529.8
riant
plaisant 69.19
alerte 277.6
ribambelle
train 758.4
collection 678.5 ; 758.5
kyrielle 540.5
ribat 525.23
ribaud 475.6
ribauderie 475.1
ribésiacée 38.3
riblon 510.11
riboflavine 499.6
phosphate de riboflavine 499.6
ribonucléase 94.24
ribonucléique
acide ribonucléique 94.12
ribose 94.5
ribote 703.4
festin 342.2
ivresse 441.3
ribouis 110.1
ribouldingue
plaisir 629.5
fête 309.1
festin 342.2
riboule 309.1
ribouler
ribouler des yeux 868.20
ribulose 94.5
ricanement
raillerie 532.4
rire 168.3
ricaner 132.6
ricanerie 532.4
ricasolia 463.3
riccie 537.5
ricercare 543.32
riceys 328.6
richard 417.3
possédant 730.9
riche 1.13 ; 730.19
épais 187.12
prospère 670.17
nourrissant 703.42
nouveau riche 560.6 ; 730.9
on ne prête qu'aux riches 730.18
richelieu 110.2
richement 730.23
richesse **730**
diversité 234.1

ripper 834.27
riquiqui → **rikiki**
rire
n.m. 132.4 ; 132.8 ; 168.3 ; 447.6 ; 532.4 ; 628.10
fou rire 132.4
v.i. 132.6 ; 277.5 ; 447.12 ; 629.9
avoir le mot pour rire 628.10
prêter à rire 731.6
rire de 419.9 ; 532.10
rira bien qui rira le dernier 132.6 ; 315.8 ; 726.8
tel qui rit vendredi dimanche pleurera 850.11
ris
rire 132.4 ; 629.5
ris
mets 333.8
risée
vent 852.1
moquerie 439.4 ; 532.1
la risée de 731.6
être la risée de 532.14
riser 618.9
risette 132.4
faire des risettes 132.9
rishi 235.12
risibilité 731.1
risible
comique 132.11
ridicule 731.8
risiblement
comiquement 132.14
ridiculement 731.9
risorius 541.5
risotto 333.21
risque
hasard 291.3
danger 175.2 ; 175.5
péril 63.8
solvabilité 166.16
au risque de 175.23 ; 358.17
risques et périls 175.21
service des risques 66.6
risqué 395.18
téméraire 175.12
dangereux 390.15
risquer
essayer 291.8
aventurer 358.7
entreprendre 279.8
être menacé de 63.16
commettre une imprudence 390.7
risquer gros 175.9
risquer le paquet 358.8
risquer le tout pour le tout 390.7
risquer sa vie 390.11
risquer (se)
se mettre en danger 175.10
s'aventurer 390.8
se risquer à 279.10 ; 291.8 ; 812.8
risque-tout
brave 161.5
danger public 175.7
imprudent 390.6
rissole 605.6
rissoler 333.40
ristourne
soldes 220.8
réduction 524.3
ristourner 524.8
R.I.T.A. 423.6
ritardando 542.26
rite 98 ; 164.4 ; 508.3
culte 173.1
rite d'honneur 98.5
ritenuto 542.26
ritodrine 499.5
ritournelle
cycle 704.5
mélodie 543.25
chanson 105.7
ritsu 80.2
ritualisation 98.13
ritualiser 98.21
ritualisme 98.12
anglicanisme 117.5
ritualiste 173.15
cérémoniel 98.24
rituel
n.m.
cérémonial 98.16 ; 98.2
adj.
cultuel 173.22
traditionnel 164.19 ; 326.16
prostitution rituelle 672.2
rituellement 98.29
rivage 319.8
bord de mer 77.6
rivage des morts 591.7
rivages 695.4
rival 410.5 ; 442.3
adversaire 11.11 ; 146.12
rivalité
mésintelligence 410.2
envie 442.2
conflit 146.5
lutte 354.4
rive
bord de mer 77.6
rivage 319.8
style Rive gauche 105.6
rivelet 319.4
river 611.13
attacher 725.12
boulonner 760.26
river les chaînes 240.13
river son clou à 595.24
rivet 476.12
t. de serrurerie 760.19
riveter 725.12
riveteuse ou **rivoir** 476.10
outil 584.17
rivette 672.12
Riviera 319.8
rivière
cours d'eau 319.4
course d'obstacles 567.5
canal 830.16
rivière de diamants 70.5
riviérette 319.4
rivoir → **riveteuse**
rivulaire 319.30
rivularia 22.4
rixdale 529.13
rixe 146.8
bagarre 160.7
riyal 529.8
riz
graine 330.7
céréale 360.7
point de riz 165.10
poudre de riz 676.4
riz à la cantonaise 333.21
rizière 18.10
rizipisciculture 262.3
R.M.I. 739.2
RMiste ou **RMIste** 739.10
R.M.N. 498.14
R.N. 833.19
R.N.I.S. 423.6
rnying-ma-pa 80.4
road-movie 120.5
roadster 57.6
rob 330.4
robe 835.18 ; 859.10
pelage 486.20
robe de bure 525.25
robe de chambre 859.15
robin 835.9
robinet 476.12 ; 632.3
fermeture 308.2
robinet d'eau tiède 665.7
robinetier 632.22
robinetterie 632.1
robinier
bois 74.11
arbre 37.15
roboratif 127.21 ; 353.19
robot
machine 476.4
jouet 448.7
robotique
n.f. 476.3
adj. 476.19
robotisation 480.9
robotisé 476.19
robotiser 476.17 ; 480.15
robusta 75.4
robuste 864.17
fort 322.15
solide 778.13
florissant 670.14
robustement 864.21
robustesse 864.3
force 322.7
résistance 778.2
robusticité 322.7
roc
pierre 517.1
dureté 248.4
jeu 446.14
rocade 833.18
route 845.16
rocaillage
revêtement 727.8
gravier 443.6
rocaille 443.6
rocailleur 443.11
rocailleux 517.20
Roch (saint)
c'est saint Roch et son chien 26.8
rochassier
ascension 530.13
sport 792.59
roche 337.17
minéraux 517.1
écueil 175.2
pétrole 618.1
noblesse d'ancienne roche 552.15
de vieille roche 28.11
roche-mère 337.17
pétrole 618.1
rocher
minéral 337.17 ; 443.6 ; 517.1 ; 567.4
chocolat 799.6
t. d'anatomie 55.3 ; 580.5
rocher de Sisyphe 392.8 ; 704.4
rochet
soutane 508.10
uniforme 859.20
rocheux 517.20
rochier 638.6
rock 105.5
rockabilly 543.7
rock and roll
danse 176.10

musique 543.7
rocking-chair
oscillation 579.6
mobilier 519.19
rococo 46.15
grandiloquence 347.1
pédant 347.15
rocou 159.9 ; 735.2
rocouyer 38.7
rodage
polissage 640.2
automobile 57.12
rodéo 792.20
rodomont 581.4
rodomontade 581.3
rogaton 703.10
reste 721.3
rognage
coupure 220.7
avarice 61.1
taille 36.5
t. d'imprimerie 388.3
rogne 130.1
rogner
réduire 220.11
lésiner 61.5
t. d'imprimerie 77.16 ; 388.21
rogner les ailes à 567.14
rogneuse 476.10
rognon
minéral 337.18 ; 517.10
rein 333.8
en rognon 519.39
rogomme
voix de rogomme 781.7
rogue 420.10
rohart 486.20
roi 133.8 ; 694.18 ; 800.8
titre 822.5
t. d'amour 27.13
t. de jeux 446.14 ; 446.4
roi du ciel et de la terre 215.4
roi des Enfers 186.2
roi des harengs 638.6
le Rois des rois 215.4
roi fainéant 593.6
le Roi-Soleil 777.13
le roi n'est pas son cousin 312.7
pour le roi de Prusse 349.7
heureux comme un roi 447.14
bleu roi 73.8
roide
droit 692.11
raide 732.13
roidement 732.14
roideur 732.1
roidir 732.10
roitelet 570.8
rolandique
opercule rolandique 100.14
Rolando
sillon de Rolando 100.14
rôle
comportement 613.4
fonction 7.3 ; 846.4
liste 554.11
personnage 817.22
rôle d'impôt 317.23
rôle titulaire 817.22
extrait du rôle 317.23
jeu de rôle 446.23
second rôle 817.22
à tour de rôle 683.22 ; 797.15
avoir un rôle décoratif 419.7
tenir un rôle 5.13 ; 817.27
rôle-titre 817.22
roller 448.3
roller-skate 448.3
roll on-roll off
transport 489.6 ; 830.5
rollot 328.6
rom 364.3
ROM 408.8
romain
lettre 459.3
familles de caractères 459.8
Antiquité romaine 363.3
liturgie romaine 508.3
paix romaine 589.5
Romain
travail de Romain 864.4
romaine
n.f.
salade 333.20
roman
n.m. 432 ; 504.7 ; 691
roman d'amour 27.5
roman historique 363.7
adj. 39.28 ; 46.15
langues romanes 455.14
romançable 691.16
romançage 691.10
romance 635.10
romancé 691.15
romancer
embellir 378.9
interpréter 432.14
raconter 691.12
romancero 635.17
Romanches 371.15
romancier 691.11
romanesque
imaginaire 378.13
sensible 755.15
narratif 691.15
comédie romanesque 817.5
roman-feuilleton 691.6
roman-fleuve 665.5
roman-photo 691.4
romantique 755.9
sensible 755.15
enthousiaste 276.9
tendances artistiques 46.16
romantisme 46.11
émotivité 755.2
littérature 276.5
roman-vérité 854.9
romarin 594.4
fleur 318.16
épice 333.27
rombier 364.3
rombière
commère 306.5
adulte 495.3
romestecq 446.3
rompement 324.5
rompis 36.14
rompre
v.t.
couper 67.15 ; 223.12 ; 315.17 ; 487.29 ; 756.12
v.i.
se séparer 194.10 ; 205.19 ; 238.11 ; 410.9 ; 828.12
rompre à 357.20 ; 649.11
rompre avec 263.12
rompre la chasse 107.19 ; 107.26
rompre l'équilibre de 282.15
rompre le contact 487.33
rompre le silence 595.18
rompre les chaînes 461.13
rompre les chiens 107.19
rompre les os à 72.19 ; 160.15
rompre les rangs 756.15
rompre son ban 200.6
rompre ses lisières 461.18
rompre un engagement 31.7
rompre (se) 72.15
rompu
n.m.
valeur mobilière 849.8
adj.
fatigué 303.21
brisé 205.26
dissous 238.18
rompu à 10.20 ; 357.29
couleur rompue 159.27
Roms 371.15
ronce
bois 37.6
arbuste 38.4
ronces artificielles 67.4
ronceraie 36.16
ronceux 74.29
ronchon 192.15
ronchonner 192.11
ronchus 718.13
roncier 38.2
roncinée 37.27
rond
n.m.
cercle 97.1
muscle 541.8
argent 349.8 ; 529.5
adj.
dodu 162.13 ; 351.13
circulaire 97.14
loyal 472.14
ivre 441.18
rond à béton 834.31
rond de jambe 176.16 ; 761.9
avaler tout rond 342.6
rondade 792.8
rond-de-cuir 266.17
ronde
n.f. 733.3
inspection 671.14
écriture 252.4
figure de note 543.28
danse 176.11 ; 446.23
chemin de ronde 182.14
à la ronde 280.11
rondeau 635.8
ronde-bosse 749.5
rondel 635.8
rondelet 351.13
rondelle
roue 97.2
t. de sculpture 749.14
rondement
vivement 277.9
résolument 716.10
rapidement 684.38
rondeur 162.4
discours 225.11
rondin 529.2
stère 74.8
rondo 543.30
rondouillard 351.13
rond-point
carrefour 443.4 ; 845.17

Ronéo 476.9
imprimerie 388.14
ronflant
pédant 759.10
grandiloquent 347.11
ronflement
bruits respiratoires 718.13
bruits confus 83.5
râle 83.12
ronfler 780.19
râler 718.25
gronder 83.15
ronflette 780.6
piquer une ronflette 780.18
ronfleur 780.12
rongeage 205.7
ronger
entailler 167.13
insecte 417.30
mordre 188.23
endolorir 243.12
détruire 205.21
manger 703.25
ronger son frein 382.8 ; 549.10
rongeur 486.5
t. de zoologie 873.21
rônier 37.18
ronron
monotonie 843.4
bruits légers 83.6
ronronnement
animaux domestiques 170.1
bruits légers 83.6
ronronner
animaux domestiques 170.5
gronder 83.15
stagner 247.7 ; 393.12
röntgen 513.9
mesure 509.18
rook 474.7
rooter 834.27
roque 446.14
roquefort 328.5
fromage 328.2
roquentin 12.6
vieux roquentin 863.5
roquer 446.36
roquet 486.9
roquette
plante 318.26
perdrix 570.9
projectile 43.15
roro 830.5
rorqual 486.15
ros 816.17
rosace 578.3
disque 97.5
instruments de musique 422.22
t. d'architecture 39.12
rosacée 318.27
rosaire 345.7
chapelet 657.7
rosalbin 570.10
rosale 79.4
fleur 318.27
Rosalind 49.10
rosaniline 159.9 ; 735.2
rosat 499.28
rose
n.f.
rosace 97.5 ; 422.22
fleur 318.27
n.m.
couleur 735.1
adj. 604.14 ; 735.10
bruit rose 83.2
rose de Jéricho 318.27
rose d'or 590.10
rose des sables 517.5
rose trémière 318.18
rose des vents 221.4 ; 852.7
eau de rose 594.4
voir la vie en rose 447.11 ; 573.5 ; 862.27
voir tout en rose 432.16
rosé 735.10
rosé-des-prés 103.6
roseau 39.21
herbes et fougères 360.7
roseau des sables 360.7
roseau-massue 360.8
rose-croix 171.12
rosée 494.3
humidité 372.3
intempérie 127.5
rosée du soleil 318.35
roséine 735.2
roselière 360.6
roselin 570.8
rosellinia 103.7
roséole 482.17
roseraie
art des jardins 443.8
plantation 36.16
rosette
cadran 118.7
insigne 507.5 ; 822.12
saucisson 333.9
roseur 735.1
t. de botanique 37.6 ; 79.16
Rosh ha-Shana 449.9
fête juive 310.5
rosier 38.5
rosière
vertu 108.4 ; 858.7
rosissement 735.4
rossard
n.m.
cheval 486.11
adj.
paresseux 593.10
rosse
n.f.
cheval 486.11
crapule 497.6
adj.
méchant 497.11
rossée 160.5
rosser
frapper 72.19
battre 160.12
rosserie 497.3
rossignol
oiseau 570.8
chose désuète 206.3 ; 469.11 ; 490.4
crochet 760.16
rossignoler 170.7
rossinante 486.11
rossolis 318.35
rostrale 527.19
rostre 570.45
aiguille 637.2
coquillage 527.14
rostres 39.21
tribune 225.13
rot 296.8
bruit 83.12
rôt 333.10
rotacé 733.20
rotacisme 839.3
rotacteur 733.7
rotang 37.20
rotangle 638.5
rotary 733.19
rotateur 541.2 ; 733.11 ; 733.20
rotatif 733.19
rotation 733 ; 223.4 ; 338.12
tour 797.2
circuit 97.6
volley-ball 792.14
rotation de culture 18.2
rotationnel 733.11
pivotant 733.19
rotative 476.9
rotation 733.8
imprimerie 388.14
rotativement 733.21
rotativiste 733.13
rotatoire 733.19
rote
tribunal de la rote 238.7 ; 590.17
roter 218.20 ; 482.55
cracher 296.23
éructer 83.16
rôti 333.10
rôtie 588.6
rotifère 733.20
ver 856.1
rotin 74.11
rotinier 519.31
rôtir
chauffer 102.18
prendre feu 311.21
cuire 333.40
rôtir le balai 475.7 ; 603.13
rôtisserie 333.32
rôtisseur 333.33
rôtissoire 848.28
roto 733.8
rotond 97.14
rotonde 97.10
t. d'architecture 39.16
rotondité
corpulence 351.5
cercle 97.1
poids 636.4
rotor 760.7
rotrouenge 635.8
Rotsés 371.11
rotule
jambe 502.3 ; 580.16
roture 734
roturier 734.6 ; 734.7
roturièrement 734.10
rouable 584.20
rouage 118.7 ; 476.12
composant 597.2
rouan 735.15
rouanne 584.5
roubignolles 762.5
roublard 316.20
roublarder 316.12
roublardise 316.7
rouble 529.8
roucaque 638.6
roucoulement 170.3
roucouler
oiseaux 170.7
aimer 27.16
roucoulis 170.3
roue
mécanisme 97.2 ; 118.7 ; 476.12 ; 733.7
supplice 801.4

acrobatie 792.8
roue à eau 269.8
roue de carrosse 529.2
roue de fortune 374.8
roue de la Fortune 305.3
roue de secours 57.8
cinquième roue du carrosse 419.4 ; 435.7 ; 596.14
faire la roue 581.7
pousser à la roue 15.7 ; 19.19
roué 303.21
rouelle 97.2
rouer 801.20
rouer de coups 72.19 ; 115.22
rouerie
malice 316.7
malhonnêteté 485.1
immoralité 860.1
rouet
rotation 733.8
charpente 834.18
métier à tisser 816.17
t. de serrurerie 760.8
rouflaquette 624.5
rouge 735
n.
couleur 159.8
t. de politique 808.26
adj. 84.10 ; 159.28 ; 624.23
rouge de colère 130.12
rouge de honte 367.15
fer rouge 307.6
terre rouge 813.10
chauffer au rouge 102.20 ; 735.9
voir rouge 130.7 ; 735.6
porter au rouge 102.20 ; 735.9
rougeâtre 735.10
rougeaud 735.11
rouge-gorge 570.8
rougeoiement 735.5
rougeole
rougeur 735.5
maladie 482.20
rougeoleux 482.69
rougeot 735.11
rougeoyer 735.7
rouge-queue 570.8
rouget
adj. 735.11
rouget
n.m.
poisson 333.13 ; 638.6
insecte 417.13
rouget de sable 638.6
rougeur 735.5
rouge 735.1
rougir 735
geler 327.14
prendre des couleurs 159.22
ressentir 755.10
rougir d'aise 312.8
rougir de honte 367.7
rougir de plaisir 629.9
rougir de timidité 819.5
rougissant 735.14
peureux 619.19
rougissement 735.4
rouille
n.f.
oxyde de fer 205.7 ; 307.5 ; 372.8
champignon 79.16
adj.
brun rouge 159.28 ; 735.12
rouillé 307.23
usé 28.13
rouiller 205.21 ; 307.19
rouiller (se)
vieillir 863.10
avoir la main malheureuse 483.16
rouillure 518.6
rouir 18.23
rouissage 18.4
roulade
trille 106.7
paupiette 333.11
culbute 792.8
roulage
transport 833.1
acconage 830.12
roulant
continu 153.24
comique 132.11
volet roulant 67.9
roulante
desserte 519.7
prostituée 672.9
roulé
trompé 284.14
bien roulé 69.16
rouleau
cylindre 97.9 ; 162.3
vague 319.10
à peinture 607.16
pellicule 621.5
élément mécanique 476.12
engin de travaux publics 834.27
cheveux en boucles 129.3
bigoudi 129.8
sur rouleau 282.6
roulé-boulé 792.8
roulée
baiser 91.3
volée de coups 160.5
roulement
alternance 576.6 ; 797.2
rotation 733.1
bruit 83.5 ; 115.2
roulement à billes 733.7
roulement diastolique 128.12
établir un roulement 576.18
rouler
v.t.
transporter par roulage 833.34
enrouler 733.17
duper 284.10
v.i.
se déplacer sur des roues 57.24 ; 832.26 ; 833.36 ; 871.22
fonctionner, marcher 476.15 ; 558.7
alterner 576.18
gronder 83.15
ça roule 6.16
rouler carrosse 730.16 ; 833.34
rouler des mécaniques 581.7
rouler des yeux 868.20
rouler sa bosse 871.20
rouler sous la table 441.14
rouler sur l'or 575.18 ; 730.17
rouler une galoche 91.7
rouler (se)
se rouler dans la fange 860.8
se les rouler 593.9
se rouler les pouces 593.9
roulette
petite roue 733.8
jeu de hasard 358.3 ; 446.11
outil du dentiste 188.12
roulette à patron 165.19
comme sur des roulettes 302.27
marcher comme sur des roulettes 798.12
rouleur
bavard 665.7
cycliste 792.61
rouleuse
prostituée 672.9
machine 476.10
roulier
routier 833.28
cargo 830.4
roulis 579.4
roulotte
cirque 123.2
camping-car 833.8
tente 481.9
roulottier 833.28
roulroul 570.9
roulure 36.15
bois 74.3
t. de botanique 79.16
roumain
langue 455.14
Roumain 355.5
roumi 117.15 ; 440.10
round 792.16
roupettes 762.5
roupie
monnaie 529.8
roupie
morve 340.4
roupie de sansonnet 419.3 ; 500.5
roupiller 780.17
roupilleur 780.12
roupillon 780.6
piquer un roupillon 780.18
rouquemoute 84.6
rouquier 638.6
rouquin
n.m.
homme roux 624.13
vin rouge 75.12
adj. 84.10 ; 735.11
rouquine 306.4
rouscailler 192.11
rouspétance 192.4
rouspéter
se plaindre 192.11
crier 168.17
rouspéteur 168.12
râleur 192.6
roussâtre 84.9
rousse
femme 306.4
éphélide 84.5
police 641.1
lune rousse 474.4
rousseau
n.m.
homme roux 624.13
poisson 638.6
adj. 84.10

rugissement
animaux sauvages 170.2
cri 168.4
rugosité
inégalité 402.1
bosse 78.1
rugueuse 604.15
ruine
fin, destruction 16.2 ; 119.9 ; 202.2 ; 205.5
décadence 195.5 ; 227.2
faillite 209.9 ; 249.1 ; 389.3
décombres 119.12 ; 721.4
décor, ornement 443.9
personne 863.5
en ruine 28.13 ; 205.26
battre en ruine 205.19
tomber en ruine 119.15 ; 205.22
ruiné 209.29
ruine-de-Rome 318.22
ruiner
nier 546.9
dévaster 827.9
détruire 205.19
ruiner la réputation 227.19
ruiner (se) 191.15
ruineux
tragique 827.11
destructeur 205.25
cher 111.10
ruiniforme 205.26
ruisseau 633.7
liquide 468.3
cours d'eau 319.4
les petits ruisseaux font les grandes rivières 281.11
ruisseler
couler 319.20
tomber 633.13
ruisselet 319.4
ruissellement 633.7
érosion 337.4
écoulement 468.6
Rumais 371.13
rumb 852.7
axe 221.4
rumba 176.10
rumen 486.23
ruménotomie 114.14
rumeur
bruits confus 83.5
mensonge 691.3
rumination
mastication 188.17 ; 218.12
ruminer
remâcher 188.23 ; 218.18 ; 262.30
ressasser 682.11 ; 720.6
rummy 446.3
rumsteck 333.7
Rundis 371.11
rune 459.1
ruolz 40.2
rupestre
peinture rupestre 607.2
rupiah 529.8
rupicole 356.16
rupin 730.19
rupteur 261.18
ruption 324.5
rupture
cassure 72.2 ; 230.3
discontinuité 205.4 ; 315.3
désaccord, séparation 23.2 ; 194.4 ; 202.2 ; 224.3 ; 238.1 ; 410.4 ; 666.8 ; 756.4
rupture de stock 490.3
rupture de ton 224.3
rural
n. 355.3
adj. 18.26 ; 356.15
ruralisme 808.14
ruraliste 808.40
ruralité 18.18
rurbain
n. 355.3
adj. 845.24
rurbanisation 845.2
ruse 316.9 ; 838.4
prétexte 656.2
faux-semblant 373.8
ruse de guerre 354.7 ; 487.9
ruse de Sioux 316.9
rusé 838.19
intelligent 424.11
ingénieux 316.19
tricheur 838.9
ruser 316.12
rushes 120.15
russe
n.m.
langue 455.14
n.f.
danse 176.6
Russe 355.6
russification 371.20
russisant 455.12
russophone 455.11
russule 103.6
rustaud
malpoli 226.4
populaire 734.8
rusticage 727.11
rusticité
discourtoisie 226.1
simplicité 767.1
rustique
n.m.
outil 584.17
adj. 18.26 ; 39.27 ; 481.42 ; 767.9
style rustique 519.27
rustre
malpoli 226.4
grossier 226.9
roturier 734.6
rut 486.25
accouplement 711.8
désir 763.5
rutabaga 333.19
rutacée 37.11
rutèle 417.3
Ruthènes 371.14
ruthénium 113.7
rutilant 575.20
rutile 516.5
rutiler 473.28
Rutules 371.16
R.-V.
visite 772.9
rendez-vous 137.9
Rwandais 355.7
rynchophores 417.2
ryolithe 337.17
rythm and blues 543.6
rythme 225.11 ; 543.21
périodicité 326.3
rapidité 538.12
intonation 622.8
concision 142.2
poésie 635.16
être dans le rythme 768.7
rythme alpha, de repos, bêta, thêta 100.22
rythmé 225.16 ; 543.55
sautillant 746.15
rythmer 543.46
rythmique
prose rythmique 225.10
rythmiquement 543.57

S

sabal 37.20
sabayon 799.6
Sabazios 236.17
sabbat
jour de repos 310.5 ; 449 ; 449.9 ; 706.4
assemblée satanique 186.9 ; 477.12 ; 737.3
tapage 83.9
sabbatique
année sabbatique 449.6
sabelle 856.2
sabellianisme 818.23
Sabelliens 371.16
sabine 38.6
sabir
pidgin 501.7
langue 455.1
créole 455.2
sabkha 197.2
sablage 550.9 ; 813.12
t. de dentisterie 188.18
sable
n.m.
noir (blason) 159.4 ; 553.2
sable
n.m.
matière minérale 443.6 ; 676.1 ; 813.6 ; 834.36
adj.
brun clair 84.12
sur le sable 603.14
être sur le sable 292.10 ; 672.18
semer sur le sable 435.9
se perdre dans les sables 249.14
sablé
n.m.
gâteau 799.6
sablé
adj. 676.21
pâte sablée 799.7
sabler
saupoudrer 676.17
terrer 813.18
t. de dentisterie 188.24
sabler le champagne 75.26
sableur 510.14
sableuse 676.10
sableux
granuleux 345.11
poussiéreux 676.21
terreux 813.26
sablier
instrument 118.3 ; 534.7
arbre 37.19
sablière 518.2
sablonner 813.18
sablonneux
granuleux 345.11
terreux 813.26
sabord 585.6
saborder 205.19
sabot
chaussure 110.4
pied d'un animal 486.20
baignoire 632.2 ; 669.6

garniture 57.9 ; 618.5 ; 834.32
tacot 833.2
maladroit 483.8
sabot de Denver 57.15
sabotage 547.5
démolition 205.5
sabot-de-Vénus 318.21
saboter
bâcler 500.10
faire échouer 249.9
briser 205.17
gâcher 483.17
négliger 547.8
étayer 834.42
saboteur 483.9
sabotier 110.13
sabotière 176.7
sabouler 710.10
sabre
arme 42.2 ; 43.3 ; 307.10 ; 792.17 ; 792.73
poisson 638.6
le sabre et le goupillon 59.7
sabrer
effacer 31.11
simplifier 767.5
critiquer 710.13
sabretache 151.6
sabreur 483.9
escrimeur 792.54
sac
destruction 205.6 ; 869.5
mise à sac 50.3 ; 205.6 ; 869.5
mettre à sac 205.20 ; 869.21
sac
contenant 151.2 ; 871.11
richesse 730.7
sac à dos 242.4 ; 871.11
sac à main 151.6 ; 859.30
sac de plombier 632.17
sac de serrurier 760.18
sac de voyage 151.6 ; 829.15 ; 871.11
sac postal 157.6
avoir plus d'un tour dans son sac 634.8
donner son sac 292.9
être dans le sac 44.14
épouser le sac 730.12
faire son sac 730.12
mettre en sac 151.11
vider son sac 595.20 ; 720.12
mettre dans le même sac 376.10
sac percé 191.10 ; 661.5
sac-à-puces 740.8
saccade 115.6
par saccades 223.19
saccadé 402.11
heurté 223.15
sautillant 746.15
saccage 205.6
pillage 869.5
saccagement 869.5
saccager
ravager 205.20
piller 869.21
sacchar- 343.28
saccharase 94.24
saccharifère 799.15
saccharifiable 799.16
saccharification 113.14
cristallisation 799.8
saccharifier 94.30 ; 799.12
saccharimètre 509.26
saccharin 799.14
saccharine 214.4
sacchariner 799.11
saccharo- 343.28 ; 799.17
saccharomyces 103.6
saccharomycétales 103.5
saccharose 94.5
saccharure 499.14
saccule 55.3
sacculine 172.3
sacerdoce 699.3
sachet 151.4
poudre 499.14
Sachlichkeit
die neue Sachlichkeit 46.12
sacoche
sac 151.6
bagage 871.11
sacquer 292.6
sacral 736.16
sacralisation 736.5
sacraliser 736.13
sacralité 736.2
sacramentaire 657.13
sacramental 736.16
sacrement 818.18
sacramentalité
sacrement 818.18
divinité 736.2
sacramentel 736.16 ; 818.31
sacrement 173.14
cérémoniel 98.24
cérémonie sacramentelle 98.4 ; 310
oui sacramentel 149.4 ; 491.5
sacramentellement 98.29
sacrarium
temple 465.4
oratoire 657.3
sacre
cérémonie 98.6 ; 642.4 ; 667.3 ; 736.5
sacre
oiseau 570.12 ; 570.6
sacré
adj.
nerf sacré 548.2 ; 548.4 ; 548.5
région sacrée 242.2
vertèbres sacrées 242.2 ; 580.10
sacré 736
n.m.
ce qui est religieux, saint 736.1
adj.
religieux, saint 717.12 ; 736.14
d'importance 11.25 ; 384.12
chant sacré 106.4
mal sacré 482.47
prostitution sacrée 672.2
union sacrée 725.4
histoire sacrée 363.2
Sacré-Cœur 117 ; 374.4
fête chrétienne 310.3
sacredieu 431.6
sacrement 173.14 ; 310 ; 818.18
cérémonie 98.1
cérémonie sacramentelle 98.4
administration des sacrements 699.28
être muni de tous les sacrements 818.27
sacrer
v.t.
rendre sacré 642.19 ; 667.8 ; 736.13
sacrer un roi 98.19
v.i.
jurer 398.14 ; 431.11
sacret 570.12
sacrificateur 801.15
pontife 699.25
sacrificatoire 173.23
sacrifice
culte 699.28
offrande 98.9
immolation 534.12 ; 801.9
offrande 173.5
privation 701.3
sacrifice de l'autel 508.1
sacrifice de la Croix 171.8 ; 299.3
sacrifice du mouton 310.6 ; 440
sacrifice eucharistique 508.4
Saint Sacrifice 508.1
le sacrifice d'Isaac 374.2
faire des sacrifices 191.17
sacrificiel 173.23
sacrifier 173.19 ; 801.21
donner 336.6
solder 524.10
sacrifier à 564.8
sacrifier à un dieu 173.19
sacrifier (se) 701.8
sacrilège 737 ; 663.4
incroyant 398.6
péché 606.1
pécheur 606.13
sacristain 508.9
sacristi 431.6
sacro- 736.17
sacro-coccygien 541.10
sacro-lombaire 541.6
sacro-saint
saint 736.15
respectable 717.12
sacrum
colonne vertébrale 242.2 ; 580.10
Sadalmelek 49.5
sadaq 440.18
aumône 241.3
Saddharma-pundarika-sutra 80 ; 815.13
sadducéen 449.25
sadhu 362.11
sadique 321.14 ; 801.27
masochiste 763.22
vicieux 860.9
sadisme 321.9 ; 865.9
perversion 763.15
méchanceté 497.1
cruauté 801.10
sado-maso 763.22
sado-masochisme ou **sado-masochisme** 321.9
perversion 763.15
sado-masochiste 763.22
saducéen 449.25
safari 107.1
safran
plante 318.17 ; 333.27
couleur 159.28 ; 159.9 ; 444.2
safrané 444.11 ; 735.13
safraner 444.6
safranière 18.10
safranine 735.2
safre
n.m.
oxyde de cobalt 73.3 ; 516.5

safre
adj.
glouton 342.12
saga 815.21
roman 691.4
sagace
fin 316.15
avisé 148.18
sagacité 316.1
sagaie 42.2
sagartia 527.12
sage
n.m.
homme d'expérience, de réflexion 148.7 ; 365.6
philosophe 533.11 ; 620.25 ; 810.5
adj.
raisonnable 148.18 ; 282.22 ; 620.34 ; 674.12 ; 682.12 ; 759.11 ; 759.13 ; 810.10
calme, docile 89.13
vertueux 108.7 ; 177.8 ; 365.10 ; 858.10
sage comme une image 89.13 ; 564.12
les Sept Sages de la Grèce 620.25
sage-femme 544.14
sagement
avec discernement 620.35 ; 674.16 ; 682.18 ; 759.14
calmement 89.18
vertueusement 108.10 ; 771.11 ; 810.13
sagène 509.21
sagesse
pondération 89.1 ; 282.7 ; 620.23 ; 674.3 ; 759.3 ; 810.1
discernement supérieur, profond 215.13 ; 818.17
philosophie, art de vivre 620.1 ; 620.4
vertu 108.1 ; 365.2 ; 533.5 ; 858.1
atteindre à la sagesse 620.29
sagine 360.8
sagittaire
n.f. 360.8
Sagittaire (le)
signe du zodiaque 88.9 ; 311.13
constellation 49.15
sagittal
suture sagittale 580.20
sagittée 37.27
sagne 537.1
sagouin 486.14
cochon 740.8
sagoutier 37.20
sagre 638.7
sagum 859.12
saharien 750.18
langues sahariennes 455.14
saharienne 859.9
sahel 750.10
sahélien 750.18
saï 486.14
saie 859.12
saïga 486.6
saignant 333.48
ensanglanté 742.33
saignée
ponction 742.13 ; 775.17
massacre 354.1
tranchée 834.8
entaille 36.10
saignée du coude 502.2
saignement 482.46 ; 742.12
temps de saignement 742.16
saigner
v.t. 317.33 ; 834.38
saigner à blanc 111.6
saigner qqn 160.18
tuer 534.28
v.i. 72.16 ; 72.19 ; 742.25
saigner comme un bœuf 742.25
saigner (se) 191.17
saigneur 18.16
saillant 211.19
bosse 402.4
coin 30.7
angle saillant 30.2
saillie
accouplement 711.8
saillie
bosse, proéminence 30.7 ; 78.8 ; 190.2 ; 211.1 ; 402.4 ; 580.13 ; 637.6 ; 783.10
trait d'esprit 156.7 ; 424.3 ; 532.4
saillie de rive 77.10
saillir 190.8 ; 211.13 ; 402.8
surgir 783.15
saïmiri 486.14
sain 127.21 ; 743.11
équilibré 282.22
sain et sauf 353.18 ; 743.11 ; 752.18
une âme saine dans un corps sain 743.2
sainement 743.14
proprement 669.15
saingorlon 328.6
saint
n.m.
chrétien canonisé 320.9 ; 533.11
sanctuaire 736.6
adj.
sacré 533.16 ; 717.12 ; 736.15
d'une vertu exemplaire 858.10
saint des saints 215.4 ; 465.8 ; 591.2 ; 736.6
saint de grève 169.17
petit saint 373.9 ; 858.7
fête des saints 310.4
saints de glace 127.13 ; 327.2
vie des saints 363.6
saint homme 858.7
saint-bernard
chien 486.9
personne secourable 19.12
saint chrême 508.5
saint-cyrien 274.15
sainte ampoule
oindre de la sainte ampoule 98.19
sainte-maure 328.4
saint-esprit
bijou 70.10
Saint-Esprit 117.16
sainteté 818.11
pureté 533.5
Sa Sainteté 590.2 ; 822.14
sainte-nitouche
hypocrite 373.9
mijaurée 12.4
vertu 858.7
vierge 108.4
saint-florentin 328.6
saint-frusquin 529.5
et tout le saint-frusquin 721.6
saint-germain 330.11
saint-glinglin
à la saint-glinglin 385.10
saint-honoré 799.6
Saint-Jean
feu de la Saint-Jean 309.12 ; 311.3
mal Saint-Jean 482.49
saint-marcellin 328.6
saint-nectaire 328.6
Saint-Office 835.6
Saintongeais 695.11
saintpaulia 318.30
saint-paulin 328.6
fromage 328.2
saint-père 590.2
Sa Sainteté 822.14
saint-pierre 638.6
saint sacrement 117
fête chrétienne 310.3
Saint-Siège 590.17
saint-simonien 222.15
socialiste 808.34
saint-simonisme
radical-socialisme 808.5
collectivisme 222.3
saint-sulpicerie 320.7
Saïph 49.5
saisie
t. de droit 144.8 ; 209.12
t. d'informatique 408.21
saisie-arrêt 209.12
saisie-brandon 209.12
saisie-exécution 209.12
saisie-gagerie 209.12
saisie-revendication 209.12
saisine
saisine héréditaire 645.7
saisir
refroidir 327.14
prendre 479.10 ; 645.19
arrêter 44.11
émouvoir 115.23 ; 754.11 ; 805.4
comprendre 275.9 ; 425.13 ; 434.6
cuire 333.40
t. de droit 209.27 ; 451.26
saisir au collet 44.12
saisir le moment 528.6
saisir (se) 620.28
s'emparer 869.20
saisir-arrêter 209.27
saisir-brandonner 209.27
saisir-exécuter 209.27
saisir-gager 209.27
saisir-revendiquer 209.27
saisissable 209.31
saisissant 115.34
saisissement
émotion 755.4
surprise 386.4 ; 805.1
saison 738
période 610.1
temps 127.2
t. de théâtre 817.18
saison des amours 27.6 ; 711.8

saison des pluies 633.2
saison froide 327.2
belle saison 102.3 ; 738.3
première saison 445.1
de saison 127.20 ; 571.10 ; 738.12
il n'y a plus de saison 127.13
saisonnalité
périodicité 326.3 ; 610.9
saisonner 330.22
saisonnier 738.11
mensuel 610.15
sajène 509.21
sajou 486.14
Sakalavas 371.12
saké 75.13
saki 486.14
sakti 362.3
saktisme 362.1
sal- 343.28
sal 37.20
salace
érotique 763.45
impudique 399.9
libertin 860.11
luxurieux 475.9
histoire salace 628.4
salacité 475.1
salade
mélange 201.5 ; 501.5
mensonge 504.7
aliment 333.20 ; 703.8
conter des salades 504.20
saladier 848.18
salage 328.3
salaire 739
récompense 144.4
rémunération 266.11
fiche de salaire 739.9
toute peine mérite salaire 507.12
salamalecs
accueil 368.2
salutations 741.5
salamandre
animal 68.3
chauffage 109.10
salamandridés 68.2
salami 333.9
salarial 739.14
salarialement 739.17
salariat 266.8 ; 739.2
prolétariat 480.2
salarié 739.10
employé 266.14
payé 739.15
salarier
payer 739.11
rétribuer 587.16
salat 657.16
Islam 440.16
salaud 497.5
salbande 518.6
salbutamol 499.5
salchow 792.22
sale
terne 71.15 ; 159.27 ; 350.11 ; 444.11 ; 444.9 ; 553.17
malpropre 547.17 ; 740.11
difficile 11.25
sale tête 814.3
salé
assaisonné 343
grivois 399.9
cher 111.10
petit salé 333.12
salement 740.16
rudement 427.32
saler
assaisonner 333.44 ; 343.16
faire payer cher 111.6
salésien 525.10
saleté **740**
bassesse 497.3
obscénité 399.4
ordure 296.1
sali- 343.28
sali 553.17
salicacée 37.11
salicoque 172.3
salicorne 318.9
salicylate
salicylate de méthyle 594.6
salidiurétique 499.31
salien 699.25
salière 333.7 ; 848.22
saligaud
cochon 740.8
méchant 497.5
salin
algues 22.2
salé 343.25
oxyde salin 307.5 ; 631.2
salingue 740.11
salir
maculer 553.10 ; 740.9
dégrader 412.8 ; 737.7
salir (se) 485.8
salissant 740.15
salissement
noircissage 553.8
saleté 740.1
salisseur 740.8
salisson 740.8
salissure
noircissure 553.7
jaunissement 444.3
souillure 740.2
salivaire 340.14
gastrique 218.24
noyau salivaire 100.4
salivant 340.13
salivation
excrétion 340.9
mastication 218.12
salive
sécrétion 340.4
sucs digestifs 218.13
saliver 340.11
faire saliver 343.14
saliveux 340.15
salle 748.7
bureau 464.3
pièce 481.20
salle de concert 748.5
salmanazar 75.17
salmigondis 201.6
mélange 501.5
ragoût 333.12
salmonellose 482.20
salmoniculteur 262.23
salmoniculture 262.3
salmonidé 638.3
Salomon 449.16
dollar des Salomon 529.8
salon
cénacle 137.10 ; 424.5 ; 772.8
exposition 607.24 ; 675.6
pièce 481.20
salon littéraire 137.10 ; 772.8
faire salon 772.11
tenir salon 772.13
salonard ou **salonnard** 772.15
salonner 772.12
salonnier
mondain 772.15
journaliste 654.16
salopard 497.5
salope
cochon 740.8
méchant 497.5
saloperie
souillure 740.2
vacherie 497.3
salopette 859.18
salopiaud 740.8
salpêtre 372.8
salpicon 333.22
salpingien 762.35
salpingite 482.33
salpingo- 306.20
salpingoplastie 114.17
salsa 176.10 ; 543.5
salse 337.7
salsepareille 318.17
salsifis 333.19
salsola 318.9
saltarelle 176.6
saltateur
sauteur 746.6
danseur 176.22
saltation
saut 746.4
chorégraphie 176.5
saltatoire 746.16
salticidé 746.7
arachnide 417.12
saltigrade 746.7
sauteur 746.14
saltigué 235.12
saltimbanque
clown 628.7
forain 123.13
saltique 417.13
salto 792.8
acrobatie 123.6
salto mortale 123.7
saluade 741.5
salubre 127.21 ; 743.13
salubrité
propreté 669.1
prospérité 743.3
salubrité publique 669.2
saluer 717.10 ; 741.15 ; 741.17
remercier 163.8
saluer comme un héros 341.12
saluer la compagnie 189.9
salueur 741.13 ; 741.24
salure 343.5
salut
n.m.
rédemption 353.1 ; 592.2
salutation 717.5 ; 741
salut militaire 765.8
salut éternel 287.2
salut par la foi 818.16
int. 431.8
à bon entendeur, salut ! 275.18
salut la compagnie ! 137.25
salutaire 743.13
utile 847.12

salutation 741
accueil 368.2
salutation angélique 657.9
Salvadorien 355.10
salvateur 461.24
protecteur 653.24
salve
série 758.4
rafale 820.2
salvinia 360.9
salviniacée 360.9
samadhi 657.17
bouddhisme 80.8
samare 330.2
samaritain 117.21
samarium 113.7
Samas 371.12
samba 176.10
sambar 486.6
sambo 792.15
samedi 88.10
samia 417.11
samisen 422.4
samit 816.4
Samits 371.15
samizdat 469.4
sammodyte 712.3
Samoan 355.11
samolus 318.24
samovar 848.27
samoyède 455.14
Samoyedes 371.14
samsara 362.5
bouddhisme 80.10
Samson et Dalila 374.4
S.A.M.U. 114.31
sana 353.10
sanatorium 775.21
sanatana-dharma 362.1
sanatorium 353.10 ; 775.21
sanctifiant 818.17
sanctificateur 215.10
sanctification 736.5
sanction
confirmation 149.2 ; 245.39
punition 144 ; 299.2
sanction disciplinaire 208.4
sanctionné 164.20
puni 144.34
sanctionner
approuver 58.12
promulguer 245.51
condamner 144.28
sanctuaire 736.6
église 465.2
sanctus 657.11
credo 508.7
cantique 106.5
sandale 110.5 ; 110.7
sandalette 110.5
sandaraque
poudre de sandaraque 676.4
Sandawes 371.11
sandinisme 808.5
sandiniste 808.35
sandix 735.2
Sandow 792.72
sandr 627.1
sandre 638.5
sandwich
aliment 703.7
toast 588.6
être pris en sandwich 514.11
verre sandwich 855.3
sang 742
sécrétion 468.4
parenté 314.3 ; 361.16 ; 361.5 ; 371.3 ; 552.24
rouge 159.28 ; 735.12
à sang chaud 742.24 ; 873.6
à sang froid 418.7 ; 742.24 ; 873.6
bon sang 431.6
élément figuré du sang 742.2
liens du sang 314.3
se faire un sang d'encre 785.4
ne pas avoir de sang dans les veines 303.9 ; 452.5
apporter du sang frais 560.7
avoir le sang pauvre 303.9
avoir le sang qui monte à la tête 130.7
avoir dans le sang 27.18 ; 600.10
avoir du sang 864.9
avoir du sang bleu 552.22
se faire du bon sang 447.11 ; 629.9
se faire du mauvais sang 785.4
se ronger les sangs 785.4
bon sang ne saurait mentir 314.3 ; 361.17
c'est le sang qui parle 361.18
sang-de-bœuf 159.28
sang-de-dragon ou **sang-dragon** 735.2
sang-froid
froideur 327.1
constance 601.3
calme 89.1
courage 161.1
flegme 401.5
garder son sang-froid 89.11 ; 522.13 ; 601.10
sangha 80.12
sanglade 160.5
sanglant
saignant 742.33
rouge 159.32 ; 735.10
meurtrier 865.25
sangle 65.2
sangle abdominale 791.8
sangler
fouetter 160.22
t. d'ameublement 519.35
sanglier
porc 486.12
poisson 638.6
sanglot
gémissement 168.3
larmes 836.3
sangloter 836.9
sang-mêlé 501.9
sangsue 856.2
sanguicole 742.32
sanguin 742.29
rougeaud 735.11
coléreux 130.11
facteur sanguin 361.4
sanguinaire
n.f. 318.26
adj. 497.10 ; 742.32 ; 865.23
sanguine
minerai 307.6 ; 517.4
pigment 735.2
orange 330.9
dessin 607.3
crayon 607.15
sanguinivore 742.32
sanguinolent 742.33
Sanhadjas 371.10
sanhédrin 699.22
assemblée 725.3
rabbin 449.8
sanicle 318.20
sanie
pus 296.6
abcès 482.45
sanieux 482.82
sanitaire 632.2 ; 669.13 ; 743.13
plomberie 632.1
pl. 296.16
sannyasin 362.11
ascète 47.7
sanron 80.2
sans- 2.14
a- 404.15
sans 2.12 ; 404.14 ; 488.19 ; 546.21
excepté 295.16
sans-abri 603.6
sans-cœur
cruel 497.10
égoïste 257.7
sans-culottides 88.10
sans domicile fixe 603.6
sans-emploi 266.13
sansevière
fleur 318.17
plante 360.8
sans-faute 792.37
sans-filiste 809.17
sans-gêne
n.m.
désinvolture 415.3
indécence 399.1
adj.
inconsidéré 415.13
importun 415.15
sans-grade 523.5
sanskrit 736.12
sanskrit védique 455.14
sans-le-sou 603.6
sans-logis 603.6
sansonnet 570.8
sans-papiers 288.6
main-d'œuvre étrangère 480.4
sans-patrie 124.4 ; 288.6
sans-plomb 617.5
sans-profession 266.13
sans-travail
inactif 393.8
chômeur 266.12
santal 594.4
arbre 37.20
eau de santal 594.3
santal rouge 735.2
santalacée 37.11
santalale 37.11 ; 79.4
Santals 371.13
santé 743
vigueur 862.3
entrain 277.1
bonne santé 670.4
service de santé 41.6
à votre santé 75.39 ; 743.15
se refaire une santé 353.14

Santees 371.7
santiag 110.3
santoline 318.10
Santorini
canal de Santorini 218.8
sanusiyya 440.5
saola 486.6
Saoras 371.13
Saos 371.11
Saoudien 355.8
saoul → **soûl**
saouler (se) 441.12
sapajou 486.14
laideron 453.4
sape
destruction 205.5
tranchée 182.12
vêtement 859.1
sapé 167.16
sapelli 37.18
sapement 205.5
sapèque 529.13
saper 167.11
saperde 417.3
saperlipopette 431.6
saperlotte 431.6
sapeur-pompier 41.10
saphène 128.9
saphique 763.47
saphir
pierre 517.4
tête de lecture 273.5
saphisme 763.14
sapide 343.19
sapidité 343.1
sapience
savoir 747.1
philosophie 620.1
sapin
bois 74.11
arbre 37.16
sapin de Noël 37.4
sentir le sapin 482.50 ; 534.23
sapine
grue 489.9
péniche 830.7
sapinette
arbre 37.16
planche 830.7
sapinière
sapins 36.16
planche 830.7
sapiteur 830.24
saponaire 318.8
saponifiable 369.15
saponification 113.14
sapotacée 38.3
sapote 330.15
sapotier 37.19
sapotille 330.15
sapotillier 37.19
sapristi 431.6
saprolegnia 103.9
saprolégniales 103.5
sapromyze 417.9
sapsago 328.6
sapucaia 37.19
sar 638.6
sarabande 176.9
menuet 543.31
Sarakollés 371.11
sarangi 422.5
Saras 371.11
Sarasvatis 736.8
sarbacane 448.4
sarcasme
raillerie 532.4
médisance 497.3
moquerie 439.4
attaque 412.4
figures de pensée 313.5
sarcastique 532.16
sarcastiquement 532.18
sarcelle 570.16
sarclage 18.4
sarcler 18.21
sarclette 18.15
sarcleur 18.16
sarcloir
bêche 584.26
outil agricole 18.15
sarcocarpe 330.4
sarcolemme 541.14
sarcologie 541.15
sarcomateux 482.80
tumoral 841.12
sarcome 841.4
sarcomère 541.14
sarcophage 417.9
cercueil 331.13
Textes des sarcophages 815.20
sarcophile 486.13
sarcoplasme 541.14
sarcopte 417.13
sarcoptidé 417.12
sarcoptiforme 417.12
sarcosporidie 512.5
sardanapale 426.5
sardanapalesque 426.11
sardane 176.6
sarde 455.14
sardine
poisson 333.13 ; 638.6
galon 667.5 ; 859.24
sardinier
chalutier 605.11
pêcheur 605.19
sardoine 517.4
sardonique 532.16
sardoniquement 532.18
sargasse 22.4
sarigue 486.13
Sarmates 371.16
sarod 422.4
saros
période 610.3
éclipse 49.19
lunaison 474.4
sarracenia 360.8
sarrasin
plante 318.23 ; 330.7 ; 360.7
musulman 440.6
sarrasine 67.4
sarrau 859.18
sarrète, sarrette ou **serrette** 318.10
sarriette 333.27
sarrot 859.18
sas
séparation 756.2
écluse 834.9
Sasaks 371.12
sassafras 37.19
sasser 333.38
satan 486.14
Satan 497.6
satané 11.25
satanique 175.15
démoniaque 186.13
cruel 497.10
vicieux 860.9
satanisme 186.7
satellitaire 48.14
satellite
astre 49.10 ; 49.6 ; 474.5
engin 48.2 ; 207.9 ; 681.5 ; 831.9
satellite de télécommunications 809.7
satellite espion ou *satellite-espion* 182.16
satellite météorologique 127.10
ville-satellite 845.7
sati 173.12
satiété 744
satisfaction 745.1
à satiété 1.18 ; 1.19 ; 745.16
satin 816.4
faire satin 684.13
satiné
n.m.
arbre 37.19
adj.
poli 640.10
textile 816.34
papier satiné 388.12
satiner 640.7
satinette 816.4
satire 532.6
moquerie 532.1
caricature 731.3
pamphlet 225.6
satirique 628.13
poésie satirique 635.2
satiriquement 532.18
satiriser 532.11
satiriste 628.8
Satis 362.3
satisfaction 745
contentement 5.4 ; 312.1 ; 447.7 ; 629 ; 744.1
pardon 299.2
témoigner sa satisfaction 745.12
satisfactoire
satisfaisant 745.14
expiatoire 299.8
satisfaire 5 ; 745
assouvir 744.3
réjouir 447.10
plaire 629.11
servir à 847.9
satisfaire un caprice 90.8
satisfaire (se) 745.13
satisfaisant 365.14 ; 745.14
agréable 629.15
acceptable 366.27
satisfait 312.12 ; 745.15
rassasié 744.8
satisfecit 745.5
satisfiabilité 745.6
satisfiable 745.14
satori 80.8
satrape
chef 240.6
gouverneur 694.20
crésus 730.9
satrapique 240.19
satsanga 362.7
saturabilité 113.11
saturateur
humidificateur 372.9
thermostat 109.15
saturation
excès 294.1
satiété 744.1
intensification 427.5
satisfaction 745.1
état de saturation 372.2
arriver à saturation 427.13 ; 744.6

saturé 187.10
vapeur saturée 113.3
saturer 744.6
redoubler 427.13
concentrer 187.8
t. de chimie 113.20
saturnale
fête 310.8
festin 309.9
orgie 475.4
Saturne 236.39
système solaire 49.7
anses de Saturne 97.5
saturnie 417.11
saturnien 49.33
saturnin
minéral 516.10
plombique 631.12
saturnisme 631.6
empoisonnement 267.2
satya
hindouisme 362.4 ; 362.6
satyaloka ou **satya-loka**
362.10 ; 591.6
satyre
papillon 417.11
exhibitionniste 475.6 ;
763.23
silène 236.1
satyre puant 103.6
satyriasique 199.8
satyriasis 321.9 ; 482.33
troubles de la sexualité 762.25
désir 199.5
satyridés 417.10
sauce
pluie 633.4
assaisonnement 333.26
saucé 633.19
saucée 633.4
saucer
arroser 468.9
inonder 633.14
saucier 333.34
saucière 848.22
saucisse
aliment 333.9
personne sotte 784.7
ballon captif 831.2
saucisson
charcuterie 333.9
miche 588.2
ficelé comme un saucisson 859.45
saudade 106.10
sauf
adj.
en sûreté 752.18
adv. 295
moins 790.12
sauf-conduit 58.6
sauge 594.4
fleur 318.16
saugrenu
inopportun 415.12 ;
415.13
ridicule 731.8
insensé 557.9
Saül 449.16
saulaie 36.16
saule 37.15
saule têtard 814.18
saumâtre 343.25
trouver saumâtre 720.6
saumée 509.23
saumon
métal 510.7 ; 631.5
poisson 333.13 ; 638.6 ;
638.8
saumonette 638.7
saumure 343.3
sauna 102.4
étuves 109.19
saunier
faux saunier 869.14
payer en saunier 587.14
saupiquet 333.26
saupoudrer 676.17 ; 727.15
sucrer 799.11
saur 750.19
-saure 712.22
saure ou **sauré** 84.13 ; 444.14
sauré 672.4
saurel 638.6
sauret 750.19
-saurien 712.22
saurien 712.4
sauripelviens 712.10
saurir 750.15
saurischiens 712.10
saurissage 750.3
saurisserie 750.9
saurophidiens 712.1
sauropodes 712.10
saut 746
intervalle 223.7 ; 433.3
mouvement 119.8 ; 123.6 ;
123.7 ; 176.16 ; 319.4 ;
623.2 ; 792.22
grand saut 534.1
au saut du lit 494.9
saut-de-lit 859.15
saut-de-loup 567.2
fossé 39.17
saut-de-mouton
réseau routier 833.16
passage à niveau 832.20
saute
vicissitudes 850.5
saut 223.7
vent 852.1
saute d'humeur 90.3 ;
104.6
saute de vent 212.3
sauté 333.50
saute-au-rab 342.3
saute-dessus 641.7
sauteler 746.9
saute-mouton 446.23
sauter
bondir 684.19 ; 746.9 ;
792.83
accoupler 486.27
sursauter 619.13
omettre 292.10
cuire 333.40
sauter au cou de qqn 91.7
sauter au plafond 805.8
sauter aux yeux 99.6 ;
867.6 ; 868.22
sauter dans les bras de
741.22
sauter du lit 851.13
sauter en l'air 765.24
sauter sur l'occasion 571.7
sauter un repas 703.34
sauter une ligne 433.7
faire sauter 746.13 ; 760.30
se faire sauter le caisson 534.29
sauterelle
insecte 417.15
outil 489.7 ; 832.4
règle 505.17
femme 306.5
sauterelle d'édredon
672.8
sauterie
réception 137.11
bal 309.11
saute-ruisseau 135.17
sauteur 746.14 ; 746.6 ; 746.7
caméléon 104.12
athlète 792.45
sauteuse
poêle 848.25
scie sauteuse 746.8
sautillant 746.15
saccadé 223.15
sauteur 746.14
sautillement 746.1
sautiller 746.9
sautoir
poêle 848.25
bijou 70.5
sauvage
non apprivoisé 873.22
farouche 409.9 ; 420.9 ;
497.10 ; 619.19
urbanisation sauvage
845.2
sauvageon
peureux 619.7
arbre 36.11
sauvagerie 801.10
sauvé
en sûreté 752.18
préservé 653.22
sauvegarde 671 ; 845.4
continuation 153.10
sécurisation 752.6
préservation 653.1
défense 182.1
pour la sauvegarde de
86.13
sauvegardé 653.22
sauvegarder
protéger 153.19 ; 182.21 ;
653.12 ; 671.18
t. d'informatique 408.25
sauvegarder son prestige 366.20
sauve-qui-peut 431.3
avertissement 175.6
en danger de 175.22
alerte ! 21.17
crier sauve qui peut 21.9
sauver
préserver 19.22 ; 153.19 ;
671.18 ; 775.27 ; 862.24
guérir 353.17
pardonner 592.11
sauver la face 366.20
sauver sa peau 752.12
sauver (se)
s'enfuir 228.8
s'en aller 189.8
partir 181.6
sauvetage
sécurisation 752.6
préservation 653.1
sauveteur
protecteur 19.12 ; 653.7 ;
671.11
sauvette
marchand à la sauvette
135.16
sauveur 592.9
Fils de Dieu 215.8
protecteur 653.7 ; 671.11
salvateur 461.24
Sauveur du monde 215.8
savacou 570.18
savamment 747.20
savane
sécheresse 750.10
arbres 37.22
herbage 360.5

savane-parc 37.22
savant 747.16 ; 747.9
savant en us 747.10
savantasse 747.10
savarin 799.6
savate
chaussure 110.5 ; 792.15
personne sotte 483.8 ; 784.7
saveter 483.17
savetier 110.13 ; 483.9
saveur
parfum 594.1
goût 343.1
savoir 747
capacité 322.8
savoir ce que l'on fait 536.7
savoir ce que l'on veut 716.5
faire savoir 63.11
qui sait 291.7
Dieu seul sait 215.20
être bien placé pour le savoir 747.12
savoir y faire 10.12
savoir-faire 677.6 ; 747.3
métier 10.3
savoir-vivre
mode de vie 862.14
correction 571.2
sociabilité 772.1
courtoisie 163.1 ; 233.4
délicatesse 184.1
savoisien 695.11
savon
produit lavant 550.14 ; 669.4
réprimande 710.2
savon à barbe 129.7
passer un savon 710.16
savonnage 669.3
savonner 669.10
laver 550.31
savonner la tête 710.16
savonnette 118.7
savon 669.4
savonnier 37.19
savourer
goûter 343.13
déguster 703.28
savourer l'existence 670.8
savoyard 695.11
Saxe
bleu de Saxe 73.8
saxhorn 422.6
saxifragacées 318.29
saxifrage 318.29
saxophone 422.6
saxophoniste 542.8
saye 816.4
sayette 816.4
sayetterie 816.16
saynète 817.12
sayyid 440.12
sbrinz 328.6
scabellon 749.11
scabieuse 318.34
scabieux 482.67
scabre 527.19
scabreux
difficile 217.18
téméraire 175.12
impudique 399.9
scala 527.3
scalaire
n.m.
poisson 638.5
adj.
t. de mathématique 493.2 ; 493.4
scalaria 527.3
scalène 541.5 ; 541.6
triangle scalène 402.3
scalénoèdre 517.7
scalénotomie 114.14
scalp 44.1
scalpel 114.26
scalper 44.11
scandale 227.4 ; 367.3 ; 399.3
faire scandale 754.14
scandaleusement 367.17
scandaleux
choquant 192.12
honteux 367.13 ; 606.14
scandaliser
choquer 192.7
pécher 606.9
scandium 113.7
scandix 318.20
scanner
appareil de télédétection 498.20
t. d'imprimerie 388.15
scanner
numériser 388.19
scannériser 388.19
scanographe ou **scannographe** 498.20
scanographie ou **scannographie**
radiographie 498.14
t. d'imprimerie 388.7
scanographique 498.37
scape 39.15
scaphandre 671.5
scaphites 527.5
scapho-cuboïdienne 580.24
scapho-cunéenne 580.24
scaphoïde
carpe 580.15
tarse 580.17
scaphopodes 527.1
scapulaire
n.m.
vêtement 525.25 ; 859.26
adj.
de l'épaule 541.7
ceinture scapulaire 580.9
scapulo-huméral 548.4
scarabée 417.3
talisman 477.10
scarabéidés 417.2
scare 638.6
scarificateur
bistouri 114.26
instrument agricole 834.27
scarification
incision 98.7 ; 775.17
t. d'arboriculture 36.10
scarifier 775.26
scarite 417.3
scaritidés 417.2
scarlatine 482.20
scarlatineux 482.69
scarlet 735.2
scarole 333.20
scat 105.5
scato- 296.30
scatologie 763.15
scatologique
excrémenteux 296.28
scabreux 399.9
scatophage 417.31
scatophile 251.16
sceau 5.8
scellé 308.2
cachet 765.11
t. d'imprimerie 388.13
mettre le sceau à 315.15
sceau de la confession 751.4
sceau du secret 751.10 ; 751.37
sceau-de-Salomon 318.17
scélérat
méchant 497.5
malhonnête 869.30
scélératesse
méchanceté 497.1
tromperie 828.6
scellé
n.m.
sceau 308.2
t. de droit 631.5
mettre les scellés 308.11
adj.
plombé 631.15
sceller
fermer 308.12
consolider 778.10
ferrer 307.17
plomber 631.11
scénanthe 360.7
scénarimage 120.8
scénario 120.8
intrigue 691.9
scénariser 120.30
scénariste 120.26
scène 748
de théâtre 817.11
épisode 290.1 ; 374.1 ; 597.3 ; 691.9 ; 868.9
dispute 168.6 ; 194.3
scène primitive 763.29
scène de mœurs 164.10 ; 374.7
entrer en scène 596.21
filer une scène 817.28
mettre en scène 817.26
faire une scène à 194.10
scénique 748.14
théâtral 817.31
scéniquement 748.15
théâtralement 817.33
scénographe
architecte 39.23
décorateur 748.10
scénographie 748.12
dessin 607.4
architecture 39.1
scénographique 748.14
scénologie 748.12
scepticisme
doute 395.6 ; 398.1 ; 615.3
t. de philosophie 462.9 ; 620.12
sceptique
réservé 395.16 ; 398.6 ; 438.9 ; 615.7 ; 714.16
t. de philosophie 462.14 ; 620.33
sceptiquement 620.36
sceptre 59.13 ; 133.12
enseigne 765.13
schah → chah
Scheat 49.5
scheelite 516.5
scheidage 518.4
schelem
succès 798.1

acclimatation 873.8
sécodonte 188.31
second
n.
deuxième 210.4
n.m.
adjoint 19.15 ; 596.12
commandant en second 830.21
adj.
deuxième 210.10 ; 560.14
auxiliaire 596.37
subordonné 787.22
style second Empire 519.27
secondaire
n.m.
enseignement 210.4
adj. 4.5 ; 210.10 ; 419.12 ; 616.12
filament secondaire 541.14
enseignement secondaire 274.2
secteur secondaire 266.8
secondairement
accessoirement 4.6
deuxièmement 210.11
secondariser 419.11
seconde
unité de temps 421.1 ; 509.9 ; 610.7
unité de mesure d'angle 509.7
classe 210.4 ; 274.6
intervalle tonal 433.1 ; 543.17
vitesse 57.4
position d'escrime 792.17
à la seconde 421.15
à la seconde où 528.12
secondement 210.11
seconder
assister 596.25
aider 19.18
sécot 750.19
secouage 17.5
secoué
choqué 115.36
ivre 441.18
être secoué 746.12
secouement 17.5
secouer
agiter 17.7 ; 85.14 ; 115.23 ; 115.29 ; 538.22 ; 579.10 ; 746.13 ; 851.11
rudoyer 248.6
secouer (se)
se réveiller 851.13
réagir 687.16
secoueur 17.6
secourable 19.26
serviable 847.14
généreux 336.10
secoureur 19.12
secourir 775.27
protéger 671.18
venir à la rescousse 19.22
prendre en pitié 625.9
défendre 182.21
secourisme 775.9
secouriste 19.12
secours 19.3
réanimation 775.9
consolation 786.2
utilisation 847.2
facilités 302.9
préservation 653.2
protection 671.1
soutien 596.4
aide 19.1
bienfait 336.3
être de secours à 847.9
au secours 19.24 ; 19.33 ; 21.17 ; 431.3
de grand secours 19.28
prêter secours 786.6
secousse 746.4
oscillation 579.1
agitation 17.3
choc 115.1
bouleversement 115.10
ne pas en fiche une secousse 593.8
secret 751
n.m.
confiance 145.3
mécanisme 259.4 ; 760.8
adj.
peu communicatif 183.18 ; 430.13 ; 714.14
secret d'État 751.4
secret de fabrication 511.4 ; 751.10
homme de secret 145.9
sous la foi du secret 751.37
dans le secret de son cœur 751.35
emporter son secret dans la tombe 751.14
être dans le secret 596.24
être dans le secret des dieux 751.21
garder un secret 751.14
mettre au secret 208.19 ; 751.19 ; 756.11
testament secret 101.6
vote secret 260.8
tenir secret 751.15
secrétaire 570.12
bureau 519.11
secrétaire d'État 708.9
secrétariat
secrétariat de rédaction 654.15
secrétariat général de la présidence de la République 708.8
secrétariat général du gouvernement 708.8
secrète
n.f.
oraison 508.7 ; 657.11
jupon 859.13
police 641.4
secrètement 751.29
en soi-même 430.14
sécréter 340.11
sécréteur 340.13
sécrétine 340.3
sécrétion 340.4 ; 468.4
excrétion 340.9
sécrétoire
fluide 468.17
glandulaire 340.12
phase sécrétoire 340.6
sectaire
dogmatique 99.9 ; 808.49
sectarisme 99.2
intolérance 582.8
extrémisme 808.23
sectateur 320.8
secte
confession 700.3
groupe 773.8
secteur
subdivision 126.4
zone 182.5 ; 845.12
secteur public 266.8
section
action de couper 114.8
subdivision 126.4 ; 324.3 ; 597.1
dimension 219.2
intersection 338.13
section droite d'un cylindre 692.2
sectionnement
division 597.4
fraction 324.1
sectionner
partager 597.10
dégrouper 756.12
fractionner 324.10
sectorisation 126.10
séculaire
cent 95.5
périodique 610.14
antique 28.11
sécularisation 663.3
séculariser 663.6
sécularité 663.2
séculier
temporel 811.13
profane 663.7
vie séculière 862.12
clergé séculier 699.2
séculièrement 663.10
secundo 210.11
sécurisant 752.16
maternel 506.10
sécurisation 752.6
sécuriser 752.9
sécuritaire 752.13
sécuritarisme 752.8
sécurité 752
tranquillité 89.2
prospérité 670.1
défense 182.1
sécurité civile 182.3
sécurité publique 752.1
Sécurité routière 57.19
sentiment de sécurité 145.2
de sécurité 752.13
ceinture de sécurité 57.11 ; 671.5
verre de sécurité 855.3
assurer la sécurité de 752.11
se sentir en sécurité 145.15
secutore 123.20
Sédangs 371.13
sédatif 89.17 ; 499.33
endormant 780.25
calmant 499.4
sédentaire
n.
personne 355.13
adj.
fixé en un lieu 355.33 ; 605.1 ; 611.16
peu actif 393.15 ; 481.38
sédentairement 356.17
sédentarisation 356.8
sédentariser (se) 356.13
sédentarisme 356.8
sédentarité 393.1
sédiment 721.3
terrain de sédiment 337.16
sédimentaire 337.31
sédimentation 65.8
érosion 337.4
vitesse de sédimentation globulaire 742.16

sédimentologie 337.1
sédimentologue 337.23
séditieux
frondeur 200.4
révolté 200.8
révolutionnaire 728.4 ; 728.9
sédition
rébellion 200.2 ; 715.3
révolution 728.1
séducteur 186.2
séduction
capacité à séduire, à charmer 53.3 ; 199.3 ; 407.3 ; 614.4 ; 729.8
action de séduire 27.5
séduire
charmer, plaire à 27.19 ; 53.5 ; 199.11 ; 407.12 ; 614.10 ; 614.8 ; 629.12 ; 729.15 ; 798.20 ; 868.22
obtenir les faveurs de 3.11 ; 279.12 ; 860.7
séduisant
joli 69.17
attirant 53.9
plaisant 629.14
séduit 53.11
séfarade 449.29
Juif 449.24
Sefer yetsira 815.6
séfirot 449.5
ségala 18.11
segment
morceau, portion 324.3 ; 678.4
portion d'une ligne 338.4 ; 692.2
anneau, métamère 417.17
structure anatomique 548.10
segmentation
division 597.4
fraction 324.1
division cellulaire 265.3
segmenter 678.11
ségrage 317.11
ségrégabilité 756.8
ségrégation
discrimination 402.2
mise au ban 582.2
ségrégation raciale 288.11
ségrégationnisme 288.17
racisme 582.9
ségrégationniste 288.18
raciste 582.17
ségréger ou **ségréguer** 288.22
exclure 582.15
séguedille 176.6
seiche
animal 333.13 ; 527.4
seiche
oscillation de l'eau 319.9 ; 579.2
seigle 330.7
pain de seigle 588.1
seigneur 431.2
noble 552.17
prince 822.4
le Seigneur 215.4
Notre Seigneur 215.4
grand seigneur 59.9 ; 552.18 ; 552.26 ; 717.6
à tout seigneur... 366.7 ; 552.17
en grand seigneur 552.31
faire le grand seigneur 581.8 ; 661.10
vivre comme un seigneur 730.16
seigneuriage 245.23
seigneurial 552.29
droits seigneuriaux 245.23 ; 317.13
justice seigneuriale 451.4
seigneurie 552.10
droits régaliens 245.23
Sa Seigneurie 822.13
seille 519.25
seillon 519.25
seime 486.20
sein
mamelle 340.2 ; 639.1 ; 639.2
matrice 762.14
giron, flanc, ventre 755.1 ; 853.1
partie intérieure, cœur 430.2 ; 514.2
courbure 162.4
au sein de 396.21 ; 430.16 ; 514.17
admettre en son sein 688.15
donner le sein à 270.16
élever au sein 270.16
seine 605.6
seing 554.6
séisme 337.6
séismo- 337.36
séismonastie 79.11
seizain 529.12
seiziémiste 363.8
séjour
résidence 355.18
domicile 356.2
séjour céleste 591.1
séjour des démons 186.11
séjour des dieux 236.44 ; 591.7
séjour des morts 534.8 ; 591.7
séjour des ombres 271.7
interdiction de séjour 144.9 ; 429.2 ; 582.6
séjourner 355.24
Sekhmet 236.24
sel
substance chimique 113.8
condiment 333.28
t. de pharmacie 499.14
sel d'argent 40.4
sel de fer 307.7
sel de lune 474.12
sel de mer 333.28
sel gemme 337.17 ; 517.1
sels d'or 575.4
sels de bain 669.4
sels de plomb 631.2
sels de thallium 267.4
sels minéraux 517.1
sélaginellales 79.4
sélaginelle 360.9
sélect 233.14
sélecter 116.10
sélecteur 116.14 ; 116.6
sélectif 116.14 ; 711.27
théorie sélective 381.2
sélection
choix 116.3
assortiment 116.5
élevage 262.12
qualification 792.37
sélection naturelle 251.5 ; 711.1 ; 873.8
sélectionné 116.12
sélectionner 873.16
préférer 116.10
sélectionneur 116.6
éleveur 262.21
sélectionnisme 116.7
sélectionniste 116.6
sélectivement 116.16
sélectivité 116.7
séparation 756.1
sélén- 49.39 ; 474.25
sélène 474.25
lunaire 49.33 ; 474.22
Séléné 474.10
séléni- 474.25
sélénien 474.11
lunaire 49.33 ; 474.22
sélénique 474.22
sélénite 474.11 ; 474.12
lunaire 474.22
sélénite de sodium 499.6
sélénium 113.7 ; 499.6 ; 516.5
sélénium sulfuré 499.6
séléno- 49.39 ; 474.25
sélénodonte 188.31
sélénographie 474.8
Lune 49.9
sélénologie 474.8
Lune 49.9
sélénologue 474.8
sélénomancie 474.9
self-control 240.2
insensibilité 418.1
constance 601.3
maîtrise de soi 810.3
garder son self-control 601.10
perdre son self-control 549.8
self-government 462.2
self-service 703.15
self-trimmer 830.5
selle
harnais 792.77
morceau de viande 333.7
selle turcique 580.6
aller à la selle 296.20
remettre en selle 19.22
se remettre en selle 353.15
selles 296.2
sellette 519.10
sellier-garnisseur 57.21
selon 511.19 ; 559.19 ; 668.15 ; 696.31
d'après 143.18 ; 147.17 ; 559.20
semailles 18.4
semaine
période de sept jours 247.22 ; 610.4
bijou 70.2 ; 70.4
semaine sainte 117 ; 310.3
à la semaine 739.17
à la petite semaine 547.21 ; 616.15
semainier
calendrier 88.4
meuble 519.3
bijou 70.4
Semais 371.13
sémanalyse 729.4
Semangs 371.12 ; 371.13
sémantème
sémantisme 753.3
lexique 455.6
sémanticien 753.7
linguiste 455.12
sémantique 455 ; 753
lexicologique 535.31
champ sémantique 535.15 ; 753.3

sémantiquement 535.33
formellement 753.19
linguistiquement 455.22
sémantisme 535.10 ; 753.3
sens 753.4
sémaphore 765.14
sémasiologie
sémantique 753.6
lexicologie 535.17
semblable
n.m.
chose semblable 719.5
prochain 613.2
adj.
similaire 138.11 ; 147.14 ; 376.14 ; 719.14 ; 843.9
semblablement 143.16 ; 147.16 ; 376.17 ; 844.19
de même 719.16
semblance 300.3
semblant 373.2
faire semblant 25.10 ; 373.14 ; 379.6 ; 656.5
sembler 25.9
sème 753.3
séméiologie 432.9 ; 498.4 ; 765.19
séméiologique 498.36
sémelfactif 326.17
semelle
de chaussure 110.8
assise, socle 476.12 ; 813.3
ne pas céder d'une semelle 715.14
sémème 753.3
semence
graine 18.6 ; 330.2
sperme 762.8
germe, cause première 92.6
clou 637.3
perle 70.12
semencier 36.11
semen-contra 499.9
semer
mettre en terre 18.22
susciter 92.13
distancer 33.12 ; 190.6 ; 263.11
semestre
mois 610.4
six 770.3
semestriel
six 770.7
mensuel 610.15
semestriellement 610.17
semeuse 18.15
semi- 379.14
semi-aride
sec 750.18
désertique 197.8
semi-auxiliaire 346.12
semi-conducteur
conducteur 102.28 ; 261.14
verres semi-conducteurs 855.2
semi-conserve 333.5
semi-consonne
phonème 781.8
lettre 459.2
semi-cristal 855.1
semi-désertique 197.8
semi-direct
démocratie semi-directe 694.4
semi-dominance 361.6
semi-hebdomadaire 610.15
sémillant
sain 743.11
joyeux 629.17
actif 7.13
semi-lunaire 580.15
lobule semi-lunaire inférieur 100.7
valvule semi-lunaire 128.5
apophyse semi-lunaire 580.11
semi-métaux 94.3
séminaire
école religieuse 274.5 ; 648.10
congrès 137.10
cours 225.7
grand séminaire 274.5
petit séminaire 274.5
séminal 762.34
fruitier 330.23
perte séminale 482.33 ; 762.22
voie séminale 762.6
liqueur séminale 762.8
vésicule séminale 762.6
séminifère 762.34
conduit séminifère 762.6
séminipare 762.34
Séminoles 371.7
séminome 841.4
semi-océanique
climat semi-océanique 127.1
semi-officiel 708.22
sémiographie 765.19
sémiologie
symptomatologie 498.4 ; 765.19
sémiotique 252.10 ; 432.9 ; 455.7 ; 729.4 ; 753.6
sémiologique
symptomatologique 498.36
sémiotique 729.16 ; 753.16
sémiologue 729.13 ; 753.7
sémioticien 753.7
linguiste 455.12 ; 729.13
sémiotique
n.f. 252.10 ; 455.7 ; 620.8 ; 729.4 ; 753.6 ; 765.19
adj. 729.16 ; 753.16
semi-pénétration 834.25
semi-pierre 517.4
semi-portique 489.10
semi-précieux
pierre semi-précieuse 70.12 ; 517.4
semi-présidentiel 694.4
semi-produit 510.7
semi-public 222.19
sémique 753.16
semi-remorque 833.7
semi-rigide 732.13
semis 578.3
plantation 18.4
semissis 529.11
sémite 449.33
Juif 449.24
sémitique 449.33
langue 455.14
sémitisme 449.19
semi-voyelle
phonème 781.8
lettre 459.2
semnopithèque 486.14
semonce
admonestation 63.5
reproche 710.2
coup de semonce 63.5
semoncer
admonester 63.13
blâmer 710.10
sempervirent ou **semper virens** 287.12
sempervivum 287.5
sempiternel 153.21
sempiternellement
perpétuellement 153.31
éternellement 287.14
sen 529.10
sénaire
six 770.3
t. de poésie 635.13
sénat
Parlement 708.5
pouvoir législatif 245.45
sénateur 708.3
sénatorial 708.20
élections sénatoriales 260.2
sénatus-consulte 245.32
séné 499.9
séné de Provence 38.6
passe-moi la casse, je te passerai le séné 690.12
sénéchal 451.19
sénéchaussée 451.4
séneçon 318.10
Sénégalais 355.7
sénescence 863.2
sénescent 28.12
senestre ou **sénestre** 334.3
gauche 334.10
t. d'héraldique 334.12
senestré 334.10
sénestro- 334.14
senestrochère 334.3
sénestrogyre 334.10
senestrorsum ou **sénestrorsum**
gauche 334.10
t. d'héraldique 334.12
sénestrovolubile 334.10
sénevé 318.26
sénile 863.15
faible 303.17
sénilement 863.16
sénilisme 863.3
sénilité 863.3
senior
vieux 28.4
t. de sports 792.42
senne 605.6
Senois 371.13
sénologie 639.6
sénologue 639.7
Sénoufos 371.11
sénousisme 440.5
sens 753
signification 152.2 ; 432.1 ; 753.1 ; 753.2 ; 753.4
fonction sensorielle 754.2
sensualité 475.5
direction 221.1
finalité 620.17
sens dérivé 753.2
sens figuré 25.4 ; 313.1 ; 753.2
sens large 753.2
sens littéral 753.2
sens propre 753.2
sens strict 753.2
au sens large 753.20
dans le sens le plus large 456.12

au sens strict 459.22 ; 753.20
dans un certain sens 753.20
double sens 24.1 ; 25.4 ; 753.3
à double sens 24.13 ; 25.16 ; 753.16
avoir un sens 753.10
sens musculaire 541.3
sens olfactif 569.5
acuité des sens 755.6
erreur des sens 283.3
les cinq sens 121.4 ; 754.2
le sixième sens 434.3 ; 754.2 ; 754.5 ; 770.4
sens civique 125.1
sens commun 450.1 ; 682.6
sens concret 753.2
sens critique 450.1
sens interne 430.3
sens intime 275.2
sens moral 472.6 ; 533.10
bon sens 177.3 ; 275.2 ; 450.1 ; 682.6
avoir le sens de 434.6 ; 753.8
tomber sous le sens 99.6 ; 425.11
sens inverse 221.2 ; 436.3
en sens contraire 221.33 ; 436.15
dans le sens contraire ou *inverse de* 436.17
dans le sens des aiguilles d'une montre 246.9
dans le sens inverse des aiguilles d'une montre 334.12
dans le sens opposé de 436.17
dans les deux sens 690.17
dans tous les sens 221.34
en tous sens 219.12 ; 221.34
sens dessus dessous 201.10 ; 202.4 ; 204.25 ; 436.15
sens devant derrière 201.10 ; 211.23 ; 436.15
aller dans le même sens que qqn 6.10
sensation 754
sentiment 434.5
émotion 755.4
faire sensation 7.12 ; 290.9 ; 754.14 ; 805.10
sensationnalisme 754.9
sensationnel 290.13
sensationnisme
perceptionnisme 754.9
empirisme 620.11
sensationniste 754.19
sensé
raisonné 682.12
clair 425.15
senseur
compas 221.8
capteur 207.7
sensibilisable 755.22
sensibilisateur 755.22
sensibilisation 755.7
immunisation 381.16
sensibilisé 755.21
sensibiliser 755.12 ; 755.13
immuniser 381.18
sensibilisme
perceptionnisme 754.9
sensibilité 755.1
sensibilité 755
affectivité 286.5 ; 600.2 ; 755.1
excitabilité 509.25 ; 509.26 ; 549.4 ; 755.5
intuition 177.4 ; 316.3
réceptivité, précision 207.14
sensible
n.
personne sensible 755.9
n.m.
ce qui est perceptible, concret 425.4 ; 620.20
n.f.
note 543.11 ; 757.3
adj.
émotif 755.15
délicat 76.9 ; 184.10 ; 316.16
réceptif 115.37 ; 688.20 ; 754.15
endolori 243.13
perceptible 425.16 ; 492.8 ; 754.16 ; 824.8 ; 867.7
notable, marquant 384.11
sensible à 348.7
intuition sensible 434.2
sensiblement 754.20
réellement 492.11
sentimentalement 755.23
sensiblerie 600.2
émotivité 755.2
sensille 417.17
sensitif
émotif 754.17
affectif 755.14
fin 755.20
aire sensitive post-centrale 100.16
âme sensitive 755.1
sensitive
fleur 318.27
personne 755.9
sensitivité 755.1
sensitivo-moteur 548.8
sensitométrique 754.18
sensorialité 754.3
sensoricité 754.3
sensorimétrie 754.8
sensorimétrique 754.18
sensorimoteur ou **sensori-moteur** 375.27
stade sensori-moteur 270.2
sensorium 100.1
sensualisme
empirisme 620.11
luxure 475.1
sensualiste 754.19
sensualité 27.12
plaisir 475.3 ; 629.3
désir 199.5
luxure 475.1
sens 475.5
sensuel 475
érotique 763.45
libertin 629.18
excitant 199.15
lascif 27.27
sensuellement 475.13
sent-bon 594.3
sente
passage 289.3
chemin 845.16
sentence
jugement 144.1 ; 450.3 ; 451.14
courte phrase 142.3 ; 533.7 ; 595.11 ; 622.10
sentence capitale 144.11
sentencieusement
solennellement 759.15
pompeusement 347.16
sentencieux
pédant 759.10
théâtral 347.12
senteur
parfum 569.2 ; 594.1
sentier
passage 289.3
voie 221.3
chemin 833.19 ; 845.16
être sur le sentier de la guerre 354.23
sentiment
affect 600.1 ; 755.4
impression, intuition 375.5 ; 434.5
affection 26.1 ; 27.1 ; 53.2
affectivité 755.1 ; 755.2
bons sentiments 533.10
grands sentiments 755.2
sentiments fidèles et respectueux 717.5
faire du sentiment 755.12
sentimental
romantique 755.9
sensible 755.15
vie sentimentale 755.1
sentimentalement 755.23
sentimentaliser 755.12
sentimentalisme 600.2
émotivité 755.2
sentimentaliste
romantique 755.9
sensible 755.15
sentimentalité 600.2
émotivité 755.2
sentine
porcherie 740.6
vivier 605.15
sentinelle
planton, veilleur 21.8 ; 51.4 ; 52.3 ; 207.16 ; 671.14
étron 296.2
ligne de sentinelles 487.7
faire sentinelle 51.6 ; 487.27
sentir
éprouver, ressentir 275.10 ; 754.11 ; 755.10
détecter, deviner 434.6
humer 569.19
ne plus se sentir de joie 447.11
ne pas sentir la rose 740.10
ne pas pouvoir sentir 62.7 ; 410.6
ne plus se sentir 294.9 ; 655.6 ; 798.22
seoir 177.5
il sied de 177.5
sépale 318.4
séparabilité 756.8
séparable 756.23
divisible 597.15
séparateur 261.15 ; 756.9
séparatif 597.18 ; 756.24
séparation 756
dissociation, disjonction 223.8 ; 230.1 ; 263.1 ; 324.1 ; 510.3 ; 597.5 ; 756.1
rupture 202.2 ; 238.1 ; 491.14
démarcation, limite 23.3 ; 67.1 ; 216.3
éloignement 189.2
obstacle 567.1
séparation amiable 238.2

séparation de biens 238.3
séparation de corps 238.2
séparation de l'Église et de l'État 756.7
séparation des pouvoirs 708.4
séparatisme 756.7
indépendantisme 400.4 ; 808.16
autonomisme 462.12
séparatiste 756.10
indépendantiste 400.6 ; 808.27 ; 808.42
sécessionniste 756.25
régionaliste 695.12
autonomiste 462.15 ; 462.31
séparé
scindé, divisé 202.12 ; 324.14 ; 433.9 ; 597.16
distinct 23.14 ; 230.12 ; 400.12
isolé 756.21
divorcé 238.17
schismatique, dissident 194.15
séparément 230.17 ; 238.19 ; 756.26
indépendamment 400.13
à part 597.20
séparer
éloigner 230.7 ; 232.8 ; 263.6 ; 756.11
scinder 324.10 ; 597.10
isoler 23.11 ; 433.7 ; 567.12
diviser, brouiller 146.18
séparer (se)
se quitter 238.14 ; 756.15
se fractionner 230.11 ; 324.12
être en désaccord 194.8
se séparer de 263.12 ; 756.16
sépia 84.2 ; 159.9
encre de Chine 607.15
sépioïde 527.1
sépiole 527.4
sépiolite 516.5
seppuku 534.12
seps 712.5
sept 757
carte 446.4
septain 757.3
strophe 635.12
septal 100.26
sept-demi 274.15
septe 527.14
septembral
purée septembrale 75.11
septembre 88.8
septembrisades 801.8
septembriser 801.21
septembriseur 801.14
septembriste 801.14
septénaire
sept 757.8
périodique 610.14
vers 635.13
septennal
sept 757.8
périodique 610.14
septennalité 757.6
septennat 757.3
période 610.3
septentrion 327.6
nord 221.4
septentrional 221.29
polaire 327.19
septicémie 482.20
septicémique 482.69
septicopyoémie 482.20
septidi 757.5
jour 88.10
septième
n.m.
rang 757.5
fraction 757.1
n.f.
intervalle tonal 433.1 ; 543.11
adj. 757.9
septièmement 757.10
septimain
septième 757.9
musulman 440.26
chiisme septimain 440.2
septime 792.17
septimo 757.10
septique 482.69
septmoncel 328.6
septoria 103.8
septoriose 79.16
septuagénaire 863.5
septum
septum lucidum 100.10 ; 100.17
septum médian 548.10
septuor 757.2
orchestre 542.3
septuple
sept 757.1 ; 757.8
multiple 539.6
septupler 757.7
multiplier 539.4
sépulcral 331.37
funéraire 331.35
sépulcre 331.15
sépulture 331.15
séquelle
conséquence 647.3 ; 687.1 ; 721.3
suite, série 304.7 ; 758.3
séquelles 254.1
séquence
série 758.10
d'un film 120.11
de cartes 446.7
t. d'informatique 408.18
t. de liturgie 106.5
séquentiel 758.19
séquestration 208.2
internement 430.6
enlèvement 169.7
séquestre
fragment osseux 482.44
t. de droit 208.10 ; 209.12
séquestré 208.16
séquestrectomie 114.13
séquestrer
interner 430.9
kidnapper 169.23
enfermer 208.23
sequin 529.13
séquoia 37.15
serapeum 465.4
séraphin 29.5
séraphique
n.m.
moine 525.10
adj.
angélique 29.12
Sérapis 236.33
Serbe 355.5
serbo-croate 455.14
serein
n.m.
humidité, fraîcheur 372.1 ; 776.7
adj.
calme, paisible 89.14 ; 282.22 ; 418.14 ; 601.12 ; 620.34 ; 752.17
sereinement 752.19
imperturbablement 418.22
calmement 89.18
philosophiquement 620.35
sérénade
soirée 776.7
chanson 105.2
sérénissime 822.20
sérénité
sagesse 282.7 ; 620.23
calme 89.1 ; 601.1 ; 706.3
prospérité 670.3
confiance 145.2 ; 752.2
Sérères 371.11
séreux 340.17 ; 821.11
péricarde séreux 128.6
serf
esclave 564.6
sujet 787.8
serf de 787.22
serfouage 18.4
serfouette 18.15
serfouir 18.20
serfouissage 18.4
serge 816.4
sergé 816.34 ; 816.4
sergent
militaire 41.15
outil 505.18
sergent de ville 641.6
sergent-chef 41.15
sérial 758.11
sérialisation 758.13
classification 576.8
sérialiser
classer 576.13
grouper 758.15
sérialisme 543.4 ; 758.14
sérialiste 543.40
sériation 126.8 ; 758.13
classification 576.8
séricicole 262.32
sériciculteur 262.22
sériciculture 262.2
série 758
succession 153.8 ; 576.6
groupe 352.5 ; 540.5
enchaînement 176.15
t. de mathématique 493.2
t. de musique 543.25
série B 120.5
série impériale 446.7
série infinie 406.4
série télévisée 681.13
sériel
ordonné 576.21 ; 758.18
t. de musique 543.50
musique sérielle 543.3
sérier
classer 126.13 ; 576.13 ; 683.13
grouper 758.15
sérieusement
gravement 175.20 ; 384.15
avec soin 759.14 ; 774.25
sérieux 759
n.m.
importance 384.1
soin 774.1
ponctualité 644.1
tristesse 836.4
adj.

important 384.11
soigneux 759 ; 774.20
ponctuel 644.4
triste 836.13
grave 827.12
honnête 365.13
comédie sérieuse 817.5
prendre au sérieux 384.9 ; 432.16
se prendre au sérieux 347.8 ; 759.6
tenir son sérieux 759.5
sérigène 417.32
sérigraphie 388.5
serin
n.m.
oiseau 570.8
personne sotte 784.7
adj.
jaune 159.28 ; 444.13
sérine 94.10
seriner
répéter 704.9
tourmenter 549.15
serinette 422.13
seringa 38.5
seringage 372.6
seringue 499.19
toxicomanie 825.12
instrument 114.26 ; 775.18
seringuer 372.13
sériosité 759.1
serment
proclamation 13.3
engagement 565.4
promesse 472.5 ; 666.1
prestation de serment 451.11
serment d'amour 27.5
sous la foi du serment 472.17
prêter serment 451.27 ; 472.9
sermologue 648.11
sermon
prêche 225.4 ; 533.7 ; 648.5
discours moralisateur 148.1
sermonnaire 648.11 ; 648.18
prédicateur 225.12 ; 648.12
sermonner
v.t.
admonester 148.11 ; 253.9 ; 614.10 ; 710.11
v.i.
prêcher 533.12 ; 648.15
sermonneur 710.8
moraliste 533.11
austère 533.16
séro- 742.34
séro-anatoxithérapie 775.5
séroconversion 381.4
sérodiagnostic 381.7
séro-fibreux 821.11
sérologie
hématologie 742.21
immunologie 381.2
sérologique 381.19
sérologiste 381.17
séronégatif 381.20
séronégativité 381.4
séropositif 482.68
immunisé 381.20
séropositivité 381.4
séroprévention 775.11
sérosité 468.4
sérothérapie
transfusion 742.13
immunothérapie 381.7
vaccinothérapie 775.5
sérothérapique 775.28
sérotine 486.10
sérotonine 94.10
sérotoninergique 548.8
sérovaccination
transfusion 742.13
vaccination 499.13
serpe 18.15
serpent
animal 267.7 ; 712.2
personne méchante 497.6
serpent à sonnette 712.3
serpent corail 712.3
serpent de Cléopâtre 712.3
serpent de verre 712.5
le Serpent à plumes 236.34
le serpent d'airain 374.2
charmeur de serpents 712.17
Serpent (le)
constellation 49.15
serpentaire 570.12
serpenteau 712.2
serpenter
torsader 162.8
ramper 712.18
serpentin
n.m.
courbe, spire 162.3
canon 42.5
cotillon 309.12
adj. 162.12
serpentine
pierre 516.5 ; 517.4
galon 165.3
serpette 18.15
en serpette 502.3
serpigineux 482.67
serpillière
tablier 211.6
toile à laver 550.15
serpolet
fleur 318.16
aromate 333.27
serpule 856.2
serran 638.6
serranidé 638.3
serrante 308.5
serratule 318.10
serre- 584.39
serre
construction vitrée 102.4 ; 443.9
en serre 813.29
effet de serre 251.9
serre
patte griffue 570.22
serre
colline 530.8
serré
adj.
étroit 289.8
tendu 154.15
dru 187.12
avare 61.9
concis 142.8
pauvre 603.21
adv.
pauvrement 603.25
ordre serré 487.6 ; 576.5
serre-file 193.9
retardataire 724.5
lambin 458.9
serre-frein 832.24
serre-joint 505.18
serrement 154.2
étroitesse 289.1
serre-patte 41.15
serrer
presser 154.7 ; 187.8 ; 333.45 ; 685.7
rétrécir, brider 289.7 ; 632.23
ranger, emballer 151.12 ; 430.9 ; 490.19
frôler 673.8 ; 685.12
suivre de près 685.11
serrer dans 91.7
serrer dans ses bras 741.22
serrer la main 163.9 ; 479.10 ; 741.22
serrer la vis 240.13
serrer le kiki à 534.28
serrer le vent 852.20
serrer les dents 188.25
serrer les fesses 619.16
serrer les files 487.29
serrer les rangs 487.29
serrer (se)
converger 685.13
rapetisser 154.12
serre-tête 129.9
serre-tube
clé 584.13
t. de plomberie 632.20
serriculture 18.1
serrure 308.5 ; 760
avoir la serrure brouillée 321.20
serrurerie 760 ; 307.14
serti 70.26
sertir 70.21 ; 517.17
mêler 396.11
adjoindre 9.12
enchâsser 608.10
sertissage 70.16
injection 396.3
sertisseur 70.19
sertissure 70.2
sérum 499.10
sécrétion 468.4
caillot sanguin 742.7
sérum antivenimeux 267.9
sérumalbumine 94.8
servage 787.2
serval 486.8
servant 508.9
servante
table 519.7
t. de menuiserie 505.18
serventois 635.6
serveur
appareil 408.4 ; 408.5
personne qui sert 446.25 ; 703.17 ; 792.51
serviable 847.14
affable 302.23
secourable 19.26
généreux 336.10
service
action de servir 41.18
aide 19.1 ; 786.2 ; 847.2 ; 847.5
pourboire 739.8
office religieux 508.2
bureau, administration 464.14
ensemble de plats 703.8
mise en jeu 792.13
Service d'aide médicale urgente 114.31
service d'ordre 641.5
service de l'État 125.4

service de presse 469.3 ; 654.15
service militaire 41.18
service national 41.18
service postal 157.10
service à café, à dessert 848.1
service de table 848.1
service funèbre 331.5
service du bout de l'an 331.8
rendre service 19.19 ; 565.9 ; 786.6
services
tâches, travaux effectués 266.1
bons et loyaux services 472.5
serviette
cartable 151.6
linge 550.15
à la serviette 333.52
coup de serviette 44.4
servietter 44.14
servile 761.14
soumis 787.20
lettre servile 459.2 ; 761.8
servilement 761.16
servilité 761 ; 564.4 ; 787.3
roture 734.1
servir
aider 19.19 ; 596.20
être utile 847.9
allouer 241.14 ; 587.17
mettre en jeu 792.85
donner, distribuer 446.35
servir l'État 125.8
servir Dieu et Mammon 25.13
servir qqn à plats couverts 828.15
servir à 847.9
servir de 847.10
on n'est jamais si bien servi que par soi-même 257.5
servir (se)
se servir de 656.4 ; 846.14 ; 846.15
servis 408.4
servite 525.10
serviteur 787.9
subordonné 564.6
serviteur de l'État 266.17
servitude
obligation 565.2
esclavage 787.2
servodirection
direction 57.9
t. d'automobile 221.8
servofrein 57.9
sésame 330.7
huile de sésame 369.5
sésamie 417.11
sésamoïde
carpe 580.15
tarse 580.17
sesbanie 318.27
sésie 417.11
sesqui- 509.36
sessile 37.27
session
examen 274.11
séance 148.6
session d'examen 274.11
session parlementaire 642.2
sesterce 529.11
set 792.38
sétaire 360.7
setar 422.4
Seth 236.24
setier 509.23
setter 486.9
seuil
pas de porte 481.13
début 134.4
limite 467.1 ; 467.3
passage, col 530.9
seul 779.16 ; 779.19
célibataire 93.9
ça va tout seul 302.17
seulement
exclusivement 295.15
uniquement 842.15
sève 79.14
résine 74.2
bois 37.6
extravasion de la sève 79.9
poussée de sève 445.2
sévère
rigoureux 127.21 ; 217.22
sérieux 759.8
triste 836.13
dur 248.8
autoritaire 59.19
vertueux 858.10
chaste 108.7
sobre 771.10
concis 142.7
sévereau 638.6
sévèrement
sérieusement 759.14
autoritairement 710.24
sévérité
sérieux 759.1
tristesse 836.4
dureté 248.1
vertu 771.4 ; 858.1
chasteté 108.1
concision 142.2 ; 767.1
sévices
acte de violence 865.7
divorce 238.4
sévir contre 144.28
sevrage
allaitement 270.7
privation 771.2
sevrer 270.16
sevrer (se) 771.5
Sèvres
bleu de Sèvres 73.8
sévrienne 274.15
sewamono 817.4
sex- 763.50 ; 770.10
sexage 762.24
t. d'agriculture 361.11
sexagénaire 863.5
sexagésimale 324.4
sexangulaire 770.7
sex-appeal 199.5
sexe 762
appareil génital 711.7
sexualité 763.4
sexe chromatinien 361.7
sexe faible 864.6
sexe fort 864.6
sexe génétique 361.7
le sexe masculin 364.1
le sexe, le beau sexe 306.1
le deuxième sexe 306.1
sexennal 770.7
sexennalité 770.5
sexeur 763.28
sexisme 763.3
phallocentrisme 364.7
racisme 582.9
sexiste 582.17
sexo- 763.50
sexologie 763.25
sexologique 763.44
sexologue 498.27 ; 763.28
sexonomie 763.25
sexophobe 763.46
phobique 619.21
sexothérapeute 763.28
sexothérapie 763.27
sexpartite 770.7
sex-ratio 711.15
sextant
instrument de mesure 509.26
Sextant (le)
constellation 49.15
sexte 525.21 ; 657.12
midi 494.4
sextet 770.2
sextette 770.2
sextidi
six 770.3
jour 88.10
sextil 770.7
sextine
six 770.3
poème 635.9
sexto 770.9
sextolet
six 770.3
t. de musique 543.28
sextuor 770.2
orchestre 542.3
sextuple
six 770.1
multiple 539.6
sextuplé 770.2
sextupler 770.6
multiplier 539.4
sexualisation 762.21 ; 763.24
sexualiser 762.29 ; 763.42
sexualisme 762.27 ; 763.2
sexualiste 763.44
sexualité 763 ; 711.3
désir 199.5
sexué 711.23 ; 762.37 ; 763.43
sexuel 27.30 ; 762.33 ; 763.44
reproducteur 711.22
vie sexuelle 763.1
instinct sexuel 763.5
sexuellement 711.28 ; 762.39 ; 763.49
sexy 763.46
excitant 199.15
Seychellois 355.7
seymouriamorphes 68.2
sézigue 613.7
sforzando 56.19 ; 542.25
sfumato 607.11
SGML 408.16
sgraffite 607.2
sgraffito 607.2
Sha 236.15
shabarith 449.11
Shabbat 449
Sabbat 310.5
repos 706.4
Shabouot 449 ; 449.9
fête juive 310.5
shadu 47.7
shah
titre 822.5
souverain 694.18
shakehand ou ***shake-hand*** 741.5
shaman 699.18
exorciste 477.18
prophète 235.12

Shamash 236.34 ; 777.12
shamisen 422.4
shampooing 129.6
savon 669.4
shampooing colorant 159.7
se faire un shampooing 669.11
shampouiner 129.13
shampouineur 129.12
shanai 422.7
shannon 408.15
Shaula 49.5
Shawnees 371.7
shekel 529.8
shelf 530.7
glace 327.7
sheng 422.13
shéol 271.1
shérardisation 510.4
shérardiser 510.15
Sherbros 371.11
shérif 641.6
sherpa
accompagnateur 871.16
alpiniste 792.59
Sherpas 371.13
shetland 816.3
shiatsu 775.8
shiitake 103.6
shikimi 736.9
arbre 37.20
shilling
shilling du Kenya 529.8
shilling ougandais 529.8
shilling somal 529.8
shilling tanzanien 529.8
Shilluks 371.11
shilom 825.12
shimmy
danse 176.10
dandinement 57.12
shin 80.2
shintô 700.8
shintoïsme 700.8
shit 825.5
Shoah 449.21
crime 169.6
shoji 67.2
Shonas 371.11
shoot
piqûre 825.10
t. de sports 792.11
shooter 792.85
shooter (se) 825.16
shooteuse 825.12
shorea 37.20
short 859.17
short-track 792.22
Shoshones 371.7
show 681.13
shrapnel ou **shrapnell** 43.15
Shuis 371.13
Shujing 815.16
shunt
conducteur 261.14
t. d'électricité 212.9
shuntage 212.1
shunter
dévier 212.12
t. d'électricité 261.23
si
n.m.
note 543.12
avec des si on mettrait Paris dans une bouteille 802.8
adv. 427.38
conj. 291.16
si jamais 291.16
int. 431.2
si fait 431.2
sial 337.10
sialagogue 340.13
vomitif 499.31
sialique 94.10
sialis 417.16
siallitisation 337.3
siamang 486.14
siamois
mammifère 486.8
monstre 304.4 ; 484.6 ; 484.9
Siamois 355.9
sibérien 327.19
climat sibérien 127.1
Sibériens 371.5
sibilance 764.3
sibilant
essoufflé 718.32
siffleur 764.11
bruit sibilant 764.3
sibilation 764
sibylle 235.11
sibyllin
divinatoire 235.18
énigmatique 217.19 ; 411.14
oracles sibyllins 235.7
sicaire 169.19
Sicambres 371.16
Sicanes 371.16
sicariidés 417.12
sicav 81.24
siccateur
séchoir 750.7
t. d'agriculture 806.5
siccatif 750.6
t. de chimie 113.4
t. de médecine 750.22
t. de peinture 607.14
huile siccative 369.2
siccativant 750.6
siccativité 750.6
siccité 750.1
sichotrématidés 417.6
sicilien
à la sicilienne 333.51
sicilienne
pièce de musique 543.31
danse 176.6
sicinnis 176.8
sicle 529.11
poids 636.12
sida
fleur 318.18
sida
immunodépression 381.6
maladie vénérienne 482.18
-side 113.30
side-car, sidecar ou **side** 833.13
side-cariste ou **sidecariste** 833.27
sidéen 482.69
sidér-
astronomie 49.37
métallurgie 510.21
sidéral
astronomique 49.33
jour sidéral 610.5
révolution sidérale 474.4
sidération 321.7
coma 534.11
sidéré
surpris 805.12
t. de métallurgie 510.19
sidérer
stupéfier 805.5
apeurer 619.10
sidérite 307.4
météorite 49.11
sidéro-
astronomie 49.37
métallurgie 510.21 ; 516.16
sidérocyte 742.3
sidérolithe 49.11
sidérolithique 307.22
minéral 516.10
sidéromancie 235.2
sidérophiline 307.8
sidérose 307.4
sidérostat 49.17
sidérotechnie 510.1
sidéroxylon 37.19
sidérurgie 307.14
métallurgie 510.1
sidérurgique 510.18
sidérurgiquement 510.20
sidérurgiste 510.14
sidologue 498.29
siècle
période 95.2 ; 610.3
monde 663.1
siècle d'airain 217.10
siècle d'or 730.1
dans les siècles des siècles 287.19
siège
d'une société 96.3
lieu 769.4
fondation 791.2
fesses 193.6 ; 242.1
attaque 50.3 ; 487.14
meuble 519.17
siège arrière 57.11
siège avant 57.11
siège éjectable 258.6
siège inclinable 57.11
siège rabattable 57.11
siège vacant 260.13
guerre de siège 354.2 ; 487.15
faire le siège de 487.31
lever le siège 189.11
siéger
légiférer 642.18
t. de justice 451.28
siéger à gauche 334.7
Siegfried
ligne Siegfried 67.10
siemens 509.11
sien
siens 304.3
faire des siennes 784.11
y mettre du sien 15.7
Sienne
terre de Sienne 84.2 ; 159.8
terre de Sienne naturelle 444.2

sierozem 337.16
sierra 530.3
Sierra Otontepecs 371.9
sieste 780.6
faire la sieste 780.18
sieur
monsieur 364.1 ; 822.15
sievert 509.14
sifflage 764.3
sifflant 781.30
siffleur 764.11
strident 794.5
sifflante 764.4
phonème 781.8
sifflement 764
son 55.6 ; 83.6 ; 781.3
d'un reptile 712.14
d'un animal 170.2 ; 170.3
de la respiration 718.13
stridence 794
siffler
v.t.
un air 106.23
un spectacle 817.30
un verre 75.26
v.i.
souffler 852.17
communiquer 170.6 ; 170.7
en respirant 718.25
produire un son 83.15 ; 764 ; 794.4
sifflet
tête 814.5
instrument 764
signal 765.15
sifflets 710.6 ; 764.5 ; 817.24
couper le sifflet 805.5
coup de sifflet 764.5
siffleur 764.11 ; 764.7
canard siffleur 570.16
sifflotement 764.2
siffloter
siffler 764.8
chanter 106.23
sifflotis 764.2
sifilet 570.14
sigillaire 337.23
fougère 360.9
sigillographe 363.9
sigillographie 363.5
sigisbée 27.8
sigle 765
abréviation 459.4 ; 535.4
siglique 765.30
sigmoïde 128.5
grande cavité sigmoïde 580.14
valvule sigmoïde 218.9
sigmoïdite 482.23
signage 765.12
signal
sifflement 764.5
alarme 21.1
cri 168.7
sculpture 749.6
avertissement 63.3
signe 765.1 ; 788.9
signal ouvert 832.4
signal sonore 54.4 ; 781.10
signal d'alarme 21.5
signal de clôture 832.4
signal d'entrée 278.7
signal d'occupation 809.8
donner le signal 765.20
signalement
personne 613.5
signe indicatif 765.1
portrait 196.3
signaler
avertir 63.11
trahir 828.10
communiquer 136.13
mentionner 554.19 ; 765.21
révéler 765.25
signaler à l'attention 21.9 ; 52.10
signaler (se) 341.20
signalétique 765.19 ; 765.27
fiche signalétique 196.4
signalisateur 765.27
signalisation
indication 63.3
représentation 709.2 ; 765.18
sécurité routière 57.19
chemin de fer 832.4
signaliser 765.22
signataire 554.16
cosignataire 586.13
signature
paraphe 554.6 ; 765.11
promesse 472.5
d'un pacte 586.5
d'un livre 469.13
d'une lettre 157.7
apposer sa signature 554.24
signe 765
symptôme 498.21
d'avertissement 21.1 ; 63.2
représentation 709
sous-entendu 788.9
cri 168.7
caractère 469.13
chiffre 112.1
lettre 459.1
t. de linguistique 455.6
signe avant-coureur 63.2 ; 134.13 ; 235.5 ; 305.5
signes cabalistiques 411.4
signes cliniques 498.21
signe fonctionnel 482.7 ; 498.21
signe sensible 818.18
signe de croix 171.8 ; 508.6
signe de tête 814.1
faire un signe de tête 814.11
signe de la main 741.5
signe de la tête 741.5
signes du Zodiaque 235.3
les douze signes du Zodiaque 244.2
faire le signe de la croix 171.16
signé 554.29
signer 554.24 ; 765.23
ratifier 586.9
signer des deux mains 586.10
persister et signer 13.8
signer (se) 320.13
signet
signature 765.11
reliure 469.12
signifère 765.16
signifiance 753.4
signifiant
n.m. 535.8 ; 753.3
adj. 432.20 ; 753.15
significatif 753.13
considérable 384.12
signification
sens 432.1 ; 753
figure rhétorique 313.5
t. de droit 451.6
degrés de signification 138.3 ; 346.11
unité de signification 535.1
significativement
considérablement 384.15
formellement 753.19
signifié
n. 152.2 ; 753.3
adj. 788.14
signifier
communiquer 63.11 ; 136.17
représenter 709.7
vouloir dire 425.10 ; 428.11 ; 753 ; 788.12
sigue 529.5
Sigyn 236.27
sika 486.6
sikh
croyant 320.8
hindou 362.2
sikhara 449
temple 465.3
sikhisme 700.8
hindouisme 362.1
silence 766
n.m.
calme 89.2
secret 751.1
sous-entendu 788.8
t. de musique 223.3 ; 543.28
int. 431.4
silence radio 404.4
grand silence 128.12
petit silence 128.12
cône de silence 766.3
vœu de silence 525.17
faire le silence sur 751.17
imposer silence à 89.9
loi du silence 751.1
silencer 766.12
silenciaire 766.9
silencieusement 751.33 ; 766.19
silencieux 766.15 ; 766.9
silène
fleur 318.8
insecte 417.11
divinité 236.1
silex 311.7
roches 337.17 ; 517.4
silhouette
forme 323.4
dessin 607.4
t. de serrurerie 760.14
silhouetter 323.11
silicate 517.4
silice
roches 337.17 ; 517.4
verre de silice 855.2
siliceux 517.20
silicico- 516.16
silicification 337.3 ; 516.6
silicium 113.7
silico- 516.16
silicone 640.4
silicose 676.13
bronchite 482.31
silicotique 482.76
silicule 330.2
silique 330.2
silky-oak 37.21
sillage 193.7
trace 466.4

dans le sillage 193.11
sillet 422.22
sillon
ligne 167.4 ; 466.4
ride 604.4
d'un disque 273.8
d'un champ 18.5
creuser son sillon 167.14
sillonné 167.16
sillonner
rayer 466.10
creuser 167.11
silo
à missile 182.12
à végétaux 18.9 ; 489.15
silphe 417.3
s'il te plaît 431.8
silure 638.5
siluridé 638.3
silurien 337.21
silvain 417.3
silves 635.17
s'il vous plaît 431.8
silybe 318.10
sima 337.10
simagrée
hypocrisie 373.7
affectation 98.14
simagrées 12.3
faire des simagrées 373.14
simaruba 37.19
simbleau 692.3
simien 486.14 ; 486.31
simiesque 486.31
simil- 719.19
similaire
correspondant 698.10
ressemblant 719.14
semblable 147.14 ; 843.9
similairement
identiquement 698.12
semblablement 147.16
simili- 379.14
simili 517.6
copie 379.3
bijou 70.1
simili or 575.13
similibronze 82.2
similitude
ressemblance 147.2 ; 698.1 ; 719.1 ; 843.1
figure de rhétorique 313.5
t. de géométrie 338.12
similor 575.13
simoniaque
sacrilège 737.10
escroc 284.7
délictueux 284.13
simonie 135.6
blasphème 737.2
escroquerie 284.3
simoun 852.6
vent sec 750.11
désert 197.2
simple
n.m.
sot 784.5
modeste 523.5
t. de tennis 792.13
simples 360.2 ; 499.9
adj.
unique 844.15
sot 784.13
facile 302.18
naïf 145.22 ; 767.10
modeste 523.9 ; 767.7 ; 810.10
sobre 771.10
intelligible 425.14
concis 142.7
t. de botanique 37.27
t. de grammaire 535.26
intervalle simple 543.17
intérêt simple 166.17
muscle simple 541.1
faire simple 767.6
simplement
modestement 767 ; 810.13
sobrement 142.10 ; 771.11
simplesse
sottise 784.1
modestie 523.1
simplicité 767.4
simplet
naïf 784.13
simple 767.10
à la simplette 523.13 ; 767.16
simplex 100.7
simplicité 767
petitesse 616.1
sottise 784.2
facilité 302.1
naïveté 145.4
modestie 523.1 ; 810.1
sobriété 142.2 ; 771.4
intelligibilité 425.2
simplicité antique 523.1
simplifiable 767.11
simplifiant 767.11
simplificateur 767.11
simplification 723.5
explication 432.2
simplifier
faciliter 302.15
clarifier 425.12 ; 767.5
résumer 723.6
simplifier une fraction 324.13
simpliste 767.11
inabouti 392.18
incomplet 383.10
simulacre
imitation 379.3 ; 719.8
représentation 375.3 ; 709.4
simulateur
imitateur 379.4
menteur 504.10
simulation
imitation 379.1
hypocrisie 12.2 ; 373.2
t. de psychologie 321.4
simulé
imité 379.9
menteur 12.12 ; 373.19 ; 656.7
simuler
imiter 379.6
prétexter 373.14 ; 504.17 ; 656.5
simulie 417.9
simultané 768.9
concordant 143.9
en simultané 768.12
simultanée 768.3
simultanéisme 768.6
simultanéiste 768.10
simultanéité 768
instantanéité 421.3
simultanément 143.17 ; 768.11
ensemble 352.24
simultanisme 46.12
Sin 236.26
sinanthrope 371.17
sinapisation 499.12
sinapiser 499.26
sinapisme 499.15
sincère 854.22
loyal 472.13
franc 767.10
honnête 365.9
sincèrement 365.16 ; 854.26
loyalement 472.16
sincèrement vôtre 741.25
sincérité 767.3 ; 854.7
droiture 472.3
honnêteté 365.1
accent de sincérité 614.5
sinciput 814.2
sindon 331.20
sinécure
inaction 393.1
travail 266.4
ce n'est pas une sinécure 217.26
sine die 647.27
sine qua non
condition sine qua non 545.2
sinfonia 543.29
singe
imitateur 379.4
mammifère 486.14
patron 266.18
singe savant 747.10
vieux singe 863.5
on n'apprend pas à un vieux singe à faire la grimace 863.13
adroit comme un singe 10.18
malin comme un singe 316.19 ; 424.11
singé 379.9
singer
imiter 379.6
t. de gastronomie 333.37
singerie
imitation 379.1
hypocrisie 98.14 ; 373.7
plaisanterie 628.5
décoration 374.8
single
disque 273.8
compartiment 832.15
singleton
unité 842.5 ; 844.4
t. de mathématiques 493.4
t. de jeux 446.5
singspiel 106.9
singularisant 376.16
singularisation 613.10
singulariser 376.11
singulariser (se)
différer 23.12
se distinguer 234.6
singularité
rareté 32 ; 686.1
bizarrerie 321.2
t. de plomberie 632.8
singulier
n.m.
t. de grammaire 346.5 ; 555.12
adj.
bizarre 32.13 ; 216.11 ; 556.15
unique 844.16
rare 686.9
capricieux 90.10
sinistralité
dégâts 57.13 ; 827.4
gaucherie 334.2
sinistre
n.m.

int. 431.7
sniffer 825.16
S.N.L.E. 43.13
snob 12.4 ; 379.11
imitateur 379.4
snobisme
imitation 379.1
affectation 12.1 ; 184.3
snow-boot
botte 110.3 ; 633.8
soap opera 681.13
Sobek → Sebek
Sobieski
Écu de Sobieski 49.15
sobre
réservé 714.13
sérieux 759.8
modeste 523.11
vertueux 108.9 ; 703.42 ; 771 ; 810.11
concis 142.9
sobrement
sérieusement 759.14
vertueusement 771.11 ; 810.14
brièvement 142.10
sobriété 771
réserve 714.1
sérieux 759.1
simplicité 142.1 ; 767.1
vertu 108.3 ; 703.12 ; 810.4
sobriquet 554.4
sociabilité 772 ; 773.10
sociable 137.20 ; 355.31 ; 772.14
affable 302.23
sociablement 772.17
social 352.22 ; 772.16 ; 773.15
équilibre social 282.5
législation sociale 245.7
salaire social ou indirect 739.2
sciences sociales 747.6 ; 773.11
vie sociale 772.8 ; 862.11
insectes sociaux 873.7
social-démocrate 808.37
social-démocratie 808.10
socialement 772.19 ; 773.17
socialisant 222.16
socialisation
d'une personne 772 ; 773.9
d'une économie 222.4
socialiser
une personne 773.14
une économie 222.12
socialisme 620.6 ; 694.11
gauche 808.4
collectivisme 222.3
socialiste 694.27 ; 808.26 ; 808.34
socialité
sociabilité 772.2 ; 773.10
socianisme 844.8
sociétaire
participant 596.9
partenaire 596.11
sociétal 773.15
société 773
groupe 352 ; 540.2 ; 725.2
classe 844.5
communauté 124.9 ; 772.6
compagnie 137
entreprise 464.1
société animale 873.7
société civile 772.6
société humaine 371.4
société léonine 413.7
société philanthropique 137.6
société savante 137.6 ; 747.8
Société nationale des chemins de fer français 832.23
Société protectrice des animaux 873.9
société d'abondance 1.6
société de consommation 191.6
société d'encouragement 19.6 ; 268.7
société d'investissement à capital variable ou SICAV 81.24
sociétés de prêtres 525.9
société de rédacteurs 654.15
société de tempérance 810.5
société en participation 135.9
en société 772.18
haute société 800.5
jeu de société 446.2
vivre en société 772.11
socinien 844.11
socio- 773.19
socio-analyse 773.11
sociocentrisme 773.12
socioculturel 773.15
sociodémographique 773.15
socio-économique 773.15
sociogéographique 773.15
sociohistorique
historique 363.15
social 773.15
sociolâtrie 773.12
sociolinguistique 773.11
sociologie 773.11
sociologie électorale 260.24
sociologie politique 642.13
sociologique 773.16
sociologiquement 773.17
sociologisant 773.16
sociologisme 773.12
sociologue 773.13
sociométrie 773.11
sociométrique 773.16
sociométriste 773.13
sociophobie 619.4
sociophobique 619.21
sociopolitique 642.25
sockette 859.13
socle 749.11
appui 791.2
t. d'architecture 39.15 ; 39.20
socle de marche 77.10
socque 110.4 ; 110.7
socratique
ironie socratique 620.22 ; 680.9
soda 75.8
sodar 207.6
sodium 113.7 ; 499.6
phosphate de sodium 499.6
sodocalcique 855.2
sodoku 482.35
sodomie 763.15
sodomisation 763.15
sodomiser 763.34
sodomite 763.22
sœur
femme 306.4
religieuse 525.13 ; 699.8
parente 304.5
sœur hospitalière 775.22
sœur tourière 278.9
sœur de Saint-Vincent-de-Paul 525.11
ma sœur 699.8
sœurette 304.5
sofa 519.14
soffie 638.5
soffite 481.30
softball 792.10
software 408.11
Sogas 371.11
soi
n. 613.2
pron. 613.7
soi-même 613.7
de soi-même 462.38
en soi-même 430.14 ; 613.19 ; 751.35 ; 766.20
être à soi 400.9 ; 462.25
rapporter tout à soi 257.4
se suffire à soi-même 420.6
soi-disant 25.20 ; 373 ; 656
hypothétique 802.10
soie
poil 207.12 ; 486.20 ; 624.2
support 607.18
tissu 816.2 ; 816.3
soie de verre 855.4
soierie 816.3
soif
désir 199.3 ; 812.5
état physiologique 75.2
soif de savoir 174.2
avoir soif 75.24
étancher sa soif 75.24
soiffard
ivrogne 441.7
buveur 75.21
soiffeur 75.21
soignant
ordre soignant 81.18
soigné
ordonné 576.19
intense 427.21
propre 550.38 ; 669.12
appliqué 774.24
soigner
guérir 353.16 ; 775.24
s'appliquer 774
élever 262.26
escroquer 111.6
soigner aux petits oignons 184.7 ; 774.10
soigneusement
en ordre 576.27
proprement 669.16
sérieusement 759.14
délicatement 184.13 ; 774.25
soigneux 774.20
soin 774
application 52.1 ; 759.3
curiosité 174.1
souci 183.2 ; 785.3
aide 19.3
délicatesse 184.4
soins 163.3 ; 774.6 ; 775.1
soins maternels 270.7
soins de beauté 604.6
soin du corps 669.3
sans soin 547.20
aux bons soins de 774.27
avoir soin que 774.17
prendre soin de 19.20 ; 262.26 ; 671.23

extraction 301.2 ; 518.3 ; 618.3
recherche 689.5
question 680.7
vérification 155.1
détection 207.1
pour une marchandise 675.3
t. de médecine 498.13
sondage éruptif 618.3
sondage d'opinion 680.7
faire un sondage 680.13

sonde
instrument de mesure 509.26
instrument de dentisterie 188.12
instrument médical 498.19
foreuse 618.4
sonde lunaire 48.3 ; 474.8
sonde spatiale 48.3 ; 49.17

sonder
mesurer 509.28
rechercher 207.18 ; 689.14
interroger 680.13
tenter 812.7
forer 518.11
t. de médecine 498.35

sondeur 689.11
sondeuse 618.4
sone 781.12

songe
rêve 780.29 ; 780.7
imagination 378.4
le songe de Jacob 374.2

songeard 378.7

songe-creux
rêveur 378.7 ; 664.9
oisif 435.8

songer
avoir l'intention de 375.18 ; 428.8
projeter 664.11

songeur 785.11
Songhaïs 371.11
sonie 781.9

sonique 781.28
mur sonique 781.11

sonnailler 781.24

sonné ou **bien sonné** 14.9
passé 598.13

sonner 542.22 ; 781.24
sonner ce que l'on dit 655.5
on ne vous a pas sonné 409.6

sonnerie
d'une horloge 118.6
d'une cloche d'école 274.8
salutation 741.7
signal 765.15
de téléphone 809.8
sonnerie aux morts 331.4

sonnet 635.9

sonnette 834.29
t. de travaux publics 834.18
sonnette d'alarme 21.5
à la sonnette de bois 209.25 ; 481.41

sonneur 542.8

sonneur
crapaud sonneur 68.3

sono- 781.33
sono 781.14
sonobouée 207.8
sonogramme 781.22
sonographe 781.13

sonomètre
instrument de mesure 509.26
t. de physique 781.16

sonométrie 781.17
sonométrique 781.28

sonore
auditif 55.19
acoustique 781.27
volume sonore 781.9

sonorement 781.32
sonorie 427.3

sonorisation
amplificateur 781.14
montage 120.17

sonoriser
émettre 781.25
t. de cinéma 120.31

sonoriste 781.23

sonorité
son 781.1
registre 106.15

sonothèque
archives sonores 781.19
discothèque 273.13

Sonotone 803.3
sophianique 215.21

sophisme
fausseté 283.11
ratiocination 682.4

sophiste 682.8
rhétoricien 729.13

sophistication
complexité 140.1
affectation 12.1

sophistique 620.2
raisonnement 682.4
rhétorique 729.1
t. de philosophie 620.32

sophistiqué
raffiné 316.16
affecté 12.13
trompeur 838.22

sophora
arbre 37.20
arbuste 38.8

soporatif
somnifère 780.9
endormant 780.25

soporifique
endormant 780.25 ; 780.9
ennuyeux 272.12

sopraniste 106.18
soprano 106.18
Sorabes 371.15 ; 371.16
sorbaria 38.8

sorbe
cerise 330.12
fruits rouges 330.13

sorbet 799.6

sorbier
sorbier domestique 37.13

sorbitol 94.18

sorcellerie 477.2
diablerie 477.4

sorcier 477.18

sorcière 497.6
vieille sorcière 863.5

sordide
mesquin 616.13
sale 740.11
avare 61.9

sordidement
mesquinement 616.15
salement 740.16
avaricieusement 61.10

sordidité
mesquinerie 616.1
saleté 740.1
avarice 61.1

sore 360.4
sorédie 463.2
sorgho 360.7

sorgue
nuit 776.5
obscurité 566.2

soricidé 486.3

sorite
raisonnement 682.5 ; 729.5

sorlot 110.1

sornette 784.4
mensonge 504.7
absurdité 557.4
parole 595.4
pl. 435.5
débiter des sornettes 504.20

sort
existence 297.4
situation 769.2
pratique magique 477.5
fatalité 305.1
sort contraire 11.3
sort des armes 354.8
le sort en est jeté 305.14
mauvais sort 11.9 ; 827.5
fête des Sorts 449.9
injures du sort 827.4
la loterie du sort 305.3
favorisé par le sort 670.16
conjurer le sort 477.23
faire un sort à 342.11
tirer au sort 305.8 ; 358.7
coup du sort 11.3 ; 827.4
jeter un mauvais sort à 11.18

sortable
convenable 677.16
décent 177.7

sortant 189.6 ; 783.11
t. de jeux 446.25
candidat sortant 260.14

sorte
type 323.3
manière 729.10
de sorte que 86.16
en sorte que 86.16

sorti 2.10
sorti de 783.24
sorti de là 300.18
sorti de page 461.22

sortie 783
ouverture 585.1
départ 189.1
manœuvre 50.1 ; 50.7 ; 354.7 ; 487.14
injure 412.3
parole 595.3 ; 595.7
voyage 871.8
t. de sports 792.11
t. de théâtre 817.11
sorties 599.5
sortie d'argent 339.9
sortie dans l'espace 48.5
à la sortie de 315.26 ; 783.29
fausse sortie 783.2 ; 817.11
droit de sortie 783.8
unité de sortie 408.7
être de sortie 783.18
se réserver une porte de sortie 783.19

sortilège 477.5

sortir
apparaître 34.7
exclure 295.9
partir 189.8 ; 300.12 ; 783

extraire 301.12
un livre 469.24
un produit 662.17
sortir de 254.5 ; 300.11 ; 353.15
sortir qqch de 301.9
sortir d'affaire 353.13
au sortir de 315.26 ; 783.29
sortir les pieds devant 534.22
ça vient de sortir 414.10
vient de sortir 560.9
faire sortir 301.9 ; 461.12 ; 783.20
sortir de (se) 783.19
s'en sortir 353.13 ; 461.20
sosie 719.6
sostenuto 542.26
sot 784.6
bête 784.12
malavisé 483.21
sot de 27.26
triple sot 784.6
sotadique 635.2
sotériologie 818.2
Sothos 371.11
sotie ou **sottie** 321.16 ; 532.6
comédie 817.5
sot-l'y-laisse 333.8
Soto 80.4
sottement 784.15
sottie → sotie
sottise 784
inopportunité 415.2
maladresse 483.6
lenteur d'esprit 458.3
naïveté 767.4
injure 412.3 ; 439.4
non-sens 557.4
platitude 630.3
sottisier
bévue 784.3
plaisanterie 628.4
sou 529.12 ; 529.9
bronze 82.5
sou à sou 281.18
sou par sou 344.14
sou du franc 739.8
un sou est un sou 281.11
n'avoir ni sou ni maille 603.12
n'avoir pas un sou vaillant 603.12
être sans le sou 603.12
pl.
sous 529.5
de quatre sous 419.13 ; 500.14
être près de ses sous 61.7
soubassement 203.2
appui 791.2
soubresaut 176.16
saut 746.1
soubresauter 746.10
soubrette 481.39
souche
origine 297.6
reste 721.3
d'un arbre 37.5
d'une famille 314.4
d'un mot 535.7
jet d'eau 443.5
t. de droit 101.8
t. de banque 66.23
souche microbienne 512.2
de vieille souche 28.11 ; 552.24
dormir comme une souche 780.17
faire souche 512.14 ; 711.19
souchet
oiseau 570.16
t. de travaux publics 834.16
souchetage 36.6
soucheter 36.23
souchette 103.6
souchong 75.5
souchot 527.4
souci 785
fleur 318.10
curiosité 174.1
ennui 192.5 ; 272.5 ; 774.3 ; 785.1
difficulté 217.4
crainte 21.2
soucis d'argent 603.3
sans souci 447.14
ne pas se faire de souci 573.5
souciant 785.13
soucier
inquiéter 21.11 ; 785.7
soucier (se)
s'intéresser à 174.5
s'inquiéter de 774.12 ; 785.6
s'en soucier comme de l'an quarante 401.12
ne pas se soucier de 419.9 ; 652.8
soucieusement 785.15
soucieux
sérieux 759.11
ennuyé 272.16 ; 785.12 ; 785.9
triste 836.10
inquiet 199.15
jaloux 442.10
soucoupe
monnaie 529.21
assiette 848.3
soudage 70.16 ; 725.7
assemblage 632.12
soudain 421.11 ; 421.17
imprévisible 386.14
hâtif 684.32
soudainement 421.17
soudaineté 421.3
Soudan
brun Soudan 84.2
soudanais
livre soudanaise 529.8
Soudanais ou **Soudanien** 355.7
soudard 226.4
soude 318.9
souder
réunir 352.16 ; 725.12
du fer 307.18 ; 632.23
soudoyer 485.11
soudure
trait d'union 725.5
t. de métallurgie 510.6
soudure pour plombiers 631.3
faire la soudure 281.14 ; 339.27
faire la soudure ou *la jointure* 153.17
soue 262.8
tanière 486.18
Souen 236.26
soufflage
du verre 855.9
du pain 588.7
soufflard 337.7
souffle
principe vital 297.4
air 20.1 ; 20.4
vent 852.1
au cœur 128.12
respiration 718.1
bruit 83.3 ; 83.6
souffle caverneux 718.13
souffle créateur 380.5
souffle vital 380.3 ; 718.1 ; 862.4
souffle de vie 862.4
dernier souffle 534.2
second souffle 864.2
apporter un souffle nouveau 560.7
avoir le souffle court 718.26
perdre son souffle 718.26
rendre son dernier souffle 534.20
soufflé
n.m.
mets 333.3
sucrerie 85.7 ; 799.3
soufflé aux fruits 799.6
adj.
grossi 351.15
étonné 805.12
pain soufflé 588.3
verre soufflé 85.4 ; 855.3
soufflement 170.2
souffler
faire grossir 351.7
de l'air 20.14
du verre 855.18
venter 127.14 ; 852.16
crier 170.6
respirer 718.23
indiquer 503.13
étonner 805.5
conseiller 148.9
voler 869.18
sous-entendre 788.10
un pion 446.37
souffler comme un bœuf 718.26
souffler un peu 706.12
souffler des bulles 85.14
souffler sa camoufle 534.22
souffler une chandelle 250.24
souffler le chaud et le froid 25.11
souffler le froid et le chaud 373.12
souffler dans les bronches de 710.16
sans souffler 153.30
soufflerie 422.20
soufflet
vent 852.12
injure 412.1 ; 439.5
coup 160.3
d'un appareil photo 621.4
d'un orgue 422.20
pour le feu 109.17
souffleter
humilier 367.8
vexer 412.8
souffleur 817.21
souffleur de verre 855.15
soufflure
bosse 78.4
t. de métallurgie 510.12
souffrance
douleur 243.1
maladie 482.1
tristesse 192.3 ; 836.2

en souffrance 392.12
laisser en souffrance 547.9
rester en souffrance 51.7
souffrant
malade 482.59
patient 601.14
souffre-douleur 601.7
souffreteux
faible 303.17
malade 482.59
souffrir
avoir mal 243.9 ; 482.50
supporter 601.9 ; 715.17
être triste 836.8
être en difficulté 217.11
tolérer 592.13
souffrir de 243.10
souffrir comme un damné 243.9 ; 271.12
souffrir comme un martyr 801.25
souffrir le martyre 243.9 ; 801.25
souffrir mille morts 243.9
ne pas souffrir 410.6
ne pas pouvoir souffrir 62.7 ; 410.6
souffroir 243.5
soufi 440.8
ascète 47.7
soufie 638.5
soufisme 440.5
soufrage 18.4
soufre 113.7 ; 516.5
jaune 444.13
sentir le soufre 477.20
soufré
n.
insecte 417.11
adj.
jaune 444.11
soufrer 727.15
soufreuse 476.6
pulvérisateur 676.10
soufrière
mine 516.2
gisement 518.2
souhait
attente 51.1
volonté 870.3
désir 199.1 ; 199.2
à souhait 1.19
barrer les souhaits de qqn 67.16
souhaitable 199.16
souhaité 199.17
souhaiter
espérer 51.5 ; 285.4
vouloir 199.9 ; 870.7
demander 185.15
souhaiter la bienvenue 163.8 ; 368.7
souhaiter être à cent pieds sous terre 367.7
souillarde 333.30
souille
tanière 486.18
porcherie 740.6
souillé 740.11
souiller
salir 740.9
profaner 485.11 ; 737.7
souiller la couche nuptiale 491.26
souiller (se)
uriner 296.24
pécher 606.9
souillon 740.8
souillure
saleté 550.13 ; 740.2
péché 606.6
souk
désordre 201.6
magasins 135.12
Soukkot 449.9
fête juive 310.5
Soukous 371.11
soûl ou **saoul**
ivre 75.34 ; 441.17
saoul perdu 441.18
tout son soûl 1.21 ; 744.14
dormir tout son soûl 780.17
il semble que les autres sont soûls 257.5
soulagé 786.10
soulagement 786
allègement 457.4
guérison 353.3
satisfaction 745.1
protection 752.6
libération 461.8
soulager
alléger 457.9
guérir 353.17
calmer 89.10 ; 786.4 ; 786.7
protéger 19.20 ; 752.9
voler 869.23
libérer 461.16
soulager son cœur 786.9
soulager (se)
uriner 296.20
se satisfaire 745.9 ; 786.9
soulane
versant 530.10
ensoleillement 777.4
soûlant 272.13
soûlard 441.7
soulas 786.1
soûlaud 441.7
soûlée 441.2
soûler 745.9
soûler (se) 441.12
soûlerie 441.2
soulèvement
bosse 78.4
révolte 728.1
t. de géologie 337.6
soulever
élever 531.15
faire rêver 378.12
provoquer à 407.11
voler 869.18
soulever le cœur 62.10
soulever des montagnes 255.7
soulever le voile 136.16
soulever qqch avec le petit doigt 864.9
soulever (se) 728.8
soulier 110.1
dans ses petits souliers 619.20
être dans ses petits souliers 819.5
souligner
d'un trait 203.12 ; 466.11
attirer l'attention 52.10 ; 384.10
soul music 543.8
soûlographe 441.7
soûlographie 441.2
souloir 326.12
soûlot 441.7
soûlotter (se) 441.12
soulte 587.3
dédommagement 722.2
t. de droit 721.1
soumaintrain 328.6
soumettre
dominer 240.12 ; 405.8
obliger 565.8
vaincre 861.9
soumettre par les armes 861.9
soumettre (se) 787.12
céder 149.12 ; 564.9
se soumettre à 147.10 ; 559.13
soumis
dominé 240.23 ; 787.20
influencé 407.23
obéissant 564.11
respectueux 717.14
servile 761.14
soumission 787
infériorité 405.1
renonciation 701.2
modestie 523.1
obéissance 564.2
t. de droit 279.2
soumissions 717.5
soumissionnaire 279.6
soumissionner 279.9
soupape
fermeture 308.2
d'un orgue 422.20
d'une machine 476.12
d'un moteur 57.3
t. de plomberie 632.4
soupçon
petite quantité 602.3 ; 616.4 ; 678.5
intuition 434.5
méfiance 183.2
tomber en soupçon 183.13
soupçonnable 183.19
soupçonner
deviner 375.17 ; 434.7
douter 395.10
se méfier 183.9 ; 442.8
soupçonneusement 183.20
soupçonneux
défiant 183.16
jaloux 442.9
soupe 333.23
soupe économique 603.8
soupe populaire 603.8 ; 703.15
soupe au lait 130.11
soupe à la Rumford 603.8
gros plein de soupe 351.6
ivre comme une soupe 441.17
soupente 481.15
souper
n.m. 776.7
repas 703.1
v.i. 703.22 ; 776.10
en avoir soupé 62.8
soupeser
évaluer 660.6
peser 636.17
soupeur 703.19
soupière 848.18
soupir
bruit 20.4 ; 83.6 ; 83.7
sucrerie 799.6
t. de musique 543.28 ; 766.5
dernier soupir 534.2
exhaler le dernier soupir 534.20
soupirail 585.5
fenêtre 481.31

soupirant
ambitieux 199.7
amoureux 27.8
soupirer
souffler 20.14
râler 718.25
soupirer après 199.9
souple
changeant 104.22
maniable 221.31
élastique 259.11
mou 526.10
facile 57.33 ; 302.24
adroit 10.18
docile 564.11 ; 787.20
servile 761.14
arrangeant 141.22
souple comme un gant 787.20
souple comme un verre de lampe 732.13
cheveux souples 624.22
souplement 259.13
souplesse
variabilité 104.8
élasticité 259.1
raffinement 316.3
facilité 302
adresse 10.2
sociabilité 772.2
docilité 564.3
souplesse d'esprit 424.1
en souplesse 10.23 ; 302.27 ; 457.16
sourate 440
Coran 815.5
source
cause 92.6
origine 134.3
d'eau 319.3
de pétrole 618.1
d'un jardin 443.5
source lumineuse 473.11
source sonore 781.10
source de conflit 146.18
tenir de bonne source 99.5
sourcellerie 207.4
sourcer
vérifier 155.14 ; 854.13
certifier 99.4
sourcier 207.16
magicien 477.18
sourcil
os 580.3
poils 624.2
sourcils 868.6
sourcil cotyloïdien 580.13
froncer les sourcils 192.10 ; 868.20
sourciller 192.10
ne pas sourciller 248.7 ; 401.14 ; 418.9
sourcilleux
acariâtre 217.23
maniaque 774.20
sourd
malentendant 55.21 ; 781.30 ; 803.12 ; 803.7
grave 781.31 ; 782.5
insensible 418.18 ; 418.21
secret 751.24
inintelligible 411.13
t. de pathologie 243.14
sourd et muet 803.12
sourd total 803.8
être sourd à 693.13
être sourd aux prières 248.10
crier comme un sourd 168.15
sourdaud 803.12
sourdement 751.33 ; 803.14
sourdine
à la sourdine 751.33
en sourdine 751.33 ; 766.19 ; 781.32 ; 782.7 ; 803.14
mettre une sourdine 89.10 ; 787.14
sourdingue
malentendant 803.7
sourd 803.12
sourd-muet 482.75
malentendant 803.7
sourd 803.12
aphasique 839.8
muet 839.12
sourdre
apparaître 34.7
se dégager 783.14
couler 468.10
souriant
joyeux 277.6 ; 629.17
euphorique 447.15
souricière 828.6
tomber dans une souricière 44.14
sourire
n.m.
entrain 277.5
joie 447.6
plaisir 132.4
avoir le sourire 745.12
avoir un sourire entendu 788.9
v. 132.9 ; 447.12 ; 629.9
tout lui sourit 670.10
souris
mammifère 486.5
femme 306.4
couleur 159.28 ; 350.12
t. d'informatique 408.7
souris d'hôtel 869.10
souris de mer 638.6
faire la souris 869.22
sourive 203.8
sournois 373
hypocrite 25.17 ; 452.8
sournoisement
hypocritement 25.21 ; 373.20
sournoiserie 373
sous-
soutien 791.17
descente 195.25
manque 488.20
infériorité 203.26 ; 405.23
sous → sou
sous
prép.
dessous 203.23 ; 769.18
descente 195.24
infériorité 405.22
sous-adresse 203.6
sous-affrètement 830.19
sous-aide 19.15
sous-alimentation 563.8
sous-amendement 245.29
sous-arbrisseau 38.1
sous-barbe 203.5
sous-bas 203.4
sous-bibliothécaire 469.17
sous-bite 41.14
sous-bois
d'une forêt 37.22 ; 38.2 ; 203.7
tableau 374.8
sous-bras 203.4
sous-cavage 167.10
sous-cave 834.16
creusage 167.10
excavation 203.8
sous-caver 203.12
creuser 167.11
sous-classe 126.5
sous-clavier 541.7
tronc sous-clavier 742.8
sous-clavière 128.9
sous-clavière droite 128.8
sous-clavière gauche 128.8
sous-commission 708.6
sous-comptoir 66.4
sous-cortical 100.26
sous-costal 541.7
souscripteur 66.35 ; 281.9 ; 849.16
souscription
participation 596.5
nom 554.6
achat 191.4 ; 587.5
t. de Bourse 81.7 ; 849.14
souscrire
souligner 203.12
acheter 66.45 ; 587.21 ; 849.20
souscrire à 149.10
souscrit 203.14
sous-cutané 604.13
sous-développé
sot 784.5
pauvre 603.24
sous-développement 392.7 ; 603.4
sous-diaconat 699.5
sous-diacre 699.6
sous-dimensionné 219.11
sous-dominante 543.11
sous-embranchement 126.5
classification 873.10
sous-emploi 846.8
emploi 266.6
sous-employer 846.12
sous-ensemble 493.4
sous-entendre 788.10
sous-entendu 788
insinuation 373.8
implicite 753.14
sous-entente 788.1
sous-épineux 541.8
sous-équipé 603.24
sous-équipement 603.4
sous-estimation 789
estimation 450.2
sous-estimé 789.6
infériorisé 405.17
sous-estimer 789.4
inférioriser 405.7
faire peu de cas de 419.9
sous-étage
sous-bois 203.7
fourré 38.2

sous-évaluation 789.1
sous-évalué 789.6
sous-évaluer 789.4
sous-exploitation 392.7 ; 846.8
sous-exploiter 846.12
sous-exposé 621.24
sous-exposition 621.13
sous-famille 126.5
sous-fifre 787.9
sous-gouverneur 66.31
sous-groupe 352.4
sous-hyoïdien 580.8
sous-industrialisation 603.4
sous-industrialisé 603.24
sous-investissement 603.4
sous-jacent
inférieur 203.14
sous-entendu 788.15
sous-jupe 203.4
sous-lieutenant 41.15
souslik 486.5
sous-main 203.3
dessous 203.11
t. de papeterie 252.7
sous-maîtresse 672.5
sous-manche 203.4
sous-marin
bâtiment 43.13 ; 203.15 ; 319.29
espion 41.13 ; 828.9
plateau sous-marin 627.3
sous-marinier 203.15
sous-marque 490.5
sous-médicalisation 498.33
sous-médicalisé 498.37
sous-menton 203.5
sous-multiple 539.2
sous-nappe 203.3
sous-neural
appareil sous-neural 548.7
sous-noix 333.7
sous-noter 789.4
sous-nutritif 563.17
sous-occipital 548.4
sous-œuvre 203.19
sous-off 41.14
sous-officier 41.14
sous-optique 100.10
sous-ordre
exécutant 564.7
serviteur 787.9
sousouc 486.15
sous-palan 830.36
sous-partie 126.4
sous-payer 739.11
sous-peuplé 355.30
sous-peuplement 355.21
sous-poutre 791.17
sous-préfecture
région 695.7
gouverneur 694.20
commune 845.9
sous-préfet 694.20
sous-productif 662.19
sous-production 490.6 ; 662.6
sous-programme 408.11
sous-prolétaire 603.20
sous-prolétariat
peuple 773.7
quart-monde 603.9
sous-prolétariser 603.18
sous-secrétaire d'État 708.9
soussigné 203.16
signataire 554.16
sous-sol 481.11 ; 481.24
sol 337.14
sous-solage 18.4
sous-soler 18.20
sous-soleuse 18.15
sous-tasse 203.3 ; 848.3
sous-titrage 120.17
sous-titre
d'un livre 203.6 ; 469.13 ; 723.4
au cinéma 120.6
sous-titrer 203.12
t. de cinéma 120.31
soustractif 790.9
soustraction 790
calcul 87.2 ; 220.4
extraction 301.1
vol 869.1
soustraire
séparer 756.18
calculer 87.12 ; 790.5
extraire 301.10
voler 284.9 ; 869.17
soustraire à 653.18
soustraire à la vue 437.3 ; 751.15
soustraire (se)
se cacher 228.8
partir 181.6
se soustraire à 790.8
sous-trochinien
crête sous-trochinienne 580.14
sous-utilisation 846.8
sous-utiliser 846.12
sous-végétation 203.7
sous-ventrière 65.2
sous-verre 621.19
sous-vêtement
dessous 203.4
lingerie 859.13
sous-vêture 203.4
sous-virage 57.12
sous-virer 57.30
sous-vireuse 57.33
soutache
ruban 65.3
passementerie 165.3
soutane 508.10
uniforme 859.20
soutasse 203.3
soute
coffre 203.10 ; 831.4
à charbon 518.7
soutenable 660.9
soutènement
soutien 791.1
appui 834.12
souteneur 672.4
soutenir
étayer 791.10
affirmer 13.6
soulager 786.6
protéger 19.18 ; 671.18
assister 596.25
encourager 268
supporter 715.17
couvrir 182.22
une femme 587.17
nourrir 563.12 ; 703.38
soutenir la comparaison avec 138.10
soutenir (se) 297.9
soutenu
continu 153.22 ; 612.4
noir 553.20
encouragé 268.14
rapide 684.35
noble 455.19 ; 535.28
souter 131.23
souterrain
inférieur 203.15 ; 203.8
secret 751.24
souterrainement 203.22
soutien 791
soulagement 786.2 ; 847.4
protection 653.2
assistance 596.4 ; 671
aide 19.1
encouragement 268
défense 182.19
manœuvre 487.8
d'une armée 41.2
soutien de famille 304.3
de soutien 182.30
soutien- 791.17
soutien-gorge 791.8
lingerie 859.13
soutien-pieds 791.17
soutirer 284.9
souvenance
mémoire 503
coup 160.4
souvenir
passé 598.6
mémoire 503 ; 647.9
de voyage 871.13
souvenirs 363.6 ; 691.7
souvenir-écran 67.13
boutique de souvenirs 871.13
flamme du souvenir 331.18
au bon souvenir de qqn 503.13
se rappeler au souvenir 503.13
souvenir (se)
regarder en arrière 598.12
se rappeler 503.11
il m'en souvient 503.12
souvent 357.34 ; 704.18
généralement 326.20
souventesfois ou **souventes fois** 326.20
souverain
n.m.
pièce d'or 575.11
maître 133.8 ; 240.6
souverain du jour du Jugement 440.20
adj.
supérieur 800.19
libre 7.14 ; 462.27
souverain juge 215.1
souverainement 427.27
souveraineté
indépendance 462.2
autorité 59.1
souverainisme 808.15
souverainiste 808.41
soviétologie 642.13
soviétologue 642.16
sovkhoze 222.8
soyeux 624.22
spa 669.7
spacieusement 456.11
spacieux 456.6
spadassin 169.19
spadice 318.4
spadille 842.4
spaghetti 333.25
spahi 41.12
spalacothériidé 486.4
spalax 486.5
spallation 513.7
spam
Internet 809.3
correspondance 157.8
sparadrap 775.18
sparganium 318.36
spargoute 360.8
sparidé 638.3
sparring-partner 792.53
spart 360.7
spartakisme 808.5
spartiate
n.f.
chaussure 110.5

adj.
modeste 523.1 ; 767.1
spartina 360.7
spasme
contraction 154.3
crampe 732.4
hoquet 541.4
convulsion 243.6
spasme tonique 732.4
spasmodique 154.14
spasmodiquement 154.18
spasmologie 498.6
spasmolytique
analgésique 499.5
sédatif 499.33
spatangue 527.9
spathe
t. de botanique 360.3 ; 727.5
spathelle 318.5
spath fluor ou **fluorite** 517.9
spatial
dimensionnel 219.10
interplanétaire 48.15
spatialisation 338.2
spatialité 219.8
t. de géométrie 338.2
spatio- 48.17
spationaute
astronaute 48.10 ; 49.26
spatule
d'un oiseau 570.18
d'un poisson 638.8
pour la peinture 607.16
pour la sculpture 749.14
outil 505.16 ; 584.19
pour la cuisine 848.30
speaker 654.19 ; 729.13
parleur 595.14
présentateur 681.15
spécial
anormal 32.14 ; 556.13
personne 613.15
unité spéciale 144.21
spécialement 597.21
spécialisation
diversification 234.4
t. de biologie 216.3
spécialisé 535.28
éducateur spécialisé 253.6
ouvrier spécialisé 480.3
spécialiser 266.22
spécialiser (se)
se différencier 216.6
t. de biologie 265.14
spécialiste
médecin 498.24
savant 747.9
technicien 10.8 ; 266.19
spécialité
branche 266.3 ; 597.8
médicament 499.2
spéciation
mutation 361.8
animalité 873.8
spécieux
mensonger 838.21
menteur 504.22
spécifiant 376.16
spécificatif 376.16
spécification 126.8
spécifié 126.18
spécifier 126.14
individualiser 376.11
particulariser 216.9
limiter 467.7
spécifique
particulier 556.13
d'une espèce 126.20 ; 396.16
spécifiquement 126.22
spécimen
représentant 126.6 ; 709.5
rareté 686.3
livre 469.3
spectacle
panorama 868.9
représentation 817.17
au spectacle de 868.31
se donner en spectacle 868.24
spectaculaire 868.25
spectateur
témoin 651.6
observateur 868.16
d'un spectacle 120.29 ; 792.69 ; 817.23
spectral 380.14
couleurs spectrales 159.5
musique spectrale 543.3
spectre
fantôme 380.4 ; 534.9
d'une étoile 49.23
spectre atomique 513.5
spectre lumineux 473.17
spectre microbien 512.2
spectre optique 65.7
spectre solaire 473.17 ; 643.6 ; 777.2
spectre de bande 65.7
spectre de fréquence 326.4
spectrographe 49.17
spectrohéliographe 777.8
observatoire 49.17
spectromètre 473.25
spectre de fréquence 326.4
spectrométrie 473.26 ; 509.25
biochimie 94.28
spectrophotomètre 49.17
spectroscope
spectre de fréquence 326.4
observatoire 49.17
spectroscopie
optique 473.21
détection 207.13
spéculaire 574.22
spéculateur 81.26 ; 135.19
spéculatif
t. de philosophie 375.22 ; 380.15 ; 620.31 ; 682.14
t. de Bourse 81.35
philosophie spéculative 620.2
théologie spéculative 818.1
spéculation
réflexion 380.5 ; 682.4 ; 689.1
calcul 87.4
supposition 620.22 ; 660.2 ; 802.4
projet 664.6
t. de commerce 81.4 ; 135.6
spéculativement 375.29
spéculer
raisonner 620.27 ; 682.11
projeter 664.12
t. de commerce 81.29 ; 135.28
spéculer sur 802.6
spéculum 498.17
speech
discours 225.1 ; 595.5
speed 684.31
speedé 684.31
speeder 684.21
speiss 516.5
spéléiste 792.59
spéléo- 167.18
spéléo 792.25
spéléologie 792.25
spéléologique 792.95
spéléologue 195.8 ; 792.59
spéléotomie 114.14
spélerpès 68.3
spélonque 167.7
spencer 859.9
spéos 465.4
spergulaire 360.8
spergule 360.8
spermatide 762.8
spermatie 103.3
spermatique 128.8
séminal 762.34
liquide spermatique 762.8
voie spermatique 762.6
spermatiste 265.13
spermatocyte 762.8
spermatogenèse 762.18
spermatogonie 762.8
spermatorrhée 482.33
éjaculation 762.22
spermatozoïde
gamète 711.7
sperme 762.8
sperme 762.8
sécrétion 340.4
spermicide 711.12
spermie 762.8
spermine 762.8
spermiogenèse 762.18
spermocyte 711.7
spermocytogramme 762.20
spermogramme 762.20
spermophile 486.5
spet 638.6
sphærotheca 103.10
sphagnales 537.3
sphaigne 537.5
mousse 537.1
sphalérite 516.5
sphén- 30.14
sphénacodontes 712.10
sphène 337.17
sphéno- 30.14
sphénoïdal
fente sphénoïdale 580.6
sinus sphénoïdal 580.6
sphénoïde 580.5
sphéno-maxillaire 580.6
sphéno-palatin 580.6
sphénophyllum 337.23
sphère
limite 467.2
figure géométrique 97.9 ; 338.9
boule 345.2
environnement 280.2
bulle 85.1
t. d'astronomie 49.21
sphère armillaire 49.16
sphère attractive 54.4 ; 821.2
sphère céleste 49.21
sphère locale 49.21
sphère O.R.L. 718.7
sphère d'activité 7.2
sphère des fixes 49.3
sphère des fixes ou *sphère locale* 49.21
sphère du possible 646.2
les hautes sphères 59.9 ; 773.7

sphéricité 97.1
sphérique
circulaire 97.14
granuleux 345.11
globuleux 85.16
sphérocyte 742.3
sphéroïdal 162.13
sphéroïde 97.3 ; 338.9
arrondi 162.13
sphex 417.7
sphincter 308.3 ; 541.13
sphincter anal 296.12
sphincter labial 541.5
sphincter pylorique 218.7
sphincter de l'œil 541.5
sphinctéroplastie 114.17
sphingidé 417.10
sphingolipide 94.6
sphingosine 94.18
sphinx 417.11
sphragistique 363.5
sphygmomanomètre
instrument de mesure 509.26
tensiomètre 128.19
stéthoscope 498.17
sphygmotensiomètre 498.17
sphyrénidé
chondrichtyens 638.2
ostéichtyens 638.3
spic 318.16
spica 775.18
Spica
étoile 49.5
spiciflore 318.45
spicilège 635.17
spicule
du Soleil 777.7
mollusque 527.15
spider 57.5
spilanthes 318.10
spilonote 417.11
spin 513.5
spina-bifida 484.5
spinal
dorsal 242.10
nerfs crâniens 548.3
nerveux 548.25
spinalgie 242.3
spindle 369.2
spinelle 516.5
pierre fine 517.4
spino- 548.29
spino-cérébelleux
cérébral 100.26
faisceau spino-cérébelleux 548.12
spino-thalamique
cérébral 100.26
nerveux 548.25
spinozisme 573.3
spinoziste 573.8
spioncelle 570.8
spir- 733.22
spiracle 638.10
spiral 118.7 ; 162.14
spirale
n. 162.3 ; 338.8 ; 733.6
adj. 527.19
en spirale 162.15
spiralé 162.12
spiraler 162.8
spiralisation
torsadage 162.7
multiplication cellulaire 94.27
spirant 329.30
spirante 781.8
-spire 733.23
spire
spirale 162.3 ; 733.6
coquille 527.14
spires 578.3
spirée
arbuste 38.4
fleur 318.27
spirifère 337.23
spirillose 482.35
infection 482.20
spirite 380.16
voyant 235.13
spiritisme 380.7 ; 534.10
parapsychologie 477.16
spiritiste 380.16
spiritoso 277.10 ; 542.26
spiritrompe 417.17
spiritualisation 380.8
spiritualiser 380.10 ; 818.26
spiritualisme 380.7
t. de philosophie 620.13
spiritualisme absolu 375.11
spiritualiste 380.16
métaphysique 620.32
spiritualité
immatérialité 380.1
foi 320.3
spirituel
n.m.
l'abstrait 380.2
immatériel 380.14
adj.
intelligent 316.17 ; 424.11
plaisant 628.13 ; 629.16
amour spirituel ou *mystique* 27.2
vie spirituelle 47.1
spirituellement
abstraitement 380.17
intelligemment 316.21
spiritueux 75.13
spiro- 162.17 ; 733.22
spirocercose 482.48
spirochétose 482.35 ; 482.48
spirographe 856.2
spirogyre 22.4
spiroïdal 162.14
spiromètre
instrument de mesure 509.26
stéthoscope 718.22
spirométrie 718.12
spironolactone 499.5
spirorbe 856.2
spirule 527.4
spiruline 22.4
splanchnicectomie 114.13
splanchnique 548.11
splanchnopleure 265.8
splash 431.7
spleen 62.2 ; 553.5
pessimisme 615.1
ennui 272.1
tristesse 836.1
splendeur
beauté 69.5
prospérité 670.2
gloire 341.4
magnificence 98.3 ; 347.4 ; 578.8
Livre de la Splendeur 815.6
splendide 69.15
splénectomie 114.13
splénique 128.8 ; 128.9
splénius 541.6
splénogramme 742.14
splumette 570.21
spodumène 517.4
spoiler
carrosserie 57.5
aérofrein 831.4
spoliateur 3.5
spolier 284.9
spondaïque 635.27
spondée 635.13
spondylarthrite 482.11
spondyle
mollusque 527.2
vertèbre 242.2
spondylite 482.11
spongiculture 527.16
spongieux
perméable 372.20
mou 526.9
globuleux 85.16
spongille 527.10
spongiosité 526.2
spongospora 103.10
sponsor 241.10
protecteur 268.7
publicitaire 675.8
sponsorat 596.6
encouragement 268.3
sponsoring 241.9 ; 596.6
encouragement 268.3
mécénat 675.2
sponsoriser 596.22
encourager 268.11
commanditer 675.10
spontané 386.10
impulsif 391.16
instinctif 434.8
spontanéisme 808.5
spontanéiste 808.35
spontanéité 386.2
impulsivité 391.10
aisance 302.4
spontanément
intuitivement 434.10
au pied levé 386.16
sponte sua
volontiers 870.15
librement 462.38
sporadique 482.63
sporadiquement 223.18
sporange 360.4 ; 537.2
spore 103.3
-spore 103.19
spore 103.3
sporique 482.67
sporogone 537.2
sporotrichose 482.36
sporotrichosique 482.78
sport **792**
n.m. 446.2 ; 599.5
sports d'hiver 738.5
adj.
loyal 472.14
sportif 792.40 ; 792.94
énergique 864.15
sportive 833.4
sporting painting 46.9
sportivement 792.98
sportivité 792.80
sportmanie 792.80
sportsman 792.40
sportswear 859.17
sportule 241.2
sporulation 79.6
sporulé 512.18
spot 250.14
appareil d'éclairage 473.12
luminaire 748.9

spot publicitaire 120.5 ; 675.4 ; 681.13
sprat 638.6
poissons 333.13
spread 166.17
Sprechgesang 106.11
sprekelia 318.17
springbok 486.6
springtime 330.8
sprint 792.4
sprinter
n.m. 684.11
athlète 792.45
cycliste 792.61
sprinter
v.i.
courir 792.83
spruce 37.16
spumescent 85.17
spumeux 85.17
spumosité 85.2
squale 638.7
squalène 94.20
squalidé 638.2
squam- 638.27
squamates 712.1
squameux
t. de zoologie 638.22
t. de médecine 482.67
squami- 638.27
squamifère 638.22
squamiforme
t. de botanique 37.27
t. de zoologie 638.22
squamule 417.17
square
jardin 443.2
place 845.13
squash 792.10
squatinidé 638.2
squeeze 446.9
squeezer 446.35
squelette
structure 576.1 ; 577.1 ; 795.2
cadavre 331.27 ; 534.7
ossature 580.1
t. d'architecture 39.3
squille 172.3
squirre 841.4
squirreux 841.12
Sri Lankais 355.9
Sruti 362 ; 736.11
Veda 815.7
S.S.
Sa Sainteté 590.2
stabat mater 106.5
stabilisateur 282.10
stabilisation 558.5
stabilisé 282.17
stabiliser
normaliser 153.19 ; 558.6
équilibrer 282.13 ; 778.10
stabiliser (se) 282.14
stabilité
continuité 153.3 ; 256.1 ; 376.3 ; 611.2 ; 778.1
équilibre 282.1 ; 403.2 ; 496.6
d'un élément chimique 113.11
calme 89.1
de la Bourse 81.12
stable
continu 153.23 ; 256.19 ; 611.16 ; 778.13 ; 843.10
en équilibre 282.17 ; 496.15
stablement 778.15
stabulation 262.14
staccato 542.26
stade
état 286.2
rang 683.1
unité de mesure 509.24
époque 528.1
de l'enfance 270.2
lieu 792.78
stade anal 763.1
stade embryonnaire 265.1
stade génital 763.1
stade oral 763.1
stadhouder ou **stathouder**
titre 822.5
gouverneur 694.20
stadia 509.26
staff 727.6
stage
commencement 35.2
préparation 649.4
stagflation
inflation 56.3
hausse des prix 659.3
stagiaire 649.9
apprenti 35.3
employé 266.16
stagnant 403.11
eau stagnante 319.1
stagnation
inertie 403.3
inaction 393.6
marasme 11.10
improduction 389.3
stagner 247.7
végéter 393.12
laisser à désirer 383.7
stakhanovisme 480.8
stakning 792.24
stalactite 806.7
minéral 517.5
stalactites 578.3
stalag 354.11
stalagmite 806.7
minéral 517.5
stalagmomètre 509.26
stalagmométrie 509.25
stalinien 808.35
stalinisme 808.5
stalle 465.13
banc 519.20
staminé 318.46
stamino-pistillé 318.46
stand 135.13
salon 675.6
stand de tir 820.13
standard
n.m.
modèle 521.3 ; 559.1
de téléphone 809.7
succès 105.7
standard de vie 862.15
adj.
habituel 521.13 ; 559.14
échange standard 797.1
standardisation 559.7
automatisation 480.9
standardisé 521.13
standardiser 480.15
uniformiser 843.7
adapter 559.11
standardiste 809.17
stand-by 871.15
standing
niveau social 683.4
situation 769.2
stanneux 516.10
stannifère 516.11
stannine 516.5
stannique 516.10
stapelia 318.34
staphisaigre 318.25
staphylier 38.5
staphylin 417.3 ; 541.13
staphylinidés 417.2
staphylinoïdes 417.2
staphylococcie 482.20
staphylococcique 512.15
staphylome 482.28
t. d'ophtalmologie 840.4
staphyloplastie 114.17
star
révélation 798.9
acteur 120.25
starifier 798.19
stariser 798.19
starking 330.10
starlette
étoile 798.9
acteur 120.25
starter 57.10
starting-block 792.79
start-up 279.5
stase 78.5
statère 529.11
poids 636.12
stathouder → stadhouder
statice 318.24
station
attitude 769.5
d'un astre 49.19
prédication 648.5
de radio 681.6
arrêt 829.7 ; 832.19
station climatique 706.7
station orbitale 48.2
station périphérique 681.6
station thermale 706.7 ; 775.21
station d'épuration 550.23
station de pompage 750.9
station de traitement 617.8
stationnaire 611.16
stationnement
d'une armée 41.19 ; 487.8
d'une voiture 57.14
aire de stationnement 57.15
stationner 57.24
station-service 57.16 ; 618.10 ; 833.23
statique
n.f.
science 322.4 ; 496.1
adj.
figé 611.16
t. de mécanique 282.11 ; 322.16 ; 496.16 ; 538.28
statiquement 322.18
statisticien 660.5
statistique 555.10 ; 660.3
probabilité 493.5
répartition 326.6
statocratie 694.11
stator 760.7
statoréacteur
moteur 131.14
réacteur 831.4
statuaire 749
statue
personne dure 248.4

sculpture 443.10 ; 709.4 ; 749.6
statue équestre 749.8
statue pédestre 749.8
statue de bronze 82.5
statue-colonne 749.6
statuer 577.21 ; 696.14
décider 716.4
décréter 650.6
juger 451.25
statuette
reproduction 709.4
figure 749.6
statufier 805.5
statu quo
situation 769.3
immobilité 611.2
stature 219.5
status 683.3
statut
rang 683.3
règle 650.2
t. de grammaire 622.7
statutaire 696.21
règle statutaire 245.30
statutairement 577.27
statute mile 509.17
stauro- 171.21
staurope 417.11
staurophore 171.19
staurus 171.21
stawug 792.24
stayer 486.11
steak 333.15
steamer 830.4
stéarate
sel 113.8
ester 94.19
stéariner 727.15
stéarique 113.8
stéaryle 113.9
stéatite 517.4
steeple 746.3
steeple-chase 746.3
stégocéphales 68.1
stégodontidé 486.3
stégomyie 417.9
stégosaure 712.10 ; 712.11
steinbock 486.6
stèle 749.7
épithaphe 331.17
Stella Maris 117.17
stellage 81.13
stellaire
n.f.
fleur 318.8
adj.
astral 49.33
stellion 712.5
stellionat 284.3
stellionataire 284.7
stem ou **stemm** 792.24
stemmate 417.17
stemmchristiania 792.24
stencil 252.7
sténidé 486.3
sténo 252.11
sténobiote 251.18
t. de zoologie 873.23
sténochorégraphie 176.27
sténodelphe 486.15
sténoèce 251.18
t. de zoologie 873.23
sténogramme 535.8
sténographe 252.11
sténographie 252.1
sténohalin 251.18
sténopé 621.4
sténose
contraction 289.6
nécrose 482.41
sténotherme 251.18
sténotypie 252.1
Stentor 236.41
voix de stentor 168.11 ; 781.7
stenus 417.3
stephanitis 417.5
steppe
désert 197.1 ; 627.5 ; 750.10
herbage 360.5
steppique
sec 750.18
champêtre 627.7
plaine steppique 627
stér- 113.29
stéradian 509.7
watt par stéradian 509.13
stérage 509.2
stercologie 296.14
stercoraire
oiseau 570.15
adj.
excrémentiel 296.27
stercoral 296.27
sterculiacée 37.11
stère 74.8 ; 509.7
stéréo- 778.16
stéréo 273.20
stéréochimie 113.1
stéréognosie 754.1
stéréo-isomérie 113.12
stéréomètre 509.26
stéréométrie 509.25
stéréophonie
son 781.9
enregistrement 273.1
stéréophonique
phonique 781.28
stéréo 273.20
stéréophotographie 621.8
stéréoscopie 574.12
photographie 621.1
stéréoscopique 574.24
vision stéréoscopique 868.2
stéréospondyles 68.2
stéréotype 630.5
stéréotypé
répétitif 611.17
plat 630.9
stereum 103.6
stéride 94.6
stérile
n.m. 516.3
adj.
désert 197.9 ; 750.18
infécond 711.26 ; 762.38
aseptisé 512.16
improductif 389.17 ; 393.16
inutile 249.19 ; 435.12
stérilement
inefficacement 435.17
improductivement 389.20
stérilet 711.12
stérilisant 512.16
stérilisateur 113.17
stérilisation
désinfection 512.10
conservation 333.4
stériliser
aseptiser 114.33 ; 512.13 ; 669.9
rendre improductif 389.10
lait stérilisé 454.1
stérilité
d'un sol 750.1
d'un homme 238.4 ; 711.11 ; 762.25
d'un milieu 512.9
improduction 389.2 ; 393.5
inutilité 435.1
sterlet 638.8
sterling 529.8
sternbergie 318.17
sternite 417.17
sterno-claviculaire 580.23
sterno-cléïdo-hyoïdien 541.6
sterno-cléïdo-mastoïdien 541.6
sterno-costo-claviculaire 580.22
sterno-hyoïdien 541.11
sternorhynque 417.5
homoptères 417.4
sterno-thyroïdien 541.6
sternotomie 114.14 ; 128.18
sternum
d'un insecte 417.17
d'un homme 580.9
sternutation
éternuement 83.12 ; 718.3
sternutatoire 718.33
stéroïde 340.3
stéroïdien 499.5
stérol 94.17
stérolique 94.33
stertor 718.13
stertoreux 718.32
stétho- 639.14
stéthomètre 639.4
stéthoscope 498.17 ; 718.22
tensiomètre 128.19
otoscope 55.9
Stetson 859.25
stevedore
manutentionnaire 489.16
acconier 830.22
steward
marine 830.23
aviation 831.14
sthaviravada 80.2
sthène 636.12
stibié 499.28
stibine 516.5
stichomythie 817.12
stick 825.12
sticker 675.5
sticta 463.3
stigmate
marque 47.6
t. de botanique 318.5
t. de zoologie 417.17
stigmatisation
blâme 367.5
miracle 47.1
stigmatiser
blâmer 367.10
marquer 47.9
stigmatisme 574.11
Stijl
De Stijl 46.12
stil-de-grain 159.9 ; 444.2
stilton 328.6
stimugène 793.16
stimulant
n.m.
excitant 499.4 ; 754.7 ; 793
encouragement 268.5
adj.
entraînant 277.8
enthousiasmant 276.12 ; 596.12 ; 600.12
excitant 793

du bois 505.25
strige 186.5
strigiformes 570.4
string
déshabillé 562.5
lingerie 859.13
tenue de sport 859.17
striole 466.4
stripage 513.7
stripper
instrument de chirurgie 114.26 ; 128.19 ; 301.7
machine 476.6
stripping 128.18
ablation 114.12
strip-tease 562.6
strip-teaseuse 562.8
striquer 165.25
striure 466.5
strobile
d'une fleur 318.4
fruit 330.3
strobiloforme 162.14
stroboscope 120.12
stroma 103.2
stromatolite 22.4
strombe 527.3
strombolien 530.6
strongle 856.2
strongyl- 162.17
strongylo- 162.17
strongylose 482.48
strontiane 516.5
strontianite 516.5
strontium 113.7 ; 516.5
jaune de strontium 159.8
strophantus 37.20
strophe
d'une tragédie 817.13
d'un poème 635.12
strophiaire 103.6
strophique 635.27
stropiat 72.11
structurable 795.19
structural 795.18
structuralement 795.20
structuralisme 620.8 ; 795.11
structuraliste 795.18
t. de philosophie 620.32
structurant 576.21
constitutif 795.17
structuration 795.12
classification 576.8
dispositif 577.3
agencement 150.2
structure 795
organisation 576.1 ; 577.1
système 140.4 ; 807.1
forme 323.1
d'un récit 691.9
d'un bâtiment 39.16
t. de philosophie 620.8
t. de grammaire 346.7 ; 622.6
structure interstitielle 821.3
structure moléculaire 113.5
structure profonde 346.3 ; 622.9 ; 788.2
structure d'accueil 368.4
structure de la parenté 314.3
structure de surface 346.3 ; 622.9 ; 788.2
structuré
ordonné 576.20 ; 795.16
t. de minéralogie 517.20
structurel 795.18
formel 323.20
structurellement 576.26 ; 577.26 ; 795.20
structurer 795.13
composer 576.15
agencer 150.8
structurologie 795.11
struggle for life 864.4
struthion- 570.41
struthioniformes 570.4
strychnine 267.4
strychnos
arbre 37.19
arbuste 38.9
Stuart
facteur Stuart 742.7
stuc
enduit 727.6
marbre 749.13
stucateur 727.12
studio
de radiotélévision 681.5
de photographie 621.15
de cinéma 120.14
appartement 481.18
stupa 449
temple 465.3
stupéfaction
inconscience 397.3
surprise 386.4 ; 805.1
stupéfaire 397.11
stupéfait
inconscient 397.15
surpris 805.12
stupéfiant
adj.
anesthésiant 397.20
surprenant 805.13
stupéfiant ou **stup**
n.
drogue 825.4
brigade des stups 641.3
stupéfié 397.15
stupéfier
surprendre 115.23 ; 619.10 ; 805.5
anesthésier 397.11
stupeur
sottise 784.2
folie 321.7
surprise 805.1
stupide
sot 784.12
surpris 805.12
stupidité 784.2
stupre
inconduite 860.2
luxure 475.1
stuquer 727.15
stuti 657.17
style
forme 323.4
époque 118.7
d'une fleur 318.5
caractère 613.4
manière 5.8
élégance 233.3 ; 774.5
de discours 252.7 ; 455.5 ; 622.11 ; 729.10 ; 729.11
de peinture 607.12
de musique 542.16
mode 520.1
style apocalyptique 411.3
style lapidaire 142.1
style orné 578.8
style perpendiculaire 39.22
style télégraphique 142.1
style Charles X 519.27
nouveau style 88.3
vieux style 88.3
figures de style 313
stylé 163.11
soigné 774.24
styler 253.6
stylet
pointe 637.3
d'un insecte 417.17
instrument de chirurgie 114.26
poignard 43.3
stylicien
designer 519.31 ; 578.11
stylinodontidé 486.4
stylique
design 578.10
décoration intérieure 519.29
styliste 160.10 ; 520.4
stylisticien 729.14
stylistique
n. 455.7 ; 729.4
adj. 455.18 ; 729.16
stylistiquement 455.22
stylite 47.7
stylo- 637.16
stylo 252.7
stylobate 39.15
stylo-feutre 252.7
stylo-glosse 541.11
stylo-hyoïdien 541.11
styloïde 580.30
apophyse styloïde 580.16
stylo-pharyngien 541.11
stylopidés 417.6
stylo-plume 252.7
styrax 38.9
styrène 617.6
Styx
séjour des morts 534.8
fleuve des Enfers 271.8
suæda 318.9
suage
moulure 77.14 ; 250.7
suintement 372.7
suaire 331.20
saint suaire 331.20
suant 272.13
suave 184.10
suavité 184.2
sub- 195.25 ; 203.26 ; 405.23
subalterne
subordonné 564.6
serviteur 787.9
subaquatique 203.15
aquatique 319.29
subaride
sec 750.18
climat subaride 127.1
subconscient 397.21
inconscient 397.8
subdivisé 126.18
subdiviser
classer 126.13
partager 597.10
fractionner 324.10
fragmenter 237.6
subdivision
division 126.4 ; 237.2 ; 597.4
t. d'urbanisme 845.10

substruction 203.2
substructure 203.2
structure 39.16
subsumer
inclure 396.11
souligner 203.12
subsurdité 803.2
subterfuge
ruse 316.9
prétexte 656.2
faux-semblant 373.8
trouver un subterfuge 567.16
subtil
immatériel 335.20 ; 380.13
complexe 140.12 ; 217.19
raffiné 184.10 ; 316.15
ambigu 24.14
humeur subtile 340.17
subtilement 316.21
subtilisation 869.1
subtiliser
un élément chimique 380.9 ; 437.3
affiner 184.8
voler 228.9 ; 869.17
subtiliseur 869.9
subtilité
immatérialité 380.1
intelligence 10.4 ; 424.1
raffinement 184.1 ; 316.4
difficulté 24.4 ; 217.3
subtilités 316.8
subtropical 102.23
subulé 637.15
suburbain 845.24
subvenir à 587.18
subvention
aide 19.7
allocation 241.5
subventionner 241.21 ; 587.18
encourager 268.11
subversif 175.15
destructeur 205.25
révolutionnaire 728.9
subversion 642.11
opposition 572.2
révolution 728.1
subvertir
inverser 436.10
révolutionner 728.7
suc
d'un fruit 330.4
d'une glande 340.4
sucs digestifs 218.13
suc gastrique 218.13 ; 340.4
suc intestinal 340.4
suc pancréatique 218.13
suc de l'intestin grêle 218.13
suc du gros intestin 218.13
succédané 797.4
succéder 798.12
remplacer 797.8
avoir pour cause 254.6
suivre 153.17 ; 576.18 ; 647.13 ; 683.15
réussir 798.13
succéder (se) 758.17
succès 798
réussite 5.4 ; 274.12
victoire 861.1
chanson 105.7
avec succès 366.30 ; 670.18
avoir du succès 798.11
se tailler un beau succès 798.11
successeur 647.12
remplaçant 797.6
acquéreur 101.9
successibilité 101.7
successif
postérieur 647.19
en série 344.12 ; 576.23 ; 758.20
succession
postériorité 647.3
série 293.1 ; 758.1
remplacement 560.5
héritage 101
prendre la succession 379.5
successivement 576.24
à tour de rôle 797.15
dans l'ordre 683.22
successivité
ordre 576.6
postériorité 647.10
successoral 101.18
droit successoral 245.9
succinate
succinate ferreux 499.6
succinct
concis 142.7 ; 684.34
résumé 723.7
vue succincte 375.5
succinctement 602.13
brièvement 142.10 ; 723.9
succine 527.3
succinique 94.13
succomber
v.i.
mourir 534.20
perdre 249.13
v.t.
à un homme 763.39
succomber à 564.10
succube 186.5
t. d'occultisme 763.23
succulence
saveur 343.5
qualité 677.2
succulent
délicieux 343.21
t. de botanique 318.48
succursale
fonds de commerce 135.11
banque 66.4
succussion 499.17
sucepin 318.36
sucer 703.25
sucer jusqu'au dernier sou 603.19
sucer le contribuable 317.33
sucer la pomme 91.7
sucer le sang 603.19
sucer le sein 639.10
sucet 638.6
sucette
tétine 270.10
bonbon 799.5
suçoir
d'une fleur 318.5
d'un insecte 417.17
suçon
égratignure 72.2
baiser 91.3
suçoter 703.25
sucralfate 499.5
sucrant 799.15
sucraterie 799.9
sucre
glucose 94.5
sucrerie 799.2 ; 799.3
louange 761.4
unité monétaire 529.8
sucre simple 94.5
tout sucre et tout miel 373.18
sucré 343.26 ; 343.3 ; 799.14
faire la sucrée 12.10
sucrer 799.11
assaisonner 343.16
sucrer les fraises 863.10
sucrerie 799
exploitation agricole 18.12
sucrier 799.15
vaisselle 848.22 ; 848.6
sud 221.4
au sud de 203.24
vent du sud 852.4
Sud-Africain 355.7
sud-américain 337.11
sudate 22.6
sudation
d'un mammifère 296.9 ; 340.9 ; 372.7
d'une plante 79.9
sudatoire 340.15
sud-est 221.4
sudoral 340.14
sudorifère 340.13
sudorification
transpiration 372.7
sécrétion 340.9
sudorifique 340.13
excrémentiel 296.27
médicament 499.31
sudoripare 340.13
sud-ouest 221.4
sudra 362.13
suédé 816.33
suédine 816.3
suédois 455.14
Suédois 355.5
suée
transpiration 102.5 ; 296.5 ; 340.4 ; 340.9
peur 619.1
attraper une suée 296.18
suer
avoir chaud 102.21
transpirer 296.18 ; 340.11 ; 372.15 ; 468.12
t. de gastronomie 333.40
suer sang et eau 255.7
suer à grosses gouttes 372.15 ; 619.15
suer d'angoisse 619.15
faire suer 272.11 ; 468.11 ; 549.15
se faire suer 272.7
suerie 340.4
suet 852.4
sud-est 221.4
sueur 296.5
sécrétion 340.4
respiration cutanée 604.3
sueur froide 327.5
en sueur 340.18
être en sueur 468.12
avoir des sueurs froides 619.15
suffire 745.10
il suffit d'un rien 602.7
suffisamment 744.13
assez 745.16
suffisance
satisfaction 745.3
prétention 312.2 ; 655.1

en suffisance 744.13
avoir sa suffisance de qqch 744.6
suffisant
prétentieux 312.11 ; 655.10 ; 800.23
satisfaisant 745.14
suffixation 647.8
jonction 9.2
morphologie 535.9
suffixe 647.8
catégories grammaticales 346.4
terminaison 535.7
suffixé 535.26
suffixer 193.14 ; 647.17
lexicaliser 535.21
suffocant 718.33
suffocation
essoufflement 718.4
toux 482.32
suffoquant 102.23
suffoqué 805.12
suffoquer
de chaleur 102.21
mourir 534.24
manquer d'air 718.26
s'étonner 805.5
suffrage 260.10
désignation 116.2
suffrage universel 260.5
suffrages exprimés 260.20
suffrage inégalitaire 402.2
apporter son suffrage à 268.11
donner son suffrage à 116.9
suffrutescent 38.11
Sugalis 371.13
suggéré
conseillé 148.15
signifié 753.14
suggérer
persuader 614.11
conseiller 148.9
représenter 709.8 ; 753.9
sous-entendre 788.10
suggestibilité 407.6
suggestible 407.24
suggestif 378.17
significatif 753.13
suggestion
persuasion 63.4 ; 614
conseil 148.1 ; 407.3
sous-entendu 788.9
suggestionnable 407.24
suggestionner 407.11
suggestionneur 407.8
suggestivité 407.6
suhrawardiyya 440.5
suicide 534.12
suicidé 534.16
suicider (se)
mettre fin à ses jours 198.8 ; 534.30
suidé 486.3
suiforme 486.31
sui generis 569.1
suimanga 570.8
suint 369.1
suintant 372.17
suintement
transpiration 372.7
écoulement 468.6
sécrétion 340.9
suinter 372.15
couler 468.10
sécréter 340.11
suisse
gardien 278.9 ; 481.39
d'une église 508.9
fromage 328.2
insecte 417.5
têtière à la suisse 760.7
Suisse 355.5
suite
enchaînement 698.3
série 153.8 ; 352.5 ; 576.6 ; 758
effet 254.1 ; 687.1
développement 647.3
succession 293.1
persévérance 612.2
de danses 176.12 ; 543.30
de cartes 446.7
t. de mathématique 493.2
suites 254.1
suite géométrique 758.9
suite royale 446.7 ; 758.10
suite dans les idées 612.2
avoir de la suite dans les idées 86.5 ; 375.21 ; 682.9
par suite 254.10
à la suite 647.23
à la suite de 193.23 ; 332.21 ; 647.28
à la suite l'un de l'autre 758.22
par la suite 332.15 ; 647.23
faire suite 193.11
faire suite à 576.18
suivant
n.
dans un rang 683.7
servile 787.10
adj. 332.11 ; 647.19 ; 683.20
prép. 143.18 ; 147.17 ; 221.35 ; 559.20 ; 668.15 ; 696.31
suiveur 787.10
copieur 379.4
suivi 153.22
appliqué 612.4
suivi scolaire 274.6
suivre
imiter 379.5
être l'effet de 254.6
dans un classement 576.18 ; 647.13 ; 683.15
dans l'espace 193.11
accompagner 137.12
t. de jeux 446.35
suivre l'exemple de 379.5 ; 407.17 ; 696.17
suivre le fil de ses idées 375.21
suivre des yeux 868.18
ne pas suivre 206.4
à suivre 392.16
il suit de là 254.6
les jours se suivent et ne se ressemblent pas 229.5
sujet
personne 297.4 ; 613.2
motif 92.7 ; 536.1 ; 620.21
prétexte 656.3
d'un roi 787.8
citoyen 124.1
d'une phrase 346.8 ; 622.4
d'un récit 691.9
d'un dessin 374.1
t. de musique 543.25
t. de chorégraphie 176.23
t. d'arboriculture 36.11
sujet actif 245.48
sujet parlant 455.11 ; 595.17
sujet passif 245.48
sujet à 787.22
sujet à caution 183.19 ; 395.13
sujet à examen 395.13
cas sujet 346.5
avoir sujet de 536.7
être un sujet de 92.11
sortir du sujet 665.8
sujétion
obligation 565.2
asservissement 240.5
soumission 564.2 ; 787.1
sukhavati 80.2
Sukhavati-vyuha-sutra 80 ; 815.13
sulfacétamide 499.5
sulfadiazine argentique 499.5
sulfaméthoxazole 499.5
sulfamidorésistance 512.7
sulfamidothérapie 775.5
sulfasalazine 499.5
sulfatage 18.4
sulfate 499.6 ; 516.5
sel 113.8
sulfate de plomb 631.2
sulfate ferreux hydraté 307.5
sulfater 820.24
sulfateuse 43.7
sulfhydrisme 267.2
sulfhydryle 113.9
sulfocarbonisme 267.2
sulfonation 113.14
sulfoné
huile sulfonée 369.2
sulfonique 617.6
sulfuration 113.14
sulfure
sulfure de plomb 631.2
sulfureux 516.10
huile sulfureuse 369.2
sulfurique 516.10
acide sulfurique 113.8
sulindac 499.5
sulpicien 525.10
sultan 694.18
Suluks 371.12
sulvinite 43.17
sumac 37.14
Sumbawais 371.12
sumérien 455.14
histoire sumérienne 363.3
Sumérien 355.8
summum
nec plus ultra 800.4
paroxysme 427.4
au summum 427.35
sumo 792.15
sumotori 792.52
sunlight
projecteur 120.13
spot 250.14
sunna 440
Coran 815.5
sunnisme 440.2
sunnite
Islam 440.7
musulman 440.26

Sunyata-saptati 80 ; 815.13
sunyavada 80.2
suovétaurilies 173.12
super-
excès 294.21
supériorité 204.27 ; 531.25 ; 800.27
intensité 427.41
super
n.m.
essence 131.6 ; 617.5
adj.
extraordinaire 427.20
superamas 49.13
superamas local 49.13
superbe
n.f.
orgueil 312.2 ; 655.2 ; 800.2
orgueilleux 312.5
adj.
beau 69.15 ; 427.18
fier 312.10
glorieux 341.27
superbement 427.30
supercarburant 617.5
pétrole 131.6
supercherie
artifice 316.10
tromperie 284.6
mensonge 838.3
superego 429.7
superenfer 166.17
supérette 135.11
superfécondation 762.25
superfétation
excès 294.4
inutilité 435.1 ; 435.2
grandiloquence 347.6
superfétatoire
excédentaire 294.15
inutile 435.12
superficialité
insignifiance 419.1
futilité 435.2
superficie 509.7
surface 219.3
superficiel
de surface 219.10 ; 300.14
léger 457.14
insignifiant 419.12
inutile 435.12
plat 630.10
superficiellement 727.18
à l'extérieur 300.16
superfin 677.14
superflu
n. 1.2 ; 294.2 ; 435.3
adj. 294.15 ; 435.12
superfluité
luxe 294.2
futilité 435.2
super-g 792.23
supergalaxie 49.13
super-géant 792.23
supergéante 49.4
supérieur
n.m.
chef 240.6 ; 800.10
d'une école 274.2
d'un couvent 525.12
haut 204.1
adj.
différent 23.13 ; 402.3
général 396.15
éminent 204.19 ; 800.19
fier 800.23
de qualité 677.14
important 384.14
méritant 507.14
lettre supérieure 459.7
membre supérieur 502.1
strictement supérieur 402.3
supérieurement 800.24
supériorité 800
inégalité 402.1
superlatif 800.11
comparaison 138.3
hyperbole 347.6
hyperbolique 347.12
adjectif superlatif 346.11
superlatif d'infériorité 405.4
superléger 792.53
supermarché 333.32
marché 464.13
centre commercial 135.11
superministère 708.8
supernova 49.4
superpétrolier
pétrolier 618.9 ; 830.5
super-plume 792.53
superposer 204.16
superpositif 204.21
superposition 204.10
superpréfet 694.20
superproduction 120.5
superpuissant 427.17
supersonique 831.24
sonique 781.28
superstrat 455.1
superstruction 204.5
superstructure 795.10
toit 204.5
t. de travaux publics 834.11
supertanker
pétrolier 618.9 ; 830.5
superviseur 408.12
super-welter 792.53
supinateur 733.11 ; 733.20
long supinateur 541.8
supination
rotation 479.7 ; 733.5
t. d'escrime 792.17
suppléant
remplaçant 797.6
adjoint 9.11
intérimaire 266.16
suppléer 266.25
remplacer 797.8
aider 19.18
supplément
ajout 8.3 ; 9.3 ; 56.4 ; 216.2
complément 596.4
à un livre 469.6
à un ticket 832.22
à supplément 832.34
supplémentaire
additif 56.15
additionnel 8.10 ; 9.19
angle supplémentaire 30.2
crédit supplémentaire 166.2
supplémentairement 56.20
supplémentarité 8.6
supplémenter 56.9
suppliant
n.m.
statue 185.6 ; 749.7
adj. 185.22
supplication
prière 657.2
requête 185.2
supplice 801
douleur 243.5
condamnation 144.11
supplices 271.2
supplices éternels 287.2
supplice du feu 311.12
supplice de Tantale 199.3
suprême supplice 144.11
mettre au supplice 382.6
suppliciant 801.26
supplicateur 801.26
supplicié 801.16
supplicier 169.23
violenter 865.15
mettre à mort 144.30
torturer 801.18
supplier 185.12
supplique 185.4
support
soutien 203.2 ; 791.2
protection 671.3
à dessin 607.18
support commutateur 809.6
support d'information 273.11
faire support à 791.10
supportable 677.17
supporter
n.m.
fan 268.8 ; 792.69
supporter
v.t.
soutenir 791.10
subir 243.10 ; 688.17
accepter 601.9
encourager 268.11
résister 715.17
tolérer 58.11
pardonner 592.13
support-surface 46.13
supposable 802.13
supposé
éventuel 291.12 ; 802.10 ; 802.2
sous-entendu 788.17
supposer
nécessiter 545.5
imaginer 291.8 ; 375.17 ; 660.6 ; 802.5 ; 802.7
sous-entendre 788.11
suppositif 802.12
supposition 802
éventualité 291.4 ; 660.2
imagination 375.5 ; 788.5
suppositoire 499.15
suppression
exclusion 228.2 ; 295.1
assassinat 534.12
destruction 205.9
annulation 31.1
supprimable 31.14
supprimer
faire disparaître 228.10
tuer 534.27
détruire 205.23
annuler 31.6
suppurant 482.82
suppuratif 482.82
suppuration
sécrétion 296.9 ; 340.9
t. de pathologie 482.41
suppurer 296.22 ; 482.57
supputation
calcul 87.4 ; 555.8
supposition 660.2 ; 802.1
supputer
supposer 660.6 ; 802.5
projeter 664.12
calculer 87.13 ; 555.13
espérer 285.4

supra-
supériorité 800.27
intensité 427.41
dessus 204.27 ; 531.25
supra 204.24 ; 576.25 ; 683.25
ci-dessus 651.14
devant 33.29
supraconducteur 102.28
supra-géniculé 100.11
supramédullaire 548.17
supranationalisme 808.19
supranationaliste 808.45
suprématie
supériorité 800.1
autorité 59.1
suprématisme 46.12
suprématiste 46.17
suprême
n.m.
mets 333.12
adj.
supérieur 427.18 ; 800.19
Être suprême 215.1
honneurs suprêmes 366.8
suprêmement 427.27
sur-
supériorité 204.27 ; 531.25 ; 800.27
excès 294.21 ; 744.17
intensité 427.41
sur
au-dessus 204.26 ; 531.24 ; 769.18 ; 800.26
vers 221.35 ; 685.17
chez 45.16
sûr
réel 297.13
certain 99 ; 285.9
sérieux 759.12
obligé 565.13
persuadé 614.15
efficace 7.14
protégé 752.13
loyal 145.24 ; 472.13
promis 666.24
sûr et certain 99.7 ; 614.15
être sûr de son fait 99.5
être sûr de partie 99.5
sûr de soi 99.9 ; 145.23 ; 285.9 ; 573.6
être peu sûr de soi 395.11
le plus sûr serait de 752.9
mettre en lieu sûr 752.11
sûr
acide 343.23
surabondamment 294.18
surabondance 1.2
exagération 294.2
prolixité 665.1
surabondant
pléthorique 1.15
excédentaire 294.15
surachat 659.7
suractif 17.12
suractivé 17.12
suractiver
surexciter 427.12
actionner 17.9
suractivité 17.3
suraigu
aigu 427.15
strident 794.5
sural 541.10
suralimentation 214.3
gloutonnerie 563.7
suralimenter 131.22
suranné
désuet 206.8
inutilisable 435.14
démodé 520.10
surbille
bois 37.6
t. de sylviculture 74.6
surboum
réception 137.11
bal 309.11
surbrillance 408.7
surcapitalisation 81.6
surcharge
excès 1.2 ; 636.6
inutilité 435.1
surcharge pondérale 351.5 ; 636.4
surchargé
grandiloquent 347.11
décoré 578.17
surcharger
d'objets 204.16 ; 636.15
de mots 347.9
d'impôts 317.33
surchauffer
chauffer 102.20 ; 109.23
surchemise 859.7
surchoix 677.14
surclassement 832.22
surcompensation 139.2
surcompenser 139.9
surcomposé 598.3
surcontre 446.9
surcontrer 446.35
surcostal 541.7
surcot 859.10
surcote
surestimation 804.1
cours 81.8
surcoté 81.39
surcoter 81.31
surcoupe 446.9
surcouper 446.35
surcroît
augmentation 56.4
reste 721.1
de surcroît 8.12 ; 56.18
par surcroît 56.18
surdensité 187.1
surdent 188.3
surdétermination 92.2
surdi- 803.15
surdimensionné 219.11
démesuré 351.11
surdi-mutité
surdité congénitale 803.2
surdité 482.29
mutisme 839.1
surdité 803 ; 482.29
insensibilité 418.5
surdité musicale 839.4
surdité verbale 839.4
aire de la surdité verbale 100.16
surdorer
dorer à la feuille 575.17
blondir 444.6
surdosage 499.18
surdoué 424.6
sureau 37.15
surélévation 531.5
surélevé 359.9
surélèvement 531.5
surélever
hausser 359.6
construire 531.16
sûrement
certainement 99.10 ; 614.16
obligatoirement 565.19
en sécurité 752.20
suréminent 800.19
surémission 529.17
suremploi 266.6
surenchère 659.7
surenchérir 659.12
majorer 56.8
marchander 659.14
surenchérissement 56.3
surentraînement 792.35
surentraîner 792.92
surépineux 580.11
surestimation 804
estimation 450.2
grandeur 384.2
surestimé 804.8
surestimer 384.9 ; 804.4
élever 800.18
surévaluer 111.7
surestimer (se) 384.9 ; 655.7
suret 343.23
sûreté
calme 89.2
sécurité 752
défense 182.1 ; 182.4 ; 487.9
sûreté éloignée 182.4
sûreté immédiate 182.4
sûreté rapprochée 182.4 ; 487.9
sûreté de main 10.5
sûreté de soi 573.1
sûreté de soi-même 145.5
en sûreté 752.18
chambre de sûreté 44.8
prudence est mère de sûreté 674.1
prendre ses sûretés 674.7
surévaluation 804.1
surévalué 804.8
surévaluer 111.7
surestimer 804.4
surexcitant 427.19
surexcitation
excitation 427.2
nervosité 382.4 ; 549.1
surexcité
nerveux 382.12
frénétique 276.9
surexciter
exacerber 427.12
exciter 549.16
stimuler 793.10
surexploitation 846.8
surexploiter 846.12
surexposé 621.24
surexposition 621.13
surf 792.28
surfaçage 640.2
surface
quantité 678.2
dimension 219.3 ; 338.4 ; 338.9
revêtement 727.1
surface articulaire 580.19
surface préspinale 580.16
surface rétrospinale 580.16
surface sensible 621.5
avoir telle surface sociale 341.16
surfaceuse 640.5
surfacique
masse surfacique 509.8
surfacturation
surestimation 804.1
escroquerie 284.2

surfacturer
surestimer 804.4
capter 284.9
surfaire
surestimer 804.4
surévaluer 111.7
surfait
trop cher 111.11 ; 804.8
affecté 12.12
surf-casting 605.7
surfer 792.90
surfeur 792.62
surfiler 165.27
surfin 677.14
surfinancement 66.11
surfusion 468.2
surgélation
froid artificiel 327.3
conservation 333.4
surgeler 327.15
surgénérateur 269.7
surgénération 513.7
surgeon 37.5
surgeonner 37.24
surgir 386.8
apparaître 34.7
arriver 290.8
jaillir 783.15
surgissement
émergence 34.2
sortie 783.1
surglacé 388.12
surhaussé 359.9
surhaussement 531.5
surhausser
hausser 359.6
construire 531.16
surhumain 371.26
suricate 486.7
surimposer 317.33
surin 43.3
suriner
tuer 169.22 ; 534.28
surinfection 482.5
surinformation 136.6
surinformer 136.14
surintendant 699.12
surjectif 493.9
surjet 165.6
surjeter 165.27
sur-le-champ 386.16
surlendemain 647.4
le surlendemain 332.1 ; 332.15
surligner 466.11
superposer 204.16
surlonge 333.7
surmené 303.21
surmoi 429.7
inconscient 397.8
conscience 533.10
surmoïque 429.19
surmonter
dans l'espace 204.12 ; 531.18
un obstacle 240.10 ; 567.16
surmontoire 675.6
surmoulage 749.4
surmoule 510.10
surmouler 749.19
surmulot
mammifère 486.5
poisson 638.6
surmultipliée 57.4
passer la surmultipliée 57.4 ; 684.21
surnager 204.15
surnature 736.4
surnaturel
n.m. 32.3 ; 380.4 ; 477.3 ; 736.1
adj. 32.15 ; 380.14 ; 477.25
vertus surnaturelles 858.2
surnaturellement 32.19
surnom 554.4
surnombre 555.5
excès 294.1
en surnombre 294.18 ; 555.18
surnommé 554.25
surnommer 554.18
surnuméraire 555.16
suroît 852.4
sud-ouest 221.4
suros 841.5
suroxyder 20.16
surpalite 43.17
surpasser
en valeur 798.11 ; 800.16
en hauteur 204.12 ; 359.8
surpasser (se) 800.16
surpatte 309.11
surpaye 241.2
surpayer 241.19
payer 739.11
surpêche 605.1
surpeint 607.10
surpeuplé 355.30
surpeuplement 355.21
surpiquer 204.16
surplis
soutane 204.3 ; 508.10
uniforme 859.20
surplomb
cime 204.6
t. d'architecture 211.1 ; 783.10
en surplomb 204.22
surplombement 204.6
surplomber 211.13 ; 530.14 ; 531.18
dominer 204.12 ; 359.8 ; 800.13
surplus
excès 294.3 ; 721.1
de marchandises 490.3
au surplus 721.13
surpoids
corpulence 351.5
poids 636.4 ; 636.6
surprenant 805.13
décevant 178.8
surprendre
découvrir 179.9
étonner 805.4
prendre au dépourvu 805.10
décevoir 178.4 ; 416.5
surpresseur 632.6
surpris 805.12
faire le surpris 805.9
surprise 805
déception 178.1 ; 386.4
manœuvre 487.14
surprise stratégique 487.14
surprise tactique 487.14
mauvaise surprise 178.1
surprise-partie ou **surprise-party**
réception 137.11
bal 309.11
surproductif 662.19
surproduction 490.6 ; 662.6
excès 294.1
surprotection 671.1
surprotégé 671.27
surprotéger 671.19
surréalisme 46.12
surréaliste
littérature 691.17
peinture 46.17
surrection 337.5
surrégénérateur 269.7
surrégénération 513.7
surrégénérer 513.12
surremise 524.3
surrénalectomie 114.13
surréservation 871.10
sursalaire 739.8
sursaturation 294.1
sursaturé 337.31
sursaut
augmentation 56.1 ; 56.2
saut 746.1
sursauter
sauter 746.10
de surprise 805.8
de peur 619.13 ; 819.5
faire sursauter 746.13
surséance
délai 647.5
ajournement 724.3
surseoir 647.15
surseoir à 724.10
sursignification 788.3
sursimulation 321.4
sursis
délai 647.5 ; 724.2
guérison 353.4
sursitaire 724.17
surtaxe 157.6
surtaxer
une lettre 157.15
une marchandise 111.7
surtitre 469.13
surtout
n.m. 204.5
superstructure
adv.
d'abord 33.27
essentiellement 384.16
sururbanisation 845.2
surveillance
recherche 183.5 ; 207.2
protection 671.1
défense 182.4 ; 487.12
garde 641.15
surveillant
d'un lycée 274.14
gardien 641.12 ; 653.7 ; 671.12
de prison 208.17
surveiller
garder 21.10 ; 183.10 ; 641.17
rechercher 207.19
protéger 671.18
défendre 487.27
surveiller sa ligne 771.5
surveiller du coin de l'œil 52.7
liberté surveillée 462.4
surveiller (se) 714.8
survenance 34.1
survenir 4.4
apparaître 34.7
arriver 290.8
survenue 45.1
survêt ou **survêtement** 204.3
tenue de sport 859.17
survie 862.6
résurrection 534.5
survirage
dérapage 212.3
tenue de route 57.12

survirer
déraper 212.17
tenir la route 57.30
survireur 212.21
survireuse 57.33
survivance 287.2 ; 862.6
survivant 862.20
survivre
continuer 297.9
passer à la postérité 287.10
survol 204.10
survoler 204.15
planer 20.13
survolté 276.9
survolter
enthousiasmer 276.7
stimuler 793.10
t. d'électricité 261.23
survolteur 261.17
survolteur-dévolteur 261.17
Surya 236.34 ; 777.12
sus- 204.27 ; 806.18
extra- 800.27
sus 431.4
en sus 56.18
en sus de 800.25
au sus du reste 721.13
courir sus à l'ennemi 146.16
Susanoo 236.31 ; 633.10
susceptibilité
sensibilité 755.2
nervosité 130.3 ; 549.5
t. d'électricité 261.7
susceptible
sensible 755.17
nerveux 130.11 ; 217.23 ; 549.17 ; 720.14
susceptible de 646.11
suscitateur 201.8
suscitation 391.5
susciter
causer 92.9
impulser 391.12
déclencher 687.7
suscription
adresse 204.9
signature 157.7
susdit 33.23 ; 204.20 ; 554.14
nommé 554.26
sus-dominante
sixte 770.3
degré 543.11
sus-hépatique 128.9
sushi 333.15
susnommé 33.23 ; 204.20 ; 554.14
nommé 554.26
suspect 183.19
ambigu 24.15
suspectable 183.19
suspecter 183.9
suspendre
arrêter 315.17
accrocher 806.12
annuler 31.6
de ses fonctions 266.23
suspendu
accroché 806.14
incertain 438.11
jardins suspendus 443.2
plafond suspendu 481.30
vallée suspendue 530.5
suspens
discontinuité 223.8
adj.
condamné 582.16 ; 699.34
en suspens 51.10 ; 438.11 ; 438.6
tenir en suspens 382.6 ; 724.15
suspense 699.4
t. de droit canon 582.4 ; 699.6
suspense a divinis 699.4
suspenseur 541.2 ; 791.15 ; 806.15 ; 806.4
ligament suspenseur de la verge 762.3
ligament suspenseur du foie 218.10
suspensif 223.17
t. de droit 392.16 ; 806.15
suspension 806
inaccomplissement 315.3 ; 392.2
discontinuité 223.8
fermeture 308.10
élasticité 259.4
luminaire 250.11 ; 473.12
annulation 31.1
interdiction 429.3
éviction 292.1
d'une automobile 57.12
supplice 801.3
t. de rhétorique 313.5
suspensoïde 806.16
suspensoir
attelle 791.7
attache 806.5
appareil orthopédique 775.19
suspente 791.3
suspicieusement 183.20
suspicieux 183.16
suspicion 183.2
tenir en suspicion 183.9
sustentation
équilibre 282.1 ; 496.6
nutrition 563.1
sustenter
nourrir 563.12
alimenter 703.38
sustenter (se)
se nourrir 563.14 ; 703.26
sus-tonique 543.11
susurrer
murmurer 83.18
dire 595.19
sutra 815.8
sutra du lotus 815.14
Sutta-pitaka 80 ; 815.13 ; 815.14
sutural 114.35
suture
articulations 580.18
cicatrice 114.22
suture coronale 580.20
points de suture 114.22
suturer 114.33
suzerain 240.6
svastika ou **swastika** 171.3
sveltesse 69.2
Swahilis 371.11
swami 362
gourou 362.12 ; 699.17
swap 166.4
swastika → svastika
Swazis 371.11
sweater 859.7
sweating-system 480.8
sweatshirt ou **sweat-shirt** 859.7
swing
t. de jazz 176.10 ; 543.6
t. de golf 792.16
sybarite
paresseux 593.10
libertin 629.7
jouisseur 475.6
sybaritisme
plaisir 629.3
raffinement 475.2
sycomore 37.18
sycone 330.2
sycophante
traître 373.10
dénonciateur 828.8
sycosis 482.17
syl- 9.23 ; 725.23
co- 352.25
syllabaire 459.13
syllabe 459.26 ; 635.14
son 459.2
parole 595.3
t. de phonétique 535.7
syllabe d'amorce 459.4
avaler des syllabes 411.10
détacher les syllabes 425.9
syllabie 459.26
syllabique 459.20 ; 459.26
alphabétique 252.19
t. de chant 106.29
syllabisme 252.2
syllabus 590.8
syllepse 313.3
syllogisme
raisonnement 682.5 ; 788.4
t. de rhétorique 729.5
sylv- 37.29
sylvain
insecte 417.11
Sylvain
divinité 236.37
sylve 37.22
sylvicole 37.28 ; 251.16 ; 356.16
agricole 18.25
divinités sylvicoles 37.4
sylviculteur 36.19
agriculteur 18.16
sylviculture
botanique 79.1
agriculture 18.1
arboriculture 36.1
sylvien 100.26
sylvine 516.5
Sylvius
chair carrée de Sylvius 541.10
aqueduc de Sylvius 100.3
sym- 9.23
co- 352.25
symbiose
accord 6.1 ; 690.1
t. d'écologie 251.4 ; 463.4 ; 873.7
symbiotique 251.17
symbole
chiffre 112.1
signe 25.4 ; 709.3 ; 765.5
lettre 252.3 ; 459.1
t. de théologie 818.9
symbole chimique 113.5
symbole de la foi 657.9
symbolique 765.30 ; 818.2
figuratif 709.12
logique symbolique 682.3
symboliquement 709.14
symboliser 709.7
symbolisme
représentation 709.2
allusion 788.7
tendance artistique 46.11 ; 635.19
t. de rhétorique 313.1

syntaxique 346.19
synthé 422.17
synthème 535.4
synthèse
regroupement 150.2 ; 352.1 ; 725.1
totalité 823.5
raisonnnement 682.1
résumé 723.1
t. de chimie 113.13
t. de chirurgie 114.5
t. de rhétorique 313.3
synthèse vocale 408.22
synthèse de la parole 408.22
de synthèse 379.10
esprit de synthèse 275.1
gaz naturel de synthèse 269.6
synthétase 94.24
synthétique
unifiant 352.21 ; 823.11
t. de chimie 113.22
t. de philosophie 682.14
jugement synthétique 450.4
textiles synthétiques 816.2
synthétiquement
t. de chimie 113.27
t. de philosophie 682.19
synthétisé 723.7
synthétiser
totaliser 511.12 ; 823.8
assembler 150.8
résumer 723.6
t. de chimie 113.20
synthétiseur
assembleuse 352.14
instrument de musique 422.17
synthétisme 46.11
syntoniseur
récepteur 681.3
chaîne haute-fidélité 273.5
synusie 251.4
syphiligraphe 498.29
syphilis 482.18
syphilis du lapin 482.48
syphilophobe 619.21
syphilophobie 619.4
syriaque 508.14
syrien
Église syrienne 508.14
Église syrienne orientale 117.9
livre syrienne 529.8
Syrien 355.8
syringa 38.5
syringomyélie 484.4
syringotomie 114.14
syrinx 422.7
Syrinx 236.42
syrphe 417.9
syrphidés 417.8
syrrhapte 570.14
systaltique 128.24
systématicien 126.12 ; 807.13
systématique
n.f.
classification 126.2 ; 807.9 ; 873.10
adj.
méthodique 511.15 ; 577.25 ; 807.16
fréquent 326.13
doctrinal 808.48
systématiquement 576.27 ; 807.21
méthodiquement 511.17
systématisation
standardisation 559.7
conceptualisation 275.4
systématisé 807.16
systématiser
classer 126.13
généraliser 807.14
organiser 275.11
systématiseur 577.14 ; 807.13
systématisme 807.12
système 807
organisation 577.1
méthode 511.3
structure 140.4 ; 150.4 ; 795.7
principe 658.2
philosophie 620.1
d'écriture 252.1
t. de géologie 337.21
t. de physiologie 548.15
système ABO 742.15
système ABS 57.9
système C.G.S. 509.6
système cardio-necteur 128.5
système chimique 113.5
système cholinergique 548.8
système cristallin 517.7
système cubique 517.7
système D 511.3 ; 807.8
système extralemniscal 548.12
système fiscal 317.1
système hexagonal 517.7
système HH 742.15
système HLA 381.10 ; 742.15
système immunitaire 381.8
système informatique 408.4 ; 807.4
système international 509.6
système kangourou 832.2
système Kidd 742.15
système lacunaire 742.8 ; 821.3
système limbique 100.17
système lymphoïde 821.3
système monétaire européen 529.14
système monoclinique 517.7
système musculaire 541.1
système nerveux 548.15 ; 807.6
système nuageux 561.5
système organo-végétatif ou *autonome* 548.15
système orogénique 337.8
système orthorhombique 517.7
système osseux 580.1
système pileux 624.6
système politique 807.5 ; 808.1
système quadratique 517.7
système rhomboédrique 517.7
système sanguin 128.1
système solaire 49.7 ; 777.6 ; 807.6
système tampon 742.2
système triclinique 517.7
système d'arme 43.1
système d'exploitation 408.11 ; 807.4
système d'Hondt 260.7
système avec vote unique transférable 260.7
courir sur le système 549.14
système-expert 408.11
systèmes politiques 808
systémicien 807.13
systémique 807.10
science politique 642.13
systole
contraction 154.3
circulation du sang 128.11
systolique 128.3
syzygie 474.3

T

tabac
fleur 318.30
couleur 84.12 ; 159.28
parfum 594.4
à fumer 825.5
succès 817.24
tabac d'Espagne 417.11
passage à tabac 160.5
faire un tabac 798.12 ; 817.29
coup de tabac 319.12 ; 852.2
tabagisme 825.1
tabanidés 417.8
tabarinade 628.5
tabasco 333.26
tabassée 160.5
tabasser
frapper 72.19
battre 160.12
se faire tabasser 72.17 ; 160.19
tabatière 481.31
tabellion 451.21
tabernacle 465.11
tabernacles 449.9
fête des Cabanes ou *des Tabernacles* 310.5 ; 449
tabl 422.11
tabla 422.11
tablature
difficulté 217.15
partition 543.27
donner de la tablature à 567.13 ; 785.7
table
tableau 490.14
meuble 333.31 ; 519.7 ; 703.15
couvert 848.1
cuisine 703.6
t. d'astronomie 49.15
tables astronomiques 49.18
table numérique 87.9
table ronde 137.10 ; 156.6 ; 725.3
table traçante 408.6
table à ouvrage 519.6
table d'écoutes 273.4 ; 809.6
table d'harmonie 422.22
table d'hôte 368.4

table de logarithmes 87.9
table des matières 469.13 ; 723.4
table de multiplication 539.2
table d'opération 114.25
table de Pythagore 539.2
table de vérité 854.10
arts de la table 848.34
le haut bout de la table 59.14
faire table rase 228.10
faire table rase de 205.14
se mettre à table 703.24
passer à table 828.10
sortir de table 703.24
tenir table ouverte 368.6 ; 703.23
tableau
spectacle 868.9
représentation 709.3
peinture 374.9 ; 607.7 ; 709.4
description 196.1 ; 729.9
liste 490.14
tableaux A, B et C 499.20
tableau horaire 829.8
tableau noir 252.7 ; 274.8
tableau synoptique 768.5 ; 868.10
tableau de bord 57.10
tableau de chasse 107.13
vieux tableau 863.5
brosser le tableau de 196.9
jouer sur les deux tableaux 25.14
jouer sur tous les tableaux 24.9
tableautin 607.7
tabler
attendre 51.5 ; 285.5
s'en remettre à 145.13
tabletier
menuisier 505.20
ébéniste 519.31
tablette
médicament 499.14
d'écriture 252.7
meuble 519.10
d'une chaudière 109.16
tabletterie
menuiserie 505.1
ébénisterie 519.30
tableur 408.12
tablier
vêtement 211.6 ; 859.18
t. de travaux publics 834.11
rendre son tablier 266.29
tablinum 481.26
tabloïd 654.3
taborite 117.13
tabou
sacré 736.14
interdit 429.17 ; 429.5
taboué 429.17
tabouer
sacraliser 736.13
condamner 429.14
tabouisation 736.5
tabouiser
sacraliser 736.13
condamner 429.14
tabouret
meuble 519.20
d'une dent 188.1
tabulation 408.18
tabun 43.17
tac
n.m.
t. de serrurerie 760.7
int. 431.7
du tac au tac 421.18
et tac 431.2
Tacanas 371.8
tacca 318.36
tacet 543.28
tache
du soleil 777.7
de couleur 643.4
marque 740.2
honte 367.1 ; 606.6 ; 860.3
tache jaune 868.6
tache de rousseur 84.5 ; 482.16
tache de son 84.5
tache de vin 128.2 ; 482.17
sans tache 669.12
faire tache 229.4 ; 453.7
faire tache d'huile 344.8
taché 604.15
sale 740.11
tâche
obligation 565.2
activité 7.7
devoir 774.9
charge 213.2
emploi 266.1
à la tâche 739.17
analyse des tâches 480.11
se donner pour tâche de 86.5
tacher 740.9
tâcher
essayer de 86.6
travailler à 255.6
tenter de 812.8
prendre soin de 774.16
tâcheron 480.3
tacheté 643.11
tacheter 643.8
tacheture 643.2
tachinidés 417.8
tachisme 46.13
tachiste 46.17
tachy- 684.56
tachyarythmie 482.13
tachycardie 128.13 ; 482.13
tachycardique 482.66
tachylalie
volubilité 684.5
troubles de la parole 839.3
tachylogie
volubilité 684.5
troubles de la parole 839.3
tachylossidé 486.2
tachymètre 509.26
tachyphagie 703.14
gloutonnerie 563.7
tachyphasie ou **tachyphrasie**
volubilité 684.5
troubles de la parole 839.3
tachyphémie 684.5
tachypnée
apnée 718.14
pneumologie 482.32
tachypsychie 684.6
tachystérol 94.17
tacite 788.16
tacitement 788.20
taciturne
silencieux 766.15
triste 836.12
misanthrope 420.10
taciturnité 836.1
tacle 792.11
tacler 792.85
taco 333.16
tacot 833.2
tact
toucher 479.3 ; 824.1
adresse 316.5
réserve 714.1
courtoisie 163.1
délicatesse 177.4 ; 184.1 ; 771.3
tacticien
stratège 354.20 ; 487.21
tactile 824.8
sensibilité tactile 824.1
tactilement 824.9
tactilité 824.2
tactique
méthode 511.2 ; 577.10
projet 649.2
de guerre 354.13 ; 487.1 ; 487.18 ; 487.38
politique 642.6
tactiquement 487.43
tactisme
sens de l'orientation 221.12
t. de botanique 79.11
tacto-gnosique 100.16
Tadjik 355.6 ; 371.14
tadjwid 66 ; 440.23
psalmodie 657.14
tadorne 570.16
tædium vitæ 62.2
taekwondo 792.15
tael 529.13
taffe 825.10
taffetas 816.4
tafia 75.13
tafsir 440.13
tag 252.5
Tagalogs 371.12
tagetes ou **tagète** 318.10
tagliatelle 333.25
tagueur ou **tagger** 252.11
T.A.I. 811.4
taïaut 107.34
cri 168.7
tai-chi 792.15
tai-chi-chuan 792.15
taie 482.28
maladies des yeux 840.4
taïga 37.22
taïkonaute 48.10
taillable 317.41
taillable et corvéable à merci 317.41 ; 734.7 ; 787.24
taillade 167.4
taillader
entailler 167.13
blesser 72.14
taillanderie 584.30
taillandier 584.32 ; 760.25
taille
dimension 219.1 ; 219.5
longueur 470.1
hauteur 359.1
impôt 317.10 ; 734.3
sculpture 749.3
d'une mine 518.6
d'un arbre 36.5
d'une pierre 70.15
taille adoucie 640.1
taille polie brillante 640.1
de taille 351.11 ; 384.12
gravure en taille douce 388.5
pierre de taille 517.2

taillé 70.26
taillé en force 864.17
bien taillé 864.17
taille-crayon 252.7
taille-haie 18.15
tailler
couper 129.14 ; 220.13
une pierre 70.22 ; 517.15
des arbres 36.22 ; 443.12
t. de sculpture 749.18
tailler à angles vifs 30.9
tailler en pièces 205.18
tailler (se)
déguerpir 189.10
filer 684.23
tailleur
vêtement 859.6
couturier 165.22
tailleur d'images 749.16
tailleur de pierre 517.14
taillis
taille 36.5
haie 36.17
tailloir 39.15
taillon 317.10
taire 504.14
cacher 751.15
faire taire 567.14
taire (se) 766.10
taiseux 766.9
tai shan 736.8
Taïwanais 355.9
tajine
récipient 848.24
mets 333.12
taka 529.8
takadiastase 94.24
tala
pratiquant 320.10
tala
monnaie 529.8
talanquère 67.6
talapoin 80
bouddhisme 525.7
talc 516.5 ; 676.4
minéraux 517.9
poudre de talc 676.4
talégalle 570.14
talent
unité de mesure 509.24 ; 636.12
capacité, mérite 10.3 ; 302.7 ; 424.2 ; 507.2
unité monétaire 529.11
talentueusement 424.13
talentueux
intelligent 424.11
méritant 507.14
taler 205.15
taleth ou **talith** 449.12 ; 699.24
talion 144.2
talisman 477.10
talith → **taleth**
talitre 172.3
talkie-walkie 809.2
talk-show 156.6
Talmud 449 ; 449.5
Torah 815.3
talmudique 815.24
t. du judaïsme 449.31
talmudiste 449.7
talon
reste 721.3
du pied 502.3 ; 623.1
ornement 578.3
d'une chaussure 110.8
d'un jeu de cartes 446.5
talon rouge 552.18
talon d'Achille 303.7 ; 383.4
talon d'un pêne 760.7
être sur les talons de 685.11
marcher sur les talons de qqn 193.11
talonnade 792.11
talonner
importuner 415.7
t. de sports 792.85
talonnette 110.8
talonneur 792.50
talonnière 236.43
talose 94.5
talquage 676.8
talquer
saupoudrer 676.17
langer 270.16
talus
d'une route 77.4 ; 158.4 ; 834.14
d'une lettre 459.7
talus continental 627.3
tamandua 486.10
Tamangs 371.13
tamanoir 486.10
tamaricacée 38.3
tamarin 486.14
tamarinier 37.18
tamaris 38.5
tamazight 455.14
tambouille 703.6
tambour
cylindre 97.9
d'une horloge 118.7
poulie 733.7
d'une fortification 182.8
musicien 542.10
instrument de musique 422.8
d'une machine 476.12
à broder 165.16
jouet 448.8
t. d'architecture 39.15 ; 97.10
tambour battant 684.39
tambour de basque 422.10
sans tambour ni trompette 751.33 ; 819.11
battre les tambours de guerre 354.23
raisonner comme un tambour 557.7
tambourin
instrument de musique 422.8
danse 176.9
tambourinaire 542.10
tambouriner 542.22
révéler 136.16
tambour-major 542.10
tamier 318.17
tamis
séparateur 756.9
passoire 848.31
tamise 816.6
tamisé 250.28
tamiser 550.34
modérer 522.11
textile 816.26
tamoul
langue 455.14
Tamouls 371.13
tampon
bouchon 308.2
organe de choc 115.16 ; 832.10
coup 160.4
à polir 640.5
cachet 388.13 ; 490.5
tampon de chargement 109.16
tampon de choc 115.16
tampon encreur 388.13
tamponnage 775.16
tamponnement
heurt 72.7 ; 115.4
rixe 160.7
organes de choc 115.16
tamponner
heurter 72.18 ; 115.21 ; 160.24
obturer 308.13
t. de chirurgie 114.33
t. de cuisine 333.43
tamponner (se) 115.27
tamponneur 115.32
tam-tam 422.11
tanagra 749.6
tanaisie 318.10
tancer 710.10
tanche 638.5
tandava 362.15
tandem
couple 210.2
bicyclette 833.13
voiture hippomobile 833.14
cyclisme 792.26
tandémiste 792.61
tandis que 768.14
tandoor 848.28
tangage 579.4
tangara 570.8
tangelo 330.9
tangence 673.1
tangent 673.11
tangente 338.7
tangenter 158.11
tangentialité 673.1
tangentiel
tangentiel homologue 338.16
tangerine 330.9
tangibilité
matérialité 492.1
tactilité 824.2
tangible
concret 297.13
matériel 492.8
perceptible 754.16
tactile 824.8
tangiblement
matériellement 492.11
tactilement 824.9
tango
danse 176.10
couleur 159.28 ; 735.13
tangue 18.7
tanguer
osciller 579.9
trembler 176.30
tanière
terrier 167.7 ; 486.18
refuge, retraite 356.3 ; 420.5 ; 779.5
Tanit 236.21 ; 236.26 ; 474.10 ; 711.17
tank 43.11
tanka 80.14
tanker 489.14
navire-citerne 618.9
cargo 830.5

tannage 84.4
tannaïm 449.7
tannant 415.15
tanne 482.16
tanné 84.11
tannée 604.14
volée de coups 160.5
tanner
hâler 84.8 ; 553.11
harceler 272.9 ; 415.7
tant
combien 678.19
tellement 427.38
tant bien que mal 217.25 ; 402.18 ; 458.27
tant l'un, l'unité, la pièce 842.2
tant mieux 431.2
tant pis 431.2
tant que 768.15
en tant que 822.22
tant soit peu 602.10
tantale
élément chimique 113.7
tantale
oiseau 570.18
Tantale
Enfers 271.8
supplice 801.17
tante
parente 314.7
homosexuel 763.18
tante à la mode de Bretagne 314.18
ma tante 166.22 ; 209.26
tantet 602.3
tantième 678.6
tantinet 602.3
un tantinet de 602.10
tantôt
bientôt, sous peu 647.26
depuis peu 598.19
sous peu 332.16
en soirée 776.13
Tantoyucas 371.9
tantra 815.15
tantrique 80.15
tantrisme 700.8
bouddhisme 80.1
Tanzanien 355.7
tao 736.4
bouddhisme 80.6
Livre du tao 815.16
taoïque 80.15
taoïsme 700.8
bouddhisme 80.1
taon 267.7 ; 417.9
Taos 371.7
Tao-tö-king 815.16
tapage
chahut 201.7
vacarme 83.9
clameur 168.5
tapageur 83.20
bruiteur 83.13
criant 168.21
tapageusement 83.22
tape
fermeture 308.2
tape
coup 160.4
tapé 321.23
tapecul ou **tape-cul**
voiture hippomobile 833.14
voiture 833.2
tapée 540.5
tapement 83.8
taper
v.t.
frapper 115.22 ; 115.28 ; 160.11
v.i.
chauffer 102.17 ; 127.15 ; 777.15
cogner (bruit) 83.15
taper sur les nerfs 549.14
taper dans l'œil 868.22
taper dans le mille 158.16
taper des pieds 623.6
se faire taper dessus 72.17 ; 160.19
taper qqn 209.22
taper sur 115.22 ; 194.12
taper (se)
s'en taper 401.12
tapes 527.2
tapette
petite tape 115.15
ustensile 417.26
avoir une fière tapette 665.9
tapeur 115.19
-taphe 534.38
tapho- 534.38
taphophilie 331.23
taphophobie 331.23
phobie 619.4
taphrina 103.7
taphrinales 103.5
tapin 672.2
faire le tapin 672.18
tapiner 672.19
tapineur 672.12
tapineuse 672.8
tapinocéphales 712.10
tapinois
en tapinois 751.29
tapinome 417.7
tapir
animal 486.6
élève 274.15
tapiridé 486.3
tapis 727.7
tapis de foyer 481.34
le tapis de la conversation 156.8
tapis de mousse 537.1
tapis roulant 489.7
tapis transporteur 489.7
tapis vert 443.7
tapis volant 477.10
aller au tapis 249.12
battre un tapis 550.26
mettre qqch sur le tapis 156.17
remettre sur le tapis 153.18 ; 704.10
tapisser 727.15
décorer 519.35
coudre 165.25
tapisserie 578.2
arts de la couleur 159.14
couture 165.1 ; 165.3
tapissier
personne 165.23 ; 519.31 ; 578.11 ; 727.12
insecte 417.7
tapon
mettre en tapon 816.27
tapoter 91.6
taps 748.4
tapuscrit
écrit 252.5
livre 469.1
taque 481.34
taquet
butée 78.8 ; 791.4
coup 160.4
jalon 834.14
coin 505.9
taquin
n.m.
puzzle 446.20
adj.
moqueur 532.15
taquinement 532.17
taquiner 272.11 ; 439.9 ; 628.12
tourmenter 549.15
moquer 532.9
taquiner la muse 635.24
taquiner le goujon 605.21
taquinerie
excitation 549.6
plaisanterie 532.5
tarabiscot
rabot 505.16 ; 584.16
moulure 505.6
tarabiscoté 347.11
tarabiscoter 505.21
tarabuster
inquiéter 785.7
importuner 415.7
Tarahumaras 371.8
tarama 333.14
Taranis 236.10
tarare 476.6
Tarasques 371.8
taratata 431.2
taraud 584.21
taraudage 584.29
tarauder
fileter 167.12 ; 584.37
tourmenter 243.12
taraudeuse 476.10
tard 724.23
le soir 776.14
tard venu 724.17
à plus tard 332.20
sur le tard 724.23
il se fait tard 724.16
tarder 247.7
avoir hâte de 382.7
prendre son temps 458.13
ne pas tarder à 332.7
sans tarder 332.16 ; 421.16
sans plus tarder 421.16
tardif 593.14
retardataire 724.17
interminable 458.21
tardigrade 873.24
tardillon
retardataire 724.5
enfant 304.4
tardivement 724.23
tardiveté 724.8
tare
masse non marquée 509.5 ; 636.7
poids à déduire 636.2
anomalie, défaut 32.4 ; 500.4
défectuosité, malformation 361.9 ; 383.4 ; 484.1 ; 841.5
défaut moral 860.3
taré 784.5
tarentelle 176.6
tarentule 267.7 ; 417.13
tarer
mesurer 509.28

peser 636.18
taret 527.2
targette
serrure 308.5 ; 760.4
targeur 638.6
targuer (se) 341.22 ; 655.4
être la fierté 312.6
Targui 197.6
tarier 570.8
tarière
outil 505.16 ; 584.21
oviscapte 417.17
tarif
transports 829.16
prix 659.1
tarifaire 659.19
tarifé 659.19
tarifer 659.13
tarification 659.3
tarifier 659.13
tarin
oiseau 570.8
nez 814.5
tariqa
Islam 440.5
communauté 525.8
tarir 750.17
finir 315.12
tarir (se) 750.17
passer 228.12
tarissement
sécheresse 750.1
séchage 340.9 ; 750.3
épuisement 389.2
tarmac 831.9
tarmacadam 727.6
taro 333.17
tarot 235.6
jeu de cartes 446.3
taroupe
poil 624.2
cil 868.6
tarpan 486.11
tarpon 638.6
tarrietia 37.18
tarsalgie 243.3
tarse 580.17
tarsectomie 114.13
tarsien 486.14
tarsier 486.14
tarsiidé 486.14
tarsiiforme 486.14
tarso-métatarsienne 580.24
tartare
à la tartare 333.51
Tartare 271.7
séjour des morts 534.8
tarte
n.f.
gâteau 333.16 ; 799.6
gifle 160.3
c'est pas de la tarte 217.26
adj.
ridicule 731.8
tartelette 799.6
Tartempion
personne 613.9
tartiflette 333.21
tartignole
disgracieux 453.9
ridicule 731.8
tartine
longueurs 665.5
toast 588.6
tartiner 727.15
rédiger 252.15
tartiner 848.29
tartir
envoyer tartir 409.4
faire tartir 549.15
se faire tartir 272.7
tartre 188.8
tartufe ou **tartuffe**
dévot 320.10
hypocrite 373.9
vertu 858.7
tartuferie ou **tartuffe-rie** 12.2
bigoterie 320.6
hypocrisie 373.2 ; 858.6
tromperie 838.1
tartufier 373.15
tas
amoncellement 352.7 ; 540.6
outil 584.24
un tas d'or 575.18
tas d'ordures 740.7
tas de ferraille 833.2
tas de tôle 833.2
prendre sur le tas 44.13
tasse
récipient 848.4 ; 848.6
échec 249.2
tasse à déjeuner 848.4
boire la tasse 249.12
tassé 187.12
tasseau 505.8
charpente 791.4
tasser
contracter 154.7
concentrer 187.8
taste- 343.29
tatane 110.1
Tatars 371.14 ; 371.16
tâter 824.7
tâter de 649.14 ; 703.28 ; 812.7 ; 812.8
tâter le terrain 649.14 ; 674.7 ; 812.7
tâter (se)
hésiter 116.11 ; 438.5
tâtillon 774.20
tâtonnement
hésitation 438.3
commencement 134.2 ; 812.3
tâtonner
tenter 812.7
marcher sur des œufs 674.9
en tâtonnant 812.12
tâtons
à tâtons 812.12 ; 824.10 ; 840.21
aller à tâtons 674.9
tatou 486.10
tatouille 160.5
tatsoin 83.23
tau 513.4
taudis 356.3 ; 481.2
porcherie 740.6
taulard 208.15
taule 481.2
lupanar 672.3
détention 208.7
taupe
animal 486.10
classe préparatoire 274.15 ; 274.6
espion 41.13 ; 828.9
vieille taupe 863.5
taupe-grillon 417.15
taupin
insecte 417.3
élève 274.15
taupinière 486.18
taureau
animal 262.12
personne très vigou-reuse 864.5
Taureau (le)
constellation et signe zodiacal 49.15 ; 88.9
Taurides 49.12
taurin 262.32
taurine 94.10
taurobole 173.12
taurobolique 173.23
tauroïde 486.3
Tausugs 371.12
tautogramme 459.5
tautologie
redondance 435.6 ; 704.3
truisme 854.4
figures de construc-tion 313.3
tautologique
réitéré 704.13
inutile 435.12
tautomère
neurone tautomère 548.10
taux 849.10
quota 678.6
quantité 509.4
coefficient 555.4 ; 668.4
prix 659.1
taux apparent 849.10
taux d'absentéisme 2.2
taux d'erreur 283.4
taux d'escompte 166.17
taux d'intervention 166.17
taux d'intérêt 166.17
taux de bancarisa-tion 66.3
taux de base bancaire 166.17
taux de combustion 131.4
taux actuariel 849.10
taux lombard 166.17
taux monétaire 166.17
taux de reproduction 711.15
taux nominal 849.10
taux usuraire 166.17
tauzin 37.15
tavaïolle 508.11
tavelure
peau 604.4
souillure 740.2
t. de botanique 79.16
taverne 75.19
tavernier 703.17
taxable 317.40
taxacée 37.11
taxales 79.4
taxateur
brigand 111.4
percepteur 317.27
taxatif 317.40
taxation 222.4 ; 659.3
imposition 317.14
taxation d'office 317.14
-taxe 576.28 ; 577.28
taxe- 126.23
taxe
fiscale 222.4 ; 317.2 ; 317.7
postale 157.6
taxe à la production 317.7
taxe à la valeur ajoutée 9.8 ; 317.7
taxe foncière 317.7
taxe locale 317.7
taxe municipale 317.7

taxe personnelle 317.7
taxes comprises 317.43
taxé 659.19
taxer
soumettre à taxation 157.15 ; 222.13 ; 317.33 ; 659.13
médire, calomnier 227.14
voler 869.19
taxer l'impôt 317.34
taxi- 576.28 ; 577.28 ; 807.22
typo- 126.23
taxi 833.9
transports par route 833.28
taxidermie 653.6
taxidermiste 653.9
naturaliste 873.15
-taxie 576.28 ; 577.28
typo- 126.23
taxi-girl 176.22
taximètre
instrument de mesure 509.26
taxi 833.9
taxinomie 126.2
classification 576.8 ; 873.10
systématique 807.9
taxinomique 126.21
taxinomiste 126.12
Taxiphone 809.4
-taxis 576.28
taxis 114.6
taxo- 576.28 ; 577.28 ; 807.22
taxodium 37.16
taxodontes 527.1
taxon 126.5
t. de zoologie 873.11
taxonomie 126.2
taxum 126.5
tayassuidé 486.3
tayaut 107.34
Taylor
système Taylor 480.8
taylorisation 480.9
tayloriser 480.15
taylorisme 480.8
Tchadien 355.7
tchatche
éloquence 595.8
loquacité 665.2
tchatcher 595.22
Tchèque 355.5
Tcherkesses 371.14
tchernoziom 337.16
Tchétchènes 371.14
tchichtiyya 440.5
tchin-tchin 431.8
tchitola 37.18
Tchokwés 371.11
Tchouktches 371.14
Tchouvaches 371.14
technétium 113.7
technicien 5.10 ; 511.8
radiotélévision 681.15
main-d'œuvre 480.7
technicien de surface 550.24
technicisé 511.14
Technicolor 120.4
-technie 511.22
-technique 511.22
technique
n.f.
méthode, manière 511.4 ; 807.8
ensemble de procédés 729.10 ; 747.3
savoir-faire 10.3
adj. 462.5 ; 511.16 ; 535.28
technique mixte 607.3
techniques d'impression 388.5
avoir de la technique 10.10
techno- 511.21
techno 543.8
technocrate 694.21
technocratisation 694.16
technoscience 747.5
technostructure 773.7
Techoub 236.31 ; 633.10
teck
bois 74.13
arbre 37.20
teckel 486.9
tectites 855.5
tectonique
n.f. 337.1
tectonique des plaques 337.5
adj. 337.30
tecto-spinal 548.12
tectrice 570.21
Tedas 371.11
Te Deum
remerciement 348.2
cantique 106.5
teenager 445.3
tee-shirt 859.14
tefillin 449.13
T.E.G. 742.14
tégénaire 417.13
tegmen 417.17
tégument
enveloppe 727.1
peau 604.1
Tehuelches 371.8
teichomyza 417.9
teigne
insecte 417.11
plante 318.10
maladie 482.36 ; 624.10
personne méchante 497.6
teigneux
haineux 497.11
t. de dermatologie 482.67
téiidés ou **téjidés** 712.4
teille 727.5
teindre
colorer 159.20
coiffer 129.13
teint
n.m.
carnation 159.10 ; 604.2
teint fleuri 814.3
teint frais 743.3 ; 743.7
teint
adj.
coloré 159.24
teintant 159.25
teinte
couleur 159.1 ; 607.11
teinté 159.24
teinter 159.20
teinture
couleur 129.6 ; 159.7 ; 727.6 ; 816.13
connaissance superficielle 747.2
avoir une teinture de 747.13
teinturerie 550.20
teinturier 550.24
téju 712.5
tek 37.20
Tékés 371.11
tel 376.14
tel quel 286.12
rester tel quel 611.11
télamon
statue 749.6
t. d'architecture 791.4
télé- 263.18
télé
téléviseur 681.4
photographie 621.4
téléachat
appel 809.13
achat 191.3
téléacheteur 191.9
téléalarme 21.5
téléaste 681.15
télécarte 809.16
téléchargement 273.1
télécharger 273.15
télécommande
commande 133.13
téléviseur 681.4
télécommunication 809 ; 136.11
télécoms 809
télécopie
photocopie 388.7
copie 388.8
correspondance 157.2
télécran 681.4
télédétection 207.4
télédiagnostic 498.10
télédiffusé 681.20
télédiffusion 681.2
télédistribution 681.2
Téléfax 388.8
téléférage 829.5
téléfilm
radiotélévision 681.13
film 120.5
téléga ou **télègue** 833.11
télégénique 681.20
télégonie 711.5
télégramme 157.2 ; 809.14
télégraphe 809.5
télégraphie 809.1
télégraphier 809.20
télégraphique 809.21
concis 684.34
télégraphiquement 809.23
télégraphiste 809.17
téléguider 221.19
téléinformatique
n. 408.1
adj. 408.26
télékinésie 477.16
télémark 792.24
télémarketing 675.1
télématique 408.2
télématisation 408.20
télématiser 408.24
télémessagerie 809.3
télémètre
instrument de mesure 509.26
photographie 621.4
télémétrie 509.25
télencéphale 100.14
cerveau 100.2

noir 553.19
ténébrion 417.3
ténébrionidés 417.2
ténesme
crampe 732.4
maladie 482.22
teneur
n.m.
teneur de carnet 81.25
teneur
n.f.
concentration, force 151.7 ; 152.2 ; 187.6 ; 322.10 ; 509.4 ; 788.2
tenez 431.3
Tenggerais 371.12
téniasis 482.48
ténicide 499.35
ténifuge 499.35
téniodonte 486.4
téniolabidé 486.4
tenir
v.t.
avoir à la main 479.10
porter, retenir 791.10
posséder 645.14
lier, obliger 472.12
supporter, endurer 75.29 ; 715.17
occuper 487.31
garder, observer (telle façon de faire) 286.9
v.i.
subsister 297.9 ; 611.10
résister 778.12 ; 864.12
tenir audience 451.28
tenir à 199.9 ; 254.5 ; 442.8
tenir à l'œil 183.10
se faire tenir à quatre 715.13
tenir à sa merci 240.14
tenir bon 568.5 ; 715.14 ; 778.12 ; 870.8
tenir boutique 135.22
tenir chapelle 590.22
tenir compagnie 137.12
tenir compte 717.8
tenir conseil 148.14 ; 156.17
tenir contre vents et marées 778.12
tenir de 361.16 ; 719.9
tenir deux fers au feu 674.7
tenir en bride 522.12
tenir en échec 249.9
tenir en respect 619.11 ; 717.11 ; 819.6
tenir le haut du pavé 59.14 ; 240.9 ; 341.18 ; 800.13
tenir le pied sur la gorge de qqn 240.13
tenir le pompon 798.17
tenir lieu de 797.8 ; 847.10
en tenir pour 27.18 ; 53.8
tenir rigueur 720.5
en tenir une couche 784.10
avoir de qui tenir 361.17
ne plus y tenir 382.9
tenir quitte 592.10
tenir quitte de 461.15 ; 462.20
tenir (se)
se situer 769.10
bien se tenir 177.6
mal se tenir 226.5
s'en tenir à 64.8 ; 116.10 ; 467.11 ; 611.14
se tenir sur ses gardes 183.11
se tenir à l'écart 819.4
tennis
sport 792.10 ; 792.13
chaussure 110.6
tennis-ballon 792.10
tennisman 792.51
tennistique 792.95
tenon 476.12
cheville 505.9
tenon à peigne 505.9
tenonnage 505.12
tenonner 505.26
tenonneuse 476.10
t. de menuiserie 505.15
ténor 106.18
ténorino 106.18
ténorisant 106.30
ténoriser 106.25
ténorite 516.5
ténotomie 114.14
tenrec 486.10
tenrécidé 486.3
tenseur
n.m.
raidisseur 732.7
t. d'anatomie 541.2
t. de mathématique 493.4
adj. 496.14
tenseur du fascia lata 541.10
tensif
douleur tensive 243.14
tensiomètre 128.19 ; 732.8
instrument de mesure 509.26
médecine 498.17
tension
état de ce qui est tendu 154.2 ; 496.5 ; 541.18 ; 732.3
différence de potentiel 261.8 ; 509.4
concentration d'esprit 52.1 ; 255.1
nervosité 549.4 ; 785.1
conflit, désaccord 146.5 ; 194.1
tension artérielle 128.3
tension capillaire 509.10
tension nerveuse 549.4
tension osmotique 742.16
tensionnage 584.29
tensionner 584.36
rigidifier 732.10
tenson 635.11
tensoriel
grandeur tensorielle 493.2
tentaculaire
ville tentaculaire 845.7
tentant 53.9
tentateur
diable 186.2
conseil 148.7
tentation 199.3
tentation de saint Antoine 374.5
tentation du Christ 117.21
céder à la tentation 53.8
succomber à la tentation 606.9
tentative 812
essai 689.6
entreprise 279.3
tentative d'homicide 169.3
tente 481.9
camp 41.19
chapiteau 123.2
tenter
essayer, hasarder 291.8 ; 358.7 ; 390.7 ; 802.7 ; 812.7
attirer, séduire 53.5 ; 199.11
tenter de 255.6 ; 279.11 ; 812.8
qui ne tente rien n'a rien 812.7
tenthrèdes 417.6
tentiaire
la tentiaire 208.6
tentoriel 100.26
tenture 481.32
tenture funèbre 331.20
tenu 565.15
être tenu à 565.10
être tenu de 565.10
bien tenu 550.38
mal tenu 740.14
ténu
fin 616.14
léger 457.14
tenue
posture 769.5
maintien, prestance 177.2 ; 233.1
réserve 714.1 ; 759.2
vêtements, mise 859.4
t. de pêche 605.17
t. de Bourse 81.12
tenue de gala, de cérémonie 859.19
tenue de soirée 859.19
tenue de sport 859.17
tenue de ville 859.6
bonne tenue 177.2
mauvaise tenue 226.3
de haute tenue 677.13
en petite tenue 859.42
avoir de la tenue 759.5
ténuité
étroitesse 289.1
légèreté 457.1
tenure 18.13
t. de la féodalité 787.2
tenuto 543.59
teocalli 465.4
téorbe 422.3
téosinte 360.7
tep 618.11
tepee 481.9
tephillim 449.13
tepui 530.2
tequila 75.13
ter 837.14
téra- 509.36
térato- 32.22 ; 484.11
tératogène 484.7
tératogenèse 484.2
tératogénie 484.2
tératoïde
tératologique 265.17
monstrueux 484.7
tératologie 32.7 ; 498.6
embryologie 265.12
tératologique 32.17 ; 265.17
monstrueux 484.7
tératome 841.2
tératopage 484.6
terbium 113.7
terbutaline 499.5
tercet 837.3
strophe 635.12
térébelle 856.2
térébenthine
essence de térébenthine 594.2

térébrant
n. pl.
térébrants 417.6
adj. 167.16 ; 841.12
douleur térébrante 243.14
térébrer 417.30
Terenas 371.8
téréphtalique
acide téréphtalique 617.6
terfénadine 499.5
terfès 103.7
tergal
adj.
dorsal 242.10
Tergal
n.m.
textile 816.2
tergite 417.17
tergiversation
incertitude 395.1
hésitation 438.3
longueurs 458.4
tergiverser 24.9 ; 458.11
hésiter 395.9 ; 438.5 ; 724.11
finasser 316.12
terme
statue 749.8
terme
limite 126.3 ; 315.15 ; 467.2
échéance 209.5 ; 315.1 ; 587.7
élément d'une expression mathématique 493.2
mot 535.1 ; 535.2 ; 554.1
terme consacré 535.2
terme technique 535.2
en termes clairs 425.18
à terme 166.32 ; 467.18 ; 544.27
à court terme 664.21
à moyen terme 247.20
à long terme 247.20 ; 664.21
sans terme 287.14
au terme de 315.26
à terme échu 467.18
avant terme 33.25
accouchement à terme 544.4
achat à terme 191.4
vente à terme 81.15
conduire à son terme 5.16
mettre un terme 315.15 ; 467.7
vendre à terme 135.24
être en bons termes 26.8 ; 137.13
être en mauvais termes 137.13 ; 194.9
terminaison
fin 5.4 ; 315.10 ; 315.5
désinence 346.4 ; 535.7
terminaison libre 548.6
terminaison nerveuse 548.1 ; 754.2
terminal
n.m.
aérogare 831.9
extrémité d'un pipeline 618.5
poste informatique 408.7
terminal
adj.
final 315.19 ; 467.13
qui précède la mort 482.63
terminale
n.f.
classe 274.6
terminalia 37.21
terminateur 474.1
terminé 5.20
terminer 315.15
terminer (se) 315.13
s'accomplir 5.18
terminologie 622.11
taxinomie 126.2
langue 455.3
lexique 535.15
nomenclature 554.11
terminologique 126.21
terminus
fin 315.1
frontière 467.2
arrêt 829.7
ligne 832.8
gare 832.19
terminus a quo 134.11
terminus ad quem 134.11
termite 417.16
termitière 417.24
ternaire 837.11
ordre ternaire 487.6
terne
n.m.
t. de jeu 837.3
terne
adj.
sans éclat 40.8 ; 159.27 ; 350.10 ; 604.14 ; 624.22
sans originalité, insignifiant 419.13 ; 500.13 ; 630.11 ; 819.8 ; 836.16
terni
gris 40.8
noirci 553.17
sale 740.11
ternir
salir 740.9
profaner 737.7
ternissure 740.2
ternstrœmiacée 38.3
terpène 94.20
terpinol 594.6
Terpsichore 236.11
terra rossa 813.10
terrade 57.7
terrage 813.13
impôts généraux 317.10
terrailler 813.18
terrain
sol, terre 695.3
structure géologique 337.16 ; 518.2
prédispositions naturelles 361.5 ; 498.21
théâtre d'opérations 487.17
terrain glaciaire 337.16
terrain glissant 175.2
terrain militaire 487.17
terrain pélagique 337.16
terrain plutonien 337.16
terrain primitif 337.16
terrain volcanique 337.16
utilisation du terrain 487.18
tous terrains 833.40
aller sur le terrain 689.14
terraqué 813.26
terrarium
vivarium 873.9
cage 262.6
terrasse
terre-plein, remblai 443.7 ; 813.3 ; 834.14
plate-forme 39.13 ; 481.16
haut de socle 250.7 ; 749.11
en terrasse 530.17
terrassé 11.27
terrassement 813.14 ; 834.22
terrasser
remuer la terre 813.23 ; 834.38
renverser, abattre 11.17
terrassier 834.37
terrasson 39.13
terre 813
globe terrestre, monde 49.7
masse (électricité) 261.15
glèbe 813.1
sol, terroir 355.20 ; 695.3
terre anglaise 813.10
terre à foulon 813.10
terre d'ombre 84.2
terre jaune 813.4
terre noire 337.16
terre rouge 813.10
Terre promise 1.4 ; 285.3 ; 449.17
Terre sainte 449.17
terre vierge 197.4
à terre 813.30
dons de la terre 241.6
en pleine terre 813.29
sous terre 203.22
ver de terre 856.2
voie de terre 833.19
mettre en terre 813.21
rentrer sous terre 367.7
se fiche par terre 119.18
se ficher par terre 119.18 ; 483.14
terre à terre 492.10 ; 767.8 ; 847.16
politique de la terre brûlée 813.5
terreau 813.5
engrais 18.7
terreauter 18.21
terre-neuvas 605.19
terre-neuve
chien 486.9
protecteur 19.12
terre-plein
barrage 67.6
motte 813.3
talus 834.14
terrer 727.15 ; 813.18 ; 816.26
t. d'agriculture 18.21
terres 84.2
hautes terres 530.2
terrestre
temporel 811.13
transports 833.38
t. d'astronomie 49.33
t. de zoologie 873.23
magnétisme terrestre 478.2
terreur
détresse 827.6
peur 619.1
terreuse 569.27
terreux
couleur 84.9 ; 159.28
sale 740.11
terrible
carabiné 427.21
épouvantable 619.22 ; 827.13
acariâtre 248.11
terriblement 427
effroyablement 294.20

terricole 251.16 ; 356.16 ; 813.28
terrien 813.28
terrier
tanière 167.7 ; 203.8 ; 486.18
chien 107.15 ; 486.9
refuge 356.3
terrifiant
terrible 827.13
effrayant 619.22
terrifié 827.15
terrifier 619.10
terril 518.6
terrine
tête 814.1
récipient 848.23
préparation culinaire 333.11
territoire 695.2
aménagement du territoire 845.5
territorial
eaux territoriales 830.16
territorialement 695.16
territorialité 695.10
terroir 355.20
terre 695.3
terrorisé
malheureux 827.15
angoissé 619.20
terroriser
menacer 63.15
impressionner 59.15
terrorisme 619.9
terroriste 619.9 ; 865.13
destructeur 205.25
tertiaire 837.13
secteur tertiaire 266.8
tertio 837.14
tertre
butte 78.2
mont 530.4
tertre funéraire 331.16
tervueren 486.9
terza rima 837.3
sonnet 635.9
terzetto 837.3
tesla 509.11
Tesos 371.11
tessiture 781.6
test
essai 207.11 ; 680.3 ; 689.6 ; 812.4
enveloppe 527.15
t. de statistique 493.6
t. de médecine 498.11
de test 408.12
testable 155.17
testacé 712.20
testacelle 527.7
testament 101.6
Ancien Testament 449.3 ; 815.4
testamentaire 101.18
testamenter 101.13
testateur 101.8 ; 241.10
tester
soumettre à un test 155.12 ; 689.13
faire un testament 101.13
testiculaire 762.34
testicule
gonade 711.7
sexe 762.5
glande 340.2
testimonial
preuve testimoniale 451.13
testing
mise au ban 582.2
racisme 582.9
preuve 451.13
teston 529.12
testostérone 762.9
hormone 340.3
analgésique 499.5
tétanie
contraction 154.3
paralysie 732.2
tétanie d'herbage 482.48
tétaniforme 482.69
tétanique
convulsif 154.14
infection 482.69
tétanisation 732.3
tétaniser
contracter 154.8
rigidifier 732.10
gangrener 482.56
tétanos 482.20
tétanos musculaire 732.4
tétanotoxine 267.5
têtard
larve de batracien 68.4
enfant 270.3
tête 814.18
tétaroédrie 517.7
tête 814
entrée 134.4
avant 33.4 ; 561.5
individu 613.2
intelligence 275.5
chef 133.6 ; 245.48
tête sculptée 749.8
face d'une monnaie 529.6
t. technique 469.12
t. de sports 792.11
tête de bétail 262.4
tête de bois 568.3 ; 715.9
tête de clou 578.3
tête de cochon 200.4 ; 814.7
tête de colonne 33.4 ; 211.4
tête de lecture 273.5
tête de ligne 33.4 ; 832
tête de liste 211.12
tête de lit 519.15
tête de mort 534.7
tête de mule 568.3
tête de série 211.12
tête de Turc 532.8 ; 601.7
à sa tête 462.39
à la tête de 33.30
à tête reposée 706.18
de tête 59.19
en tête 211.21 ; 576.25 ; 683.24 ; 769.15 ; 832.37
de la tête aux pieds 623.11
en tête de 33.30
tête brûlée 390.6
tête chercheuse 43.15 ; 207.7
grosse tête 424.7
bal de têtes 309.11
coup de tête 90.2 ; 321.2 ; 386.2 ; 870.4
mal de tête 482.38
voix de tête 106.16 ; 781.7
idée de derrière la tête 375.6
tête en l'air 390.14
avoir en tête de 428.8
avoir la grosse tête 655.6
avoir mal à la tête 482.54
avoir la tête chaude 130.9
avoir la tête dure 568.6
avoir la tête dans les nuages 394.4
avoir la tête dans un sac 377.8
avoir une tête de cochon 568.6
courber la tête 761.11
donner sa tête à couper que 614.12
être à la tête de 645.15
être en tête d'affiche 341.18
être la tête de Turc de 439.13
faire tête 715.14
faire la tête 192.10
faire une grosse tête 160.15
faire une tête au carré 160.15
faire tourner la tête à 600.9
faire tourner les têtes 798.20
faire voler les têtes 801.21
farcir sa tête de 35.4
garder la tête froide 89.11
prendre la tête 190.7 ; 549.14
tenir tête 200.6
tenir la tête 19.20 ; 59.14
en faire à sa tête 400.9
se jeter tête baissée 386.6
se mettre en tête de 428.8
se monter la tête 378.11 ; 804.4
avoir la tête près du bonnet 130.9 ; 814.8
tête-à-queue 57.13
tête-à-tête ou **tête à tête** n.m.
dialogue 136.3 ; 137.8 ; 210.2
canapé 519.14
vaisselle 848.4
adv. 211.24
tête-bêche 769.15
à l'opposé 572.17
à rebours 436.15
tête-de-Maure 159.28 ; 328.6
tête-de-nègre 159.28
champignon 103.6
noir 553.15
tétée 270.7
Tetelas 371.11
téter 639.10
téterelle 270.10
Téthys 49.10
divinités 236.40
têtière
biberon 270.10
serrure 760.7
tétin 639.2
tétine 270.10
tétines 639.2

téton 639.2
tétonner 639.9
tétonneuse 639.13
tétonnière 639.13
Tetons 371.7
tétra- 679.11
tétrabranches 527.1
tétracaïne 499.5
tétracère 486.6
tétrachloro-iso-indolinone 735.2
tétracorde 543.10
tétracycline 499.5
tétradactyle 873.24
tétradrachme 529.11
tétraèdre 338.6
tétragramme
mot 459.5 ; 535.3
tétralogie 679.3
tétralophodonte 486.4
tétramère 679.8
tétramètre 635.13
tétraodontidé 638.3
tétraogalle 570.9
tétraonidés 570.4
tétraphonie 273.1
tétraploïdie 361.9
tétrapneumone 417.32 ; 718.30
tétrapode
n.m. 834.35
adj. 623.9
tétrapropylène 617.6
tétraptère 417.32
tétrarchie 694.9
tétras 570.9
tétrastyle 39.27
tétrasyllabe 635.13
tétratonique 543.10
tétrodon 638.6
tétrose 94.5
tettigie 417.5
tettigonie 417.15
têtu
n.m.
marteau 584.17
adj.
décidé 870.13
résistant 715.18
têtu comme une mule 568.7
teuf 309.1
teufeur
veilleur 851.6
fêtard 309.15
teuf teuf ou **teuf-teuf**
bruit 83.23
tacot 833.2
Teutatès 236.24
teuthoïdes 527.1
Teutons 371.16
tévé 681.2
tex 509.8
texte 252.5
dans le texte 430.15
textes sacrés **815**
textile **816**
texto 535.32
textuel
verbal 535.30
littéral 459.19
textuellement
lexicalement 535.32
littéralement 459.22
texturation 816.10
texture
structure 323.1 ; 345.1 ; 577.1 ; 795.1 ; 821.3
tissage 816.8
texturer 816.21
texturisation 816.10
texturiser 816.21
Tezcatlipoca 236.28
tézigue 613.7
TGMH 742.16
Thaddée 117.18
thaï 455.14
Thaïlandais 355.9
thaïs 417.11
Thaïs 371.13
thalamiflore 318.45
thalamique 100.26
thalamo- 100.29
thalamus 100.10 ; 100.11
thalass-, thalassi- ou **thalasso-** 319.34
thalassémie 482.19
thalassothérapie
algoculture 22.6
soins du corps 775.4
thaler 529.13
Thalie 236.32
Muse 236.11
thalle 22.2
mycélium 103.2
thallium 113.7
thallophyte 463.1
thalweg 530.10
thanasie 534.38
thanato- 534.38
thanatologie 498.6 ; 534.19
thanatologique 498.38
thanatomasse 269.4
thanatophobie 619.4
thanatopraxie 331.6
Thanatos
pulsion de mort 534.3
sexualité 763.1
Tharus 371.13
thaumaturge 477.18
thaumétopée 417.20
thazard 638.6
thé
arbuste 38.8
couleur 159.28
boisson 75.5
thé suisse 318.27
salon de thé 75.19
théatin 525.10
théâtral 347.12 ; 817.31
scénique 748.14
théâtralement 817.33
théâtralisation 817.15
théâtraliser 817.25
théâtralisme 321.4
théâtralité 817.15
théâtre **817**
lieu 709.1 ; 769.4
spectacle 156.7 ; 176.20 ; 599.5
théâtre d'eau 443.5
théâtre de l'absurde 557.5
théâtre des opérations 487.16
théâtre musical 543.3
théâtre profane 663.5
thébaïde 47.4 ; 779.5
domicile 356.2
thébaïne 267.4
Thébé 49.10
Thébésius
veine de Thébésius 128.9
-thécie 151.18
thecla 417.11
théco- 151.15
The Eight 46.12
théier 38.8
théière 848.27
théique 215.22
théisme 700.6
théiste 700.12
-thélie ou **-thélium** 78.19
thélyphonidés 417.12
thélytoquie 417.22
thème
sujet 374.1 ; 691.9
traduction 455.9
t. de linguistique 535.7 ; 622.1
t. de musique 543.25
Thémis 236.19
divinités 236.40
thénar 479.2
théo- 215.22
theobroma 37.19
théocratie 694.5
théodicée 818.1
théodolite
instrument de mesure 509.26
direction 221.8
théogonie 236.8
théogonique 236.46
théologal
n.m. 525.12 ; 818.8
adj. 818.29
théologie **818** ; 215.18
théologie apophatique 546.5
théologien 818.8
théologique 818.28
théologiquement 818.32
théologiser 818.26
théomythologie 818.1
théophanie 34.4 ; 215.15 ; 736.3
théophore 554.28
théophylline 499.5
théorbe 422.3
théorématique 807.17
théorème 13.2 ; 338.3
axiome 493.2
théorétique
n.f.
savoir 747.6
adj.
conceptuel 375.22
théorie
spéculation 380.5 ; 802.4
système 620.1 ; 658.2 ; 807.2
cortège 540.5 ; 758.3
instruction théorique 487.3
idéologie 808.1
théorie de l'échange et de la réciprocité 690.4
théorie des couleurs de Chevreul 159.16
théorie des probabilités 660.3
en théorie 658.12
théorie quantitative 678.14
théorique
conceptuel 375.22 ; 380.15 ; 620.31
hypothétique 802.11
morale théorique 533.1
philosophie théorique 620.2

théoriquement 375.29 ; 658.12 ; 802.13
idéalement 380.17
théoriser
abstraire 380.12
généraliser 807.14
théosophie 818.24
théosophique 380.16
-thèque 151.18
thèque 103.3
-thérapeute 775.30
thérapeute 775.22
docteur 498.23
ascète 47.7
t. du judaïsme 449.25
thérapeutique
n.f. 353.8 ; 482.3
adj. 775.28
thérapeutique de choc 115.13
théraphose 417.13
théraphosomorphes 417.12
-thérapie 775.30
thérapie 775.3
thérapie d'aversion 62.3
-thérapique 775.30
thérapique 775.28
theravada 80.2
thère 486.35
thérébinthacée 38.3
thérébinthales 79.4
théri- ou **thério-** 486.33
thériacal 267.17
thériaque 267.9
théridé 486.35
théridion 417.13
-thérien ou **-thérium** 486.35
thério- → **théri-**
thériodontes 712.10
-thérium → **-thérien**
thermal 775.28
thermalisme 775.4
-therme 102.31
thermes 102.4
salle de bains 669.7
étuves 109.19
thermicien 102.16
thermicité 102.11
thermidor 88.8
-thermie 102.31
thermie
mesure 102.12 ; 509.18
thermie-gaz 102.12
thermique 102
énergie thermique 269.2
inversion thermique 436.4
thermisation 102.7
thermisteur 102.13
thermistor 102.13
thermo- 109.28
calori- 102.30
thermochimie 131.17
chimie 113.1
thermoclimatique 775.28
thermocolorimètre 509.26
thermocouple 102.13
thermodynamicien 102.16
thermodynamique
n.f. 102.15 ; 538.14
adj. 102.27
thermoélectricité 102.15
thermogène 102.27
thermogenèse ou **thermogénèse** 102.6
thermogénie 102.15
thermogramme 498.15
thermographe 102.13
thermographie 498.14
thermolabilité 102.11
thermoluminescence
thermicité 102.11
luminescence 473.15
thermolyse 102
thermomagnétisme 102.11
thermomètre 127.10
instrument de mesure 509.26
chaleur 102.13
thermométrie 102.14 ; 509.25
thermométrique 102.27
thermométrographe 102.13
thermonastie 79.11
thermonucléaire 269.2
calorifère 102.27
thermopériodisme 79.11
thermophile 251.18
thermophobie 619.4
thermopompe 102.10
chaudière 109.8
thermorécepteur 548.16
thermorégulateur 102.13
thermorégulation 102.6
froid 327.5
thermoscope 102.13
thermosphère 49.22
atmosphère 20.2
thermostat 109.15
calorimètre 102.13
thermotactisme 221.12
thermothérapie 102.15
soins du corps 775.4
théro- → **théri-**
thérocéphales 712.10
théromorphes 712.10
théropodes 712.10
Thersite 236.41
thésaurisateur
avare 61.3
épargnant 281.8
thésaurisation 281.2
thésauriser 61.6
épargner 281.10
thésauriseur
avare 61.3
épargnant 281.8
thésaurus
encyclopédie 747.7
dictionnaire 455.10 ; 469.8 ; 535.16
thèse
système 807.2
jugement 13.2
idéologie 808.1
mémoire 225.9
t. de philosophie 620.22
Thésée 236.41
thesium 318.36
thesmophories 310.8
thesmothète 245.47
Thessaliens 371.16
thétique 807.17
affirmatif 13.10
Thétis 319.19
théurgie 477.2
thevetia 37.19
thiamine 499.6
Thiase 236.43
thibaude 816.5
thielaviopsis 103.8
thigmonastie 79.11
thigmotropisme 79.11
thiokinase 94.24
-thiol 113.30
thionine 159.9
thioridazine 499.5
thlaspi 318.26
tholoi 331.15
thomas 519.25
thomise 417.13
thomisidés 417.12
thon 638.6
poissons 333.13
thonaire 605.9
Thongas 371.11
thonier 605.11
thonine 638.6
Thor 236.31 ; 633.10
thoracentèse 114.7
thoracique
nerfs locaux 548.4
nerfs sympathiques 548.5
cage thoracique 580.9
thoracolaparotomie 114.14
thoracoplastie 114.17
thoracotomie 114.14
thorax
corselet 417.17
poitrine 639.1
tronc 580.9
thorium 113.7 ; 516.5
combustibles nucléaires 131.9
combustibles solides 269.5
Thot 236.32
Thraces 371.16
thraco-phrygien 455.14
thrène
chant funèbre 331.4
mélopée 106.13
thréonine 94.10
thréose 94.5
thridace 499.5
thriller 120.5
thrips 417.16
thrix 624.26
thrombectomie 114.13
thrombiculidés 417.12
thrombididés 417.12
thrombine 742.7
thrombino-formation 742.11
thrombocytes 742.2
thromboélastogramme 742.14
thromboélastographie 742.21
thromboembolique 482.66
thrombokinase 742.7
thrombolyse 742.10
thrombophlébite 482.13
thromboplastine 742.7
thromboplastino-formation 742.11
thrombose 482.13
thrombotique 482.66
thug 362.2
thulium 113.7
thunbergia 318.22
thune 529.5
thuriféraire
prêtre 508.9
valet 761.7
thuya 37.16
Thyeste 236.41
thyiade 699.25
thylacine 486.13
thym
fleur 318.16

épice 333.27
thymectomie 114.13
thyméléales 79.4
thymidine 94.16
thymie 795.4
thymine 94.15
thymocytes 381.13
thymodépendant
lymphocytes thymodépendants 381.13
thymus 340.2
thyréoglobuline 94.8
thyréostimuline 340.3
thyréotrope 340.3
hormone thyréotrope 340.3
thyro-hyoïdien 541.6
thyroïdectomie 114.13
thyroïdien 541.13
thyrotomie 114.14
thyrse 236.43
fleur 318.4
thysan- ou **thysano-** 77.22
thysanoptères 417.1
thysanoures 417.1
tiantai 80.2
tiare 590.9
tiaré 318.18
tibétain
langue 455.14
Tibétain 355.9
tibia 580.16
tibial 548.4
plateau tibial 580.16
artère tibiale 128.8
veine tibiale 128.9
tibio-tarsienne 580.24
tic
grimace 549.3
manie 357.3 ; 600.6 ; 731.2
tichodrome 570.8
ticket 191.8
imprimé 387.1
ticket de quai 832.22
tic tac ou **tic-tac** 118.15
bruit 83.23
tide 113.30
Tidjaniyya 440.5
tie-break 792.13
tiède
modérément chaud 102.23 ; 109.26 ; 327.18
nonchalant 393.15 ; 593.12
tièdement 109.27
chaud 102.29
tiédeur
chaleur modérée 102.1
nonchalance 393.2 ; 593.3
tiédir 102.19
tiens 431.3
tierce
série 433.1
heure 494.1
t. de jeux 758.10
t. de musique 543.17 ; 837.3
t. d'imprimerie 155.4
t. de liturgie 525.21 ; 657.12
t. d'escrime 792.17
tiercé 837.3
loterie 446.13
tiercement 837.7
tiercer 837.9
tierceur 155.9
tiers 288.2
quotient 324.2
trois 837.1
troisième 837.13
tiers de ton 543.17
au tiers et au quart 209.23
principe de tiers exclu 514.5
tiers état 286.4 ; 734.4
tiers monde ou tiers-monde 603.10
tiers opposant 572.6
tierce opposition 451.17
tiers porteur 66.38
tierce personne 613.6
tierce rime 635.9
tiers 835.7
tiers-monde 603.10
tiers-mondisme 808.20
tiers-mondiste 808.46
tiers-point
lime 584.14 ; 640.5
tiers-temps 811.3
tif 624.3
tifosi
admirateur 268.8
supporter 792.69
tige
d'une fleur 318.3
jeune plant d'un arbre 36.11
pièce d'un mécanisme 476.12 ; 510.7
d'une clef 760.14
d'une chaussure 110.8
tige de forage 618.4
tignasse 624.4
tigre
tigre du poirier 417.5
jaloux comme un tigre 442.9
pays asiatique 730.4
tigré 486.32
bois 74.29
polychrome 643.11
Tigréens 371.11
tigrer 643.8
tigresse 442.3
femme méchante 497.6
tigridia 318.17
tigrure 643.2
tiki 711.17
tilapie 638.5
tilbury 833.14
tilde 765.10
tiliacée 37.11
tillandsia 318.32
tille 584.17
tilletia 103.6
tilleul
arbre 37.15 ; 74.11
boisson 75.7
vert tilleul 857.11
tillodonte 486.4
tiltmètre 509.26
timarche 417.3
Timas 371.11
timbale
instrument de musique 422
gobelet 333.11 ; 848.5
timbaliste 542.6
timbe 331.15
timbrage 157.9
timbre
sonorité 106.15 ; 543.14 ; 781
timbre-poste 157.6
cachet 317.24
timbres 422.23
timbre d'office 632.2
avoir le timbre fêlé 321.20
timbré 321.23
timbre-poste 157.6
timbre-quittance 317.24
timbrer 157.15
time-sharing 408.21
timide 619 ; 819.7
timidement 819.11
peureusement 619.23
irrésolument 438.12
modestement 523.12
timidité 819 ; 619.6
réserve 714.1
pudeur 108.3 ; 367.6
timing 811.3
timo- 730.25
timocratie
capitalisme 694.10
ploutocratie 730.5
timocratique 730.22
timolol 499.5
timonerie
direction 57.9
transports maritimes et fluviaux 830.11
timonier 830.22
timoré
peureux 619.19
irrésolu 438.10
pusillanime 674.15
timide 819.7
tin 791.3
tinamiformes 570.4
tinamou 570.19
tinctorial 159.25
chêne tinctorial 37.15
tindoul 167.3
tinéidés 417.10
tinette
lieux d'aisances 296.16
voiture 833.2
tingidés 417.4
tintamarre
chahut 201.7
vacarme 83.9
tintement 83.6
tintement d'oreilles 55.6
tinter
sonner 781.24
gronder 83.15
tintin
adv. 404.11 ; 546.19
int. 431.2
tintouin
bruit 83.9 ; 201.7
bourdonnement d'oreilles 55.6
souci 785.2
donner du tintouin 217.15
T.I.P. 66.25
tipi 481.9
tipitaka 80 ; 815.13
tipule 417.9
tique 417.13
tiquer 194.11
tiquet 417.3
tiqueté 643.11
tiqueter 643.8
tir 820
manœuvre 182.2 ; 487.4
shoot 792.11
sport 792.19
tir du gauche 334.3
angle de tir 30.4
champ de tir 48.6
opposer un tir de barrage à 715.16

tomber sur 137.15 ; 160.16 ; 179.5 ; 827.9
tomber sur la bosse de qqn 78.14 ; 160.16
tomber sur le casaquin 160.16 ; 227.15
faire tomber 119.23 ; 119.24
mal tomber 415.9
avoir les bras qui en tombent 805.7
tomber bien 358.9 ; 571.8
tombereau
appareil de transport 489.7 ; 834.27
chariot 833.11
wagon 832.16
t. d'agriculture 18.15
tombeur
libertin 629.7
vainqueur 861.6
Tombouctou 263.5
-tome 114.37
tome 469.13
tomenteux 624.20
tomer 597.10
tomette 727.9
-tomie 114.37
tomme 328.4 ; 328.6
tomodensitomètre 498.20
tomodensitométrie 498.14
tomographie 498.14
tomographique 498.37
ton
tonicité 259.1
ton
intonation, timbre 106.15 ; 595.2 ; 781.6 ; 788.9
style 729.10
couleur, nuance 159.1 ; 159.11 ; 607.11
tonalité, armure 543.15
intervalle tonal 543.17
ton ascendant 622.8
ton descendant 622.8
ton franc 607.11
ton grave 782.1
ton local 159.12
ton oratoire 626.3
ton pur 607.11
bon ton 233.1
de bon ton 163.12 ; 177.7 ; 533.15 ; 571.11
quart de ton 543.17
donner le ton 59.14 ; 520.6 ; 521.9 ; 542.20
se mettre dans le ton 147.10
Tonacacihuatl 236.10
tonal 543.52
tonalité
système tonal 543.15
ton, armure 543.24
signal téléphonique 809.8
couleur 159.12 ; 607.11
Tonantzin 236.21
tondant 482.67
tondeuse 476.6
coiffure 129.8
tondre
couper les cheveux ou les poils 129.13 ; 262.30
dépouiller, exploiter 111.6
il tondrait un œuf 61.8
tondre la laine sur le dos 242.8 ; 787.19 ; 869.24
tondre le contribuable 317.33
Tong 371.13
Tongans 371.12
tonghak 80.1
tonicardiaque
tonique 499.30
stimulant 793.6
tonicité
élasticité 259.1
tonus musculaire 541.3
vigueur 864.1
tonifiant 127.21
stimulant 793.16
tonification 259.5
tonifier
assouplir 259.8
fortifier 864.13
stimuler 793.11
tonique
adj.
accentué 459.21
tonique
n.f.
note du ton 543.11
tonique
n.m.
cordial, fortifiant 499.4 ; 793.6
adj.
ferme 259.11 ; 732.13
énergique 743.11 ; 864.15
reconstituant 499.30
tonisme 732.4
tonitruant 781.30
aigu 427.15
bruyant 83.19
tonitruer 168.15
tonlieu 317.10
tonnage 152.5
contenance 151.7
cargaison 830.18
tonne
unité de poids 509.8 ; 515.3 ; 636.12
tonneau 75.18
à la tonne 636.23
tonne/kilomètre 509.19
tonneau
fût 75.18
unité de jauge 830.18
personne obèse 351.6
accident 57.13
figure de voltige 792.34 ; 831.6
boire comme un tonneau 75.26
être du même tonneau 719.9
tonnelet 75.18
tonnelle
art des jardins 443.8
nasse 107.6
tonnellerie 74.5
tonner
récriminer 710.14
crier 168.17
tonnerre 431.6
intempérie 127.5
armes 43.10
coup de tonnerre 83.8 ; 290.5
tonofibrille 821.2
tonométrie 113.16 ; 509.25
tonoplaste 821.4
tonsila 100.7
tonsilite 482.30
tonsure 129.2 ; 525.26
chevelure 624.4
tonsurer 129.13
tonte 129.10
tontine 587.3
tonus
tension physiologique 128.3 ; 541.3
vigueur, allant, santé 743.1 ; 862.3 ; 864.1
too much
c'est un peu fort 294.13
trop 294.19
top 800.4
top model 520.5
top niveau 341.17 ; 798.17 ; 798.4 ; 800.4
top secret 751.22
top 50 681.12
topaze
pierre 517.4 ; 517.9
oiseau 570.14
fausse topaze 517.4
topectomie 114.13
toper
serrer la main 479.10
accorder 6.12
convenir 586.10
topette 848.11
tophet 465.4
topiaire 36.29 ; 443.13
topiairiste 443.11
topinambour 333.19
topique
n.m.
t. de médecine 499.2
n.f.
t. de rhétorique 729.9
adj. 571.12 ; 709.11 ; 729.16
topo
projet 664.2
discours 225.1 ; 595.5
topographie 769.1
topoï 729.5
topologie
géométrie 338.1
situation 769.1
toponyme 554.3
toponymie 554.13
toponymique 554.28
topophobie 619.4
topos 729.9
toposéquence 337.9
toquade 421.2
bizarrerie 321.2
caprice 90.2
spontanéité 386.2
aventure 27.11
manie 600.6
toque
tribunal 835.18
accessoires 859.25
toqué
fou 321.23
amoureux 27.26
amateur 600.15
toquer (se) 600.10
se toquer de 27.17 ; 276.8
Torah 449 ; 449.3 ; 815.3
Torajas 371.12
torcel 417.20
torchage 131.5
torche 618.5
bougie 250.6 ; 473.13
torche électrique 250.10 ; 473.12
torché 547.19
imprévu 386.9
bâclé 684.36

rotatif 605.9 ; 733.19
pont tournant 832.20
tournante 308.5
tournasser 733.17
tournassin
rotation 733.8
outil 584.8
tourne 654.8
tourné
mal tourné 453.9
tourne-à-gauche 505.18
tournebouler
stupéfier 805.5
apeurer 619.10
tournebroche 733.8
tourne-disque 733.8
hifi 781.15
chaîne haute-fidélité 273.5
tournée
circuit 97.6
volée de coups 160.5
séance 817.18
apéritif 75.16
voyage 871.1
tournée électorale 260.17
tournement 733.2
tournemain
en un tournemain 421.18 ; 684.41
tourne-oreille 18.15
tourner
v.t.
mouvoir circulairement 212.13 ; 733.17
interpréter, transformer 432.18
éviter, contourner 77.17
filmer 120.30
usiner au tour 476.18 ; 584.37
préparer 333.39
tourner la page 315.15 ; 583.9
tourner bride 104.20
tourner casaque 25.12 ; 104.20 ; 828.11
tourner les talons 189.13
tourner la tête 27.19
tourner toutes ses pensées vers 52.6
tourner sa langue sept fois dans sa bouche 674.8
tourner (une idée) dans sa tête 814.9
tourner son regard vers 52.5
tourner ses armes contre 572.10
tourner visage à l'ennemi 715.14
tourner les choses à sa manière 432.18
tourner
v.i.
se mouvoir circulairement 97.13
pivoter sur soi-même 733.14
fonctionner 476.15
alterner, se relayer 104.17
changer de direction 212.19
changer de direction (vent) 852.19
changer (temps) 127.15
s'aigrir, cailler 454.12
tourner en rond 97.13 ; 395.9 ; 704.10
tourner autour du pot 24.9 ; 411.10 ; 438.5
tourner à tout vent 407.18
avoir la tête qui tourne 798.22
tourner de l'œil 397.12
bien tourner 670.9 ; 798.12
mal tourner 249.14
tourner à 104.18 ; 212.20 ; 850.9
tourner à la pluie 127.15
tourner chèvre 321.21 ; 549.10
tourner (se)
se tourner vers 221.23
ne savoir de quel côté se tourner 395.9
tournerie
torsion 733.2
ébénisterie 74.5
menuiserie 505.1
tournesol 159.9 ; 777.10
fleur 318.10
colorant 73.3
huile de tournesol 369.5
tournesol rouge 735.2
tournette
rotation 733.8
plateau 748.2
tourneur
n.m.
outilleur 584.31 ; 733.13
adj. 733.19
tourneur-outilleur 584.31
tournevis 505.16 ; 584.22
tournicoter 733.14
tourniller
tourner 733.14 ; 733.17
tourniole 482.20
tourniquer 733.14
tourniquet
dispositif rotatif 308.4 ; 733.8
instrument chirurgical 114.26
tournoi
pardon 592.6
fête sportive 309.6
match 792.38
partie 446.8
tournoiement 733.1
tournois
livre tournois 529.12
tournoyer 733.15
tournure
expression 455.4 ; 535.1 ; 622.10
jupon 859.22
tournure des évènements 293.2
heureuse tournure 798.1
prendre bonne tournure 670.9
prendre mauvaise tournure 16.5 ; 759.7
avoir de la tournure 233.9
tour-opérateur 871.16
tourte
tarte 333.16
pain 588.2
tourteau
animal 172.3
tourteau
fourrage 262.19 ; 369.10
pain 588.2
tourteau fromagé 328.12
tourtereau 27.9
tourterelle 159.28 ; 570.11
tourtière 848.23
Toussaint 117
fêtes chrétiennes 310.3
cérémonie 331.8
tousser 718.27
toussotement 83.12
tout 396.7 ; 823.10 ; 823.15 ; 823.4
ensemble 823.2
énormément 427.27
du tout au tout 823.15
tout ou rien 823.9
ordre tout ou rien 81.18
en tout 823.15
un point c'est tout 315.28
le grand tout 823.4
tout à coup 386.16 ; 421.17
tout à fait 744.12 ; 823.15
tout à l'heure 33.26 ; 332.16 ; 598.19 ; 647.26
tout à l'instant 421.15
tout d'un coup 421.17
tout d'une venue 153.30
tout d'une vue 868.30
tout de go 386.16
tout de même 724.24
tout de suite 421.16 ; 652.16
tout un chacun 823.3
tout-à-l'égout 550.22
Toutatis 236.24
toute-bonne
fleur 318.9
poire 330.11
toutefois 572.20
toute-puissance 59.2 ; 215.13
vigueur 864.1
toutim
le toutim et la mèche 823.4
et le toutim, et tout le toutim 721.6 ; 823.21
tout-le-monde
monsieur tout-le-monde 613.8
toutou 486.9
Tout-Paris
le Tout-Paris 823.3
tout-petit 270.3
tout-puissant 59.21
le Tout-Puissant 215.4
tout-terrain 833.5
tout-venant
minerai 516.4
camelote 500.5
roture 734.4
exploitation minière 518.5
toux 482.32
bruit 83.12
toxémie 267.2
toxicité 267.10
toxico 825.14
toxicodépendance 825.3
toxicologie 267.11
toxicologique 267.18
toxicologue 267.12
toxicomane 825.14
toxicomaniaque 825.19
toxicomanie 825
toxicomanogène 825.20
toxicophage 825.14
toxicophilie 825.1
toxicophobie 619.4
toxicose 482.40
toxicovigilance 267.11
toxi-infectieux
infectueux 482.64

empoisonné 267.15
toxi-infection
maladie 482.20
empoisonnement 267.1
toxine 267.19
toxique 267.19
asphyxiant 335.23
toxistérol 94.17
toxodontidé 486.4
toxoplasmose 482.20
toxotes 638.5
trabéculaire 821.11
trac
tout à trac 386.16 ; 421.17
trac 619.2
traçabilité 251.10
tracas
inquiétude 272.5
souci 785.1
tracassé 785.10
tracasser
inquiéter 21.11 ; 785.7
tracasser (se) 785.4
tracasserie
inquiétude 272.5
misère 497.3
tracassier 785.14
tracassin 785.1
trace
reste 721.3
ligne 466.4
souvenir 503.3
traces 107.8 ; 193.7
sur les traces 193.11
laisser des traces 92.11 ; 384.8
tracé
n.m.
ligne, dessin 77.2 ; 323.2 ; 607.10 ; 709.3
plan 664.3
tracelet ou **traceret** 505.17
pointe 584.5
tracement 466.3
tracéologie 363.5
tracer
dessiner 466.10 ; 607.27 ; 709.9
marquer 252.13 ; 338.14
projeter 150.7 ; 664.17
tracer la route 189.11
tracer son sillon 612.3
traceret → **tracelet**
traceur 207.11
traceur radioactif 113.4
trachéal 718.29
trachée
insecte 417.17
appareil respiratoire 718.7
trachée-artère 718.7
trachéides 74.2
trachéite 482.30
trachelium 318.34
trachéo-bronchite 482.31
trachéomycose 79.16
trachéoscopie 718.16
trachéostomie 114.15
trachéotomie 114.14 ; 718.17
trachinidé 638.3
trachomateux 482.74
trachome 482.28
maladies des yeux 840.4
trachycarpus 37.20
trachyméduse 527.12
traçoir 505.17
pointe 584.5
tract
imprimé 387.1
prospectus 675.5
tractable 826.13
tractage 826.2
tractation
dialogue 156.5
négociation 135.4
tracté
défonceuse tractée 834.27
tracter
tirer 826.9
tracter
diffuser 675.9
tracteur 826.5 ; 826.7
appareil agricole 18.15
véhicule industriel 833.7
tracteur poussant 834.27
tractif 826.12
traction 826 ; 496.3 ; 832.10
poids 636.3
traction avant 826.2 ; 833.5
traction vertébrale 775.16 ; 826.4
tractions 792.8
tractionnaire 826.7
tractionner 826.10
tracto- 826.16
tractochargeur
travaux publics 834.27
véhicule industriel 833.7
tractogrue 834.27
tractoire 826.12
tractopelle 834.27
tractoriste 826.7
tractus
tractus gastro-intestinal 218.5
tractus génital 762.1
tradescantia 360.8
trade-unionisme 808.5
trade-unioniste 808.34
tradition 440 ; 611.6
usage 696.3
habitude 326.7
textes sacrés 815.5 ; 815.8
convenances 177.3
coutume 164.1
de tradition 28.11
traditionalisme 164.7 ; 552.14 ; 611.6 ; 696.11
conformisme 147.7
traditionaliste 28.16 ; 164.12 ; 611.8 ; 696.25
conformiste 147.8
répétitif 611.17
traditionnel 164.19 ; 326.16
répétitif 611.17
traditionnellement 696.30
habituellement 357.31
de coutume 164.24
traducteur 408.12 ; 432.12
interprète 432.10
langue 455.12
traduction 455.9
sens 753.2
décodage 425.6
langage clair 425.7
interprétation 432.2 ; 432.3
interprétariat 432.8
traduction simultanée 768.4
traduire
transposer 104.15 ; 455.17 ; 709.8
décoder 275.11 ; 425.12 ; 432.13 ; 432.14
rendre, exprimer 595.20 ; 753.8 ; 753.9
assigner devant un tribunal 451.26
traduire en justice 450.9
traduire en ridicule 731.5
traduire (se)
se traduire par 753.8
traduisible 595.31
traduit 595.31
traduttore traditore 828.16
trafic
négoce 135.1 ; 135.6
fraude 284.1
circulation 538.6 ; 829.1 ; 833.21
trafiquant 135.19
revendeur 825.15
escroc 485.7
trafiquer 135.28
trag- 486.34
tragédie 817.3 ; 827.3 ; 827.4
Muse 236.11
tragédie lyrique 106.8 ; 827.3
tragédie-ballet 176.5
tragédien 827.7
tragi-comédie 827.3
mélange 501.7
théâtre 817.3
tragi-comique 817.32
comique 132.12
tragique 827.14
tragique 827
de la tragédie, genre théâtral 817.32
dramatique 11.26 ; 619.22 ; 836.15
prendre au tragique 21.13 ; 615.5
tragiquement 827.16
malheureusement 11.29
trago- 486.34
tragopodon 333.19
tragulidé 486.3
tragus 55.3
trahi 178.9
trahir
ne pas respecter (un engagement) 181.8 ; 546.12
tromper 178.5 ; 373.13 ; 416.5
commettre une infidélité 238.16
abandonner 452.6 ; 828.10
dénaturer, fausser 828.16
trahir (se) 34.10
trahison 828
manquement 452.2
tromperie 178.3 ; 373.1 ; 838.2
abandon 181.2 ; 392.3
traîtrise 373.4 ; 828.1
infidélité 491.15
crime contre l'État 169.5
haute trahison 169.5 ; 828.2
traille
pêche 605.9
bac 830.6
train
chemin de fer 832.1 ; 832.9
attelage 829.9
suite, série 352.5 ; 758.4
allure 684.8
train des équipages 41.3
train électrique 448.7

train monorail 832.36
train permanent 832.34
train à grande vitesse 832.12
avoir un train à prendre 684.23
prendre le train en marche 379.5
train de forage 618.4
train de sonde 618.4
train d'atterrissage 831.4
train de sénateur 458.5
train d'enfer 684.50
aller grand train 684.17
aller petit train 458.13
aller son train 293.9
train de vie 862.15
mener grand train 862.27
en train 7.4 ; 279.8 ; 649.1
en train de 293.16
être en train de 652.7
être en train 277.5
mise en train 134.7
traînage
remorquage 826.2
transport 489.6
traînailler
s'attarder 724.12
flâner 458.14
traînant
apathique 393.15
interminable 458.21
traînard 193.9
retardataire 724.5
lambin 458.9
traînasse 360.7
traînassement 724.4
traînasser
s'attarder 724.12
paresser 393.9 ; 593.7
flâner 458.14
traînasserie 724.4
train-auto 832.13
traîne 561.5 ; 605.6
filet 107.6
à la traîne 193.20 ; 683.24 ; 724.21
laisser à la traîne 547.9
pêche à la traîne 605.5
traîneau 518.7 ; 605.6
filet 107.6
traînée
trace 466.4
trace lumineuse 250.3 ; 473.4
force résistante 57.12 ; 496.3
appât, amorce 107.6
traînées d'écume 852.8
traîne-malheur 603.6
traîne-misère 603.6
traîne-patins 110.14
traîner
v.t.
tirer 54.9 ; 193.13 ; 496.12 ; 826.10
transporter 829.21
v.i.
tarder 247.7 ; 724.12
flâner 393.9 ; 458.14 ; 593.7
traîner de l'aile 458.12
traîner devant les tribunaux 451.26
traîner en longueur 247.5
traîner la jambe 502.9
traîner la savate 593.8 ; 603.16
traîner le pas 458.12
traîner sa chaîne 787.16
traîner son lien 787.14
traîner sur la claie 227.14 ; 801.19
faire traîner 724.9
traîner (se) 16.7 ; 303.10 ; 458.12
traînerie 458.5
traîne-savates 110.14
paresseux 393.7
lambin 458.9
traîne-semelles 110.14
paresseux 393.7
lambin 458.9
traîneur
retardataire 724.5
traction 826.8
traîneur de sabre 581.4
train-ferry 830.6
trainglot 41.12
training
entraînement 649.4
vêtement 859.17
chaussure 110.6
train-parc 832.13
train-poste 832.13
traintrain ou **train-train**
monotonie 843.4
routine 357.2
traintrain quotidien 357.2
traire 262.29 ; 454.9
tirer 826.9
trait
adj. 826.15
trait
ligne 323.2 ; 466.4 ; 607.10 ; 692.2
traction 322.1 ; 826.1 ; 826.2
petite quantité 75.15 ; 602.3 ; 616.4
passage musical 106.5 ; 106.7
projectile 42.3
pointe, moquerie 156.7 ; 424.3 ; 532.4 ; 637.6
rayon, faisceau 250.3
à trait de plume 684.54
trait d'esprit 156.7 ; 628.4
trait d'humour 628.4
trait de génie 179.3 ; 375.4 ; 434.5
trait de lumière 179.3
trait distinctif 216.4
d'un trait 153.30
de trait 43.1
avoir trait à 596.32
trait d'union 725.5
traitable 302.24
conciliable 141.19
traitant
espion 41.13
fermier général 317.28
traite
action de traire 262.15
chemin 829.1
lettre de change 166.20 ; 587.10
paiement 587.7
trafic 135.1
traite des Blanches, des femmes 135.1 ; 672.1
d'une traite, d'une seule traite 153.30
traité
n.m.
ouvrage, somme 225.9 ; 747.7
convention, pacte 6.5 ; 141.7 ; 586.1 ; 642.2 ; 642.9
traité de paix 589.4
traité des rites domestiques 815.8
traité-loi 245.30
traitement
soins 775.1
accueil 368.1
salaire 266.12 ; 739.4
traitement de choc 115.13
traitement sanglant 114.4
mauvais traitement 497.3 ; 865.7
traitement de texte 408.22 ; 469.15
traiter
v.t.
soigner 353.16 ; 775.24
recevoir, régaler 309.20 ; 368.6 ; 703.23 ; 772.13
interpréter 432.14
v.i.
négocier 135.26 ; 659.14
traiter comme quantité négligeable 547.12
traiter de haut en bas 439.6
traiter à la fourche 409.4
traiter à la blague 628.10
traiter de 412.9 ; 554.18
traiter avec 141.12 ; 156.18
traiter de gré à gré 6.8
traiteur 333.32 ; 333.33
cuisinier 703.18
traître
n. 25.7 ; 828.7
négateur 546.8
déserteur 181.4
courtisan 373.10
adj. 828.17
dangereux 175.13
hypocrite 373.16 ; 838.18
traîtreusement 181.10 ; 828.19
hypocritement 373.20
traîtrise
fausseté 25.2
défection 181.2
danger 175.1
hypocrisie 373.1
déloyauté 373.4
trahison 828.1
tromperie 838.1
trajectoire
mouvement 538.1
voie 221.3
ligne de mire 820.12
trajet 232.3
mouvement 538.1
direction 221.3
voyage 871.2
tralala
ostentation 581.1
apparat 98.3
tram 832.11
trama 417.5
tramage 816.12
tramail
filet 107.6 ; 605.9
trame
nappe de fils 816.8
structure 577.1 ; 664.2 ; 691.9 ; 821.3
trame des jours 862.7
tramer
concevoir 664.13
préparer 649.10
construire 150.7

tramète 103.9
trameuse 476.9
traminot 832.24
tramontane 852.6
tramp 830.4
trampoline
gymnastique 792.7
agrès 792.72
trampoliniste 792.46
tramway 832.11
tranchage 584.29
tranchant
n.m.
fil 848.15
à double tranchant 25.16
tranchant
adj.
coupant 72.22
péremptoire, cassant 13.10 ; 59.19 ; 133.24 ; 142.9
tranche
morceau coupé 588.4
couche, étage 683.6
section, partie 324.3 ; 597.1
horaire 681.11
bord 77.1
côté (d'un livre) 469.12
côté (d'une pièce) 529.6
morceau du bœuf 333.7
t. de chemin de fer 832.9
tranche de vie 196.1 ; 854.9
tranche napolitaine 799.6
sur la tranche 158.20
s'en payer une tranche 132.7 ; 629.10
tranché 553.20
à part 23.14
couleur tranchée 159.27
tranchée 182.12
fossé 67.8
travaux publics 834.4
galerie 518.6
guerre de tranchées 354.2
tranchées
tranchées utérines 544.5
tranchefile 469.12
tranchelard 848.29
tranche-montagne 581.4
trancher
v.t.
couper, sectionner 584.37 ; 597.11 ; 756.12
choisir, décider 116.10
v.i.
contraster 23.12 ; 216.6 ; 229.4 ; 572.7
trancher la tête 801.23
trancher le fil des jours de 534.30
trancher net 692.6
trancher là 315.17
tranchet 584.9
tranchet d'enclume 760.19
trancheuse 476.10
travaux publics 834.27
tranquille
n.
personne tranquille 89.5
adj. 89.13 ; 89.14 ; 145.21 ; 282.22 ; 458.19 ; 706.16 ; 752.17 ; 766.17
adv. 89.18
tranquille comme Baptiste 89.13
vin tranquille 75.12
tranquillement
patiemment 601.15
calmement 89.18
à tête reposée 706.18
sereinement 752.19
lentement 458.23
tranquillisant
adj.
rassurant 282.21 ; 499.4 ; 786.11
calmant 89.16 ; 706.14 ; 752.16
tranquillisant
n.m.
médicament 780.9
tranquillisation 89.4
tranquillisé 786.10
tranquilliser
calmer 89.6
soulager 786.4
sécuriser 752.9
tranquillité 89.2
équilibre mental 282.7
silence 766.1
patience 601.1
calme 89.1
repos 706.3
sécurité 752.1 ; 752.2
en toute tranquillité 89.18
tranquillos 89.18
trans- 104.28 ; 300.19 ; 608.20
transaction
compromis 141.1
négociation 135.4
opération de Bourse 81.13
transaminase 94.24
transamination 94.26
transat 519.17
transatlantique
n.m.
bateau 830.3
chaise longue 519.17
adj. 830.35
trans-avant-garde 46.13
transbahutement 829.2
transbahuter 829.21
transbordement 829.3
transborder
manutentionner 489.17
conduire 829.23
acheminer 871.25
transbordeur
n.m. 830.6
appareil de transport 489.7 ; 829.11
chemin de fer 832.11 ; 832.17
adj.
transporteur 829.28
chariot transbordeur 832.17
transcendance 215.13
supériorité 800.1
t. de philosophie 620.19
transcendant 800.19
transcendentalisme 620.11
transcender 800.16
transcriptase 94.24
transcription 543.32
représentation 709.2 ; 765.18
interprétation 432.3
traduction 455.9
écrit 252.5
transcrire 455.17
représenter 709.8
écrire 252.14
enregistrer 273.18
transculturation 371.20
transcutané
peau 604.13
médicaments 499.28
transdermique
peau 604.13
médicaments 499.28
transducteur 207.7
transe
extase 397.7
illumination 378.5
délire 276.4
peur 619.2
exaltation 600.3
en transe 276.9 ; 397.18
être dans les transes 785.5
transept 465.5
transférable 135.33
cessible 101.17
transférase 94.24
transférer
conduire 829.23
aliéner 101.11
acheminer 871.25
transférine 307.8
transfert
transport 829.1
cession 101.1
achat 81.15
t. de psychanalyse 797.1
transfiguration 23.4
transfigurer 104.15 ; 814.15
changer 23.10
transformable 104.23
altérable 850.14
transformateur
n.m.
électricité 261.17
adj.
agissant 7.14
transformation
modification, changement 7.5 ; 23.4 ; 104.4 ; 216.3 ; 223.3 ; 234.4 ; 293.1 ; 323.6 ; 414.1 ; 538.4 ; 850.3
réaction de la matière 513.7
t. de mathématique 493.4
transformé 216.12
changé 23.15
transformée 622.2
transformer
modifier 7.12 ; 23.10 ; 104.14 ; 229.6 ; 234.5 ; 323.18
marquer (rugby) 792.85
t. de mathématique 493.8
transformer (se) 293.11
différer 216.6
se modifier 687.14 ; 850.10
transformisme 104.9
darwinisme 293.7 ; 873.12
évolutionnisme 711.18
transformiste 293.14 ; 293.8
transfrontalier 467.13
transfuge
déserteur 181.4
traître 828.9
transfuser 742.26
enfoncer 608.11
couler 468.10
transfusion
enfoncement 608.3
injection 114.11

en triangle 70.15
triangulaire
n.f.
élection 260.4
adj. 338.16 ; 837.11
ligaments triangulaires 218.10
muscles triangulaires des lèvres 541.5
triathlète 792.45
triathlon 792.3
triatome 417.5
triazolam 499.5
tribade 763.18
tribadisme 763.14
tribal 304.13
-tribe 329.36
tribo- 329.36
triboélectricité 329.18
triboélectrique 329.31
tribolium 417.3
tribologie 329.19
triboluminescence 329.18
luminescence 473.15
tribomètre 329.16
tribométrie 509.25
tribologie 329.19
tribord 830.11
droite 246.1
à tribord 246.9
tribordais 246.6
tribu
communauté 352.9 ; 371.3 ; 772.6 ; 773.5
famille 304.7
t. de zoologie 126.5 ; 873.10
les douze tribus d'Israël 244.3
tribulations
adversité 11.1
tribulus 360.8
tribun 729.13
avocat 626.5
parleur 595.14
orateur 225.12
tribunal 835
conseil 148.6
tribune
d'une église 465.12
d'un bâtiment 39.13
estrade 225.13 ; 708.5
tribunes 465.5
tribune libre 654.8
éloquence de la tribune 729.3
tribunitien 626.9
tribut
hommage 366.7
contribution 317.2 ; 587.3
tributaire 787.22
tributaires 787.8
vallée tributaire 530.5
tricard 582.16
tricentenaire 88.7
tricéphale 484.9
malformation 484.6
tricératops 712.11
-triche 624.26
triche
tromperie 838.1
tricherie 446.24
trichéchidé 486.3
tricher 284.11 ; 446.39 ; 485.9 ; 828.15
tricherie 446.24
escroquerie 485.5
mensonge 838.3
tricheur 838.9
escroc 485.7
joueur 446.25
trichi- 624.25
trichiasis 840.5
-trichie 624.26
trichine 856.2
trichinose 482.35
-trichite 624.26
trichiure 417.11
trichius 417.3
trichloréthylène 267.4
tricho- 624.25
trichobézoard 841.5
trichocéphale 856.2
trichocéphalose 482.35
trichogramme 417.7
tricholome 103.6
trichome ou **trichoma** 740.5
cuir chevelu 624.6
trichomonase
trichomonase bovine 482.48
trichophytique 482.67
trichophyton 103.9
trichoptère 417.1
trichoptéryx 417.3
trichromatique
théorie trichromatique de Young-Helmoholtz 159.16
trichromie 388.4
polychromie 643.1
photographie 621.1
triclinaire 703.16
triclinium
salle 481.26
lit 519.13
tricologie 624.11
tricolore 643.11
tricône 518.8
derrick 618.4
triconodonte 486.4
tricononitidé 486.4
tricorne 859.27
tricot
pull 859.7
couture 165.1
tricot de corps 859.14
faire du tricot 165.26
tricotage 165.13
tricoté 165.33
tricotée 527.19
tricoter 165.26
machine à tricoter 476.8
tricotets 176.9
tricoteur 165.23
tricoteuse
prostituée 672.10
machine 476.8
table 519.6
trictrac 446.15
tricuspide 128.5
tricycle 448.3
bicyclette 833.13
cycliste 833.42
tridacne 527.2
tridenchthoniidés 417.12
trident 236.43
tridentée 37.27
tridermique
disque embryonnaire tridermique 265.6
tridi 837.6
jour 88.10
tridimensionnel
trois 837.11
dimensionnel 219.10
triduum 657.5
trois 837.2
triduum pascal 117 ; 310.3
trié
classé 126.18
choisi 116.12
trièdre 338.6
triel 555.12
triennal 610.14
trier
classer 23.11 ; 126.15 ; 576.13
séparer 756.17
choisir 116.10
trier sur le volet 116.10
trière 837.4
trieur 126.11
trieuse 476.7
appareil agricole 18.15
trifide 37.27
triflore 318.45
triforium 465.5
trifouiller 174.6
Trifouilly-les-Oies 263.5
trigle 638.6
triglidé 638.3
triglycéride 94.6
triglyphe 39.12
trigone 100.10
télencéphale 100.14 ; 100.2
piliers du trigone 100.14
trigonelle 318.27
trigonie 527.2
trigonocéphale 712.3
trigonométrie 509.25
goniométrie 30.5
géométrie 338.1
trigonostylopidé 486.4
trigramme 235.7
mot 535.3
trihebdomadaire 610.15
trihexyphénidyle 499.5
triholoside 94.5
triiodothyronine 94.14
trijumeau 837.4
nerf trijumeau 548.3
trilatéral 158.17
trilingue 455.21
trilitère ou **trilittère**
mot 459.5 ; 535.3
trille
musique 543.26
chant 106.7
trillion 515.1
trilobe 837.3
trilogie 837.2
trilogique 837.11
trilophodonte 486.4
trimard ou **trimar**
mendicité 603.7
voyage 871.2
trimarder 871.20
trimardeur
piéton 833.31
voyageur 871.17
trimbalage, trimballage ou **trimbalement** 829.2
trimbaler ou **trimballer**
acheminer 829.21 ; 871.25
trimer
n.m.
t. d'horlogerie 118.7
trimer
v.
travailler 266.24
trimestre
mois 610.4
saison 738.1

trimestriel
saisonnier 610.15 ; 738.11
périodique 654.28
trimestriellement 610.17
triméthoprime 499.5
trimètre 635.13
trimmer 605.2
trimorphe 323.21
trimoteur 831.2
Trimurti
hindouisme 362.3
divinités 236.3
trin 837.12
tringle
suspension 806.5
d'une machine 476.12
t. de menuiserie 505.8
t. de serrurerie 760.4
tringler
aligner 692.6
tracer 466.10
tringlot 41.12
trinitaire
n.
religieux 525.10
religieuse 525.11
adj. 837.12
trinité 236.3
trois 837.4
Christ 117.16
t. de théologie 818.12
fête de la Sainte-Trinité 310.3
trinitrine 499.5
trinitrotoluène 617.6
explosif 43.14
trinôme 493.2
trinqueballe 833.11
trinquer
entrechoquer 115.27 ; 688.17 ; 743.10
boire 75.28 ; 441.13
trio 837.4
musiciens 542.3
triode 261.14
triolet 635.8 ; 837.3
musique 543.28
triolisme 763.15 ; 837.5
triomphal 447.16 ; 861.14
triomphalement 798.25 ; 861.15
triomphalisme 798.8 ; 861.5
triomphaliste 798.10
triomphant
victorieux 798.23 ; 861.13
fier 312.10
triomphateur
victorieux 798.23 ; 861
fier 312.10
triomphe 798
enthousiasme 447.6
victoire 861.1
jeu de cartes 446.3
triompher 798
gagner 800.15 ; 861.7
exulter 447.13
triompher de 240.9 ; 861.9
triose 94.5
trip 825.10
triparti
biparti 597.19
trois 837.11
divisé 237.7
tripartisme
séparation 597.5
pluralisme 694.5
tripartite
biparti 597.19
trois 837.11
tripartition
séparation 597.5
triplement 837.7
subdivision 237.2
tripatouiller 824.7
tripeptide 94.8
triperie 333.32
tripes
boyaux 853.3
sensibilité 755.1
mets 333.8
sac à tripes 853.7
manquer de tripes 452.5
prendre aux tripes 276.7 ; 600.8
vomir tripes et boyaux 296.21
tripette
ne pas valoir tripette 500.8
triphasé 261.3
électrique 261.24
triphosphate 94.4
uridine triphosphate 94.11
triphtongue 781.8
tripier 333.33
triplan 831.2
triple
trois 837.1
ternaire 837.11
multiple 539.6
au triple 539.7
triplé
n.m.
triple succès 798.1 ; 837.3
adj. 837.4
triplés 304.4
triplement
n.m. 837.7
adv. 837.14
tripler 837.9
redoubler 427.13
multiplier 539.4
triplet
ensemble de trois éléments 837.2
t. de mathématique 493.4
t. d'optique 574.3
triplette
équipe 837.4
bicyclette 833.13
triplicata 837.6
triplicité 837.8
triplique 626.2
triploïdie 361.9
tripoli
abrasit 640.4
diatomite 22.4
tripolir 640.7
tripolisser 640.7
triporteur 833.13
tripot 446.29
tripotage 485.4
tripotée 160.5
tripoter
toucher 824.7
caresser 91.6
tripoteur 81.26
tripoux 333.9
triprolidine 499.5
tripropylène 617.6
-tripsie 114.37
triptyque
trilogie 837.2
tableau 374.9 ; 607.7
trique 160.9
coup de trique 160.6
triqueballe ou **trinqueballe**
appareil de transport 489.7
chariot 833.11
triratna 80.12
triréacteur 831.2
trisaïeul 609.7
trisaïeule 506.6
trisannuel 610.14
trisetum 360.7
trisme 154.3
trismus 154.3
trisoc 18.15
trisomie 484.4
trisomie 21 361.9 ; 484.4
trisomique 484.8
malformation 484.6
trissement 170.3
trisser
crier 170.7
se hâter 684.23
t. de théâtre 817.30
trisser (se)
déguerpir 189.10
filer 684.23
tristâtre 836.10
triste
mauvais 127.20
terne 159.27
gris 350.10
attristé 192.15 ; 836.10 ; 836.12
déplorable 192.12 ; 836.17
douloureux 217.21
plat 630.11
tristement 836.18
désagréablement 192.16
tristesse 836
grisaille 350.3
pessimisme 615.1
ennui 192.3 ; 272.1
tristique 37.27
tristouillard, tristouille ou **tristouillet** 836.10
tristounet
triste 836.10
plat 630.11
trisyllabe
mot 535.3
vers 635.13
trisyllabique 535.26
trithérapie 381.7
-tritie 114.37
tritium 131.9
tritium uranium 269.5
triton
batracien 68.3
mollusque 527.3
t. de musique 543.17 ; 837.3
tritons 319.19
Triton
satellite 49.10
divinité 236.43
tritonalia 527.3
tritonique 543.10
triturable 329.32
triturateur 676.9
trituration
frottement 329.1
pulvérisation 676.7
mastication 218.12
triturer 676.16
tritureuse 834.27
tritylodontes 712.10
triumviral 837.12
triumvirat
trois 837.4
oligarchie 694.9

trivalve 527.19
trivelin 628.7
trivelinade 628.5
trivial
indécent 399.8 ; 399.9
roturier 734.8
injurieux 412.13
banal 630.9
Trivial Pursuit 446.17
trivialement
indécemment 399.11
bassement 734.10
injurieusement 412.17
banalement 630.12
trivialiser 630.7
trivialité
discourtoisie 226.1 ; 412.5
indécence 399.1
bassesse 734.2
banalité 425.2 ; 630.2
trivium
trois 837.2
scolarisation 274.6
trivoiturette 833.3
troc
échange 135.5
dépense 191.4
trocart
t. de médecine 114.26 ; 498.19
trochaïque 635.27
trochanter 580.16
trochée
rameaux 37.5
vers 635.13
troches 296.3
trochet 318.4
trochilium 417.11
trochin 580.14
trochiter 580.14
trochlée 580.19
trochléen 580.32
trochléenne 580.18
trochoïde 580.18
troène
arbuste 38.5
art des jardins 443.8
troglobie 251.16
troglodyte
oiseau 570.8
habitant 355.3 ; 356.10
troglodytique 845.24
trogne
poisson 638.5
tête 814.3
trognon 330.3
trogoniformes 570.4
trogosite 417.3
trois 837
carte 446.4
trois-demi 274.15
trois-étoiles 800.19
trois-huit
rythme de travail 480.5
t. de musique 543.21
troisième
rang 683.20 ; 837.13 ; 837.6
classe 274.6
vitesse 57.4
t. de musique 543.11
troisièmement 837.14
trois-pièces 481.18
trois-quarts
violon 422.5
manteau 859.12
t. de sport 792.50
trois-quatre 543.21
troiz' 837.15
trôle 107.3
trolle
fleur 318.25
t. de chasse 107.3
trolley
traction 832.10
chemin de fer 832.11
trolleybus 832.11
trombe
tourbillon 733.10
torrent 468.3
tempête 852.2
trombe d'eau 633.5
trombidiose 482.35
trombine 814.3
trombinette 814.3
trombinoscope 814.4
trombone
antenne 681.4
musicien 542.6
instrument 422.2 ; 422.6
trombone à pistons 422.6
tromboniste 542.6
trommel
trommel débourbeur 834.27
trompe
d'un insecte 417.17
pour sourds 803.3
instrument de musique 422.14
Klaxon 57.10
t. d'architecture 39.21
trompes utérines 762.15
trompe de chasse 107.11
trompe d'Eustache 55.3
trompes de Fallope 762.15
trompé
déçu 178.9
escroqué 284.14 ; 838.23
trompe-l'œil
imitation 379.3 ; 719.8
illusion 64.4 ; 374.8 ; 607.4 ; 838.7
en trompe-l'oeil 379.10
tromper
être ambigu 25.10
aveugler 64.6
ruser 316.12
induire en erreur 283.16
décevoir 178.5 ; 416.5
abuser 3.9
feindre 373.14
trahir 828.13
cocufier 238.16 ; 491.26
escroquer 284.10 ; 838
mentir 504.18
tromper l'attente de 178.4
tromper la calebasse 284.10
tromper le diable 703.35
tromper le temps 811.11
tromper (se)
faire une erreur 64.9 ; 283.14
faire une maladresse 483.14
tromperie 838
ambivalence 25.3
déception 178.3
feinte 373.2 ; 656.2
trahison 828.6
adultère 491.15
escroquerie 284 ; 485.5
trompeter
cris d'animaux 170.7
révéler 136.16
crier 168.16
trompette
tête 814.3
musicien 542.6
instrument 422.2 ; 422.6
les trompettes 341.2
trompette de la mort 103.6
trompette de mer 638.6
trompettiste 542.6
trompeur
décevant 178.8 ; 416.9
abusif 3.14
hypocrite 373.16
traître 828.18
malhonnête 485.12 ; 838.19 ; 838.22
mensonger 504.25
trompeusement
abusivement 3.19
hypocritement 373.20
traîtreusement 828.19 ; 838.24
mensongèrement 504.26
trompillon
t. d'architecture 39.21
t. de menuiserie 505.8
tronc
d'un arbre 37.5
partie du corps 580.9
d'une église 529.21
tronc cérébral 100.5
troncs collecteurs 742.8
tronc jugulaire 742.8
femme tronc 502.7
homme tronc 502.7
troncation 535.9
troncature 517.10
tronce 37.1
tronche 814.3
tronchin 519.11
tronçon
de bois 37.5 ; 74.6
t. d'architecture 39.15
tronconique 162.14
tronçonnage 584.29
bûcheronnage 36.8 ; 74.4
tronçonner 584.37
partager 597.10
découper 324.11
débiter 36.26
tronçonneuse 476.10
tronculaire 548.25
trône
ange 29.5
siège 519.17
trône épiscopal 465.13
mettre sur le trône 642.19
trôner
dominer 800.13
parader 581.7
tronquer
réduire 220.11
rapetisser 616.6
trop
n.m. 294.3
adj. 294.13
adv. 294.19 ; 426.15 ; 804.11
de trop 415.13
en faire trop 294.7 ; 347.10
trope
chant 106.5
t. de rhétorique 535.12
tropes 313 ; 635.16 ; 729.7
trophallaxie 873.7
-trophe 251.15
-phage 563.21
trophée
succès 798.5 ; 861.3
t. d'architecture 39.21

-trophie 563.21
trophine 94.14
trophoblaste 265.8
trophoblastique 265.15
tropical
chaud 102.23
t. d'astronomie 49.35
climat tropical 127.1
-tropique 221.37
tropique 97.4
t. d'astronomie 474.4
tropiques 102.4
-tropisme 221.37
tropisme 79.11 ; 538.5
mouvements orientés 221.12
tropospause 20.2
troposphère 20.2
trop-percu 317.19
trop-plein 783.9
excédent 294.3
canal 834.7
troque 527.3
troquer
échanger 104.17
acheter 135.24
troquet 75.19
trot 623.2
au trot 684.46
trotskisme ou **trotskysme** 808.8
trotskiste ou **trotskyste** 808.36
trotte 871.2
trotter 502.10
trotter (se) 189.10
trotteur
mammifère 486.11
chaussure 110.6
t. de sports 792.56
trotteur américain 486.11
trotteuse 118.7
trottin
prostitution 672.9
employé 135.17
t. de couture 165.22
trottiner 672.19
trottinette 448.3
voiturette 833.3
trottoir 845.14
femme de trottoir 672.7
faire le trottoir 672.18
trou
discontinuité 223.5
ouverture 278.6 ; 585.1
creux 167 ; 834.16
région 263.5 ; 355.20
oubli 377.2
prison 208.7
d'un os 580.6
trou déchiré 580.6
trou individuel 182.11
trou ischio-pubien 580.13
trou noir 49.4 ; 397.2
trou normand 75.16
trou d'air 20.3
trou de Magendie 100.3
trou de mémoire 488.3 ; 583.2
trou de Monro 100.10 ; 100.3
trou de serrure 585.6
trou du souffleur 748.3
trou de souris 167.7
au trou 107.32
boire comme un trou 75.26
coller au trou 208.21
faire son trou 167.14 ; 667.9
faire un trou à la lune 209.25 ; 474.21
mettre au trou 751.19
rentrer dans un trou de souris 819.5
sortir de son trou 377.8
vouloir rentrer dans un trou de souris 367.7
troubade 41.11
troubadour
chanteur 105.8
poète 635.20
style troubadour 46.10
troublant
émouvant 755.19
inquiétant 785.13
trouble
désordre 201.1 ; 202.3
anomalie 32.6
agitation 17.3
maladie 482.1
émotion 600.3 ; 755.4
nervosité 549.1
irrésolution 438.1
dérangement 415.4
de la personnalité 613.10
de la vision **840**
t. de pêche 605.6
troubles 146.4 ; 642.8
trouble fonctionnel 482.1
trouble mental 321.1
troubles de la continuité 613.10
troubles de la perception 613.10
troubles de l'unité 613.10
fauteur de troubles 15.4 ; 201.8
voir trouble 840.14
troubles de la parole **839**
troublé
excité 851.2
sali 740.11
ému 755.18
troubleau ou **trouble** 605.6
trouble-fête 309.16
triste sire 836.6
importun 415.5
troubler
interrompre 223.12
agiter 17.8
exciter 851.12
salir 740.9
émouvoir 600.9 ; 629.12 ; 755.11
inquiéter 192.8 ; 785.7
séduire 475.8
troubler (se)
ressentir 755.10
perdre contenance 819.5
trouée
ouverture 585.1
entrée 278.6
col 530.9
faire sa trouée 167.14
trouer
pénétrer 608.8
tuer 534.28
troufion 41.11
trouillard
peureux 619.19 ; 619.7
lâche 452.4
trouille
résidu 369.10
peur 619.1
trouillomètre
avoir le trouillomètre à zéro 619.14 ; 872.7
trou-madame 446.21
troupe
compagnie 137.5 ; 352.9
d'animaux 486.16
armée 41.1
homme de troupe 41.11
lever des troupes 41.21
troupeau
foule 540.3
d'animaux 262.4 ; 352.9 ; 486.16
compagnie 137.5
troupiale 570.8
troupier 41.11
comique troupier 105.8 ; 132.5
troussage 333.2
trousse
sac 151.4
outil 518.8
trousse à outils 584.2
trousse d'écolier 252.7
trousse de voyage 151.6 ; 871.11
être aux trousses de 685.11
troussé
imprévu 386.9
bâclé 684.36
trousseau 859.3
trousseau de mariage 491.10
trousse-côté 70.9
trousse-queue 70.9
trousser
expédier 386.7 ; 684.16
t. de gastronomie 333.39
trouvable 179.11
trouvaille
innovation 414.3
découverte 179.3 ; 686.3
idée 264.2 ; 375.4
trouvé 314.16
trouver
innover 414.7
découvrir 179.5
estimer 450.8
trouver sur son chemin 567.15
trouver (se)
exister 297.8
se situer 769.10
il se trouve que 122.8
se trouver bien de 745.12
se trouver mal 397.12 ; 482.50
se trouver mieux 353.13
trouvère
chanteur 105.8
poète 635.20
trouveur 179.4
truand 869.9
truander
quémander 185.14
dévaliser 869.23
escroquer 284.8
truble ou **trubleau** 605.6
trublion 201.8
agitateur 642.14
truc
méthode 316.10 ; 511.3 ; 807.8
élévateur 489.10
le truc pour 10.12
truchement
arbitrage 141.4
interprète 432.10
trucider 534.27
tuer 169.22
truck
élévateur 489.10

wagonnet 832.17
truelle 584.19
truelle brettée 584.19
truffe
champignon 103.7
nez 486.21 ; 814.5
sot 784.7
avoir la truffe humide 743.7
truffer
joindre à 396.12
remplir 152.7
truffier 103.15
truie 486.12
truisme
vérité 854.4
préjugé 375.7
langage clair 425.7
banalité 630.5
truite 638.5
poisson 333.13
truité 643.11
truiter 643.8
trumeau
t. d'architecture 39.12 ; 505.5
truquage 284.5
truqué 379.10
truquer
fausser 556.10
tricher 284.11
truqueur
copieur 379.4
prostitué 672.12
trusquin 505.17
pointe 584.5
trusquiner 505.24
trust 135.9
trustee 66.34
homme d'affaires 135.18
truster 490.20
monopoliser 135.29
trusteur
escroc 869.13
homme d'affaires 135.18
trutticulture 262.3
trypanosomiase 482.35
trypétidés 417.8
trypsine 94.24
trypsinogène 94.24
tryptophane 94.10
tsar 822.5
tsarévitch 822.4
tsigane
langue 455.14
Tsiganes 371.15
Tsimihetys 371.12
tsoin 83.23
tsoin-tsoin 83.23 ; 431.7
Tsongas 371.11
tsuga 37.20
tsunami 319.10
Tswanas 371.11
T.T. 822.14
T.T.C. 317.43
tu
pron. 613.7
à tu et à toi 26.12
tu
p. passé 377.11
tuant
embêtant 549.20
lassant 272.13
tub
baignoire 669.6
évier 519.26
tuba
musicien 542.6
instrument 422.2 ; 422.6
tubaire 114.17
tube
tuyau 151.2
d'une fleur 318.4
succès 105.7 ; 798.6
d'une arme 43.10 ; 43.6
téléphone 809.2
de peinture 607.17
d'une machine 476.12
de plomberie 632.7
d'éclairage 250.15
chapeau 859.25
tube acoustique 55.9
tube cardiaque 265.7
tube cardiaque primitif 128.7
tube cathodique 681.4
tube digestif 218.5
tube droit 762.5
tube neural 265.7 ; 548.13
tube porte-vent 852.12
tube séminifère 762.5
tube à essai 113.17
tube au néon 250.9
tube de Venturi 509.26
tubeless 57.8
tuber
n.m.
partie du cerveau 100.7
tuber cinereum 100.10
tuber
v.
téléphoner 809.19
tubéracées 103.5
tubercule
tumeur 78.5 ; 841.1
renflement 262.19
tubercule d'Aranzi 128.5
tubercule de Gerdy 580.16
tuberculeux
infection 482.69 ; 482.82
tuberculinique
hypersensibilité tuberculinique 381.5
bague tuberculinique 499.19
tuberculose 482.20
tubéreuse
fleur 318.17
parfum 594.4
tubériforme 103.15
tubérisation 79.10
tubérosité
tumeur 78.5 ; 841.1
d'un os 580.13 ; 580.3
tubifex 856.2
tubiflores 79.4
tubing 792.28
tubipore 527.12
tubulaire 97.14
chaudière tubulaire 109.8
tubuleuse
t. d'endocrinologie 340.16
t. de zoologie 527.19
tubulidenté 486.3
tubuliflore 318.45
tubulure 585.7
t. de plomberie 632.9
Tucanos 371.8
Tucunas 371.8
tudieu 431.6
tue-diable 605.15
tue-mouches 417.26
tuer
mettre à mort 43.23 ; 169.22 ; 205.20 ; 404.7 ; 534.27 ; 865.16
ennuyer, rebuter 272.9
épuiser, exténuer 255.8
discréditer, perdre 249.9
tue ! 534.37
tuer le temps 599.13 ; 811.11
tuer un espoir 416.5
tuerie 354.1
tue-tête
à tue-tête 106.32
crier à tue-tête 168.15
tueur
assassin 169.18 ; 534.17
tueur à gages 169.19
tuf 813.8
minéraux 517.2
tufacé 813.26
tuffeau ou **tufeau** 813.8
minéraux 517.2
tufier 813.26
tugrik 529.8
tuile
de toit 727.9
ennui, malheur 11.2
tuilée 527.19
tuilerie 813.15
tuilier 727.12
tulipe 318.17
tulipe de verre 250.16
tulipier 37.20
tulle 816.6
tulle gras 775.18
tumba 422.11
tumbling 792.6
tuméfaction
grossissement 351.3
bosse 78.5
nécrose 482.41
bleu 72.9
tuméfié
bouffi 351.15
blessé 72.21
tuméfier 482.56
tumescence 78.9
grossissement 351.3
érection 762.22
tumescent 298.13
tumeur 841
grosseur 351.2
bosse 78.5
nécrose 482.41
tumoral 482.80 ; 841.12
antigène tumoral 381.10
tumulaire 331.35
tumulte
chahut 201.7
vacarme 83.9
tumultueusement 83.22
tumultueux 83.20
bruyant 83.19
tumulus
butte 78.2
tertre funéraire 331.16
tuna clipper 605.11
tuner
hifi 781.15
récepteur 681.3
chaîne haute-fidélité 273.5
tungstène 113.7 ; 516.5
tungstique 516.10
tunique
vêtement 859.8
enveloppe végétale 727.5
tissu 128.2 ; 762.3 ; 821.4
tunique celluleuse sous-cutanée 762.5
tunique fibreuse 762.5
tunique musculaire 218.7

tunique séreuse péritonéale 218.7
tunique vaginale 762.5
tuniquée 527.19
Tunisien 355.7
tunnel
excavation 203.8
route 834.4
réseau routier 833.16
tunnel immergé 834.4
voir le bout du tunnel 353.13
tunnelier 834.27
tunnellisation 114.10
tupaiidé 486.14
tupaiiforme 486.14
tupelo 37.20
Tupinambas 371.8
tupinambis 712.5
Tupis 371.8
Tupis-Guaranis 371.8
turban
bandeau 65.3
coiffure 129.9
en turban 333.52
turbellarié 856.2
turbide 538.25
turbin 266.4
turbine 476.12
centrale 269.7
turbine à gaz 131.14
turbinectomie 114.13
turbinée 527.19
turbiner
se prostituer 672.18
exercer un métier 266.24
turbith
turbith blanc 38.6
turbith végétal 318.34
turbo
animal 527.3
turbo
turbocompresseur 57.3 ; 833.5
turbocombustible 131.6
turboforage 618.3
turbopropulseur
moteur 131.14
carlingue 831.4
turboréacteur
moteur 131.14
transports par air 831.4
turbot 638.6
poissons 333.13
turbotière 848.26
turbotrain 832.12
turbulence
agitation 538.3
déséquilibre 17.3
tempête 852.2
turbulent 217.23
turc
insecte 417.20
Turc 355.8 ; 371.14
turc, turque
à la turque 296.16 ; 519.39 ; 632.2
fer à la turque 262.20
lit à la turque 519.13
turcie 67.6
Turcomans 371.14
Turco-Mongol 371.5
turcophone 455.11
turdoïde 570.8
turfiste 446.27
turgescence
grossissement 351.3
rigidité 732.4
turgescent 298.13
Turkanas 371.11
Turkmène 355.6 ; 371.14
turlupinade 628.5
turlupiner 532.9
turne 481.2 ; 481.22
Turner
syndrome de Turner 484.4
Turner
jaune de Turner 444.2
turnover
tour 797.2
renouvellement 560.5
turpitude
bassesse 453.2
scandale 367.3
inconduite 860.2
luxure 475.1
turquerie 374.7
turquin 73.7
turquoise 73.8
pierre fine 517.4
lit 519.13
turriculé 527.19
turriforme 39.27
turritelle 527.3
tussilage 318.10
tussor 816.4
tutélaire 671.29
dieu tutélaire 236.2
tutelle
protection 671.2
direction 59.3
tutelle pénale 144.9
sous tutelle 787.21
tenir en tutelle 240.14
tuteur
perche, échalas 36.12 ; 791.5
personne 59.12 ; 253.6 ; 304.3
tuteur d'un interdit 429.10
tuteurage 791.1
tuteurer 791.12
tuthie 516.5
tutiorisme 620.4
tutoral 304.13
tutorial 408.12
Tutsis 371.11
tutti quanti 823.3
tutu 176.19
Tuvaluan 355.11
tuyau
tube 632.7
tige végétale 360.3
axe d'une plume 570.21
renseignement 19.5 ; 136.6 ; 148.2
tuyau de décharge 783.9
dans le tuyau de l'oreille 751.36
tuyau de poêle 109.16
famille tuyau de poêle 304.2
donner un tuyau 19.21
tuyautage 632.7
tuyauter
conseiller 148.10
informer 136.14
tuyauterie
plomberie 632.1
canalisation 632.7
tuyauteur 632.22
tuyère 476.12
T.V.A. 317.7
T.V.H.D. 681.2
Twas 371.11
tweed 816.4
tweeter 781.14
twill 816.4
twist 176.10
twister 176.28
Tyché 236.18 ; 305.4
tylenchidé 856.2
tylenchus 856.2
tympan
membrane auditive 55.3
fronton 39.12 ; 465.5 ; 505.5
crever le tympan 83.14 ; 794.4
tympanal 580.5
tympaniser 710.13
tympanite 482.30
tympanon 422.12
tympanoplastie 114.17
surdité 803.4
tympanosclérose 803.6
tyndallisation 499.17
-type 521.16 ; 559.22
type
modèle 521.1 ; 559.3 ; 620.16 ; 709.5
genre 323.3 ; 795.4
individu 364.3
lettre, caractère 459.7
t. de biologie 126.5
t. de statistique 493.6
typé 126.20
typer 126.14
typesse 306.5
typhique 482.69
typhlopidé 712.11
serpent 712.2
typhoïde 482.20
fièvre typhoïde 482.20
typhoïdique 482.69
typhon 852.2
typhose
typhose aviaire 482.48
-typie
typo- 126.23
-type 559.22
typique 126.20 ; 521.13 ; 521.16
particulier 23.14
représentatif 709.11
typiquement 126.22
typo- 126.23
norm- 559.21
typo 388.16
typographe 459.14 ; 654.20
ouvrier du livre 388.16
typographie 388.5 ; 459.9
typographier 388.19
typologie 126.2
typologique 126.21
typolope 486.3
typomètre 509.26
typtologie 477.16
Tyr 236.24
tyran
dictateur 59.11 ; 240.6 ; 413.9 ; 694.19 ; 865.13
oiseau 570.8
tyranneau 59.11
tyrannicide 169.18
tyrannie 3.3
contrainte 865.10
domination 240.1
autoritarisme 694.14
illégitimité 413.7
tyranniformes 570.4
tyrannique 694.29
autoritariste 59.20
dominateur 240.19
autoritaire 413.16

égalité 256.1
unicité 842.8
unigraphie 339.15
unijambiste 502.7
estropié 72.21
unilatéral 158.17
unilatéralement 158.20
unilatéralisme
égoïsme 257.1
relations internationales 642.9
unilinguisme 455.8
uniment 844.19
semblablement 376.17
uniformément 843.13
tout uniment 376.17 ; 844.19
uninervée 37.27
unio 527.2
union
association, groupement 26.2 ; 352.1 ; 501.1 ; 698.2 ; 772.5
rassemblement, front 694.23
accord 209.14 ; 844.3
relation 725.1
liaison 27.1
mariage 491.1
l'union fait la force 725.4 ; 864.6
union légitime 491.1
unionisme 725.6
unipare 544.25 ; 711.25
unipolaire
neurones unipolaires 548.8
unique
seul de son espèce 290.13 ; 686.9 ; 842.13 ; 843.9 ; 844.16
original, spécial 613.15
uniquement 842.15
exclusivement 295.15
unir
joindre 9.15 ; 352.15 ; 685.8 ; 698.6
coaliser 376.10 ; 725.10 ; 844.13
apparenter 314.12
mêler 501.12 ; 685.7
harmoniser 719.12 ; 842.9
unir par les liens du mariage 98.19
unir (s')
s'associer 6.9 ; 141.16 ; 596.29 ; 725.14 ; 772.11 ; 844.14
se joindre 685.13
unisson
accord 6.1 ; 719.2
t. de musique 768.3
à l'unisson 6.17 ; 26.8 ; 106.32 ; 352.24 ; 768.11 ; 844.20
se mettre à l'unisson 379.7
unitaire 844.15
t. de philosophie 844.11
unitarien 844.11
unitarisme 844.8
unitariste 844.11
unité 844
nombre un 555.1 ; 842.1
parité 376.1
homogénéité 576.2 ; 719.1 ; 843.1
attribut divin 215.13
mesure de référence 509.1 ; 678.3
élément 597.1
union 818.11
unité astronomique 49.25
unité centrale 408.7
unité de calcul 87.7
unité de choc 115.19
unité de combat 41.8
unité de discours 622.1
unité de mesure 844.6
unité de poids 636.12
petites unités 844.9
règle des trois unités 817.14
à l'unité 844.18
faire l'unité 844.13
unitéisme 844.8
unitif 844.17
vie unitive 320.5
univalent 113.24
radical univalent 113.9
univalve 527.19
univers 49.2
réalité 297.3
matière 492.2
tout 823.4
environnement 280.2
sensible 620.20
de l'univers 96.14
universalisme 823.6
universaliste 823.13
universalité 823.1
universaux 823.6
t. de philosophie 620.16
universel
total 823.12
t. de philosophie 620.16
déterminisme universel 332.4
jugement universel 450.3
legs universel 241.7
légataire universel 241.11
universellement 823.14
universitaire 274.2
université 274.5 ; 464.4
univitellin 711.23
univoque
monosémique 753.16
précis 425.15
compréhensible 432.20
unnilennium 113.7
unnilhexium 113.7
unniloctium 113.7
unnilpentium 113.7
unnilquadium 113.7
unnilseptium 113.7
untel 613.9
Unuk
astre 49.5
unus et idem 376.15
upanayana 362.11
upanisad 362
Veda 815.7
upercalia 310.8
uppercut 792.16
uracile 94.15
uraète 570.12
uraeus 236.43
urane
jaune d'urane 444.2
uranie 417.11
Uranie 49.29
les Muses 236.11
uraniidés 417.10
uraninite 516.5
uranisme 763.14
uraniste 763.18
uranium 113.7 ; 131.9 ; 516.5
uranographie 49.1
uranologie 49.18
uranométrie 49.1
uranoplastie 114.17
uranorama 49.16
uranoscope 638.6
Uranus 49.7
uranyle 113.9
Uraons 371.13
uraptéryx 417.11
urate 94.19
urbain 845.24
centre urbain 96.3
urbanification 845.3
urbanisation 845.2
urbaniser 845.21
urbanisme 845
architecture 39.1
urbaniste 845.19
urbanistique 845.23
urbanité
sociabilité 772.1
courtoisie 163.1 ; 233.4
urbec 417.3
-ure 113.30 ; 822.23
uréase 94.24
urédinales 103.5
urédospore 103.3
urémie 482.24 ; 742.17
uréna 38.9
uréomètre 296.15
urétéralgie 243.3
uretère 296.13
urétérolithotomie 114.14
urétéropyélographie 498.16
urétérostomie 114.15
urètre
voie séminale 762.6
voie urinaire 296.13
urétrite 482.34
urétrographie 498.16
urétroplastie 114.17
urétro-vaginal
cloison urétro-vaginale 762.13
urgence
imminence 421.3
importance 384.1
urgences 72.12
d'urgence 421.16 ; 684.53
urgent 421.13
urgentiste 498.24
urger 421.9
uricémie 742.17
uricoéliminateur 296.27
uridine 94.16
uridine diphosphate 94.11
-urie 296.30
Uriel 29.7
urinaire 296.27
voies urinaires 296.13
urinal
pot 296.17
vase 519.25
urine 296.4
urinement 296.9
uriner 296.19
urineux
pisseux 296.28
t. de médecine 296.27
urinifère 296.27
urinoir 296.16
urique 296.27
acide urique 94.13
urne
vase 749.6
électorale 260.18
organe végétal 318.5 ; 537.2
urne cinéraire 534.7
aller aux urnes 260.26

uro- 296.30
urobiline 94.22
urobilinurie 296.10
urocère 417.7
urochrome 94.22
urocystis 103.6
urodèle 68.2
urodélomorphe 68.1
urogenèse 94.26
urographie
urologie 296.14
radiographie 498.16
urokinase 94.24
urolagnie 321.9
perversion 763.15
urologie 296.14 ; 498.7
urologique 296.27
urologue 498.27
uromètre 187.5 ; 296.15
instrument de mesure 509.26
uromyces 103.10
uronique
acide uronique 94.13
uropode 172.4
uropyges 417.12
ursidé 486.3
Ursides 49.12
ursuline 525.11
urticacées 318.31
urticaire 482.17
urticales 79.4
urticant 482.81
urticarien 482.67
urtication 482.15
urubu 570.12
Uruguayen 355.10
us
usage 696.3
coutume 164.1
us et coutumes 164.1 ; 696.3
usage 846
coutume 163.2 ; 164.1 ; 326.7 ; 696.3
fonction, utilité 847.2
parler 535.14
disposition, jouissance 645.1
d'usage courant 846.16
sans usages 226.8
bon usage 346.2 ; 455.5
en usage 164.19 ; 559.14 ; 846.16
être en usage 535.24
figures d'usage 313.4
le bon usage 559.2
passé en usage 164.19
d'usage 164.18 ; 559.14
usagé 28.13
usager
n. 645.13
utilisateur 846.10
passager 829.19
adj.
utilisable 846.17
usant 255.11
us barrel 509.17
usé 28.13 ; 206.10
ressassé 630.9
user
n.m.
utilisation 846.1
v.t.
détériorer par l'usage 205.17 ; 325.5 ; 640.7
user de 645.15 ; 846.13
usine 464.5
usine à gaz 140.1 ; 217.3 ; 335.5
prix d'usine 524.1 ; 659.2
usiné 490.25
usiner 476.18 ; 584.35
façonner 323.12
fabriquer 662.16
usineur 480.3
usité 164.21
usuel 559.14
utilisé 846.16
courant 535.28
usnée 463.3
ustensile 584.1
ustilaginales 103.5
usucapion 645.1
usuel 558.12
en usage 559.14
utilisé 846.16
consacré 164.18
courant 535.28
ordinaire 630.9
usuellement 357.33
généralement 326.20
d'habitude 164.24
usufructuaire 645.22 ; 846.18
usufruit 846.6
possession 645.1
utilisation 339.8
usufruitier 339.20 ; 645.13 ; 846.18
utilisateur 846.10
usure
taux d'intérêt excessif 166.17
avec usure 166.33
taux de l'usure 166.17
usure
détérioration 28.2 ; 205.4 ; 640.3
à l'usure 247.21
guerre d'usure 354.4
usurier 61.4
créancier 209.19
prêteur 166.23
usurpateur
imitateur 379.4
autocrate 413.9
usurpation
imitation 379.1
abus de pouvoir 3.2
tromperie 284.6
usurpation de pouvoir 413.7
usurpatoire
abusif 3.13
illégal 413.15
délictueux 284.13
usurpé
imité 379.9
illégal 413.15
usurper 3.10
se substituer 797.8
outrepasser 413.10
escroquer 169.24
usurper l'identité de 379.6
usurper sur 3.9
ut 543.12
clés d'ut 543.27
utérin 762.35
matriciel 544.26
illégitime 314.16
cavité utérine 265.9 ; 762.14
frère utérin 304.5
cycle utérin 340.6
utéro-placentaire 544.26
utérorelaxant 499.5
utérotonique 499.5
utérus 265.9 ; 762.14
utérus bicorne 762.14
corps de l'utérus 762.14
Utes 371.7
utile 847
n.m. 847.5
adj. 571.10 ; 846.17 ; 873.22
en temps utile 571.14 ; 644.8 ; 847.17
utilement 846.20 ; 847.17
utilisable 846.17
utilisateur 846.10 ; 846.19
utilisation 846.1 ; 846.7 ; 847.2
usage 846.4
facteur d'utilisation 846.8
utilisé 846.16
utiliser 846.12 ; 846.14 ; 847.11
utilitaire 833.6 ; 847.15 ; 847.16 ; 847.6
automobile 57.32
utilitairement 847.17
utilitarisme 847.8
pragmatisme 620.12
t. de philosophie 533.3
utilitariste
n.
pragmatiste 620.32 ; 847.8
adj. 847.16
utilité 847 ; 507.3
opportunité 571.1 ; 571.3
usage 846.4
d'utilité publique 847.13
utopie
rêve 380.6
fiction 378.4
vue de l'esprit 375.8
optimisme 573.3
illusion 285.4
chimère 664.5
utopique 380.15
utopiste
optimiste 573.8
rêveur 664.9
utraquiste 117.13
utriculaire 318.36
utricule
oreille interne 55.3
t. de botanique 79.12 ; 318.5
utricule prostatique 762.6
uval 330.23
uvée 868.6
uvéite 482.28
uvule 100.7
uxorilocal 491.30
Uysse 236.41
Uzbek 355.6

V

V
V de la victoire 861.4
va 431.5
vacance
absence 2.1 ; 404.2
disponibilité 462.8
vacance du pouvoir 642.4
vacances
congé 2.4
repos 706.4
grandes vacances 274.8 ; 738.3
vacant 356.14
vacarme 83.9
chahut 201.7
vacataire 596.12
employé 266.16

vacation 739.4
vaccin 499.11
préservateur 653.10
vaccin polyvalent 499.11
vaccinable 499.29
vaccinal 499.28
vaccinateur 499.28
vaccination 499.13 ; 775.11
immunothérapie 381.7
consultation 498.9
préservation 653.4
protection 671.10
vaccine 482.48
vaccination 499.13
vacciner
immuniser 381.18 ; 671.20
administrer 499.26
endurcir 418.12
préserver 653.15
majeur et vacciné 495.6
vaccinostyle 499.19
vaccinothérapie 775.5
immunothérapie 381.7
vachard 497.11
vache
n.f.
personne sévère ou méchante 497.6
policier 641.7
adj.
difficile 217.18
sévère ou méchant 248.11 ; 497.11
vache à lait 587.12
manger de la vache enragée 603.13
années de vaches grasses 730.1
années de vaches maigres 603.3
vache sacrée 362.14
lait de vache 75.6
coup de pied en vache 828.6
vache enragée 217.10
vachement 427.32
vacher
n.
élevage 262.24
v.i.
paître 262.27
vacherie
étable 262.8 ; 486.18
méchanceté 497.1 ; 497.3
vacherin
entremets 799.6
fromage 328.6
vacheron 262.24
vacillant
changeant 850.13
versatile 438.10
branlant 119.25 ; 325.10 ; 579.13
titubant 303.19
vacillation
vacillement 119.4
chancellement 579.2
vacillatoire 119.27
vacillement 119.4
fluctuation 850.3
chancellement 579.2
déséquilibre 282.3
vaciller 104.19 ; 119.16
osciller 579.9
perdre l'équilibre 282.16
menacer ruine 325.7
avoir les jambes lourdes 502.9
tituber 303.11
va-comme-je-te-pousse
à la va-comme-je-te-pousse 500.11 ; 547.21
vacuité
inexistence 404.1
futilité 435.2
non-sens 557.1
vacuolaire 94.31
vade retro 263.16
va-de-la-gueule 342.3
vade-mecum
résumé 723.3 ; 747.7
aide-mémoire 847.6
vadrouille 871.8
vae victis 11.33 ; 180.11
va-et-vient 476.12 ; 579.4
remuement 538.6
interrupteur 261.18
bac 830.6
voyage 871.2
faire des va-et-vient 579.12
vagabond
pauvre 603.6
voyageur 871.18 ; 871.28
vagabondage 603.7
vagabonder 871.20
vagal 548.26
vagin 762.13
vaginal 762.35
vaginalite 482.33
vaginante 37.27
vaginelle 318.3
vaginule 318.3
vagir
cris d'animaux 170.6
crier 168.14
vagissement
cris d'animaux 170.2
cri 544.7
gémissement 168.3
vagotomie 114.14
vague
n.m.
flottement, indétermination 395.3 ; 438.1
adj.
flou, imprécis 24.14 ; 392.18 ; 395.17 ; 411.13 ; 411.15 ; 438.10
vague idée 375.5
nerf vague 128.10
rester dans le vague 24.8
vague
n.f. 319.10 ; 758.4
vague de chaleur 102.3
vague de froid 327.2
nouvelle vague 120.3
vaguement
peu 303.25
environ 395.20
incomplètement 392.19
vaguemestre 157.11
vaguer
laisser vaguer 461.17
vaguesse 607.10
vaillamment 161.12
vaillance 161.1
vaillant
énergique 864.15
sain 743.11
courageux 161.9
vaille
vaille que vaille 500.19
vain
sans valeur 393.16 ; 419.13 ; 435.12
sans effet 249.19 ; 389.17 ; 435.13
vaniteux 655.10
en vain 249.20 ; 435.16
vaincre
être vainqueur 800.15
surmonter 567.16
dominer, surpasser 240.10 ; 792.91 ; 861.7 ; 861.9
« je suis venu, j'ai vu, j'ai vaincu » 861.7
vaincu
n.
perdant 180.5 ; 249.8 ; 354.15
adj.
battu 180.10 ; 249.17 ; 787.21
malheur aux vaincus ! 180.11
s'avouer vaincu 180.8 ; 249.13 ; 701.9
vainement
inutilement 435.16
improductivement 389.20
vainqueur 354.15 ; 861.6
conquérant 240.7
victorieux 861.13
gagnant 792.43
vair 486.20
Vairocana 80.7
vairon 638.5
vaironner 605.24
vaisesika 362.7
vaisseau
canal 74.2 ; 128.1 ; 742.9
nef 465.5
bateau 830.2
astronef 48.2
vaisseau de ligne 43.13
vaisseaux (cœur et) 128
vaisselier 333.31 ; 848.33
vaisselle 848 ; 550.3
vaisselle de poche 529.3
vaisselle de table 848.1
vaisselle de toilette 848.1
faire la vaisselle 550.32
vaissellerie 848.1
vaisya 362.13
vajrayana 80.3
val 530.5
valable 846.17
valablement 846.20
valdingue 119.2
aller à valdingue 119.19
faire un valdingue 119.19
valdinguer
valser 119.19
faire valdinguer 160.17
valençay 328.4
valence 113.5
valence-gramme 509.15
valenciennes 165.3
valentinite 516.5
valérianacées 318.34
valériane 318.34
valériane rouge 318.34
valet
serviteur 761.7
outil 505.18 ; 760.3
carte 446.4
valet d'établi 505.18
valet de chambre 481.39
valet de limiers 107.16
valet de nuit 519.24 ; 859.32
faire le valet 761.11

valetaille 761.7
valeter 761.11
valeur
critère, référence, norme 559.2
quantité, proportion 509.1 ; 678.1
principe éthique, philosophique 620.16
courage 161.1
qualité, importance 76.3 ; 384.1 ; 507.1 ; 507.3 ; 677.1 ; 847.1
signification 753.1
degré de clarté 607.11
durée d'une note 543.14
prix 659.1 ; 849.8
titre 849.1
t. de mathématique 493.2 ; 493.6
valeur ajoutée 9.8
valeur morale 365.5 ; 533.2
valeur numérique 555.4
valeur or 575.10
valeur pondérale 636.2
de valeur 450.4 ; 677.13
jugement de valeur 297.7
mise en valeur 846.7
sans valeur 31.12 ; 419.13
valeurs des temps 811.5
valeurs mobilières **849**
valeureux 161.9
valgus 212.22
Val-Hal 236.44
séjour des morts 534.8
vali 822.5
validation 245.40
valide 559.16 ; 854.23
normal 558.10
sain 743.11
utilisable 846.17
validé 99.8
validement 846.20
valider 58.12
validité 559.6
normalité 558.1
vérité 854.1
légalité 245.42
valine 94.10
valise 151.6
bagage 829.14 ; 871.11
vallée 530.5
vallée de larmes 591.5
valleuse 530.5
vallisnérie 318.12
vallon 530.5
vallonée 330.17
valoche 151.6
valoir
égaler 256.13
peser 636.14
coûter 659.11
faire valoir 384.10 ; 471.10 ; 656.4 ; 846.14
faire valoir ses choux 581.8
se faire valoir 581.8
valoir la peine 384.6 ; 507.13
valoir le coup 507.13
valoir le détour 507.13
valoir son pesant d'or 636.14
valoir trop ne vaut rien 294.6
valorisation
inflation 56.3
surestimation 804.1
valoriser
souligner l'importance de 384.10
négocier 659.14
valproïque
acide valproïque 499.5
valse 176.10
valse des étiquettes 659.3
valse lente 458.6
valser 119.19
tourbillonner 733.15
danser 176.28
envoyer valser 119.23 ; 292.7
faire valser 160.17
valseur 733.12
danseur 176.22
valseuses 762.5
-valve 527.21
valve
dispositif de réglage d'un débit 308.2 ; 476.12 ; 632.6
partie d'un fruit 330.3
demi-coquille 527.14
valvulaire 128.24
valvule 527.14
valvule d'Eustachi 128.5
valvule de Vieussens 100.8
valvuloplastie 114.17
valvulotomie 128.18
vamp 306.4
vampire
esprit 534.9
usurier 61.4
vampiriser 303.16
vampirisme 61.2
van
fourgon 833.7
minibus 833.8
vanadinité 516.5
vanadite 516.5
vanadium 113.7 ; 516.5
éléments minéraux 214.6
bronze au vanadium 82.2
vanaprastha 362.11
vanda 318.21
Vandales 371.16
vandalisme 205.6
Van Dick
brun Van Dick 84.2
vandoise 638.5
Vanes 236.21
vanesse 417.11
vanesse du charbon 417.11
vanille 594.4
gastronomie 333.27
vanillerie 18.10
vanilline 594.6
vanité
inutilité 393.5 ; 419.1 ; 435.1 ; 557.2
suffisance, infatuation 257.1 ; 312.1 ; 655.1 ; 745.3
tableau 374.8
vaniteusement 655.11
vaniteux
orgueilleux 312.11
prétentieux 655.10
vannage 18.4
vanne
dispositif de régulation d'un débit 67.6 ; 834.10
vanne de chasse 834.10
vanne
plaisanterie, quolibet 412.4 ; 497.3 ; 628.4
vanné 303.21
vannellerie 830.15
vanner
fatiguer 255.8
tourner 333.45
vanner
moquer 532.9
vannerie
travail du bois 74.5
passe-temps 599.5
vannette 834.10
vanneur 18.16
vantail
volet 67.9 ; 308.4
vantard 581.4
imposteur 504.12
vantardise 504.9 ; 581.3
vantellerie 830.15
vanter 471.10
vanter les mérites de 471.10 ; 471.11 ; 507.11
vanter (se) 655.5
se surestimer 655.7
vanterie 504.9
vantiler 834.43
va-nu-pieds 562.7
pauvre 603.6
vapes
tomber dans les vapes 119.20 ; 397.12
vapeur
gaz 335.1 ; 561.1 ; 569.1
bateau 830.4
vapeur d'eau 372.1
vapeurs du vin 441.3
à la vapeur 333.53
à toute vapeur 684.48
machine à vapeur 131.14 ; 476.4
vapeurs 102.5 ; 548.20
avoir ses vapeurs 303.12
vaporeux
léger 457.10
gazeux 335.20
brumeux 561.14
vaporisateur
humidificateur 372.9
pulvérisateur 676.10
vaporisation 102.8 ; 676.8
humidification 372.6
gazéification 335.10
vaporiser
pulvériser 676.18
gazéifier 335.13
vaporiser (se) 102.19
vaporiseur 676.10
vaquero 262.24
var 509.11
varada-mudra 80.13
varaigne 585.7
varan 712.5
varanidés 712.4
varappe
ascension 530.13
alpinisme 792.25
varapper 530.15 ; 531.13
escalader 792.82
varappeur
ascension 530.13
alpiniste 792.59
varech 22.4
algue 22.1
engrais 18.7

vareuse 859.18
vari 486.14
varia 850.7
variabilité
variation 850.1
discontinuité 223.1
inégalité 402.1
instabilité 25.2 ; 104.8
variable
n.f.
grandeur, élément qui varie 402.3 ; 493.2 ; 850.6
adj.
changeant 23.15 ; 90.10 ; 104.22 ; 127.20 ; 223.16 ; 234.10 ; 395.17 ; 402.13 ; 850.13
déclinable 346.21 ; 535.26
variablement 850.17
irrégulièrement 223.19
inégalement 402.17
variance
variation 850.1
discontinuité 223.1
t. de statistique 493.6
variant 223.16
variante 850.7
nuance 216.4
copie 379.3
interprétation 432.3
variante graphique 252.3 ; 535.5
variateur 850.8
variation 850
modification, changement 90.3 ; 104.1 ; 234.4
variante 216.4 ; 223.3 ; 704.5
ornementation musicale 543.25 ; 543.32
t. de chorégraphie 176.14
variations saisonnières 127.8
varice 482.13
varicelle 482.20
varicocèle 482.33
varicotomie 114.14
varié 850.15
divers 234.7
diversifié 634.11
varier
v.t.
diversifier 234.5 ; 634.9 ; 850.12
v.i.
changer 104.18 ; 216.6 ; 402.9 ; 850.9
changer d'idée 90.6 ; 438.8
variété
diversité 126.5 ; 234.1 ; 634.1 ; 850.7
sorte, type 323.3
t. de biologie 873.10
variétés
mélanges 501.7
musique légère 105.6 ; 543.8
ne varietur 315.20
variole 482.20
varioliforme 482.69
variolique 482.69
variolisation
immunothérapie 381.7
vaccination 499.13
variomètre 509.26
variorum 850.16
recueil 469.9
variqueuse 527.19
variqueux 482.66
variure 760.14
varlet 552.18
varlope
rabot 584.16
t. de menuiserie 505.16
varloper 505.23
varna 362.13
Varole
pont de Varole 100.2
varron 417.9
varsovienne 176.6
varus 212.22
varveau 672.4
vas- 151.16
vaisseaux 128.27
vasa-vasorum 128.1
Vascons 371.16
vasculaire
cardiaque 128.24
maladie 482.66
trou vasculaire 580.3
vase
n.m. 151.4 ; 519.25
vase à boire 848.6
vase de nuit 296.17 ; 519.25
vases acoustiques 55.9
vase
n.f.
ver de vase 856.2
vasectomie 114.13
contraception 711.12
vaseline
huile de vaseline 369.6
vaseliner 761.9
vaseux
fatigué 303.21
fumeux 784.14
ver vaseux 856.2
vasicole 251.16
vasistas
fenêtre 67.9 ; 481.31 ; 585.6
vaso- 151.16
vaisseaux 128.27
vasoconstricteur 499.5
vasoconstriction 128.14
vasodilatateur 499.5
vasodilatation 128.14
vasodilatation humorale 128.14
vasodilatation passive 128.14
vasomotricité
pression artérielle 128.3
maladie 482.9
vasopressine
protide 94.8
hormone 340.3
vasotomie 114.13 ; 114.14
contraception 711.12
vasouillard 784.14
vasouiller 249.14
vasque 151.4
art des jardins 443.5
bac 519.25
vassal 787.8
vassalité 787.2
vaste 456.6
vaste externe 541.14
vaste interne 541.14
vastement 456.11
vastitude 406.1
va-t-en guerre 354.19
Vatican 590.17
vaticinateur 235.12
vaticination 235.1
vaticiner 235.15
va-tout 446.12
jouer son va-tout 358.8 ; 390.11 ; 529.8
vauchérie 22.4
vaudaire 852.6
vaudeville 817.5
vaudevillesque 132.12
vaudois 117.12
vau-l'eau
à vau-l'eau 319.33
aller à vau-l'eau 249.14
vaurien 270.4
vautour 570.12
usurier 61.4
vautrait 107.15
vautrer (se)
se vautrer dans la fange 860.8
vavavoum 83.23
va-vite
à la va-vite 386.17 ; 547.21 ; 684.44
veau
injure 784.7
voiture 833.2
adorer le veau d'or 61.5 ; 730.11
tuer le veau gras 368.7 ; 703.23
veau d'or 575.14
vécés 296.16
vecteur 221.6
transport 829.13
t. de géométrie 338.4
t. de mathématique 493.4
vectocardiographie 128.16
vectoriel
espace vectoriel 493.4
grandeur vectorielle 493.2
Veda 362 ; 815.7
vedanta 362.7
Veddas 371.13
vedette
célébrité 798.9 ; 800.9
embarcation 830.8
en vedette 366.24
être en vedette 341.18
tenir la vedette 341.18
védique
adj. 736.12 ; 815.24
védisme 700.8
hindouisme 362.1
védutisme
tendance artistique 46.10
t. d'iconographie 374.8
Véga 49.5
végétal
règne végétal 79.2
cure végétale 214.2
végétalien 330.25 ; 703.21
diététicien 214.9
végétalisation 845.18
urbanification 845.3
végétaliser 845.21
végétalisme 214.2
végétaliste 214.9
végétarien 330.25 ; 703.21
diététicien 214.9
végétarisme 330.21
régime 214.2
végétatif
période végétative 79.6
végétation
t. de botanique 79.2 ; 857.3
t. de médecine 482.16
végétativement 79.25
végéter
stagner 247.7 ; 383.7 ; 389.8 ; 393.12 ; 500.9 ; 862.27
t. de botanique 79.21

végéto- 79.26
veglione 309.11
véhémence
excitation 427.2
violence 865.1
enthousiasme 600.3
expressivité 264.3
véhément
intensif 427.17
intense 865.24
impétueux 600.13
fougueux 264.10
véhémentement
violemment 427.25
agressivement 865.32
passionnément 600.17
véhiculaire 455.20
véhicule
engin de transport 538.9 ; 829.9
substance médicale 499.2
t. de peinture 607.14
véhicule blindé 43.11
véhicule utilitaire 57.2 ; 833.6 ; 847.6
grand véhicule 80.3
petit véhicule 80.3
véhiculer 833.34
veille 851
attention 52.1 ; 207.2
attente 51.2
la veille 33.26 ; 598.20
à la veille de 332.21
veille technologique 179.3 ; 560.2
veillée 851.5
veillée d'armes 354.6
veillée mortuaire 331.6
veiller
v.i. 51.6 ; 776.10 ; 851
v.t. 52.7
veiller un mort 331.30
veiller à 774.16 ; 785.6
veiller au grain 52.7 ; 674.6
veiller sur 183.10 ; 671.23 ; 774.13
veilleur 207.16 ; 851.6
veilleur de nuit 641.12 ; 776.8 ; 851.6
veilleuse 250.12
appareil d'éclairage 473.12
veilleuses 57.7 ; 250
veinard 670.16
veine
vaisseau sanguin 128.1
chance 670.6
t. de géologie 337.20 ; 516.3 ; 518.2
t. de botanique 318.3
veine créatrice 378.2
grande veine lymphatique 742.8
se saigner aux quatre veines 191.17 ; 336.5
veiné 604.15
bois 74.29
veineux
cardiaque 128.24
sanguin 742.29
sinus veineux 100.18
veinosité 128.2
veinule
bulbe 318.3
veine 128.2
veinure 466.5
véjovidés 417.12
vélaire 781.8
vélanède 330.17
vélani 37.15
vélar 318.26
vélaret 318.26
Velche 288.1
veld ou **velt**
désert 750.10
herbage 360.5
vélelle 527.12
vêler 486.28
vélie 417.5
vélin 388.12
véliplanchiste 792.62
velléitaire
irrésolu 438.4
apathique 393.15
velléité
hésitation 438.3
désir 199.2
intention 428.1
essai 812.2
projet 664.1
vélo 833.13
véloce 684.28
vélocifère 833.14
vélocimétrie 509.25
vélocipède 833.13
vélocipédique 833.42
vélocipédiste 833.27
vélociste 833.33
vélocité 684.1
vélocross 833.13
vélodrome 792.78
vélomoteur 833.13
vélomotoriste 833.27
vélopousse 833.13
véloski 792.75
vélo-taxi ou **vélotaxi** 833.13
velours
faute de liaison 283.6
étoffe 816.4
veloutage 816.12
velouté
n.m.
soupe 333.23
adj. 604.15
poli 640.1
velouter 816.25
velouteux 816.35
veloutier 816.19
veloutine 816.3
velt → **veld**
velu 624.21
Velux 481.31
venaco 328.4
venaison 333.7
vénal 135.33 ; 659.18
vénalité 135.3
vendable 135.33
vendange 18.4
vendangeon 417.13
vendanger 18.23
vendangeur 18.16
vendangeuse 318.17
Vendas 371.11
vendéen 695.11
vendémiaire 88.8
vendetta
règlement de comptes 720.3
vengeance 707.2
couteau 43.3
vendeur 135.17
vendôme 328.6
vendre
trahir 828.10
céder qqch contre de l'argent 101.10 ; 135.24 ; 490.21
vendre au-dessus des cours 111.6
vendre la peau de l'ours avant de l'avoir tué 60.9 ; 664.16
vendre (se) 135.31
vendredi 88.10
vendu
trahi 828.9
acquis 135.35
vénéfice 477.5
venelle
passage 289.3
ruelle 845.14
vénéneux
toxique 103.15 ; 267.15
méchant 497.11
vener 107.18
vénérable
vieux 863.14
respectable 552.27 ; 717.12 ; 822.13
d'un âge vénérable 28.12
vénération
adoration 173.3
respect 717.1
considération 366.6
vénérer
respecter 717.8
honorer 366.13
vénéricarde 527.2
vénerie 107.1
vénérien
maladie vénérienne 482.18 ; 763.44
vénérologie 498.7
Vénètes 371.16
venette 619.1
veneur 107.16
grand veneur 107.16 ; 333.51
Venezuela 529.8
Vénézuélien 355.10
vengeance
représailles 707.1 ; 726.2
la vengeance est un plat qui se mange froid 720.10
crier vengeance 720.9
venger 707.8
prendre sa revanche 726.6
condamner 144.28
venger qqn 707.8
venger son honneur 366.20
venger (se) 707.9 ; 720.10 ; 726.9
vengeresse 707.5
vengeur 707.5 ; 720.4
revanchiste 726.5
véniel 419.12
péché véniel 606.2
venimeux
toxique 175.15 ; 267.15 ; 873.22
malveillant 410.15 ; 497.11 ; 865.25
venimosité 865.5
venin 267.3
venir
approcher 344.7 ; 685.10
advenir 45.7 ; 290.8
venir en aide à 19.22
venir de 254.5 ; 560.9 ; 598.11
venir à bout de 5.16 ; 567.16 ; 861.9
venir à composition 149.12
à venir 332.11 ; 647.19
en venir à 716.6

vergé 388.12
vergence
vergence des systèmes optiques 509.13
vergeoise 799.2
vergeot 670.16
verger
fruiticulture 330.19
t. d'agriculture 18.10
vergerette 318.10
vergetée 604.15
vergeture
ride 466.6 ; 482.16
vergeure 466.4
verglacé 327.19
verglacer 327.13
verglas
glace 327.7
intempérie 127.5
vergne
arbre 37.15
femme 306.3
barrage 834.6
vergner 834.43
vergogne
pudeur 367.6
timidité 819.1
sans vergogne 399.8 ; 415.15
vergogneux
confus 367.15
timide 819.7
vergue
vergues en pantenne 331.21
vériconditionnel 854.23
véridicité 854.1
véridiction 854.7
véridique 854.19
véridiquement 854.24
vérifiabilité 155.7
vérité 854.1
vérifiable
vraisemblable 854.21
contrôlable 155.17
vérificateur 155.9
vérificateur des poids et mesures 636.13
vérificateur orthographique 408.12
vérificatif 854.23
contrôlable 155.17
vérification
essai 689.6
contrôle 155.1
épreuve 812.4
vérification de comptabilité 317.21
principe de vérification 155.6
vérificationnisme 155.11
t. de philosophie 854.11
vérificationniste 155.18
vérificatrice 476.7
t. d'informatique 408.6
vérifié 99.8
vérifier 854.13
expérimenter 689.13
contrôler 155.12
vérifier (se) 155.16
vérifieur 155.9
vérin
levier 531.9
appareil de levage 489.9
verine 855.12
vérisme 854.11
vériste 854.22
véritable 854.19
véritablement
vraiment 854.24
littéralement 459.22
vérité 854
correspondance 719.3
valeur 620.16
fidélité 472.4
dire à qqn ses quatre vérités 720.5
vérité première 658.2
quatre nobles vérités 80.10
à la vérité 854.28
verlan
jargon 411.3
langue 455.3
vermée 605.15
à la vermée 605.2
vermeil 159.28
dorure 575.13
argent fin 40.2
rouge 735.10
vermet 527.3
vermicelle 333.25
vermicide 499.35
vermiculaire
mouvement vermiculaire 154.3
vermiculures 578.3
vermidiens 856.1
vermiforme 856.6
vermifuge 499.35
vermiller 262.30
vermillis 486.24
vermillon 516.5
bordeaux 735.12
vermillonner 727.15
vermine 740.5
vermineux 740.14
vermis 100.7
vermoulu
usé 28.13
bois 74.29
vernaculaire
langue vernaculaire 455.1
vernal
point vernal 49.21 ; 738.2
vernation 79.13
verni
chanceux 670.16
ivre 441.18
vernier 509.26
vernir 727.15
plomber 631.10
peinture et dessin 607.28
vernis
revêtement 197.3 ; 607.14 ; 727.6
aveuglement 64.4 ; 747.2
vernissage
revêtement 727.11
exposition 607.24
t. d'imprimerie 388.3
vernisser 727.15
vérole 482.20
Vérone
jaune de Vérone 444.2
véronique 318.22
vérot 510.12
verrage 855.7
verranne 855.4
verrat
porc 486.12
reproduction 262.12
verre 855 ; 75.17
peinture et dessin 607.18
vaisselle 848.5 ; 848.6
verre correcteur 574.8
verre d'eau 848.6 ; 855.8
verre métallique 855.5
se noyer dans un verre d'eau 483.13
verré 855.20
verrée 509.19 ; 855.13
verrer 855.16
verrerie 311.13 ; 855.14
entreprise 464.7
cristallerie 848.34
verreur 855.15
verrier 848.35
souffleur de verre 855.15
peintre verrier 607.19
verrière 855.11
fenêtre 481.31
verrière
noblesse verrière 552.2
verrine 250.16
verre 855.12
verroterie
verre 855.12
bijou 70.1
verrou
serrure 308.5 ; 760.4
aiguillage 832.4
t. d'alpinisme 530.10
sous les verrous 208.20
verrouillage
fermeture 308.10 ; 760.21
obstacle 567.1
enclenchement 832.4
alpinisme 792.25
verrouillé 760.31
verrouiller 832.30
fermer 308.11 ; 760.29
enfermer 208.23
verrouilleur 792.50
verrucosité 841.2
verrue
peau 604.4
tumeur 841.2
herbe aux verrues 318.11
verruqueux 841.12
vers
prép.
but 86.6
direction 158.22 ; 221.35 ; 280.12
pénétration 608.19
aller vers 685.10
vers
n.m.
poésie 635.1
versant 530.10
côté 158.3
pente 195.7
versatile 402.15
instable 229.10
variable 850.13
irrésolu 438.10
capricieux 90.9
versatilité
variation 850.1
inconstance 25.2 ; 402.5
irrésolution 438.2
bizarrerie 90.3
verse
à verse 1.19 ; 468.18 ; 633.21
versé
versé dans 747.17
Verseau (le)
constellation 49.15
signe du zodiaque 88.9
versement
dépense 587.2
opération de banque 66.7
verser
basculer 468.9 ; 783.22
payer 587.17

verser de l'huile sur les plaies 786.4
verser l'or à pleines mains 661.7
verser en chemin 249.11
verset 440
vers 635.13
textes sacrés 815.5
versicolore 643.12
divers 234.7
varié 850.15
fleurs 318.48
versificateur 635.21
versification 635.1
versifier 635.25
version
interprétation 432.3
traduction 455.9
version française 120.7
version originale 120.7
version simplifiée 425.7
vers-libriste 635.20
verso
inverse 572.5
derrière 193.1
versoir 18.15
verste 509.21
versus 572.22
vert 857
écologiste 251.12
goût 330.24 ; 343.23
vigueur 445.11 ; 864.15
bronze vert 82.3
citron vert 330.9
carte verte 57.18
langue verte 455.3
thé vert 75.5
en voir des vertes et des pas mûres 11.20
manger le vert et le sec 661.9
énergie verte 269.2
au vert 333.51 ; 857.12
être encore vert 863.12
mettre au vert 262.27 ; 360.13 ; 873.18
se mettre au vert 228.8 ; 583.14 ; 706.13
vert de mauve 857.2
vert-cuit 333.48
vert-de-grisé
bronzé 82.10
vert 857.9
vert-de-griser (se) 857.7
vertébral
trou vertébral 242.2 ; 580.11
vertèbre
colonne vertébrale 242.2 ; 580.10
vertèbres cervicales 814.1
vertébré
ossaturé 795.16
dorsal 242.10
t. de zoologie 873.25
vertement 248.13 ; 857.12
critiquement 710.24
vertemoute 317.11
vertevelle ou **vervelle** 760.4
vertical 250.27 ; 692.12
n.f.
verticale 338.7
à la verticale 692.13
verticalité 466.2
verticille 318.3
verticillée 37.27
verticilliose 79.16
verticillum 103.8
vertige
étourdissement 397.2 ; 482.49
enthousiasme 276.1
vertisol 337.16
vertu 858
pouvoir 15.2 ; 322.8
ange 29.5
qualité morale 108.1 ; 365.2 ; 366.2 ; 507.1 ; 533.2 ; 818.14
t. de jeu 446.4
les vertus et les vices 374.4
femme de petite vertu 672.7
en vertu de 536.13
vertubleu 431.6
vertuchou 431.6
vertueusement
moralement 533.18
honnêtement 365.15
dignement 507.17
chastement 108.10 ; 858.13
vertueux
méritant 76.10 ; 177.8 ; 365.9 ; 507.14 ; 533.16 ; 759.13 ; 858.10
chaste 108.7
vertugadin 859.22
Vertumne 236.17
veru-montanum 762.6
verve
inspiration 276.5
force de persuasion 614.4
éloquence 264.1 ; 595.8
en verve 276.9
verveine 594.4
fleur 318.16
tisane 75.7
verveine officinale 499.9
vervelle 760.4
verveux 605.6
bavard 595.28
vésanie 321.1
vésicant
globuleux 85.16
empoisonné 267.15
vésication 85.13
vésicatoire 85.16
vésiculaire 85.16
vésicule
bouton 78.5
ampoule 85.3
vésicule biliaire 218.10
vésicule de Purkinje 265.4
vésicule séminale 762.6
vésicule synaptique 548.9
vésiculographie 498.16
vesou 799.2
vespasienne 296.16
vespéral 657.13
nocturne 776.12
vision vespérale 868.2
vespertilion 486.10
vespertilionidé 486.3
vesprée 776.1
vesse 83.12
vesse-de-loup 103.6
vesser 83.16
vessie 296.13
vessie natatoire 638.12
prendre des vessies pour des lanternes 64.9
en vessie 333.52
vessigon 841.5
Vesta 236.23
feu 311.14
vestale 311.14
religieuse 699.25
chasteté 108.4
vestalies 310.8
veste 859.9
recevoir une veste 249.12
se prendre une veste 260.28
vestiaire 481.24
théâtre 748.6
meuble de rangement 519.2
penderie 859.32
vestibulaire 548.3
aire vestibulaire 100.5
bulbe vestibulaire 762.10
vestibule
petite pièce 481.24
t. d'anatomie 55.3 ; 580.7 ; 762.10
vestibule de la bouche 218.6
vestibulo-spinal
cervelet 100.7
faisceau vestibulo-spinal 548.12
vestige
vestige du passé 28.5
vestiges 721.4
vestimentaire 859.41
veston 859.9
vétéciste 792.61
vêtement 859
vêtements de deuil 331.21
vétéran
n.m.
ancien 28.4 ; 863.6
personne expérimentée 274.16
soldat 354.16
sportif 792.42
vétérinaire 498.30
vététiste 792.61
vétille 435.4
détail 419.2
vétiller 435.9
vétilleux 774.20
vêtir 859.33
vêtir (se) 859.36
vétiver ou **vétyver**
végétal 360.7
parfum 594.4
veto
objection 572.3
refus 693.2
obstacle 715.4
Parlement 642.2
droit de veto 260.9
mettre son veto à 429.15 ; 567.13
vêtu 859.42
vêture 859.4
vétuste 206.10
ancien 28.10
vétusté 28.1
vétyver → vétiver
veuf
mariage 491.18
deuillant 331.28
veule
paresseux 593.10
lâche 452.8
veulerie
mollesse 593.2
lâcheté 452.1
inaction 393.2
veuvage 491.14
veuve
oiseau 570.8
insecte 417.13
femme veuve 491.19
veuve de guerre 354.18

vieillir (se) 14.8
vieillissement
évolution 293.3
ancienneté 28.2 ; 206.1 ; 863.2
vieillot
antique 28.11
désuet 206.8
démodé 520.10
vieil-or
dorure 575.13
doré 575.20
vièle 422.5
vielle 422.5
les vielles 787.20
vieller 542.22
vielleur 542.7
viennois
pain viennois 588.3
valse viennoise 176.9
viennoiserie 799.6
vient de paraître
livre 469.26
nouveauté 560.9
vientrage 317.11
vierge
n.f.
Vierge à l'Enfant 374.4
Vierge aux Sept Douleurs 374.4
Vierge de miséricorde 374.4
Vierge de piété 625.7
amoureux des onze mille vierges 27.27
adj.
pucelle 108.4 ; 306.17 ; 445.6 ; 763.20 ; 858.11
huile vierge 369.5
or vierge 575.1
Vierge (la)
constellation 49.15
signe du zodiaque 88.9
Viêt-nam 529.8
vietnamien
langue 455.14
Vietnamien 355.9
vieux
ancien 28.4 ; 206.10 ; 598.13 ; 863.5
père de famille 304.3 ; 535.28 ; 609.6
vieux de la vieille 28.4 ; 863.5
vieux garçon 93.2
vieux jeu 206.8
vieux comme Adam 863.13
vieux comme le monde 247.15 ; 630.9
vieux comme le port de Rouen 28.10
vieux comme les chemins 28.10
se faire vieux 863.11
vieux-lille 328.6
vif
vive eau 319.9
vif
intense 427.17
froid 327.19
vivant 277.6 ; 743.11 ; 862.20 ; 864.15
intelligent 302.25 ; 424.11
rapide 7.13 ; 684.30
véhément 130.11 ; 264.10 ; 382.11 ; 391.16
à vif 72.20
prendre sur le vif 621.20
vif-argent 40.4
avoir du vif-argent dans les veines 864.9
vigie 21.8
gardien 52.3
vigilamment 52.13
préventivement 671.34
vigilance 21.3
veille 851.1
attention 52.1
protection 671.1
prudence 674.1
soin 774.1
surveillance 183.5
vigilant
attentif 52.11
protecteur 671.29
prudent 674.11
soigneux 774.20
défiant 183.16
vigile
n.m.
garde 21.8 ; 641.12 ; 671.12
adj.
éveillé 851.15
vigne
arbuste 38.4 ; 38.5
t. d'agriculture 18.10
feuille de vigne 562.5
pêche de vigne 330.8
de la vigne 75.11
être dans les vignes du Seigneur 441.14
vigneron 18.16
vignette 57.18 ; 578.7
imprimé 387.1
vignette automobile 57.18 ; 317.24
vignettiste 607.22
vignoble 18.10
vigogne 486.6
textile 816.3
vigoureusement 427.26 ; 864.21
fortement 322.19
vigoureux
intensif 427.17
fort 864.14
sain 743.11
fougueux 264.10
vigueur 864
intensité 427.1
force 322.7
vie 862.3
belle mine 743.3
entrain 277.1
violence 865.1
expressivité 264.3
en vigueur 652.10
être en vigueur 297.8
viguier 835.9
V.I.H. 512.3
vihara
ascèse 47.4
bouddhisme 525.23
vihuela 422.4
vijnanavada 80.2
vil
petit 616.13
laid 453.11
lâche 367.13 ; 452.7 ; 761.14
vilain
n.
jeux de mains, jeux de vilains 479.5
vilain
laid 453.9
roturier 18.17 ; 734.6
malhonnête 485.15
devenir vilain 16.5
vilainement
bigrement 427.32
honteusement 453.13
vilebrequin
foret 584.21
automobile 57.3
t. de menuiserie 505.16
vilement
petitement 616.15
honteusement 367.17
servilement 761.16
vilenie
lâcheté 452.3
misère 497.3
abjection 367.2
injure 412.3
vilenies 453.2
vileté 367.2
vilipender
couvrir de honte 367.9
discréditer 227.12
injurier 412.9
villa 481.5
urbanisme 845.14
village 845.6
fête de village 309.2
sortir de son village 377.8
villageois 355.3 ; 845.24
villanella 106.13
villanelle 543.31
chant 106.13 ; 635.10
danse 176.7
ville 845.7
ville libre 462.18 ; 845.9
ville nouvelle 560.4
ville ouverte 487.16 ; 845.9
villégiature
maison de repos 706.7
résidence 355.18
villeux 624.20
tumoral 841.12
villosité 624.1
vimaire 127.5
vimana 449
lieux de culte 465.3
vin 75.11 ; 441.4
liquide 468.5
messe 508.5
à bon vin point d'enseigne 677.4
avoir le vin triste 836.8
sac à vin 441.7
verre à vin 848.5
vin de table 75.12
vin rosé 75.12
vin rouge 75.12
vina 422.4
vinage 317.11
vinaigre
vinaigre de toilette 594.3
faire vinaigre 684.13
vinaigrerie 18.12
vinaigrette
chaise à porteur 833.15
sauce 333.26
vinaigrier
insecte 417.3
flacon 848.22
vinasse 75.12
vinaya 815.14
vinaya-pitaka 80 ; 815.13
vincennite 43.17
Vindemiatrix 49.5
vindicatif 410.15 ; 707.12
rancunier 720.13
revanchiste 726.10

volleyer 792.85
volleyeur 792.48 ; 792.51
volontaire 281.3 ; 870
obstiné 568.7
libre 462.36
intentionnel 428.12
mémoire volontaire 503.1
volontairement 870.14
intentionnellement 428.14
volontariat 870.5
volontarisme
volonté 870.2
t. de philosophie 620.13
volonté 870
détermination 59.4 ; 255.1 ; 322.8 ; 568.1 ; 612.1 ; 716.1
intention, souhait 199.1 ; 199.2 ; 391.4 ; 428.1
libre arbitre 116.4
exigence 133.3
bonne volonté 199.1 ; 870.5
mauvaise volonté 714.10 ; 715.13
à volonté 1.19 ; 870.16
feu à volonté 487.45
imposer sa volonté 59.16 ; 870.10
faire les quatre volontés de qqn 90.8
dernières volontés 870.3
faire ses trente-six volontés 870.9
volontiers 302.28 ; 870.15
avec plaisir 629.22
bien volontiers 629.22
volorécepteur 548.16
volt 261.10 ; 509.11
volt par mètre 509.11
voltage
mesurage 509.2
t. d'électricité 261.8
voltaïque 355.7
voltaire 519.18
voltampère 509.11
volte 176.9
demi-tour 733.3
t. d'équitation 746.3
t. de sports 792.5
volte-face 104.6
revirement 25.3 ; 850.5
demi-tour 733.3
démission 181.3
volter 792.87
voltige 123.7
parachutisme 792.32
t. d'équitation 746.3
haute voltige 123.7
voltiger
ne pas peser 457.8
planer 20.13
voler 570.31
voltigeur 123.14
voltmètre
instrument de mesure 509.26
t. d'électricité 261.11
volubile
qui s'enroule (plantes) 318.47
loquace 264.8 ; 595.28 ; 665.12 ; 684.30
volubilité
vivacité 684.5
éloquence 264.1 ; 595.8
prolixité 665.1
volucelle 417.9
volucompteur 509.26
volume
encombrement 187.2 ; 219.1 ; 323.2
capacité 151.7 ; 152.5 ; 509.4 ; 509.7 ; 678.2
quantité 678.3
livre 469.1 ; 469.13
volume courant 718.12
volume de la monnaie 529.15
volumen 469.1
volumétrie 113.16 ; 509.25
volumineux 351.11
volumique
poids volumique 636.3
masse volumique 187.2 ; 509.8
volupté
plaisir 447.4 ; 475.3 ; 629.3 ; 763.6
sensualité 27.12
voluptuaire
impenses voluptuaires 339.10
voluptueux
jouisseur 629.18
ardent 27.27
sensuel 475.10 ; 475.12
volute
courbe 39.15 ; 162.3 ; 578.3
animal 527.3
voluté 162.11
volvaire 103.6
volve
champignon 103.2
t. de botanique 727.5
volvocacées 22.3
volvox 22.4
volvulus 482.43
vomer
tête 814.5
crâne 580.5
vomi 296.6
vomique 482.32
vomiquier 37.20
vomir
régurgiter 218.20 ; 258.9 ; 296.21 ; 482.54
exécrer 62.5
proférer 412.10
donner envie de vomir 62.10
être à vomir 62.10
vomissement 296.9
vomissure 296.6
vomitif 499.31
médicaments 499.4
vomitoire 748.6
vorace 342.12
voracement 342.13
voracer 869.23
voracité
appétit 342.1 ; 563.7
avidité 61.2 ; 199.3 ; 703.11 ; 703.12
-vore 703.46 ; 873.28
-phage 563.21
vortex 733.10
vorticisme 46.12
vorticiste 46.17
vosgien 695.11
votant 260.11
votation 260.1
vote 260.8
désignation 116.2
vote de défiance 183.4
vote personnel 260.8
bulletin de vote 260.10
droit de vote 260.8
voter 260.26
élire 260.25
voter contre 260.25
voter pour 116.9 ; 260.25
machine à voter 260.18
voteur 260.31
votif 666.26
Votre Honneur 366.11
titres 822.13
vouer
destiner 305.7 ; 666.19
donner 336.6
vouer (se)
travailler à 255.6 ; 774.16
voui 13.12
vouloir- 870.3
vouloir
v.t.
désirer, souhaiter 185.19 ; 199.9 ; 428.8 ; 716.5 ; 870.7
convoiter 199.10
exiger 133.15 ; 650.5
en vouloir à 62.7 ; 720.5
s'en vouloir de 697.6
vouloir dire 428.11 ; 753.10 ; 753.8
vouloir du mal à 11.16
vouloir faire 812.8
vouloir ignorer 693.13
vouloir l'omelette et les œufs 25.14
vouloir passer par le trou de la serrure 385.5
vouloir tout à son mot 59.16
bien vouloir 6.12 ; 149.7 ; 586.10 ; 870.9
vouloir
n.m.
volonté 870.1
bon vouloir 629.4 ; 870.4
vouloir-apprendre 870.3
vouloir-paraître 870.3
vouloir-vivre 870.3
voulu 870.11
désiré 199.16
intentionnel 428.12
en temps voulu 644.7
vous 613.7
vous-mêmes 613.7
vousseau 162.5
voussoir 834.35
t. d'architecture 39.20 ; 162.5
voussure
courbure 162.1
bordure 505.7
t. d'architecture 39.20
voûtain 39.20
voûte 39.19 ; 481.17 ; 834.19
grenier 204.5
t. d'architecture 162.5
voûte d'arête 39.19
voûte du crâne 580.5
voûte du palais 218.6
voûte crânienne 814.2
voûte plantaire 580.17 ; 623.1
voûté 162.11
voûter 39.25
courber 162.8
voûter (se)
se courber 162.10 ; 242.9

vieillir 863.10
vox populi 540.2
voyage 871 ; 871.1 ; 871.2
départ 189.1
étranger 288.10
voyage au long cours 871.4
voyage d'études 871.3
les voyages forment la jeunesse 445.9 ; 871.27
agence de voyages 871.10
agent de voyages 871.16
bon voyage 871.32
chèque de voyage 66.22 ; 871.12
faire le grand voyage 534.20
gens du voyage 871.18
grand voyage 534.1
voyager
v.i. 871.19 ; 871.20
aller 538.18
transports 829.26
adj.
voyageur 871.28
voyage-surprise 871.3
voyageur
n.
personne qui voyage 189.5 ; 288.5 ; 829.20 ; 830.26 ; 833.31 ; 871.17
adj 570.17 ; 871.28
voyageur de commerce 135.17
voyageur-kilomètre 509.19
tarif 829.16
voyagiste 871.16
voyance 235.8
voyant
n.m.
devin, mage 235.12 ; 235.13
dispositif de signalisation 765.14
adj.
ostensible, criard 159.27 ; 867.7 ; 868.25
voyant lumineux 473.12
voyante 235.13
voyelle
lettre 459.2
t. de linguistique 781.8
voyeur 763.22 ; 868.16
voyeurisme 321.9
perversion 763.15
voyons 431.4
voyou 169.17
voyoucratie 169.15
V.P.C. 587.5
vrac 830.18
en vrac 201.10 ; 201.18
vrai
n.m.
vérité 620.16 ; 719.4
adj.
fidèle, juste 719.14
véridique 854.19
adv.
authentiquement, sincèrement 854.26
à vrai dire 854.28
proposition vraie 854.4
au vrai 854.28
être dans le vrai 854.15
faire vrai 854.12
vrai-faux
artificiel 379.10
faux 284.15
vraiment 854.24
vraisemblable 854.21
vrai 719.4
ressemblant 719.14
possible 646.9
envisageable 291.11
probable 660.9
supposable 802.12
vraisemblablement
peut-être 646.12
éventuellement 291.13
probablement 660.10
normalement 558.13
vraiment 854.24
vraisemblance
fidélité 719.3
possibilité 646.1
probabilité 660.1
vérité 854.1
selon toute vraisemblance 646.12 ; 660.10
vraquier 830.5
vrille
courbe, spire 162.3 ; 733.6
spirale végétale 79.12 ; 318.3
outil 505.16 ; 584.21
figure de voltige 792.34 ; 831.6
vrillée 37.27
vriller
évider 167.12
tourner 733.14
vrillette 417.3
vrombir 83.15
vrombissement 83.8
vroum 431.7
bruit 83.23
V.R.P. 135.17
V.T.C. 833.13
V.T.T. 833.13
vu 536.13
au vu de 868.31
vu et approuvé 149.19
au vu et au su de 651.15 ; 868.31
au vu et au su de tout le monde 581.13
vu que 92.21 ; 122.16 ; 536.15
vue
vision 868.1
panorama 867.3 ; 868.9
idée 375.10
intention 428.2
projet 664.1
vue aérienne 621.10
avoir la vue basse 840.14
avoir la vue courte 64.8
à vue d'œil 868.30
vue de l'esprit 64.3 ; 375.8 ; 380.6 ; 432.6
à vue de nez 434.11 ; 868.30
à vue de pays 434.11 ; 868.30
avoir en vue de 86.8 ; 664.11
à la vue de 228.8 ; 651.15 ; 868.31
en vue de 86.14 ; 428.16
échange de vues 156.5 ; 595.6
avoir vue sur 769.10
avoir en vue 51.5
avoir une bonne vue 868.21
avoir une mauvaise vue 840.14
à vue 66.50 ; 587.29 ; 868.30
à perte de vue 406.12
à première vue 33.28 ; 134.28 ; 868.30
de vue 868.29
double vue 434.3
en vue 664.19 ; 867.10
en mettre plein la vue 581.9 ; 805.5 ; 868.24
seconde vue 434.3
servitude de vue 868.9
avoir des vues 199.10 ; 664.15
vulcain
papillon 417.11
Vulcain
dieu 236.22
feu 311.14
vulcanien 530.6
vulcanologue 337.24
vulgaire
n.m. 734.5
adj.
banal, courant 302.22 ; 630.9
bas, prosaïque 405.16 ; 767.8
grossier 226.9 ; 399.8 ; 412.13 ; 418.18 ; 535.28 ; 734.8
vulgairement 399.11
populairement 734.10
injurieusement 412.17
platement 630.12
vulgarisateur
communicant 136.9
informateur 136.21
vulgarisation 630.6
décodage 425.6
vulgariser
simplifier 302.15
décoder 425.12
banaliser 630.7
propager 675.9
vulgarité 630.2 ; 734.2
grossièreté 418.4
discourtoisie 226.1
indécence 399.1
vulgo 734.10
vulgum pecus 734.5
vulnérabilité
fragilité 325.1
faiblesse 303.1
émotivité 755.2
vulnérable 72.23
instable 325.10
impuissant 303.22
susceptible 755.17
délicat 755.20
en danger 175.18
attaquable 50.21
vulnéraire 318.27
vulnérant 72.22
vulpin 360.7
vultueux 78.16
vulvaire
fleur 318.9
sexe 762.35
vulve 762.10
vulvite 482.33
vulvo-vaginal
sexe 762.35
vagin 762.13

W

wading 605.2
wagon
véhicule ferroviaire 489.7
voiture 832.14
wagon-bar 832.14
wagon-citerne 489.14
pétrole 618.9
citerne 832.16
wagon-écurie 832.16
wagon-foudre 832.16
wagon-lit 832.14
wagonnet 518.7
draisine 832.17
wagon-poste 832.16
wagon-réservoir 832.16
wagon-restaurant 832.14
wagon-tombereau 832.16
wagon-trémie 832.16
wahhabisme 440.2
wahhabite 440.7
wait and see 601.17
Wakan Tauka 236.34 ; 777.12
Walhalla 236.44
séjour des morts 534.8
Enfers 591.7
wali 440.9
croyant 320.8
walkie-talkie 809.2
Walkman
magnétophone 273.4 ; 781.13
Walkyrie 236.24
wallaby 486.13
Walpurgisnacht 477.12
WAP 809.3
Wapishanas 371.8 ; 371.9
wapiti 486.6
waqf 440.18
aumône 241.3
bien waqf 440.18
Warburg
ferment rouge de Warburg 94.24
warfarine 499.5
wargame 446.2
stratégie 354.13
warning 250
automobile 57.7
warrant 166.20
Warraus 371.8
Was 371.13
washboard 422.10
washingtonia 37.19
wastringue
rabot 505.16 ; 584.16
water-closet 481.25
lieux d'aisances 296.16
waterflooding 618.6
watergang 834.7
wateringue
séchage 750.3
drainage 834.20
water-polo 792.10
waterproof 750.20
waters 296.16
waterzoï 333.14
watsonia 318.17
watt 509.10 ; 509.11 ; 509.12 ; 509.13
watterie 262.19
wattheure 509.10
wattman 832.24
wattmètre 509.26
W.-C. 481.25
Web 809.3
webcam 273.6
Internet 809.3
weber 261.10 ; 509.11
weblog 809.3
week-end 706.4
weichi 446.14
wellingtonia 37.15
Weltanschauung
opinion 375.10
philosophie 620.1
interprétation 432.5
welter 792.53
welwitschia 318.36
Wendes 371.16
wengé 37.18
wergeld 722.2
west coast style 46.12
westerlies 852.4
western 120.5
western spaghetti 120.5
whig 460.6
whiggisme 460.1
whisky 75.13
verre à whisky 848.5
whist 446.3
Wi-Fi 809.10
wigwam 481.3
willémite 516.5
william's 330.11
winch 531.9
windows 207.9
Winnebagos 371.7
winteranacée 37.11
Wirsung
canal de Wirsung 218.8
Wisigoths 371.16
witloof 333.20
wohlfahrtia 417.9
wolffia 318.36
wolfram 516.5
Wolofs 371.11
won 529.8
wonbat 486.13
Wood
alliage de Wood 631.3
woodblock 422.9
woofer 781.14
world music 543.8
wormien
os wormiens 580.5 ; 814.2
Wotan 236.10 ; 354.21
wu 455.14
wushu 792.15
wutai shan 736.8
WWW 809.3

X

X
accouchement sous X 544.4
classer X 120.33
rayon X 207.13 ; 513.8
xanth- 444.15
xanthélasma 482.17
jaunisse 444.4
xanthelle 22.4
xanthine 94.15
xantho- 444.15
xanthochromie 444.4
xanthoderme 371.3
xanthome 841.3
jaunisse 444.4
xanthophycées 79.4
algues jaunes 22.3
xanthophylle 94.20
xanthopsie
daltonisme 840.2
t. de médecine 444.4
xanthoria 463.3
xanthosoma 318.32
xénarthre 486.3
xénogreffe 114.16
xénon 113.7
gaz rare 335.2
xénongulé 486.4
xénophile 288.18 ; 288.27
xénophilie 288.16
xénophobe 288.18 ; 288.27
phobique 619.21
xénophobie 288.17
phobie 619.4
xéro- 750.25
xérodermie 750.1
xérographie 388.5
xérophagie
carême 173.9
t. de religion 214.3
xérophile 750.21
xérophtalmie 482.28
sécheresse 750.1
xérophytique 318.48
xérosol 337.16
xestobium 417.3
Xhosas 371.11
Xingu 371.8
Xipetotec 236.37
xipho 638.5
xiphodyme 484.9
xiphophage 484.9
xiphophore 638.5
xylème
bois 37.6 ; 74.1
xylidine 159.9
xylin 74.27
xylo- 37.29 ; 74.31
xylochimie 74.17
xylocope 417.7
xylographie 388.5
xylologie 74.17
xylophage 74.28 ; 417.31
mollusque 527.2
xylophone 422.8
xylophoniste 542.6
xylopia 37.18
xylose 94.5
xylulose 94.5
xyste 792.78

yachting
sports nautiques 792.28
voile 792.30
yachtman 792.62
yack 486.6
Yacoubas 371.11
Yahveh ou **Yahvé** 215.7 ; 236.5
judaïsme 449.1
YHVH 215.11
Yajurveda 362
Veda 815.7
Yakimas 371.7
Yama 236.9
karma 362.6

Z